the little yellow dictionaries by gummerus

S U O M I   E N G L A N T I   S U O M I

ILKKA REKIARO DOUGLAS ROBINSON

gummeruksen suomi englanti suomi sanakirja

the little yellow dictionaries by gummerus

FINNISH ENGLISH FINNISH

Ensimmäinen painos 1989,
sen jälkeen kolmetoista uutta painosta.

Toinen, laajennettu ja uusittu laitos 1998,
sen kymmenes painos
ISBN 951-20-5255-5

Gummerus Kirjapaino Oy
Jyväskylä 2005

Alkusanat

Suomalainen englannin kielen käyttäjä joutuu tahtomattaan tai vapaaehtoisesti tekemisiin myös amerikanenglannin kanssa. Amerikanenglannilla on esimerkiksi merkittävä osuus niin perinnäisissä kuin elektronisissa viestimissä. Tämä teos on tehty täyttämään tältä pohjalta syntyvää suppeahkon perussanakirjan tarvetta. Se on tarkoitettu suomea äidinkielenään puhuville. Englannin kielen ääntämisohjeet, oikeinkirjoitus, esimerkkilauseet ja merkitykset ovat amerikanenglannin mukaiset. Kirjassa on noin 60 000 nyky-yleiskielen hakusanaa. Erikoisalojen sanastoa on mukana vain siltä osin kuin sillä on katsottu olevan merkitystä maallikkokäyttäjälle.

Hakusana-artikkelit on lyhennetty sanakirjan käytön helpottamiseksi. Esimerkiksi fraasit on esitetty omina hakusanoinaan. Artikkelien rakennetta on selkeytetty, ja kirjan painoasun toivotaan nopeuttavan halutun tiedon löytymistä. Kohdeyleisöä silmällä pitäen tässä sanakirjassa on käytetty varsin vähän lyhenteitä.

On selvää, että vaikka tämä on amerikanenglannin sanakirja, se auttaa myös esimerkiksi brittienglannin käyttäjää. Oikeinkirjoituksen säännönmukaiset erot on lueteltu alkusivuilla. Tässä sanakirjassa on paikoitellen huomautettu brittienglannin ja amerikanenglannin semanttisista eroista.

Käsillä oleva toinen laitos perustuu kolmeentoista painokseen yltäneeseen ensimmäiseen laitokseen, jota on laajennettu ja päivitetty. Myös typografia on uusittu.

Ilkka Rekiaro on toimittanut englanti-suomi-osan ja Douglas Robinson suomi-englanti-osan sekä ääntämisohjeet.

Tekijät

Ääntämisohjeista

Amerikanenglantia puhutaan eri tavalla eri puolilla Yhdysvaltoja. Neljästä päämurrealueesta – Uusi-Englanti, keskilänsi, etelä ja länsi – vain länsi, siis Kalliovuorten länsipuolinen alue – on ns. yleisen amerikanenglannin aluetta. Tässä kuten kaikissa vastaavissa amerikanenglannin sanakirjoissa ääntämisohjeet on annettu nimenomaan lännen puhetavan mukaan.

Ääntämisohjeissa on pysytty mahdollisimman lähellä amerikanenglannin tavallista puhetta. Brittienglannin ääntämisohjeisiin tottunut voi ensi näkemältä yllättyä ohjeista: talk lausutaan /tak/, laboratory /'læbrə,tɔri/ ja niin edelleen. Yhdysvalloissa käytetään myös švaa-äännettä /ə/ runsaammin kuin Isossa-Britanniassa. Esimerkiksi sanassa associated lopputavu -ed merkitään brittienglannin ääntämisohjeissa usein /ɪd/, amerikanenglannin ohjeissa taas /əd/. Amerikkalainen ääntämisohje on tässä tapauksessa hyödyllinen suomalaiselle lukijalle, joka kuulee usein lyhyessä /ɪ/-äänteessä pitkän suomalaisen i:n ja lausuu sanan associated /œ'soussi,eɪttid/.

Muutamiin kompromisseihin on kuitenkin päädytty. Amerikkalainen lausuu esimerkiksi sanan train /tʃreɪn/ ja sanan drain /dʒreɪn/, joskin luulee kirjoitusasun vuoksi sanovansa /treɪn/ ja /dreɪn/. Koska tällaiset todellisuutta kuvastavat ääntämisohjeet ovat kuitenkin amerikanenglannin sanakirjoissa harvinaisia ja sen vuoksi pistävät tavallisen käyttäjän silmään, on päätetty jättää mainituissa asemissa esiintyvät suhuäänteet ääntämisohjeista pois. Samoin vokaalien välissä esiintyvä /t/ muuttuu amerikanenglannissa usein /d/:ksi – itse asiassa aina paitsi painollisen tavun alussa. Edelleenkin tuntuu kuitenkin sovinnaisemmalta kirjoittaa esimerkiksi sana atom /ætəm/ kuin amerikkalaisittain oikein eli /ædəm/.

Amerikanenglannin ääntämisohjeet on laadittu tuttuja International Phonetic Associationin symboleja käyttäen ja muutamia poikkeuksia lukuun ottamatta Oxford Student's Dictionary of American Englishin mukaan. Esimerkiksi sanojen learn ja urge vokaali merkitään joissakin sanakirjoissa /ɜ/ – /lɜrn/ ja /ɜrdʒ/. Oxfordin käytännettä seuraten tässä sanakirjassa äänne merkitään /ə/ – /lərn/ ja /ərdʒ/. Samoin joissakin amerikanenglannin sanakirjoissa kirjoitetaan tumma taka-l ilman /ə/-äännettä esimerkiksi sanassa sail /seɪl/. Tässä kirjassa pysytään Oxfordin tavoin lähempänä amerikanenglannin todellista ääntämistä /seɪəl/, mikä on samalla myös muistuttamassa kirjan suomalaista käyttäjää siitä, että amerikanenglannin ääntämistapa poikkeaa suomalaisesta.

Toisaalta Oxfordissa on korvattu /ʌ/-äänne /ə/-äänteellä, vaikka kyseessä on Yhdysvalloissakin selvä ja merkitsevä ääntämisero. Tässä sanakirjassa on seurattu tuttua IPA:n perinnettä. /ɔ/-äännettä voidaan pitää lähinnä brittienglannin ominaisuutena (sitä käytetään Yhdysvalloissa ainoastaan Uudessa-Englannissa). Tässä kirjassa se esiintyy ainoastaan äänteen /r/ edellä. Esimerkiksi horse on siten merkitty Oxfordin tapaan /hɔrs/, Oxfordin talk /tɔk/ sen sijaan /tak/.

Lähes kaikki erot tämän sanakirjan ja Oxfordin ääntämisohjeiden välillä liittyvät vokaaleihin. Yleensäkin vokaaleissa brittienglannin ja amerikanenglannin erot ovat selvimmät. Tämän kirjan foneettisen tarkekirjoituksen ainoa järjestelmällinen konsonanttiero Oxfordin merkintätapaan on /j/-äänne, joka on Oxfordissa ja eräissä muissa amerikanenglannin ääntämisen esityksissä merkitty /y/.

Seuraavassa on lueteltu vain yleisimpiä brittienglannin ja amerikanenglannin ääntämiseroja. Brittienglannilla tarkoitetaan tässä RP (Received Pronunciation) -varianttia.

1 /ɑ/ – /æ/

	UK	US
after	/ɑftə/	/æftər/

2 Vokaalin jälkeinen **r** ääntyy amerikanenglannissa. Brittienglannissa vokaalin jälkeinen **r** ääntyy ainoastaan, jos seuraava sana alkaa vokaalilla.

	UK	US
car	/kɑ/	/kar/
the <u>car is</u> over there	/kɑrɪz/	

3 Vokaalien välinen **t/tt** äännetään amerikanenglannissa kuten **d**, ei tosin painollisen tavun alussa. Ero on systemaattinen, eikä sitä ole merkitty tämän kirjan ääntämisohjeisiin.

	UK	US
metal	/metəl/	/medəl/
medal	/medəl/	/medəl/
atom	/ætəm/	/ædəm/
Adam	/ædəm/	/ædəm/

4 /ju/ – /u/ painollisessa tavussa:

	UK	US
news	/njuz/	/nuz/
tune	/tjun/	/tun/
Tuesday	/tjuzdɪ/	/ˈtuzˌdeɪ, tuzdɪ/

5 Amerikanenglanissa **o** äännetään /a/ ja brittienglannissa /ɑ/.

	UK	US
dollar	/dɑlə/	/dalər/
pot	/pɑt/	/pat/

6 Amerikanenglannissa on sivupaino eräissä nelitavuisissa ja sitä pitemmissä sanoissa, joista se puuttuu brittienglannissa.

	UK	US
secretary	/ˈsekrətrɪ/	/ˈsekrəˌterɪ/
laboratory	/ləˈborɪtrɪ/	/ˈlæbrəˌtɔrɪ/

7 Lisäksi muun muassa seuraavien sanojen ääntämys eroaa:

	UK	US
ate	/et/	/eɪt/
address (substantiivi)	/əˈdres/	/ˈædres, əˈdres/
tomato	/təˈmɑtəʊ/	/təˈmeɪdoʊ/*
potato	/pəˈtɑtəʊ/	/pəˈteɪdoʊ/*
futile	/fjutaɪl/	/fjudəl/*

*/t/ – /d/: ks kohdan 3 huomautus

Foneettiset merkit

/p/	pea
/b/	bee
/t/	tie
/d/	die
/k/	kangaroo, car
/g/	gun
/m/	mad
/n/	no
/ŋ/	sing
/θ/	thin
/ð/	then
/f/	fine
/v/	very
/s/	sun
/z/	zoo, rose
/ʃ/	she
/ʒ/	measure, usual, vision
/tʃ/	cheap, much
/dʒ/	justice, hedge
/l/	long
/r/	river
/w/	west
/j/	yes

/i/	beat
/ɪ/	bit
/e/	bet
/æ/	bat
/u/	boot
/ʊ/	put
/a/	cot, father, caught
/ʌ/	but
/ə/	girl, word
/ɪə/	fear, here
/eə/	fair, there
/ʊə/	cure, pool
/eɪ/	day
/aɪ/	die
/aʊ/	house
/oʊ/	go
/oɪ/	boy
/ˈ/	pääpaino (jos ei merkitty, se on ensimmäisellä tavulla)
/ˌ/	sivupaino

Oikeinkirjoituseroja

Amerikanenglannin ja brittienglannin (merkitty tässä kirjassa UK) välillä on muun muassa seuraavat oikeinkirjoituserot.

1 -our/-or abstrakteissa sanoissa. Tekijännimissä **-or** on käytössä sekä amerikan- että brittienglannissa (esim author, sailor, warrior).

UK	US
colour	color
harbour	harbor
humour	humor
rumour	rumor

2 -re/-er. Tekijännimissä **-er** on kuitenkin käytössä sekä amerikan- että brittienglannissa (esim dancer, leader, member).

UK	US
centre	center
litre	liter
kilometre	kilometer
theatre	theater

3 Loppukonsonantin kahdentuminen päätteiden **-ing, -or, -er** ja **-ed** edellä sekä eräissä muissa sanoissa.

UK	US
travelling	traveling
councillor	councilor
jeweller	jeweler
cancelled	canceled
marvellous	marvelous

4 -ence/-ense, joskaan ero ei ole järjestelmällinen.

UK	US
defence	defense
offence	offense
pretence	pretense

5 -ogue/-og

UK	US
dialogue	dialog
catalogue	catalog
travelogue	travelog

6 -ae- ☛ e, -oe- ☛ e

UK	US
anaemia	anemia
amoeba	ameba
anaesthesia	anesthesia
encyclopaedia	encyclopedia

7 muita eroja

UK	US
aluminium	aluminum
analyse	analyze
cheque	check
draught	draft
grey	gray
mould	mold
moustache	mustache
plough	plow
programme	program
sulphur	sulfur
tyre	tire

Lyhenteet

adj	adjektiivi
adv	adverbi
alat	alatyyliä
anat	anatomia
ark	arkityyliä
biol	biologia
ent	entinen
erit	erityisesti
euf	eufemismi, kiertoilmaus, kaunisteleva ilmaus
filos	filosofia
fys	fysiikka
halv	halventava
hist	historiassa
interj	interjektio
itr	intransitiivinen verbi
kans	kansanomainen
kem	kemia
kiel	kieliopissa
kirj	kirjallisuus
konj	konjunktio
ks	katso
kuv	kuvaannollinen
lak	lakikieli
leik	leikillinen merkitys
liik	liike-elämä
lukus	lukusana
lyh	lyhenne
lääk	lääketiede
mon	monikko
mus	musiikki
nyk	nykyisin, nykyinen
pol	politiikka
postp	postpositio
prep	prepositio
pron	pronomini
psyk	psykologia
raam	Raamatun kieli
ransk	ranskasta
refl	refleksiiviverbi
run	runokieli
s	substantiivi
sl	slangia
sot	sotilaskieli
tal	talous
tav	tavallisesti
tekn	tekniikka
tietok	tietokonealalla
tr	transitiiviverbi
UK	brittienglantia, Isossa-Britanniassa
urh	urheilu
US	amerikanenglantia, Yhdysvalloissa
usk	uskonnollisessa merkityksessä
v	verbi
vanh	vanhahtava
vars	varsinkin
yl	yleensä
ylät	ylätyyliä

SUOMI/ENGLANTI

A, a

à @ (lausutaan /æt/)
aakkonen letter of the alphabet
aakkosellinen alphabetical
aakkoset alphabet
aakkosjärjestys alphabetical order
AA-liike AA /eɪ eɪ/, Alcoholics Anonymous
aallokko waves, swell, chop
aallonharja crest (of a wave); (kuv) climax, peak, culmination
aallonmurtaja breakwater
aallonpituus wavelength
aallonpohja trough (of a wave); (kuv) lowest point, the worst (moment of a) depression, rock bottom Silloin elämäni oli aallonpohjassa That's when I hit rock bottom
aalto wave
aaltoenergia wave energy
aaltoileva wavy, rolling, swelling, undulating
aaltopahvi corrugated cardboard
aaltopelti corrugated iron
aaltopituus wavelength
aaltoviiva wavy line
aamen amen
aamiainen breakfast
aamiaismajoitus bed and breakfast, B and B
aamiaistelevisio breakfast/morning television
aamiaistunti lunch hour
aamu morning
aamuateria breakfast, morning meal
aamuhartaus morning prayer/ devotion(s)
aamuhetki the morning hour, early in the morning
aamuhetki kullan kallis the early bird gets the worm
aamuisin mornings, in the morning
aamukahvi morning coffee
aamulähetys morning show
aamulämpö morning temperature
aamunkoitto dawn, break of day, sunrise
aamunsarastus dawn, daybreak, break of day, (run) aurora
aamupala breakfast, breakfast snack, morning snack
aamupäivisin mornings, in the morning
aamupäivä morning Tule 9:n maissa aamupäivällä Come around 9 in the morning
aamurusko sunrise, (run) rosy-fingered dawn
aamusta päivään first thing in the morning, bright and early
aamutakki bathrobe
aamutorkku late riser, evening person
aamutuimaan first thing in the morning, at the crack of dawn
aamu-uutiset morning news
aamuvarhain early in the morning
aamuvarhainen 1 early riser, morning person **2** early in the morning, first thing in the morning
aamuvirkku early riser, morning person
aamuvuoro 1 (junan) the morning train, (lentokoneen) the morning plane, (bussin) the morning bus **2** (työn) day shift
aamuyö after midnight, the wee hours
aapa string marsh
aapinen primer, ABC-book
aapiskirja primer, ABC-book
aapiskukko the rooster pictured on some Finnish primers
aaria aria

aarni treasure
aarnialue protected marsh/forest
aarnihauta 1 (aarre) buried treasure **2** (paikka) treasure trove/hoard/cache
aarniometsä untouched/virgin forest; tropical rain forest, jungle
aarnipuu ancient tree
aarre treasure
aarreaitta treasure house
aarrearkku treasure chest
aarrekammio treasury, vault
aarresaari treasure island
aarteenetsijä treasure-hunter/-seeker
aarteenmetsästäjä treasure-hunter
aasi ass, donkey
Aasia Asia
aasialainen Asian
aasinsilta awkward transition
aataminaikainen ancient, as old as Adam, old-fashioned
aataminomena Adam's apple
aataminpuvussa in your birthday suit
aate 1 ideal, cause, ideology **2** idea, thought
aatehistoria intellectual history, the history of ideas, ideological history
aatehistoriallinen intellectual-historical, pertaining to the history of ideas
aatejärjestelmä ideology
aateli the nobility, the aristocracy, the peerage
aatelinen noble, aristocratic
aatelisarvo noble rank, title; knighthood, peerage
aatelismies nobleman, gentleman, peer
aatelisnainen noblewoman, lady
aatelisto the nobility, the aristocracy, the peerage
aateliton commoner, not of noble birth
aateloida raise to the nobility/peerage
aateluus nobility (myös kuv)
aateluus velvoittaa noblesse oblige (ranskasta)
aatetoveri 1 (sukulaissielu) congenial spirit **2** (saman aatesuunnan kannattaja) ideological/political comrade, brother/sister
aatonaatto Eve Eve (leik) joulun aatonaatto Christmas Eve Eve, the day before Christmas Eve
aatteellinen ideological, political
aatto eve, day before a holiday
aattopäivä day before a holiday
aava s (wide-open) expanse meren aava the open sea
adj broad, wide, open, spacious, expansive
aave ghost, spook, phantom, specter, apparition
aavikko desert, prairie, plain
aavikoituminen desertification
aavistaa suspect, anticipate, expect; have a bad feeling about something, be full of forebodings about something Hän ei aavista mitään She doesn't have a clue (about it)
aavistamaton 1 (asia) unexpected, unsuspected, unthought-of ennen aavistamatonta onnea more happiness than I ever dreamed of **2** (ihminen) unsuspecting, unaware, unwitting vaaraa aavistamaton with no hint/suspicion/intimation of danger
aavistamatta unsuspectingly, without a clue of what was going to happen
aavistuksenomainen 1 (aavistava) premonitory **2** (hämärä) vague, fuzzy, hazy **3** (pieni) slight, tiny, infinitesimal
aavistus sense, feeling, suspicion, idea, inkling Minulla on paha aavistus tästä I have a bad feeling about this Minulla ei ole aavistustakaan siitä, mistä puhut I haven't the faintest idea what you're talking about
aavistuslähtö false start
AB (aktiebolag) Inc., Co., (UK) PLC (private limited company), plc, Ltd.
abbedissa abbess, mother superior
abdikaatio abdication
abdikoida abdicate
aberraatio aberration
aberrantti aberrant
abessiivi abessive (case)
abi graduating senior, matriculant
abioottinen abiotic

abiturientti graduating senior, matriculant
ablatiivi ablative
ablaut ablaut
abnormi abnormal
abnormius abnormality
abo aboriginal, aborigine, abo (halv)
abolitionismi abolitionism
abolitionisti abolitionist
aboriginaali aboriginal, aborigine
abortoida abort
abortti abortion
aborttipilleri abortion pill
abrakadabra abracadabra
absentismi absenteeism
absessi abscess
absintti absinthe
ABS-jarrut anti-locking brakes, ABS brakes
absolutismi 1 (alkoholin vastaisuus) teetotalism **2** (relativismin vastaisuus) absolutism
absolutisti 1 (joka ei juo) teetotaler **2** (joka ei hyväksy relativismia) absolutist
absoluutio absolution
absoluutti absolute
absoluuttinen absolute
absoluuttinen korva perfect pitch
absoluuttinen nollapiste absolute zero
absorboida absorb
absorbointi absorption
absorboitua be absorbed
absorptio absorption
abstrahoida abstract (out)
abstrahointi abstraction
abstrahoitua be abstracted (out)
abstrakti abstract
abstraktinen abstract
abstraktio abstraction
abstraktistaa abstract(ify)
abstraktistua be(come) abstract/ abstractified
abstrakti taide abstract art
abstraktius abstractness
absurdi absurd
absurdismi 1 absurdism, the absurd **2** theater of the absurd
absurdisti absurdist
absurdi teatteri theater of the absurd
adaptaatio adaptation
adapteri adapter, adaptor
adaptive adaptiivinen
adaptoida adapt
adaptoitua adapt (to)
adaptoituminen adaption (to)
addiktio addiction
additiivinen additive
additio additon
adessiivi adessive (case)
ADI-arvo ADI, acceptable daily intake
adjektiivi adjective
adjutantti aide-de-camp, adjutant
adonis Adonis, Greek god, stud, charmer
adoptio adoption
adoptoida adopt
adrenaliini adrenalin, epinephrine
adressi card of condolence
adventismi Adventism
adventisti Adventist seitsemännen päivän adventisti Seventh Day Adventist
adventti Advent
adventtiaika the Advent season
adventtikalenteri Advent calendar
adventtikirkko (Seventh-Day) Adventist Church
adventtisunnuntai Advent Sunday
adverbi adverb
adverbiaali adverbial (phrase)
adverbiaalinen adverbial
adversatiivinen adversive, adversative
adversatiivinen konjunktio adversative conjunction
aerobic aerobics Menetkö tänään aerobiciin? Are you going to aerobics today?
aerobinen aerobic
aerobiologia aerobiology
aerodynaaminen aerodynamic, streamlined
aerodynaamisesti aerodynamically
aerodynamiikka aerodynamics
aerofobia aerophobia
aerofobinen aerophobic
aerologia aerology

aerosoli (sumute) aerosol, (säiliö) aerosol bottle/can)
afaatikko (adj) aphasic, (s) aphasic, aphasiac Hän on afaatikko he is aphasic, he is an aphasic/aphasiac
afaattinen aphasic
afasia aphasia
affekti (psyk) affect, emotion, feeling
affektiivinen affective
affiksi affix
affrikaatta affricative (consonant)
afgaani 1 Afghan **2** (kieli) Afghan, Pashto
Afganistan Afghanistan
afganistanilainen Afghan, Afghani
aforismi aphorism
aforistikko aphorist, epigrammatist
aforistinen aphoristic, epigrammatic
afrikaans Afrikaans
afrikandi Afrikander
afrikanistiikka African studies
afrikannorsu African elephant
afro Afro
afroamerikkalainen African-American, black
after ski aprés-ski Jordacen kaunis after ski -asu a beautiful aprés-ski outfit by Jordache
afääri affair, (business) deal
agaave agave
agape agape
agentti 1 (pol) agent, spy **2** (kiel) agent **3** (tal) agent, representative, dealer
agentuuri agency
aggressiivinen aggressive
aggressiivisuus aggression, aggressiveness
aggressio aggression
agitaatio agitation
agitaattori agitator, (kielteisessä mielessä) rabble-rouser, fomentor, instigator, (myönteisessä mielessä) activist, organizer
agitatorinen agitatorial
agitoida agitate, foment, instigate
agitointi instigation, activism
agnostikko agnostic
agnostinen agnostic
agnostisismi agnosticism
agoraphobia agoraphobia
agraari- agrarian, rural
agraariyhteiskunta agrarian society
agrologi agrologist
agrologia agrology
agronomi county agent, agricultural agent
agronomia agronomics
ah ah, oh
ahaa aha
ahaa-elämys sudden understanding/ recognition
ahava 1 (tuuli) March wind **2** (rohtuma) dry/chapped skin **3** kasvojen ahava weather-beaten skin
ahavoittaa chap, dry
ahavoitua chap, get chapped, dry
ahdas narrow, tight, cramped, crowded
ahdaskatseinen narrow-minded, closed-minded, strait-laced, straight-laced
ahdasmielinen narrow-minded, closed-minded
ahdata (lasti) stow, load; (laiva) stevedore
ahdin supercharger
ahdinko 1 distress, trouble, hard times **2** (kärsimys) suffering, tribulation **3** (koettelemus) ordeal, trial **4** (vastoinkäyminen) adversity, disaster
ahdistaa 1 (kiusata) harass, pester, badger **2** (ärsyttää) irritate, vex, annoy **3** (ajaa takaa) chase, pursue **4** (painostaa) (op)press, push, pressure **5** (vaivata mieltä) worry, distress, bother **6** (herjata) bait, heckle, hector **7** (tehdä ahtaaksi) constrict, strangle, (kenkä) pinch minua ahdistaa I'm afraid, I'm nervous, I feel anxious henkeäni ahdistaa I can't breathe, I can't get my breath, I feel like I'm strangling, my throat is constricted
ahdistella 1 (kiusata) harassa, pester, bother, annoy **2** (lähennellä) accost, make advances to, (ark) come on to; (kosketella) molest, assault
ahdistua get nervous/anxious about something, start feeling disturbed/ uneasy, give in to your fears, give your anxieties full rein

ahdistuneisuus anxiety, (the state of) feeling anxious, apprehension, agitation
ahdistunut 1 (tilapäisesti) upset, distressed, agitated **2** (jatkuvasti) anxious, anxiety-ridden
ahdistus 1 (pelko) anxiety, dread, angst **2** (huolestuneisuus) worry, apprehension, concern **3** (likistys) constriction, tightness
aherrus work, labor, effort; (ark) sweat, elbow grease arkinen aherrus the daily grind
ahertaa work hard, apply yourself (to a task), hustle
ahjo 1 (tulisija) forge, furnace **2** (tyyssija) seat, hub, core, center opinahjo place of learning Wittenberg, uskonpuhdistuksen ahjo Wittenberg, home of the Reformation
ahkera busy, hard-working, industrious ahkerassa käytössä in heavy use
ahkeraliisa busy Lizzie, impatiens
ahkeroida work hard, bustle about (doing something)
ahkeruus hard work, industry
ahkio Sami sledge, pulka
ahma wolverine
ahmaista wold/scarf down, gobble up
ahmatti glutton, pig, hog
ahmia gulp, gobble, stuff yourself with, hog
ahmia silmillään devour someone with your eyes, feast your eyes on
ahnas ravenous, voracious, greedy, hungry; (kuv) eager, avid, keen, raring, hungering
ahne 1 greedy, grasping **2** (kuv) eager, avid, keen
ahneesti greedily, eagerly, avidly, keenly
ahnehtia hoard, hog, snatch up, gobble up
ahneus greed, avarice, eagerness (ks ahne)
aho meadow, clearing
ahomansikka wild strawberry
ahrain fish spear/gig
ahtaa 1 stuff, fill, pack full, cram ahtaa tietoja päähänsä cram your head with facts, (tenttiin) cram for a test ahtaa mahansa täyteen stuff/gorge yourself ahtaa sali täyteen väkeä pack 'em, fill the house **2** ahtaa purjeet tuuleen close-haul
ahtaaja stevedore
ahtauma constriction, stricture
ahtaus 1 (kapeus) narrowness, (puvun) tightness, tight fit **2** (tilan) crowdedness, crowding, lack of space/room, (väkijoukon) press, crush, congetion **3** (laivan tms) loading, stowage, stevedoring
ahtaustyö loading, stowage, stevedoring
ahtauttaa 1 (paikkaa tms) narrow, tighten, crowd **2** (laivaa tms) have the ship loaded/stevedored, have the cargo stowed
ahtautua pack/crowd into
ahteri 1 (laivan) stern) **2** (ihmisen, leik) stern, hindquarters, rear end
ahti (usk) day in Easter week
ahtojää pack ice
ahven perch
Ahvenanmaa Åland Islands
ai oh, ow, ouch aijaijai! oh no!
AI Amnesty International, (ark) Amnesty
aidata 1 (rakentaa aita) fence (in), build a fence around, enclose with a fence **2** (tehdä aitaus) corral, hedge, pen
aids AIDS (acquired immune deficiency syndrome)
aie plan(s), intention(s), purpose
aiemmin before, earlier, previously
aiempi previous, earlier
aientaa move something up, bring something forward
aihe 1 (keskustelun tms) topic, subject matter ajattelun aihetta food for thought poiketa aiheesta digress, get off the subject, stray from the point pysyä aiheessa stick to the point **2** (taideteoksen) motif, theme **3** (seurauksen) motive, reason, cause, ground(s) antaa aihetta warrant, give (someone)

cause/grounds (to do something) täysin aiheetta utterly/totally/wholly without cause, for no reason at all **4** (kasvin) germ, embryo
aiheellinen justified, well-founded, well-grounded
aihetodiste circumstantial evidence
aiheeton unjustified, unfounded, groundless, false
aihekokonaisuus thematic whole, (thematically organized) group of ideas
aihepiiri subject matter, topic, theme
aiheuttaa 1 (saada aikaan) cause, bring about, bring to pass **2** (johtaa johonkin) lead to, result in **3** (tuottaa) produce, make, create **4** (herättää) give rise to, inspire, induce, call forth **5** (nostattaa) arouse, awaken, stir up
aiheuttaja prime mover, instigator, originator; (eloton) cause, source, factor
aiheutua 1 (johtua jostakin) be caused by, be brought about by, lead/follow/result from, be due to **2** (saada alkunsa jostakin) grow/arise/flow out of, originate in/from, derive from **3** (koitua) accrue (to jollekulle, from jostakin)
aihio preform, (avaimen) blank
aika s **1** time koko ajan all the time, constantly siihen aikaan back then Se oli siihen aikaan! That was then (this is now) vanhaan hyvää aikaan in the good old days sopimattomaan aikaan at a bad time oikeaan aikaan at the right time oikeassa paikassa oikeaan aikaan at the right place at the right time mihin aikaan? what time? mihin aikaan vain any time paikallista aikaa local time sikäläistä aikaa (teikä-) your time, (heikä-) their time vähään aikaan for a (little) while yhteen aikaan at one time aivan viime aikoihin asti until very/just recently ennen aikojaan too soon/early kaikki ajallaan all in good time pysyä ajassa (kello) keep good time siirtyä ajasta ikuisuuteen enter eternal life **2** (aikakausi) age, period, epoch vanha aika the ancient era, (antiikki) antiquity, (ark) the olden days uusi aika the modern era, modernity ajat olivat silloin toiset things/times were different (back) then, those were different times kaikkien aikojen all-time, world-class, world's greatest kautta aikojen through the ages/ centuries aikojen kuluessa with/in time, with the passage of time, in the course of time ajastaan edellä ahead of his/her time ajastaan jäljessä behind the times iät ja ajat forever, for ages Odotimme siellä iät ja ajat We waited in there forever ikuisiksi ajoiksi forever (and ever) pitkiksi ajoiksi for a long, long time ammoisista ajoista from time immemorial
adj quite Aika poika! That's quite some boy! He's quite a boy!
adv quite, pretty, rather, fairly Eikö se ole aika uskaliasta? Isn't that pretty risky? aika lailla quite (a bit/lot)
aikaansaamaton 1 (tehoton) inefficient, unproductive **2** (saamaton) shiftless, worthless, no-count
aika ajoin from time to time, intermittently, (every) now and then, at odd intervals
aikaa myöten in (due) time, in the course of time
aikaansaada 1 (saavuttaa) achieve, accomplish, attain **2** (aiheuttaa) bring about, create, produce
aikaansaannos achievement, accomplishment, attainment
aikaansaapa productive, prolific; (tehokas) effective, efficient; (pätevä) competent
aikaansa edellä ahead of her/his time
aikaa sitten long ago, ages ago, eons ago
aikaero time difference
aikaeroväsymys jet lag toipua aikaeroväsymyksestä get over jet lag
aikaihminen adult, grownup
aikainen 1 early **2** of the time of, of the period of lapsuuden aikainen trauma a trauma suffered during childhood Se oli Kekkosen aikainen käytäntö That was common practice during Kekkonen's presidency, in Kekkonen's time/era, under Kekkonen
aikaisintaan at the earliest aikaisintaan huomenna tomorrow at the earliest

aikaisin adj earliest
adv early
aikaistaa move forward, move up, make earlier Pitäisikö kokous aikaistaa? Should we hold the meeting earlier?
aika ja paikka time and place, (kirjeessä tms) date and place
aikakausi period, era, epoch, age, eon
aikakausjulkaisu periodical
aikakauslehti periodical, magazine, journal
aikakirjat 1 chronicles Vanhan testamentin aikakirjat The Old Testament Chronicles **2** (historia) history, (run) annals
aikakone time machine
aikakytkin timer
aikalainen contemporary
aika lentää time flies
aikalisä time-out pyytää aikalisä call time(-out)
aikaluokka tense
aikamoinen quite a big, large, considerable aikamoinen työ a lot of work, a big job
aikamuoto (kielioppi) tense
aikanaan 1 (oikeaan aikaan) on time **2** (menneenä aikana) once Taisit olla aikanasi melkoinen hurmuri You must have been quite some charmer in your day **3** (tulevana aikana) some day
aikansa elänyt outdated, old-fashioned, outmoded, obsolete; (loppuunkulunut) worn out, it's seen better days
aikansa kutakin everything in its time
aika on rahaa time is money
aika parantaa haavat time heals all wounds
aikapommi time bomb (myös kuv)
aika päiviä sitten days/months/years/long ago
aikaraja time limit, deadline
aikasytytys time fuse
aikataulu schedule, timetable
aikatauluttaa schedule
aikatiedotus Time soittaa aikatiedotukseen call Time
aikavalotus time exposure
aikavyöhyke time zone
aikayksikkö unit of time, time measurement alta aikayksikön in a split second, in zero seconds flat
aikoa plan to, intend to, aim to Aiotko mennä Liisan synttäreihin? Were you thinking of going to Liisa's birthday party?
aikoinaan once
aikoja sitten long ago, long since, ages ago
aikomus intent(ion), plan, design, aim, resolve, determination
aikuinen adult, grownup
aikuisikä adulthood, maturity
aikuiskoulutus adult education
aikuisopetus adult education
aikuistua grow up, mature, reach maturity, become an adult, come of age
ailahdella 1 (fyysisesti) shift, move about, rise and fall, come and go, rock from side to side **2** (henkisesti) waver, vacillate, have mood shifts
ailahteleva 1 (muuttuva) shifting, changing, fluctuating **2** (mieltä muuttava) wavering, vacillating, irresolute **3** (levoton) inconstant, unsettled, restless
ailahtelu fluctuation, undulation, alternation, shifting, changing, wavering, vacillation, inconstancy (ks ailahdella)
aimo quite a good, good-sized
aina 1 always, inevitably, invariably; all the time, constantly, every time **2** still, yet aina parempi still better, better yet
ainainen 1 (alituinen) constant, continuous, incessant **2** (ikuinen) eternal, perennial ainainen kysymys the eternal/perennial question
ainakin at least, at the very least, anyhow, at any rate
aina roiskuu kun rapataan you can't make an omelet without breaking eggs; get out of the kitchen if you can't stand the heat
aine 1 (materia) matter **2** (materiaali) material, substance raaka-aine raw material(s) vaikuttava aine active ingredient lisäaine additive **3** (huume)

substance, (ark) junk, dope **4** (oppiaine) subject **5** (kirjoitelma) essay, composition
aineellinen material, physical, earthly
aineellistaa 1 (tehdä aineeksi) concretize, give substance to **2** (filosofiassa pitää aatetta totena) reify, hypostatize, objectify
aineellistua 1 materialize, take on substance, become embodied **2** (filosofiassa) be reified/hypostatized/ objectified
aineenopettaja subject teacher
aineenvaihdunta metabolism
aineväärinkäyttö substance abuse, drug abuse
aineeton immaterial, incorporeal, insubstantial
aineisto material; (tiede) research material, data
aineriippuvainen s (drug) addict adj addicted
aineriippuvaisuus (drug) addiction
aines element, component, ingredient; material, stuff, substance
ainesosa ingredient, component
ainevalinta choice of (school) subjects
aineyhdistelmä 1 (kem) compound **2** (yliopistossa) major and minor
ainiaaksi forever, for all eternity
ainoa only, single, solitary, sole
ainoalaatuinen unique, one of a kind
ainoastaan only, merely, solely
ainut only, single, solitary, sole
ainutkertainen single, one-time-only ainutkertainen tilaisuus the chance of a lifetime
ainutlaatuinen unique, one of a kind, the only one of its kind
airo oar, paddle, scull
airut messenger, harbinger, omen
aisa shaft, pole Pidähän mielikuvituksesi aisoissa Try and keep your imagination in check/on a leash/under control
aisapari sidekick, partner
aisti sense, (kuv) taste
aistia 1 (havaita) sense, be aware of, feel **2** (erottaa) recognize, detect, discern
aistiharha hallucination
aistihavainto sense/sensory perception
aistikas stylish, elegant, tasteful Siinä on aistikas mies There's a man with style
aistillinen 1 (henkisesti nautittava) sensuous, gratifying, delightful **2** (seksuaalisesti nautittava) sensual, erotic, voluptuous
aistimus sensation
aistin sense/sensory organ
aistinsolu sense/sensory neuron
aistivammainen sense-impaired (person)
aita 1 (rail/picket/chainlink jne) fence, barrier, enclosure, paling, railing, (kuv) wall **2** (urh) hurdle 100 m:n aidat the 100 meter hurdle race/hurdles
aitajuoksu hurdles
aitaus pen, yard, fenced-in area
aito real, authentic, genuine, original aitoamerikkalainen all-American aito asia the real thing
aitovieri the area alongside a fence kävellä aitoviertä walk (along next to) the fence
aitta shed, shack, storehouse, outbuilding, (vilja-) granary
aivan quite, right, just (so) aivan alusta right from the beginning Aivan! Exactly! Precisely! That's just it! That's the point! That's what I'm getting at!
aivastaa sneeze
aivastus sneeze
aivastusrefleksi sneeze reflex
aivastuttaa make you sneeze Minua aivastuttaa I've got to sneeze, I'm going to sneeze Pöly aivastuttaa minua Dust makes me sneeze
aivofilmi EEG, electroencephalogram
aivohalvaus stroke, (lääk) apoplexy, apoplectic seizure, cerebrovascular accident
aivoitus idea, thought, plan, intention
aivokalvo (cerebral) membrane, (lääk) meninx (mon meninges)

aivokalvontulehdus (cerebral) meningitis
aivokasvain brain tumor, (lääk) encephaloma
aivokirurgi brain surgeon
aivokoppa cranium, brain-pan Onko aivokoppasi ihan tyhjä? Do you have a brain in that head?
aivokudos brain tissue
aivokuollut (lääk) cerebrally dead, (leik) brain-dead Se on ollut aivokuollut jo pitkään He's been brain-dead for ages
aivokuori cortex aivokuoren cortical
aivokäyrä EEG, electroencephalogram
aivopestä brainwash
aivopesu brainwashing
aivopuolisko hemisphere/half of the brain vasen aivopuolisko left brain
aivoriihi brainstorm
aivosolu neuron in the brain, brain cell aivosolujen neural
aivosähkökäyrä electroencephalogram (EEG)
aivot brain
aivotoiminta cerebration
aivoton brainless, idiotic, senseless, stupid, moronic, harebrained
aivotyö 1 (ajattelu) thinking, thought; (psykologiassa) cognition, cerebration **2** (henkinen työ) intellectual work
aivotärähdys concussion
aivovamma brain damage
aivovammainen brain-damaged
aivovaurio brain damage
aivoverenvuoto cerebral hemorrhage
aivovienti brain drain
aivovoimistelu mental exercise/gymnastics
aivovuoto brain drain
ajaa 1 (autoa) drive, (polkupyörää) ride, (kuormaa) haul, (konetta/elokuvaa) run **2** (pakottaa) force (a point, a person to do something), compel, make (someone do something)
ajaa asiaa promote, work for, work to achieve, strive to gain recognition for, champion, espouse
ajaa hajalle scatter, disperse, smash up
ajaa karille run aground, run on the rocks
ajaa kilpaa race, compete
ajaa kuin viimeistä päivää drive like a maniac
ajaa maanpakoon banish, exile
ajaa nasta laudassa put the pedal to the metal
ajaa päälle crash (into), ram (into), smash (into)
ajaa sama asia come to the same thing (in the end)
ajaa sisään (uusi auto) break in
ajaa takaa chase, hunt, pursue, hound, (kuv) get at, mean, insinuate
ajaa tiehensä run out, drive off, send packing, expel
ajaa ulos henkiä exorcise/drive out evil spirits
ajaja driver, chauffeur, coachman, teamster; (jonkin asian) spokesperson, promoter, champion
ajallaan (oikeaan aikaan) on time
ajallinen temporal, earthly
ajan henki the spirit of the times, Zeitgeist
ajanhukka waste of time, lost cause, throwing good money after bad
ajanjakso period, era, epoch, eon, age
ajankohta time, point in time, moment, juncture
ajankohtainen timely, topical, current, contemporary ajankohtaiset tapahtumat current events
ajankohtaistaa up-date
ajankohtaistua become timely/ topical; (ark) become hot, become the going thing, be on everybody's lips
ajankohtaisuus timeliness, topicality, currency, contemporaneity
ajanlasku calendar, chronology ennen ajanlaskumme alkua B.C.
ajan mittaan in (due) time, in the course of time
ajanmukainen up-to-date, modern, contemporary
ajanmukaistaan modernize

ajantasjärjestelmä real-time system
ajan tasalla up-to-date
ajanvaraus appointment
ajanviete pastime, amusement, (light) entertainment, way of passing/killing time
ajanvietto entertainment
a ja o 1 kaiken a ja o the key, the crucial/main/indispensable thing/point **2** (raam) the Alpha and the Omega
ajastaa time, preset
ajastaan edellä ahead of his/her time
ajastaan jäljessä behind the times
ajastin (kameran) self-timer, (kuvanauhurin ym) timer
ajatella 1 think, cogitate **2** (pohtia) reflect/meditate (on), ponder, turn over in the mind, contemplate **3** (käyttää aivoja) use your mind/wits, apply the mind **4** (harkita) deliberate **5** (hautoa) dwell on, brood on/over **6** (ottaa huomioon) consider, take into consideration, take into account **7** (pitää mielessä) bear in mind **8** (muistella) call to mind, remember, reminisce about **9** (suunnitella) plan (on doing), conceive (of doing) Mitä ajattelit tehdä huomenna? What were you thinking of/planning on doing tomorrow? **10** (kuvitella) imagine Ajatella! Just think! Imagine! Gosh!
ajatelma aphorism, maxim, adage
ajateltava s food for thought, something that bears thinking about adj (jota on pakko ajatella) not to be forgotten/ ignored; (jota kannattaa ajatella) worth thinking about, worth considering; (jota voi ajatella) imaginable, conceivable, thinkable
ajatollah Ayatollah
ajaton (ajan ulkopuolella) timeless, eternal, immortal; (pitkäikäinen) enduring, durable, lasting, abiding; (loputon) never-ending, endless, unending, everlasting, ceaseless; (iätön) ageless, dateless
ajattelematon 1 (harkitsematon) thoughtless, heedless, rash, reckless **2** (kevytmielinen) imprudent, unwise **3** (epähuomaavainen) inconsiderate, unkind, mean, cruel
ajattelemattomasti 1 (harkitsemattomasti) thoughtlessly, heedlessly, rashly, recklessly, without thinking, without considering possible dangers, without stopping to think **2** (kevytmielisesti) imprudently, unwisely, without thinking, without a thought (for consequences) **3** (epähuomaavaisesti) inconsiderately, unkindly, cruelly, without thinking of others, without consideration, without a thought for others/others' feelings
ajattelemisen aihe food for thought, something to think about
ajattelija thinker, (wo)man of thought, intellect(ual)
ajattelu thought, thinking **1** (älyllinen toiminta) deliberation, cogitation, intellection, reflection **2** (mietiskely) meditation, contemplation, introspection
ajattelukyky mental capacity, intellectual ability
ajattelutapa way of thinking, approach, attitude
ajatteluttaa 1 (panna ajattelemaan) make someone (stop and) think **2** (arveluttaa) cause doubts/hesitation, give someone second thoughts Lähtömme ajatteluttaa I'm having second thoughts about us going there
ajatuksellinen 1 (ajatteluun liittyvä) mental, intellectual **2** (käsitteellinen) conceptual, abstract, ideal, theoretical
ajatuksensiirto telepathy
ajatuksenvaihto exchange of ideas/ opinions/thoughts
ajatuksissa lost in thought, deep in thought, daydreaming, woolgathering Olin ihan ajatuksissani, en huomannut mitä tein I did it without thinking
ajatus 1 thought, idea, notion **2** (mielipide) belief, opinion, view Minkälaisia ajatuksia sinulla on liennytyksestä? What do you think about, what are your views on detente? **3** (aikomus) plan, intention **4** (käsitys) conception **5** (merkitys) meaning, sense Minusta tässä lauseessa ei ole mitään ajatusta To me,

this sentence doesn't make any sense/ is meaningless/devoid of meaning
ajatusmaailma way of thinking, set of beliefs, philosophy, ideology
ajatustapa way of thinking, way of looking at things, approach, attitude
ajatustoiminta mental activity, thought process
ajatusviiva dash
ajautua drift, be driven, be borne along, be carried (by a current); (seikkailusta toiseen) wander, amble, ramble, rove
ajelehtia drift (myös kuv)
ajella drive around, ride around
ajettua swell (up), get swollen
ajo (kuorman) hauling, carting, transporting, carrying; (takaa-) chase, hunt, pursuit, tracking, trailing
ajoissa in time, in plenty of time, (aikaisin) early, (täsmälleen ajoissa) on time
ajoittaa time, (päivätä) date
ajoittain once in a while, from time to time, at times, occasionally, periodically
ajoittainen occasional, periodical, (occurring) at odd/irregular intervals
ajojahti 1 (metsästys) hunt, chase; (ihmisjahti) manhunt **2** (vaino) witchhung, smear campaign
ajojää drift-ice
ajokaista lane
ajokilometri a kilometer driven on a trip; (mon) mileage
ajokki draft horse, draft animal
ajokortti driver's license, (UK) licence
ajometsästys hunt, chase
ajoneuvo (motor) vehicle, conveyance
ajonopeus driving speed suurin sallittu ajonopeus speed limit
ajo-ominaisuudet road-handling, maneuverability, ride
ajopiirturi tachograph
ajopuu driftwood
ajopuuteoria driftwood theory/ hypothesis
ajopäiväkirja driver's/travel log(book)
ajorata road(way)
ajos abscess, (paise) boil
ajosuunta direction, way väärä ajosuunta wrong way
ajotie roadway; back road, country road, wagon road
ajuri driver, teamster
akan käppänä little old lady
akateemikko Academy member
akateeminen academic akateeminen maailma the academy, academia, academe akateeminen ihminen academic, (UK) academician
akatemia academy, academia, academe akatemian lehdot the groves of academe Suomen Akatemia the Finnish Academy
akilleenkantapää Achilles' heel (myös kuv)
akillesjänne Achilles' tendon
akk. (akkusatiivi) acc. (accusative)
akka (old) woman, old lady, hag, witch
akkamainen womanish, old-lady-like. like an old lady
akkavalta petticoat government akkavallan alla (aviomies) henpecked
akkomodaatio accommodation
akkommodoitua accommodate (yourself to)
akku battery
akkumulaatio acccumulation
akkumulaattori (storage) battery, (tekn) accumulator
akkumuloida accumulate
akkusatiivi accusative
akne acne
akrobaatti acrobat
akrobaattinen acrobatic
akrobatia acrobatics
akroninen achronic
akronyymi acronym
akryyli- acrylic
akryylimuovi vinyl
akseli axle, shaft, spindle, (mat) axis
akselipaino axle weight
akselivallat (hist) the Axis Powers (Germany, Italy, Japan)
aksentti accent
akti 1 (teko) act **2** (testi) act, document **3** (juhlatoimitus) ceremony **4** (alastonmalli/kuva) nude

aktiivi s **1** active (voice) **2** (jäsen tms) active member seurakunta-aktiivi (active) church volunteer
adj active
aktiivinen active
aktiivinen sanavarasto active vocabulary
aktiivinen tase active balance aktiivinen kauppatase active/surplus balance of trade
aktiivisuus activity
aktiiviurheilija active athlete
aktivismi activism
aktivisti activist
aktiviteetti activity
aktivoida activate
aktivointi activation
aktivoitua be activated, become active
aktuaali 1 (fil) actual, real **2** (ajankohtainen) current, pressing, burning; (ark) hot
aktuaalinen ks aktuaali
aktuaalistaa 1 (fil) actualize, realize **2** (ajankohtaistaa) bring (an issue) to the fore, place (an issue) at the center of public debate, draw national attention to
aktuaalistua 1 (fil) be actualize **2** (ajankohtaistua) become pressing/hot
aktuaalius 1 (fil) actuality **2** (ajankohtaisuus) topicality, current interest; (päivänpolttavuus) urgency
akupunktio acupuncture
akupunktuuri acupuncture
akustiikka acoustics
akustikko acoustic engineer
akustinen acoustic
akustinen modeemi acoustic coupler
akuutti acute
akvaario aquarium
akvarelli water color
ala 1 (pinta-ala, alue) area, space, region Koetahan lapsi pysyä aloillasi Would you sit still! **2** (ammattiala) business, trade, profession
ala-arvoinen inferior, poor, substandard, low-quality, low-grade, second-rate, mediocre, cheap, shoddy, looked-down-upon
ala-aste 1 low(er) degree/grade/stage **2** (koulu) elementary school, primary school, grade school
aladobi (naudanlihasta ja kalasta) aspic; (vasikanlihasta tai kanasta) galantine
alahuone lower house; (US) House of Representatives, (UK) House of Commons
alaikäinen minor, underaged person, child
alaikäraja minimum age
alainen s subordinate, employee minun alaiseni the people who work for me, the people who report to me, the people under me
adj **1** (alisteinen) dependent on, under, subordinate(d) to **2** (kohde) target of, butt of Hannu joutui aina naurun alaiseksi Hannu was always being made fun of, was always being ridiculed, was always the butt of everybody's humor
alajuoksu lower course alajuoksun downriver, downstream
alakantti low arvata jonkun ikä alakanttiin guess someone's age on the low side Hinta on ehkä hieman alakantissa The price may be a bit low
alakerta downstairs, bottom/ground floor
alakierre bottom spin, (ark) backspin
alakuloinen depressed, despondent, dejected, downcast; (ark) blue, down in the mouth/dumps
alakuloisuus depression, despondency, dejection; (ark) the blues
alakulttuuri subculture
alakuntoinen 1 (huonossa kunnossa) in bad shape, out of shape **2** (sairas) sickly, under the weather
alakynnessä olla alakynnessä be getting the worst of it, be on the losing end joutua alakynteen lose, be defeated/overwhelmed
alalaji subspecies
ala laputtaa take a hike (Mike), push off, beat it, scram
alaleuka lower jaw
alamaailma underworld

alamainen s subject
adj subservient, submissive, obedient, deferential; (uskollinen) loyal
alamäki (downhill) slope laskea pyörällä alamäkeä coast downhill on your bike luisua henkisesti alamäkeen gradually fall apart emotionally, be trapped in an emotional downward spiral
alanko lowland(s), bottom (land)
alankomaalainen s Netherlander, Dutch(wo)man
adj Dutch
Alankomaat Netherlands, Holland
alaosa lower part, bottom part, lower section, base, (kirjan sivun) foot
ala painua push/buzz off, take a hike
alapesu genital hygiene
alapuoli (puolikas) bottom half, lower half; (sivu) underside, bottom side alapuolella below
alapää 1 (alapuoli) lower/bottom end **2** sukupuolielimet jne) privates, (vauvan) diaper region, (leik) naughty bits
alapään huumori dirty jokes, obscene/toilet humor
alapään vitsi dirty joke
alaraaja lower limb, leg
alareuna bottom edge; (kirjan sivun) foot
alaryhmä subgroup
alas down, downward(s)
alasaksa Low German
alasin anvil vasaran ja alasimen välissä between a rock and a hard place
alaspäin downward(s)
alassuin upside-down
alasti naked, nude, bare, unclothed, undressed, stripped (to the skin)
alastomuus 1 (ihmisen) nakedness, nudity, bareness **2** (maiseman) barrenness, austerity, desolation **3** (lausuman) plainness, baldness, bluntness
alastomuuskulttuuri naturalism, nudism
alaston 1 (ihminen) naked, nude, bare, unclothed, undressed, stripped (to the skin) **2** (maisema) barren, austere, waste, desolate **3** (esine: peittämätön) undraped, uncovered **4** (esine: koristamaton) unadorned, unembellished, undecorated **5** (lausuma) plain, bald, blunt
alasänky bottom bunk
alati always, constantly, continuously, continually, (for)ever, perpetually
alatiesynnytys vaginal delivery
alatyyli vulgar style
alava low, low-lying, depressed
alaviite footnote
alavuode bottom bunk
alaääni low tone
alba alb, robe
albaani Albanian
albania Albanian
Albania Albania
albanialainen Albanian
albatrossi albatross
Alberta Alberta
albiino albino
albumi albu
ale sale, discount
alekkain one on top of the other, one below the other
alemmuudentunne feeling of inferiority
alemmuuskompleksi inferiority complex
alemmuus inferiority
alempana lower (down), farther down; (kirjassa) below, in what follows
alempi lower, under, nether, inferior
alennus 1 (myynti) sale, discount **2** (vähennys) lowering, reduction, decrease **3** (henkinen tila) degradation, abasement, humiliation
alennushinta discount price, sale price, bargain (price), slashed price, cut rate
alennusmyynti (discount/bargain) sale
alentaa 1 (vähentää yleensä) lower, decrease, reduce, diminish **2** (vähentää hintoja) slash, mark down, bring down **3** (nöyryyttää) degrade, abase, humiliate
alentava 1 (nöyryyttävä) humiliating, degrading, disgraceful, shameful

2 (vähentävä) lowering, decreasing, diminishing
alentua 1 (nöyrtyä) stoop, condescend, lower yourself Miten voit alentua hänen tasolleen! How could you stoop to his level! **2** (aleta) descend, sink, come/go down, move downward
aleta 1 (laskeutua) sinki, settle **2** (vähentyä) decrease
alfa ja omega the Alpha and the Omega
algebra algebra
algebrallinen algebraic
Algeria Algeria
algerialainen Algerian
algoritmi algorithm
alhaalla down below, below, down there, down here, at the bottom
alhainen low **1** (aateliton) common, humble, lowly **2** (halveksittu) base, mean, vile, contemptible
alhaisesti 1 humbly **2** basely, contemptibly
alhaisuus 1 (sääty) commonness, low/humble birth **2** (luonteenlaatu) baseness, meanness, contemptibility
aliarvioida underestimate, undervalue, underrate, rate too low; (ark) sell short
aliarviointi underestimation, undervaluation, underrating
aliarvostaa 1 underestimate, underrate **2** (tavaraa) undervalue
aliarvostus underestimation, undervaluation (ks aliarvostaa)
alibi 1 (rikostutkimuksessa) alibi **2** (veruke) excuse
alienaatio alienation
alihankkija supplier
alijäämä deficit, (verojen) short-fall
alikehittynyt underdeveloped
alikersantti (lowest ranking) sergeant (in the Finnish Army)
alikulkutunneli underpass
aliluutnantti ensign
alimentaatio alimentation
alimmainen (alempi) lower, (alin) lowest
alin lowest, minimum
alinomaa constantly, continuously, continually, always, ever
alinomainen constant, unceasing, incessant
aliohjautuva under-steering
aliohjautuvuus under-steering
alioikeus inferior court, lower court
alipaine negative pressure, vacuum
alipaino (kuorman) short weight, (ruumiin) underweight
alipalkattu underpaid
alipalkkainen underpaid
aliravitsemus malnutrition
aliravittu malnourished
alistaa dominate, subject, subjugate, subordinate
alistaminen domination, subjection, subjugation, subordination
alisteinen subordinate
alistua 1 (antautua) submit (to a person or situation), give in, yield, surrender **2** (nöyristellä) defer, truckle **3** (mukautua: mielellään) accommodate yourself, (vastahakoisesti) resign yourself
alistuneesti submissively, yieldingly, deferentially, resignedly, humbly, without a trace of pride
alistunut resigned, submissive
alistuvainen submissive, docile
alitajunta subconscious
alitse beneath, under(neath)
alittaa 1 pass underneath, go under something **2** (urh) beat (a record)
alituinen constant, continuous, continual, incessant
alituisesti constantly, continuously, continually, incessantly
aliupseeri noncommissioned officer (NCO)
aliurakoitsija subcontractor
alivalottaa underexpose
alivalotus underexposure
alivaltiosihteeri assistant secretary of state
alivuokralainen subtenant, sublessee, (US) roomer, boarder, (UK) lodger
alkaa tr **1** start, begin alkaa sataa start to rain, start raining alkaa tulla kylmä

(start to) get cold alkaa tuulla (start to) get windy Sitten alkoi tuulla Then the wind picked up alkaa kuulua start being audible Hälytysääniä alkoi kuulua kaukaa We started hearing sirens from a long ways off Kun sinua ei alkanut kuulua, me lähdimme When you didn't show, we took off **2** (panna liikkeelle) set in motion, start the wheels/ball rolling, commence, get going/started on, set about **3** (ottaa tehtäväksi) undertake, embark/venture on **4** (ryhtyä tekemään) take something up **5** (syöksyä tekemään) plunge into (doing something) **6** (avata) open alkaa ampua open fire **7** (puhjeta) burst out alkaa nauraa/itkeä burst out laughing/crying **8** (alkaa uudestaan) begin anew, recommence, resume

itr **1** (saada alkunsa) initiate, be initiated, originate, be originated, take its origin (from) **2** (tulla perustetuksi) be instituted, be founded

alkajaiset opening ceremony alkajaisiksi for starters, first of all, first off

alkalinen alkaline

alkamispäivä (kurssin tms) first day (of class), (metsätyskauden tms) opening day

alkeellinen primitive, elementary, rudimentary, undeveloped, unrefined, crude

alkeellisesti primitively, rudimentarily, crudely

alkeellisuus primitiveness, lack of civilization, rudimentariness

alkeet rudiments, first steps in learning a subject, the ABC's

alkeishiukkanen elementary particle

alkemia alchemy

alkemisti alchemist

alkemistinen alchemical

alkio embryo, (kasv) spore

alkionsiirto embryo transfer/transplant

alkkarit (alusvaatteet) underwear, (miesten alushousut) underpants, (alushame) petticoat

alkoholi alcohol

alkoholipitoinen alcoholic, containing alcohol

alkoholismi alcoholism

alkoholisoitua become an alcoholic

alkoholisti alcoholic

alkoholiton nonalcoholic, alcohol-free

alku 1 beginning, start, commencement lasku lankeaa maksettavaksi ensi kuun alussa the bill will fall due early next month alussa at/in the beginning, at first 80-luvun alussa in the early eighties vuoden alussa early in the year **2** (lähtöpiste) starting point, onset ensi alkuun at first olla alkuna jollekin inaugurate something, mark the beginning of something, a new era Hänen puheessan ei ole alkua eikä loppua I can't make hide nor hair out of what she says Herran pelko on viisauden alku the fear of the Lord is the beginning of wisdom ei alkua pitemmällä hardly started lopun alku the beginning of the end päättyä alkuunsa grind to a halt/reach a dead end before you've/it's even gotten started hyvällä alulla off to a good start aloittaa alusta start over (from/at the beginning), start from scratch, make a new/fresh beginning aikojen alusta Isince the beginning of time **3** (lähde) origin, source, (well)spring **4** (syy) root, cause Tuli sai alkunsa öljylampusta The fire was caused/ started by an oil lamp **5** kirjailijan alku future writer

alkuaan (alkuperältään) originally, (alussa) at first, initially

alkuaika first/early period/phase/stage(s) alkuaikana early on, in the beginning, when we were first getting started

alku aina hankala, lopussa kiitos seisoo if at first you don't succedd, try again

alkuaine element

alkuaste beginning phase/stage, first step

alkuasukas native, aborigine; (mon) indigenous people

alkueliö protist

alkueläin protozoan (mon protozoa)
alkuerä (urh) first/qualifying heat
alkuihminen prehuman; prehistoric man; (mon) Adam and Eve, the first people
alkujaan originally
alku ja juuri root Raha on kaiken pahan alku ja juuri Money is the root of all evil
alku ja loppu the beginning and the end
alkujuoma apéritif
alkukantainen primitive, native, indigenous
alkukesä early summer
alkukieli (käännöksen) source/ original language alkukielellä in the original language
alkukirjain initial, first letter
alkukirkko the early (Christian) church
alkulause preface, foreword
alkulima protoplasm, bioplasm
alkumuoto 1 (alkuperäinen) original (form) **2** (aikaisempi muoto) prototype
alkuopetus primary education
alkuosa first part/section; (kirjassa) part one; (kirjasarjassa) volume one, first volume; (musiikkikappaleessa) first movement
alkupalat hors d'oeuvre(s), appetizers
alkupalkka starting salary/pay
alkuperä origin, birth, parentage, nationality, source
alkuperäinen original
alkuperäiskansa indigenous people/ population
alkuperämaa country of origin
alkupuoli first half/part/section, beginning ensi vuoden alkupuolella early next year
alkupuolisko first half
alkupää beginning, head, front (of the line)
alkuruoka first course
alkuräjähdys Big Band
alkusanat foreword, preface, introduction, opening remarks
alkusoitto (pitkän sävellyksen, myös kuv) overture; (itsenäinen sävellys, myös kuv) prelude
alkusysäys impulse, impetus, incentice; (ark) push, boost
alkutalvi early winter
alkutekijä (mat) prime factor; (mon) basics, fundamentals hajota alkutekijöihinsä go to pieces Asia on vielä ihan alkutekijöissään We're just getting started, we're hardly off the ground yet
alkuteksti (käännöksen) original (text), source-language text
alkuunkaan ei alkuunkaan not at all, not in the slightest/least Se ei riitä alkuunkaan That's nowhere near enough
alkuunpanija (toiminnan) instigator, prime mover; (idean) originator, author; (suunnitelman tms) initiator, promoter
alkuvaihe first/beginning/early stage/phase alkuvaiheessa early on, right at the start
alkuviikko early in the week, the beginning of the week
alkuvoima 1 (maailmankaikkeuden) primal/primordial force; elemental force **2** (ihmisen fyysinen) brute strength, (henkinen) life force
alkuvuosi early in the year, the first part (few months) of the year
alla below, beneath, under(neath)
allakka calendar
alla mainittu the below-mentioned, th eperson mentioned below/hereinafter alla mainituista syistä for the following reasons
allapäin depressed, despondent, dejected, downhearted, heavyhearted, downcast, sad, low, blue, down in the mouth/dumps, unhappy, with a hangdog look
allas 1 sink, basin, tub, pool, cistern **2** (geol) trough, basin
allaskaappi sink cabinet
allastelakka dry dock
allatiivi allative
alle below, beneath, under(neath) Älä jää auton alle Don't get run over by a car Älä jätä sormeasi sen alle Watch out your finger doesn't get caught under there

allegoria allegory
allegorinen allegorical
allekirjoittaa sign
allekirjoitus signature
allekirjoituttaa have/get something signed
allergia allergy
allergiahuone (hotellissa) nonsmoking room
allergikko allergetic
allerginen allergic
alleviivata underline, (myös kuv) underscore
allianssi alliance
alligaattori alligator, (ark) gator
allokaatio allocation
allokoida allocate
almanakka calendar
almu alms
aloillaan pysy aloillasi stay where you are asettua aloilleen settle down
aloite initiative
aloitekykyinen enterprising, venturesome, self-reliant, with initiative, (person) of great initiative
aloitekyvytön (person) without initiative, unenterprising, indolent, lazy
aloitella get started, take the first steps (in something)
aloittaa 1 start, begin, commence **2** (panna alulle) set in motion, set the wheels/ball rolling **3** (ryhtyä tekemään) get going/started on, set about Eikö sinun kannattaisi aloittaa jo läksyjen teko? Hadn't you better get started on your homework? **4** (syöksyä tekemään) fall to (doing something), plunge into (doing something) **5** (ottaa tehtäväksi) undertake, embark/venture on
aloittaa alusta start over (from/at the beginning)
aloittaa puhtain paperein start with a clean slate
aloitteellisuus initiative, enterprise
aloitteentekijä initiator, proposer
aloittelija beginner, novice; (ark) tenderfoot, greenhorn
aloitus start, beginning, commencement, onset, (alkusiirto) first move
alokas 1 beginner, novice; (ark) tenderfoot, greenhorn **2** (sot) recruit
alpinismi alpinism
alpinisti alpinist
Alpit the Alps
alppiaurinkolamppu ultraviolet/sun lamp
alppihiihto downhill/slalom skiing
alppimaisema Alpine scene/ landscape
alppiyhdistetty alpine combined
alta from under(neath), from beneath
alta aikayksikön in a split second, in no time, lickety-split
altavastaaja 1 (vastaaja) respondent **2** (heikompi) underdog
alternaatio alternation
alternatiivi alternative
alternoida alternate
alteroida alter
altistaa expose to, subject to
altistua be exposed to, be subjected to
altistus exposure
altruismi altruism
altruisti altruist
altruistinen altruistic
alttari altar
alttaritaulu altar painting
alttaritoimitus liturgy
alttarivaatteet altar cloths
altto alto
alue area, region, territory
alueellinen regional, territorial
aluehallinto regional government
aluejako regional/territorial division, dividing an area up into districts; (politiikassa oman edun mukaan) gerrymandering
aluepolitiikka regional policy
aluesairaala general/regional hospital
aluesuunnittelu regional planning
alueteatteri regional/local theater
aluevaltaus territorial conquest; (kuv) new area of expertise, new skill Pianonsoitto on sinulle uusi aluevaltaus You've broken new ground with that piano-playing of yours
aluevesi territorial waters

aluksi at first
alullaan under way, on the way, just getting started, in its incipiency, in its infancy
alumiini aluminum, (UK) aluminium
alun alkaen (right) from the start
alun perin originally
alus 1 boat, vessel, ship, craft **2** base, bottom; (tuki) support, (perusta) foundation; (jalusta) stand, pedestal; (alarakenne) underpinning, substructure, chassis
alusastia bedpan
alusasu underwear, undergarments
aluskasvillisuus undergrowth, underbrush
alustaa 1 (esitelmöidä) give a talk (as a basis for discussion), present an outline/brief **2** (valmistaa) mix, prime, prepare
alusta loppuun from beginning to end, straight through
alusta pitäen from the start
alustava preliminary, preparatory, tentative, provisional
alustavasti tentatively, provisionally
alusta s base, bottom; (tuki) support, (perusta) foundation; (jalusta) stand, pedestal; (alarakenne) underpinning, substructure, chassis
adv from the beginning/start
alustus 1 (esitelmä) talk, lecture, introductory remarks **2** (valmistus) preparation, preparatory stage in a process
alusvaate piece of underclothing, undergarment
alusvaatteet underwear, undergarments, underclothing; (naisten) lingerie
alusviikko joulunalusviikko the week before Christmas
alvariinsa constantly, continuously, continually, unceasingly, all the time, day in day out
amalgaami amalgam
amanuenssi amanuensis
amatsoni Amazon
amatööri amateur
amatöörimäinen amateurish
ambitio ambition
ambivalenssi ambivalence
ambibalentti ambivalent
ambulanssi ambulance
ambulanssinkuljettaja ambulance driver, paramedic
amerikanenglanti American English
amerikanismi Americanism
amerikanrauta big/fat American car, (iso ja vanha) dinosaur, (isoruokainen) gas-guzzler
Amerikan Samoa American Samoa
amerikansuomalainen Finnish-American
amerikansuomi American Finnish, (halv) Finglih
Amerikka America
amerikkalainen s, adj American
amerikkalainen jalkapallo football, (UK) American football
amerikkalaisittain (in) the American way, in the American spirit
amerikkalaismallinen American-style, American-type, of the/an American model
amerikkalaistaa Americanize
amerikkalaistua become Ameticanized
amfetamiini amphetamine
amfiteatteri amphitheater
aminohappo amino acid
amiraali admiral
amis voc-tech (school)
ammatillinen professional, vocational
ammatillinen koulutus vocational training
ammatillinen kuntoutus vocational rehabilitation
ammatillinen oppilaitos vocational(-technical, voc-tech) school
ammatillistaa professionalize
ammatillistua become professionalized
ammatinkuva 1 (käsitys) professional image) **2** (vastuualue) job description
ammatinvalinnan ohjaus career counseling

ammatti profession, vocation, trade, craft, business, occupation, calling, job, line of work
ammattiala profession, trade, craft, field, job, line of work
ammatti-ihminen professional
ammattijärjestö professional organization, labor union, (UK) trades union
ammattikasvatus vocational education
ammattikieli jargon
ammattikoulu vocational(-technical, voc-tech) school
ammattikoululainen vocational student
ammattikoulutus vocational training
ammattikunta profession, craft, trade; (keskiajalla) trade guild
ammattilainen professional
ammattilehti professional/trade journal
ammattiliitto labor union, (UK) trades union
ammattimainen professional
ammattimies skilled craftsman Eikö sinun kannattaisi kutsua ammattimies korjaamaan tuota putkea? Don't you think you ought to get somebody who knows what he's doing out to fix that pipe/plumbing? Don't you think you ought to have a plumber in?
ammattioppilaitos vocational(-technical, voc-tech) school
ammattiryhmä professional group, segment of the work force
ammattislangi jargon
ammattitaidoton unskilled
ammattitaito professional skills, craftmanship
ammattitaitoinen skilled, professional
ammattiyhdistys labor union, (UK) trades union
ammattiyhdistysliike labor union movement, (UK) trades union movement
amme (bath)tub, vat
ammentaa dip (out of), scoop, ladle (from); (kuv) draw on, access Voit oppia vain ammentamalla omasta kokemuksestasi You can only learn by drawing on your own experiences
ammoin long ago, once upon a time
ammoisina aikoina in ancient times, in the olden days
ammolla wide open, agape, gaping, yawning
ammoniakki ammonia
ammottaa gape, yawn, open wide
ammu moo-cow
ammua moo, low
ammunta 1 shooting, firing **2** mooing, lowing
ammus shell, charge, projectile; (mon) ammunition, ammo
ammuskella spray (bullets), let fly, pepper, pelt, riddle, open fire
ammuskelu shooting, shootout, fire fight
amnestia amnesty
Amor Cupid
amoraalinen amoral
amoralismi amoralism
amorfinen amorphous
ampaista shoot (out of, into), dash, fly out/in like a shot
ampeeri ampere, (ark) amp
ampiainen (honey)bee
ampiaispesä beehive
ampiaisvyötärö wasp-like waist
amplitudi amplitudi
amppari bee
ampu explosion Ampu tulee! It's gonna blow!
ampua 1 (aseella) shoot, fire, discharge **2** (eläin) shoot, kill, drop, fell **3** (ihminen) shoot, kill; (ark) waste, gun down; (teloittaa) execute (by firing squad)
ampua alas shoot (a plane) down
ampua harhaan miss
ampua itsensä shoot yourself
ampua kovilla (kuv) hit 'em hard, pull out your big guns
ampua kuoliaaksi shoot (someone) dead, gun (someone) down; (ark) ice, waste, blow (someone) away
ampua yli overshoot; (kuv) overdo it, get carried away

ampuja rifleman, marksman, sharpshooter
ampulli ampule, ampoule
ampuma-ase firearm, gun
ampumaetäisyys firing distance
ampumahaava bullet/gunshot wound
ampumahauta trench
amputaatio amputation
amputoida amputate
amuletti amulet
anaalinen anal
anaalivaihe anal stage/phase
anabolinen anabolic
anaboliset steroidit anabolic steroids
anabolismi anabolism
anaerobinen anaerobic
anafora anaphora
anaforinen anaphoric
anakoluutti anacoluthon
anakoluuttinen anacoluthic
analogia analogy
analoginen analogical, analogous
analysaattori analyzer
analysoida analyze
analysointi analysis
analytiikka analytics
analyysi analysis
analyytikko analyst
analyyttinen analytic(al)
ananas pineapple
anarkia anarchy
anarkismi anarchism
anarkisti anarchist
anarkistinen anarchistic
anastaa 1 seize, grab **2** (varastaa) steal **3** (vangita) capture **4** (valta) usurp **5** (naapurimaa) annex
anastaja usurper
anastus seizure, theft, capture, usurpation (ks anastaa)
anatomia anatomy
anatominen anatomical
Andorra Andorra
andorralainen Andorran
androfobia androphobia
androgynia androgyny
androgyyni androgyne
androgyyninen androgynous
androidi android, (ark) droid
androidinen adroid
ane indulgence
aneeminen an(a)emic
aneemisuus an(a)emia
anekauppa sale of indulgences
anekdootti anecdote
anella implore, entreat, beg, plead; (surkeasti) wheedle
anemia an(a)emia
anesteetti anesthetic
anesteettinen anesthetic
anestesia anesthesia
anestesialääkäri anesthesiologist
anestesiologi anesthesiologist
anestesiologia anesthesiology
aneurysma aneurysm
angiina angina; tonsilitis
angina pectoris angina pectoris; pressure in the chest
angiografi angiograph
angiografia angiography
angioplastia angioplasty
anglikaaninen Anglican; (US) Episcopal(ian)
anglismi Anglicism
anglisti student/scholar of English
anglistiikka English studies
anglit Angles
angloamerikkalainen Anglo-American
anglosaksi Anglo-Saxon
anglosaksinen Anglo-Saxon
Angola Angola
angolalainen Angolan
angorakaniini Angora rabitt
angorakissa Angora cat
angoravilla Angora wool
ani very, extremely ani harvoin hardly ever
animaatio animation savianimaatio Claymation
animismi animism
animisti animist
animistinen animistic
anis anise
anjovis anchovy
ankara 1 (tinkimätön) severe, harsh, strict, rigid **2** (vaativa) rigorous, taxing, demanding **3** (ilma) inclement (weather), (sade) driving/pounding,

(tuuli) strong/powerful/buffeting/ sharp/fierce, (kylmä) bitter **4** (talvi) severe, harsh, hard **5** (maisema) barren, waste, austere, desolate
ankaruus 1 (kovat otteet) severity, harshness, strictness, rigidity **2** (vaatiVuus) rigor, vigor, intensity **3** (ilman) inclemency, intensity, bitterness, severity, harshness **4** (maiseman) barrenness, austerity, desolation
ankea 1 (ilma, aika) gloomy, dull, dismal, dreary **2** (mielentila) cheerless, glum, gloomy, morose
ankerias eel
ankeus 1 (ilman, ajan) gloom, dreariness **2** (mielentilan) depression, heaviness, anxiety
ankka duck
ankkuri anchor
ankkuripaikka anchorage
ankkuroida anchor, set anchor; (kuv) tie, link, lock, ground in Romaanin tulkinta on ankkuroitava yhteiskunnalliseen todellisuuteen The interpretation of novels must be tied to/grounded in social reality
anna pirulle pikkusormesi, se ottaa koko käden give him an inch and he'll take a mile
anniskella serve, dispense
anniskelu service, provision, distribution, sale, retailing, giving out
anniskeluoikeudet liquor license, tavern license
annoksittain by portions, (ravintolassa) à la carte
annos 1 (ruoka) portion, helping **2** (lääke) dose, dosage **3** (sot) ration
annostella portion out, serve, dole out, ration
annuiteetti annuity
annulaatio annulment
annuloida annul
anoa (asiaa) ask, request, plea, beg, implore, entreat, petition; (virkaa) apply for
anoja petitioner, supplicant
anomus request, petition, application
anonyymi anonymous
anoppi mother-in-law, "mother-in-love"
anorakki parka
anoreksia anorexia
anorektikko anorectic
ansa (myös kuv) snare, trap virittää ansa set a trap (for someone) mennä ansaan be trapped, (kuv) fall for a trick, fall for it hook, like, and sinker, (ark) be suckered, take a suker punch mennä omaan ansaan be hoist with your own petard
ansaita 1 (rahaa) earn, make, win, gain; (nettona) net/clear, (bruttona) gross **2** (kiitosta) deserve, merit, be entitled to, be worthy of
ansaita kannuksensa win your spurs
ansaittu (well-)earned, (well-)deserved, merited
ansio (earned) income, earnings; (just) deserts Hän sai ansionsa mukaan She got what was coming to her
ansioitua win merit/credit/honors; serve (your country/company) with distinction
ansiokas meritorious, distinguished, worthy, deserving
ansiokkaasti meritoriously, with distinction
ansioluettelo résumé; (yliopistossa) curriculum vitae, vita, CV; (nimikirjanote) dossier
ansiomahdollisuus job opportunity, money-making opportunity
ansiomerkki medal (of honor), decoration, medalion, ribbon, award (of honor)
ansionmenetys loss of income
ansiosta 1 (täydestä syystä) with good reason **2** (johdosta) because of, thanks to Sinun ansiostasi sain työn Thanks to you I got the job
ansiotaso level of income
ansioton undeserved, unmerited
ansiottomasti undeservedly, without deserving/meriting it
ansiotulo (earned) income
ansiotyö gainful employment; job

antaa *tr* **1** (lahjoittaa) give, present, donate **2** (jättää perinnöksi) leave, bequest **3** (jaella) distribute, hand/pass out **4** (myöntää) award, confer, grant **5** (tuottaa) produce, bear, yield kantaa hedelmä yield/bear fruit **6** (suoda) let, allow, give permission, suffer Antaa mennä! Let 'er rip! Go ahead **7** (teettää) have, get antaa leikata tukka have/get your hair cut
itr face, front ikkunat antavat etelään the windows face south, have a southern exposure huone antaa kadulle päin the room fronts the street
antaa anteeksi forgive, pardon, excuse
antaa armon käydä oikeudesta temper justice with mercy, give someone the benefit of the doubt
antaa heittää get a move on, take a hike
antaa huutia give someone a piece of your mind, chew someone out
antaa ilmi reveal, give away, inform on, turn in; (ark) squeal on
antaa kenkää fire, give someone the boot
antaa kuulla kunniansa give someone a piece of your mind, tell someone off
antaa kyytiä 1 (ajaa pois) give someone the bum's rush **2** (hakata) give someone a good drubbing **3** (sättiä) give someone a piece of your mind
antaa kättä shake (hands), shake on it
antaa lähtöpassit give someone his walking papers, tell someone to take a hike
antaa myöten give way, yield, accommodate yourself to, compromise
antaa neniin give someone a bloody nose, bloody someone's nose for him, hit someone upside (ark) the head
antaa nyrkistä give someone a knuckle sandwich
antaa palttua (not) give a damn/shit/fuck (alat)
antaa periksi give up/in, yield, surrender, submit; (ark) cry uncle
antaa potkut fire, give someone the boot
antaa selkään beat up, (lapselle) spank, paddle
antaa takaisin samalla mitalla give as good as you get
antaa vetää buzz/push off
antaa ylen throw up, vomit; (ark) puke, barf, upchuck, toss your cookies
antagonismi antagonism
antagonisti antagonist
antaja person who has given something; giver, grantor, issuer, donor
Antarktis Antarctica
antaumuksellinen enthusiastic, devoted, dedicated
antaumus enthusiasm, devotion, dedication
antautua 1 (antaa periksi) give up/in, yield, surrender, submit **2** (ryhtyä) throw yourself into, take up/to, embark on, enter into, (kielteisessä mielessä) stoop to **3** (omistautua) devote yourself to, dedicate yourself to
antautuminen surrender, submission, capitulation
anteeksi sorry, excuse me, pardon me
anteeksiantamaton (ei anna) unforgiving, unyielding, merciless; (ei saa) unforgivable, unpardonable, inexcusable, unjustifiable, unwarrantable
anteeksiantamus forgiveness, pardon
anteeksianto forgiveness, pardon, (yleinen) amnesty, (velan) cancellation
anteeksipyyntö apology
anteeksi saaminen forgiveness, being forgiven
antenni antenna
antenniliitäntä antenna connection
antero (ark) homer, gomer, waldo, dweeb
anti gift, present; issue (myös osake-), yield, crop
antibiootti antibiotic(s)
antibioottikuuri 1 (lääkehoito) antibiotic treatment **2** (lääkemääräys) a prescription for antibiotics

antidepressive antidepressant
antielitismi antielitism
antifasismi antifascism
Antigua ja Barbuda Antigua and Barbuda
antihistamiini antihistamine
antihiukkanen antiparticle
antiikki 1 (esine) antique **2** (aika) Classical Antiquity, ancient Rome and Greece
antiikkiesine antique
antiikkihuutokauppa antique auction
antiikkikauppa antique store/shop
antiikkikauppias antique dealer, antiquarian
antiikkinen 1 antique, old, ancient **2** Classical, of Classical Antiquity
antikliimaksi anticlimax
antikommunismi anticommunism
antikristillinen anti-Christian
antikristus Antichrist
antikvaari 1 (kauppa) used bookstore, second-hand bookstore **2** (kauppias) antiquarian, used bookstore owner
antikvariaatti used-book store, second-hand bookstore, (UK) second-hand bookshop
antilooppi antelope
antimet bountiful gifts, bounty, yield pöydän antimet delicacies, (rukouksessa) what we are about to receive
antimilitarismi antimilitarism
antimilitaristi antimilitarist
antipaattinen antipathetic
antipatia antipathy
antiperspirantti antiperspirant
antisankari antihero
antiseerumi antiserum
antiseptiikka antiseptics
antiseptinen antiseptic
antiteesi antithesis
antivitamiini antivitamin
antoisa 1 (kokemus) rewarding, satisfying, gratifying **2** (maaperä) rich, fertile, productive
antokela supply reel
antologia anthology
antonymia antonymy
antonyymi antonym
antropofobia anthropophobia
antropologi anthropologist
antropologia anthropology, (ark) anthro
antropologinen anthropological
antropometrinen mittaus anthrophometric measurement
antropomorfismi anthropomorphism
antroposofi anthroposophist
antroposofia anthroposophy
antroposofinen anthroposophical
antura 1 (kengän, jalan) sole **2** (jarrun) shore, (reen) runner **3** (tien) footing
anturi sensor
ao. proper, appropriate
A-oikeudet Alcoholic Beverages Permit, AB-permit, (ark) liquor licence
aortta aorta
aorttaläppä aortic valve
apaattinen apathetic
apaja 1 (saalis, myös kuv) catch, haul **2** (voitto) haul, return **3** (nuotanvetopaikka) fishing ground
aparaatti apparatus, (ark) gadget, widget
apartheid apartheid
apassi Apache
apatia apathy
ape (horse) feed, mash
apea down(cast/-hearted), sad, depressed
aperitiivi apéritif
apeus sadness, depression, dejection
apeutua get depressed, get down in the mouth/dumps
APEX-lento APEX ticket
apila clover, (Irlannin tunnuksena) shamrock
apina monkey, ape
apinoida 1 (matkia) ape, mimic, parrot, imitate, copy **2** (pilkata) mock, parody, caricature, burlesque, travesty
apinoija mimic, parodist, impersonator
apiari orange
aplodeerata applaud, clap
aplodit applause

apokalypsi 1 (maailmanloppu) apocalypse **2** (ilmestys) apocalypse, revelation **3** (Raamatussa Johanneksen ilmestyksestä) Apocalypse of St. John, the Book of Revelation
apokalyptiikka apocalyptics
apokalyptinen apocalyptic
apokryfinen apocryphal
apologia apology, (usk) apologia
apostoli apostle
apostolinen apostolic
apostolinen uskontunnustus Apostolic Creed
apostolinkyyti shank's mare mennä apostolinkyydillä ride shank's mare, go afoot
apostrofi apostophe
apotti abbot
appelsiini orange
appelsiinimehu orange juice
appi father-in-law, "father-in-love"
appiukko father-in-law, Pops
appivanhemmat parents-in-law, in-laws
apposen alasti bare naked, buck naked, naked as a jaybird, stark staring naked, in the buff, in your birthday suit
appositio apposition
approbatur 1 (arvosana) approbatur, pass **2** (oppimäärä) undergraduate minor
approksimaatio approximation
approksimatiivinen approximate
aprikoida think over, mull over, turn over in your mind, ponder, meditate
aprikoosi apricot
aprillata pull an April Fool's joke (on someone)
aprilli 1 (jekku) April Fool's joke Aprillia, syö silliä, juo kuravettä päälle! April Fool's! **2** (päivä) April Fool's (Day)
aprillipäivä April Fool's Day
apro (undergraduate) minor Mistä teet/luet aproa? What are you minoring in?
apropoo à propos
apteekkari pharmacist, druggist, (UK) chemist
apteekki pharmacy, drug store, (UK) chemist's
apteekkilääke prescription drug
apu help, assistance, aid, support, relief, remedy, rescue, service, helping hand Ei siitä ole mitään apua That's no use at all
apuhoitaja assistant nurse, nurse's aide
apukeittiö utility room
apukoulu remedial elementary school
apukoululainen remedial student (at the elementary level)
apulainen helper, assistant, aid; (koti-) domestic help, nanny
apulaisjohtaja assistant director, vice president
apulaislääkäri resident (physician), (UK) intern
apulaisprofessori (alemman palkkaluokan) assistant professor, (ylemmän palkkaluokan) associate professor
apulaisrehtori vice principal, (UK) deputy headmaster
apulanta fertilizer
apuneuvo aid, means, resource, remedy, (mon) resources
apuohjelma utility (program, software)
apuraha grant, stipend, scholarship
apuri helper, assistant, aid(e), (ark) right-hand man, helping hand, sidekick; (alamaailmassa) henchman, strong-arm man, hatchet man, hireling, minion, flunky, lackey
apusana particle
apuväline instrument, implement, tool, device, utensil, appliance, apparatus
arabeski arabesque
arabi Arab, Arabian
arabia Arabic
Arabia Arabia
arabialainen s, adj Arab, Arabian
arabian kieli Arabic
arabimaat Arab countries
aramea Aramaic
arastaa 1 (ihmistä) be shy (around/with), be timid (of) **2** (jalkaa tms) favor Jalkaa arastaa My foot feels sore/tender

arastella (ihmistä) be shy (around/ with), be timid (of), (puheenaihetta) shy away (from)
arava 1 (laina) government-subsidized morgage **2** (talo) low-income house; (osake) low-income apartment, (UK) council flat
aravalaina government-financed mortgage or construction loan
aravatalo low-income house, urban homestead; (kerrostalo) (urban renewal) project
arbitraarinen arbitrary
arbitraasi arbitrage
arbuusi watermelon
areena arena, stadium
aresti arrest, custody, (myös koulussa) detention
Argentiina Argentina
argentiinalainen Argentinean, Argentine
argumentaatio argumentation
argumentatiivinen argumentative
argumentoida argue
argumentointi argumentation
argumentti argument
arina grate arinat (tekn) fire bars
aristaa favor Jalkaa aristaa My foot feels sore/tender
aristella 1 (ihmistä) be shy (around/ with), be timid (of) **2** (jalkaa tms) favor
aristokraatti aristocrat
aristokraattinen aristocratic
aristokratia aristocracy
aristua 1 (henkisesti) turn shy/timid **2** (jalka tms) turn/get sore/tender
aritmeettinen arithmetic
aritmeettinen keskiarvo arithmetic mean
aritmetiikka arithmetic
aritmeetikko arithmetician
arjalainen Aryan
ark. 1 (arkityyliä) coll., colloquial **2** (arkisin) weekdays
arka 1 (kipeä) sensitive (to the touch), sore, tender, painful **2** (särkyvä jne) easily broken/torn/soiled, delicate, fragile, vulnerable **3** (herkkä) sensitive, easily offended/hurt/affected, touchy, thin-skinned **4** (ujo) shy, bashful, timid
arkaainen archaic
arkailematon 1 (ujostelematon) forward, brash, brazen **2** (harkitsematon) rash, reckless, careless
arkailla draw/hang back, shy (away from), withdraw, retire
arkaismi archaism
arkaisoiva archaiszing
arkaistinen archaistic
arkajalka tenderfoot, greenhorn, babe in the woods
arkaluontoinen 1 (asia) delicate, touchy, ticklish, sensitive **2** (ihminen: herkkä) sensitive, easily offended/hurt/ affected, touchy, thin-skinned **3** (ihminen: ujo) shy, bashful, timid
arkanahkainen thin-skinned
arkeologi archeologist
arkeologia acheology
arkeologinen archeological
Arkhimedeen ruuvi Archimedes' screw
arki weekday, working day, workday, business day
arkiaskareet everyday chores, day-to-day routines, ordinary tasks, daily toil
arkielämä everyday life, ordinary life, day-to-day life
arkikieli ordinary language, colloquial speech, slang
arkinen everyday, common(place), ordinary, routine
arkipuhe colloquial speech, vernacular, the way ordinary people talk
arkipyhä national holiday celebrated on a weekday, immovable feast
arkipäivä weekday, working day, workday, business day
arkipäiväinen everyday, common(place), ordinary, routine
arkisin weekdays
arkisto archives
arkistoaineisto archival material
arkistoida store/place in the archives, file
arkistokaappi file cabinet, filing cabinet
arkistokansio (archive) file
arkistokappale archive copy
arkistonhoitaja archivist

arkistua go flat, become ordinary/humdrum/everyday
arkivaatteet everyday/workaday clothes, street clothes
arkki 1 (usk) ark Nooan arkki Noah's ark liitonarkki the ark of the covenant **2** (paperiliuska) sheet, (yksi taitettu painoarkki) signature, (24 taitettua painoarkkia) quire, gathering
arkkiatri (hist) archiater, chief physician of the monarch; (lähin vastine) doctor of the year
arkkienkeli archangel
arkkipelagi archipelago
arkkipiispa archbishop
arkkiroisto archvillain
arkkitehti architect
arkkitehtitoimisto architectural firm
arkkitehtoninen architectonic
arkkitehtuuri architecture
arkkitehtuurikilpailu architectural competition
arkkityyppi archetype
arkkityyppinen archetypal
arkkivihollinen archenemy
arkku 1 trunk, chest, box, coffer, locker **2** (ruumis-) coffin, casket
arkkuhauta grave
arkkuhautaus earth burial
arktinen arctic
Arktis Arctic
arkuus 1 (kipu) sensitivity, soreness, tenderness **2** (särkyvyys) delicacy, fragility, vulnerability **3** (herkkyys) touchiness, thin skin, irritability **4** (ujous) shyness, bashfulness, timidity
armahdus pardon, reprieve, (yleinen) amnesty
armahtaa 1 (sääliä) have mercy/pity on **2** (vapauttaa) pardon, reprieve, grant amnesty
armas 1 (rakas) dear, beloved, cherished, darling **2** (rakastava) loving, affectionate, fond, caring, kind **3** (rakastettava) lovable, adorable, engaging, enchanting, charming
armeija army
armeliaisuus 1 (armollisuus) mercy, generosity, charity, compassion **2** (hyvä sydän) good nature, kind(li)ness, tenderness, tender/warm/big heart, affection **3** (huomaavaisuus) consideration (for others), thoughtfulness **4** (ystävällisyys) amiability, graciousness
armelias 1 (armollinen) merciful, generous, charitable, compassionate **2** (hyväsydäminen) good-hearted/-natured, kind(ly), tender(hearted), affectionate, warm-/bighearted **3** (huomaavainen) considerate, thoughtful **4** (ystävällinen) amiable, gracious
Armenia Armenia
armenia Armenian
armias merciful, gracious Auta armias! Good gracious!
armo 1 grace, mercy Teidän Armonne Your Grace **2** (lauhkeus) clemency **3** (armahdus) pardon
armoitettu 1 (siunattu) blessed **2** (lahjakas) gifted, inspired
armokuolema euthanasia, mercy killing
armomurha euthanasia, mercy killing
armolahja 1 (usk) gift of (God's) grace **2** (hyväntekeväisyyslahja) charity, alms, (charitable) gift, benefaction; (kielteisessä mielessä) handout
armollinen gracious, merciful, charitable, compassionate, full of compassion, kind, kindly, tender, considerate
armollisuus graciousness, compassion, kindliness
armonaika grace period Hän antoi viikon armonaikaa She gave me a week's grace, she gave me a one-week grace period, she let me have a week (to get the money tms)
armonisku coup de grace, merciful blow antaa armonisku finish someone off, put someone out of his/her misery
armon vuosi the Year of our Lord, Anno Domini, A.D.
armoton merciless, unmerciful, pitiless, unpitying, unrelenting, relentless, unsparing
armottomuus mercilessness, pitilessness, ruthlessness, relentlessness

aro (Aasiassa) steppe, (Alaskassa) tundra, (USA:n keskilännessä) prairie, plains, (USA:n etelävaltioissa) savannah
aromaattinen aromatic
aromi aroma
arpa lot, die (mon dice); raffle ticket arpa on heitetty the die is cast
arpajaiset lottery, raffle, drawing
arpakuutio die (mon dice)
arpa on heitetty the die is cast, (latinaksi) alea jacta est
arpeuttaa cicatrize
arpeutua cicatrize
arpeutuma scar tissue, cicatrix
arpi scar, (rokon) pit
arpikudos scar tissue
arpinen scarred, pitted
arpoa draw/cast lots, raffle something off
arri (mus) arrangement
arroganssi arrogance
arrogantti arrogant
arsenaali arsenal
arsenikki arsenic
arteria artery
arteriitti arteriosclerosis
artikkeli article
artikla article
artikulaatio articulation
artikulatorinen articulatory
artikuloida articulate
artikulointi articulation
artisokka artichoke
artisti artiste, performina artist
artistinen artistis, (halv) artsy-fartsy
arvaamaton 1 (yllättävä) unexpected, unanticipated, unlooked-for **2** (mahdoton arvioida) incalculable, inestimable, beyond counting/calculation
arvailla guess at, estimate, speculate, conjecture, surmise; (ark) make a stab at
arvailu guess(work), speculation, supposition, conjecture, prediction
arvata 1 (umpimähkään) guess (at), speculate, conjecture, hazard a guess about; (ark) make a stab at **2** (oikein) divine, figure out, answer/estimate/judge correctly **3** (etukäteen) anticipate, foresee **4** dare, venture, have the courage/nerve, feel up to
arvatenkin very likely, most likely, as like(ly) as not, probably
arvattavasti probably, presumably, supposedly, as like as not, in all probability
arvaus guess, estimate, (leik) guesstimate
arvella 1 (otaksua) presume, suppose, surmise Arvelen, että olet jättänyt sen tekemättä My guess is you forgot to do it, I bet you still haven't done it **2** (olettaa) assume, take for granted, believe, think likely, suspect Mitä arvelet, tuleeko Hanna vai ei? What do you think, is Hanna coming or not? **3** (empiä) hesitate, stop to think **4** (ei osata päättää) be undecided/uncertain/unsure/ irresolute, waver, vacillate
arveluttava 1 (kyseenalainen) dubious, questionable, suspicious, suspect, shady **2** (epäluotettava) unreliable, untrustworthy, undependable
arvio 1 (laskelma) estimate, estimation, assessment, appraisal **2** (mielipide) opinion, judgment, reckoning
arvioida estimate, appraise, assess; (laskea) calculate, figure
arviointi 1 estimation, evaluation, assessment, appraisal **2** (koul) grade, grading, (UK) mark, marking
arvioitu estimated
arvioitu saapumisaika estimated time of arrival, ETA
arviokaupalla 1 (arvaamalla) by guesswork, by eye(ing it), by ear, by feel, by taking a stab at it **2** (umpimähkään) at random, haphazardly, by accident, accidentally Hän löysi oikean tien viimein arviokaupalla He finally hit on the right road by accident
arviolta roughly, at a rough estimate, approximately, about, somewhere in the vicinity of
arvo 1 (arvovalta) prestige, prominence, (pre)eminence **2** (arvonanto) reputation, repute, esteem, regard **3** (kunnia) distinction, honor, merit, worth Jätän tuon huomautuksen omaan arvoonsa I'm going to ignore that

remark, it's not worth (it doesn't merit) a reply **4** (arvoasema) rank, social standing, position, class, standing, status, estate arvon rouva gracious lady **5** (arvoaste) rank, (professional) grade, classification **6** (käyttöarvo) use(fulness), benefit, advantage, utility **7** (raha-arvo) (face) value, (monetary) worth **8** (hinta) price, amount, cost, charge **9** (luku) value, figure, (mittarilukema) reading **10** ks arvot

arvoesine prize possession, treasure(d article), (mon) valuables

arvohenkilö dignitary, notable, worthy; (ark) pillar of society, very important person (VIP)

arvohuoneisto luxury/expensive/ plush/ritzy apartment/ (UK) flat

arvoinen Tuo ei ole minkään arvoinen That isn't worth a cent, that's worthless Hän on firmalle kullan arvoinen He's worth his weight in gold to this company Marketta teki huomattavan arvoisen keksinnön Marketta made a discovery that is/will be worth a lot of money Heidän talonsa on 600 000 markan arvoinen Their house is valued at/worth 600,000 marks

arvoisa esteemed, honored Arvoisat vieraamme! Honored guests!

arvoituksellinen 1 (salaperäinen) mysterious, secretive **2** (vaikea ratkaista) puzzling, enigmatic, cryptic **3** (vaikea ottaa selvää) inscrutable, elusive, ambiguous

arvoitus enigma, puzzle, riddle, conundrum

arvojärjestys 1 order of precedence, ranking order **2** (etiikka) moral hierarchy

arvokas 1 (kallisarvoinen) (in)valuable, worthwhile, precious, priceless **2** (arvossa pidetty: esine) treasured, prized, valued, esteemed **3** (arvossa pidetty: ihminen) respected, esteemed, venerated, admired **4** (arvokkuutta osoittava) dignified, decorous, distinguished **5** (arvollinen) worthy, trustworthy, good (enough)

arvokkuus 1 (ihmisen) dignity **2** (esineen) value, worth

arvomaailma (set of) values Hänen arvomaailmansa on ylösalaisin His values are all backwards

arvonanto respect, regard, esteem, appreciation, admiration

arvonimi title

arvonlasku depreciation/decrease (in price/value)

arvonnousu appreciation/increase (in price/value)

arvonta drawing, lottery, raffle

arvoon arvaamattomaan nousta arvoon arvaamattomaan (raha-arvo) become priceless, skyrocket in value; (arvostus) become invaluable/ indispensable

arvopaperi valuable document, important paper, (mon) stocks and bonds

arvopaperipörssi stock exchange

arvopaperisalkku stock portfolio

arvopaperivälittäjä brokerage firm

arvosana grade, (UK) mark

arvossa pidetty esteemed, respected

arvostaa 1 (esinettä) value, prize; (ark) set store by **2** (ihmistä) revere, cherish, (hold in high) esteem, honor Arvostan tekoasi I appreciate what you did

arvostelija 1 (kriitikko) critic, reviewer, commentator **2** (tuomari) judge, evaluator, analyst, arbiter **3** (moitiskelija) carper, detractor, fault-finder

arvostella 1 (kirjoittaa lehtiarvostelu) review, criticize **2** (arvioida) evaluate, appraise, assess, judge **3** (moittia) attack, criticize, disparage, fault

arvostelu 1 (kritiikki) critique, review, analysis, critical essay **2** (arviointi) appraisal, (e)valuation, assessment; (koul) grading, (mon) report card **3** (moite) attack, censure, criticism

arvosteluperuste standard(s) of judgement/criticism, evaluatory criterion

arvostelutuomari referee, umpire, judge

arvostus respect, regard, esteem, appreciation, admiration

arvot 1 values **2** (tavat) customs, practices, conventions **3** (periaatteet) standards, principles, beliefs, ideals **4** (säännöstö) moral code, code of ethics
arvoton worthless
arvottomuus worthlessness
arvovalta 1 (arvonanto) prestige, prominence, (pre)eminence, **2** (kunnia) distinction, esteem, regard, honor **3** (valta) authority, influence
arvovaltainen 1 (arvostettu) prestigious, prominent, (pre)eminent **2** (kunnioitettu) distinguished, esteemed, highly regarded, honored arvovaltainen nainen woman of consequence **3** (valtaa käyttävä) authoritative, influential
arvuutella 1 make others guess at something, play guessing games **2** (puhua arvoituksellisesti) talk in riddles/enigmas, perplex, puzzle, stump, baffle **3** guess, speculate, conjecture, surmise; (ark) make a stab at
arytmia arrhythmia
arytminen arrhythmical
asbesti asbestos
asbestoosi asbestosis
ASCII ASCII, American Standard Code for Information Interchange
ase 1 gun, weapon, firearm, (mon) arms **2** (työkalu) tool, instrument, implement
aseenkantolupa gun permit
aseellinen armed
aseidenriisunta disarmament
aseidenvienti arms exports
aseistaa arm, supply/equip/furnish with weapons
aseistakieltäytyjä conscientious objector
aseistariisunta disarmament
aseistariisuva disarming, winning, charming, captivating
aseistautua arm yourself, supply/equip yourself with weapons
aseistus armament, weaponry
asekauppa 1 (toiminta) arms trade, (laiton) gun-running/-smuggling **2** (myymälä) gun shop
aseksuaalinen asexual
aselaji warfare area/specilty, branch of the service
aselepo cease-fire
asema 1 (paikka) position, place, situation, site, location pysyä asemissaan (sot) hold the line **2** (toimi) post, position **3** (tila) condition, state, status Olet saattanut minut vaikeaan asemaan You've put me in a difficult position mahdottomassa asemassa in an impossible situation, in dire straits **4** (arvo) (social) status, standing (in society) Sinun asemassasi olevan naisen ei sovi käyttäytyä noin It is not proper for a woman in your position/of your social standing to act like that **5** (rautatie-, linja-auto-) station, depot, (lento-) airport **6** (sija) stead Etkö voisi mennä minun asemestani? Couldn't you go in my stead?
asemahalli station building
asemakaava zoning map, city plan
asemarakennus station building
asemesta instead (of)
asemosana pronoun
asenne 1 (suhtautuminen) attitude, stance, stand, outlook **2** (teatraalinen) affectation, histrionic stance, false air
asennoitua take a stand/stance (on), assume a position/attitude (on)
asennoituminen attitude, way of looking at things, stance, (taking a) stand
asennus installation, mounting, fitting
asennustyö installation (job/work)
asentaa install, mount, fit, emplace
asentaja mounter, fitter; (kokoaja) assembler
asenteellinen 1 (ennakkoluuloinen) biased, prejudiced **2** (teatraalinen) affected, theatrical, histrionic, put on
asento position, posture, pose, stance Asento! (sot) Attention!
asepalvelus military service
aseriisuntaneuvottelut disarmament talks
asessori assessor, advisory associate, (lak) assistant judge
asete 1 (tratta) draft **2** (huuliote) lip(ping)

asetella 1 (järjestää) arrange, organize, coordinate **2** (pystyttää) set up **3** (laittaa riviin) align, line up, lay out **4** (sovittaa) adjust, shift

asetelma 1 setting, composition **2** (maalaus) still-life (painting) **3** (esitys) arrangement, tableau vivant **4** (taulukko) tabulation

asetoni acetone

asettaa 1 (panna) put, place, set, (move into) position, locate **2** (perustaa) set up, found, institute **3** (järjestää) arrange, compose, organize, coordinate **4** (saada asettumaan) pacify, appease, calm, quiet (down), soothe, placate

asettaa ehdokas put up/forward a candidate

asettaa ehdoksi stipulate, make it a condition (that)

asettaa ensi sijalle prefer, give preference to

asettaa esikuvaksi hold up as a role model/for emulation

asettaa kyseenalaiseksi question, place under question

asettaa päällekkäin superimpose, put on top of

asettaa rinnakkain juxtapose, put next to

asettaa sanansa choose/pick your words, express yourself, articulate your meaning, say what you're trying to say Asetin sanani väärin I expressed myself badly, I put it wrong

asettaa syytteeseen (laki) sue, file suit against, prosecute

asettaa vakuus (tal) offer security

asettaa virkaan install (in office), (presidentistä) inaugurate

asettaja drawer, (oman vekselin) maker

asettautua set(tle) yourself

asettelu 1 (asetelma) arrangement, adjustment, setting **2** (asetteleminen) arranging, organizing, putting things up, setting up, laying things out

asettua 1 (seisomaan) take up a position, take a stand/stance, go (stand before, beside, etc.), move (to, in front of); ks myös hakusanoja **2** (asumaan) settle down (to live somewhere) **3** (tyyntyä: ihmisestä) calm/quiet/simmer/settle down, compose/collect yourself, cool off **4** (tyyntyä: luonnonvoimasta) abate, subside, dwindle (down), weaken **5** (tyrehtyä: verenvuodosta) stop (bleeding), coagulate, clot, dry up

asettua aloilleen settle down (and get married)

asettua makuulle lie down (on)

asettua jonkun puolelle take sides

asettua riviin line up

asettua taloksi settle in (for a long stay), make yourself at home

asettua vastarintaan fight back

asetus law, statute, ordinance, bylaw, act, bill, regulation, rule; (erikois-) decree, edict, commandment

asetyleeni acetylene

asetyylisalisyylihappo acetylsalicylic acid, aspirin

asevarustelu (re)armament

aseveli companion in arms

aseveljeys brotherhood in arms

asevelvollinen 1 (kutsuntakelpoinen) conscriptable man, draftable man, man of draft age **2** (varusmies) conscript, draftee

asevelvollisuus compulsory military service, conscription

asevoima military force/strength, force of arms asevoimat armed forces

asfaltoida lay asphalt, surface (with asphalt), blacktop

asfaltti asphalt, blacktop

asfaltti-ihottuma asphalt burn

asia 1 it, this, that Hän oli jo tietoinen asiasta He already knew all about it Voit ilmaista asian noinkin That's one way of putting it Sitä asiaa ei voida enää auttaa There's nothing we can do about that now, no use crying over spilled milk Asiassa on kaksi puolta There are two sides to that varma asiastaan confident asiaa harrastavat everyone interested **2** (aihe) matter, theme, topic, subject asiaan vaikuttava having a bearing on the matter/case Se on kokonaan toinen asia That's a whole different matter, that's a different story altogether asia josta voidaan olla eri mieltä a matter of opinion **3** (seikka) thing Se ei muuta asiaa That makes no difference, that doesn't change a thing sama asia same thing, same difference Miten ovat asiasi? How are things with you? Niin on asian laita That's the way things are, that's how things stand, that's the fact **4** (tosiasia) fact **5** (jollekin kuuluva) affair, concern, business, errand Asia ei kuulu sinulle It's none of your business/concern/affair Se ei ole minun asiani That doesn't concern me, that's got nothing to do with me **6** (kysymys) question, issue, point Koeta pysyä asiassa Try to stick to the point asiasta toiseen by the way, incidentally, this is completely off the subject but Millä asialla liikut? What brings you here? **7** (juttu) case, cause, suit, action **8** käydä asiaan get to the point, cut to the chase **9** naurun asia laughing matter Se ei ole naurun asia It's nothing to laugh about, It's no laughing matter asia on niin että the fact of the matter is (that) tehdä asiaa go on some pretext, make up some excuse to go **10** käydä asioilla run (some) errands

asia-aine factual/expository essay

asiaankuulumaton irrelevant, inappropriate, beside the point

asiaankuuluva relevant, pertinent, (having a) bearing on, concerning, connected (with), tied in (with), applicable, suitable, to the point/purpose

asiakas customer, client, patron

asiakas on aina oikeassa the customer is always right

asiakaspalvelu customer service

asiakassuhteet customer relations

asiakirja document, instrument, deed

asiakirjasalkku briefcase, attaché case

asialinja matter-of-fact policy

asialinjalla businesslike, matter-of-fact, straightforward

asialla on kaksi puolta there's another side to the story

asiallinen 1 (asianmukainen) businesslike, matter-of-fact, objective **2** (järjellinen) rational, reasonable, calm, composed, collected, unemotional

asiallisesti 1 (asiaakuuluvasti) to the point/purpose, pertinently, relevantly **2** (asianmukaisesti) in a businesslike manner, in a matter-of-fact way, objectively **3** (järjellisesti) reasonably, rationally, calmly, unemotionally

asiallisuus 1 (asiaankuuluvuus) pertinence, relevance **2** (asianmukaisuus) a businesslike manner, matter-of-factness, sticking to the facts, not getting sidetracked, not digressing from the point **3** (maltillisuus) staying calm/rational, being reasonable, not losing your temper, not getting emotional

asiamies agent, proxy, attorney, representative

asianajaja lawyer, attorney (at law), (oikeudessa) counsel(lor); (UK) solicitor, barrister

asianajotoimisto law firm/office, (UK) barrister's office

asianhaara factor, consideration asianhaarat circumstances

asianlaita the way things are, as things stand

asianmukainen proper, appropriate, right, correct, due, suitable, fitting

asianomainen s the party/person/individual/thing/object concerned/in question
adj proper, appropriate, relevant

asianomistaja (kärsinyt) injured party; (haastanut) plaintiff

asianosainen (lak) party, the party/person concerned

asiantila state of affairs, status, situation, the way things are Asiantila on tämä: paperit puuttuvat Here's the situation: the documents/papers are missing

asiantuntemus expertise, (special) skill, knowhow, savvy

asiantunteva 1 (tietävä) expert, authoritative, professional, skilled, knowledgeable, in the know **2** (kokenut) experienced, accomplished, practiced,

proficient **3** (pätevä) qualified, competent, capable, able, adept
asiantuntija expert, authority, specialist, professional
asiantuntijajärjestelmä expert system
asiasta toiseen by the way, incidentally, this is off the subject but
asiaton 1 (asiaankuulumaton) irrelevant, inappropriate, beside the point **2** (aiheeton) unjustified, unfounded, groundless, false, uncalled-for **3** Asiaton oleskelu kielletty No trespassing, Keep out Asiattomilta pääsy kielletty Authorized personnel only, Keep out
asiattomasti 1 (asian ohi) irrelevantly, with no relevance (to the matter at hand), without bearing (on the facts), beside the point **2** (aiheettomasti) without justification, without foundation, groundlessly, falsely, without due reason/cause
asiayhteys context
asidofiluspiimä acidophilus buttermilk
asioida 1 transact/do business **2** (toisen puolesta) act as an agent/on commission **3** (tavallisissa asioissa) take care of pressing matters, run errands, be busy asioida pankissa handle your business at the bank, do your banking
asioimisliike agency
askare chore, (household) task, job around the house, duty, errand
askarrella 1 (puuhailla) busy yourself, occupy yourself, bustle about (doing odd jobs), be active/busy **2** (miettiä) dwell/brood/work on, linger over, keep thinking about, obsess about, have your mind on
askarruttaa 1 (ajatteluttaa) occupy your thoughts/mind/imagination, engage, busy, engross, absorb **2** (huolestuttaa) concern, worry, trouble, bother Minua askarruttaa ensi tiistai I'm worried about next Tuesday
askartelu 1 activity, keeping busy, busying about, pottering about **2** (lasten johdettu) arts and crafts
askeesi ascesis elää askeesissa live ascetically
askeetti ascetic
askeettinen ascetic
askeettisuus asceticism
askel step, stride, footstep, pace kymmenen askeleen päässä ten paces away seurata isänsä askelia follow in one's father's footsteps harppoa pitkin askelin gallop along with giant strides seurata jonkun askelia follow in someone's footsteps
askel askeleelta step by step
askelma 1 (porras) step, stair **2** (puola, myös kuv) rung
askelpalautin backspace (key)
askeltaa pace off
askelvirhe (koripallossa) traveling
asketismi asceticism
aski box
askorbiinihappo ascorbic acid
aspartaami aspartame
asosiaalinen asocial
aspekti aspect
aspiraatio aspiration
aspirantti aspirant
aspiriini aspirin
assimilaatio assimilation
assimiloida assimilate
assimiloitua assimilate
assistentti assistant; (yliopistossa) TA, teaching assistant
assistentuuri (teaching) assistantship, TA-ship
assistoida assist
assosiaatio association
assosiatiivinen associative
assosioida associate
assosioitua become associated (with)
assyrialainen Assyrian
aste 1 degree Helsinki sijaitsee noin 60. pohjoisella leveysasteella Helsinki is at about sixty degrees north latitude (the sixtieth parallel) Nousisipa ilma vaihteeksi 30 pakkasasteen yläpuolelle! I wish it would rise above thirty (degrees)

below (zero) for a change! **2** (taso) grade, level, rank **3** (vaihe) phase, stage
aste-ero difference in degree
asteikko 1 (asteiden) (graduated) scale **2** (mus) scale **3** (tunteiden tms) range, gamut
asteittain gradually, by degrees, a little at a time, one step at a time
asteittainen gradual, progressive, successive, graduated; step-by-step, little-by-little, inch-by-inch
astella 1 step, stride, pace **2** (kävellä) walk, stroll, saunter
asteroidi asteroid
astevaihtelu consonantal gradation
asti 1 (aikaan tai paikkaan) (up/down) till/to, until Tähän asti en ole tiennyt mitä teen täällä Until now (up till/to now) I haven't had a clue what I was doing here Vähennä lämpöä 150 asteeseen Turn heat down (reduce heat) to 150 degrees Vie perille asti Take it all the way (there) **2** (määrään) as many as, as much as, as far as (to) Sitä voi olla jopa kahteen tonniin asti There could even be as much as two tons of it
astia 1 (yleinen nimitys) vessel, container, receptacle, (raam) heikompi astia weaker vessel **2** (ruoka-) dish, bowl, plate, cup, glass, pitcher, mug; (mon) dishes pestä astiat wash the dishes **3** (valmistus- ja säilytys-) pot, kettle, jug, crock, jar, (mixing) bowl, vase **4** (iso säilytys-) tub, vat, barrel, keg, cask, butt **5** (WC) toilet, (potta) potty seat, (ankka) bedpan
astiakaappi cupboard, kitchen cabinet
astianpesuaine dishwasher detergent
astianpesukone dishwasher
astiasto set of dishes, dinner set
astma asthma
astmaatikko asthmatic
astmaattinen asthmatic
astrofotografia astrophotography
astrologi astrologist
astrologia astrology
astrologinen astrological
astronautiikka astronautics
astronautti astronaut
astronomi astronomer
astronomia astronomy
astronominen astronomical
astua 1 step (out/on), tread, pace, stride astuit varpailleni! you stepped/trod/trampled on my toes! **2** (kävellä) walk, go, move
astua jalallaan set foot Et astu jalallasikaan tänne I forbid you to set foot here
astua jonkun jälkiä follow/walk in someone's footsteps
astua julkisuuteen enter public life
astua laivaan (go on) board a ship
astua maihin go ashore
astua pois (bussista/junasta) get off a bus/train, (pyörän selästä) dismount from a bike
astua remmiin take charge
astua sisään go in, enter
astua virkaan enter office, be installed in office, assume your duties
astua voimaan take effect, become valid
astua yli (urh) overstep the line, (tenniksessä) commit a footfault
astunta 1 (kävely) walk, stride, step, pace, tread **2** (ryhti) carriage, bearing, deportment **3** (kotieläimistä) covering, mounting, breeding; (hevosista) stud service
asu 1 (vaatetus) dress, outfit, clothes, clothing; (ark) get-up **2** (ulkonäkö) (outward) appearance, looks Kirjan asu on äärimmäisen tärkeä It's essential that the book look good asultaan in appearance **3** (ulkomuoto) form, figure, shape, build, structure **4** (mainonnassa) package/packaging **5** (sanamuoto) wording, phrasing, discursive form **6** (varustus) equipment, gear, outfit(ting); (ark) stuff, get-up
asua 1 live, reside, dwell, abide **2** (vuokralla) room, rent **3** (olla yötä) stay, stop, lodge **4** (talossa) occupy, inhabit
asua yhdessä live wiht (someone); (lak) cohabit; (halv) shack up with (someone)

asuinpaikka place of residence, dwelling (place), abode
asuinrakennus 1 dwelling, residence **2** (maatalon) farmhouse, main house **3** (kartanon) manor/main/big house
asuinsija (place of) residence, dwelling (place), abode, place to live
asukas 1 (kaupungin) resident, inhabitant; (mon) population asukasta kohden per capita **2** (vuokrahuoneiston) tenant, roomer, boarder, lodger **3** (omakotitalon) member of the household; (hoidokas) inmate; (metsän, ilman jne) denizen, dweller
asukasluku population
asukasmäärä number of people living in the building, occupancy
asukastiheys population density
asukki 1 (asukas) dweller, occupant, inhabitant **2** (alivuokralainen) subtenant, roomer **3** (täysihoitolainen) boarder **4** (laitoksen) inmate
asumaton 1 (talo) uninhabited, unoccupied, unlived-in, vacant **2** (alue) uninhabited, unpopulated, unsettled, deserted
asumislisä housing allowance (in financial aid)
asumismuoto form of dwelling
asumistiheys population density Los Angelesin alueella asumistiheys ei ole kovin suuri L.A. is pretty spread out
asumistuki housing allowance
asumus 1 dwelling, residence, abode **2** (tilapäinen) lodgings, quarters **3** (alkukantainen) hut, shack, tepee
asumusero (legal) separation Olemme mieheni kanssa asumuserossa My husband and I are separated
asunnonhaltija tenant, occupant
asunnonvaltaus (housing) takeover
asunnonvälittäjä real estate agent, realtor
asunnottomuus homelessness
asunto 1 dwelling, residence, abode **2** (tilapäinen) lodgings, quarters **3** (tyypit) house, apartment/flat, condo(minium)
asuntoalue residential area, neighborhood, (saman liikkeen rakentama) housing tract
asuntoauto mobile home
asuntoetu company house/apartment
asuntohallitus National Housing Board
asuntokysymys the housing question/issue
asuntola 1 (oppilas-, opiskelija-) dormitory **2** (opettaja-) faculty house/apartments **3** (sotilas-) barracks **4** (työntekijä-) workers' quarters **5** (sairaala-) nurses' housing
asuntomessut home fair
asunto-osakeyhtiö (apartment/condo(minium)) owner's organization, co-op(ertative), co-operative apartment
asuntopolitiikka housing policy
asuntosäästäjä person who is saving up to buy a house or condominium
asuntotuotanto house construction
asuntovaunu house trailer (mobile home = matkailuauto), (UK) caravan
asuntovähennys housing deduction
asustaa 1 vrt asua **2** dress, outfit, equip, clothe, costume, accoutre
asuste 1 (vaate) dress, outfit; (ark) getup; (mon) clothing, clothes **2** (varuste) outfit, gear; (mon) equipment, gear; (ark) stuff
asuttaa 1 (kansoittaa) inhabit, people, populate, settle, colonize **2** (sijoittaa asumaan) (re)locate
asutus 1 settlement, community of settlers, colony **2** (asuttaminen) colonizing, colonization, settling
asutuskeskus center of population
asymmetria asymmetry
asynkroninen asynchronous
atavismi atavism
atavistinen atavistic
ateismi atheism
ateisti atheist
ateistinen atheistic
ateljee studio, atelier
ateria 1 meal, repast; (ark) eats, grub, chow upean näköinen ateria! What a spread! **2** (juhla-ateria) feast, banquet
ateriapalvelu 1 (yritys) caterer, catering firm **2** (palvelu) catering
aterimet silver(ware)

aterioida 1 eat (a meal), take a meal, take nourishment/sustenance; (ark) chow down aterioidessa(an) while eating, while at table, during the meal **2** (aamulla) breakfast **3** (lounasaikaan) lunch, dine **4** (illalla) dine, sup
ATK ADP, automated data processing
atk-rikollisuus computer crime
atk-rikos computer crime
Atlantti Atlantic (Ocean)
atlanttinen Atlantic
atleettinen athletic
atleetti 1 (urheilija) athlete **2** (urheileva) athletic
atmosfääri atmosphere
atomi atom
atomienergia atomic energy
atomikello atomic clock
atomipommi atom bomb
atomismi atomism
atomisti atomist
atomistiikka nuclear physics
atomifysiikka nuclea physics
atomistinen atomistic
atomivoimala nuclear power plant
atonaalinen atonal
atrappi (malli) model, dummy, mock-up; (houkutuslintu tms) decoy
atriumtalo house with a courtyard
atsalea azalea
atsteekki Aztec
attasea attaché
attaseasalkku attaché case
attentaatti assassination (attempt)
attentaattori assassin, (ark) hitman
attrahoida attract, be attractive (to)
attraktiivinen attractive
attraktio attraction
attribuutti attribute
atulat tweezers
atypia atypicality
atyyppinen atypical
au 1 (avioliiton ulkopuolinen) illegitimate **2** (aliupseeri) NCO (non-commissioned officer)
audienssi audience
audioajastin audio timer
audiofiili audiophile
audiovisuaalinen audiovisual
auditiivinen auditory
auditorio auditorium
aueta 1 (come) open **2** (puhjeta) unfold, burst open **3** (puhjeta kukkaan) open, bloom, blossom, flower **4** (levitä) spread, widen, expand **5** (siteestä) come undone/untied/unfastened **6** (paidasta) come unbuttoned **7** (vetoketjusta) come unzipped **8** (järvestä) melt järvi aukeni the ice broke up **9** (virasta) be vacated Odotan kunnes historian professuuri aukeaa I'll wait till a professorship in history opens up/is vacated/becomes available
aueta yleisölle open to the public, become available for use, permit access, afford entrance, receive customers, start business
aukaista 1 open, throw open Voisiko joku aukaista ikkunaa? Could somebody crack a window please? **2** (lukko, side jne) unlock, unbar, unseal, unfasten, untie, undo
aukea s **1** open place/space, opening **2** (metsässä) clearing, glade, meadow **3** (kaupungissa) plaza, square **4** (tasangossa) plain, plateau
adj **1** open **2** (laaja) wide, vast, unbounded, unfenced **3** (puuton) flat, treeless, clear
aukeama 1 open place/space, opening **2** (metsässä) clearing, glade, meadow **3** (kaupungissa) plaza, square **4** (rako) gap, hole, crack, fissure, slit, rift, cavity **5** (kirjassa, lehdessä) the place turned open, the pages you've opened to; (keskiaukeama) centerfold
auki 1 open, not shut/closed, ajar **2** (ammottava) agape, gaping, yawning **3** (peittämätön) not covered, uncovered, coverless, unenclosed **4** (lukitsematon jne) unlocked, unfastened, untied, unsealed **5** (TV, radio, vesihana) (turned) on **6** (rahaton) broke, strapped (for funds), wiped out, penniless
aukile fontanelle, (ark) soft spot
aukinainen open
aukio 1 (kaupungissa) plaza, square **2** (metsässä) clearing, glade, meadow
aukioloaika open hours, business hours, (pankissa) banking hours

aukko 1 (reikä) hole, gap, slit, crack, slot **2** (syvennys) depression, cavity, indentation **3** (tulivuoren) crater **4** (väli) hiatus, gap, discontinuity aukkoja tarinassa (unexplained) gaps in a story **5** (tyhjiö) void **6** (puute) flaw, defect, omission, lack, gap, shortcoming aukkoja esityksessä flaws in your presentation
aukko sivistyksessä a gap in your education
aukoa 1 open, throw open, set ajar **2** (lukko, side jne) unlock, unbar, unseal, unfasten, untie, undo **3** (ark) (päätä) blurt out something Älä sä auo päätäs You shut your face/trap
aukoton 1 (kokonainen) complete, entire, intact **2** (sileä) smooth, uncut, unbroken, seamless **3** (täysin onnistunut) perfect, without a hitch, flawless, faultless, errorless, impeccable Hänen verukkeensa oli aukoton His alibi was unshakable
auktoritatiivinen authoritative
auktoriteetti authority
auktoroida authorize
aula 1 (eteinen) hall(way), entrance hall, entry(way) **2** (lämpiö) lobby, foyer, waiting/reception room, anteroom **3** (sali) hall, (juhlasali) auditorium, (kokoussali) assembly room, (konserttisali) concert hall, (ruokasali) dining/banquet hall
au-lapsi illegitimate child, (vanh) bastard
auliisti 1 (anteliaasti) generously, openhandedly, lavishly, liberally **2** (avuliaasti) helpfully, in a neighborly way, like a good neighbor **3** (halukkaasti) willingly, obligingly, readily, eagerly Hän auttoi auliisti aina kun tarvittiin Whenever we needed help he pitched right in
aulis 1 (antelias) generous, open-/freehanded, lavish, liberal, **2** (avulias) helpful, neighborly, friendly **3** (halukas) willing, obliging, ready, eager
auma (vilja-auma) stack, (juurikasvauma) pit
aumakatto hipped roof
aunukselainen Olonetsian
aunus Olonets
au pair au pair
aura 1 (kyntö-) plow, (UK) plough **2** (astraaliprojektio) aura
aurakäännös snowplow turn
aurata 1 (tietä, peltoa) plow **2** (suksilla) snowplow
auringonkukka sunflower
auringonpaiste sunshine
auringonpalvonta sun worship
auringonpimennys (full) eclipse of the sun
auringonpistos sunstroke
aurinko sun auringon noustessa at sunrise, at (the break of) dawn auringon laskiessa at sunset, at dusk
aurinkoaika solar time
aurinkoenergia solar energy
aurinkokello sundial
aurinkokenno solar cell
aurinkokeskinen heliocentric
aurinkokunta solar system
aurinkolasit sunglasses, (ark) shades
aurinkopaneeli solar panel
aurinkopeili solar reflector
aurinkotalo solar house, house heated by solar power
aurinkotuuli solar wind
aurinkovoimala solar power plant
auskultantti 1 (opetusharjoittelija) student teacher **2** (lakitupaharjoittelija) court trainee
auskultoida 1 (opettajaksi) do/complete your student teaching, be a student teacher **2** (laki) do your court training **3** (tutkia stetoskoopilla) auscultate
auskultointi 1 (opetusharjoittelu) student teaching **2** (lakitupaharjoittelu) court training **3** (stetoskooppitutkimus) auscultation
Australia Australia
australialainen Australian
auta armia heaven help us! oh no!
autenttinen authentic
autenttisuus authenticity
autioitua be(come) deserted/desolate/abandoned, empty out

autiokylä ghost town, abandoned town/village
autiomaa wilderness, wasteland, desert
autiotupa wilderness cabin/hut
autio adj **1** (maa) barren, waste, desolate, uninhabited **2** (talo) abandoned, deserted, uninhabited, empty
autismi autism
autistinen autistic
autistinen nero idiot savant
auto car, automobile
autobahn autobahn
autobiografia autobiography
autobiografinen autobiographic(al)
autodynaaminen autodynamic
autoetu (right to use a) company car
autografi autograph
autoilija driver, motorist, truckdriver
autoilla drive, travel by car
autoistaa motorize
autoistua to become motorized
autokoulu driving school; (lukiossa) driver's training/education, (ark) driver's ed
autokraatti autocrat
autokraattinen autocratic
autokratia autocracy
autokritiikki self-criticism
autolautta auto/car ferry
autolehti car magazine
autoliikenne automobile/car traffic
automaatio automation
automaatti automaton
automaattinen automatic
automaattinen suunnanvaihto (kasettinauhurin) autoreverse
automaattinen tietojenkäsittely automated data processing, ADP
automaattisesti automatically
automaattitarkennus autofocus
automaattivaihteisto automatic transmission
automaattivalotus autoexposure
automatia automatism, (ark) tic
automatismi automatism, (ark) tic
automatisoida automate
automatisointi automation
automatka trip in a car, (ajelu) drive, ride
automerkki make (of car)
autonkuljettaja driver, chauffeur
autonomia autonomy
autonominen 1 (maa, ihminen) autonomous **2** (liike) autonomic (response)
autonominen hermosto autonomic nervous system
autopankki drive-in bank
autopankkipalvelu drive-in banking
autopsia autopsy
autopuhelin car phone
autoradio car radio
autoritaarinen authoritarian
autoritatiivinen authoritative
autostereot car stereo
autosuggestio autosuggestion, self-hypnosis
autotalli garage
autotehdas automobile factory
autourheilu automobile sports, car-racing
autovero automobile tax
autovuokraamo car rental (agency)
auttaa 1 help, (give) assist(ance to), aid, lend/give a helping hand **2** (olla mukana tekemässä) cooperate/collaborate with, contribute to **3** (tukea rahallisesti) (give financial) support (to), back **4** (tukea henkisesti) befriend, advise, give moral support to **5** (kannattaa) endorse, take the part of; (ark) go to bat for, stick up for **6** (helpottaa) relieve, make easier for **7** (lievittää) relieve, alleviate, cure; (ark) do a world of good for **8** (edistää) further, advance, promote, help along **9** (parantaa) improve, make improvements on, make better, better, enhance **10** (pelastaa) save, rescue, aid, come to the aid/rescue of **11** (hyödyttää) benefit, be of use, be useful, do good for, profit Mitä se auttaa? What good will that do? paljon se minua auttaa A lot of good that will do me Ei auta muu kuin alistua There's nothing to do but resign ourselves **12** (vaikuttaa) conduce, be conducive to, contribute, influence Ei se

mitään auta That won't make any difference, that'll have no effect at all, that won't do any good
auttaa alkuun give someone a start, help someone get started, get someone up on his/her feet
auttaja helper, aid(e), assistant, supporter, right-hand man, helping hand
auttamattomasti irreversibly auttamattomasti vanhentunut hopelessly antiquated
auttava satisfactory, adequate
auttavasti adequately, well enough (to get by) Puhun auttavasti espanjaa i speak enough Spanish to get by, I can get by in Spanish
autuaaksitekevä saving ihan kuin se olisi maailman ainoa autuaaksitekevä asia as if that were the only good thing in the world
autuaallinen 1 (usk) blessed **2** (ylen onnellinen) blissful, joyful, happy, rapturous; (ark) in seventh heaven
autuaammat metsästysmaat the happy hunting ground
autuaampi on antaa kuin ottaa it's more blessed to give than to receive
autuas blessed
autuaita ovat rauhantekijät blessed are the peacemakers
autuus 1 (usk ja tav) bliss, blessedness, beatitude **2** (vain tav: onnellinen) happiness, rapture, joy
avaimenperä keychain
avaimenreikä keyhole
avain 1 key **2** (avaaja) (can) opener **3** (tekn) wrench **4** (mus) clef
avainasemassa in a key position, well-placed
avainlapsi latchkey child
avainromaani roman à cléf
avainsana keyword
avajaiset opening ceremony (myymälän) grand opening
avajaistilaisuus opening ceremony
avanne (lääk) fistula
avannepotilas fistula patient
avantgarde avant-garde
avanto hole in the ice
avantouimari person who swims in a hole in the ice
avantouinti swimming in a hole in the ice
avara 1 (laaja) wide(-open), broad, expansive, immense, vast **2** (tilava) spacious, large, ample, roomy
avarakatseinen broadminded, openminded, unprejudiced, liberal
avartaa open (up), widen, broaden, expand, extend Yritin avartaa hänen maailmaansa I tried to broaden his horizons, open him up a little, expand/raise his consciousness
avartava 1 broadening, enlarging, expanding, improving **2** (kehittävä) educational, instructive, edifying, informative
avartua open (up), be opened, widen, be widened, broaden, be broadened, expand, be expanded, extend, be extended Hän alkoi viimein avartua elämän kirjolle She finally began to open up to life's diversity
avaruuden valloitus the conquest of space
avaruus 1 (ulkoavaruus) (outer) space **2** (laajuus) wide open space, expanse, immensity, vastness **3** (tilavuus) spaciousness, amplitude, size, roominess
avaruusaika 1 (aikakausi) the space age **2** (fysiikassa) space-time continuum
avaruusalus spaceship
avaruusaseet space weaponry
avaruusasema space station
avaruuslento space flight
avaruusluotain space probe
avaruusmatka space voyage
avaruusohjelma space program
avaruussukkula space shuttle
avata 1 open, throw/break/crack/lay/rip/cut/dig jne open avata ruumis perform an autopsy **2** (raivata) clear, free, unblock **3** (saattaa nähtäville) expose, disclose **4** (lukko, side jne) unlock, unbar, unseal, unfasten, untie, undo, uncover **5** (tilaisuus) open, begin, commence, start, declare open

6 (kokous) call to order, declare open **7** (laitos) institute, found, create, declare open **8** (sateenvarjo) put up, open **9** (TV, radio, vesihana) turn on **10** (pullo) uncork **11** (oja, hauta) dig (up)
avata sydämensä bare your soul
avata tuli open fire, commence firing
avata ääni warm up (for singing)
avaus opening, beginning, commencement (ks avata) pelin avaus opening move, first move
avautua 1 (come) open, open out/up **2** (side) come undone/untied/ unfastened **3** (nuppu) open, unfold **4** (liikkeen ovet) open to the public, become available for use, permit access, afford entrance, receive customers, start business **5** (maisema, näköala) spread out (before your eyes) **6** (ihminen) (puhua) open up, open your heart, pour out your innermost feelings, be forthcoming/frank/direct/candid/ straightforward, speak your mind, bring others into your confidence
aversio aversion
avioehto prenuptial agreement
avioero divorce
avioerolapsi child of divorced parents, child from a broken home
avioitua marry, get married, exchange wedding vows; (ark) get spliced, tie the knot
avioliitto marriage, matrimony, wedlock, marital state
avioliittokuulutus (wedding) banns
avioliittoneuvoja marital/marriage counselor
aviollinen marital, conjugal, wedded, matrimonial, nuptial
aviomies husband
aviopari married couple
aviopuoliso spouse
aviorikos adultery, (ark) cheating (on your husband/wife)
aviovaimo wife, spouse
avoauto convertible
avohoito outpatient care
avohuolto noninstitutional social care
avoimien ovien päivä open house
avoin 1 open, not shut/closed, ajar avoinna open **2** (ammottava) agape, gaping, yawning **3** (peittämätön) not covered, uncovered, coverless **4** (lukitsematon jne) unlocked, unfastened, untied, unsealed **5** (esteetön) open, clear, unblocked, unobstructed **6** (suojaton) open to attack, vulnerable, exposed, unprotected **7** (täyttämätön) vacant hakea avointa virkaa apply for a vacant/an open position **8** (rajoittamaton) unlimited **9** (vilpitön) open(hearted), forthright, sincere, straightforward, candid, frank
avoin kaula low neckline
avoin kauppa purchase/sale on approval avoimella kaupalla on approcal
avoin kaupunki open city
avoin kirje open letter
avoin luotto unlimited credit
avoin puhevalta free(dom of) speech
avoin valtakirja carte blanche
avoin vihamielisyys overt hostility
avoin yliopisto open university
avoin yhtiö general partnership
avokelanauhuri reel-to-reel deck, open-reel deck
avokkaat pumps
avokätinen generous
avolava flatbed
avolavapakettiauto pick-up (truck)
avoliitto common-law (companionate) marriage elää avoliitossa live together, (laki) cohabit, shack up
avolouhos open pit/quarry
avomeri open sea, (run) the high seas, the (open) main
avomerilaivasto ocean-going fleet
avomerikalastus deep-sea fishing
avomerisatama open-water port
avomielinen (rehellinen) open, frank, honest; (suvaitseva) tolerant
avonainen 1 open, not shut, not closed, ajar **2** (peittämätön) open, not covered, uncovered, coverless avonainen kaula-aukko low neckline **3** (esteetön) open, clear, unblocked, unobstructed **4** (suojaton) open to attack, vulnerable, exposed,

unprotected **5** (täyttämätön) vacant **6** (vilpitön) open(hearted), forthright, sincere, straightforward, candid, frank
avosuinen 1 (avonainen) open **2** (suulas) garrulus, (ark) blabbermouthed, motormouthed
avosylin with open arms
avotakka fireplace
avovesi (sula) open water ensi avovedellä (liik) per first open water, (lyh) f.o.w.
avu 1 (ansio) merit, virtue; (hyvä puoli) good side/quality **2** (lahja) talent, gift, natural ability; (ark) knack
avulias helpful, obliging, willing/ready to help, neighborly
avulias aatu helpful Harry
avunanto (giving) help, (rendering) aid/assistance, (giving/offering) support, lending a helping hand, pitching in (and helping)
avustaa 1 help, (give) assist(ance to), aid, lend/give a helping hand **2** (olla mukana tekemässä) cooperate/ collaborate with, contribute to **3** (tukea) (give financial) support (to), back; (ark) go to bat for, stick up for **4** (helpottaa) relieve, make easier for **5** (edistää) further, advance, promote, help along; (hyödyttää) benefit, be of use, be useful, do good for **6** (vaikuttaa) contribute, influence
avustaja 1 (auttaja) helper, right-hand man, helping hand **2** (apulainen) assistant, associate, aid(e) **3** (tukija) backer, patron, benefactor (ks myös apuri)
avustus 1 help, aid, helping hand **2** (yhteistyö) cooperation, collaboration **3** (hyväntekeväisyys) charity, relief, financial support
avustusjärjestö charitable/relief organization
avustustyö charitable/relief work
avuton 1 (heikko) helpless, feeble, weak, unable (to do anything for yourself) **2** (vanhuuden heikko) infirm, frail, decrepit, **3** (voimaton) powerless, impotent, forceless **4** (kömpelö) hapless, hopeless, futile, sorry Kylläpä sinä sitten olet avuton What a loser! What a baby! Hän huitoi avuttomana He flailed about helplessly
avuttomasti helplessly, hopelessly, miserably, fruitlessly, in vain, futilely Hän huitoi avuttomasti He flailed about helplessly
avuttomuus 1 (heikkous) helplessness, feebleness, weakness, (vanhuuden heikkous) infirmity, fraility, decrepitude **2** (voimattomuus) powerlessness, impotence, forcelessness **3** (kömpelyys) haplessness, hopelessness, lucklessness
ay-liike labor movement

B, b

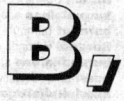

Baabelin torni Tower of Babel
baari (kapakka) bar, pub, tavern; (kahvila) cafe(teria)
baarikaappi liquor cabinet
baarimikko bartender
bahamalainen s, adj Bahamian
Bahamasaaret Bahamas
Bahrain Bahrain
bahrainilainen s, adj Bahraini
Baijeri Bavaria
baijerilainen Bavarian
bailata party
bajonettikiinnitys (kameran objektiivin) bayonet mount
bakteeri germ, microbe; (mon) bacteria
balalaikka balalaika
baletti ballet
Balkan the Balkans
balkanilainen Balkan
balladi ballad
Bangladesh Bangladesh
bangladeshiläinen s, adj Bangladeshi
Barbados Barbados
barbadoslainen s, adj Barbadian
barbituraatti barbiturate
barokki baroque
basilika basilica
basilli germ, microbe; bacillus; (ark) bug
bassokaiutin woofer
bassosäädin bass control
Belgia Belgium
belgialainen s, adj Belgian
Belize Belize
belizeläinen s, adj Belizean
Benin Benin
beniniläinen s, adj Beninese
bensa gas
bensiini gas(oline), (UK) petrol; benzine
bensiiniasema gas station, (UK) petrol station
bensiinimittari gas gauge, (UK) petrol gauge
bensiinitankki gas(oline)/fuel/petrol tank
bensiinivero gasoline/petrol tax
Berliini Berlin
bestseller best-seller
betoni concrete
betonielementti (rak) concrete element
betonitalo concrete building
Bhutan Bhutan
bhutanilainen s, adj Bhutanese
bikinit bikini; (alushousut) bikini panties, bikini briefs (miesten)
biokemia biochemistry
biokemiallinen biochemical
biokemisti biochemist
biologi biologist
biologia biology
biologinen biological
biologiset aseet biological weapons
biotekniikka biotechnology
BMX BMX, bicycle moto-cross
bofori Beaufort, unit on the Beaufort scale
Bolivia Bolivia
bolivialainen s, adj Bolivian
bonus bonus
Botswana Botswana
Brasilia Brazil
brasilialainen s, adj Brazilian
BRD FRG, Federal Republic of Germany
Britteinsaaret British Isles
Brittiläinen Columbia British Columbia
brittiläinen s Brit, Britisher, Briton adj British

Brunei Brunei
bruneilainen s, adj Bruneian
brutaali brutal
budjetti budget
budjettiesitys budget proposal, proposed budget
Bulgaria Bulgaria
bulgarialainen s, adj Bulgarian
bunkkeri bunker, pillbox
Burkina Faso Burkina Faso
Burma Burma
burmalainen s, adj Burmese
burnout burnout
Burundi Burundi
burundilainen s, adj Burundian
bussi bus, (UK pitkän matkan) coach
bussinkuljettaja bus driver
bussipysäkki bus stop
byrokraatti bureaucrat
byrokratia bureaucracy

C, c

calmetterokote BCG vaccine
calmetterokotus BCG vaccination
Caymansaaret Cayman Islands
CD-ROM CD-ROM, Compact Disc
CD-soitin CD player
CD-Video CD-Video, CD-V
celsiusaste degree Celsius/centigrade
Chile Chile
chileläinen s, adj Chilean
C-kasetti compact cassette
Cooperin testi Cooper test
Costa Rica Costa Rica
costaricalainen s, adj Costa Rican

D, d

daami (hieno nainen) lady, (seuralainen) date
datiivi dative
DAT-nauhuri DAT recorder, DAT deck
DDR GDR, German Democratic Republic
debentuurilaina debenture (loan)
deduktiivinen deductive
deduktio deduction
dedusoida deduce
deejii DJ, deejay, disc jockey
dekaani dean
demari Social Democrat
demokraatti (demokratian kannattaja) democrat; (USA:n demokraattisen puolueen kannattaja) Democrat
demokraattinen democratic, Democratic
demokratia democracy
demoni demon

dendriitti dendrite
depressiivinen depressive
depressio depression
desibeli decibel
desilitra deciliter, (UK) decilitre
desimaali decimal
desimaalijärjestelmä decimal system
desimaaliluku decimal (fraction)
desimaalipilkku decimal point
desinfektio disinfection
despootti despot, dictator
devalvaatio devaluation
devalvoida devaluate
devalvointi devaluation
dia slide, transparency väridia (ammattikielessä myös) chrome
diagnoosi diagnosis
diagnosoida diagnose
diagnostikko diagnostician
diagnostinen diagnostic
diakehys slide mount
diakoni church social worker
diakonia church social work
diakonissa (female) church social worker
dialektiikka dialectic
dialektinen dialectical
dialipas slide tray
dialogi dialogue
diaprojektori slide projector
diastole diastole
diatsepaami Valium
diesel diesel (engine, car)
dieselmoottori diesel engine
dieselpolttoaine diesel fuel
dieselvero diesel tax
dieselveturi diesel locomotive
diiva prima donna, diva
diivailla play the prima donna, put on airs
diplomaatti diplomat
diplomaattinen diplomatic, tactful
diplomaattisuhteet diplomatic relations
diplomatia diplomacy
diplomi diploma, certificate
diplomi-insinööri engineer Arja on diplomi-insinööri Anja is an engineer/has her M.S. in engineering dipl.ins. Anja Rekonen Anja Rekonen, M.S.
diskanttikaiutin tweeter
diskanttisäädin treble control
diskata disqualify
disketti diskette, disk, floppy disk, floppy
disko disco(theque)
divisioona division
Djibouti Djibouti, Jibuti
djiboutilainen s, adj Djiboutian, Jibutian
dogmaattinen dogmatic
dogmaattisuus dogmatism
dogmi dogma
dokumentaarinen documentary
dokumentoida document, verify, substantiate
dokumentti document
dokumenttiohjelma documentary (movie/film)
Dolby-kohinanvaimennus Dolby noise reduction
dollari dollar
dollarihymy big American car, (iso ja vanha) dinosaur, (isoruokainen) gas-guzzler
Dominikaaninen tasavalta Dominican Republic
donna (sl) broad
DOS DOS, disk operating system
draama drama, play
dramaattinen dramatic
dramaturgi dramaturge, dramaturgist
dramaturginen dramaturgic (to do with dramatic art)
duuri (mus) major (key) cis-duuri C sharp major
dynamiitti dynamite

E, e

Ecuador Ecuador
ecuadorilainen s, adj Ecuadorian
edelleen 1 (eteenpäin) on(ward(s)), ahead **2** (vielä) further(more), also
edellinen previous, preceding; (aikaisempi) former, previous, earlier edellisellä kerralla last time, the previous time Kumman otat, edellisen vai jälkimmäisen? Which will it be, the former or the latter?
edellisvuonna last year
edellisvuosi the previous/preceding year, last year
edellisvuotinen last year's, of the previous/preceding year Edellisvuotinen tappio oli vielä suurempi The previous year our losses were even greater
edellyttää 1 (vaatia hallinnollisesti) require, oblige, call for, demand, make imperative **2** (vaatia loogisesti) presuppose, necessitate, entail, imply Rothin uusi romaani edellyttää lukijalta paljon Roth's new novel places great demands on the reader Pankki edellyttää, että opintolainan saanut opiskelija suorittaa 30 opintoviikkoa vuodessa The bank requires recipients of student loans to complete 30 study weeks per year **3** (olettaa) presume, assume, suppose, take it (for granted) Pääsette sisälle edellyttäen että teillä on vaadittavat paperit Providing you have the proper papers, you will be allowed to enter
edellytys 1 (ehto) condition, provision, proviso, stipulation, (pre)requisite, necessity, must; (mon) the requisite abilities/aptitude, the right stuff, the needed skill(s)/talent, the necessary resources/knowhow Hänellä ei ole edellytyksiä onnistua He's got no chance of success **2** (oletus) assumption, presumption, (pre)supposition, postulation, premise
edellä before, ahead (of), in advance/front (of); (ensin) first; (yllä) above Mene sinä vain edellä You go on ahead/before pää edellä head first kuten edellä todettiin as we noted above
edelläkävijä pioneer
edellä mainittu abovementioned
edeltä ahead, in advance, beforehand
edeltäjä predecessor, precursor, forerunner
edeltäkäsin in advance, beforehand, (ark) up front
edeltäpäin in advance, beforehand, before the fact/event
edeltää precede, go before, go ahead of, come before, take place before, antedate, antecede
edempänä farther on/off, later (on); (kirjassa) below
edes (toiveikkaassa yhteydessä) at least, (lähes epätoivoisessa yhteydessä) even Kunpa olisi koulussa edes yksi mielenkiintoinen tunti! I wish we had even a single interesting class at school! Opettajat voisivat edes yrittää olla inhimillisiä The teachers could at least try to act human, the least they could do is try to act human
edesottamukset 1 (teot) doing, carryings-on **2** (möhläykset) screwups, foulups, fuckups
edessä in front of, ahead of, before; (tiellä) in the way
edessäpäin in the future, somewhere down the line/road, in times to come, somewhere farther on
edestakainen 1 (lippu) round-trip, (UK) return **2** (liike) back-and-forth,

backward-and-forward, to-and-fro, up-and-down, see-saw, (heiluri-) pendulum Heilurin edestakainen liike alkoi hypnotisoida minua The pendulum's swing started to hypnotize me
edestakaisin back and forth, backward and forward, to and fro, up and down, there and back
edestä 1 (-päin) from the front, (etuosasta) at/in the front, up front, (jonkin paikan edestä) from in front of, from before **2** (tieltä) out of the way **3** (puolesta) for, instead of, in place of, on behalf of
edesvastuu responsibility vetää edesvastuuseen hold someone responsible (for)
edesvastuuton irresponsible
edetä 1 (kulkea eteenpäin) advance, proceed, make headway, move/go ahead/forward, make strides, gain ground **2** (edistyä) progress, make progress, advance, get ahead, get on **3** (kehittyä) develop, improve, become/get better
edistyksellinen (edistykseen uskova ja pyrkivä) progressive, forward-looking, reformist, advanced, modern; (suvaitsevainen) liberal, open-minded, free-thinking
edistyksellisyys (edistysmieli) progressive thinking/thought, reformism, reform ideology, modernism; (suvaitsevaisuus) liberalism, open-mindedness, free thinking/thought
edistyminen (making) progress, headway, improvement, advance(s), making strides
edistys progress, advance(s), advancement, strides, development, reform Edistys on tärkein tuotteemme Progress is our most important product Syöpätutkimuksessa on tapahtunut huomattavaa edistystä Great strides/advances have been made in cancer research
edistysaskel advance(ment), step (forward), stride, breakthrough
edistysmielinen ks edistyksellinen
edistysmielisyys ks edistyksellisyys
edistyä 1 (edetä) advance, proceed, make headway, move/go ahead/forward, make strides, gain ground **2** (tehostua) progress, make progress, advance, get ahead, get on **3** (kehittyä) develop, improve, become/get better
edistäjä promoter, publicist, advertiser, advocate
edistää 1 advance, further, (help/urge) forward, help the progress of, work for/toward, expedite, improve (on), enhance, aid, assist **2** (puhua puolesta) promote, speak for, foster, encourage, support **3** (kello) run/be fast Kelloni edistää viisi minuuttia My watch is five minutes fast
editoida edit
editointi editing
editori editor
edullinen 1 (rahallista hyötyä tuottava) profitable, remunerative, lucrative **2** (otollinen) favorable, advantageous, beneficial **3** (halpa) economical, reasonable, cheap, inexpensive
edullisesti 1 (hyödyllisesti) profitably, at (great/some) profit **2** (otollisesti) favorably, advantageously, to (one's) (best/greater) advantage, to (one's) benefit **3** (halvalla) economically, reasonably, cheaply, inexpensively, at a discount/bargain, on sale, for a song, at this low low price
edullisuus 1 (hyödyllisyys) profit(ability), advantage(ousness), benefit **2** (halpa hinta) reasonable/low/sale/discount price/cost, inexpensiveness, economy
edunsaaja beneficiary
eduskunnan jäsen member of parliament
eduskunnan kanslia secretariat of parliament
eduskunnan puhemies speaker of parliament
eduskunnan sihteeri secretary of parliament
eduskunta (Suomi/UK) parliament, (US) congress/legislature, (muut) diet
eduskuntaryhmä party representation (in Parliament)

eduskuntatalo Parliament building
eduskuntavaalit parliamentary election
edusta front, the area in front of
edustaa 1 (toimia jonkun nimissä) represent, be (someone's) representative, act on behalf of (someone) edustaa kannattajiaan neuvotteluissa represent your backers in the negotiations Muista että ulkomailla edustat maatasi Remember that you'll be your country's ambassador when you go abroad edustaa emoyhtiötä ulkomailla be the parent company's agent abroad **2** (ilmentää) symbolize, represent, signify, stand for **3** (olla näyte jostakin) be, be a(n) example/sample/case of Tämä mekko edustaa kevään kokoelmaamme This dress is part of our spring collection **4** (kannattaa) advocate, support, be an advocate/supporter of **5** (järjestää juhlia tms) entertain
edustaja representative **1** (kansanedustaja) Member of Parliament (Suomi/UK), member of Congress (USA:n kongressin jäsen), Representative/Congressperson (USA:n edustajainhuoneen jäsen), Senator (USA:n senaatin jäsen) **2** (valtuutettu) deputy, delegate, proxy, substitute, surrogate, proctor; (lähettiläs) emissary, envoi, spokesman; (liik) agent, procurator, commissioner; (lak) attorney, counsel toimia jonkun edustajana oikeudessa represent someone in court; (kuv) proponent, exponent, advocate, upholder, believer
edustajainkokous meeting of delegates/representatives, representative assembly
edustajanpaikka a seat (in parliament)
edustava 1 (kokonaisuutta edustava) representative, representing the whole, typical/typifying, illustrative **2** (jonkun arvovaltaa edustava) elegant, stylish, sumptuous, tasteful, exquisite, handsome, well-proportioned, well-appointed, attractive, distinguished, impressive, imposing
edusteilla represented
edustus representation, agency; (edustaminen) (business/diplomatic jne) entertainment
edustusasu uniform, livery
edustusasunto company-bought/-owned house/apartment
edustushuoneisto reception room(s)
edustuskelpoinen representative
edustuskelopoisuus representativeness
edustuslounas expense-account lunch; (kun edustaa virkaansa) official lunch, (valtiota) state luncheon, (firmaansa) company lunch, (ark) power lunch
edustustilaisuus (official/state/social) reception
edustustili expense account
e-duuri E major
Edvard (kuninkaan nimenä) Edward
eebenholtsi ebony
eebenpuu ebony
eeden Eden
eepos epic
eeppinen epic
Eesti Estonia
eesti Estonian
eestiläinen Estonian
eetos ethos
eetteri ether
eettinen ethical
eettisyys ethicality
eevan puvussa in her birthday suit
efekti effect
efektiivinen effective
Efesolaiskirje (Paul's letter/epistle to the) Ephesians
egalitaari egalitarian(ist)
egalitaarinen egalitarian
egalitarismi egalitarianism
ego ego
egoismi egoism
egoisti egotist, egoist
Egypti Egypt
egyptiläinen s, adj Egyptian
ehdoin tahdoin deliberately, intentionally, on purpose
ehdokas candidate; (nimetty) nominee olla eduskuntaehdokkaana run/stand for

Parliament asettua ehdokkaaksi enter/ announce your candidacy
ehdokkuus candidacy
ehdollepano (yhden hakijan) nomination, (useamman) ranking
ehdollinen conditional, (ehdollistettu) conditioned
ehdollinen refleksi conditioned reflex
ehdollinen tuomio suspended/ conditional sentence saada ehdollinen tuomio be put on probation
ehdollisesti conditionally
ehdollistaa condition
ehdollistua become conditioned/ reflex, become second nature
ehdollistuminen conditioning, conditioned learning
ehdonalainen s parole päästä ehdonalaiseen get out on parole, be/get paroled
adj conditional
ehdot conditions, terms; (koulussa) (vanh) conditions saada ehdot get moved up to the next grade on condition that you improve your marks in summer school suorittaa ehdot go to summer school to improve your marks in order to get moved up to the next grade
ehdoton 1 unconditional, absolute, complete, supreme, pure, full ehdottoman luottamuksellinen strictly confidential, top-secret ehdottoman tarpeellinen absolutely necessary, an absolute must **2** (rajoittamaton) unrestricted, unlimited, unbounded, unqualified **3** (taipumaton) unbending, unyielding, inflexible **4** (varma) categorical, positive, definite **5** (kiistämätön) unquestioned, undisputed **6** (ark: erinomainen) the greatest, awesome, fantastic, super
ehdoton aikaraja deadline
ehdoton edellytys essential condition, sine qua non
ehdoton enemmistö absolute majority
ehdoton raittius total abstinence, teetotalism
ehdoton refleksi unconditioned reflex
ehdoton vankeusrangaistus prison sentence without chance of parole
ehdottaa 1 (esittää) suggest, submit, advance (the proposition that), move, make a suggestion, come forward with a proposal **2** (suosittaa) recommend, urge, advise, propose, counsel; (ark) vote Ehdotan että syödään I vote we eat **3** (panna ehdolle) put forward, nominate
ehdottomasti absolutely, positively, definitely, without question, unquestionably, beyond a shadow of a doubt, necessarily Sinun on ehdottomasti mentävä! You must go, it's imperative that you go!
ehdotus 1 (esitys) suggestion, proposal, proposition, (kokouksessa) motion **2** (suositus) recommendation, (piece of) advice, counsel **3** (luonnos) draft, outline **4** (suunnitelma) plan, project, scheme
eheyttävä unifying, unificatory, integrative, consolidative, harmonizing
eheyttää unify, integrate, consolidate, harmonize, bring (peace and) harmony to, bring unity to, (work to) make (more) harmonious
eheytys unification, integration, consolidation, harmonizing
eheä ks ehjä
ehjin nahoin in one piece
ehjä 1 whole, entire, complete, full, total, perfect, pure **2** (osittamaton) in one piece, undivided, uncut, unbroken, intact, undiminished **3** (vahingoittumaton: esine) undamaged, unbroken, in one piece **4** (vahingoittumaton: ihminen) healthy, well, unharmed, uninjured, unhurt, in one piece, safe and sound, unscathed **5** (yhtenäinen) unified, integrated, consolidated, one, coherent, cohesive
ehkä maybe, perhaps, possibly Etkö sinä ehkä menekään? Is it possible that you won't be going? Is there some likelihood that you won't be going? Ehkä en menekään I may/might not be going (after all)

ehkäistä 1 (estää) prevent, keep from occurring, avert, block, bar **2** (pidättää) stop, halt, check, keep/hold back, hold up, stave/ward off **3** (torjua) thwart, frustrate, foil, arrest, nip in the bud, forestall; intercept, defend against, counteract, fend off **4** (tyrehdyttää) suppress, repress, stanch, stop
ehkäisy prevention, contraception
ehkäisyväline contraceptive (device), (erityisesti kondomi) prophylactic
ehostaa (kasvoja) make-up; (paikkoja) spruce/fix things up
ehoste cosmetic
ehostus (kasvojen) make-up; (paikkojen) improvement talon ehostus home improvement
ehta real, authentic Tässä on ehtaa tavaraa, juo! Drink up, this is the real stuff
ehtivä 1 (nopea) fast, quick (to act), prompt **2** (kätevä) skillful, able, dexterous, adroit, deft, adept **3** (tehokas) efficient, effective, effectual **4** (aikaansaapa) productive, prolific, busy, vigorous, active, dynamic, accomplishing much, on the ball
ehtiä 1 (keritä) have/find time (to do something), make it (on time), get there (on time), reach (a place on time) En ehdi nyt jutella I don't have time to talk En millään ehdi kuudeksi I'll never make it/get there by six **2** (saavuttaa) reach; (edetä) advance Ehtinet Helsinkiin aamuksi You'll probably reach Helsinki by morning Pappa on ehtinyt 80 vuoden ikään Grandpa's (reached) 80 Tauti on ehtinyt jo melko pitkälle The disease has already advanced pretty far, is already quite far along
ehto condition; (lak) stipulation, provision, proviso, clause (mon ks ehdot); (edellytys) condition, (pre)requisite, necessity, must päästä/tulla ehdolle to place/rank (in a competition), to make the final cut, to make the shortlist panna/asettaa ehdolle to place/rank (candidates in a race/competition/ recruitment process), to (draw up a) shortlist
ehtolause conditional clause
ehtoo evening, (run) eve(n)
ehtoollinen (Holy) Communion, Lord's Supper, the Eucharist, the Holy/Blessed Sacrament; (kans) dinner, evening meal
ehtoolliskirkko Communion service
ehtoollisleipä (consecrated/sacramental/eucharistic) bread/wafer, the Host, the Eucharist
ehtoollisviini (Communion/sacramental) wine
ehtymätön inexhaustible, unflagging, unfailing; (loputon) bottomless, endless, boundless
ehtyä 1 (loppua: nesteestä) run dry, dry up **2** (loppua: muusta aineesta) be depleted, be exhausted, be used up, run short **3** (heiketä) ebb, decline, fade away, abate, subside
ehyt ks ehjä
ehättää hasten, hurry, rush, make haste, lose no time ehättää ennen get there first, beat somebody to the punch ehättää tehdä jotakin hasten/hurry/rush to do something, lose no time in doing something ehättää väliin cut in, interrupt, interject
ei no, not, (ark) nope, (run, myös eiääni) nay
ei ajatella nenäänsä pitemmälle not (be able to) think past your own nose
ei alkuunkaan not at all, (ark) no way
ei asia puhumalla parane talking's not going to get us anywhere
ei auta itku markkinoilla no use crying over spilled milk
eideetikko (psyk) eidetic(ist), eidetic scientist
eideettinen eidetic
ei enempää eikä vähempää no more, no less
ei haukkuva koira pure his bark is worse than his bite
ei hosuen hyvää synny slow and steady wins the race
ei hullumpaa not bad

ei hätä ole tämän näköinen it's not as bad as it looks
ei kaikki kultaa, mikä kiiltää everything that glitters is not gold
ei kasvaa joka oksalla doesn't grow on trees
ei kenenkään maa No Man's Land
ei kestää päivinvaloa not (be able to) stand the light of day
ei kukaan ole profeetta omalla maallaan no man is a prophet in his own land
ei kukko käskien laula you can drag a horse to water but you can't make him drink
ei kuuna päivänä not in a million years
ei lahjahevosen suuhun katsota don't look a gift horse in the mouth
eilen yesterday
eilinen s yesterday
adj yesterday's
eilisen teeren poika born yesterday En ole mikään eilisen teeren poika I wasn't born yeasteday
eilisilta yesterday evening, (ark) last night
eilisiltainen yesterday evening's, last night's Unohda se eilisiltainen kysymykseni Forget what I asked you last night
ei Luojakaan laiskoja elätä the Lord helps those who help themselves
ei mitään muttia no buts
einekset deli(catessen) food
ei niin pahaa ettei jotain hyvääkin every cloud has a silver lining
ei nähdä metsää puilta not see the forest for the trees
ei olla millänsäkään not let something affect you, be cool
ei olla moksiskaan not care/worry, be cool
ei omena kauas puusta putoa the apple falls not far from the tree
ei onni potkaise kahdesti opportunity knocks only once
ei panna tikkua ristiin not lift a finger (to help)
ei pennin hyrrää not a red cent, not a plug nickel
ei Roomaa rakennettu yhdessä päivässä Rome wasn't built in a day
ei savua ilman tulta where there's smoke, there's fire
ei se pelaa joka pelkää get out of the kitchen if you can't stand the heat
ei-sepitteinen non-fictional
ei sitä ole kirkossa kuulutettu it ain't over till the fat lady sings
ei sääntöä ilman poikkeusta the exception proves the rule
ei tulla kuuloonkaan be out of the question
ei-tupakka nonsmoking Tupakka vai ei-tupakka? Will that be smoking or nonsmoking?
ei vanha koira istumaan opi you can't teach an old dog new tricks
ei vierivä kivi sammaloidu a rolling stone gathers no moss
ei yrittänyttä laiteta if at first you don't succeed, try again
ekonomi someone who majored in business, business graduate; B.A./B.S. in business (huom: economist = taloustieteilijä)
ekonomisti economist
ekotyyppi ecotype
ekshibitionisti exhibitionist
eksistenssi existence
eksistentiaalinen existential
eksistentialisti existentialist
ekspertti expert
ekspressionismi expressionism
ekspressionistinen expressionist(ic)
eksyttää 1 (karistaa kannoilta) lose, shake off, ditch **2** (johtaa harhaan) mislead, misguide, lead astray **3** (harhauttaa) deceive, delude, pull the wool over someone's eyes
eksyä 1 get lost, go astray, lose your way **2** (poiketa) stray, wander, deviate **3** (erehtyä) err
ekvalisaattori (äänentoistolaitteistossa) equalizer
elastinen elastic
elastisuus elasticity

elatus 1 (toimeentulo) living, livelihood, income, subsistence, means of support **2** (ylläpito) maintenance, support, (up)keep **3** (elanto) bread (and butter), food on the table hankkia elatus make a(n honest) living (by), put food on the table

elatusapu (aviopuolisolle) alimony, (avopuolisolle) palimony; (muu elatusmaksu) maintenance allowance

ele gesture (myös kuv); gesticulation, bodily/hand/arm movement se oli kaunis ele, sovinnon ele That was a nice/ conciliatory gesture

elefantti elephant

eleganssi elegance

elegantti elegant

elekieli (viittomakieli) sign language; (ark) gestures, hand signs viestiä elekielellä (viittoa) sign, (elehtiä) communicate with gestures/hand signs, point to what you want

elektrodi electrode

elektroni electron

elektroniikka electronics

elektronimikroskooppi electron microscope

elektroninen electronic

elektroninen valokuvaus still video, electronic photography

elektronisalamalaite electronic flashlight, electronic flash

elektronisäde electron beam

elektronitykki electron gun

elellä live (from day to day), get by (somehow), get along

elementaarinen elementary

elementti element

elementtitalo prefab(ricated) house

eli or, in other words, that is (to say)

elimellinen organic

eliminoida eliminate

eliminointi elimination

elimistö system, body; (biol) organism Maitorasvat ovat pahoja elimistölle Milk fats are bad for the system/body Sinun elimistösi ei kestä yhtään alkoholia Your body can't take any alcohol at all, even a drop of alcohol would be disastrous for your system

elin 1 (ruumiillinen) organ (mon) system (ks elimistö) ruuansulatuselimet the digestive system **2** (poliittinen) body, organ; agency, committee, commission, board

elinaika lifetime, lifespan, life; your time on earth, your three score and ten kaiken elinaikani as long as I live, all my life, while I'm here on earth keskimääräinen elinaika average life expectancy

elinehto 1 (olemisen edellytys) vital/ absolute necessity, prerequisite, lifeblood **2** (toimeentulon edellytys, usein mon) (bare) necessities, exigency/ exigencies, (minimal) living conditions

elinikä lifetime, lifespan

elinikäinen lifelong

elinkautinen s life (sentence) Hän sai elinkautisen He got life, he was sentenced to life imprisonment adj (tuomio) life (sentence); (elinikäinen) lifelong

elinkeino 1 (source/means of) livelihood, means of support, source of income **2** (työ) occupation, vocation, calling, (line of) business/work, trade, profession, career **3** (toimiala) industry

elinkeinoelämä business, the business world, commerce, commercial life, industry (and commerce), the economy, economic life, trade (and commerce), the private sector elinkeinoelämän edustajat representatives of the business world/the private sector, (-valtuuskunta) commercial delegation

elinkeinorakenne economic/commercial structure

elinkustannukset cost of living

elinkustannusindeksi cost-of-living index, consumer price index

elinsiirto organ transplant

elintarvikekauppa grocery store; (toimiala) grocery business

elintarvikelisäaine (food) additive

elintarviketeollisuus food (manufacturing/production) industry

elintarvikkeet food(stuffs), staples, groceries

elintaso standard of living

elintasokilpailu the rat race

elintärkeä vitally important, essential, absolutely necessary, indispensable elintärkeä asia a matter of life and death
elinvoima vitality, vigor, stamina, energy; (filos) life/vital force pursuta elinvoimaa to bubble over with energy, effervesce
elinvoimainen vital, vigorous, energetic, effervescent
elinympäristö environment, environs, setting, surroundings, locale; (eläimen) habitat
Elisabet (kuningattaren nimenä) Elizabeth
eliö (living) organism/creature/being
ellei 1 (jos ei, kielteinen ehto) if not Olisimme ehtineet ellei Marja olisi viivyttänyt meitä We would have made it if Marja hadn't slowed us down Koulussa on 400 oppilasta, ellei enemmänkin There are 400 students at this school, if not more **2** (paitsi jos, myönteinen ehto) unless Minä lähden, ellet estä I'm leaving unless you stop me
elohopea mercury, (vanh ja kuv) quicksilver Sinä olet vilkas kuin elohopea! You move like quicksilver!
elokuu August
elokuva (ark, US) movie, motion/moving picture, flick; (hieno, UK) film; (kokoillan) feature film, full-length feature; (lyhyt-) short mennä elokuviin (ark, US) go to the movies, go to/see a movie; (hieno, UK) go to the cinema olla elokuvissa (ark, US) be at the movies, at the picture show; (hieno, UK) be at the cinema esiintyä elokuvissa (ark, US) star in movies, be in (the) pictures, be a movie star/actor/actress; (hieno, UK) be in films, be a film star/actor/actress
elokuva-ala (ark, US) the movies; (hieno, UK) film, cinema
elokuva-arvostelu movie/film review
elokuvafilmi movie/cinema film
elokuvakamera movie/film camera
elokuvamusiikki movie/film music, theme music; (äänitteenä) sound track
elokuvasovitus screen adaptation, adaptation for motion pictures, cinematization
elokuvastudio movie/film studio
elokuvata make/shoot a movie/film
elokuvataide cinema(tic art)
elokuvateatteri (US) movie theater, (UK) cinema
elokuvateollisuus movie/film/motion-picture industry
elokuvaus filming, motion picture photography, cinematography
elokuvayhtiö motion-picture corporation, (ark) (movie) studio
elollinen living, organic
elonkorjuu harvest(ing), reaping, (crop) gathering
eloperäinen organic, of organic origin
elosalama sheet/heat/summer lightning
elostelija 1 (naistenmies) rake(hell), seducer, womanizer, Don Juan, Lothario, Casanova **2** (irstailija) roué, lecher, debauchee, immoralist, sensualist, voluptuary, libertine, profligate, loose liver, man of loose morals
elostella lead a loose/fast/dissolute/dissipate life, lead a life of debauchery/excess/lechery/immorality/profligacy/indecency, have no care for the morrow
eloton 1 lifeless, inanimate, dead, inert **2** (tylsä) dull, boring, colorless, spiritless, unspirited **3** (ilmeetön) unexpressive, expressionless, unanimated, flat, blank, vacant
elpyminen recovery; return to strength/health/good condition/prosperity, improvement, turn for the better, economic upturn, boom
elpyä 1 (toipua) recover, revive, recuperate, return to strength/health/good condition, get your strength back, take a turn for the better, get better, rally, come around **2** (vilkastua) pick up, look up, catch/take fire, (start to) take off, get livelier, improve **3** (vaurastua jälleen) (begin to) flourish/prosper/thrive (again) Firma alkaa elpyä Things are looking up again for the company, business is picking up again, the company is ready to take off (again)
El Salvador El Salvador

eltaantua spoil, go/turn bad/rancid/ sour, putrefy
elukka animal, beast, creature, critter Senkin elukka mä vihaan sua! You beast, I hate you!
elvyttää 1 (virvoittaa) revive, resuscitate, bring back to life, restore to life **2** (virkistyttää) revive, resuscitate, infuse new life into, refresh, freshen, renew, enliven, improve, quicken
elvytys 1 (henkiinherättäminen) resuscitation **2** (vilkastuttaminen) renewal, revival, resuscitation, improvement, reanimation, stimulation
eläimellinen 1 (eläimeen liittyvä) animal **2** (eläimen kaltainen) bestial, beastly, brutal, brutish **3** (raaka) cruel, ruthless, barbaric, barbarous, savage, inhumane
eläimistö animal kingdom/world, (jonkin paikan kaikki eläimet) fauna
eläin animal, brute, beast, creature; (villi-) dumb/wild animal/beast; (koti-) domestic/farm animal, pet
eläinjalostus animal husbandry, livestock breeding
eläinkunta animal kingdom
eläinlaji animal species
eläinlääketiede veterinary medicine
eläinlääketieteellinen veterinary
eläinlääkäri vet(erinarian), (UK) veterinary (surgeon)
eläinmaantiede zoogeography
eläinmaantieteellinen zoogeographical
eläinrasva animal fat
eläinrääkkäys cruelty to animals
eläinsairaala veterinary hospital
eläinsuojelu prevention of cruelty to animals
eläinsuojelulaki Prevention of Cruelty to Animals Act
eläintarha zoo(logical gardens)
eläintiede zoology
eläintieteellinen zoological
eläjä creature, living being metsän eläjät denizens of the woods, forest creatures/animals omillaan eläjä self-supporter
eläke pension, retirement pay, annuity
eläkeikä retirement age
eläkeikäinen of retirement/ pensionable age; superannuated, senior citizen
eläkeläinen pensioner, retired person, senior citizen
eläkemaksu contribution to the retirement/pension fund/plan
eläketurva retirement plan
eläkevakuutus retirement/pension insurance
eläkevuosi year of retirement
eläkkeensaaja pensioner
eläköön s (eläköön-huuto) cheer interj hooray! hurrah! Eläköön päivänsankari! Let's hear it for the birthday boy! Three cheers for the birthday girl! Eläköön kuningatar! Long live the queen!
elämyksellinen memorable, powerful, moving, stunning
elämys memorable/powerful/moving experience, emotional response
elämä 1 life (mon lives); (elinaika) life(time); (elämäntapa) living, way of life, lifestyle **2** (ark) noise, racket, din, clamor, uproar Ulkona pidettiin kovaa elämää koko yö There was a terrible racket outside our windows all night
elämäkerrallinen biographical
elämäkerta biography
elämänasenne philosophy, attitude (toward life), outlook (on life)
elämänfilosofia philosophy (of life), outlook on life
elämänilo joie de vivre, joy of life; zest (for living), zeal, gusto, enjoyment, enthusiasm, verve, passion (for life/ living)
elämäniloinen exuberant, enthusiastic, passionate, lively, spirited, animated, eager, energetic, zestful
elämän ilta the evening of life, the autumnal years, the declining years
elämänjano thirst for life; ks myös elämänilo
elämänkaari (course of) life
elämänkatsomuksellinen philosophical, ideological, doctrinal

elämänkatsomus world view, view of life, philosophy, outlook (on life)
elämänkatsomustieto (koulussa) ethics
elämänkokemus (life) experience, experience of life
elämän koulu school of hard knocks
elämänlaatu quality of life
elämänlanka thread of life
elämänmeno life, pace/course of life nopea elämänmeno life in the fast lane
elämänohje maxim, rule of conduct, (guiding) principle; (mon) code (of ethics)
elämänsisältö Perhe on elämäni sisältö My family is my whole life, I live (only) for my family
elämäntahti pace/rhythm of life
elämäntaipale course of life
elämäntapa way of life, lifestyle
elämän taso standard of living
elämäntehtävä mission/aim in life, calling, life's work
elämäntoveri companion (for life), (life) partner, (life) mate
elämäntuska existential anguish/ suffering
elämäntyyli lifestyle
elämäntyö life's work, calling
elämänura career, calling, profession, vocation, occupation
elämänusko life-sustaining faith, belief in life
elämänvaihe stage/phase of life
elämän vesi (raam) water of life, (kuv) elixir of life, aqua vitae (alkoholi)
elämänväsymys ennui, apathy, weariness, indifference, jadedness, exhaustion
elätellä nurse (hopes/a grudge), nurture (great thoughts), harbor (bitterness/a grudge), cherish (a fond hope), keep (your hopes/anger) alive, cling to
elättäjä supporter, breadwinner, provider
elättää 1 (hankkia elatus) support, maintain, provide for, provide food for, put food on the table for, keep, pay for **2** (ruokkia) feed, nourish, nurture, sustain, keep alive **3** (ihminen elättää tunnetta) nurse (hopes/a grudge), nurture (great thoughts), harbor (bitterness/a grudge), cherish (a fond hope), keep (your hopes/anger) alive, cling to **4** (tunne elättää ihmistä) carry, support, sustain, prop up, give you a lift, lift up, hold up, feed, nourish, provide spiritual sustenance Toivo köyhän elättää, pelko rikkaan kuolettaa Hope feeds the poor, fear devours the rich
elävyys liveliness, life, spirit(edness), vivacity, animation
elävältä nylkeä/keittää elävältä skin/ boil alive
elävä s (eliö) living being, creature; (ihminen) living person, real person; (mon) the living, people on earth, people this side of the grave, (usk) the quick tulee tuomitsemaan eläviä ja kuolleita will come to judge the quick and the dead
adj **1** (elossa) living, alive, breathing, quick, animate On ihmeellistä nähdä tv-sankari elävänä It's incredible to meet one of your TV heroes in the flesh, in person, in real life **2** (eloisa) lively, spirited, vivacious, animated, full of life/ spirit
elävöittää 1 (tehdä eloisaksi) enliven, liven up, animate, cheer up, brighten (up), quicken, pep up, inspire, excite, quicken, vitalize; (uudelleen) renew, rejuvenate **2** (herättää henkiin) give life, breathe life into, bring (back) to life, resuscitate, revive **3** (taiteessa) make (a character/scene) come to life, feel alive, feel real, bring to life
elävöityä 1 (tulla eloisaksi) come alive, liven up, become animated, cheer up, brighten (up), become/get inspired/ excited, perk up, light up **2** (saada eloa) be(come) invigorated, get your strength/ energy back, shake off depression/ despair/the doldrums
elää itr **1** (olla elossa) live, be alive, have life, draw breath, breathe, have being, exist, be, be animate **2** (asua, elellä jossakin) live, reside, dwell, abide, make your abode/home (somewhere), pass your life (somewhere) **3** (saada

elatus) subsist, survive, get on/along/by, support yourself, make ends meet, keep body and soul together Miten sinä pystyt elämään (kun rahaa on niin vähän)? How do you get by, how do you survive? Hän eli kituuttaen She eked out a meager existence **4** (saada elantonsa jostakin) live on/off/by, subsist on, support yourself by, earn your living/ livelihood by **5** (saada hengenravintoa jostakin) live by/on/off, take nurture/ heart from, draw strength/power/ fortitude/sustenance from **6** (liikehtiä) move, stir, bustle, be active, come to life, be lively, be full of life Satama alkaa elää jo ennen aamua The waterfront begins to stir before sunup **7** (jäädä eloon) survive, last, live on, persist, endure, abide, prevail, stand (the tests of time), stay/remain alive
tr **1** (viettää) live, pass, spend, while away, use, fill, occupy Hän eli mukavaa elämää He lived a life of ease **2** (joutua kestämään) undergo, go/live through, endure, suffer, withstand **3** (kokea) experience, feel, respond to, be touched/stirred/moved by elää yhteistä hetkeä share an experience **4** (asua) live in, inhabit, reside in, dwell in, occupy, take up residence in
elää leveästi live high on the hog, live the life of Riley; (tuhlata) go through money like water, drink champagne on a beer budget
emali enamel
emansipaatio emancipation
emi (kasv) carpel, pistil
emissio emission
emmentaljuusto Emmenthal(er) cheese, (US) Swiss cheese
emo mother, dam
emokortti (tietokoneen) motherboard
emootio emotion
emotionaalinen emotional
emoyhtiö parent company, main office
empiirinen empirical
empiretyyli Empire style
empirismi empiricism
empiristi empiricist
empivä hesitant, uncertain, unsure, irresolute, wavering, vacillating, doubtful
empiä hesitate, be hesitant/uncertain/ unsure/irresolute, waver, vacillate, shilly-shally, dillydally, straddle the fence
emäjoki main river
emäkarhu she-bear
emäkirkko mother church
emäksinen alkaline, basic
emäksisyys alkalinity, basicity
emämunaus (ark) royal foulup/fuckup, fiasco
emännöidä 1 run/manage a house(hold), keep house **2** (toimia emäntänä) act as hostess, preside (over a party, at table)
emäntä 1 (vihitty) (house)wife, the lady of the house **2** (palkattu) housekeeper; (juhlan) hostess **3** (laitoksen) matron, mistress, manageress
emäpuolue main party
emäpurje mailsail
emäs base, alkali
emätin vagina
emävale (ark) big fat lie, dirty rotten lie
emäyhtiö parent company
enemmistö majority
enemmistödiktatuuri dictatorship of the majority
enemmistöhallitus majority government
enemmistöpuolue majority party
enemmistövaalit election by simple majority
enemmän 1 more, a greater number/ amount/quantity pitää enemmän prefer, favor enemmän kuin vaikea tehtävä extremely/ unbelievably difficult task Siellä on enemmän kuin 100 ihmistä There's upwards of 100 people in there **2** (pikemmin(kin)) rather, more Minusta se on enemmän beesi kuin valkoinen I'd say it's more beige than white, beige rather than white Martta on enemmän laulaja kuin pianisti Martta is more of a singer than a pianist
enempi ks enemmän
enentää increase, enlarge, expand, augment, add to, make greater/larger

energia 1 (sähkö- jne) energy, power, force **2** (tarmo) energy, vitality, vigor, zest, zeal, enterprise, drive, hustle
energialaji energy type, type of power
energian kulutus energy/power consumption
energiapolitiikka energy policy
energinen energetic, active, vigorous, enterprising, forceful, dynamic, go-getting, high-powered, hard-working, industrious
englannin kieli English, the English language
englanninkielinen English, in English, English-language
englantilainen s Englishman, Englishwoman englantilaiset the English adj English
enimmäishinta maximum/fixed/top/ceiling price
enimmäismäärä maximum (amount), highest amount; (lakisääteinen) legal maximum
enimmäkseen mostly, primarily, chiefly, for the most part, largely, mainly, principally; (useimmiten) in most cases, as a rule, most often, generally
enimmät most, almost all
enintään at (the) most, not more/higher/longer/bigger jne than enintään kaksi viikkoa at most two weeks, two weeks at (the) most, (ark) two weeks tops, not more than two weeks, no longer than two weeks
eniten (the) most (of all) eniten tarjoava the highest bidder eniten myyty bestselling, topselling
enkeli angel (myös kuv), (lapsesta myös) cherub
enkelimäinen angelic, cherubic
ennakko advance (payment), down payment, money down, prepayment
ennakkoaavistus premonition, foreboding, presentiment, apprehension
ennakkoarvio estimate, forecast, prognosis, prediction
ennakkohoito prophylaxis, preventive medicine
ennakkolaskelma estimate, forecast, prognosis
ennakkoluulo 1 (ennakkokäsitys) prejudice, preconception, prejudgment, predisposition **2** (puolueellinen käsitys) bias, slant
ennakkoluuloinen prejudiced, biased, bigoted, partial, narrow-minded, intolerant, discriminatory
ennakkoluuloisuus prejudice, bias, bigotry, partiality, narrow mindedness, intolerance, discrimination
ennakkoluuloton unprejudiced, unbiased, impartial, open-minded, broad minded, tolerant, non-discriminatory, liberal
ennakkoluulottomuus 1 (ennakkoluulon puute) impartiality, lack of prejudice, freedom from bigotry **2** (avarakatseisuus) open-mindedness, broad mindedness, tolerance, fairness, live-and-let-live attitude
ennakkomyynti advance sale(s)/booking, reservation
ennakko-oire symptom
ennakkosuosikki favorite, person/horse jne favored to win, front-runner
ennakkosuunnitelma plan, scheme, blueprint
ennakkotapaus precedent
ennakkotieto advance notice/information, foreknowledge
ennakkotilaaja subscriber
ennakkotilaus subscription
ennakkotoimenpide preventive measure, precaution
ennakkoäänestys absentee vote/ballot
ennakointi 1 anticipation, (advance) preparation, expectation **2** (ennustaminen) forecast, prediction, prognostication
ennakoida 1 (valmistautua ennakolta) anticipate, prepare (yourself) for, expect, look for(ward to), count on **2** (ennustaa) foretell, foresee, forecast, predict, prognosticate
ennakolta 1 in advance, beforehand, (maksaa, ark) up front **2** (filos) a priori
ennakonpidätys withholding

ennallaan as it was, as they/things were, like before pysyä ennallaan stay the same, stay as it is/they are, remain unchanged/unaltered, not change kaikki on taas ennallaan everything's the same again, as it was before, back to normal
ennalta in advance, beforehand Hän oli minulle ennalta tuttu I knew him from before
enne omen, sign, token, portent, auspice Se on hyvä enne It bodes well (for the future)
ennemmin 1 (aikaisemmin) earlier, before, sooner ennemmin tai myöhemmin sooner or later **2** (mieluummin) rather, sooner, preferably
ennenaikainen premature, untimely, precipitate, inopportune, abortive
ennenaikaisesti too soon, too early, prematurely, abortively
ennen adv before, earlier, previously, formerly, once, in the past, in the olden days Tämä oli ennen hieno talo This used to be a fancy house
prep before, prior to, previous to, in advance of, ahead of ennen lounasta before lunch ennen sovittua päivää prior to the agreed-upon date, in advance of the specified date
ennestään already Tunsin hänet ennestään I knew him from before, I already knew him, we'd (already) met
ennustaa 1 (profetoida) predict, prophesy, foretell, foresee, divine, tell the future, tell fortunes, read the signs **2** (sää) forecast the weather, draw up a weather forecast, read the weather report; (tauti) prognosticate **3** (otaksua) presume, assume, think likely, suspect **4** (olla enteenä) herald, augur/bode (well/ill), presage, portend
ennustaja 1 (profeetta) prophet, seer, soothsayer, oracle, sage, foreteller, prognosticator; (povaaja) fortune-teller, crystal-gazer, geomancer, palmist, palm-reader, astrologer **2** (meteorologi) weather forecaster
ennuste 1 (sää-) (weather) forecast **2** (lääk) prognosis
ennustettava predictable
ennustus (profetia) prediction, prophecy, prognostication, forecast
ennättää 1 (kerità) have/find time (to do something), make it (on time), get there (on time), take it (there on time, around to everybody), reach (a place on time) Ennätätkö katsoa tätä? Do you have time to take a look at this? **2** (saavuttaa) reach, get as far as, (sl) make En millään ennätä kuudeksi I'll never make it/get there by six **3** (kohdata) catch (up with/to), (take by) surprise
ennätyksellinen record, unprecedented, unheard-of, exceptional
ennätyksellisesti exceptionally, extraordinarily; (lyhyessä ajassa) in record time, (korkealle) to an all-time high
ennätys record
eno (maternal) uncle, mother's brother
ensi 1 (ensimmäinen) first **2** (seuraava) next
ensiapu first aid
ensiapukurssi first-aid course/class
ensiapulaatikko first-aid kit
ensiarvoinen of primary/greatest/vital importance
ensiesiintyminen debut
ensiesitys premiere, (elokuva) first run/showing
ensi-ilta premiere, first/opening night
ensikertalainen first-timer; (oik) first offender; (aloittelija) beginner, novice, neophyte, rookie
ensiksi 1 first **2** (aluksi) at first, to begin with, for a start, straight/right off, initially, at the outset **3** (ensinnäkin) firstly, first off/of all, in the first place, for one thing **4** (ennen kaikkea) first of all, first and foremost, above all
ensiluokkainen first-class, first-rate, topnotch, top-quality; (ruoka) prime, choice, select, best, finest
ensiluokkalainen first-grader
ensimmäinen first; (johtava) leading, principal, chief, foremost
ensimmäiseksi ks ensiksi
ensin ks ensiksi
ensinkään at all, in the least Hän ei aikonut ensinkään tulla She wasn't

planning to come at all, she hadn't the slightest intention of coming Se ei vaivaa minua ensinkään That doesn't bother me in the least
ensinnäkin ks ensiksi
ensipainos first edition, first run
ensisijainen primary, main, chief, principal, most important
ensisijaisesti primarily, mainly, chiefly, principally, most importantly, first and foremost, in the first place
ensivaikutelma first impression
ensyklopedia encyclopedia
enteillä herald, augur/bode (well/ill), presage, portend, forebode, foretoken
entinen 1 (aikaisempi) former, ex-, one-time; (edellinen) previous, earlier entistä enemmän more/greater than before Hän on vain varjo entisestään He's a mere shadow of his former self **2** (muinainen) ancient, past, olden, bygone muistella entisiä reminisce, recall past times, think about the good old days sanoi entinen mies (as) the man said
entisaika the olden days, the good old days, ancient times, times gone by, days of yore/old, bygone days/times
entisestään ks ennestään
entistää restore, renovate
entisöidä restore, renovate
entsyymi enzyme
entuudestaan ks ennestään
entä Entä minä? What about me? Entä jos hän ei tulekaan? What if he doesn't come? Supposing he doesn't come? What'll happen/we do if he doesn't come? Entä sitten? So what? Who cares? Big deal Miten pyyhkii? Ihan hyvin, entä itselläsi? How's it going? Fine, how about you(rself)? Fine, and you?
enää 1 (kielteisessä yhteydessä: enempää) (any) more; (kauemmin) any more, any longer Ruokaa ei ole enää There's no more food En ole enää lapsi I'm no longer a child, I'm not a child any more/longer **2** (myönteisessä yhteydessä) only Enää on yksi nakki jäljellä There's only one wiener left Vain meidän Anna on enää koulussa Anna's our only child still in school
epidemia epidemic
epideminen epidemic
epidemiologi epidemiologist
epidemiologia epidemiology
epilepsia epilepsy
epilogi epilogue
episodi episode
epistola epistle
epistolateksti epistolary scripture (reading)
epäasiallinen 1 (huomautuksesta: asiaankuulumaton) irrelevant, unrelated, unconnected, beside the point, neither here nor there, not germane **2** (huomautuksesta: perusteeton) groundless, ungrounded, unjustified, uncalled-for **3** (käytöksestä, pukeutumisesta jne: sopimaton) unbusinesslike, unsuitable, inappropriate, unbefitting, improper, unbecoming, unseemly, unacceptable, incongruous **4** (käytöksestä jne: järjetön) irrational, unreasonable, emotional
epäedullinen 1 (teosta: kannattamaton) unprofitable, disadvantageous **2** (teosta: vahingollinen) harmful, injurious, dangerous, detrimental **3** (tilanteesta: epäsuotuisa) disadvantageous, adverse, unfavorable, unpropitious, unfelicitous, unfriendly
epähieno 1 (liian suora) tactless, undiplomatic, unsubtle, indiscreet, indelicate **2** (liian karkea) indecorous, unrefined, rude, gauche
epähuomiossa by accident, accidentally, unintentionally, without thinking, inadvertently, by mistake, by/through an oversight
epähygieeninen unsanitary, unclean, dirty, filthy
epäilemättä doubtless(ly), undoubtedly, no doubt, without doubt, indubitably, unquestionably, unmistakably, certainly
epäilijä doubter, skeptic, disbeliever, doubting Thomas
epäillä 1 (uumoilla, luulla) think, suspect, guess, imagine, conjecture, surmise, hypothesize, believe, suppose Epäilen, ettei hän puhu totta I suspect he isn't telling the truth **2** (pitää epävar-

mana) doubt, question, wonder, be skeptical about/concerning, have doubts about, be doubtful; (olla epävarma) feel uncertain, lack conviction, be indecisive, waver; (olla epäluuloinen) suspect someone, mistrust, distrust, be distrustful (of), be suspicious (of), harbor suspicions (about), be apprehensive (about), believe guilty En yhtään epäile, etteikö hän puhu totta I have no doubt but that he's telling the truth

epäily (epäileminen) doubting, questioning, wavering; (epäilevyys) mistrust, suspiciousness, skepticism; (paha aavistus) misgiving(s), apprehension; (epäluulo) doubt, suspicion Hänen puhetapansa herätti minussa epäilystä The way he talked aroused my suspicions, raised a doubt in my mind täynnä epäilyä full of misgivings

epäilys (epäluulo) doubt, suspicion; (paha aavistus) misgiving(s), apprehension Hänellä oli omat epäilyksensä She had her doubts kaiken epäilyksen ulkopuolella beyond a shadow of a doubt, above suspicion

epäilyttävä 1 (asiasta: arveluttava) suspicious, questionable, shady, fishy, dubious, suspect, open to doubt **2** (asiasta: epätodennäköinen) doubtful, questionable, unlikely **3** (ihmisestä: arveluttava) suspicious, questionable, shady, suspect **4** (ihmisestä: epäluotettava) untrustworthy

epäilyttää minua epäilyttää tämä asia this business looks suspicious/shady/ fishy to me

epäinhimillinen 1 (ei-ihmismuotoinen) inhuman, unhuman, nonhuman, nonhumanoid, alien **2** (julma) inhuman, inhumane, cruel, merciless, pitiless, heartless, cold/hard-hearted

epäisänmaallinen unpatriotic

epäitsekkyys unselfishness, selflessness, self-sacrifice, altruism

epäitsekkäästi unselfishly, selflessly, self-sacrificingly, altruistically, without a thought for him/herself

epäitsekäs unselfish, selfless, self-sacrificing, altruistic

epäjumala idol, heathen/pagan god

epäjumalanpalvelija idolater

epäjärjestys disorder, chaos, disarray, disorderliness, confusion

epäkeskinen eccentric

epäkesko eccentric

epäkohta 1 (heikko kohta) flaw, fault, defect, blemish, imperfection, weakness, weak spot, shortcoming **2** (huono puoli) drawback, disadvantage, bad side, problem **3** (parannettava asia, valituksen aihe) grievance, injustice, wrong, hurt, iniquity, outrage, injury **4** (mon) ills, (social) evils, grievances, grievous/ unjust/inequitable/outrageous/injurious/ bad situation/conditions/ circumstances

epäkohtelias 1 impolite, discourteous, unmannerly, uncivil **2** (epäystävällinen) unfriendly, hasty, cold **3** (epäkunnioittava) disrespectful, impertinent, insolent **4** (töykeä) rude, boorish, ill-bred

epäkunnioittava (arvoa loukkaava) disrespectful, impertinent, insolent, impudent, presumptuous, brazen; (tunteita loukkaava) insulting, offensive, abusive, derogatory, defamatory; (hyviä tapoja loukkaava) impolite, discourteous, unmannerly, uncivil

epäkypsä 1 (raaka: hedelmä) raw, unripe, green; (leivonnainen) not done (yet), uncooked, still gooey (in the middle); (liha) not done (yet), uncooked, still red/tough **2** (lapsellinen) immature, childish, puerile, juvenile

epäkäs (geom) trapezoid

epäkäslihas (anat) trapezius

epäkäytännöllinen 1 impractical, unpractical **2** (ihmisestä: ei tajua käytäntöä) unrealistic, unwise, out of touch, dreamy, starry-eyed, romantic, intellectual **3** (ihmisestä: ei hallitse käytäntöä) disorganized, clumsy, butterfingered, inept, bungling, maladroit, no good with his/her hands **4** (asiasta tai esineestä) poorly built/

planned/designed, awkward/ impossible to use, unusable, inconvenient
epäkäytännöllisyys impracticality
epälojaali disloyal, untrue, unfaithful, faithless; (petturimainen) seditious, traitorous, treasonous, subversive
epälukuinen innumerable, numberless, numerous, countless, incalculable
epäluotettava 1 unreliable, untrustworthy, undependable, not to be trusted **2** (ihminen, myös: vastuuton) irresponsible, not conscientious; (petollinen) deceitful; (epävakaa) unstable, changeable, fickle, unpredictable, erratic **3** (väite, myös: kyseenalainen) questionable, dubious, uncertain, unlikely; (virheellinen) erroneous, mistaken, inaccurate, false
epäluottamus lack of confidence, distrust, mistrust, doubt, misgiving, apprehension, disbelief
epäluottamuslause vote of censure/ no-confidence
epäluulo suspicion, ks myös epäily(s)
epäluuloinen suspicious, ks myös epäilevä
epämetalli metalloid, nonmetal
epämiehekäs 1 unmanly, unmasculine, emasculated **2** (naismainen) effeminate, womanish, sissyish **3** (pelokas) cowardly, timid, fainthearted
epämiellyttävä 1 unpleasant, disagreeable, displeasing, distasteful **2** (epäsympaattinen) unlikable, unattractive **3** (epäkohtelias) ill-natured, churlish, ill-humored, ks myös epäkohtelias **4** (inhottava) nasty, offensive, repulsive, repugnant, obnoxious, objectionable
epämukava 1 (ruumiiseen sopimaton) uncomfortable; hard (chair, couch, bed), tight/pinching (shoes), tight/ binding (pants, shirt, coat) **2** (mielialaan sopimaton) uncomfortable, uneasy, awkward, embarrassing, unpleasant, trying, difficult, ticklish Minulla on täällä erittäin epämukava olo I am very ill at ease here, I feel out of place, I feel like I have two heads/left feet **3** (toimintaan sopimaton) inconvenient, awkward, inopportune, untimely, bothersome, troublesome Hän tuli epämukavaan aikaan He came at an inopportune/ inconvenient time, at a bad time, at the wrong time
epämukavuus 1 (tunne) discomfort, uneasiness, awkwardness, embarrassment **2** (esineen ominaisuus) hardness, tightness jne, ks epämukava **3** (tilanteen ominaisuus) unpleasantness, difficulty, ticklishness **4** (toiminnan ominaisuus) inconvenience, inopportuneness, untimeliness
epämuodollinen informal, casual, natural, offhand
epämuodostuma deformity, deformation, malformation, disfiguration
epämuodostunut deformed, malformed, misshapen, disfigured
epämusikaalinen unmusical Riitta on täysin epämusikaalinen Riitta has no ear for music
epämusikaalisuus lack of musical talent
epämääräinen 1 (määrittämätön) indefinite, undefined, unspecified, undetermined, indeterminate, inexact, imprecise, inexplicit, unclear, unstated **2** (mielivaltainen) arbitrary, unrestrained, unlimited, uncontrolled **3** (hämärä) vague, indistinct, dim, ill-defined, obscure, unclear epämääräiset tiedot vague/ambiguous information **4** (arvoituksellinen) ambiguous, enigmatic epämääräinen hymy enigmatic smile **5** (muodoton) amorphous, shapeless, chaotic, messy epämääräinen röykkiö tavaroita messy/chaotic pile of things/stuff epämääräinen hahmo a vague/amorphous figure/ shape
epämääräisesti 1 (määrittämättä) indefinitely, inexactly, inexplicitly, without being clearly stated, without being spelled out **2** (mielivaltaisesti) arbitrarily, uncontrollably, without limits **3** (hämärästi) vaguely, indistinctly, dimly, obscurely **4** (arvoituksellisesti) ambiguously, enigmatically **5** (muodot-

tomana) without form/shape, chaotically, messily

epämääräisyys 1 (määrittämättömyys) indefiniteness, lack of definition, indeterminacy, inexactitude, inexplicitness, lack of clarity **2** (mielivaltaisuus) arbitrariness, lack of restraint, capriciousness **3** (hämärä asia/olotila) vagueness, obscurity, lack of clarity, ambiguity **4** (muodottomuus) shapelessness, formlessness, chaos, mess(iness)

epänaisellinen 1 unwomanly, unfeminine **2** (miesmäinen) mannish **3** (kova) hard, unfeeling, cold, unsympathetic, bitchy

epäoikeudenmukainen 1 unfair, unjust, inequitable **2** (puolueellinen) partial, biased, one-sided **3** (epärehellinen) dishonorable, dishonest, unprincipled, unethical **4** (häikäilemätön) unscrupulous, underhand(ed), corrupt, dirty, foul

epäoikeudenmukaisesti 1 unfairly, unjustly, inequitably **2** (puolueellisesti) partially, with bias, one-sidedly **3** (epärehellisesti) dishonorably, dishonestly, unethically **4** (häikäilemätön) unscrupulously, underhandedly, corruptly

epäoikeudenmukaisuus 1 unfairness, injustice, inequity **2** (puolueellisuus) partiality, bias, one-sidedness **3** (epärehellisyys) dishonesty, lack of principles, unethical behavior **4** (häikäilemättömyys) corruption, dirty play/pool, foul play

epäolennainen inessential, immaterial, irrelevant, incidental, secondary, minor, trivial, superfluous

epäonni 1 bad luck, ill luck, hard luck, misfortune, ill fortune **2** (vastoinkäyminen) calamity, mishap, catastrophe, disaster **3** (vaikeat ajat) adversity, hardship, tribulation

epäonnistua 1 fail, not succeed, be unsuccessful **2** (olla onnistumatta) come to nothing/naught, abort, fall through **3** (onnistua huonosti) miss the mark, turn out badly, founder **4** (kärsiä tappio) be defeated, meet your Waterloo, meet with disaster, come to grief **5** (mennä myttyyn) go up in smoke, bomb, flop, fizzle out

epäonnistuminen 1 failure, lack of success, ill success, vain attempt **2** (huono menestys) misfire, mishap, washout, botch, fizzle **3** (täydellinen fiasko) defeat, disaster, catastrophe, calamity, fiasco

epäonnistunut 1 failed, unsuccessful; (myttyyn mennyt) abortive, washed out, fizzled out, bombed, flopped epäonnistunut ihminen failure, loser, washout, flop

epäorgaaninen inorganic

epäorgaaninen kemia inorganic chemistry

epäpoliittinen apolitical, unpolitical, nonpolitical

epäpuhdas 1 unclean, impure; (saastunut) polluted, foul **2** (epäsiveä) impure, unchaste, filthy, dirty **3** (mus) discordant, off-key, out-of-tune

epäpuhtaus 1 unclean(li)ness, impurity **2** (mus) discordance

epäpyhä 1 unholy **2** (jumalaton) ungodly, profane, wicked, evil, diabolic(al) **3** (siunaamaton) unhallowed, unconsecrated

epäpätevä 1 (ihmisestä: kykenemätön) incompetent, inept, incapable; (kouluttamaton) untrained, inexpert; (virkaan) unqualified julistaa epäpäteväksi declare unqualified, disqualify **2** (väitteestä) groundless, ungrounded, false, erroneous, mistaken

epärehellinen dishonest; (petollinen) crooked, unscrupulous, deceitful, dishonorable, unprincipled, fraudulent, underhanded; (kaksinaamainen) disingenuous, insincere, twofaced, double-dealing

epärehellisyys dishonesty; (petollisuus) crookedness, deceit, lack of principles/honor, fraud(ulence), underhandedness; (kaksinaamaisuus) disingenuity, insincerity, twofacedness

epäröidä hesitate, doubt, be in doubt, be of two minds, be hesitant/doubtful/

uncertain/unsure/irresolute/undecided; (ark) shilly-shally, dillydally, straddle the fence
epäröimätön unhesitating, unwavering, certain, sure, resolute, decided, definite, confident
epäröinti hesitation, doubt(ing), uncertainty, wavering, vacillation, fence-straddling
epäselvyys 1 (hämäryys) lack of clarity, vagueness, obscurity, opacity, ambiguity tekstin epäselvyys the opacity/ambiguity/vagueness of a text, the obscure meaning of a text **2** (määrittämättömyys) indefiniteness, lack of (clear) definition, (glittering) generality, imprecision, inexplicitness **3** (epävarmuus) uncertainty, ambiguity Firmassa vallitsi täydellinen epäselvyys siitä, miten pelastautua konkurssilta Nobody in the company had any idea how to stave off bankruptcy **4** (kyseenalaisuus) dubiousness, suspiciousness, shadiness, fishiness
epäselvä 1 (hämärä) unclear, vague, indistinct, dim epäselvä hahmo indistinct/dim shape/form epäselvä tehtävä vague/ill-defined task epäselvää puhetta unclear/indistinct/slurred speech jostain epäselvästä syystä for some obscure reason epäselvä viite obscure reference epäselvä runo obscure/opaque/ambiguous poem epäselviä muistoja vague/dim/indistinct/obscure memories **2** (määrittämätön) unclear, indefinite, undefined, unspecified, unstated Se jäi epäselväksi That wasn't spelled out, that wasn't made clear/explicit Minulla on vieläkin epäselvä kuva siitä mitä minun pitää tehdä I'm still not clear on what I have to do, you still haven't given me any clear/definite/exact/precise picture of what I'm supposed to do **3** (epävarma) uncertain, unsure, ambiguous on epäselvää milloin... it's uncertain when..., I'm not sure when..., nobody knows when... **4** (kyseenalainen) dubious, suspicious, shady, fishy Hän on sekaantunut epäselviin puuhiin He's involved in some shady deals
epäselvästi vaguely, indistinctly, dimly, obscurely, imprecisely, ambiguously puhua epäselvästi mumble, mutter, talk into your beard näkyä epäselvästi be dimly/barely visible muistaa epäselvästi have a vague memory that lausua sana epäselvästi pronounce a word imprecisely
epäsiisti untidy, messy, disorderly; (ihminen) unkempt, slovenly, sloppy, disheveled, mussed (up), rumpled, tousled, bedraggled; (paikka) littered, cluttered, chaotic, helter-skelter
epäsikiö monster, monstrosity
epäsointu dissonance, discord(ance), disharmony
epäsointuinen dissonant, discordant, disharmonious
epäsuhde disproportion, disparity
epäsuhta disproportion, disparity
epäsuhtainen disproportionate, disparate
epäsuomalainen un-Finnish
epäsuora 1 (välillinen) indirect, mediated epäsuora esitys (kielessä) indirect/reported speech/discourse epäsuora sanajärjestys (runossa) inversion **2** (kiertävä) indirect, roundabout, circuitous, oblique epäsuora tie roundabout way, circuitous road/path **3** (välttelevä) evasive, not straightforward, hedging epäsuora vastaus evasive reply **4** (vihjaava) insinuating, hinting, suggestive
epäsuorasti 1 (välillisesti) indirectly **2** (kiertäen) indirectly, in a roundabout way/manner, circuitously, obliquely **3** (vältellen) evasively, not straightforwardly, without being straightforward/open/upfront Poliitikko vastasi epäsuorasti The politician hedged, evaded the question, replied evasively/indirectly, In his reply the politician was not entirely straightforward **4** (vihjaten) insinuatingly, suggestively viitata epäsuorasti imply, insinuate, hint at, get at, suggest
epäsuosio disfavor; (häpeällinen) disgrace, (lievä) disapproval joutua jonkun epäsuosioon incur someone's disfavor/disapproval, fall out of favor

with someone, fall from someone's good graces olla epäsuosiossa be in disfavor/disgrace, be unpopular, be in the doghouse

epäsuotuisa 1 (epäedullinen) unfavorable, ill-favored, unfortunate **2** (onneton) unhappy, infelicitous **3** (huonosti ajoitettu) inauspicious, untimely, inopportune **4** (ei lupaava) unpropitious, unpromising

epäsymmetria asymmetry

epäsymmetrinen asymmetrical

epäsäädyllinen 1 (säädylle sopimaton) indecent, unseemly, improper, unbecoming, indiscreet, vulgar, in bad taste, immodest **2** (irstas) immoral, obscene, unwholesome, dirty, filthy, smutty

epäsäännöllinen 1 (tavallisuudesta poikkeava) irregular, unusual, eccentric, abnormal, aberrant, anomalous epäsäännöllinen verbi irregular verb **2** (outo) peculiar, queer, odd, singular **3** (epäjärjestelmällinen) irregular, unsystematic, unmethodical, haphazard epäsäännölliset työtavat unmethodical/unsystematic work habits epäsäännölliset työajat irregular/varying/odd working hours **4** (epäsuora) uneven, out of line, crooked, unaligned **5** (epätasainen) rough, broken, bumpy, not smooth **6** (epäsymmetrinen) asymmetrical, malformed

epäsäännöllisyys irregularity, eccentricity, singularity, haphazardness, unevenness, asymmetry, malformation (ks epäsäännöllinen)

epätaloudellinen 1 (epäedullinen) uneconomic(al), unprofitable, wasteful **2** (tuhlaileva) prodigal, spendthrift, wasteful, improvident

epätarkoituksenmukainen counterproductive

epätasainen 1 (ei sileä) uneven, unsmooth, bumpy, lumpy, jagged, rough, rugged, coarse **2** (epäsäännöllinen) uneven, irregular, out of line, out of sync, varying Elokuva oli taiteellisesti epätasainen The movie was artistically uneven, the movie didn't hold together artistically **3** (epäsuhtainen) unequal, one-sided, unbalanced, lopsided, ill-matched, unfair Nyrkkeilyottelu oli epätasainen The boxing match was one-sided, the boxers were ill-matched

epätavallinen 1 (tavallisuudesta poikkeava) unusual, out of the ordinary, rare, atypical, untypical, uncommon **2** (tavallista parempi) extraordinary, remarkable, noteworthy **3** (ainutlaatuinen) unique, one of a kind, singular **4** (outo) strange, curious, peculiar

epäterveellinen 1 unhealthy, unwholesome **2** (vahingollinen) harmful/detrimental/deleterious/dangerous/hazardous to your health, bad for your health, bad for you, not good for you **3** (epähygieeninen) unsanitary, unhygienic

epätieteellinen unscientific, unscholarly

epätietoinen 1 (tietämätön yleensä) unaware, unknowing, unknowledgeable, ignorant, uninformed **2** (tietämätön tulevasta uhasta) unsuspecting, unwarned, unmindful, off your guard, in the dark about, unalerted **3** (epävarma ihminen) uncertain, unsure, doubtful Olen edelleenkin epätietoinen siitä, mitä tarkoitat I still don't know what you mean, I'm still not sure/certain what you're driving at

epätietoisuus 1 (tietämättömyys) unawareness, ignorance **2** (ihmisen epävarmuus) uncertainty, doubt **3** (asian epävarmuus) uncertainty, indefiniteness

epätodellinen 1 unreal **2** (sepitteinen) not real, make-believe, fictitious, legendary **3** (kuviteltu) imagined, imaginary, fantastic, illusory, phantasmagorical, nonexistent, (olo) unreal, surreal, dreamlike, dreamy Minulla on epätodellinen olo Everything feels unreal, like a dream

epätodennäköinen improbable, unlikely

epätoivo despair, desperation, despondency, depression joutua epätoivoon (fall into) despair, become despondent/depressed Joskus sinun vastuuttomuutesi saattaa minut epätoivoon Sometimes your irresponsibility drives me crazy, drives me to despair, makes me want to climb the walls

epätoivoinen **1** (masentunut) despairing, despondent, depressed, wretched **2** (vimmattu) desperate, wild, frantic **3** (toivoton) hopeless, impossible, beyond help, lost, futile

epätosi untrue, untruthful, false, incorrect

epätyydyttävä unsatisfactory, unacceptable, inadequate, below par

epätäydellinen **1** (viallinen) imperfect, less than perfect, defective, faulty, flawed, blemished, impaired, impure **2** (vajavainen) incomplete, unfinished, partial, broken, fragmentary epätäydellinen lause incomplete sentence

epätäydellisyys imperfection; incompleteness, fragmentariness

epäusko **1** (uskonpuute) disbelief, (raam) unbelief, skepticism, incredulity, lack of credence **2** (epäily) doubt(fulness), dubiety, distrust, mistrust

epäuskoinen **1** (ei-uskova) disbelieving, skeptical, incredulous **2** (epäilevä) doubting, doubtful, dubious, distrustful, mistrustful

epäuskottava **1** (epäluotettava) unbelievable, not believable, untrustworthy, dubious **2** (epätodennäköinen) unlikely, improbable epäuskottava juttu cockamamie story, fairy tale

epävakaa **1** (horjuva) unstable, shaky, wobbly, tottering **2** (vaihteleva) fluctuating, not constant, variable, unsteady, changing, changeable, vacillating, shifting **3** (epävarma) fitful, unsettled **4** (henkisesti) erratic, volatile, mercurial, unpredictable

epävakaisuus instability, shakiness, inconstancy, variability, unsteadiness, changeability, volatility

epävarma **1** (tietämätön) uncertain, not certain, unsure, not sure, doubtful, dubious **2** (empivä) not confident, lacking confidence, hesitant, timid **3** (vahvistamaton) unconfirmed, undecided, undetermined, unsettled, up in the air, in question **4** (epämääräinen) indefinite, indeterminate, hazy, nebulous **5** (epävakaa) unsteady, changing, vacillating, unpredictable

epävarmuus **1** uncertainty **2** (empivyys) lack of confidence, hesitancy, timidity **3** (epämääräisyys) indefiniteness, indeterminateness, haziness, nebulousness **4** (epävakaisuus) unsteadiness, changeability, unpredictability

epävirallinen unofficial, informal

epävirallisesti unofficially, informally, off the cuff/record

epävirallisuus informality

epävireessä **1** out of tune, off key **2** (kuv) downcast, down in the dumps, off your feed

epävireinen **1** off-key, untuned **2** (kuv) discordant, jangly

epäystävällinen unfriendly, disagreeable, unkind, unsociable

erakko hermit, recluse, solitary

erehdys error, mistake, blunder; (epähuomiosta johtuva) oversight, slip(up); (ark) booboo yritys ja erehdys trial and error Hän sanoi sen erehdyksessä He let it slip, it was a slip of the lip/tongue, he blurted it out, he let it out accidentally

erehdyttää mislead, misguide, misdirect, lead astray, lead into error, deceive

erehtymätön infallible, unerring

erehtyväinen fallible, errant

erehtyä **1** (tehdä virhe) err, make a mistake, slip up, commit an error, be in error, be mistaken; (ark) mess up, screw up, blow it erehtyä ovesta mistake the door, get/open/ pick the wrong door **2** (langeta) lapse (from virtue), go astray, sin, transgress, misbehave **3** (haksahtaa) lapse, do mistakenly/ accidentally/ unintentionally/ inadvertently, do by mistake Hän erehtyi hymyilemään vaikka yritti olla vihainen She cracked a smile despite her attempts to stay angry

erhe (ylät) error, mistake

erheellinen erroneous, mistaken
eri 1 (erilainen) different, another Se on ihan eri asia That's completely different, that's another matter altogether olla eri mieltä disagree Kenkäsi ovat eri paria Your shoes don't match **2** (erillinen) separate, different Meidät pantiin eri huoneisiin We were put in separate rooms eri tilauksesta on special order **3** (moni) various, varying, different eri syistä for various reasons
eriarvoinen 1 (raha-arvo) of different value eriarvoinen seteli a bill of a different denomination **2** (sotilasarvo) of different rank **3** (tasa-arvo) inequal
eriarvoisuus inequality
eriasteinen of/at a different degree/level
eri-ikäinen not the same age, older/younger
erikoinen 1 (poikkeuksellinen) special, exceptional, out of the ordinary erikoisen hyvä hiihtäjä an exceptionally/especially good skier **2** (omituinen) peculiar, odd, strange aika erikoinen tyyppi what a weirdo, quite an odd fish, what a bizarre guy **3** (luonteenomainen) distinctive, characteristic, particular, typical Kullakin on oma erikoinen kirjoitustapansa Everyone has his/her own distinctive (style of) writing **4** (vartavastinen) specific, especial, certain, own
erikoisala special field/line/subject, (area of) specialization, specialty
erikoisasema special/unique position, (etuoikeutettu) privileged status
erikoisjoukot Special Forces
erikoisjärjestely special arrangement
erikoiskirjeenvaihtaja special correspondent
erikoiskoulutus special training
erikoiskäsittely special treatment/handling
erikoislaatuinen special, unique erikoislaatuinen ongelma a problem of a particular kind, a special sort of problem
erikoislaite special equipment/instrument
erikoisliike specialized/specialty store/shop
erikoisluonne unique character
erikoislääkäri specialist
erikoismääräys (käsky) special decree; (laki) special regulation
erikoisolot unique/characteristic conditions
erikoisominaisuus special feature/characteristic/quality, singularity; (mon) special strengths and weaknesses
erikoispiirre special/characteristic/distinctive feature
erikoistapaus exception, special case/situation
erikoistarjous special, sale price, bargain, discount Jauheliha on erikoistarjouksessa There's a special on hamburger at the supermarket
erikoistehtävä special task/assignment/mission/duty
erikoistilanne special situation
erikoistua specialize
erikoistuntomerkki distinguishing feature
erikoistutkija special investigator/researcher
erikoistutkimus special investigation/research
erikoisuus special(i)ty, special/unique/distinctive feature; (harvinaisuus) curiosity Hannu tavoittelee kiihkeästi erikoisuutta Hannu tries so hard to be different
erikoisvaatimus special requirement, (lak) special claim; (mon) special qualifications
erikoisvaliokunta select committee
erikseen 1 (erillään, yksi kerrallaan) individually, separately, one at a time **2** (erilleen) aside
erilainen (erikaltainen) different, unlike, dissilimar; (poikkeava) divergent Heillä on erilaiset käsitykset siitä They have divergent ideas/views on it, they disagree on it
erilaistaa make different, differentiate
erilaistua become different, differentiate

erilaisuus 1 (erikaltaisuus) difference, unlikeness, dissimilarity **2** (poikkeavuus) divergence, deviation **3** (ero) disparity, discrepancy
erilleen apart muuttaa erilleen split up, separate, move into different houses
erillinen 1 (erossa oleva) separate, not joined/connected, (talo) detached **2** (yksittäinen) single, individual **3** (eri) separate, different, distinct
erillisosasto task force; (sot) detachment
erillisrauha separate peace solmia erillisrauha make a separate peace
erillistää (sot) detach
erillään separate, apart, in isolation
erimielinen disagreeing, opposed
erimielisyys 1 disagreement, difference of opinion **2** (riita) dispute, argument, clash (of opinions) **3** (riitaantuneisuus) dissension
erimunainen dizygotic erimunaiset kaksoset dizygotic/fraternal twins
erinomainen excellent, outstanding, first-class, great; (ark) super, awesome
erinomaisuus excellence, distinction, (high) quality, brilliance
erinäiset 1 (tietyt) certain erinäiset seikat certain facts/details/points **2** (ark lukuisat) several, quite a few Sain pulittaa siitä erinäisiä tonneja I had to blow several thousand marks on it erinäisiä kertoja over and over again
erioikeus privilege
eripuraisuus dissension, disagreement, discord
eriskummallinen strange, peculiar, odd, eccentric, bizarre
erisnimi proper noun, name
eriste insulation, insulating material
eristekerros insulating layer
eristin insulator, nonconductor, insulating body, dielectric
eristyneisyys isolation, seclusion
eristys 1 (eristyneisyys) isolation, seclusion **2** (sähkö) insulation
eristysaine insulating/nonconducting material
eristysnauha insulation tape
eristäytyneisyys withdrawal, isolation
eristäytyä withdraw (into isolation/ seclusion, isolate/seclude yourself, cut yourself off (from friends, from the world)
eristää 1 (erottaa) split up, separate, segregate **2** (pitää erossa muista) isolate, seclude, sequester; (pitää karanteenissa) quarantine **3** (sulkea alue) block/rope/wall/cut off **4** (sähkö, rak) insulate
erisuuntainen divergent, going in different directions Minulla on hieman erisuuntaisia ajatuksia siitä kuin sinulla I was thinking along slightly different lines than you
erisuuruinen different in size, larger/ smaller
eritasoristeys cloverleaf (intersection)
erite secretion, (kuona-) excretion
eritellä 1 (ositella) analyze **2** (luokitella) classify, categorize **3** (luetella) specify, itemize
eritoten particularly, in particular, especially
erittely 1 (osittelu) analysis **2** (luokittelu) classification, categorization **3** (luettelo) specification, breakdown
erittelykyky analytic(al) ability
erittyä ooze (out), seep (out)
erittäin very, highly, most, extremely
erittää secrete, (kuona-aineita) excrete
erityinen special, especial, particular, (nimenomainen) specific
erityiselin (biol) special(ized) organ
erityisen especially, particularly
erityisjärjestö special-interest organization
erityiskoulu (erillinen laitos) school for handicapped children; (koulun sisäinen) special-education program
erityislainsäädäntö special legislation
erityisluokanopettaja special-education teacher
erityisluonne special character, uniqueness
erityisopettaja special-education teacher; (tukiopettaja) remedial teacher

erityisopetus special education; (tukiopetus) remedial instruction
eritystoiminta (biol) secretion
erityyppinen different, of a different type/sort
eriuskoinen of a different faith
erivapaus (lak, kirk) dispensation; (vapautus) exemption; (yl) special permission (not to do something, not to go somewhere)
eriyttää differentiate; (koulu) stream, divide into tracks
eriytyminen differentiation, specialization
eriytyä differentiate; (koulu) specialize
eriävä differing, divergent, dissenting
eriävä mielipide (lak) dissenting opinion
erkaantua 1 (erota) separate, go your separate ways, part, break/split up **2** (poiketa) split off, diverge Tiestä erkaantui pieni polku A narrow path broke/veered off of the road
erkkeri bay window
ero 1 (erotus) difference, disparity, discrepancy, gap **2** (lähtö toisen luota) parting, departure, saying goodbye **3** (lähtö työpaikasta: eläkeiässä) retirement; (ennen eläkeikää) resignation, quitting **4** (avioero) divorce **5** (erillään-olo) separation, estrangement, split, break
eroamisikä retirement age
eroanomus resignation jättää eroanomus submit/tender your resignation, resign, quit
eroavaisuus difference, divergence, discrepancy
eroavuus difference, disparity, discrepancy, gap
erojaiset retirement party
erokirja 1 certificate of resignation; (ark) work certificate, letter of recommendation **2** bill/certificate of divorce
erokirje Dear John letter
eronhetki moment of parting, time to say goodbye/farewell
eroottinen erotic
erota 1 (olla erilainen) differ, be different from/than, deviate/diverge from Heidän näkemyksensä eroavat liikaa toisistaan They are too far apart in their thinking, there is too great a disparity in their views **2** (toisen luota) part, depart, say goodbye **3** (työpaikasta: eläkeiässä) retire; (ennen eläkeikää) resign, quit **4** (puolisosta: lopullisesti) divorce; (väliaikaisesti) separate, move out **5** (poika-/tyttöystävästä) break up, split up
erotella 1 (lajitella) sort out, separate **2** (valita joukosta) pick out, cull out, single out, isolate
erotiikka eroticism; (eroottiset kuvat, tavarat) erotica
erotodistus 1 (työpaikasta) certificate of resignation, work certificate **2** (avioliitosta) bill/certificate of divorce **3** (koulusta) diploma, (UK) leaving certificate
erottaa 1 (tehdä erilaisiksi) make different, distinguish Miehen erottaa naisesta paitsi anatomia myös kasvatus The differences between men and women are both biological and social, what makes men differ(ent) from women is not only nature but also nurture **2** (havaita erilaisiksi) differentiate, distinguish, tell apart En osaa erottaa teitä toisistanne I can't tell you two apart **3** (havaita) distinguish, discern, make out Kuulin puhetta mutten erottanut sanoja I heard someone talking but couldn't make out the words **4** (saattaa erilleen) split up, separate, divide erottaa tappelupukarit separate two scufflers, break up a fight erottaa lampaat vuohista separate the sheep from the goats **5** (eristää) isolate, segregate **6** (luokittaa) divide up (into groups) **7** (työpaikasta) dismiss, discharge, let go, (sanoa irti) give notice; (ark) fire, sack, can **8** (koulusta: lopullisesti) expel, (ark) boot out, send down; (määräajaksi) suspend **9** (kirkosta: katolisesta) excommunicate, (muusta) revoke your church membership
erottaja separator

erottamaton 1 (ystävistä) inseparable He ovat erottamattomat They are bosom buddies **2** (virkamiehestä) irremovable
erottelu 1 (rotuerottelu: henkinen) discrimination, (fyysinen) segregation **2** (muu) sorting
erottua 1 (olla erilainen) differ, be/act/feel different erottua edukseen stand out (from the crowd) **2** (olla havaittavissa) be distinguishable/discernable, be distinguished/discerned Tähdet erottuivat heikosti You could just barely make out the stars
erotuomari referee, umpire
erotus 1 (ero) difference, discrepancy, gap; (mat) remainder **2** (erottaminen) separation **3** (eronteko) discrimination, distinction tehdä erotus make a distinction, discriminate, distinguish
erä 1 (määrä) amount, quantity; (osamäärä) portion, part Lisää sokeri kolmessa erässä Add sugar in three portions **2** (tavaraerä) lot, batch, consignment, quantity **3** (osamaksu) installment **4** (urheilu) game, (välierä) (qualifying) heat, (nyrkkeilyssä) round, (tenniksessä) set, (jääkiekossa) period, (koripallossa jne) quarter
erämaa 1 (takamaa) wilderness, the wild(s) erämaan kutsu the call of the wild **2** (autiomaa) wasteland, desert
erämaja wilderness hut/cabin
eränkävijä hunter, (turkismetsästäjä) trapper, backwoodsman
eräpallo (kun pelissä on yksi erä) game/match point; (tenniksessä) set point
eräpäivä due date
eräretkeilijä hunter, trapper, backwoodsman
eräretki hunt(ing trip)
eräs s, adj one, a certain person, someone, somebody eräs tuttavani a friend of mine Tämä on eräs niistä joista olen puhunut This is one of the ones I've been talking about En näköjään tiedä yhtä paljon kuin eräät I don't seem to know as much as some people (I could name)
erätalous (hist) hunting and fishing economy
eräänlainen a/one sort/kind/type of eräänlaiset ihmiset a certain type/kind/sort of people, people of a certain kind
erääntymispäivä due date
erääntyä fall/be(come) due, be payable, mature
esanssi essence
esiaste preliminary stage/phase/level
esihistoriallinen prehistoric(al)
esiin 1 (piilosta) out (of hiding, in the open) vetää ase esiin pull out a gun, draw tuoda esiin (paljastaa) bring out in the open, disclose, reveal **2** (julkisuuteen) forward, forth astua esiin step forward/forth kutsua esiin call out/forth, (lak) call to the stand tuoda esiin (ottaa puheeksi) bring up, (ottaa esille) take out
esiintyjä performer; (näyttelijä) actor, (laulaja) singer, (tanssija) dancer illan esiintyjä tonight's guest (star/performer)
esiintymiskyky gift/talent for singing/acting/dancing/performing; stage presence
esiintymispelko stage fright
esiintymisvuoro Olet seuraavana esiintymisvuorossa You're up/on next
esiintymä occurrence; (geol) deposit, accumulation
esiintyä 1 (näyttäytyä) appear, put in/make an appearance, show up/yourself esiintyä ilman paitaa show/turn up with no shirt on, walk in/arrive/appear without a shirt **2** (käyttäytyä) behave, act, conduct yourself esiintyä edukseen make a good impression esiintyä arvokkaasti conduct yourself with dignity, act in a dignified manner **3** (esittää, olla esiintyjänä) perform; (näyttelijänä) act, play (the part of); (laulajana) sing Martti Talvela esiintyi Sarastrona Martti Talvela sang the part of Sarastro **4** (esittää, teeskennellä olevansa) pose as, play the part/role of esiintyä miljonäärinä pose as a millionaire, pretend to be a millionaire **5** (toimia jossakin kapasiteetissa) serve, act esiintyä syyttäjänä act

as prosecutor esiintyä todistajana appear as a witness **6** (ilmetä) occur, appear sana esiintyy keskimäärin 10 kertaa jokaisella sivulla the word occurs an average of 10 times on each page, there are 10 occurrences of the word per page **7** (olla löydettävissä) be found, (geol) be traces/deposits of Kuhaa ei juuri esiinny Pyhäjärvessä Virtually no pike perch is to be found in Lake Pyhäjärvi
esi-isä ancestor, forefather
esikartano (fore)court helvetin esikartano Limbo
esikaupungin asukas suburbanite
esikaupunki suburb
esikaupunkialue suburban area
esikoinen first-born, oldest/eldest (child)
esikoisromaani first novel
esikoisteos first work
esikoulu preschool, nursery school
esikoululainen preschooler
esikunta staff
esikuntapäällikkö chief of staff
esikuntaupseeri staff officer
esikuulustelu (lak) preliminary hearing
esikuva (role) model, exemplar, example; (prototyyppi) prototype kauneuden esikuva paragon of beauty
esikuvallinen exemplary, perfect esikuvallinen aviomies model husband
esilehti flyleaf
esileikki foreplay
esiliina 1 (vaate) apron **2** (ihminen) chaperone
esillepano (liik) display, exhibit(ion), show
esilletulo Rahoituskysymyksen esilletulo voi aiheuttaa hankaluuksia If the question of funding comes up, it may cause difficulty
esillä 1 (fyysisesti) out (in the open), visible, showing **2** (näytillä) on view/ show/display pitää itseään esillä promote yourself, get your name in the papers, keep your face before the public **3** (saatavissa) ready, on/at hand, within easy reach **4** (käsiteltävänä) under discussion, up for discussion/ consideration
esillä oleva asia the matter at hand/ in question/under discussion
esilukija reader
esimaku foretaste
esimerkki 1 (näyte, todiste) example, illustration, sample esimerkiksi for example/instance, e.g. Minä en esimerkiksi aio lähteä I for one am planning to stay right here **2** (tapaus) instance **3** (esikuva) model, example, exemplar näyttää hyvää esimerkkiä set a good example
esimerkkiaineisto illustrative material/data
esimerkkilause sample sentence
esimies 1 superior, (ark) boss **2** (liik, hallinnossa) supervisor, chief **3** (työnjohtaja) foreman **4** (koul) principal, headmaster **5** (yliopiston laitoksen johtaja: määräaikainen nimitys) chair(person), (vakinainen nimitys) head **6** (museossa) curator
esinahka foreskin
esine object, article, thing
esineellinen concrete, material, factual esineellinen todiste material/ concrete evidence esineellinen kulttuuri material culture
esineellistää objectify, concretize, reify
esineistö collection/set (of objects/ articles)
esiopetus kindergarten/preschool instruction (given in public schools)
esipuhe foreword, preface, introduction
esirippu curtain rautainen esirippu Iron Curtain
esirukous prayer of intercession
esite brochure; (kirjanen) leaflet, booklet
esitellä 1 (tutustuttaa) introduce **2** (selostaa) present, explain, expound (upon) **3** (näyttää: paikkaa) show (around), give a tour of; (koneen toimintaa) demonstrate; (pitää näytteillä) display

esitelmä lecture, talk, discourse, presentation; (konferenssiesitelmä) paper pitää esitelmä give a lecture/talk on, (konferenssissa) read a paper on
esitelmäkiertue lecture tour
esitelmätilaisuus lecture Oletko menossa esitelmätilaisuuteen? Are you going to go to the lecture?
esitelmöidä lecture, speak (on), present (on), give a presentation/lecture/talk, read a paper, be a speaker
esitelmöijä lecturer, speaker, presenter
esittelijä 1 introducer, presenter **2** (kokouskäytännössä) rapporteur **3** (hallinnossa) Assistant Junior Secretary
esittely 1 introduction, presentation **2** (ehdotus) suggestion, (esitys) proposal **3** (tasavallan presidentin) Cabinet meeting **4** (havaintoesitys) demonstration **5** (näyttely) show, display, exhibition
esittäjä 1 (lakiesityksen) introducer, proposer **2** (laskun) presenter, (sekin) bearer **3** (runon) (oral) interpreter **4** (näytelmäosan) actor, performer **5** (laulun, oopperaosan) singer, performer **6** (valeroolin) impostor
esittäytyä introduce/present yourself
esittää 1 (ilmaista) express, offer, set/put forth, state Älä esitä! Would you shut up **2** (selostaen näyttää) show **3** (vetää näkyviin) present, produce, show Esittäkää passinne olkaa hyvä Please show (me) your passport esittää lasku present a bill **4** (ehdottaa) submit, suggest, propose; (tehdä esitys) move, make a motion; (nimitettäväksi) nominate, put forward; (ratkaistavaksi) refer **5** (näytellä tms) perform, do; (näyttelijänä) act, play (the part of); (laulajana) sing esittää korttitemppuja perform/do card tricks **6** (teeskennellä olevansa) pose as, play the part/role of esittää miljonääriä pose as a millionaire, pretend to be a millionaire Mitä sinä oikein esität? What are you trying to pull? **7** (kuvastaa) portray, represent, render Maalaus esitti taiteilijan äitiä The painting portrayed the artist's mother

esitys 1 (näytös) performance **2** (esittäminen) presentation **3** (ehdotus) proposal
esitysehdotus (legislative) bill
esityskelpoinen presentable
esityslista agenda
esitystapa (taiteilijan) representational/expressive mode/style; (puhujan) discursive/rhetorical mode/style
esityö preliminary/preparatory work
esivahvistin preamp(lifier)
esivalta the authorities, the powers-that-be
eskatologia eschatology
Espanja Spain
espanjalainen s Spaniard adj Spanish
espresso espresso
espressokeitin espresso-maker
essee essay
esseisti essayist
este 1 obstacle, barrier, obstruction **2** (kuv) hindrance, impediment; (ark) snag, catch En voi tulla, minulle tuli este Sorry, I won't be able to make it after all, something just came up **3** (urh) hurdle, (ratsastuksessa) obstacle
esteellisyys incapacity, disqualification
esteetikko (a)esthetician, (a)esthete
esteettinen (a)esthetic
esteettömyystodistus 1 (avioliittoa varten) certificate of nonimpediment **2** (passia varten) clearance certificate
esteetön 1 (vapaa) free, clear, unobstructed **2** (lak) competent, qualified, allowable; (avioliittoon) free (to marry), unimpeded; (jäävitön) unchallenged
esteratsastus steeplechase
estetiikka (a)esthetics
esto 1 (psyk) inhibition **2** (urh) interference
estoton uninhibited, unselfconscious, spontaneous, free
estrogeeni estrogen
estynyt 1 (estetty) incapacitated, unable, prevented, hindered **2** (estoinen) inhibited, selfconscious
estyä be unable to do something, be prevented/hindered from
estää 1 (ehkäistä) prevent, forestall, preclude, avert **2** (jotakuta tekemästä

jotakin) prevent/stop/keep someone from doing something, something from happening
etana (kuorellinen) snail, (kuoreton) slug, (syötynä) escargot Liikettä kinttuihin senkin etana! Would you get a move on? You're slow as a snail!
eteen adv (etupuolelle) forward, (up) (to the) front
postp **1** in front of, before joutua kuoleman eteen face death **2** (puolesta) for, on behalf of Saan tehdä lujasti töitä sinun eteesi I've got to work my butt off to keep you happy, to make enough money for you
eteenpäin forward, onwards, ahead, on lue eteenpäin read on jatka eteenpäin go ahead tästä hetkestä eteenpäin from now on, from this day forward, from this moment onwards
eteinen 1 (ulkoeteinen) outer hall(way), entry(way), vestibule **2** (pitkä eteinen) hall, corridor, aisle, passage(way) **3** (anat: sydämen) atrium, auricle; (kurkunpään) vestibule
etelä south, the South
Etelä-Afrikka South Africa
eteläafrikkalainen s, adj South African
Etelä-Carolina South Carolina
Etelä-Dakota South Dakota
eteläinen southern, southerly
Etelä-Jemen People's Democratic Republic of Yemen
Etelä-Korea South Korea
eteläkorealainen s, adj South Korean
etelänmatka vacation in the sun, in southern climes
eteläpuoli south(ern) end/side
etelärinne south(ern) slope
eteläsuomalainen Southern Finn
Etelä-Suomi Southern Finland
etelätuuli southerly (wind)
etelävaltalainen (US) Southerner
etelävaltiot (US) the southern states, the South
etenkin especially, particularly
etenkään especially/particularly (not)
etevyys 1 (taito) competence, ability, talent **2** (huomattava asema) (pre)eminence, prominence **3** (loisto) brilliance, excellence, genius **4** (lupaus) promise, precocity
etevä 1 (taitava) competent, able, talented, brilliant **2** (huomattava) (pre)eminent, prominent, distinguished **3** (loistava) brilliant, excellent **4** (lupaava) promising, up-and-coming, precocious
etiikka ethics
etiketti 1 (lappu) (product) label **2** (käyttäytymisnormisto) etiquette
etikettivirhe faux pas, (social) gaffe
etikka vinegar
Etiopia Ethiopia
etiopialainen s, adj Ethiopian
etoa Minua etoo tuommoinen That sort of thing makes me puke, makes me want to throw up, makes me sick to my stomach, turns my stomach
etova disgusting, nauseating; (ark) gross
etsijä 1 seeker, searcher, hunter **2** (etsin) viewfinder
etsin (kameran) viewfinder
etsintä search, hunt, pursuit, quest; (poliisietsintä) dragnet
etsivä detective; (ark) dick, shamus, gumshoe; (yksityinen) private investigator/eye, P.I.
etsiä 1 (jotakin) search/look for, go looking for, go in search of, hunt for, track (down), seek **2** (jokin, hakea) (look around until you) find Voisitko etsiä minulle kynän? Could you scrounge me up a pen? Could you find me a pen somewhere? **3** (jostakin jotakin) search (through), scour etsiä koko kaupungista pähkinävoita scour the city in search of peanut butter **4** (hakuteoksesta) look up etsiä sanakirjasta look up in the dictionary
että 1 that, so that Hän sanoi että hän tulee He said that he's coming **2** (interj) boy!, how... Että mua sapettaa! Boy does that burn me up! Että sinä jaksat! How do you do it? Että se kehtaa! How dare he!

etu 1 (hyöty) advantage, benefit, favor Minulle olisi eduksi, jos voisit tehdä sen It would be highly advantageous/ beneficial for me, it would be greatly to my advantage, if you could Marjalle luettiin eduksi It was counted in Marja's favor, to Marja's advantage esiintyä edukseen make a good impression Mitä etua siitä on minulle? What good will that do me, how will that benefit me? **2** (oma etu) interest Se on sinun oman etusi mukaista It's in your own best interests oman edun tavoittelu self-interest, looking after number one **3** (etuoikeus) perquisite, (ark) perk autoetu company car **4** (tenniksessä) ad(vantage)
etuajo-oikeus (auto) right of way, (UK) priority
etuala 1 foreground (myös kuv) tulla etualalle come to the fore **2** (näyttämön) stagefront tulla etualalle go (to) stage front, go downstage
etujalka 1 (eläimen) foreleg, forefoot **2** (tuolin tms) front leg
etujärjestö special-interest group
etukäteen in advance, beforehand, ~~(ark) up~~ front
etulokasuoja front fender
etumatka lead, (head)start
etunenässä in charge, at the head of
etunimi first/Christian name
etuoikeus 1 privilege **2** (etusija) preferential claim, priority, prior claim **3** (hallitsijan) prerogative
etuoikeutettu privileged, favored; (liik) preferential; (lak) preferred
etuosa front (part/section)
etupenkki (auton) front seat, (kirkon) front/first pew
etupiiri (pol) sphere of interest
etupuoli front; (talon) face, facade; (kolikon) obverse
etupäässä mainly, mostly, chiefly, primarily; for the most part, in the main
eturauhanen prostate
eturivi front row; (kuv) vanguard, forefront
eturyhmä 1 vanguard, forerunners **2** (special-)interest group, pressure group
etusija priority, precedence, preference olla etusijalla muihin nähden take precedence/priority over the others
etydi (mus) etude
ETYK Euroopan turvallisuus- ja yhteistyökokous CSCE, Conference for Security and Cooperation in Europe
etäinen 1 distant, far-off/-away, remote, (far-)removed **2** (kuv) distant, cool, aloof Sinä olet niin pelottavan etäinen! You're so far away, you're a million miles away, it frightens me!
etäisyys 1 distance, remoteness **2** (kuv) distance, coolness, aloofness
etäällä far (away/off), (off) in the distance, a long way(s) away
etääntyä 1 (siirtyä kauemmas) go/ draw away, withdraw, move farther away **2** (vieraantua) grow/drift away, lose touch, become estranged
EU European Union
eukko old lady/woman/girl; (noita) hag, witch, bag
eurodollari Eurodollar
euroviisu Eurovision entry; (mon) Eurovision song contest
eutanasia euthanasia
evakko evacuee
evankelinen evangelical
evankelis-luterilainen Lutheran Suomen evankelis-luterilainen kirkko the Evangelical Lutheran Church of Finland
evankelista evangelist
evankeliumi gospel Matteuksen evankeliumi The Gospel According to Matthew
evankeliumiteksti Gospel scripture/reading
eversti colonel
everstiluutnantti lieutenant colonel
evoluutio evolution
eväslaukku lunch box/pail
evästää 1 (ruoalla) provision **2** (tiedolla tms) brief, advise, counsel
eväät 1 bag/sack/box lunch; (ark) drinks, booze omat eväät mukaan bring your own bottle (BYOB) **2** (opastus) advice, guidance; (edellytykset) assets, resources

F, f

faarao pharaoh
fakiiri fakir
faksata fax
faksi fax
fakta fact
faktori factor
Falklandinsaaret Falkland Islands
fallinen vaihe phallic stage
fallos phallus
falsetti falsetto
falskata (mittaus tms) be off, (sauma) leak
falski 1 (virheellinen) false, erroneous, (ark) off **2** (teennäinen) fake, phony
fantasia fantasy; (psyk) phantasy
fantastinen fantastic
fariseus Pharisee
farkut jeans
farmari 1 (mies) farmer **2** (auto) station wagon **3** (mon) (blue) jeans, Levis
farmariauto station wagon, (UK) estate car
farmarihousut (blue) jeans, Levis
farssi farce
fasaani pheasant
fasismi fascism
fasisti fascist
fasistinen fascist(ic)
F-avain bass clef
fax fax, facsimile, telefax
F-duuri F major
feminiininen feminine
feminismi feminism
feministi feminist
feministinen feminist
fennisti student/scholar of Finland
fennistiikka Finnish studies
feodaalinen feudal
feodalismi feudalism
fes F flat
festivaalit festival
fetisisti fetishist, (UK) fetichist
fetissi fetish
fiasko fiasco
Fidži Fiji
fidziläinen s, adj Fijian
filatelia philately, stamp-collecting
filatelisti philatelist, stamp-collector
filippiiniläinen s Filipino adj Philippine
Filippiinit Philippines
filmata 1 (elokuvata) film, make/shoot a movie/film filmata Sotaa ja rauhaa make a movie of War and Peace **2** (teeskennellä) put on (an act, airs), be affected
filmi 1 (valokuvafilmi) film **2** (elokuva) movie, (UK, hieno) film
filmikasetti film pack
filminherkkyys film speed
filologi philologist
filologia philology
filosofi philosopher
filosofia philosophy
filosofinen philosophical
filosofoida philosophize
filtteri filter
finaali 1 (urh) finals, final heat **2** (mus) finale
finanssimies financier
finni pimple, (euf) blemish, (ark) zit; (mon) acne
firma firm, company
fis F sharp
flipperi pinball (machine)
foneemi phoneme
fonetiikka phonetics
fonologia phonology
fonologinen phonological
formuloida formulate
fosfori phosphorus

fossiili fossil (myös kuv: vanhus)
fraasi phrase
fregatti frigate
freudilainen Freudian
funkis functionalism
funktio function
funktionaalinen functional
funktionalismi functionalism
futurologi futurologist
futurologia futurology
fuuga fugue
fuusio fusion
fysiikka physics
fysikaalinen physical
fysiologia physiology
fysiologinen physiological
fysioterapia physical therapy, physiotherapy
fyysikko physicist
fyysinen physical
Färsaaret Faeroe Islands

G, g

gaelin kieli Gaelic
galleria gallery
gallona gallon
gallup (opinion) poll, Gallup poll
Gambia Gambia
gambialainen s, adj Gambian
gangsteri gangster
gaselli gazelle
G-avain treble clef
geeni gene
geenipankki gene pool
geenitekniikka genetic engineering
geisha geisha
genealogi genealogist
genealogia genealogy
geneerinen generic
geneetikko genetist
genetiikka genetics
geneettinen genetic
geologi geologist
geologinen geological
geometria geometry
geometrinen geometric(al)
geostationaarinen geostationary
gepardi cheetah
germaaninen Germanic
germaaniset kielet Germanic languages
germanisti student/scholar of German
gerundi gerund
Ghana Ghana
ghanalainen s, adj Ghanaian
Gibraltar Gibraltar
gigatavu gigabyte, GB
giljotiini guillotine
glasnost glasnost
Golfvirta Gulf Stream
graafikko graphic artist/designer
graafinen graphic
graafinen esitys graphic illustration/presentation
graffiti graffiti
grafiikkaohjelma (tietokoneen) graphics program, graphics package
grafiikkatabletti graphics tablet
grafiitti graphite
gramma gram
grammaatikko grammarian
graniitti granite
Grenada Grenada
grenadalainen s, adj Grenadian
groteski s (kirjapainossa) sans serif adj grotesque
Gruusia Georgia
Grönlanti Greenland
grönlantilainen s Greenlander adj Greenlandic
Guam Guam
Guatemala Guatemala
guatemalalainen s, adj Guatemalan
Guinea Guinea
Guinea-Bissau Guinea-Bissau
guinealainen s, adj Guinean
Guyana Guyana
guyanalainen s, adj Guyanese

H, h

ha! ha(h)!
haahka eider duck
haaksirikko shipwreck; (kuv) disaster, calamity
haaksirikkoinen shipwrecked
haalarit overalls
haalea 1 (lämpö) lukewarm, tepid **2** (väri) pale, faded
haalia gather, assemble, bring together; (ark) scrape/rake/drum up
haalistaa fade
haalistua fade
haamilainen s Hamite adj Hamitic
haamu 1 (aave) ghost, phantom, specter, apparition; (ark) spook **2** (varjokuva) shadow, shade, ghost(ly image)
haamukirjoittaja ghostwriter
haamuraja (urh) magic barrier/limit
haamusärky phantom pain
haapa aspen
haara 1 (puun) branch, bough, limb **2** (joen) fork, leg, tributary, feeder **3** (ihmisen) leg, (mon) crotch **4** (asian) implication, ramification **5** (toimintapiirin) branch
haarakiila (sukkahousujen) gusset, (housujen) crotch
haarautua branch (off/out), fork, divide
haaremi harem
haarniska (suit/coat of) armor
haarukka 1 fork **2** (sot) bracket **3** (mer) gaff
haaska carcass (myös kuv), (mon) carrion Missä haaska siinä korpit Where there's shit there's bound to be flies
haaskaeläin carrion(-devouring) animal, scavenger, (eläintieteessä myös) necrophagous animal
haaskata 1 (tuhlata) waste, fritter/ throw away **2** (turmella) waste, demolish, ruin; (ark) trash Jos haluat haaskata oman elämäsi, siitä vaan If you want to waste/ruin/throw away/trash your life, go right ahead
haaskaus waste Se on hirveätä rahan haaskausta That's a terrible waste of money
haastaa 1 (kutsua mukaan) invite (to compete), (issue a) challenge, call Lukion toinen luokka haastaa ensimmäisen mukaan limsapullon hinnalla The sophomore class challenges the freshman class to contribute the price of a bottle of soda pop **2** (todistajaksi) call as a witness, call to the stand **3** (kertoa, puhua) talk, chat, shoot the breeze
haastaa oikeuteen sue, file suit against, take to court, bring an action against
haastaa riitaa pick a fight, look/ask for a fight, be quarrelsome
haastatella interview
haastateltava interviewee
haastattelija interviewer
haastattelu interview
haastava 1 challenging **2** (vaikea) difficult, trying, taxing **3** (kiinnostava) stimulating, interesting, thought-provoking
haaste 1 (kutsu kilpailemaan) challenge, dare **2** (vaikea ja kiinnostava tehtävä) challenge, challenging job/task **3** (lak) subpoena, writ, summons
haastella talk, chat, shoot the breeze
haastemies writ-server
haava wound, cut, (palohaava) burn; (kuv) wound, trauma
haavanlehti väristä kuin haavanlehti tremble/quake like a(n aspen) leaf

haave (day)dream, wish, hope, fantasy
haaveellinen dreamy
haaveilija dreamer
haaveilla (day)dream, wish/hope for, fantasize
haavemaailma utopia, El Dorado, Shangri-la; (pilkkaava) Cloud-Cuckoo-Land, dream world
haaveri accident
haavi **1** (landing) net; (perhoshaavi) butterfly net **2** (kolehtihaavi) offertory bag
haavikko aspen grove/copse/stand
haavoittaa **1** (fyysisesti tai henkisesti) wound, injure, hurt **2** (vain henkisesti) offend, hurt someone's feelings
haavoittua **1** (fyysisesti tai henkisesti) be wounded/injured/hurt **2** (vain henkisesti) take offense, be offended, have your feelings hurt
haavoittunut s wounded person, (mon) the wounded
adj **1** (fyysisesti tai henkisesti) wounded, injured, hurt **2** (vain henkisesti) offended
haavoittuvainen vulnerable, easily hurt/wounded, thin-skinned
haeskella look around for
haettaa have someone get something haetti luokseen lääkärin sent for a doctor
hagiografia hagiography
hah! ha(h)!
hahmo **1** (hämärä olento) figure, shape, form, outline **2** (romaanihenkilö) character, figure **3** (psyk) gestalt, configuration, structure
hahmotella **1** (piirtää) sketch (in/out), outline, flesh out **2** (selostaa) set forth (briefly), outline, summarize **3** (luoda henkilöhahmo) characterize (with a few details), sketch/flesh out a character
hahmoteoria (psyk) Gestalt theory
hahmottaa **1** ks hahmotella **2** give form/shape/structure to, flesh out, embody
hahmottua take shape/form, take on definition
hai shark (myös kuv)
haihatella (day)dream, build castles in the air, be off on some other planet, have your head up in the clouds
haihatteleva impractical, utopian
haihattelija (day)dreamer
haihtua **1** (neste) evaporate, vaporize **2** (hävitä: olio) dissipate, disperse, disappear **3** (hävitä: tunne) fade, die out/away, evaporate, be dispelled, pass
haihtuva **1** (kem) volatile, ethereal **2** (kuv) fleeting, evanescent, momentary
haihtuva muisti (elektroniikassa) volatile memory
haikailla **1** (kaihota) long/yearn/hanker/sigh/pine for **2** (valitella) whine, sigh, complain, grumble
haikala shark
haikara stork Hän uskoo vielä haikaraan He still thinks babies are brought by the stork
haikea sad, bittersweet, wistful, nostalgic
haikeus (sweet) sadness, nostalgia
hailee Se on yks hailee It's all the same to me, I could care less
haima pancreas
hairahdus **1** (fyysinen) slip, fall, loss of balance, misstep, false step **2** (moraalinen) slip, indiscretion, imprudence, lapse
hairahtaa **1** (fyysisesti) slip, fall, lose your balance, take a wrong step **2** (moraalisesti) slip, stray (from the strait and narrow (path)), commit an indiscretion
haiseva smelly, stinky, reeking
haiskahtaa (myös kuv) smell, reek; (vain kuv) smack (of)
haista **1** (joltakin) smell (like), have a smell/scent/odor Täällä haisee hyvältä/pahalta This place smells good/bad **2** (kuv) smell, stink, reek Täällä haisee raha This town reeks of money, This place is full of the stink/smell of money
haistaa **1** (havaita hajuaistilla) smell, sniff, get a whiff of, be windward of **2** (vainuta) scent, smell/nose (out), get wind/scent of **3** (epäillä) smell, suspect, sense, feel
haistaa palaneen käryä smell a rat
haistatella tell someone where to go, where to get off, what to do with it

haistella tuulta see which way the wind is blowing
haisu smell, reek, stench
haisunäätä skunk
haitallinen harmful, injurious, hazardous (to your health) haitallinen vaikutus lapseen a bad/detrimental influence on a child
haitari 1 (soitin) accordion **2** (asteikko) scale
haitata 1 (estää) hinder, hamper, impede haitata työntekoa interfere with (your) work, make it hard to (get your) work (done) **2** (vaivata) bother, irritate, bug Haittaako tämä sinua? Does this bother/bug you? Ei se haittaa I don't mind, it doesn't bother me, it doesn't matter, it doesn't make any difference
Haiti Haiti
haitilainen s, adj Haitian
haitta 1 (huono puoli) drawback, disadvantage, negative side markkinatalouden haitat the drawbacks of a market economy **2** (vaiva) bother, inconvenience, nuisance, hindrance, impediment; (ark) headache, pain in the ass/neck Sinusta ei ole muuta kuin haittaa! What a pain in the ass you are! You're nothing but trouble! **3** (lak) prejudice kenellekään haittaa tuottamatta with prejudice to none
haittatekijä problem, bothersome/troublesome consideration, inconvenience, impediment
haittavaikutus adverse effect, (lääkkeen) side effect
haiven 1 (karva) (thin/wispy) hair, (pojan partahaiventa) (peach)fuzz, (untuvaa) down **2** (savun tms) wisp, trace, speck
hajaannus 1 (hajallaan olo) dispersion, disintegration, scattering juutalaisten hajaannus the Diaspora kielten hajaannus (Baabelissa) the scattering of tongues (at Babel) **2** (eripuraisuus) disaffection, disunion, division; (jakautuminen) schism, split
hajaantua 1 (umpimähkään) disperse, scatter, break up, run in all directions **2** (virallisesti: sot) disband; (toimikunta) dissolve; (väliaikaisesti) recess; (kahtia) split/divide up **3** (kem) decompose
hajalla 1 (hujan hajan) (scattered/strewn) here and there, all over (the place), (all) spread out **2** (palasina) broken/smashed (into pieces), in pieces, fallen apart **3** (henkisesti murtunut) all broken/smashed up
hajamielinen absent-minded
hajamielisyys absent-mindedness
hajanainen 1 (siellä täällä esiintyvä) dispersed, scattered Siellä oli muutama hajanainen talo There were only a few houses here and there **2** (yksittäinen) stray, random, odd, sporadic hajanaisia laukauksia random/stray shots hajanaisia huomioita stray remarks **3** (rikkinäinen: esine) broken, smashed; (perhe-elämä) broken, split; (psyyke) disintegrated **4** (epäyhtenäinen) disconnected, unconnected, incoherent, disjointed hajanainen koulutus desultory education
hajanaisuus 1 (esineiden tms) dispersion **2** (kokouksen tms) disunity, divisiveness, discord **3** (tarinan tms) incoherence, disjointedness, unintelligibility, confusion
hajareisin astride, astraddle, with legs spread istua tuolissa/hevosen selässä hajareisin straddle a chair/horse
hajasijoittaa decentralize
hajasijoitus decentralization
hajasoitto (CD-soittimessa tms) random play
hajataittoinen astigmatic
hajataittoisuus astigmatism
hajauttaa decentralize, deconcentrate
hajoamaisillaan falling down/apoart
hajoita ja hallitse divide and conquer
hajonta 1 (sot) dispersion **2** (tilastossa) distribution **3** (fys) scattering
hajota 1 ks hajaantua **2** (mennä rikki, myös kuv) break (up/open/into pieces), shatter, fall to pieces, fall/come apart (at the seams), crack up **3** (haihtua) dissolve, disperse, dissipate, (be) scatter(ed)

hajota kappaleiksi fall/go into pieces
hajota käsiin fall apart in your hands, at a touch
hajottaa 1 (hajaannuttaa) scatter, disperse, break up, dissipate, drive off (in all directions), send scurrying **2** (levittää) spread (out), scatter, strew (about/around) **3** (virallisesti) dissolve, dismiss, (sot) disband hajottaa eduskunta dissolve Parliament **4** (purkaa rakennus) tear/knock down, demolish **5** (purkaa kone osiinsa) take apart, dismantle **6** (rikkoa) break, smash Jussi hajotti mun junan! Jussi busted my train!
hajottaa ainesosiinsa resolve something into its constituent parts
hajottaa maan tasolle raze, level
hajottamo junk yard
haju smell **1** (hyvä) aroma, scent, fragrance, perfume **2** (paha) reek, stink, stench, fetor, odor (käsitys) idea, clue, conception Minulla ei ole hajuakaan siitä, mistä puhut I haven't the foggiest idea of what you're talking about saada hajua jostakin get wind/scent of something
hajuaisti sense of smell; (eläimen) scent
hajuhermo olfactory nerve, (ark) nose, sense of smell
hajuherne sweet pea
hajulukko (drain) trap
hajupommi stink bomb
hajustaa scent, perfume
hajusuola smelling-salts
hajuton odorless, odorfree; (hajustamaton) unscented
hajuvesi perfume
haka 1 (koukku, salpa) hook, catch, clasp **2** (aitaus) paddock, fenced pasture **3** (ark) whiz, wizard, shark, expert
hakanen 1 koukku (hook) päästää hakasista unhook **2** (hakasulje, [ ]) bracket
hakaneula safety pin
hakaristi swastika
hakasulkeet brackets
hakata 1 (lyödä vasaralla tms) rap, tap, bang, hammer Lakkaa hakkaamasta siellä! Will you stop that banging/hammering in there! hakata lihaa tenderize meat **2** (lyödä kirveellä tms) chop/cut (down), hew (up) hakata metsää chop down trees **3** (sade, sydän yms) beat, pound **4** (lyödä nyrkillä: ovea tms) beat/bang/pound on; (ihmistä) hit, strike, punch, smack hakata pianoa pound on the piano **5** (piestä) beat (up), thrash, batter, trounce; (sl) beat the shit out of **6** (voittaa) beat, lick, clobber Hakkasin hänet kunnolla I cleaned his clock, I took him to the cleaners
hake chip, shaving
hakea 1 (noutaa) get, fetch, bring, pick up Voisitko hakea minut neljältä? Could you pick me up at four? Hae keppi, Musti! Go get/fetch the stick, Blackie! kaukaa haettu far-fetched **2** (etsiä) look/search/hunt (around) for, seek (out); (ilmoituksella) advertise (for), put an ad in the paper Haimme hänelle kenkiä kolmesta kaupasta We had to go to three stores to find her some shoes
hakea korvausta sue for damages (divorce jne)
hakea muutosta appeal (a decision)
hakea tanssiin ask someone to dance
hakea virkaa apply for a job
hakemisto 1 (luettelo) index (mon indices), (tietok) directory **2** (hakuteos) reference book
hakemus (virkaa varten) (letter of) application, (anomus) petition
hakeutua 1 (mennä) seek/find your way, go, move hakeutua talveksi kaupunkiin move to town for the winter hakeutua asianomaisen viranomaisen puheille seek out the proper authority, find the right person (and make an appointment to see him/her) **2** (olla taipuvainen menemään) gravitate toward, be drawn to, turn to ajatukseni hakeutuivat jatkuvasti siihen kesään My thoughts constantly (re)turned/gravitated to that summer

hakija 1 (viranhakija) applicant, candidate **2** (esim. korvauksen) petitioner
hakkailla 1 ks hakata **2** (liehitellä) flirt with, hit on, come on to
hakkelus hash, minced/chopped meat Teen sinusta hakkelusta! I'll make mincemeat of you!
hakkeri (computer) hacker
hakkuu logging
hakoteillä on the wrong track, barking up the wrong tree
hakuaika period of application
hakuilmoitus job announcement/advertisement
hakulaite beeper, pager
hakusana entry
hakuteos reference book
halaistu ei sanoa halaistua sanaa not utter a word, not make a peep/sound
halata 1 (syleillä) hug **2** (vanh: haluta) want, long for, pine for
halaus hug
haljeta 1 (revetä) rip, tear, split **2** (halkeilla) crack, (be) fracture(d) haljennut pääkallo fractured skull **3** (puhjeta) burst, break, pop nauraa haljetakseen split/burst your sides with laughter Ei kiitos enempää, minä halkean! Thanks, but if I eat another bite I'll burst/pop!
halju lousy, crummy
halkaisija 1 (mat) diameter **2** (šakissa) diagonal **3** (purje) jib
halkaista split, halve, cleave (in half/twain), cut (in two) Ei suuret sanat suuta halkaise Put your money where your mouth is halkaista hiuksia split hairs
halkaisu split(ting), cleavage
halkeama 1 crack, fracture, (lääk) fissure **2** (syvä) crevice, crevasse, chasm, rift
halkeilla 1 crack, split, fracture **2** (lohkeilla) peel (off) **3** (rohtua) chap, blister
halki adv in two, (run) in twain mennä halki split, crack puhua asiat halki talk things out, get everything off your chest, clear the air
postp ja prep (läpi) through(out), (yli, poikki) across halki maiden ja mantereiden over hill and dale
halkileikkaus cross-section(al drawing)
halko log, piece/stick of firewood, (mon) firewood
halkoa 1 (puita) cut/split/chop (firewood) **2** (jakaa) cut/split/divide up, cut in two
halkoa hiuksia split hairs, chop logic
halkopino stack of firewood
halla 1 frost; (pers) Jack Frost **2** tehdä hallaa cause damage/harm, have an adverse effect
hallelujaa Alleluia, Hallelujah
halli 1 hall; (eteishalli) lobby, anteroom, waiting/reception room; (kauppahalli) market hall; (näyttelyhalli) gallery, exhibition hall **2** (hylje) grey seal **3** (run) dog
hallinnollinen administrative, bureaucratic
hallinta 1 (valtakunnan) rule, reign, control **2** (talon, liikkeen) control; (hallussapito) possession, occupancy, occupation **3** (lihasten) control, command **4** (tunteiden) control, possession saada tunteet hallintaan control your emotions, collect yourself, pull yourself together **5** (kielen) command/mastery (of), proficiency (in)
hallinto (valtion) administration, (liikkeen) management, (ryhmän) leadership
hallintoelin administrative/governing organ/agency/body
hallintoneuvosto (kunnan) supervisory/advisory board, board of commissioners/supervisors; (julkisen yliopiston) administrative council, (yksityisen yliopiston) board of trustees; (keskuspankin) board of governors
hallintorakennus administration building
hallita 1 (käyttää ylintä valtaa) rule (over), govern, reign (over) **2** (johtaa) manage, run, direct, supervise, administrate **3** (pitää hallussaan) possess, be in possession of, hold, occupy **4** (pitää kurissa) control, master, discipline, command **5** (osata) master, have a command of, be good at

hallitsija 1 (ylimmän valtiovallan haltija) ruler, sovereign, monarch; (valtionpäämies) head of state **2** (johtaja) manager, governor, head, boss
hallitus 1 (valtioneuvosto) the (Finnish/U.S.) Government, the (Clinton) Administration; the Cabinet; (ministeriöstö) the bureaucracy, (UK) the Ministry **2** (yrityksen) board
hallituskausi (kuninkaallinen) reign, rule; (demokraattinen) term of office
hallitusmuoto 1 (valtiomuoto) form of government **2** (perustuslaki) Constitution
hallituspuolue governing party, party in power
hallitussihteeri Senior/ministerial Secretary
hallusinaatio hallucination
hallusinatorinen hallucinatory
hallusinogeeni hallucinogen
hallussa 1 henkilön hallussa in a person's possession henkilön käytössä at a person's disposal **2** vieraan vallan hallussa occupied by a foreign power
hallussapito 1 (henkilön) possession, proprietorship, occupancy, control, tenancy huumeen hallussapito possession of a controlled substance **2** (vieraan vallan) occupation
halo halo
halogeeni halogen
haloilmiö halo effect
haloo interj (puhelimessa) hello? (rannalta toiselle tms) yoohoo!
s hubbub, fuss Asiasta nousi suuri haloo Then they made this big deal out of it, it caused a huge uproar
halpa 1 (huokea) cheap, inexpensive, low-priced halvat hinnat reasonable/moderate/affordable prices saada halvalla get a good deal on ostaa/myydä halvalla buy/sell low **2** (mitätön) worthless, insignificant, modest, simple, trivial halpa huvi cheap thrills **3** (alhaissyntyinen) low-bred, common **4** (halpamainen) contemptible, low, mean, base, sordid **5** mennä halpaan be taken in/fooled/duped, be taken for a ride, be snookered Menitpä halpaan! Gotcha! Fooled you! **6** panna halvalla ridicule, put someone down
halpahalli bargain/discount store
halpakorkoinen laina loan at a low interest rate, low-interest loan
halpamainen contemptible, low, mean, base, sordid
halpatuonti cheap imports
haltija 1 (omistaja) holder, owner, possessor, (sekin) bearer **2** (käyttäjä: talon) occupant, occupier, tenant; (auton) driver **3** (herra) lord kaiken näkemänsä haltija lord of all he beheld **4** (henki) spirit, sprite, genie; (hyvä) fairy, elf, brownie, pixie; (paha) troll, gnome, gremlin, (hob)goblin
haltijatar 1 (naispuolinen omistaja jne) mistress, matron, lady (of the house) **2** (naispuolinen henki) fairy, brownie, pixie, elf hyvä haltijatar fairy godmother
haltioissaan delighted, enraptured, enthralled, enchanted, ecstatic
haltioitua be overwhelmed (with joy), be carried away, be entranced
halu 1 (mieliteko) desire, craving, wish; (kaipaus) yearning, longing; (taipumus) inclination, penchant, liking; (pyrkimys) aspiration; (ark) itch, yen hyvällä halulla with pleasure, willingly omasta halustani of my own free will palaa halusta tehdä jotakin be dying to do something **2** (himo) lust, desire, passion; (into) ardor, fervor vastustamaton halu irresistable urge
halukas 1 (aulis) willing, ready, eager **2** (taipuvainen) inclined, (pre)disposed **3** (kiihkoinen) ardent, impassioned, passionate **4** (himokas) greedy, covetous; (seksin tarpeessa) lustful, horny
halukkaasti 1 (auliisti) willingly, eagerly, with pleasure **2** (kiihkoisesti) ardently, passionately **3** (himokkaasti) greedily, covetously; lustfully
halukkuus 1 (aulius) willingness, readiness, eagerness **2** (innokkuus) ardor, passion **3** (himokkuus) greed(iness), lust
haluta 1 (tahtoa) want, (toivoa) wish Kumman haluaisit? Which would you

like? En halunnut loukata sinua I didn't mean to hurt you Haluaisitko karamellin? Would you care for/like a piece of candy? niin halutessasi if you wish/like **2** (haluta kovasti) desire, want desperately, be dying to **3** (himoita) desire, covet, crave, want to have, want for your own

haluton 1 (vastahakoinen) unwilling, undisposed, disinclined, reluctant **2** (välinpitämätön) apathetic, listless, lethargic, indifferent

haluttaa minua haluttaa jo lähteä I want to go now, I feel like leaving already, I'm inclined/disposed to leave now

haluttomasti apathetically, listlessly, lethargically, without much enthusiasm

haluttomuus 1 (vastahakoisuus) unwillingness, disinclination, reluctance **2** (välinpitämättömyys) apathy, listlessness, lethargy, indifference

haluttu 1 (pyydetty) reequested, desired **2** (suosittu) desired, popular, in demand; (ark) hot Tämä on haluttua tavaraa This stuff's popular/hot

halvaannutta paralyze

halvaantua be(come) paralyzed

halvaantuminen paralysis

halvattu darn Voihan halvattu! Darn it! Ota sitten, jos haluat sitä niin halvatun paljon Take it then if you want it so darn much

halvaus 1 (halvaantuminen) paralysis **2** (kohtaus) stroke, apoplexy saada halvaus (ark) have a stroke/fit/cow, hit the roof, blow your top

halveerata run (something) down

halveksia despise, scorn, look down on, sneer at, disdain halveksien contemptfully, contemptuously, scornfully, disdainfully Rahaa ei pidä halveksia Money's nothing to sneeze at

halveksua ks halveksia

halveksunta scorn, contempt, disdain

halventaa 1 (tehdä huokeammaksi) lower/cut/slash costs/prices **2** (tehdä vähempiarvoiseksi) cheapen, lower your esteem (for someone), bring someone/thing down in your eyes (pistää halvalla) disparage, defame, belittle, ridicule

hamassa tulevaisuudessa in the distant/remote future

hame skirt; (kiltti) kilt; (leninki) dress

hameväki (halv) skirts Pitäisi kai ilmoittaa hameväelle Guess we'd better say something about it to the skirts

hameenhelma hem olla äidin hameenhelmoissa be tied to mommy's apron-strings

hammas 1 (anat) tooth (mon teeth) pitkin hampain reluctantly kynsin hampain tooth and nail **2** (tekn) (rattaan) cog, (sahan) tooth

hammasharja toothbrush

hammashoitaja dental hygienist/ assistant

hammaskiille (dental) enamel

hammaskivi tartar

hammaslanka dental floss

hammaslääketiede dentistry, odontology

hammaslääkäri dentist

hammasmätä caries, tooth decay

hammasproteesi denture(s), dental plate

hammaspyörä cog/toothed/gear wheel

hammasrata cog railway

hammassärky toothache

hammastahna toothpaste

hammasteknikko dental technician

hammastus 1 (tekn) toothing, cogging; (sahan) serration; (hammastuminen) gearing, mesh; (hampaat) teeth, cogs **2** (postimerkin) perforation

hampaankolo Jos sinulla on jotain hampaankolossa, kakista ulos If you've got a problem, if something's bothering you, spit it out

hampaat irvessä 1 (vastoin tahtoaan) gritting your teeth, (sanomatta mitään) biting your tongue **2** (ponnistellen) with your jaw set

hampaaton toothless

hampaidenhoito dental care

hamppari bum

hampparoida bum around

Hampuri Hamburg
hampurilainen 1 (ihminen) Hamburger **2** (ruoka) (ham)burger (juustohampurilainen) cheese burger, (kerroshampurilainen) double burger
hamsteri hamster
hamstrata hoard
hamuilla grope/fumble for
hamuta 1 (hapuilla) grope/fumble for **2** (tavoitella) grasp at
hana 1 (vesijohdon) faucet, tap **2** (aseen) hammer, cock virittää hana cock
hanakka eager, enthusiastic käydä hanakasti käsiksi johonkin jump into something with both feet
hanakkuus enthusiasm, eagerness; (intohimo) passion; (sinnikkyys) perseverance
hangaari hangar
hangata 1 (hinkata) rub (out/off/up); (jynssätä) scour, scrub hangata kiiltäväksi polish, buff (up), (hopeaa) burnish **2** (hiertää) rub (on/against), chafe; (kuv: ärsyttää) irritate, exasperate, rankle hangata vastaan chafe against, resist, protest (against)
hangoitella vastaan chafe against, resist, protest (against)
hanhenmaksa (pâté de) foie gras
hanhi goose (mon geese) (myös kuv); (koirashanhi) gander
Hanhiemo Mother Goose
hankala 1 (vaikea tulla toimeen) difficult, troublesome, hard to manage/ please/satisfy **2** (vaikea käyttää) cumbersome, clumsy, inconvenient, unwieldy **3** (vaikea kestää) awkward, embarrassing, difficult hankala tilanne unpleasant/awkward situation
hankaloittaa make (something) (more) difficult; (olla esteenä) obstruct, impede, hamper
hankaluus difficulty, trouble, inconvenience, awkwardness; (ark) snag, hitch
hankaus rubbing, chafing
hankausjauhe cleanser
hankausneste liquid cleanser
hanke 1 (yritys) project, undertaking, enterprise Hanke kaatui rahavaikeuksiin The project had to be abandoned due to financial difficulties **2** (aie) plan, intent(ion), design
hanki snow; (kantohanki) crusted snow hanki kantaa the snow is hard enough to walk on
hankinnainen (sairaus, ominaisuus) acquired
hankinnaisominaisuus acquired characteristic
hankinnaissairaus acquired disease
hankinta 1 acquisition, procurement; (osto) purchase, buying **2** (toimitus) delivery, supply
hankintahinta purchase/original price hankintahintaan at cost
hankintakustannukset initial outlay, first/acquisition/prime costs
hankkia 1 (saada) get, obtain, acquire, find **2** (ostaa) buy, purchase, procure **3** (toimittaa) provide, furnish, supply **4** (ansaita) earn, make (money, a living) **5** (valmistella) prepare (for), look for hankkia riitaa look/ask for a fight Jos haluat rauhaa, hanki sotaa If you want peace, prepare for war
hankkia lapsia have children
hankkia rahaa (ansaita) earn money, (kerätä) raise money
hankkija 1 (hankkeesta sopinut) contractor **2** (tavaran toimittaja) supplier, deliverer **3** (muonan) caterer, purveyor, provisioner **4** (ilmoitusten tms) agent, canvasser
hankkiutua 1 (valmistautua) prepare for, get ready for, dress up for **2** (järjestää itsensä jonnekin) see your way clear to (going, doing, getting) hankkiutua valtaan connive/scheme your way into power hankkiutua jonkun suosioon angle your way into someone's favor hankkiutua irti ikävästä tilanteesta weasel your way out of a sticky situation hankkiutua eroon ihailijoistaan break free of your admirers
hanko (pitch)fork
hansa the Hansa, the Hanse, the Hanseatic League

hansakaupunki Hanseatic town, Hanse town
hansaliitto the Hanseatic League
hansikas glove heittää jollekulle hansikas throw down the gauntlet to
hansikaslokero glove compartment
hanska glove
hanttihomma menial job/chore; (sl) shitty job, (mon) scutwork, shitwork Olen kyllästynyt siihen, että saan tehdä kaikki hanttihommat täällä I'm sick of having to do all the shitwork around here
hanttiin panna hanttiin resist, fight back, get/put your back up, dig your heels in
hanttimies odd-job man
hanuri accordion; (pieni) concertina
hapan 1 (maku) sour, tart Happamia, sanoi kettu pihlajanmarjoista Sour grapes **2** (ilme) sour, sullen (murjottava), surly (vihainen) **3** (kem) acid(ic)
hapanimelä sweet-and-sour
hapankaali sauerkraut
hapankerma (lähin vastine) sour cream
hapankorppu finncrisp
hapanleipä black bread; (raam) leavened bread
hapannaama sourpuss, grouch
hapan sade acid rain
hapantua (turn/go) sour
haparoida grope, fumble, feel about
haparointi groping, fumbling
haparoiva groping, hesitant, uncertain, lacking confidence
hapate (maidon) souring agent, (leivän) leaven
hapatin (maidon) souring agent, (leivän) leaven
hapattaa (maitoa) sour, (leipää) leaven
hapattamaton unleavened
hapatus leaven (myös kuv) vanha hapatus the old leaven
hapenpuute oxygen deficiency, (lääk) anoxia, anoxemia Te kärsitte täällä hapenpuutetta, ulos joka sorkka! You guys need a little fresh air, everybody out
hapeton oxygen-free
hapettaa (kem) oxidize, oxydate, oxygenate
hapettomuus lack of oxygen, (lääk) aoxemia
hapettua (kem) (become) oxidize(d)
hapettuma oxide
hapetus oxidization, oxygenation
haponkestävä acid-proof
hapoton acid-free
hapottaa acidify, acidize
hapottua acifidy, acidize
hapotus acidization, acidulation
happamaton unleavened happamattoman leivän juhla the feast of the unleavened bread
happamuus sourness, acidity
happi oxygen
happihoito oxygen treatment
happihölkkä jog
happikaappi incubator
happikaasu oxygen
happinaamari oxygen mask, gas mask
happipitoisuus oxygen content
happipullo oxygen bottle/tank
happiteltta oxygen tent
happo acid
happoisuus acidity
happokoe acid test
happokylpy acid bath
happomarja barberry
happomyrkytys acid intoxication, (lääk) acidosis
happopitoinen acid(ic), acidiferous
happosade acid rain
happy end happy ending
hapuilla grope, fumble, feel (your way)
hapuillen gropingly, feeling your way
harakanvarvas 1 (käsiala) scrawl, (mon) chicken scratches **2** (käsityö) feather stitch
harakka magpie
harata 1 (karhita) harrow **2** (naarata) drag **3** (hangata) resist, fight back, struggle against
harava rake
haravoida 1 rake (up) **2** (etsiä) comb, scour

hard rock hard rock

harha 1 (kuvitelma) (optical) illusion, delusion, hallucination, chimera, mirage **2** (erehdys) misconception, mistake, false belief/idea, fallacy

harhaan joutua harhaan go astray ajaa harhaan lose your way, make a wrong turn johtaa harhaan mislead, deceive, lead astray osua harhaan miss (the target)

harhailla wander, roam, ramble, meander, rove (about aimlessly)

harhakäsitys misconception, false belief/idea/notion

harhaluulo misconception, (looginen) fallacy; (psyk) delusion

harhateillä on the wrong track, on the wide path that leads to Hell

harhauttaa 1 mislead, deceive, fool **2** (urh) fake, feint, bluff

harhautua 1 (eksyä) lose your way, get lost **2** (joutua harhateille) stray/ deviate (from the strait and narrow), be led/go astray **3** (harhailla) wander, drift, roam

harja 1 (siivousharja) brush, (lattia-harja) broom **2** (hevosen ym) mane, (kukon) crest, comb **3** (talon) rooftop, ridge **4** (muurin) cap, coping **5** (aallon) crest **6** (vuoren) peak, summit

harjaantua 1 (harjoitella tekemään) train for, get practice in **2** (kehittyä) get better at, improve

harjanne ridge

harjata brush (off); (lattiaa) sweep

harjoitella 1 practice, train **2** (sot) drill **3** (teatt) rehearse, practice **4** (oppia) learn

harjoittaa 1 (opettaa) practice, train, drill, rehearse **2** (käyttää) use, exercise, practice harjoittaa väkivaltaa indulge in violence, resort to violence, use violence harjoittaa julmuutta commit atrocities harjoittaa haureutta fornicate, commit fornication harjoittaa sanan-vapautta exercise freedom of speech **3** (ammattia) practice, ply, follow, pursue **4** (opintoja) engage in, carry on, perform **5** (liiketoimintaa) engage in, conduct, do (business), transact

harjoittaja 1 (valmentaja) trainer, instructor **2** practitioner tieteen harjoit-taja student of science taiteen harjoittaja artist haureuden harjoittaja fornicator

harjoittelija trainee, learner; (oppipoika) apprentice

harjoittelu 1 (näytelmän tms) rehearsal, practice **2** (työharjoittelu) (practical) training

harjoittelukoulu teacher training school

harjoitus 1 (harjoittelu) practice, exercise, training; (harjoite) exercise Harjoitus tekee mestarin Practice makes perfect **2** (harjoituskerta, usein mon) practice, practice/training session, workout (session), (jazztanssin, judon yms) class, (näytelmän) rehearsal Läh-den jalkapalloharjoituksiin I'm going to football practice **3** (harjoitustehtävä) exercise Nyt teemme näitä kielioppi-harjoituksia I'm going to pass these grammar exercises out to you **4** (toimin-nan harjoittaminen) practice, pursuit

harkinnanvarainen discretionary harkinnanvarainen kysymys judgment call, matter of discretion

harkinta 1 (punnitseminen) deliberation, consideration tehdä päätös tarkan harkinnan jälkeen base a decision on careful deliberation **2** (päättäminen) (good/sound) judgment, discretion Jätän sen sinun harkintasi varaan I'll leave it to your discretion, I'll let you judge for yourself, I'll leave it up to you(r better judgment)

harkintakyky (good/sound) judgment

harkita 1 (jotakin) deliberate, consider, reflect upon, ponder, think about/over Harkitsen asiaa I'll think it over, I'll think about it Harkitsen juuri uudelleen sinun lähtöäsi sinne leirille I'm reconsidering letting you go to that camp **2** (joksikin) think, consider, regard, find Harkitsin parhaaksi vaieta I thought it best to keep quiet Olen asian niin harkinnut, että The way I see it

harkitsematon reckless, heedless, imprudent, incautious, rash

harkitsemattomasti recklessly jne (ks harkitsematon); without thinking, without considering the consequences/ results
harkittu 1 (tahallinen) studied, deliberate, intentional **2** (punnittu) well thought out, considered huonosti harkittu ill-advised **3** (rikoksesta) premeditated harkittu murha premeditated murder/ homicide, murder in cold blood
harkitusti 1 (tahallaan) deliberately, intentionally, on purpose **2** (harkiten) with care, knowing exactly what you are doing (and why) **3** (harkinnan jälkeen) after careful consideration/deliberation
harmaa 1 gray, (UK) grey; (hiuksista) grizzled **2** (taivas) cloudy, overcast **3** (elämä) blah, drab
harmaa eminenssi gray/grey eminence
harmaahapsinen grayhaired, whitehaired
harmaantua (go/grow/turn) gray
harmahtava grayish, (hiuksista) grizzled
harmi trouble, irritation, annoyance, problem, bother Sinusta ei ole muuta kuin harmia You're nothing but trouble, you're a pest Ei hänestä ole harmia He won't bother/trouble us, he'll be no trouble/bother/problem jatkuvaa harmia constant irritation/vexation
harmillinen troublesome, irritating, annoying, bothersome, vexing Onpas harmillinen juttu, sepäs harmillista What a drag/nuisance/hassle
harmin paikka Mikä harmin paikka! What a shame/nuisance, Oh bother!
harmissaan irritated, annoyed, vexed
harmistua be/get irritated/annoyed/ vexed/upset, be/get worked up Nyt sinä harmistuit ihan turhaan You've gotten (yourself) (all) worked up for/about nothing
harmiton harmless, inoffensive, innocent Hän on täysin harmiton ihminen He wouldn't hurt a fly, he's harmless harmiton pila innocent/innocuous joke/gag
harmittaa irritate, annoy, vex Epäjärjestys harmittaa Disorder drives me crazy/around the bend/up the wall Minua harmittaa tuollainen leväperäisyys That kind of irresponsibility really gets my goat, gets my back up, makes me see red Kaikki asiat harmittavat häntä Everything makes him mad/ irritates him Tyttöä harmitti, että hän oli purskahtanut itkuun The girl was annoyed with herself, kicked herself, for bursting into tears
harmittava irritating, annoying, vexatious harmittava takaisku unfortunate setback
harmoni (mus) harmonium
harmonia harmony
harmoninen 1 (mus ja mat) harmonic **2** (sopusointuinen) harmonious
harppaus 1 (kävelyaskel) stride, long step Hän ylitti ojan yhdellä harppauksella He cleared the ditch in one great step **2** (kehitysaskel) stride, leap Harri on edistynyt pitkin harppauksin Harri is making/taking great strides forward Keskiajasta oli iso harppaus porvarilliseen elämäntapaan It was a great leap from the Middle Ages to a bourgeois lifestyle
harppi compass, (usein mon) a pair of compasses
harppoa stride (along/up and down/ back and forth)
harras 1 (usk) devout, pious, religious **2** (omistautunut) devoted, dedicated, committed **3** (uskollinen) faithful, loyal, steadfast **4** (innokas) ardent, passionate **5** (sydämellinen) heartfelt, sincere hartaat kiitokset heartfelt thanks
harrastaa 1 (olla kiinnostunut josta-kin) be interested in, take an interest in, go in for, be into Harrastan joogaa I'm into yoga **2** (harjoittaa) study, pursue, practice, do Harrastan kieliä I enjoy studying languages, languages are a hobby of mine Harrastan paljon ompelua I do a lot of sewing, I like to sew Hän taitaa harrastaa lähinnä huumeita His main hobby seems to be drugs, all he ever seems to do is smoke dope
harrastaja devotee, aficionado
harrastajateatteri amateur theater

harraste hobby
harrastelija amateur, dabbler; (halveksiva) dilettante
harrastelijamainen amateurish
harrastus 1 (harraste) hobby **2** (kiinnostus) interest (in), liking (for), pursuit (of)
harsia 1 (käsityö) baste, tack together **2** (metsänhoito) cut/fell selectively
hartaus 1 (usk) devotion, piety, reverence **2** (hartaustilaisuus) devotion(al), devotions aamuhartaus morning devotions/prayer (omistautuneisuus) devotion, dedication, commitment heittäytyä hartaudella johonkin devote yourself to something, pour your whole soul into it, delve into it wholeheartedly **3** (into) ardor, passion **4** (sydämellisyys) sincerity
hartia shoulder
hartiahuivi shawl
hartiapankki (ark) sweat equity rakentaa hartiapankilla build up sweat equity
harva 1 harva ihminen (only a) few people, the odd person, (only) one in a hundred/thousand ani harvat very few harva se päivä almost every day, pretty much daily **2** (hajanainen) scattered, sparse harva asutus scattered (spread-out) houses **3** (ohut) thin harvat hiukset thin hair **4** (vähäinen) scanty **5** (karkea) coarse, loose harva kudos loose/coarse weave harva verkko coarse-meshed net **6** (isot välit) wide-spaced, gapped, gaping Minnalla on harvat hampaat Minna is gap-toothed **7** (hidas) slow, measured kellon harva tikitys slow/ measured ticking of the clock
harvainvalta oligarchy
harvalukuinen few/small in number
harvapuheinen untalkative, taciturn, reticent, reserved harvapuheinen mies a man of few words
harventaa thin (out) harventaa ruokinta-aikoja feed less often, at wider intervals harventaa tahtia slow down
harventua thin (out)
harveta thin (out), become thinner
harvinainen 1 (jota on niukalti) rare, exceptional, unusual, unique harvinainen lahja exceptional talent harvinainen kirja rare book harvinaisen paljon an unusually large amount Sellaiset ihmiset ovat harvinaisia People like that are rare/unusual/few and far between **2** (joka sattuu harvoin) rare, infrequent harvinainen vieras infrequent visitor
harvinaisen very, extremely, exceptionally, unusually
harvinaisuus 1 (esine) rarity, curiosity **2** (ominaisuus) rareness hänen käyntiensä harvinaisuus the rareness of her visits **3** (tapahtuma) rare event/ occurrence
harvoin rarely, seldom, infrequently, hardly ever, (ark) once in a blue moon
hassahtanut 1 (hassuksi tullut) touched (in the head), cracked **2** (pihkaantunut) infatuated
hassu 1 (höperö) silly, foolish, ridiculous; (ark) nuts, wacko, bananas Älä ole hassu! Don't be silly/ridiculous hassuna (ilosta) silly/giddy (with happiness) **2** (huvittava) funny, ludicrous, absurd, ridiculous hassu nenä funny nose **3** Muutama hassu peruna A few lousy potatoes **4** ei hassumpi not bad Meille kävi hassusti Things went badly (for us), we had a bit of bad luck, we had an unpleasant surprise
hatara 1 (heikko) flimsy (myös kuv), fragile, creaky; (kuv) tenuous, insubstantial **2** (aukkoinen) leaky, gaping Hänen verukkeensa oli aika hatara His excuse was full of holes **3** (rän-sistynyt) dilapidated, ramshackle **4** (huono) bad, poor hatara muisti poor memory
hattu 1 hat, (lakki) cap nostaa hattua raise/tip your hat (to), take off your hat to (myös kuv) syödä hattunsa eat your hat **2** (pullon, sienen yms) cap; (tekn) hood, cowl
haudata bury Tässä täytyy olla koira haudattuna There must be a catch to this somewhere
haudonta 1 (haavan yms) bathing, soaking, (lääk) fomentation **2** (munien)

brooding, (esille) hatching, (koneessa) incubation
haukata bite (off) haukata liian suuri pala bite off more than you can chew, have eyes bigger than your stomach haukata raitista ilmaa have a breath/bite of fresh air haukata välipalaa have a bite to eat, have a snack
hauki pike
haukka hawk, falcon
haukkoa henkeään gasp/gulp (with surprise)
haukkua 1 bark (at); (pieni koira) yip, yap, yelp; (iso koira) bay **2** (moittia) criticize, attack, abuse; (huutaa) yell/ shout at; (nimitellä) call someone names Hän haukkui minut maanrakoon He told me off, he really hauled me over the coals, he gave me hell, he gave me a piece of his mind
haukkua väärää puuta bark up the wrong tree
haukotella yawn
haukotus yawn
haukotuttaa minua haukotuttaa I can't stop yawning
haulikko shotgun kaksipiippuinen haulikko double-barreled shotgun
hauras 1 (fyysisesti) fragile, (easily) breakable, brittle **2** (henkisesti) delicate, frail
haureus 1 unchąstity, immorality **2** (haureuden harjoitus) fornication
hauska 1 (miellyttävä) enjoyable, pleasant, nice Hauskaa joulua! Merry/ Happy Christmas Meillä oli hauskaa We had fun, we had a good/nice time, we enjoyed ourselves hauskan näköinen tyttö good-/nice-/pleasant-looking girl Hauska kuulla I'm happy/pleased to hear that pitää hauskaa have fun, have a good time **2** (huvittava) funny, amusing hauska veikko funny guy/chap, laugh a minute, life of the party
hauskasti 1 (miellyttävästi) enjoyably, pleasantly, nicely **2** (huvittavasti) funnily, amusingly
hauskuttaa amuse, make people laugh, keep them in stitches, get a laugh
hauta 1 grave; (hautakammio) tomb, sepulchre kääntyä haudassaan turn/ spin in one's grave Hänellä on jo toinen jalka haudassa She's already got one foot in the grave **2** (kuoppa) pit, ditch; (taisteluhauta) trench **3** (urh: vesihauta) water jump
hautajaiset funeral, memorial service; (hautajaiskahvit) wake
hautakivi tombstone
hautaristi memorial cross
hautausmaa graveyard, cemetary
hautaustoimisto funeral parlor/ home
hautautua 1 be buried hautautua elävältä be buried alive Auto hautautui lumeen The snow completely buried/ covered the car **2** (kuv) bury yourself hautautua työhön bury yourself in your work
hautoa 1 (ruokaa: vedessä) simmer, braise, (höyryssä) steam, (uunissa) bake; (kuv) bake, toast, warm hautoa jäseniään saunan lämmössä bake yourself in the sauna hautoa jalkapohjia nuotiolla toast your feet by the fire **2** (haavaa tms: vedellä) bathe, soak, (lääk) foment; (jääpussilla) press with an ice pack; (lämpötyynyllä) heat with a heating pad **3** (munia) brood, (esille) hatch, (koneessa) incubate **4** (pohtia) brood (on), dwell on, contemplate hautoa epäonnistumistaan brood/dwell on your failure hautoa itsemurhaa contemplate suicide hautoa kostoa harbor thoughts of revenge
hautua 1 (kypsyä: vihannes vedessä) simmer, (liha vedessä) stew, (höyryssä) steam, (tee) steep **2** (kuv) get hot, roast, broil, boil Jalkani hautuvat näissä kumppareissa My feet are sweating to death in these rubber boots **3** (kypsyä: mielessä) incubate, take shape/form, be turned around in your mind Suunnitelma hautui mielessäni My plan started to take on definition, I started to have a clearer idea of what I wanted to do
havahtua awaken, wake up with a start/jolt havahtua todellisuuteen stop dreaming, come back down to earth, wake up to reality havahtua näkemään

ongelma suddenly become aware of a problem, suddenly realize there's a problem, all of a sudden stumble onto a problem
Hawaiji Hawaii
havainnollinen illustrative, graphic; (selkeä) clear, good havainnollinen esimerkki good example
havainnollisesti graphically, clearly
havainnollistaa illustrate, clarify, exemplify
havainnollistava illustrative, clarifying, exemplifying
havainnollistus illustration, demonstration
havainnollisuus illustrativeness, graphicness, perspicuity
havainto 1 (huomio) observation, (tieteessä mon) findings, data **2** (aistihavainto) (sense/sensory) perception **3** (ark: käsitys) sense Onko sinulla havaintoa siitä, miten tämän pitäisi toimia? Do you have any sense/idea/notion of how this is supposed to work?
havaintoesitys demonstration
havaintoharha hallucination, delusion
havaintopaikka (sot) observation post
havaita 1 (nähdä) perceive, see; (huomata) notice, detect; (erottaa) make out, discern havaita savua taivaanrannalla see/notice/make out smoke on the horizon tuskin havaittava barely perceptible **2** (oivaltaa) understand, gather, realize **3** (joksikin) find havaita hyväksi find something good
havu branch of an evergreen tree kuusen havuja spruce/fir branches männyn havuja pine branches
havumetsä coniferous/evergreen forest/woods
havupuu coniferous/evergreen tree
HDTV HDTV, high-definition television
h-duuri (mus) B major
he they heidät, heitä them heille, heiltä to/from them heidän their(s)
heavy rock heavy rock
hedelmä fruit (myös kuv)
hedelmällinen 1 (hedelmää tuottava) fecund, fruitful, productive, rich **2** (jälkeläisiä tuottava) fertile **3** (tuloksia tuottava) fruitful, profitable, productive
hedelmällisyys 1 (kyky tuottaa hedelmää) fecundity, fruitfulness **2** (kyky tuottaa jälkeläisiä) fertility **3** (kyky tuottaa tuloksia) fruitfulness, usefulness, efficacity
hedelmättömyys 1 (kyvyttömyys tuottaa hedelmää) barrenness **2** (kyvyttömyys tuottaa jälkeläisiä) sterility, barrenness **3** (turhuus) fruitlessness, futility
hedelmättömästi without bearing fruit, without issue, with no effect, fruitlessly
hedelmätön 1 (hedelmää tuottamaton) unfruitful, unproductive, barren **2** (jälkeläisiä tuottamaton) sterile, barren **3** (tulokseton) unfruitful, fruitless, unprofitable, unproductive, futile
hedelmöittää 1 (lannoittaa) fertilize **2** (siittää) fertilize, impregnate, inseminate; (kasv) pollinate **3** (innoittaa) inspire, stimulate, enliven
hedelmöitys 1 (siittäminen) fertilization, impregnation, insemination keinotekoinen hedelmöitys artificial insemination **2** (sikiäminen) conception hedelmöityksen ehkäisy contraception
hehkeä bright, animated, lively, vivacious
hehku glow
hehkua glow, burn red
hehkulamppu incandescent/filament bulb
hehkulanka filament (wire)
hehtaari hectare
hei! 1 (saapuessa) hi! hello! **2** (lähtiessä) (good)bye! **3** (varoittaessa yms) hey!
heijastaa 1 reflect **2** (kuv) reflect, mirror, show, express Hänen katseensa heijasti pelkoa His look was full of fear Kieli heijastaa yhteiskunnan arvoja Language reflects/mirrors the society's values **3** (valkokankaalle) project
heijastamaton nonreflecting, antiglare

heijastin reflector
heijastua (be) reflect(ed)
heijastus reflection, mirror-image
heikentyminen weakening, worsening, deterioration, decreasing, diminishment (ks heikentyä)
heikentyä 1 weaken, grow/become weak(er) **2** (huonontua) get worse, deteriorate, (start to) fail **3** (vähetä) decrease, diminish, drop off
heikentäminen weakening, impairment, debilitation, enfeeblement, reduction, diminishment (ks heikentää)
heikentää weaken **1** (vähentää kestävyyttä) impair, undermine **2** (vähentää voimaa) debilitate, enfeeble **3** (vähentää laatua) water down **4** (vähentää määrää) reduce, diminish, lessen
heikko weak **1** (kestämätön, hento) weak, fragile, frail, delicate heikko lasi fragile/brittle glass heikko jää thin ice heikko lapsi frail/delicate child Henki on altis mutta liha on heikko The spirit is willing but the flesh is weak heikoissa kantimissa in bad shape, in trouble **2** (voimaton, veltto) weak, feeble, faint flabby, ineffectual, not strong tehdä heikkoja vastaväitteitä protest feebly, faintly, ineffectually näkyä heikosti be faintly visible heikko kahvi weak coffee heikko lihas flabby muscle heikko päätöksentekijä namby-pamby, wishy-washy **3** (kyvytön, kehno) bad, low-quality, poor, substandard heikot arvosanat bad/substandard grades/marks heikko selitys flimsy explanation, lame excuse heikko kielissä bad/no good at languages **4** (riittämätön, pieni) scanty, meager, low, insufficient heikko sato scanty/meager crop heikot palkat low/insufficient wages heikko toivo small/slight hope heikot mahdollisuudet slim/small chances, meager opportunities **5** heikkona fond of olla heikkona lapsiin have a soft spot for children, love children olla heikkona viinaan have a weakness for liquor olla heikkona makeisiin have a sweet tooth **6** (liik: valuutta) weak, unstable **7** (kiel: verbi) weak
heikkohermoinen high-strung; (psyk) neurotic, (lääk) neurasthenic
heikkokasvuinen stunted, slow-growing
heikkokuntoinen 1 in bad shape/condition **2** (ihminen) frail, infirm **3** (talo) dilapidated, ramshackle **4** (auto) (ark) clunky
heikkolahjainen slow, backward, of below-average intelligence; (kehitysvammainen) retarded, educationally handicapped
heikkomielinen feeble-minded, retarded, (euf) intellectually handicapped
heikkonäköinen weak-sighted, myopic
heikkorakenteinen frail, slight
heikkotasoinen poor, substandard, not up to par
heikkotehoinen underpowered
heikkous 1 weakness **2** (hentous) fragility, frailty **3** (velttous) feebleness, flabbiness, debility **4** (kehnous) low quality/level, lameness **5** (pienuus) smallness, insufficiency **6** (heikko kohta) weakness, weak/vulnerable spot/point **7** (mieltymys) fondness, penchant, soft spot (in your heart) heikkous lapsiin soft spot for children heikkous makeisiin sweet tooth
heikkouskoinen (raam) ...of little faith Te heikkouskoiset O ye of little faith
heikohko weakish, on the weak side
heikompi astia (raam) the weaker vessel
heikottaa Minua heikottaa I feel faint/woozy/light-headed
heilahdella 1 rock/roll (back and forth), swing/sway (to and fro), undulate **2** (liik) fluctuate **3** (fys) oscillate
heilahdus 1 rocking/rolling movement, swaying, swinging, undulation **2** (liik) fluctuation **3** (fys) oscillation
heilauttaa (kättä) wave, (häntää) wag, (kirvestä, säkkiä selkään) swing, (lattiaharjaa) whisk Ei se minua paljon heilauta It makes no difference to me, I don't give a damn

heilua 1 swing/sway/rock/roll (back and forth, to and fro) **2** (ahertaa) work hard, work like a mad(wo)man, (ark) work your butt/ass off, (practically) kill yourself working/with work **3** (tal) fluctuate **4** (fys) oscillate
heiluri pendulum
heilutella (kättä) wave, (häntää) wag, (kirvestä) swing, (lattiaharjaa) whisk, (nyrkkiä, miekkaa) brandish, (seteli-nippua) flourish, (lanteita) roll, (kehtoa) rock
heiluttaa ks heilutella
heimo 1 tribe, clan, kin **2** (biol ym) family
heinikko grass
heinä hay, (ruoho) grass tehdä heinää make hay olla heinässä be working in the hay fields, be hay-making Se ei ole minun heiniäni That's none of my affair/ business, that's out of my jurisdiction/ bailiwick, I've got nothing to do with that
heinäkuinen July heinäkuinen ilta a July evening, an evening in July
heinäkuu July
heinämies haymaker
heinänteko hay-making
heinänuha hay fever
heinäpaalu bale of hay, hay bale
heinäpelto hay field
heinäseiväs hay pole
heinäsirkka grasshopper
heinäsuova haystack
heipparallaa zippity-doodah
heitellä throw (around), fling, sling, let fly heitellä jotakuta lumipalloilla pelt/ bombard someone with snowballs Sillä voit nyt heittää vesilintua You can chuck/pitch/heave that now
heittelehtiä 1 (sängyssä) toss and turn, toss about Heittelehdin levotto-mana koko yön I tossed and turned restlessly all night **2** (tuuli) gust, blow this way and that
heitto 1 throw, toss jne (ks heittää) **2** (ehdotus) suggestion, trial balloon; (huuli) joke, witticism, bon mot Se oli vain heitto It was just a thought
heittoistuin ejection seat
heittopussi pushover
heittäytyä 1 throw/hurl/cast/fling yourself heittäytyä jonkun jalkoihin throw yourself/fall at someone's feet heittäytyä veteen plunge into the water heittäytyä pallon perään leap/jump after the ball **2** (omistautua johonkin) throw yourself into something, get caught up in something, get swept/carried away by something heittäytyä seuraelämän pyörteisiin rush headlong into the hurlyburly of high society, get caught up in social life heittäytyä epätoivoon plunge into despair, give yourself over to despair **3** (antautua) surrender, yield, give up heittäytyä turvallisuuden tuntee-seen be lulled into a false sense of security **4** (tekeytyä joksikin) pretend to be, play heittäytyä tyhmäksi play dumb, pretend to be stupid/not to understand anything
heittää 1 throw, hurl, toss heittää palloa (edestakaisin) play catch heittää jollekulle hansikas (haastaa taisteluun) throw down the gauntlet **2** (pois) throw out/away; (ark) chuck, pitch, heave heittää lapsi pesuveden mukana throw out the baby with the bathwater **3** (luo-da) cast, throw (out) Hän heitti minuun vihaisen katseen She cast me an angry glance, gave me a dirty look heittää syytöksiä cast aspersions heittää ajatus throw out an idea, make a suggestion **4** (olla väärin) be off, be mistaken, vary Tulokset voivat heittää enintään 3 mm The results may be 3 mm off at most, there is a 3 mm margin of error Mieli-piteet heittivät jonkin verran The(ir) views/opinions were slightly different
heittää henkensä die, pass away, give up the ghost
heittää hyvästit bid farewell, take leave of
heittää kruunua ja klaavaa toss a coin
heittää päästä häntä heittää päästä he's got a screw loose, he's missing a few marbles
heittää veivinsä kick the bucket
heittää vettä urinate, make/pass water, piss

heiveröinen 1 (ihminen) frail, slight, slender **2** (valo) faint, dim **3** (talo, perustus tms) shaky
hela 1 fitting, mounting, bushing; (mon) fittings, mountings; (erit oven/ikkunan) furniture (locks, hinges, and handles) **2** (puukon) ferrule
helahoito (puukko) sheath knife (with a ferruled handle)
hela hoito the whole kit and caboodle
heleä bright, cheerful, buoyant heleä ääni melodious voice heleä nauru bright/cheerful/ringing laughter
heleästi brightly, cheerfully, gaily
helikopteri helicopter; (kans) chopper, whirlibird
hella stove, range
helle heat (myös kuv), hot weather
helleaalto heat wave
hellittämättä incessantly, constantly, without a break
hellittää tr **1** (löysätä) loosen, slack(en), relax hellittää otettaan loosen/relax your grip hellittää köyttä loosen/slacken a rope, let the rope go slack **2** (päästää irti) let go, let loose of, release, free hellittää otteensa let go, release your grip hellittää köydestä let go of the rope **3** (jättää kesken) stop/ quit (doing something) En malttanut hellittää lukemistani I couldn't put the book down itr **1** (laantua) slacken, abate, ease off tuuli hellittää the wind abates/subsides pakkanen hellittää the cold snap breaks, the weather warms up kuume hellittää the fever breaks/abates, the temperature comes down **2** (ottaa rennommin) loosen/lighten up, slack off, take it easy, slow down Hellitä vähän! Hey, lighten up! Take a break!
helluntai Pentecost
helluntaiseurakunta Pentecostal church
hellyydenkipeä starved for affection
hellyydenosoitus token of your affection
hellyys tenderness, loving kindness, affection
hellä 1 (kosketukselle arka) tender, sore, sensitive **2** (rakastava) tender, loving, kind, affectionate
hellästi tenderly, lovingly, kindly, affectionately
hellävarainen careful, gentle; (tahdikas) tactful, discreet
hellävaraisesti carefully, gently
hellävaroen carefully, gently
helma 1 (lieve) hem pyöriä äidin helmoissa be underfoot, rush around under/at mommy's feet roikkua äidin helmoissa be tied to your mother's apron-strings **2** (kuv) bosom riistää lapsi äitinsä helmasta tear a child from its mother's arms päästä Aabrahamin helmaan be taken into the bosom of Abraham
helmapelti (auton) rocker panel
helmeilevä sparkling, bubbly, effervescent
helmeillä sparkle, bubble, effervesce
helmi 1 pearl; (mon: helminauha) pearls, pearl necklace, (kaulanauha) necklace heittää helmiä sioille cast pearls before swine **2** (kuv) gem, jewel, treasure Teidän kotiapulaisenne on todellinen helmi Your nanny is a real gem/treasure Itämeren helmi Jewel of the Baltic
helmikuinen February helmikuinen aurinko the February sun, the sun in February
helmikuu February
helminauha pearls, pearl necklace
helposti easily, with ease, without difficulty
helpottaa 1 (tehdä helpommaksi) make something easier, facilitate helpottaa läpikulkuliikennettä facilitate through traffic **2** (keventää) lighten, take (some of) the burden off helpottaa työtaakkaansa lighten your work load **3** (lievittää) ease, relieve, assuage, alleviate Tämä lääke helpottaa sinun kipuasi This medicine will help ease your pain, will make it hurt less, make some of the pain go away Joko helpotti? Feel better? **4** (vähetä) ease (off), abate, slacken Sade taisi vähän helpot-

taa I think the rain has eased off a little, I don't think it's raining so hard any more

helpottua 1 (tulla helpommaksi) become easier, be facilitated **2** (kevetä) lighten, ease up **3** (lievittyä) get/feel better, ease off **4** (vähetä) ease (off), abate, slacken

helpotus 1 relief **2** myöntää helpotuksia make concessions/allowances, waive fees

helppo easy mennä helppoon be duped/fooled, be taken in Menitpä helppoon! Gotcha!

helppoheikki street/fair barker, "cheap Jack"

helppo nakki piece of cake, no sweat, duck soup

helsinkiläinen Helsinkian, Helsinki man/woman

heltyä be moved, soften, (antaa periksi) relent

helvetillinen hellish, infernal

helvetin kuusi Missä helvetin kuusessa sä oot luuhannut koko illan? Where the hell have you been all evening? Se asuu jossain helvetin kuusessa She lives way out in the sticks somewhere

helvetisti juosta helvetisti run like hell, run hellbent for leather helvetisti ihmisiä a hell of a lot of people

helvetti hell Painu helvettiin! Go to hell! Painu helvettiin siitä! Get the hell out of there! Mitä helvettiä What the hell

hemmetti heck Mene hemmettiin siitä Get the heck out of there Mitä hemmettiä What the heck

hemmotella 1 (kohdella hyvin) indulge, pamper, coddle näky hemmottelee silmiä the sight gratifies/pleases the eye **2** (hemmotella pilalle) spoil

hemmoteltu spoiled

hemmotteleva indulgent

hemmottelu 1 (hyvä kohtelu) indulgence, pampering, coddling **2** (pilalle) spoiling

hengellinen spiritual, devotional, religious hengellinen musiikki sacred music

hengenheimolainen kindred spirit

hengenvaara danger to life, peril

hengenvaarallinen extremely dangerous, perilous hengenvaarallinen haava fatal/mortal wound

hengittää breathe (myös kuv) hengittää sisään inhale, breathe in hengittää ulos exhale, breathe out

hengitys 1 (hengittäminen) breathing, (lääk) respiration **2** (henki) breath Sinun hengityksesi haisee You've got bad breath

hengityselimet respiratory organs

hengästys windedness, breathlessness

hengästyä get out of breath, get winded

henkevä spirited, full of spirit/life, lively, animated

henkevästi with spirit/animation

henki 1 (hengitys) breath vetää henkeä breathe in haukkoa henkeä gasp Sinun henkesi haisee You have bad breath henkeä salpaava breath-taking **2** (henkäys) breath, puff **3** (tuoksu tms) air kesäyön viileä henki the cool summer night air **4** (elämä) (the spirit/breath of) life Rahat tai henki! Your money or your life! Sinulta voisi mennä henki You could get killed, you could die Niin kauan kuin henki minussa pihisee As long as there's a breath of life in my body, as long as I'm still kicking juosta henkensä edestä run for dear life henkeen ja vereen through and through **5** (usk, filos) spirit, (sielu) soul, (ajattelu) mind, (tunne) feeling Henki on altis mutta liha on heikko The spirit is willing but the flesh is weak hengen tuotteet products of the human spirit hengessä mukana with you in spirit, there in spirit täysissä ruumiin ja hengen voimissa sound in mind and body Hän on laitoksen henki She's the soul of that department **6** (mieliala) spirit, mood, atmosphere ajan henki spirit of the times, Zeitgeist kodin henki atmosphere at home kumouksellinen henki revolutionary mood/spirit **7** (aave) spirit, ghost, sprite metsän henki forest spirit/sprite isoisän henki grandpa's spirit/ghost manata ulos henkiä cast out spirits, exorcise demons Pyhä Henki Holy Spirit/Ghost **8** (hen-

kilö) person 10 mk per henki 10 marks per person, 10 marks each kahden hengen huone double (room)
henkilö 1 (ihminen) person, (huomattava) personage **2** (romaanihahmo) character
henkilöauto (passenger) car, sedan
henkilökohtainen personal, individual, (yksityinen) private
henkilökohtainen tietokone personal computer, PC
henkilökohtaisesti personally
henkilökohtaisuus mennä henkilökohtaisuuksiin get personal
henkilökunta staff, personnel
henkilökuva (patsas) figure, (maalaus) portrait, (romaanihahmo) character(ization), (imago) image
henkilökuvaus portrait, portrayal, characterization
henkilöllisyys identity
henkilöllisyystodistus identification card, I.D.
henkilöpalvonta personality cult
henkilöpuhelu person-to-person call
henkilörekisteri civil register
henkilöstö staff, personnel
henkilöstöpäällikkö personnel manager
henkilövahinko bodily injury, casualty
henkimaailma spirit world
henkimaailman asia Se on henkimaailman asioita That's too abstract/theoretical for me
henkinen 1 emotional henkinen kasvu/kypsyys/kärsimys/tasapaino emotional growth/maturity/pain/stability **2** (älyllinen) mental, intellectual henkiset lahjat intellectual/mental abilities **3** (psyykkinen) psychological, mental, emotional henkinen sairaus mental illness, psychological/emotional disorder
henkirikos capital crime/offense, homicide
henkisesti emotionally, psychologically, mentally, intellectually (ks henkinen) henkisesti kuollut emotionally dead henkisesti sairas mentally ill
henkitiede humanities, (liberal) arts
henkivakuutus life insurance, (UK) assurance
henkäistä breathe (out all your air at once) henkäistä helpotuksesta sigh with relief Älä henkäise tästä kenellekään! Don't breathe a word of this to anybody!
henkäys breath Ei käynyt tuulen henkäystäkään There wasn't even a breath of wind
Henrik (kuninkaan nimenä) Henry
hento frail, slight, slender; (kosketus) gentle
hepo horse, steed
heprea Hebrew Se on minulle hepreaa That's Greek to me
heprealainen s, adj Hebrew
hera 1 whey **2** (verihera) blood serum
heraldiikka heraldics
heraldinen heraldic
herja heittää herjaa joke around, hurl (affectionate) insults (at each other) herjan heitto banter, good-natured raillery
herjata 1 revile, rail against, abuse **2** (lak: puheessa) slander, (kirjoituksessa) libel **3** (usk) blaspheme
herjaus 1 invective, abuse, raillery **2** (lak: suullinen) slander, (kirjoitettu) libel, calumny, (yleinen) defamation of character
herjetä 1 (lakata) stop, quit, cease **2** (ryhtyä) start, fall to, go herjetä villiksi go wild
herkistyä 1 become more sensitive, be sensitized, be moved herkistyä kyyneliin asti be moved to tears **2** (lääk) become allergic herkistyä antibiooteille become allergic/sensitive to antibiotics
herkistää 1 (aisteja) strain, sensitize herkistää korvansa strain/cock your ears herkistää joku luonnon kauneudelle sensitize someone to nature's beauty **2** (tunnetta) move, warm Sinfonia herkisti meidät täysin The symphony filled us with a warm sensitivity, moved us **3** (mittaria) sensitize
herkku delicacy, (mon ark) goodies Ei tämä ole mitään herkkua minullekaan This is no fun/picnic for me either

herkkukauppa deli(catessen)
herkkusuu gourmet
herkkä 1 sensitive **2** (vastaanottavainen) susceptible, impressionable, responsive **3** (nopea reagoimaan) herkkä suuttumaan quick to take offense, easily offended herkkä auttamaan ready to help herkkä vilustumaan susceptible to cold **4** (tunteikas) tender, emotional, easily moved; (hempeä) sentimental, sweet **5** (arka seurassa) delicate, shy, private **6** (arka kosketukselle) tender, sore, sensitive (to the touch) **7** (tarkka) sensitive, keen, sharp **8** (tekn) sensitive herkkä filmi/laite sensitive film/ instrument
herkkähermoinen high-strung
herkkäpiirteinen finely chiseled
herkkätunteinen tender, emotional, easily moved
herkkäuninen herkkäuninen ihminen light sleeper
herkullinen delicious; (ark) yummy, scrumptious, finger-licking good
herkullisesti deliciously
herkutella enjoy (a meal), feast (on delicacies); (kuv) revel, take delight (in)
herkuttelija gourmet
hermeettinen hermetic
hermeettisesti hermetically
hermo nerve, (biol) neuron ajan hermolla with it, attuned to the times
hermoille käypä irritating Tuo käy minun hermoilleni You're getting on my nerves
hermoimpulssi nerve impulse
hermoja raastava nerve-wracking
hermona nervous
hermopeli game of nerves, psychological game
hermosolu nerve cell
hermosto nervous system
hermostollinen nervous
hermostua get mad/angry/irritated/ upset/excited/nervous, lose your temper; (ark) blow your top, blow a fuse, have a fit/cow
hermostuneesti nervously, (hevosesta) skittishly; (ärtyisästi) irritably
hermostuneisuus nervousness, (lääk) neurasthenia
hermostunut nervous, jumpy, jittery; (ärtyisä) irritable, peevish
hermostuttaa minua hermostuttaa I'm nervous/anxious/worried Tuo hermostuttaa minua hirveästi That makes me nervous, that irritates me, that drives me crazy
hermottaa innervate
herne pea; (kuv) lump
hernekeitto pea soup
heroiini heroine
herpaantua 1 (ote) relax, loosen, come loose **2** (ihminen) be unnerved/ enervated, come unglued, be unable to do anything/move (a muscle) **3** (mielenkiinto, voima) flag
herpaantumaton unflagging, persistent
herra 1 (mies) man Eräs herra kyseli sinua There was a man asking for you **2** (herrasmies) gentleman **3** (isäntä) master, lord **4** (usk) the Lord **5** (sortaja) oppressor herrat the ruling class, (tehtaan johto) management, the bosses **6** Kyllä herra Yes sir **7** herra Puntila Mr./Mister Puntila
herra ja hidalgo kävellä kuin herra ja hidalgo strut like a cock of the walk, like the king of creation
herranen aika! My goodness! Heavens!
herraskartano manor (house)
herrastella 1 (kävellä) strut, parade, walk pretty (ks herra ja hidalgo) **2** (elää) live like a lord
herrasväki 1 gentry, (kans) gentlefolks **2** Mitäs herrasväki juo tänä iltana? What can I get you folks to drink tonight?
herroitella 1 address formally, say "Mr." **2** ks herrastella
herruus dominion, domination, control, mastery, (ylivalta) supremacy
herttainen sweet
herttua duke
herua (tihkua) trickle, ooze Häneltä ei heru penniäkään You won't get a cent out of him Tietoja herui vähitellen julkisuuteen Information gradually leaked

out Ei herunut juuri ollenkaan tietoa No information was forthcoming
herukka currant
herännyt awake(ned), wide awake
herännäinen Pietist
herättää 1 (ihminen unesta) wake (up), awake(n) Herätä veljesi Go wake your brother up, go wake up your brother **2** (ihminen välinpitämättömyydestä) awaken, stir (up), rouse herättää kansa toimimaan stir/rouse the people into action herättää seurakunta synnin yöstä awaken the congregation from the sleep of sin herättää seksuaalisesti arouse/excite (sexually) **3** (tunne) (a)rouse, revive, bring (back) to life Se herätti epäilykseni That aroused my suspicions herättää vanhoja muistoja revive/reawaken old memories **4** (reaktio) arouse, provoke, call forth herättää kohua raise a furor herättää närkästystä arouse/provoke indignation herättää tyytymättömyyttä stir up discontent
herätys 1 awakening **2** (herätyssoitto) wake-up call (hotellissa:) Saisinko herätyksen klo 6 Could you wake me at 6, please? **3** (sot) reveille **4** (usk) awakening, revival tulla herätykseen see the light, be born again
herätyskello alarm clock
herätyssoitto wake-up call
herätä 1 wake (up), awake(n) **2** (alkaa) begin, bud, burgeon lapsen heräävä elämä the child's budding/burgeoning life päivä herää the day dawns/begins/breaks heräävä rakkaus new love **3** (viritä) arise, be aroused, (be) revive(d), come to life Epäilykseni heräsivät My suspicions were aroused vanhat muistot heräävät old memories revive, return, come back to life
herääminen awakening
heterogeeninen heterogeneous
heterogeenisyys heterogeneity
heti 1 (ajasta) immediately, at once, right away, promptly **2** (paikasta) just, right, immediately heti oven ulkopuolella right/just outside the door
hetimmiten immediately, this instant Haluan sen hetimmiten I want it now, (leikillisesti) I want it yesterday
heti paikalla right away, this instant Se tulee heti paikalla Coming right up
hetkellinen momentary, brief, fleeting
hetkellisesti briefly, fleetingly
hetki 1 (tuokio) moment, second, minute Hetki pieni/vain Just a moment/second/minute, hold/hang on Tulen hetken päästä Be back in a flash/jiffy **2** (ajankohta) time, while lyhyeksi hetkeksi, hetken aikaa for a short time/while **3** (raam) hour yhdennellätoista hetkellä at the eleventh hour
hetkinen moment, second, minute Hetkinen! Just a moment/second/minute
hetkittäin intermittently, occasionally, at times, now and then
hetkittäinen intermittent, occasional
hevillä easily En hevillä luovu I won't give up easily, without a fight
hevin easily Sitä ei hevin unohda It would be hard to forget that, I won't forget that easily
hevonen horse
hevosajoneuvo horse-drawn vehicle
hevosenkenkä horseshoe
hevosenliha horsemeat
hevosmies horseman
hevostalli horse stall
hevosurheilu horse racing, (mon) equestrian sports
hevosvoima horsepower
H-hetki H-hour, zero hour
hidas slow
hidasjärkinen slow-witted
hidaskasvuinen slow-growing
hidaskulkuinen slow-moving
hidasluonteinen phlegmatic
hidastaa slow (down/up), slacken/reduce/cut speed, retard; (viivästyttää) delay, hold up
hidastua slow (down/up), slacken/reduce/cut speed; (viivästyä) be delayed, be held up
hiekka sand; (hiekkamaa) sands
hiekkakasa sandpile
hiekkakuoppa sand pit
hiekkalaatikko sandbox

hiekkamaa sands
hiekkaranta sandy beach
hiekoittaa sand
hiekoitus sanding
hieman a little/bit, slightly
hienhaju body odor, B.O.
hieno 1 (parasta laatua) fine, excellent, exquisite, flawless; (ark) posh, spiffy hieno viini fine/choice wine hieno timantti flawless diamond hieno maku exquisite taste hieno puku elegant dress hieno hotelli posh hotel **2** (hienostunut) polished, refined, sophisticated hienot tavat polished/refined manners hieno maku sophisticated taste **3** (ylevä) noble hieno teko noble deed **4** (oivallinen) great, good, super hieno päivä beautiful day hieno saavutus great achievement Hienoa että tulit I'm so glad you came, it's good you came hieno vartalo great body, (ark) nifty figure Se on hienoa! That's great! (huom: ei fine) **5** (hienoinen) subtle, slight, vague hieno ero slight difference hieno ironia/vivahde fine/subtle irony/nuance hieno aavistus vague inkling/premonition **6** (ohut) thin hieno lanka thin thread **7** (hienorakeinen tms) fine hieno sumu/pöly fine mist/dust hieno sokeri granulated sugar **8** (hienorakenteinen) delicate hieno hipiä/koneisto delicate skin/machinery
hienoinen subtle (ks hieno 5)
hienoisesti subtly, slightly, vaguely
hienostua be(come) refined
hienostunut refined, polished, sophisticated
hienous 1 (ominaisuus) fineness, excellence, elegance jne (ks hieno) värien hienous the fineness/elegance/beauty of the colors **2** (erikoisuus) good/best/nice thing asian hienous on the good/best/nice thing about it is **3** (valiokappale) collector's item, exquisite piece, (mon) the cream of the crop Emme halua hienouksia vaan hyvää tavaraa We don't want anything fancy, just good quality, (vivahdus) subtlety, nicety, (mon) the finer points šakin hienoudet the finer points of chess
hierarkia hierarchy
hierarkkinen hierarchical
hierarkkisesti hierarchically
hieroa 1 (lihasta) rub, massage, knead hieroa älynystyröitä put on your thinking cap **2** (kuv) ks hakusanoja
hieroa kauppaa dicker (over prices), bargain
hieroa rauhaa negotiate for peace
hieroa sovintoa (try to) make up, work toward a reconciliation
hieroja (mies) masseur, (nainen) masseuse
hieromalaitos massage parlor
hieronta massage, rub(bing) selkähieronta backrub, back massage
hiertyä be rubbed, be chafed hiertyä rikki be rubbed raw hiertyä sileäksi be worn smooth
hiertää rub, chafe Tämä kenkä hiertää This shoe is rubbing me raw, is chafing my foot
hieta (geol) fine sand
hietamaa fine sand(y soil)
hiha sleeve kääriä hihat roll up your sleeves pudistaa hihastaan pull out of a hat
hihaton sleeveless
hihhuli (ark) holy roller
hiihto skiing
hiihtohissi skilift
hiihtokeli snow conditions
hiihtokeskus ski resort, ski area
hiihtokilpailu skiing competition
hiihtoloma skiing holiday/vacation
hiihtomaasto skiing terrain
hiihtoseura skiing club
hiihtäjä skier
hiihtää ski
hiili 1 (kivihiili) coal, (puuhiili) charcoal **2** (kem) carbon
hiilidioksidi carbon dioxide
hiilihappo carbonic acid Onko tässä hiilihappoa? Is this carbonated?
hiilihappopitoinen carbonated
hiilihydraatti carbohydrate
hiilikaivos coal mine
hiilimonoksidi carbon monoxide
hiillos coals, embers

hiiltyä 1 (palaa hiileksi) be charred, burn to a crisp **2** (ark) blow a fuse, blow your top, have a fit, get steamed
hiipivä creeping, sneaking hiipivä epäluulo sneaking suspicion hiipivä sosialismi creeping socialism
hiipiä creep, sneak, steal, walk silently epäluulo hiipii mieleen suspicion steals into your heart, creeps up on you
hiippakunta bishopric, diocese
hiipua die down
hiirenharmaa mouse-gray/-colored hiirenharmaa tukka mousy hair
hiirenhiljaa quiet/mum as a mouse
hiiri mouse (mon mice) (myös kuv) leikkiä kissaa ja hiirtä play cat and mouse
hiirulainen mouse Arja on sellainen hiirulainen You know Arja, the mousey one
hiiskahtaa 1 (äännähtää) make a sound, breathe a word Kukaan ei uskaltanut hiiskahtaakaan Nobody dared make a sound/breathe a word **2** (liikahtaa) move a muscle
hiiskua breathe a word Älä hiisku tästä sanaakaan Don't breathe a word of this
hiki 1 (erite) sweat, (euf) perspiration **2** (huuru) fog, steam, mist ikkuna käy hikeen the window is fogging/steaming/misting up
hiki hatussa tehdä työtä hiki hatussa (ark) work your butt/ass off, kill yourself with work, slave away
hikinen sweaty
hikoilla sweat, perspire
hikoilu sweating, perspiration
hiljaa 1 (pienellä äänellä) quietly, softly puhua hiljaa speak quietly/softly, talk in a low voice, speak sotto voce **2** (äänetі) silently kävellä hiljaa walk silently, without making a sound/noise **3** (hitaasti) slowly ajaa hiljaa drive slowly **4** (liikkumatta) still, without moving istua hiljaa sit still
hiljainen 1 (vähä-ääninen) quiet, soft(-spoken) hiljainen mies quiet/soft-spoken/ untalkative man, man of few words **2** (äänetön) silent, soundless; (sanaton) unspoken, tacit hiljainen kuin kala mum as a mouse hiljainen toivo unspoken hope hiljainen sopimus tacit agreement **3** (hidas) slow, measured hiljainen kävely measured step keittää hiljaisella tulella boil over a low flame, at low temperature
hiljainen enemmistö silent majority
hiljaisesti 1 (vähällä äänellä) quietly, softly **2** (hitaasti) slowly
hiljaisuus quiet, silence, hush siunattu hiljaisuus blessed quiet/silence pyhä hiljaisuus holy hush
hiljakseen 1 (vähällä äänellä) quietly, softly puhella hiljakseen talk in a soft/ low voice **2** (hitaasti) slowly, carefully edetä hiljakseen move ahead slowly, take it easy/slow, take your time
hiljalleen 1 (hitaasti) slowly, peacefully Lunta satoi hiljalleen The snow fell peacefully hiihtää hiljalleen ski along slowly **2** (vähitellen) gradually, a little bit at a time, a step at a time, bit by bit, little by little
hiljattain recently, not long ago
hiljentyminen silent prayer
hiljentyä 1 (usk) calm/compose yourself Hiljentykäämme rukoukseen Let us bow our heads in prayer **2** (laantua) calm/slow down, ease off
hiljentää 1 (ääntä) turn down (the volume), lower (your voice) Voisitko hiljentää ääntäsi hieman? Could you lower your voice please, could you speak more quietly? **2** (ääni) silence, shut up Kyllä mä sut hiljennän I'll shut you up, I'll shut that mouth for you **3** (mieli, usk) calm, compose rukous hiljentää mielen prayer brings peace of mind **4** (vauhtia) slow (down), slacken Voisitko hiljentää vauhtiasi hieman? Could you slow down a little, could you walk more slowly?
hiljetä 1 (äänestä) quiet/calm (down), (vaimeta) die down/away Koko sali hiljeni The whole hall went/fell quiet, a hush fell over the whole hall **2** (liikkeestä) slow (down), slack(en) off; (laantua) die down, abate, ease off
hilla cloudberry

hillitty 1 restrained jne (ks hillitä) **2** hillitty väriyhdistelmä/tyyli/maku understated color combination/style/ taste
hillittömästi uncontrollably, excessively, extravagantly, immoderately
hillitysti showing/with restraint, moderately Olen oppinut syömään hillitysti I've learned to eat less, to exercise more restraint when I eat, not to eat to excess, to eat moderately Hän käyttäytyi hillitysti He was composed/calm
hillitä control, restrain, check hillitä itsensä control/restrain yourself hillitä vihansa keep your anger in check, suppress/repress your anger hillitä kielensä curb your tongue hillitä hintojen nousua control/check rising prices
hillitön 1 uncontrolled, out of control, unrestrained, unchecked **2** (liiallinen) excessive, extravagant, immoderate
hillo jam, preserve(s)
hilpeys glee, hilarity, (good) cheer, gaiety
hilpeä lighthearted, gleeful, hilarious, cheery Juhlissa oli hilpeä tunnelma Everybody at the party was feeling good/happy, was full of good cheer, the party sparkled with gaiety
hilse (päänahassa) dandruff; (muualla) scurf
hilseillä peel/flake (off)
himmennin 1 (tekn) dimmer (switch) **2** (valok) diaphragm **3** (mus) mute
himmentää 1 (valoja) dim; (valotusta) stop down; (huonetta) darken; (värejä) fade; (kuvaa) blur **2** (ääntä) mute, muffle **3** (metallia, mainetta) tarnish
himmeä 1 (valo yms) dim himmeä valaistus dim/soft lighting himmeät värit soft/quiet/understated colors himmeä kirjoitus faint/faded/hard-to-read writing **2** (pinta: paperi) mat(te), nonglossy, antiglare; (lasi) frosted; (metalli) tarnished
himmeästi dimly, softly
himo lust, desire, passion, craving alkoholin himo craving for alcohol lihan himot carnal/sexual lust/desire elämän himo passion/lust for life
himoita desire, crave, lust after himoita kuuluisuutta have a hankering for fame himoita jotakuta lust after someone, (ark) have the hots for someone himoita jäätelöä crave, have a craving for ice cream Älä himoitse (raam) Thou shalt not covet
himokas 1 (seksistä) lustful, lecherous, (ark) horny **2** (intohimoinen) passionate, (aistillinen) sensuous, sensual **3** (ahne) greedy, (raam) covetous
himottaa minua himottaa lähteä I want to go minua himottaa raha/valta/ tuo mies I've got to have money/power/ that man
hinnoitella (set/fix the) price, set/fix prices
hinnoittelu pricing
hinta 1 price, cost omaan hintaan at cost matkalipun hinta fare hintansa arvoinen a good value/buy **2** (kurssi) rate päivän hinta daily rate
hintaero price difference
hintahaitari price spread
hintainen minkä hintainen se on? how much is it, how much does it cost? kymmenen markan hintainen costing ten marks
hintakilpailu price war
hintasäännöstely price control
hintataso price level
hintelä slight, spindly, frail
hioa grind **1** (teroittaa) sharpen, whet, hone **2** (silottaa) grind, polish, (hiekkapaperilla) sand, (himmeäksi) frost **3** (poraamalla) bore, (sorvaamalla) turn **4** (puumassaksi) pulp **5** (viimeistellä) polish, hone, refine hioa käsikirjoitusta polish a manuscript hioa tyyliään refine/ hone your style hioa puhetta work on/ practice a speech
hiomaton 1 (fyysisesti) unpolished, unground, uncut **2** (henkisesti) rough, crude, boorish
hionta grinding
hiostaa make someone sweat (myös kuv) saappaat hiostavat the boots don't breathe, don't let air through
hiostava hiostava ilma sweltering/ sultry/humid weather hiostavat vaatteet/ saappaat hot clothes/boots

hiottu polished, honed
hipaista touch on/lightly (myös kuv), skim, graze
hipiä skin, complexion
hipoa touch, graze, (kuv) approach hipoa täydellisyyttä approach perfection hipoa naurettavuutta border on the ludicrous
hippa 1 (leikki) (game of) tag leikkiä hippaa play tag **2** (ihminen) it olla hippa to be it
hippu nugget
hirmulisko dinosaur
hirmumyrsky hurricane; cyclone, typhoon
hirsi timber, log vetää hirsiä catch some Z's, saw logs
hirsimökki log cabin
hirsipuu gallows
hirsirakennus log house
hirsisauna log sauna
hirtehishuumori gallows/black humor
hirvenmetsästys moose/elk hunt(ing)/shoot
hirvenmetsästäjä moose/elk hunter
hirvensarvi antler
hirvetä dare, have the courage/nerve/guts to En hirvennyt lähteä sinne yksin I was too scared to go in there alone, I didn't dare go in there alone
hirveä (myös ark) horrible, terrible, awful
hirveästi horribly, terribly, awfully Pidän hänestä hirveästi I'm terribly fond of him
hirvi (pohjois-Amerikassa) moose, (Euroopassa) elk
hirvieläin deer, (mon) the deer family
hirvittävä horrifying, terrifying
hirvittävästi horribly, terribly
hirvittää frighten Minua hirvittää mennä I dread going, I'm scared/afraid to go
hirviö monster
hirviömäinen monstrous
hissi elevator, (UK) lift
hissikuilu elevator shaft
hissukseen 1 (hitaasti) slowly Hiihtelin hissukseni I just skied along slowly, taking my time, not pushing myself **2** (vähin äänin) quietly, softly naureskella hissukseen laugh quietly/softly, chuckle into your beard, to yourself
historia history tehdä historiaa make history siirtyä historiaan go down in history
historiallinen historical
historiallisesti historically
historiankirjoittaja historian
historiankirjoitus historiography
historian lehti uusi historian lehti new era
historiantutkija historian
historiantutkimus 1 (ala) historical research **2** (teos) historical treatise/monograph/study
historiikki chronicle, (short) history
historioitsija historian
historismi historicism
hitaahko slowish, on the slow side
hitaasti slowly; (mus) lento, largo, adagio kiiruhda hitaasti hasten slowly, (lat) festina lente
hitaus slowness, (fys) inertia
hitsaaja welder
hitsata weld
hitsi 1 weld(ing point) **2** (ark) heck, darn
hitti hit
hittilista hit parade, top ten/twenty/forty jne
hitto hell hiton hyvä pelaaja hell of a good player, damn good player hitosti autoja a hell of a lot of cars
hitu 1 potato peel **2** little bit, grain (ks hitunen)
hitunen little bit, grain hitunen kultaa a grain of gold hitunen suolaa pinch of salt hitunen tervettä järkeä a little common sense viimeinen voiman hitunen last ounce of strength hitusen parempi a little/bit better
hiukan a little, a bit hiukan aikaa a little while hiukan toisin a bit different hiukan vettä a little water, a drop of water
hiukka small amount: bit, particle, grain, iota jne ei hiukkaakaan vettä not a drop of water ei hiukkaakaan myötätuntoa not a bit of sympathy, not one iota of compassion

hiukkanen (fys) particle, grain; (kuv) bit hiekkahiukkanen grain of sand hiukkasen hiekkaa a little sand
hiukkaskiihdytin particle accelerator
hius hair; (mon: tukka) hair halkoa hiuksia split hairs
hiuskarvan varassa hanging by a hair/thread
hiuslisäke hairpiece; (naisten) wig; (miesten) toupee, (ark) rug
hiuspohja scalp
hiussuoni capillary
hiusten halkoja hairsplitter
hiusten halkominen splitting hairs
hiustenhoito hair care
hiustenleikkuu haircut
hiutale flake lumihiutale snowflake maissihiutale cornflake
hiven small amount: particle, grain; (kuv) little, bit hivenen parempi a bit better
hivenaine trace
hm hm
H-molli B minor
hohtaa (paistaa) glow, shine, glimmer, gleam tähdet hohtavat stars sparkle/shine hopea hohtaa silver gleams, light glints off silver lumi hohtaa snow glistens
hohtava glowing, shining, glimmering, gleaming
hohto 1 (valo) glow, shine, glimmer, gleam **2** (loisto) glamor
hoidokki inmate, (holhokki) ward
hoikka thin, slender, slim
hoitaa 1 (huolehtia kunnosta) take care of, care for, minister to hoitaa haavaa tend to/dress a wound hoitaa tautia treat (someone for) a disease hoitaa taloa keep house, do the housekeeping hoitaa lapsia mind/watch over/babysit children hoitaa potilasta nurse a patient **2** (huolehtia suorittamisesta) take care of, see to, do, handle hoitaa liikeasioita do business, see to (your) business (affairs) hoitaa virkaa do a job, fill a post Mitä/Kenen virkaa hoidat? What/Whose post are you in/filling? What do you do? hoitaa opettajan viransijaisuutta be a substitute teacher, stand in/substitute for the regular teacher Minä hoidan tämän I'll deal with/handle this **3** (johtaa) manage, administer, run hoitaa liikeyritystä run/manage a business hoitaa myymälää tend a shop **4** (pitää) keep hoitaa karjaa keep cattle, be a cattlerancher hoitaa mehiläisiä keep bees, be a beekeeper
hoitaja 1 (sairaanhoitaja) nurse **2** (liikkeenhoitaja) manager
hoito 1 (huolehtiminen) care hammashoito dental care terveydenhoito health care sairaiden hoito patient care, nursing sairauden hoito medical care/treatment fysikaalinen hoito physiotherapy kuittien hoito seeing/ attention to receipts **2** (parantaminen) cure, remedy **3** (johtaminen) management, administration varojen hoito administration of funds, money management
hoitopaikka 1 (päivähoito) daycare center, family daycare Ensin täytyy hakea tyttö hoitopaikasta First I have to pick up my daughter at (the) daycare (center), at the Smiths', at the babysitter's **2** (sairaanhoito) bed Sairaalassa on 550 hoitopaikkaa The hospital has 550 beds
hoiva care; (suoja) protection, shelter äidin hoivissa in mother's care jäädä omiin hoiviin be left to your own devices, be on your own
hoivata care for; (suojata) protect, shelter hoivata loukkaantuneita care for/tend to/nurse the wounded
hokea repeat, reiterate, say/chant over and over again
holhoava 1 (suojeleva) protective **2** (tekee liian paljon päätöksiä ihmisten puolesta) paternalistic
holhooja guardian
holhous 1 (lapsen) guardianship, wardship **2** (kansakunnan) paternalism
holhousyhteiskunta paternalistic society
hollanti Dutch
Hollanti Holland

homma 1 (työ) job, work Missä hommissa sinä olet? What do you do (for a living), what line of work are you in? Täytyy lähteä hommiin I have to go to work **2** (puuha) activity, task, chore, thing to do Minulla on kaikenlaista hommaa tänään I've got all kinds of things to do today Mikä on homman nimi? What's up? What do we (have to) do? What's the deal?
homogeeninen homogeneous
homogeenisyys homogeneity
Honduras Honduras
hondurasilainen s, adj Honduran
hongankolistaja (leik) beanstalk, lamppost
Hongkong Hong Kong
honka 1 (kasvava puu) big/tall/old pine tree, (punahonka) redwood mennä päin honkia (ark) get all balled/screwed/fucked up **2** (puuaines) pine, (punahonka) redwood
hoosianna Hosanna
hopea silver
hopeahäät silver wedding anniversary
hopeamitali silver medal
hopearaha silver coin
hopeaseppä silversmith
hopeinen silver
hopeoida silver(-plate)
hoppu hurry, rush
hoputtaa hurry, rush Älä hoputa! Don't rush me!
horjahdus fall, slip, lurch; (kuv) lapse
horjahtaa stagger, totter, lose your balance (for a second)
horjahteleva staggering, tottering, reeling
horjua 1 (heilahdella, myös kuv) stagger, totter, lurch **2** (järkkyä) totter, become shaky diktaattorin valta horjuu the dictator's power is increasingly shaky, the dictator is tottering **3** (häilyä) waver, falter horjua kahden vaiheilla waver/vacillate between two possibilities, be undecided, shilly-shally horjua uskossaan waver/falter in your faith
horjuttaa shake, undermine

horkka 1 (tauti) mala...
horkassa be shivering, h...
hotelli hotel
hotellihuone hotel room
hotelliketju chain of hote...
hotellipoika bellhop/-boy
hotellivaraus hotel reservation
houkutella 1 (viekoitella) tempt, entice, lure houkutella mies naimisiin lure a man into marriage houkutella sänkyyn seduce houkutella jotakuta syntiin lead/tempt someone into sin Älä houkuttele minua! Don't tempt me! **2** (suostutella) coax, persuade, talk into houkutella lapsia sisälle syömään coax the kids in for dinner houkutella miestään ulos kävelylle talk your husband into going out for a walk with you **3** (keplotella) cheat, con, trick
houkutin lure, bait; (kuv) enticement, inducement, attraction
houkutteleva tempting, enticing, seductive, attractive
houkuttelu temptation, enticement, seduction
houkutus temptation, enticement, attraction
houkutuslintu decoy
hourailla (olla hourailussa) be delirious, (puhua sekavia) rave
hourailu delirium
houre delirium; (mon) ravings, delirium
housuhame culottes
housupuku pantsuit, (UK) trouser suit
housusillaan in his/her pants, (UK) trousers
housut pants, (UK) trousers Enpä haluaisi olla sinun housuissasi! I wouldn't want to be in your shoes!
hovi court
hovimestari 1 (kotona) butler **2** (ravintolassa) maître d'hotel, headwaiter, (nainen) hostess
hovioikeus court of appeal
hst! Shh!
huhhei! Yippee!
huhkia work like a dog/horse, slave/slog/grind away (at something)
huhkija (ark) eager beaver

mortar huhmare ja petkele mortar and pestle
huhtikuinen April huhtikuinen hanki the snow in April
huhtikuu April
huhu rumor huhu kertoo rumor has it, rumor says
huhuilla 1 (huutaa) shout, holler, call **2** huhuillaan että rumor has it that
huhupuhe rumor Kuulla huhupuheena hear something on the grapevine
huhuta Heidän huhutaan menevän pian naimisiin I hear/rumor has it they're going to be married soon
huh! Huh miten kylmää Brr, it's cold! Huh miten kuumaa! Boy is it hot! Huh mikä urakka! Whew, what a job! Huh mikä paikka! Yuck/Ick, what a disgusting place!
hui! Ooh! Ick! Whew!
huihai oh well, c'est la guerre/vie
huijari 1 (joka ammatikseen petkuttaa toisia) con(fidence)-man, swindler, cheat **2** (joka esittää jonkin ammatin jäsentä) impostor Hän ei ollut oikea lääkäri vaan huijari He was no real doctor, he was an impostor
huijata con, swindle, cheat, trick
huijaus con(fidence trick), swindle, cheat, trick, scam
huikaista dazzle
huikea huge, enormous, (dazzlingly/astonishingly) large
huikeasti hugely, enormously
huilu flute
huilunsoittaja fl(a)utist
huima rash, reckless, daring, wild huimaa vauhtia at a dizzying/breathtaking/breakneck speed, (kuv) at an incredible rate, unbelievably rapidly
huimaava 1 dizzy(ing), giddy, reeling **2** ks huima
huimata (make you feel) dizzy minua/päätäni huimaa I feel dizzy, my head is swimming, (heikottaa) I feel faint/lightheaded, I feel like I'm going to faint
huimaus (fit of) dizziness, dizzy spell
huipennus climax, culmination
huipentua climax, culminate, come to a head, (reach its) peak Hänen uransa huipentui Nobelin palkintoon Her career reached its peak/zenith, peaked in the awarding of the Nobel prize
huipentuma climax, culmination, peak, zenith
huippu 1 (mäen) top, crest; (vuoren) peak, summit, mountaintop **2** (kolmion tms) apex **3** (uran tms) peak, zenith, climax, height Hinnat saavuttivat huippunsa huhtikuussa Prices peaked (out) in April uransa huipulla at the height of your career Tässä on tyhmyys huipussaan This is the height of stupidity Tämä on kaiken huippu This beats/tops everything **4** (paras) star, major figure/name Hän on nykysäveltaiteen huippuja He is one of the greatest contemporary composers
huippuarvo peak/maximum value
huippuhinta peak/top price
huippukokous summit (meeting)
huippukunto top (physical) condition
huippuluokka top grade/quality huippuluokan pianisti top-flight/-ranked pianist Jännärinä romaani on huippuluokkaa As a thriller the novel is first-rate/excellent
huippunopeus top/maximum speed
huippusaavutus crowning achievement/accomplishment
huippusuoritus top performance
huipputaso ks huippuluokka
huipputekniikka high tech(nology)
huippu-urheilija top athlete
huippu-urheilu world-class sports
huipulla tuulee it's windy at the top
huiputtaa cheat, swindle, con, trick
huiputtaja cheater, swindler, con-artist, trickster
huiske swish huisketta ja hyörinää hustle and bustle
huiskin haiskin topsy-turvy
huitoa flail **1** (heilutella) wave your arms (about), flail (about), gesticulate **2** (lyödä) flail, lay about
huivi (hartiahuivi) shawl, (kaulahuivi) scarf
hukata 1 (kadottaa) lose, misplace Olen hukannut kelloni I've lost/misplaced my watch, I can't find my

watch **2** (haaskata) waste, squander hukata aikaa waste/kill time

hukka **1** (häviö) loss veren hukka loss of blood, blood loss **2** (haaskaus) waste ajan hukka waste of time **3** (kadotus) destruction, ruin Nyt hukka minut perii! Now I've had it! I'm a goner! I'm ruined!

hukka-aika dead/delay time, (tietok) down time

hukkaan lost, wasted mennä/valua hukkaan be wasted/lost, be in vain; (ark) go down the toilet, go out the window joutua hukkaan get lost/misplaced

hukkaan heitetty wasted, squandered, misspent

hukkaan mennyt wasted, lost, vain

hukkalämpö waste heat

hukkareissu tehdä hukkareissu go in vain, come back emptyhanded, go on a wild-goose chase

hukkateillä **1** (hukassa) lost, misplaced **2** (harhateillä) misguided joutua hukkateille go bad, pick up bad habits

hukkua **1** (kuolla veteen) (be) drown(ed) **2** (hautautua) be swamped hukkua onnittelukortteihin be swamped with birthday cards **3** (usk: joutua kadotukseen) perish ettei yksikään, joka Häneen uskoo, hukkuisi that no one who believed in Him would perish **4** (kadota) get/be lost Minulta on hukkunut kynä I've lost my pen

hukkuminen drowning

hukkunut s drowned person, (mon) the drowned
adj drowned

hukuttaa drown (myös kuv) hukuttaa kissanpentu drown a kitten hukuttaa surunsa viinaan drown your sorrows in booze

hukuttautua drown yourself

huligaani hooligan

huliganismi hooliganism

hulina riot, pandemonium, hubbub mennä hulinaksi collapse/descend into chaos panna hulinaksi kick up a row/riot

hulinoida kick up a row, (start a) riot

hulinointi rioting

hulinoitsija rioter

hullu s **1** (mielisairas ihminen) mad(wo)man, lunatic, psychopath; (ark) loony, nut, psycho tehdä työtä kuin hullu work like mad/crazy hullun teko the work of a madman hulluna sinuun crazy/mad about you **2** (ihminen joka on toiminut tyhmästi) fool, idiot, moron; (ark) ninny, bonehead Minä hullu uskoin sinua What a fool I was to believe you **3** (harrastaja) fan, devotee, buff filmihullu movie fan/buff
adj **1** (mielisairas) mad, insane, crazy; (ark) loony, nutty, out of your mind/head tulla hulluksi go mad/crazy/insane, go off your rocker, lose your marbles **2** (tyhmästi toiminut) foolish, idiotic, witless; (ark) silly, boneheaded Hullu olin kun tämän ostin! How stupid/foolish I was to buy this, it was crazy/silly of me to buy this!

hullujenhuone insane asylum, nuthouse

hullusti **1** (olla) (all) wrong, all screwed/messed/balled up **2** (tehdä) stupidly, foolishly, witlessly **3** (mennä, käydä) badly Olisi voinut mennä hullumminkin Things could have been worse **4** (sattua) coincidentally, (un)luckily, (un)fortunately Sattuipas hullusti kun What a stroke of (bad) luck/fortune that

hulluus madness, insanity, lunacy, craziness

hulmuta **1** (liehua) flutter, flap, wave **2** (leimuta) blaze, flame

humaani humane

humala **1** (kasvi) hop **2** (olotila) inebriation, intoxication, state of drunkenness

humalainen drunk(ard), (ark) wino

humalapäissä drunk, (ark) soused, stewed to the gills

humaltua get drunk, become intoxicated

humanismi humanism

humanisti humanist

humanistinen humanistic humanistinen tiedekunta College of the Humanities

humanitäärinen humanitarian

humoristi humorist

humoristinen humorous
hunaja honey
hunajakenno honeycomb
hunningolla badly, bad off, in a state of disrepair, in chaos joutua hunningolle go to wrack and ruin, fall apart, degenerate, fall into disrepair jättää hunningolle neglect olla hunningolla (ihminen) be down and out, be on the bum
hunnutettu veiled
hunnuttaa veil
hunnuttautua don the veil
huntu veil
huoata (heave a) sigh; (valittaa) moan, groan
huohottaa pant, huff and puff
huohotus panting, huffing and puffing
huojennus relief tuntea huojennusta feel relieved
huojentaa lighten, ease; (hintaa) lower, reduce
huojua 1 (heilua) sway, rock, shake **2** (hoiperrella) stagger, totter
huojunta (äänentoistossa) wow and flutter
huokailla sigh
huokaista (heave a) sigh
huokaus sigh
huokea cheap, inexpensive
huokeasti cheaply, inexpensively, at a low price
huokoinen porous
huokoisuus porosity
huokua radiate, give off
huolehtia 1 (pitää huolta kunnosta) care/provide for, take care of, look after huolehtia vanhasta äidistään care for, take care of your aging mother (= hoivata), provide for your aging mother (= elättää) huolehtia pari päivää naapurin lapsesta look after (babysit) the neighbor kid for a few days **2** (pitää huolta tekemisestä) see/attend to, be responsible for huolehtia kirje postiin see that a letter gets mailed huolehtia kirjeenvaihdosta see/attend to the correspondence **3** (olla huolissaan) worry about huolehtia poikansa syömisestä worry about your son's eating, worry that your son isn't getting enough to eat
huolehtivainen solicitous, attentive
huolellinen conscientious, thorough, painstaking
huolellisuus conscientiousness, thoroughness
huolenpito care jonkun huolenpidon varassa in someone's care/charge
huolestua get worried/concerned/ anxious
huolestuneesti anxiously, worriedly
huolestuneisuus anxiety, concern
huolestunut worried, concerned, anxious
huoleton 1 (ei ole huolia) carefree, happy-go-lucky, easygoing **2** (ei pidä huolta) careless, lax, offhand
huolettomasti without a care/worry in the world, as if you didn't have a care/ worry in the world
huolettomuus 1 (ei ole huolia) freedom from care **2** (ei pidä huota) carelessness
huoli 1 (murhe toisen puolesta) concern, worry, anxiety kantaa huolta, olla huolissaan jostakusta be concerned/ worried/anxious about **2** (vaikeus) trouble, (ark) hassle paljon huolia plenty of trouble(s), (ark) lots of hassles huolet painavat häntä he's overburdened with cares
huolia 1 (haluta) want En huoli sitä I don't want it En huoli sinulta penniäkään I won't take a cent off (of) you **2** (viitsiä) want/care to (do), (ark) feel like (doing) En huolinut kertoa sinulle I didn't want/ care to tell you, I didn't feel like telling you Hän ei edes huolinut kertoa minulle He didn't even bother to tell me **3** Tätä ei huoli kertoa isälle ja äidille There's no need to tell Mom and Dad about this, please don't tell Mom and Dad about this **4** (piitata) care Mitäs minä siitä huolin! What do I care (about that)? What does that matter to me? What's that to me?
huolimaton careless, irresponsible, negligent; (ark) slapdash

huolimatta ongelmistaan huolimatta hän in spite of all his problems he, despite his problems he, his problems notwithstanding he siitä huolimatta hän even so, he siitä huolimatta että hän even though/although he siitä huolimatta että apart from/despite the fact that
huolimattomuus carelessness, irresponsibility, negligence
huolinta (freight) forwarding
huolintaliike (freight) forwarding agent, freight forwarder
huolitella tidy up, neaten (up)
huoltaa **1** (autoa) service **2** (lapsia: hoivata) take care of, care for; (elättää) provide for, support **3** (joukkoja) maintain
huoltaja **1** (hoitaja) caretaker yksinhuoltaja single parent ensisijainen huoltaja primary caretaker **2** (elättäjä) supporter, provider, (ark) breadwinner
huolto **1** (auto, tietokoneen yms) service, maintenance viedä auto huoltoon take your care in for service, into the shop auto on huollossa the car's in the shop **2** (teiden, joukkojen) maintenance **3** (lapsen tms) care vanhempiensa huollossa in the care/custody of their parents **4** (työttömien tms) welfare
huoltoasema service station; filling/gas station, (UK) petrol station, garage
huom N.B., note
huomaamaton **1** (joka ei huomaa) unobservant, oblivious, unaware **2** (jota ei huomaa) imperceptible, inconspicuous
huomaamatta **1** tulla huoneeseen (muiden) huomaamatta enter the room unnoticed, without the others' noticing **2** (vahingossa) inadvertently, accidentally
huomaamattomasti imperceptibly, inconspicuously
huomata **1** (panna merkille) notice, note, see Huomasitko sen mustatakkisen miehen? Did you notice/see the man in the black coat? **2** (oivaltaa) realize, become aware of huomata virheensä become aware of/realize/detect your mistake **3** (keksiä) find, discover huomata että on tehnyt virheen find/discover/realize that you've made a mistake **4** (kiinnittää huomiota) pay attention to Mies oli harmissaan kun häntä ei huomattu tarpeeksi The man was upset because people weren't paying enough attention to him
huomattava notable **1** (suuri) considerable, remarkable, notable huomattava määrä ihmisiä a remarkable number of people, quite a few people **2** (tärkeä) prominent, respected, notable suuri määrä huomattavia ihmisiä quite a few prominent/notable people, a remarkable number of notables
huomattavasti considerably, remarkably, notably
huomauttaa **1** (sanoa) remark/comment (on), observe, note, say Hän huomautti että Julia oli myöhässä He remarked/observed/noted that Julia was late **2** (tähdentää) point out, stress, emphasize Hän huomautti että Henry James oli amerikkalainen, ei englantilainen She pointed out that Henry James was an American, not an Englishman **3** (muistuttaa) remind Hän huomautti, että heidän piti siirtää kelloa tuntia taaksepäin He reminded them to set the clock back an hour **4** (valittaa) complain, object Hän huomautti liikkeen omistajalle mädäntyneistä banaaneista She complained to the shopkeeper about the rotten bananas
huomautus **1** (lausuma) remark, comment, observation ohimennen esitetty huomautus passing remark **2** (muistutus) reminder huomautus maksamattomasta laskusta reminder about an unpaid bill **3** (valitus) complaint, objection huomautus kuljetusvaurioista complaint about shipping damage **4** (ojennus) reprimand huomautus huonosta käytöksestä reprimand for bad behavior **5** (viite) note suom huom translator's note reunahuomautuksia marginalia
huomenna tomorrow
huominen s tomorrow, morrow, (kuv) the future
adj tomorrow's

huomio 1 (tarkkaavaisuus) attention kiinnittää huomiota johonkin pay attention to kiinnittää jonkun huomio johonkin draw someone's attention to ottaa huomioon pay attention to, take into consideration (ks myös huomioida) herättää huomiota attract/draw attention, make a scene Huomio, huomio! Your attention, please! (sot) Attention! olla huomion keskipisteessä be the center of attention **2** (havainto) observation tehdä huomio notice, observe
huomioida 1 (kiinnittää huomiota) pay attention to, take notice of, notice huomioida välillä lapsiakin pay a little attention to the children too **2** (ottaa huomioon) take into consideration, consider kaikki hakemukset huomioidaan all applications welcome, all applications will be considered huomioida Juhan huono jalka take Juha's bad leg into consideration, remember Juha's bad leg, bear/keep Juha's bad leg in mind **3** (ottaa lukuun) take into account huomioida terveydelliset näkökohdat take health-related points into account/consideration jättää huomioimatta disregard, take no account of **4** (tehdä huomioita) observe, make observations
huomiokyky power(s) of observation
huomiokykyinen observant
huomion arvoinen noteworthy, worthy of note
huomionosoitus distinction, honor
huomioon otettava essential
huomiota herättävä 1 (massasta erottuva) conspicuous, (pröystäilevä) ostentatious **2** (sensaatiomainen) sensational, spectacular huomiota herättävän kaunis stunning, spectacularly/strikingly beautiful
huomisaamu tomorrow morning
huomisaamuinen huomisaamuinen kokous tomorrow morning's meeting, the meeting tomorrow morning
huomisilta tomorrow evening/night
huomisiltainen huomisiltainen juhla the party tomorrow evening/night
huomispäivä tomorrow, (kuv) the future huomispäivän tekniikka tomorrow's technology, the technology of the future
huomispäiväinen huomispäiväinen vieras tomorrow's guest, the guest who'll be arriving tomorrow
huone room yhden/kahden hengen huone single/double (room)
huoneenlämpö säilytettävä huoneenlämmössä keep at room temperature
huoneisto apartment, (UK) flat
huonejärjestys floor plan
huonekalu piece of furniture (mon furniture)
huonekalukauppa furniture store
huonekalukauppias furniture dealer
huonekalumyymälä furniture store
huonekalutehdas furniture factory
huonekasvi house plant
huono 1 bad (worse/worst) huono tapa/onni/nainen bad habit/luck/woman mennä huonosti go badly huonolla tuulella in a bad mood **2** (kehno) poor, inferior huono oppilas/valikoima/sato poor student/selection/harvest huonoa tavaraa inferior goods huono palkka low pay **3** (heikko) weak, bad huonot silmät weak eyes huono jalka bad leg huono sydän weak heart, bad ticker huonona poorly, in a bad way, bad off
huonohko not so/too good
huonokuntoinen 1 (ihminen: fyysisesti: sairas) poorly, not feeling too good, in poor/bad condition; (fyysisesti: veltto) in bad/terrible condition/shape, out of condition/shape; (henkisesti) in bad shape, in a bad way **2** (rakennus) dilapidated, ramshackle **3** (auto) beat-up
huonokuuloinen hard-of-hearing, hearing-impaired
huonolaatuinen inferior, second-rate huonolaatuinen villapaita a sweater of inferior quality
huonomaineinen notorious, disreputable, of ill-repute
huonommuus inferiority
huonommuuskompleksi inferiority complex

huononlainen on the bad/weak side
huonontaa 1 worsen, make something worse **2** (aisteja, terveyttä) impair
huonontua 1 worsen, get/grow worse, deteriorate **2** (muisti tms) (start to) fail/go Hänen muistinsa alkaa huonontua Her memory is failing, is starting to go, she's losing her memory
huononäköinen short-sighted, myopic huononäköinen ihminen a person with poor vision
huonopalkkainen poorly paid, (liian vähän) underpaid
huono puoli drawback, disadvantage
huonosti badly, poorly, ill- käyttäytyä huonosti behave badly, misbehave huonosti ajoitettu ill-timed
huonouninen insomniac olla huono-uninen be a light/bad sleeper
huonovointinen unwell, ill, indisposed
huopa 1 (kangas) felt **2** (peitto) blanket
huopatossu felt shoe/boot
huora whore, hooker
huorahtava whorish
huorata whore; (raam) commit adultery, fornicate
huorintekijä adulterer, fornicator
huorinteko adultery, fornication
huoruus adultery, fornication
huostassa in the care/charge/custody of, in someone's care/charge/custody
huovata back water, back the oars soutaa ja huovata shilly-shally
hupaisa amusing, humorous
hupi fun, pleasure, amusement
hupsu s fool vanha hupsu silly old fool adj silly, foolish
hurja 1 (hillitön) wild, unrestrained **2** (raivokas) furious, violent **3** (ark: valta-va) terrible, awful hurjan jännittävä awfully exciting, exciting as hell hurjat hinnat horrible prices hurjan hyvännä-köinen poika/tyttö hunk/doll
hurjapäinen 1 (huimapäinen) daring, reckless **2** (hurja) violent
hurjastella 1 (elää) live wildly, live a wild/fast life **2** (ajaa) drive recklessly/wildly, drive like a madman
hurjasti 1 (villisti) wildly, furiously, violently **2** (paljon) a(n awful) lot, loads, piles
hurmaava charming, enchanting
hurmata charm, enchant
hurmio ecstasy, rapture
hurmuri charmer
hurskaasti piously
hurskas pious, devout, religious
hurskasteleva sanctimonious
hurskastelu sanctimony
huudahdus exclamation, shout, cry
huudahtaa exclaim, shout, cry (out)
huuhdella 1 rinse/wash (out) **2** (lääk: silmiä) wash out, (haavaa) irrigate, (vatsaa) pump, (emätintä) douche **3** (WC) flush
huuhkaja eagle owl
huuhtelu rinse, rinsing, wash, washing, irrigation, pumping, douching, flushing (ks huuhdella)
huuhteluaine rinse
huuhtoa rinse, wash
huulenheitto joking (around), (affectionate) banter
huuli 1 lip hymyä huuleen! smile! puraista huultaan bite your tongue **2** (vitsi) joke, gag, quip heittää huulta joke around
huumata 1 (iskulla) stun, daze **2** (huumeella) drug, dope
huumausaine drug, narcotic; (lak) controlled substance
huume 1 drug, narcotic; (lak) controlled substance **2** (houre) fever, daze
huumekauppa drug/narcotics traffic
huumekauppias drug dealer
huumori humor
huumorimies humorist
huumorintaju sense of humor
huumorintajuinen (person) with a sense of humor
huumorintajuton täysin huumorin-tajuton ihminen a person with absolutely no sense of humor
huutaa 1 (karjua) shout, yell, holler huutaa täyttä kurkkua shout at the top of your lungs huutaa kuin syötävä scream bloody murder **2** (kiljua) scream, shriek

3 (itkeä) cry, wail, bawl **4** (valittaa) moan, groan **5** (kutsua) call out huutaa Herran nimeä call on the name of the Lord **6** (vaatia) cry out Rikos huutaa kostoa The crime cries out for vengeance **7** (huutokaupassa: tarjota) bid, (ostaa) buy (at an auction) **8** (pilli) blow, shriek, (sireeni) sound, (summeri) buzz **9** (eläin: susi) howl, (leijona) roar (elefantti) trumpet
huutaa apua call for help
huutaa esiin Näyttelijät huudettiin esiin kolmesti The actors took three curtain-calls
huuto 1 (karjunta) shout, yell, holler **2** (itku) cry, wail **3** (valitus) moan, groan **4** (maine) reputation olla huonossa huudossa have a bad rep(utation) **5** (huutokaupassa) bid **6** (pilli) blow, shriek, (sireeni) sound, (summeri) buzz **7** (eläin: susi) howl, (leijona) roar, (elefantti) trumpet
huutoetäisyys shouting distance
huutokaupata auction (off)
huutokauppa auction
huutokauppias auctioneer
huutomatka shouting distance
huutomerkki exclamation point
huveta dwindle (away), shrink
huvi amusement, entertainment, fun
huvila summer house/cottage
huvinäytelmä comedy
huvipuisto amusement park
huviretki excursion, outing, (eväsretki) picnic
huvitella amuse yourself käydä huvittelemassa go out on the town
huvitilaisuus entertainment
huvittaa amuse, entertain, make someone laugh Ota vain, jos sinua huvittaa Go ahead and take one, if you want to, if you feel like it
huvittava amusing, entertaining, humorous
huvittelu having fun, amusing yourself
huvitukset amusements, delights
hyasintti hyacinth
hydrauliikka hydraulics
hydraulinen hydraulic
hydraulisesti hydraulically
hygieeninen hygienic
hygienia hygiene
hykerrellä rub your hands with pleasure/joy/anticipation/amusement
hykertely rubbing your hands with pleasure/joy/anticipation/amusement
hylje seal
hyljeksiä despise, scorn; (ark) turn up your nose at, look down your nose at
hylkeenmetsästys seal-hunting
hylkiä 1 (vettä tms) repel **2** (siirrännäistä) reject **3** (ihmistä) despise, scorn
hylky 1 (laiva) wreck, derelict (ihmisestä halventavasti) **2** (hylkyaine) refuse, waste
hylkäys rejection
hylly shelf, (hyllykkö) shelves, (kirjahylly) bookcase, (hattuhylly) hatrack panna hyllylle shelve apteekin hyllyltä (kuv) off the top of your head, off the cuff
hyllytila shelf space
hyllyä quake, shake
hylsy case, shell
hylätä 1 (suunnitelma tms) reject, turn down **2** (kosija tms) refuse, turn away **3** (puoliso/lapsi tms) abandon, desert, leave **4** (periaatteet tms) abandon, forsake **5** (ajatus tms) give up, dismiss **6** (kokeessa) fail, flunk **7** (syyte tms) dismiss, disallow, throw out, (vastalause) overrule **8** (lakiehdotus) defeat **9** (urheilusuoritus) disqualify
hymistä 1 (mumista) mumble **2** (hyräillä) hum
hymy smile, grin Joko hymy hyytyi? I bet you're laughing out of the other side of your mouth now!
hymyilevä smiling
hymyillä smile
hymyilyttää make you smile, bring a smile to your lips
hymykuoppa dimple
hymynhäive a (fleeting) trace/hint of a smile
hymynväre a (fleeting) trace/hint of a smile
hymähdellä smile condescendingly/ patronizingly

hymähtää smile condescendingly/patronizingly
hynttyyt stuff, junk vetää hynttyyt päälleen throw on some rags
hypistellä finger, fumble/fiddle (about/around) with
hypnoosi hypnosis
hypnoottinen hypnotic
hypnotismi hypnotism
hypnotisoida hypnotize
hypnotisoija hypnotist
hypoteesi hypothesis
hypoteettinen hypothetic(al)
hypotenuusa hypotenuse
hyppiä jump, hop, skip, leap
hyppy 1 jump, hop, leap, bound **2** (linnun) hop, (kissaeläimen) spring, (vuohen) skip, caper **3** (pää edellä veteen) dive **4** (seiväshypyssä, voimistelussa) vault
hyppylauta diving board, springboard
hyppynaru jumprope, skipping rope
hyppynen 1 fingertip puristaa hyppyset tiukasti yhteen pinch your fingertips together **2** (hyppysellinen) pinch hyppynen suolaa a pinch of salt
hyppyri ski jump, (vesihiihdossa) ramp
hyppyrimäki ski jump
hyppääjä jumper korkeushyppääjä high jumper laskuvarjohyppääjä skyjumper, parachutist
hypähtää jump, skip, bound, leap Hänen sydämensä hypähti ilosta Her heart leaped/bounded with joy
hypätä jump, skip, bound, leap, hop
hyrrä top, (tekn) gyroscope ei pennin hyrrää not a red cent, not a plug nickel
hyräillä hum
hys! shh!
hyssytellä (aikuisia) shush, (vauvaa) lull
hysteerikko hysteric
hysteerinen hysteric(al)
hysteerisesti hysterically
hysteria hysteria
hytti cabin, (lentokoneen) cockpit
hyttipaikka (peti) berth, (huone) cabin
hyttynen mosquito
hyttysenpurema mosquito bite
hyttysmyrkky mosquito repellent
hyttysparvi swarm of mosquitoes
hyttysverkko mosquito net(ting)
hyve virtue
hyveellinen virtuous
hyveellisesti virtuously
hyvillään pleased, happy, glad
hyvin 1 well hyvin säilynyt well preserved nukkua hyvin sleep soundly Se sopii minulle hyvin That suits me fine, that's fine with me Se koskee yhtä hyvin sinua kuin minuakin This applies to you as well as me, both you and me, you and me alike **2** (sangen) very, extremely, greatly hyvin vihainen very angry, furious
hyvinvointi 1 well-being, welfare **2** (terveys) health **3** (vauraus) affluence, prosperity
hyvinvointivaltio welfare state
hyvinvointiyhteiskunta affluent society
hyvinvoipa well, healthy, affluent, prosperous (ks hyvinvointi)
hyvittää 1 (maksaa takaisin) compensate, recompense, reimburse **2** (siirtää/laittaa tilille) credit **3** (sovittaa) make up for something, make amends Miten voin hyvittää sen sinulle? How can I make it up to you? How can I make amends?
hyvitys compensation, recompense, reimbursement, credit, amends (ks hyvittää) vaatia hyvitystä demand compensation/reimbursement, (sovitusta) demand satisfaction
hyvyys goodness, kindness, benevolence Hän teki sen hyvää hyvyyttään She did it out of the kindness of her heart
hyvä s good ottaa vastaan sekä hyvää että pahaa take the good with the bad toivottaa kaikkea hyvää wish someone well, all the best tehdä hyvää feel good, be good for you ei tietää hyvää be a bad sign tarkoittaa hyvää mean well Kyllä siitä vielä hyvä tulee It'll turn out all right (ks hyväksi)
adj **1** good hyvää iltaa good evening

hyvää joulua Merry Christmas hyvää matkaa have a nice trip hyvää ruokahalua bon appetit hyvän sään aikana while the going is good **2** (ystävällinen) kind Ole hyvä ja mene pois Please go away **3** (hyvänmakuinen) delicious, (ark) yummy, scrumptious **4** pitää hyvänä (helliä) fondle, caress, cuddle; (kohdella hyvin) treat well, pamper, coddle **5** Pidä hyvänäsi! Keep it! You're welcome to it! **6** Mistä hyvästä? What for? For what? **7** tulla hyvällä come peacefully/willingly/voluntarily

hyväillä caress, fondle, stroke

hyväily caress

hyväksi for (the good/benefit of), (lak, urh) in favor of Tein sen sinun hyväksesi I did it for you(r own good) ratkaista asia jonkun hyväksi decide in someone's favor tilanne on 9-5 kotijoukkueen hyväksi the score is 9-5 in favor of the home team käyttää hyväkseen use, take advantage of, exploit nähdä/katsoa hyväksi see fit kääntyä jonkun hyväksi turn to someone's advantage

hyväksikäyttö (paheksuttava) exploitation; (hyväksyttävä) use, employment; (luonnonvarojen) development of resources

hyväksyttävä acceptable

hyväksyä **1** accept En voi hyväksyä tarjoustasi I can't accept your offer **2** (pitää sopivana) approve of En hyväksy elämäntapaasi I don't approve of your lifestyle **3** (suostua johonkin) agree/consent to En hyväksy ehtojasi I can't agree to your terms **4** (äänestää jonkin puolesta) approve, pass, ratify ehdotus hyväksyttiin the motion was approved/passed lakiehdotus hyväksyttiin the bill was passed perustuslain muutos hyväksyttiin the Constitutional amendment was ratified **5** (päästää läpi kokeessa) pass **6** (päästää sisään/jäseneksi) admit

hyväkuntoinen in good shape/condition

hyvälaatuinen quality, of good quality

hyvämaineinen respected, reputable

hyvänkokoinen good-sized, sizable

hyvänlaatuinen (ark ja lääk) benign

hyvänmakuinen tasty, delicious

hyvännäköinen good-looking

hyvänsä any mitä hyvänsä anything milloin hyvänsä any time keinolla millä hyvänsä by hook or by crook, by any means fair or foul

hyväntahtoinen well-wishing, kind, benevolent

hyväntekeväisyys charity, philanthropy

hyväntekeväisyysjärjestö charitable organization

hyväntekeväisyyskonsertti charity concert

hyväntekijä philanthropist

hyväntuulinen good-humored, in a good mood

hyväntuulisesti cheerfully

hyvästellä say goodbye (to), (run) bid farewell/adieu

hyvästi farewell, adieu

hyväsydäminen kind-/warm-hearted

hyvätuloinen well-paid

hyväuskoinen credulous, gullible

hyydyttää **1** (verta) coagulate, clot, (kuv) curdle **2** (rasvaa tms) congeal

hyypiö creep

hyytelö jelly, Jell-O

hyytyä **1** (veri) coagulate, clot, (kuv) clot **2** (rasva tms) congeal **3** (hymy) freeze Silloin häneltä hyytyi hymy That wiped the smile off his face

hyödyke commodity

hyödyllinen useful, of use

hyödyttää benefit, profit, be of use Mitä se minua hyödyttää? What good is that to me? What's in it for me? Mitä se hyödyttää? What's the use/point?

hyödytön useless, of no use

hyökkäys **1** attack, assault, charge, invasion **2** dash, rush (ks hyökätä)

hyökkääjä **1** attacker; (ryöstössä tms) assailant, (sodassa) aggressor, invader **2** (urh) attacker, (jalkapallossa) forward

hyökkäämättömyyssopimus nonaggression pact

hyökyaalto breaker; (valtava) tidal wave, (maanjäristyksen aiheuttama) tsunami
hyökätä 1 (käydä kimppuun) attack; (jotakin) assault, charge; (maahan) invade **2** (rynnätä) dash, rush
hyönteinen insect
hyönteismyrkky insecticide
hyöriä swarm/hover/bustle around/about
hyöty use, benefit, profit, advantage Onko tästä sinulle mitään hyötyä? Can you use this? Is this any use/good to you? Can you get any benefit/profit out of this? Ei siitä ole mitään hyötyä No use/point in that at all
hyötynäkökohta utilitarian consideration/viewpoint
hyötysuhde 1 (tekn) efficiency **2** (tilastossa) utility function
hyötyä benefit, profit, gain Paljonko hyödyit kaupasta? How much did you make on the deal?
hyötöreaktori breeder reactor
hä? Whuh?
hädänalainen distressed
häh? Whuh?
häijy mean, nasty, cruel, malicious
häikäilemättömästi unscrupulously, ruthlessly, remorselessly
häikäilemätön unscrupulous, ruthless, remorseless
häikäillä hesitate ei häikäillä to have no scruples (about doing something)
häikäisevä (hyvällä tavalla) dazzling, brilliant; (häiritsevästi) blinding
häikäistä dazzle, blind
häikäisy glare
häilyvä 1 (horjuva) wavering, vacillating, irresolute **2** (väreilevä) glimmering, shimmering, flickering
häilyä 1 (horjua) hover, waver häilyä kahden vaiheilla be irresolute, not be able to make up your mind, be torn häilyä elämän ja kuoleman rajalla hover between life and death, linger at death's door **2** (väreillä) glimmer, shimmer, flicker
häipyminen disappearance, disappearing, fading (ks häipyä)
häipyä 1 (hävitä: näkymättömiin) disappear, vanish; (kuulumattomiin, myös radiossa) fade out/away **2** (unohtua) be forgotten, fade **3** (jarrut) fade **4** (ark: lähteä) take off, clear out, take to your heels, make tracks, skedaddle
häiriintynyt disturbed
häiriintyä be disturbed
häirikkö troublemaker
häirintä 1 disturbance **2** (radio/TV) jamming
häiritä 1 disturb, interrupt, annoy, bother Häiritsenkö? Am I disturbing you? En halua häiritä I don't want to disturb/bother you, intrude (on you) Ei se häiritse minua yhtään It's no bother/trouble at all, it doesn't bother/annoy me in the slightest häiritä puhujaa disrupt/interrupt a speaker **2** (radio/TV) jam, interfere
häiriö 1 disturbance **2** (lääk) disorder **3** (mek) failure, malfunction, breakdown **4** (radio/TV) static, interference **5** (fys) perturbation
häiriötekijä disturbance
häiriötön undisturbed, smooth, trouble-free; (radio/TV) static/interference-free
häive trace
häivyttää 1 (värejä, kuvia) fade, dissolve, (radio/TV/valok) fade out **2** (muistoa, eroa tms) banish, dispel
häivä trace, hint ei hymyn häivääkään not even a hint of a smile
häivähtää flicker, play Heikko hymy häivähti hänen kasvoillaan A thin smile played across his face
häkeltyneesti with embarrassment, in (a state of) confusion, confusedly
häkeltynyt embarrassed, confused, mixed up, muddled
häkeltyä get/be(come) embarrassed/confused/mixed up/muddled
häkki 1 (säleseinäinen) cage, (kanahäkki) coop, (aitaus) pen **2** (ristikko) rack, grating **3** (urh: verkko) net
häkä carbon monoxide

häkämyrkytys carbon monoxide poisoning
hälinä 1 (melu) noise, clamor, hubbub **2** (kohu) stir, fuss, hullabaloo nostaa hälinä raise a hullabaloo, make a fuss
hälventää (pelkoja) dispel, banish; (sumua) disperse
häly 1 (melu) noise **2** (kohu) stir, fuss, hullabaloo herättää hälyä raise a hullabaloo, make a fuss
hälytin alarm (bell/buzzer jne)
hälytys alarm
hälytysvalmis on the alert, ready (for action)
hälytysvalmius alert, readiness
hämillään embarrassed
hämmennys 1 (sekaisin olo) confusion, bewilderment, perplexity **2** (hämillään olo) embarrassment
hämmentyä 1 (joutua sekaisin) get/be(come) confused, bewildered, perplexed **2** (joutua hämilleen) get/be(come) embarrassed
hämmentää 1 (saattaa sekaisin) confuse, bewilder, perplex **2** (saattaa hämilleen) embarrass **3** (sekoittaa ruokaa) stir
hämminki confusion, (lievä) distress, (valtava) pandemonium; (ark) mess, mixup
hämmästellä wonder/marvel at, express surprise/astonishment at
hämmästys surprise, astonishment, amazement
hämmästyttää surprise, astonish, amaze
hämmästyä be surprised/astonished/amazed
hämy dusk, twilight
hämyisä dusky, twilit; (kuv) dim, shadowy, pale
hämähäkinseitti spider web, cobweb
hämähäkinverkko spider web, cobweb
hämähäkki spider
hämäläinen s person from Häme, resident of Häme
adj (of) Häme
hämärtyä 1 (ilta) get/grow dim/dusky/dark **2** (näkö) dim, blur; (ajatus) get confused/diffused, lose your train of thought
hämärtää 1 (hämärtyä) get/grow dim/dusky/dark **2** (hämärryttää) dim, cloud, obscure
hämäräperäinen 1 (epäillyttävä) shady, fishy, suspicious **2** (hämärän peitossa) mysterious, unknown
hämäräsokeus day blindness, (lääk) hemeralopia
hämärä s dusk, twilight, (pimeys) dark
adj **1** (puolipimeä) dim, dusky, shadowy, dark **2** (sumea) dim, indistinct, obscure(d) näkyä hämärästi be dimly/indistinctly visible, be partially obscured **3** (epäselvä) dim, vague, obscure mysterious, unknown muistaa hämärästi remember dimly/vaguely, have a dim/vague/obscure memory **4** (epäillyttävä) shady, fishy, suspicious hämärä tulonlähde mysterious source of income hämärä tyyppi shady character
hämätä 1 (harhauttaa) bluff, fake, feint **2** (hämmentää) confuse
hämäys bluff; (urh) fake, feint
hämäännyttää perplex, confuse
hämääntyä get/be(come) perplexed/confused
hän (poika/mies) he, (tyttö/nainen) she hänen his/her(s) hänet, häntä him/her
hännystakki frock coat, (ark) tails
hännystellä flatter, fawn, toady; (ark) suck up, kiss ass
hännänhuippu the last olla hännänhuippuna bring up the rear
häntä tail Tässä ei ole päätä eikä häntää I can't make heads or tails of this
häpeä shame
häpeämätön shameless
häpeäntunne (sense/feeling of) shame
häpeäpilkku blot, stain, stigma
häpy 1 (anat) vulva, (raam) shame **2** (häpeä) shame
häpyhuulet labia
häpykieli clitoris
häpäistä 1 (tuottaa häpeää omaisilleen tai itselleen) disgrace, dishonor **2** (herjata) defame, (pyhää esinettä) desecrate, (pyhää paikkaa) violate

häpäisy defamation, profanation, violation
härkä 1 (kuohittu sonni) ox, steer **2** (nautauros) bull ottaa härkää sarvista take the bull by the horns **3** (horoskoopissa) Taurus
härkänen tehdä kärpäsestä härkänen make a mountain out of a molehill
härkäpäinen bull-headed
härnätä tease, goad, torment
härski 1 rancid, sour **2** (ark) dirty, off-color, smutty
härveli gadget, contraption, thingamajig
hätiköidä 1 rush (into) things **2** (pilata) bungle, botch, screw up
hätiköimätön unhurried, unflustered, collected, calm
hätiköity 1 rash, precipitate **2** bungled, botched
hätistellä shoo (out/away off), chase/drive out/away
hätistää ks hätistellä
hätyytellä 1 (ahdistella: puhuttelemalla) accost, (käymällä kimppuun) molest, (kiusaamalla) harass **2** (ajaa takaa) chase, pursue
hätyyttää ks hätyytellä
hätä 1 (ahdinko) distress, danger, trouble **2** (ahdistus) distress, anxiety, worry hätä siitä että äiti jättää fear of Mommy leaving/abandoning you **3** (kiire) rush, hurry Mikä hätä sinulla muka on? What's your rush/hurry? (ark) Where's the fire? (puute) need Hädässä ystävä tutaan A friend in need is a friend indeed **4** Äiti mulla on hätä! Mommy I gotta go (to the bathroom)! Iso hätä number two Pieni hätä number one
hätäapu emergency aid
hätähuuto call/cry for help
hätäilemätön unhurried, unflustered, collected, calm
hätäilevä panicky, flustered
hätäillä 1 (huolehtia) worry, fret, fuss, be anxious **2** (kiirehtiä) hurry, rush
hätäinen 1 (huolissaan) worried, anxious **2** (nopea) hasty, hurried
hätäisesti hastily, in haste, in a hurry
hätäjarru emergency brake
hätäkeino emergency measure
hätälasku emergency landing
hätämerkki distress signal, SOS/Mayday call
hätäpuhelin emergency telephone
hätäpuhelu emergency (phone) call
hätäpäissään in a panic, flustered, (ark) in a blue funk
hätäratkaisu expedient
hätätila state of emergency
hätätilanne emergency
hätävalaistus emergency lighting
hätävarjelu self-defense, justifiable defense
hätävarjelun liioittelu excess of justifiable defense
hätääntyä get/grow/be(come) alarmed/anxious; (valtavasti) panic
häveliäs modest, bashful
häveliäästi modestly, bashfully
hävettää shame minua hävettää I'm ashamed
hävetä be ashamed of
hävittäjä 1 (laiva) destroyer **2** (lentokone) fighter (plane)
hävittäjälentokone fighter plane
hävittäjälentäjä fighter pilot
hävittää 1 (tuhota) destroy, demolish, wipe out hävittää epäilykset wipe out doubts **2** (tappaa: yksittäisiä olentoja) kill, liquidate, (ark) rub out, bump off; (eläin) put down, put to sleep **3** (tappaa: kokonaisia väestöjä) exterminate, annihilate, commit genocide **4** (autioittaa) devastate, lay waste, ravage **5** (hukata) lose, misplace Olen hävittänyt silmälasini I can't find my glasses **6** (tuhlata) waste, squander, (ark) blow hävittää koko perintönsä throw away/run through your entire inheritance
hävitys destruction, devastation
hävitä 1 (kadota) disappear, vanish **2** (joutua hukkaan) get lost Minulta on hävinnyt matikan kirja I've lost my math book **3** (haihtua) disperse, dissipate sumu häviää the fog clears **4** (väistyä) die/fade/pass out/away, become extinct vanhat tavat häviävät jatkuvasti the old customs are passing away, dying out, becoming extinct **5** (kärsiä tappio) lose

häviävä 1 (katoava) disappearing, vanishing häviävän pieni määrä an infinitesimal amount **2** (häviölle jäävä) losing
hävyttömästi shamelessly
hävytön shameless
häväistys 1 (häpeä) humiliation, mortification **2** (loukkaus) insult, affront
häväistyskirjoitus lampoon, satire; (lak) libel, libelous/defamatory text
häväistä 1 (tuottaa häpeää omaisilleen tai itselleen) disgrace, dishonor **2** (loata toista: nimeä) defame, (pyhää esinettä) desecrate, (pyhää paikkaa) violate
hääjuhla wedding reception/celebration
häämatka honeymoon
häämenot wedding/marriage ceremony
häämöttää gleam/loom (in the distance, on the horizon), be dimly/vaguely visible
hääpari wedding/bridal couple, the bride and groom
hääppöinen Ei se kovin hääppöinen ole It's nothing special/great, nothing to write home about, nothing to tell your grandchildren about
hääpäivä (wedding) anniversary
häät wedding
häätää evict, turn out
häätö eviction
häävalmistelut wedding preparations
häävi Ei se häävi ollut It was nothing special/great, nothing to write home about, nothing to tell your grandchildren about
häävieras wedding guest
hö! pshaw! fiddlesticks! what nonsense!
hökkeli shack
hölkkä jogging
hölkätä jog
höllentää loosen, slacken, (kuv) relax
höllä loose, slack, (kuv) lax
hölmistyä be amazed/astonished, be struck dumb/speechless
hölmöillä 1 (tahattomasti) act foolish/silly jne, be a fool/idiot jne **2** (tahallaan) fool/(ark)fart/mess around
hölmöläinen moron
hölmöläisvitsi moron joke
hölmö s fool, idiot, moron, dummy adj foolish, silly, idiotic, stupid
hölynpöly nonsense, rubbish
hölöttää 1 (puhella) talk, chatter, gab, chitchat **2** (laverrella) blab
höntti stupid
höperö foolish, silly, (vanhuudenhöperö) senile
höpinä muttering, mumbling
höpistä mutter, mumble
höppänä fool
hörinä 1 (surina) buzz **2** (löpinä) prattle
höristä 1 (surista) buzz **2** (löpistä) prattle
hörppiä gulp, guzzle, (ryystäen) slurp
hörpätä gulp, guzzle, (ryystäen) slurp
hörökorvat big ears, ears that stick out, Dumbo ears
höyhen feather
höyhenenkevyt light as a feather
höyhensarja featherweight (class)
höyhentyyny down pillow
höylä plane
höyläpenkki planing/joiner's bench
höylätä plane (lanata) scrape (kuv) wear down, ride, haze Oppilaitoksessa kaikki höylättiin samaan malliin All the students got the same rough treatment, were hazed along the same lines
höyläämätön unplaned
höyläämö planer
höyry 1 (vedestä) steam **2** (muista aineista, kaasu) fume, vapor
höyrykattila boiler
höyrykone steam engine
höyrylaiva steamship
höyrystyä vaporize, evaporate
höyrystää vaporize, evaporate
höyrytä steam
höyryveturi steam locomotive
höyryvoima steam power
höyste seasoning, spice
höystää season, spice (myös kuv)

I, i

iankaiken always, forever and ever, forever and a day
iankaikkinen eternal, everlasting iankaikkisesta iankaikkiseen from everlasting to everlasting
iankaikkisesti eternally, in eternity nyt ja iankaikkisesti now and forevermore
iankaikkisuus eternity
idea idea Eihän siinä ole mitään ideaa There's no point to that, that doesn't make sense
ideaali ideal
ideaalinen ideal
ideaaliside ace bandage
ideaalistaa idealize
ideaalisuus ideality
ideaatio ideation
idealismi idealism
idealisoida idealize
idealisti idealist
idealistinen idealistic
idemmäksi further/father east
idempänä further/farther east
identifikaatio identification
identifioida identify
identifioitua identify (with)
identiteetti identity
identiteettikriisi identity crisis
identtinen identical
identtisyys identity
ideografia ideography
ideoida think up/of, come up with (ideas), brainstorm; (filos) ideate
ideointi ideation, (ark) brainstorming
ideologi ideologue, ideologist
ideologia ideology
ideologinen ideological
ideologisesti ideologically
idiolekti idiolect
idiolektinen idiolectal
idiomaattinen idiomatic
idiomi idiom
idiootti idiot
idioottivarma foolproof
idiosynkrasia idiosyncracy
idis idea
idolatria idolatry
idoli idol
idylli idyll
idyllinen idyllic
idänkauppa trade with Russia
idänpolitiikka foreign policy on Russia
ien gum, (mon) gums ikenet irvessä grimacing
ientulehdus gingivitis
ies yoke ikeen alla under/beneath the yoke (of)
iestää yoke (up)
iglu igloo
ignoranssi ignorance
ignorantti ignorant
ignoroida ignore
iguaani iguana
ihailija admirer, (julkkiksen) fan
ihailijakerho fan club
ihailla (laimeammin) admire, (kiihkeämmin) adore
ihailtava admirable
ihailu admiration
ihan 1 (hyvin, juuri) quite, right, just ihan tavallinen mies just an ordinary man ihan helposti quite easily ihan heti right away Ei se ihan niin ollut That's not exactly the way it was Olin ihan unohtanut sen I'd completely/quite forgotten that **2** (kovin) so, very, all that ei ihan kaukana not so/very far away, not all that far away **3** Ihan tuli vedet silmiin It even brought tears to my eyes Ihan täytyy nauraa You really have to laugh

ihana 1 (luonne) wonderful, sweet Kyllä sinä olet ihana! You're wonderful! You're so sweet! I love you! You're such a dear! **2** (ulkonäkö) lovely, beautiful, gorgeous
ihanasti wonderfully, sweetly, beautifully
ihanne ideal
ihannepaino ideal weight
ihannoida idealize; (palvoa) adore, idolize
ihannointi idealization; (palvonta) adoration, idolization
ihanteellinen 1 (idealistinen) idealistic, high-/noble-minded **2** (ideaalinen) ideal, perfect
ihanteellisuus idealism; ideality
ihanuus 1 (luonteen) sweetness **2** (ulkonäön) loveliness, beauty
ihastella admire, wonder/marvel at
ihastua 1 (jostakin) be pleased/ delighted/excited/thrilled about/with (something) **2** (johonkuhun) fall for, fall in love with, become infatuated with; (nuori) get a crush on
ihastua ikihyviksi faal head over heels in love with (myös esineistä)
ihastuksissaan delighted, excited, enthusiastic
ihastuneena with pleasure/delight, delightedly, excitedly
ihastus 1 (ilo) delight, excitement, high spirits **2** (rakkaus) infatuation; (nuoren) crush, puppy love **3** (ilon aihe) pride and joy, apple of your eye **4** (rakkauden kohde) love, sweetheart ensi-ihastus first love
ihastuttaa 1 (ilostuttaa) delight, please, make you happy **2** (lumota) charm, engage, fascinate
ihastuttava 1 (ilostuttava) delightful, pleasing, pleasurable **2** (lumoava) charming, engaging, fascinating
ihka ihka uusi brand new ihka aito asia the genuine article, the real McCoy
ihme s **1** (vaikeasti selitettävä asia) miracle Hän parani ihmeen kautta Her recovery was a miracle Jeesus teki paljon ihmeitä Jesus worked many miracles **2** (ihmetystä herättävä asia) wonder, marvel maailman seitsemän ihmettä the seven wonders of the world luonnon/tieteen ihmeet the marvels of nature/science Ei ollut ihme ettet halunnut jatkaa No wonder you didn't want to go on **3** (ihmetys) surprise, astonishment, amazement suureksi ihmeeksemme to our great surprise/astonishment/ amazement **4** (pula) bafflement Oltiin ihmeessä rikkaruohojen kanssa We didn't know what to do with the weeds, the weeds had us completely baffled/ bamboozled, we had run out of tricks with the weeds **5** miten/mitä ihmeessä how/what on earth/in the world **6** Mene ihmeessä! For heaven's sake, go! adj (ark: ihmeellinen) odd, strange, weird joku ihme vempain some oddball/ incredible contraption
ihmeellinen 1 (yliluonnollinen) miraculous **2** (yllättävä) surprising, astonishing, amazing **3** (ilmiömäinen) phenomenal, prodigious **4** (ihana) wonderful, marvelous; (ark) great, super **5** (outo) odd, strange, weird; (ark) funny ihmeelliset vaatteet funny-looking clothes
ihmeellisesti miraculously; surprisingly, astonishingly, amazingly; phenomenally, prodigiously; wonderfully, marvelously; oddly, strangely, weirdly (ks ihmeellinen)
ihmeen surprisingly, astonishingly, amazingly ihmeen vahva remarkably/ surprisingly strong
ihmeesti a lot
ihmeissään 1 (yllättynyt) surprised, astonished, in surprise/amazement **2** (kummissaan) baffled, puzzled, nonplused
ihmeitten aika ei ole ohi wonders never cease
ihme kyllä 1 (yllätys) surprisingly/ astonishingly/amazingly enough **2** (kumma) strangely/oddly enough
ihmekös is it any wonder (that), no wonder
ihmelapsi child prodigy, wunderkind
ihmeparannus faith-healing, (parantuminen) miraculous recovery

ihmeparantaja miracle-/faith-healer
ihmesaavutus great achievements tieteen ihmesaavutukset the marvels of science
ihmetapaus wonder, prodigy, surprising/miraculous event
ihmeteko (ihme) miracle, (uskomaton suoritus) prodigious feat
ihmetellä wonder/marvel at, be surprised at
ihmetyttää make (someone) wonder Pikkuisen ihmetyttää tuommoinen käytös Kinda makse you wonder, a person acting like that Minua ihmetytti siinä se että What I wondered about in it was that
ihmetyö miracle
ihminen 1 human (being), (vanha seksistinen nimitys) man **2** (ihmiskunta) humanity, the human race, (vanha seksistinen nimitys) man(kind) **3** (henkilö) person (mon people) ihmisten kuullen within earshot, so people can hear ihmisten nähden before all the world, publicly ihmisten ilmoilla in public Hyvä ihminen sentään! You didn't! You're kidding! Good heavens! Man alive! uusi ihminen new man/woman **4** olla ihmisiksi behave yourself, act your age käyttäytyä ihmisten lailla/tavalla behave in a civilized manner, like a decent human being, like respectable people, respectably ihmisten aikoihin at a decent/respectable hour
ihminen on ihmiselle susi man is a wolf to man, (latinaksi) homo homini lupus
ihmisapina anthropoid (ape)
ihmisarvoinen elämä a life worth living, a life fit for a human being
Ihmisen Poika (raam) the Son of Man
ihmishenki 1 (elämä) (human) life Eikö ihmishenki merkitse sinulle mitään? Do you have no respect for human life? **2** (sielu) the human spirit ihmishengen pimeät sopukat the dark corners of the human spirit
ihmisjoukko crowd/mob (of people)
ihmisjärki (human) reason/intellect/mind
ihmiskeskeinen anthropocentric
ihmiskunta humanity, the human race; (vanha seksistinen nimitys) mankind
ihmislapsi 1 (lapsi) manchild **2** (ihminen) human being, mortal
ihmisluonto human nature/character
ihmisläheinen warm, personal
ihmismeri a mass of people
ihmismieli human spirit/imagination
ihmismäinen 1 (ihmiselle sopiva) decent, tolerable, humane **2** (ihmiselle tyypillinen) human, anthropoid
ihmismäistyä 1 (ihminen) become (more) humane/decent **2** (ei-ihminen) become (more) human, be humanized
ihmisoikeudet human rights
ihmisoikeuksien julistus Declaration of Human Rights
ihmisolento human being
ihmisparka poor soul/thing/creature jne
ihmisrakas 1 (ystävällinen ihminen) kind(ly), benevolent, humanitarian **2** (ystävällinen eläin) friendly, fond of people
ihmisrakkaus kindness, benevolence, humanitarianism; friendliness (ks ihmisrakas)
ihmisryöstö abduction, kidnapping
ihmissielu human soul/spirit
ihmissuhde (human) relation(ship)
ihmissuku the human race
ihmissydän human heart
ihmissyöjä cannibal
ihmissyönti cannibalism
ihmistuntemus knowledge/experience of people, of human nature
ihmistyö human labor
ihmisviha misanthropy
ihmisyhteisö human community
ihmisystävä philantrophist, humanitarian
ihmisystävällinen 1 (ihminen) philantrophic, humanitarian, charitable **2** (koira tms) friendly **3** (ympäristö) friendly, decent

ihmisystävällisyys philantrophy, humanitarianism, charity; friendlines (ks ihmisystävällinen)
ihmisyys humanity
ihmisäly human intelligence
iho skin, (hipiä) complexion
ihokarva hair
ihonalainen (lääk) subcutaneous, hypodermic
ihonalaiskudos subcutaneous tissue
ihonhoito skin care
ihosyöpä skin cancer
ihotautilääkäri dermatologist
ihotautioppi dermatology
ihottuma rash
ihra lard (myös kuv)
ihramaha paunch, beerbelly
iilimato leech
iiris iris
iki-ihana absolutely wonderful, divine
ikikiitollinen forever grateful/in your debt
ikiliikkuja perpetual motion machine, perpetuum mobile
ikimuistoinen 1 (ikuisesti muistettava) memorable, unforgettable ikimuistoinen ilta/huhtikuu memorable/ unforgettable evening/April **2** (ikivanha) immemorial ikimuistoisista ajoista from time immemorial
ikinuori ageless, unageing, eternally youthful
ikinä ever ei ikinä never, not ever mitä ikinä haluat/teet whatever you want/do
ikioma (your) very own
ikionnellinen overjoyed, blissfully happy
ikipäivinä ever ei ikipäivinä never in a million years, not on your life
ikkuna window kolminkertainen ikkuna triple-glazed window
ikkuna-aukko window opening
ikkunalasi window pane
ikkunalauta (sisäpuolella) window sill, (ulkopuolella) window ledge
ikkunanpesijä window washer
ikkunanpesu window washing
ikkunapaikka window seat
ikkunaton windowless ikkunaton seinä blind wall
ikkunaverho curtain; (mon) drapes, draperies
ikoni icon
ikoninsärkijä iconoclast
ikuinen eternal, everlasting, perpetual; (loputon) unending, unceasing ikuiset totuudet the eternal verities, the eternities
ikuisesti eternally, perpetually, in eternity; (loputtomasti) without end, endlessly, ceaselessly
ikuistaa immortalize
ikuisuus eternity, perpetuity
ikä 1 age **2** (elämä) life(time) koko ikäni all my life
ikäihminen elderly person
ikäinen Minkä ikäinen hän on? How old is he? 20 vuoden ikäinen 20 years old, aged 20
ikäisekseen for your age nuorekas/ kypsä ikäisekseen youthful/mature for her age ikäisekseen viisas wise beyond her years
ikäjärjestyksessä (elinvuosittain) by age; (palvelusvuosittain) by seniority
ikäkausi age, stage/period of life
ikälisä (salary/pay) increment
ikäluokka age class/group suuret ikäluokat baby boom (generation)
ikämies mature man; (urh) senior
ikänä ever ei ikänä never, not ever
ikärakenne age(-class) distribution, age breakdown
ikäryhmä age group
ikätoveri peer
ikävuosi year of life jo toisella ikävuodellaan already one year old, in his second year, going on two
ikävystyttää bore, tire, weary, exhaust
ikävystyä get bored; (kyllästyä) get tired/sick of, get fed up with
ikävyys 1 (pitkäveteisyys) boredom, tedium **2** (apeus) sadness, depression, melancholy **3** (vaikeus) trouble kaikenlaisia ikävyyksiä all kinds of trouble
ikävä s **1** (ikävyys) boredom, tedium kuolla ikävään be bored to death **2** (kaihomieli) longing, yearning Onko sinulla ikävä kotiin/Juhaa Do you miss home/

Juha? olla ikävissään feel lonely, dispirited, down in the mouth/dumps adj **1** (ikävästyttävä) dull, boring, tedious ikävä ihminen bore **2** (apea) sad, downcast Tuntuu ikävältä kun lähdet It makes me sad that you're leaving, I feel bad about you leaving, I'm going to miss you when you've gone **3** (valitettava) unfortunate, regrettable, deplorable Kuinka ikävää! What a shame/pity! How unfortunate! asian ikävin puoli on the worst (part) of it is, the unfortunate thing is ikävä välikohtaus unfortunate/regrettable/deplorable incident **4** (hankala) difficult, irritating, annoying ikävällä päällä in a difficult/nasty/bitchy mood ikävä tapaus a bother, nothing but trouble, a mess ikävä tilanne an awkward situation

ikäväkseni I regret/am sorry (to inform you), to my regret

ikävä kyllä unfortunately, I'm afraid (that), I'm sorry (but)

ikävöidä miss, long/yearn for

ikävöinti longing, yearning

ikään kuin as if/though

ikääntyä age, get/grow older, get on in years

ilahduttaa make someone happy, give someone pleasure, gratify, delight minua ilahduttaa että I'm happy/pleased/glad/gratified/delighted that

ilahtua be happy/pleased/glad/gratified/delighted (at/with), take pleasure/delight (in)

ilakoida romp, frolic, caper, run and jump and play happily

iljettävä disgusting, repulsive, revolting, sickening, nauseating

iljettää 1 (inhottaa) disgust, repel, revolt, repulse **2** (oksettaa) sicken, nauseate, make you sick to your stomach

iljetä 1 (kehdata) have the nerve/impudence (to do something), dare (to do something) Miten ilkeät tulla tänne kaiken sen jälkeen mitä olet tehnyt? How dare you come here after all you've done, you've got some nerve showing up here after everything you did **2** (viitsiä) stand (to do something), stomach (something) En iljennyt koskea siihen I couldn't stand to touch it En iljennyt edes ajatella sitä I couldn't stomach even thinking about it, I couldn't even stand to think about it

ilkamoida 1 (kiusoitella) tease, taunt, make fun of, have fun at someone's expense **2** (kujeilla) trick, play tricks (on someone), pull a practical joke (on someone)

ilkamointi 1 (kiusoittelu) teasing, taunting, ridiculing **2** (kujeilu) trickery

ilkeys 1 (luonteenpiirre) nastiness, cruelty, malice silkkaa ilkeyttään out of sheer spite, just to be mean/nasty **2** (teko) dirty/nasty/mean trick, (moraalisesti närkästyttävä) outrage **3** (puhe, tms) sneer, jeer, taunt, gibe

ilkeä 1 (ihminen, temppu) nasty, mean, cruel, vicious **2** (olo tms) bad, unpleasant (ks myös iljettävä) Minulla on ilkeä olo I feel bad, I feel sick to my stomach Minusta tuntuu ilkeältä, minun tekee ilkeää katsoa I can't stand to watch

ilkeämielinen malicious, malevolent

ilkeästi nastily, cruelly, viciously, badly, unpleasantly nauraa ilkeästi laugh nastily viiltää ilkeästi ihoa auki give you a nasty/bad cut

ilkikurinen mischievous, impish, prankish, playful

ilkimys rogue, rascal, rotter, scoundrel; (ark) snake in the grass

ilkityö dirty/nasty/mean trick, evil deed, misdeed; (moraalisesti närkästyttävä) outrage

ilkivalta vandalism

ilkkua 1 (härnätä) taunt, tease, gibe **2** (pilkata) mock, ridicule, laugh at, make fun of

ilkosillaan buck/stark naked

illallinen dinner, supper, the evening meal

illalliskutsu dinner invitation

illallisvieras dinner guest

illan suussa late afternoon, getting on toward evening

illastaa eat dinner/supper, (hienommin) dine, (arkisemmin) sup

illempana closer to the evening, later on in the day
illusorinen illusory
illuusio illusion
ilma 1 air puhdistaa ilmaa clear the air kohdella kuin ilmaa look right through, give someone the cold shoulder **2** (sää) weather **3** (keuhkossa) wind laskea ilmat jostakusta pihalle (ark) bump somebody off, rub somebody out, put a hole in somebody; (vatsassa) gas päästää ilmaa break wind, (ark) fart, gas **4** (mieliala tai -pide) mood oli kahdenlaista ilmaa differing/contradictory opinions were aired
ilma-alus aircraft
ilmaantua 1 (ilmestyä paikalle) appear, make your/an appearance, show/turn up, (ark) show **2** (tulla näkyviin) become visible/manifest, show (up) **3** (ilmetä) arise
ilmailu aviation, (ark) flying
ilmainen free (of charge/cost)
ilmaiseksi free (of charge/cost), gratis, for nothing
ilmaisin indicator; (radiossa) detector
ilmaista 1 (ilmoittaa) express, state, declare, convey ilmaista kiitollisuutensa proffer your thanks, express/convey your gratitude ilmaista osanottonsa express your sympathies/condolences **2** (pukea sanoiksi) express, give expression/utterance/voice to, articulate, put (an idea/a feeling) into words **3** (pukea kuviksi) give visual form to, image, flesh/sketch out **4** (paljastaa) disclose, reveal, give away ilmaista jonkun piilopaikka give away/betray someone's hiding place **5** (ilmentää) indicate, signify, demonstrate hintojen nousu ilmaistaan tuhansissa markoissa increases in prices are given/indicated in thousands of marks adjektiivi ilmaisee laatua adjectives express/signify quality **6** (osoittaa) show, display, exhibit Hänen katseensa ilmaisi myötätuntoa His sympathy showed in his eyes, he showed his sympathy with his eyes
ilmaisu expression
ilmaisukyky (ihmisen) expressive talent, articulacy; (kielen) expressiveness
ilmaisukykyinen expressive, articulate
ilmaisuvoima expressive power
ilmaisuvoimainen powerfully expressive
ilmajarru pneumatic brake, (ark) air brake
ilmajäähdytteinen air-cooled
ilmajäähdytys air-cooling
ilmakehä atmosphere
ilmakivääri BB-gun
ilmalaiva airship
ilman adv without tulla toimeen/olla ilman get by/do without Tulen toimeen ilmankin I'll manage anyway
prep **1** without Menen ilman sinua I'm going without you, I'll go without you, on my own Menen ilman että sinä saat tietää I'm going to go without you knowing, without letting you know päästä sisään ilman maksua be admitted free of charge, get in without paying **2** (lukuun ottamatta) not including/counting, excluding hinta ilman paristoja 69 mk priced at 69 marks excluding/not including batteries, 69 marks (batteries not included) Ilman tämän päivän maksua olemme saaneet yhteensä 5000 mk Not counting/including today's payment we have received a total of 5000 marks **3** (muuten kuin) except/but for, if it weren't for Ilman sinua olisimme olleet pahassa pulassa If it hadn't been for you, we would have been in big trouble
ilmanala climate
ilmankostutin humidifier
ilmanpaine (renkaissa tms) air pressure; (ilmatieteessä) barometric/atmospheric pressure
ilmanpitävä airtight
ilmanvastus air resistance, (aerodynamic) drag
ilmapallo balloon
ilmapiiri atmosphere, mood poliittinen ilmapiiri political climate
ilmapuolustus air defense
ilmarengas pneumatic tire

ilmasota the war in the air, air warfare
ilmassa in the air roikkua ilmassa be up in the air, be undecided oli sähköä ilmassa the atmosphere was tense, there was tension in the air
ilmasto climate tottua ilmastoon acclimate yourself, become acclimatized
ilmastollinen climatic
ilmastovyöhyke climatic zone
ilmateitse by air
ilmatiede climatology
ilmatieteellinen climatological
ilmatiivis airtight
ilmatila air space
ilmatorjunta anti-aircraft (defense)
ilmatorjuntaohjus surface-to-air/ anti-aircraft missile
ilmatyyny air cushion
ilmatyynyalus hovercraft
ilmaus 1 (ilmaisu) expression, (lausuma) utterance, (sanonta) idiom **2** (ilmentymä) sign, token, indication arvostukseni ilmaus token of my esteem
ilmava 1 (asunto) spacious, roomy, airy, open **2** (maaperä) loose, (pakkaslumi) light, (tyyny) fluffy
ilmavaiva gas pains, flatulence
ilmavalvonta aircraft warning service; (UK) air defence warning service
ilmavirtaus air current/stream/flow
ilme 1 (kasvojen) (facial) expression, face, look **2** (esitystavan tms) expression, style; (ilmeikkyys) expressiveness, liveliness **3** (ulkonäkö) look, appearance
ilmeetön expressionless, flat, blank
ilmehtiä make faces, communicate through facial expressions ilmehtiä paheksuvasti/kivuliaasti grimace
ilmeikäs 1 (puhutteleva) expressive, eloquent **2** (eloisa) lively, animated
ilmeinen 1 (menneestä tapahtumasta: selvä) obvious, apparent, evident On aivan ilmeistä, että varas ei tullut ikkunasta It's clear/obvious/apparent/evident that the burglar didn't enter through the window ilmeisen hämmästynyt visibly/ obviously surprised **2** (tulevasta tapahtumasta: todennäköinen) likely, probable On erittäin ilmeistä, että Pekka saapuu myöhässä In all probability Pekka is coming late, it looks pretty likely that Pekka is going to be late
ilmeisesti 1 (kaikesta päätellen) apparently, evidently Pekka ei ilmeisesti tulekaan Apparently Pekka isn't coming after all, it looks to me like Pekka isn't coming **2** (silmiinnähtävästi, ilmeisen) visibly, obviously aivan ilmeisesti juovuksissa clearly/visibly drunk
ilmeneminen manifestation
ilmentymä manifestation
ilmentyä 1 (näkyä) show, be revealed/manifested/displayed **2** (tulla esiin) appear, manifest itself
ilmentää 1 (osoittaa) show, display, exhibit Hänen katseensa ilmensi osanottoa His sympathy showed in his eyes **2** (pukea sanoiksi) express, give expression/utterance/ voice to, articulate, put (an idea/a feeling) into words runo joka ilmentää ihmissydämen pohjatonta yksinäisyyttä a poem that captures/ expresses the vast loneliness of the human heart **3** (pukea kuviksi) express, give visual form to, image, flesh/sketch out **4** (symboloida) symbolize, betoken kaikki se mitä lippu ilmentää everything the flag stands for/symbolizes
ilmestys 1 (usk: ilmoitus) revelation, (näky) vision, (henkiolento) apparition, manifestation saada ilmestys receive a revelation/vision Marian ilmestys the Annunciation Johanneksen ilmestys the Revelation/Apocalypse of St. John **2** (nähtävyys) phenomenon, spectacle, sight Oletpa upea ilmestys! You're a sight for sore eyes!
Ilmestyskirja the Book of Revelation, the Revelation/Apocalypse of St. John
ilmestyskirjallisuus apocalyptic books/literature
ilmestyä 1 (saapua paikalle) appear, make your/an appearance, show/turn up, (ark) show **2** (tulla näkyviin) become visible/manifest, show (up) **3** (ilmetä) arise, occur **4** (tulla julkaistuksi: kirja) be published/released, come out, appear; (sanomalehti) be printed, (ark) hit the newsstands Romaanini ilmestyy ensi

kuussa My novel will be coming out next month Paikkakunnan lehti ilmestyy neljä kertaa viikossa The local paper appears four times a week

ilmetty 1 Sinä olet ilmetty äitisi! You're the living/spitting image of your mother, you look just like your mother, you're the very picture of your mother **2** (ilmeinen) obvious Sinun ilmetty ja ilkeä tarkoituksesi oli viivytellä minua Your obvious and malicious intent was to delay me

ilmetä 1 (tulla esille) arise, appear, show (up) jos tarvetta ilmenee if the need arises viime päivinä ilmenneet oireet the symptoms that have been appearing over the last few days **2** (tulla ilmaistuksi) take the form of, find expression in/as, be expressed/ manifested as, manifest itself kiehuminen ilmenee poreiluna boiling takes the form of bubbling, is manifested as bubbling Hänen ironinen luonteensa ilmeni näytelmissä lempeänä huumorina His irony found expression in his plays as a gentle humor **3** (tulla selville) turn out, be(come) clear/evident/obvious/ apparent, transpire Pian ilmeni, että flunssa olikin keuhkokuume It soon became evident that the cold was pneumonia, the cold turned out/proved to be pneumonia

ilmi adj (ilmeinen) open, obvious, clear ilmi kapina open rebellion ilmi loukkaus suvun kunniaa kohtaan obvious/clear insult to the family's honor ilmi liekeissä blazing
adv **1** (julki) out, to light käydä ilmi turn out, be(come) clear/evident/obvious/ apparent, transpire (ks ilmetä) **2** saada ilmi find out, discover, uncover tulla ilmi come to light, come out, be discovered/ uncovered/revealed tuoda ilmi bring (new facts) to light, present (a new idea), offer (a new perspective) antaa ilmi reveal (a secret), inform on (a criminal), report (a crime, a criminal); (ark) rat, squeal (ks ilmiantaa) joutua ilmi be found out, be discovered, be caught **3** (erittäin) very, quite, perfectly ilmi selvä quite/perfectly clear

ilmiantaa report, inform on, denounce; (ark) rat, squeal, sing like a canary ilmiantaa rikos poliisille report a crime to the police ilmiantaa joku poliisille inform on/report someone to the police ilmiantaa korkea virkamies virkarikoksesta denounce a high official for malfeasance

ilmiantaja informer; (poliisin palkkaama) police informer, (ark) snitch; (vapautettava osasyyllinen) witness who turns state's evidence, (ark) rat, fink, squealer, blabber, doublecrosser, stool pigeon

ilmiselvä 1 (ilmeinen) quite/perfectly clear **2** (itsestään selvä) obvious, undeniable

ilmiö phenomenon (myös kuv)

ilmiömäinen phenomenal

ilmoilla ihmisten ilmoilla in public päästää kiukkunsa ilmoille give vent to your anger/rage

ilmoittaa 1 (kertoa) tell, inform, let someone know, make something known Ilmoitan sinulle ajoissa tulostani I'll tell you/let you know in plenty of time when I'll be arriving ilmoittaa kuolonuhrin lähisukulaiselle inform the next of kin of the death minulle ilmoitettiin että I was told/informed that, I received information (to the effect) that ilmoittaa uutinen break the (good/bad) news to someone **2** (tehdä ilmoitus) report, notify, give/ serve notice ilmoittaa näkemänsä poliisille report what you saw to the police ilmoittaa poliisille/lehdelle osoitteenmuutoksesta notify the police/a magazine of a change of address ilmoittaa työntekijälle erottamisesta serve an employee notice (of dismissal) ennalta ilmoittamatta without prior notice ilmoittaa kadonneeksi report missing/ lost **3** (tiedottaa) announce ilmoittaa kihlauksensa announce your engagement Kenet saan ilmoittaa? Who shall I say is calling? What was the name, please? **4** (julkistaa) publicize, make public ilmoittaa päätöksestä julkiselle sanalle inform the news media of the decision, make the decision public **5** (usk) reveal Jeesus ilmoitti itsensä opetuslapsille Jesus revealed himself to the disciples **6** (laittaa ilmoitustaululle) post tenttitulokset ilmoitetaan ilmoitustaululla the exam results will be posted on the bulletin/ notice board **7** (laittaa ilmoitus lehteen) advertise, put an ad in the paper ilmoittaa talo myytäväksi put an ad for your house in the paper, advertise your house in the paper **8** (tehdä selkoa) disclose, give declaration of ilmoittaa myyntivoitto veroilmoituksessa disclose/ declare your capital gains on the tax form **9** (tullissa) declare ilmoittaa ylimääräiset viinat declare your extra alcohol **10** (antaa hintatiedot) quote **11** (kouluun) register (someone), (näyttelyyn) enter (something), (tenttiin) sign (someone) up

ilmoittaja 1 (lehdessä) advertiser **2** (lak) informant

ilmoittautua 1 (kouluun, kurssille) enroll, register **2** (tenttiin) sign up (for) **3** (kilpailuun) enter **4** (palvelukseen) report (for duty)

ilmoittautua ehdokkaaksi run/ stand for office, announce your candidacy

ilmoittautua jäseneksi apply for membership

ilmoittautua vapaaehtoiseksi 1 (sotaväkeen) enlist **2** (tehtävään) volunteer

ilmoittautuminen enrollment, registration, entry, enlistment (ks ilmoittautua)

ilmoitus 1 (tieto) information **2** (tiedonanto) report, notice, notification **3** (julkinen tiedotus) announcement **4** (lausunto) statement **5** (lehti-ilmoitus) advertisement, (ark) ad, (UK) advert; (pikku-ilmoitus) want-ad, classified ad; (mon) want-ads, classifieds **6** (juliste) bill, notice, poster Ilmoituksia ei saa kiinnittää Keep this wall free, No bills/ posters **7** (usk) revelation, (divine) message **8** (tulli- tai veroilmoitus) declaration

ilmoitusluonteinen informative ilmoitusluonteinen asia announcement

ilo 1 joy, delight, happiness, pleasure On ilo nähdä sinua it's nice to see you, I'm happy to see you, it's a pleasure to see you Minulla on ilo ilmoittaa It gives me great pleasure to announce ilossa ja surussa in joy and in sorrow avioliiton ilot the joys of marriage elämäni suurin ilo my greatest joy/delight/pleasure, the joy of my life, (varsinkin lapsi tai rakastettu) the apple of my eye tuottaa iloa make someone happy, bring/give someone great happiness **2** (ilonpito) merriment, merrymaking, good fun/ times/spirits/cheer, gaiety, laughter; (mon) amusements, entertainments yhtyä iloon join in the fun/merriment **3** Mitä iloa siitä sinulle on? What good is that to you?

iloinen 1 (iloissaan) happy, joyful, delighted, gay, merry Iloista Joulua Merry/Happy Christmas **2** (mielissään) pleased, happy, glad **3** (ark: hiprakassa) (feeling) happy, tipsy, giddy

iloisesti 1 (iloissaan) happily, joyfully, delightedly, with delight, gaily, merrily **2** (mielellään) with pleasure, gladly, willingly

iloissaan ks iloinen

iloita 1 (olla iloinen) rejoice (over/at), be happy/glad/pleased (with/to) **2** (pitää iloa) make merry, revel, celebrate

iloksi jonkun iloksi for someone's pleasure, to please someone olla iloksi jollekulle be a source of pleasure/joy/ happiness/delight to someone ilokseni to my delight

ilomielin with pleasure, gladly Tulen ilomielin I'd be happy to come, I'd love to come

ilonaihe cause for rejoicing

ilonlähde source of joy

ilonpilaaja party-pooper, spoilsport, killjoy; (ark) wet blanket

ilosta for/with joy itkeä/hyppiä ilosta weep/jump for/with joy

ilotalo whorehouse, brothel, bordello

iloton joyless, cheerless **1** (ikävä) dull, boring, lifeless **2** (synkkä) bleak, gloomy

ilotulitus fireworks (display)

ilotyttö prostitute, whore, hooker; (katutyttö) streetwalker, (puhelintyttö) call-girl
ilta evening, (ark) night; (run) eve(ntide), (usk) vesper Hyvää iltaa! Good evening! illalla in the evening, at night eilen illalla yesterday evening, last night iltaan mennessä by evening, before nightfall ensi-ilta opening night, premiere aamusta iltaan from morning till night myöhään iltaan until late (at night, in the evening)
ilta-ateria dinner, supper, evening meal
iltahartaus vespers, evening prayers/devotions
iltahämärä dusk, twilight
iltainen evening's eilisiltainen juhla the party yesterday evening
iltaisin in the evening, evenings
iltakoulu 1 night school, evening classes **2** (hallituksen) evening session
iltalehti evening paper
iltalukio night school, evening classes (at the high school level)
iltamat social evening, evening entertainment
iltamyöhä late at night, late in the evening
iltamyöhäinen late-night/-evening
iltanumero evening edition
iltapala evening snack, supper
iltapimeä dusk, twilight
iltapuku evening gown
iltapuolella in the late afternoon, towards evening
iltapäivisin in the afternoon, afternoons
iltapäivä afternoon
iltarukous evening/bedside prayer lukea iltarukous say your prayers
iltarusko sunset
iltasella in the evening
iltasoitto 1 (työpäivän päättyessä) evening bell/whistle, (maatilalla) dinner bell **2** (sot) taps
iltatyö evening work olla iltatyössä (be) work(ing) late
iltauutiset evening news
iltavuoro swing/evening shift
ilve joke, prank, trick, jest ei millään ilveellä no way, by no means jollakin ilveellä somehow or other, by hook or by crook
ilveilijä jokester, prankster, trickster; (narri) jester, clown, fool
ilveillä 1 (kujeilla) play/pull jokes/pranks/tricks **2** (vitsailla) joke (around), jest **3** (pelleillä) clown/ fool/horse around **4** (pilkata) make fun (of someone), joke (at someone's expense), mock, ridicule
ilveily 1 (pelleily) joking/clowning/fooling/horsing around **2** (näytelmä) farce, burlesque; (parodia) parody, spoof
ilves lynx
imaami imam
imago image, (psyk) imago
imarrella 1 (ylistää) flatter, compliment; (ark) butter up, soft-soap, suck up to **2** (mielistellä) coax, cajole, beguile **3** (hännystellä) toady/truckle to, curry favor with; (ark) brownnose, lick/kiss someone's ass/boots
imartelija flatterer, toady, brownnoser, ass-/bootlicker/-kisser
imartelu flattery
imelä 1 (makea) sweet **2** (sentimentaalinen) sentimental, saccharine; (ark) mushy, slushy, corny **3** (lipevä) flattering, ingratiating, oily
imelästi sweetly, sentimentally, ingratiatingly
imemisaika nursing period
imeskellä suck (on)
imettämisaika breastfeeding/nursing period
imettää nurse, breastfeed; (eläin) suckle
imeväinen infant, (run) suckling, babe lasten ja imeväisten suusta from the mouths of babes
imeväisikä infancy
imeytyä be absorbed, soak (in)
imeä 1 (suulla) suck, (rintaa) nurse **2** (muulla) absorb imeä ennakkoasenteita jo äidinmaidossa learn/absorb prejudices at your mother's breast, drink in biases with your mother's milk imeä itseensä maiseman kauneutta drink in

the beauty of the landscape **3** (tekn ja lääk) aspirate
imitaatio imitation, copy; (ark) fake
immateriaalinen immaterial
immenkalvo hymen
immuniteetti immunity
immuuni immune
impedanssi impedance
imperatiivi imperative
imperfekti past tense
imperialismi imperialism
imperialisti imperialist
imperialistinen imperialistic
imperiumi empire
implisiittinen implicit
impotenssi impotence
impotentti impotent
impressionismi impressionism
impressionisti impressionist
improvisoida improvise
improvisoija improviser
imu suction
imuke mouthpiece, cigar(ette)-holder
imukärsä sucker
imupaperi blotting paper
imupilli straw
imuri 1 (pölynimuri) vacuum cleaner, (UK) Hoover **2** (musteenkuivain) blotter **3** (tekn) suction apparatus, (myös lääk) aspirator; (tuuletin) exhaust fan/ventilator
imusolmuke lymph nod(ul)e/gland
imusuoni lymph(atic) vessel/duct
inahtaa 1 (valitella) whimper **2** (liikahtaa) budge ovi ei inahtanutkaan the door wouldn't budge (an inch)
indefiniittinen indefinite
indefinittipronomini indefinite pronoun
indeksi index; (mon) indices, indexes
indeksikorotus cost-of-living raise
indigo indigo
indigonsininen indigo-blue
indikaatio indication
indikaattori indicator
individualismi individualism
individualisti individualist
indoeurooppalainen Indo-European
indogermaaninen Indo-Germanic
Indonesia Indonesia
indonesialainen s, adj Indonesian
induktiivinen inductive
induktio induction
infarkti infarct
infinitiivi infinitive
inflaatio inflation
inflaatiokierre inflation(ary) spiral
inflatorinen inflationary
influenssa influenza, (ark) flu
influenssaepidemia (in)flu(enza) epidemic
informaatio information
informaatioyhteiskunta information society
informoida inform, apprize
infrapunakauko-ohjain infrared remote (control)
infuusio infusion
inhalaatio inhalation
inhimillinen 1 (ihmiseen liittyvä) human **2** (ihmisystävällinen) humane, humanitarian **3** (siedettävä) reasonable, decent soittaa inhimilliseen aikaan call at a decent hour
inhimillisesti human(e)ly
inhimillisyys humanity, humaneness; reasonableness, decency
inho disgust, revulsion, loathing
inhota loathe, detest, abhor
inhoten with disgust/loathing/revulsion
inhottava disgusting, revolting, repulsive, loathesome, abhorrent
inistä whine
inka Inca
inkivääri ginger
inkognito incognito
inkvisitio Inquisition
innoitus inspiration
innokas 1 eager, keen, enthusiastic **2** (intohimoinen) passionate, fervent, ardent **3** (kiihkomielinen) zealous, fanatic
innokkaasti eagerly, keenly, enthusiastically, with enthusiasm, passionately, with passion, fervently, with fervor, ardently, with ardor, zealously, fanatically (ks innokas)
innostaa inspire, encourage, motivate

innostava inspiring, stirring, rousing
innostua get/feel/be(come) excited/inspired/enthusiastic (about); (ark) enthuse (over); (liikaa) get carried away
innostus excitement, inspiration, enthusiasm
insinööri engineer
insinööriajo driving test
insinööritoimisto engineering firm
institutionaalinen institutional
instituutio institution
instituutti institute
instrumentaalinen instrumental
instrumentti instrument
insuliini insulin
integroida integrate
integrointi integration
integroitu piiri integrated circuit, IC
integroitu vahvistin integrated amplifier
intellektuaalinen intellectual
intellektualismi intellectualism
intellektuelli intellectual; (ark) brain, egghead
intendentti 1 (esimies) supervisor, superintendant **2** (museossa) curator **3** (laivassa) purser
intensiivinen intensive
intensiteetti intensity
interferoni interferon
internaatti boarding school; (asuntola) dormitory
internoida intern
intervalli interval
Intia India
intiaani (American) Indian, Amerindian, Native American
intiaaniheimo Indian tribe
intiaanikesä Indian summer
intiaanipäällikkö Indian chief
intiaanitanssi Indian (war) dance; (kuv) wild dancing
intiaaniteltta tepee
intialainen s, adj Indian
intiimi intimate; (läheinen) close, cozy
intiimisuhde intimate relations
intimiteetti intimacy
into 1 eagerness, enthusiasm innoissaan excited, enthusiastic, bursting with enthusiasm **2** (intohimo) passion, fervor, ardor **3** (kiihko) zeal, fanaticism
intohimo passion; (into) fervor, zeal; (äärimmäinen) mania
intoilija enthusiast, (harrastaja) devotee, (kiihkoilija) fanatic
intoilla enthuse (over), get excited/enthusiastic (about), get carried away (by)
intoilu enthusiasm; (kiihkoilu) zealotry, fanaticism
intomielinen enthusiastic, eager, keen
intonaatio intonation
intransitiivinen intransitive
intressi interest Yhdysvaltain intressit Lähi-idässä US interests in the Middle East
intti (ark) army
inttää 1 insist, assert (dogmatically), refuse to back down/compromise **2** (väittää vastaan) argue/answer back; (ark) backtalk, give someone lip
invalidi invalid, disabled person
invaliditeetti disability
inventaario inventory
inventoida make/take inventory, take stock
investoida invest
investointi investment
ioni ion, (negatiivinen) anion
ipana kid, brat
Irak Iraq
irakilainen s, adj Iraqi
Iran Iran
iranilainen s, adj Iranian
Irlanti Ireland
irlantilainen s Irishman, Irishwoman irlantilaiset the Irish
ironia irony, (pilkka) sarcasm
ironinen ironic, (pilkkaava) sarcastic
irrallaan 1 (irti) loose, free Hän pitää hiuksiaan irrallaan She wears her hair loose, lets her hair hang loose/down, leaves her hair undone/unfastened **2** (muista erillään) separate(ly), apart, in isolation käsitellä aihetta muista irrallaan deal with a matter separately, apart from the others, in isolation

irrallinen 1 (irtonainen) loose, free, detached, unfastened **2** (irrotettava) detachable, (liikkuva) moving, movable irrallinen pääoma floating capital **3** (erillinen) separate, isolate(d), discrete **4** (hajanainen) scattered, fragmented, un-/disconnected **5** (vakiintumaton) loose, easy, unattached irrallisia sukupuolisuhteita promiscuous/loose sexual relations, casual sex irrallisia ihmisiä drifters, outsiders
irrationaalinen irrational
irrota come loose/free/off/open/out/undone/unfastened/unstuck jne. Tuo tuoli irtoaa varmasti satasella I bet you can get that chair for a C-note
irrotella 1 loosen, free, unfasten, undo **2** (kuv) let/cut loose, throw off your chains/yoke, live it up
irrottaa 1 loosen, free, detach, unfasten, undo En voinut irrottaa katsettani sinusta I couldn't take my eyes off you **2** (jarru) release, (kytkin) disengage, (puhelin seinästä) disconnect
irrottaa ote let go of, loosen/break your grip on
irrottautua break loose/free/away, free/release/liberate/disengage yourself
irrotus detachment
irstailu debauch(ery), lechery
irstas 1 (elosteleva) debauched, dissolute, dissipate **2** (hillitön) profligate, libertine, licentious **3** (himokas) lustful, lewd, wanton
irtaimisto movable(good)s, personal property
irtain loose irtain omaisuus movable/personal property
irtautua 1 (irrota) come/get/break loose, come off/out **2** withdraw, retreat (erota) break away/off, split off irtautua hankalasta suhteesta get out of a difficult relationship
irtautuminen loosening, detachment, withdrawal, retreat, separation, liberation
irti 1 (irronnut) off, unfastened/-done/-screwed jne Tämä nappi lähti irti This button came off päästää irti (hellittää) let go (of something) **2** (erillään, erilleen) off, out Pidä sormesi irti tästä! Keep your mitts off this, you stay out of this! En saanut katsettani irti hänestä I couldn't take my eyes off him **3** (irtoamaisillaan) loose Minulla on yksi hammas irti I've got a loose tooth **4** (valloillaan) on the loose, at large Nyt on piru irti! All hell has broken loose! Now the fat's on the fire! päästää irti (vapauttaa) (set) free, liberate, let (someone) go päästä irti break/get free/loose/away **5** (vapaana) free, clear, away pysytellä irti jostakusta stay/keep clear/away from someone irti maasta carefree **6** ottaa ruuvi irti take off, detach, unscrew ottaa kaikki irti jostakin get whatever you can (out of something), make the most/best of something **7** saada naula irti get a nail out saada tekstistä/aiheesta jotain irti get something out of a text/subject Saatko tästä mitään irti? Can you make anything of this? saada itsestään niin paljon irti että find the energy to do something, get around to doing something ei saada miehestään mitään irti not get your husband to tell you something, not get a word out of him **8** sanoa irti (työntekijä) dismiss, give notice to; (ark) fire, sack; (sopimus) cancel, discontinue; (ystävyys) break off relations (with someone) **9** sanoutua irti (työstä) resign, hand in your resignation; (ark) quit; (vastuusta) disclaim (all responsibility), dissociate yourself (from a bad situation) **10** Irti tupakasta/viinasta! Kick the (smoking/drinking) habit! Irti ennakkoluuloista! Away with prejudices!
irtisanoa 1 (työntekijä) dismiss, give notice to; (ark) fire, sack **2** (sopimus) cancel
irtisanominen 1 (työntekijän) dismissal, notice; (ark) the sack **2** (sopimuksen) cancellation
irtohiekka loose sand
irtokirjake (single) type
irtokivi loose/broken rock, pebble
irtolainen vagrant, drifter, tramp
irtolaisuus vagrancy
irtolaisväestö drifters

irtonainen loose irtonainen nappi loose button irtonaiset lihakset loose/ relaxed muscles irtonaisia kolikoita loose/small change irtonaisia sukupuolisuhteita loose/promiscuous sexual relations, casual sex

irtonumero newsstand copy

irtonumeromyynti newsstand sales

irvailla 1 (irvistellä) jeer, sneer **2** (ivailla) mock, scoff

irvailu jeering, sneering, mocking, scoffing

irvessä hampaat irvessä with/through clenched teeth, clenching your teeth, with set jaw, with your jaw set suu irvessä with a smirk/sneer

irvikuva (ihmisen) caricature, (aatteen tms) travesty

irvileuka s **1** (pilkkaaja) scoffer, mocker **2** (vitsiniekka) joker, jokester, comedian; (ark) wag, cutup
adj **1** (pilkkaava) scoffing, mocking **2** (vitsaileva) joking, comic

irvistellä 1 (irvistää) grimace, make faces/a face **2** (irvailla) mock, scoff, sneer, jeer

irvistää 1 (ihminen) grimace, make faces/a face **2** (koira) bare its teeth **3** (kenkä tms) gape

irvokas grotesque

iskelmä hit (song), pop song/tune

iskelmälaulaja pop singer

iskelmämusiikki pop music

iskevä 1 (ytimekäs) pithy, trenchant, (lyhytsanainen) concise **2** (sattuva) apt, apposite, to the point **3** (tehokas) effective, powerful, striking **4** (sanavalmis) articulate

iskevästi pithily, trenchantly, concisely, aptly, appositely, effectively, powerfully, strikingly, articulately (ks iskevä)

iskeytyä hit/strike/smash (against/on), (törmätä) crash (into) iskeytyä kiinni johonkin grab (onto), seize, snatch (up)

iskeä hit, strike; (nyrkillä) punch, slug; (kämmenellä) slap; (veitsellä) stab; (vasaralla) hammer Flunssaepidemia iski keväällä The flu epidemic struck in spring Häneen iski kauhea epäluulo He was assailed by mind-numbing doubts iskeä päänsä hit/bump/bang your head (on something) iskeä sääriluunsa bark your shin iskeä säpäleiksi smash into (a million) pieces, into smithereens iskeä tietoa päähän drum something into your head iskeä suoraan asiaan get right to the point

iskeä hampaansa johonkin sink your teeth into something

iskeä kiinni johonkin snatch/grab at, (tilaisuuteen) jump at

iskeä kyntensä johonkin seize, snatch, grab, snap up; pounce on

iskeä naulan kantaan hit the nail on the head

iskeä silmänsä johonkin have your eyes on, set your heart on

iskeä silmää jollekulle wink at someone

iskeä tahtia beat time

iskeä tarinaa (ark) shoot the breeze/ bull

iskeä tulta strike a light

iskeä tyttö pick up a girl

iskeä yhteen 1 (suullisesti: huutaen) have a shouting match, scream at each other, (väitellen) clash **2** (fyysisesti) come to blows, have at each other **3** (kilpailla) have it out Maailman kaksi huippujuoksijaa iskivät yhteen 1500 metrillä The world's two greatest runners had it out in the 1500 meter race **4** (autoilla) crash, collide

iskostaa din/drum (something into your head) iskostaa kansaan uusi oppi indoctrinate the populace

iskostua (jäädä mieleen) be engraved/imprinted/stamped (on your mind/memory), impress itself (on you)

isku 1 blow, stroke; (nyrkillä) punch; (kämmenellä) slap; (veitsellä) stab; (viilto) cut salaman/kohtalon isku stroke of lightning/fate Vaimon kuolema oli hirvittävä isku His wife's death was a terrible blow lyödä kaksi kärpästä yhdellä iskulla kill two birds with one stone **2** (männän isku) stroke, (sähköisku) (electric) shock (myös kuv) **3** (sot) attack, strike **4** (lentopallossa) spike

5 (mus) accent, (run) stress **6** silmän isku wink
iskujoukko strike force, commando unit; (hist) storm troops; (mon) commandos, (hist) storm troopers
iskulause motto, slogan
iskunkestävä shock-resistant/-proof
iskunvaimennin shock absorber
iskuri (tekn) striking/firing pin
iskutilavuus displacement
isku vyön alle a blow below the belt
islam Islam
islamilainen s Islamite
adj Islamic
islaminuskoinen s Islamite
adj Islamic
Islanti Iceland
islantilainen s Icelander
adj Icelandic
iso 1 big, large iso nainen (pitkä ja tukeva) big/big-boned/large woman iso joukko miehiä a lot of men, a whole bunch of men **2** (suuri, suurenmoinen) great, (suurellinen) grand iso pamppu (ark) big cheese isot eleet grand gestures **3** (pitkä) tall, long iso nainen (pitkä ja sopusuhtainen) tall woman isoon aikaan for a long time **4** (kirjain) capital kirjallisuus isolla K:lla Literature with a capital L
Iso-Britannia Great Britain, United Kingdom
isoisä grandfather; (ark) grandpa(pa), gramps
isokenkäinen (ark) big shot, bigwig, VIP; (sot, mon) the brass
iso kirjain capital letter
isokokoinen big, large(-sized), (pitkä) tall
isomahainen pot-/beer-bellied
Ison-Britannian ja Pohjois-Irlannin yhdistynyt kuningaskunta United Kingdom of Great Britain and Northern Ireland
isonlainen on the big/large size, biggish, largish, sizable
isonpuoleinen on the big/large size, biggish, largish, sizable
isontaa 1 enlarge, make bigger/larger **2** (paisuttamalla) expand, swell **3** (lisäämällä) augment, amplify **4** (pituussuunnassa) lengthen, elongate **5** (leveyssuunnassa) widen, broaden
isorokko smallpox
isorokkoepidemia smallpox epidemic
isosetä great-uncle
isosisko big/older sister
isotella talk big, boast; (ark) brag, crow
isotäti great-aunt
isovanhemmat grandparents
isovarvas big toe
isoveli big/older brother Isoveli valvoo Big Brother is watching you
isoäiti grandmother; (ark) grandma(ma), gran(ny)
Israel Israel
israelilainen s, adj Israeli, (hist/raam) Israelite
istahtaa sit down (for a moment/ second), (ark) plop/plump down (suddenly)
istua 1 (olla istumassa) sit istua suorassa sit up (straight) **2** (istua alas) sit down Istu! (ihmiselle) Have a seat! Sit down! (koiralle) Sit! **3** (olla vankilassa) do time **4** (vaatteet) sit, fit **5** (lintu) perch **6** (eduskunta) be in session
istua iltaa spend the evening
istua kahdella tuolilla straddle the fence
istua kuin valettu fit like a glove
istualla (in a) sitting (position)
istua tulisilla hiilillä be on tenterhooks, be on pins and needles
istuin 1 seat lapsen turvaistuin child's car seat **2** (korkea virka) chair, (valtaistuin) throne, (paavin istuin) Papal/Holy See
istuja yksin istuja a person sitting alone puussa istuja a person sitting in a tree
istukka 1 (kohdussa) placenta **2** (porakoneessa) chuck, (ventiilissä) conduit, sleeve
istumajärjestys seating arrangement
istumalakko sit-down strike; sit-in
istumalihas (leik) sitting muscle

istunto 1 (eduskunnan tms) session **2** (spiritistinen) seance, sitting **3** (kokous) meeting, assembly
istuntokausi session, (US ja lak) term
istuntosali 1 (eduskunnan tms) chamber **2** (kokoussali) meeting/assembly hall/room
istuttaa 1 (kasvi) plant, (ruukkuun) pot istuttaa epäluulo jonkun päähän plant a suspicion in someone's mind **2** (lääk: elin) implant, (siirtää) transplant; (iho) graft; (tauti) inoculate **3** (timantti tms) set, fix **4** (panna istumaan) seat, set **5** (koul: jälki-istunnossa) detain, keep (a child) after school, give (a child) detention
istutus 1 planting, potting, sowing **2** istutukset plantation; (kukkaistutukset ruukussa) flower arrangements, (maassa) flower bed
istutuslapio planting spade
istuutua sit down, take a seat, be seated; (ark) take a load off (your feet)
isyys fatherhood, paternity
isyysloma paternity leave
isä 1 (lapsen) father; (isi) dad(dy), pa mennä isiensä tykö (raam) be gathered to one's fathers **2** (usk) Father Taivaan Isä our Father in Heaven hyvä isä sentään! good Lord! **3** (eläimen) sire **4** (aatteen, hankkeen tms) father, inventor, originator
isällinen fatherly, paternal
isämeidän rukous the Lord's Prayer, (vars katolinen) Paternoster
isänisä paternal grandfather
isänmaa fatherland, native land/country
isänmaallinen patriotic
isänmaallisesti patriotically
isänmaallisuus patriotism
isännöidä manage, run, govern
isännöitsijä manager, superintendent; (ark) super
isänpäivä Father's Day
isäntä 1 (talon, koiran) master, (perheen) head, (maatalon) farmer **2** (liikkeen) owner, proprietor, (hotellin) hotelier, (ravintolan) restauranteur, (majatalon) innkeeper **3** (kutsujen) host **4** (biol: isäntäelimistö) host (organism)
isäntäkasvi host
isänäiti paternal grandmother
isäpappa daddy, pa, pops
isätön fatherless
isäukko daddy, pa, pops
italia Italian
Italia Italy
italialainen s, adj Italian
itikka 1 (hyttynen) mosquito **2** (hyönteinen) insect, (ark) bug
itiö spore
itkeskellä cry, weep, be tearful/weepy
itkettää make you cry, move/drive you to tears minua itkettää I feel like crying
itkeä 1 cry, weep; (kyynelehtiä) shed tears; (ulvoa) wail, bawl; (nyyhkyttää) sob; (vetistellä) blubber Ei asia itkemällä parane No use crying over spilled milk **2** (surra) grieve/mourn (for) **3** (valitella) lament, bemoan, bewail **4** (laulaa itkuvirttä) wail, keen **5** (tihkua) ooze, drip, weep
itkijä weeper; (itkijänainen) wailer, wailing woman
itku 1 (itkeminen) crying, weeping, wailing, bawling, sobbing, blubbering (ks itkeä) **2** Kunnon itku auttaa A good cry will do you good Itku ei tepsi minuun nyt Your tears won't sway me this time Ei auta itku markkinoilla No use crying over spilled milk purskahtaa itkuun burst into tears voi itku! what a shame! **3** (itkuvirsi) lament, dirge
itkujen kevät voi itkujen kevät! oh no!
itkunpuuska fit of crying/weeping, crying jag
itkuvirsi lament(ation), dirge
itse asiassa as a matter of fact, in fact, actually
itsehallinto self-government
itsehedelmöitys self-fertilization
itsehillintä self-control
itseihailu self-admiration
itseinho self-hatred/-loathing/-disgust

itseisarvo 1 its own justification, its own raison d'etre, end in itself **2** (mat) absolute value
itseiva self-irony
itsekannattava self-supporting
itsekidutus self-torture
itsekkyys selfishness
itsekkäästi selfishly
itsekorostus self-assertion
itsekritiikki self-criticism
itsekseen to yourself
itse kukin each of us/them, each (and every) one
itsekunnioitus self-respect
itsekuri self-discipline
itsekustanne self-published book, vanity edition
itsekäs selfish
itseluottamus self-confidence
itsemurha suicide
itsemurhayritys suicide attempt
itsemääräämisoikeus autonomy
itsenäinen 1 (maa) independent, autonomous, sovereign **2** (ihminen taloudellisesti) financially independent, self-supporting **3** (tutkimus tms) original
itsenäistyä become independent; (lapsi) mature, grow up, (kerralla) break away (from your parents); (maa) gain independence, be liberated
itsenäisyys independence
itsenäisyysjuhla independence celebration
itsenäisyysliike independence movement
itsenäisyyspäivä (US) Fourth of July, Independence Day
itsenäisyystaistelu battle for/war of independence
itseoikeutettu (jäsen) ex officio, (vallan ottanut johtaja) self-appointed, (vallan saanut) natural
itseoppinut self-taught
itsepalvelu self-service
itsepalvelukahvila self-service cafeteria
itsepalvelumyymälä self-service store
itsepetos self-deception/-delusion
itsepintainen ks itsepäinen
itsepuolustus self-defense
itsepuolustusvaisto instinct to defend yourself
itsepäinen stubborn, obstinate; (moite) pig-/bull-headed, mulish; (ylistys) determined, uncompromising
itsepäisesti stubbornly, obstinately, pig-/bull-headedly, like a mule, full of determination, uncompromisingly
itsesensuuri self-censorship
itsessään in (and of) itself, as such
itsestään by itself, on its own, of its own accord
itsestäänselvyys matter of course, self-evident truth; (latteus) truism
itsestään selvä self-evident Se on itsestään selvää That goes without saying, that's obvious/self-evident
itsesuggestio autosuggestion
itsesuojeluvaisto instinct to protect yourself
itsesääli self-pity
itsetehostus self-assertion
itsetietoinen 1 (ylimielinen) self-important, conceited **2** (määrätietoinen) self-assertive, self-confident **3** (tietoinen) aware, conscious
itsetietoisuus self-importance, conceit, self-assertiveness, selfconfidence, awareness, consciousness (ks itsetietoinen)
itsetoimiva automatic
itsetuntemus self-knowledge
itsetutkistelu introspection, self-examination
itsetyydytys masturbation
itsetyytyväinen self-satisfied, smug
itsevaltainen autocratic, despotic, dictatorial
itsevaltias s despot, dictator, absolute ruler
adj autocratic
itsevaltius autocracy, despotism
itsevarma (hyvänä pidetty) self-confident; (pahana) cocky, cocksure
itsevarmasti (ylistää) self-confidently, (moittia) cockily
itse s self sisäinen itse inner self näyttää omalta itseltään look like your old/real/true self mennä itseensä take a

good/close look at yourself ottaa itseensä take offense, take it personally täynnä itseään full of himself, conceited, (ark) stuck up
pron **1** minä/sinä/hän/se/me/te/he itse myself, yourself, himself, herself, itself, ourselves, yourselves, themselves Pidähän huolta itsestäsi! Take care of yourself! Olen tehnyt sen itse I made it myself **2** Hän on itse huomaavaisuus He's the very soul of thoughtfulness, thoughtfulness personified **3** juosta itsensä väsyksiin run till you drop riisua itsensä undress (yourself) nauraa itsensä kipeäksi bust a gut, split your sides, laugh till it hurts, laugh yourself silly **4** paikalla itse there in person
itu 1 (kasv) shoot, (perunan) sprout **2** (lääk taudinaiheuttaja) germ **3** (kuv) germ, bud ajatuksen itu the germ of an idea taiteilijan itu a budding artist
itä 1 east Helsingistä itään east of Helsinki **2** (itäryhmä) the Eastern bloc **3** (Aasia) the East, the Orient Kaukoitä the Far East Lähi-itä the Middle East
itäauto car made in the Eastern bloc
Itä-Berliini East-Berlin
itäinen east(ern), (tuuli, ranta) easterly
itämaalainen Oriental
itämainen Oriental, Eastern
itäminen germination, sprouting
itämisaika 1 (kasv) germination period **2** (lääk) incubation period
itäosa eastern end/part/section kaupungin itäosa the East End
itärannikko East Coast
itäryhmä Eastern Bloc
itäsakalainen s, adj East German
Itä-Saksa East Germany
itäsuomalainen s Eastern Finn adj Eastern Finnish
itätuuli east(erly) wind
Itävalta Austria
itävaltalainen s, adj Austrian
itää 1 (siemen) germinate, (peruna) sprout **2** (kuv) develop, grow, take shape/form Kauneimmat laulut ovat itäneet surusta The most beautiful songs grow out of sorrow, are nourished by sadness
iva sarcasm, ridicule, mockery joutua ivan kohteeksi be made a laughingstock kohtalon iva the irony of fate
ivallinen sarcastic, mocking
ivata ridicule, mock, jeer, satirize
iäinen eternal, everlasting
iäisyys eternity
iäisyyskysymys eternal/ultimate question
iäkäs aged, elderly
iänikuinen 1 (muinainen) ancient **2** (iäinen) eternal
iäti (for)ever, eternally
iätön ageless

J, j

ja and

jaa 1 hmm, let's see Jaa, en tiedä Hmm, I don't know about that **2** (jaa-ääni) yea, (UK) aye äänestää jaata cast a yea vote

Jaakko (kuninkaan nimenä) James

jaakobinpaini inner struggle

Jaakobin tikapuut Jacob's ladder

jaardi yard

jaaritella ramble/drone on (and on about nothing)

jaarittelija (puhuu paljon) big talker, (ei lopeta) motormouth, (tylsä) bore

jaarittelu yarn-spinning

jaarli earl

jaava Javanese

Jaava Java

jaavalainen Javanese

jae 1 (raam) verse **2** (mat) fraction

jaella distribute, dispense, pass/hand/dole out

jaha so, is that so, is that a fact

jahdata hunt, chase, pursue

jahka as soon as, (kun) when

jahkailla hesitate, waver, vacillate; (ark) shillyshally

jahti 1 (metsästys) hunt lähteä sorsajahtiin go duck hunting **2** (laiva) yacht

jakaa 1 (osiin, ryhmiin, luokkiin) divide (up), split jakaa neljä kahdella divide four by two Jakakaa tämä kakku kristillisesti teidän kaikkien kesken Divide this cake (up) evenly (so that each of you gets a fair share), share this cake evenly (ks seuraavaa) **2** (jonkun kanssa) share jakaa ilot ja surut jonkun kanssa share your joys and sorrows with someone jakaa hytti jonkun kanssa share a cabin with someone **3** (kaikille) distribute, dispense, pass/hand/dole out; (kortteja) deal; (postia) deliver jakaa tietoa dispense knowledge/wisdom jakaa palkintoja give/hand out awards jakaa köyhille distribute (money/goods) to the poor

jakaa arvalla allot

jakaa ehtoollinen give communion, administer the sacrament

jakaa kahtia divide/split/cut in half, halve

jakaa kortit deal

jakaa käskyjä give orders, hand out orders

jakaa neuvoja hand out (free) advice, advise

jakaa oikeutta dispense justice

jakaa osiin divide (something) up

jakaa osinkoa pay dividends

jakaa sana (rivin lopussa) hyphenate

jakaa tasan divide (up) equally/fairly, share and share alike

jakaja 1 (huoneen) divider, partition **2** (jakelija) distributor **3** (korttipelissä) dealer **4** (mat) divisor

jakamaton 1 (ei ole jaettu) undivided, undistributed jakamatonta huomiota undivided attention **2** (ei voi jakaa) indivisible

jakauma distribution

jakaus part, (UK) parting

jakautua 1 divide (up), be divided (up), separate, split (up) **2** (haarautua) branch (off), fork **3** (koostua) be composed of, comprise **4** (levitä eri puolille) be distributed Kapitalistisessa yhteiskunnassa omaisuus ei jakaudu tasaisesti In capitalist society property is not distributed evenly **5** (kem) decompose, (fys) disintegrate

jakelu distribution, (postin) delivery

jakelukustannukset distribution costs
jakeluporras distributor(ship)
jakkara (foot)stool
jakki 1 (eläin) yak **2** (liitin) jack
jakku jacket
jakkupuku (jacket) suit
jako division, distribution roolien jako (teatt) casting pesän jako perillisille apportionment of the estate to the heirs
jakoavain monkey wrench
jakojäännös remainder
jakolasku division
jakomielinen schizophrenic, (ark) schizo
jakomielisyys schizophrenia
jakomielitauti schizophrenia; (kun mieli on jakautunut useisiin persooniin) multiple personality disorder, MPD
jakorasia distributing box
jaksaa 1 (pystyä) have the strength/energy to, be able to; (syömisessä) have room for jaksaa loppuun asti stick it out to the end Koeta jaksaa Try to keep your end up, try to hang on, keep your chin up En jaksa enää I can't go on, I can't take it any longer En jaksa syödä enempää I can't eat another bite, I'm stuffed Hän juoksi minkä jaksoi He ran as fast/far as he could **2** (jaksella) feel Miten jaksat? How do you feel? how are you feeling? how are you getting along?
jaksella feel Miten olet jaksellut? How have you been feeling? how have you been getting along/doing?
jakso 1 (kausi) period, time, (ark) spell tärkeä jakso elämässäni an important period/time in my life pitkä poutajakso long sunny spell **2** (vaihe) phase, stage tärkeä jakso lapsen kehityksessä an important stage/phase in a child's development **3** (astr) cycle **4** (osa) part, episode Tämä Star Trekin jakso on jo nähty We've already seen this Star Trek episode **5** (tekstin tms paikka) passage, sequence vaikuttava jakso romaanissa a powerful passage in/from a novel huvittava jakso elokuvassa a funny sequence in a movie **6** (sarja) series, succession
jaksoittain periodically, in periods; (vaiheittain) in stages/phases; (sarjassa) serially; (syklisesti) cyclically
jaksoittainen periodic(al), serial, cyclical
jaksollinen periodic(al), serial, cyclical; (mat) recurring
jaksottaa divide (something) into periods/blocks/phases, periodize jaksottaa aikansa chart/map out your time
jaksottua fall into periods/phases
jalan on/by foot, afoot
jalankulkija pedestrian
jalankulkusilta pedestrian crossing
jalansija footing, foothold
jalka 1 (jalkaterä) foot seistä omilla jaloillaan stand on your own two feet lähteä jostakin jalat edellä be carried out (of a place) feet first olla jalat maassa have your feet on the ground vapaalla jalalla free nousta väärällä jalalla get out of bed on the wrong side toinen jalka haudassa one foot in the grave paljain jaloin barefoot(ed) laittaa kengät jalkaan put on your shoes **2** (reisi ja sääri) leg jalat ristissä cross-legged, with your legs crossed ojentaa jalkansa stretch out your legs saada jalat alleen take to your heels **3** (mitta) foot Jalka on n. 30 cm A foot is about 30 cm
jalkahiki foot sweat, (lääk) hyper(h)idrosis
jalkahoitaja podiatrist, (UK) chiropodist
jalkahoito (yleensä) foot crare, podiatry, (UK) chiropody; (tietty toimenpide) pedicure
jalkaisin on/by foot, afoot
jalkajakkara footstool
jalkakyykky (kuntoliikkeissä) deep knee-bend, (voimannostossa) squat
jalkakäytävä sidewalk
jalkalamppu floor lamp, (UK) standard lamp
jalkapallo 1 football eurooppalainen jalkapallo soccer, (UK) (association) football amerikkalainen jalkapallo football, (UK) American football **2** (pallo) football, soccer ball

jalkapalloilija football (soccer) player
jalkapallojoukkue (eurooppalainen) soccer team, (UK) football team, (amerikkalainen) football team
jalkapallo-ottelu football game, (UK) football match
jalkapallopeli football, soccer (ks jalkapallo)
jalkapatikka mennä jalkapatikassa walk, go on foot
jalkapohja sole
jalkaprässi leg press
jalkapuu stocks
jalkaterä foot
jalkavaimo mistress, (hist) concubine
jalkavirhe foot fault
jalkaväki infantry
jalkeilla up on your feet (again), up and about, up out of bed
jalkine shoe, (mon) footwear
jalkio pedal(s)
jalkopää foot (of the bed)
jallittaa 1 (petkuttaa) hoodwink, bamboozle, gull, con **2** (harhauttaa) fake
jallitus 1 (petkutus) sting, con, rip-off **2** (harhautus) fake
jalo 1 (uljas) noble, great, illustrious jalo ritari noble/glorious knight **2** (ylevä) lofty, elevated, sublime jalo ajatus sublime thought **3** (siveellisesti ihailtava) virtuous, upright, high-principled/-minded jalo teko virtuous/noble deed **4** (epäitsekäs) selfless, altruistic jaloa työtä unstinting/self-sacrificing/noble work **5** (laadultaan arvokas) precious jalot metallit precious metals
jaloissa underfoot, in the way
jaloitella stretch your legs, walk around; (hevosta tms) exercise
jalokaasu inert gas
jalokivi jewel, gem, precious stone
jalokiviseppä jeweler
jalometalli precious metal
jalontaa graft
jalopeura lion
jalorotuinen purebred, (hevonen) thoroughbred, (koira) pedigreed
jalostaa 1 (aineita) refine **2** (eläimiä) breed **3** (kasveja) cultivate, (puita oksastamalla) graft **4** (ihmisen henkistä olemusta) refine, cultivate
jalostamaton unrefined, raw
jalostamo refinery
jaloste finished/processed product
jalostua become (more) refined/cultured/cultivated
jalostus refinement, breeding, cultivation
jalosukuinen noble, high-born
jalus sheet
jalusta 1 (kanta: patsaan) pedestal, (lampun tms) base nostaa jalustalle put on a pedestal laskeutua alas jalustalta come down off your high horse **2** (kivijalka) (concrete/stone) basement/foundation **3** (jalka: lampun) holder, (kynttilän) candlestick **4** (teline: taulun) easel, (kameran kolmijalkainen) tripod
jalustin 1 (satulassa) stirrup **2** (korvassa) stirrup-bone
Jamaika Jamaica
jamaikalainen s, adj Jamaican
jamassa hyvässä jamassa looking good, shaping up well, in good shape huonossa jamassa looking bad, taking a turn for the worse, in bad shape
jambi iamb
jamit jam (session)
jammata jam
jana (line) segment
jang ja jin yin and yang
ja niin edelleen and so on (ei lyhennetä), et cetera (etc.)
ja niin poispäin and so on, and so forth
jankata harp on, go on about
jankuttaa harp on, go on about Älä aina jankuta samaa asiaa! Would you stop harping on that same subject, you're always going on and on about the same thing, would you lay off that subject for a change?
jankutus harping, nagging; (ark) yackety-yak, blah blah blah
jannu guy, fella

jano thirst (myös kuv) Minä kuolen janoon! I'm dying of thirst! juoda janoonsa (try to) quench your thirst
janoinen thirsty
janoissaan thirsty Joi janoissaan suovettä He was so thirsty he drank from the swamp
janota thirst/hunger after/for
janottaa make thirsty helteellä aina janottaa hot weather makes you thirsty minua janottaa I'm thirsty
jaollinen divisible
jaosto division, section, department
jaotella divide (up), (luokitella) classify, (ryhmitellä) group
jaoton indivisible jaoton luku prime (number)
jaottelu division, (luokittelu) classification, (ryhmittely) grouping
japani Japanese
Japani Japan
japanilainen s, adj Japanese
japsi (halv) Hap
jarmulke yarmulke
jarru brake, (kuv) drag, check lyödä jarrut pohjaan hit the brakes, slam on the brakes painaa jarrua put on the brakes
jarrukenkä brake shoe
jarrupala brake pad
jarrupoljin brake pedal
jarruttaa brake, put/slam on the brakes, hit the brakes
jarrutus 1 (auton) braking, (hidastus) deceleration **2** (hankkeen: viivytys) procrastination, stalling, (hidastuslakko) slowdown strike
jarrutusmatka braking/stopping distance
jarruvalo brake light
jassoo is that so, is that a fact, really?
ja sillä siisti and that's that, and that's all there is to it
jatkaa 1 (tehdä edelleen) continue (doing), keep/go on (doing, with your work) **2** (aloittaa uudelleen) resume, take/pick up (where you left off) jatkaa keskeytynyttä keskustelua pick up/ resume an interrupted conversation **3** (lisätä toisen puheeseen) add (to), finish (a sentence for someone), pick up (a topic/sentence where someone else left off) **4** (lisätä seokseen) stretch jatkaa jauhelihaa stretch hamburger with hamburger helper jatkaa vedellä dilute **5** (pidentää) length, extend jatkaa ihmisikää 50 vuodella extend human life by 50 years
jatkaa eteenpäin press/push on
jatkaa lukemista read on
jatkaa matkaa proceed on (your way)
jatkaa opintojaan continue your studies, go for a higher degree, stay in school
jatkaa perinnettä carry on a tradition
jatkaa sukua procreate, reproduce, continue the species
jatkaa vedellä dilute
jatkaja successor Hänestä tuli isänsä työn jatkaja He continued his father's work, he took over the business from his father (when his father retired), he became his father's successor
Jatkakaa! Go right ahead! Don't let me stop you! (sot) As you were
jatke (talon, tikapuiden) extension, (tien) continuation, (ruoan) stretcher, extender, (hameen) lengthening-piece jauhelihajatke hamburger helper
jatko 1 (jatko-osa) sequel, continuation jatkossa in the sequel jatkoa sivulta 37 continued from page 37 **2** (pidennys) extension, prolongation **3** (jatke: hameen) lengthening-piece, (palkan) addition **4** (tuleva elämä) future Hyvää jatkoa! All the best! Keep up the good work! jatkossa in (the) future, next time **5** pyrkiä jatkoon (jatko-opiskelu) apply to continue your education (at the next level) pyrkiä lukiosta jatkoon apply for the university pyrkiä yliopistossa jatkoon apply for graduate school **6** lähteä jatkoille go out for another drink, go find another bar Mennään meille jatkoille Why don't we all go over to our place for (a few more) drinks?
jatko-opiskelija grad(uate) student päästä jatko-opiskelijaksi get (admitted) into grad(uate) school

jatko-opiskelu (post)graduate education/studies
jatkoaika (urh) (sudden-death) overtime
jatkokappale extension
jatkokertomus serial (story)
jatkokoulutus continuing education, (UK) university extension
jatkokurssi extension course
jatko-opintokelpoisuus graduate school qualifications
jatko-osa sequel
jatkosota Continuation War
jatkotutkimus follow-up research
jatkovarsi extension
jatkua 1 (kestää) continue, go on, last Kuinka kauan tämä jatkuu vielä? How much longer is this going to go on/last? Näin ei voi jatkua! We can't go on like this! Jos tätä menoa jatkuu If things keep on like this **2** (alkaa uudelleen) (be) continue(d), start again/over jatkuu (sarjakuvassa, TV:ssä) (to be) continued MTV jatkuu hetken kuluttua MTV will be right back (after these messages) **3** (ulottua) extend, stretch, continue, (joki, katu) run
jatkumo continuum, (jaksotettu) cline
jatkuva 1 (yhtäjaksoinen) continuous, continual, constant Tuo jatkuva hakkaaminen häiritsee minua That constant hammering bugs me jatkuva tilaus (liik) standing order **2** (pitkitetty) prolonged, extended **3** (ikuinen) perpetual
jatkuvalämmitteinen kiuas continuously heated (sauna) stove
jatkuvasti continuously, continually, constantly, perpetually
jatkuvuus continuity
jatsi jazz
jatsiorkesteri jazz orchestra/band
jauhaa 1 grind, (myllyssä) mill, (murskaamalla) pulverize **2** (syödä) chew Sinä olet jauhanut tuota purukumia tuntikaupalla You've been working on that gum for hours now **3** (puhua) harp on, go on about Älä jauha paskaa Don't give me that shit
jauhattaa have something ground
jauhatus 1 (jauhaminen) grinding, milling, pulverizing **2** (jauhattu aine) grind
jauhautua be ground (up), (kuv) be chewed up
jauhe powder, flour, (pöly) dust leivinjauhe baking powder puujauhe wood flour hiilijauhe coal dust
jauheliha ground meat/beef/pork/round, (ark) hamburger
jauhesammutin dry power extinguisher
jauho flour, (karkea) meal Hänellä meni jauhot suuhun He was speechless, he was struck dumb, he couldn't get a word out
jauhottaa (sprinkle with) flour
jazz jazz
jazzorkesteri jazz orchestra/band
jeeppi Jeep®
jeesata help (out), lend a hand
jeesmies yes-man
Jeesus Jesus
Jeesus-lapsi Baby Jesus, the Christ Child
jeeveli gee, jeez
Jehovan todistajat Jehovah's Witnesses
jekku trick, gag, practical joke
jekkuilla play tricks, pull a practical joke
jelpata help (out), lend a hand
jelppiä help (out), lend a hand
Jemen Yemen
jemeniläinen s, adj Yemeni
Jemenin arabitasavalta Yemen Arab Republic
Jemenin demokraattinen kansantasavalta People's Democratic Republic of Yemen
jemma stash
jemmata stash
jengi gang
jenginuoriso juvenile delinquents, gang-affiliated adolescents
jengitappelu gang war, rumble
jeni yen
jenka thread Nyt meni jengat That stripped the threads
jenkeissä in the States, Stateside

jenkki 1 Yank(ee) **2** American car
jenkkilä the States
jenkkirauta American car
jenkkitukka crew cut
jepari cop, fuzz, pig
jepulis yep, you betcha
jesuiitta Jesuit
jKr. A.D. (Anno Domini)
jne. etc. (et cetera)
jo 1 already Tein sen jo I did that already Kello on jo 3 It's already 3 o'clock **2** (jo silloin) even, as early as, as far back as jo silloin even then jo eilen as early as yesterday jo 1400-luvulla as far back as the 15th century **3** (jo siellä: jää kääntämättä) Hän tuli minua vastaan jo pihalla He met me out in the yard **4** (heti) very, right jo seuraavana päivänä the very next day jo nyt right now **5** (pelkkä) even, just, very jo ajatuskin even/just the thought of it, the very thought of it **6** (painotus: ilmaistaan äänensävyllä) Jo on ihme ja kumma! Well this is a fine kettle of fish! Jo liippasi läheltä! That was close!
jobinposti bad news
jodi iodine
jodlata yodel
joenhaara fork of a river
joenranta river bank
joenuoma river bed
Johanneksen evankeliumi the Gospel according to John
johdannainen s derivative adj derivative
johdanto 1 (kirjan) introduction, preface, foreword johdannoksi by way of introduction **2** (lakitekstin) preamble **3** (musiikkiteoksen) overture
johdatella lead, guide, show
johdattaa lead, guide, conduct johdattaa keskustelu muihin aiheisiin change the subject
johdatteleva kysymys leading question
johdatus 1 (johdanto) introduction **2** (sallimus) (divine) dispensation, Providence
johdin 1 (sähkö) conductor, (conducting) wire, cable **2** (anat) tube, duct **3** (kiel) affix, (etuliite) prefix, (johtopääte) suffix
johdonmukainen consistent, coherent, logical
johdonmukaisesti consistently, coherently, logically
johdonmukaistaa make consistent, (yhtenäistää) standardize
johdonmukaisuus consistency, coherence
johdosta jonkin johdosta **1** (koska) because of, on account of, due to onnittelut syntymäpäivän johdosta congratulations on your birthday uusien tietojen johdosta due/owing to new information **2** (viitaten) with reference to, in regard to kirjeenne/ hakemuksenne johdosta with reference to your letter/ application
johdoton cordless
johdoton puhelin cordless (tele)phone
johtaa tr **1** (viedä) lead, take, show someone the way johtaa vieraat olohuoneeseen take/show the guests into the living room **2** (opastaa, saattaa) guide, conduct, usher johtaa turistiryhmä tuomiokirkkoon guide/conduct the tour group to the cathedral **3** (saada tekemään) lead, make, get, induce johtaa joku harkitsemaan uudelleen get/ induce someone to reconsider **4** (ohjata toimintaa) lead, direct, supervise, superintend johtaa keskustelua direct the conversation johtaa puhetta chair (the session/meeting) johtaa työntekoa supervise the job **5** (sotajoukkoja) lead, command, be in command of **6** (orkesteria) conduct **7** (liik) manage, run, be in charge of johtaa firmaa manage/run the company/business **8** (sähkö) conduct **9** (jostakin: sana) trace, derive; (johtopäätös) deduce, conclude; (mat) prove johtaa sana latinasta derive a word from Latin, trace a word back to its Latin origins johtaa päätelmä todistusaineistosta draw/reach a conclusion based on the evidence, deduce from the evidence itr **1** (paikkaan) lead to johtaa kellariin lead to the cellar **2** (seuraukseen) lead

to, result/end in johtaa onnettomuuteen lead to an accident, result/end in an accident
johtaa alkunsa derive from
johtaa harhaan mislead, misguide, misdirect
johtaa puhetta chair (a session/ meeting)
johtaa toimenpiteisiin require (that appropriate) measures (be taken) Tämä ei johda toimenpiteisiin No measures/action will be taken on this
johtaja **1** (ryhmän tms) leader **2** (firman) manager, (managing) director, chief executive offiser (C.E.O.) (ark) boss **3** (osaston) head, chief, manager; (ark) boss **4** (työn) foreman, chief **5** (vankilan tms) warden **6** (sotajoukon) commanding officer (C.O.) **7** (yliopiston laitoksen) head, chair **8** (orkesterin) conductor, (kuoron) director **9** (sähkö: johdin) conductor
johtajanvaihdos change of management
johtajatar **1** (hist) manageress, (koulun) headmistress, (sairaalan tms) matron **2** (nykyään) leader, manager, director jne (ks johtaja)
johtajatyyppi manager(ial)/ director(ial) type; (luonnostaan) born leader
johtajisto **1** (yhtiön) management, directors, executives **2** (puolueen) leaders(hip)
johtava **1** (paras) leading johtava nimi kemian alalla the leading name in chemistry, a leader in the field of chemistry **2** (hallitseva) governing (myös kuv) kirjan johtava ajatus the books's governing/main/central theme
johto **1** (johtaminen) leadership, guidance, direction, supervision, management; (mus, sähkö) conducting (ks johtaa) jonkun johdolla under the leadership/ direction/management of **2** (johtajisto: liik) management, board of directors; (yliop) board of trustees; (pol) political leadership, administration; (sot) command **3** (urh) lead olla johdossa (be in the) lead, have the lead päästä johtoon take the lead **4** (sähkö) wire, cord, cable; (putki) pipe, (viemärijohto) drainpipe, conduit
johtoasema leading position, (urh) lead
johtokunta board (of directors/ managers/trustees/governors); (yhdistyksen) executive committee; (koulun) school board
johtolanka clue
johtopaikka **1** leading position, position of leadership/influence pyrkiä johtopaikoille shoot/aim for the top **2** (urh) lead
johtoporras (liik) management, (pol ym) leadership
johtopäätös conclusion tehdä johtopäätös conclude, arrive at/reach a conclusion, draw a conclusion (from) tehdä hätiköityjä johtopäätöksiä jump into conclusions
johtosääntö regulations
johtua **1** (aiheutua) be due to, be caused by, result/stem/follow from mistä se johtuu? why? how come? what's the reason? **2** (olla peräisin) derive/stem from, be traceable to, originate in **3** johtua mieleen occur to you, come to mind, (ark) pop into your head
joiku Lapp chant
joikua chant
joka indef pron each, every joka ainoa/ ikinen each and every one, every last/ blessed one joka paikassa everywhere joka toinen päivä every other day, every two days, on alternating days
rel pron **1** (ihminen) who, that jota, jonka (akk) whom, that, (ark) who jonka (gen) whose jolla on who/that has mies josta puhuin the man (that) I was talking about **2** (esine) which, that, of which jota, jonka (akk) which, that jonka (gen) of which, (ark) whose traktori josta sanottiin että the tractor of which it was said that **3** (ken) whoever Joka haluaa nähdä kauniin auringonlaskun, tulkoon tänne Whoever wants to see a beautiful sunset should come over here

jokainen s everyone, everybody adj each, every, (joka ikinen) every single/last
jokakuukautinen monthly
jokamies (kirj ja filos) everyman; (ark) the man on the street, the average/ ordinary man
jokapäiväinen daily
jokapäiväinen leipämme our daily bread
joka tapauksessa in any case/ event, anyway, anyhow
jokaviikkoinen weekly
jokavuotinen yearly, annual
jokeltaa babble, gurgle
joki river, (pieni) stream, creek
jokiliikenne river traffic
jokin s something, (kysymyslauseessa) anything syödä jotain eat something, have a bite to eat Oliko sinulla jotain lisättävää? Did you have anything to add? olla jotakin, tulla joksikin be(come) somebody/something, make something of yourself
adj **1** some, a, (kysymyslauseessa, mikä tahansa) any joitakin ihmisiä some people, a few people Ota jokin näistä Take (any) one of these Taisin ottaa jonkin ryypyn I might have had a drink or two **2** Jokin niistä oli hävinnyt, jokin mennyt rikki One of them was missing, another was broken **3** (noin) around, something like jotain kaksi kuukautta sitten something like two months ago
joko **1** yet Joko posti on tullut? Has the mail come yet? **2** (ihmetellen) already, so soon Joko sinä tulit! You're here already, so soon! **3** joko – tai either - or
jokseenkin pretty, quite, fairly, rather Tunsin jokseenkin kaikki I knew just about everybody there, pretty much everone Tunnen hänet jokseenkin hyvin I know her pretty/fairly well jokseenkin outo mies a somewhat/rather strange man
joku s someone, somebody, (kysymyslauseessa) anyone, anybody Joku kysyi sinua Someone was asking for/ after you Onko joku kysynyt minua? Has anybody been asking for me? Hän luulee olevansa joku He thinks he's somebody (special)
adj **1** some, a(n), (kysymyslauseessa) any **2** (muutama) a few joku hassu lantti a couple lousy coins jonkun markan arvoinen worth a few marks **3** (noin) around, something like joku kaksi kuukautta sitten something like two months ago
jokunen some, a few sanoa jokunen sana say a few words
jolla **1** ks joka **2** (vene) jolly(boat), dinghy
jollainen sade, jollaista ei ollut koskaan ennen nähty (ylätyyli) a rainfall the likes of which had never been seen before, (ark) a rainfall like no one had ever seen
jollei if not, unless En tule, jollet ensin kerro I won't come unless you tell me first; if you don't tell me first, I'm not coming Kukapa muu olisi voinut sen tehdä jollei Pekka? Who else could have done it if not Pekka?
jolloin when, at which point/time; (kirj) whereupon jolloin yhtäkkiä when all of a sudden ensi maanantaihin saakka, jolloin until next Monday, at which time, on which day
joltinenkin **1** (kohtalainen) fair, reasonable joltisellakin varmuudella with a fair amount of certainty, pretty confidently **2** (jommoinenkin) some (kind/sort of) On kai sillä vielä joltinenkin järki päässä I guess he's got some small grain of sense left, I don't think he's entirely lost his marbles **3** (melkoinen) considerable, quite a joltinenkin rahamäärä noin pienelle pojalle quite a lot of money for so small a boy
jomottaa pound, throb päätäni jomottaa my head is pounding/ throbbing
jomottava pounding, throbbing jomottava kipu a pounding/throbbing ache
jompikumpi **1** either one (of us/ them), either, one or the other Ota jompikumpi Take either one, take whichever one you like **2** (toinen) one jompikumpi heistä on syyllinen one of them is guilty

jonglööri juggler
jonkinlainen some sort/kind of Hän on jonkinlainen finanssimies He's some sort of financier, he's something of a financier Siellä oli jos jonkinlaista tavaraa They had all sorts of things there
jonkinmoinen ks jonkinlainen
jonkin verran a little, somewhat jonkin verran rahaa a little money jonkin verran yllättynyt somewhat surprised
jonne where, (run) whither paikka jonne olit menossa the place where you were headed, (ark) the place you were going to
jonnekin somewhere, (minne tahansa) anywhere
jonninjoutava 1 (tarpeeton) trifling, useless kaikenlaista jonninjoutavaa kamaa all kinds of useless junk **2** (arvoton) sorry, paltry jonninjoutava palkka poor excuse for a salary, lousy pay **3** (tyhjäätoimittava) idling, lazy jonninjoutava kerskuri idling/lazy braggart, boasting idler
jono 1 (jonotusjono) line, (UK) queue seisoa jonossa (New Yorkissa) stand on line, (muu US) stand in line, (UK) stand in a queue muodostaa jono line up, (UK) queue up **2** (sot) file marssia yhdessä jonossa march single-file **3** (vuorijono) range, chain **4** (taksijono) (taxi) rank **5** (sarja) series, succession pitkä jono ihania vuosia a long succession of wonderful years **6** (atk: komentojen) string, (tulostettavien tiedostojen jono) print/job list
jonottaa 1 wait in line, line up, (UK) queue up **2** (olla jonotuslistalla) be on the waiting list
jonotus waiting in line, (UK) queuing
joo yeah
jopa 1 (peräti) even Jopa pääministeri oli paikalla Even the Prime Minister was there Se voi kestää jopa viisi päivää It may take as long as five days **2** (johan: ilmaistaan äänensävyllä) Jopas piti sattua! That's all we needed!
Jordania Jordan
jordanialainen s, adj Jordanian
jos konj **1** (mikäli) if Tulen jos kerkiän I'll come if I have time jos ja kun if and when Täällä jos missään on kaunista If any place is beautiful, this is **2** (vaikka) even if/though **3** (siltä varalta) in case **4** (entä jos) supposing, suppose, what if Jos se menee mönkään, mitä sitten? What if it doesn't work? Suppose/supposing it doesn't work? **5** (pitäisiköhän) I wonder whether, maybe I/you should Jos soittaisin kotiin Maybe I should call home, I wonder whether I should(n't) phone home **6** (tokko) whether, (ark) if Kysyn jos saan lähteä I'll see whether/if I can go **7** (jospa) I wish, if only Jospa olisit täällä! I wish you were here! If only you were here! **8** (jos kohta) but, and Ruokaa on jos syöjiäkin There's plenty of food, but plenty of eaters too hieman tätä jos hieman tuotakin a little of this and a little of that **9** (en tiedä) I don't know Hän on soittanut jos kuinka monesti I don't know how many times he's called, he's called over and over, time after time
joskin but, though iso joskin kallis big but expensive Hän tuli, joskin vain hetkeksi He came, though/but only for a moment
joskus 1 (silloin tällöin) sometimes, occasionally Joskus käyn kuntosalilla Sometimes I use the gym **2** (jonakin päivänä) sometime, someday Joskus käyn vielä Havaijilla Someday I'm going to visit Hawaii joskus kun sinulle käy whenever it suits you **3** (kerran) some time ago, once
jossitella dither, shillyshally, wonder what to do
jotakuinkin pretty, quite, fairly, rather Tunsin jotakuinkin kaikki I knew just about everybody there, pretty much everone Tunnen hänet jotakuinkin hyvin I know her pretty/fairly well jotakuinkin outo mies a somewhat/rather strange man
joten so (that); (ylätyyli) thus, therefore Et tullut ajoissa, joten minäkin myöhästyin You didn't come on time, so I was late too
jotenkin somehow

jotenkuten somehow Kai me jotenkuten toimeen tulemme I suppose we'll get by somehow, with difficulty
jotensakin more or less, pretty much jotensakin sama kuin ennen pretty much the same as before, more or less the same as before
jotta so (that), in order (to/that) Olen koko ikäni raatanut, jotta teillä lapsilla olisi kaikki mitä tarvitsette I've slaved my whole life so (that) you kids would have everything you need, (in order) to give you kids everything you need
jouduttaa facilitate, expedite, speed up
jouhi (horse)hair
joukkio bunch, crowd, mob, gang
joukko 1 (ryhmä) group, (väkijoukko) crowd erottua joukosta stand out from the crowd, be different valiojoukko elite, select group **2** (määrä) number, quantity, multitude; (ark) bunch, lot, mass iso joukko leluja a large number of toys, a great many toys, (ark) a lot of toys koko joukon parempi a whole lot better lisätä joukkoon add to, mix in(to) **3** (porukka) bunch, lot, crowd, set outo joukko a strange bunch/crowd joukolla in a body, in force joukon paras the best of the lot **4** (kansanjoukot) the masses, the multitude, the herd **5** (sotajoukko) troop, force **6** (mat) set
joukkoadressi collection kerätä joukkoadressi take up a collection, (ark) pass the hat
joukkohysteria mass hysteria
joukkoirtisanominen wholesale dismissals
joukkokuolema widespread mortality; (joukkotuho) mass destruction
joukko-osasto detachment, unit
joukkotiedotus mass communications
joukkotiedotusväline (mon) mass media
joukkotuhoase weapon of mass destruction
joukkotuhonta genocide
joukkovelkakirjalaina bond
joukkue 1 team, side valita joukkueet choose up sides **2** (sot) platoon, (UK) troop
joukkuekilpailu team competition; (soudussa) crew race
joukoittain 1 (joukolla) in flocks/hordes/masses, in great numbers, en masse Väkeä on tullut messuille joukoittain People have been flocking to the fair **2** (paljon) lots, heaps, loads, galore joukoittain leluja toys galore, lots/loads/heaps of toys
joule (vanh) joule
jouli joule
joulu Christmas Hyvää joulua! Merry Christmas! joulun aika the Christmas season, (vanh) Christmastide, (run) Yuletide
jouluaatto Christmas Eve
jouluevankeliumi the Christmas gospel
jouluinen Christmassy
joulujuhla Christmas celebration
joulukirkko Christmas morning church service
joulukortti Christmas card
joulukuusenjalka Christmas tree stand
joulukuusi Christmas tree
joululahja Christmas present
joululaulu Christmas carol
joululoma Christmas vacation; (ark) the holidays
jouluposti Christmas mail, (UK) post
joulupukki Santa Claus, (ark) Santa; (UK) Father Christmas; (run) St. Nick
joulupäivä Christmas day
joulupöytä Christmas dinner, (ark) Christmas spread
joulurauha "Christmas peace," the official Finnish injunction against disturbing the peace during Christmas, proclaimed at noon Christmas Eve
joulutunnelma Christmas spirit
joulutähti poinsettia
journalismi journalism
journalisti journalist
jousi 1 (ase) bow **2** (viulun) bow; (mon) string(instrument)s **3** (tekn) spring
jousiammunta archery

jousimies 1 (ihminen) archer **2** (astr) Sagittarius
jousiorkesteri string orchestra
jousisoitin string instrument
jousitus 1 (autossa) suspension **2** (mus) bowing
joustaa 1 (fyysisesti) bend, give; (olla joustava) be elastic/resilient **2** (henkisesti) bend, yield; (olla joustava) be flexible Sinun täytyy oppia joustamaan vähän You have to learn to bend a little, to be more flexible
joustamaton unbending; (fyysisesti) inelastic, rigid; (henkisesti) inflexible, set in your ways
joustava (fyysisesti) elastic, resilient; (henkisesti) flexible
joustavasti flexibly
joustin elastic spring
joustinpatja spring mattress
joutaa 1 (keritä) have time, make it En jouda sinne nyt I can't make it now **2** (kuulua jonnekin) be ready/fit (for) Tuo paita joutaa roskikseen You ought to throw that shirt away Tuo mies joutaisi lukkojen taa That man ought to be (put) behind bars
joutava 1 (toimeton) idle viettää joutavaa aikaa catch up on your doing nothing **2** (tarpeeton) unnecessary, useless surra joutavia worry unnecessarily kaikenlaista joutavaa kamaa all kinds of useless junk **3** (päätön) senseless puhua joutavia talk garbage/rubbish Mitä joutavia! What nonsense!
jouten idle olla jouten idle, do nothing
joutenolo leisure (time), free time
joutilas 1 (toimeton) idle, free joutilasta aikaa free time joutilas hetki idle moment **2** (liikenevä) spare joutilasta rahaa/aikaa spare money/time Olisiko sinulla joutilasta aikaa? Could you spare a moment?
joutsen swan
joutsenlaulu swan song
joutua 1 (tekemään) have to joutua lähtemään aikaisin have to leave early **2** (johonkin vastoin tahtoaan) get/go/fly into, get caught in, end/wind up in, land in joutua vaikeuksiin get into trouble, land in trouble joutua köyhäintaloon end/wind up in the poor house **3** (edistyä) progress, gain ground, get on Työ ei ole sinulta yhtään joutunut You haven't made any progress at all on that **4** (lähestyä) approach, get nearer jo joulu joutuu Christmas is almost here
joutuin quickly, fast, in a hurry/rush
joutuisa quick, fast
joviaalinen jovial
joystick joystick
judo judo
jugendtyyli Jugend (style), (ransk) Art Nouveau
Jugoslavia Yugoslavia
jugoslavialainen s Yugoslav adj Yugoslavian
juhannus Midsummer
juhannusaatto Midsummer Eve
juhannusjuhla Midsummer celebration
juhannuskokko Midsummer bonfire
juhannuspäivä Midsummer (Day)
juhla 1 (juhlinta) celebration, festivities, (suurellinen) gala, fete; (hipat) party; (juhlapäivän kunniaksi) festival, (espanjalainen) fiesta; (ruokailu) feast viettää juhlaa celebrate **2** (juhlapäivä) festival, (vuosipäivä) anniversary, (riemujuhla) jubilee, (muistojuhla) commemoration
juhla-ateria festive meal, feast, banquet
juhlaesitelmä keynote address
juhlaisa festive, festal, gala
juhlallinen 1 (harras) solemn, ceremonious, formal **2** (vaikuttava) imposing, impressive Onpas tuolla miehellä juhlallinen nenä Wow, look at the nose on that man!
juhlallisuus 1 (hartaus) solemnity, formality, dignity **2** (mon) festivities, pomp and circumstance
juhlamieli festive spirit/mood, conviviality
juhlapuhe keynote address
juhlapäivä 1 (virallinen) festival (day), (vars kirk) feast/festal day, (pyhäpäivä) holiday **2** (epävirallinen) red-letter day

juhlasali auditorium, assembly/ lecture/concert hall
juhlatilaisuus celebration, (mon) festivities
juhlatunnelma festive spirit
juhlava festive, festal, gala
juhlaviikko festival
juhlavuosi jubilee year
juhlia 1 (jotakuta) celebrate, honor, fete **2** (ark) celebrate, party, carouse
juhlinta celebration
juhlistaa solemnize
juhta beast of burden, (vetojuhta) draft animal
juju trick, catch Tässä täytyy olla joku juju There's got to be a catch here somewhere Mikä tässä on jujuna? What's the name of the game? What's this all about? What's the point to all this?
juksata fool, josh, kid, pull someone's leg Mä vaan juksasin I was just fooling/ joshing/kidding (you), I was just pulling your leg
jukuripäinen mulish, bullheaded, stubborn
jukuripää s mule, bullheaded/stubborn person Senkin jukuripää! You're stubborn as a mule! adj mulish, bullheaded, stubborn
julistaa proclaim, announce, declare, pronounce, (julkistaa) make public
julistaa epäpäteväksi declare someone unqualified, disqualify
julistaa evankeliumia preach the gospel
julistaa hälytystila declare a state of emergency
julistaa lakko call a strike
julistaa mieheksi ja vaimoksi proclaim you man and wife
julistaa mitättömäksi annul, nullify
julistaa pannaan (erottaa katolisesta kirkosta) excommunicate, (kieltää) ban
julistaa pyhimykseksi canonize, raise to sainthood
julistaa sota declare war (on a country)
julistaa syylliseksi find guilty
julistaa tuomio pass sentence
julistaa vaalin tulokset announce the election results
julistaa virka haettavaksi advertise a post
julistaa voittajaksi proclaim someone the winner
julistaja proclaimer, proponent; (evankeliumin) preacher
julistautua declare/proclaim yourself julistautua itsenäiseksi declare/proclaim your independence
juliste poster, (kannettava) placard, (kiinnitettävä) bill
julistetaide poster art
julistus 1 (kuulutus) proclamation, declaration, announcement; (käsky) edict, decree **2** (julistaminen) propagation, (evankeliumin) preaching, spreading
julieta dare, have the nerve/cheek/ impudence (to do something) Kuinka julkeat! How dare you!
julkaisija publisher, (toimittaja) editor, (painaja) printer
julkaista publish, (toimittaa) edit, (painaa) print, (laskea julkisuuteen) release, issue
julkaisu publication; (mon) proceedings, transactions
julkaisukelpoinen publishable, (sanomalehdessä) printable
julkaisukelvoton unpublishable, (sanomalehdessä) unprintable
julkaisuohjelma (tietok) desktop-publishing (DTP) program
julkaisutoiminta publishing
julkea 1 (röyhkeä) impudent, insolent Miten julkeaa! The nerve of some people! **2** (hävytön) shameless, brazen, bold julkea vale barefaced lie
julkeasti impudently, insolently, shamelessly, brazenly, boldly
julki tulla julki become known, come out tuoda julki bring out, make public, disclose
julkinen public, (avoin) open
julkinen notaari notary public
julkinen sana the press
julkisesti publicly, openly

julkistaa make public, release (information), announce
julkistus release, announcement
julkisuus publicity esiintyä julkisuudessa appear in public kylpeä julkisuudessa bask in the limelight päästä julkisuuteen come out, be revealed, (vuotaa) leak out
julkisuusperiaate right-of-access principle, (US laki) freedom of information act
julkkis celeb(rity)
julma cruel, brutal, savage
julmettu fierce, terrific julmettu meteli godawful noise
jumala 1 god, deity **2** (Jumala) God rukoilla Jumalaa pray to God Jumalan tähden for God's sake(s) Jumalan selän takana way out in the sticks/boonies olla Jumalan onni to be a godsend
jumalaapelkäävä God-fearing
jumalaapelkääväinen God-fearing (person)
jumalainen divine (myös kuv)
jumalakäsite concept of God
jumalallinen divine, godlike
jumalankieltäjä atheist
jumalanpalvelus church/worship service, (ark) church; (UK) divine service
jumalanpelko the fear of God
jumalanpilkka blasphemy
jumalanpilkkaaja blasphemer
jumalasuhde relationship with God
jumalatar goddess
jumalaton 1 (ateistinen) godless **2** (tavaton) ungodly, terrible, horrible
jumalattomasti terribly, horribly
jumalauta goddammit
jumalinen godly, pious, devout
jumaliste goshdarnit
jumaloida worship, adore, idolize
jumaluus deity, divinity, godhead
jumaluusolento god, deity
jumaluusopillinen theological
jumaluusoppi theology, divinity
jumpata (do your) exercise(s), work out
jumppa exercise(s), workout jazzjumppa jazzercise
jumppasali gym(nasium)
juna train mennä kuuden junalla take the six o'clock train mennä junaa vastaan go meet someone at the station, go meet a train Meitä on joka junaan It takes all kinds
junailija 1 conductor **2** Hän on melkoinen junailija He's a mover and a shaker
junailla organize, arrange, fix things up
junalautta train ferry
junaliikenne railroad traffic (UK railway)
junamatka train trip
junanlähettäjä train dispatcher
junansuorittaja train dispatcher
junanvaunu (train/railroad) car, (osasto) compartment; (UK) railway carriage, (matkustajavaunu) coach
junaonnettomuus railroad accident, (ark) train crash
juntta 1 (pol) junta **2** (tekn) ram(mer), tamper, tamping bar
juoda drink, (vähän) sip; (run) imbibe; (ryypätä) booze, tipple juoda malja jollekulle drink to someone('s health), toast someone
juokseva 1 (juoksussa) running, (hevonen) galloping **2** (virtaava) running, flowing **3** (nestemäinen) liquid **4** juoksevat menot (liik) overhead **5** juoksevat asiat day-to-day business **6** juoksevat numerot consecutive numbers
juoksija 1 (ihminen) runner **2** (hevonen) racing horse, racer, trotter
juoksu 1 run(ning) 5000 metrin juoksu 5000 meter run asioilla juoksu running errands **2** (virtaaminen) flow(ing), course ajatusten juoksu stream/chain of thought **3** (rak) runner
juoksujalkaa at a run
juoksumetri running/linear meter, (puutavarassa) board meter
juoksuttaa 1 (nestettä) (let) run, (olutta tynnyristä) draw Täytyy juoksuttaa vettä vähän aikaa You have to let it run for a while **2** (hevosta tms) run, exercise **3** (ihmistä) run (someone) all over, have (someone) run errands for you

juoma drink, beverage, (taikajuoma) potion
juomalasi drinking glass
juomavesi drinking water
juominen drinking Saisinko jotain juomista? Could I get something to drink?
juomingit booze bash, (oluttynnyrin kera) kegger, beer bash
juoni s **1** plot, intrigue, scheme; (mon) trickery, machinations saada juonen päästä kiinni catch on yhdessä juonessa in collusion **2** (romaanin) plot **3** (geol) vein
adj (juonikas) scheming, cunning, shrewd
juonia plot, intrigue, scheme
juonikas 1 scheming, cunning, shrewd **2** (oikukas: lapsi) difficult, (rakastaja) fickle; (ailahteleva) capricious, flighty
juonitella 1 (juonia) plot, intrigue, scheme **2** (be troublesome, find fault with)
juonittelu machination(s), plotting, scheming
juontaa 1 (olla juontajana) emcee (M.C. = master of ceremonies) Kuka juontaa juhlia tänään? Who's going to be emceeing the festivities tonight? **2** juontaa alkunsa jostakin originate in, derive from
juontaja master of ceremonies, emcee
juontua 1 (olla alkuisin) originate in, derive from, be traceable to nimi juontuu kreikasta the name is Greek in origin, derives from the Greek, can be traced back to a Greek root **2** (johtua) be due to, stem/derive from, be caused by Siitä juontuu tämä ajattelemattomuus Hence this thoughtlessness, that's the reason for/cause of my inconsiderate behavior **3** (johtaa, viedä) lead Reitti juontuu pitkin Leppävettä The way there leads down alongside Lake Leppävesi **4** (juolahtaa) come, occur juontua mieleen come to mind, occur to you **5** (kääntyä) turn puhe juontuu toiseen aiheeseen talk turns to another topic
juopa gap, gulf, chasm sukupolvien välinen juopa generation gap
juopottelu boozing, tippling, heavy drinking
juoppo drunk, wino, sot
juoppohulluus delirium tremens
juopua get drunk (on), become intoxicated/inebriated; (kuv) get carried away
juopumus intoxication, inebriation; (kuv) rapture
juoputella drink; (ark) booze, tipple
juoputtelija boozer, boozehound, heavy drinker
juoru 1 gossip **2** (kasv) wandering Jew
juoruilla gossip
juoruta gossip Et saa juoruta kenellekään! Not a word of this to anyone! Don't tell a soul about this!
juosta run; (virrata) run, flow Kyyneleet juoksevat pitkin poskia Tears roll/run down your cheeks juosta vessassa keep running to the toilet
juosta asioilla run errands
juosta henkensä edestä run for your life
juosta päänsä seinään (keep) run(ing)/bump(ing) your head into a brick wall
juosta uusi ennätys set a new record (in a running race)
juosta verta bleed
juoste (anat) tract
juotava drink jotain juotavaa something to drink
juote solder
juotin soldering iron
juotos (soldering) seam
juottaa 1 (antaa juoda: lasta) give (a child) something to drink; (eläintä) water **2** (kiinnittää juotteella) solder
juottokolvi soldering iron
juova (värijuova) stripe, (valojuova) streak, (savujuova) wisp, (marmorin/puun juova) vein
juovikas striped, streaked, streaky, wispy, veined, veiny
jupakka 1 (riita) dispute, controversy, quarrel; (ark) squabble, row **2** (skandaali) scandal, fiasco

juppi yuppie
juridinen judicial, juridical
juridisesti judicially, juridically
juristi lawyer
juro 1 (vähäpuheinen) quiet, silent, taciturn **2** (vetäytyvä) reserved, reticent, withdrawn **3** (jäykkä) stiff, awkward, uncomfortable
jury 1 (valamiehistö) jury **2** (raati) panel (of judges)
justiin exactly, precisely
jutella talk, chat, converse; (ark) shoot the breeze/bull
juttu 1 (juttelu) talk, chat, conversation pitää juttua make conversation **2** (tarina) story, (pötypuhe) nonsense, tall tale, fish story, shaggy dog story etusivun juttu front-page story **3** (asia) thing kumma juttu funny/strange thing vielä yksi juttu one more thing ikävä juttu a shame/pity **4** (lak: tapaus) case Markkasen juttu the Markkanen case **5** tulla juttuun get along
juttusilla chatting, talking, in the middle of a conversation käydä jonkun juttusilla go talk to someone
juttutuuli talkative mood olla juttutuulella be in a talkative mood, feel like talking
juu yes, yeah Juu, nyt muistan Oh yeah, now I remember Hän ei sanonut juuta eikä jaata He didn't say boo juu juu (ilmaisee epäilyä) sure
juuri s **1** root (myös kuv) kaiken pahan juuri the root of all evil palata juurilleen get back to your roots suomalaista juurta of Finnish origin/extraction löytää jutun juurta find something to talk about juurta jaksain thoroughly, root and branch **2** (pohja) bottom, base, foot puun juuressa at the base/foot of the tree, under the tree jalkojen juuressa at someone's feet
adv **1** just juuri se mies jota etsin just the man I was looking for juuri tullut just/newly arrived **2** (aivan) quite, exactly, precisely Ei se nyt juuri noin ollut That's not quite/exactly how it was Juuri noin! Exactly! Just like that! You've got it!
juurikas 1 (juurikasvi) root vegetable **2** (punajuuri) beet
juurikasvi root vegetable
juurruttaa 1 (panna juurtumaan) root **2** (painaa mieleen) imprint, implant Yhteiskunnan normistot on juurrutettu meihin jo lapsina Society's norms were imprinted on/implanted in us as children
juurtua take root (myös kuv), (asettua) settle down
juusto cheese
juutalainen s Jew
adj Jewish
juutalaisuus Jewishness
juutalaisvaino pogrom; persecution of Jews, Jew-baiting
juutalaisviha anti-Semitism
juutalaisvihainen anti-Semitic
juuttua get stuck/caught/jammed juuttua karille go around juuttua omiin ajatuksiinsa get lost in thought
jykevä 1 (painava) heavy, ponderous **2** (iso) massive **3** (vahva) strong, sturdy, robust
jylhä 1 (mahtavapiirteinen) rugged, craggy **2** (autio) desolate, barren **3** (kolkko) hollow, melancholy
jylinä rumble, rumbling, roll(ing), boom(ing) Kaukaa kuului ukkosen jylinää We could hear thunder rumbling/rolling in the distance
jylistä rumble, roll, boom
jyllätä 1 (temmeltää) romp, rollick, play/dance wildly **2** antaa tunteidensa jyllätä give your feelings free play/rein, let your feelings loose
jymyjuttu sensation, (sanomalehdessä) scoop
jymyuutinen scoop
jyrinä (ukkosen) rumble, roar, crash; (tykkien) thunder
jyristä rumble, roar, crash, thunder
jyrkentyä become/get steeper/sharper
jyrkentää 1 steepen, sharpen **2** (kannanottoa tms) intensify jyrkentää kantaansa verouudistuksessa take a more uncompromising stand, come down harder on tax reform jyrkentää luokkaeroja increase the differences

between the classes, drive the classes further apart
jyrkkä 1 (melkein pystysuorassa) steep, precipitous jyrkät portaat steep stairs **2** (voimakkaasti kaartuva) sharp **3** (selvä) sharp jyrkkä väriero sharp color demarcation **4** (äkillinen) sudden, abrupt, unexpected jyrkkä elintapojen muutos sudden change in lifestyle **5** (huima) sharp, striking, remarkable jyrkkä hintojen nousu sudden/sharp/ striking increase in prices **6** (ehdoton) uncompromising, rigid, rigorous **7** (ankara) strict, severe, stern jyrkkä kasvatus strict upbringing
jyrkästi steeply, precipitously, sharply, suddenly, abruptly, unexpectedly, remarkably, without compromise, rigidly, rigorously, strictly, severely, sternly (ks jyrkkä) kaartua jyrkästi curve sharply vastustaa jyrkästi take an uncompromising stand against (something)
jyrsijä 1 (eläin) rodent **2** (ihminen) milling-machine operator
jyrsin 1 (puutarhajyrsin) rototiller **2** (tekn) (milling) cutter
jyrsiä 1 gnaw, nibble **2** (tekn: puuta) shape, mold, (metallia) mill, cut **3** (maata) rototill
jyrä (field) roller, (ark) clod crusher olla jyrän alla be at someone's beck and call
jyrätä roll jyrätä vastustajansa alleen crush the opposition, take your opponents to the cleaners, walk all over them
jyske thump(ing), pound(ing), boom(ing); (meteli) noise, din
jyskyttää thump, pound, boom
jysähtää thump, thud jysähtää lattialle fall to the floor with a thud
jytä beat, swing jytä päällä in full swing
jytäjumppa aerobics, jazzercize
jyvä 1 (viljakasvin siemen) kernel, grain, seed **2** (hiekkajyvä) grain (of sand) **3** (aseessa) bead, sight tähdätä jyvällä draw a bead, take sight
jyväskyläläinen s person from Jyväskylä, thing made in (associated with) Jyväskylä
adj from (associated with) Jyväskylä

jähmettyminen hardening, solidification, setting, jelling, stiffening, congealing (ks jähmettyä)
jähmettyä 1 (rasva, liima) harden, solidify; (laasti) set; (hyytelö) jell; (lihas) stiffen; (öljy, veri) congeal **2** (henkisesti) freeze (up), stiffen jähmettyä paikalleen freeze, stop dead Hänen hymynsä jähmettyi Her smile froze on her face Kosketin häntä, mutta hän jähmettyi ja kääntyi pois I touched him, but he stiffened and turned away
jäiden lähtö breaking up of the ice
jäinen 1 icy, ice-covered/-glazed **2** (kylmä) freezing Minä olen aivan jäinen I'm freezing, I'm frozen solid **3** (jäätävä) chilly, frosty, glacial jäinen hymy icy/chilly/frosty smile
jäkälä lichen
jäljekkäin one after another/the other
jäljelle jäädä jäljelle be left (over) (ks jäljellä)
jäljellä left (over) Onko jätskiä jäljellä? Is there any ice cream left? Was there any ice cream left over? Kuinka monta laskua sinulla on jäljellä? How many problems do you have left (to do)? Osa käsikirjoituksesta on vielä jäljellä Part of the manuscript is still extant Jäljellä on 1000 dollarin jäännös $1000 are outstanding
jäljeltä after, because of, due to Kaikki on vielä rempallaan edellisen johtajan jäljeltä Everything is still a mess, thanks to the previous director Tämä huone on kuin pyörremyrskyn jäljeltä! This room looks like a hurricane hit it!
jäljemmäksi further behind/back jäädä vielä jäljemmäksi fall even further behind/back
jäljempänä 1 further behind/back jäljempänä jonossa further back in line **2** (myöhemmin) later (on), (alempana) below, (tästä lähtien) hereafter Tähän ongelmakenttään palataan jäljempänä I will return to this question below jäljempänä "kustantaja" hereafter "the publisher"
jäljennös copy, reproduction, (kaksoiskappale) duplicate, (näköispainos) facsimile oikeaksi todistettu jäljennös certified copy

jäljentyä be copied/traced
jäljentää (make a) copy, reproduce, duplicate
jäljessä behind, after aikaansa jäljessä behind the times kävellä jonkun jäljessä follow someone, walk behind someone kehityksessään jäljessä slow, backward, (falling) behind; (kehitysvammainen) (mentally) retarded Toista minun jäljessäni Repeat after me
jäljestä after Ovi suljettiin minun jäljestäni The door was closed after me
jäljestäpäin afterwards
jäljettömiin kadota jäljettömiin disappear without a trace
jäljettömissä untraceable
jäljitellä copy, mimic, imitate; (ark) ape
jäljittelemätön inimitable
jäljittely imitation
jäljittää **1** track (down), trace, trail **2** (tietok) trace, retrieve
jälkeen after ensi maanantain jälkeen after next Monday viime maanantain jälkeen since last Monday juosta jonkun jälkeen run after someone, (ajaa takaa) chase (after) someone ennen ja jälkeen before and after jättää jälkeensä leave behind jäädä jälkeen fall behind sen jälkeen kun hän lähti after he left kerran toisensa jälkeen time and again, time after time
jälkeenjääneisyys **1** (maan) underdevelopment, backwardness **2** (lapsen) retardation
jälkeenjäänyt **1** (maa) underdeveloped, backward **2** (lapsi) retarded
jälkeenpäin afterwards, after the fact, subsequently
jälkeinen after juhannuksen jälkeiset kolme päivää the three days after Midsummer
jälkeläinen **1** descendant, (perijä) heir, (vesa) scion **2** jälkeläiset (lapset) offspring, progeny; (tulevat sukupolvet) posterity
jälki **1** track, trace, (jalanjälki) footprint, (merkki) mark ei jälkeäkään heistä not a sign/trace of them jättää jälkensä johonkin leave your mark on something **2** jäljet track, trail eksyttää joku jäljiltään throw someone off the scent, lose/outdistance someone oikeilla/väärillä jäljillä on the right/wrong track siivota omat jälkensä clean up your own mess **3** tehdä hyvää jälkeä do good work
jälkihuomautus postscript, P.S.
jälki-istunto **1** (koulurangaistus) detention jäädä jälki-istuntoon (have to) stay after school pitää jälki-istunnossa keep after school **2** (näyttelijöiden juhla näytelmän jälkeen) cast party, (laulajien) choir dinner/party jne
jälkijuna tulla jälkijunassa be/lag way behind (the others), bring up the rear
jälkikäteen afterward(s)
jälkimmäinen the latter Pidän edellisestä mutten jälkimmäisestä I like the former but not the latter, the first but not the second
jälkinäytös epilogue; (kuv) aftermath
jälkiruoka dessert, (UK) sweet
jälkivaatimuksella C.O.D. (cash on delivery)
jälleen (once) again, once more jälleen yhdessä together again/once more
jälleenmyyjä dealer
jälleenrakennus reconstruction
jälleensyntyminen rebirth
jälleenvakuutus reinsurance
jämerä **1** (vahva) strong, sturdy, robust **2** (päättäväinen) decisive, resolute, determined
jänis hare, (ark) rabbit Ei tässä jäniksen selässä olla Hold your horses! Where's the fire?
jänishousu chicken, scaredy-cat
jänistää chicken out
jänne **1** (anat) tendon, sinew **2** (jousen tms) string **3** (kasv) strand, fiber **4** (mat) chord **5** (jänneväli) span
jänneväli span
jännite **1** (sähköinen tms) tension, voltage **2** (henkinen) tension, suspense
jännittyä **1** (köysi tms) be strained/stretched, tighten, tauten, (lihas) tense (up) **2** (tilanne) get/become tense/strained **3** (hermostua) tense up, get

nervous (about something), worry (about something)

jännittävä exciting, thrilling

jännittää **1** (tiukentaa) tense, stretch, tighten, tauten, pull tight/taut **2** (olla hermona jostakin) feel tense about, feel/be nervous about Jännitän huomista kokousta I feel so nervous about tomorrow's meeting Älä jännitä, se menee ihan hyvin Don't worry, never mind, rest your mind, relax, it'll go fine **3** (olla/odottaa innoissaan) be excited about, look forward to Minua jännittää meidän matkamme I can hardly wait for our trip, I'm so excited about our trip

jännitys **1** (köyden tms) tension, strain, tightness, tautness **2** (innostunut odotus) excitement, (eager) expectation **3** (hermoileva odotus) tension, nervousness **4** (pelkäävä odotus) suspense Jännitys oli melkein kestämätöntä The suspense was almost unbearable

jännityselokuva thriller, adventure movie

jännitysromaani thriller, adventure novel

jännäri thriller

jännätä **1** (olla epävarma) be in suspense (about the outcome), be on tenterhooks **2** (olla innoissaan) be excited (about something) **3** (olla hermona) be nervous (about something) **4** (pitää peukkuja) keep your fingers crossed

jänö **1** bunny (rabbit) **2** (jänishousu) chicken, scaredy-cat

järeä **1** (vahva) sturdy, strong, stout **2** (iso) large, massive **3** (raskas) heavy järeä tykistö heavy artillery **4** (miehekäs) virile, manly **5** (koruton) plain, bare, unvarnished, unadorned järeä totuus plain/bare/unvarnished truth

järin very ei järin vahva not very strong, not all that strong

järistys earthquake

järisyttävä (kuv) earthshaking, shocking

järisyttää **1** shake, rock **2** (pelottaa) make (you) quake in your boots

järjellinen rational

järjenjuoksu intelligence, wits Jaanalla on terävä järjenjuoksu Jaana is sharp/quick-witted, quick on the uptake

järjestellä **1** (kukkia tms) arrange **2** (asioita) take care of, see to, run errands **3** (tukkaansa) straighten, pat into shape, primp, do **4** (kirjoja, astioita, vaatteita tms) sort (out), put away, put in their proper places, arrange **5** (huonetta) pick/clean/straighten up

järjestelmä **1** system **2** (hallinnollinen) administration, organization, establishment, the System

järjestelmäkamera (yksisilmäinen peiliheijastuskamera) single-lens reflex camera, SLR, (yl) system camera

järjestelmällinen systematic

järjestelmällisesti systematically

järjestely **1** arrangement; (mon) measures **2** (sot) disposition (of troops)

järjestelykysymys Se on vain järjestelykysymys It's just a matter of arranging it

järjestys order Kaikki on järjestyksessä It's all set, everything's in order panna asiat järjestykseen put things in order, settle things panna paikat järjestykseen straighten/tidy up aakkosjärjestyksessä in alphabetical order laki ja järjestys law and order

järjestyssäännöt (rules and) regulations

järjestyä **1** (jonoon, riviin) form a line/row, line up **2** (ammattiliittoon) organize, unionize **3** (tulla järjestetyksi) be arranged Pojalle järjestyi hoitopaikka naapurista We were able to find/arrange family daycare for our son at the neighbor's **4** (kuntoon) work/turn out, be all right, (be) settle(d) Kaikki järjestyy aikanaan Everything will work/turn out in the end, it'll be all right Jupakka järjestyi neuvotellen The dispute was settled in negotiations

järjestäytymätön unorganized

järjestäytyä (get) organize(d), (ammattiliittoon) unionize

järjestää **1** (kokousta tms) organize **2** (avioliittoa, häitä, konserttia tms) arrange, make arrangements for; (ark) fix (things up for) järjestää niin että arrange to (go somewhere, be free, do something), fix things so (you/someone can do something) **3** (asioita) take care of, see to **4** (ihmiset ulos) get/run/usher (people) out, clear the room Voisitko järjestää nuo ihmiset pois? Could you get rid of those people for me? **5** (ihmiset yhteen) fix (people) up (with each other) järjestää kaverille seuralainen fix a friend up with a date **6** (kirjoja, astioita, vaatteita tms) sort (out), put away, put in their proper places, arrange **7** (huonetta) pick/clean/ straighten up **8** (tukkaansa) straighten, pat into shape, primp

järjestää arkistoon file

järjestää asiansa settle your affairs

järjestää elämänsä put your life in order, (sl) get your shit together

järjestää jonoon form a line, get people to line up

järjestään 1 (jokainen vuoron perään) one at a time, systematically **2** (kaikki) all Miehet ovat järjestään suomalaisia Every last one of them is a Finn, they're Finns to a man Heidän lähetyksensä ovat järjestään päivän myöhässä Their shipments are always/consistently/ regularly a day late

järjestää riviin form rows, line people up in rows

järjestää ryhmiin group

järjestö organization

järjetön senseless, mindless, absurd, stupid, foolish tehdä järjettömiä act foolishly puhua järjettömiä talk nonsense

järkeenkäypä reasonable, plausible Se on järkeenkäypä That stands to reason

järkeillä (mietiskellä) speculate/ reflect/meditate on, ponder, philosophize about

järkeily (mietiskely) speculation, reflection, meditation

järkeisusko rationalism

järki 1 (ajattelukyky) reason, mind, (äly) intellect, (älykkyys) intelligence Käytä järkeäsi! Use your head/noodle/ noggin **2** (järkevyys) sense terve järki, maalaisjärki common sense Tässä ei ole mitään järkeä This doesn't make sense, this is senseless/stupid/ ridiculous/absurd puhua järkeä jollekulle try to talk some sense into someone, try to reason with someone saada joku järkiinsä bring someone to his/her senses olla järjiltään be out of your mind, off the deep end, around the bend

järkiavioliitto marriage of convenience

järki-ihminen 1 (järkevä) sensible/reasonable/realistic person **2** (järkeen uskova) rationalist

järkiperäinen 1 (järjellinen) rational **2** (järjestelmällinen) systematic, methodic(al)

järkiperäistää systematize, reduce (something) to a system/method

järkkymätön unflinching, unflinching, unswerving; (pysyvä) steadfast, (joustamaton) inflexible

järkkyä 1 (maa tms) shake, quake, tremble **2** (talous tms) be shaken, receive a severe shock/blow, teeter **3** (mieli) be traumatized, suffer a severe shock/blow (to your sanity/peace of mind/mental stability)

järkyttyä be shocked/upset/ scandalized (by)

järkyttävä shocking, scandalous

järkyttää 1 (rakennusta tms) shake, rock **2** (mieltä) shock, upset **3** (seurapiiriä) scandalize

järkytys shock

järkähtämätön 1 (päättäväinen) firm, decisive, resolute **2** (joustamaton) inflexible, uncompromising, rigid **3** (horjumaton) unshakable, unwavering

järkähtää budge Se ei järkähtänytkään It wouldn't budge

järkäle boulder miehen järkäle a mountain of a man

järvenjää the ice on a lake

järvenpohja lake bottom

järvenranta lake shore

järvi lake

järvialue lake district

järvimaisema lake scene(ry)
järvinen järvinen tasanko a lake-filled plain, a prairie rich in lakes
järviseutu lake district
järvivesi lake water
jäsen **1** (ruumiin) (body) part, limb, member tuntea eilinen työ jäsenissään feel the effects of yesterday's work in your muscles **2** (järjestön) member **3** (lauseen) part
jäsenistö members(hip)
jäsenmaksu membership fee, dues (mon)
jäsenmäärä membership, number of members
jäsentymätön unclear, inarticulate, inchoate
jäsentyä break down (into), divide up (into), be divided (into)
jäsentää **1** (hahmotella) outline, sketch out; (luetella) list, tick off (on your fingers) **2** (eritellä) analyze, do a breakdown (analysis) of jäsentää lause (kiel) analyze a sentence, (vanh) parse a sentence
jäsenäänestys vote (among the membership) alistaa jäsenäänestykseen put to a vote (among the membership)
jäte (roska) trash, garbage, refuse, waste
jätemylly garbage disposal
jätepaperi scrap/waste paper
jätevesi sewage
jätevesipäästö effluent
jätkä **1** (jäbä) dude, man; (UK) bloke, chap **2** (tukkijätkä) lumberjack **3** (kortti) Jack
jättikoko giant size
jättiläinen giant
jättiläismäinen gigantic
jättimäinen gigantic
jättäytyä leave/submit/surrender/ resign yourself (to)
jättää **1** leave Jätin auton kotiin I left my car at home Mari on jättänyt miehensä Mari's left her husband Jätän tämän kylän ja menen kaupunkiin I'm leaving this burg and going to town jättää lautaselle/ tähteeksi leave food on your plate/ uneaten jättää jollekulle perinnöksi leave someone something (in your will) **2** (luovuttaa) take, drop off, deliver jättää paketti postiin drop a package off at the post office **3** (lähteä ilman) leave behind Juna jätti I missed the train **4** (mennä edelle) go/pull ahead of, leave behind jättää kilpailijaansa sekunnilla be a second ahead of your competitor **5** (antaa) leave (up) to Jätä se minulle Leave that (up) to me (ks hakusanoja) **6** (hylätä, luopua) leave, give up, quit jättää opintonsa quit school, have to leave school **7** jättää sormensa oven väliin get your fingers caught in the door
jättää asia sikseen drop the matter, leave it at that
jättää hakemus hand in/submit an application, apply
jättää huomiotta disregard, ignore
jättää hyvästi bid someone farewell, say goodbye, take your leave
jättää joku oman onnensa nojaan leave someone to his/her own devices
jättää joku siihen uskoon että give someone to believe that
jättää jonkun huoleksi leave something to Jätä se minun huolekseni Leave that to me
jättää jonkun huostaan deliver/ hand over (a child) into someone's custody/care
jättää jonkun päätettäväksi leave something up to Jätä se minun päätettäväkseni Leave that up to me
jättää jälkeensä leave someone/ -thing behind, outdistance, outstrip; (ark) leave someone in the dust
jättää kesken not finish/complete, leave unfinished/uncompleted
jättää menemättä not go, decline/ refuse to go, stay away
jättää pois laskusta leave (something/-one) out of your plans/ calculations, not take something/-one into account
jättää pulaan not go to someone's rescue, not extend a helping hand, abandon someone in need/distress, let someone down

jättää rauhaan leave someone alone, in peace
jättää sana leave word, leave (someone) a message
jättää sanomatta leave (something) unsaid, omit/fail to mention
jättää tekemättä leave undone, fail/ neglect to do
jättää tieto leave word (of where you'll be, of what's happening)
jättää tulematta not come, stay away, fail to show up/arrive
jättää valitus lodge a complaint, file an appeal
jättää varjoonsa overshadow, leave someone in your shadow
jättää virka (eläkeiässä) retire, (ennen eläkeikää) resign
jättää väliin skip, pass (on/up)
jättö 1 leaving, delivery (ks jättää) **2** (tekn) lag, slip **3** (urh) miss
jäykiste stiffener, hardener
jäykistyä stiffen, (kovettua) harden; (penis) erect, tumesce
jäykistää stiffen, (kovettaa) harden, set
jäykkä 1 stiff, hard; (penis) erect, tumescent **2** (keskustelu tms) stiff, awkward, forced **3** (ihminen) inflexible, uncompromising, rigid
jäykähkö on the stiff side, rather stiff (ks myös jäykkä)
jäytää 1 gnaw/eat (away) at **2** (kulut-taa) tax, consume, wear away/down
jää ice jäät (juomassa) ice cubes, (järvessä) the ice (floes) jäässä (jäätynyt) frozen, (kylmä) freezing, (jään peitossa) iced over/up, (ikkuna) frosted over/up, (poissa käytöstä) on ice
jäädyttää freeze (myös kuv)
jäädä 1 (olla lähtemättä) stay, remain jäädä kotiin stay home jäädä yöksi spend/stay the night, (UK) stop for the night **2** (olla pääsemättä) miss, not make jäädä junasta miss the train jäädä pois kokouksesta skip the meeting **3** (olla pääsemättä pois) get caught/ stuck/trapped Sormeni jäivät oven väliin I got my fingers caught in the door jäädä auton alle get run over by a car **4** (unohtua) get left behind/forgotten Minulta jäi hanskat kotiin I fotgot/left my gloves at home **5** (säilyä) be/get left (over) Jäi vähän spagettia huomiseksi There was enough spaghetti left over for tomorrow's dinner **6** (perinnöksi) be left (to someone in a will) Kauppiaalta jäi iso perintö The merchant left a large inheritance/estate **7** Häneltä jäi vaimo ja kaksi lasta He was/is survived by a wife and two children, he left a wife and two children **8** (jälki) be left (on) Sormukses-ta jäi naarmu lasiin The ring scratched the glass **9** (lykkääntyä) be delayed/ postponed/put off Asia jäi ja jäi There was one delay after another, somehow they/I never got around to doing it
jäädä arvattavaksi be (left) up in the air Arvattavaksi jää, tuleeko hän ollenkaan Who knows whether he'll come at all, it'll be interesting to see whether he comes at all
jäädä eloon live (through something), survive
jäädä henkiin survive
jäädä huomaamatta be unnoticed by someone
jäädä johonkin käsitykseen be left with an impression Sellaiseen käsi-tykseen jäin That was the impression I got, that was how I understood you/him jne
jäädä kesken remain unfinished/ uncompleted/undone
jäädä kiitollisuudenvelkaan be obliged (to someone), be left in a debt of gratitude (to someone)
jäädä käytöstä fall into disuse, be taken out of use/circulation
jäädä luokalle fail/flunk a grade, be held back (one year), have to repeat a grade
jäädä muodista become unfashionable, go out of style
jäädä nähtäväksi Se jää nähtäväksi It remains to be seen
jäädä orvoksi be orphaned
jäädä pahoille mielin be left with a bad taste in your mouth, walk away hurt/ angry/resentful jne

jäädä pimentoon be left/kept in the dark
jäädä pöydälle be tabled
jäädä sanomatta Minulta jäi sanomatta I forgot to say
jäädä sille tielle never be seen again, disappear for good
jäädä suustaan kiinni get caught up/lost talking/in conversation
jäädä taakse 1 (matkanteossa) fall behind, drop back/behind Katsoin kun kylä jäi taakse I watched the village dwindle into the distance **2** (ajassa) be left behind Ne ajat ovat jo jääneet taakse! That's old history!
jäädä tappiolle lose (out), be losing, be getting the worst of it; (ark) get a trouncing, get taken to the cleaners
jäädä toiseksi come in, place; (muu) lose (out), get beaten out; (ark) play second fiddle jäädä 100 metrillä toiseksi come in/place second in the 100-meter dash Kun Martti löysi sen kaunottaren, minä jäin toiseksi When Martti found that bathing beauty, I had to play second fiddle
jäädä unhoon be forgotten
jäädä velkaa owe someone (money/ a favor), be (left) in debt to someone Jäin sinulle kympin velkaa I owe you a tenner
jäädä voimaan remain in effect
jäähdyttää cool (off/down) (myös kuv)
jäähtyä cool (off/down) (myös kuv)
jäähyväiset farewell, adieu, leave-taking sanoa jäähyväiset bid farewell
jääkaappi refrigerator
jääkaappipakastin refrigerator-freezer
jääkausi Ice Age
jääkiekko ice hockey
jääkiekkoilija (ice) hockey player
jääkiekkomaila (ice) hockey stick
jääkiekko-ottelu (ice) hockey match
jääkuutio ice cube
jääkäri 1 rifleman, light infantryman **2** (hist) Jäger
jäämistö estate, property, (earthly) remains
jäänmurtaja icebreaker
jäänne 1 (esine) relic, (tapa) survival **2** jäänteet remains
jäännös 1 (tähde: mat, ark) remainder, (kem) residue, (liik) balance **2** jäännökset remains, (ruoasta) leftovers
jäännöserä 1 (lähetyksestä) remainder myydä kirjapainoksen jäännöserä remainder a book **2** (maksusta) outstanding amount
jääpala ice cube
jääräpäinen bullheaded, mulish
jääräpää bullhead, mule
jäätelö ice cream
jäätelökone ice cream maker
jäätie ice road
jäätikkö 1 (geol) glacier **2** (liukas tie) sheer ice
jäätyminen freezing
jäätymispiste freezing point
jäätynyt frozen
jäätyä freeze/ice (up/over)
jäätävä icy, frozen, freezing; (kuv) icy, frosty, glacial
jäätää freeze/ice up/over
jäävesi ice water
jäävi s (lak) challenge
adj **1** (lak) challengeable, disqualified **2** (ark) unqualified Minä olen jäävi sanomaan tuosta yhtään mitään I'm the wrong person to ask about that
jäävuori iceberg
jöö pitää jöötä keep order, maintain discipline

K, k

kaaderi cadre
kaadin pitcher
kaahari speed demon
kaahata drive recklessly; (ark) blast along, drive like a maniac
kaakao cocoa; (ark: kuuma) hot chocolate, (kylmä) chocolate milk
kaakattaa cackle (myös kuv)
kaakeli ceramic tile
kaakeliuuni tiled/glazed stove
kaakki hack, nag
kaakko southeast
kaakkoinen southeast(ern)
kaakkoistuuli southeasterly wind
kaali 1 cabbage **2** (sl) head Tää ei mahdu mun kaaliin I can't figure this out, this doesn't make sense to me, this is over my head
kaalikeitto cabbage soup
kaalikääryle stuffed cabbage roll
kaalirapi kohlrabi
kaamea horrible, terrible, awful (myös *kuv*)
kaamos polar night
kaani Khan
kaanon 1 (Raamatun kirjat) canon **2** (sävellys) canon, (ark) round laulaa kaanonissa sing (something) in a round
kaaos chaos
kaaosmainen chaotic
kaaosteoria chaos theory
kaapata 1 (kulkuneuvo) hijack, (lentokone) skyjack **2** (valta) seize, usurp, take over, overthrow **3** (ihminen) kidnap **4** (käsilaukku tms) grab, snatch
kaapeli cable
kaapelitelevisio cable television
kaapia scrape, scratch, pare
kaappari 1 (kulkuneuvon) hijacker, (lentokoneen) skyjacker **2** (vallan) usuper, revolutionary **3** (ihmisen) kidnapper **4** (käsilaukun) purse-snatcher, (lompakon) pickpocket jne
kaappaus 1 (kulkuneuvon) hijacking **2** (vallan) coup (d'état) **3** (ihmisen) kidnapping **4** (tavaran) robbery, petty thievery
kaappausyritys attempted hijacking/coup
kaappi cabinet; (astiaaappi) cupboard, (kirjakaappi) bookcase, (vaatekaappi) wardrobe, closet sanoa missä kaappi seisoo wear the pants in the family
kaappijuoppo closet/afternoon drinker, secret lush
kaappikello grandfather clock
kaappipakastin upright freezer
kaappisänky Murphy bed
kaapu robe; (tuomarin) gown, (munkin) cowl
kaara car, (ark) wheels
kaareutua 1 (tie) curve, bend **2** (holvi) vault, arch
kaareva 1 curved **2** (holvi) vaulted, arched **3** (kovera) concave, (kupera) convex **4** (heitetyn tai ammutun esineen liikkeestä) parabolic
kaarevuus curve, curvature
kaari 1 curve, (kaarevuus) curvature **2** (arkkit) arch, (holvi) vault, (sillan) span **3** (mat) arc **4** (auringon) arc **5** (liike) curve, sweep; (heitetyn tai ammutun esineen kaariliike) parabola, trajectory **6** elämän kaari the course of life
kaarihitsaus arc welding
kaari-ikkuna arched window
kaarikäytävä 1 (rakennuksessa) arcade **2** (korvassa) semicircular canal
kaarilamppu arc lamp
kaarisaha bucksaw, bow saw
kaarisilta arch(ed) bridge
kaarisulkeet parenthesis

Kaarle (kuninkaan nimenä) Charles, (Ruotsissa) Carl
Kaarlen aikainen Carolongian
Kaarle Suuri Charlemagne
kaarna bark
kaarre curve, bend, turn
kaarrella 1 (tie, joki tms) curve, bend, wind, meander **2** (ajatukset, keskustelu tms) meander, wander **3** (lintu tms) wheel, sweep, soar **4** kierrellä ja kaarrella hem and haw, evade/dodge the question, circle around a subject/question, beat around the bush
kaarros 1 (tien tms) bend, curve, turn, (leveä) sweep **2** (putken) elbow
kaartaa 1 (tie, joki tms) curve, bend, turn **2** (ympäri) circle, go around, (kokonaan ympäri) encircle, surround kaartaa kaukaa give a wide berth to, keep your distance from **3** (tehdä kaarevaksi) arch **4** (lintu tms) wheel, sweep, soar **5** kiertää ja kaartaa hem and haw, evade/dodge the question, circle around a subject/question, beat around the bush kiertäen kaartaen in a roundabout way, indirectly
kaarti guards vanha kaarti the old guard
kaartua 1 (tie tms) curve, bend **2** (holvi) vault, arch
kaasu gas Anna kaasua, paina kaasu pohjaan! Step on the gas, step on it! lisätä kaasua speed up täydellä kaasulla (at) full speed/throttle vähentää kaasua slow down
kaasujalka foot on the gas pedal Sillä on raskas kaasujalka He's got a lead foot
kaasujohto gas pipe, (kaupungin) *gas main*
kaasukammio gas chamber
kaasulamppu kerosene lantern, (hist) gaslight
kaasuliesi gas range/stove
kaasumyrkytys gas poisoning saada kaasumyrkytys be gassed
kaasupoljin gas pedal
kaasus case
kaasutin carburetor
kaasuttaa 1 (myrkyttää kaasulla: ihmisiä) gas, (torakoita tms) fumigate **2** (muuttaa kaasuksi) gasify **3** (painaa kaasua) step on the gas, give it some gas
kaasuuntua gasify, (höyry) vaporize
kaasuvuoto gas leak
kaasuöljy diesel fuel/oil
kaataa 1 (nestettä) pour (out), (vahingossa) spill sataa kaatamalla be raining cats and dogs, be pouring kaataa kylmää vettä jonkun niskaan pour cold water on someone's enthusiasm, on an idea rain on someone's party, be a wet blanket **2** (astiaa, huonekalua) knock/tip/turn over, overturn kaataa ylösalaisin turn upside down **3** (vene) capsize **4** (kuorma: kipata) dump, tip **5** (puu) fell, cut/chop down, (heinää) cut, (koneella) mow **6** (riista) shoot, kill, down **7** (ihminen: tauti) knock your feet out from under you, lay you up in bed; (nyrkki tms) knock down, fell; (tappaa) kill, (esim konekiväärillä) mow down **8** (lakiesitys) kill **9** (hallitus) overthrow **10** (suunnitelma) upset, ruin **11** (ennätys) break
kaataa kylmää vettä jonkun niskaan pour cold water on someone's enthusiasm, rain on someone's parade
kaataa vettä hanhen selkään pour something down the drain/toilet
kaato 1 (kaataminen) pouring, spilling, felling jne (ks kaataa) **2** (painissa) takedown **3** (keilailussa) strike
kaatolupa hunting permit
kaatopaikka dump
kaatosade downpour, cloudburst
kaatua 1 (ihminen: vahingossa) fall (down/over); (kompastua) trip, stumble kaatua väsymyksestä drop with fatigue, (ark) crash **2** (ihminen: sot) be shot/killed, be mortally wounded, fall in battle **3** (puu) fall, (maahan) crash to the ground Puu kaatuu! Timber! **4** (seinä tms) fall, crash, collapse **5** (hallitus) collapse, be overthrown **6** (lakiesitys) be killed **7** (suunnitelma) come to nothing kaatua omaan mahdottomuuteensa fail

kahvipannu coffee pot
kahvipapu coffee bean
kahvipöytä coffee table
kahvitauko coffe break
kahvittaa 1 serve (someone) coffee **2** minua kahvittaa I feel like a cup of coffee
kai 1 (luulisi) I/you guess/think/suppose Ei kai hän nyt tule? You don't think/suppose he's coming now, do you? Et kai menisi ilman minua? You wouldn't go without me, would you? **2** (luultavasti) probably, presumably, very likely Hän tulee kai huomenna I think he's coming tomorrow, he's probably coming tomorrow **3** totta kai of course
kaide railing, handrail, (sillan) parapet
kaihdin shade, blind; (sälekaihdin) Venetian blind(s)
kaihi (harmaa) cataract, (viher) glaucoma
kaiho longing, yearning; (menneisyyteen) nostalgia
kaihoilla long/yearn (for)
kaihoisa longing, yearning, wistful
kaihoisasti longingly, yearningly, wistfully, filled with/full of longing/ yearning
kaihomielinen wistful, pensive; (melankolinen) melancholic, doleful
kaihota miss, long/yearn (for)
kaihtaa avoid, shun keinoja kaihtamatta stopping at nothing
kaikeksi onneksi by good luck/fortune, as luck would have it
kaikeksi onnettomuudeksi unluckily, unfortunately, as ill luck would have it
kaiken aikaa constantly Sitähän minä teen kaiken aikaa Can't you see that's what I'm doing?
kaiken A ja O the core/heart/crux of the matter, the very sum and substance of the thing
kaikenikäiset of all ages kaikenikäisille for people of all ages
kaiken kaikkiaan (all) in all, in sum
kaikenkarvainen of all kinds/sorts, of all shapes and sizes kaikenkarvaista väkeä motley crew
kaiken kukkuraksi to boot, to top it off, if that weren't enough Siellä tehtiin kaiken kukkuraksi poliisiratsia And if that weren't enough, the place was raided by the cops, and to top it all off, the cops raided the place
kaikenlainen all kinds/sorts of, of all kinds/sorts, diverse, various kaikenlaista ruokaa (monenlaista) food of every description, of all kinds/sorts; (paljon) all kinds/sorts of food jutella kaikenlaista talk about everything under the sun
kaiken maailman all sorts of Siellä oli kaiken maailman hiippareita The place was crawling with bums and creeps
kaiken matkaa 1 (koko matkan) the whole way (there) **2** (koko ajan) the whole time, constantly
kaiken pahan alku ja juuri the root of all evil
kaiken päivää all day, the whole blessed day, the livelong day
kaiken todennäköisyyden mukaan in all probability
kaiken uhalla no matter what comes, braving everything, at all hazards
kaiken varalta (just) in case
kaikessa hiljaisuudessa in all secrecy, on the quiet/Q.T.
kaikessa kiireessä in a rush, frantically
kaiketi no doubt, surely; (luultavasti) probably, presumably, very likely
kaiket päivät day after day, for days on end
kaikin mokomin by all means, go right ahead, be my guest
kaikin puolin in every way/respect; (läpeensä) throughout; (täysin) completely, wholly, fully
kaikinpuolinen 1 (perusteellinen) thorough(going), exhaustive, comprehensive **2** (yleinen) general, universal **3** (täydellinen) complete, whole, full
kaikkea muuta kuin anything but
kaikkea sitä kuuleekin now I've heard everything! this takes the cake!

kaikkea vielä! what a load of nonesense/horseshit!
kaikkein of all kaikkein paras the best of all, the very best kaikkein kaunein mekko (by far) the most beautiful dress
kaikkein pyhin the holy of holies
kaikki s **1** (ihmiset) everybody/-one, all Tulkaa kaikki! Everybody come over here! Come on in, everyone! Come one come all! **2** (muut) everything, all valmiina kaikkeen ready for anything ennen kaikkea above all kaikesta huolimatta in spite of everything kesken kaiken right in the middle of everything, unexpectedly, suddenly Siinä on stereot ja kaikki It's got a tape deck and everything yhtä kaikki (silti) still, (samantekevää) all the same, all one, a matter of indifference tehdä kaikkensa do your best, do everything in your power adj **1** all, (jokainen) every kaikki naiset all the women, every woman **2** (koko) all (of) (the), the whole kaikki toivo all hope kaikki omaisuus the whole property/ estate, all (of) his/her wealth Oppia ikä kaikki Live and learn kaikkea hyvää all the best kaikkea muuta kuin anything but kaikki muut everyone else
kaikki aikanaan all in due time
kaikkialla everywhere, all over, throughout kaikkialla Suomessa all over/throughout Finland
kaikkien aikojen paras the best/ greatest ever, the world's best/ greatest
kaikki kaikessa everything, the whole world Sinä olet minulle kaikki kaikessa You're my whole world, you're the whole world to me, you're my everything, you're everything to me Raha ei ole kaikki kaikessa Money isn't everything
kaikki kynnelle kykenevät every able-bodied soul
kaikki muut everybody else, all the others/rest
kaikkinainen all kinds/sorts of, of all kinds/sorts
kaikkineen Hän lähti kamppeineen kaikkineen She took everything and left, she didn't leave a trace of her behind
kaikkiruokainen omnivorous Minä olen kaikkiruokainen I'll eat anything (that won't eat me), I'm not particular
kaikki tiet vievät Roomaan all roads lead to Rome
kaikkitietävä omniscient
kaikkitietäväinen know-it-all
kaikkivaltias s the Almighty adj almighty
kaikkiviisas all-wise, all-knowing
kaikkivoipa omnipotent, all-powerful
kaikota 1 leave, go away Häneltä oli yleisö kaikonnut He'd lost his audience, his audience had deserted him **2** (kadota) disappear, vanish **3** (paeta) flee, escape **4** (häipyä) fade (away)
kaiku 1 echo (myös kuv) **2** (äänen väri) sound, ring outo kaiku äänessä strange ring to a voice
kaikua 1 echo Täällä kaikuu There's an echo here **2** (raikua) resound, ring naurun kaikuessa amid(st) peals of laughter kaikua korvissa ring in your ears kaikua kuuroille korville fall on deaf ears
kaikukardiografia echocardiography
kaikukuvaus 1 (kuva) echogram, (ultra)sonogram **2** (kuvaaminen) echography, (ultra)sonography, ultrasound examination
kaikuluotain depth finder, echograph
kaikuluotaus echography, echo sounding
kaikupohja sounding board (myös kuv)
kaima namesake
kaimaani cayman, caiman
kainalo armpit nukkua isän kainalossa sleep in your father's arms hattu kainalossa with your hat under your arm kulkea jonkun kainalossa (käsikynkkää) walk on someone's arm, (käsi ympärillä) walk with someone's arm around you
kainalohiki body odor (B.O.), (leik) armpit juice
kainalokuoppa armpit
kainalosauvat crutches

kaino 1 (arka) shy, bashful, timid, demure **2** (kainosteleva, laskelmoivan kaino) coy **3** (häpeilevä) modest, prudish
kainostelematon 1 (punastelematon) unblushing, unashamed **2** (häpeämätön) brazen, bold **3** (arkailematon) unhesitating, decisive, quick-witted **4** (kursailematon) unceremonious, direct, straightforward
kainostelematta 1 (punastelematta) unblushingly, unashamedly, with a straight face **2** (häpeämättä) brazenly, boldly **3** (arkailematta) unhestitatingly, without hesitation **4** (kursailematta) without ceremony, plainly, directly sanoa kainostelematta say it right/straight to his/her face
kainostella 1 (arastella) be shy/bashful/timid **2** (laskelmoivasti) play coy, play the coquette **3** (häpeillä) be modest/prudish **4** (hävetä) be ashamed/afraid to/of Hän ei kainostele huonoa kielitaitoaan She's not ashamed of her poor command of the language, she's not afraid of using her English, no matter how bad it is
kaipaus 1 (kaipaaminen) longing, yearning, pining jättää kaipauksetta kotiseutunsa leave your home town without a backward glance kaipaus kotiin homesickness **2** (halu) longing, wish, desire paremman elämän kaipaus wish for a better life **3** (suru) grief, sense of loss Hän lähti suureksi kaipauksemme We miss him terribly
kaipuu longing, yearning, pining
kaira 1 (pora) auger **2** (korpi) the backwoods/wilds of Lapland
kairata drill, bore
kaisla reed, bulrush
kaislamatto rush mat
kaislikko reeds, bulrushes
kaista 1 (maan, kankaan, paperin tms) strip **2** (vyöhyke) belt, (sot: lohko) sector **3** (taajuusalue) band **4** (ajokaista) lane **5** (kaistapäinen) off his/her rocker, out of his/her tree
kaistale strip, band, belt
kaistapäinen off your rocker, out of your tree
kaistapää nut case
kaita v tend, shepherd
adj narrow, (vanh: ahdas) strait kaita tie (raam) the strait and narrow (path)
kaitafilmi (filmi) movie film, (elokuva) home movies
kaitakasvoinen thin-/narrow-faced
kaitselmus providence
kaitsija 1 (hoitaja) caretaker, guardian **2** (lauman, seurakunnan) shepherd **3** (lapsen) babysitter
kaiutin (loud)speaker
kaiutinpuhelin speaker phone
kaivaa 1 dig kaivaa esiin dig up/out, excavate (ks myös hakusana) kaivaa maahan dig in(to) **2** (sika) root, grub, (myyrä tms) burrow **3** (lapiolla) shovel, spade, scoop (out) **4** (tunneli) cut, blast **5** (kaivo) drill, sink **6** (nenää, hampaita) pick **7** (puuhun) carve kaivaa nimikirjaimensa puuhun carve your initials in a tree **8** (tavaroitaan) dig/rummage/plow (through) **9** (mieltä) gnaw/nag at, bother
kaivaa esiin dig up/out, excavate; (ruumis) disinter, exhume; (salaisuus) dig/dredge up
kaivaa jonkun hautaa dig someone's grave (myös kuv)
kaivaa juurineen root up/out, uproot
kaivaa kuvettaan dig deep in your pocket
kaivaa maata jonkun jalkojen alta undermine someone
kaivaa muististaan dredge up out of (the depths of) your memory
kaivaa salat julki dig up dirt (on someone)
kaivaa sotakirveensä maahan bury the hatchet
kaivaa verta nenästään be spoiling for a fight, be asking for it/trouble
kaivaja digger, excavator
kaivannainen mineral(s)
kaivannaisvarat mineral resources
kaivanto 1 excavation, pit rakennuskaivanto building pit **2** (vallihauta) moat, (vesihauta) trench, ditch **3** (kanaali) canal

kaivata 1 (ikävöidä) long/yearn/pine for, miss Kaipaan häntä niin kovasti! I yearn for him tragically, I pine for him inconsolably, I miss him sorely **2** (haluta) want, wish, desire En kaipaa kuin hetken rauhaa All I want is a little peace and quiet **3** (kysyä) ask/look for, ask after Joku kaipasi sinua tänään Someone was looking for you today, asking after you today **4** (tarvita) need, lack, miss, require En kaipaa sinulta yhtään mitään I don't need zip from you Tämä paita kaipaa nappia This shirt is missing a button, there's a button missing on this shirt Asia ei kaipaa enempiä selityksiä The matter requires no further explanations
kaivaus excavation, (ark) dig
kaivautua 1 (sisään) dig (yourself) in (myös sot); (ulos) dig your way out **2** (myyrä tms) burrow (in)
kaivella 1 dig **2** (nenää, hampaita) pick **3** (tavaroitaan) dig/rummage/ plow (through) **4** (mieltä) gnaw/nag at, bother
kaiverrin graver, chisel; (puikko) stylus
kaiverrus engraving
kaiverruttaa have (an inscription) engraved (on)
kaivertaa 1 (kirjoitusta: metalliin) engrave, (puuhun) carve **2** (reikää) dig, scoop, gouge
kaivinkone excavator, power shovel, back-hoe
kaivo well kaivaa kaivo dig/sink a well porata kaivo drill a well heittää rahaa Kankkulan kaivoon throw money down the drain, down a well, out the window
kaivos mine
kaivoskaasu methane/marsh (gas)
kaivoskuilu mine shaft
kaivoslamppu miner's/pit lamp
kaivosmies miner, pitman
kaivosoikeudet mineral rights
kaivosonnettomuus mine disaster
kaivossortuma cave-in
kaivostyöläinen miner, mine worker; (hiilikaivoksessa) coalminer, pitman, (UK) collier
kaivovesi well water
kaivuri excavator, power shovel, back-hoe
kajahtaa echo, ring, (re)sound; (kirkas kellon ääni) peal; (metallinen kellon ääni) clang; (laukaus) crack kajahtaa tutulta have a familiar ring (to it), sound familiar
kajakki kayak
kajari speaker
kajastaa 1 (aamu) break, dawn (myös kuv) **2** (valo) gleam, glimmer, show/ shine/glow dimly/faintly
kajastus 1 (auringonnousu) dawn, (run) dawn's early light; first rays of the morning sun **2** (kajaste) gleam, glimmer, glow, faint/dim shine
kajauttaa belt out
kaje 1 (valon) gleam, glimmer, glow **2** (ääni) resonance
kajo gleam, glimmer, glow, faint/dim shine
kajota 1 (koske(tta)a) touch, lay a hand/finger on Tähän laatikkoon et saa kajota This box is off limits, don't you dare lay a finger/hand on this box **2** (käsitellä: esinettä) handle, (aihetta) touch upon, deal with, broach Enkö kieltänyt sinua kajoamasta siihen? Didn't I ask you never to broach/raise/ mention that subject? En halua kajota koko asiaan I want to have nothing to do with that whole affair **3** (sekaantua) interfere (with), (tunkeutua) trespass (on), (lak) encroach (on)
kajottaa holler, bellow
kajuutta cabin
kakara kid, (tuhma) brat kauhukakara infant terrible
kakata poop, make poopoo/doodoo
kakattaa 1 Minua kakattaa I have to go poop **2** Voitko kakattaa Jussia? Could you take Jussi to go poop?
kakistaa kakistaa kurkkuaan clear your throat Kakista ulos! Spit it out!
kakistelematta straight out, without hemming and hawing, without beating around the bush
kakistella hawk; (kuv) hem and haw
kakka poop, poopoo, doodoo

kakkahätä Minulla on kakkahätä I have to go poop
kakkamainen poopy; (kuv) icky, yucky
kakkara (leivän) biscuit; (hevosen) turd
kakkia poop
kakkonen 1 number/figure two **2** (kakkosvaihde, toiselle sijalle kilpaillut) second vaihtaa kakkoselle put it/shift into second olla kakkosena come in (a good) second, be the runner-up **3** (korteissa) deuce
kakkosvaihde second
kakku 1 (täyte- tai kuivakakku) cake Moni kakku päältä kaunis All that glitters is not gold **2** (pikkukakku) cookie, (UK) biscuit **3** istua kolmen vuoden kakku do three years (in jail)
kakkulapio cake server
kakkuvuoka cake pan
kako gonzo, bananas, nutsoid
kakofonia cacophony
kakofoninen cacophonous
kaksi two kahdet kengät two pair(s) of shoes me/te kaksi the two of us/you kaksi kertaa viikossa/kuussa/vuodessa (ilmestyvä/tapahtuva) biweekly/bimonthly/biannual(ly) kaksi kertaa twice, two times Kaksi kertaa kaksi on neljä Two times teo is four kaksi–kolme kertaa two or three times, a couple-three times
kaksikamarinen bicameral
kaksikerroksinen (talo) two-story, (bussi) double-decker
kaksikielinen bilingual
kaksikielisyys bilingualism
kaksikymmentä twenty
kaksikymmenvuotias twenty-year-old
kaksikymmenvuotinen twenty-year-old kaksikymmenvuotinen ongelma a twenty-year-old problem, a problem we've had for twenty years
kaksikyttyräinen two-humped kaksikyttyräinen kameli Bactrian camel
kaksimielinen 1 (kaksiselitteinen) ambiguous **2** (rivo) suggestive, off-color, dirty
kaksimielisyys 1 (kaksiselitteisyyys) ambiguity **2** (kaksiselitteinen sana tai ilmaus) double entendre **3** (rivous) off-color/suggestive remark/story
kaksimoottorinen twin-/two-engined
kaksin by ourselves/yourselves/themselves, just the two of us/you/ them
kaksinaamainen two-faced, hypocritical, duplicitous
kaksinainen (kaksinkertainen) twofold, double; (kahdenlainen) of two sorts/kinds
kaksinen Ei se kovin kaksinen ollut It wasn't too hot, it was nothing to write home about, it was no great shakes, it wasn't worth much
kaksinaismoraali double standard
kaksineuvoinen 1 (fyysisesti: eläin) hermaphroditic; (kasvi) androgynous **2** (henkisesti: bisexuaali) bisexual, (ark) AC/DC; (perinteisten sukupuoliroolien jälkeinen) androgynous
kaksin kerroin folded, twofold
kaksinkertainen twofold, double; (WC-paperi) two-ply; (ikkuna) double-glazed
kaksinkertaisesti doubly
kaksinkertaistaa double
kaksinkertaistua (be) double(d)
kaksinlaulu duet
kaksinnaiminen bigamy
kaksinpeli (tenniksessä) singles, (golfissa) twosome
kaksintaistelu duelist
kaksintaistelu duel
kaksinumeroinen two-digit
kaksin verroin doubly, twice as mLch/good jne
kaksio one-bedroom apartment, two-room aparment
kaksipesäinen dekki double-well (cassette) deck
kaksipiippuinen double-barreled Se on kaksipiippuinen juttu That sword cuts both ways
kaksipuolinen 1 two-sided **2** (taitettu) folio **3** (nurjaton) reversible **4** (lak ja pol) bilateral, bipartite
kaksipyöräinen two-wheeled

kaksisataa two hundred
kaksisataavuotisjuhla bicentennial
kaksiselitteinen ambiguous
kaksisoutuinen two-oared
kaksistaan (alone) together, just the two of them/us
kaksisylinterinen two-cylinder
kaksitahtinen two-stroke, (auto) two-cycle
kaksitaso biplane
kaksiteholasit bifocals
kaksitellen two by two
kaksiteräinen double-bladed, double-/two-edged Se on kaksiteräinen miekka That sword cuts both ways
kaksitoista twelve
kaksitoistasävelmusiikki dodecaphonic/twelve-tone music
kaksittain two by two, two at a time, in pairs
kaksituhatta two thousand
kaksivaiheinen two-phase
kaksivuotias s ja adj two-year-old
kaksivuotinen two-year
kaksoiskansalaisuus dual citizenship
kaksoiskappale duplicate, (ark valokuvista) dupe
kaksoisleuka double chin
kaksoislevyasema dual disk drive
kaksoisolento double, alter ego, doppelganger
kaksoispiste colon
kaksoissisar twin sister
kaksoisvalotus double exposure
kaksoisveli twin brother
kaksoisvirhe double fault
kaksonen twin
kaksoset twins Kaksoset Gemini
kaktus cactus
kala fish kuin kala kuivalla maalla like a fish out of water Onko hän lintu vai kala? Is he friend or foe? mennä kalaan go fishing kalassa (out) fishing kala liikkuu the fish are biting pyytää kalaa fish tyynessä vedessä isot kalat kutevat still waters run deep kylmä kuin kala cold as ice mennä merta edemmäs kalaan carry coals to Newcastle mykkä kuin kala mum as a mouse olla kuin kala vedessä feel right at home, feel like a pig in shit
kalaisa well-stocked, full of fish
kalajuttu fishing story, tall tale
kalakeitto fish soup
kalakukko Finnish fish pasty
kalalokki seagull
kalanhaju fish smell
kalanmaksaöljy codliver oil
kalanruoto fishbone
kalansilmä fish eye, (objektiivi) fish-eye lens
kalansilmäobjektiivi fisheye lens
kalanviljely fish farming/hatching/breeding, pisciculture
kalanviljelylaitos fish hatchery
kalaonni fisherman's luck
kalaporras fish ladder
kalapuikko fishstick, (UK) fish finger
kalaretki fishing trip/expedition
kalaruoka fish; (ruokalaji) fish course
kalastaa 1 fish (for), go fishing **2** (kuv) fish/hunt (for), drum up
kalastaja fisherman
kalastella fish/hunt (for), drum up kalastella kohteliaisuuksia fish for compliments
kalastus fishing
kalastusaika fishing season
kalastuslupa fishing licence/permit
kalatalous fishing industry
kalauttaa smack, whack, thwack
kaleeri galley
kaleeriorja galley slave
kaleidoskooppi kaleidoscope
kalendaarinen calendrical
kalenteri calendar
kalenterikuukausi calendar month
kalenterivuosi calendar year
kalenterivuosittain by/each calendar year
Kalevala Kalevala
kalevalamitta Kalevala meter, trochaic tetrameter
kalibroida calibrate
kalibrointi calibration
Kalifornia California
kalifornialainen s, adj Californian
kaliiperi caliber (myös kuv)

kalista (hampaat) chatter; (kattilat tms) clatter, rattle; (soivasti) jangle
kalistaa (kattiloita tms) clatter, rattle; (ketjuja tms) clank Lakkaa kalistamasta niitä kattiloita! Would you stop making such a racket with those pots and pans in there?
kalistella clatter, rattle, clank (ks kalistaa)
kalja beer, (kotikalja) near/small beer lähteä kaljalle go out for a few beers
kalju s baldie
adj **1** (pää) bald(-headed) **2** (vuorenhuippu) bare, treeless
kaljupäinen bald(-headed)
kaljuuna 1 (laiva) galleon **2** (keulaparvi) cutwater
kaljuunakuva figurehead
kaljuuntua go bald, lose your hair
kaljuuntuminen balding
kalkioida take/make a carbon copy of
kalkiopaperi carbon paper
kalkita 1 (maalata) whitewash, limewash **2** (lannoittaa) lime
kalkkarokäärme rattlesnake
kalkkeutua 1 calcify **2** (ark) get old and set in your ways, go senile
kalkkeutunut 1 calcified **2** (ark) doddering, senile
kalkki 1 (lääk) calcium **2** (kem) lime **3** (malja) cup, chalice tyhjentää kalkkinsa viimeiseen pisaraan drain the bitter cup of sorrow to the last drop **4** (ark) old fart
kalkkikivi limestone, chalk
kalkkimaalaus fresco
kalkkis s old fart
kalkkiutua 1 calcify **2** (ark) get old and set in your ways, go senile
kalkkiviiva white/chalk line
kalkkuna turkey
kalkyyli calculus
kallellaan 1 tilted, tilting, leaning/listing (to one side), slanting, aslant pää kallellaan with your head tilted (to one side) lakki kallellaan with cocked hat **2** olla kallellaan vasemmalle have leftist leanings
kalleus 1 (kallis hinta) high price, expensiveness **2** (arvoesine) valuable, treasure; (koru) jewel; (mon) valuables perhekalleudet (tav ja leik) family jewels
kalligrafia calligraphy
kalligrafinen calligraphic
kalliinpaikanlisä local (cost-of-living) allowance
kallio rock, (jyrkänne) cliff
kallioinen s (kasv) fleabane
adj rocky
kalliojyrkänne cliff, precipice
kallioleikkaus rock cutting, excavation
kallioniemeke promontory
kallionlohkare boulder
kallioperä bedrock
kalliopiirros rock/cave painting, petroglyph
kallis 1 (hinta) expensive, costly, high-priced kallis hinta high price Se käy sinulle kalliiksi This is going to cost you (dearly) **2** (arvo) precious, (in)valuable, priceless kuluttaa jonkun kallista aikaa waste someone's valuable/precious time **3** (rakas) dear, precious, beloved kallis synnyinmaa beloved land of my birth
kallisarvoinen precious, (in)valuable, priceless, not to be had for love or money
kallistaa 1 (hintaa) raise/increase the price **2** (astiaa tms) tip, (kumoon) tip over **3** (pöytää tms) tilt **4** (askelmia tms) incline, cant **5** (laivaa: vähän, vahingossa) list, (kyljelleen korjausta varten) careen, heave down **6** (lentokonetta) bank **7** (päänsä: lepoon) lay down, (päätään) incline **8** kallistaa vaakaa (myös kuv) tip the scales, tilt the balance
kallistaa korvansa bend/lend an ear (to)
kallistella (lasia) hit the bottle, tipple; (venettä) rock (the boat)
kallistua 1 (hinta) rise/go up/increase in price **2** (taipua johonkin suuntaan) lean, tilt, incline, cant, list, careen, heave (ks kallistaa) **3** (olla taipuvainen jollekin kannalle) lean, tend, be inclined Alan kallistua sille kannalle, että rahat pitää saada takaisin I'm beginning to

think/feel that we ought to get the money back
kallistuma tilt, slant; (laivan) list, heel
kallistus lean, tilt, inclination, cant, list
kallistuskulma heeling/banking angle
kallo skull; (ark) noodle, bean, nut Se ei mahdu mun kalloon I can't make head or tail of it, I can't figure it out, it's over my head kova kallo thick skull
kallonkutistaja (head)shrink(er)
kalmankalpea deathly pale, white as a ghost/sheet
kalmetoida vaccinate for BCG
kalmisto graveyard, cemetery
kalmo corpse, (ark) stiff
kalori calorie
kalorimetri calorimeter
kalorimetria calorimetry
kalossi galosh (mon galoshes)
kalotti 1 (kappale) calotte **2** (päälaki) crown, (lööäk) calva(rium) **3** (lakki) skullcap, (katolinen) zucchetto **4** (kalottialue) the polar/arctic region, the Arctic
kalottialue the polar/arctic region, the Artic
kalpea 1 pale, white **2** (kuv) faint, dim, vague
kalsarit undies, shorts pitkät kalsarit long johns
kalsea 1 (ilma tms) cold kalsea tuuli a wind that goes right through you, that freezes you to the bone **2** (tunne tms) bleak, cheerless
kalsifikaatio calcification
kalsium calcium
kalskahtaa 1 (miekat) clash, (kaviot) clatter **2** (kuv) ring, sound kalskahtaa tutulta have a familiar ring to it, sound familiar kalskahtaa epäilyttävältä smell fishy
kalske clatter, clash
kaltainen like sinun kaltaisesi ihmiset people like you, (halv) the likes of you Seura tekee kaltaisekseen Like breeds like
kalterit bars joutua kalterien taakse wind up behind bars
kalteva inclined, leaning, slanting, sloping, (katto) pitched
kaltevalla pinnalla on the decline, on a downward slope, (ark) on the skids joutua kaltevalle pinnalle hit the skids
kaltevuus 1 inclination, cant, pitch **2** (tien) gradient, grade, incline, slope
kaltoin kohdella jotakuta kaltoin treat someone badly, mistreat/abuse someone
kalu 1 thing, object Ei siitä enää kalua tule It's had it, it's beyond repair/fixing, its days are over **2** (käyttökalu) tool, utensil, instrument **3** (siitin: lääk) penis, (euf) organ, (ark) tool
kalustaa furnish
kalustamaton unfurnished
kaluste 1 piece of furniture **2** kalusteet (huonekalut) furniture, (kaapit) cabinets, (tekn: varusteet, laitteet) fittings, mountings
kalustettu furnished
kalusto 1 (välineet) equipment, gear; (varusteet) fittings; (työkalut) tools **2** (irtaimisto) stock, inventory; (autot) fleet, (junat) rolling stock, (karja) deadstock **3** (huonekalut) olohuoneen/ruokasalin kalusto living/dining room suite **4** (astiasto) kahvi/teekalusto coffee/tea service **5** (leik: hammasproteesi) teeth **6** Hän kuuluu kalustoon She's part of the family
kalustus 1 (kalustaminen) furnishing **2** kalustukset furnishings, furniture; (tekn) fittings, fixtures
kaluta gnaw on
kalvaa 1 (nakertaa) gnaw (at) **2** (hiertää) chafe, rub **3** (vaivata) gnaw/nag at, bother, gall
kalvakka pale
kalveta 1 turn pale, go white **2** (haalistua) fade
kalvinilainen Calvinist
kalvinisti Calvinist
kalvo 1 (muovikalvo olanheittoprojektoria varten) transparency **2** (kelmu) film, foil, sheet; (tekn) diaphragm **3** (anat) membrane **4** (pinta) surface
kalvosin (shirt) cuff
kalvosinnappi cufflink
kama 1 (roju ja huumeet) stuff, junk, (sl) shit **2** (kamat) things

kamala horrible, terrible, awful (myös kuv ja ark)
kamalasti horribly, terribly, awfully (myös kuv ja ark)
kamara 1 (maankuori) (earth's) crust päästä takaisin maan kamaralle (lento- tai laivamatkan jälkeen) feel the earth beneath your feet again, get back to solid ground **2** (nahka) rind paistettu (sian)kamara cracklin's
kamari 1 (huone) (bed)room, chamber **2** (parlamentissa) chamber, house **3** (poliisiasema) (police) station, precinct
kamarimusiikki chamber music
kamariorkesteri chamber orchestra
Kambodža Cambodia
kambodžalainen Cambodian
kambrikausi Cambrian (period)
kamee cameo
kameleontti chameleon
kameli camel
kamelia camelia, japonica
kamera camera
kameraalinen cameral
kamerakulma camera angle
kameramies cameraman
kameranauhuri camcorder
kamerataide (valokuvataide) photographic art, (elokuvataide) cinematic art
Kamerun Cameroon
kamerunilainen s, adj Cameroonian
kamferi camphor
kamiina iron stove/heater
kamikazelentäjä Kamikaze pilot
kammata comb
kammeta 1 (vääntää kammella irti) pry, wrench **2** (kääntyä) turn, swerve
kammio 1 (huone) chamber; (munkin) cell; (tutkijan) carrel, cubicle **2** (hauta) tomb **3** (sydämen) chamber, ventricle **4** (tekn) chamber, casing
kammo dread, (psyk) phobia
kammoa 1 (pelätä) dread, fear, be afraid of **2** (inhota) abhor, loathe
kammoksua 1 (pelätä) dread, fear, be afraid of **2** (inhota) abhor, loathe
kammota 1 (pelätä) dread, fear, be afraid of **2** (inhota) abhor, loathe
kammottaa fill (someone) with dread, terrify, horrify En voi mennä sinne, minua kammottaa I can't go in there, I'm scared
kammottava dreadful, horrible, terrible, awful (myös kuv)
kampa comb panna kampoihin resist, take a stand against
kampaaja hairdresser
kampaamaton uncombed, unkempt
kampaamo hairdresser, hair salon
kampanja campaign
kampanjoida campaign lähteä kampanjoimaan hit the campaign trail
kampata trip (up)
kampaus 1 (prosessi) combing, hairdressing **2** (lopputulos) hairdo
kampela flounder
kampi (auto) crank; handle
kampiakseli crankshaft
kamppailla 1 (tapella) fight/struggle (wth), do battle with **2** (kilpailla) compete (with)
kamppailu 1 (tappelu) fight, struggle, battle **2** (kilpailu) contest, competition
kamppaus tripping
kamppeet 1 (vaatteet) clothes, threads, duds **2** (tavarat) stuff, junk, (sl) shit
kampsut stuff, shit kimpsuineen ja kampsuineen with the whole kit and kaboodle
Kamputsea Kampuchea, (nyk) Cambodia
kamputsealainen s, adj Kampuchean, Cambodian
kamreeri (liik) chief accountant; (yhdistys) treasurer; (yliop) bursar
kamu pal, buddy, mate
kana 1 (yl ja keitt) chicken; (emo) hen kanan muisti a memory like a sieve katketa kuin kananlento go over like a lead balloon juoksennella kuin päätön kana run around like a chicken with its head cut/chopped off **2** (kana-aivo) birdbrain, (silly) goose **3** kuin Ellun kana without a care in the world täynnä kuin Ellun kana stuffed to the gills päissään kuin Ellun kana drunk as a skunk
kanaali canal, (iso) channel

Kanaalisaaret Channel Islands
kanaalitunneli (Englannin kanaalin ali) Chunnel, Channel Tunnel, Eurotunnel
Kanada Canada
kanadalainen s, adj Canadian
kanaemo (mother) hen
kanahaukka chicken hawk
kana kynimättä Minulla on kanssasi kana kynimättä I've got a bone to pick with you
kana kynittävänä ks kana kynimättä
kanala (talo) poultry farm/ranch, (rakennus) henhouse
kanaliemi chicken broth
kanalintu fowl, (mon) poultry
kanalisaatio canalization
kanalisoida canalize
kananliha gooseflesh olla kananlihalla have gooseflesh, goose bumps
kananmuna (chicken) egg
kananpoika chick
kanapee canapé
kanarialintu canary (bird)
Kanarian saaret the Canary Islands
kanava 1 (maant ja anat) canal **2** (TV, tietok ja kuv) channel
kanavavalitsin channel selector, (ark) dial
kanavoida (lääk) canalize, (muu) channel
kandela candlepower, candle, candela
kandi M.A., M.S.; (sairaalassa) intern
kandidaatti 1 (hakija) candidate **2** (hum kand) B.A./B.S., college grad(uate); (fil kand) M.A./M.S.; (lääk kand) intern
kaneli cinnamon
kanerva heather
kanervikko heathland
kangas 1 (tekstiili) fabric, cloth **2** (maalattava tai maalattu) canvas **3** (metsämaa) a dry peaty forest with heavy moss and lichen cover
kangaskauppa fabric store
kangaskenkä cloth/canvas shoe
kangasmalli fabric sample
kangasmetsä a dry peaty forest with heavy moss and lichen cover
kangaspakka roll (of fabric/cloth)
kangaspala piece of fabric
kangaspuut loom
kangastaa shimmer (like a mirage), (siintää) loom kangastaa saavuttamattomissa hover just out of reach, loom just over the horizon, be waiting just around the corner
kangastus 1 (näköharha) mirage **2** (unelma) (pipe-/day)dream, fantasy
kangerrella stumble/trip/limp along kangerrella puheessaan stumble/trip over words
kangertaa 1 stumble/trip/limp along **2** (kalvaa) gnaw/nag at, bother, gall
kangeta 1 (nostaa kangella) pry/prize (up/loose) **2** (kangistua) stiffen (up)
kangistaa stiffen
kangistua stiffen (up) kangistua kaavoihinsa get set in your ways, fall into a routine/rut
kani 1 rabbit **2** pawnshop, (ark) hock TV on kanissa My TV's in hock, I pawned my TV
kaniini rabbit
kanisteri canister
kanjoni canyon
kankainen cloth, canvas farkkukankainen denim
kankea stiff (myös kuv) kauhusta kankea paralyzed/stiff/rigid with fear kankea hymy stiff/awkward/wooden smile
kankeakielinen slow of speech
kankealiikkeinen stiff
kankeasti stiffly
kanki 1 (rautakanki) pry bar **2** (harkko) bar, ingot
kankku buttock, cheek levät kankut fat ass, wide butt
kankkunen hangover
kannanotto stance, stand, position virallinen kannanotto (julkilausuma) resolution
kannas 1 (maant) isthmus **2** (reen) runner end Hyppää kannaksille! Jump on (the runners)!
kannatella support, hold up

kannatin 1 (yl ja kuv tuki) support, stay, prop, brace **2** (tukipilari) stud, (alusta) rest, (konsoli) bracket, (kelkka) saddle

kannattaa 1 (kantaa fyysisesti) support, bear/hold/prop (up), carry Tuo pöytä ei kannata sinua That table won't bear your weight **2** (kantaa henkisesti) support, uphold, sustain Sotainen kansa ei voi kannattaa rakkauslyriikkaa A warlike people cannot sustain a tradition of love poetry **3** (tukea taloudellisesti) support, patronize, maintain **4** (tukea henkisesti) support, back, champion, stand up for **5** (puoltaa: ehdotusta) second; (mielipidettä) espouse, go along with, agree with; (ryhmää) adhere to A: Kannatetaanko? B: Kannatetaan A: Do I hear a second? B: Second! Kyllä minä periaatteessa kannatan tuota ajattelutapaa, en vain usko että se tepsii tähän I agree with you in principle, but in this case I don't think it'll work **6** (hyödyttää) be worth(while) Ei sinun kannata tulla There's no need for you to come, don't bother coming, it's not worth your while to come Kyllä sinne kannattaa mennä Sure, it's worth going there, it's a worthwhile trip Ei kannata kiittää Don't mention it Ei siitä kannata puhua It's not worth talking about, no point talking about it **7** (olla tuottavaa) be profitable, pay Rikos ei kannata Crime doesn't pay Isän ravintola ei enää kannata Dad's restaurant isn't profitable any more, isn't bringing in a profit any more **8** (antaa kantaa) get someone to carry, have someone carry kannattaa kuormansa aasilla have the load hauled by donkey

kannattaja 1 (tukija) supporter, backer, benefactor **2** (seuraaja) adherent, follower, disciple **3** (liittolainen) ally, sympathizer, partisan **4** (puolestapuhuja) advocate, proponent

kannattamaton unprofitable Liike alkaa olla kannattamaton The business is hardly profitable any more, is bringing in smaller and smaller profits, is verging on unprofitability

kannattamattomuus unprofitability

kannattava 1 (rahallisesti) profitable, paying Onko se kannattavaa puuhaa? Does it pay? **2** (henkisesti) worthwhile Olisiko se kannattava menettely? Do you think the course would be worthwhile/helpful/useful, would help me, would be of some use to me? **3** (fyysisesti) supporting, bearing

kannattavuus profitability, worthwhileness

kannatus 1 (tuki) support, backing Voinko luottaa sinun kannatukseesi? Can I count on your support? **2** (suostumus) acceptance, approval, endorsement Onko tämä saanut johtokunnan kannatuksen? Has this been approved by the board? **3** (apu) assistance, aid Ilman sukulaisten kannatusta emme olisi pärjänneet Without help from relatives we never would have made it **4** (liittyminen) adherence puolueen kannatus adherence to a party

kanne (law)suit, (legal) action nostaa kanne jotakuta vastaan sue someone, file a (law)suit against someone, bring (legal) action against someone ajaa kannetta jotakuta vastaan prosecute someone

kannel kantele

kannella 1 (lapsi) tattle/rat on, squeal Sä kantelit! You tattled/ratted on me! You squealed! **2** (lak) file/lodge a (formal) complaint

kannellinen 1 (astia) covered, with a lid kannellinen purkki a jar with a lid **2** (laiva) decked

kannettava puhelin portable telephone; cellular phone

kannibaali cannibal

kannibalismi cannibalism

kannnike (kahva) handle, (hihna) strap

kannikka heel (of bread)

kannin handle, strap heikoissa kantimissa in bad shape, on shaky ground, skating on thin ice

kanniskella carry/lug/haul around/about Olen kanniskellut näitä kasseja koko päivän I've been lugging these bags around all day

kannu (maitokannu) pitcher, (tee/ kahvikannu) tea/coffee pot, (viinikannu) flagon, (kastelukannu) watering can
kannunvalanta pronouncing on politics
kannus spur ansaita kannuksensa win your spurs
kannustaa 1 (hevosta) spur (on) **2** (ihmistä) encourage, support, urge/ egg/spur (on)
kannuste incentive
kannustin spur, incentive
kanoninen canonical
kanonistaa canonize
kanootti canoe
kansa 1 (ryhmittymä: yl) the people, the public, the populace; (halventava) the masses, the rabble; (geopoliittinen) the nation; (henkinen) a culture **2** (ihmiset) people; (murt) folks; (kuluttajat) consumers, the consumer
Kansainliitto (hist) League of Nations
kansainvaellus (hist) migration, exodus suuret kansainvaellukset the Great Migrations, the Germanic Invasions (raam) Israelin kansainvaellus the Exodus
kansainvälinen s Internationale adj international
kansainvälisesti internationally
kansainvälistyä internationalize, go international
kansainvälisyys internationalism
kansainvälisyyskasvatus multicultural education
kansainyhteisö international community brittiläinen kansainyhteisö the British Commonwealth (of Nations)
kansakoulu elementary/grade school; (US/UK yl) primary school
kansakunta nation
kansalainen citizen
kansalaisoikeudet civil rights
kansalaisopisto folk college
kansalaissota civil war
kansalaistottelemattomuus civil disobedience
kansalaisuus citizenship, nationality
kansalaisvelvollisuus civil duty/ responsibility
kansallinen 1 national **2** ethnic
kansalliseepos national epic
kansalliseläin national animal
kansalliskaarti national guard
kansalliskiihko chauvinism, nationalism, patriotism
kansalliskiihkoilija nationalist
kansalliskiihkoilu nationalism
kansalliskokous (hist) the National Assembly
kansallislaulu national anthem
kansallismielisyys nationalism
kansallispuisto national park
kansallispuku national costume
kansallisromantiikka national romanticism
kansallisruoka national/ethnic food
kansallissosialismi (hist) National Socialism, Nazism
kansallissosialisti (hist) National Socialist, Nazi
kansallistaa nationalize, socialize
kansallisuus 1 (kansalaisuus) nationality **2** (kansakunta) nation
kansallisuusaate nationalism
kansandemokraatti People's Democrat
kansandemokratia People's Democracy
kansanedustaja (US) member of Congress; (UK/Suomi) member of Parliament
kansanedustuslaitos (US) Congress, (UK/Suomi) Parliament
kansaneläke national pension; (US) Social Security pension, (UK) National Insurance pension
kansaneläkelaitos (Suomi) National Pension Institute; (US) Social Security; (UK) National Insurance Fund
kansanlaulu folk song
kansanluonne national character
kansanmeno national expenditure
kansanmurha genocide
kansanomainen 1 popular, (ark) folksy **2** (kansankielinen) vernacular **3** (yleistajuinen) easily/generally accessible/ intelligible **4** (alentuva) democratic, liberal
kansanomaistaa popularize

kansanopisto folk high school
kansanravitsemus public nutrition
kansanrintama popular front
kansanrunous folk poetry, folklore
kansansatu folk tale
kansansoitin folk instrument
kansansävelmä folk tune
kansantajuinen (easily) assessible/ comprehensible, easy to read
kansantajuistaa popularize
kansantaloudellinen pertaining to the national economy Onko meillä varaa moiseen kansantaloudelliseen tuhlaukseen? Can the national economy, can the country afford such waste?
kansantalous national economy
kansantasavalta people's republic
kansantauti major disease
kansanterveys public health
kansantulo national income
kansantuote national product
kansanvalta democracy
kansanvaltainen democratic
kansanäänestys popular election
kansatiede ethnology
kansatieteellinen ehtonological
kansatieteilijä ethnologist
kansi 1 (astian tms) lid, (laatikon tms) cover, (taskun) flap, (kierrekorkki) cap, (tekn) hood, (kirjan) cover, (pöydän) top lukea kirja kannesta kanteen read a book from cover to cover **2** (laivan) deck kannen alla below decks kannella on deck Kaikki miehet kannelle! All hands on deck! **3** (taivaan) vault (of heaven)
kansikko folder
kansikuva cover photo/picture
kansikuvatyttö cover girl
kansio folder, notebook
kansipaikka deck chair Minulla oli kansipaikka I took deck passage, I slept on deck, in a deck chair
kansituoli deck chair
kansleri chancellor
kanslia 1 (toimisto) office, bureau **2** (hist UK) chancery, chancellery; (kansainvälisen yhdistyksen) secretariat
kanslisti 1 (toimistovirkailija) secretary **2** (pol, diplomatiassa) government/ chancery clerk
kansoittaa 1 (asuttaa) settle, colonize, populate **2** (tulla joukoittain) throng, crowd, fill; (ark) jam, pack Turku on viime päivinä ollut ylioppilaiden kansoittama For the last few days Turku has been jammed/packed/ crowded with high school graduates
kansoittua 1 be(come) colonized/ settled/populated **2** fill up, be crowded/ jammed/packed
kanssa 1 (yhdessä jonkun kanssa) with, and tehdä työtä jonkun kanssa work with someone Minä menin Ritvan kanssa Ritva and I went Minä tulen hulluksi sinun kanssasi! You're driving me crazy! yhtä tyhjän kanssa a waste of time, a pointless exercise mennä ajan kanssa take your time, leave yourself plenty of time **2** (suhteessa johonkuhun) to naimisissa jonkun kanssa married to someone sukua jonkun kanssa related to someone, someone's relative minun kanssani samanikäinen the same age as me **3** (jotakuta vastaan) against joutua sotaan Libyan kanssa go to war against Libya joutua vastakkain jonkun kanssa come up against someone, confront someone **4** (myös) too, also Ei kun sinä tulet kanssa! No, you're coming too! **5** (kyllä) sure, really Se on kanssa outo tyyppi He sure/really is a weirdo
kanssaihminen fellow human being
kanssakäyminen relations, intercourse sosiaalinen kanssakäyminen social relations/intercourse seksuaalinen kanssakäyminen sexual relations/intercourse
kanssamatkustaja fellow passenger
kanta 1 (tekn) support, saddle, stock; (lampun) base; (lasin) foot, stem; (jalokiven) setting; (reen kannas) runner end; (naulan) head Osuit naulan kantaan You hit the nail on the head **2** (jalan kantapää, kengän kanta) heel ihan kannoilla right on someone's heels **3** (geom, tietok) base tietokanta database kolmion kanta the base of a triangle **4** (kasv: lehden) stem, (mansikan) hull; (sienen) stipe poistaa mansi-

kan kanta hull a strawberry **5** (biol: bakteerikanta) strain; (eläinkanta) population, stock **6** (lipun) stub **7** (kiel: sanan) stem, root **8** (mielipide) opinion, position, stance asettua jollekin kannalle take a position (on an issue) asettua kielteiselle kannalle decide against something asettua odottavalle kannalle decide to wait (and see) minun kannaltani from my point of view, from where I stand, as I see it **9** (tila) state, condition Sinun asiasi ovat nyt suhteellisen hyvällä kannalla You're pretty well set, things are looking fairly good for you right now

kantaa tr **1** (kuljettaa) carry kantaa säkkiä olalla carry a sack on your shoulder vene kantaa kahdeksan henkeä the boat carries eight (people) **2** (kannattaa; kantaa hedelmää; kuv: kestää) bear Hanki ei kanna The snow won't bear your weight, you can't walk on the snow crust kantava seinä load-bearing wall kantaa hedelmää bear fruit (myös kuv) kantaa ristinsä bear your cross(es) **3** (kuljettaa jonnekin) take; (jostakin) bring, fetch kantaa roskia ulos take out the trash kantaa puita sisään bring/carry in some firewood **4** (olla raskaana: nainen) be pregnant, be with child; (emo) be with young, (lehmä) be with calf, (tamma) be with foal jne **5** (poikia) drop kantaa sonnivasikka drop a bull calf **6** (tuottaa) bear, yield, produce kantaa runsas sato yield/produce an abundant crop **7** (posti) deliver **8** (vero) levy **9** (vastuu) carry, bear, shoulder

itr (sinkoutua, ulottua) carry, (paitsi silmä:) see, reach Keihäs/ääni kantoi pitkälle The javelin/voice carried a long way niin pitkälle kuin silmä kantoi as far as the eye could see

kantaa kaunaa hold/nurse a grudge

kantaa kortensa kekoon add your two bits (to something), do your part/share, contribute

kantaa ottava polemical, argumentative

kantaa vastuu carry/bear/shoulder your responsibility

kantaa seuraukset suffer the consequences

kanta-asiakas regular (customer)

kantaatti cantata

kantaa posti deliver the mail

kantaesitys premiere

kantaisä p(rim)ogenitor

kantaja 1 (postin) carrier, (sanomalehtien) delivery boy/girl **2** (matkatavaroiden: hotellissa) bellhop, (lentokentällä) porter, skycap **3** (lipun) bearer **4** (ruumisarkun) pallbearer **5** (veron) collector **6** (syytteen nostaja) plaintiff **7** (valituksen tekijä) complainant

kantama range, -shot kuulon kantaman päässä/ulkopuolella within/out of earshot silmän kantaman päässä/ulkopuolella within/out of sight kiväärin kantaman päässä/ulkopuolella within/out of gunshot/firing range

kantamus load, burden

kantaohjelmisto basic repertoire

kantaosake common share, (UK) ordinary share; (mon) common stock, equities

kantapaikka (our) favorite place

kantapää heel kiireestä kantapäähän from top/head to toe oppia kantapään kautta learn the hard way

kantarelli chantarelle

kantasuomalainen s Proto-Finn adj Proto-Finnic

kantatila ancestral estate, (lohkottu maatila) original farm

kantautua 1 (kantaa) carry, be carried, reach Kaukainen ukkosen jyrinä kantautui korviimme We heard the faint rumbling of distant thunder ääni kantautuu pitkälle the sound carries far Tietooni on kantautunut että It's come to my knowledge that, word has reached me that **2** (ajautua) drift, wash (up) rannalle kantautunut airo an oar that washed up on the beach Lika kantautuu jaloissa sisälle Dirt is tracked in(to the house) on people's shoes

kantavanhemmat progenitors, (Aatami ja Eeva) first parents

kantavuus 1 (tien, sillan tms) maximum load **2** (palkkien tms) load-

bearing capacity **3** (jään tms) carrying capacity Mikä on jään kantavuus? How much (weight) will the ice carry? **4** kokeilla siipiensä kantavuutta test/try your wings **5** (äänen, tykin) range **6** (merkitys) significance, bearing
kantaväestö original/indigenous population
kantele kantele
kanteleensoittaja kantele player
kantelu 1 (lapsen) tattling, squealing **2** (lak) complaint
kantelupukki tattletale
kanto 1 (kaadetun puun alaosa) stump **2** (kantaminen) carrying, bearing **3** (veron) collection
kantoaalto carrier (wave)
kantokyky 1 (tien, sillan tms) maximum load **2** (palkkien tms) load-bearing capacity **3** (laivan) tonnage **4** (jään tms) carrying capacity Mikä on jään kantokyky? How much (weight) will the ice carry? **5** (maksukyky) solvency
kantomatka range
kantoni canton
kantosiipialus hydrofoil
kantotuoli litter, sedan (chair)
kantri country (and western) (music)
kantrilaulaja country singer
kantrimusiikki country (and western) (music)
kantti 1 (reunus) edge, border katsoa asiaa joka kantilta consider something from all sides **2** (rohkeus) the nerve Ei kantti kestänyt He lost his nerve, he chickened out Minulla ei ole kanttia mennä sinne I'm too chicken/scared to go in there Miten sinulla voi olla kanttia sanoa noin? How dare you say that? **3** (tila) huonolla kantilla bad off, on shaky ground
kanttiini canteen, PX
kanttori cantor, choir-director; (ark) organist
kanuuna 1 (sot) cannon **2** (urh) crack shot
kanyloida cannulate
kanylointi cannulation
kanyyli cannula, canule
kapakka bar, tavern; (UK) pub kiertää kapakoita go bar-hopping
kapaloida wrap in swaddling clothes
kapalot swaddling clothes
kapasitanssi capacitance
kapasiteetti capacity
kapea 1 (ahdas) narrow **2** (solakka) thin, slender **3** (niukka) meager, scanty
kapea-alainen narrow (in range/ scope)
kapeakasvoinen thin-faced
kapealierinen narrow-brimmed
kapearaiteinen pin-striped
kapeikko 1 (maalla) pass, defile, gap **2** (merellä) strait(s)
kapellimestari conductor
kapeus narrowness, thinness, slenderness, scantiness (ks kapea)
kapillaari capillary
kapillaari-ilmiö capillarity, capillary action
kapillaarinen capillary
kapillaariputki capillary (tube)
kapillaarisuus capillarity
kapina 1 (hallitusta vastaan) rebellion, revolt, insurgency nousta kapinaan rise up in rebellion/revolt (against), rebel/ revolt (against) **2** (laivan kapteenia tai sotilasjohtoa vastaan) mutiny **3** (tiettyä käytäntöä tms vastaan) rebellion, protest, resistance
kapinahanke planned uprising/ rebellion/revolt, (laivassa) mutiny
kapinahenki rebellious spirit, spirit of rebellion
kapinallinen s **1** (hallitusta vastaan) rebel, insurgent **2** (laivassa ja armeijassa) mutineer
adj **1** (hallitusta vastaan) rebellious, rebelling, insurgent **2** (laivassa ja armeijassa) mutinous
kapine 1 (esine) thing (myös kuv); (mon) things, stuff Kylläpäs sinä olet outo kapine! You sure are a strange thing **2** (väline) tool, instrument
kapinoida 1 rebel, revolt, rise (up in rebellion/revolt against) **2** (laivassa ja armeijassa) (rise up in) mutiny **3** (vastustaa) rebel against, protest (against), resist

kapinoitsija rebel, revolutionary, insurgent
kapinoiva rebellious
kapioarkku hope chest
kapiot trousseau
kapistus thing (myös kuv); (mon) things, stuff
kapitaali capital
kapitaalinen capital
kapitalismi capitalism
kapitalisoida capitalize
kapitalisointi capitalizartion
kapitalisti capitalist
kapitalistinen capitalist(ic)
kapitaloida capitalize
kapitalointi capitalization
kapiteeli **1** (pylvään pää) capital **2** (kirjain) small cap(ital)
kapitoli capitol (building)
kapituli capitular body, chapter; (tuomiokapituli) bishop's council
kappa **1** (kirjain) kappa **2** (tilavuusmitta, 4,58 l) halpf a peck, (lähin vastine) gallon **3** (takki) cloak, coat; (alba) robe, gown
kappalainen associate pastor, (UK) assistant vicar, curate
kappale **1** (pieni pala) piece, bit; (puun, kiven) piece, chunk; (kakun tms) piece, slice; (appelsiinin) piece, slice, section; (lihan) piece, slice, cut; (paperin) scrap; (rikotun astian tms) fragment, piece kappale elämää a slice of life vaatekappale a piece/ article of clothing kiusankappale nuisance, pain in the neck/ass **2** (taideteos tai essee: ark) piece musiikkikappale piece of music Joko olet nähnyt Turkan uuden kappaleen? Have you seen Turkka's new piece/ play yet? **3** (kirjan tms osa: sisennetty) paragraph, (epämääräinen jakso) passage **4** (myytävä kappale) item, unit, (kirja/lehti) copy 9,-/kpl 9 marks each/apiece Otan 20 kappaletta kananmunia I'll take 20 eggs **5** (jäljennös) copy kahtena/kolmena kappaleena in duplicate/triplicate Saanko oman kappaleeni? Do I get my own copy? alkuperäinen kappale original **6** (taivaankappale) (heavenly) body
kappaleen matkaa a ways away, (murt) a far piece
kappalehinta item price
kappaleiksi leikata kappaleiksi cut up in(to) pieces/sections/segments, segment hajottaa kappaleiksi smash into (a million) pieces, into smithereens
kappaleittain piecemeal, one (unit/item) at a time
kappalejako division into paragraphs
kappale kappaleelta one by one
kappaletavara **1** (kaupan hyllyssä) single-item merchandise, commodities sold by the item/unit **2** (rahtina: junassa) less-than-carload lot (LCL), partload traffic; (UK) parcelled freight; (laivassa) general cargo
kappas vain well what do you know, what do we have here, lokee here
kappeli chapel
kapseli **1** (pilleri, avaruuskapseli) capsule **2** (kierrekorkki) (bottle)cap **3** (tekn: vaippa) jacket, casing, guard
kapsäkki suitcase pakata kapsäkkinsä ja lähteä pack your bags and go
kapsaa click, clack, clatter
kapsahdus (kavioiden) clatter (of hooves)
kapsahtaa jonkun kaulaan throw yourself into someone's arms
kapsahtaa pystyyn jump up
kapse clatter
kapteeni captain
kapula **1** stick heitellä kapuloita rattaisiin throw a wrench in the works **2** (suukapula) gag **3** (viestijuoksussa) baton
kapulakieli bureaucratese kapulakielinen sana buzzword
Kap Verde Cape Verde
kara **1** (tekn) spindle, shaft, pin, tongue; (pultin) shank, (kellon) arbor **2** (hedelmän) stem
karaatti carat
karabiini carbine
karabinieeri **1** (vanh: sotilas) carbineer **2** (italialainen poliisi) carabinieri
karahtaa (rasahtaa) crunch, grate
karahtaa kimppuun attack someone (suddenly)

karahtaa korvaan grate on your ear
karahtaa punaiseksi flush bright red
karahtaa pystyyn jump up
karahvi carafe
karaista 1 (terästä) temper **2** (itseään) toughen, strengthen, steel **3** (kurkkuaan) clear your throat
karaistua be(come) inured (to)
karakterisoida characterize
karakteristiikka 1 (piirteet) characteristics **2** (kuvaus) charazterization
karakteristika charazteristics, (fys) characteristic (curve/line)
karakteristinen characteristic
karakterologia characterology
karamelli 1 (makeinen) candy, (UK) sweet; (mon) sweets **2** (poltettu sokeri) caramel
karamellipussi bag of candy
karanteeni quarantine karanteenissa quarantined
karata 1 escape, run away, flee, fly **2** (rakastettunsa kanssa naimisiin) elope **3** (sotaväestä) desert, go AWOL (absent without leave) **4** (varastettujen varojen tms kanssa) abscond, run/make off (with the goods/ proceeds/money)
karate karate
karavaani caravan
karavaaniseraiji caracansary, caravanserai
karbidi carbide
karbiini carbine
karbonaatti carbonate
karboni carbon
karbonointi carbonation
karbunkkeli carbuncle
kardaaniakseli universal shaft
kardaaninivel universal joint, U-joint
kardemumma cardemom, cardemum, cardemon
kardinaali cardinal
kardinaaliluku cardinal number
kardiogrammi cardiogram
kardiologi cardiologist
kardiologia cardiology
kardiologinen cardiological
kardiovaskulaarinen cardiovascular
kare (veden) ripple, (tuulen) breath hymyn kare a faint trace of a smile
karehtia (vesi) ripple; (hymy) flicker, play
karenssiaika waiting period
karhea 1 rough, coarse (myös kuv) **2** (ääni) husky, gruff **3** (kurkku: käheä) hoarse, (kuiva) dry, parched
karheikko rough
karhentaa coarsen, roughen
karhi harrow
karhu 1 (eläin) bear Älä herätä nukkuvaa karhua Let sleeping dogs lie väkevä kuin karhu strong as an ox **2** (muistutus) reminder
karhukirje reminder
karhunajo bear hunt(ing)
karhunpalvelus backhanded favor, disservice
karhunpeijaiset bearhunt feast
karhunpoikanen bear cub
karhuta (asiakasta laskusta) send a reminder, (velkojaa velasta) dun
kari 1 rock **2** (vedenalainen: riutta) reef, (särkkä) shoal ajaa karille run aground **3** (vaara) danger, hazard, pitfall ajautua karille founder, miscarry Avioliittomme on karilla Our marriage is on the rocks
karies caries, tooth decay
karikatyristi caricaturist
karikatyyri caricazture
karikko rocks, reef, shoal (ks kari)
karilleajo running aground
karisma charisma
karismaattinen charismatic
karista fall/drop (off); (kuv) fall/drop away
karistaa 1 (puu lehtiään) drop, lose **2** (saada karisemaan) shake down/off, knock off **3** (kannoiltaan) shake off, lose, outdistance karistaa vastuu harteiltaan shrug off responsibility, shirk your resposibility **4** (siemenet kävyistä) extract
karitsa lamb Jumalan Karitsa Lamb of God
kariuttaa sabotage, torpedo

kariutua go on the rocks (myös kuv), founder
karja 1 (eläimet) (live)stock, (nauta-karja) cattle **2** (ihmiset) the masses, the rabble, the common run of mankind
karjahtaa bellow, roar
karjaista bellow, roar
karjakko dairymaid
Karjala Karelia
karjala Karelian
karjalainen Karelian
karjalanpiirakka Karelian pie
karjanhoito animal husbandry, cattle-raising/-breeding/-tending
karjanomistaja cattle rancher, cattleman
karjanäyttely livestock exhibition, cattle show
karjapaimen cowboy
karjatalous animal husbandry
karjatila cattle ranch
karju boar
karjua bellow, shout, holler
karkaisematon untempered
karkaista 1 (terästä) temper **2** (karaista) bellow
karkaistu tempered
karkaisu tempering
karkauspäivä leap(-year) day
karkausvuosi leap-year
karkea 1 (karhea) coarse, rough **2** (töykeä) coarse, rude, gross **3** (summittainen) rough, ballpark **4** (iso, paha) big, serious, grave karkea virhe serious mistake
karkea arvio guesstimate, rough estimate, ballpark figure
karkeasti roughly
karkeloida dance, frolic, cavort
karkelot wild happy party
karkki candy
karkota vanish, go away ei saada ajatusta karkkoamaan mielestä not be able to get a thought out of your head Ystävätkin karkkosivat hänen luotaan Even his friends left him, drifted away
karkottaa 1 banish, drive/send out/away **2** (maasta) deport, (maanpakoon) exile, (rangaistussiirtolaan) (sentence to) transport(ation) **3** (pelkoja tms) dispel
karkotus 1 banishment **2** (maasta) deportation **3** (rangaistussiirtolaan) transportation
karkumatka flight karkumatkalla on the run
karkuri 1 escapee, (vars lapsi) runaway vankikarkuri escaped convict **2** (sot) deserter
karkuteillä on the run olla karkuteillä be a fugitive (from justice)
karkuun away päästä karkuun get away, escape
karma karma
karmea gruesome, grotesque; (myös kuv) horrible, terrible, awful
karmeasti grotesquely, horribly, terribly, awfully
karmi (door/window) frame
karmia Selkäpiitäni karmii kun ajattelenkin sitä The very thought gives me the chills/creeps, sends chills up and down my spine
karmiva (spine-)chilling, creepy
karnevaali carnival
karonkka Ph.D. party, celebration after a concert
karpalo 1 (marja) cranberry **2** (pisara) bead, drop
karri curry
karrieeri career
karrieerinainen career woman
karrieristi careerist
karsastaa squint
karsia 1 (puuta tms) prune, trim **2** (tekstiä) cut, delete, excise **3** (hakijoita) screen, narrow down (the field), winnow out **4** (urh) eliminate
karsina pen, (pilttuu) stall, crib
karsinogeeni carcinogen
karsinta 1 (puun) pruning, trimming **2** (tekstin) cutting, deletion, excision **3** (hakijoiden) screening **4** (urh) elimination
karsintakilpailu (qualifying/elimination) trials
karsintaottelu playoff(s)
karsiutua 1 (oksa tms) drop/fall off **2** (hakija, urheilija) be eliminated

karsta 1 (karsi) (en)crust(ation); (kuona) slag; (noki) soot; (sytytystulpan) carbon deposit **2** (kehruussa) card
karstata 1 (get) clog(ged) with slag/ soot tulpat ovat karstoittuneet the plugs are clogged **2** card
kartanlukija (ralliautossa) co-driver
kartano 1 (tila) manor, estate **2** (talo) manor house, (kaupungissa) mansion
kartanonherra lord (of the manor)
kartanonomistaja country gentleman, estate owner
kartanonrouva lady of the manor/ house
kartanpiirtäjä cartographer
kartasto atlas
kartelli cartel
kartio cone
kartoittaa 1 map, (merialuetta) chart, (mitata) survey **2** (kuv) map/plan/chart (out)
kartoitus mapping, charting, planning, surveying
kartonki 1 (kova paperi) paperboard, pasteboard **2** (pakkaus) carton
kartta map, (merialueen) chart
karttaa avoid, stay away from, shun
karttakeppi pointer
karttapallo globe
karttua 1 grow, increase Hänelle karttuu ikää He's growing up **2** (korko) accrue **3** (omaisuutta) accumulate, (ark) pile up
kartuttaa 1 (suurentaa) add to, augment, increase, enlarge kartuttaa tietojaan expand/broaden your knowledge **2** (nostaa, parantaa) enhance **3** (kasata) accumulate, amass
karu 1 (maasto: autio) barren, desolate; (vaikeakulkuinen) rough, rugged **2** (maaperä: hedelmätön) barren, infertile; (niukka) poor, meager; (kuiva) arid **3** (elämäntapa: askeettinen) austere, ascetic; (säästäväinen) frugal, penny-pinching; (yksinkertainen) simple, plain **4** (ihminen: jäyhä) brusque, gruff
karuselli carousel, merry-go-round
karva 1 hair; (mon) hair, (eläimen) fur Se vasta nosti minun karvat pystyyn That really raised my hackles silittää vastakarvaan rub/go against the grain **2** (luonne) character, colors näyttää todelliset karvansa show your true colors
karvainen hairy, furry
karvan varassa hanging by a thread
karvan verran mennä karvan verran ohi miss something by a hair('s breadth)
karvas bitter
karvas kalkki bitter cup, cup of bitterness
karvas pala bitter pill to swallow
karvas totuus the bitter/painful truth
karvaton hairless
karvat pystyssä horrified, aghast
karvaturri shaggy dog
karviainen gooseberry
karviaismarja gooseberry
kas so, (I/you) see Kas juttu on näin See, here's the deal
kasa pile, heap heittää kasaan throw (things) in a pile lysähtää kasaan collapse (in a heap) yhdessä kasassa all scrambled/mixed/jumbled up together (in one pile)
kasaantua pile/build up, accumulate; (lumi) (pile up in) drift(s)
kasaantuma 1 (geol ym) buildup, conglomeration, accumulation **2** (töiden tms) backlog
kasakka Cossack
kasapäin piles, heaps Hänellä on kasapäin rahaa He has piles/loads of money, he's loaded
kasarmi barracks
kasarmialue barrack area
kasassa (pinossa) in a pile/heap; (valmiina) laid out, ready; (koossa: jää kääntämättä) Minulla on rahat kasassa I've got the dough
kasata 1 (tehdä läjä) pile, heap; (pinota siististi) stack **2** (kerätä) accumulate, amass, pile up **3** (ark koota) assemble, put together kasata polkupyörä assemble a bike
kasauma 1 (geol ym) buildup, conglomeration, accumulation **2** (töiden tms) backlog
kasetti (äänikasetti) cassette, (filmikasetti) cartridge

kasettidekki tape deck
kasettinauhuri cassette/tape recorder
kasettipesä cassette well
kasettisoitin cassette player
kasino casino
kasinotalous casino economy
kas kas! well well!
kaskas cicada
kasketa burn-clear
kaski 1 (kaskenpoltto) burn-clearing **2** (hist) casque
kasku anecdote, story
kas noin! there!
kasoittain piles, heaps, loads Hänellä on kasoittain rahaa He/she has piles/loads of money, she's loaded
kassa 1 (maksupaikka: kaupassa) cashier, check-out counter; (teatterissa) box office; (pankissa) teller('s desk); (yhtiön) pay/cashier's office **2** (käteisvarat) cash (on hand) päivän kassa the day's receipts
kassakone cash register
kassakuitti cash receipt
kassamenestys box-office hit
kassanhoitaja cashier, (ark ruokakaupassa) check-out person
kassapääte teller terminal
kastaa 1 (upottaa nesteeseen) dip/dunk/immerse (in) kastaa munkkinsa kahviin dunk your doughnut in coffee **2** (kirk) baptize, (ristiä) christen **3** (ark kastella) water
kastaa kaulaansa wet your whistle
kastaa laiva christen a ship
kastanja chestnut
kastanjetit castanets
kaste 1 (aamukaste) dew **2** (kirk) baptism upotuskaste full-immersion baptism
kastehelmi dewdrop
kastella (kukkia) water, (rätti tms) wet, (viljapeltoa) irrigate
kastella vuoteensa wet your bed
kastelu (kukkien) watering, (peltojen) irrigation, (vuoteen) bedwetting
kastemalja baptismal font
kastetilaisuus baptism(al ceremony), christening
kastetoimitus baptism(al ceremony), christening
kastevesi (kirk) baptismal water
kasti 1 (Intiassa) caste **2** (kirjapainossa) case
kastike sauce: (lihakastike) gravy, (salaatinkastike) dressing
kastraatio castration
kastroida castrate
kastua 1 get wet, (läpimäräksi) get drenched/soaked (to the skin) **2** (painissa) touch the mat
kas tässä here you are/go
kasvaa tr **1** (tuottaa) produce, yield, bear, bring forth kasvaa heinää produce hay **2** (korkoa) accrue **3** (pituutta) grow taller
itr **1** (joksikin) grow (up/into) kasvaa isoksi grow up kasvaa kauniiksi naiseksi grow up to be a beautiful woman, grow into beautiful womanhood **2** (lisääntyä) grow, increase jännitys kasvaa the suspense builds **3** (laajeta) expand; (kuu) wax
kasvaa korkoa accrue interest
kas vain! imagine! think of that! well I never!
kasvain 1 (lääk) tumor **2** (biol) shoot
kasvattaa 1 (partaa, tukkaa) (let) grow kasvattaa parta grow a beard kasvattaa pitkä tukka let your hair grow long **2** (eläimiä, viljaa tms) grow, raise; (hevosia) breed **3** (lapsia) rear, bring up, raise **4** (kouluttaa) educate, school, (tiettyyn tehtävään) train **5** (lisätä) increase kasvattaa etumatkaa increase your lead, pull out further in front
kasvattaja 1 (viljan tms) grower, (karjan) breeder **2** (kouluttaja) educator, pedagogue
kasvatti 1 foster child; (holhokki) ward **2** (opetuslapsi) disciple, pupil
kasvatti-isä foster father
kasvattilapsi foster child
kasvattivanhemmat foster parents
kasvattiäiti foster mother
kasvatuksellinen educational, pedagogical
kasvatus 1 (viljan tms) cultivation, growing; (karjan) breeding **2** (lasten)

childrearing, parenting, upbringing; (hyviin tapoihin) breeding **3** (koulutus) education, schooling; (tiettyyn tehtävään) training
kasvatusneuvola parental guidance clinic
kasvatusopillinen pedagogic(al)
kasvatusopillisesti pedagogically
kasvatusoppi pedagogy
kasvatuspsykologia educational psychology
kasvatustavoitteet educational objectives
kasvatustiede education(al science)
kasvatustieteellinen pertaining to (the science of) education
kasvi plant
kasvihuone greenhouse
kasvihuoneilmiö greenhouse effect
kasvillisuus vegetation, flora; (aluskasvillisuus) underbrush
kasvinjalostus horticulture
kasvinsyöjä vegetarian
kasvioppi botany
kasvis vegetable
kasvisruoka vegetarian food/diet
kasvisto 1 (kasvit) flora **2** (kokoelma) herbarium
kasvitarha vegetable garden
kasvitiede botany
kasvitieteellinen botanical
kasvot face menettää kasvonsa lose face lyödä vasten kasvoja hit a person in the face sanoa vasten kasvoja tell a person (something) to his/her face valehdella jollekulle vasten kasvoja tell a barefaced lie
kasvotusten face to face
kasvu 1 growth, growing **2** (kuv) increase, expansion
kasvukausi (ihmisen) growth period, (kasvin) growing season
kasvukipu growing pain
kasvun vara room to grow (into)
kasvupaikka habitat
kasvusto 1 (kasv) population **2** (lääk) organisms
kasvuvauhti growth rate
kataja juniper
katala treacherous, devious, deceitful
katalysaattori catalyst
katamaraani catamaran
katastrofaalinen catastrophic
katastrofi catastrophe
kate 1 (peite) covering, roofing **2** (sekin) funds, (setelin) backing, coverage Sekki palautettiin, kun tilillä ei ollut katetta The check was returned due to insufficient funds, (ark) the check bounced huolehtia sekkiensä katteesta cover your checks **3** (kuv) reliability, trustworthiness Sinun lupauksillasi ei ole enää minkäänlaista katetta Your promises are worthless, I wouldn't trust you as far as I could throw you **4** (kattamus) place setting
katedraali cathedral
kateellinen envious, eating your heart out with envy; (ark) jealous
kateellisesti enviously
kategoria category
kateissa lost, missing
katekismus catechism
kateus envy vihreänä kateudesta green with envy
katinkulta fool's gold; (kuv) sham
katiska (fish) trap
katkaisin (valon) switch, (pääkatkaisin) (circuit-)breaker, (automaattinen) cut-out
katkaista 1 cut (off), sever, split **2** (keskeyttää) interrupt, cut short, break off Puhelumme katkaistiin We got/were cut off **3** (poikkaista) break (off) katkaista jalkansa break your leg **4** (karsia) prune/trim/lop off **5** (amputoida) amputate **6** (matkata) do, make katkaista taival kahdessa tunnissa make the trip in two hours, do it in two hours
katkaista diplomaattisuhteet break off/sever diplomatic relations
katkaista hävyltä häntä cut up, let loose
katkaista ivalta kärki take the edge off the sarcasm
katkaista liikenne cut off/stop/block traffic, (pystyttää tiesulku) throw up a roadblock
katkaista neuvottelut break off negotiations

katkaista sopimussuhde terminate a contract
katkaista välit break up (with someone)
katkaisu 1 cutting/breaking (off) **2** (keskeytys) interruption
katkaisuhoito detox(ification)
katkarapu prawn, shrimp
katkeamaton unbroken, uninterrupted
katkelma 1 (epämääräinen osa) fragment; (mon) snatches, bits and pieces En kuullut kuin katkelmia heidän keskustelustaan I only heard snatches of their conversation **2** (esitetty osa) excerpt, extract
katkera 1 (maku) bitter **2** (tunne) bitter, acrimonious, resentful
katkeraan loppuun saakka to the bitter end
katkera pala nieltäväksi a bitter pill to swallow
katkero 1 (juoma) bitters **2** (kasv) gentian
katkeroitunut embittered
katketa 1 break/snap/split off/in two nauraa katketakseen split your sides with laughter, bust a gut laughing Minulta katkesi verisuoni I burst/ruptured a blood vessel Minun käteni katkesi I broke an arm **2** (loppua lyhyeen) be cut/broken off, be interrupted, break down neuvottelut katkesivat the negotiations broke down puhelu katkesi the call was cut off Hänen äänensä katkesi His voice broke **3** (romahtaa henkisesti) crack (up), break down, fall apart/to pieces **4** (mennä) go, pass Matka katkesi nopeasti The trip went fast, passed quickly Matka katkesi tunnissa We were there in an hour, we did it in an hour, we made it there in an hour
katko 1 (katkaistu paikka/aika) break, cut, interruption **2** (aukko) gap, discontinuity, aporia **3** (kasv) hemlock
katkonainen broken, discontinuous
katkoviiva broken line
katku (bensan tms) fumes, (savun) smell

kato 1 (sadon) crop failure **2** (kuv) disappearance, absence **3** (kiel) elision alku-h:n kato cockney-murteessa elision of initial h in the Cockney dialect
katoamaton (ikuinen) everlasting, eternal; (häviämätön) imperishable, unfading; (kuolematon) undying, immortal
katoavainen (kuolevainen) perishable, impermanent, mortal; (ohikiitävä) evanescent, fleeting, transient
katodisädeputki cathode ray tube, CRT
katolilainen Catholic
katolinen Catholic
katolisuus Catholicism
katos 1 (kyhätty) shelter, lean-to **2** (vuoteen) canopy **3** (autokatos) carport
katovuosi famine year
katsahtaa (vilkaista) glance/look (around) (at)
katsastaa 1 (tarkastaa) inspect, examine, (varastojaan) inventory katsastaa auto inspect a car, conduct a car inspection **2** (sot) inspect, review **3** (katsella) take a look around (at things), check things out
katsastus (yl) inspection; (auton) motor vehicle inspection
katsatusasema inspection station
katsaus 1 look, glance jo ensi katsauksella even at first sight **2** (yleisesitys) survey, overview, review
katse look, glance irrottaa katseensa jostakin take your eyes off something luoda katse johonkin cast a glance at, take a look at, fix your eyes on Jos katse voisi tappaa If looks could kill luoda katse tulevaisuuteen look to the future
katselija (urh) spectator; (tarkkailija) observer; (satunnainen); onlooker, beholder
katsella 1 (katsoa) look (at), (seurata) watch, (nähdä) see, (tuijottaa) stare (at) katsella jotakuta pitkin nenänvarttaan look down your nose at someone katsella kaupunkia see the (sights in) town, go sightseeing in town, do the

town **2** (etsiä) look/hunt for, try to find, (tarkistaa) check (around) katsella itselleen asuntoa look/hunt for an apartment **3** (miettiä) wait and see, consider Täytyy katsella, tuleeko siitä mitään We'll have to wait and see whether anything comes of it
katselu viewing
katseluaika paras katseluaika prime time
katsoa 1 look (at), (seurata) watch, (nähdä) see, (tuijottaa) stare (at) Katso nyt kun selitän Look, I'll explain Katsohan, asia on näin See, this is the deal Katso minua ja tee sitten perässä Watch me and do what I do **2** (tarkistaa) check, look up katsoa sana sanakirjasta look a word up in the dictionary katsoa aika kellosta check the time **3** (tarkastella) check (around), see whether/if katsoa, onko ovi lukossa check/see whether the door's locked katsoa, onko mitään jäänyt check around to see if you're leaving anything behind **4** (huolehtia) look after, take care of, mind katsoa lapsia look after/take care of/mind children Katso että hän ei unohda See that he doesn't forget, make sure that he doesn't forget Katso ettet rasita itseäsi liikaa Be careful/mind you don't tire yourself overmuch **5** (miettiä) (wait and) see, think about it, consider Katsotaan We'll (have to (wait and)) see **6** (pitää jonakin) consider, think, regard, look upon katsoa päteväksi consider someone qualified katsoa tarpeelliseksi think it necessary katsoa asiakseen tehdä jotakin take it upon yourself to do something, look upon it as your business to step in (and do something) **7** (korttipelissä) call Minä katson I call
katsoa eteensä look out for number one
katsoa hyväksi see fit (to)
katsoa kieroon squint (at); (kuv) frown on
katsoa kuolemaa/totuutta silmästä silmään stare death/the truth in the face, look death/the truth in the eye
katsoa läpi sormien wink at something, look the other way
katsoa peiliin look (at yourself) in the mirror
katsoa toisella silmällä keep one eye on
katsoa ylen look down on, scorn
katsoen in view/consideration of, in regard to, regarding, considering inhimillisesti katsoen in human terms, from a human point of view, humanly speaking käytännöllisesti katsoen practically speaking olosuhteisiin katsoen considering/in the circumstances asiaa tarkemmin katsoen upon closer scrutiny päältä katsoen on the surface, viewed superficially opettajasta katsoen seuraava vasemmalla the one to the left of the teacher
katsoja (urh) spectator; (TV:n) viewer; (katselija) onlooker, beholder
katsojamäärä (urheilutapahtuman) attendance; (TV:n) number of viewers
katsomatta johonkin without regard to, regardless of, irrespective of sukupuoleen katsomatta without regard to sex
katsomo 1 (istumapaikat) seats, stands, (urheilukentän) bleachers **2** (katsojat: esityksen) audience, (urheilutapahtuman) spectators
katsomus (point of) view, opinion, standpoint
katsos poikaa! attaboy! (tyttöä attagirl)
kattaa 1 (talo) roof **2** (pää tms) cover **3** (pöytä) set **4** (kulut tms) cover, defray
kattava comprehensive
kattavasti comprehensively
katteeton 1 (shekki tms) uncovered katteeton sekki bad check, a check that's going to bounce **2** (lupaus tms) empty
kattila 1 (keittiössä) kettle, pot, saucepan panna kattila tulelle put the kettle on pata kattilaa soimaa the pot calling the kettle black **2** (tehtaassa) boiler
katto 1 (ulkopinta) roof katolla on the roof **2** (sisäpinta) ceiling katossa on the

ceiling syljeskellä kattoon put your feet up, take it easy, get caught up on your doing nothing hypätä raivosta kattoon hit the ceiling/roof **3** (suoja) shelter, (peite) cover päästä myrskyä pakoon katon alle take shelter from the storm, get under cover out of the storm
kattoikkuna skylight, (vinokaton pystyikkuna) dormer (window)
katu street, road, avenue heittää kadulle throw someone out (on his/her ear/ass)
katua 1 (toivoa että olisi tehnyt toisin) regret, (ark) feel/be sorry, (run) rue Tätä saat vielä katua You'll live to regret this Et ikinä kadu tätä You'll never regret this katua sitä päivää jolloin rue the day on which **2** (usk) repent
katulähetys inner-city mission
katumapäällä olla katumapäällä regret doing something, kick yourself for doing something tulla katumapäälle (tulla toisiin aatoksiin) have second thoughts; (muuttaa mielensä) change your mind
katumus repentance, contrition; (katumusharjoitus) penitence, penance tehdä katumusta do penance, perform an act of contrition
katve 1 (varjopaikka) shade vanhan tammen katveessa in the shade of an old oak tree **2** (sot) dead zone
kauaksi far
kauaksi aikaa for a long time
kauan (for a) long (time) Voitko istua tässä niin kauan kun (=kunnes) minä tulen takaisin? Could you sit here until I come back? Voitko istua tässä niin kauan (=samaan aikaan) kuin minä näitä paitoja silitän? Could you sit here as long as I'm ironing these shirts, while I iron these shirts? Älä viivy kauan! Don't be long! Missä olet näin kauan viipynyt? Where have you been all this time? aika kauan quite a while
kauan aikaa for a long time
kauas far (away/off), a long way niin kauas kuin silmä kantaa as far as the eye can see näkyä/kuulua kauas be visible/audible from a long way away/off
kauaskantoinen far-reaching
kauemmaksi further, father (away/off)
kauemmas further, father (away/off)
kauemmin longer
kauempaa from further/farther away/off
kauempana further, father (away/off), at a greater distance
kauha 1 (ruokapöydässä) ladle, scoop, dipper **2** (kaivinkoneessa) scoop
kauhea horrible, terrible, awful (myös kuv)
kauheasti horribly, terribly, awfully (myös kuv)
kauhistella shudder at, be horrified at, be terrified by
kauhistus 1 horror, terror, fear **2** (usk) abomination huorinteko on Herralle kauhistus fornication is an abomination unto the Lord
kauhistuttaa horrify, terrify, frighten
kauhistuttava horrific, horrifying, terrifying, frightening
kauhoa 1 (ruokapöydässä) ladle **2** (kaivinkoneella) scoop **3** (uida) do the crawl
kauhu horror, terror, dread
kauhuelokuva horror movie
kauhujuttu horror story
kauhukakara (ransk) infant terrible
kauhun tasapaino balance of terror
kauhuromaani horror novel
kauimmainen the furthest/farthest (away), the remotest, the most distant
kauimmas the furthest/farthest
kauimpana the furthest/farthest (away), the remotest, the most distant
kaukaa from far away/off, from a long way away, (run) from afar
kaukaa haettu far-fetched
kaukainen distant, remote, far-off
kaukaisuus distance, remoteness
kaukalo 1 (syöttökaukalo) trough **2** (jääkiekkokaukalo) rink
kaukana far away, a long ways/distance away
kaukohakulaite pager
kaukokaipuu longing for faraway places, wanderlust
kaukokirjoitin telex, (laite) teleprinter

kaukolämmitys district heating
kaukonäköinen 1 (näkee hyvin) far-sighted **2** (ajattelee tulevaisuutta) foresighted, prudent
kauko-objektiivi telephoto lens
kauko-ohjain remote control, remote
kaukopuhelu long-distance (phone) call
kaukoputki telescope
kaukosäädin remote control, remote
kaukovalot high beam(s)
kaula 1 (ihmisen, pullon ym) neck heittäytyä jonkun kaulaan throw your arms around someone's neck joltakulta menee sisu kaulaan chicken out **2** (urh) gap, lead juosta kaula kiinni close the gap, narrow the lead
kaula-aukko neckline, decolletage
kaulakoru necklace, pendant
kaulatusten embracing/hugging (each other), in each other's arms
kaulia roll (dough)
kaulin rolling pin
kaulus 1 (paidan) collar **2** (housujen) waist(band)
kauna grudge kantaa kaunaa bear someone a grudge, carry a grudge against someone, resent someone (for doing something), something someone did
kauneudenhoito beauty care
kauneus beauty
kauneushoitola beauty salon
kaunis 1 (ihminen) beautiful, lovely; (sievä) pretty, (komea) handsome, (söpö) cute, (hyvännäköinen) good-looking **2** (päivä) beautiful, lovely, gorgeous eräänä kauniina päivänä löydät one fine day you'll find **3** (lupaus: ironiaa) fine-sounding, pretty, fancy Kylläpäs osasit järjestää meidät taas kauniiseen soppaan, Stanley! This is another fine mess you've gotten us into, Stanley! luvata yhdeksän hyvää ja kymmenen kaunista promise the moon
kaunis kiitos high praise
kaunis kuin kesäpäivä lovely as a day in June
kaunistaa beautify, increase/enhance/improve/embellish your beauty Vaatimattomuus kaunistaa Modesty becomes one
kaunistelematon unadorned, unvarnished, unembellished
kaunistella 1 (itseään) beautify, (ark) do up **2** (totuutta) embellish, paint (something) in rosy colors, color (ark) doll up
kaunistus 1 beautification **2** adornment, decoration
kaunokirjailija writer, belletrist
kaunokirjallisuus literature, belles lettres
kaunokirjoitus cursive (writing)
kaunotar beauty
kaupalla 1 by ihmeen kaupalla by a miracle, miraculously sattuman kaupalla by chance, fortuitously taistella henkensä kaupalla fight for your life juosta henkensä kaupalla run for your/dear life pelastaa toveri henkensä kaupalla risk your life to save your buddy's kilokaupalla by the kilo tunti-/päivä-/viikko-/kuukausikaupalla for hours/days/weeks/months on end **2** käydä torilla marjan/marjoja kaupalla sell berries at the marketplace **3** vain sillä kaupalla että only on the condition that
kaupallinen commercial
kaupallistua become commercial(ized)
kaupallisuus commercialism
kaupan for sale, on the market
kaupankäyntiajat (tal) trading hours
kaupanpäällisiksi 1 (myös kuv) into the bargain, to boot Jos toimit heti, saat kaupanpäällisiksi tämän upean veitsisarjan! Plus, if you act now, we'll send you this elegant knife set, absolutely free! **2** (kuv) to crown it all, on top of everything else Hän oli kaupanpäällisiksi vielä tyhmä To crown it all, he was stupid
kaupantekiäiset ks kaupanpäällisiksi
kaupanteko 1 (kauppa) business, commerce, trade **2** (kaupankäynti) buying and selling, trading, dealing **3** (tietyn kaupan teko) closing (a deal),

transaction, sale **4** (kaupanhieronta) haggling, dickering, bargaining
kaupata (try to) sell, offer for sale, put on the market kaupata taloaan put your house up for sale
kaupitella peddle, hawk
kauppa 1 business, commerce, trade, (vars laiton) traffic kauppa-alalla in business/commerce/trade kangaskauppa the fabric business, trade in fabrics Miten kaupat sujuvat? How's business? kauppa käy business is good käydä kauppaa do business käydä kauppaa jonkun kanssa deal/trade with käydä kauppaa jollakin deal in, (loukkaavaa) traffic in ulkomaankauppa foreign trade huumekauppa drug traffic **2** (kaupankäynti) buying and selling, trading, dealing olla/laskea kaupan ks kaupan **3** (kaupanteko) deal, transaction, sale edullinen kauppa a good deal/bargain/buy hieroa kauppaa haggle, dicker, bargain, negotiate lyödä kaupat lukkoon close/cinch a deal purkaa kauppa cancel a deal saada tuttavan kauppaa get a good deal through a friend **4** (myymälä) store, shop käydä kaupassa go shopping pitää kauppaa own/keep/run a store **5** mennä/käydä kaupaksi, tehdä kauppansa sell (well), be a hot item, go like hotcakes **6** kaupalla by (ks hakusana)
kauppakamari chamber of commerce
kauppakorkeakoulu School of Economics, business/commercial college
kauppala township
kauppaoikeus 1 (oikeusala) commercial law **2** (tuomioistuin) commercial court
kauppaopisto commercial/business institute
kauppapolitiikka trade/commercial policy
kaupparatsu traveling salesman
kauppasaarto (trade) embargo
kauppatavara commodity, (mon) merchandise
kauppatiede commercial science
kauppias 1 (kaupan pitäjä) store-/shopkeeper, merchant **2** (kaupan tekijä) trader, trades(wo)man, dealer tukkukauppias wholesaler vähittäiskauppias retailer arvopaperikauppias bond dealer **3** (kaupittelija) vendor, peddler katukauppias street vendor
kaupungilla out on the town
kaupunginjohtaja city manager
kaupunginkamreeri city treasurer
kaupunginkirkko city church
kaupunginorkesteri city orchestra
kaupunginteatteri city theater
kaupunginvaltuusto city council
kaupunginvaltuutettu city council(wo)man
kaupungistua (alue) become urbanized, (ihminen) become urbane, (halv) become citified
kaupunki city, (pikkukaupunki) town, (suurkaupunkialue) (greater) metropolitan area, (kaupunkikunta) municipality
kaupunkialue metropolitan area
kaupunkilainen s urbanite, city dweller
adj urban, citified, municipal
kaupunkiseurakunta city parish
kaupustelija peddler, hawker
kaupustelu peddling, hawking
kaura oat(s)
kaurakeksi oatmeal cookie, (UK) biscuit
kaurapuuro oatmeal (porridge)
kauris 1 mountain goat **2** (astr) Capricorn
kausaalinen causal
kausi 1 age, era, epoch, period pronssikausi the Bronze Age barokkikausi the Baroque Era lepokausi rest period **2** (vaihe) stage, phase, period Meidän viisivuotiaalla on vaikea kausi menossa Our 5-year-old is going through a difficult time/stage/period **3** (sesonki) season sienikausi mushroom season hiljainen kausi the off season **4** (virkakausi) term of office Kekkosen kaudella during Kekkonen's presidency, during Kekkonen's term of office, while Kekkonen was president **5** tuntikausia for hours on end

kausijuoppo dipsomaniac
kausittain periodically, seasonally
kausittainen periodical, seasonal
kausityöttömyys seasonal unemployment
kautio security, collateral
kautta s way tätä kautta this way Mitä kautta mennään? Which way do we go? toista kautta another way, by another route
postp **1** (läpi) through, via, by (way of) Tie miehen sydämeen käy vatsan kautta The way to a man's heart is through his stomach Juna kulkee Jämsän ja Jyväskylän kautta Pieksämäelle The train goes via Jämsä and Jyväskylä to Pieksämäki Tulen kaupan kautta I'll be coming by way of the store suun kautta annettava lääke orally administered medicine **2** (kuv) by (means of), through Hän on minulle sukua äitini kautta I'm related to him through my mother yrityksen ja erehdyksen kautta by trial and error kuolla oman käden kautta die at your own hands, commit suicide vannoa kaiken pyhän kautta swear by all that's holy vannoa Luojan kautta swear to God vannoa äidin haudan kautta swear on your mother's grave prep through(out) kautta maan throughout the country, all over the country kautta aikojen all (down) through the centuries, throughout history
kauttaaltaan throughout, through and through
kauttakulku transit, passage Kauttakulku kielletty No through traffic, No trespassing
kautta linjan throughout, all down the line
kautta rantain in a roundabout way, indirectly puhua kautta rantain beat around the bush
kavahtaa 1 (säikähtää) start, jump kavahtaen with a start kavahtaa pystyyn jump to your feet, spring up with a start kavahtaa istualleen sit bolt upright **2** (varoa) beware (of) He eivät kavahda mitään keinoja They will stop at nothing
kavala 1 (vilpillinen) deceitful, two-faced, double-dealing, treacherous **2** (luihu) wily, sly, cunning, crafty
kavallus embezzlement
kavaltaa 1 (ihminen, maa tms) betray, sell (your country, vital secrets) out (to the enemy) **2** (rahaa tms) embezzle
kavaltaja 1 (ihmisen, maan tms) traitor **2** (rahan tms) embezzler
kavaluus deceit(fulness), double-dealing, treachery; wiliness, cunning, craftiness (ks kavala)
kaventaa 1 narrow, (suipentaa) taper kaventaa maalieroa narrow the lead **2** (ompelussa) take in (the seam) kaventaa housuja takaa take in a pair of pants in the back **3** (rajoittaa) restrict, curtail kaventaa kansalaisoikeuksia place restrictions on civil rights
kaventua 1 narrow, (suipentua) taper kärkeä kohden kaventuva lehti a leaf that tapers toward the tip **2** (tulla rajoitetuksi) be restricted/curtailed Kansalaisoikeutemme ovat nykyisen hallituksen aikana jatkuvasti kaventuneet Under the current administration our civil rights have been systematically curtailed
kaveri 1 (ystävä) pal, buddy, friend paras kaveri best friend, (musta sl) main man hyvä kaveri good buddy/friend tosi kaveri real pal **2** (mies) guy, fellow yksi kaveri this guy I know joku kaveri some guy Hei kaveri, annas markka! Hey buddy, you gotta a mark?
kaverukset (ark) pals, buddies erottamattomat kaverukset inseparable pals, bosom buddies
kaveta narrow (down), taper (off)
kavio hoof
kavuta climb kavuta ylös virkahierarkiaa climb up the ladder of promotion
kehdata 1 (kun kyse on kohteliaisuudesta ja röhkeydestä) En kehtaa ottaa enempää I wouldn't think of having any more, I've had enough already, I don't want to make a pig of myself, I've already had my share En kehtaa mennä sinne sisälle They don't want me in there, I don't belong in there, I'll just be

in the way in there Ettäs kehtaat puhua minulle noin! How dare you talk to me that way! Hän kehtaa mitä vain He'll do anything, he's brassy/brazen enough to do anything **2** (kun kyse on ylpeydestä ja häveliäisyydestä) Talo, jota kehtaa näyttää A house you're proud to show off, a house you don't have to be ashamed of En kehtaa mennä saunaan miesten kanssa! I'm too embarrassed/shy to take a sauna with men Mitä, etkö kehtaa näyttää vartaloasi? What, are you too modest to let people see you naked? **3** (kun kyse on omantunnon vaivoista) Miten kehtaat heittää hyvää ruokaa pois kun maailmassa nähdään nälkää? Don't you feel (at all) guilty/bad throwing good food away when people are starving in the world? Doesn't it bother you? How does your conscience let you do it? Ettäs kehtasitkin pettää minua! How could you cheat on me! How could you bring yourself to do it? **4** (murt) (kun kyse on viitseliäisyydestä ja laiskuudesta) En minä kehtaa sinne lähteä I don't feel like going, I'm too tired to go

kehdosta hautaan from cradle to grave

kehikko frame

kehite (valok) developer, developing bath (liuos)/agent (aine)

kehitellä 1 develop **2** (ajatusrakennelmaa: mielessään) evolve, work out/up; (muille) expound/elaborate (on), explicate

kehitteillä being developed, in the research/prototype stage

kehittely development

kehittymätön undeveloped **1** (maa) underdeveloped, backward, primitive **2** (ihminen: henkisesti) immature, childish; (fyysisesti) underdeveloped **3** (teoria tms) rudimentary, sketchy

kehittynyt 1 developed, advanced pitkälle/korkealle kehittynyt highly developed **2** (kypsä) mature täysin kehittynyt fully developed, full-grown

kehittyvä maa developing country

kehittyä 1 (kehiytyä: alkup merkitys) unravel, unwind **2** (tulla joksikin) develop/evolve/be transformed/mature/turn (into), become, grow up to become Hänestä on kehittynyt hyvä laulaja She's become a good singer, her voice lessons have transformed her into a good singer **3** (kypsyä, kasvaa) mature, grow, develop kehittyä fyysisesti mature/develop physically **4** (tulla paremmaksi) (make) progress, improve, get better Soittotaitosi kehittyy päivä päivältä You play better and better every day **5** (kehkeytyä) arise, ensue, come Mitä siitä kehittyykään? Whatever will come of it? Siitä kehittyi riita It provoked a quarrel, turned into an argument

kehittää 1 (kehiä, purkaa: alkup merkitys) unravel, unwind **2** (parantaa) develop, improve, advance **3** (kouluttaa) train, educate, cultivate kehittävä tv-ohjelma educational program on TV **4** (valok) develop **5** (fys: tuottaa) develop, generate kehittää lämpöä generate heat **6** (kuv: synnyttää) engender, breed kehittää vika develop a problem

kehityksellinen developmental

kehitys 1 (edistys) development, advancement, progress jäädä kehityksessä jälkeen lag behind in technological development **2** (kasvu) development, growth, maturation **3** (valok) developing Valokuvien kehitys tunnissa! One-hour photo service!

kehitysapu developmental aid

kehitysmaa developing country

kehitystankki (valokuvauksessa) developing tank

kehitysvammainen s (mentally/educationally/emotionally/developmentally) handicapped person; (ark halv) retard
adj (mentally/educationally/emotionally/developmentally) handicapped; (ark halv) retarded

kehkeytyä 1 develop (into/out of), come (out) of, turn into **2** (alkaa) arise, ensue Kadulla kehkeytyi tappelu A fight broke out on the street

kehno bad, poor, inferior; (ark) lousy, crummy
kehnosti badly, poorly
keho body, physical frame
kehonrakennus body-building
kehottaa 1 (pyytää) request/invite (someone to do something) **2** (ehdottaa) suggest/recommend (that someone do something) **3** (suostutella) prompt/urge/ exhort (someone to do something) **4** (neuvoa) advise/counsel (someone to do something) **5** (käskeä) order/ command (someone to do something)
kehotus 1 (pyyntö) request, invitation **2** (ehdotus) suggestion, recommendation **3** (suostuttelu: keskeisintä merkitysaluetta) prompting, urging, exhortation **4** (neuvo) advice, counsel **5** (käsky) order, command
kehruu spinning
kehrätä 1 (kehruukone, toukka) spin **2** (kissa) purr **3** (kirjailija) weave, put/pull together kehrätä romaanin juoni weave a plot for your novel
kehrääjä 1 spinner **2** (lintu) goatsucker **3** (perhonen) spinner moth
kehto 1 cradle (myös kuv) **2** (kasv) calycle, involucre
kehu Oma kehu haisee Stop blowing your own horn kehuja ja moitteita praise and blame
kehua 1 (toista) praise **2** (itseään) boast/brag (of/about) A: Miten menee? B: Ei ole kehumista A: How's it going? B: Not so hot, could be better, I've felt better Ei kannata kehua It's nothing to brag about, nothing to write home about kehua jotakuta maasta taivaaseen praise a person to the skies
kehuskella boast, brag, (isotella) swagger
kehuttava Eipä ole kehuttava It's not too good
kehys frame muodostaa jollekin kehykset provide a setting for (something)
kehyskertomus frame tale
kehystys framing
kehystämö picture-frame shop
kehystää frame kehystää tarinaa provide a setting for a story, frame a story
kehä 1 circle, ring kiertää kehää run in a circle, (kuv) go around in circles **2** (geom: ympärys) periphery, circumference **3** (geom ja rak: ulkoraja, aitaus) perimeter **4** (kehikko) frame, casing **5** (leikkikehä) playpen **6** (nyrkkeilykehä) ring **7** (heittokehä) circle **8** (päätä tai taivaankappaletta ympäröivä valoilmiö) halo **9** (ilmakehä) atmosphere **10** (isoa kaupunkia kiertävä tie) beltway **11** (kela) coil, spool
kehäpäätelmä circular reasoning
keidas oasis (mon oases)
keihäs 1 (hist) spear, (pistokeihäs) lance **2** (urh) javelin
keihästää spear, lance, stab/pierce (with a spear/lance)
keihäänheitto (lajina) javelin, (tekona) javelin throw
keihäänheittäjä javelin-thrower
keijukainen fairy, elf, pixie, sprite
keikahdella tip, tilt, rock (this way and that)
keikahtaa fall/tumble (down), tip/tilt/ topple (over); (vene) capsize Firma keikahti nurin The business went belly-up
keikailla strut, swank, play the dandy/ fop
keikari dandy, fop
keikaroida strut, swank, play the dandy/fop
keikauttaa 1 (nurin) tip/tilt/topple/ knock over, knock down **2** (edes takaisin) tip, tilt, rock, swing
keikka 1 (bändin tms) gig **2** (varkaan tms) job **3** (taksikuskin) fare
keikkua 1 (kävellä keikkuen) swing your hips/butt/ass **2** (keinua vedessä: hiljaa) rock, sway; (kovaa) toss, pitch and yaw **3** (heilua) rock, tilt, wobble keikkuva pöytä wobbly table keikkua tuolillaan tip/lean back in your chair **4** (tasapainotella) balance **5** (tanssia tms) dance, kick up your heels
keikuttaa (pyllyä) swing, (päätä) toss, (venettä) rock, (tuolia) tip, (pöytää) tilt, (pyrstöä) wag

keila 1 (keilailussa) (bowling) pin **2** (tekn) cone, taper **3** (kala) torsk
keilaaja bowler
keilahalli bowling alley
keilailu bowling
keilapallo bowling ball
keimailija flirt, coquette
keimailla flirt, coquet
keino 1 (menettelytapa) means, method, measure Tarkoitus pyhittää keinot The end justifies the means varma keino surefire method, tried and true expedient äärimmäiset keinot extreme measures viimeinen keino last resort yrittää kaikkia keinoja leave no stone unturned Hän ei kaihda mitään keinoja He'll stop at nothing Hätä keinon keksii Necessity is the mother of invention, where there's a will there's a way **2** (tapa) way Millä keinolla how, in what way jollakin keinolla somehow, in some way sillä keinoin thus, in this/that way
keinohedelmöitys artificial insemination
keinolla millä hyvänsä by hook or by crook
keinomunuainen kidney machine
keinosiemennys artificial insemination
keinotekoinen artificial
keinotella 1 (pörssissä) speculate (on the stock market), play the (stock) market **2** (keplotella) wheel and deal, connive, scheme
keinot ovat monet there's more than one way to skin a cat
keinottelija speculator, operator; (ark) wheeler and dealer
keinottelu (stock market) speculation
keinovalo artificial light
keinu (riippukeinu) swing, (keinutuoli) rocking chair, (keinulauta) seesaw, (ark) teetertotter
keinua 1 (riippukeinussa) swing, (keinutuolissa) rock, (keinulaudalla) seesaw, teetertotter **2** (tuulessa) sway, wave; (aalloilla) rock, sway, toss, pitch and yaw; (juopuneena) sway, totter, stagger; (maanjäristyksessä) shake, quake
keinutuoli rocking chair
keisari emperor Rooman keisari Caesar Venäjän keisari Czar Saksan keisari Kaiser pikkukeisari little Caesar
keisarikunta empire
keisarileikkaus cesarean section
keisarillinen imperial
keisarinna empress Venäjän keisarinna Czarina
keisarin uudet vaatteet the Emperor's new clothes
keittiö 1 (huone) kitchen **2** (ruoanlaittotapa) cuisine ranskalainen keittiö French cuisine
keittiöremontti remodeling your kitchen
keitto 1 (soppa) soup, (lihakeitto) stew, (liemi) broth **2** (keittäminen) cooking, making, boiling ruveta teen keittoon brew up some tea
keittokirja cookbook, (UK) cookery book
keittokomero kitchenette
keittola (school) kitchen
keittotaito cooking, cookery
keittäjä cook, (kone) cooker pontikan keittäjä moonshiner
keittää 1 (vettä tai vedessä) boil, (teetä) brew **2** (pontikkaa) brew **3** (ruokaa) cook keittää hiljaisella tulella simmer **4** (kuv: soppaa, suunnitelmaa) cook up Minkä sopan sä nyt olet keittänyt? What mess have you gotten yourself into this time? What trouble have you cooked up now? Mitä sinä olet nyt keittänyt kokoon? What plans have you cooked up this time? **5** (kuv: räjähtää) seethe, stew Mulla kohta keittää sun kanssas You're driving my crazy Hänellä keitti koko ajan He was seething **6** (jäähdytin) boil over
kekata 1 (keksiä) think up, hit (up)on Nyt mä kekkasin! Now I've got it! **2** (huomata) see, spot Kekkasin sut! I see you!
kekkerit party kahvikekkerit coffee klatch
keko muurahaiskeko anthill heinäkeko haystack kantaa kortensa kekoon add your two bits

kekseliäisyys inventiveness, ingenuity, resourcefulness
kekseliäs inventive, ingenious, resourceful
keksi 1 cracker, (piparkakku) cookie, (UK) biscuit **2** (koukku) boathook, gaff
keksijä inventor
keksintö 1 (uusi esine) invention **2** (löytö) discovery, finding **3** idea Tämä oli sinun keksintösi This was your idea
keksiä 1 (sepittää) think/make up, invent, fabricate, (ark) cook up Oletko itse keksinyt tuon? Did you make/think that up yourself? Se on keksitty juttu It's a made-up story, a fabrication Täytyisi keksiä joku juju We ought to think/cook up some gag, come up with some practical joke **2** (tehdä keksintö) invent Höyrykattila keksittiin vasta 1680 The steam boiler wasn't invented until 1680 **3** (havaita) see, spot, espy Nyt hän keksi meidät Now she's spotted us **4** (ymmärtää) realize, figure out, (come to) understand, get it Nyt minä keksin sen (= tajusin vitsin) Now I get it! **5** (löytää) find, discover keksiä uusi kyky discover a new talent
kekäle (fire)brand, (mon) embers
kela 1 (nauhurin tai heittouistimen) reel, (filmin) spool, (ompelukoneen) bobbin **2** (käämi) coil, (valssi) drum, cylinder, roll(er) **3** (vintturi) winch, winder; (mer) capstan, windlass
kelanauhuri reel-to-reel tape recorder
kelata reel (in/out), spool, coil, winch, wind (in) (ks kela)
keli 1 (ajokeli) road conditions liukas keli slippery road **2** (hiihtokeli) snow conditions hyvä hiihtokeli good snow for skiing
kelivaroitus traffic advisory (report)
kelju s beast, swine
adj beastly, nasty, mean, rotten
keljuilla be beastly/nasty/mean/rotten (to someone), pull nasty/mean/rotten/dirty tricks (on someone)
keljuttaa Minua keljuttaa tuollainen That really annoys me, that really gets my goat, really gets my dander up
kelkka 1 sled; (ohjaskelkka) bobsled, toboggan; (potkukelkka) kicksled kääntää kelkkansa do a complete aboutface/turnabout, change your colors, take another tack pudota kelkasta lose track, fall behind, get lost pysyä kelkassa keep up (the pace) **2** (tekn) carriage
kelkkailija sledder; (urh) bobsledder, tobogganer
kelkkailu sledding, bobsledding, tobogganing
kellari cellar, (kellarikerros) basement
kellastua (turn/become) yellow
kellertävä yellowish
kello 1 (ajastin) clock, (tasku-/rannekello) watch Kelloni edistää/jätättää My watch runs/is fast/slow Kello on kaksitoista It's twelve (o'clock), (yöllä) it's midnight, (päivällä) it's noon Mitä kello on? What time is it? Do you have the time? Kello on jo paljon It's getting late **2** (soitin) bell Nyt on toinen ääni kellossa Now he has changed his tune, now he's laughing out of the other side of his mouth **3** (rakkula) blister
kellokortti time card leimata kellokortti punch a time card
kello käy time's ticking away, you're wasting precious time/seconds kello käy neljää it's past three, going on four Kelloni käy perunoita My watch is way off
kellonaika time
kellonlyönti stroke of the clock
kelloseppä clocksmith/-maker, watchmaker
kellotaajuus (tietokoneen suorittimen) clock speed
kellua float (myös kuv)
kelluke (laiturin tms) pontoon, (lapsen) float
kelluva floating
kelmeä pallid, pale, wan
kelmi villain, scoundrel, knave; (run) varlet, blackguard; (ark) snake in the grass
kelo snag
kelpo 1 (kunnollinen) good, fine, decent kelpo mies good man, good lad, (US etelässä) good old boy **2** (kunnon)

good(ly), considerable kelpo summa rahaa a good/hefty/considerable amount of money kelpo löylytys a good/sound thrashing
kelpoinen 1 (sopiva) good, fit, suited, suitable **2** (pätevä) competent, qualified
kelpoisuus 1 (sopivuus) fitness, suitability **2** (pätevyys) competence, qualifications **3** (voimassaolo) validity
kelpoisuusehto condition of competence
kelpoisuustodistus certificate of competence
kelpuuttaa 1 (ark) accept, allow Kyllä sinut meidän joukkueeseen kelpuutetaan Sure, we'll take you on our team, we'll let you play on our side **2** (julistaa kelpaavaksi) declare (someone) qualified/competent; (tunnustaa kelpaavaksi) acknowledge kelpuuttaa joku seuraajakseen acknowledge someone as your successor **3** (vahvistaa) legitimate, (saattaa voimaan) validate **4** (valtuuttaa) empower, authorize
keltainen yellow
kelteisillään undressed, in the altogether/buff
keltuainen yolk
kelvata 1 (sopia) do, be fit/suitable/good enough/acceptable (for someone) Tämä ei kelpaa This simply will not do, is not acceptable Ainakin se minulle kelpaa It's good enough for me, anyhow Kelpaako se syötäväksi? Is it fit to eat, is it edible? **2** (tuntua hyvältä) Nyt tätä taloa kelpaa katsella Now the house is something to look at Kyllä meille nauru kelpasi We all had a good laugh Kyllä sinun kelpaa! Lucky you! You've got it so easy! **3** (olla voimassa) be valid Alennuskortti ei kelpaa tällä viikolla The discount card isn't valid this week
kelvollinen 1 (sopiva) fit (for), suitable (for), proper **2** (käyttökelpoinen) good enough (for), serviceable **3** (arvollinen) worthy (of doing something), fit (to do something) **4** (pystyvä) capable (of doing something), able (to do something)
kelvoton 1 (sopimaton) unfit, unsuited, unsuitable **2** (ala-arvoinen) unworthy, base, mean **3** (kykenemätön) incapable, unable; (tehoton) ineffective **4** (hyödytön) useless, good-for-nothing **5** (kehno) bad, poor, inferior, lousy
kemia chemistry
kemiallinen chemical
kemialliset aseet chemical weaponry
kemikaali chemical
kemisti chemist
kemoterapia chemotherapy
ken ks kuka
kengittää shoe
kenguru kangaroo
kengänkärki toe/tip of a shoe
kengännauha shoelace
kengännumero shoe size
Kenia Kenya
kenialainen s, adj Kenyan
kenkku 1 (kelju) (ark) beastly, nasty, mean, rotten **2** (ikävä) troublesome, bothersome, difficult, awkward
kenkkumainen ks kenkku
kenkuttaa (ark) Minua kenkuttaa tuollainen That really annoys me, that really gets my goat, really gets my dander up
kenkä shoe, (varrellinen) boot, (hevosen) (horse)shoe, (jarrukenkä) brake shoe Sano mistä kenkä puristaa Tell me where the shoe pinches, what the problem is, what's eating you kahdet kengät two pair(s) of shoes
kenkäharja shoebrush
kenkäpari pair of shoes
kenkäraja beat-up/worn-out/ broken-down shoe
kenkään ks kukaan
kenno 1 (mehiläiskenno) honeycomb **2** (tekn) element, cell aurinkokenno solar cell
kenossa tilted backwards niska kenossa (kuv) stiff-necked
kenraali general
kenraaliharjoitus dress rehearsal
kenties maybe, perhaps Kenties et pannutkaan ovea lukkoon Maybe you didn't lock the door after all, you may not have locked the door after all

kenttä 1 field **2** (eur jalkapallokenttä) ground, (US jalkapallokenttä) field, (baseballkenttä) diamond, (tenniskenttä) court **3** (taistelukenttä) battlefield **4** (tietok) array
kepeä light
keplotella wheel and deal, connive, scheme keplotella itselleen palkankorotus scheme/connive your way to a raise
keppi stick; (kävelykeppi) cane; (kurituskeppi) stick, cane, rod antaa jollekulle keppiä paddle someone with a stick, (UK koulu) give someone a caning, (euf) apply the rod to someone kokeilla kepillä jäätä test the water
keppihevonen hobby horse
kepponen prank, practical joke, gag, trick; (mon) mischief
kepulikonstilla by hook or by crook
kera with teetä keksien kera tea with/and cookies
keraaminen ceramic
keraamit high-tech ceramics
keramiikka ceramics, pottery
kerettiläinen s heretic adj heretical
kerettiläisyys heresy
kerho club
keritä 1 (ehtiä tehdä) have/find (the) time (to), (ehtiä perille) make it/get somewhere on time, (kiirehtiä) hurry, make haste Tulen kun kerkiän I'll come when I can Miten tuo lapsi kerkiää joka paikkaan! How does that child manage to keep getting into everything at once? **2** (lammasta) shear
keriä 1 (kerälle) wind, (auki) unwind **2** (uimahypyssä) tuck (your legs in) kerien with a tuck **3** keriä peukaloitaan twiddle your thumbs
kerjuu begging
kerjäläinen beggar
kerjätä 1 beg kerjätä leipää beg for bread kerjätä armoa beg for mercy **2** kerjätä turpiinsa ask for a knuckle sandwich kerjätä hankaluuksia look/ask for trouble, ask for it Sinä kerjäät selkääsi! You're cruising for a bruising!
kerma cream (myös kuv) kuoria kerma skim off the cream
kermakko creamer
kernaasti gladly Saat kernaasti tulla We'd love to have you come, I'd be happy to have you come A: Ulos! B: Kernaasti! A: Out! B: Gladly!
kerrakseen 1 (tarpeeksi) plenty, (more than) enough Siinäpä ihmettelemistä kerrakseen That's plenty to wonder at **2** (täksi kerraksi) for now, for the time being, for the present Se riittääkin kerrakseen That'll do for now, for the time being
kerrallaan at a time vähän kerrallaan a little at a time, little by little yksi kerrallaan one at a time, one by one
kerran once kerran vuodessa once a year, annually Hän kävi kerran, ei sen jälkeen He came once, never again jos kerran haluat if you insist, if you really want (to) kun kerran since sen kerran just that once, only then toisen kerran again vain tämän kerran just this once
kerrankin for once Sano kerrankin suoraan, mitä tarkoitat For once tell me exactly what you want to say
kerrankos is it rare? Kerrankos sellaista sattuu It happens
kerrassaan absolutely, positively, simply kerrassaan mainio absolutely wonderful kerrassaan mahdotonta utterly impossible
kerrasto set of underwear
kerrata 1 (lankaa) twine, twist **2** (eilistä läksyä) review, (UK) revise, (päivän tapahtumia) go over/through **3** (kysymystä) repeat
kerroin 1 (mat) coefficient, (fys) factor, (ark) rate **2** kaksin kerroin twice (as much)
kerroksittain layered, in layers; (geol) stratified, in strata
kerronta narration suora/epäsuora kerronta (kiel) direct/indirect speech
kerros 1 layer, (taso) level **2** (talossa) floor, story toisessa kerroksessa on the second floor (UK first floor) **3** (geol ja sos) stratum eri yhteiskuntakerroksissa in various social strata
kerrosala square fottage per floor

kerroskuvaus (lääk) tomography, CAT scan
kerrostua stratify, be(come) stratified
kerrostuma layer, stratum
kerrotaan että it's said that
kerro terveisiä send my regards/ greetings (to), say hello (to)
kersantti sergeant
kerskailija boaster, braggart
kerskailla boast, brag, (isotella) swagger
kerskailu boasting, bragging, braggadocio
kerskata boast, brag
kerta time kaksi kertaa parempi twice as good, two times better kaksi kertaa kaksi on neljä two times two is four, (UK) twice two is four Älä enää kertaakaan sano noin Never say that again Kerta se on ensimmäinenkin There's always a first time Kolmas kerta toden sanoo The third time's the charm panna kerrasta poikki make a clean break
kertaalleen once soittaa kappale kertaalleen läpi play the piece through once
kertaheitolla in one (shot/try) Osuin kertaheitolla I made it in one (shot/try)
kerta kaikkiaan 1 (kerrassaan) absolutely, positively, simply **2** (lopullisesti) once and for all
kertakaikkinen 1 (täydellinen) absolute, complete, total Hän on kertakaikkinen tomppeli He's a total idiot **2** (yhden kerran tapahtuva) once-off, once-for-all
kerta kerralta each/every time Hinta nousee kerta kerralta Each time the price goes up
kerta kerran perään each time, every time, time after time, time and time again
kertakäyttöinen disposable
kertakäyttötavara disposable item/ goods/merchandise
kerta toisensa jälkeen time and again, time after time, over and over, one time after another
kertaus repetition; (koululäksyjen) review, (UK) revision; (mus) repeat
kertausharjoitus (sot) (military) refresher course
kertaus on opintojen äiti repetition is the mother of learning
kertautua recur, be repeated
kertoa 1 (asia) tell/inform (someone) Kerro! Tell me! Huhu kertoo että Rumor has it that, the word on the street is that Älä kerro kenellekään Don't tell a soul (about this), don't breathe a word (of it) to anyone **2** (tarina) tell, narrate, relate **3** (mat) multiply Kerro seitsemän viidellä Multiply seven by five
kertoa juttuja spin yarns, tell tall tales
kertoja 1 narrator, storyteller **2** (mat) multiplier
kertomakirjallisuus narrative literature
kertomus 1 narration, tale, story **2** (selonteko) report
kertosäe chorus, refrain
kertynyt korko accrued interest
kertyä (työtä) pile up, (rahaa) accumulate, (korkoa) accrue
kerubi cherub
kerä ball purkaa kerältä unwind käpertyä keräksi roll up in a ball
kerällijä collector
keräkaali (head) cabbage
keräsalaatti head lettuce
kerätä gather, collect kerätä postimerkkejä/ajatuksiaan collect stamps/ your thoughts kerätä pölyä/palasia gather dust/the pieces
keräys collection, (fund-raising) drive panna pystyyn keräys start a collection (for), start raising funds (for); (ark) pass the hat (for)
kerääntyä 1 (ihmiset) get/come/ gather together, meet, assemble **2** (sotku tms) pile/build up, accumulate
kesanto fallow jättää kesannolle (pelto) leave lying fallow, (kuv) neglect
kesiä peel
keskeinen central
keskekytyksettä uninterrupted(ly)
keskellä adv in the middle, (keskipisteessä tai keskustassa) in the center Tule sinä keskelle You come sit in the

middle/center, we want you to sit between us
postp ja prep in the middle of, (keskipisteessä tai keskustassa) in the center of, (keskuudessa) in their/our midst, (kahden keskellä) between them joutua keskelle mellakkaa find yourself right in the midst of the riot(ing) keskellä vuoristoa in the mountains keskellä talvea in mid-winter keskellä merta in mid-ocean
keskellä kirkasta päivää in broad daylight
keskellä kirkon mäkeä in front of God and everybody
keskemmällä closer to the middle/center
keskempänä closer to the middle/center
kesken adv **1** Työ on vielä kesken The job isn't finished/done yet, we've still got more to do **2** He lähtivät kesken pois They left in the middle, before the end, before they finished loppua kesken run out (of) **3** Sari meni kolmannella kuulla kesken Sari miscarried in the third month, lost her baby in the third month
postp ja prep **1** (välillä, keskuudessa: kahden) between, (useamman) among Jääköön tämä meidän kahden kesken Let's let this be our secret, this is just between you and me, between you, me, and the lamppost ystävien kesken among friends **2** (ennen loppua) in the middle (of) kesken iloisinta leikkiä right when we were having the most fun
kesken aikojaan before your time, too early/young, prematurely kuolla kesken aikojaan die young, die before your time
keskeneräinen (loppuunsuorittamaton) unfinished, uncompleted; half-finished, half-done Tämä työ jäi sinulta keskeneräiseksi! You didn't finish this (up)!
kesken kaiken 1 right in the middle (of everything) **2** (yllättäen) suddenly, abruptly, without warning, out of the clear blue sky **3** (asiasta toiseen) by the way, while I remember
keskenkasvuinen half-grown
keskenmeno miscarriage
keskenään jakaa keskenään divide (something up) between the two of us/them, among the three/four/jne of us/them vaihtaa keskenään trade with each other, interchange (something)
keskeyttää 1 interrupt keskeyttää keskustelu interrupt a conversation, cut/break in on a conversation, cut the conversation short **2** (urh: juoksu) drop out, quit **3** (matka) break keskeyttää matkansa Denverissä stop over in Denver **4** (raskaus) abort **5** (oma toiminta) discontinue keskeyttää ydinkokeet discontinue nuclear testing **6** (oikeudenkäynti) stay **7** (opintonsa) drop out (of school)
keskeyttää työt 1 (tehdäkseen jotain muuta) stop/quit working, leave off working, take a break (from work) **2** (lakolla) go on strike, walk out
keskeytyksissä stopped, at a halt/standstill
keskeytymätön uninterrupted, continuous, continual
keskeytys 1 interruption **2** (tauko) break **3** (pysähtyminen) stoppage, standstill, cessation sotatoimien keskeytys cessation of hostilities työn keskeytys work stoppage **4** (raskauden) abortion **5** (matkan) stopover
keskeytyä 1 be interrupted/discontinued, stop, cease, break off **2** (jäädä kesken) be left undone/unfinished/incomplete
Keski-Afrikan tasavalta Central African Republic
keskiaika the Middle Ages
keskiaikainen medieval
keskiamerikkalainen s ja adj Central American
keskiansio average income
keskiaste secondary level
keskiasteen koulutus secondary education
keskieurooppalainen s ja adj Central European
keski-ikä middle age
keski-ikäinen middle-aged

keskijohto (yrityksessä) middle management
keskikokoinen midsize(d), medium-sized
keskikulutus (auton) average mileage
keskiluokka 1 (yhteiskuntaluokka) middle class, bourgeoisie **2** (laatuluokka) medium-level/-grade
keskiluokkainen middle-class, bourgeois
keskimmäinen middle, the one in the middle keskimmäinen lapsi middle child keskimmäinen talo the house in the middle
keskimäärin on average maksaa keskimäärin 1000,- cost an average of 1000 marks ampua keskimäärin 20 maalia vuodessa average 20 goals a year
keskimääräinen average, mean
keskinkertainen 1 (halv) mediocre, second-rate **2** (tavallinen) average, ordinary
keskinopeus average speed
keskinäinen mutual; (sopimus) reciprocal, bilateral keskinäinen ihailu mutual admiration keskinäinen riippuvuus mutual dependence, interdependence, codependency
keskipakovoima centrifugal force
keskipiste center (point), focus olla huomion keskipisteenä be the center of attention, be in the limelight
keskipäivä midday, noon
keskisarja middleweight
keskisormi middle finger näyttää keskisormea give someone the finger, flip someone the bird
keskisuomalainen s Central Finn adj Central Finnish
keskitaso medium-level/-grade, average keskitason oppilas average student keskitasoa parempi/huonompi oppilas above/below-average student
keskitasoinen medium-level/-grade, average
keskitetty 1 (pol) centralized **2** (sot ym) concentrated
keskitetty tuloratkaisu centralized incomes policy agreemet
keskitetysti (yhteen kohteeseen) focally, (yhdessä) concertedly, (keskittyneesti) with concentration
keskitie middle of the road (myös kuv) kultainen keskitie happy medium keskitien kulkija the (very) soul of moderation
keskittyminen concentration, centralization
keskittymiskyky (power of) concentration Sinulla on hyvä keskittymiskyky You've got good concentration
keskittyä 1 (syventyä) concentrate **2** (kohdistua) (be) concentrate(d), center, focus **3** (pol) centralize
keskittää 1 (huomio tms) concentrate, focus, direct **2** (pol) centralize keskittää terveydenhoito centralize health care keskittää valta omiin käsiinsä hold the reins of power in your own hands **3** (sot: tulitusta) concentrate, (joukkoja) mass **4** keskittää peli tietyn pelaajan ympärille center/build a play around a particular player
keskitys 1 (sot ym) concentration **2** (pol) centralization
keskitysleiri concentration camp
keskiviikko Wednesday
keskiviikkoinen Wednesday('s)
keskiviikkoisin Wednesdays, on Wednesday
keskiviiva center/median line
keskiyö midnight
keskiäänikaiutin midrange driver
keskiö center, core
keskonen premature baby, (ark) preemie
keskoskaappi incubator
keskus 1 (keskiosa) center, (maali) bull's eye **2** (sisus) heart, kernel, core **3** (keskusta) (city/town) center, downtown, (slummiutunut) inner city **4** (keskuspaikka) (cultural/industrial/financial jne) center **5** (puhelinkeskus) switchboard **6** (ark: keskuksenhoitaja) (switchboard) operator
keskusantenni communal antenna (system)

keskushermosto central nervous system
keskushyökkääjä center (forward)
keskusjärjestö central organization
keskuslämmitteinen centrally heated
keskuslämmitys central heating
keskusrikospoliisi Central Criminal Police
keskussairaala central/general hospital
keskusta 1 (kaupungin) (city/town) center, downtown, (slummiutunut) inner city **2** (sisus) heart, kernel, core **3** (puolue) Center Party
keskustapuolue Center Party
keskustella 1 talk (about/over), converse (on), discuss, have a conversation/discussion Siitä asiasta emme keskustele That subject is off-limits/taboo, that subject is not open to discussion keskustella jostakin discuss something, talk something over **2** (neuvotella) confer, consult, negotiate, (pohtia) deliberate **3** (väitellä) debate, argue
keskustelu 1 talk, conversation, discussion **2** (neuvottelu) conference, consultation, negotiation, deliberation **3** (väittely) debate, argument
keskustietokone mainframe, mainframe computer
keskusyksikkö (tietokoneen) central processing unit, CPU
keskuudessa among, amid, with, in (someone's) midst suosittu eläkeläisten keskuudessa popular with the geriatric set
kestikievari inn, hostel
kestit party; (juhla-ateria) banquet, feast
kestittää ks kestitä
kestitä 1 (viihdyttää) entertain **2** (huolehtia) take (good) care of, see to **3** (olla vieraanvarainen) extend your hospitality to, be a good host to
kesto 1 (aika) duration, length of time **2** (mus) quantity **3** ks kestävyys
kestomuovi thermoplastic
kestävyys 1 (lujuus) endurance, durability, strength rakkauden kestävyys the strength/durability of love, the staying power of love **2** (peräänantamattomuus) persistence, pertinacity, tenacity, stamina Vuorikiipeily vaatii kestävyyttä Mountain-climbing requires persistence/stamina, takes patience
kestävä 1 (järkkymätön) lasting, steadfast, abiding kestävä luottamus steadfast trust kestävä rauha lasting peace kestävä rakkaus abiding love **2** (kestää tietyn ajan) long viikon kestävä seminaari week-long seminar kaksi päivää kestävä inventaari two-day inventory **3** (vahva) strong, durable, long-lasting, hardy kestävät housut strong/durable pants **4** (kestää jotakin) kylmää/lämpöä kestävä cold-/heat-resistant toimia arvostelua kestävällä tavalla act in a way that will withstand criticism, not leave yourself open to criticism pesunkestävä liberaali died-in-the-wool liberal
kestää 1 (kannattaa) carry, bear Se ei kestä sinua That won't hold you, won't bear your weight **2** (olla murtumatta) bear, (with)stand, stand up under Se ei kestä vertailua (tämän kanssa) It doesn't compare (with this), it can't beat this, can't match up to this Se ei kestä lähempää tarkastelua It won't stand up to closer scrutiny/inspection **3** (sietää) bear, stand, stomach En kestä (nähdä) tuota miestä I can't stand/bear/ stomach (the sight of) that man **4** (pysyä lujana) bear up, put up with, take kestää kiusaus(ta) resist temptation Miten olet kaiken kestänyt? How did you put up with all of that? En kestä enää I can't take it any more, I can't go on kestää kuin mies take it like a man Mies kyllä kestää A man can take it **5** (kärsiä) suffer, go through Hän on saanut kestää paljon He's had to go through a lot, he's suffered a lot, it's been a tough time for him **6** (selviytyä: ihminen) survive, endure, manage, last (out), (linnake tms) hold out Kestänköhän näitä juhlia iltaan saakka? How am I going to survive this party till evening? How will I ever make it through this party till evening? Täytyy kestää loppuun saakka

We've got to endure it till the end, stick it out till the end, see it through to the end Kestävätkö uudisasukkaat siihen asti kunnes ratsuväki saapuu? Can the settlers hold out until the cavalry arrives? **7** (jatkua) last, continue, (viedä) take Kuinka kauan tämä vielä kestää? How much longer is this going to last/go on/continue/take? ohjelman kestäessä during the program Sadetta kesti koko viikon The rain came down all week, didn't let up all week **8** (pysyä käyttökelpoisena) (out)last Se kestää minun aikani It will outlast me
kestää kiittää Ei kestä kiittää! Don't mention it! Not at all! You're welcome! It was nothing!
kestää kritiikkiä **1** Hän ei kestä kritiikkiä (ei salli) He won't put up with criticism, (masentuu siitä) he can't bear to be criticized **2** Se ei kestä kritiikkiä It won't stand up under criticism, withstand criticism
kestää tulikoe withstand/survive an ordeal
kestää vertailua compare (with), (with)stand comparison (with)
kesy tame, domestic(ated)
kesyttää tame, domesticate; (kuv) tame, subdue, break (someone's spirit)
kesyyntyä become tame
kesä summer
kesäaika daylight saving time siirtyä kesäaikaan go on daylight saving time
kesäapulainen summer hire
kesäasunto summer place/house/cottage
kesähuvila summer cottage
kesäinen summer(y)
kesälaidun (kuv) summer stamping grounds
kesäloma summer vacation, (UK) holidays; (parlamentin) summer recess
kesälukukausi summer term: (kun se on vuoden kolmas) summer semester, (kun se on vuoden neljäs) summer quarter
kesämökki summer cottage
kesänvietto spending the summer
kesänviettopaikka summer place
kesäpäivä summer('s) day
kesärengas summer tire
kesäsiirtola country summer camp
kesäteatteri summer theater
kesät talvet all year round
kesäyliopisto summer university
kesäyö summer('s) night
ketarat legs maata ketarat pystyssä lie flat on your back
ketju **1** chain (myös kuv) muodostaa ketju form a chain, (käsistä pitämällä) join/link hands **2** (tapahtumien) series, (järvien) string, (vuorten) range **3** (kaulaketju) necklace **4** (tietok) chain(ed list)
ketjukolari multi-car collision, (ark) pile-up
ketjulaulu round
ketjumakro (tietok) chained macro
ketjupolttaja chain smoker
ketjureaktio chain reaction
ketjuveto chain tow
ketsuppi ketchup, catsup
ketterä **1** nimble, quick **2** (notkea) agile, limber **3** (kätevä) handy
kettinki chain
kettiökone kitchen appliance
kettu fox (myös kuv)
keuhko lung huutaa keuhkojen täydeltä shout at the top of your lungs
keuhkokuume pneumonia
keuhkopussi pleura(l membrane)
keuhkorakkula air-cell
keuhkosyöpä lung cancer, cancer of the lung(s)
keuhkotauti tuberculosis
keula **1** (veneen) bow **2** (kuv: jonon tms) head, front
kevennys (kuorman) lightening, (mielen) relief
keventyä **1** (kuorma) become lighter **2** (mieli) (be put at) ease, be relieved/reassured **3** (ilmapiiri) lighten/liven up
keventää **1** (kuormaa) lighten **2** (mieltä) relieve, ease, soothe **3** (ilmapiiriä) lighten up, enliven
keveä light keveällä mielin lighthearted(ly), in buoyant spirits, feeling happy/light-hearted
kevyt **1** light kevyt ruokavalio/ateria light diet/meal kevyt tykistö/joukko light

artillery/brigade kevyt takki lightweight jacket **2** (hento) frail **3** (hellä) gentle **4** (ketterä) nimble, agile **5** (helppo) light, easy **6** (vähäkalorinen) light kevyt jogurtti/margariini light yogurt/margarine kevytmaito two-percent milk
kevytkenkäinen loose, fast, wanton, promiscuous
kevyt kuin höyhen light as a feather
kevytmetalli light alloy
kevytmielinen 1 (huikenteleva) frivolous, (kevytkenkäinen) loose, fast **2** (leväperäinen) irresponsible, careless, thoughtless
keväinen spring
kevät spring
kevätaurinko spring sun(shine)
kevätilma spring air
kevätjuhla end-of-the-school-year celebration
kevätkylvö spring sowing/planting
kevätkyntö spring plowing
kevätlukukausi spring term: (kun se on toinen kahdesta) spring semester, (kun se on kolmas kolmesta) spring quarter
kevättalvi late winter
kevättalvinen late-winter
kevättulva spring flood(ing)
kevätvilja spring grain
kevätväsymys spring fever
kevväämmällä closer to spring, later in the winter
kg kilogram, kg
kide crystal
kidesokeri granulated sugar
kidukset gills
kiduttaa torture, (piinata) torment
kidutus torture, (piina) torment
kiehahtaa (vesi) come to a boil, (veri) boil
kiehauttaa bring to a boil
kiehkura 1 (kutri) curl, lock **2** (savun) wisp, wreath **3** (seppele) wreath, (vanh) garland
kiehtoa 1 (kiinnostaa) fascinate, captivate Kieli kiehtoo minua I'm fascinated by language, language fascinates me **2** (lumota) charm, bewitch, enchant
kiehtova 1 (kiinnostava) fascinating, captivating **2** (lumoava) charming, enchanting kiehtova nainen charming/enchanting woman
kiehua omassa liemessään stew in your own juice
kiehumispiste boiling point
kiekko 1 (yl ja tekn) disk, disc soittaa 60-luvun kiekkoja (ark) play some of those golden discs/platters/oldies from the 60s **2** (urh) discus, (jääkiekko) puck, (savikiekko) clay pigeon pitkä kiekko icing **3** (kirjoittimen tai kirjoituskoneen) daisy wheel
kiekkokirjoitin daisy-wheel printer
kiekonheitto (laji) discus, (teko) throwing the discus
kiekonheittäjä discus thrower
kiekua crow, (kuv) screech, holler
kieleke 1 (vaatteen repeytynyt) flap **2** (maan) jut, (kallion) promontory **3** (kasv) ligule
kielellinen linguistic
kielellinen vähemmistö linguistic minority
kielellisesti linguistically; (sanallisesti) verbally, in words
kielenhuolto language hygiene, concern for the purity of the (a) language
kielen kostuketta something to wet your whistle
kielenkääntäjä translator valantehnyt kielenkääntäjä sworn/certified translator
kielenopetus language teaching
kieli 1 language, tongue puhuttu/kirjoitettu kieli spoken/written language äidinkieli native language/tongue, mother tongue ammattikieli, erikoiskieli jargon puhua kielillä speak in tongues opiskella vieraita kieliä study foreign languages tietokonekieli computer language, programming language **2** (puhetapa) (manner of) speech, style, accent; (kuv) tongue liukas kieli glib tongue terävä kieli sharp tongue **3** (anat) tongue Vesi herahtaa jo kielelleni My mouth is watering already purra kieltä bite your tongue hillitä kielensä

hold your tongue sulaa kielellä melt in your mouth piestä kieltään wag your tongue, beat your gums olla/pyöriä kielen päällä be on the tip of your tongue näyttää jollekulle kieltään stick out your tongue at someone olla kieli pitkällä jonkun perään pant after someone naudan kieli beef tongue **4** (ääni) voice kuulla sorakieliä hear grumbling, hear mutters/ voices of disagreement Pahat kielet kertovat Rumor has it **5** (viulun tms) string koskettaa ihmissielun herkimpiä kieliä pluck at your heartstrings **6** (kellon) striker, clapper **7** (vaa'an) needle, pointer olla vaa'ankielenä tip the balance **8** (lukon) bolt **9** (kengän) flap **10** (tulen) tongue, flame olla kuoleman kielissä be at death's door

kielialue speech region

kielikello (kantelija) tattletale, (juoruilija) gossip

kielikorva ear for languages

kielikuva 1 (metafora) figure of speech, trope, metaphor **2** (kuvallinen ilmaisu) (verbal) image

kielilläpuhuja speaker in tongues, glossolalist

kieliopillinen grammatical, syntactic

kielioppi grammar, syntax

kielipää Hänellä on hyvä kielipää He learns foreign languages quickly/ easily, he's got a good head for languages

kieliryhmä language family

kielitaidoton ignorant of a language Hän on täysin kielitaidoton He can't speak a word of the language

kielitaito language ability/proficiency, command of a language

kielitaitoinen proficient/good at a language

kielitiede linguistics

kielitieteilijä linguist

kielivoimistelu verbal gymnastics

kieli vyön alla puffing and blowing juosta kieli vyön alla run like the devil

kieliä 1 (kannella) tattle, snitch, squeal **2** (ilmaista) show, reveal Yrität esittää huoletonta, mutta kasvosi kielivät jotain muuta You're trying to make us think you haven't a care in the world, but your face tells a different story

kielteinen negative

kielteisesti negatively

kielteisyys negativity; (nurja asenne) bad attitude

kieltenopettaja language teacher

kieltenopetus language teaching

kielto 1 (kieltäminen) refusal, denial **2** (kieltomääräys) prohibition, ban **3** (kiel ja filos) negation

kieltolaki Prohibition

kieltomuoto negative form

kieltämättä undoubtedly, unquestionably, no/without doubt/ question

kieltäymys self-denial, renunciation; asceticism

kieltäytyä 1 (torjua) refuse, reject, decline kieltäytyä avusta refuse someone's (offer of) help kieltäytyä auttamasta refuse to help (someone) kieltäytyä tarjouksesta reject/decline an offer kieltäytyä ehdokkuudesta decline a nomination **2** (luopua) do without, renounce, abstain (from)

kieltää 1 (olla sallimatta) forbid Kiellän sinua lähtemästä tästä talosta! I forbid you to leave this house! **2** (sensuroida) ban **3** (olla antamatta) refuse, deny kieltää joltakulta apunsa refuse/deny someone your help, refuse to help someone Enhän pysty kieltämään sinulta mitään! I can't deny you anything, I can't hold anything back from you, I can't say no to you, (run) I cannot say you nay **4** (olla tunnustamatta) deny Et voi kieltää, etteikö se olisi käynyt mielessä You can't deny that it occurred to you, don't tell me it never even crossed your mind **5** (usko) renounce **6** (velka) repudiate, (velvoite) decline **7** (kiistää: väite) dispute, controvert; (testamentti) contest

kieltää syyllisyytensä plead not guilty

kiemura 1 (tukan) curl, lock **2** (savun) wisp, wreath **3** (tien, joen tms) bend, curve **4** politiikan kiemurat the ins and outs of politics

kiemurrella 1 (koukerrella) meander, twist and turn, wind, weave Joki virtaa kiemurrellen tasangon läpi The river meanders (its way) across the plain **2** (kiipeillä) wind, twine, climb Köynnökset kiemurtelivat kuistikon pylväissä The vines wound around the columns on the veranda **3** (luikerrella) wind, wriggle Käärme kiemurtelee heinikossa The snake winds its way through the tall grass **4** (rimpuilla) wriggle, writhe, squirm kiemurrella tuskissaan writhe in agony kiemurrella häpeissään squirm with embarrassment **5** (pyrkiä kierrellen johonkin) wriggle/worm your way/ yourself (into/out of something) Turha kiemurrella velvollisuuksistasi! It's no use trying to wriggle/worm your way out of your responsibilities! kiemurrella jonkun suosioon worm your way into someone's heart/favor Älä kiemurtele vaan sano totuus! Don't hem and haw, just tell me the truth! Don't try to wriggle out of it, tell me the truth!

kiero 1 (vääntynyt) deformed, warped, twisted, crooked katsoa kieroon look crosseyed, cross your eyes; (pysyvästi) be cockeyed **2** (epärehellinen) crooked, corrupt, fraudulent umpikiero crooked as a three-dollar bill kieroa peliä foul play, dirty pool **3** (ovela) cunning, sly, foxy **4** (vääristynyt) false, distorted katsoa kieroon lasten temppuja frown on the kids' pranks **5** (epäoikeudenmukainen) unfair, unequitable kierot maanomistussuhteet unfair ownership of land

kieroontunut 1 (fyysisesti) deformed, warped, twisted, crooked **2** (henkisesti) twisted, perverted, warped

kierosilmäinen crosseyed, cockeyed

kieroutua 1 (fyysisesti) be twisted/ warped/crooked **2** (henkisesti) get/ become twisted/perverted/warped

kierre 1 (ruuvin tms) thread(s) Tästä ruuvista on mennyt kierre This screw's got stripped threads **2** (langan tms) tist, twine **3** (syöksykierre) nosedive, (down)spin, vicious circle, catch-22 joutua velkakierteeseen get trapped in the vicious circle of debt joutua viinakierteeseen shuttle back and forth between drunkenness and the sober shakes, plunge into the nosedive of alcoholism **4** (urh) spin sivukierre sidespin takakierre backspin kierresyöttö (baseballissa) curveball **5** (tal) spiral inflaatiokierre inflationary spiral

kierrellä 1 (kulkea ympyrää) circle (around), (lintu) wheel **2** (kulkea sinne tänne) wind, meander **3** (kulkea paikasta toiseen) roam, wander kierrellä maita ja mantereita roam far and wide, follow your footsteps **4** (kulkea ympäri) circle, go/step around, avoid kierrellä saarta circle/go around the island kierrellä lätäköitä go around/avoid puddles **5** (karttaa) avoid, tay out of (someone's) way kierrellä kaukaa give a wide berth to, keep your distance from **6** (vältellä) evade, dodge kierrellä ja kaarrella hem and haw, beat around the bush vastata kiertelemättä give a straight answer vastata kierrellen answer evasively, give an evasive answer, evade the question **7** (olla liikkeellä) circulate, make the rounds Kierteli sellainen huhu että There was a rumor making the rounds to the effect that, Rumor had it that

kierros 1 (ajelu) spin Lähdetkö pienelle kierrokselle? Do you want to go out for a little spin, take a little spin? **2** (kävely) walk, turn, stroll tehdä kierros puistossa take a turn/stroll in the park **3** (ratakierros) lap ohittaa joku kierroksella lap someone **4** (poliisin) beat **5** (lääkärin/postinkantajan tms) round Tohtori on kierroksella The doctor is making his rounds **6** (tarjoilu-/ neuvottelukierros, kierros golfia/ kortteja) round Minä tarjoan seuraavan kierroksen The next round is on me Miltä tuntuisi kierros golfia? Are you up to a round of golf? **7** (ympyrä) circle, cycle tehdä täysi kierros come full circle viiden vuoden kierros five-year cycle **8** (kiertotie) circuit(ous route), roundabout way, detour tehdä kierroksia epätasaisen maaston vuoksi make detours due to the uneven terrain **9** (kierto: radalla) orbit, (ympäri) rotation **10** (moottorin)

revolution, (ark) rev Kyllä tästä moottorista kierroksia löytyy This engine's got power to burn lisätä kierroksia rev it up kierrosta minuutissa revolutions per minute, rpm's
kierrosaika (urh) lap time
kierrosluku number of revolutions; (ark) revs
kierroslukumittari (autossa) tachometer, (ark) tach
kierrättää 1 (vierasta) take (someone) all over, show him/her the sights **2** (estettä) send/direct (someone) around (an obstacle, the long way) **3** (turhaan) send someone on a wild goose chase **4** (vaatteita/ sanomalehtiä/ lasia jne) recycle
kierrätys (jätteiden) recycling
kierteinen 1 (ruuvi) threaded **2** (kierukkamainen) spiral, helical, helicoid, voluted **3** (kiertynyt: lanka tms) twisted, (sarvi) whorled
kierto 1 (pyöritys) turn(ing), twist(ing), screw(ing) vartalon kierto twisting the body **2** (fys: vääntö) torsion, (vääntömomentti) torque **3** (pyörintä ympäri) rotation, gyration, spin(ing), whirl(ing) maapallon kierto the earth's rotation **4** (kulku radalla) orbit **5** (veren, veden, rahan, kirjeen tms) circulation **6** (kaarros, kiertotie) detour Meille tuli nyt kilometrin kierto We're going to have to go a kilometer out of our way, make a detour of about a kilometer **7** (samoilu) roaming/roving/rambling (around) kierto Lapissa backpacking/ hiking across Lapland **8** round Lääkäri on kierrolla The doctor is making his/her rounds **9** (välttely) evasion, avoidance kysymyksen kierto evading the question, evasive answer, evasion
kiertoilmaus 1 (lievempi ilmaus) euphemism **2** (laajempi ilmaus) periphrase, circumlocution
kiertokirje circular (letter)
kiertokulku 1 circuit, circle, circular motion **2** (rahan tms) circulation **3** (vuodenaikojen) cycle **4** (elämän) course
kiertorata orbit
kiertoteitse circuitously, in a roundabout way/manner, indirectly
kiertotie detour
kiertue 1 (matka) tour **2** (seurue) touring company
kiertyä turn, twist, wind kiertyä vasemmalle turn/veer to the left kiertyä liian tiukalle wind/twist too tight
kiertäen kaartaen indirectly, in a roundabout way, beating around the bush, with a lot of hemming and hawing
kiertää tr **1** (pyörittää) turn, twist, screw kiertää avainta lukossa turn a key in a lock kiertää kansi auki unscrew a lid kiertää veitsi lapsen kädestä wrest a knife out of a child's hands **2** (kierittää, kääriä) roll (up) kiertää tukkansa nutturaan do your hair up in a bun kiertää lumipalloja roll snowballs kiertää kaihdin kokoon roll up a blind **3** (kietoa ympärille) wind, wrap kiertää kätensä jonkun kaulaan wrap your arms around someone's neck köynnös kiertää vartensa pylvään ympäri the vine winds around the column **4** (kulkea ympäri: ihminen pysyvää objektia) circle, go around, circumvent kiertää taloa circle the house, go around the house **5** (kulkea ympäriinsä: ihminen maailmaa) roam, rove, wander Taidan lähteä vuodeksi kiertämään maailmaa I think I'll take a year and see the world, (maapallon ympäri) and travel around the world **6** (kulkea ympäri: satelliitti tms) orbit **7** (kulkea ympäri: seinä tms) encircle, be surrounded by Taloa kiertää tiheä metsikkö A dense thicket encircles the house, the house is surrounded (on all sides) by a dense thicket **8** (kulkea ympäritse) round kiertää Hyväntoivonniemi round the Cape of Good Hope **9** Ajatukseni kiertävät alituisesti sinua I can't get you out of my mind, I can't take my mind off of you **10** (vältellä) circumvent, evade, dodge, avoid kiertää todelliset ongelmat circumvent/ignore the real problems kiertää todelliset kysymykset evade the real questions kiertää toimittajan kysymys duck out of/dodge a reporter's question **11** (ohittaa) circumvent, get around/past kiertää

suunnitteluvirhe get around a planning mistake, circumvent an error that was made in the planning stages kiertää verotusta find a tax loophole
itr **1** (pyöriä) spin, turn, revolve Pyörä kiertää vastapäivään The wheel spins/ turns counterclockwise Maa kiertää akselinsa ympäri The earth spins/ revolves around its axis **2** (veri suonissa **3** (ihmiseltä toiselle) go around panna pullo/hattu kiertämään pass the bottle/ hat
kiertää auki (purkkia) unscrew the lid, (hanaa) turn on, (karttaa) unfold, unroll
kiertää hihansa ylös roll up your sleeves
kiertää hiuksia curl your hair, (laittaa papiljotit) put your hair up in rollers
kiertää irti unscrew
kiertää joku (pikku)sormensa ympäri wrap someone around your (little) finger
kiertää kaukaa give a wide berth to, keep your distance from, steer clear of, stay away from
kiertää kehää go around and around, go around in circles Me olemme liian kauan kiertäneet kehää tässä asiassa, mentäisiinkö eteenpäin? We've been going around and around on this too long, shall we move on?
kiertää kuin kissa kuumaa puuroa beat around the bush
kiertää lakia get around the law, dodge the law
kierukka 1 (ehkäisyväline) coil, IUD (intrauterine device) **2** (geom) spiral, helix
kietoa 1 (kääriä) wrap, throw kietoa huivi jonkun olkapäille wrap a shawl around someone's shoulders kietoa kätensä jonkun kaulaan/vyötärölle throw your arms around someone's neck/waist kietoa vaatetta ympärilleen throw something on **2** (kiertää) wind kietoa nuora jonkin/jonkun ympärille wind a rope around something/someone, tie something/someone up tight **3** (punoa) twist kietoa kukista seppele wind flowers into a wreath **4** (sotkea) entangle, tie up kietoa joku valheisiin entangle someone in a skein of lies
kietoa pauloihinsa get someone in your clutches
kietoa vaippaansa Sumu kietoi kukkulat pehmeään vaippaansa The fog wrapped the hills in its soft blanket, blanketed the hills gently
kietoa yhteen intertwine, interlace
kievari inn, hostel(ry)
kihara s curl, (kutri) lock, (tiukka kihara) frizz
adj curly, (tiukka) frizzy
kiharapäinen curly-headed
kiharatukkainen curly-haired
kiharrin curler
kihelmöidä 1 (kirvellä) sting **2** (raavittaa) itch (jännittää) tingle
kihjalaiset engagement party
kihlakumppani (mies) fiancé, (nainen) fiancée
kihlakunnanoikeus (Suomi) Rural District Court, (US) Circuit Court, (UK) Crown Court
kihlakunta jurisdictional district
kihlata get engaged to
kihlaus engagement
kihloissa engaged (to be married)
kiidättää speed (something/ someone) on (its/their way), rush Lähetti kiidätti sanan kaupunkiin The messenger rushed word into town
kiihdyttää 1 (mieltä: yleensä) upset, get (someone/yourself) all worked up; (jännitystä) excite, fill (someone) with suspense; (vihaa) anger, provoke, infuriate; (ahdistusta) fill (someone) with anxiety; (pelkoa) frighten, fill (someone) with fear **2** (prosessia tms) accelerate, speed up kiihdyttää vauhtia pick up speed, step up your pace, walk/drive/jne faster kiihdyttää hiukkasta accelerate a particle
kiihdytys acceleration
kiihkeä 1 (innokas) eager, enthusiastic **2** (intohimoinen) ardent, fervent, passionate, hot-blooded/-headed kiihkeä pyyntö fervent/urgent request **3** (intensiivinen) fierce, furious, hot, intense kiihkeä mieliala inflamed/

excited state of mind **4** (kiihkomielinen) fanatic(al), zealous

kiihko 1 (into) eagerness, enthusiasm **2** (intohimo) ardor, fervor, passion **3** (intensiivisyys) fury, heat, intensity **4** (vimma) frenzy, mania **5** (kiihkomieli) fanaticism, zeal

kiihkoilija fanatic, zealot, bigot

kiihkoilla be fanatic about, (ajaa kiihkeästi) pursue fanatically/ zealously/ passionately, (puhua kiihkeästi) fulminate (about)

kiihkoisänmaallinen fanatic patriot/ chauvinist

kiihkoisänmaallisuus patriotic fervor, (national) chauvinism

kiihkomielinen fanatic(al)

kiihkouskonnollinen fanatically religious

kiihoke 1 (kimmoke) stimulus, spur, motivation olla kiihokkeena johonkin be the motivating factor behind something, motivate/push/drive people in a certain direction, to take a certain course **2** (houkutin) incitement, incentive, enticement **3** (ärsyke) irritant **4** (piriste) stimulant

kiihottaa 1 (vaikuttaa aisteihin, hermostoon tms) stimulate, (ruokahalua) whet, sharpen **2** (vaikuttaa tunteisiin, mielikuvitukseen tms) excite, stir, arouse (ks myös kiihdyttää) kiihottaa mielenkiintoa excite/arouse/ spark someone's interest kiihottaa joku raivoon stir up someone's anger/rage, provoke/inflame/goad a person to anger kiihottaa jotakuta seksuaalisesti arouse someone, turn someone on (sexually) **3** (kannustaa) spur, motivate, (huokutella) entice Katsojat kiihottivat juoksijoita huudoillaan The spectators cheered the runners on **4** (yllyttää) spur/urge/egg (someone) on, agitate for kiihottaa kapinaan incite/instigate/stir up/foment (a) rebellion

kiihottua get excited/upset, get worked/tensed up

kiihottuneisuus excited state of mind, mental/emotional upset, nervous tension

kiihotus 1 (yl ja pol) incitement, agitation **2** (lääk) stimulation

kiihtyvyys acceleration

kiihtyä 1 (henkisesti: yleensä) get upset, get all worked up, have a fit; (jännittyä) get excited, be in suspense; (vihastua) get angry/furious, fly off the handle; (ahdistua) get/feel anxious; (pelästyä) get scared, panic **2** (fyysisesti: yleensä) speed up, quicken, increase; (fys) accelerate vauhti kiihtyy the pace picks up, the speed/velocity increases/accelerates

kiikari binoculars olla kiikarissa have your eye on (something), be aiming for (something)

kiikastaa Mistä se kiikastaa? What's the hitch/problem? Where's the hang-up?

kiikkerä unstable, unsteady kiikkerä tuoli rickety chair kiikkerä vene tipsy/ rocky boat

kiikki gambrel olla kiikissä (kiinni) be caught/trapped, (pulassa) in a spot/ pinch/fix joutua kiikkiin (kiinni) get caught (red-handed), (pulaan) get into a fix

kiikku swing

kiikkua 1 (roikkuen) swing kiikkua kuistilla (sit and) swing on the porch kiikkua hirressä swing from the gallows, from a tree (jne) **2** (keinutuolissa) rock **3** (heilahdellen) tip, teeter; (keinulaudalla) seesaw

kiikkulauta seesaw, teetertotter

kiikuttaa 1 (keinua) swing, (kehtoa, vauvaa) rock, (pöytää tms) tilt, tip **2** (ark: kantaa) carry, haul, lug

kiila 1 (yl) wedge **2** (pyörän alle) block, chock **3** (sot) spearhead

kiilata 1 wedge in/apart, cleave **2** (etuilla) cut in (front/line)

kiilautua 1 (juuttua) be(come)/get wedged/jammed in **2** (tunkeutua) wedge/elbow/push your way into

kiille 1 (kivi) mica **2** (kiilto) shine, luster **3** (kiillotus) polish, gloss **4** (lasitus) enamel, glaze

kiillottaa 1 shine, polish (up) kiillottaa kenkiä shine shoes **2** (lattiaa: vahata)

wax, (hangata) buff; (puuta: lakata) lacquer, varnish; (metallia: hioa) grind, (hangata) burnish, polish
kiillottaa kilpensä polish (up) your halo, clear your reputation
kiillotus 1 shine, shining, polish(ing) kengän kiillotus shoeshine **2** wax(ing), buffing, lacquering, varnish(ing), grinding, burnish(ing) (ks kiillottaa)
kiilto 1 (kiiltävyys) shine, luster **2** (kiillletty pinta) polish, finish, gloss **3** (välke) gleam, glitter, glint, glow, shimmer (ks kiiltää)
kiiltokuva glossy picture
kiiltävä shiny, gleaming, glittering, glinting, glowing, glimmering, glistening, shimmering (ks kiiltää); (valokuvan tms pinta) glossy
kiiltää shine; (pehmeän kirkkaasti) gleam, (kylmän kirkkaasti) glitter, glint, (lämpimän himmeästi) glow, (himmeästi) glimmer, (märkänä) glisten, (häilyen) shimmer Ei kaikki ole kultaa mikä kiiltää All that glitters is not gold
Kiina China
Kiina-ilmiö the China Syndrome
kiinalainen s, adj Chinese
kiinni 1 (suljettuna) shut, closed; (lukittuna) locked **2** (TV, radio, hana) off, (jarrut) on **3** (sidottuna) tied up, fastened **4** (juuttunut) jammed, stuck (fast) **5** (kiintynyt) close/attached (to someone) toisiinsa kiinni liimautuneina entwined together kylki kyljessä kiinni side by side, shoulder to shoulder, flank to shank **6** (kiikissä) caught, trapped **7** (järvi, meri) frozen **8** olla kiinni jostakin depend on Se on sinusta kiinni It's up to you Se on rahasta kiinni It's a question/matter of money **9** olla kiinni jossakin have your hands on olla kiinni voitossa have practically won, virtually have the prize in your hands päästä kiinni omaan kotiin land a house of your own, get your hands on a house of your own
kiinnitin fastener, clip, clasp
kiinnittyä (be) fastene(d), attach, adhere Huomioni kiinnittyi erityisesti kolmanteen pykälään I was particularly interested in/concerned about/troubled by/pleased with the third paragraph
kiinnittää 1 tie (myös kuv), fasten, attach; (naulalla) nail, (liimalla) glue, stick, (puristimella) clamp, (hakasilla) hook En halua kiinnittää sinua itseeni I don't want to tie you down **2** (palkata) engage, hire, employ **3** (sijoittaa) invest **4** (talo lainan vakuudeksi) mortgage **5** (kuv) fix, pin, fasten
kiinnittää jonkun huomio johonkin call/direct someone's attention to something, call something to someone's attention
kiinnittää katseensa johonkin fasten/fix your eyes on
kiinnittää suuria toiveita johonkuhun set/place high hopes on someone, have great expectations for someone
kiinnittää toiveensa johonkin pin your hopes on something
kiinnitys 1 (kiinnittäminen) fastening, attachment, adhesion **2** (nappien) buttoning, (jalokivien) mounting, (laivan) mooring **3** (kiinnelaina) mortgage **4** (palkkaus) appointment
kiinnostaa interest Kiinnostaako tämä sinua ollenkaan? Are you at all interested in this, does this interest you at all? Ketä se muka kiinnostaa? Who cares? Who gives a damn/rip?
kiinteistö real estate
kiinteistönvälittäjä real estate agent, realtor
kiinteä 1 (kiinni oleva) stationary, fixed, immobile kiinteä omaisuus real estate **2** (jähmeä: voi tms) solid, (hyytelö tms) firm **3** (tiivis: maa) compact, (peite) hard, (tomaatti tms) firm **4** (kireä) tight vetää side kiinteäksi pull a bandage tight kiinteä ote firm grip **5** (läheinen) close kiinteät perhesuhteet close(-knit) family relations **6** (yhtenäinen) coherent, cohesive romaanin kiinteä rakenne the novel's coherent/tight structure **7** (muuttumaton: hinta) fixed, firm
kiinteäkorkoinen (liik) fixed-rate

kiintiö quota Onko meillä kiintiö? Do we have a quorum?
kiintoisa interesting
kiintojää solid ice
kiintymys affection, attachment, devotion
kiintyä 1 (kiinnittyä) stick to Huomioni kiintyi häneen She caught/attracted my attention, I couldn't take my eyes off her **2** (mieltyä) become attached to (myös kuv)
kiipeillä 1 (ihminen tai eläin) climb **2** (kasvi) creep up
kiipijä 1 (ihminen) (social) climber, (halv) upstart **2** (kasvi) (tree)creeper
kiirastorstai Maundy Thursday
kiire s **1** hurry, rush työskennellä kovassa kiireessä work under immense pressure/stress asialla on kiire it's urgent/pressing Miksi sellainen kiire? Where's the fire? What's the rush? Pidä kiirettä! Hurry up! **2** (päälaki) crown (of the head) kiireestä kantapäähän from head/top to toe
adj **1** (kiireinen) busy, rushed, hectic kiire päivä hectic day, one of those days **2** (nopea) quick, hasty Hänelle tuli kiire lähtö He took off in a hurry, he made tracks kiireimmän kaupalla in record time, lickety-split
kiireellinen 1 (asia) urgent, rush kiireellinen kirje/asia urgent/pressing letter/matter kiireellinen tulostustyö rush (print) job **2** (tarve) instant, (apu) prompt
kiireellisyys urgency
kiireen kaupalla hurriedly, in record time
kiireen vilkkaa lickety-split, before you can say Jack Robinson
kiireesti quickly, hurriedly, in a rush/hurry
kiirehtiä 1 (kiiruhtaa) hurry (up), rush (around); (ark) get hopping/cracking, go like the wind, go like a shot, go like sixty **2** (hoputtaa: ihmistä) rush, push/press (someone) to hurry up kiirehtiä jotakuta ulos (ark) give someone the bum's rush **3** (jouduttaa: asiaa) rush, expedite, speed up kiirehtiä kirjettä postiin rush a letter to the post office
kiireimmiten as soon as possible (ASAP), posthaste
kiireinen 1 (ihminen) hurried, rushed, busy, pressed (for time) **2** (päätös, vastaus tms: liian nopea) hasty, precipitate, rash; (sopivan nopea) quick, prompt kiireinen vastaus prompt reply kiireinen päätös rash/precipitate decision **3** (asia) urgent, rush kiireinen kirje/asia urgent letter/matter kiireinen tulostustyö rush (print) job
kiireisyys 1 (kiire) hurry, haste **2** (kiireellisyys) urgency **3** (hätiköinti) rashness
kiiruhtaa hurry (up), rush; (ark) make tracks Kiiruhda hitaasti Haste makes waste, easy does it; (lat) festina lente
kiisseli fruit soup
kiista 1 (sanaharkka) dispute, argument; (ark) shouting match **2** (julkinen väittely) debate **3** (polemiikki) polemic, controversy
kiistakapula bone of contention
kiistanaihe controversial subject
kiistaton undisputable, unquestionable
kiistatta indisputably, unquestionably
kiistellä 1 (väitellä) argue, debate, dispute Makuasioista ei kannata kiistellä There's no accounting for tastes, (lat) de gustibus non est disputandum **2** (olla eri mieltä) disagree (on/over)
kiistämättä undoubtedly, undisputably, unquestionably
kiistää 1 (kieltää) deny, contradict kiistää vastuunsa disclaim responsibility Ei voida kiistää, etteikö It can't be denied that **2** (asettaa kyseenalaiseksi) contest, controvert, dispute, challenge kiistää testamentti contest a will
kiitellä 1 (kiittää) thank **2** (ylistellä) praise, commend
kiitettävä excellent
kiitettävästi excellently
kiitoksen kipeä begging for thanks
kiitoksia paljon thank you very much; (ark) thanks a lot
kiitollinen 1 (ihminen) thankful, grateful, appreciative Olisin erittäin kiitollinen jos I'd be much obliged if, I'd

really appreciate it if Olisin kiitollinen jos et sekaantuisi minun asioihini (ironisesti) I'll thank you to mind your own business **2** (tehtävä tms) rewarding, profitable, fruitful **3** (aine: kestävä) durable, (sopiva) suitable
kiitollisesti thankfully, gratefully (ks myös kiitollinen)
kiitollisuudenosoitus token of (my/ our) gratitude
kiitollisuus 1 (ihmisen) gratitude, appreciation **2** (tehtävän tms) profitability, fruitfulness
kiitos 1 thanks A: Mitä kuuluu? B: Kiitos hyvää A: How's it going? B: Fine thanks tuhannet kiitokset thanks a million Kiitos itsellesi! Thank you! kiitokseksi jostakin by way of thanks (for) Sen sain kiitokseksi That's the thanks I get A: Otatko lisää? B: Kyllä kiitos Yes please A: Oletko saanut perunoita? B: Kyllä kiitos Yes thanks sydämelliset kiitokset heartfelt thanks **2** (ylistys) praise, commendation saada kiitosta be praised/commended, receive praise/positive feedback/acknowledgement for your work Hänen kiitokseksen on sanottava että To his credit it must be said that
kiitospuhe speech of thanks
kiitos riittää please stop; that'll do nicely, thank you
kiitos ruoasta it was delicious
kiitos sinun thanks to you
kiitosta ansaitseva praiseworthy, laudable
kiitos viimeisestä thanks again, we really had a good time, that was fun last/ the other night/day
kiitosvirsi hymn of thanksgiving
kiittämätön ungrateful
kiittää 1 thank, express your gratitude to En voi kiittää sinua kylliksi I can't thank you enough, I don't know how to express my gratitude kiittää onneaan thank your lucky stars Saamme kiittää sinua tästä If it hadn't been for you, we'd; (hyvästä asiasta) thanks to you, we now have...; (katastrofista) this is all your doing Hän saa kiittää sinua hengestään He owes you his life **2** (ylistää) praise, commend kiittää Herraa praise the Lord kiittää itseään blow your own horn, pat yourself on the back
kiitää speed, race, fly, dash, run/fly/go like the wind kiitää ohi shoot/dash past ohi kiitävä hetki fleeting/evanescent moment kiitävät pilvet racing/scudding clouds
kiivaasti 1 (vihaisesti) fiercely, violently **2** (intohimoisesti) intensely, passionately
kiivas 1 (tuittupäinen) hot-headed/-tempered/-blooded, quick-tempered, quick to lose your temper Tuo mies on hirvittävän kiivas That guy's got a terrible temper **2** (intohimoinen) intense, passionate, ardent, zealous **3** (kuumentunut: keskustelu tms) fierce, violent, vehement, heated **4** (mus: nopea) fast, allegro
kiivasluontoinen hot-headed/ -tempered/-blooded, quick-tempered, quick to lose your temper
kiivastua lose your temper, fly into a (purple) rage/passion; (ark) fly off the handle, have a fit
kiivetä 1 climb; (vaikeasti) clamber, scramble; (pitkin seinää, vuoren huipulle) scale Kiinteistöjen arvot kiipeävät koko ajan ylöspäin Real estate values keep on climbing/rising **2** (hevosen selkään) mount
kiivi kiwi
kikattaa giggle
kikatus giggling
kikkeli peepee, weewee, willie
kilipukki billy goat
kilistä 1 (kulkuset) jingle, tinkle; (lasit, pullot) clink **2** (ovikello) ring
kiljahtaa 1 shout, cry out **2** (kimeällä äänellä) scream, squeal, shriek; (liitu taululla) screech **3** (syvällä äänellä) howl, holler, whoop
kilo (ark: ruoka tms) kilo, (kilotavu) K, (huumeet) key
kilogramma kilogram
kilohinta kilo price
kiloittain by the kilo
kilokalori kilocalorie
kilokirja book sold by the kilo

kilometri kilometer
kilotavu kilobyte (KB); (ark) K 360 kilotavun levykeasema 360 K(B) (floppy) disk drive
kilowatti kilowatt
kilpaa juosta/ajaa kilpaa race Juostaan kilpaa tästä kouluun Race you to the school!
kilpa-ajaja race driver
kilpa-auto race car
kilpailija competitor, rival; (kilpailun osallistuja) contestant
kilpailla 1 compete, take part in (a) competition/race/event/jne **2** (jonkun suosiosta) contend, vie (for someone's favor) **3** (vetää vertoja jollekin) rival, stand up to, stand comparison with
kilpailu 1 (urh) competition, contest, meet, tournament **2** (liik) competition **3** (kilpa: kahden hakijan/kosijan välillä) rivalry
kilpailuhenki rivalry, contention
kilpailukelpoinen competitive
kilpailukielto (urh) suspension
kilpajuoksija runner; (hevonen) racehorse
kilpajuoksu race (myös kuv)
kilpakosija rival (suitor)
kilpakumppani rival (competitor)
kilpapyöräilijä racing cyclist
kilpaurheilija competing athlete
kilpi 1 (sot) shield käyttää jotakuta kilpenään hide behind someone, use someone as your cover/shield **2** (kilpikonnan) shell **3** (nimikilpi: rintapielessä) name tag, (ulko-ovessa) nameplate, (liikkeen edessä) shingle **4** (rekisterikilpi) license plate
kilpikonna turtle, tortoise hidas kuin kilpikonna slow as the seven-day itch
kilpistyä 1 ricochet/bounce (off), rebound (from) **2** (kuv) fail (to touch, to have an effect) Pilkka kilpistyi aina hänestä Ridicule could never touch her
kilta (hist) guild
kiltisti nicely Syö kiltisti nyt! Now be a good boy/girl and eat Se oli kiltisti tehty That was nice/kind/thoughtful of you
kiltteys niceness, good behavior
kiltti s kilt
adj **1** (tottelevainen) good, well-behaved Koeta nyt olla kiltti Try to behave yourself, be on your best behavior, be a good boy/girl Hanna kiltti, sulkisitko ikkunan? Hanna (dear), could you please close the window? **2** (ystävällinen) nice, kind, thoughtful Ole kiltti ja sido minun kengännauhani Could you tie my shoes, please? Could you please tie my shoes?
kilvan in competition with kiittää kilvan fall over yourself to thank someone
kilvoitella 1 (pyrkiä) strive (for/after), struggle (to attain) **2** (kilpailla) contend, vie
kimakka 1 (kimeä) shrill, high-pitched **2** (vihlova) sharp, piercing
kimalainen bumblebee
kimallella glitter
kimallus glitter(ing)
kimaltaa glitter
kimeä 1 (kimakka) shrill, high-pitched **2** (vihlova) sharp, piercing
kimittää shrill
kimmahtaa bounce kimmahtaa takaisin rebound off, bounce back off; (luoti) ricochet kimmahtaa pystyyn spring/bound to your feet
kimmoinen elastic, springy
kimmoisa elastic, springy, resilient
kimmoke 1 (sot) ricochet **2** (mieliteko) (sudden) impulse/notion/whim/urge (to do something) **3** (kiihoke) incitement, provocation, enticement
kimmota 1 (olla kimmoisa) be elastic/springy/resilient kimmoava nahka resilient leather **2** (palautua entiseen muotoon) snap/spring back **3** (ponnahtaa) bounce back/off, rebound; (luoti) ricochet **4** (hypähtää, ampaista tms) spring, shoot, fly, hurl yourself Pojat kimposivat ovesta The boys burst/rushed/flew out the door, were out the door like a shot kimmota jonkun kaulaan hurl yourself around someone's neck
kimpaantua lose your temper (at), lose your patience (with), flare up (at); (ark) get fed up (with), get sick (of)

kimpale 1 (leivän tms) piece, hunk, chunk **2** (kultakimpale) nugget
kimppu 1 bunch, bundle, package kokonainen kimppu ongelmia a whole bunch/bundle of problems **2** (kukkia) bouquet **3** (nuolia) sheaf **4** (heinää) truss
kimppuun käydä jonkun kimppuun attack/assault someone käydä työn kimppuun get to work on, get down to business, get cracking on käydä ongelman kimppuun tackle a problem, face a problem head-on käydä ruoan kimppuun pitch in and start eating
kimpsuineen kampsuineen with the whole kit and kaboodle lähteä kimpsuineen kampsuineen (myös) clean your closets and go
kimpussa olla jonkun kimpussa be all over someone, be working someone over olla työn kimpussa be hard at work, hard at it olla ongelman kimpussa have your thinking cap on olla ruoan kimpussa be eating like it was going out of style
-kin 1 too, also, as well Minäkin olen käyttänyt tuota sanakirjaa I've used that dictionary too Kävin kotonakin I went home too/as well, I also stopped by home **2** (jopa) even Hullukin sen ymmärtää Even a fool would understand that Niinkin iso kuin 5 metriä? As big as that, 5 meters? Yksikin sana niin lähden Just one word and I'm out of here, a single word out of you and I'm leaving **3** (joka tapauksessa) anyway, anyhow, at any rate Se olikin vitsi I was just joking anyway Hän pääsi kuin pääsikin perille He made it after all, he actually got there **4** (todellakin) yes, that's right Niin sanoinkin Yes, that's (just) what I said **5** olisikin kesä I wish it were summer **6** (tahansa) ever Mitä teetkin Whatever you do Kuka lieneekin Whoever she may be Hän tekee mitä milloinkin She does whatever she feels like
kina 1 (kiista) argument, dispute, quarrel; (ark) wrangle, squabble, bickering **2** (lima) mucus; (ark) slime
kinastella argue, quarrel; (ark) wrangle, squabble, bicker
kinata argue, quarrel; (ark) wrangle, squabble, bicker
kineettinen kinetic
kinkku ham (myös kuv)
kinnas mitten lyödä kintaat pöytään throw in the towel, hang up your gloves viitata kintaalle jollekin not give a damn about something, shrug your shoulders at something
kinopää (kamerajalustan) panoramic head
kinos (lunta) (snow)drift, (hiekkaa) (sand) dune
kinttu leg niin kovaa kuin kintuistaan pääsi as fast as his legs would carry him housut kintuissaan with your pants down around your ankles
kinuski butterscotch
kioski kiosk, newsstand
kioskikirjallisuus 1 (hist) penny dreadfuls, dimestore/two-bit novels/literature **2** (nykyään) drugstore/grocery store/airport novels/literature; mass-market paperbacks/literature
kipaista dash (off) Kipaisepas kauppaan! Could you run to the store?
kiperä 1 (kiverä) crooked, bent, twisting, twisted **2** (täpärä) narrow, (tiukka) tight, (tukala) awkward, (vaikea) difficult kiperät paikat (oli) close call, (on) tight spot
kipeytyä start hurting, get sore/painful
kipeä 1 (särkevä) painful, sore, hurting, aching, tender tehdä kipeää hurt, (kirvellä) sting, (särkeä) ache, (aristaa) be tender/sore maksaa itsensä kipeäksi pay through the nose, pay till it hurts **2** (sairas) sick kipeä lapsi sick child Mulla on lapsi kipeänä My kid's home sick lemmenkipeä lovesick **3** (kuv: arka) sore, (arkaluonteinen) delicate, (tuskallinen) painful kipeä aihe sore/delicate subject kipeä muisto painful memory **4** (kiireellinen) pressing, urgent kipeä tarve pressing/urgent need Lääkkeitä tarvitaan kipeästi We're badly/sorely in need of medicine tulla kipeään tarpeeseen (esim lääkkeet) fill a pressing need, (ihminen) arrive just in the nick of time

kipin kapin lickety-split, hippityhop
kipinä spark (myös kuv) Ei ole toivon kipinää We don't have a ray of hope
kipinöidä spark Hänen silmänsä kipinöivät vihaa Her eyes flashed with anger
kipittää scamper, scoot
kippari skipper, captain
kippo scoop, ladle, dipper
kipristellä (varpaita) curl Vatsaani kipristelee I've got a pain in my gut
kipsi plaster (of Paris)
kipsissä 1 (fyysisesti) in a cast Hänellä on jalka kipsissä He has his leg in a cast, a cast on his leg **2** (henkisesti: pelokas) scared of your own shadow, timid; (ujo) shy, withdrawn (into your shell)
kipu pain, ache
kipuaisti sense of pain
kipukohtaus attack of pain
kirahtaa 1 (portti, ovi tms) creak, squeak **2** (vauva) whimper
kirahvi giraffe
kireä tight (myös kuv); (naru tms) taut; (hermot tms) strained kireä pusero/hymy/aikataulu tight blouse/smile/schedule kireä ääni strained voice kireä kilpailu tough competition kireä poliittinen tilanne explosive political situation, political crisis
kireällä tight, strained Raha on kireällä Money's tight kireät välit strained relations hermot kireällä under a lot of strain, on edge, frazzled
kiri sprint, spurt
Kiribati Kiribati
kiristin clamp, tightener
kiristyä 1 (köysi tms) tighten, pull/draw tight/taut **2** (ilmapiiri tms) become strained/awkward **3** (rahatilanne) get tight/worse/critical **4** (kilpailu, vauhti) pick/step up, increase **5** Pakkanen kiristyy The temperature/mercury is dropping **6** (arvostelu) intensify
kiristää 1 (köyttä, kontrollia tms) tighten kiristää köyttä tighten/tauten a rope, pull a rope tight kiristää hampaitaan clench your teeth kiristää (nälkä)vyötä tighten/cinch up your belt **2** (olla kireä: kaulus tms) be too tight **3** (hankkia uhkauksella) blackmail, extort; (ark) (put the) squeeze (on)
kiriä sprint, pour on the speed
kirja book (ks myös kirjat) lukea jotakuta kuin avointa kirjaa read someone like an open book Hän on hyvin kirjansa lukenut He knows his stuff
kirjaamo registrar's office
kirja-arvostelu book review
kirjahylly bookshelf, (hyllykkö) bookcase
kirjailija writer, author; (romaanien) novelist
kirjailla 1 (kirjoa) embroider **2** (harrastaa kirjallista toimintaa) scribble
kirjaimellinen literal kirjaimellinen ihminen literalist
kirjaimellisesti literally
kirjain letter (myös kuv) isot kirjaimet capital letters pienet kirjaimet small letters toimia lain kirjaimen mukaan follow the letter of the law
kirjakauppa bookstore
kirjakieli standard language suomen kirjakieli standard Finnish
kirjakielinen standard
kirjallinen 1 (kirjoitettu) written kirjallisena in writing **2** (kaunokirjallinen) literary kirjallinen maailma the literary world, the world/republic of letters
kirjallisesti in writing
kirjallisuus literature, letters
kirjallisuuspalkinto literary prize/award
kirjanen booklet, leaflet, brochure, pamphlet
kirjanpito 1 (teko) bookkeeping, accounting kahdenkertainen kirjanpito double-entry bookkeeping **2** (kirjat) the books
kirjanpitoarvo (liik) book value
kirjanpitäjä accountant, bookkeeper
kirjapaino printer, printing house
kirjasin font, type
kirjasinlaji font, typeface
kirjasto (julkinen tai oma) library
kirjat 1 (asiakirjat) papers, documents, records, (tilit) accounts; (ark) the books Jo on maailman kirjat sekaisin!

Everything's all topsy-turvy **2** (henkikirjat) (civil) register olla kirjoilla Jyväskylässä be registered in Jyväskylä **3** (maine) rep(utation) Minulla on siellä vähän huonot kirjat I've got a bad name there olla elävien kirjoissa be in the land of the living **4** (poliisin) (police) records olla poliisin kirjoissa have a police record, (ark) have a rap-sheet (a mile long)

kirjatoukka bookworm

kirjauutuus newly released book, book hot off the presses

kirjava 1 (monivärinen: yl) many-/multi-colored; (hevonen) dappled, piebald; (kivi tms) mottled, spotted, speckled **2** kirjavat (kirjopyykki) colored wash, (ark) coloreds **3** (korea) bright(-ly colored), (räikeä) gaudy **4** (sekalainen) mixed, varied, miscellaneous kirjava menneisyys spotty past iso kasa kirjavia tavaroita a big pile of miscellaneous stuff arkkitehtonisesti kirjava kaupunki architecturally eclectic city

kirje 1 letter; (ark) note, a few lines kirjoittaa jollekulle kirje write someone a letter; (ark) drop someone a note/line **2** (raam) epistle

kirjeenvaihtaja correspondent

kirjeenvaihto correspondence

kirjekuori envelope

kirjepaperi letter/note/writing paper, stationery

kirjo 1 (fys) spectrum **2** (värikylläisyys) splash of colors kukkaniitty koko kirjossaan a meadow full of brightly colored wildflowers, wildflowers in all their colors **3** (kirjavuus) variety hyväksyä asian koko kirjo embrace a thing in all its complexity

kirjoa embroider lukemattomien tähtien kirjoma taivas the night-time sky speckled/spotted/dotted by countless stars

kirjoitin printer

kirjoittaa 1 write kirjoittaa romaani write/author/pen a novel kirjoittaa lappu write a note, scribble/jot down a note Miten kirjoitat sen? How do you spell that? **2** (ylioppilaaksi) take/pass the matriculation exam Kirjoitatko tänä vuonna? Do you graduate this year?

kirjoittaa koneella type

kirjoittaa muistiin write down

kirjoittaa toisilleen correspond (with each other)

kirjoittaa uudelleen rewrite

kirjoittaa ylös write down

kirjoittamaton sääntö unwritten rule/law

kirjoittautua 1 (kouluun, kurssille) register, enroll, sign up **2** (hotelliin) check in

kirjoitus 1 writing opetella kirjoitusta learn to write/spell **2** (artikkeli) article, essay; (ark) piece **3** (kouluaine) composition, essay **4** (ylioppilaskirjoitus) exam lähteä pois kesken kirjoituksen leave in the middle of the exam **5** (raam) scripture pyhät kirjoitukset Holy Scripture/Writ

kirjoituskone typewriter kirjoittaa kirjoituskoneella type

kirjoituspöytä desk

kirjopyykki colored wash, (ark) coloreds

kirjuri 1 (hist) scribe, scrivener **2** (vanh: pöytäkirjanpitäjä) scretary, minute-keeper

kirkaista scream, shriek, cry out

kirkas 1 (valoa säteilevä) bright, brilliant kirkkaat silmät bright eyes keskellä kirkasta päivää (right out) in broad daylight **2** (valoa läpipäästävä) clear kirkas vesi/lasi clear water/glass kirkas ääni clear/pure sound/voice pullo kirkasta a bottle of the hard stuff kuin salama kirkkaalta taivaalta out of the blue, like a bolt out of the clear blue sky **3** (valoa heijasteleva) shiny, sparkling kirkas kuin peili smooth as glass **4** (kuv: terävä) lucid, (selvä) obvious kirkas voitto an obvious victory, a hands-down win kirkas ajatuksenjuoksu lucid intellect kirkas äly sharp/quick wit

kirkastaa 1 (vettä) clear, clarify **2** (hopeaesineitä tms) polish, burnish, shine **3** (ajatuksia) clarify, elucidate, (mainettaan) polish (your reputation/halo) **4** (kasvoja) brighten, tranfigure

ilon kirkastamat kasvot a countenance transfigured by joy **5** (raam) glorify kirkastettu Kristus Christ in all his glory
kirkastua 1 (sää, vesi tms) clear (up), clarify **2** (hopeaesine tms) get shiny; (ark) polish/buff up Nuo lusikat kirkastuivat ihan kivasti Those spoons polished up just fine **3** (ajatus) get/become clear Minulle alkoi kirkastua juonen tarkoitus The point of the whole scheme began to be clear to me, began to dawn on me, I began to see what was afoot/up, the scales began to drop from my eyes **4** (kasvot, elämä tms) brighten, light up Hänen kasvonsa kirkastuivat Her face lit up, her eyes brightened **5** (raam) be glorified
kirkkaus 1 (valon säteily) brightness, brilliance, lightness, radiance TV:n kirkkauden säätö brightness adjustment on the TV **2** (valon läpipäästävyys) clarity **3** (valon heijastelu) shininess, sparkle **4** (kuv: terävyys) lucidity **5** (raam) glory
kirkko 1 church; (instituutiona) the Church kirkon ero valtiosta the disestablishment of the Church **2** (kirkonkylä) village kirkolla in the village (center)
kirkkohautajaiset church funeral
kirkkoherra vicar; (US lähin vastine: protestantti) head pastor, (katolinen) (parish) priest
kirkkoherranvirasto parish office
kirkkohistoria church history
kirkkohistoriallinen church-historical, pertaining to church history
kirkkohäät church wedding
kirkkokuoro church choir
kirkkorakennus church (building)
kirkkovaltuusto (Suomi, UK) parish council; (US protestanttinen) board of deacons
kirkollinen church, ecclesiastical kirkolliset ilmoitukset church announcements
kirkolliskokous synod, church assembly
kirkonkello church bell
kirkonkylä village
kirkonmenot church/worship service
kirkossakävijä church-goer
kirkossakäynti church attendance
kirkua scream, shriek, cry out
kirmaista dash, dart, fly, scoot, shoot
kirnu churn
kirnuta churn
kiroilla swear, use bad language, use profanity; (ylät) curse, (murt) cuss kiroilla kuin turkkilainen swear like a Turk
kiroilu swearing, bad language, profanity; (ylät) cursing, (murt) cussing
kirosana swear word, (ylät) expletive, (murt) cussword
kirot curse, evils viinan kirot the evils of liquor, the curse of demon gin
kirota 1 (usk) curse, damn, (virallisesti) anathematize **2** (kiroilla) swear, use bad language, use profanity; (ylät) curse, (murt) cuss
kirottu 1 (usk) cursed, damned ikuisesti kirotut eternally damned **2** (ark) (god)damn(ed), (gol)durn(ed)
kirous 1 (usk) curse, malediction **2** (vitsaus) curse, bane, scourge
kirpaista 1 (aiheuttaa kipua) smart, sting (myös kuv) **2** (tuntua kylmältä) bite kirpaiseva kylmyys biting cold **3** (maistua väkevältä) burn, be hot kirpaisevaa ruokaa hot/spicy food
kirpeä 1 (terävä) sharp, tart kirpeä huomautus/maku sharp/tart remark/flavor **2** (repivä) cutting, biting **3** (väkevä) pungent, caustic kirpeä arvostelu/lemu pungent criticism/stench
kirppu flea
kirsikka cherry
kirskua 1 (lumi) crunch **2** (ovi) creak, squeak **3** (jarrut) squeal, screech **4** (pyörä, ratas) grate
kirstu 1 (säilytyslaatikko) chest, trunk **2** (rahakirstu) coffer istua rahakirstun päällä hold tight to the pursestrings **3** (ruumisarkku) coffin, casket
kirurgi surgeon
kirurgia surgery
kirurginen surgical
kirvelevä burning, smarting, stinging
kirvellä burn, smart, sting Kurkkuani kirvelee My throat is burning Tämä

voide kirvelee hiukan This lotion will sting a little Nuhteet kirvelivät hänen mieltään He was smarting under the scolding
kirvely burning, smarting, stinging
kirves ax(e), (lyhytvartinen) hatchet En lähde kirveelläkään sinne You couldn't pay me enough to go there, wild horses couldn't drag me there
kirvesvarsi ax(e) handle Hyvää päivää kirvesvartta Your answer is without rhyme or reason
kirvoittaa (ote) relax, release; (kieli) loosen kirvoittaa kielet set the tongues wagging kirvoittaa nauru get a laugh
kirvota get/come loose kirvota kädestä slip/drop out of your hands
kisailla play (rough-and-tumble games), wrestle
kisat games
kiskaista jerk, yank, pull, wrench, tug kiskaista itsensä irti jostakin tear yourself away from something
kiskaisu jerk, yank, pull, wrench, tug
kisko 1 (rautatie) rail, track suistua kiskoilta be derailed, jump the track **2** (sähkökisko) conductor
kiskoa 1 (kiskaista) pull, wrench, tug, tear kiskoa totuus irti jostakusta beat the truth out of someone **2** (vetää perässään) drag, lug, haul **3** (ottaa ylihintaa) overcharge, (ark) stiff, fleece kiskoa korkoa loanshark
kiskonta overcharging, (koron) loansharking
kiskuri 1 (koron) loanshark **2** (hylsyn) ejector
kismittää irk, annoy; (ark) piss off Minua kismittää It really pisses me off, gets my goat, gets my back/dander up
kissa cat Kukas kissan hännän nostaa, jos ei kissa itse? Who's going to blow your horn if you don't do it yourself? Kissalla on seitsemän henkeä A cat has nine lives kissan päivät easy street leikkiä kissaa ja hiirtä play cat and mouse (with) sanoa kissaa kissaksi call a spade a spade
kissaeläin feline, cat isot kissaeläimet the big cats
kissanhännänveto tug-of-war
kissanpentu kitten
kissanristiäiset kulkea kaiken maailman kissanristiäisissä go to every minor function in the county
kisu kitty
kita 1 (anat) throat **2** (tekn) jaw, chap, cheek **3** (kuv: suu) mouth, (nielu) maw, (leuat) jaws helvetin kita the maw/abyss of hell kuoleman kita the jaws of death
Kita kiinni! Shut your yap!
kitalaki palate, (ark) the roof of your mouth
kitara guitar
kitarisa adenoid
kitata 1 (saumaa) putty **2** (kaljaa) guzzle
kiteyttää crystallize (myös kuv)
kiteytyä crystallize (myös kuv) Suunnitelmani alkoi kiteytyä My plans started to crystallize/take shape
kitinä 1 (saranan) creaking, squeaking **2** (vauvan) whining, whimpering
kitistä 1 (sarana) creak, squeak **2** (vauva) whine, whimper
kitka friction (myös kuv)
kitkerä 1 (maku) bitter, (euf) tart **2** (haju) acrid **3** (puhe) tart, sharp **4** (mielenlaatu) (em)bitter(ed), acrimonious
kitkeä (kukkapenkkiä) weed, (rikkaruohoa) pull up, (yhteiskunnan ongelmia) root out
kitsas 1 (rahan suhteen) stingy, tight(fisted), miserly, penny-pinching, cheap **2** (sanojen suhteen) sparing (of words/praise) **3** (kasvillisuuden suhteen) spare, barren
kitsastella 1 (säästellä) stint, scrimp, be frugal/sparing **2** (säästellä liikaa) pinch pennies
kitti 1 putty **2** Kittiä kanssa! Don't give me that!
kitua 1 (riutua) linger (on), languish, pine (away) **2** (elää puutteessa) eke out a meager existence **3** (jäädä lyhyeksi) be stunted
kitukasvuinen stunted
kitupiikki miser; (ark) skinflint, tightwad, cheapskate

kituuttaa elää kituuttaa eke out a meager living/existence, barely get/ scrape by, barely hold body and soul together
kiuas sauna heater
kiukku anger, fury, rage olla kiukuissaan be angry/furious, be wild with rage, be pissed/browned off, be fuming purkaa kiukkuaan johonkuhun vent your anger/rage on someone
kiukkuinen angry, furious, wild with rage, pissed/browned off, fuming
kiukkuisesti angrily, furiously
kiukunpurkaus fit/burst of anger/ rage
kiukutella 1 (lapsi: saada raivokohtaus) throw a temper tantrum **2** (aikuinen: purnata, olla hankala) bitch and moan
kiukuttaa irk, annoy; (ark) piss off Minua kiukuttaa It really pisses me off, gets my goat, gets my back/dander up
kiukuttelu (temper) tantrum
kiulu bucket, pail
kiuru (sky)lark
kiusa (riesa) bother, nuisance; (ark) hassle, pain in the neck/ass tehdä kiusaa bother, bug, drive (someone) up the wall, around the bend, to distraction tehdä jotain ihan kiusallaan do something out of spite, to spite someone, do something out of sheer orneriness Siitä on ollut minulle pelkkää kiusaa It's been nothing but trouble to me, it's been more of a hindrance than a help
kiusaantua get irritated/annoyed (with), reach the end of your rope (with), get ticked/pissed/browned off (at)
kiusaantunut irritated, annoyed, at the end of your rope, /pissed/ browned off
kiusallinen 1 (ärsyttävä) irritating, annoying, aggravating, exasperating **2** (hankala) awkward, embarrassing, difficult herättää kiusallista huomiota attract unwanted attention kiusallinen hiljaisuus embarrassed/awkward silence
kiusanhalu (ilkeä) spite, (leikkisä) mischievousness
kiusanhaluinen (ilkeän) spiteful, (leikkisän) mischievous
kiusankappale pest, nuisance, pain in the neck/ass
kiusantekijä trouble-/mischief-maker
kiusanteko trouble, mischief ruveta tosissaan kiusantekoon do your best to make trouble/mischief, put your heart into jamming up the works
kiusata 1 (ahdistella: leikillä) tease, (vaivaksi) pester, (vaatimuksilla) badger, (pienempiä) bully, pick on **2** (harmittaa) irritate, bother, trouble, nag at, bug Minua kiusaa huominen Tomorrow bothers me **3** (usk) tempt
kiusaus temptation johdattaa kiusaukseen lead (someone) into temptation, tempt (someone) joutua kiusaukseen be tempted (to do something, by something) Kestän mitä tahansa paitsi kiusausta I can stand anything but temptation
kiusoitella tease
kiva 1 (mukava) nice kiva poika nice boy **2** (hyvä) good, great, fine Se olisi ihan kivaa That would be just fine **3** (hauska) fun kiva peli fun game Meillä oli kivaa We had fun
kivenheitto stone's throw kivenheiton päässä a stone's throw away
kivenjärkäle boulder
kivenkovaan väittää kivenkovaan (että) swear up and down (that)
kivennäisaine mineral
kiven takana almost impossible to get ahold of, get your hands on
kives testicle; (sl) ball, nut
kivettyä be petrified (myös kuv), petrify, fossilize
kiwi kiwi
kivi 1 rock, (iso) boulder, (pieni) pebble; (kuv ja ylät) stone heittää jotakuta kivellä throw a rock at someone Kivi putosi sydämeltäni That took a load off my chest painua pohjaan kuin kivi sink like a rock kuollut kuin kivi stone dead viisasten kivi the philosophers' stone **2** (piikivi) flint **3** (siemen) pit, stone, seed poistaa luumujen kivet pit the plums **4** (lääk) stone **5** (hautakivi)

gravestone **6** (jalokivi) gem, jewel, stone, (ark) rock kalliit kivet precious stones **7** (kellon kivi) ruby
kivihiili coal
kivijalka 1 (perusta) stone foundation **2** (kellarikerros) basement
kivikausi Stone Age
kivikautinen Stone-Age (myös kuv)
kivikko 1 (maaperä) rocky soil/ground **2** (rykelmä) rockery
kivinen rocky (myös kuv)
kivipaino 1 (kivipainanta) lithography **2** (kivipainaja) lithographer
kiviseinä brick wall
kivistys ache, pain
kivistää ache Sydäntäni kivistää I've got a pain in my chest
kivitalo brick house
kivulias painful (myös kuv)
kivuta climb (up) (myös kuv)
kivuton painless
kivääri rifle, gun
kk 1 (kirkonkylä) village **2** (konekivääri) machine gun **3** (kuukausi) month
klaava kruunu ja klaava heads and tails
klarinetti clarinet
klassikko classic
klassinen classical
klassinen musiikki classical music
kliininen clinical
klinikka clinic
klisee cliché
klo o'clock
klovni clown
klubi club
km km
ko the (thing) in question
-ko, -kö 1 Onko jo aika lähteä? Is it time to go already? **2** (painollisena) was it Tämänkö halusit? Was this the one you wanted? Sinunko autosi se sittenkin oli? Was it your car after all? **3** (sivulauseessa) whether Kysy äidiltä, onko pukeutumisella väliä Ask Mom whether it matters what we wear **4** (kuinka) how Monesko kerta tämä nyt on? How many times/takes is this now? Kauanko aiot viipyä siellä? How long do you think you'll be there? **5** (kohteliaissa lauseissa) please, I wonder whether, do you think Voisitko auttaa minua? Could you please give me a hand? I wonder if you could help me? Do you think you could help me out?
koaksiaalikaapeli coaxial cable
kodikas homey
kodinhoitaja housekeeper
kodinhoito housekeeping
kodinonni (kasv) baby's tears
koditon homeless
koe 1 (laboratoriossa) test, experiment suorittaa koe carry out an experiment suorittaa kokeita do/run tests **2** (koulussa) test, exam(ination) lukea kokeeseen study for a test, an exam
koeaika test/probationary period
koe-eläin laboratory animal; (ark) guinea pig
koekappale sample, specimen
koekäyttö trial run
koelähetys 1 (tavaran) consignment on approval, sample packet **2** (ohjelman) test broadcast
koeputki testtube
koeputkilapsi testtube baby
koetella 1 (tunnustella) feel, touch **2** (kokeilla) try, test koetella onneaan try your luck koetella housuja päälleen try on a pair of pants **3** (panna koetukselle) try, tax, strain koetella kärsivällisyyttä try your patience koetella voimia tax your strength
koetinkivi touchstone, acid test
koettaa 1 (tunnustella) feel, touch koettaa kuumetta (mittarilla) take someone's temperature, (kädellä) check someone for fever **2** (kokeilla) try, test, check Koeta olla ihmisiksi! Try to/and behave! koettaa housuja päälleen try on a pair of pants **3** (yrittää) try, attempt koettaa kaikkensa do your best, give it your best effort/shot **4** (tutkia) test, sample koettaa uutta tuotetta try out a new product koettaa kepillä jäätä test the water, see how the land lies, put out a feeler
koettelemus trial, tribulation, ordeal Elämä on täynnä koettelemuksia Life is full of trials and tribulations Olipas se koettelemus! What an ordeal!

koetulos test result
kofeiini caffein
kofeiiniton decaf(feinated)
kohahdus 1 (veden) rush, flood **2** (tuulen) puff, gust **3** (hämmästyksen, kuiskinan tms) stir, buzz, murmur Innostuksen kohahdus kävi läpi katsomon A buzz of excitement swept the stands
kohahtaa 1 (vesi, veri tms) rush Veri kohahti päähän The blood rushed to my head **2** Huoneessa kohahti The room was astir/abuzz (with excitement, with the news)
kohauttaa (kulmakarvojaan) raise, (olkapäitään) shrug
kohautus shrug
kohdakkain asettaa kohdakkain juxtapose, line/match up
kohdakkoin soon, in the near future
kohdalla 1 (vieressä) by, next to Jää Finnoilin kohdalla pois Get off at the Finnoil station kaupan kohdalla by the store, in front of the store, near the store **2** (urh) mark 10 km kohdalla at the 10 km mark **3** kohdallaan all right, in order Kaikki ei ole nyt aivan kohdallaan Something's fishy about this, something's not right
kohdalle tulla kohdalle kun onnettomuus sattuu happen to be right there when an accident happens/occurs osua kohdalleen hit the mark, strike home kirjoittaa nimensä loppusumman kohdalle sign (your name) against the sums
kohdalta hänen kohdaltaan as far as he's concerned omalta kohdaltani as far as I'm concerned, as I see it, from my point of view
kohdata 1 (ihminen) meet (with), encounter kohdata ohimennen run/bump into someone kohdata syvällisesti connect up with someone kohdata kuolema meet with death, die kohdata kuolema rohkeasti face/confront death bravely kohdata koettelemuksia undergo trials/ tribulations, an ordeal Tiemme kohtasivat Our paths crossed kohdata jonkun katse meet someone's eye, look someone in the eye **2** (tapahtuma) befall, happen, occur Häntä kohtasi hirvittävä onnettomuus The most horrible thing happened to him, a terrible accident befell him, he met with a ghastly accident
kohdatusten ks kohdakkain
kohde 1 (maali) target **2** (tavoite) objective, (matkan) destination **3** (tunteen) object pilkan kohde laughingstock, the butt of everyone's jokes huomion kohde the center of attention **4** (tutkimuksen) subject
kohde-etuus (liik) underlying (instrument)
kohdella treat, deal with kohdella hyvin/halveksien treat someone well/ with contempt kohdella oikeudenmukaisesti deal with/treat someone fairly
kohden adv: tässä kohden right here postp ja prep **1** (kohti) towards kääntyä jotakuta kohden turn towards someone, turn to face someone, turn in someone's direction **2** (kultakin) per puoli kiloa henkeä ja kuukautta kohden half a kilo per person per month
kohdentaa direct, point kohdentaa varoja maantienrakentamiseen earmark funds for highway construction
kohdistaa direct, aim Hoito on kohdistettava tautiin, ei sen oireisiin Treatment must be aimed at the disease itself, not its symptoms
kohdistaa huomionsa johonkin concentrate on, direct your attention towards
kohdistaa katseensa johonkuhun fix your eyes on someone, (palavasti) bore/burn your eyes into someone
kohdistaa sanansa jollekulle address (your remarks to) someone
kohdistin (tietokoneen) cursor
kohdistua be directed/aimed at/ towards, be concentrated/focused on kohdistua kaikkiin työntekijöihin apply to all employees Kaikkien katse kohdistui minuun Everybody turned to (look at) me
kohennus improvement, betterment kaivata kohennusta need a little fixing/ touching up

kohentaa 1 (korjata asentoa tai järjestystä) straighten (up); (housuja) hike up, (hiuksia) pat into place, (tyynyä) fluff up, (takkatulta) poke up **2** (korjata kuntoa) repair, fix up kohentaa taloa fix up a house **3** (korjata olotilaa, taitoa tms) improve, brush up, polish kohentaa englannin taitoaan brush up (on) your English

kohentua improve, rise (to a higher level/standard) Elämä alkaa kohentua Life is looking up

kohina 1 (veden) rush(ing), (aaltojen) crash(ing) **2** (tuulen) rushing, roar(ing) **3** (sateen) pounding **4** (liikenteen) noise **5** (radion) static

kohinanvaimennus (nauhurin) noise reduction

kohista rush, crash, roar, pound (ks kohina)

kohme numbness, stiffness kohmeessa numb/stiff with cold

kohmeissaan numb/stiff with cold

kohmettua go/get numb/stiff with cold, freeze stiff

koho float, bobber

kohokohta highlight, high point

koholla raised käsi koholla with your arm raised, up in the air pitää koholla hold up (in the air)

kohopaino embossing, die stamping

kohopistekirjoitus Braille

kohota 1 (nousta) rise Leija kohosi korkealle The kite rose/flew/climbed high in the sky Pekan suuttuessa hänen äänensä kohosi aina vain korkeammalle The madder Pekka got, the higher his voice rose Elintaso on huomattavasti kohonnut sen jälkeen The standard of living has noticeably risen since then, has gone/shot up **2** (seistä korkealla) stand, tower over Iso kuusi kohosi talon yläpuolelle A tall spruce towered over the house

kohottaa lift, raise, elevate kohottaa kätensä lift/raise your arm (up) kohottaa lasiaan/päätään/kulmakarvojaan/mielialaansa raise your glass/head/eyebrows/spirits kohottaa hattuaan jollekulle take your hat off to someone kohottaa joku jalustalle put someone up on a pedestal kohottaa sivistystä/moraalia raise the level of culture/morality kohottaa aatelistoon raise/elevate a person to the nobility

kohottautua 1 (seisomaan) stand up straight, straighten up **2** (istumaan) sit up straight, sit bolt upright

kohouma bump

kohta s **1** (paikka) spot, place, point tässä kohdassa right here arka kohta sore/tender spot heikko kohta weakness, weak point/link tekstin kohta (yleensä) passage, place; (lakitekstin) paragraph, clause, article **2** (luettelon) item, entry

adv **1** (pian) soon, shortly, in a minute/second/jiffy heti kohta directly, in a flash Siitä on kohta vuosi It's (been) almost a year (since then) **2** (juuri) just kohta kulman takana just around the corner kohta ruoan jälkeen just after dinner

kohtaaminen meeting, encounter, confrontation

kohtaan to(wards), for rakkaus/viha jotakuta kohtaan love/hatred for someone hyvä tahto ihmisiä kohtaan good will towards men

kohta kohdalta point by point, item by item

kohtalainen 1 (keskitasoa) moderate, medium, middling, mediocre **2** (ei hassumpi) passable, tolerable; (ark) pretty good, not bad, not too shabby

kohtalaisesti moderately, passably, tolerably

kohtalo fate, lot, destiny kova kohtalo hard fate/lot kohtaloonsa tyytymätön dissatisfied/discontented with your lot Kohtalo on ollut minulle suopea Fortune has smiled on me, I've had it good

kohtalokas fateful, (kuolemaan johtava) fatal

kohtalon iva irony of fate

kohtalon oikku quirk of fate

kohtapuoliin in a minute, before too long

kohtaus 1 (tapaaminen) meeting; (run) tryst, rendezvous **2** (äkillinen sairastuminen) fit, attack pyörtymiskoh-

taus fit/spell of fainting **3** (metakka) fit, scene panna pystyyn kohtaus have a fit, make a scene **4** (näytelmässä) scene, (romaanissa) episode
kohteliaasti politely, courteously
kohteliaisuudenosoitus courtesy, compliment
kohteliaisuus 1 (kohtelias käyttäytyminen) politeness, courtesy **2** (kohtelias sana) compliment Se ei ole kohteliaisuus, vaan se on totta It's not a compliment, it's the truth
kohteliaisuuskäynti courtesy visit/call
kohtelias polite, courteous Tiedän että hän on mahdoton, mutta koeta olla kohtelias I know she's impossible, but please try to be nice (ystävällinen), polite (hyväkäytöksinen), civil (ei aivan töykeä)
kohtelu treatment; (esineiden) handling; (eläinten, alaisten) management
kohti adv right/straight at someone katsoa kohti stare (right/straight) at someone
postp ja prep **1** (suuntaan) to(wards), at loppua kohti towards the end katsoa jotakuta kohti look towards/at someone, in someone's direction etelää kohti southwards, towards the south matkata kohti menestystä set a course for success **2** (kultakin) per elintaso henkeä kohti per capita standard of living
kohtisuora s (geom) perpendicular
adj **1** (geom) perpendicular, (pystysuora) vertical **2** (jyrkkä) sheer
kohtisuorasti perpendicularly, vertically
kohtu (lääk) uterus, (vanh ja kuv) womb kohdun poisto hysterectomy
kohtuuhinta reasonable price
kohtuullinen reasonable, moderate, medium kohtuulliset hinnat/ehdot reasonable prices/terms kohtuullinen alkoholin käyttö moderate consumption of alcohol paistaa kohtuullisessa lämmössä bake at medium heat kohtuullinen korvaus reasonable/adequate compensation kohtuullisissa rajoissa within reason
kohtuullisesti reasonably, moderately juoda kohtuullisesti alkoholia drink alcohol in moderation, never drink to excess
kohtuus 1 (kohtuullisuus) moderation Kohtuus kaikessa! Nothing to excess! Let's not get carried away! **2** (oikeudenmukaisuus) fairness, rightness, justice Ei voi kohtuudella vaatia että In all fairness, you can't demand; you can't reasonably expect
kohtuuton unreasonable, immoderate, excessive kohtuuton vaatimus unreasonable/excessive/exorbitant demand kohtuuton juominen immoderate/excessive drinking
kohtuuttomasti immoderately, excessively, to excess
kohu 1 (humu) fuss, bustle, to-do kaupungin kohu the (hustle and) bustle of the city paljon kohua tyhjästä much ado about nothing **2** (sensaatio) sensation **3** (erimielisyys) controversy kohua herättävä, herättänyt controversial
koi 1 (perhonen) moth koin syömä moth-eaten **2** (koitto) dawn
koillinen s northeast
adj northeast(ern), (tuuli) northeasterly
koillistuuli northeasterly (wind)
koillisväylä northeast passage
koipi leg kanan koipi (elävänä) chicken leg, (syötävänä) drumstick lampaan koipi (elävänä) sheep's leg, (syötävänä) leg of mutton häntä koipien välissä with your tail between your legs juosta minkä koivistansa pääsee run as fast as your legs will carry you
koira dog (myös kuv) Tässä täytyy olla koira haudattuna There's got to be a catch to this Vanha koira ei opi istumaan You can't teach an old dog new tricks Senkin koira! You dirty dog! You pig! You louse!
koirankoppi doghouse
koiranpentu puppy
koiranruoka dog food
koiranäyttely dog show
koiras male (animal)
koiratarha kennel

koiravero dog tax
koiruus prank, trick, practical joke tehdä koiruus jollekulle pull a prank on someone, play a trick/practical joke on someone
koittaa 1 (aamu) break, dawn **2** (aika) begin, come
koitua 1 Se koitui hänen kohtalokseen That was his undoing, that ruined/undid him, that brought him down Siitä koitui hänelle onnettomuutta, se koitui hänen onnettomuudekseen That brought him (much) unhappiness, that stole/spoiled his joy, that blighted his life Siitä koituu hänelle pelkkää etua It will be all to his advantage Se koituu vielä parhaaksesi It will all turn out for the best **2** Sinulle koituu tästä valtavasti ylimääräisiä kustannuksia You're going to incur huge amounts of additional expense over this, this is going to cost you plenty extra
koivikko birch wood/grove/stand/ copse
koivu birch (tree/wood)
koivuhalko birch log
koivuinen birch
koivulattia birch floor(ing)
koivumetsä birch forest
koje instrument; (mon) equipment, apparatus; (ark) contraption, gadget
kojelauta (autossa) dash(board)
koju 1 (suojus) shed, shelter **2** (myyntikoju) booth, stall
kokaiini cocaine, (ark) coke, (sl) nose candy
kokea experience, undergo, (kärsiä) suffer Miten koet tämän tilanteen? How do you feel about all this? How does this situation make you feel? kokea monta kovaa undergo/ experience much hardship, suffer many hard/cruel blows (of fate)
kokeeksi tentatively, provisionally Panin kokeeksi Maijan ja Minnan istumaan vierekkäin Just to see what would happen I put Maija and Minna next to each other, I tried having Maija and Minna sit side by side
kokeellinen experimental
kokeellisesti experimentally
kokeilija experimentalist
kokeilla 1 (koettaa) try (out/on) kokeilla onneaan try your luck kokeilla vaatteita try on clothes **2** (tehdä kokeita) experiment with kokeilla huumeita experiment with drugs **3** (tutkia) test, sample kokeilla viiniä take a sip/taste of wine, taste the wine
kokeilu trial, experiment(ation), test, sampling (ks kokeilla)
kokeilumielessä tentatively, to try it out, to see what it's like
kokeilunhalu inquisitiveness, desire to experiment
kokelas 1 (pyrkijä) aspirant, candidate **2** (harjoittelija) trainee **3** (kadetti) cadet
kokematon 1 (jolla ei ole kokemusta) inexperienced, unexperienced **2** (jota ei ole koettu) never (before) experienced Se oli minulle ennen kokematon nautinto It was a pleasure (such as) I'd never before experienced
kokemattomuus inexperience, lack of experience
kokemus experience Mikä kokemus! (jännittävä) What a thrill! (koetteleva) What an ordeal! Siitä minulla on huonoja kokemuksia My experience with that isn't all that promising, I wouldn't recommend that one oppia/ tietää kokemuksesta learn/know from experience
kokemusperäinen experiential, (tiet) empirical
kokenut experienced, veteran kokenut opettaja experienced/veteran teacher kovia kokenut mies a man who's been through a lot, who seen a lot of hard times
kokkare (maan) clod, (jauhon tms) lump Tässä perunamuhennoksessa on kokkareita These mashed potatoes are lumpy
kokki cook, (ravintolassa) chef
kokko bonfire
koko s size useampia eri kokoja various sizes kooltaan vähäinen small in size/stature luonnollista kokoa life-size kirjan koko (book) format yhden koon one size fits all

adj **1** (kokonainen) all (of), (the/a) whole koko ajan all the time, the whole time, constantly, continuously työntää koko voimallaan push with all your strength, with everything you've got koko päivän all day koko perhe/kaupunki the whole family/ town **2** (täydellinen) full, complete, total koko summa the full/total amount, the total koko sarja the complete set **3** (ollenkaan) at all En tunne koko miestä I don't know him at all, I've never set eyes on him
kokoelma collection
kokoillan elokuva full-length feature (movie)
kokoinen sized isokokoinen big, large; (vaatekappale) outsize pienikokoinen small, (nainen) petite
kokojyväleipä whole wheat bread
koko lailla/joukon quite a koko lailla/joukon väkeä quite a few people koko lailla vaikea tehtävä pretty difficult task, quite a difficult task
kokolattiamatto wall-to-wall carpet(ing)
kokomaito whole milk
kokonaan 1 (täysin) completely, totally, entirely, all Nyt se meni kokonaan sekaisin Now it's totally/entirely/all fouled up Se on kokonaan eri asia That's a completely different matter/ story/ thing **2** (kokonaisuudessaan) wholly, in full maksaa kokonaan pay in full
kokonainen s (mat) integer, whole number
adj **1** whole, entire, complete, full viisi kokonaista päivää five whole days kokonainen liuta ihmisiä a whole string of people **2** (mat) integral
kokonaiskustannukset total/ overall costs
kokonaiskäsitys overall impression
kokonaislevikki total circulation
kokonaisluku (mat) integer, whole number
kokonaismäärä total amount
kokonaisratkaisu (ongelmaan) comprehensive solution; (kanteeseen/ vaateeseen) general settlement
kokonaistilavuus total volume
kokonaisuudessaan 1 (lyhentämättä) in its entirety/totality, in full julkaista kirja kokonaisuudessaan publish a book in full, in its entirety, unabridged **2** (kokonaan) in the aggregate, all of (something), the whole (thing) ostaa tavaralähetys kokonaisuudessaan buy up a whole shipment, buy the shipment lock stock and barrel
kokonaisuus 1 (yksikkö) whole, unity, entity Kokonaisuus on enemmän kuin osiensa summa A whole is more than the sum of its parts **2** (eheys) wholeness, completeness, entirety
kokonaisvaikutus overall impression
kokonaisvaltainen comprehensive, integrated, holistic
kokonaisvaltaisesti comprehensively, holistically
kokoomateos anthology, compilation
kokoomus 1 (koostumus) composition, (ark) make-up **2** (pol) coalition Kansallinen Kokoomus the National Coalition Party
kokoomuslainen member of the Coalition Party
kokoon 1 (yhteen) together tulla kokoon meet, come together kutsua kokoon convene, convoke haalia kokoon dredge up **2** (vähäisempään tilaan) up, down kuivua kokoon dry up (myös kuv) taittaa kokoon fold up keittää kokoon cook up (myös kuv) kiehua kokoon boil down
kokoonkutsuja convener
kokoonpano 1 (kokoaminen) assembly **2** (rakenne) structure, composition, make-up koripallojoukkueen kokoonpano line-up of a basketball team
kokoontua 1 (ryhmittyä) gather (together) **2** (tavata) get together,meet Milloin kokoonnumme seuraavan kerran? When shall we get together again? **3** (pitää kokous) assemble, convene
kokopäivätyö full-time job
kokous 1 meeting henkilökunnan kokous staff meeting avata kokous bring

a meeting to order päättää kokous adjourn a meeting **2** (epävirallinen) get-together **3** (valtuuston tms) session **4** (konferenssi) conference, convention, congress
kokouskutsu invitation/summons to a meeting
kokousmenettely parliamentary procedure
kokouspöytäkirja minutes
kokovuosikerta (tilaus) full-year's subscription; (lehdet) annual volume
koksi coke
kola snow pusher
kolahdus noise; (oven) slam, (putoavan esineen) thud, bump, crash
kolahtaa 1 (ääni) slam, bang, thud, bump Ovi kolahti kiinni The door slammed shut **2** (isku) hit, strike, knock Pää kolahti kaapin oveen I hit/banged my head on the cupboard door **3** (kuv) Se kolahti pahasti It really got me
kolari (car) crash, accident, collision ajaa kolari hit somebody (with your car), have an accident joutua kolariin get in an accident
kolaroida crash; (lommolle) ding, dent; (käyttökelvottomaksi) total
kolaus 1 (ääni) noise; (oven) slam, (putoavan esineen) thud, bump, crash, thump **2** (isku) bang, crack; (kuv) blow Petrin lähtö oli aikamoinen kolaus Petri quitting was quite a blow
kolauttaa hit, whack, thwack, smack
kolea 1 (ilma) cold and damp **2** (nauru tms) hollow
kolehti collection, offering
kolera cholera
kolhia 1 (kovaa: seinää, autoa) dent, scrape, ding, (lautasta) chip **2** (pehmeää: hedelmiä, itseään) bruise **3** (runnella) mangle, batter
kolhiintua get dented/scraped/dinged/chipped/bruised (ks kolhia)
kolhoosi commune; (NL:ssa) kolkhoz
kolibri hummingbird
kolista rattle, bang, clatter, clank
kolistella rattle, bang, clatter, clank
kolkata 1 (iskeä) knock, crack, smack, thwack kolkata kuoliaaksi knock/bump someone off **2** (kolista) bang, clank, knock
kolkka corner, part maailman joka kolkalta from every corner/part of the world, from all over the world
kolkko 1 (synkkä) dreary, dismal, cheerless, bleak **2** (kolea) raw, chilly **3** (autio) desolate **4** (karmiva) gruesome, ghastly, hair-raising
kolkuttaa 1 (ovelle) knock, (lujaa) pound **2** (kolista) (be) bang(ing), rattle, be rattling **3** (omatunto) prick Omatuntoni kolkuttaa I know this isn't right, I know I shouldn't be doing this
kollega colleague
kollektiivinen collective
kollektiivisesti collectively
kolli 1 (paketti) package, parcel Kuinka monta kollia matkatavaraa? How many pieces of luggage? **2** (kissa) tomcat
kollikissa tomcat
kolmannes one-third
kolmas third
kolmas kerta toden sanoo third time's the charm
kolmaskymmenes thirtieth
kolmas maailma Third World
kolmasosa third
kolmas pyörä (kuv) fifth wheel
kolmassadas three-hundredth
kolmastoista thirteenth
kolme three
kolmekymmentä thirty
kolmena kappaleena in triplicate
kolmenkeskinen tripartite
kolmenlainen three kinds of, of three kinds
kolmesataa three hundred
kolmestaan just the three of us
kolmesti three times; (vanh) thrice
kolmetoista thirteen
kolmetuhatta three thousand
kolmijako 1 (ark) division into three parts **2** (rak ym) tripartition **3** (filos) trichotomy
kolmijalka tripod
kolmikerroksinen three-story
kolmiloikka triple jump

kolminainen triple, threefold; (usk) triune
kolminaisuus (usk) trinity
kolminkertainen triple, (ikkuna) triple-glazed, (paperi) three-ply
kolminkertaistaa triple
kolminkertaistua triple
kolmio 1 triangle **2** (liikennemerkki) yield sign
kolmiosainen three-part, tripartite
kolmiottelija triathloner
kolmiottelu triathlon
kolmipaikkainen three-seater
kolmipyöräinen s tricycle adj three-wheeled
kolmisointu triad
kolmivaihteinen three-speed
kolmonen (the number) three
kolmoset triplets
kolo hole
kolonialismi colonialism
kolossaalinen colossal
kolpakko (beer) stein/mug, tankard
Kolumbia Colombia
kolumbialainen s, adj Colombian
koluta 1 (kolistella) clump, stomp koluta portaissa clump/stomp up/down the stairs **2** (etsiä) rummage (through), ransack koluta laatikoita rummage through the (chest of) drawers, ransack the drawers **3** (vaellella) roam, ramble Olen kolunnut kaikki maailman rannat I've roamed the seven seas
komea 1 (hyvännäköinen) handsome, good-looking, beautiful komea pari handsome/good-looking couple komea talo handsome/lovely house komeat maisemat beautiful scenery **2** (iso, muhkea) impressive, striking komea rakennus striking/imposing/ impressive building Onpas pojalla komea kroppa! Look at that guy's build! **3** (suurellinen) fancy, showy, ostentatious
komeasti handsomely, impressively, strikingly, showily, ostentatiously (ks komea) elää komeasti live in style
komedia comedy
komeetta comet
komeilija 1 (keikari) dandy, fop, dude **2** (kerskuri) boaster, strutter, showoff
komennus 1 (määräys) order, command saada komennus tehdä jotakin be ordered to do something tehdä jonkun komennuksesta jotakin do something at someone's command **2** (palvelustehtävä) mission, detail olla komennuksella be on a mission, on detail
komennuskunta (sot) detachment, (pieni) detail, (iso) task force
komentaa order, command komentaa joukkuetta command a team komentaa joku erikoistehtävään detail someone (to do something), put someone on a detail, assign someone to a special mission Älä minua komenna! Don't order/boss me around! Äiti on kova komentamaan Mom's pretty bossy, Mom's always yelling at everyone komentaa asento call "Attention!"
komento order, command Ryhmä kuuluu minun komentooni The group's under my command Voitko pitää täällä komentoa? (ark) Could you try to keep order here? Could you run herd over these kids?
komero closet
komeus 1 (hyvä näkö) good looks **2** (upeus) magnificence, grandeur vuoristo koko komeudessaan the mountain range in all its grandeur **3** (hienous) finery kenraali kaikessa komeudessaan the General in full dress attire
komiikka comedy
komisario lieutenant (of police)
komistaa adorn; (ark) deck out
komitea committee
kommari Commie
kommellus mishap, misadventure; (ark) screw-up, foul-up kommelluksitta without a hitch, smoothly
kommentoida comment (on), provide a commentary on En halua kommentoida No comment
kommentti comment
kommunismi Communism
kommunisti Communist
kommunistinen communist(ic)
kommunistipuolue Communist Party
Komorien saaret Comoros

Komorit Comoros
kompa witticism, bon mot, epigram
kompaktikamera point-and-shoot camera
kompakysymys riddle
komparatiivi comparative
kompassi compass
kompastella stumble/stagger (along)
kompastuskivi stumbling block
kompensaatio compensation
kompensoida compensate (for)
kompensoitua compensate
kompleksi complex
komplikaatio complication
komponentti component
komposti compost
komppania company koko komppania (ark) the whole bunch/crowd
kompressori compressor
kompuroida stumble/stagger (along)
kondensaattori capacitor, condenser
kondensoitua condense
kondensori condenser
konditionaali conditional
konditoria bakery/coffeeshop
kondomi condom
konduktööri conductor
kone machine Myöhästyt vielä koneesta You're going to miss your plane Osaatko kirjoittaa koneella? Do you know how to type? Vian täytyy olla koneessa (auto) It's got to be something in the engine
koneellinen mechanical, machine
koneenrakennus mechanical engineering
konehuone engine room
koneistaa 1 (koneellistaa) mechanize **2** (työstää koneellisesti) machine
koneisto machinery, apparatus kellon koneisto clockwork valtion koneisto bureaucracy
konekaappaus hijacking, skyjacking
konekirjoitus typing
konekirjoituspaperi typing paper
konekirjoitustaito ability to type
konekivääri machine gun
konferenssi conference konferenssissa (tieteellisessä) at a conference; (kokouksessa) in conference, in a meeting
konflikti conflict
Kongo Congo
kongolainen s, adj Congolese
kongressi congress
kongressivaalit congressional election
koni nag, hack
konjunktio conjunction
konkari vanha konkari old hand
konkreettinen concrete
konkretisoida concretize
konkurssi bankruptcy joutua konkurssiin go bankrupt, declare bankruptcy; (ark) go belly-up
konkurssikypsä insolvent
konkurssipesä bankrupt's estate
konna crook, thug
konnankoukku dirty trick; (mon) dirty pool
konsanaan 1 (koskaan) ever Sitä en voi konsanaan unhoittaa I can't get rid of the memory **2** (ihan) kuin kenraali konsanaan like a veritable general
konsertoija concert performer, performing artist
konsertti concert
konserttikiertue concert tour
konserttisali concert hall
konservatorio conservatory, music school/academy
konsistori 1 (yliopistossa: suuri) senate, (pieni) council **2** (kirkossa) consistory
konsonantti consonant
konstaapeli police officer
konstailla 1 (kujeilla) play/pull tricks **2** (vikuroida) be difficult, cause problems, make trouble
konstailu 1 (kujeilu) trickery **2** (vikurointi) refractoriness
konsti trick Opin tämän konstin Pekalta I learned this trick from Pekka Konstit on monet There's more than one way to skin a cat Yritin avata sitä jos jollakin konstilla I tried everything, but it wouldn't open
konstikas tricky (myös kuv)
construoida construe, construct
konsulaatti consulate
konsuli consul

konsultaatio consultation
konsultoida 1 (neuvotella) consult (with) **2** (käyttää konsulttina) use (someone) as a consultant **3** (toimia konsulttina) be a consultant for (someone)
konsultti consultant
kontakti contact solmia hyödyllisiä kontakteja make useful contacts
konteksti context
kontrasti contrast
kontrolli control; (valvontapiste) checkpoint menettää kontrolli lose control
kontrolloida control
kontti 1 (reppu) (birchbark) backpack pukin kontti Santa's sack katsoa jotakuta kuin lehmä uutta konttia look at someone like he had two heads **2** (tavarasäiliö) container **3** leg juosta minkä kontistansa pääsee run as fast as your legs will carry you Katin kontit! In a cat's whiskers!
konttori office
konttorikoneet office/business machines
konttoritarvikkeet office/business supplies
konvehti candy; (mon) assorted chocolates
konvehtirasia box of chocolates
konventionaalinen conventional
koodi code
kookas big, large, hefty; (ark) sizy
kookospähkinä coconut
koollekutsuminen convocation, convening
koomikko comedian
koominen comic(al), amusing, funny
koommin Häntä ei ole sen koommin näkynyt That's the last anybody ever saw of him, he hasn't been heard of since
koordinaatti coordinate
koordinoida coordinate
koordinointi coordination
koossa together pitää koossa hold together, shore up pysyä koossa hang together
koossapitävä binding, cohesive Marja on meidän porukkamme koossapitävä voima Marja is the soul of our group, the binding force, the one who holds us all together
koostaa compile
koostua consist of, be composed of
koostumus consistency, composition
koota 1 (kerätä) collect, gather/store (up) koota ajatuksensa collect your thoughts koota rahaa johonkin scrape up money for something, (keräyksellä) raise money for something **2** (kutsua koolle) convene, assemble koota armeija raise an army **3** (panna kokoon) assemble, put together **4** (yhdistää) unite, unify
kopata (ottaa koppi) catch, (ottaa syliin) snatch up
kopauttaa rap, tap, knock
kopea haughty, imperious, superior
kopeilla act/be haughty/imperious, look down on others, lord it over others
kopeloida 1 (hapuilla) fumble/grope (around for something) **2** (kähmiä: ark) cop a feel
kopio 1 copy, duplicate ottaa kopioita jostakin take copies of something, run something off on the copier **2** (taideteoksesta) print, reproduction
kopioida copy, duplicate
kopiokone copying/duplicating machine
kopistaa knock, rap, tap
kopistella rattle kopistella lunta kengistään stamp the snow off your boots
kop kop! knock knock!
kopla gang neljän kopla the gang of four
koppa 1 (kori) basket, (vauvan) bassinet **2** (tekn) shell, cover, cage **3** (hatun) crown Kylläpäs ottaa koppaan! That really burns me up! **4** (piipun) bowl
koppakuoriainen beetle
koppava haughty, arrogant, snobbish; (ark) stuck-up, snooty
koppi 1 (vartio-/puhelinkoppi tms) booth **2** (koirankoppi) doghouse **3** Ota koppi! Catch!

koputtaa knock
koputtaa puuta knock on wood
koputtaminen sinulla ei ole siinä asiassa nokan koputtamista It's none of your business/concern
koputus knock
koraali chorale
koraani Koran
koralli coral
koralliriutta coral reef
korea 1 (värikäs) bright(ly colored), gaudy **2** (kaunis) gorgeous, lovely Oletpas korea! Look at you! You're all dressed up! **3** (koreankieli) Korean
Korea Korea
korealainen s, adj Korean
koreasti brightly, gaudily
koreilla show off, strut, parade koreilla uusilla vaatteilla show off your new clothes, overdress Pöydällä koreili upea kukkakimppu A stunning flower arrangement adorned the table
koreilu showiness, ostentation, showing off
koreografi choreographer
koreografia choreography
koreus beauty, color, brightness, show(iness)
kori 1 basket eväskori picnic basket pyykkikori hamper tehdä kori (urh) make a basket/hoop **2** (juomakori) case, crate **3** (auton kori) body
korihuonekalu piece of wicker furniture; (mon) wicker furniture
korista wheeze
koristaa 1 (tehdä koreaksi) decorate; (ruokaa) garnish **2** (olla kaunis) adorn, beautify Hymy koristi hänen kasvojaan A smile lit up her face
koriste ornament, decoration joulukuusen koristeet Christmas tree decorations
koristeellinen decorative, ornamental
koriste-esine ornament; (halv) trinket, knickknack
koristella decorate koristella joulukuusta decorate a/the Christmas tree
koristelu decoration, ornamentation
korituoli wicker chair
korjaaja repairman, repairperson
korjaamo (repair) shop Se on korjaamossa It's in the shop
korjailla 1 (valokuvaa) retouch **2** (kirjoitusta) polish, touch up **3** (taloa) fix up **4** (astioita pöydästä) clear
korjata 1 fix **2** (konetta tai rakennusta) repair **3** (vaatetta tms) mend, (sukkaa) darn, (tehdä muutoksia) alter **4** (julkaisua) revise korjattu laitos revised edition **5** (koepapereita) grade, correct **6** (epäkohtia) rectify, remedy korjaamisen varaa room for improvement **7** (jonkin asentoa) adjust, straighten **8** (astiat pöydältä) clear Voisitko korjata astiat? Could you clear the table? Could you clear off the (dinner) plates? **9** (sato) reap (myös kuv)
korjata entiselleen renovate, restore
korjata luunsa jostakin get your carcass out of (somewhere) Korjaa luusi! Beat it! Scram! Skedaddle!
korjaus 1 (virheiden, koepapereiden) correction **2** (parannus) improvement **3** korjaukset repairs Talo on korjauksen tarpeessa The house needs fixing up
korjausehdotus suggested revision
korjauskustannukset cost of repair Mitä luokkaa korjauskustannukset ovat? Can you give me a ballpark figure for the repairs? What are the repairs going to come to?
korjauttaa have/get (something) fixed/repaired
korjautua improve Sillä se asia korjautuu That'll take care of it, that'll fix it
korjuu harvest(ing)
korkata uncork
korkea high korkeat ihanteet high/lofty ideals korkea vuori high/tall mountain On korkea aika It's high time korkea ikä old/advanced age
korkea-arvoinen high-ranking
korkeakorkoinen 1 (laina) at a high interest rate **2** (kenkä) high-heeled
korkeakoulu institute of higher education; college, university
korkeakoulu-uudistus university reform

korkealentoinen high-flown
korkealla high (up/above) korkealla meidän yläpuolellamme way/far above us
korkealuokkainen high-class
korkeaotsainen highbrow
korkeapaine high pressure
korkeasuhdanne boom
korkeatasoinen high-quality
korkeimmillaan at its highest/peak (level)
korkeintaan at most, maximum; (ark) max Siitä voi sanoa korkeintaan sen, että The most you can say about that is
korkeus 1 height, (vuoren) elevation, (lentokoneen) altitude merenpinnan korkeus sea level **2** (korkeusaste) latitude Helsingin korkeudella at the same latitude as Helsinki **3** (sävelkorkeus) pitch **4** Teidän Korkeutenne Your Highness
korkeusennätys record height
korkeushyppy high jump
korkeushyppääjä high-jumper
korkittaa cork
korkkaus uncorking
korkki (aine, ja siitä aineesta tehty pullon korkki) cork; (muu pullon sulkija) stopper, top
korkkiruuvi corkscrew
korko 1 (lainan) interest korkoa korolle compound interest **2** (kengän) heel
korkokanta interest rate
korkotaso interest level
korkuinen jonkun korkuinen at the height of, as tall/high as polven korkuinen knee high, up to my knees
kornetti cornet
koroillaaneläjä rentier; independently wealthy person
koroke stage, (raised) platform, stand nostaa korokkeelle (kuv) put (someone) up on a pedestal
koronkiskonta loansharking
koronkiskuri loanshark
korostaa 1 (tehostaa) highlight, spotlight, accentuate Sininen solmio korosti puvun valkoisuutta The blue tie highlighted the whiteness of the suit **2** (tähdentää) emphasize, stress, place/lay emphasis/stress on Haluan tässä erityisesti korostaa että I want to place particular stress on the fact that, I particularly want to emphasize that **3** puhua englantia vierasperäisesti korostaen speak English with an foreign accent
korostetusti emphatically
korostua be stressed/emphasized korostunut itsetunto increasingly obvious self-esteem
korostus 1 (paino) stress, emphasis **2** (puhetapa) accent vieras korostus foreign accent
koroton 1 (laina) interest-free **2** (tavu) unstressed, unaccented
korottaa 1 raise korottaa aitaa raise/heighten the fence, build the fence higher korottaa päätään raise/lift your head korottaa ääntään raise your voice korottaa joku valtaistuimelle raise/elevate someone to the throne korottaa hintoja/veroja raise/increase prices/taxes **2** korottaa säveltä raise a note a half-step, sharp a note korotettu F F sharp
korotus 1 (palkan) raise; (verojen tms) increase **2** (sävelen) sharp
korpi woods, wilds, wilderness Hän asuu korvessa She lives somewhere out in the sticks/out in the wilds
korpilakko wildcat strike
korpiroju moonshine
korppi raven
korppu 1 rusk **2** (ark tietokoneen levyke) three-and-a-half-inch disk
korpraali corporal
korrekti correct, proper
korrelaatio correlation
korrelaatti correlate
korreloida correlate
korruptio corruption
korsetti corset
korsi straw kantaa kortensa kekoon add your two bits tarttua oljenkorsiin grasp at straws vetää lyhyempi korsi get the short end of the stick
korsu dugout
kortilla rationed
kortinlävistin card punch

kortisto 1 (laatikko) card file **2** (arkisto) file, record pitää kortistoa jostakin keep a record of laittaa kortistoon (ark: heittää pois) put in the circular file
kortistoida file
kortteli 1 (neljän kadun rajoittama) block **2** (kaupunginosa) quarter ranskalaiskortteli the French Quarter
kortteliralli cruising the loop ajaa kortterallia cruise the loop
kortti 1 card jakaa kortit deal panna kortit pöydälle lay your cards on the table **2** (merikortti) chart
korttipakka deck of cards
korttipeli card game
korttipeluri card-player; (uhkapeluri) gambler; (ark) cardsharp, cardshark
koru (piece of) jewel(ry)
koruesine ornament, decoration
koruommel embroidery
korusähke greetings telegram
koruton plain, simple korutonta puhetta plain/straight talk koruton ihminen unpretentious/unaffected/ natural person
koruttomasti plainly, without adornment, unpretentiously
korva ear Onko sinulla vikaa korvien välissä You got something wrong between your ears, upstairs? musiikkia korvilleni music to my ears ei ottaa kuuleviin korviinsa turn a deaf ear to something Korviini on kulkeutunut tieto että A little bird told me that
korvaamaton irreplaceable, indispensable
korvakoru earring
korvakuulokeliitäntä headphone jack
korvakuulokkeet headphones, earphones
korvakuulolta by ear
korvakäytävä auditory canal
korvalappustereot Walkman
korvalehti ear (flap)
korvapuusti (leivonnainen) cinnamon roll
korvarengas earring
korvata 1 (olla käytössä jonkin sijasta) replace, take someone's/something's place Kukaan ei voisi korvata sinua sydämessäni No one could ever take your place in my heart **2** (olla vastapainona) compensate/reimburse for; (ark) make up for Korvaako tämä kustannuksesi? Will this cover your expenses? Will this be enough reimbursement?
korvatulehdus ear infection
korvaus compensation, reimbursement vahingonkorvaus damages
korvausperuste grounds for compensation
korvausvaatimus claim (for damages)
korvautua be compensated (for) Minuutin häviö korvautui loppukirillä He made up the minute he was behind in the last spurt
korventaa singe, scorch; (ark) broil, grill Se sitten korventaa minua That really burns me up
korviaan myöten up to your ears korviaan myöten velassa up to your ears in debt korviaan myöten rakastunut head over heels in love
korviahuumaava deafening
korvike surrogate, substitute
kosia propose (marriage), ask someone to marry you; (ark) pop the question
kosinta proposal (of marriage)
kosiskella court, woo
koska adv when Koska se tapahtui? When did it happen? Voit tulla koska tahansa You can come whenever you like, come any time (you like)
konj because, since, as En voinut tulla, koska auto ei lähtenyt käyntiin I couldn't come because my car wouldn't start Ota vain, koska kerran haluat Go ahead and take it, since you want it (so badly)
koskaan ever ei koskaan never
koskea 1 touch En ole koskenut siihen sormellanikaan I never touched it! I never laid a finger/hand on it! **2** (satuttaa) hurt Tämä voi koskea hiukan This may hurt/sting a little **3** (vaikuttaa) affect, have an effect (on) Asia ei koske sinua It's got nothing to do with you, it's

none of your business **4** (tarkoittaa) apply (to) Tämä koskee teitä kaikkia This applies to all of you, I mean everybody
koskematon untouched, unspoiled koskematon korpi virgin wilderness
koskemattomuus inviolability alueellinen koskemattomuus territorial inviolability/integrity diplomaattinen koskemattomuus diplomatic immunity
koskenlaskija rapids shooter
koskenlasku shooting (the) rapids
kosketin 1 (sähkö) contact **2** (mus) key, (mon) keyboard
kosketinsoitin keyboard instrument
koskettaa touch; (kuv) touch upon, deal with, discuss
koskettimisto keyboard
kosketus touch, contact kevyt kosketus light touch säilyttää kosketus (johonkuhun) stay in touch/contact with, (johonkin) keep your hand in
kosketusaisti sense of touch
koski rapids
koskiensuojelu rapids conservation
kosmeettinen cosmetic
kosmetologi beautician
kosmos cosmos, universe
kosolti lots, tons, scads, piles
kostaa avenge, take revenge on
kostaja avenger
kostautua take/be its own revenge Tuo kostautuu ennen pitkää You're going to have to pay for that sooner or later, those chickens are going to come home to roost sooner or later
kostea 1 damp kylmän kostea dank **2** (ilma) humid
kosteikko oasis
kosteus 1 dampness, dankness **2** (ilman) humidity
kosteusmittari hygrometer
kosto revenge, vengeance
kostonhalu vindictiveness, desire/lust for vengeance/revenge
kostonhaluinen vindictive, vengeful
kostonhimo vindictiveness, thirst/lust for vengeance/revenge
kostonhimoinen vindictive, vengeful
kostua 1 (kastua) get damp/wet **2** (voittaa) gain, get (something) out of Mitä sinä siitä kostut? What will that get you, what good will that do you?
kostuttaa dampen, moisten, wet
kota 1 (lappalaiskota) hut, teepee **2** (siemenkota) capsule
kotelo 1 cover, casing, case, box **2** (perhosen: vaihe) pupa, chrysalis; (suojus) cocoon
koteloida cover, encase
koti home olla hyvästä kodista come from a good family (background) Oma koti kullan kallis Home sweet home
kotiapulainen domestic (help)
kotiaresti 1 (sot) house arrest määrätä kotiarestiin place under house arrest **2** (perhe) grounding laittaa kotiarestiin ground kotiarestissa grounded
kotiaskareet household chores
kotieläin farm animal; (sisällä pidettävä) domestic animal, pet
kotietsintä house search
koti-ikävä homesickness
kotiinkanto (home) delivery
kotiinkuljetus (home) delivery Onko teillä kotiinkuljetus? Do you deliver?
kotijoukot 1 (kotiväki) family Mitä kotijoukoille kuuluu? How's your family? **2** (sot) home guard/troops
kotikasvatus childrearing, upbringing
kotikenttäetu home-court advantage
kotikissa homebody
kotikunta home county
kotikutoinen homespun
kotilaina house mortgage
kotileipuri local baker
kotiliesi hearth
kotiläksyt homework
kotilääkäri family doctor
kotimaa homeland, native country kotimaan domestic
kotimainen domestic
kotimatka the drive/trip/walk/way home
kotimikro home computer
kotiolot things at home Kyllä tämä kotiolot voittaa Sure beats being at home

kotiopettaja (private) tutor
kotiopettajatar governess
kotiopetus private tutoring
kotiosoite home address
kotipaikka hometown
kotipaikkakunta hometown
kotipuhelin(numero) home phone (number)
kotirouva housewife
kotiseutu native region
kotitalouden opettaja home ec(onomics) teacher
kotitalous home economics; (ark) home ec
kotitehtävä school/homework assignment; (mon) homework
kotiteollisuus 1 (käsityö) handicrafts **2** (teollisuus) cottage industry
kotitila family farm
kotiuttaa 1 (armeijasta) demobilize, (ark) demob **2** (uuteen ympäristöön) naturalize, acculturate, accustom, domesticate
kotiutua 1 (tulla kotiin) come home **2** (alkaa tuntea olevansa kotona) become/get acclimated, begin to feel at home, settle in Joko te olette kotiutuneet? Have you settled in yet? **3** (uuteen ympäristöön) become naturalized/ acculturated/domesticated
kotiutus (armeijasta) demobilization, (ark) demobbing
kotka eagle
kotkannenä (hieno) aquiline nose; (halv) beak
kotkottaa cluck, cackle
kotkotus clucking, cackling; (ark) gab(bing), gab fest
kotoa from home kaukana kotoa far from home
kotoinen 1 (kotoisa) homey, cozy, familiar **2** (kotimainen) domestic
kotoisa homey, cozy, familiar
kotoisesti cozily, familiarly, in a homey/familiar way
kotoisin Mistä olet kotoisin? Where are you from? ei mistään kotoisin (ihminen) good-for-nothing, no-account (asia) wrong, unfair (esine) worthless, a piece of junk
kotona at home Ole kuin kotonasi! Make yourself at home!
kotosalla at home
kottarainen starling
kottikärryt wheelbarrow
kotva kotvan aikaa (for) a spell kotvan hiljaisuus a moment's silence
koukata 1 (urh ja yl) hook Voisitko koukata meidän kautta? Could you swing by our place? **2** (sot) outflank
koukero 1 (kiemura) curlicue, (nimikirjoituksessa) flourish Eihän sinun koukeroistasi saa mitään selvää I can't make out these chicken scratchings of yours **2** (mutka) bend, curve **3** (kuv) ins and outs politiikan koukerot the ins and outs of politics
koukeroinen 1 (kirjoitus) fancy, swirly, twirly **2** (tie) winding, curving **3** (asia) tricky, complex, convoluted
koukistaa bend, flex
koukistua bend; (selkä) stoop, crook
koukistus bending
koukkia bend down koukkia ylös bend down and pick something up
koukku 1 hook, (puinen) peg **2** (metku) trick, prank, gag
koukussa 1 (kiinni) hooked, snagged Seijalla on mies koukussa Seija's hooked/snagged a man **2** (taipunut) bent, crooked polvet koukussa (with your) knees bent
koulia train, drill, school
koulu school käydä kova koulu go to/study at the school of hard knocks kouluja käynyt educated pinnata koulusta cut/skip school, play hooky olla poissa koulusta be absent päättää koulunsa graduate (from high school)
kouluateria school lunch
kouluauto driver's training car
kouluhallinto school administration
kouluhallitus National Board of Education
kouluhammashoito school dental care
kouluikä school age
kouluikäinen of school age, school-aged
koulujenvälinen interscholastic

koulujuhla school celebration
koulukasvatus education, schooling
koulukeittola school kitchen
koulukirja schoolbook
koulukirjasto school library
koulukokeilu educational experiment
koulukoti reform school
koulukypsä ready for school
koululainen schoolchild
koululaiskuljetus (school) bus transportation
koululaitos educational system
koululaukku school bag/pack
koululautakunta school board
koululuokka classroom
koulumainen like (at) school koulumainen nimenhuuto rollcall just like at school
koulumatka the way/walk/drive/ride to school
koulumenestys scholastic achievement
koulun ja kodin yhteistyö parent-teacher cooperation
koulun johtaja principal
koulunkäynti school attendance
koulunkäyntioikeus the right to attend school
koulun ulkopuolinen toiminta extracurricular activities
koulupiiri school district
koulupoika schoolboy
koulurakennus school (building)
kouluruokailu school meals
koulusuunnittelu educational planning
koulutarvikkeet school supplies
koulutehtävä assignment
koulutehtävät homework
koulutelevisio educational television
kouluterveydenhuolto school health care
koulutoimenjohtaja superintendent (of schools)
koulutoimentarkastaja school inspector
koulutoveri classmate, schoolmate; friend from school
kouluttaa 1 educate, put (someone) through school **2** (opettaa) train, instruct, teach
kouluttaja educator; (opettaja) trainer, instructor, teacher
koulutuksellinen educational
koulutunti class
koulutus education, training, instruction
koulutusjärjestelmä educational system
koulutussuunnitelma educational program
koulutyttö schoolgirl
koulutyö schoolwork
kouluvelvollisuus mandatory education
kouluyhteistyö scholastic cooperation
koura palm (of your hand) kohdella kovin kourin deal harshly with, be rough on jonkin kourissa in the grip/clutches of
kouraantuntuva tangible, concrete
kouraista grab, snatch
kourallinen handful (myös kuv)
kouriintuntuva tangible, concrete
kouristuksenomainen convulsive, spasmodic
kouristus convulsion, spasm, cramp
kouru 1 channel **2** (laskukouru) spout, chute **3** (kattokouru) rain gutter
kova 1 (kiinteä) hard kova kuin kivi hard as a rock, rock-hard **2** (ankara) hard, harsh, severe, strict kohdella kovin kourin treat harshly, be rough on kova sydän hard heart kovaa puhetta hard/harsh words kovat ajat hard times panna kova kovaa vastaan fight fire with fire kova valaistus harsh lighting kova homma tough job kovan paikan tullen when the going gets tough kova kunto excellent condition **3** (intensiivinen) intense, strong kova kilpailu tough competition kova työnteko hard work olla kovassa käytössä get lots of hard wear kova ääni loud noise/sound/ voice olla kova tekemään jotakin be crazy about (doing) something, love to do something silmä kovana with your eyes peeled

kovaa 1 (kuuluvasti) loud(ly) Puhu kovempaa! Speak up! **2** (tuntuvasti) hard lyödä kovaa hit hard **3** (nopeasti) fast ajaa kovaa drive fast
kovakorvainen deaf
kovakuoriainen beetle
kovalevy 1 (tietok) hard disk **2** (rak) hardboard
kovalevyasema hard disk drive, hard disk, hard drive
kovalevykortti (tietokoneen) hard card
kovanaama tough guy, hardnose
kovan paikan tullen if/when the going gets tough
kova onni tough/hard/bad luck kovan onnen unfortunate
kovaonninen 1 (aina) unlucky **2** (väliaikaisesti) down on your luck
kovaotteinen rough, harsh
kova pähkinä purtavaksi tough pill to swallow
kovapäinen thick-headed
kovassa stuck tight
kovasti 1 (lujasti) hard sataa kovasti pour, come down in buckets **2** (paljon) a lot Teki kovasti mieli maistaa I really felt like tasting one
kovasydäminen hardhearted
kovaääninen (loud)speaker
kovemmin 1 (lujemmin) harder **2** (enemmän) more
koventaa 1 (kovettaa) harden, stiffen **2** (tiukentaa) tighten koventaa kuria tighten discipline **3** (lisätä) increase koventaa vauhtia speed up, pick up speed koventaa ääntä shout louder
kovera concave
koverrus concavity
kovertaa scoop/hollow (out)
kovettaa harden kovettaa vatsaa constipate
kovettua harden, set
kovilla (rahallisesti) (ark) strapped joutua koville fall on hard times, (kokeeseen) be put to the test Olin hetken aika kovilla I was hard put for a second
kovimmillaan at its hardest/worst
kovin very Se oli kovin ystävällistä teiltä That was very nice, most neighborly of you ei kovinkaan not very/particularly/especially
kovistaa 1 (panna koville) be rough/tough on, come down hard on **2** (nuhdella) yell/holler at, chew/bawl out **3** (vaatia) force, press(ure), put pressure on (someone to do something) Kovistin häneltä koko totuuden I beat/shook the truth out of him
kovistella yell/holler at, chew/bawl out
kovuus (aineen) hardness, (ihmisen) harshness, (äänen) loudness
kpl ea(ch), pc (piece)
kraatteri crater
kranaatinheitin grenade-launcher
kranaatti grenade
krapula hangover
krapulainen s person suffering from a hangover adj hungover
kreikan kieli Greek
Kreikka Greece
kreikka Greek
kreikkalainen s, adj Greek
kreikkalaiskatolinen Greek Orthodox
kreivi count
kreivikunta (UK) county
kreppi crepe
kriisi crisis
kriisitilanne crisis (situation)
kriitikko critic, reviewer
kriittinen critical
kriittinen massa critical mass
kristalli crystal
kristallikruunu (crystal) chandelier
kristikunta Christendom
kristillinen Christian
kristillisesti fairly, evenly; like a good Christian
kristillisyys Christianity
kristinoppi Christianity
kristinusko Christianity
kristitty Christian
Kristus Christ
kriteeri criterion
kritiikki criticism

kritisoida criticize
Kroisos Croesus
krokotiili crocodile; (ark) crock
krokotiilinkyyneleet crocodile tears
kromaattinen chromatic
kromata chrome-plate
kromi chrome
kronikka chronicle
kronografi chronograph
kronologia chronology
kronologinen järjestys chronological order
krooninen chronic
krouvi inn
krs floor
kruunaamaton uncrowned
kruunajaiset coronation
kruunata crown (myös kuv)
kruunaus crowning, coronation
kruunu 1 crown, the Crown kaiken kruunuksi to crown everything olla kruunun leivissä work for Uncle Sam **2** (kattokruunu) chandelier
kruunu ja klaava heads or tails
kruununprinssi crown prince
ks see, (lat) vide
kude 1 woof **2** kuteet (ark) threads
kudonta weaving
kudos 1 fabric, texture, weave **2** (anat) tissue
kuha pike perch
kuherrella bill and coo
kuherruskuukausi honeymoon
kuhertaa coo
kuhilas shock, stook
kuhista swarm, seethe Siellä kuhisi ihmisiä The place was swarming/crawling with people
kuihtua wither/fade/pine away
kuilu 1 (luonnossa) chasm, gorge **2** (kaivoksessa tms) shaft **3** (ihmissuhteissa) gap, gulf, chasm sukupolvien välinen kuilu generation gap
kuin 1 sama kuin the same as yhtä vanha kuin (just) as old as **2** samanlainen kuin like kuin salama kirkkaalta taivaalta like a bolt out of the blue **3** erilainen kuin different than nuorempi kuin minä younger than me
kuinka 1 (miten) how Kuinka jakselet? How are you doing/feeling? Kuinka saatoit tehdä tämän minulle? How could you do this to me? kävi kuinka kävi no matter what, come what may **2** (miksi) why, how so Kuinka nyt jo tulit? What are you doing here already?
kuinkaan Ei siinä käynyt kuinkaan Nothing (bad) happened
kuinka hyvänsä however (you like)
kuinka kulloinkin all different ways, now this way now that
kuinka niin how so? what do you mean?
kuinka ollakaan what do you know, guess what
kuinkas muuten of course, (so) what else (is new)
kuinka tahansa however (you like)
kuinka vain however (you like)
kuiskaaja prompter
kuiskailla whisper
kuiskata 1 whisper **2** (teatterissa) prompt
kuiskaus whisper(ing)
kuiske whisper
kuisti porch, veranda
kuitata 1 (ostos) (give a) receipt (for); (lähetys) sign for **2** (ark) dismiss, shrug off
kuitenkaan ks kuitenkin
kuitenkin 1 (kaikesta huolimatta) however **2** (mutta, silti) but, yet, still onneton ja kuitenkin onnellinen miserable yet somehow happy too **3** (sittenkin) anyway, anyhow, after all Jos tulisit kuitenkin Why don't you come anyway? Päätin tulla kuitenkin I decided to come after all Ei hän kuitenkaan tule You know he isn't coming anyway **4** (joka tapauksessa) in any case Kun tämä on kuitenkin laillinen maksuväline Since this is legal tender in any case, since no matter how you look at it this is legal tender
kuitenkin kaikitenkin in any case
kuittaus receipt, signature
kuitti s receipt olla kuitit (jonkun kanssa) be quits (with someone)
adj (ark) dead beat Olen aivan kuitti! I'm dead beat!

kuitu fiber
kuitupitoinen high in fiber
kuiva 1 (ei märkä) dy, dried up, (maaperä) arid **2** (tylsä) dry, dull, boring kuiva huumorintaju dry sense of humor
kuivaaja drier
kuivapesu dry-cleaning
kuivasti dryly
kuivata dry (off/out) kuivata astioita dry the dishes Kurkkuani kuivaa My throat feels dry/parched
kuivatella dry (yourself)
kuivattaa 1 (kuivata) dry **2** (suomaata) drain
kuivaus 1 drying **2** (veden poisto) dehydration
kuiviin kiehua kuiviin boil dry vuotaa kuiviin (astia) run out, (ihminen) bled to death haihduttaa kuiviin evaporate
kuivilla (kuivalla maalla) on dry land; (ei ole juonut) on the wagon; (selvinnyt pahimmasta) out of the woods; (vapautettu syytöksistä) in the clear
kuiviltaan without water
kuivua dry (out/off/up) kuivua kokoon dry up (myös kuv)
kuivuri drier
kuivuus 1 dryness **2** (maaperän) aridity **3** (kuivakausi) drought
kuja alley, lane
kujanjuoksu running the gauntlet
kuje trick, prank, gag, practical joke
kujeilla (play) trick(s), pull pranks, joke around
kuka who kenen, keiden whose kuka heistä which of them Kuka tykkää, kuka ei Some like it, some don't
kukaan anyone, anybody ei kukaan no one, nobody ei kukaan muu no one else, nobody else, no other person
kuka hyvänsä anyone, anybody Tekipä sen kuka hyvänsä Whoever did/does it kuka hyvänsä joka anyone who
kuka kulloinkin different people at different times
kukallinen flowery
kuka milloinkin different people at different times
kuka tahansa anyone, anybody Tekipä sen kuka tahansa Whoever did/does it kuka tahansa joka anyone who
kukaties maybe
kukikas flowery
kukin each, every one, everyone, everybody kukin meistä each of us, every one of us Kukin menköön kotiinsa! Everybody go home! Se oli hyvä opetus itse kullekin meistä It was a good lesson for all of us
kukinta blooming, flowering
kukinto inflorescence
kukistaa 1 (kaataa) topple, overthrow **2** (taltuttaa) quell, subdue, suppress
kukistua fall, topple, be overthrown
kukittaa give (someone) flowers, present flowers (to someone)
kukka flower, (puussa) blossom
kukkakaali cauliflower
kukkakauppa florist's, florist's shop
kukkakauppias florist
kukkakimppu bouquet
kukkalaatikko flower box
kukkamajakko (flower) vase
kukkanen flower
kukkaro coinpurse, pocketbook sopia joka kukkarolle suit every pocketbook elää kuin Herran kukarossa have it good, be in clover
kukkia blossom, bloom, be in flower/bloom
kukko rooster olla kukko tunkiolla rule the roost Hänelle ei kunnian kukko laula He may get into trouble, he'll come to grief/no good
kukkoilla boast, brag, strut
kukkokiekuu! cock-a-doodle-doo!
kukkua 1 (käki) call "cuckoo" **2** (ihminen: valvoa) stay up (late)
kukkula hill kukkulan kuningas king of the hill onnensa kukkuloilla on top of the world, in seventh heaven maineensa kukkuloilla in your glory, at the height of your fame
kukkulainen hilly
kukkura heaping kaiken kukkuraksi to crown/top it all, to boot kukkura lusikallinen heaping sponful

kukkurakaupalla by the armload, loads, tons, heaps
kukkuramitalla heaping
kukkurallaan heaping, piled high
kukoistaa 1 (kukka) blossom, bloom **2** (ihminen) flourish, thrive, prosper
kukoistava 1 (kukka) blooming **2** (ihminen: hyvin toimeentuleva) flourishing, thriving, prosperous; (terve) ruddy with health
kukoistus bloom, flush nuoruuden kukoistus the prime of your life
kukoistuskausi golden age
kulaus swallow, swig, gulp
kulauttaa guzzle, (ark) chug(-a-lug)
kulho bowl
kulissien takainen behind-the-scenes
kulissit wings kulissien takana behind the scenes, backstage
kuljeksia 1 (ajelehtia) drift **2** (vaellella) roam, ramble, wander **3** (maleksia) idle, loaf, laze around
kuljettaa 1 (tavaroita) transport, ship, convey **2** (ihmisiä: autolla) drive; (kädestä pitäen) usher, lead, see, guide **3** (autoa, konetta) drive, run, operate **4** (kiekkoa) dribble
kuljettaja 1 (auton) driver, chauffeur **2** (koneen) operator
kuljetus transportation
kulkea 1 (käydä) go, walk, travel, run kulkea junalla take the train, go/ travel by train kulkea huoneesta toiseen walk from room to room kulkea lyijyttömällä bensiinillä run on unleaded gas, take unleaded gas **2** (kuljeksia) roam, ramble, wander **3** (ajelehtia) drift Henki ei kulje He can't breathe Suksi ei kulje My ski keeps sticking, won't slide
kulkea kohti approach something
kulkea ohi pass by
kulkea perintönä be handed/ passed down
kulkea yli cross
kulkeutua drift kulkeutua tuulen mukana drift with the wind, let the wind carry you Sisälle kulkeutunut hiekka Sand that had been tracked into the house tarinoiden kulkeutuminen suusta suuhun passing stories on from one person to another
kulkija 1 (kulkuri) vagabond, tramp, man of the road **2** (vaeltaja) wanderer, rover
kulku 1 (liike) motion; (eteenpäin) (forward) progress; (koneen) running, operation hätistää hevosta kulkuun start the horse walking, prod the horse into motion Juna on kulussa vain lauantaisin The train only runs on Saturday poistaa kulusta take (something) out of service ajatusten kulku train/chain of thoughts **2** (pääsy) access vaivalloinen kulku huvilalle difficult access to the summer house, a summer house that's hard to get to **3** (kehitys) course, development, progress historian/ajan/elämän kulku the course of history/time/life taudin kulku the progress/course of the disease tapahtumien kulku the chain/ course of events kehityksen kulku progress
kulkue parade, processional
kulkukelvoton impassable
kulkukissa stray cat
kulkulaitos communication system
kulkulupa pass
kulkunen (sleigh/jingle) bell
kulkuneuvo vehicle yleiset kulkuneuvot public transportation
kulkuri tramp, hobo, vagabond, drifter
kulkusuunta direction, (laivan) course istua kulkusuuntaan sit facing forward
kulkutauti infectious/contagious disease; epidemic
kulkuväline vehicle
kulkuyhteys connection Onko täältä kulkuyhteys Tampereelle? Is there any way for me to get to Tampere from here?
kullankaivaja gold-digger, prospector
kullata gild (myös kuv)
kulloinenkin relevant, respective, in question sanan kulloinenkin merkitys the contextually relevant meaning of the word

kulloinkin at any given time kuka kulloinkin on kotona whoever's home (at a given time)
kulma 1 (nurkka) corner kääntyä toisesta kulmasta vasemmalle take the second left meidän kulmilla in our neighborhood **2** (mat) angle suorassa kulmassa johonkin at right angles to, perpendicular to **3** (kulmakarva) eyebrow
kulmahammas eyetooth
kulmakarvat eyebrows
kulmikas 1 (muoto) angular **2** (käytös) awkward, clumsy **3** (ihminen) difficult
kulmittain diagonally; (ark) kittycorner, cattycorner
kulottaa burn off/over
kulovalkea brushfire levitä kuin kulovalkea spread like wildfire
kulta 1 gold Ei kaikki ole kultaa mikä kiiltää All that glitters is not gold olla kullan arvoinen be worth your weight in gold **2** (rakas) dear, honey, sweetie; (rakastettu) darling, sweetheart Tulisitko kulta tänne? Could you come here please honey?
kultaharkko gold ingot; (mon) (gold) bullion
kultahääpari couple celebrating their golden wedding anniversary
kultahäät golden wedding anniversary
kultainen 1 gold(en), (kullattu) gilded **2** (onnellinen) wonderful, wondrous kultaiset ajat halcyon days **3** (suloinen) sweet, charming
kultainen keskitie happy medium
kultainen laskuvarjo golden parachute
kultainen leikkaus golden section
kultainen sääntö golden rule
kultakaivos goldmine (myös kuv)
kultakuume gold fever
kultalevy gold record
kultaseppä goldsmith; (liikkeen pitäjä) jeweler
kultasepänliike jeweler('s store)
kultasormus gold ring
kultaus (kultaaminen) gilding, (kultasilaus) gilt
kultivoitunut cultivated
kulttuuri culture
kulttuurielämä cultural life, culture
kulttuurihistoria cultural history
kulttuuri-imperialismi cultural imperialism
kulttuuriperinne cultural tradition
kulttuuriperintö cultural heritage
kulttuuripolitiikka cultural (and educational) policy
kulttuurirahasto cultural fund
kulttuuritoiminta cultural endeavor
kulttuurivaikutus cultural influence
kulttuurivallankumous cultural revolution
kulua 1 (vaat tms) wear (out/thin/down jne) **2** (raha) get spent, go; (ruoka) get eaten/consumed Meiltä kului sillä viikolla valtavasti rahaa/ruokaa We went through an enormous amount of money/ food that week **3** (aika) pass/go (by) Minulta kului koko päivä siihen I worked on it the whole day, it took me the whole day to do it En saa aikaa kulumaan I'm bored kuluva viikko/vuosi this week/year
kulua hukkaan be wasted/ squandered
kulua umpeen expire, be up Aikasi on kulunut umpeen Your time's up, it's time
kulua vähiin (be) run(ning) out
kuluessa during, (with)in muutaman päivän kuluessa (with)in a few days, in the next few days vuosien kuluessa over the years
kulumaton 1 (ei kulu) long-wearing, tough **2** (käyttämätön) unworn
kulunut 1 (vaate tms) (well-)worn, (loppuun) worn-out, threadbare **2** (fraasi tms) clichéd, trite, hackneyed **3** (vuosi tms) last, the past kuluneena vuonna last year, during the past year
kulut expense(s), cost(s) kulujen peittämiseksi to cover (your own) costs/ expenses
kuluttaa 1 (vaatetta) wear out **2** (rahaa) spend, (ark) blow **3** (aikaa) spend kuluttaa hankkeeseen kokonainen viikko

spend a whole week doing a project, take a whole week to do a project **4** (voimia) tax, tire; (hermoja) strain, wear on **5** (ruokaa) eat, consume **6** (kulutustavaroita, sähköä tms) consume Paljonko se kuluttaa (bensiiniä)? What kind of mileage does it get? Se kuluttaa 10 litraa sadalla kilometrillä It gets 25 miles to the gallon
kuluttaa loppuun use up, (luonnonvaroja) deplete
kuluttaa pois wear off/away
kuluttaja consumer
kuluttaja-asiamies consumer ombudsman
kuluttajahintaindeksi consumer price index
kuluttajansuoja consumer protection
kuluttajansuojalaki consumer projection act/law
kulutus 1 (vaatteen tms) wear (and tear) **2** (tavaroiden tms) consumption bensiinin kulutus mileage
kulutushysteria (wild/unrestrained) consumerism
kulutustavarat consumer goods
kumahtaa boom, resound, echo; (iso kello) toll saada kumahtava isku päähän get your bell(s) rung
kumara bent/hunched (over), stooped
kumarrus bow (myös kuv)
kumartaa (take a) bow, bow (down) (myös kuv) kumartaa jollekulle bow down to/before someone, pay your respects to someone kumartaa kuvia worship appearances
kumartelija yes-man, toady, flatterer; (sl) asslicker
kumartua (nostamaan tms) bend down, (lukemaan tms) bend over
kumaus crack, bang saada kunnon kumaus takaraivoon get smacked good in the back of the head
kumea dull, hollow
kumi 1 rubber (myös kondomi) **2** (koulukumi) eraser **3** (sisäkumi) inner tube Meillä on kumi puhki We've got a flat (tire)
kumina 1 (ääni) boom(ing) **2** (kasvi) caraway (seed)
kuminauha elastic (band); (kumilenkki) rubber band
kuminen rubber; (kumimainen) rubbery
kumisaapas rubber boot
kumista boom, resound, echo
kumma 1 (omituinen) strange, odd, weird joku kumma tyyppi some weirdo/oddball **2** (hämmästyttävä) surprising katsoa kummissaan watch in astonishment **3** (ihme) wonder Kuka kumma tuo mies on? I wonder who that guy is? Who on earth could that be? Mitä kummaa sinä teet? What on earth are you doing? Ihme ja kumma! What do you know! Will wonders never cease! Surprise surprise! **4** ei mitään sen kummempaa nothing much Ei se kummia maksa It doesn't cost an arm and a leg Ei siinä käynyt sen kummemmin That's all that happened, nothing more than that happened
kummakseni kuulin much to my surprise they told me, I heard
kumma kyllä surprisingly/strangely enough
kummallinen strange, odd, weird
kummastella wonder/marvel (at), find (something) strange/odd
kummasti surprisingly, amazingly, astonishingly Saatiin kummasti aikaan lyhyessä ajassa We got an amazing amount done in a short time
kummastus surprise, amazement, astonishment
kummastuttaa surprise, amaze, astonish
kummi godparent
kummilapsi godchild
kumminkin ks kuitenkin
kummipoika godson
kummisetä godfather
kummitella (be) haunt(ed) Talossa kummittelee The house is haunted Se kummitteli vielä pitkään hänen mielessään It bothered/troubled him for a long time afterwards, he couldn't get his mind off it, get it out of his mind

kummitus ghost, (ark) spook pelotella ihmisiä sodan kummituksella scare people with the bogeyman of war
kummitusjuttu ghost story
kummitustalo haunted house
kummityttö goddaughter
kummitäti godmother
kummivanhemmat godparents
kumollaan overturned, upside-down; (vene vedessä) capsized
kumoon (lasi tms) over, (ihminen tms) down kaataa pöytä kumoon tip the table over mennä kumoon (kuv) fall through/ short, collapse; (ark) flop
kumossa upside-down, bottomside-up, turned over
kumota 1 (lasi tms) tip/turn/tilt over; (vene vedessä) capsize **2** (laki) repeal, (vaalit) invalidate, (avioliitto) annul, (tuomio) reverse, (määräys) overrule, (teoria) disprove, (huhu) deny **3** (hallitsija) overthrow **4** (toisensa) cancel (each other) out
kumouksellinen s revolutionary, rebel
adj revolutionary, subversive
kumouksellisuus subversiveness, revolutionary spirit
kumous (vallankaappaus) coup (d'etat); (vallankumous) revolution; (kapina) revolt, rebellion; (kansannousu) popular uprising
kumoushanke revolutionary/ subversive plot, plot to overthrow the government
kumpare mound
kumpi which (one (of us/you/them))
kumpikaan either (one (of us/you/ them)) ei kumpikaan neither (one (of us/ you/them))
kumpikin (molemmille) both (of us/ you/them), (erikseen) each (of us/you/ them) Siitä riitti meille kummallekin There was enough for both of us Riitti yksi meille kummallekin There were enough so that each of us got one
kumpi tahansa whichever Ota kumpi tahansa Take whichever (one) you want/like
kumppani (elämän) companion, (liikekumppani) partner
kumpu mound
kumpuilla 1 (kummuta) well/spring up/forth **2** (olla kumpuinen) be rolling/ hilly
kumulatiivinen cumulative
kun 1 (silloin kun) when Töttää kun tulet Honk when you come **2** (samalla kun) as, while Seija lähti, kun sinä olit puhelimessa While you were on the phone, Seija left Kun selitit sitä, muistin että As/while you were explaining all that, I remembered that **3** (kun taas) while, where(as) Vaimoni syö mielellään ruisleipää, kun minä taas vehnäleipää My wife likes rye bread, while I prefer wheat **4** (siksi kun) because, as, since No kun kerran kysyt Well, since you ask Tulin jo nyt, kun ajattelin että I came early because I thought that **5** (jos) if Kun ei niin ei If that's the way you want it, fine **6** (kun vain) if only Kun Mikko olisi täällä If only Mikko were here **7** ei kun no A: Sinäkö tämän teit? B: Ei kun Hannu A: Did you do this? B: No, Hannu did
kuningas king, monarch kukkulan kuningas king of the hill elää kuin kuningas live like a king kuningas alkoholi demon gin
kuningaskunta kingdom, monarchy
kuningatar queen juhlien kuningatar belle of the ball
kuninkaallinen 1 royal, regal, kingly **2** (ylenpalttinen) princely kuninkaalliset pidot a feast fit for a king
kuninkuus kingship, royalty
kunnallinen (hallinto) local; (kaupunki-) municipal, (maalais-) county
kunnallishallinto local government
kunnallisoikeus municipal/county law
kunnallispolitiikka local/municipal/ county politics
kunnallistaa bring (something) under municipal/county ownership
kunnallistalous municipal/county finances
kunnallistekniikka (municipal/ county) utilities

kunnallisvaalit local elections
kunnallisvero city/country tax
kunnallisverotus local taxation
kunnanhallitus local government
kunnanjohtaja city/county manager
kunnanvaltuusto city/county council
kunnanvaltuutettu city/county council member
kunnes until, til
kunnia honor, glory kunnian kentällä on the field of honor/glory Jumalan kunniaksi to the (greater) glory of God ottaa jostakin kaikki kunnia take full credit for something Minulla on kunnia esitellä I have the honor/ privilege to introduce kuulla kunniansa get chewed out, told off käydä kunnialle wound your pride Sen kunniaksi! Let's/I'll drink to that! tehdä kunniaa (sot) salute olla kunniaksi jollekulle be a credit to someone
kunniakas 1 (kunnioitettava) honorable, creditable **2** (loistava) glorious, illustrious
kunniakirja certificate of honor
kunniallinen honorable, respectable, honest, fair kunniallinen mies honorable/ respectable/honest man kunniallinen hinta honest/fair price
kunniallisesti honorably, honestly, fairly
kunniamaininta honorary mention
kunniamerkki medal (of honor), decoration
kunnianimi honorary title
kunnianloukkaus defamation (of character); (kirjallinen) libel, (suullinen) slander
kunnianosoitus honor, homage, tribute; (aplodit) ovation
kunniapaikka place of honor
kunniapalkinto special prize
kunniasanalla on my word of honor
kunniatohtori honorary doctor
kunniaton disreputable, dishonorable
kunnioitettava 1 (kunnioitettu) respected, esteemed, honored **2** (kunnioituksen arvoinen) respectable, estimable **3** (huomattava) respectable, considerable, good-sized
kunnioittaa (have) respect (for), (hold in) esteem, honor kunnioittaa vainajaa honor the deceased, pay your respects to the deceased, pay homage/ tribute to the deceased kunnioittaa ylenpalttisesti venerate, revere
kunnioittaen sincerely, respectfully
kunnioitus respect, esteem, veneration, reverence kaikella kunnioituksella with all due respect kunnioitusta herättävä awe-inspiring, imposing
kunnittain by city/county
kunnolla right, properly tehdä jokin kunnolla do something right/properly/ well, (loppuun) finish the job olla kunnolla behave (yourself)
kunnollinen 1 (kunniallinen) respectable, decent, good kunnollinen tyttö good/respectable girl päättää ruveta viettämään kunnollista elämää decide to go straight **2** (pätevä) capable, competent, good; (todellinen, oikea) real, proper Kutsuisit kunnollisen putkimiehen I wish you'd call a real/proper plumber, somebody who knew what he was doing **3** (perusteellinen) thorough, proper, sound kunnollinen pesu thorough scrubbing
kunnollisesti properly, well Juhlat eivät olleet edes kunnollisesti alkaneet The party had hardly even properly gotten started
kunnon good, decent, proper kunnon kaveri good old boy, real pal vanhat kunnon ajat good old days kunnon tyttö good/decent girl kunnon ateria decent/ proper meal
kunnon kansalainen good citizen
kunnossapito maintenance, upkeep
kunnostaa 1 (taloa) fix up, repair, renovate **2** (maantietä) resurface **3** (konetta, autoa) overhaul **4** (laivaa) refit
kunnostautua earn distinction, distinguish yourself, make your mark; (ark) win your spurs
kunnostus repair(s), renovation, resurfacing, overhaul(ing), refitting (ks kunnostaa)
kunnoton good-for-nothing, no-account

kunta 1 (kaupunkikunta) municipality, city **2** (maalaiskunta) county **3** (kunnallishallinto) local government
kuntainliitos merger of counties/ municipalities, (kaupunki- ja maalaiskunnan myös) city-county merger
kuntainliitto federation of municipalities
kuntasuunnitelma municipal/county plan/program
kuntasuunnittelu municipal/county planning
kuntauudistus local government reform
kunto condition, shape hyvässä kunnossa in good shape/condition huonossa kunnossa in bad/terrible shape/ condition, (urh) out of shape Kaikki on kunnossa Everything's in order, all set, arranged panna kuntoon (lelu tms) fix, (talo) fix up, (koti) straighten up, (asiat) (put things in) order kunnolla, kunnon ks hakusanat
kuntopyörä exercise bike
kuntourheilija exerciser
kuntourheilu exercise, conditioning
kuntouttaa rehabilitate
kuntoutua get into shape
kuntoutus rehabilitation
kuohahtaa 1 (kahvi tms) boil over **2** (tunteet) boil, seethe
kuohita castrate; (hevonen) geld; (koira tms) spay
kuohkea (maaperä) loose, (munakas tms) light, (kakku) springy, spongy
kuohu 1 (vaahto) froth, foam, (saippuan) lather **2** (kuohunta) surge
kuohua (vaahdota) froth, foam; (hyrskytä) surge, boil; (kuplia) bubble kuohua vihaa fume, rage Lähi-idässä kuohuu There is unrest in the Middle East, the Middle East is in a state of unrest
kuohukerma whipping cream
kuokka hoe
kuokkavieras gate-crasher
kuokkia 1 hoe **2** gate-crash
kuola drool, slobber
kuolaimet bit
kuolata drool, slobber
kuolema death (myös kuv); (euf) decease, demise En kuolemaksenikaan muista For the life of me I can't remember tuomita kuolemaan sentence/ condemn (a person) to death, pronounce the death sentence
kuolemaantuomittu condemned
kuolemaisillaan at death's door, dying, near death
kuolemanhiljainen deathly quiet, quiet as the grave
kuoleman kielissä at death's door
kuoleman oma Olet kuoleman oma! You're dead meat! You die! You're a dead man!
kuolemanpelko fear of death/dying
kuolemansairas deathly/fatally/ terminally ill, at death's door
kuolemantuomio death sentence
kuolemanväsynyt dead tired/beat
kuolematon immortal
kuolemattomuus immortality
kuolettaa 1 (tappaa) kill kuolettaa nälkään starve (someone) to death **2** (tukahduttaa) suppress, repress, kill; (usk: lihaa) mortify kuolettaa elämänilo repress your joie de vivre Sillä kirjain kuolettaa, mutta henki tekee eläväksi For the letter killeth, but the spirit bringeth life kuolettaa liha mortify the flesh **3** (lääk) deaden, numb **4** (lainaa) amortize, (velkaa) liquidate; (ark) pay off
kuolettava 1 (tappava) lethal, mortal, fatal, deadly **2** (tylsä) deadly (boring/ dull)
kuoletus 1 (tukahduttaminen) suppression, repression, mortification **2** (lääk) deadening, (vanh) anesthesia **3** (lainan) amortization, (lyhennys) mortgage/loan payment, (osamaksu) instalment
kuoleutua 1 (kasvi) die kuoleutunut puu dead tree **2** (lihas: surkastua) atrophy, waste (away) kuoleutunut käsi wasted hand **3** (lihas: puutua) go numb, (ark) fall asleep Jalkani on kuoleutunut My leg fell asleep **4** (laina) be amortized, be paid off
kuolevainen s ja adj mortal
kuolevaisuus mortality

kuoliaaksi to death hakata kuoliaaksi beat (someone) to death ampua kuoliaaksi shoot (someone) dead
kuoliaana dead maata kuoliaana lie (there) dead
kuolinilmoitus obituary, (ark) obit
kuolio 1 (käden tms) gangrene **2** (lentokoneen) stall joutua kuolioon (go into a) stall
kuolla 1 die (myös kuv); (euf) pass away; (leik) kick the bucket kuolla nälkään die of starvation, starve to death; (olla kuolemassa, myös leik) be starving **2** (urh) be out
kuollakseen nauraa kuollakseen split your sides laughing, bust a gut with laughter pelätä kuollakseen be scared to death
kuolla kupsahtaa kick the bucket
kuolleisuus mortality(/death rate)
kuollut s dead person; (euf) the deceased, the departed; (mon) the dead adj dead (myös urh) kuollut pallo dead ball
kuollut ja kuopattu dead and buried/gone
kuomu (konepelti) hood, (kokoonpantava katto) (convertible) top
kuona dross, (kivihiilen) cinder, (metallin) slag yhteiskunnan kuona the dregs of society
kuona-aine waste product; (mon) waste matter
kuono 1 (eläimen) snout, (koiran) muzzle **2** (ark) nose saada kuonoon get punched in the nose/mouth/face, get a knuckle sandwich antaa jollekulle kuonoon knock someone's block off, help someone swallow their lunch Kuono kiinni! Shut your face/ trap!
kuonokoppa muzzle
kuopata bury
kuopia paw (at)
kuopiolainen person from Kuopio
kuoppa 1 pit, hole; (tien pinnassa) pothole, bump; (pommin tekemä) crater **2** (silmän) socket, pit; (hymykuoppa) dimple **3** (urh: lähtökuoppa) block **4** (ilmakuoppa) (air) pocket **5** (usk: synnin tms) pit **6** (palkkakuoppa) salary lag
kuoppainen potholed, bumpy, pitted
kuoppakorotus catch-up raise
kuopus youngest, (ark) baby (of the family)
kuori 1 (sipulin, perunan, makkaran, keitetyn maidon ym) skin **2** (banaanin, appelsiinin, omenan yms) peel **3** (munan, etanan, pähkinän ym) shell **4** (siemenen, maissin ym) husk **5** (puun) bark **6** (maapallon, leivän) crust **7** (kirjekuori) envelope **8** (lukon tms) case, casing, cover **9** (kirkon) chancel **10** (henkinen) shell tulla ulos kuorestaan come out of your shell
kuoria 1 (hedelmää, perunaa tms) peel **2** (sipulia tms) skin **3** (maitoa) skim **4** (munaa, pähkinää tms) shell **5** (siementä, maissintähkää) husk **6** (puuta) strip, peel
kuoriutua 1 (iho, maali tms) peel/ flake (off) **2** (munasta) hatch **3** (vaatteistaan) peel, strip
kuorma load (myös kuv), (vain kuv) burden
kuorma-auto truck
kuormata 1 (lastata) load **2** (ottaa kuormaa) hold, carry
kuormittaa 1 (kuormata) load **2** (rasittaa) load down, burden, strain kuormittaa keuhkoja put a strain on your lungs
kuormitus load, stress, strain suurin sallittu kuormitus maximum load
kuoro choir, chorus huutaa kuorossa shout with one voice
kuorolaulaja singer in a choir
kuorolaulu choir/choral singing
kuoromusiikki choir/choral music
kuorruttaa (kakkua) ice, frost; (munkkia sokeriliemellä) glaze
kuorrutus icing, frosting, glaze
kuorsata snore
kuorsaus (yksi) snore, (kuorsaaminen) snoring
kuosi 1 (kankaan) pattern **2** (muoto) shape, style **3** (koristekuvio) design, pattern
kuovi curlew
kupari copper
kuparikaivos copper mine
kuparikausi Copper Age

kuparinen copper
kupera convex
kuperkeikka somersault heittää kuperkeikkaa turn a somersault; (ihminen vahingossa) fly/fall head over heels; (auto) flip/turn over (and over); (hanke) fall to pieces, get all screwed/fouled up
kupillinen cup(ful) kupillinen kahvia a cup of coffee
kupla 1 bubble **2** (leik: folkkari) beetle, bug
kuplamuisti bubble memory
kuplia bubble; (shampanja tms) effervesce, sparkle; (maali) blister
kupoli cupola, dome
kuponki coupon
kuponkitarjous coupon discount
kuppa syphilis, (ark) syph
kuppi cup kahvikuppi coffee cup/mug teekuppi teacup C-kupin rintaliivit C(-cupsize) bra
kuppila cafe(teria), coffee house/shop
kupru blister
kupsahtaa topple, tumble kuolla kupsahtaa kick the bucket
kupu 1 (kupoli) dome, cupola **2** (liesikupu) hood **3** (juustokupu) cover **4** (lampun) bulb **5** (hatun) crown **6** (kumpare) mound **7** (tunturin laki) crest, top **8** (kaalin kerä) head **9** (linnun ruokatorven laajentuma) craw **10** (ihmisen vatsa) belly, gut pistää kupuunsa stuff your face (with something)
kura mud olla vatsa kuralla have diarrhea, (ark) have the trots/runs
kuraantua get muddy
kuraattori 1 (valvova opettaja) faculty adviser **2** (museon) curator **3** (kuolinpesän toimitsija) executor
kurainen muddy
kuralätäkkö mud puddle
kurata (get something) muddy
kuri discipline pitää kurissa (lapsia) keep (kids) in line; (hintakehitystä tms) keep under control, curb, keep a tight rein on
kuriiri courier, messenger
kurimus whirlpool, vortex, maelstrom
kurinpidollinen disciplinary ryhtyä kurinpidollisiin toimenpiteisiin take disciplinary measures/action
kurinpito discipline
kurinpitoasia disciplinary matter
kuriositeetti curiosity
kuristaa strangle, choke, throttle
kuristaja strangler
kuristin choke
kuriton undisciplined, unruly
kurittaa discipline; (rangaista) punish, penalize; (torua) chastise, correct; (antaa selkään) spank kurittaa ruumistaan mortify the flesh
kurittomasti in a disorderly/undisciplined/unruly way
kuritus punishment, penance, chastisement, correction, spanking, mortification (ks kurittaa)
kuritushuone penitentiary, (ark) the pen viisi vuotta kuritushuonetta five years of hard labor
kurja 1 (huono) squalid, sordid; (ark) lousy, crummy, godawful **2** (raukkamainen) cowardly, (sl) chickenshit **3** (katala) lousy, no-good, dirty, double-dealing **4** (run: poloinen) wretched, miserable maan kurjat the wretched of the earth
kurjistaa make (someone) wretched/miserable, force/drive (someone) into poverty, impoverish
kurjistua sink into misery/wretchedness/poverty
kurjuus misery, wretchedness, poverty
kurki 1 (lintu tai nosturi) crane **2** (auran) handle, plowtail
kurkiaura V of cranes
kurkistaa peek/peep (in/out)
kurkistelija Peeping Tom
kurkistella peek/peep (in/out)
kurkistelu peeking, peeping
kurkkia peek/peep (in/out)
kurkku 1 (ruoka) cucumber **2** (ihmisen) throat olla kurkku kipeä have a sore throat kostuttaa kurkkuaan wet your whistle olla kurkkua myöten täynnä jotakuta have had it up to here with someone, be fed up with someone

huutaa täyttä kurkkua shout at the top of your lungs
kurkkutauti throat disease
kurkkuun käydä jonkun kurkkuun hurl yourself/jump at someone's throat työntää jollekulle luu kurkkuun shut someone up Minulle meni luu kurkkuun I couldn't think of a thing to say (to that) mennä väärään kurkkuun go down the wrong way/hatch
kurkotella stretch/reach (out for)
kurkottaa stretch/reach (out for)
kurkottautua stretch/reach (out for)
kurkussa olla itku kurkussa choke back the tears, choke down the sobs olla pala kurkussa have a lump in your throat olla sydän kurkussa have your heart in your mouth juosta henki kurkussa run for your life
kurlata gargle
kurlausvesi mouthwash
kurnuttaa croak
kuroa close (up), pull (at) Nälkä kuroo suolia My stomach's rumbling with hunger, hunger's pulling at my stomach
kuroa kiinni tighten, pull/draw tight (with a drawstring)
kuroa umpeen 1 (reikä) stitch/sew up, darn **2** (johto) cut, reduce (the lead), catch up (to)
kurottaa stretch/reach (out for) Puut kurottavat runkojaan veden ylitse The trees were leaning out over the water
kurpitsa (laji) cucurbit; (iso) pumpkin, (pieni) squash
kursailematon unhesitating, unceremonious, informal, casual, offhand
kursailematta without hesitation, without standing on ceremony, casually, offhand
kursailla hesitate, hang back Älkääs nyt kursailko! Don't be shy, don't stand on ceremony, make yourselves at home
kursiivi (kirjassa) italics, (kauno) cursive
kursivoida italicize
kursori (tietok) cursor
kursorinen cursory
kurssi 1 (laivan tms suunta) course, tack ottaa kurssi suoraan pohjoiseen set a course due north, set a northerly course kurssissaan on course muuttaa kurssiaan change course, (vars kuv) take a new tack **2** (oppimäärä, opintojakso) course (of study), class suorittaa neljän vuoden taloustieteen kurssi complete a four-year course of studies in economics, earn a four-year degree in economics käydä englannin kurssilla take a course/class in English, an English course/class **3** (vuosikurssi) class vuoden 1992 kurssi the class of 1992 **4** (vaihtokurssi tms) rate huonossa/hyvässä kurssissa at a discount/premium
kurssilainen participant (in a course)
kurttu wrinkle kurtussa wrinkled, wrinkly laittaa kulmat kurttuun knit your brows
kurttuinen wrinkled, wrinkly
kurvata curve, swerve, (take a) corner
kurvi curve
kusettaa 1 minua kusettaa I gotta take a leak **2** (huiputtaa) cheat, con, take someone for a ride
kusi urine, (sl) piss
kusipää (sl) shithead, asshole
kuskata (ihminen) drive, take; (tavaraa) haul, take
kuski driver
kusta (sl) piss
kustannus 1 (maksaminen) paying, funding **2** (kulu) cost, expense, expenditure tehdä jotain jonkun kustannuksella do something at someone's expense pitää hauskaa jonkun kustannuksella make fun of someone, poke fun at someone, laugh at someone **3** (julkaiseminen) publishing, publication
kustannusarvio cost estimate
kustannusliike publishing house/ firm, publisher
kustannussopimus publishing contract
kustannustaso level of expenditure
kustantaa 1 (maksaa) pay (for), cover the cost/expense (of) **2** (julkaista) publish
kustantaja publisher
kustos (kokoelman tms) custodian; (väitöstilaisuuden) presiding official

kuta...sitä the...the kuta enemmän, sitä parempi the more the better
kutakuinkin 1 (verrattain) fairly, reasonably, pretty **2** (likimain) almost, just about **3** (jotenkuten) more or less
kutea 1 spawn **2** (sl: rakastella) fuck
kuteet (ark) threads
kuten 1 (niin kuin) as Kuten me kaikki tiedämme As we all know Kuten sanottu As I was saying **2** (jonkin/jonkun tavoin) like kuten hullu like a madman **3** (kuten myös) as well as tytöt kuten pojatkin the girls as well as the boys **4** (kuten esimerkiksi) such as, for example, e.g. nilviäiset, kuten etanat molluscs, such as/for example/e.g. snails/slugs
kuti 1 (interj) Kuti kuti! Coochie coochie coo! **2** pitää kutinsa (aikataulu) be accurate, not be off; (väite) hold water, be true
kutiaa 1 (on herkkä kutitukselle) tickles, is ticklish **2** (kutisee) itches, is itchy/scratchy
kutina tickle, itch
kutista itch, be itchy/scratchy
kutistaa shrink, (lääk ja tekn) contract
kutistua shrink, (lääk ja tekn) contract
kutistumaton unshrinkable, shrinkproof, non-shrink
kutistuminen shrinkage, contraction
kutittaa 1 (panna nauramaan) tickle **2** (raavittaa) itch
kutkuttaa tickle, titillate
kutkutus titillation
kutoa 1 (kangaspuilla) weave **2** (puikoilla) knit **3** (verkkoa, myös kuv) spin kutoa unelmia tulevaisuudesta spin out fantasies about the future kutoa juonen säikeet yhteen tie up the loose ends of the plot
kutoja weaver, knitter, spinner
kutomo textile mill
kutrit curls, locks
kutsu 1 invitation, call, subpoena kutsu juhliin an invitation to a party kaukomaiden kutsu the call of faraway places saada kutsu isiensä tykö (raam) be gathered up to your fathers noudattaa Jumalan kutsua heed God's call kutsu saapua oikeuteen todistajaksi subpoena to appear as a witness **2** kutsut party
kutsua invite, call kutsua juhliin/luennoimaan invite to a party, to give a lecture kutsua kissaa syömään call a cat to dinner Liikeasiat kutsuivat hänet Tampereelle He was called to Tampere on business Tulit kuin kutsuttuna Speak of the devil kutsua lääkäri call (for) a doctor, send for a doctor kutsua palolaitos call the fire department
kutsua aseisiin/palvelukseen draft
kutsua järjestykseen call for order
kutsua koolle/kokoon convene
kutsua kotiin (dipl) recall
kutsua oikeuteen todistajaksi subpoena
kutsua seuraavaksi todistajaksi call as your next witness
kutsua tekijä esiin (teatterissa) call for the author
kutsua virkaan hire (someone) by invitation, offer (someone) a job
kutsumaton uninvited
kutsumattomasti without an invitation, without being invited
kutsumus calling, vocation
kutsunnat draft
kutsut party
kutsuvieras (invited) guest, guest of honor
kutu spawn
kutupaikka spawning ground(s)
kuu 1 moon tavoitella kuuta taivaalta reach for the stars kävellä kuussa walk on the moon, moonwalk **2** (kuukausi) month viime kuussa last month
Kuuba Cuba
kuubalainen s, adj Cuban
kuudes sixth
kuudeskymmenes sixtieth
kuudesosa sixth
kuudessadas six-hundredth
kuudesti six times
kuudestoista sixteenth
kuukahtaa tumble/topple/fall down/over; (uneen) drop off, (ark) crash

kuukausi month Hän on seitsemännellä kuukaudella She in her seventh month, she's six months pregnant
kuukausipalkka monthly salary olla kuukausipalkalla be salaried, be paid by the month
kuukausittain monthly, by the month
kuukautiset menstrual period, menstruation; (ark) period saada ensimmäiset kuukautiset begin to menstruate, get your first period, enter menarch
kuula 1 ball **2** (luoti) bullet; (hist) ball, (kanuunan kuula) cannonball ampua kuula kalloon put a bullet in your/someone's head **3** (urh) shot työntää kuulaa put the shot
kuulakynä ballpoint pen
kuulakärkikynä ballpoint pen
kuulantyöntö shotput
kuulas 1 (ilma) bright, clear **2** (vesi) clear, transparent, limpid **3** (tyyli) lucid
Kuule(han)! Listen! Look (here)! Hey! Kuules nyt Oh come now, come on
kuulemiin (good)bye
kuulemma (so) I hear Nyt on kuulemma minun vuoroni They tell me it's my turn Niin, kuulemma Yes, so I hear, so they say, so they tell me
kuulento moonflight
kuulevinaan ei olla kuulevinaan pretend not to hear olla kuulevinaan think you hear
kuuliainen obedient, dutiful
kuuliaisesti obediently, dutifully
kuulija listener, hearer; (mon) audience Arvoiset kuulijat! Ladies and gentlemen!
kuulijakunta audience
kuulla hear Kuulin, että olet lähdössä I hear you're leaving (us), somebody told me you're leaving kuulla todistajaa hear/question a witness Kaikkea sitä kuuleekin! (pötyä) What a load of garbage/nonsense! (ihmeellistä) That's incredible/ unbelievable! You've got to be kidding/joking! I can't believe it! Onkos moista kuultu! Have you ever heard the likes of it? Can you believe it? Siinäs kuulit! I guess (s)he told you! There, you see?
kuullen jonkun kuullen within earshot of someone, in someone's hearing lasten kuullen in front of the children kaikkien kuullen publicly, (leik) in front of God and everybody
kuulo hearing Se ei tule kuuloonkaan No way, under no circumstances, it's out of the question olla kuulolla keep your ears to the ground teroittaa kuuloaan prick up your ears
kuuloaisti sense of hearing
kuuloke 1 (puhelimen) handset, receiver pistää kuuloke kiinni hang up **2** (stereoiden tms, yl mon) earphone(s), headphone(s)
kuulopuhe hearsay
kuulostaa sound (like) Tuo kuulostaa hauskalta That sounds nice, that sounds like fun
kuulostella 1 (kuunnella) listen (for) **2** (tiedustella) ask (for/around about), try to find
kuulovamma hearing impairment
kuulovammainen s hearing-impaired person
adj hearing-impaired
kuultaa show, gleam, shine, be dimly visible
kuulu famous, famed, celebrated, well-known
kuulua 1 (kantautua korviin) carry, be heard/audible Huuto kuului kauas The shout carried a long way, could be heard a long ways off Kuuluu askelia I hear footsteps Ei kuulu! I can't hear you! Annahan kuulua! Out with it! Spit it out! Cough it up! **2** Mitä kuuluu? How are you doing? What's new? Kerro mitä kaupunkiin kuuluu What's new in town? **3** Poikaa ei näy, ei kuulu We've had no word from him Tyttöä ei kuulunut ulos saunasta There was no sign of her from the sauna, she was still in the sauna Annahan kuulua itsestäsi Let us hear from you, don't be a stranger **4** Kuinka kuuluu genetiivi sanasta hevonen? What's the genitive for "hevonen"? Vastaus kuuluu näin Here's the reply, the reply goes (something like) this **5** (kuulostaa) sound Tuo alkaa joltain kuulua! That's more like it! Äänestä

kuului, että You could tell from his voice that **6** (olla jonkun oma) belong kuulua toisilleen belong to each other kuulua puolueeseen belong to the party, be a party member Kenelle nuo viljelykset kuuluvat? Whose fields are those? Mitä se sulle kuuluu? It's none of your business! Kunnia sille jolle kunnia kuuluu (Let's give) credit where credit is due **7** (olla oikea paikka) belong, go Mihin juomalasit kuuluvat? Where do the glasses go/belong? Where do you keep your glasses? **8** (sisältyä) be included Tarjoilupalkkio kuuluu hintaan Price includes tip/gratuity Pakettimatkaan kuuluu neljä hotelliyötä The package deal includes four nights in a hotel **9** (olla yksi joukosta) be one of, be among Kirjakokoelma kuuluu maailman hienoimpiin It's one of the world's finest collections (of books), this collection is one of the finest in the world Se kuuluu tehtäviini That's what I'm paid for, that's one of my jobs, one of the things this job entails **10** (täytyä) be supposed/expected/oblig(at)ed to, have to Se kuuluu laittaa näin It's supposed to go like this Sinun kuuluisi kyllä olla vieraiden kanssa You should be out with your guests, you really ought to be with your guests Sehän kuuluu asiaan It's only right (that you do it), that's part of the deal asiaan kuuluva appropriate, proper, relevant

kuuluisa 1 (hyvistä asioista) famous, famed, celebrated, renowned **2** (pahoista asioista) infamous, notorious

kuuluisuus 1 fame, celebrity, renown **2** (ihminen) celebrity

kuulumaton inaudible ennen kuulumaton unheard-of

kuulumattomiin häipyä kuulumattomiin (ääni) fade (out, into the distance), die out; (ihminen) disappear without a trace, take off without leaving word (of where he can be reached), without even a card kuulumattomissa out of earshot

kuulustelija 1 (kokeen pitäjä) examiner **2** (poliisi tms) interrogator

kuulustella 1 (antaa koe) examine **2** (kysellä) interrogate, question, (todistajaa oikeudessa) cross-examine

kuulustelu 1 (koe) examination **2** (poliisien tms) interrogation, questioning, (todistajan, oikeudessa) cross-examination

kuuluttaa announce Heidät kuulutettiin sunnuntaina (hist) Their wedding banns were published Sunday; (nyk) their wedding was announced in church Sunday kuuluttaa jalkapallo-ottelu sportscast/announce a football game, be the sportscaster/announcer at a football game

kuuluttaja announcer, (urh) sportscaster

kuulutus announcement; (hist: avioliittokuulutus) wedding banns

kuuluvasti audibly, (kovaa) loudly, (selvästi) clearly

kuuluvilla within hearing/earshot

kuuluvuus (äänen) audibility, (radiosignaalin) reception

kuuma hot kuuma keskustelu heated discussion juoda kuumaa drink hot liquids käydä kuumana rage/storm around, fume, be furious, be hot under the collar Hänelle tuli kuumat paikat He was on the hot seat

kuuma linja hotline

kuuma peruna hot potato (myös kuv)

kuumasti hotly, with heat

kuuma vesi hot water

kuumavesihana hot water faucet

kuume fever, temperature mitata kuume take someone's temperature 40 asteen kuume a 104-degree temperature olla kuumeessa run a fever/temperature

kuumeilu (running a) fever

kuumeinen feverish

kuumeisesti feverishly

kuumemittari thermometer

kuumennus heating

kuumentaa heat (up) liikaa kuumennettu overheated

kuumentua heat up kuumentunut tilanne inflamed/explosive situation

kuumetauti fever
kuumiltaan (while you're/it's/we're/they're) hot tarjoilla piirasta kuumiltaan serve the pie (piping) hot kirjoittaa sana muistiin kuumiltaan write a word down while it's fresh in your memory
kuumissaan (lämmöstä) hot, sweltering, dying with/of/in the heat; (innosta) burning/feverish/glowing with excitement
kuumottaa glimmer, gleam, shimmer
kuumuudenkestävä heat-resistant
kuumuus heat
kuuna päivänä ei kuuna päivänä never in a blue moon
kuunari schooner
kuunnella listen, pay attention to kuunnella toisella korvalla listen with half an ear kuunnella mielellään omaa ääntään like the sound of your own voice Kuuntelen! I'm listening! (radiossa) Over!
kuunnella keuhkoja (lääk) auscultate/stethoscope the lungs
kuunnella luentoja attend lectures
kuunnella salaa (kuuntelulaitteella) tap (someone's phone), bug (someone's apartment); (korvalla) eavesdrop
kuunnelma radio play
kuuntelija listener
kuunteluoppilas auditor
kuuraketti moon rocket
kuuro s **1** (kuulovammainen) deaf person **2** (sadekuuro) shower
adj deaf kaikua kuuroille korville fall on deaf ears
kuuroittain in showers
kuuromykkä deafmute
kuusi 1 six **2** spruce, fir Sitä kuusta kuuleminen jonka juurella asunto Don't bite the hand that feeds you
kuusikulmio hexagon
kuusikymmenluku the sixties
kuusikymmentä sixty
kuusikymmenvuotias s sixty-year-old, sexagenarian
adj sixty (years old)
kuusimetsä fir/spruce forest
kuusinkertainen sixfold
kuusinumeroinen six-digit
kuusiosainen six-part
kuusipeura fallow deer
kuusisataa six hundred
kuusisylinterinen six-cylinder
kuusitoista sixteen
kuusitoistavuotias s sixteen-year-old
adj sixteen (years old)
kuusituhatta six thousand
kuusivuotias s six-year-old
adj six (years old)
kuutamo moonlight, moonshine
kuutio 1 cube leikata kuutioiksi dice **2** (ark) cubic meter
kuutiometri cubic meter
kuutiotilavuus cubic volume
kuutonen (the number) six
kuutoset sextuplets
kuva 1 picture Tässä on kuva minusta 10-vuotiaana Here's a picture of me when I was ten TV-kuva TV picture Yksi kuva puhuu enemmän kuin tuhat sanaa A picture's worth a thousand words olla kuvassa mukana be in the picture **2** (havainnollistava) illustration **3** (kuvio) figure, (kaavio) diagram **4** (valokuva) photograph, (ark) photo, snapshot Käydäänpäs kuvassa! Let's get our picture taken! **5** (ark: elokuva) picture, flick Käydäänpäs kuvissa! Let's go to the pictures! **6** (peilissä) reflection, image katsoa omaa kuvaansa peilistä look at your reflection in the mirror **7** (mieli-/kieli-/muistikuva) image parantaa Suomi-kuvaa improve the world's image of Finland Jumala loi miehen ja naisen omaksi kuvakseen God created man and woman in his own image onnellisia tulevaisuuden kuvia happy images/thoughts of the future käyttää runoissaan runsaasti raamatullisia kuvia use lots of Biblical imagery in your poems **8** (ilmetty kuva) spittin' image Hän on äitinsä kuva She's the spittin' image of her mother **9** (epäjumala) image, idol kumarrella kuvia worship appearances **10** (näkymä) scene Tulijoita kohtasi kotoinen kuva The newcomers stepped into a homey scene **11** (käsitys) impression, conception,

idea, picture saada väärä kuva get the wrong impression/idea Minulla ei ole minkäänlaista kuvaa Australiasta I have no conception of Australia, no idea what Australia is like Minusta Krokotiilimies antoi hyvän kuvan Australiasta I thought Crocodile Dundee gave a pretty good picture of Australia **12** ontuva hevosen kuva lame excuse for a horse vanha äijän kuva (sl) old fart

kuvaaja 1 (valokuvaaja) photographer **2** (elokuvaaja) cinematographer, camera operator **3** (kuvailija) describer, depictor

kuvaamataide the visual/pictorial arts

kuvaamataito art (class)

kuvaannollinen figurative kuvaannollinen ilmaisu figure of speech

kuvaannollisesti figuratively

kuvaava 1 (kirjoitustyyppi) descriptive, expository **2** (tyypillinen) typical, characteristic

kuvailla describe, depict, portray

kuvailu description, depiction, portrayal

kuvalevy videodisc

kuvalevysoitin videodisc player, video disc player

kuvallinen 1 (kuvitettu) illustrated **2** (kuvaannollinen) figurative

kuvanauha videotape

kuvanauhuri (kasetti) videocassette recorder, VCR, (kelanauha) videotape recorder, VTR

kuvanlukija scanner

kuvanveistotaide sculpture

kuvanveistäjä sculptor

kuvapuhelin videophone

kuvaputki picture tube

kuvastaa reflect, mirror Järvi kuvastaa pilviä You can see the reflections of the clouds on the lake Se vain kuvastaa heidän halukkuuttaan It just reflects/shows their willingness

kuvastin mirror, (run) looking glass Kerro, kerro, kuvastin, ken on maassa kaunehin Mirror, mirror, on the wall, who's the fairest of them all?

kuvasto picture book, illustrated work; (postimyyntiluettelo) (illustrated) catalog

kuvastua 1 be reflected Patsas kuvastui lammen pintaan The statue was reflected on the pond's surface Silmistä kuvastui viha You could see the anger in his eyes, his eyes blazed with anger **2** (näkyä, häämöttää) show, be visible Kasvot kuvastuivat heikosti takan valossa Her face was dimly visible in the firelight, glowed dimly in the firelight Talo kuvastui iltataivasta vastaan The house was silhouetted against the evening sky

kuvata 1 (esittää) picture, portray, represent Romaani kuvaa viime vuosisadan oloja The novel shows how things were last century, is about life in the last century, is a portrait/representation of life in the last century **2** (kuvailla) describe, depict, portray Kuvaapa äidille mitä näit Describe what you saw to Mom **3** (valokuvata) photograph **4** (elokuvata) film, shoot Punaiset kuvattiin Suomessa Reds was shot/filmed in Finland

kuvataide the pictorial/visual arts

kuvataiteellinen pictorial, artistic, pertaining to the pictorial/visual arts

kuvateos picture book, illustrated work

kuvatus scarecrow Minäkö naisin hänet, tuon kuvatuksen! Me marry him, that scarecrow? mökin kuvatus dilapidated shack miehen kuvatus poor excuse for a man

kuvaus 1 depiction, description, portrayal, portrait **2** (elokuvaus) filming, shooting **3** (valokuvaus) photographing; (istunto) sitting

kuve 1 loin, flank vyöttää kupeensa (vanh) gird your loins **2** (kylki) side jonkin kupeella beside, alongside, near/close (to/by)

kuvernööri governor

kuvio 1 (piirros) figure, diagram **2** (koristeellinen) design, pattern **3** (ark) practice, routine tavalliset kuviot the way things usually go, standard operating procedure olla kuvioissa mukana be in the picture

kuviointi pattern(ing)

kuvitella imagine Et voi kuvitellakaan, miten raskasta minulla on ollut You can't (even begin to) imagine how tough things have been for me Kuvittele! (Just) imagine/think! kuvitella mielessään imagine, picture (to yourself) kuvitella liikoja/suuria itsestään have an inflated opinion of yourself
kuvittaa illustrate
kuvittaja illustrator
kuvitteellinen imaginary, imagined, fictional, fictitious
kuvittelu imagination, fiction, fantasy
kuvitus illustration
kuvottaa disgust, make (someone) sick (to their stomach), turn (someone's) stomach Sinä kuvotat minua You make me sick, you make me want to throw up
kW kW (kilowatts)
kvalitatiivinen qualitative
kvalitatiivisesti qualitatively
kvantitatiivinen quantitative
kvantitatiivisesti quantitatively
kvantti quantum, (mon) quanta
kvanttifysiikka quantum physics
kvanttiteoria quantum theory
kvartetti quartet
kvartsi quartz
kvartsikello quartz watch
kvartsikide quartz crystal
kveekari Quaker
kWh kWh (kilowatt hours)
kyetä be able to (do something), be capable of (doing something), be competent/skilled at (something); (seksuaalisesti) get it up Näytä mihin kykenet! Show them your stuff!
kyhmy (näkyvä) bump, (tuntuva) lump kyhmy rinnassa a lump in your breast
kyhätä kokoon 1 (kirjoitelma) dash off **2** (rakennelma) knock/put together **3** (ateria) throw together
kykenemätön incapable, unable, incompetent
kykenevä capable, able, competent
kykkiä crouch, squat
kyklooppi Cyclops
kyky 1 (edellytys) (cap)ability, capacity henkiset kyvyt mental abilities/ faculties kyky ajatella johdonmukaisesti capacity for logical reasoning kyky iloita muiden kanssa the ability to share other people's joy **2** (lahja) gift, talent osoittaa selvää taiteellista/hallinnollista kykyä show a real talent/gift for art/ administration, have clear/obvious artistic/administrative talents/gifts **3** (lahjakas ihminen) talent katsella uusia kykyjä have a look at the new talent
kyljellään on its side
kyljys chop
kylki 1 rib (myös ruokana) **2** side kääntyä kyljelleen turn (over) on your side
kylkiluu rib
kylliksi enough kylliksi iso big enough kylliksi rahaa enough money
kyllin enough kyllin iso poika a big enough boy
kyllä 1 yes, (ark) yeah A: Ajahan varovasti B: Kyllä kyllä A: Drive carefully B: Yeah yeah **2** (tosin) true Hän on kyllä ahkera, mutta tyhmä He's industrious all right, but stupid; he works hard enough, he's just plain dumb; true, he's a hard worker, but that doesn't make him any smarter En kylläkään tiedä, mutta oletan niin I don't really know, but I assume so; true, you're right, I don't know, I just think so **3** enough kumma kyllä strangely/surprisingly enough **4** (kyllähän) do too Kyllä sinä tiedät You do too know Osaat kyllä, jos vain haluat You can too do it, if you want to Saattaa kyllä olla Could be Kyllähän siitä oli puhetta We did talk about it Minä en kyllä mene! Well I'm not going! Kyllä sinun kelpaa! You're so lucky! Kyllä meidän poika osaa! That's our boy! Kylläpä täällä on kaunista! It's so beautiful here! Kyllä minä vielä näytän I'll show you yet syystä kyllä rightly so, with good reason
kylläinen (täynnä) full; (ark) stuffed; (ylät) sated, replete Ovatko kaikki kylläisiä? Did everyone get enough? purkaa kylläistä sydäntään unburden your overflowing heart
kyllä kai (vastauksena) I guess/ suppose (so) Kyllä kai sinä tulet? You're coming, aren't you?

kyllä kiitos 1 (otatko?) yes please **2** (oletko saanut?) yes thanks
kyllästynyt tired/sick (of), fed up/ bored (with) elämään kyllästynyt tired of life, jaded, world-weary
kyllästys 1 tiredness, weariness, boredom kyllästyksiin saakka till you're sick of it, till you hate the very sight/ sound of it, ad nauseum **2** (fys) saturation, (puun ja paperin) impregnation
kyllästyttää bore, tire, weary
kyllästyä 1 (johonkin) get tired/sick of, get fed up/bored with Olen kyllästynyt tähän peliin I'm tired/sick of (playing) this game, this game bores me **2** (jollakin) be saturated (with)
kyllästää (kem, sähk ja kuv) saturate; (puu, pap ja kuv) impregnate ahdistuksen kyllästämä elokuva a movie permeated by existential anxiety, fraught with dread, shot through and through with angst, saturated with the director's fears
kyllä vain sure, why not, of course
kylmentää cool (off), chill, make (something) colder/cooler
kylmettyminen catching a cold, getting chilled
kylmettyä catch cold, get chilled
kylmetys cold, chill
kylmetä cool (off/down)
kylmiltään cold soittaa Chopinin etydi kylmiltään play Chopin's etude (straight through) cold, without practicing pitää puhe kylmiltään give an extempore/impromptu speech, speak ex tempore syödä ruokansa kylmiltään eat your dinner cold
kylmiö cooler, (iso) cold-storage room
kylmä s cold(ness) Kylmä menee luihin ja ytimiin This cold (weather) chills me to the bone Ikkunasta tulee kylmää Cold air is coming in through that window hohkaa kylmää give off coldness säilyttää kylmässä refrigerate, store in a cold place
adj cold, chilly, frigid pitää päänsä kylmänä keep a cool head jättää kylmäksi leave (someone) cold kohdella kylmästi give (someone) the cold shoulder
kylmäfysiikka cryogenics
kylmähoito cryotherapy
kylmäkiskoinen cool, indifferent
kylmäkiskoisesti coolly, indifferently
kylmänarka sensitive to cold
kylmänpuoleinen on the cold side
kylmä rintama cold front
kylmä sota Cold War
kylmäsydäminen coldhearted
kylmäverinen coldblooded
kylmä vesi cold water
kylmävesihana cold-water faucet
kylpeä 1 (pestä) bathe, take a bath, wash yourself kylpeä saunassa take a sauna **2** (nauttia) bask kylpeä auringossa/ihailussa bask in the sunshine, in people's admiration
kylpijä bather
kylpy bath
kylpyamme bathtub
kylpylä baths
kyltymätön unquenchable, insatiable
kylvettää 1 bathe, give (someone) a bath **2** (ark voittaa) take (someone) to the cleaner's, clean (someone's) clock
kylvää 1 (siementä) sow Mitä ihminen kylvää, sitä hän myös niittää As ye sow, so shall ye reap **2** (hiekkaa, vihaa) strew, spread kylvää tuhoa spread destruction
kylvö sowing, sown area
kylä village käydä kylässä visit someone
kyläilijä visitor, guest
kyläillä visit
kyläily visiting
kyläläinen 1 (kylässä asuva) villager **2** (vieras) visitor, (house)guest
kylässä käynti (going) visiting
kymmen decade vuosisadan ensimmäisillä kymmenillä in the first decades of the century muutamia kymmeniä twenty or thirty Hän on nelissäkymmenissä She's in her forties
kymmenen ten
kymmenen käskyä the Ten Commandments
kymmenentuhatta ten thousand kymmeniä tuhansia tens of thousands (of)

kymmenes tenth
kymmenesosa tenth
kymmenisen around ten
kymmenittäin tens of, ... by/in the tens
kymmenjärjestelmä decimal system
kymmenkertainen tenfold
kymmenluku decade
kymmenottelija decathoner, decathlete
kymmenottelu decathlon
kymmenvuotias s ten-year-old adj ten years old
kymmenvuotisjuhla decennary, (lapsen) tenth birthday, (avioparin) tenth anniversary
kymmenykset tithes
kymppi (the number) ten; (seteli) tenspot, tenner
kymrin kieli Welsh
kymrinkielinen Welsh
kyniä 1 (hanhi tms) pluck kana kynimättä jonkun kanssa a bone to pick with someone **2** (ihminen) fleece
kynnys threshold Et enää koskaan saa astua tämän kynnyksen yli You are never to set foot in this house again sodan kynnyksellä on the eve/verge of war uuden ajan kynnyksellä at the threshold of a new era
kynsi (finger-/toe)nail
kynsiä claw, scratch kynsiä silmät päästä claw (someone's) eyes out
kynttilä candle polttaa kynttiläänsä molemmista päistä burn your candle at both ends
kynttilänjalka candlestick
kynttilänvalo candlelight kynttilänvalossa by candlelight
kyntäjä plowman
kyntämätön unplowed
kyntää plow Laiva kyntää merta The ship cuts through the waves, plows the deep
kyntö plowing
kynä (kuulakärkikynä) (ballpoint) pen; (lyijykynä) pencil
kynäillä pen, scribble
Kypros Cyprus
kyproslainen s, adj Cypriot, Cyprian
kypsentää cook, bake, roast
kypsyys 1 (hedelmän) ripeness **2** (ihmisen) maturity
kypsyä 1 (liha) cook **2** (hedelmä) ripen **3** (ihminen: valmistua) get ready, mature, grow up; (väsyä) get sick/ tired (of) Pekka on kypsynyt aika paljon tänä vuonna Pekka's matured a lot this past year, done a lot of growing up this year Alan kypsyä sinun vitseihisi I've had about enough of your jokes, I've had it up to here with your jokes
kypsä 1 (liha) done, cooked, ready **2** (hedelmä) ripe **3** (ihminen: valmis) ripe, mature, ready; (väsynyt) tired, sick kypsä muutokselle ripe/ready for a change kypsä avioliittoon ready to get married, mature enough for marriage Minä olen aivan kypsä I'm dead beat
kypärä helmet
kyrillinen Cyrillic
kyrilliset aakkoset Cyrillic alphabet
kyräillä glare
kyse question Mistä on kyse? What's this all about? What's up? Kyse ei ole siitä, haluatko mennä, vaan siitä, menetkö What I want to know isn't whether you want to go but whether you will go Juuri siitä on kyse That is precisely the question/point
kyseenalainen dubious, questionable kyseenalainen kauppa shady deal asettaa jokin kyseenalaiseksi open something to question
kyseeseen tulla kyseeseen be possible, be considered Silloin Matti voisi tulla kyseeseen In that case Matti might be a possible/serious candidate, might be worth considering Ei tule kyseeseenkään No way, that's completely out of the question, not a chance panna kyseeseen onko question whether
kyseessä in question Nyt on henki kyseessä This is a matter of life and death Nyt on tosi kyseessä This is the real thing, this is serious business, we're not kidding/joking around
kyseessä oleva (the thing) we're talking about/concerned with, (the matter) under consideration/in question

kyseinen (the thing) we're talking about/concerned with, (the matter) under consideration/in question
kysellä 1 ask (questions), inquire (of/about) Mitä sinä aina kyselet! Stop asking so many questions! **2** (etsiä) ask/look around (for) kysellä työtä look for a job
kysely 1 questioning, inquiry **2** (tutkimus) questionaire tutkia asenteita kyselyillä ja haastatteluilla study attitudes through questionaires and interviews
kysyjä inquirer
kysymys 1 question tehdä/asettaa kysymys jollekulle ask someone a question, ask a question of someone Ei tule kysymykseenkään että sinä lähdet nyt No way can you leave now, your leaving now is completely out of the question **2** (asia) question, issue keskustella päivänpolttavista kysymyksistä discuss the pressing/hot issues of the day Kysymys on nyt siitä, onko The question/point/issue here is whether, what we're trying to decide here is whether
kysynnän ja tarjonnan laki the law of supply and demand
kysyntä demand Kysyntä ylittää tarjonnan The demand exceeds the supply
kysyä 1 ask (about/for), inquire (of/about) Kysyisin sitä teidän myytävänä olevaa taloa I'd like to ask/inquire about the house you have for sale Kaikkea sinä kysytkin! What a thing to ask! Tätä kirjaa kysytään paljon We get a lot of requests for this book, there's a huge demand for this book **2** (vaatia) take, require, call for Se kysyy luonnetta You've got to have (a strong) character (to do this), this takes character
kysäistä ask (in passing) käydä kysäisemässä junien aikataulua go ask about the train schedule
kyteä smolder (myös kuv)
kytkentä connection, coupling, linkage
kytkentäkaavio circuit diagram
kytkeytyä connect/link (up with), be tied to, tie in with Tämä kytkeytyy jollakin lailla sinuun This has something to do with you, somehow this traces back to you
kytkeä 1 connect, make a connection, link (up), (junan vaunu) couple kytkeä kondensaattorit sarjaan/rinnan connect the capacitors in series/ parallel kytkeä tieteenkehitys ideologisesti keskiaikaiseen teologiaan make/draw an ideological connection between scientific development and medieval theology, link the two ideologically kytkeä irti (johto tms) disconnect, (vaunu) uncouple **2** (panna päälle) switch/turn on kytkeä irti (panna pois päältä) switch/turn off **3** (sitoa) tie (up), fasten
kytkin 1 (katkaisija) switch **2** (auton) clutch
kyttyrä hump tykätä kyttyrää be displeased/upset (with), be unhappy (about)
kyttä cop, fuzz, pig
kytätä 1 (väijyä) lie in wait/ambush (for) **2** (tuijottaa) stare Mitä nuo pojat kyttäävät? What are those boys staring at? **3** (vakoilla, tarkkailla) spy on, keep an eye on Aina sä mua kyttäät, anna mä teen mitä haluan! You've always got your eye on me, you're always spying on me, let me do what I want!
kyvykkyys skill, ability
kyvykäs able, capable, skillful; (ark: nopea) quick, (hyvä) good, (terävä) sharp
kyvyttömyys inability, incapacity, incompetence, impotence (ks kyvytön)
kyvytön 1 (tekemään) unable (to do), incapable (of doing); incompetent kyvytön lakimies incompetent lawyer **2** (seksuaalisesti) impotent
kyy adder, viper
kyyditys 1 transportation, (linja-autolla) bussing **2** (karkotus) expulsion
kyyditä 1 drive (someone somewhere), give (someone) a lift/ride (somewhere) **2** (karkottaa) drive/run out (of town (on a rail), of the country)

kyyhkynen dove, (puistossa) pigeon
kyykistyä crouch/squat (down)
kyykky (voimistelussa) kneebend mennä kyykkyyn crouch/squat down olla kyykyssä crouch, squat
kyykkyasento crouch
kyykyssä crouching
kyykäärme viper
kyynel tear liikuttua kyyneliin be moved to tears vuodattaa katkeria kyyneliä shed bitter tears
kyynelehtiä shed tears
kyynelkaasu tear gas
kyynelsilmin with tears in your eyes, through teary eyes, teary-eyed
kyynikko cynic
kyyninen cynical
kyynisyys cynicism
kyynärpää elbow
kyynärpäätaktiikka using your elbows
kyyryssä (hartiat) hunched, (selkä) stooped
kyyti ride, lift antaa kyyti, ottaa kyytiin give (someone) a ride/lift antaa jollekulle kyytiä (nuhdella) tear into someone, chew someone out, give someone a piece of your mind aikamoista kyytiä at a pretty good clip yhtä kyytiä without a break, straight through En ole ensi kertaa pappia kyydissä I wasn't born yesterday
käden käänteessä in a jiffy, in the twinkling of an eye
kädestä käteen from hand to hand
kädestä pitäen kiittää kädestä pitäen shake (someone's) hand in thanks näyttää kädestä pitäen walk (someone) through (something), show it step by step, lead (someone) through (something) by the hand
kädestä suuhun from hand to mouth
kädet ylös! hands up! stick 'em up!
käheä hoarse
käheästi hoarsely
käki cuckoo olla äimän käkenä be dumbfounded
käkikello cuckoo clock
kämmen palm
kämppä pad
kämppäkaveri roommate
kännykkä (ark) portable phone, portable telephone
känsä callus
käpertyä curl/shrivel up käpertyä jonkun kainaloon cuddle up under someone's arm
käpristyä curl/shrivel up käpristyä kokoon curl up in a little ball
käpy cone
käpälä paw
käpälämäki lähteä käpälämäkeen hotfoot it out of there
käristä sizzle
käristää fry, brown
kärjistyä come to a head, reach a critical point, peak, culminate
kärjistää 1 (johtaa kriittiseen vaiheeseen) bring (something) to a head, crystalize, catalyze **2** (karrikoida) exaggerate, overstate, state pointedly/ironically
kärkevä 1 (suora) pointed **2** (terävä) sharp, cutting
kärkevästi pointedly, sharply
kärki 1 point **2** (kolmion) apex **3** (kulman/kartion) vertex **4** (nuolen) head **5** (kielen, kengän, siiven) tip **6** (kengän, sukan) toe **7** (niemen) end **8** (listan) top **9** (joukon) front, head, lead kulkea kulkueen kärjessä head up/lead the parade juosta porukan kärjessä lead the pack **10** (huomautuksen) point, edge, sting (vitsin) punchline taittaa arvostelulta kärki take the edge off the criticism
kärkipäässä (jonon) at the front/head; (luokan) one of the best
kärkiryhmä leading group
kärkitulos top time/score/distance jne
kärkkyä lie/hover (around) in wait (for), be ready to take something (if it's offered/available), have your eye on (something)
kärkäs quick, eager kärkäs syyttelemään quick to assign blame
kärmeissään browned off
kärpänen fly tehdä kärpäsestä härkänen make a mountain out of a molehill

kärpäslätkä flyswatter
kärpässarja flyweight
kärry 1 cart ostoskärry shopping cart **2** (auto) car kärryt cart
kärrätä haul, cart
kärsimys suffering(s) lopettaa eläimen kärsimykset put an animal out of its misery
kärsimättömästi impatiently
kärsimätön impatient
kärsivällinen patient, long-suffering
kärsivällisesti patiently
kärsivällisyys patience
kärsiä tr **1** suffer, be (ks esim) kärsiä tappio suffer defeat, sustain a loss, be defeated kärsiä vääryyttä be wronged kärsiä nälkää be hungry/starving **2** (kestää) take, bear, endure Hän ei kärsi arvostelua He can't take criticism En kärsi nähdä sinun itkevän I can't bear to see you cry, I can't take/handle/endure your tears **3** (rangaistus) serve kärsiä vankeustuomio serve a prison sentence itr suffer, be the worse (for) Kansa on jo kärsinyt tarpeeksi The people have already suffered enough Housuni eivät juuri kärsineet kaatumisestani My pants were hardly the worse for the fall I took kärsiä puutetta be needy Tästä saat vielä kärsiä! I'll make you pay for this!
kärsä snout, (norsun) trunk
kärttyisä irritable, grumpy, grouchy
käry the smell of smoke, of something burning haistaa palaneen käryä (kuv) smell a rat haistella skandaalin käryä sniff out a scandal
käryttää 1 (polttaa sikaria tms) puff away (on a noxious/smelly cigar/pipe) **2** (hävittää tuholaisia) fumigate **3** (kärytä) (smell of) smoke **4** (kannella) inform on; (ark) rat on
kärähtää 1 (palaa) burn, be singed/scorched **2** (ark) get caught (redhanded, with the goods)
käräjät district court session
käräjöidä litigate
käräjöinti litigation
käsi hand, (käsivarsi) arm ottaa järki käteen use your head jakaa oman käden oikeutta take the law into your own hands suoralta kädeltä right off (the top of your head) saada käsiinsä (löytää) get ahold of, reach; (käydä käsiksi) get your hands on
käsiala handwriting
käsialantutkimus graphology, handwriting analysis
käsikauppalääke nonprescription drug
käsikirja handbook, manual
käsikirjoitus manuscript
käsikkäin hand in hand
käsiksi käydä käsiksi (ihmiseen) attack someone, get physical/violent (with someone); (työhön) get busy doing it, get down to business
käsi käden pesee you scratch my back and I'll scratch yours
käsi kädessä hand in hand
käsikähmä brawl, fight, rumble joutua käsikähmään jonkun kanssa duke it out with someone
käsikäyttöinen manual
käsilaukku purse, (hand)bag
käsillä (ajallisesti/fyysisesti lähellä) at hand; (odottamassa) on hand; (esillä) in hand
käsimatkatavara carry-on/hand luggage; (ark) carry-on(s)
käsin by hand, manually
käsine glove, (lapanen) mitten
käsi sydämellä luvata käsi sydämellä promise, cross your heart (and hope to die)
käsite concept
käsitellä handle, deal with; (kohdella ja tekn) treat; (keskustella) discuss käsiteltävänä oleva asia the matter under consideration
käsitellä juttua try/hear a case
käsitellä loppuun settle
käsiteltävä varoen! handle with care!
käsitteellinen conceptual
käsitteellisyys conceptuality
käsitteenmuodostus conceptualization
käsittely 1 handling, treatment **2** (oikeusjutun) hearing **3** (lakiesityksen) debate, discussion **4** (tietok) processing tekstinkäsittely wordprocessing

käsittämätön inconceivable, incomprehensible, unimaginable
käsittää 1 (sisältää) comprise, consist of, comprehend Talo käsitti 8 huonetta The house had/comprised 8 rooms **2** (koskea) cover, embrace, deal with Tutkimus käsitti vuosien 1955-1985 välisen ajan The research dealt with/covered the period from 1955 to 1985 **3** (tajuta) understand, figure out, comprehend, get Hän ei käsittänyt, missä oli He couldn't figure out/tell where he was Hän ei käsittänyt sanaakaan kuulemastaan He didn't understand/couldn't comprehend a word of what they said Älä käsitä minua väärin! Don't misunderstand me, don't get me wrong Kyllä, käsitän Yes, I got you, I get it **4** (pitää jonakin, ymmärtää joksikin) take (something to be), conceive/imagine (something as) Miten käsität sielunvaelluksen? How do you conceive/imagine reincarnation? What's your conception/image/idea of reincarnation? **5** (tarkoittaa) mean, take (to be) Valistusajalla käsitän lähinnä 1700-lukua By the Enlightenment I mean roughly the eighteenth century, I take the Enlightenment to cover roughly the eighteenth century
käsitys 1 (kuva) image, picture Minulla ei ole minkäänlaista käsitystä siitä, miltä tämä tulee näyttämään I can't picture it **2** (mielipide) opinion, idea, impression Minkälainen käsitys sinulla on minusta What do you think of me? What kind of impression/idea do you have of me? muodostaa käsitys jostakin form an opinion of/about something Käsitykseni mukaan As I see it, as far as I can tell, in my opinion/view Minulla on sellainen käsitys että My sense is that, I'm under the impression that Sain sellaisen käsityksen että I got the idea that, I understood you/him/them to be saying that, I thought that
käsityskyky comprehension Se ylittää minun käsityskykyni It's beyond me, beyond my comprehension, (ark) it's over my head
käsitysten hand in hand, arm in arm
käsityö handicrafts, handiwork; (ommeltu) needlecraft, needlework
käsityöaineet handicrafts
käsityöläinen craftsman, artisan
käsivarsi arm
käskeä 1 (antaa käsky) order, command, tell käskeä jonkun tehdä jotakin order/command/tell someone to do something Älä viitsi käskeä koko aikaa! Stop ordering/bossing me around! Mitä käskette, herra kapteeni? What are your orders, sir? Käske hänen mennä Tell him to go away, send him away tehdä työtä käskettyä get down to business Kapteeni käskee (leikki) Simon says **2** (olla johdossa) rule, run käskeä talossa rule the roost, run the household **3** (kutsua) invite käskeä häihin/juhliin invite someone to a wedding/party Tulet kuin käskettynä Perfect timing, we were just wishing you were here, we were just talking/thinking about you
käsky order, command(ment), bidding kymmenen käskyä the Ten Commandments Käskystä herra vääpeli! Yes sir! tehdä käskystä do someone's bidding Keisari Augustukselta kävi käsky A decree went out from Caesar Augustus
käskyläinen hireling
käteinen cash muuttaa/vaihtaa sekki käteiseksi cash a check
käteisalennus cash discount
käteisellä asiakirjoja vastaan cash against documents, CAD
käteisellä tilattaessa cash with order, CWO
käteiskauppa cash sale
käteisosto cash purchase
kätellä shake hands (with)
kätevyys handiness, deftness, convenience
kätevä handy Hän on hirveän kätevä She's awfully good with her hands, she's extremely deft/handy Juna on erittäin kätevä tapa matkustaa The train's such a convenient way to travel, it's so handy
kätilö midwife
kätinen handed vasenkätinen left-handed

kätisyys handedness
kätketty hidden, concealed kätketty merkitys hidden/subtle/un(der)stated/ implied meaning
kätkeytyä hide, hide/conceal yourself, be hidden/concealed kätkeytyä takaa-ajajilta hide from your pursuers Seinään kätkeytyy salalokero There's a hidden compartment in this wall
kätkeä 1 (piilottaa) hide, conceal; (tavaraa) stash/tuck (away) kätkeä tunteensa hide/conceal your feelings **2** (pitää sisällään) hold, contain Kirja kätkee sisäänsä valtavat määrät hyödyllistä tietoa The book is a treasure trove of useful information Nykyhetki kätkee itseensä tulevaisuuden The present contains (within itself) the future **3** (säilyttää) store (up), put away Leipä kätkettiin hyvään talteen hiiriltä We put the bread up where the mice couldn't get to it
kätkö cache, hiding place; (ark) stash
kättely handshake, shaking hands
kättä pitempi tarttua kättä pitempään snatch up any weapon that's handy
kätyri henchman, minion
kävelijä walker, (jalankulkija) pedestrian
kävellä walk lähteä kävelemään take off, hit the road
kävely walk lähteä kävelylle go for a walk
kävelyetäisyys walking distance Yliopisto on kävelyetäisyydellä The university is a short walk away, you can walk to the university
kävelymatka walk puolen tunnin kävelymatkan päässä a half-hour's walk away
käväistä drop/stop in (on), call (on) käväistä mielessä occur (to you), strike (you)
käydä 1 go, come, be Käytkö siellä usein? Do you go there often? Käytkö täällä usein? Do you come here often? Kävitkö siellä/täällä eilen? Were you (t)here yesterday? Kävin jo lääkärillä I went to the doctor already **2** (sattua) happen, go Miten kävi? How did it go? Miten sinun housuillesi on käynyt? What happened to your pants? Kävi miten kävi No matter what (happens), come what may, come hell or high water **3** (sopia, soveltua) go, suit, fit, be fine/okay/all right with Nuo housut eivät käy tuon paidan kanssa Those pants don't go with that shirt, your pants and shirt clash Avain ei käy lukkoon This key doesn't fit the lock Käykö että haen teidät neljältä? Is it okay if I pick you up at four? Se käy minulle mainiosti That's fine with me, that suits me fine Ei käy! No way! Not a chance! **4** (jostakin) pass for Hullu käy viisaasta, jos vaiti on Better to keep your mouth shut and let the world think you a fool, than open it and remove all doubt **5** (toimia) run, operate, work Millä bensalla ruohonleikkuri käy? What gas does a lawnmower run on? **6** (tulla joksikin) get, grow, become käydä vanhaksi get/grow old **7** (kem) ferment Tämä mehu on käynyttä This juice is fermented, has gone bad
käydä hermoille get on (someone's) nerves, drive (someone) crazy
käydä jonkun luona go see/visit someone, pay someone a visit
käydä jostakin pass for something Hän käy oppineesta miehestä He can pass for a learned man
käydä kalassa go fishing
käydä kaljalla go out for a beer, stop in for a few beers, go (out) drinking
käydä kateeksi envy, be envious of Minun käy sinua kateeksi I envy you, I'm eating my heart out with envy
käydä kiinni grab/latch onto, clutch at, seize on; (käsiksi) grab ahold of, take (someone) by the (throat/ hand/jne)
käydä kunnialle hurt/wound someone's pride/ego
käydä kuumana rage/storm (about), wax hot with rage, be hot under the collar
käydä käsiksi jump on, attack, lay a hand on
käydä laatuun do Se ei käy laatuun That won't do, I can't accept that, that's out of the question

käydä läpi go through käydä uudelleen läpi relive, reenact
käydä makuulle go lie down, (ark) take a load off
käydä päinsä do Se ei käy päinsä That won't do, I can't accept that, that's out of the question
käydä sydämeen strike home, touch (you deep down)
käydä sääliksi have pity on, feel sorry for Mun käy sua sääliksi I feel sorry for you
käydä tasan be evenly distributed Äänet kävivät tasan It was a tie Onnen lahjat ei käy tasan Some people are just lucky, I guess; looks like you're plumb out of luck
käydä vieraissa cheat on your spouse
käydä voimille tire you out, wear you down, exhaust
käydä yksiin jibe, match (up)
käyminen fermentation
käymälä toilet, lavatory; (ulkohuone) outhouse; (leirillä) latrine
käynnissä (kone) be running/working, be in operation; (kokous tms) be under way, be in session/progress Työ on täydessä käynnissä The work is in full swing
käynnistys start(ing)
käynnistyä start (up), get started Auto ei käynnisty The car won't start Minä käynnistyn aamulla hitaasti I'm a slow starter in the morning, I wake up slowly
käynnistää start käynnistää keskustelu start/strike up a conversation, (julkinen) open/initiate a dialogue käynnistää kampanja start/launch a campaign
käynti 1 (kylässä, ulkomailla tms) visit, trip Meillä on tässä ensin käynti kaupassa We have to go to the store first tehdä käynti Ruotsiin make/take a trip to Sweden, go to Sweden **2** (kävelytyyli) walk, gait, bearing käynti kiihtyy juoksuksi a walk breaks into a run arvokas käynti dignified bearing Käyntiin - mars! Forward - march! **3** (koneen) running, working, operation; (tyhjäkäynti) idling olla käynnissä be running, be in operation panna käyntiin start (up) **4** (sisäänkäynti) entrance Käynti pihan puolelta Entrance in back
käyntinopeus operating speed
käypä 1 (yleinen) current, going käypään hintaan at the going/current rate/price **2** (voimassa oleva) valid käypä postimerkki valid stamp käypää rahaa good money, legal tender **3** (kaupaksi menevä) hot, popular Emmental on aina käypä juusto Swiss is always a popular cheese Tähän aikaan vuodesta sadetakit ovat käypää tavaraa Raincoats are a hot item this time of year **4** (sopiva) suitable, fitting, right Hän on sinulle käypä mies He's the right (sort of) man for you
käyrä s **1** curve kellokäyrä Bell curve käyrä korkealla (ark kuv) tensed up, stressed out, about to blow your top **2** (viulun) bow
adj curved
käyttäjä user, (koneen) operator
käyttäjäliityntä (tietokoneen ym) user interface
käyttäjäystävällinen user-friendly
käyttäytyminen behavior, conduct
käyttäytyä behave/conduct (yourself), act Yritä nyt käyttäytyä ihmisiksi Can you please try to behave (yourself)? käyttäytyä arvokkaasti conduct/comport yourself with dignity käyttäytyä lapsellisesti act childish, like a child/kid Auto käyttäytyy hyvin kurvissa The car handles nicely on curves
käyttää 1 (viedä) take käyttää kylvyssä/saunassa give (someone) a bath, take (someone) to the sauna käyttää vieras kaikissa turistikohteissa show a visitor the sights, take a guest around to see the sights **2** (kem) ferment **3** (moottoria) run, (konetta) operate, work Osaatko käyttää tätä trukkia? Do you know how to operate/run this forklift? **4** (tehdä jollakin jotakin) use, put (something) to use käyttää työkalua use/wield/employ a tool Mihin käytät vapaa-aikasi? What do you do with your free time? How do you put your free time to use? käyttää tietojaan put your

knowledge to use käyttää junaa take the train **5** (kuluttaa) use (up), spend, expend, consume käyttää liikaa vettä waste water, use too much water En käytä ollenkaan alkoholia I don't drink **6** (pitää päällään) wear Miksi käytät aina niin nuhruisia vaatteita? Why do you always wear such grubby clothes?
käyttää hyväkseen 1 (hyväksyttävästi) make use of, use, utilize, put to good use, take advantage of käyttää tilaisuutta hyväkseen seize the opportunity, make good use of the opportunity käyttää tietojaan hyväkseen put your knowledge to good use, draw on your information **2** (paheksuttavasti) exploit, use, take (unfair/undue) advantage of Hän käytti minua hyväkseen! He used/exploited me! He took advantage of me!
käyttää loppuun use/finish up, exhaust; (luonnonvarat) deplete
käyttää oikeutta deal out/dispense justice käyttää oikeuttaan exercise your right (to do something)
käyttää väärin abuse, misuse
käyttö 1 use Tällä on monta käyttöä This can be used in many ways, this is a versatile instrument ottaa käyttöön put (something) to use, bring (something) into circulation; (auto) register **2** (kulutus) use, consumption veden käyttö water use/consumption **3** (moottorin) running, (koneen) operation **4** (vaatteiden) wear(ing) tehty kestämään jatkuvaa käyttöä made to withstand constant wear, (made) for continous use **5** (sanan, fraasin) use, usage Tiedän mitä se merkitsee, mutta anna esimerkki sen käytöstä I know what it means, but give me an example of how it's used, of its usage **6** (sovellutus) application tietokoneiden käyttö opetustarkoituksiin educational applications/use of computers
käyttöjärjestelmä (tietokoneen) operating system
käyttökelpoinen usable, feasible, viable
käyttökelvoton unusable, useless, worthless
käyttökustannukset operating/running costs
käyttöohje instruction/user's manual
käyttötarkoitus use
käyttövoima operating/driving power; (kuv) driving force
käyttöönotto (menetelmän tms) introduction; (auton) registration
käytännöllinen practical
käytäntö practice, procedure normaali käytäntö normal/usual/standard practice, standard operating procedure (SOP) käytännön sovellutus practical application
käytävä 1 (eteinen) hall, corridor **2** (lentokoneessa, kirkossa tms) aisle **3** (puistossa tms) walk(way), path **4** (anat) canal, duct
käytös behavior, manners, conduct
käytöstavat manners hyvät/huonot käytöstavat good/bad manners
käänne 1 (vaatteen) cuff **2** (tien) bend, curve, turn joka käänteessä at every turn **3** (tilanteen) turn, change käänne parempaan a turn for the better **4** (sanan) (turn of) phrase puhujan hienot käänteet the speaker's fancy phrases
käännynnäinen convert
käännyttää 1 (uskoon: onnistuneesti) convert, (yrittää) proselytize **2** (pois) turn (back/away) Minut käännytettiin ovelta takaisin They turned me away at the door, they wouldn't let me in
käännättää have (something) translated
käännös 1 turn käännös vasempaan left turn; (sot) left face **2** (kielen) translation, version uusi raamatunkäännös a new translation of the Bible
käännöskieli translatorese
käännöskirjallisuus translated literature
käännösvirhe translation error
käänteentekevä epochal
käänteinen inverse, reverse käänteinen sanajärjestys inverse/ inverted word order käänteinen reaktio the reverse reaction
kääntyä 1 turn (over/out) kääntyä katsomaan jotakin turn to look at some-

thing olla kääntyneenä johonkin be facing something, be looking at something Kaikki kääntyy vielä parhaaksesi Everything will turn out for the best Tuuli kääntyy The wind is shifting (direction) Beethoven kääntyisi haudassaan jos tietäisi Beethoven would roll over in his grave if he knew Paperi kääntyi hieman kulmasta The paper got folded over a little at the corner **2** (uskoon) convert kääntyä juutalaiseksi convert to Judaism
kääntyä haudassaan roll over in his/her grave
kääntyä jonkun puoleen turn/appeal to someone, go ask someone for help
kääntäen conversely, on the converse/contrary kääntäen verrannollinen inverse(ly proportional), in inverse proportion/relation (to)
kääntää 1 (autoa, maata jne) turn kääntää historian kulku change/redirect/reverse the course of history kääntää jonkun pää turn someone's head kääntää huomio pois jostakin distract (someone's) attention away from something **2** (kielestä toiseen) translate **3** (sananjärjestys, mat: suhde) invert **4** (tietok) assemble
kääntää jonkun taskut pick someone's pocket
kääntää kelkkansa do an aboutface
kääntötakki reversible jacket/coat
kääpiö dwarf, midget, (euf) little person
käärinliina winding sheet, shroud Kristuksen käärinliina the Shroud of Turin
kääriytyä (peittoon) wrap/roll yourself (up in), (jonkin ympärille) wind yourself (around), (salaperäisyyteen) shroud yourself (in)
kääriä (paperiin) wrap, (kelalle) wind, (tupakka) roll kääriä joululahjat wrap Christmas presents kääriä hihansa ylös roll up your sleeves kääriä isot rahat rake in big bucks
käärme snake, serpent
käärö 1 roll, scroll **2** (paketti) bundle kehdossa jokelteleva käärö little bundle (of joy) babbling in the cradle
köhiä cough, hack
köli keel
Köln Cologne
kömmähdys mishap, screw-/foul-/fuck-up; (sanallinen) howler
kömpelyys awkwardness, clumsiness
kömpelö awkward, clumsy
kömpelösti awkwardly, clumsily
kömpiä climb, clamber, crawl
könttäsumma lump sum
köntys oaf
körötellä bounce/bump along
köydenveto tug-of-war (myös kuv)
köyhdyttää impoverish, reduce to poverty
köyhtyä get poorer, sink into poverty
köyhyys poverty
köyhä s poor person/man/woman/child, (hist) pauper; (mon) the poor adj poor, poverty-stricken, indigent
köyhälistö the poor, the underclass
köykäinen 1 (kevyt) light köykäinen kuorma light load köykäinen olo light heart, feeling of relief **2** (kehno) scanty, flimsy, slight köykäinen lohdutus small consolation tehdä työ köykäisesti do superficial/inadequate work
köynnös 1 vine, climber **2** (koriste) garland, festoon
köysi rope antaa jollekulle köyttä give someone plenty of rope/slack vetää köyttä have a tug-of-war
köyttää rope, tie up (with a rope)
Kööpenhamina Copenhagen

L, l

laadinta preparation, composition
laadukas (high) quality
laadullinen qualitative
laadunvalvonta quality control, QC
laahata drag, trail (something behind you) laahata jalkojaan drag your feet, scuff your heels, shuffle
laahus train
laahusankkuri drag anchor
laaja 1 (avara) wide, broad, expansive, large, ample **2** (kattava) comprehensive, exhaustive
laaja-alainen broad laaja-alainen talous diversified economy
laajakangaselokuva wide-screen movie, wide-screen motion picture, Cinemascope movie
laajakantoinen far-reaching
laajakulmaobjektiivi wide-angle lens
laajalti widely, broadly, extensively laajalti levinnyt wide-spread
laajamittainen broad/large-scale, extensive
laajapohjainen broad-base(d)
laajaulotteinen wide-ranging, far-reaching
laajennos expansion, addition, new wing
laajennus expansion; (tien) widening; (talon) extension, wing
laajentaa 1 expand, broaden, widen; (pidentää) extend, (suurentaa) enlarge, (lisätä) increase laajentaa näköpiiriään expand/broaden your horizons **2** (lääk: verisuonia) distend, (pupillia) dilate
laajentua 1 expand/broaden/widen (out(wards)); (pidentyä) extend, (suurentua) enlarge, (lisääntyä) increase **2** (lääk: verisuoni) (become) distend(ed), (pupilli) dilate
laajeta ks laajentua
laajuinen wide maailmanlaajuinen world-wide 200 sivun laajuinen 200 pages long
laajuus 1 breadth, broadness, width, wideness; (pituus) extent, (suuruus) size koko laajuudessaan to its full extent **2** (iso alue) expanse, immensity, vastness **3** (rajat) scope, range toimivallan laajuus the scope of (someone's) authority äänialan laajuus vocal range **4** (kattavuus) comprehensiveness **5** (fys, fon) amplitude
laaka line drive
laakea flat, level laakea lautanen plate
laakeri 1 (kasvi) laurel levätä laakereillaan rest on your laurels **2** (tekn) bearing
laakeriseppele laurel wreath
laakso valley Vaikka minä vaeltaisin pimeässä laaksossa Though I walk through the valley of the shadow of death
laama llama
laannuttaa pacify, placate, calm
laantua 1 (ihminen) calm/quiet down **2** (myrsky tms) subside, abate
laari bin
laastari bandaid
laastaroida bandage, put a bandaid on (a cut); (vanh) dress (a wound)
laasti mortar, (kipsilaasti) plaster, (saumauslaasti) grout
laatia 1 (kirjoittaa) write/draw up, write/make out laatia viesti jäätävään sävyyn couch a note in an icy tone **2** (koota) put together, compile **3** (keksiä) make up, compose **4** (valmistella) prepare **5** (kehitellä) work out, formulate **6** (luonnostella) draft
laatikko box

laatikoittain boxes and boxes of, by the boxload
laatikollinen boxful
laatta 1 (betoni-) slab, (kivi-) flagstone, (metalli-) plate, (kaakeli-) tile **2** (muistolaatta) plaque
laattatektoniikka plate tectonics
laatu 1 quality, grade korkeaa laatua high quality Minkä laadun seosta meidän pitäisi tehdä? What grade mixture do they/you want? **2** (luonne) character, nature Novelli on laadultaan draamallisempi kuin romaani The short story is more dramatic in character than the novel **3** (tyyppi) sort, kind, brand, type Palkka vaihtelee työn laadun mukaan Pay will vary with the sort/type of work done **4** (mat) denomination
laatuinen kind (of) sen laatuinen työ work like that kaiken laatuista tavaraa all kinds/sorts of goods, goods of every shape and size Pekka on aina laatuisensa Pekka is always Pekka, always himself
laatusana adjective
laatutavara quality product/goods
laatuvaatimus quality specifications
laava lava
labiaali labial
labiaalinen labial
labiili labile, unstable
labiilius lability, instability
laboraatti lab(oratory) supervisor
laborantti lab(oratory) technician
laboratorio laboratory, (ark) lab
Labrador Labrador
labradorinnoutaja Labrador retriever, (ark) Lab
ladata 1 (ase, tietokoneohjelma) load **2** (akku) (re)charge ladata itsensä täyteen vihaa work yourself up to a fury ladata akkujaan (kuv) recharge your batteries
ladonta 1 (halkojen tms) stacking (up) **2** (kirjan) composition, type-setting
lafka outfit Se on vähän hämärä lafka It's some fly-by-night outfit
laguuni lagoon
lahdata (eläimiä, ihmisiä) butcher, slaughter
lahja 1 gift, present; (lahjoitus) donation, endowment; (testamentissa) bequest saada lahjaksi get (something) as a gift/present antaa lahjaksi give (someone) something **2** (kyky) gift, talent puhumisen lahja the gift of gab
lahjahevonen Ei lahjahevosen suuhun katsota Never look a gift horse in the mouth
lahjakas gifted, talented
lahjakkuus talent katsella uusia lahjakkuuksia look over the new talent
lahjakortti gift certificate
lahjapaperi wrapping paper
lahjatavara gifts, presents
lahje pantleg
lahjoa bribe
lahjoittaa 1 (antaa) present (someone) with (something), give (someone something, something to someone) **2** (tehdä lahjoitus) donate, contribute lahjoittaa yliopistolle endow a university
lahjoitus gift, donation, contribution; (testamentissa) bequest; (koululle tms) endowment
lahjoma bribe ottaa vastaan lahjoma accept a bribe
lahjomaton unbribable, incorruptible, honest
lahjonta bribery
lahjus bribe
lahko sect, denomination
lahkolainen sectarian, member of a religious sect
lahna bream
laho s rot, decay
adj **1** rotten, rotting, decayed, decaying **2** (kuv) decadent
lahota rot, decay
lahtelainen person/thing from Lahti
laide 1 (sivu) side, (reuna) edge; (veneen tms) gunwale **2** kaupungin laiteilla on the outskirts of town
laidun pasture ajaa karjaa laitumelle drive the stock/cattle out to pasture laitumella grazing (in the pasture)
laidunmaa pasture/grazing land(s)
laiduntaa pasture laiduntaa karjaa put stock/cattle out to pasture

laiha 1 (ihminen) thin, slim, skinny laiha kuin luuranko nothing but skin and bones **2** (keitto) thin, watery; (kahvi) weak; (seos) watery, diluted **3** (varasto tms) spare, sparse, scanty, meager **4** laiha lohtu slim/small consolation, cold comfort laihat vuodet lean years laiha leipä (kuv) meager living nakertaa laihaa leipää ljust get/squeak by, eke out a meager existence **5** (maaperä) barren, poor
laihduttaa 1 (ihminen) diet, lose weight **2** (maaperää) deplete, impoverish
laihdutuskuuri diet
laiheliini beanpole, toothpick
laiho (field of standing) grain laiho laaksossa valley of waving grain
laihtua lose weight, slim (down) Oletko laihtunut? Have you lost weight?
laikallinen splotchy
laikka 1 (täplä) splotch, blotch **2** (kiekko) wheel, disk
laikku splotch, blob
laikukas splotchy
lailla millä lailla how, in what way millään lailla in some/any way sillä lailla like that, so that; (interj) way to go! attaboy/-girl! that's the ticket/stuff! Voit auttaa sillä lailla, että pysyt poissa tieltä You can help by staying out of the way aika lailla pretty, quite (a lot/bit/few) Se on aika lailla täynnä It's pretty full Siellä on aika lailla väkeä It's pretty crowded, there are quite a few people there
laillinen legal, lawful laillista tietä by legal means, by recourse to the courts laillinen avioliitto valid marriage tulla lailliseen ikään come of age, reach (the age of) legal majority
laillisesti legally, lawfully
laillistaa legalize, make (something) legal marihuanan laillistaminen the legalization of marijuana
laillistus legalization
laillisuus legality, lawfulness
laimea 1 (kahvi) weak, (keitto) thin, (viini) bland, (mehu) watery, diluted **2** (väri) pale, dull **3** (haju) faint **4** (kaupankäynti) slow, slack, sluggish **5** (osanotto) unenthusiastic **6** (tunne) lukewarm, halfhearted **7** (yritys) feeble, lackluster, listless **8** (keskustelu) dull, flat, boring **9** (kokemus) tame, unexciting
laimenne diluent, (maalin) thinner
laimentaa 1 (nestettä) thin, dilute, water down **2** (värin voimakkuutta) dull **3** (huumetta) cut **4** (innostusta) calm/ cool (down), (ark) throw a wet blanket on (something)
laiminlyödä 1 neglect, be neglectful/ negligent laiminlyödä velvollisuutensa shirk your responsibility **2** (jättää tekemättä: velvollisuus) fail (to do something), (tilaisuus) miss out (on a chance to do something) **3** (lak ja liik) default (on) laiminlyödä lainanlyhennys default on a loan (payment)
laiminlyönti neglect, negligence; failure; default, non-payment (ks laiminlyödä)
laina loan antaa lainaksi loan/lend (someone something) saada lainaksi borrow (something from someone) olla lainassa (kirja) be checked out, (muu) be out on loan
laina-aika loan period
lainahöyhen koreilla lainahöyhenillä parade someone else's ideas as your own
lainakirjasto lending library
lainanantaja lender
lainanottaja borrower
lainasana loan word
lainata 1 (jollekulle) loan, lend **2** (joltakulta, myös mat) borrow **3** (jotakuta) quote (from), cite lainata väärin misquote
lainaus 1 (lainaksiotto) borrowing (lainaksi anto) lending **2** (sitaatti) quote, quotation
lainausmerkki quotation mark, (UK: ')-inverted comma lainausmerkeissä in quotation marks, (ark) in quotes
laine (yl) wave; (pieni: vedessä) ripple, (hiuksissa) curl
lainehtia wave, ripple, curl
lainelauta surfboard
lainelautailu surfing

lainen 1 (asukas) native/inhabitant of, (person) from, someone living in amerikkalainen American **2** (kaltainen) like tällainen vekotin a gadget like this Hän on entisenlainen He's himself again **3** (tyyppinen) kind, sort monenlaisia leivonnaisia many kinds of bakery goods **4** (puoleinen) on the ...side, -ish laihanlainen thinnish, on the thin side

lainhuudatus title registration

lainhuudatustodistus certificate of title registration, (ark) title

lainhuuto title

lainkaan at all Sitä en tarkoittanut lainkaan That's not what I meant at all

lain kirjain the letter of the law

lain koura the (long) arm of the law

lainkuuliainen law-abiding

lainoittaa 1 (pantata) mortgage Talo on lainoitettu puolesta miljoonasta markasta The house is mortgaged for half a million marks **2** (rahoittaa) finance Jouduttiin lainoittamaan talo pankin kautta We had to finance our house through the bank

lainopillinen legal, juridical

lainoppi jurisprudence, (ark) law

lainrikkoja offender, (rikkeentekijä) perpetrator, (ark) perp

lainsäädäntö legislation

lain taulut the table of the law

lainvastainen illegal

lainvoima legal force, force of law, validity saada lainvoima come into effect, become valid

laipio (sisäkatto) ceiling, (laivassa) bulkhead

laiska s detention jäädä laiskaan have to stay after school
adj **1** lazy **2** (tyhjäätoimittava) idle, indolent **3** (hidas) slow, slack, sluggish

laiskamato (ihminen) lazy-bones Jones Minua on purrut laiskamato I don't feel like doing anything, I just want to laze around

laiskankipeä olla laiskankipeä (työssä) loaf, slack (off), goldbrick; (jäädä pois työstä) have the intentional flu

laiskanlinna easy chair

laiskanpäivät the life of Riley

laiskasti lazily, idly, indolently, slowly, slackly, sluggishly (ks laiska)

laiskiainen 1 (eläin) sloth **2** (ihminen) sloth, slacker

laiskimus lazy-bones Jones, slacker

laiskistua get (fat and) lazy, slack off

laiskotella (viettää vapaa-aikaa) laze around, take it easy; (työssä) loaf, slack (off), goldbrick

laiskuri slacker, idler, dawdler, loafer, lazy-bones (Jones)

laiskuus laziness, idleness, indolence, slackness (ks laiska)

laita s **1** (astian tms) rim, brim **2** (uima-altaan, tien, laivan) side kävellä tien vasenta laitaa walk (along) the left side of the road mennä laivan oikeaan laitaan go to the starboard rail **3** (jääkiekkokaukalon) boards **4** (veneen) gunwale **5** (painetun sivun) margin, (tyhjän sivun) edge **6** (alueen) edge, border, boundary, periphery **7** (kaupungin) outskirts, edge **8** (puolueen) wing oikea laita right wing **9** laidasta laitaan (kaikenlaista) of all kinds, of every shape and size; (poliittisesti) of every political stripe, from left to right, across the whole political spectrum **10** (tila) state, situation Asian laita on tämä This is the situation, here's what we're dealing with Näin on asian laita That's the way it is, things stand Olipa asian laita mikä tahansa No matter what (the situation), regardless of how things are/stand Nythän asian laita on niin että The fact of the matter is that **11** Tuo ei ole laitaa That's not fair

laitahyökkääjä (wing) forward, wing

laitakaupunki (the) outskirts (of town)

laitamilla at/on the edge/border/periphery; (kaupungin) in the outskirts

laitapuolustaja right/left back

laite device, instrument; (ark) gadget laitteet apparatus, equipment, instruments; (kiinnikkeet) fittings, mountings sotalaitteet (hist) engines of war

laitehullu gadget freak

laitimmainen (the one) on the (far) edge laitimmainen kerta the last time
laiton illegal, unlawful, against the law
laitos 1 (teollisuuslaitos) plant, factory, mill **2** (liike) establishment, business, company **3** (koululaitos) institution korkeakoululaitos institution of higher learning **4** (tutkimus/ opetuslaitos; yliopiston yhteydessä) department, (erillinen) institute **5** (yhteiskuntalaitos) institution **6** (painos) edition, printing
laitoshoito institutional care
laitostua become institutionalized
laittaa 1 (ruokaa) make, cook, prepare, fix **2** (häitä tms) (make) arrange(ments for), get ready for **3** (taloa: rakentaa) build, construct; (korjata) fix (up), mend, repair **4** (lapsi jollekulle) get (a child on someone, someone pregnant) **5** (kuntoon) get (something) ready; (siivota) tidy (up), clean
laittaa kärryt hevosen eteen (kuv) put the cart before the horse
laittaa lappu luukulle close up shop, go out of business, (tehdä konkurssi) go belly-up
laittautua get ready, (hienoksi) get dressed/fancied/gussied up
laitteisto apparatus, equipment, instruments
laittomasti illegally, unlawfully, against the law
laittomuus illegality
laituri 1 (vedessä) dock, pier **2** (rautatieasemalla) platform
laiva ship, (valtameriristeilijä) ocean liner laivassa on board/aboard ship mennä laivaan go on board/aboard poistua laivasta go ashore
laivaliikenne shipping, maritime/ marine trade/traffic
laivanrakennus shipbuilding
laivanrakennusteollisuus shipbuilding industry
laivanvarustaja shipper, ship owner
laivanvarustamo shipping company
laivasto 1 (sot) navy **2** (laivue) fleet, flotilla
laivastotukikohta naval base/ station
laivata 1 (kujettaa) ship **2** (lastata) load, stevedore
laivaus 1 (kuljetus) shipping; (lasti) shipment, consignment **2** (lastaaminen) loading
laivue flotilla, squadron
laji 1 kind, sort, type ainoa lajiaan the only one of its kind **2** (eläinlaji) species **3** (urheilun) sport, (uinti/yleisurheilukisojen tms) event **4** (kirjallisuuden) genre
lajinkehitys phylogeny
lajitella sort (out), classify, (valokopiosivuja) collate
lajittamo sorting room/department/ plant
lajittelu sorting, classification, (valokopiosivujen) collation
lakaista sweep lakaista maton alle sweep under the rug/mat (myös kuv)
lakana sheet vaihtaa lakanat change the sheets/(bed)linen
lakastua wither, fade
lakata 1 (loppua, lopettaa) stop, cease lakata satamasta stop raining Sade lakkasi The rain stopped **2** (maalata lakalla) varnish, lacquer
lakeija lackey
laki 1 law noudattaa lakia obey the law laki ja järjestys law and order saada lain voima take (legal) effect tupakkalaki the Tobacco Act rikoslaki criminal law/code Suomen laki Finnish legal code lain kirjain/ käsi the letter/arm of the law lain mukaan by law, according to law lukea lakia study law, be in law school lukea lakia jollekulle read the riot act, chew someone out, dress someone down **2** (mäen) top, summit, peak; (pään, holvin) crown
lakialoite bill
lakiasäätävä legislative
lakimies lawyer, at torney (-at-law)
lakipiste peak vuoren/mäen lakipiste highest point of a mountain/hill uran lakipiste culmination/high point/ climax of a career taivaan lakipiste zenith
lakitiede jurisprudence, (ark) law
lakitieteellinen jurisprudential lakitieteellinen tiedekunta law school

lakitieteen tohtori Doctor of Jurisprudence, J.D.
lakka 1 (marja) cloudberry **2** (liuos) varnish, lacquer
lakkaamaton continuous, continual, incessant
lakkaamatta continuously, continually, incessantly
lakkauttaa close (down), abolish, discontinue, do away with; (laki) repeal
lakkautus shutdown, abolition, discontinuance, repeal
lakkautuspalkka severance pay
lakki cap
lakkiaiset high school graduation
lakko strike mennä lakkoon, olla lakossa go/be on strike tehdä lakko (auto tms) stop dead, die, quit (running)
lakkoilla 1 (työläiset) (go/be on) strike **2** (auto) keep stopping/quitting, (TV) be on the blink, (sydän) fibrillate, (muisti) be patchy, let you down
lakkolainen striker
lakkovahti picket
lakkovartio picket line
lako mennä lakoon, olla laossa be flattened, beaten down (by the rain)
lakoninen laconic
lakonmurtaja stikebreaker, (ark) scab
lakonrikkoja strikebreaker, (ark) scab
lakritsi licorice
lakritsipatukka licorice stick
laksatiivi laxative
laktaasi lactase
laktoosi lactose
laktoosi-intoleranssi lactose intolerance
laktaatio lactation
lama depression (myös kuv) taloudellinen lama economic depression; (väliaikainen) economic recession/slump/ downswing olla lamassa be depressed, be out of it, be down in the dumps/ mouth
lamaannus 1 (masennus) depression, dejection **2** (pysähdys: taloudellinen) stagnation, (fyysinen) paralysis, (henkinen) torpor
lamaannuttaa 1 (masentaa) depress, deject, discourage **2** (pysäyttää) paralyze, cripple Tieto vallankaappauksesta lamaannutti pörssin News of the coup paralyzed/crippled (trading on) the stock exchange Tieto äidin kuolemasta lamaannutti hänet The news of his mother's death paralyzed/stunned him
lamaantua 1 (masentua) become depressed/dejected/discouraged **2** (pysähtyä) be paralyzed/crippled, stagnate
lamakausi depression
lamalainen s Lamaist adj Lamaistic
lamalaisuus Lamaism
laminoida laminate
laminaatti laminate
laminointi lamination
lammas (elävä) sheep, (syötävä) mutton suvun musta lammas the black sheep of the family erottaa lampaat vuohista separate the sheep from the goats lauhkea kuin lammas lgentle as a lamb
lammikko (pieni järvi) pond, (läiskä) pool, (lätäkkö) puddle
lampaanliha mutton
lampaanpaisti roast mutton
lampi pond
lamppu 1 (valaisin) light (fixture), lamp **2** (hehkulamppu) (light) bulb
lampsia trudge, clump, shamble
lande (maaseutu) the sticks, the boondocks, the boonies
landelainen (maalainen) hick, hayseed, (country) bumpkin
langaton kauko-ohjain wireless remote
langaton puhelin cordless (tele)phone
langeta fall langeta maahan fall to the ground, hurl yourself to the ground, prostrate yourself Vastuu siitä lankeaa nyt sinulle It's your responsibility/duty/ job now, responsibility for it falls to you
langeta loveen fall/go into a trance
langeta luonnostaan be a matter of course, go without saying

langeta maksettavaksi fall due, mature
langeta syntiin fall/lapse/sink into sin
langettaa tuomio pronounce/pass judgment/a verdict
lanka 1 thread, (naru) string punainen lanka scarlet thread saada langan päästä kiinni catch the drift (of speech), figure out what's going on **2** (sytytyslanka) fuse, (hehkulanka) filament, (pyydyslanka) wire **3** saada langan päähän (puhelimeen) get someone on the line hakea joku langan päähän call someone to the phone
lankalaukaisin cable release
lankata polish
lankeemus fall Ylpeys käy lankeemuksen edelle Pride goes before a fall
lankku board, plank
lanko brother-in-law
lannistaa 1 (vastustaja) put down, subdue, suppress **2** (mieltä) depress, dishearten, discourage, knock the legs/props out from under (a person)
lannistua 1 (tappelussa) give up (the fight), give in/way, yield **2** (henkisesti) lose heart, get depressed/disheartened/discouraged
lannistumaton persevering, resolute, unflagging
lannoite fertilizer
lannoittaa fertilize
lannoitus fertilization
lanseerata introduce
lanta manure, dung; (apulanta) fertilizer
lantio pelvis
lantti coin
lanttu rutabaga, swede
lanttulaatikko rutabarga casserole
lapa shoulder
lapaluu shoulder blade
lapanen mitten
lape (miekan) flat, (mäen/katon) slope tulla alas lappeelleen (keihäänheitossa) land flat
lapin kieli Sami
lapinkielinen Sami
lapio shovel, (pieni) spade
lappaa (köyttä ulos) pull, (köyttä sisään) feed, (vettä veneestä) bail, (tavaroita taskusta) haul out, (ruokaa lautaselleen) pile (up), (ruokaa suuhun) stuff, (väkeä ulos/sisään) pour, stream
lappalainen s Lapp adj Lappish
Lappi Lapland, (par) Samiland
lappu 1 (silmälappu: ihmisen) (eye)patch, (hevosen) blinker kulkea laput silmillään look at the world with blinkers on **2** (paperinpala) piece/scrap of paper **3** (hintalappu) (price) tag **4** (viesti) note panna lappu luukulle close (up shop)
lappuliisa meter maid
lapsellinen childish, puerile
lapsellisuus childishness, puerility
lapsenkengissä in its infancy
lapsenlapsi grandchild
lapsenomainen childlike
lapsenvahti babysitter
lapseton childless
lapsettaa Henryä lapsettaa Henry wants to be a baby
lapsettomuus childlessness
lapsi child, (ark) kid, (kakara) brat, (vauva) baby, (alaikäinen) minor heittää lapsi pesuveden mukana throw the baby out with the bathwater lapsilta kielletty elokuva adult movie, R-/X-rated movie lapsille sallittu elokuva children's movie, P(G)-rated movie kuin lasten suusta out of the mouths of babes odottaa lasta be pregnant, be expecting (a baby) aikansa lapsi a product/child of your times lapsesta saakka since you were a child, since childhood
lapsihalvaus polio(myelithis)
lapsikaste infant baptism
lapsikatras the kids
lapsikuolleisuus infant mortality
lapsilisä child benefit
lapsilukko child lock
lapsiperhe family with children at home
lapsityövoima child labor
lapsivesi amniotic fluid, (ark) water Sitten lapsivesi tuli Then my/her water broke

lapsivesitutkimus amniocentesis
lapsivuode olla lapsivuoteessa (vanh) be confined kuolla lapsivuoteeseen die in childbirth
lapsivähennys child/dependent deduction
lapsiystävällinen lapsiystävällinen perhe a family that likes children, where children feel welcome, at home lapsiystävällinen ympäristö (turvallinen) a child-safe environment, (ystävällinen) a place where children are welcome
lapsukainen child, baby
lapsus slip, lapsus, (ark) goof, boo-boo
lapsuus childhood
laputtaa traipse, tramp Alahan laputtaa! Get a move on! laputtaa tiehensä beat a hasty retreat, (ark) beat it
laser laser
laserkirjoitin laser printer
laserlevy CD, Compact Disc; (kuvalevy) LaserDisc®, laserdisc
lasersoitin CD player, compact disc player, (kuvalevysoitin) laserdisc player
lasi 1 (juomalasi) glass (myös aine) lasista tehty hevonen glass horse kilistää lasia clink glasses lasin liikaa ottanut who's had one too many kilistää lasia jonkun kanssa (juoda malja) clink glasses (with someone) **2** (ikkunalasi) (window) pane **3** (silmä)lasit glasses
lasikaappi glass cabinet
lasikuitu fiberglass
lasileuka (nyrkkeilyssä) glass jaw
lasillinen glassful Otetaanko pari lasillista? Shall we have a drink/round or two?
lasimaalaus stained-glass painting/window
lasinpuhallus glass-blowing
lasinpuhaltaja glass-blower
lasinsiru piece of glass, (pieni) sliver of glass, shard of glass
lasiovi French door
lasipullo glass bottle
lasitavara glassware
lasitehdas glassworks
lasittaa glaze
lasittua glaze lasittuneet silmät glazed/glassy eyes
lasivilla glass wool
laskea tr **1** (alemmas) lower, drop laskea kätensä oven kahvalle put your hand on the doorknob **2** (kädestään tms) put/set/lay down **3** (perusta tms) lay **4** (päästää) let laskea sisään/ulos/karkuun/menemään/irti let someone in/out/escape/go/loose **5** (saattaa) laskea seteleitä liikkeeseen put bills into circulation, issue currency laskea kirja julkisuuteen release a book **6** (vuodattaa, virrata) (let) run/flow laskea vettä (hanasta) run water (virtsata) urinate laskea olutta tynnyristä draw beer from a keg laskea verta haavasta let a wound bleed Älä laske housuihisi! Don't go in your pants! **7** laskea leikkiä joke around (ks hakusana) **8** (lukumäärä) count Ne voi sormin laskea You could count them on one hand kolmas vasemmalta laskien the third from the left **9** (laskelmoida) calculate, figure laskea mahdollisuuksiaan figure/calculate your chances **10** (luottaa) count on Pojat laskivat niin, ettei äiti huomaa The boys counted on their mother not noticing laskea jonkin varaan count on it Älä laske sen varaan, että minä olen siellä Don't count on my being there **11** (pitää jonakin, sisällyttää johonkin) consider, count minut mukaan laskettuna counting/including me Itse laskisin sen eduksi Me, I'd consider it an advantage
itr **1** (alas) fall, drop nousta ja laskea rise and fall Kuume/lämpö laskee The fever/temperature is dropping Painoni on laskenut I've lost weight **2** (viettää: tie) slope down, descend, (jyrkänne) drop off **3** (liukua) laskea kelkalla/suksilla sled/ski down (the hill) **4** (virrata) flow Mississippijoki laskee Meksikonlahteen The Mississippi River flows into the Gulf of Mexico **5** (aurinko) set Aurinko laskee The sun is setting
laskea alleen wet your bed
laskea housuihinsa do it in your pants
laskea kuin lehmän häntä drop like a shot

laskea lampaita count sheep (myös kuv)
laskea leikkiä joke (around), be witty/funny, make/crack jokes/a joke
laskea mukaan include mukaan laskettuna including, counting
laskea mäkeä go sledding
laskea päässä count/calculate in your head, do mental arithmetic
laskea silmistään let someone out of your sight
laskea tahtia count/beat time
laskea takaperin 1 (lukuja) count down/backwards **2** (mäkeä) go down backwards
laskea vesille launch (a ship)
laskelma calculation, computation, (arvio) estimate
laskelmointi calculation
laskelmoiva calculating
laskennallinen computational
laskenta 1 (vars tietok) computation **2** (mat) calculus differentiaalilaskenta differential calculus **3** (lähtölaskenta) countdown
laskento arithmetic
laskettelu downhill/slalom skiing
laskeutua 1 (mennä alas) go down (into), descend laskeutua vuoteelle lie down laskeutua polvilleen kneel down **2** (laskea, pudota) fall, drop Yö laskeutuu Night is falling Pöly laskeutuu The dust is settling **3** (viettää) slope/go down **4** (roikkua) hang (down) **5** (lentokone) land
laskeutuminen descent, landing
laskiainen Shrovetide
laskiaispulla Shrove bun
laskiaistiistai Shrove Tuesday
laskien 15. päivästä laskien starting the 15th sinut mukaan laskien counting/ including you
laskin calculator
laskos pleat, fold
lasku 1 (laskutehtävä) (math) problem, sum **2** (laskelma) calculation, (kuv) account minun laskujeni mukaan according to my calculations, as I figure it ottaa laskuun take into account/ consideration **3** (tili) account Tuleeko tämä käteisellä vai laskuun? Will that be cash or charge? Tämä tulee laskuun I'll put this on my account; charge, please talon laskuun on the house **4** (laskutus: sähköstä tms) bill, (tavaralähetyksestä) invoice, (ravintolassa) check Saisimmeko laskun? Could we have the check please? erääntynyt lasku overdue bill **5** (laskeutuminen) fall, drop, (tien) downgrade auton arvon lasku depreciation in a car's value **6** (laskettelukerta) (ski) run
laskutoimitus mathematical/ arithmetic operation, calculation
laskuttaa bill, (lähetyksestä) invoice
laskutus billing, (lähetyksestä) invoicing
laskuvarjo parachute
lasso lassoo, lariat
lasta 1 (keittiölasta) spatula; (kumilasta: ikkunoita varten) squeegee, (liimausta varten) (rubber) applicator; (muurauslasta) trowel; (kittilasta) putty knife **2** (lääk) splint
lastenhoitaja (päiväkodissa) (preschool) aide; (kotona) nanny
lastenhoito child care
lastenleikki children's game(s), child's play (myös kuv) Se on lastenleikkiä (helppoa) That's a piece of cake, no sweat
lastentarha preschool; (ennen kouluikää) day care center; (viimeisenä vuonna ennen ensimmäistä luokkaa, kuuluu USA:ssa koulujärjestelmään) kindergarten
lastenvahti babysitter
lastenvaunut baby carriage
lasti load, (laivan) cargo, (lentokoneen/ junan) freight
lastoittaa (lääk) (put someone's arm/ leg/jne in a) splint
lastu 1 (puun, metallin) chip; (saippuan, perunan) flake; (höylän) (wood) shaving **2** (mikrolastu) (micro)chip **3** (tarina) story, anecdote
lastulevy chipboard
lataaminen charging
lataus (lataaminen) charging, (ladattu) charge

latautua 1 (akku) charge (up), get charged **2** (ihminen) get charged/ psyched up for, get ready for
latina Latin
latinankielinen Latin
latistaa banalize, trivialize, make/ render prosaic/bathetic
latistua fall off (in excitement), flag, turn boring/tedious/banal/trivial
lato barn, shed
latoa 1 (vierekkäin) line up; (päällekkäin) pile up, stack **2** (puhetta) let fly, (tunnetta) repress **3** (kirjapainossa) compose
latoja compositor
latomo composing room
lattea 1 (litteä) flat **2** (proosallinen) boring, banal, trivial, trite
lattia floor mittailla lattiaa pace the floor, pace up and down, to and fro
lattialämmitys underfloor heating
latu (ski) track Latua! Track! antaa latua give way avata uusia latuja blaze new trails, break new ground kulkea vanhaa latua stay in the old rut, keep to the beaten path
latva 1 (puun) top **2** (joen) upper course
Latvia Latvia
latvia Latvian, Lettish, Lett
latvialainen s Latvian, Lett adj Latvian, Lettish
lauantai Saturday
lauantai-ilta Saturday night/evening
lauantaimakkara bologna, (ark) baloney
lauantainen (something) on Saturday, Saturday('s) joka lauantainen kauppareissu our Saturday shopping spree, the shopping we do every Saturday
lauantaisin (on) Saturdays
laudatur honors saada laudatur englannin ylioppilaskirjoituksesta graduate (from high school) with honors in English
laudoittaa (paneloida) panel, (tehdä ponttilautalattia) put in tongue-and-groove flooring, (peittää laudoilla) board up/over
laueta 1 go off, (pyssy) fire, (räjähde) explode **2** ease off, (jännistys) relax, break Sitten hän nauroi ja jännitys laukesi Then she laughed and they relaxed, her sudden laughter broke the tension **3** (saada orgasmi) come, go off
lauha (ilma) warm, balmy, mild; (ilmasto) mild, temperate
lauhdutin condenser
lauhduttaa 1 (ilmastoa) warm up Meri lauhduttaa Helsingin talvea The winter in Helsinki is warmer/milder than further inland thanks to the Gulf of Finland
2 (mielialaa) calm, soothe, pacify
3 (tekn) condense
lauhkea 1 (ilma) warm, balmy, mild; (ilmasto) mild, temperate **2** (mielenlaatu) mild, meek, gentle lauhkea kuin lammas gentle as a lamb
lauhtua 1 (ilma) grow milder Pakkanen on lauhtunut The cold snap has broken **2** (mieliala) calm (down), cool off, relax **3** (tekn) condense
laukaista 1 (pyssy) fire, discharge, shoot off **2** (jousi) loose, release **3** (ansa) spring **4** (kamera) shoot/snap (a picture) **5** (ohjus tms) launch **6** (kiekko, pallo tms) shoot, fire, let fly **7** (kysymys tms) fire off, let fly **8** (orgasmi) bring (someone) to climax, make (someone) come, get (someone) off; (suulla: miestä) suck (someone) off, (naista) lick (someone) off
laukata gallop, (hitaasti) canter, lope
laukaus (gun)shot 650 laukausta minuutissa 650 rounds per minute
laukka gallop, (lyhyt) canter, lope täyttä laukkaa at a full gallop; (kuv) hellbent for leather, like a bat out of hell
laukku bag, (käsilaukku) purse, (koululaukku = reppu) pack
laulaa sing Mikä laulaen tulee se viheltäen menee Easy come, easy go
laulaa nuoteista sight-read
laulaa poliisille sing (to the cops) like a bird
laulaja singer
laulella sing (a little ditty/to yourself)
laulu 1 song, tune, melody; (joululaulu) (Christmas) carol; (gregoriaaninen tms)

chant **2** (laulaminen) singing, song panna lauluksi burst into song, burst out singing **3** (linnun) (bird)song, singing, chirping, warbling

lauma 1 herd (myös kuv), crowd kulkea lauman mukana go with the herd (myös ihmisistä), be a sheep **2** (lampaita, lintuja) flock **3** (koiraeläimiä) pack **4** (hanhia) gaggle **5** (hyönteisiä, lapsia) swarm

laumaeläin gregarious animal; (ihmisestä) sheep

laupeus compassion, kindness, mercy, caring

laupias compassionate, kind, merciful, caring laupias samarialainen good Samaritan

lause 1 sentence, (sivulause) clause **2** (mat) theorem **3** (tietok) statement

lauseke 1 (mus) period **2** (mat) expression **3** (tietok) statement **4** (lak ym) clause **5** (kieliopissa) phrase

lausua 1 (sana) say, speak, utter; (ääntää) pronounce Miten lausutaan Lech Walesa? How do you say/ pronounce Lech Walesa? **2** (mielipide) state, express lausua lämpimät kiitokset express your gratitude, thank (someone) warmly **3** (ajatus) articulate, put into words **4** (runo) recite, interpret (orally), do/give a reading of **5** (tervetulleeksi) wish/bid (someone a warm welcome)

lausuma utterance

lausunta (poetry) reading, (oral) interpretation

lausunto 1 statement **2** (todistajan: kirjattu) deposition, (oikeudessa) testimony **3** (asiantuntijan) (expert) opinion; (professorin, käsikirjoituksesta) (reader's) report **4** (ilmoitus) pronouncement, announcement

lauta board panna nasta lautaan (ark) floor it

lautakunta 1 (päättävä) board **2** (tutkiva) commission **3** (oikeudessa) jury

lautamies juror, jury member

lautanen 1 (matala) plate, (syvä) bowl, (kupin alla) saucer lentävä lautanen flying saucer **2** (mus) cymbal

lautasellinen plateful, bowlful

lautasliina napkin

lautatavara lumber

lautta 1 (tukkilautta) raft **2** (autolautta tms) ferry

lava 1 (koroke) stand, platform, (näyttämö) stage tanssilava dance floor **2** (kuorma-auton) bed

lavastaa 1 (näytelmä tms) stage, build the set for (a play/movie/jne) **2** (tapahtuma) stage, fake; (viaton ihminen syylliseksi) frame, set up

lavastus 1 (näytelmän tms: lavastaminen) staging, set-building; (rekvisiitta) set **2** (tapahtuman) staging; (viattoman) frame(-up), set-up

lavea wide, broad lavea tie joka johtaa kadotukseen the broad path that leads to hell lain lavea tulkinta loose/broad interpretation of a law lavea vokaali broad vowel

laveasti at great length, in great detail

LED LED, light-emitting diode

legenda legend legenda jo eläessään a legend in his/her own time

legioona legion

lehdenjakaja (nuori) paperboy/-girl, (aikuinen) (newspaper) deliverer

lehdistö press lehtistön vapaus freedom of the press

lehdistösihteeri press secretary

lehdistötiedote press release

lehdistötilaisuus press conference

lehmus linden

lehmä cow oma lehmä ojassa an axe to grind

lehmäkauppa (pol) horse-trade hieroa lehmäkauppoja do a little horse-trading, make a few deals

lehti 1 (puun) leaf jäädä lehdellä soittelemaan be left with nothing, empty-handed **2** (paperin) sheet, (kirjan tms) page, (vanh) leaf kääntää uusi lehti turn over a new leaf Lehti on kääntynyt The tide has turned **3** (sanomalehti) (news)paper; (aikakauslehti) magazine, periodical, journal

lehtikioski newsstand
lehtikirjoitus (newspaper) article
lehtikuva press/news(paper) photo(graph)
lehtimetsä leafy/deciduous forest
lehtimies journalist, reporter
lehtipuu deciduous tree
lehtitilaus (news)paper/magazine subscription
lehtiö (muistiinpanoja varten) notebook/-pad, (piirtämistä varten) sketchbook/-pad
lehto grove
lehtori lecturer
leija kite
leijailla float; (eteenpäin) glide, soar; (ylösalaisin) bob (up and down)
leijona lion, (horoskoopissa) Leo
leijonankesyttäjä liontamer
leijonanosa the lion's share
leijua float, glide, soar; (haju, uhka) hang (in the air)
leikata 1 cut; (viilto) slash; (siistiksi) trim; (leike, kynsi) clip; (viipale) slice; (kinkkua tms) carve; (kuutioiksi) dice, chop; (puuta: sahalla) saw, cut, (puukolla) whittle, carve; (nurmikkoa) mow, cut **2** (lääk: tehdä leikkaus) operate (on); (rikkoa iho) make an incision; (poistaa) remove; (mies, uros) castrate, (naaras tms) spay Minulta leikattiin umpisuoli I had my appendix (taken) out, I had an operation on my appendix, I had an appendectomy **3** (hintoja, veroja, sosiaalipalveluja) cut, slash, reduce, decrease **4** (alkoholijuomaa) cut, dilute **5** (elokuvaa) cut, edit **6** (järki) Sinullapa leikkaa hyvin You're sharp/quick, you catch on fast **7** (moottori) Moottori taisi leikata kiinni I think the engine threw a rod
leike 1 (lehtileike) clipping **2** (lihaleike) cutlet **3** (geom) segment
leikikäs playful
leikillään in play/fun/sport Sanoin sen leikilläni I was just kidding/ joking/being funny
leikin asia Tämä ei ole leikin asia This is no joke, no joking matter, nothing to kid/joke/laugh about
leikinlasku joking/kidding (around), affectionate banter/ribbing
leikitellä play/trifle/toy (with someone) Olet koko ajan leikitellyt tunteillani! This whole time you've been toying/ playing with my feelings!
leikkaus 1 (lääk) operation joutua leikkaukseen go in for/have to have surgery/an operation **2** (puuleikkaus) carving **3** (kallion tms) excavation, blasting **4** (takin tms) cut **5** (elokuvan) cut(ting), editing **6** (leikkauskuva) (cross-)section **7** (geom) (inter)section
leikkaussali operating room, OR
leikkeleet cold cuts
leikki 1 play, (peli) game lastenleikki ks hakusana **2** (vitsi) joke leikillään, leikin asia, leikinlasku ks hakusanat
leikkiauto toy car/truck/bus
leikkikalu toy, (vars kuv) plaything
leikkikenttä playground
leikkisä playful; (vitsikäs) jocular
leikkiä 1 play Lapsi on terve kun se leikkii Children will be children, boys will be boys leikkiä leikkiä play a game leikkiä tulella play with fire Et saa leikkiä hänen sydämellään! Don't toy with her, don't play games with her, don't use her **2** (olla leikisti) pretend, make believe Leikitään, että sinä olet isä ja minä olen äiti Let's pretend that you're daddy and I'm mommy **3** (laskea leikkiä) joke/play around
leikkokukka cut flower
leikkuu 1 cut(ting) hiusten leikkuu haircut **2** (elonkorjuu) harvest(ing)
leikkuuttaa have (something) cut
leili skin, bottle uutta viiniä vanhoissa leileissä new wine in old skins
leima stamp, mark, brand postileima postmark saada leima passiinsa get your passport stamped Jyväskylällä oli silloin vielä pikkukaupungin leima Jyväskylä was still thought of as a small town then
leimaa-antava characteristic, typical, distinguishing
leimaantua be(come)/get branded/ labeled/categorized/typecast (as/for something), get a reputation (for

being/doing something), get lumped together (with a certain crowd)
leimahtaa flash, flare (up)
leimasin stamp
leimata 1 (passi tms) stamp; (postimerkki) postmark, cancel **2** (ihminen) label, brand
leimavero stamp tax
leipoa 1 (leipä tms) bake, make kotona leivottu homemade/baked **2** (taikinaa) knead **3** (ihmistä) pummel, clobber, maul **4** (jokin jostakusta) train (someone to be), make (something of someone) leipoa maailmanmestari train someone to be a world champion
leipoja baker
leipomo bakery
leipä 1 (yleensä) bread jokapäiväinen leipämme our daily bread Ihminen ei elä yksin leivästä Man cannot live by bread alone murtaa leipää break bread **2** (kokonainen limppu) loaf ostaa kolme ruisleipää buy three loaves of rye bread **3** (voileipä) sandwich ostaa kolme kinkkuleipää buy three ham sandwiches **4** (toimeentulo) pay ansaita leipänsä kääntäjänä put food on the table by translating, translate for a living olla jonkun leivissä work for someone ei lyö leiville it doesn't pay **5** heittää leipiä skip rocks
leipätyö (ark) bread-and-butter (job)
leipäveitsi bread knife
leipää ja sirkushuveja bread and circuses
leiri camp (myös kuv) pystyttää leiri pitch camp, set up an encampment, bivouac jakautua leireihin splinter into separate camps
leiriläinen camper
leirintäalue campground
leirinuotio campfire
leiriytyä (en)camp, bivouac
leivinjauhe baking powder
leivinuuni wood-burning oven
leivonnainen bakery product, pastry; (mon) bakery goods
leivos pastry
leivänkannikka heel
leivänmuru (bread)crumb
leivänpaahdin toaster
lekotella lie/laze around, sprawl (out somewhere)
lekottelu lying/lazing around, taking it easy
lekuri (saw)bones
lelu toy
lelukauppa toy store
lemmikki favorite, pet
lemmikkieläin pet
lempeys meekness, mildness, fondness, affectionateness, gentleness, tenderness, sweetness, leniency (ks lempeä)
lempeä 1 (ei aggressiivinen) meek, mild **2** (ei vihamielinen) fond, affectionate, loving **3** (ei väkivaltainen) gentle, tender, sweet **4** (ei ankara) lenient
lempeästi meekly, mildly, fondly, affectionately, lovingly, gently, tenderly, sweetly, leniently (ks lempeä)
lempikirjailija (your) favorite writer
lempimusiikki (your) favorite music
lempinimi nickname
lempiruoka (your) favorite food/dish
lempiyhtye (your) favorite group/band
lemu smell, stench, reek, stink
lemuta smell, stench, reek, stink
leninki dress, (hieno) gown
lenkkeillä (go) jog(ging)/run(ning)
lenkki 1 link, loop Ketju on yhtä vahva kuin sen heikoin lenkki A chain is only as strong as its weakest link **2** (juoksu) run, (kävely) walk lähteä lenkille go jogging/running Hän on lenkillä She's out running/jogging **3** (makkara) bologna
lenkkimakkara bologna, (ark) baloney
lennellä fly/blow (all over, everywhere, every which way)
lennokas 1 (juoksu tms) fluid, supple, sinuous juosta lennokkaasti run like the wind **2** (keskustelu: innokas) lively, spirited; (korkealentoinen) lofty, high-flown
lennokki toy/model (air)plane; (paperista tehty) paper airplane

lennonjohto air-traffic/flight/ground control
lennähtää fly Hattu lennähti päästä My hat flew off my head
lennätin telegraph (office)
lennättää 1 (lennokkia, leijaa) fly **2** (tuuli lehtiä tms) blow (around) **3** (räjäyttää) blow up **4** (ihminen palloa tms) throw, hurl, sling **5** (kiidättää) rush, speed
lento flight suora lento direct/nonstop flight lähteä lentoon take /wing off: take flight off saada taksi lennosta flag down a taxi loppua lyhyeen kuin kanan lento go over like a lead balloon, flop
lentoaika flight/flying time
lentoasema airport, (pieni) airfield
lentoemäntä (nyk) flight attendant, (vanh) stewardess
lentokenttä airport, (pieni) airfield
lentokone airplane, aircraft
lentokonekaappaus skyjacking, hijacking
lentokorkeus flight/flying altitude
lentoliikenne air traffic
lento-onnettomuus plane crash, aviation accident
lentopallo volleyball
lentoperämies copilot
lentoposti airmail
lentäjä flier; (lentokoneen ohjaaja) pilot; (ark) flyboy
lentävä lautanen flying saucer
lentää fly (myös kuv) Aika lentää Time flies tehdä työtä niin että hiki lentää work till the sweat runs off you
lentää hajalle blow up, blow sky high, explode
lentää jonkun kaulaan hurl/throw yourself in someone's arms, around someone's neck
lentää selälleen fall over, (ark) fall on your can/ass
lepakko bat
lepattaa flap, flutter, (liekki) flicker
lepo rest Lepo! (sot) At ease! seisoa levossa stand at ease saattaa haudan lepoon lay (someone) to rest mennä levolle go to bed
lepoasento olla lepoasennossa (sot) be at ease, (yl) be resting/relaxing, lie/sit comfortably
lepohetki (a moment's) rest/break, breather; (päiväuni) nap, (euf: aikuinen lapselle) rest time
lepopäivä 1 (yl) day off, day of rest **2** (usk) sabbath Muista pyhittää lepopäivä Remember the sabbath day and keep it holy
leppoisa gentle, peaceful, restful
leppyä calm down, relent, be placated/mollified/appeased
leppä alder
leppäkerttu ladybug
lepuuttaa rest
lepyttää placate, mollify, appease, conciliate
lerppu (tietok) floppy(disk)
lesbo lesbian
lesbolainen lesbian
leseet bran
leskeneläke widow's pension
leski widow, (mies) widower jäädä leskeksi be widowed
leskirouva widow; (aateli) dowager
leskiäiti widowed mother
Lesotho Lesotho
lestadiolainen Lestadian
lestadiolaisuus Lestadianism
letku hose, tube
letti braid
lettu pancake
leuhka conceited, vain, boastful, (ark) stuck-up
leuhkasti arrogantly, superciliously
leuhkia boast, brag
leuka 1 (leuanpää) chin, (leukapieli) jaw vetää leukaa do chin-ups vetää leukaan bust someone on the chin/chops **2** (tekn) jaw
leukemia leukemia
leuto mild, temperate
leveillä brag, boast, shoot off your mouth
leveys width, breadth
leveysaste (degree of) latitude 50. leveysasteella at 50 degrees north latitude

leveä wide, broad Se nyt on yhtä pitkää kuin leveääkin That's not going to get us anywhere, that's hopeless/useless/worthless/pointless, I can't make heads or tails of that pitää leveää suuta brag, boast, shoot off your mouth
leveä elämä 1 (helppo) life of ease, easy living **2** (tuhlaileva, irstas) fast/dissolute life(style)
leveä leipä good money/pay/income, chance to make a lot of money muuttaa Amerikkaan leveämmän leivän toivossa move to America in hopes of a better life, to make big bucks
leveästi broadly hymyillä leveästi smile broadly, give someone a big smile, smile from ear to ear ääntää leveästi speak in a broad drawl
leveästi ja laveasti jaaritella leveästi ja laveasti drone on and on, tell an endless story kertoa leveästi ja laveasti heidän tekemisensä give you a blow-by-blow account of their doings, tell you what they've been doing down to the last detail
leveä suu pitää leveää suuta brag, boast, shoot off your mouth suu leveänä smiling broadly
levikki (tavaran) distribution, (lehden tms) circulation
levinneisyys distribution
levitellä spread (out) levitellä käsiään throw up your hands
levittäytyä spread/fan out
levittää spread levittää voita leivälle spread butter on (a slice of) bread levittää paperit keittiön pöydälle spread your papers (out) on the kitchen table levittää vallankumousaatetta spread/propagate/disseminate revolutionary ideas
levitys spreading
levitä 1 spread (myös kuv) Huhu levisi kuin kulovalkea The rumor spread like wildfire helposti leviävä margariini easy-to-spread margarine **2** (ark: moottori) die, break down
levoton 1 (rauhaton) restless, unsettled **2** (ahdistunut) uneasy, nervous, anxious **3** (huolissaan) worried, anxious **4** puhua levottomia run off at the mouth, talk nonsense, say the first thing that comes into your head, talk wildly, rave
levottomasti restlessly, uneasily, nervously, anxiously (ks levoton)
levottomuus 1 (rauhattomuus) unrest, restlessness, disquiet **2** (ahdistuneisuus) uneasiness, nervousness, anxiety **3** (huolestuneisuus) worry, anxiety
levottomuutta herättävä unsettling, alarming, disquieting
levy 1 (laatta tms) slab, sheet, plate; (pyöreä) disk **2** (puinen) board, sheet lastulevy chipboard vanerilevy sheet of plywood **3** (äänilevy) record **4** (keittolevy: irrallinen) (hot) plate, (liedessä) burner **5** (tietok) disk kovalevy hard disk **6** (valok) plate
levyasema (tietokoneen) disk drive
levyinen talon levyinen as wide/broad as a house metrin levyinen a meter wide, meter-wide saman levyinen as wide as, of the same width
levykauppa record store, music store
levyke 1 (tietok) floppy disk, floppy, diskette, disk **2** (plaketti) placque
levykeasema disk drive
levysoitin turntable
levyttää 1 (äänilevy) record, cut a record **2** (seinä) surface (a wall with chipboard, with paneling sheets)
levytys 1 (äänilevyn) recording (session) **2** (seinän) surfacing
levytyssopimus recording contract
levy-yhtiö record company
levähdys (a moment's) rest/break/breather
levähtää rest (for a moment), take a (short) break/breather
levätköön rauhassa! (may he/she) rest in peace, (lat) requiescat in pace, R.I.P.
levätä 1 rest, take a break/breather tuntea itsensä levänneeksi feel rested **2** (maata) lie (down), sleep **3** (olla haudassa) rest, repose, lie, be buried **4** (olla käyttämättömänä) lie (unused), not be used, be out of use; (pelto) lie

fallow panna lakiesitys lepäämään yli vaalien table/shelf a bill until after the election
levätä laakereillaan rest on your laurels
liata dirty, soil, begrime; (kuv) tarnish, sully liata itsensä get (all) dirty liata maineensa ruin/soil/tarnish your reputation
liberaali liberal
liberaalinen liberal
Liberia Liberia
liberialainen s, adj Liberian
Libya Libya
libyalainen s, adj Libyan
lie mikä lie I wonder what (kind of), some (sort of)
Liechtenstein Liechtenstein
liechtensteinilainen s Liechtensteiner
liehua 1 (lippu tms) wave, fly, flutter **2** (jonkun ympärillä) flutter/flit/ swarm (around)
liekehtiä blaze, flare (up)
liekinheitin flamethrower
liekki flame hulmahtaa liekkeihin burst into flames
liemi 1 (lihaliemi: keitossa) broth, bouillon, consommé; (lihan tms päälle) gravy **2** (hedelmäliemi) juice kiehua omassa liemessään stew in your own juice **3** (ark) trouble joutua liemeen get into trouble olla kurkkua myöten liemessä be in it up to your neck
liemikulho soup bowl/tureen
lienee Lieneekö se totta Could it be true? I wonder if that's true missä se lienee ollutkin wherever it's been Lienet oikeassa I guess you're right, you're probably right
liennytys détente
lientyä ease (off), abate
liepeillä around, near, close to/by, on the borders/fringes/outskirts of
lieri brim
lieriö cylinder
liesi stove
liete silt, sludge
lietsoa 1 (tulta) blow on **2** (kapinaa tms) stir up, foment
liettua Lithuanian
Liettua Lithuania
liettualainen s, adj Lithuanian
lieve border, edge, (hameen) hem liepeillä around, near, close to/by, on the borders/fringes/outskirts of
lieveilmiö side effect
lieventää 1 (kipua tms) ease, relieve, alleviate, soothe **2** (määräyksiä tms) lighten, soften, ease **3** (tuomiota tms) commutate, mitigate lieventää kuolemanrangaistus elinkautiseksi commutate the death sentence to life lieventävät asianhaarat mitigating/ extenuating circumstances **4** (kritiikkiä tms) tone down
lievittää ease, relieve, alleviate, soothe lievittää päänsärkyä nopeasti bring fast relief to headache pain(s)
lievitys relief
lievä mild, light, slight lievä rangaistus light/lenient punishment lievä voimasana mild swearword
lievästi mildly, slightly lievästi sanottuna to put it mildly
liha 1 (syötävä) meat **2** (elävä) flesh omaa lihaa ja verta your own flesh and blood (myös kuv) lihan himot the lusts of the flesh tulla yhdeksi lihaksi become one flesh
lihaksikas muscular
lihaliemi broth, bouillon
lihaliemikuutio bouillon cube
lihallinen 1 (ruumiillinen) physical, bodily, corporeal **2** (syntinen) fleshly, carnal, sensual **3** (todellista sukua oleva) natural(born), by birth Jukka on lihallinen veljeni, Antti adoptoitiin Jukka's my brother by birth, Antti was adopted
lihansyöjä carnivore, meat-/flesh-eater
lihapiirakka meat pie
lihapulla meatball
lihapyörykkä meatball
liharuoka (yleensä) meat; (yksi laitettu) meat dish; (aterian ruokalaji) meat course
lihas muscle
lihasvoima muscle, (ark) elbow grease

lihava 1 fat (myös kuv), overweight, heavy, plump, (erittäin) obese **2** (kirjasinlaji) bold
lihoa put on/gain weight/pounds, get fat(ter) lihoa kaksi kiloa put on/gain five pounds
lihottaa (eläintä) fatten, (ruoka ihmistä) be fattening
liiaksi 1 overly/too much, excessively, to too great a degree Hän on liiaksi riippuvainen äidistään He is overly/ excessively/too dependent on his mother, his attachment to his mother is too great, too much of a strain for him **2** ks liian, liikaa
liiallinen 1 (liian suuri) excessive, immoderate liiallinen alkoholinkäyttö excessive/immoderate drinking **2** (liika) excess, extra(neous) karsia kaikki liiallinen lavertelu pois cut all excess verbiage **3** (kohtuuton) extreme, inordinate liialliset vaatimukset extreme/ inordinate demands **4** (liioiteltu) exaggerated liiallinen kohteliaisuus exaggerated politeness, excessive flattery
liian (all/far/much) too, overly, excessively
liian kanssa excessively, to excess Sitten kun tulee, tulee liian kanssa It never rains but it pours
liiankin even too Se voi olla liiankin suuri It may even be too big
liidellä glide, soar
liidokki glider
liiemmälti ei liiemmälti not overmuch, not excessively, not too much
liietä Liikenisikö sinulta pari minuuttia/ markkaa? Could you spare a few minutes/marks, could I trouble you for a few minutes (of your time)/marks?
liiga 1 (urh, hist) league **2** (kopla) gang
liika s excess, surplus, surfeit, the rest kuoria liika pois skim the excess liikoja ks hakusana
adj excess(ive), too much, surplus, extra(neous), unnecessary riisua liiat vaatteet pois take off your outer layers (of clothing), strip down (to what feels comfortable)
liikaa (liian paljon jotain ainetta tai muuta yksilöimätöntä) too much, (liian monta yksilöä/yksikköä) too many
liikahdella stir, shift (your weight)
liikaherkkä oversensitive
liikahtaa stir, move (slightly) Älä liikahdakaan! Don't move a muscle!
liikalihava overweight, obese
liikalihavuus obesity
liikanainen ks liiallinen
liika on aina liikaa enough is enough (and too much is too much)
liikasanaisuus verbosity, prolixity, wordiness
liikatarjonta oversupply, glut
liike 1 (liikkuminen) move(ment), motion (ks myös liikkeellä, liikkeessä) naisliike the women's movement Yksikin liike ja olette kaikki kuoleman omat! One move and I'll drill you presidentin liikkeet the President's movements sotajoukkojen liikkeet troop movements, army maneuvers pyörivä liike circular motion saada liikettä niveliin get someone/ yourself going Liikettä! Get going! Look alive! Wake up! **2** (yritys) business, firm, company, (kauppa) store perustaa oma liike start your own company, go into business for yourself
liike-elämä business
liikehtiä 1 move, stir, shift (your weight) **2** (sot) maneuver
liikekannallepano mobilization
liikemies businessman
liikenainen businesswoman
liikenevä available, spare; (money/ time) at hand/to spare
liikenne traffic
liikennejuoppous drinking and driving, intoxication at the wheel
liikennemerkki traffic sign
liikenneonnettomuus car crash, traffic accident
liikenneruuhka traffic jam
liikennesäännöt traffic laws/rules/ regulations
liikenneturvallisuus traffic/driving safety
liikennevakuutus automobile insurance

liikennevalot traffic lights
liikennevalvonta traffic warden
liikenneympyrä traffic circle
liikennöidä run, operate liikennöidä Tampereen ja Jyväskylän välillä run/operate/maintain a regular line/service between Tampere and Jyväskylä
liikepankki commercial bank
liiketaloudellinen commercial, financial, economical liiketaloudellisesti kannattamaton commercially/financially/economically unfeasible/unprofitable
liiketalous business
liiketoiminta business, trade
liikevaihto sales, turnover
liikevaihtovero sales tax
liikeyritys business, firm, company
liikkeelle paneva voima prime mover
liikkeellä 1 (ihminen) up and about, out and around, on your feet, on the go **2** (auto tms) going, running, working saada liikkeelle get (a car) started, start **3** (huhu) going around, making the rounds, circulating Huhu lähti liikkeelle siitä, että What started the rumor was
liikkeessä 1 (liikkuva) in motion panna liikkeeseen set in motion **2** (seteli) in circulation panna liikkeeseen put into circulation, float poistaa liikkeestä withdraw from circulation, take out of circulation **3** (kaupassa) in the store tulla liikkeeseen enter the/a store, step into the/a store
liikkua 1 move, stir **2** (kulkea) travel, go Millä liikut? How did you get here? Did you drive? Millä asialla liikut? (kohteliaasti) What can I do for you? (töykeästi) What do you want? (tuttavallisesti) What's up? **3** (saada liikuntaa) exercise, be physically active **4** (raha) circulate, flow Raveissa liikkuu paljon rahaa There's big money in the races **5** Mitä sinun päässäsi oikein liikkuu? What goes through your head? Whatever can you be thinking of?
liikkumatila room/space (to move), elbowroom antaa mielikuvitukselle liikkumatilaa give your imagination free play/rein
liikkumaton immobile, motionless
liikkuva (liikkumiskykyinen) mobile, (liikkeessä oleva) moving
liikoja kuvitella liikoja itsestään have an inflated opinion of yourself En luota häneen liikoja I trust him about as far as I could throw him
liikunta 1 (liikkuminen) (physical) exercise **2** (koulussa) physical education, phys. ed., P.E.
liikuntakasvatus physical education
liikuntamuoto form of (physical) education/movement
liikuskella move around
liikutella 1 move Osaatko liikutella korviasi? Can you wiggle your ears? **2** (hämmentää) stir **3** (käsitellä) handle liikutella suuria rahasummia handle/deal with/move large sums of money liikutella kirvestä handle/ swing an ax
liikuttaa 1 (fyysisesti) move **2** (emotionaalisesti) move, touch Minua liikutti syvästi kun hän lauloi I was deeply moved by her singing **3** (ark) concern Mitä se teitä liikuttaa? What do you care? What concern/ business is it of yours? What does that have to do with you?
liikuttava moving, touching, poignant
liikuttua be moved/touched
liikuttunut moved, touched
liikutus emotion, feeling
liima glue, adhesive
liimata glue, stick, paste
liimautua 1 stick/adhere (to) olla (katse) liimautuneena televisioon be glued to the television set **2** (tarrautua ihmiseen) cling/clutch/cleave (close to)
liina 1 (pöytäliina) tablecloth, (kaulaliina) scarf **2** (mer = nuora) line
liinavaatteet linen(s)
liioin 1 (hevin) exactly Ei se liioin lyö leiville It doesn't exactly pay, it's not exactly what you'd call a money-maker **2** (-kään) neither, nor ei hyvä eikä liioin huono neither good nor bad En minäkään liioin Neither/nor do I
liioitella 1 (asiaa) exaggerate, (ark) blow (things) (way) out of proportion **2** (liikettä) overdo, overact **3** (jonkun tyyliä) parody, caricature

liioittelematta without exaggerating Se oli liioittelematta kolmekiloinen! I kid you not, it weighed three kilos!
liioittelu exaggeration
liipaisin trigger
liisteri 1 paste **2** (ark) trouble joutua liisteriin get into trouble
liite 1 ((asia)kirjan) appendix **2** (lehden viikonloppu/kuukausiliite) supplement **3** (kirjeen) enclosure
liitin 1 (klemmari) paperclip **2** (tekn) coupler
liitos 1 joint natista liitoksissaan have creaky joints, be creaky in the joints hajota liitoksistaan burst at the seams **2** (kuntain tms) annexation, incorporation
liitto 1 (kahdenkeskinen sopimus) pact, agreement **2** (raam) covenant **3** (avioliitto) marriage, union, (marital) bond **4** (salaliitto) conspiracy olla liitossa johdon kanssa be in cohorts/league with management, conspire with management **5** (ammattiliitto) union liittyä liittoon join the union **6** (kattojärjestö) federation, organization **7** (liittoutuma) alliance, league, union, confederation
liittokansleri Federal Chancellor
liittolainen confederate, ally
liittotasavalta federal republic
liittovaltio federal government
liittovaltuusto central council
liittymä 1 (liitos) joint **2** (tieliittymä) junction, intersection **3** (puhelinliittymä) extension, hookup **4** (kartelli) combine, consortium, cartel **5** (liitto) organization, association, union; (pol) coalition
liittymäkohta 1 junction, juncture **2** (kuv) connection Kivellä on oikeastaan hyvin vähän liittymäkohtia oman aikansa suomenkieliseen kirjallisuuteen Kivi really had very little in common with the Finnish literature of his time
liittyä 1 (sulautua) unite, combine/join (together) **2** (kiinnittyä) be joined/connected/fastened/attached **3** (jäseneksi) join, become a member (of) **4** (kytkeytyä) be connected/linked/associated with, be related/ linked to, connect up, tie in siihen liittyen apropos of that, in connection with that, while we're on that, that reminds me, incidentally, by the way **5** (kuulua johonkin) accompany, go (hand in hand/glove) with, follow Tautiin liittyy väsymystä ja unettomuutta The disease usually brings on tiredness and insomnia, is usually accompanied by tiredness and insomnia Onnettomuuteen ei liittynyt henkilövahinkoja No one was hurt in the accident
liittää 1 join, connect, attach, fasten liittää liimalla glue (together) liittää nauloilla nail (together) **2** (oheistaa) attach, append, enclose Oheen liitän nimikirjanotteeni Enclosed please find a copy of my placement file **3** (alue toiseen) annex, incorporate **4** (kuv) associate, link, connect En olisi osannut liittää sinua Henrikiin I never would have made the connection between you and Henrik
liitu (piece of) chalk väriliitu crayon
liituraitapuku pinstriped suit
liitutaulu black/chalkboard
liityntä interface
liitäntä connection, interface
liitää glide
liivit 1 (takkipuvun) vest, (hihaton villapaita) sweatervest **2** (kureliivit) girdle, corset; (rintaliivit) bra(ssiere)
lika dirt, filth
likainen dirty, filthy, (ark) grubby
likainen mielikuvitus dirty mind
likaista peliä dirty pool
likapyykki dirty wash
likavesi sewage
likaviemäri (talon) drainpipe, (kaupungin) sewerpipe
likellä close to, near
likeltä liippasi that was a close call/one
likempänä closer to, nearer
liki nearly, almost, close to
likiarvo approximation, rough/ballpark figure/estimate
likimain nearly, almost, close to
likimääräinen approximate, rough, (ark) ballpark

likinäköinen nearsighted, myopic
likipitäen nearly, almost, close to
likka lass
liko panna likoon (kattila tms veteen) put a kettle in water to soak, fill a kettle with water to soak; (rahaa tms yritykseen) sink (all your money) in a venture, stake (your money/ reputation) on something olla liossa (kattila tms) be soaking; (rahaa tms) tied up, invested (in a project)
likööri liqueur
lilja 1 (kukka) lily **2** (heraldiikassa) fleur-de-lis
lima 1 (ihmisen erittämä) phlegm, mucus; (ihmisen sylkemä) expectorant, (ark) loogie **2** (eläimen/kasvin erittämä) slime, mucus, mucilage
limakalvo mucous membrane
limaneritys mucus/phlegm secretion
limonadi (soda) pop, soft drink
limsa (soda) pop, soft drink
lineaarinen linear
lingota 1 (kivi tms) hurl, sling, fling **2** (pyykki) spin-dry **3** (tekn) (spin in a) centrifuge
linja 1 line kautta linjan right down the line **2** (liikennelinja) route **3** (politiikka) policy Paasikiven-Kekkosen linja the Paasikivi-Kekkonen policy ulkopoliittinen linja foreign policy **4** (tyyli, imago tms) style, image, look
linja-auto bus
linja-autoasema bus station, bus depot
linja-autoliikenne bus traffic
linkku latch mennä linkkuun fold up, bend in two, (perävaunu) jacknife
linkkuveitsi (yksiteräinen) pocket knife; (moniteräinen) jacknife; (automaattinen) switchblade
linko 1 (tekn) centrifuge **2** (lapsen) slingshot **3** (pyykkilinko) spinner
linna 1 castle presidentinlinna Presidential residence/palace **2** (ark) jail, the slammer, the clink joutua viideksi vuodeksi linnaan get (put away for) five years
linnake fort(ress), (kuv) bastion
linnatuomio prison sentence
linnoittaa fortify
linnoittautua (kuv) entrench yourself, build up your defenses
linnoitus 1 fortress **2** (šakissa) castling
linnunpelätin scarecrow
linnunpesä bird's nest (myös kampauksesta)
linnunpoikanen chick, (vielä pesässä) nestling, (lentämään oppinut) fledgling
linnunrata 1 galaxy **2** Linnunrata the Milky Way
linnusto bird population, avifauna
linssi lens sahata linssiin trip someone up, (ark) fuck someone over, give someone the shaft
lintassa down at the heels astua kenkänsä linttaan scuff your heels
lintata smack, crack, whack
lintu 1 bird **2** (syötävä tai riista) fowl
lintu vai kala fish or fowl
liota soak
liottaa soak
liotus soaking
lipas 1 box, case, (iso) chest **2** (aseen) magazine, clip
lipasto chest of drawers
lipevä smooth, slick, oily, unctuous
lipeväkielinen glib
lipeäkala lutefisk
lipoa lick lipoa huuliaan/kieltään lick your lips/chops lipoa maitoa (esim kissa) lap (up) milk
lippa 1 vizor panna jotakuta alta lipan (ark) poke fun at someone **2** (uistin) spinner
lippalakki cap
lippu 1 (matkalippu tms) ticket liput rockkonserttiin tickets to/for the/a rock concert **2** (maan tms lippu) flag, (kuv) banner tervehtiä lippua salute the flag/ colors pitää lippu korkealla fly your flag high nostaa lippu (tankoon) raise/hoist a flag
lippulaiva flagship
lippuluukku ticket window
lipputanko flagpole
lipsahdus slip
lipsahtaa slip

lipsu slip (of the tongue)
lipsua slide backwards
lipua glide, float
lipuke label, tag
lipunkantaja flagbearer
lipunmyynti ticket sales
liputtaa 1 (liputuspäivänä) fly a flag **2** (urh) throw down a flag **3** (viestiä lipuilla) flag, semaphore
lirinä ripple
liristä ripple
lisensiaatin tutkinto Licentiate degree
lisensiaatti Licentiate
lisenssi license
lisko lizard
lista 1 list **2** (rak) molding
lisukkeet trimmings, side dishes
lisä 1 extra, addition **2** bonus, allowance, benefit lapsilisä child benefit **3** lisä- extra, additional, supplementary
lisäaika 1 extra/additional/more time, extension **2** (urh) timeout
lisäaine additive
lisäarvovero value-added tax, VAT
lisäbudjetti supplementary budget
lisäillä add lisäillä kertomukseen omiaan embellish the story as you go along
lisäke 1 (lisämuodoste) appendage **2** (lisäaine) additive **3** (lak: lisäpykälä tms) rider **4** (hiuslisäke) hairpiece, toupee
lisäkortti (tietokoneen) add-on board
lisäksi adv **1** (sitä paitsi) besides (that), in addition, into the bargain Lisäksi siitä maksetaan hyvin Besides that, they pay well; and the pay is good into the bargain **2** (myös) also, too, as well fiksu ja lisäksi kaunis bright and beautiful too/as well **3** (vielä) further(more), what's more Lisäksi vaadin Furthermore/what's more/in addition I demand
postp in addition to, besides, apart from Kuka tulee teidän lisäksi? Who else is coming besides/in addition to/apart from you? kaiken lisäksi on top of everything else, to crown/top it all
lisäkustannus additional/extra expense/cost
lisämaksu additional fee/charge, surcharge, extra 50 mk lisämaksusta for an additional/extra 50 marks
lisäopetus additional/further education/schooling
lisäselvitys supplementary report/ explanation
lisätä 1 (jotakin johonkin) add (something) to lisätä tekstiä kirjeeseen add/attach/append a message to the letter lisätä puita pesään put more wood on the fire, stoke up the fire **2** (jotakin) add to (something) lisätä hintaa raise/ increase the price lisätä talon arvoa enhance the house's value
lisävaatimus additional demand
lisävalaistus additional lighting
lisäys 1 addition **2** (hinnan, tuotannon tms) increase **3** (kirjan) addendum (mon addenda) **4** (perustuslain) amendment
lisää more Saisiko olla lisää kahvia? Would you like some more coffee?
lisääntyä 1 (tulla lisää) increase, grow **2** (biol) reproduce, multiply, breed
litania litany (myös kuv)
litistyä flatten (out), get flattened
litistää flatten
litra liter
litrakaupalla by the liter, liters and liters (of)
litroittain by the liter, liters and liters (of)
litteä flat
liturgia liturgy
liturginen liturgical
liueta dissolve liueta paikalta (ark) slip away
liukas 1 (tie) slippery **2** (kieli) smooth, glib **3** (juoksu tms) quick, agile
liukastella 1 slip (and slide) (all over the place) **2** (mielistellä) fawn (all over someone)
liukastua slip
liukua 1 slide, glide **2** (keskustelu tms) shift, range
liukumäki slide
liukuobjektiivi zoom lens
liuos solution

liuottaa dissolve
liuska 1 (kirjoitettua paperia) sheet, (printti) printout **2** (kaistale) strip **3** (kasv) lobe, (anat) lobule
liuske slate, shale
liuta swarm, crowd, bunch
liu'uttaa slide
livahtaa slip, slide, sidle; (salaa) steal, slink
liverrellä (bill and) coo
livertää warble, trill
livetä slip
livohka lähteä livohkaan take off, beat it, scram
logaritmi logarithm
logiikka logic
lohduton 1 (ihminen) unconsolable, disconsolate, desperate, despairing **2** (tilanne) hopeless, bleak, impossible, desperate
lohduttaa comfort, console
lohdutus comfort, consolation
lohdutuspalkinto consolation prize
lohenpyrstö dovetail
lohi salmon; (ark=kirjolohi) (rainbow) trout
lohikäärme dragon
lohjeta split/break/chip (off)
lohkaista split, chop, lop, break lohkaista pari sekuntia 100 m ajastaan knock a couple of seconds off your time for the 100 meters
lohkare boulder, (esim jäätä) block, chunk
lohkeama split, crack
lohkeilla peel (off)
lohko 1 segment, section, sector appelsiinin lohko slice/segment of an orange **2** (tietok) block **3** (maapalsta) parcel **4** (anat) lobe **5** (urh) division
lohtu comfort, consolation laiha lohtu slim/small consolation
loihtia conjure (up) (myös kuv); (kuv) invoke loihtia prinssi sammakoksi turn a prince into a frog
loikata 1 (hypätä) leap, jump, hop **2** (toiseen maahan/puolueeseen) defect
loikkari defector
loimi 1 (kankaan) warp **2** (hevosen) blanket antaa loimeen spank, thrash, whip
loimuta blaze, flare
loinen parasite
loiseläin parasite
loiskahdus splash
loiskahtaa splash
loiskasvi parasite
loiskia splash
loiskua splash
loistaa shine, (pehmeästi) glow, (häikäisevästi) glare, (terävästi) sparkle loistaa poissaolollaan be conspicuously absent
loistava 1 (valo) shining, bright, brilliant **2** (asia tms) brilliant, excellent, splendid, magnificent, glorious
loistavasti selviytyä loistavasti come up smelling like roses, pull (something) off brilliantly
loiste 1 (kiilto) shine, luster **2** (valo) light, shining
loisto s **1** (kiilto) shine, luster, brilliance **2** (hienous) brilliance, excellence, splendor, magnificence, glory adj great, super, fantastic
loistoasunto luxury/deluxe/posh apartment
loistoauto luxury car
loistohotelli plush/ritzy/fancy hotel
loistokausi golden age, (time of) glory, heyday
loitolla at a distance pitää loitolla keep (someone/something) at bay, at arm's length, keep/maintain your distance from pysyä loitolla stay away (from), stand aloof (from)
loitontaa 1 (fyysisesti) remove, move (something further) away, put distance between yourself and (something) **2** (henkisesti) distance, push (someone) away
loitontua 1 (fyysisesti) move away (from), move apart **2** (henkisesti) grow apart, grow away from each other, become estranged
loitota ks loitontua
loitsu spell, charm
loittorengas (valok) extension tube
loiva gentle
loivasti gently
lojaali loyal

lojua lie around; (laiskasta ihmisestä) laze/lounge around; (vankilassa) languish
loka mud heittää lokaa jonkun silmille (kuv) sling mud at someone, smear someone vetää jonkun nimi lokaan drag someone's (good) name through the mire/mud
lokakaivo septic tank
lokakuinen October
lokakuu October
lokasuoja fender
lokero 1 (postilokero tms) box **2** (laatikon osa) compartment **3** (lukittava) locker **4** (anat) cell
lokeroida pigeonhole
loki log
lokikirja logbook
lokki (sea)gull
loksahdus bang
loksahtaa bang, snap, click
loma 1 vacation, holiday(s) **2** (sot ja työ) leave äitiysloma maternity leave **3** (eduskunta tms) recess **4** (väli) gap lomassa between muiden töiden lomassa in between everything else you have to do pilvien lomasta from between the clouds
lomahotelli resort hotel
lomailija vacationer, tourist
lomailla (go on) vacation
lomakeskus vacation resort
lomakylä vacation village
lomamatka vacation trip
lomauttaa lay off
lomautus layoff
lomittaa 1 (asioita) intersperse **2** (työntekijää) replace during the holidays
lomittain interlocked
lommo dent
lompakko wallet
lompsa wallet
lonkero 1 (eläimen) tentacle (myös kuv), arm **2** (kasvin) tendril, runner, vine
lonkka hip ampua lonkalta shoot from the hip vastata lonkalta answer off the cuff
lonksua rattle, clatter
Lontoo London
lontoolainen (ihminen) Londoner, (asia) (from) London
loogikko logician
looginen logical
loogisesti logically
lopen very, completely, utterly lopen väsynyt dead tired/beat
lopetella wrap/finish up
lopettaa 1 (tehdä loppuun) finish, complete, conclude, wrap up, (put an) end (to) **2** (lakata tekemästä) stop, quit, give up, leave off Lopeta jo! Stop/quit it! Gimme a break! Tehdas lopettaa ensi kuussa The factory will be closing down next month **3** (tappaa) finish off, (vesikauhuinen tms) destroy, (kotieläin) put down, (lemmikkieläin) put to sleep
lopetus finishing koulun lopetus finishing school
loppiainen Epiphany
loppiaisaatto Twelfth Night
loppu 1 end(ing) onnellinen loppu happy ending alusta loppuun from beginning to end, through and through (katkeraan) loppuun saakka right to the (bitter) end, to the last lopuillaan drawing to its/a close ajaa/raataa itsensä loppuun wear yourself out ajatella asia loppuun think a thing through loppuunmyyty sold out **2** (jäljelle jäävä osa) the rest Saat pitää loput You can keep the rest lopuksi iäkseen for the rest of your life
loppua 1 end, finish, get over **2** (lakata) stop Sade loppui jo It already stopped/quit raining **3** (huveta) run out Minulta loppui raha I ran out of money Sokeri on loppunut We're out of sugar
loppua lyhyeen kuin kanan lento go over like a lead balloon, flop
loppuhuomautus afterword
loppu hyvin kaikki hyvin all's well that ends well
loppujen lopuksi all in all, in the final analysis, in the end, finally, ultimately
loppukesä late summer
loppukilpailu the finals
loppumaton endless, unending, ceaseless

loppumattomiin endlessly, ceaselessly
loppuosa 1 (loppupää) end, latter part **2** (loput) the rest, the remainder
loppuottelu the finals
loppupuoli the last/latter part ensi kuun loppupuolella late next month
loppupuolisko the latter half
loppupää the (tail) end
loppuratkaisu (näytelmän tms) denouement
loppurynnistys lastditch effort
loppuselvitys 1 (lak) final report/ account(ing) **2** (näytelmän) denouement
loppusointu rhyme
loppusumma 1 (lopullinen) (sum) total **2** (loput) the balance
loppusuora home stretch (myös kuv)
lopputili antaa jollekulle lopputili give someone notice, fire/sack/can someone saada lopputili get fired/sacked/canned
lopputulos end result
loppututkinto university/college degree
loppuunmyynti clearance sale
loppuunmyyty sold out
loppuunpalaminen burnout
loppuunväsynyt dead tired
loppuvaihe final/concluding stage/ phase
lopuksi finally, in conclusion, to sum up loppujen lopuksi ks hakusana
lopullinen final, ultimate
lopullisesti conclusively, definitively, once and for all
lopulta 1 (lopuksi) in the end, eventually Lopulta päätettiin myöntää apuraha We eventually decided to grant the stipend **2** (vihdoinkin) finally, at last Tulithan sinä lopulta! At last, you came! **3** (pohjimmiltaan) fundamentally, basically, ultimately En lopultakaan saanut selville, mitä hän halusi I never did figure out what he wanted
lopussa finished, out Aika on lopussa Time's up! Time! Riisi on lopussa We're (almost) out of rice Olen aivan lopussa I'm beat/dead/exhausted, I've had it kuun lopussa at the end of the month
loputon endless, unending, ceaseless, interminable
loputtomasti endlessly, ceaselessly, interminably
lorina gurgle, burble
lorista gurgle, burble
lorottaa run (water, your mouth)
loru 1 (lasten runo) nursery rhyme **2** (pötypuhe) nonsense, rubbish Se oli sen lorun loppu That was the end of that
lorvailla (seisoskella) hang around, (maata) laze around
lorvia (seisoskella) hang around, (maata) laze around
loska slush
loskakeli slushy road/sidewalk/day
lotota buy a lottery ticket, enter the lottery
lotta member of the women's auxiliary services
lotto lottery
louhia (kiviä) quarry, (tunnelia) dig; (räjäyttämällä) blast
louhos quarry
loukata 1 (ihmistä: fyysisesti tai henkisesti) hurt, wound, injure; (vain henkisesti) offend, insult **2** (oikeuksia, ilmatilaa tms) violate, infringe/ encroach (upon)
loukkaantua (fyysisesti tai henkisesti) get/be hurt; (vain fyysisesti) hurt/ injure yourself; (vain henkisesti) take offense
loukkaantunut (myös henkisesti) hurt; (vain henkisesti) offended
loukkaava hurtful, offensive, insulting
loukkaus 1 (ihmiselle) insult, affront **2** (oikeuksien, ilmatilan tms) violation, infringement
loukko nook, cranny
lounaissuomalainen s a Finn from the southwest
adj Southwest-Finnish
Lounais-Suomi Southwestern Finland
lounas 1 (ateria) lunch; (virallinen, hienompi) luncheon **2** (ilmansuunta) southwest
lounasseteli meal ticket

lovi nick, notch, dent langeta loveen fall into a trance
luennoida lecture
luennoija lecturer
luento lecture
luentosali lecture hall
lueskella read cursorily, glance/flip/ browse through
luetella list, itemize, enumerate; (ark) tick off luetella Yhdysvaltain presidentit name the American presidents
luettelo list, directory, catalogue
luetteloida list, catalogue
luetuttaa have someone read something, have something read by someone
luhistua collapse, be crushed/ shattered
luhti loft
luihu sly, sneaky, crafty, devious
luikerrella wriggle, twist, slip luikerrella pois kiperästä tilanteesta wriggle out of a difficult situation luikerrella jonkun suosioon worm your way into someone's favor
luikkia scurry luikkia tiehensä (ihmisestä) slink/slouch off
luinen 1 (tehty luusta) bone **2** (luiseva) bony
luiseva bony
luiska ramp
luistaa 1 (fyysisesti) slide, slip, glide **2** (henkisesti) progress Miten luistaa? How's it going?
luistelija skater
luistella (ice-/roller-)skate
luistelu skating
luistin (ice-/roller-)skate
luisua slip, slide antaa luisua let something slide/ride luisua käsistä slip through your fingers
luja 1 (vahva) strong, sturdy, tough, resistant, firm **2** (vakaa) stable, solid
lujaa 1 (nopeasti) fast **2** (kovasti) hard **3** (kuuluvasti) loudly
lujassa (stuck) tight/fast Raha on lujassa Money is tight Työ on lujassa Jobs are scarce, work is hard to come by
lujasti 1 (lujassa) tight/fast lujasti kiinni stuck tight **2** (kovasti) hard paiskia lujasti töitä (ark) work your ass off, bust your buns
lujilla hard put/pressed Se otti lujille It hit me hard, it was tough panna joku lujille (työteolla) push/drive someone hard; (kysymyksillä tms) press someone hard, put someone on the spot
lujittaa firm up, reinforce, strengthen; (kuv) consolidate lujittaa ystävyyttään cement your friendship
lujittua firm up, strengthen, consolidate
lujuus strength, sturdiness, toughness, firmness, stability, solidity (ks luja)
lukaista skim/scan (quickly), breeze/ browse/glance through
lukea 1 (kirjaa tms) read **2** (olla kirjoitettuna) say Mitä siinä lukee? What does it say? **3** (opiskella) study **4** (katsoa johonkin kuuluvaksi) consider, regard (as) lukea parhaiksi oppilaikseen consider (someone) one of your best students **5** (laskea) count Päiväsi ovat luetut Your days are numbered lukien ks hakusana
lukea ajatukset read someone's mind
lukea huulilta read lips
lukea lakia lay down the law Hätä ei lue lakia Beggars can't be choosers
lukea nuotteja read music
lukea rivien välistä read between the lines
lukea tenttiin study/cram for an exam
lukea ulkoa recite from memory
lukema reading mittarilukema meter reading ensi lukemalta on a first reading
lukematon 1 (suuri määrä) innumerable, numberless, countless **2** (ei ole luettu) unread Hyllyssäni on lukemattomia kirjoja I have countless (merkitys 1)/unread(merkitys 2) books on my shelf
lukeminen 1 reading **2** (opiskelu) study(ing)
lukemisto reader, anthology
lukenut well-read, learned, erudite

lukeutua be one of, be among; (muiden mielestä) be classed/counted one of/among
lukien 1 (jostakin) from, starting, beginning ensi vuoden alusta lukien beginning/starting the first of next year **2** mukaan lukien including, counting Meitä on kymmenen minut mukaan lukien There are ten of us including/ counting me
lukija reader, (dokumenttielokuvan) narrator
lukijakunta readership
lukio high school
lukiolainen high school student
lukioluokka high school class
lukita lock
lukittua (be) lock(ed)
lukitus (tietok) interlock
lukkari 1 (seurakunnassa: hist) bellringer/organist/clerk **2** (pesäpallossa) pitcher-catcher
lukkarinrakkaus itch, hankering
lukko lock; (munalukko) padlock lukkoon, lukossa ks hakusanat
lukkoon panna/mennä lukkoon lock (up) lyödä lukkoon clinch (a deal)
lukkoseppä locksmith
lukossa locked; (korvat) plugged/ stopped (up)
luku 1 (mat) number, figure **2** (kirjan) chapter **3** (vuosisata) 1700-luvulla in the 18th century
lukuisa numerous
lukujärjestys class schedule
lukukausi (school) term; (kun niitä on kaksi + kesälukukausi) semester, (kun niitä on kolme + kesälukukausi) quarter
lukukausimaksu semester/quarter tuition
lukumuisti read-only memory, ROM
lukumäärä number, quantity, amount
lukumääräinen numerical
lukusana numeral
lukutaidoton illiterate
lukutaidottomuus illiteracy
lukutaito literacy
lukutaitoinen literate
lukuvuosi school/academic year
lume Se on pelkkää silmänlumetta It's all (for) show
lumenajo snow removal
lumenluonti snow shoveling
lumen saartama snowbound
lumi snow
lumiaura snowplow
lumihanki snowdrift
lumihiutale snowflake
lumikenkä snowshoe
lumilapio snow shovel
lumimies abominable snowman, bigfoot
lumimyrsky snow storm
lumipallo snowball
lumipeite covering of snow
lumipyry snow flurry
lumisade snowfall
lumisohjo slush
lumisota snowball fight
lumityöt snow shoveling
lumiukko snowman
lumivalkoinen snow white
lumme water lily
lumoava enchanting, charming, bewitching
lumota enchant, charm, bewitch
lumous enchantment, charm, bewitchment, spell
lunastaa 1 (maksaa: pantti) redeem, (sekki) cash, (asete) honor, (vekseli) meet **2** (hakea: paketti) claim, (liput) pick up **3** (täyttää: lupaus, vars usk) redeem, (toive) fulfill
lunastus honoring, (vars usk) redemption, claiming (ks lunastaa)
lunnaat ransom
luo to Mennään Hannu luo Let's go to Hannu's (place), let's go see Hannu mennä jonkun luo vierailulle go visit someone istuutua oven luo sit down by the door jäädä veräjän luo stay at the gate
luoda 1 create, make Hän on kuin luotu mäkihyppääjäksi He's a born skijumper olla luodut toisilleen be made for each other **2** (lunta) shovel **3** (nahkansa) shed, slough (off) **4** (valoa) cast, give off **5** (katse) cast, hurl luoda vihainen katse johonkuhun glance angrily at someone

luoda pohja lay the foundation (for)
luoda puitteet provide a setting for, create an atmosphere for
luodata sound, (kuv) plumb, probe
luode 1 (ilmansuunta) northwest **2** (pakovesi) ebb (tide) vuoksi ja luode ebb and flow
luodikko rifle
luodinkestävä bullet-proof
luodinkestävät liivit bullet-proof vest
luoja creator Luoja Creator Luojan kiitos! Thank God/the Lord/heaven! Luojan lykky sheer luck Luoja ties God knows
luokalle jääminen flunking/failing a grade, being held back a year, retention
luokanopettaja classroom teacher
luokanvalvoja homeroom teacher
luokaton yhteiskunta classless society
luokitella classify, categorize; (ihmisiä) pigeonhole, stereotype, typecast; (myyntitavaroita) grade
luokittelu classification, catorization
luokitus classification, grading
luokka 1 (tasoryhmä) class ensimmäisen luokan hytti first-class cabin olla omaa luokkaansa be in a class by yourself, stand alone, be unique suuren luokan projekti big/major project toisen luokan kansalainen second-class citizen ylä-/keski-/työväenluokka upper/middle/ working class **2** (luokkahuone) class(room) **3** (kouluvuosi) grade toisella luokalla in the second grade **4** (likiarvo) Hinta oli tonnin luokkaa It cost around a grand
luokkahuone classroom
luokkajako class division
luokkalainen grader neljäsluokkalainen fourth-grader
luokkaraja class boundary
luokkaretki field trip
luokkataistelu class struggle
luokkatietoisuus class consciousness
luokkatoveri classmate
luokkayhteiskunta class society
luokse to Mennään Hannu luokse Let's go to Hannu's (place), let's go see Hannu mennä jonkun luokse vierailulle go visit someone istuutua oven luokse sit down by the door jäädä veräjän luokse stay at the gate
luoksepääsemätön 1 (paikka) inaccessible **2** (ihminen) unapproachable
luola 1 cave(rn) **2** (ketun) den (myös kuv), (karhun) lair
luolamaalaus cave painting
luomakunta creation
luomi 1 (silmäluomi) (eye)lid **2** (ihotäplä) mole
luominen creation
luomus creation
luona 1 at Hannun luona oli hauskaa We had a good time at Hannu's (place/party) Asun Hannun luona I live with Hannu **2** (vieressä) by, near, close to Tavattiin aseman luona We bumped into each other by/in front of/outside the station
luonne character, nature, disposition Se kysyy luonnetta It takes character Hankkeen luonteeseen kuuluu että It's of the nature of this project that iloinen luonne cheerful disposition olla luonteeltaan iloinen be happy by nature näyttää todellinen luonteensa show your true colors/character
luonnehtia characterize, describe
luonnevikainen s psychopath adj psychopathic
luonnistua succeed, turn out, work Se näyttää jo luonnistuvan sinulta You've got the hang of it already
luonnollinen natural Ole ihan luonnollinen Just act natural, just be yourself luonnollista tietä by natural means luonnollista kokoa life-size
luonnollinen henkilö (lak) natural person
luonnollinen valinta natural selection
luonnollisesti naturally
luonnollista kokoa life-size
luonnollista tietä by natural means
luonnollisuus naturalness

luonnonihme natural wonder
luonnonkauneus natural beauty
luonnonkaunis naturally beautiful, of great natural beauty
luonnonlahjat natural/innate/inborn talent/gift
luonnonlaki natural law, law of nature
luonnonlääkintä natural healing, naturopathy
luonnonsuojelija conservationist
luonnonsuojelu conservation of nature, environmental protection
luonnonsäätiö natural preserve
luonnontiede natural science
luonnontieteellinen scientific
luonnontieteilijä natural scientist
luonnontila state of nature
luonnontutkija naturalist
luonnonvarainen virgin, primeval, wild
luonnonvarat natural resources
luonnonvoimat the elements, the forces of nature
luonnos 1 (piirros) sketch, outline **2** (kirjoitus) draft
luonnostaan by nature, naturally, inherently, innately luonnostaan musikaalinen musically gifted
luonnostella sketch (out), outline, draft
luonnoton unnatural, abnormal
luontainen natural, innate, inborn
luonteenlaatu character, disposition, temperament
luonteenomainen characteristic, typical, distinctive
luonteenpiirre characteristic, (character) trait/feature
luonteinen vahvaluonteinen ihminen a strong person, a person strong in character arkaluonteinen asia a delicate matter, a matter of some delicacy tilapäisluonteinen järjestely a temporary arrangement Asia on sen luonteinen että meidän täytyy The nature of the matter requires that we (do something)
luonteva natural, uncontrived, unaffected Koeta olla luonteva Try to act natural, act as if nothing were wrong luonteva selitys plausible explanation
luontevasti naturally, plausibly
luonto nature takaisin luontoon back to nature Suomen luonto the Finnish landscape/countryside/wilderness Kävi luonnolle kuunnella It tore me up just to listen to it maksaa luonnossa pay in kind
luontoinen ks luonteinen
luontoisetu perquisite, (ark) perk
luontua 1 (luonnistua) succeed, turn out, work **2** (sopia) fit, suit
luopio (usk) apostate, (pol) defector, (lainsuojaton) renegade Julianus Luopio Julian the Apostate
luopua give up, renounce, forsake, relinquish, abdicate (ks hakusanat) Luopuisit jo siitä Why don't you give up on that/him already, why don't you just declare that a lost cause
luopua aikeesta decide against a course, decide not to, drop/abandon a plan
luopua asemastaan resign your position
luopua kilpailusta withdraw from the competition
luopua kruunusta abdicate the throne
luopua leikistä give up the game
luopua maailmasta renounce/forsake the world
luopua oikeudesta waive a right
luopua suvustaan renounce/forsake your family
luopua toivosta give up hope
luopua vallasta relinquish control
luostari abbey; (munkeille) monastery, (nunnille) convent
luostarilaitos monasticism
luota from Tule pois sen koneen luota! Get away from that machine! lähteä jonkun luota leave someone's house
luotaantyöntävä offputting, repellent, repulsive
luotain (kaikuluotain) (echo) sounder; (avaruusluotain) (space) probe
luotaus sounding
luoteinen s northwest adj northwest(ern/-erly)
Luoteisterritoriot (Kanadan) Northwest Territories

luoteistuuli northwesterly (wind)
luoteisväylä Northwest Passage
luotettava trustworthy, reliable, dependable
luotettavasti reliably, dependably
luoti 1 (ammuttava) bullet **2** (luotaimen lyijy) lead **3** (rak) plumb(bob) **4** (seinäkellon) weight
luoto (small rocky) island
luotonanto credit, granting of loans
luotsi pilot
luottaa (place your) trust (in), rely/depend on, have confidence in Voit luottaa siihen, että teen sen ajoissa You can count/depend on me finishing it on time
luottamuksellinen confidential
luottamuksellisesti confidentially
luottamus confidence herättää luottamusta inspire confidence luottamuksella confidentially
luottamushenkilö elected official
luottamuslause vote of confidence
luottamusmies shop steward
luottamusoppilas student elected to a position of trust
luottamuspula crisis of confidence
luottamustehtävä responsible position
luottavainen trusting
luotto credit
luottokortti credit card
luovia 1 (karien välistä) navigate (myös kuv), steer; (vastatuuleen) tack, beat against the wind **2** (kuivalla maalla) weave (your way), zigzag
luovuttaa 1 hand over, surrender, give up, deliver (up) (ks hakusanat) luovuttaa paikkansa vanhukselle stand up and let an elderly person have your seat, give up your seat to an elderly passenger **2** (jakaa) present, hand out luovuttaa palkinto tämän vuoden voittajalle present this year's winner with the award/prize **3** (rikollinen) extradite **4** (elin) donate **5** (peli) give up, forfeit Älä luovuta! Don't give up! **6** (kem = päästää) emit, give off, release
luovuttaa elin donate an organ
luovuttaa hotellihuoneensa check out of your room/the hotel
luovuttaa maata (toiselle valtiolle) cede, (luonnolliselle henkilölle) convey
luovuttaa omaisuutensa jollekulle relinquish/assign/deed your property to someone
luovuttaa omistusoikeus transfer (your right of) ownership
luovuttaa rikollinen extradite a criminal
luovuttaja (elimen) donor
luovuttamaton (oikeus) inalienable
luovutus surrender, delivery, extradition, donation, forfeit, emission, cession, conveyal, assignation, transfer (ks luovuttaa)
lupa 1 (suostumus) permission omin luvin without permission Saanko luvan? May I have this dance? Saanko luvan esittäytyä? Let me introduce myself **2** (lupakirja) permit, license **3** (ennuste) prediction Huomenna on luvassa sadetta It's supposed to rain tomorrow **4** (koulusta) day off Meillä on tänään koulusta lupaa We don't have any school today
lupaava promising
lupaavasti promisingly, with (great) promise
lupakirja permit, license
lupamaksu license fee
lupaus 1 promise (myös kuv) **2** (vala) vow **3** (lupaava ihminen) (likely) prospect
lupsakka funny, droll, genial, jovial
luritella warble, trill
lurjus scoundrel, rascal, rogue
lusikallinen spoonful
lusikka spoon pistää lusikkansa soppaan add your two bits, put your oar in syöttää lusikalla spoonfeed ottaa lusikka kauniiseen käteen swallow your pride (and do as you're told)
lusikoida spoon (up/out)
luterilainen Lutheran
luterilaisuus Lutheranism
luu 1 bone pelkkää luuta ja nahkaa all skin and bones Häneltä meni luu kurkkuun He couldn't get a word out, he was speechless/struck dumb **2** (kivi) pit, stone

luukku door, hatch; (lattialuukku) trapdoor, (ikkunaluukku) shutter, (lippuluukku) ticket window
luulla 1 (uskoa) think, believe Luulen niin I think so Etköhän luule nyt liikoja itsestäsi Don't you think you might have an inflated opinion of yourself? **2** (arvella) suppose, guess Mitä luulisit hänen sanovan? What do you suppose she'll say? **3** (kuvitella) imagine **4** (pitää) take, think Miksi minua oikein luulet? What do you take me for?
luulo belief, supposition, imagination; (harhaluulo) delusion, illusion Luulitko että pelastaisin sinut pinteestä? Turha luulo Did you think I'd save your sorry neck? Think again ottaa joltakulta turhat luulot pois pop someone's balloon, deflate someone's ego, cut someone down to size olla siinä luulossa että be under the (false, mistaken) impression that suuret luulot itsestään an inflated opinion of yourself
luulo ei ole tiedon väärti thinking isn't knowing
luulotella 1 (itselleen) imagine, delude yourself (into thinking/believing) **2** (toiselle) get someone to believe something, string someone along
luultava probable, (highly) likely
luultavasti probably
luunmurtuma fracture
luuranko skeleton (myös kuv) luuranko kaapissa a skeleton in the closet
luuri (puhelimen) handset lyödä luuri korvaan hang up on someone
luusto bones, skeleton, skeletal structure
luuta broom
luutnantti lieutenant
luuton boneless
luuydin (bone) marrow
luvallinen permitted, permissible, allowable, admissible
luvanvarainen subject to license
luvata 1 promise Huomiseksi luvattiin lämmintä It's supposed to be warm tomorrow **2** (vannoa) vow **3** (enteillä) bode Tämä ei lupaa hyvää This bodes ill, this is not a good sign/ omen
luvaton 1 (kielletty) forbidden **2** (laiton) illegal, unlawful, illicit **3** (ilman lupakirjaa tai virallista lupaa) unlicensed, unauthorized **4** (anteeksiantamaton) inexcusable, unconscionable
luvaton poissaolo palveluksesta absence without leave, AWOL
luvattomasti illegally, unlawfully, illicitly, without permission/a license/ authorization, inexcusably, unconscionably (ks luvaton)
luvattu maa the Promised Land
Luxemburg Luxembourg
luxemburgilainen s Luxembourger adj Luxembourgian
lyhde sheaf
lyhenne abbreviation
lyhennelmä 1 (hiukan lyhennetty) abridgement, abridged version **2** (paljon lyhennetty = tiivistelmä) abstract, summary
lyhennys 1 (housujen tms) shortening, taking up **2** (lainan) amortization, payment (on principal); (osamaksusopimuksen) installment **3** (lyhenne) abbreviation
lyhentyä shorten, be reduced
lyhentää 1 (housuja tms) shorten, take up **2** (lomaa tms) cut short, break off **3** (työaikaa) cut, reduce **4** (lainaa) amortize, make a payment on (the principal) **5** (sanaa) abbreviate **6** (kirjaa) abridge
lyhetä shorten, be reduced
lyhty 1 lantern **2** (auton) (head)light
lyhyen short lopettaa/päättää lyhyeen cut short loppua lyhyeen kuin kananlento go over like a lead balloon
lyhyesti briefly puhua lyhyesti be brief lyhyesti sanottuna in brief/short, in a word/nutshell
lyhyestä virsi kaunis short and sweet
lyh(y)käinen short (ks lyhyt)
lyhyt short, brief lyhyeen, lyhyesti ks hakusanat jäädä lyhyeksi fall short
lyhytaalto- shortwave
lyhytaikainen short, brief, short-term/-range/-lived
lyhytelokuva short (film)

lyhytnäköinen 1 (likinäköinen) near-sighted **2** (lyhyen tähtäimen) short-sighted
lyhytnäköisyys near-/ short-sightedness
lyhytsanainen curt, taciturn
lyijy lead
lyijykynä pencil
lyijymyrkytys lead poisoning
lyijytön bensiini unleaded gas(oline), lead-free gas(oline)
lykky luck hyvässä lykyssä with any luck, if I'm/we're lucky
lykkyä tykö good luck
lykkäys postponement, deferral, delay
lykkääntyä be postponed/deferred/delayed
lykätä 1 (työntää) push, shove lykätä rahaa jonkun käteen stuff some money in someone's hand **2** (tuottaa) dash off, churn out lykätä kirje kolmessa minuutissa dash off a letter in three minutes **3** (vierittää) pass lykätä syy toisen niskoille pass the buck **4** (siirtää myöhemmäksi) postpone, defer, delay, put off Älä tee tänään minkä voit lykätä huomiseen Never do today what you can put off until tomorrow
lykätä kokous adjourn a meeting (until a later date)
lyly 1 compression wood **2** (vanh) the longer ski
lylyn lykky (leik) skiing
lymytä hide (out), lurk (about)
lynkata lynch
lynkkaus lynching, necktie party
lypsy milking
lypsykarja milk cattle/cows
lypsykone milking machine
lypsylehmä milk cow; (kuv) money-maker, meal ticket
lypsää milk (myös kuv)
lyriikka (lyric) poetry/poem
lyseo lyseum, lycée
lysti 1 fun pitää lystiä jonkun kustannuksella poke fun at someone, have fun at someone's expense Se oli kallista lystiä That cost a pretty penny **2** koko lysti (ark) the whole shebang, the whole kit and caboodle **3** yksi lysti matter of indifference Se on minulle yksi lysti (ark) I don't give a damn/shit/hoot one way or the other, it's all the same to me
lystikäs funny, droll, humorous, amusing
lystätä like, want Tee niin kuin lystäät Do whatever you like/want
lysähtää collapse, sink, slump, drop
lyyhistyä collapse, sink, slump, drop
Lyypekki LuGbeck
lyyra lyre
lyyrikko (lyric) poet, lyricist
lyyrinen lyric(al)
lyödä 1 hit, strike, knock; (ark) biff, smack, crack, poke lyödä varpaansa stub your toe **2** (hakata, myös kuv) beat lyödä rumpua/vastustaja beat a drum/an opponent löylyn lyömä silly, dizzy, goofy **3** (heittää lujaa) hurl, chuck, pitch, heave lyödä puita takkaan pitch logs into the fireplace **4** (itr: aallot) crash; (purjeet) flap; (polvet) knock; (hampaat) chatter; (sydän, sade) pound, beat; (valtimo) beat; (salama) strike kello lyö (aikaa) strike, (ääntä) ring
lyödä ennätys break a record
lyödä hajalle scatter
lyödä hätärumpua hit the panic button
lyödä itsensä läpi make a breakthrough, get your big break
lyödä kasaan throw together
lyödä kintaat pöytään hang up your gloves, throw in the towel
lyödä korttia play cards
lyödä kättä shake (hands), (ark) put 'er there
lyödä laimin neglect
lyödä laudalta (ark) beat the pants off (someone), take (someone) to the cleaners
lyödä leikkiä joke around, crack a joke
lyödä leiville pay (off)
lyödä lyötyä hit a man when he's down
lyödä löylyä throw water on the rocks
lyödä puulla päähän flabbergast, dumbfound
lyödä rahaa mint/coin money

lyödä rikki break, smash
lyödä tahtia beat time
lyödä vetoa (make a) bet/wager
lyödä yksiin match (up), jibe
lyödä ällikällä flabbergast, dumbfound
lyömäsoitin percussion instrument
lyömätön unbeaten, unbeatable
lyönti 1 hit, knock, blow; (ark) biff, smack, crack, poke **2** (sydämen) (heart)beat, (kellon) stroke
lyöty beaten
lähde 1 (veden) spring, source **2** (ideoiden tms) source
lähdeaineisto sources, secondary literature
lähdeluettelo bibliography, works cited
lähdeteksti (kääntämisessä) source (-language) text, original (text)
lähdevesi springwater
lähdössä leaving, going, (de)parting, setting out, coming out/off, falling out, shedding (ks lähteä) Olen juuri lähdössä I'm just leaving
läheinen (fyysisesti ja henkisesti) close, near(by) läheinen kylä neighboring/nearby village läheiset suhteet intimate/close relations
läheisesti closely
läheisyys 1 (fyysinen) nearness, neighborhood, vicinity kirkon läheisyydessä near/close to the church, in the neighborhood/vicinity of the church **2** (henkinen) closeness, intimacy
lähekkäin close together, near/close to each other
lähellä adv close (by), near(by); (uhkaavan lähellä) imminent kuolema on lähellä death is imminent Minulla oli itku lähellä I was on the verge of tears, I was just about to burst into tears läheltä ks hakusanat
postp, prep close/near (to) Marja on kipeä, et saa mennä liian lähelle häntä Marja's sick, don't get too close to her kirkon lähellä near the church
läheltä from up close, from nearby sivuta läheltä touch closely upon seurata läheltä watch (something) from close up läheltä piti ks hakusana
läheltä piti that was a close call/one/shave
lähemmin more closely
lähemmäs closer
lähempi closer
lähempiä tietoja further details
lähempänä adv closer (up), nearer (in), more closely
postp, prep closer/nearer to
lähempää from closer up/in, from nearer in
lähennellä 1 (ihmistä) make advances (to), make a pass at **2** (totuutta tms) come close to, (absurdiutta tms) verge/border on Hän lähentelee 80:tä He's pushing 80
lähentely advances
lähentyminen rapprochement
lähentyä come closer
lähentää bring (something/someone) closer
lähes almost, nearly, close to
läheskään nowhere near
lähestulkoonkaan ei lähestulkoonkaan oikein not even close (to being right)
lähestymistapa approach, method
lähestymisyritys attempted approach
lähestyä approach, come near(er)/close(r)
lähete 1 (saatekirje) cover-letter **2** (lääkärin antama) referral **3** (liik) remissal **4** (lähettimen) signal
lähetin transmitter
lähetti 1 messenger (boy/girl), envoy **2** (lähetyssaarnaaja) missionary **3** (šakissa) bishop
lähettiläs envoy, (suurlähettiläs) ambassador (myös kuv)
lähettyvillä adv in the vicinity/neighborhood, close at hand, nearby
postp, prep near/close to Pysy vain minun lähettyvilläni niin sinun ei käy kuinkaan Just stick close to me and nothing will happen
lähettäjä 1 (postin) sender palauttaa lähettäjälle return to sender **2** (kauppa-

tavaran) consigner, forwarder **3** (junan tms) dispatcher
lähettämö dispatch department
lähettää 1 send (off), (edelleen) send on, forward **2** (kauppatavaraa tms) forward, ship **3** (radio-/TV-ohjelma) broadcast **4** (signaali) transmit **5** (junaa, paloautoa tms) dispatch
lähetys 1 (tavaran) shipment, consignment **2** (ohjelman) broadcast, transmission
lähetysaika broadcast time
lähetyskenttä mission field
lähetyssaarnaaja missionary
lähetystyö mission work
lähetystyöntekijä mission worker
lähetystö 1 (valtuuskunta) delegation, deputation **2** (dipl) legation, (suurlähetystö) embassy
lähetä approach, draw near(er)/close(r)
lähi the next few, the near
lähiaikoina in the near future
lähialue vicinity, neighborhood
lähietäisyys close range
Lähi-itä Mideast, Middle East
lähikaupunki nearby city
lähikuvauslinssi close-up lens
lähimailla ks lähettyvillä, lähes(kään)
lähimain almost, nearly, close to
lähimainkaan ei lähimainkaan not even close
lähimmäinen neighbor Rakasta lähimmäistäsi niin kuin itseäsi Love your neighbor as yourself
lähimmäisenrakkaus brotherly love; charity
lähimpänä closest, nearest
lähin adj closest, nearest
adv: tästä lähin from now on siitä lähin from then on, from that time on
lähinnä 1 (suurin piirtein) roughly **2** (enimmäkseen) mainly, largely, chiefly **3** (ensisijaisesti) primarily, first (and foremost) **4** (lähimpänä) the closest/nearest lähinnä seuraavaa the next
lähiseutu vicinity, neighborhood
lähistö vicinity, neighborhood
lähistöllä in the vicinity/neighborhood/area
lähisukuinen closely related
lähisukulainen close relative
lähitse close by
lähitulevaisuus near future
lähitunnit the next few hours
lähivalot lowbeams
lähiverkko (tietokoneiden) local area network, LAN
lähiviikot the next few weeks
lähivuodet the next few years
lähiympäristö vicinity, neighborhood
lähiö suburb, housing development, subdivision
lähtemätön indelible
lähteä 1 (jostakin) leave; (ark) split Lähdetään jo pois Let's get out of here, I want to go/leave Lähdemme tässä koko hankkeessa siitä että Our fundamental assumption in this project is that **2** (matkaan) start (out), start/set/take off; (mennä) go; (juna) depart, (lentokone) take off, (laiva) sail lähteä ostoksille go shopping **3** (erkaantua) separate from, split/turn/veer/Y/branch off (of) Meiltä lähtee tie sinnepäin There's a road from here to there **4** (olla lähtöisin) come/stem from Ajatus lähti meistä We thought of it, it was our idea (originally) **5** (irrota: tahra) come out, (nappi) come off, (karvat) shed, (tukka) fall out Siitä lähtee outo lemu It gives off a strange smell juosta minkä jaloista lähtee run for dear life, run as fast as you can huutaa minkä kurkusta lähtee shout at the top of your lungs
lähtö leaving, parting, departure; (urh) start antaa jollekulle liukas lähtö give someone the bum's rush saada työstä äkillinen lähtö get booted/kicked out of your job lähdössä ks hakusana
lähtöaika departure time
lähtöasema station/point of departure
lähtökohta point of departure
lähtölaukaus parting shot (myös kuv)
lähtöpassit antaa/saada lähtöpassit give someone his/get your walking papers
läikkyä 1 (holkkua: sangossa) slosh/slop (around); (yli) spill; (järvessä) ripple **2** (häilähdellä: veri) churn, boil; (nauru)

cascade; (silmät) flash **3** (välkkyä) flash, glint, glisten
läikyttää 1 (vettä) spill, slop **2** (ovea) slam
läimäyttää slam, slap, smack
läimäytys slam, slap, smack
läiske (ruoskan) crack, (vastan) swish, (korttien) snap, (siipien) beating
läiskä splash, blotch
läjä pile, heap
läksiäiset going-away/farewell party
läksiäisjuhla going-away/farewell party
läksy lesson; (koululäksyt) homework Enköhän ole läksyni oppinut I guess I've learned my lesson
läksyttää (vanhempi lasta) lecture; (pomo työntekijää) dress down; give someone a piece of your mind, chew out
läkähdyksissä out of breath, gasping for air
läkähtyä not be able to breathe, not get any air, suffocate läkähtyä nauruun split your sides with laughter
lämmetä warm (up)
lämmin 1 warm pysytellä sisällä lämpimässä stay indoors where it's warm **2** (ei pakkasta) above zero 2 astetta lämmintä 2 degrees above zero
lämminhenkinen warm
lämminsydäminen warmhearted
lämminverihevonen thoroughbred (horse)
lämminverinen warmblooded
lämmin vesi warm/hot water
lämminvesihana hot-water faucet
lämmitellä warm (yourself) (up) lämmitellä takan ääressä warm yourself by the fire lämmitellä ennen juoksua warm up before a race
lämmitin heater
lämmittää warm/heat (up) lämmittää sydäntä/mieltä make someone feel good
lämmitys heating
lämmityskustannukset heating costs
lämmityslaite heater
lämmitä warm up
lämpimikseen to keep warm, to warm yourself up Luuletko että minä puhun lämpimikseni? You think I'm talking for my health?
lämpimyys 1 (lämpö) heat, warmth **2** (lämpötila) temperature
lämpimältään while it's hot
lämpiö lobby, foyer
lämpö 1 warmth, heat **2** (lämpötila) temperature **3** (kuume) temperature, fever Sinulla on pikkuisen lämpöä You feel a little hot/feverish, do you have a fever/temperature? mitata lämpöä take someone's temperature
lämpöinen warm
lämpökirjoitin thermal printer
lämpömittari thermometer
lämpösiirtokirjoitin thermal transfer printer
lämpötila temperature
lämpötilaero difference in temperature; (ajallisesti katsottuna) change/drop/rise in temperature
länsi 1 west **2** (läntinen maailma) the West(ern world)
Länsi-Berliini West Berlin
Länsi-Eurooppa Western Europe
länsimaalainen Westerner
länsimaat the West(ern world)
länsimainen Western
länsiosa (maan) western part/area/ region, (kaupungin) west side
länsirannikko west coast; (USA:n) the (West) Coast
länsiranta west bank
Länsi-Saksa West Germany, FRG
länsisaksalainen s, adj West German
länsisuomalainen s Western Finn adj West Finnish
Länsi-Suomi Western Finland
länsituuli westerly (wind)
länsivallat the Western nations/ countries/powers
Länsi-Virginia West Virginia
läntinen western
läpeensä through and through läpeensä mätä rotten to the core
läpi s hole Pidä läpesi pienempänä! (ark) Shut your hole/face! puhua läpiä

päähänsä talk through your hat, make it up as you go along jäädä maailman läpeen not make it, fall by the wayside
adv through mennä läpi (ahtaasta paikasta) make it/get through, (ehdotus) pass, be approved päästä/ä läpi (ahtaasta paikasta) make it/let someone through, (tentistä) pass (someone in) an exam lukaista läpi skim/browse/breeze through viedä läpi carry out
prep through läpi yön (all) through the night, all night läpi talven all winter läpi vuoden year-round
läpihuutojuttu 1 (lak) postponement **2** (ark) open-and-shut case
läpikotaisin thoroughly, through and through, to the core
läpikuultava translucent
läpileikkaus cross-section
läpimitta diameter
läpimurto breakthrough
läpimärkä soaking/dripping wet, drenched
läpinäkyvä transparent; (pusero tms) sheer
läpitunkema jonkin läpitunkema permeated/shot through and through with
läpitunkeva strong, piercing, penetrating
läppä 1 (kirjekuoren, taskun tms) flap **2** (kellon) clapper **3** (sydämen, koneen, trumpetin) valve
läpäistä 1 (fyysisesti) penetrate, pierce **2** (koe) pass
läpäisy penetration
läpättää flutter
läski 1 (ruoassa ja ihmisessä) fat **2** (lihava ihminen) (ark) fatso
läsnä present jonkun läsnä ollessa while someone is present, in someone's presence
läsnäoleva present
läsnäolija (some)one (who is) present, (mon) those/people present
läsnäolo presence
läsnäolo-oikeus right to be present
lässyttää 1 (puhua veltosti) slur (your speech/words), speak mushily **2** (puhua joutavia) shoot off your mouth Älä lässytä Aw shut up
lässytys 1 (veltto puhe) slurred/mushy/mushmouthed talk/speech **2** (pötypuhe) garbage, rubbish Älä huoli, se on pelkkää lässytystä Never mind him, he's just running his mouth
lätkä 1 (jääkiekko) ice hockey **2** (80:n) 80-km-an-hour sticker **3** olla lätkässä johonkuhun have a crush on someone
lätsä cap
lävistäjä (mat) diagonal
lävistää 1 pierce, penetrate, (rengas) puncture, (lippu) punch **2** (ulottua jonkin läpi) cross
lävitse ks läpi (adv/prep)
lääke 1 medicine, drug; (mon) medication antaa jonkun maistaa omaa lääkettään give someone a taste of his own medicine **2** (kuv) cure, remedy
lääkeaine drug
lääkeaineriippuvuus medicinal drug addiction
lääkehoito medical care
lääkekaappi medicine chest
lääkekasvi medicinal plant
lääkemääräys prescription
lääketehdas pharmaceutical company
lääketiede medicine, medical science
lääketieteellinen medical lääketieteellinen tiedekunta medical school, (ark) med school
lääketieteen lisensiaatti Licentiate of Medicine
lääketieteen tohtori Doctor of Medicine, M.D.
lääkintä medication, medical treatment/care
lääkintäupseeri medical officer
lääkintävoimistelija physical therapist
lääkintöhallitus National Board of Health
lääkitys medication
lääkitä medicate
lääkäri doctor, physician
lääkärikoulutus medical training/school
lääkärintarkastus doctor's checkup, physical (examination) mennä lääkärintarkastukseen go in for a full physical/checkup

lääkärintodistus doctor's certificate
lääkäripula shortage of doctors
lääni 1 province **2** (hist) fief(dom) **3** (ark) elbow room, space Onpas teillä lääniä! What a spacious/roomy place you've got!
lääninhallinto provincial government, administration
lääninhallitus provincial government, administrative board
lääninoikeus provincial court/law
lääninsairaala provincial hospital
läänintaiteilija provincial artist laureate
lääninvaakuna provincial coat of arms
lääninvankila provincial prison
lääninverovirasto provincial tax office
läänitys (hist) fief(dom)
läänityslaitos feudalism
lääppiä paw Älä lääpi minua! Get your hands off me! Keep your mitts to yourself!
löyhkä stench, reek, stink
löyhkätä stench, reek, stink
löyhä loose, slack, lax
löyly steam (in the sauna) heittää löylyä throw water on the rocks hyvät/kovat löylyt a good hot sauna lisätä löylyä (kuv) pour oil on the flames
löylynlyömä silly, dizzy, nutty Hän on vähän löylynlyömä He's not all there, he's missing a few marbles
löylyttää (antaa selkään) give someone a good spanking; (antaa kuulla kunniansa) give someone a piece of your mind
löystyä come loose, loosen, slacken
löysä 1 (höllä) loose, slack **2** (juokseva) runny Minulla on vatsa löysällä I've got the trots/runs
löytyä turn up, be found Mistä se löytyi? Where did you find it?
löytää find, (keksiä) discover löytää viitonen find a five-mark coin löytää kultaa discover gold
löytää itsensä find yourself, (ark) get your shit together
löytää jonnekin find your way somewhere, get where you're going (okay), not get lost Ei tänne kukaan löydä Nobody will ever find us here
löytää tiensä find your way
löytö find, discovery Tämä leipomo on todellinen löytö This bakery is a real find tehdä tieteellinen löytö make a scientific discovery
löytöretkeilijä explorer
löytöretki (voyage of) exploration
löytötavara lost/found article
löytötavaratoimisto lost and found office/counter/desk
lööperi nonsense, rubbish, lies puhua lööperiä shoot off your mouth Älä puhu lööperiä Blow it out your ear

M, m

maa 1 (maapallo) earth Alussa Jumala loi taivaan ja maan In the beginning God created heaven and earth ylistää maasta taivaaseen praise a person to the skies **2** (maanpinta) earth, ground maan alla underground jalat (tukevasti) maan pinnalla with your feet firmly (planted) on the ground, down to earth korkealla maan yläpuolella high above the earth, off the ground luoda katseensa maahan look down (at the ground, at your feet) **3** (sähkö) ground **4** (maaperä) soil, dirt hedelmällistä maata fertile soil maalattia dirt floor vaivainen maan matonen a lowly worm kaivaa maata jonkun jalkojen alta undermine/ subvert someone **5** (kuiva maa, us mon) land, shore ajautua maihin drift up on(to) the bank/shore, run aground Miehistö oli jo maissa The crew was already ashore **6** (maa-alue) land ostaa lisää maata buy more land viljellä maata till the soil, cultivate the land **7** (valtakunta) land, country, state kuolla maansa puolesta die for your country ei kenenkään maa no man's land tuoda maahan import Maassa maan tavalla (tai maasta pois) When in Rome, do as the Romans do; America – love it or leave it luvattu maa promised land pyhä maa Holy Land **8** (maaseutu) country-(side) maalla in the country mennä kesäksi maalle go to your summer/ country home/cottage for the summer **9** (tienoo) vicinity, neighborhood ei mailla eikä mantereilla nowhere to be found näillä main around here kahdeksan maissa around eight **10** (korteissa) suit
maa-ala area
maa alkaa polttaa jalkojen alla get itchy feet
maa-alue area, territory, region
maadoittaa (run a wire to) ground
maadoitus grounding
maagikko magician
maaginen magic(al)
maahanmuuttaja immigrant
maahanmuutto immigration
maahantuoja importer
maahantuonti import(s)
maaherra provincial governer
maahinen gnome
maailma world Ei se nyt maailmaa kaada It's not the end of the world Sellainen on maailman meno That's life, That's the way the cookie crumbles muissa maailmoissa in a world of your own Kyllä maailma on pieni! Small world! suuressa maailmassa out in the big wide world
maailmaa nähnyt worldly(wise) Olen kyllä maailmaa nähnyt I've been around
maailmanennätys world record
maailmanhistoria world history
maailmankaikkeus universe
maailmankansalainen citizen of the world, cosmopolitan
maailmankatsomuksellinen philosophical, ideological
maailmankatsomus world view
maailmankieli lingua franca
maailmankiertäjä globe-trotter
maailmankirjallisuus world literature
maailmankolkka (every) corner of the world
maailmankuulu world-famous
maailmankuva world view
maailmanlaajuinen worldwide
maailmanloppu the end of the world

maailmanmarkkinahinta world-market price
maailmanmarkkinat the world market
maailmanmestari world champion
maailmanmestaruus world championship
maailmannäyttely world fair
maailmanparantaja reformer, utopian
maailman paras the best (whatever) in the world
maailmanrauha world peace
maailman sivu kautta maailman sivun always, inevitably
maailmansota World War (I/II)
maailmantaloudellinen world-economic
maailmantalous world/international economy
maailmanvalta world power
maailmanympärimatka trip around the world
maajoukkue national team
maajussi farmer
maakrapu landlubber
maakunta province
maalaamo (yritys) paintshop, (osasto) painting deparment
maalailla paint
maalainen 1 person from the country; (ark halv) hick, hayseed **2** Minkä maalainen hän on? What country is she from?
maalaiskunta county
maalaistalo farmhouse
maalaji soil (type)
maalari painter
maalarinteippi masking tape
maalata 1 paint (myös sanoilla) Maalattu! Wet paint! **2** (meikata) make up
maalata piruja seinille predict doom and destruction, expect the worst
maalaus painting
maalaustaide (the art of) painting
maalauttaa have (something) painted
maali 1 (maalausaine) paint **2** (urh: jääkiekossa, jalkapallossa) goal, (am jalkapallossa) end zone, (juoksussa, hiihdossa) finish line **3** (kohde) target
ampua yli maalin overshoot (myös kuv), overdo it
maaliikenne overland traffic
maalikamera photo-finish camera
maalinauha tape
maaliruisku paint sprayer
maaliskuinen March maaliskuinen viima a March wind
maaliskuu March
maalisuora home stretch
maalitaulu target
maalivahti goalkeeper, (ark) goalie
maalla in the country mennä kesäksi maalle go to your summer/country home/cottage for the summer
maallemuutto move/migration to the country(side)/rural areas
maallikko lay person/member/speaker/jne; (mies) layman, (nainen) laywoman); (mon) the laity
maallikkosaarnaaja lay preacher
maallinen 1 earthly, worldly maallinen omaisuus earthly/worldly possessions **2** (maanpäällinen) temporal maallinen valta temporal power **3** (ei hengellinen) secular, worldly, profane
maallistua become secularized
maaltamuutto rural depopulation
maaltapako rural depopulation
maamies 1 (maanviljelijä) farmer **2** (saman maan kansalainen) (fellow) countryman, compatriot
maamieskoulu farm/agricultural school
maamiesseura farmers' association
Maamme-laulu the Finnish national anthem
maan maan mainio just great, absolutely wonderful, positively splendid maan kamala godawful
maanalainen s subway, (UK) underground, (UK ark) tube
adj underground
maan alla underground mennä maan alle go underground
maanantai Monday
maanantainen Monday
maanantaipäivä Monday
maanantaisin Mondays

maanikko maniac (myös kuv)
maaninen manic (myös kuv)
maanis-depressiivinen manic-depressive
maan isä beloved leader, the father of your country
maanitella coax, wheedle
maanjäristys earthquake
maankiertäjä tramp
maankäyttö land use
maan matonen lowly worm
maanmittaus surveying
maanomistus land ownership
maanosa continent
maanpako exile maanpaossa in exile, exiled
maanparannus soil improvement
maanpetos (high) treason
maanpetturi traitor
maan povi the bosom of the earth kätkeä maan poveen put someone in the soil, bury someone
maanpuolustus national defense
maanpäällinen worldly, temporal
maansuru national mourning Ei se mikään maansuru ole Come on, it's not the end of the world, it's not that big a deal
maantie highway maantien värinen tukka dishwater blonde (hair)
maantiede (yliopistossa) geography
maantieliikenne highway traffic
maantieteellinen geographical
maantieto (koulussa) geography
maanvaiva pest
maanvieremä landslide
maanviljelijä farmer
maanviljely farming, soil cultivation
maanvuokra ground/land rent
maan ääret the ends of the earth
maaorava chipmunk
maaorja serf
maaorjuus serfdom
maaottelu international match
maapallo globe
maaperä soil, dirt
maapähkinä peanut, (Kaakkois-Yhdysvalloissa myös) groundnut
maaseutu country(side), rural area
maaseutuväestö rural population, (ark) country folks
maassa 1 (maapallossa) on earth **2** (maanpinnalla) on the ground, (henkisesti) down to earth **3** (masentunut) down(cast/-hearted), depressed
maassa maan tavalla When in Rome, do as the Romans do, America – love it or leave it
maastamuuttaja emigrant
maastamuutto emigration
maasto terrain
maastoauto all-terrain vehicle, ATV
maastohiihto cross-country skiing
maastojuoksu cross-country running
maastopolkupyörä mountain bike
maastosuksi cross-country ski
maastoutua take cover
maasturi all-terrain vehicle, ATV
maata 1 (olla makuuasennossa) lie (down) **2** (nukkua) sleep mennä maata go to sleep, go lie down, go have a rest **3** (naida) sleep with; (lak) have (sexual) intercourse with; (ark) get laid maata väkisin rape **4** (sairaana) be laid up (with a fever)
maataide earth art
maatalo farmhouse
maatalous agriculture
maatalouskone agricultural/farm machine
maatalouslautakunta agricultural board
maatalouslomittaja farmer's locum
maatalousministeri Minister of Agriculture, (US) Secretary of Agriculture
maatalousministeriö Ministry of Agriculture, (US) Department of Agriculture
maatalousoppilaitos agricultural college
maataloustuotanto agricultural production
maataloustuottaja agricultural producer
maatila farm
maatilatalous farm/agricultural economy

maat ja mantereet kulkea maita ja mantereita roam the woods, hike up hill and down dale kiertää maat ja mantereet bum around the world, see the world, sail the seven seas
maattaa (sähkölaite) ground
maatua 1 (kompostissa) decompose **2** (joki tms) silt up
maaöljy petroleum, (mineral) oil
macho macho
machoilla act (real) macho/tough
machoilu a macho act, playing the tough guy
Madagaskar Madagascar
madagaskarilainen s, adj Madagascan
madaltaa lower (myös ääntä)
madaltua lower, drop
made burbot
madeira Madeira
madella (myös kuv) crawl, creep
madjaari Magyar, Hungarian
madonna Madonna
madonsyömä worm-eaten
madrigaali madrigal
mafia mafia, the Mob
mafioso mafioso, mobster
magia magic
magma magma
magmaattinen magmatic
magnaatti magnate
magneetti magnet
magneettikortti magnetic card
magneettinauha magnetic tape
magneettinen magnetic
magneettinen pohjoinen magnetic north
magnetismi magnetism
magnetofoni tape recorder
magnetoida magnetize
magnetointi Magnetization
magnetosfääri magnetosphere
magnitudi magnitude
maha stomach; (ark ja kuv: sisäinen tila) belly, (tunne) gut; (lasten kielellä) tummy syödä mahansa täyteen stuff yourself Maha murisee My stomach is rumbling
mahahaava (gastric) ulcer
mahakipu stomach ache/pains
mahalasku (myös kuv) belly-landing
mahalaukku stomach
mahatauti intestinal/stomach flu
mahdollinen possible erittäin mahdollista very likely, probable Olisiko sinun mahdollista mennä minun sijastani? Could you possibly go in my stead? mahdollinen asiakas prospective customer Meillä on mahdollisesti yksi ongelma We may have a problem, we have a potential problem Minä hoidan mahdolliset ongelmat I'll handle any problems that arise mahdollisten vaikeuksien varalta in case of difficulties
mahdollisimman as... as possible mahdollisimman korkealle as high as possible
mahdollistaa make (something) possible, facilitate
mahdollisuus 1 possibility On pieni mahdollisuus etten pääse tulemaan There's a slight possibility that I might not make it Meillä on huomisen ohjelmaksi kaksi mahdollisuutta We've got two alternatives/possibilities for tomorrow **2** (tilaisuus, edellytykset) chance, opportunity Ei ollut mahdollisuutta soittaa I didn't get a chance to call, I couldn't call elämäni mahdollisuus the chance of a lifetime Älä päästä käsistäsi tätä mahdollisuutta! Don't miss this opportunity!
mahdoton impossible Sinä olet mahdoton! You're impossible! vaatia mahdottomia demand the impossible
mahdottoman impossibly, terribly mahdottoman iso enormous
mahdottomuus impossibility mennä mahdottomuuksiin go too far, go overboard, get out of hand, get carried away
mahduttaa squeeze/fit/work in
mahis chance hyvät mahikset saada työpaikka a good chance at a job
mahla sap
maho barren, sterile
mahonki mahogany
mahtaa 1 (taitaa) must Mahdat olla aika nälkäinen I bet you're hungry, you must be pretty hungry **2** (voida) be done

Minkä sille mahtaa? What's there to be done about it now? Nothing you can do about it now
mahtailla talk big, act tough, throw your weight around, play the big shot
mahtava 1 (jolla on mahtia) mighty, powerful, potent **2** (mahtaileva) domineering, bossy, tyrannical, high and mighty **3** (mahtipontinen) pompous, grand, supercilious **4** (vaikuttava) impressive, imposing **5** (iso) enormous, tremendous, huge, mighty **6** (ark) fantastic, awesome, outrageous
mahtavuus 1 (valta) might(iness), power **2** (mahtipontisuus) pomposity, grandeur, superciliousness
mahti might, power
mahtiasema position of power
mahtihenkilö powerful/influential person; (ark) a mover and a shaker
mahtipontinen 1 (tylsä) pompous, stuffy, stodgy **2** (ylimielinen) arrogant, supercilious **3** (hienosteleva) grand(iloquent), pretentious
mahtua 1 fit **2** Kuinka paljon siihen mahtuu? How much/many will it take: (astiaan tms) hold; (autoon, pöytään tms) seat; (hotelliin tms) accommodate; (vene: istumaan) seat, (nukkumaan) sleep
maidontuotanto milk production
maidontuottaja milk producer
maihinnousu invasion (myös kuv), landing
maija mustamaija Black Maria
maikka teacher
maila (tennis tms) racket, (jääkiekko) stick, (pesäpallo) bat, (golf) club
maili mile
mailienkeruuohjelma frequent flyer program
main niillä main around there lähimain almost, nearly, close to
mainari miner
maine reputation, name, (ark) rep; (kuuluisuus) fame olla hiihtohullun maineessa be known as a fanatic skier niittää mainetta make a name for yourself, carve out a reputation for yourself
maineikas famous, illustrious, renowned
mainen earthly
mainingit 1 swell, wave, surge (myös kuv) **2** (jälkimainingit) repercussions, aftermath
maininta mention
mainio excellent, splendid Mainiota! Great!
mainita mention Et maininnut minua sanallakaan You didn't say anything about me, you forgot to mention me Voisitko mainita muutamia esimerkkejä? Could you give me/list/cite some examples? Hän mainitsi erityisesti kolme nimeä He listed/gave three names in particular, he expressly mentioned three names mainittakoon let it be noted kuten edellä mainittiin as was noted/indicated earlier/above
mainitsematon unmentioned, unstated nimeltä mainitsematon unnamed
mainitsematta muita mainitsematta to say nothing about the others, not to mention the others jättää mainitsematta ignore, omit, skip/pass (something) over in silence nimeltä mainitsematta without naming names
mainittava appreciable, perceptible ei mitään mainittavaa nothing worth mentioning, nothing to write home about
mainittu the said mainittu henkilö the said party nimeltä mainittu (the) named/ specified (person) edellä mainittu the above-/afore-/ before-mentioned
mainonta advertising, publicity
mainos advertisement, (ark) ad; (TV:ssä) commercial hyvää mainosta good advertising/publicity
mainosgraafikko commercial artist
mainosgrafiikka commercial graphics
mainoskampanja ad(vertising) campaign
mainoskatko commercial break
mainosmielessä (merkityksessä) in a commercial sense, (tarkoitukseen) for commercial/advertising purposes

mainostaa 1 (kaupallisesti) advertise, publicize **2** (kehua) vaunt, tout, (kirjaa) puff
mainostaja advertiser
mainostoimisto ad(vertising) agency
mainostoimittaja (advertising) copywriter
mainosvalo neon sign
mairea gushing, sugary, affected
mairitella flatter; (ark) suck up (to someone), butter (someone) up
maisema (maa sinänsä, myös maalattuna) landscape, (maa nähtynä) scenery, (näköala) view
maisemakonttori open-plan office
maisemamaalari landscape artist
maisemamaalaus landscape
maisemointi landscaping
maiskahtaa taste (a little like)
maiskauttaa smack (your lips)
maiskis smack
maissa 1 kahden maissa around two **2** (ei laivassa) ashore
maissi corn
maissihiutale corn flake
maissiöljy corn oil
maistaa taste; (kokeilumielessä) try, sample
maistajaiset viinin maistajaiset wine-tasting party
maistella taste; (kauan) savor maistella sanaa roll a word around on your tongue
maisteri filosofian maisteri Master of Arts, M.A. kasvatustieteen maisteri Master of Education, M.Ed. luonnontieteen maisteri Master of Science, M.S. maisteri Koikkalainen Mr. Koikkalainen
maisterin paperit 1 (tutkinto) Master's degree **2** (todistus) M.A./M.Ed./M.S./jne diploma
maisterin tutkinto Master's degree
maistiaiset (kaupassa) sample Anna maistiaiset! (anna kun maistan) give me a bite/taste
maistraatti magistrate
maistua taste Miltä se maistuu? (kelpaako) How does it taste? (mikä on maku) What does it taste like? Se alkaa maistua puulta I'm getting sick/tired of it
maito milk
maitohammas baby tooth, milk tooth, (lääk) deciduous tooth
maitohappo lactic acid
maitohorsma fireweed
maitojauhe powdered milk
maitokaakao chocolate milk
maitokahvi coffee with milk, (ransk) café au lait
maitokauppa (meijerin myymälä) dairy, (ruokakauppa) grocery store
maitoparta milquetoast
maitopullo milk bottle
maitopurkki milk carton
maitorahka (lähin vastine) sour cream
maitorasva milk fat
maitosokeri lactose
maitosuklaa milk chocolate
maitotalous dairy farming
maitotiiviste condensed milk
maitovalmiste dairy product
maitse by land, overland
maittaa Minulle ei ruoka maita I don't feel like eating, I have no appetite, I'm feeling a little off my feed
maittain by country
maittava delicious, tasty
maja hut, cabin, lodge; (suoja) shelter; (lasten tilapäinen leikkipaikka) fort, clubhouse
majailla room/board/stay (at/with)
majakka lighthouse
majapaikka a place to stay/sleep
majatalo boarding house, (hist) inn
majava beaver
majavannahka beaver pelt
majavapato beaver dam
majesteetillinen majestic
majesteetti majesty
majoittaa 1 accommodate, board, (ark) put up **2** (sot) quarter, billet
majoittua take a room (at a hotel), move in (somewhere, with someone)
majoitus accommodation(s)
majoneesi mayonnaise
majuri major
makaaberi macabre
makaroni macaroni, pasta, noodle(s)

makaronilaatikko macaroni casserole
makasiini 1 (varasto) storehouse **2** (aseen) magazine
makea 1 (maku) sweet **2** (puhe) sugary(sweet), saccharine, cloying **3** (elämä, uni tms) good viettää makeaa elämää lead a life of ease **4** (vesi) fresh **5** (ark) cool, hot
makeasti sweetly nukkua makeasti sleep soundly, get a good night's sleep nauraa makeasti laugh heartily, have a good laugh
makeilla flatter, toady (to); (ark) suck up (to)
makeiset candy
makeute sweetener
makeutusaine sweetener
makkara sausage katsoa kuin halpaa makkaraa look down your nose at (someone/something), not want to touch something with a ten-foot pole
makkarakeitto sausage soup
makrilli mackerel
makro macro
makrobioottinen macrobiotic
makrobiotiikka macrobiotics
makrokosmos macrocosmos
makroskooppinen macroscopic
makrotaloustiede macroeconomics
maksa liver
maksaa 1 (antaa rahaa) pay (for/off) Maksaisitko minutkin? Could you pay for me too? Could you pay my way too? maksaa lasku pay a bill, settle an account maksaa varomattomuutensa hengellään pay for your carelessness with your life Tästä saat maksaa! You'll pay for this! (myös kuv), I'll get you for this! **2** (kostaa) pay (someone) back (ks hakusanat) **3** (olla jonkin arvoinen) cost Paljonko tämä maksaa? How much is this?
maksaa hyvä pahalla repay kindness with evil
maksaa itsensä kipeäksi pay through the nose
maksaa pitkä penni cost a pretty penny
maksaa potut pottuina give someone as good as you got, repay someone in kind
maksaa samalla mitalla give someone as good as you got, repay someone in kind
maksaa vaivaa be worth it Ei maksa vaivaa kääntyä nyt takaisin It's not worth turning back now
maksaa vanhoja kalavelkoja get your own back
maksaa viulut pay the piper
maksakirroosi cirrhosis of the liver
maksalaatikko liver casserole
maksamakkara liverwurst
maksamaton unpaid, (lasku) outstanding
maksattaa have (someone) pay (something for you), get someone else to pick up the tab
maksimaalinen maximum, maximal, optimal
maksi maxi
maksiimi maxim
maksimi maximum
maksimoida maximize
maksimointi maximization
maksoi mitä maksoi come what may, no matter what it takes, damn the consequences
maksu 1 (maksaminen) payment, settlement **2** (hinta tms) payment, price, fee, charge
maksuaika repayment/amortization period Saisimmeko vähän maksuaikaa? Could we pay you (back) gradually, over time?
maksua vastaan for a fee/charge
maksuehdot terms (of payment)
maksuksi in payment for
maksukyky solvency
maksukykyinen solvent
maksukyvytön insolvent
maksullinen pay, paid
maksumääräys payment order
maksunlykkäys extension
maksuosoitus payment order
maksupalvelu automatic withdrawal
maksusta for a fee/charge, for pay
maksutase balance of payments

maksutelevisio pay(-per-view) TV
maksuton free (of charge)
maksutta free (of charge), gratis
maku taste (myös kuv) Siitä jäi paha maku suuhun It left a bad taste in my mouth päästä jonkin makuun acquire/develop a taste for something kukin makunsa mukaan every man to his taste
makuaisti (sense of) taste
makuasia a matter of taste
makuasioista ei pidä kiistellä there's no accounting for tastes
makuinen flavored
makuja on monenlaisia different strokes for differemt folks
makuuhuone bedroom
makuupaikka berth
makuupussi sleeping bag
makuuvaunu Pullman (car)
malaria malaria
Malawi Malawi
malawilainen s, adj Malawian
Malediivit Maldives
Malesia Malaysia
malesialainen s, adj Malaysian
Mali Mali
malilainen s, adj Malian
malja 1 (boolimalja tms) bowl **2** (jollekulle) toast juoda malja jonkun kunniaksi drink to someone('s health) ehdottaa malja jollekulle propose a toast to **3** (raam ja kuv) cup Minun maljani on ylitsevuotavainen My cup runneth over
maljakko vase
malka (raam) beam
mallas malt
mallata try on, (mannekiinina) model
malli 1 model, pattern istua mallina (maalarille) sit for a painter, (maalauskurssilaisille) model/pose for an art class **2** (tyyppi) model, type, design auton merkki ja malli a car's make and model Minkä mallisen halusit? What kind did you want? **3** (esimerkki) example näyttää muille mallia set a good example for others **4** (kunto, asianlaita) state hyvällä/huonolla mallilla in good/bad shape, looking good/in a bad way entiseen malliin as before/usual amerikkalaiseen malliin American-style
malliesimerkki perfect/textbook example, epitome
mallikappale model, display piece, (näytekappale) sample
mallikas model, exemplary
mallikelpoinen model, exemplary
mallinen saman mallinen auto same (make/kind of) car Minkä mallista etsit? What kind/style/shape/jne are you looking for?
mallioppilas model student
malmi ore
malminetsijä prospector
malminetsintä prospecting
malmipitoinen ore-bearing
Malta Malta
maltaat malt
maltalainen s, adj Maltese
maltillinen 1 (pol) moderate, middle-of-the-road **2** (tyyni) calm, composed, reasonable
maltillisuus moderation, calm(ness), composure
malto pulp
malttaa 1 (hillitä) control malttaa mielensä control yourself, keep your temper, keep a lid on (your temper), hold (yourself) back, rein in your feelings En malttanut olla sanomatta että I couldn't help saying that, I blurted out that **2** (odottaa) wait Malta hetki! Wait a second! Hold on/up! **3** (olla kärsivällinen) be patient, have the patience to En malttanut jäädä odottamaan häntä I was too impatient to wait for her **4** (jaksaa) stand, bear Tuskin maltan odottaa I can hardly wait
malttamaton impatient
malttamattomasti impatiently
maltti patience, (self-)control, self-possession, presence of mind, composure menettää malttinsa lose your temper, (ark) lose your cool mielenmaltti patience
mamma momma, mama
mammanpoika mama's boy
mammona (raam ja kuv) Mammon; (tav) lucre

mammutti mammoth
mammuttimainen mammoth
manaaja exorcist
manageri manager
manata 1 (usk) exorcise, drive out (evil spirits/demons) **2** (kirota) damn, curse, (lausua kirosana) swear manata pahaa onneaan curse your bad luck **3** (loihtia esiin) invoke, call/dredge up **4** (kehottaa) urge, (ark) egg on
mania mania
manifesti s manifesto adj (lääk) manifest
manipuloida manipulate
manipulointi manipulation
Manitoba Manitoba
mankeli mangle
mankeloida mangle
manna manna (myös kuv)
mannapuuro cream of wheat
mannaryyni farina
manner 1 (maanosa) continent **2** (saarelta katsottuna) mainland
mannerjalusta continental shelf
mannerlaatta continental plate
mannermaa 1 (maanosa) continent **2** (saarelta katsottuna) mainland
mannermainen continental
mannertenvälinen intercontinental
Mansaari Isle of Man
mansikanpoimija strawberry picker
mansikka strawberry Oma maa mansikka, muu maa mustikka East, west, home is best
mansikka-aika strawberry season
mansikkahillo strawberry jam
mansikkajäätelö strawberry ice cream
manteli almond
mantereinen continental
manttelinperijä successor
marginaali margin
marginaaliverotus marginal taxation
Maria (Jeesuksen äidin, kuningattaren nimenä) Mary, (muuten) Maria Neitsyt Maria the Virgin Mary Maria Magdaleena Mary Magdalene
Mariaanit Mariana Islands
marista whine/complain/grumble (about)
marja berry mennä marjaan go berry(pick)ing
marjapensas berry bush
marjastaa pick berries
markiisi 1 marquis **2** (ulkokaihdin) awning
markka mark
markkamäärä amount (in marks)
markkamääräinen (amount) in marks
markkina-alue market
markkinat market turhuuden markkinat vanity fair Johan on markkinat! Goddamn! Doesn't that beat all!
markkinatalous market economy
markkinatunnelma carnival atmosphere
markkinatutkimus market study
markkinoida market
markkinointi marketing
marmeladi marmalade
marmori marble
marmorinen marble
Marokko Morocco
marokkolainen s, adj Moroccan
marraskesi scarfskin
marraskuinen November
marraskuu November
mars! march!
marsalkka (field) marshal
Marshallinsaaret Marshall Islands
marssi march
marssia march
marssittaa march
marsu guinea pig
marttyyri martyr (myös kuv)
marxilainen Marxist, Marxian
marxilaisuus Marxism
marxismi Marxism
masennus depression
masentaa depress, discourage, dishearten Minua masentaa tuollainen That's so depressing
masentua be/get depressed/ discouraged/disheartened
masentunut depressed, discouraged, disheartened
masiina machine

maskotti mascot
maskuliini (kiel) masculine
maskuliininen masculine
masokisti masochist
masokistinen masochistic
massa 1 (fys tm) mass **2** (mon = ihmisjoukot) the masses **3** (paper) pulp, substance, paste
massiivinen (iso) massive, (tukeva) solid
massoittain tons/heaps/piles of
masto mast
masturbaatio masturbation
masturboida masturbate
masu tummy
matala s **1** (lammikon) shallows **2** (matalapainealue) low (pressure area) adj **1** (ei korkea) low, squat, short mennä yli siitä, missä aita on matalin take the path of least resistance **2** (surullinen) low, down(cast) mieli matalana down in the mouth **3** (vähäarvoinen) lowly, base, humble matala maja humble abode **4** (ei syvä) shallow matala lautanen plate
matalalla low
matalikko shallows
mataluus lowness, (veden) shallowness
matelija 1 (eläin) reptile **2** (kuv) toady
matelu 1 crawling, creeping (myös kuv) **2** (hännystely) fawning
matemaatikko mathematician
matemaattinen mathematical
matematiikka mathematics, (ark) math
materia matter
materiaali material
materialisti materialist
materialistinen materialistic
matikka math
matka 1 trip, journey, voyage; (autolla) drive, (lentäen) flight lähteä matkaan set out (on a journey/trip) matkalla, matkassa, matkoilla ks hakusanat Mene matkoihisi! Beat it! Scram! Get out of my face! Tuli vähän mutkia matkaan We got hung up, we had some problems kulkea samaa matkaa walk along together parin tunnin matka a couple of hours' journey/drive/flight Minne matka? Where are you going? **2** (etäisyys) distance Kevääseen on vielä matkaa Spring is still a ways off
matka-apuraha travel grant/stipend
matkailija traveler, tourist
matkailla travel (around), tour
matkailu (matkustaminen) travel(ing), (turismi) tourism
matkailukeskus tourist center/agency/office
matkailutase balance of tourist payments
matkalaukku suitcase; (mon) luggage
matkalippu (plane/train) ticket edestakainen matkalippu round-trip ticket
matkalla on the/your way, on the road, en route, (liik) in transit
matkan päässä 1 (perillä) at your destination **2** pienen/pitkän matkan päässä a short/long way(s) off/away pysytellä matkan päässä keep your distance (from) pitää matkan päässä keep (someone) at arm's length
matkanteko travel(ing)
matkaopas tour guide
matkapahoinvointi motion sickness, (laivassa) seasickness, (lentokoneessa) airsickness, (autossa) carsickness
matkasekki traveler's check
matkassa along, with you Onko sinulla nyt varmasti liput matkassa? Are you sure you've got the tickets (with you)?
matkatavarat (matkalaukut) luggage, (kaikki) baggage
matkatavaravakuutus luggage insurance
matkatoimisto travel agency
matkatoveri fellow traveler
matkavakuutus travel insurance
matkavaluutta foreign currency
matkoilla (kotimaassa) out of town, (ulkomailla) abroad
matkustaa travel matkustaa lentäen fly, take the plane, travel/go by air matkustaa Aasiaan take a trip to Asia, visit Asia, fly to Asia

matkustaja (kulkuneuvon) passenger, (matkalla oleva) traveler
matkustajakoti boarding house
matkustajalaiva passenger ship/liner
matkustajaliikenne passenger traffic
matkustamo cabin
mato 1 worm **2** (haka) whiz
matonkude rug rag
matriisi matrix
matriisikirjoitin dot matrix printer
matruusi 1 (arvo) able-bodied seaman **2** (ark) sailor, seaman
matsi match, game
matti checkmate
matti kukkarossa (flat) broke
matto (irtomatto) rug, (kokolattiamatto) (wall-to-wall) carpet(ing), (pieni matto jalkojen pyyhkimistä varten: kynnyksellä tai kylvyn vieressä) mat, (porrasmatto) (stair)runner
maukas tasty, savory, delicious
Mauritania Mauritania
mauritanialainen s, adj Mauritanian
Mauritius Mauritius
mauritiuslainen s, adj Mauritian
maustaa season, spice (myös kuv)
maustamaton unseasoned, unspiced
mauste spice, seasoning; (makuaine) (artificial) flavoring
mauton flavorless, tasteless (myös kuv) mauton vitsi a joke in bad taste, a tasteless joke
mauttomuus tastelessness
maya Maya
me we me kaksi the two of us meidän our(s) meidät, meitä us Mennään meille Let's go over to our place meillä on we have meillä Suomessa here in Finland
media media
meduusa 1 jellyfish **2** Meduusa (myt) Medusa
meedio medium
megatavu megabyte, MB 40 megatavun kovalevy 40-megabyte hard disk
mehevä juicy (myös kuv) mehevä juttu juicy/spicy/racy story
mehiläinen (honey-)bee
mehiläisen pisto bee sting
mehiläishoitaja beekeeper
mehiläiskuningatar queen bee
mehiläispesä beehive
mehu juice (myös kuv) puristaa kaikki mehut jostakusta squeeze all the juices out of someone, take the fight/sass out of someone
mehukas juicy, succulent
mehustaa render into juice
meijeri dairy
meikäläinen s **1** (yksi meistä) one of us, someone like us Matti Meikäläinen John Doe **2** (minä) yours truly, this (here) boy/girl
meikäläisittäin our way, local style
meinata 1 (aikoa) plan, intend, mean; (murt) be fixin' to Meinaan tästä kohta lähteä I'll be leaving soon, I mean to leave soon, I'm fixin' to be off in a jiffy **2** (tarkoittaa) mean, be about Mitä tämä meinaa? What's going on here? What is this all about? What is the meaning of this? Se on meinaan pitkä matka I mean, (like,) that's a long way **3** Meinasin mennä hukkaan I almost/nearly lost my way
meininki 1 (aikomus) plan, intention **2** (meno) goings-on **3** (fiilinki) atmosphere, spirit
mekaanikko mechanic
mekaaninen mechanical
mekaniikka mechanics
mekanismi mechanism
mekastaa kick up a racket, be loud, make (lots of) noise
mekastus racket, noise, din
mekko dress, frock, shift
meklari 1 (pörssimeklari) (stock)broker **2** (huutokauppameklari) auctioneer
Meksiko Mexico
meksikolainen s, adj Mexican
mela paddle
melankolia melancholy
melankolinen melancholic
melkein almost, nearly, practically; (ark) pretty near/well/much
melko pretty, fairly, reasonably, quite
melkoinen quite a, considerable, substantial

melkoisesti quite a lot of, considerably, substantially
mellakka riot
mellakoida riot
mellakointi rioting
mellastaa kick up a racket/ruckus
meloa paddle
melodia melody, tune
melodraama melodrama
meloja canoeist
meloni melon
melske (meteli) noise, racket; (levottomuus) tumult,
melskeinen tumultuous, tempestuous
melu noise, racket, hubbub
meluisa noisy, tumultuous
meluntorjunta noise control/ abatement
meluta make (lots of) noise, be noisy
menehtyä succumb (to), perish/die (of)
meneillä going on, in progress
mene ja tiedä who knows
menekki sale(s), consumption; (valmistajan näkökulmasta) market Sillä on varmasti hyvä menekki Itä-Euroopassa It's sure to sell well in Eastern Europe
menekkivaikeus Heillä on menekkivaikeuksia They're having some difficulties in moving their stock, their products aren't selling well
menemään out, away heittää menemään throw out/away
menestyksekäs successful, prosperous, flourishing, thriving
menestymätön unsuccessful
menestys success
menestysteos a success, a hit
menestyä succeed, be successful, be a success; prosper, flourish, thrive
menetellä 1 (tehdä) do, (toimia) act, (edetä) proceed Miten tässä menetellään? What should we do? How should we act/proceed? menetellä ohjeiden mukaisesti follow the instructions **2** (välttää) do Kyllä se menettelee It'll do
menetelmä method
menetetty lost menetetty terveys ruined health
menettely proceeding, procedure
menettelytapa procedure, course of action Kaikkihan kävi lopuksi hyvin, mutta emme voi hyväksyä menettelytapaasi Everything turned out all right in the end, but we cannot condone the way you proceeded/acted
menettää lose, (tilaisuus) miss Ethän sinä siinä mitään menetä! What have you got to lose?
menettää kasvonsa lose face
menettää malttinsa lose your temper, fly into a rage
menettää merkityksensä lose (all) importance/significance, become pointless/meaningless/insignificant/ unimportant
menettää mielenkiintonsa johonkin lose interest in something
menettää oikeutensa forfeit your rights
menettää otteensa lose your grip on, let go of, let (something) slip through your fingers
menettää rohkeutensa lose your nerve
menettää tasapainonsa lose your balance
menettää uskonsa johonkin lose faith in something
menetys loss
menevä 1 (energinen) energetic, enterprising menevä ihminen a (wo)man on the go, a comer, a mover and a shaker **2** viinaan/naisiin menevä mies boozer/womanizer **3** etelään menevä juna the southbound train
menneeksi olkoon menneeksi sure, why not, what the hell
menneisyys past
mennen tullen coming and going
mennessä by Mihin mennessä tarvitset sen? When do you need it at the latest? Tarvitsen sen viiteen mennessä I need it by five siihen mennessä by then
menninkäinen sprite, gnome
mennyt gone, past; (kuollut) deceased, departed, the late menneellä viikolla last week
mennä 1 go Minne menet? Where are you going? Miten menee? How's it

going? How are you doing? **2** (lähteä) leave, depart; (ark) take off, beat it, scram Meneekö tämä kirje 3 markalla? Can I send this letter for 3 marks? **3** (kulkea: bussi) go, run; (jonkin yli) cross Miten usein viitonen menee? How often does bus number 5 run? Meneekö tämä kirkkopuiston ohi? Do you go by the church park? Arpi meni suupielestä korvaan The scar ran from the corner of his mouth all the way to his cheek **4** (sopia johonkin) fit, (sopia jonakin) do Ei mene ovesta It won't fit through the door Kyllä hän muuten miehenä menisi mutta He'd do as a husband, I suppose, except that **5** (hävitä) be lost, get thrown away Minulta meni sodassa terveys The war ruined my health Rahaa tuli, virka meni I made big bucks but lost my job **6** (kulua) pass, be spent Koko päivä meni tähän I spent the whole day doing this Korjaustöihin menee puoli vuotta It'll take half a year to repair it **7** (olla esitettävänä: elokuva) be showing, (näytelmä) be playing, (TV-ohjelma) be on **8** Mitäs menit valehtelemaan! Why did you have to go and lie about it?

mennä asiaan get to the point, get down to business

mennä eteenpäin proceed, progress, move right along

mennä halpaan get fooled/taken (for a ride)/played for a patsy/duped, fall for (something) (hook, line, and sinker)

mennä halvalla get sold cheap, sell for a song

mennä itseensä stop and take a (good) look at yourself, pause to examine your own motives

mennä kalaan go fishing

mennä kalpeaksi turn pale, blanch, go white (in the face)

mennä kaupaksi sell

mennä kihloihin get engaged

mennä liiallisuuksiin go to extremes, go overboard, get carried away

mennä läpi (ehdotus) pass, be accepted; (hyökkäys tms) drive/burst/break/go through

mennä läskiksi not work, fail, get all fouled/fucked up

mennä maata go lie down, go take a nap/rest, go to bed/sleep

mennä marjaan go berrying

mennä menojaan go on your merry way, be on your way antaa asioiden mennä menojaan let things take/run their course

mennä naimisiin get married

mennä ohi pass, miss antaa tilaisuuden mennä ohi let an opportunity slip away, pass up/miss an opportunity

mennä perille (paketti tms) reach its destination, arrive; (saarna tms) strike home

mennä pieleen not work, fail, get all fouled/fucked up Sehän menee kuitenkin pieleen You know it's not going to work

mennä pitkälle go far mennä liian pitkälle go too far, overstep your limits, exceed your authority, go to extremes

mennä päähän (viina, kehu) go to your head

mennä sanomaan say Vaikea mennä yks kaks sanomaan Hard to say right off the bat

mennä sisu kaulaan lose your nerve, chicken out, your heart drops into your boots

mennä takuuseen guarantee (something) (myös kuv) En mene takuuseen siitä I can't promise/guarantee (you) anything, I can't be sure of it, I can't say for sure

mennä tiehensä leave, be on your way, (ark) take off, beat it

mennä täydestä fool everybody, work, not get caught

mennä väärään kurkkuun go down the wrong way/tube

meno 1 going, doing Kaikki menee tavallista menoaan Business as usual aina menossa always on the go/run, always out doing something, active Se on sitten menoa! This is it! There's no turning back now! **2** (vauhti) speed, pace **3** (kulku) course elämän meno the course of life maailman meno the way of the world **4** (meininki) goings-on, activity täysi meno päällä in full swing, going strong **5** (häviö) downfall suunnitella jotakin jonkun pään menoksi plot/scheme to bring someone down, (leik) plan something behind someone's back **6** (menolippu) one-way ticket **7** menot (rahamenot) expenditures, costs **8** menot (juhlamenot) festivities, ceremonies

menoarvio cost estimate; (tulo- ja menoarvio) budget

menolippu one-way ticket

menomatka the way/trip/journey there

menoon yhteen menoon straight through, without stopping

menopaluulippu round-trip ticket

menopäällä in the mood to go out (on the town, for a beer/dance/movie/jne)

menossa 1 (lähdössä) (just) leaving, on your way out **2** (tien päällä) on the run/go **3** (kulussa) underway Vuosi 1776 oli menossa It was (the year) 1776

menosuunta direction of travel istua selkä menosuuntaan sit facing backwards Laituri on menosuuntaan nähden vasemmalla The platform will be on your left

mentoli menthol

mentävä s errand (to run), thing to do v Minun on mentävä I've got to go

merenkulkija mariner, sailor, (vanh) seafarer

merenkulku navigation, shipping, (vanh) seafaring

meri sea, (valtameri) ocean Siellä oli miestä kuin meren mutaa The place was swarming with people

meriitti merit, credit

merikapteeni sea-captain

merikarhu 1 (merimies) old salt, sea dog **2** (hylje) fur seal

merikartta (navigational/nautical) chart

merimies sailor

merinäköala seascape

meripelastus lifesaving (at sea), sea rescue

meripeninkulma nautical mile

merirosvo pirate

merirosvous piracy

meritse by sea/water

merivartiosto coast guard

merivesi seawater

merivirta ocean/underwater current

merkantilismi mercantalism

merkeissä 1 (olosuhteissa) Toivottavasti tapaamme onnellisemmissa/paremmissa merkeissä I hope we meet again in happier/better circumstances **2** (yhteydessä) Kokoonnuttiin Pekan syntymäpäivän merkeissä We got together for Pekka's birthday **3** (hengessä) yhteistyön merkeissä in a spirit of cooperation

merkille pantava noteworthy, remarkable

merkillinen strange, odd, peculiar

merkinantolaite signaling device

merkintä 1 (merkitseminen) marking, labeling, (leimalla) stamping, (kuumalla raudalla) branding **2** (osakkeen) subscription **3** (kirjoitus) note, record tehdä merkintöjä (muistiinpanoja) take/make notes, (kirjanpidossa) enter sums (in the books)

merkitsevä 1 (tärkeä) significant, meaning(ful) **2** (merkittävä) remarkable, notable

merkittävä remarkable, notable, noteworthy, prominent, (pre)eminent

merkityksetön insignificant, unimportant

merkitys 1 (sanan tms) meaning, sense, denotation sanan varsinaisessa merkityksessä in the strict/literal sense of the word **2** (asian) importance, significance Ei sillä enää ole mitään merkitystä It doesn't matter any more, it's a moot point now, it's all academic now, that's neither here nor there any more **3** (merkitseminen) signification, semiosis

merkitä 1 mark, label, indicate, (rastilla) check/tick off, (leimalla) stamp, (kuumalla raudalla) brand **2** (osake) subscribe (for) **3** (muistiin) write/mark/note down, make a note/record (of) **4** (kirjanpitoon) enter (a record), list,

book **5** (tarkoittaa) mean, denote **6** (olla merkkinä) indicate, mark, be a sign of, signify, symbolize
merkitä kirjoihin record, enter in the books/record
merkitä luetteloon list
merkitä muistiin write/note/jot down, make a note (of)
merkitä pöytäkirjaan record in the minutes
merkki 1 mark, sign(al), trace Heistä ei jäänyt merkkiäkään There wasn't a sign/trace of them (left behind) Jos vanhat merkit paikkansa pitävät If I'm not mistaken, if things go the way they usually do jonkun puumerkki someone's mark (myös kuv) plusmerkki the plus sign merkeissä ks hakusana **2** (kirjoitusmerkki) character **3** (tavaramerkki) brand, make auton merkki ja malli the make and model of a car **4** (merkkilappu) label **5** (postimerkki) stamp **6** (rintamerkki) badge **7** näyttää jollekulle taivaan merkit give someone a piece of your mind olla kuin myrskyn merkki be fit to be tied, be raging/hopping mad
merkkihenkilö notable (personage), person of note, very important person, VIP
merkkipäivä red-letter day
merkkiteos landmark work
merkkivalo 1 (kaasulieden) pilot light **2** (majakan tms) beacon, signal light **3** (ravintolan) dimming the lights to indicate that the restaurant is about to close
merta trap Nyt on piru merrassa Now the fat's on the fire, now the shit's hit the fan
mesi nectar, honey
mesikämmen bear
messi mess(room)
messingillä suu messingillä with a big contented smile
messinki brass
messu 1 (kirkonmeno) Mass **2** (kuoroteos) mass, missa **3** messut exhibition, fair
messuhalli exhibition hall
messut exhibition, fair
messuta 1 (luterilaisessa kirkossa = laulaa liturgia) sing/chant (the liturgy) **2** (katolisessa kirkossa) say Mass
mesta (paikka) place se on hyvä mesta it's a nice joint
mestari 1 master Harjoitus tekee mestarin Practice makes perfect **2** (mus) maestro, virtuoso **3** (urh) champion
mestarillinen masterful, masterly
mestaroida 1 (toisten asioita) interfere with, stick your nose into, butt into, meddle in **2** (konetta tms) fiddle/tamper with
mestaruus 1 mastery **2** (urh) championship
mestata execute, behead, decapitate, guillotine
mestaus execution, beheading
metafora metaphor
metafysiikka metaphysics
metafyysinen metaphysical
metalli 1 metal **2** (ark) the Metalworkers' Union
metallilevy metal plate
metallinen metal(lic)
metallinilmaisin metal-finder/-detector
metallioppi metallurgy
metalliteollisuus the metal industry
metallurgia metallurgy
meteli noise, racket, hubbub
metelöidä make (lots of) noise, kick up a racket/ruckus, raise hell
meteori meteor
meteoriitti meteorite
meteorologi meteorologist
meteorologia meteorology
metka 1 (hauska) funny, amusing **2** (mukava) nice, friendly
metku prank, trick, (practical) joke, gag
metodi method
metodiikka methodology
metodisti Methodist
metodologia methodology
metri meter
metrijärjestelmä metric system

metrikaupalla by the meter, (ark) yards and yards of (something)
metrimitta metric measure
metronomi metronome
metsikkö wood(s), grove
metsistyä revert to type
metso wood grouse
metsä forest, woods ei nähdä metsää puilta not see the forest for the trees mennä pahasti metsään be way off, be wide of the mark lähteä metsälle go hunting
metsäala 1 (alue) wooded/forested area **2** (oppiala) forestry
metsäalue wooded/forested area
metsähallitus National Board of Forestry
metsäinen wooded, forested; (ark) woodsy
metsäkasvillisuus underbrush
metsäkoulu forestry school
metsäläinen forest-dweller, (run) denizen of the woods; (alkukantainen) primitive
metsämaa woodland, forest land
metsämaasto wooded terrain
metsänhaaskaus deforestation
metsänhakkaaja woodcutter
metsänhakkuu cutting/felling (of trees/forest)
metsänhoidollinen silvicultural
metsänhoito forestry, silviculture
metsänistutus forest (re)planting, afforestation
metsänkävijä woodsman, hunter
metsänkäyttö forest use
metsänomistaja forest/woodland owner
metsänparannus forest improvement
metsänriista game
metsänsuojelu forest protection/conservation
metsänvartija forest ranger
metsänviljely forest cultivation, seeding and planting
metsäopisto forest ranger school
metsäpalo forest fire
metsäpolitiikka forest (use) policy
metsästys hunting
metsästysaika hunting season
metsästyskausi hunting season
metsästyskivääri hunting rifle
metsästyskoira hunting dog
metsästysoikeus hunting right(s)/privilege
metsästysseura gun club
metsästäjä hunter
metsästää hunt
metsätaloudellinen pertaining to forestry (economy/management)
metsätalous forestry (economy/ management)
metsäteknikko forest ranger
metsäteollisuus lumber industry
metsätieteet forestry (sciences)
metsävahinko forest damage
metsävero forest tax
miau meow
Midwaysaaret Midway Islands
miedontaa dilute
miedosti mildly
mieheen 1 kolme mieheen three each **2** viimeiseen mieheen to the last man
miehekäs manly, masculine, virile
miehelä mennä miehelään get married
miehenalku little man
miehenkipeä sex-starved, man-hungry
miehennielijä man-eater
miehiin menevä loose
miehinen 1 (ihminen) masculine, manly **2** (eläin) male **3** -miehinen -man
miehissä all together, in force/ concert/unison
miehistö crew
miehitetty 1 (avaruuslento tms) manned **2** (maa) occupied
miehittämätön unmanned
miehittää 1 (pelastusvene tms) man **2** (maa) occupy, take possession of
miehitys 1 (miehittäminen) manning, occupation **2** (miehistö) crew, (ark) the men
miehuus 1 (miehen aikuisuus) manhood **2** (miesmäinen käyttäytyminen) manliness
miehuusikä manhood

miekka sword kaksiteräinen miekka double-edged sword
miekkailija swordsman, fencer
miekkailla fence
miekkailu fencing
miekkonen little man
mieleen olla mieleen please you, be to your liking juolahtaa mieleen occur to you, strike you painua mieleen impress you, be memorable/ unforgettable palauttaa mieleen (itselleen) recall, (toiselle) remind someone of tuoda mieleen bring to mind, recall
mieleenpainuva memorable, unforgettable, impressive
mielekkyys meaning, sense
mielekäs meaningful, sensible
mielellään 1 gladly, willingly, with pleasure Teen sen mielelläni I'd be happy to **2** (mieluummin) preferably, rather Se saisi olla mielellään pikkuisen pienempi Maybe it ought to be a little smaller
mieleltään at heart
mielenkiinto interest
mielenkiintoinen interesting
mielenlaatu disposition, nature, temperament
mielenliikutus emotion
mielenosoittaja demonstrator, protestor
mielenosoituksellinen protest
mielenosoituksellisesti in protest
mielenosoitus demonstration
mielenrauha peace of mind
mielenterveydellinen pertaining to mental health
mielenterveydellinen ongelma mental (health) problem
mielenterveyden häiriö mental disturbance
mielenterveys mental health
mielenterveysasema psychiatric clinic
mielessä 1 (ajattelussa) in mind Hänellä on pahat mielessä She's up to no good ajatella mielessään think to yourself **2** (merkityksessä) in a sense jossain mielessä in some sense monessa mielessä in many senses/ ways
mielestä 1 (ajatuksista) out of (your) mind sulkea pois mielestä dismiss something, put something out of your mind **2** (mukaan) according to (someone), in (someone's) opinion Onko se sinun mielestäsi nyt hyvä Do you like it now? Are you satisfied now? Do you think it's good now?
mieletön mindless, senseless, pointless, absurd
mieli 1 mind muuttaa mielensä change your mind pitää mielessä bear in mind malttaa mielensä be patient olla samaa mieltä (jonkun kanssa) agree (with someone) mielessä, mieleen, mielestä, mielellään, mieleltään, mieliksi ks hakusanat **2** (sydän, tunteet) heart, feelings pahoittaa mielensä get hurt, take offense, be offended Siitä tuli paha mieli I was really hurt by that **3** (mieliala) mood Millä mielellä lähdet? How do you feel about going? hyvällä mielellä in a good mood, in high spirits **4** (merkitys) meaning, sense Koko tässä hommassa ei ole mitään mieltä This whole thing is pointless Missä mielessä? In what sense?
mielihyvin gladly, willingly, with pleasure
mielihyvä pleasure
mielijohde whim, impulse hetken mielijohteesta on the spur of the moment
mielikirjailija favorite writer
mieliksi yrittää olla jollekulle mieliksi try to please someone tehdä jotakin jonkun mieliksi humor someone
mielikuva (mental) image
mielikuvituksellinen imaginative
mielikuvitukseton unimaginative
mielikuvitus imagination
mielinen -minded ahdasmielinen narrow-minded kansallismielinen nationalistic, chauvinistic
mielipaha 1 (ärsytys) displeasure, annoyance **2** (paha mieli) hurt, offense **3** (suru) sorrow, grief
mielipide opinion
mielipide-ero difference of opinion

mielipidekysymys a matter of opinion
mielipidetiedustelu opinion poll
mielipuoli madman, lunatic
mielipuolinen insane, mad, out of his/her mind, (ark) loony
mieliruoka favorite food
mielisairaala mental institution/hospital, insane asylum
mielisairaanhoito psychiatric treatment
mielisairaanhoitaja psychiatric nurse
mielistellä flatter, fawn (on), toady (to), ingratiate yourself (with); (ark) butter (someone) up; (sl) kiss/lick (someone's) boots/ass
mielistely flattery, fawning, ass-kissing/licking
mielistyä take a liking (to), be pleased (with)
mielitietty sweetheart, (ark) sweetie
mieliä want, wish, desire
mielle mental image
miellyttävä pleasing, pleasant, appealing, attractive, agreeable
miellyttää please, appeal (to) Bach ei miellytä minua enää I don't enjoy Bach any more, Bach doesn't do anything for me any more
mieltymys liking, fancy, attraction
mieltyä take a liking (to), be pleased (with)
mieltä kohottava uplifting, stirring, elevating
mieltä kuohuttava stirring, rousing, provocative
mieltä liikuttava moving, touching
mieltä ylentävä uplifting, heartening
mieltää perceive/conceive (as)
mieluinen pleasant, agreeable
mieluisa pleasant, agreeable
mieluiten preferably Mieluiten menisin nukkumaan My first choice would be to go to bed, what I'd most like to do is sleep
mieluummin preferably, rather Mene mieluummin hiukan myöhässä It would be better for you to be a little late
mies 1 man, (herrasmies) gentleman, (kaveri) guy puhua kuin mies miehelle have a man-to-man talk Mikä hän on miehiään? What sort of man is he? Ei nimi miestä pahenna Sticks and stones will break my bones but names will never hurt me mieheen, miehissä ks hakusanat **2** (aviomies) husband **3** muina miehinä casually, nonchalantly, (huomaamattomasti) inconspicuously
mies ja ääni -periaate (the principle of) one man, one vote
miesjoukko a group/crowd/bunch of men
mieskuoro men's choir
miesmuisti living memory Tuollaista ei ole ollut miesmuistiin There's been nothing like that in ages, in a coon's age
miesmäinen mannish
miesopettaja male teacher
mies paikallaan the right man for the job
miespääosa male lead
miessukupuoli (biologinen) male sex, (sosiaalinen) masculine gender
miestyöpäivä man-day
miestyötunti man-hour
miestyövuosi man-year
miesvaltainen male-dominated
miesvoittoinen male-dominated
miesväki the men(folk(s))
mies yli laidan! man overboard!
miete idea, thought; (mon) reflections, meditations olla mietteissään be lost in thought/reverie, be daydreaming
mietelause aphorism
mietelmä aphorism; (mon) reflections, meditations
mietintäaika time for consideration
mietintö report
mietiskellä meditate, ponder, reflect (on)
mietityttää make you (pause to) think, get you thinking, give you something to think about, give you food for thought
mieto mild, weak
mietteliäs thoughtful, meditative, contemplative, lost in thought

miettimisaika time to think things/it over
miettiä think (about), ponder, meditate, contemplate, consider, reflect (on)
miettiä päänsä puhki wrack your brains
migreeni migraine (headache)
mihin where (to) Mihin menet? Where are you going? En mihinkään Nowhere Sinusta ei ole mihinkään You're good for nothing, you'll never amount to anything
miina mine
miinoittaa mine
miinus minus laskea jollekulle miinukseksi hold (something) against someone, count (something) (as a strike) against someone mennä miinuksen puolelle (lämpötila) fall below zero, (pankkitili) be overdrawn, (yrityksen talous) go into the red
miinusaste degree below zero
miinusmerkki minus sign
mikin each/every (one)
mikro 1 (tietokone) PC **2** (mikroaaltouuni) micro(wave) **3** mikro- micro-
mikroaaltouuni microwave oven
mikrofoni microphone, (ark) mike
Mikronesia Micronesia
mikroprosessori microprocessor
mikroskooppi microscope
mikroskooppinen microscopic
mikrosuoritin microprocessor
mikrotietokone microcomputer; personal computer, PC
miksi 1 (mitä varten) why, what for **2** Miksi minua luulet? What do you take me for?
mikä what, which Mitä otat? What'll you have? Minkä otat? Which do you want? Jäin viimeiseksi, mikä koituikin onnekseni I was the last to leave, which was lucky for me se mitä/mikä what Tiedätkö mitä? You know what? Vielä mitä! Are you kidding! Don't make me laugh!
mikä ettei why not
mikä hyvänsä (niistä) any (one), (kahdesta) whichever, whatever
mikäkin some kind of niin kuin mikäkin herra like some kind of swell
mikäli 1 (jos) if, providing (that) **2** (siinä tapauksessa että) in the event that, in case **3** (sikäli kuin) as far as, insofar as
mikä pahinta what's worst, worst of all
mikäpäs siinä sure, why not, thanks
mikä sinun on? what's the matter? what's bothering you?
mikä tahansa (niistä) any (one), (kahdesta) whichever, whatever
mikään s anything ei mikään nothing, not anything Hän ei pitänyt sitä minään She thought it was worthless, she held it in contempt; she thought nothing of it Ei siitä tule mitään It's no good, it's hopeless, it'll never work Sille ei nyt voi mitään It can't be helped now, there's nothing we can do about it now adj any ei mikään no ei millään muotoa no way
miliisi 1 (armeija) militia **2** (sotilas, poliisimies) militiaman
militarismi militarism
militaristi militarist, (ark) hawk
miljardi billion
miljonääri millionaire
miljoona million
miljoonakaupalla by the million, millions of
miljoonas millionth
miljoonavahinko million-mark/-dollar damage(s)
miljoonittain by the million, millions of
miljöö milieu, (romaanissa) setting
millainen what kind/sort of Millainen isäntä, sellainen renki Like father, like son
milli million
millimetri millimeter
milloin when, at what time (aina) milloin sinä teet noin whenever you do that
milloinkaan ever ei milloinkaan never, not ever
milloinkin mitä milloinkin sometimes this sometimes that, if it's not one thing

it's another missä milloinkin now here now there
milloin missäkin now here now there
milloin mitäkin if it's not one thing it's another
milloin tahansa any time, whenever
millänsäkään Hän ei ollut millänsäkään It didn't bother her in the least, it never fazed her, she pretended nothing had happened
millään possibly Voisitko millään tulla auttamaan? Any chance of you helping me? Is there any way I could get you to come give me a hand? ei millään no way
miltei almost, nearly, close to
mimiikka facial expressions and gestures, body language
mimmoinen ks millainen
mineraali mineral
minimaalinen minimal
minimi minimum
ministeri minister, (US) Secretary
ministerin salkku ministerial portfolio
ministeriö ministry, (US) Department
minitietokone minicomputer
miniä daughter-in-law
minkki mink
minkälainen ks millainen
minkäänlainen any (kind of) ei minkäänlaista kunnioitusta no respect at all/whatever
minne where (to), in what direction Minne menet? Where are you going? (minnepäin) Which way are you headed/going?
minnekin milloin minnekin now here, now there
minnekään ei minnekään nowhere
minttu mint
minuutti minute kymmenen minuutin kävelymatka a ten-minute walk millä minuutilla tahansa any minute (now)
minä s the self, the ego
pron I, (ark) me Se olin minä It was me minun mine minun omani my own minun kanssani with me minut, minua me minun/minulla on kylmä I'm cold Pidätkö minusta? Do you like me? Taidat pitää minusta I think you do like me, I'm the one you like Mitä minuun tulee As far as I'm concerned, for my part Mitä tekisit minuna? What you do if you were in my shoes, if you were me?
mirri pussy (cat)
missi Miss Finland
missä where Talo missä nyt asumme The house we live in now Siellä missä nyt asumme Where we live now
missä ihmeessä where on earth, where in the world
missä milloinkin now here, now there
missäpäin where(abouts)
missä tahansa Missä tahansa oletkin Wherever you are Voisin asua missä tahansa I could live anywhere
missään anywhere ei missään nowhere
mitali medal mitalin toinen puoli the other side of the coin
mitata measure (off/out), gauge mitata kuume take someone's temperature
mitellä 1 (mitata) measure **2** (otella) fight, contend
mitellä voimiaan pit yourself (against someone), fight/contend (with)
miten how Miten saatoit! How could you!
mitenkäs muuten what else (can you expect)?
mitenkään possibly Etkö voisi mitenkään tulla? Couldn't you find some way to come? couldn't you see your way clear to coming? ei mitenkään no way
miten milloinkin in different ways at different times
miten missäkin in different ways in different contexts
miten niin what do you mean? how so?
miten ollakaan guess what, you'll never guess, surprise surprise
miten tahansa Tee se miten tahansa, kunhan teet Do it any way you like, just do it Miten tahansa teetkin, tee se kunnolla No matter how you do it, however you do it, do it well

miten vain however, (ark) whatever mieluummin miten vain I don't care how you do it

mitoittaa dimension

mitta 1 measure(ment) leveysmitta measure of width talon ulkomitat the exterior measurements of the house vaikka millä mitalla tons/piles/scads of maksaa samalla mitalla give as good as you got, pay someone back in his/her own coin **2** (pituus) height kasvaa täyteen mittaansa grow to your full height Onpas tytöllä mittaa! This girl's shooting up like a beanstalk **3** vuosien/päivän mittaan in the course of the years/day, as the years/day went on yhtä mittaa constantly **4** (runomitta) meter kalevalamitta trochaic tetrameter

mittaamaton immeasurable mittaamattoman suuri enormous

mittaetsin rangefinder

mittaetsinkamera rangefinder (camera)

mittajärjestelmä system of measurement

mittakaava scale

mittanauha tape measure

mittani on täysi that does it, now I've had it/enough

mittapuu yardstick, (kuv) standard(s)

mittari 1 meter, gauge **2** (empiirisessä tutkimuksessa) measuring instrument

mittarilento instrument flying/flight

mittaus measuring, measurement

mittava great, outstanding, excellent

mittojen mukaan tehty custom-/tailor-made

mitä 1 what (ks mikä) **2** mitä jännittävin a most exciting **3** mitä pikemmin sitä parempi the sooner the better mitä kuuluu? how are you doing? how's it going?

mitähän I wonder what

mitä ihmettä! what in the world!

mitäpä siitä never mind

mitäpä turhia forget it

mitätöidä invalidate, cancel, (declare null and) void

mitätön 1 (mitäänsanomaton) insignificant, worthless, pointless **2** (mitätöity) invalid(ated), canceled, void

mitäänsanomaton trite, trivial, pointless, meaningless, insignificant

mm among other things, (lat) inter alia

modeemi modem, (akustinen) acoustic coupler

moderni modern

modulaatio modulation

moduuli module

moinen (something) like that Mistähän moinen käsitys on tullut? I wonder where that idea came from En ole moista ikinä nähnyt I've never seen the likes of that before

moite criticism, reproach, rebuke, complaint

moitteeton irreproachable, impeccable, flawless

moitteettomasti irreproachably, impeccably, flawlessly

moittia criticize, reproach, rebuke, complain about/of, find fault with

mojova (juttu) hot, juicy; (isku) walloping; (valhe) big fat

mokoma anything like that, the likes of that Onko mokomaa kuultu! Did you ever hear the likes of that? Suuttua nyt mokomasta! What a thing to get mad about! kaikin mokomin go right ahead, be my guest, help yourself, by all means mokomakin pentu the little brat

moksiskaan Ei ollut moksiskaan It didn't bother/faze her in the slightest, she pretended nothing had happened

molekyyli molecule

molemmat both (of them/us) molempi parempi (ark) same difference

molemminpuolinen bilateral, mutual, reciprocal

molli minor (key)

Molotovin cocktail Molotov cocktail

molskahdus splash

molskahtaa splash

molskis splash

momentti 1 (vaihe, seikka) moment, phase, point, element **2** (fys) moment **3** (lak) paragraph, clause, subsection

Monaco Monaco

monacolainen s, adj Monegasque, Monacan
monarkia monarchy
monarkki monarch
monenlainen many kinds of, (things) of all kinds
monenmoinen many kinds of, (things) of all kinds
mones Monesko päivä tänään on? What's the date today? Monesko kerta tämä on kun pyydän sinua siivoamaan huoneesi? How many times do I have to tell you to clean your room? Monennek-siko hän sijoittui? How did he place?
monesti many times, frequently, often
mongoli Mongol
Mongolia Mongolia
mongolialainen s, adj Mongolian
mongolismi Down's syndrome, mongolism
mongoloidi Mongoloid
moni many monet ystäväni many of my friends monta kertaa many times moni nainen many a woman
moniarvoinen pluralistic
monijäseninen 1 (toimikunta) consisting of many members **2** (mat = lauseke) multinomial
monikansallinen multinational
monikko plural
monikollinen plural
monikymmeninen (yleisö) large, many-headed
monikäyttöinen multipurpose
monilapsinen large
monilukuinen numerous
monimutkainen complex, complicated
monimutkaisuus complexity, complication
moninainen various, multiple, multifarious
monin kerroin many times more, far more
moninkertainen multiple, manifold moninkertainen voittaja a winner many times over
moniosainen (kirjasarja) multivolume, (muu) divided into many parts
monipuolinen multifaceted, many-sided, diverse; (monitaitoinen) versatile
monipuolistaa diversify
monipuolistua diversify, be(come) diversified
monisanainen wordy, verbose, prolix
moniselitteinen ambiguous, polysemous
monisivuinen running to many pages, long
monistaa 1 (koneella) (photo)copy, duplicate, (ark) run off; (hist) mimeograph **2** (kasveja) propagate
moniste handout
monistus 1 (koneella) (photo)copying, duplication **2** (kasvien) propagation
monistuskone copier, copying machine; (hist) mimeograph machine
monitahoinen complex
monitahokas polyhedron
monitoimitalo multipurpose building
monitori monitor
monituhantinen running to the thousands, in the thousands
monituista kertaa many times over, over and over again
monityydyttymätön (rasvahappo) polyunsaturated
moniulotteinen multidimensional
monivaiheinen multiphase, polyphasic monivaiheinen elämä rich/ full/eventful life
monivuotinen (kukka) perennial monivuotinen ystävyys long-standing friendship monivuotinen vakuutus long-term insurance
mono ski boot
monopoli monopoly
monopolisoida monopolize (myös kuv)
monumentaalinen monumental
monumentti monument
moottori motor, engine
moottoriajoneuvo motor vehicle
moottorikelkka snowmobile
moottoriliikenne motor traffic
moottoripolkupyörä motorbike, moped
moottoripyörä motorcycle
moottoritie freeway

moottorivene motorboat
mopo moped
moppi mop
moraali 1 (yleiset siveellisyyskäsitykset) morals **2** (opetus) moral **3** (kyky säilyttää rohkeus) morale
moraalinen moral
moraalinen krapula moral hangover
moraaliton (moraalin vastainen) immoral, (ilman tietoa moraalista) amoral
moralisti moralist
morfiini morphine
morkata find fault with, criticize, complain about
morseaakkoset Morse code
morsian 1 (kihloissa oleva) fiancée **2** (häissä) bride
morsiusneito bridesmaid
morsiuspuku wedding dress
morsiusvihko wedding bouquet
mosaiikki mosaic
Mosambik Mozambique
moska trash, garbage, (sl) shit
Moskova Moscow
motata whack, crack, smack, punch
motiivi 1 (syy) motive **2** (taiteessa) motif
motivaatio motivation
motivoida motivate
motivoitunut motivated
motti 1 encirclement motissa surrounded **2** (halkomotti) a cubic meter of firewood **3** (patti) bump, lump, (ark) goose-egg
motto motto, slogan
moukari (sledge)hammer heittää moukaria throw the hammer
moukarinheitto hammer-throw
moukka boor, cad, lout moukan tuuri beginner's luck
muhamettilainen Mohammedan
muhamettilaisuus Mohammedanism, Islam
muhennos stew
muhentaa stew, (nuijalla) mash
muheva light, porous muheva juttu
muhia 1 (kastike) simmer **2** (rakastavaiset) roll in the hay
muhinoida flirt/play around
muhkea massive, stately, grand(iose)
muhkura bump, lump, (ark päässä) goose-egg
muhvi muff
muija old lady Mitä sinun muijasi siitä sanoo? What's your old lady going to say about that?
muikku (järvessä) vendace, (paistinpannussa) whitefish
muilla mailla abroad
muinainen ancient
muinaisesine ancient relic
muinaisjäännös ancient relic
muinaislöytö archeological find
muina miehinä casually, nonchalantly, offhand; (huomaamattomasti) inconspicuously
muinoin long ago, back in the olden days
muissa maailmoissa off in a world of his/her own
muistaa remember, recall, (murt) recollect Mikäli muistan As far as I can recall Siitä muistankin että That reminds me En ikinä muista nimiä I have a bad memory for names
muistavinaan olla muistavinaan pretend to remember (someone/something) Olen muistavinani että I seem to recall that
muistella remember, recall, reminisce about Eipäs muistella menneitä! Let bygones be bygones, what's done is done
muistelmat memoirs
muistelmateos memoir
muisti memory merkitä muistiin write/jot/note (something) down, make a note of vielä tuoreessa muistissa still fresh in your memory muistin virkistämiseksi to refresh your memory viisi muistiin (mat) carry five RAM-muisti RAM (memory)
muistiinpano note
muistiinpanovihko notebook/pad
muistijälki memory trace
muistikortti smart card
muistilehtiö notebook/pad
muistinmenetys amnesia
muistio memo(randum)

muistisiru memory chip
muisto 1 (muistikuva) memory, remembrance, reminiscence **2** (muistoesine) memento, keepsake, souvenir
muistokirjoitus obit(uary)
muistomerkki monument
muistotilaisuus memorial service
muistua be remembered muistua mieleen come to mind Siitä muistuikin mieleeni That reminds me
muistuttaa 1 (palauttaa muistiin) remind (someone of) **2** (tuoda mieleen, näyttää joltain) remind (someone of), resemble **3** (huomauttaa) point out, note, comment on **4** (moittia) complain (about/of)
muistutus 1 reminder (myös laskusta) **2** (huomautus) note, comment **3** (moite) rebuke, reproof, reproach, reprimand
muitta mutkitta without further ado
muka 1 they say, it's said, rumor has it, supposedly Vuorella asuu muka peikko They say there's a goblin living in the mountain Enkö muka pärjää yksinkin? You think I can't make it on my own? Etkö muka tule! What do you mean, you're not coming? Hän käveli katua muka ikkunoita katsellen She walked along the street pretending to look in the windows **2** sitä mukaa as (fast/soon) as, along with it Romaanit ostan yhden kerrallaan sitä mukaa kun ne ilmestyvät I buy the novels one at a time as soon as they appear
mukaan adv along Tulehan mukaan! Come on, come with us, come along! postp **1** along with Tule meidän mukaamme! Come with us! lukea mukaan include temmata mukaansa catch/sweep (someone) up (in your enthusiasm) **2** according to, in (someone's) opinion Hänen mukaansa According to him, in his opinion, as he sees it, to his mind tehdä ohjeiden mukaan do something as instructed/directed, follow the instructions toivon mukaan I hope, hopefully tapansa mukaan as (per) usual sen mukaan kuin as far as sopimuksen mukaan by agreement kaiken todennäköisyyden mukaan in all probability/likelihood tarpeen mukaan as needed lain mukaan by law
mukaan luettuna including
mukaansatempaava stirring, compelling, gripping
mukaelma adaptation, variation
mukailla adapt
mukailu adaptation
mukainen jonkin mukainen in conformance/accordance with olla jonkin mukainen conform to, correspond/agree/jibe with, match jonkun mielen mukainen to someone's liking
mukamas ks muka
mukana with (me/you/jne) olla mukana jossakin participate/take part in something, be present at something, be a member of something olla monessa mukana be involved in a range of things, have many irons in the fire iän mukana with the years, as you grow older, with maturity pysyä (kehityksessä) mukana keep up with (developments/changes)
mukauttaa adjust, accommodate, adapt
mukautua 1 adjust, accommodate, adapt **2** (kiel) agree (with), be congruent (with)
mukava 1 comfortable löytää mukava asento find a comfortable position elää mukavissa oloissa live comfortably mukava rahasumma a tidy sum of money **2** (sopiva) convenient mukavat kulkuyhteydet convenient connections **3** (ystävällinen) nice, friendly, easy-going
mukavasti 1 comfortably istua mukavasti sit comfortably **2** (sopivasti) conveniently saapua mukavasti ennen viittä arrive conveniently just before five
mukavuudenhaluinen comfort-loving; (kielteisesti) indolent, lazy
mukavuus comfort, convenience, niceness (ks mukava)
mukavuuslippulaiva ship sailing under a flag of convenience
muki mug, cup

mukiinmenevä not (half) bad, pretty good/nice, quite tolerable
mukillinen mugful, cupful
mukiloida mug, beat (up) Hannu mukiloitiin kaupungilla eilen illalla Hannu got mugged downtown last night
mukisematta without a complaint/grumble, willingly
mukista grumble, grouse, gripe
mukkelis makkelis head over heels, ass over teakettle
muksu kid
mukula 1 (perunan) tuber **2** (muksu) kid
mulkku (sl) cock, prick (myös kuv), dick
mulkoilla glower, glare, roll your eyes
mulkosilmä bugeyed, goggle-eyed
mullin mallin topsy-turvy, helter-skelter, upside-down
mullistaa 1 (kaupunkia tms) wreck, destroy, devastate **2** (tieteen alaa tms) revolutionize
mullistus 1 (fyysinen) destruction, devastation **2** (poliittinen, tieteellinen) upheaval, breakthrough, revolution
multa (top)soil, earth
multippeli skleroosi multiple sclerosis, MS
mummo 1 grandma, granny, gran **2** (täti) old lady
mummu grandma, granny, gran
muna 1 (kananmuna) egg, (munasolu) ovum **2** (kives) ball, nut
munakas omelet(te), soufflé
munakokkeli scrambled eggs
munanjohdin Fallopian tube
munasarja ovary
munata blow it, foul/screw/fuck (something) up
munaus blunder, boner, foul-up, fuck-up, snafu
munia 1 lay (an egg) **2** (munata) blow it, foul/screw/fuck (something) up
munkki 1 (luostarissa) monk **2** (kahvin kanssa: rinkelimunkki) doughnut, (hillomunkki) jelly doughnut, (possumunkki) bear's claw
munuainen kidney
muodikas fashionable, trendy, stylish
muodikkaasti fashionably
muodin mukainen in style/fashion
muodollinen formal
muodollisesti formally
muodollisuus formality
muodoltaan in shape/form
muodonmuutos metamorphosis, transformation
muodonvaihdos metamorphosis
muodostaa 1 form(ulate) **2** (muotoilla) shape **3** (perustaa) establish, found **4** (koostua) make up, constitute, consist of, be Rakennuksen pääosan muodosti iso torni The building was almost entirely made up of a large tower, consisted almost entirely of a large tower
muodostelma formation
muodostua be (trans)formed (into), become Se muodostui ongelmaksi hänelle, siitä muodostui hänelle ongelma It became a problem for her
muodostuma formation
muodostus formation
muodoton formless, shapeless
muokata 1 (maata) till, plow, cultivate, turn **2** (taikinaa) knead, (kermaa voiksi) churn, (villaa) card, (nahkaa) dress, (puuta) sand, (metallia) treat **3** (alokkaita tms) shape (up), beat/push/kick (someone) into shape **4** (tekstiä) edit, revise, polish, rewrite
muokkaamaton untilled, unplowed, uncultivated, unedited, unpolished (ks muokata)
muokkaus tilling, plowing, cultivation, kneading, churning, carding, dressing, sanding, treatment, editing, revision, polishing, rewriting (ks muokata)
muokkautua develop (into)
muona food, (ark) grub; (mon) provisions, victuals, (ark) vittles
muonitus provisioning
muori grandma (myös kuv)
muoti fashion, style, vogue
muotilehti fashion magazine
muotinukke 1 (nukke) mannikin, (department-store) dummy **2** (ihminen) fashion plate
muotisuunnittelija fashion designer

muotitietoinen fashion-conscious
muotivirtaus (fashion) trend
muoto form, shape niin muodoin thus, therefore ei millään muotoa no way muodon vuoksi for form's sake, as a pure formality, (lat) pro forma
muotoilija designer
muotoilla 1 (muovata) shape, form **2** (tehdä) make, fashion **3** (suunnitella) design **4** (laatia) formulate **5** (formatoida) format
muotoilu design teollisuusmuotoilu industrial design
muotoinen -shaped V:n muotoinen V-shaped
muotokuva portrait
muotoseikka formality, a matter of form
muotoutua take shape
muotti mold
muovailla mold, model, shape, fashion; (oppimateriaalia tms) adapt
muovailu modeling
muovailusavi modeling clay
muovailuvaha Play-Doh
muovata mold, model, shape
muovautua take shape
muovi plastic
muoviesine plastic article/item
muovinen plastic
murahdus growl, snarl
murahtaa growl, snarl
muratti ivy
murea (kakku) crumby, (liha) tender
murehtia 1 worry, be anxious (about) **2** (surra) grieve (for)
mureke (lihamureke) meatloaf, (vehnämureke) wheat biscuit
murentaa 1 crumble **2** (toiveita) crush, (luottamusta) undermine
murentua crumble (myös kuv)
murha murder, homicide, slaying; (salamurha) assassination
murhaaja murderer
murha-ase the murder weapon
murhaava murderous (myös katseesta)
murhanhimo bloodthirstiness
murhanhimoinen bloodthirsty
murhata murder, slay, kill, assassination
murhatutkimus murder/homicide investigation
murhayritys attempted murder/ homicide
murhe 1 (huoli) trouble, care, distress; (raam) cross (to bear) **2** (suru) sorrow, grief
murheellinen troubled, careworn, distressed; sorrowful, griefstricken
murheenkryyni nuisance, bother
murikka piece of rock
murina growl(ing), snarl(ing)
murista growl, snarl murista partaansa mutter under your breath, grumble/ mumble to yourself Vatsani murisee My stomach is rumbling
murjoa pound to a pulp, manhandle, beat someone till he's black and blue
murjottaa pout, sulk, mope (about)
murjotus pout, sulk
murju dump, hole (in the wall)
murkina grub, chow
murkinoida chow down, dig in
murot (breakfast) cereal
murotaikina short crust dough
Murphyn laki Murphy's Law
murre dialect
murros 1 (geol) rupture **2** breakthrough, crisis, revolution, upheaval
murrosikä puberty, adolescence, teenage
murrosikäinen s pubescent, adolescent, teenager adj pubescent, adolescent, teenaged
murrostila transitional/critical stage, crisis
murrosvaihe transitional/critical phase, crisis
murska (kivi/tomaattimurska) crushed rocks/tomatoes/jne lyödä murskaksi smash to smithereens/pieces, crush mennä murskaksi go/fall to pieces
murskaavasti (arvostella) scathingly, (voittaa) overwhelmingly
murskata crush, shatter, smash, pulverize; (sydämiä) break

murskautua be crushed/shattered/smashed/dashed to pieces
mursu walrus
murtaa 1 break surun murtama grief-stricken **2** (vierasta kieltä) speak with an accent puhua englantia suomeksi murtaen speak English with a Finnish accent
murtautua break in/out murtautua taloon burgle a house
murteellinen dialectal
murto burglary, breaking and entering (B and E)
murtoluku fraction
murtomaahiihto cross-country skiing
murto-osa fraction, small part
murtovaras (cat) burglar
murtovarkaus burglary
murtua 1 (fyysisesti) break, crack, collapse Minulta murtui jalka I broke my leg **2** (henkisesti) break (down), crack (up)
murtuma break, fracture
muru 1 (ruoan) morsel, (leivän) crumb **2** (kulta) dear, darling, sweetheart, honey, love
murunen (ruoan) morsel, (leivän) crumb
musa music
museo museum
museotavara museum piece, exhibit Syökää pois, ei se mitään museotavaraa ole Eat up, I didn't make it for the museum
musertaa crush, smash
musiikillinen musical
musiikinopettaja music teacher
musiikki music
musiikkielokuva musical
musiikkikasvatus music education
musikaali musical
musikaalinen musical
musikaalisuus musical talent
musisoida make music
musketti musket
muskettisotilas musketeer
musta s black (person/man/woman/child)
adj black Maailma meni mustaksi Everything went black
musta aukko black hole
mustaa valkoisella in black and white
musta hevonen black horse
musta huumori black humor
musta laatikko black box
mustalainen Gypsy
mustalaismusiikki gypsy music
musta lammas black sheep
musta lista black list laittaa joku mustalle listalle blacklist someone joutua mustalle listalle be blacklisted
mustamaalata defame, denigrate, slander, calumniate
mustamaija Black Maria
mustanaan black/swarming (with people)
mustanpuhuva black, dark
musta pörssi black market
mustasukkainen jealous
mustasukkaisuus jealousy
musta surma the Black Plague/Death
mustata smear, defame, denigrate
mustavalkoinen black-and-white
muste ink
mustekynä pen
mustelma bruise mustelmilla (all) black and blue
mustepullo inkbottle/-well
mustesuihkukirjoitin ink jet printer
mustetahra ink spot/stain
mustikassa käydä mustikassa go blueberrying
mustikka blueberry Oma maa mansikka, muu maa mustikka East, west, home is best
mustikkapiirakka blueberry pie
mustuainen pupil
muta mud
mutaatio mutation
mutantti mutant, (ark) sport, freak
mutina muttering, mumbling, grumbling
mutista mutter, mumble, grumble
mutka 1 curve, bend, turn **2** (ongelma) hitch, snag Tuli mutka matkaan We've got a problem muitta mutkitta without further ado, without beating around the bush

mutkainen curving, bending, winding
mutkaton 1 (ihminen) straightforward, direct, frank, candid **2** (asia) simple, unproblematic
mutkattomasti 1 (puhua) straightforwardly, directly, without beating around the bush **2** (sujua) smoothly
mutkikas 1 (mutkainen) curving, bending, winding **2** (monimutkainen) complicated, complex, intricate
mutkikkaasti complexly, intricately
mutkistaa complicate
mutkistua get/be(come) complicated/tangled up
mutkitella meander, wind (around)
mutrussa puckered (up)
mutsi ma, mom
mutta s but Ei mitään muttia No (ifs, ands, or) buts (about it)
konj but, yet, still, however En halua mennä, mutta kai minun täytyy I don't want to go, but I suppose I have to; however, I suppose I have to
mutteri nut
mutustella munch (on)
muu s else Ei muuta (tällä kertaa) That's all/it (for now) ennen muuta above all ilman muuta of course, naturally ynnä muuta etc., and the like Älä muuta sano! You can say that again!
adj other muut ihmiset the others muut tavarat the rest (of the things) muissa maailmoissa in a world of his/her own
muualla elsewhere, somewhere else
muuan a (certain) muuan Virtanen a man named Virtanen, a certain Virtanen
muukalainen s **1** (outo) stranger **2** (ulkomaalainen) alien, foreigner
adj strange, alien, foreign
muukalaislegioona (French) Foreign Legion
muuli mule
muumio mummy
muunkielinen (in a) foreign (language)
muunlainen another kind of, different
muun muassa among other things, (lat) inter alia
muunnelma variation, version
muunnin D/A-muunnin D/A converter
muunnos 1 (muunnelma) variant, version, modification **2** (biol) variety **3** (mat, tekn) transformation
muuntaa 1 (muuttaa) convert, transform, change **2** (sähkö, tekn) transform **3** (lak) commute
muuntaja transformer
muurahainen ant
muurahaiskarhu anteater
muurahaiskeko anthill
muurahaispesä anthill
muurain cloudberry
muurari mason, bricklayer
muurata brick in/up, lay brickwork, lay bricks, do masonry
muuraus brickwork, masonry
muurauslaasti mortar
muuri wall (myös henkinen)
muusa Muse
muussa tapauksessa otherwise
muutama some, a few muutamissa tapauksissa in some cases muutama markka a few marks tässä päivänä muutamana the other day, a few days ago
muutattaa have (something) changed
muutella change, alter
muuten 1 (ohimennen) by the way, incidentally Muistitko muuten hakea kuvat? By the way/incidentally, did you remember to pick up the pictures?
2 (muutoin) otherwise Muistin, muuten en olisi uskaltanut tulla kotiin Of course, otherwise I wouldn't have dared come home Tee se äkkiä, muuten minä suutun Do it now before I get mad, or else I'm going to lose my temper
muutenkin already, as it is, in any case Ikään kuin minulla ei olisi muutenkin tarpeeksi töitä! As if I weren't already swamped with work, as if I didn't have too much work as it is!
muuten vain just because, because I feel like it, for no particular reason
muutoin otherwise (ks muuten)
muutoksenhakija appellant
muutoksenhaku appeal

muutoksenhakutuomioistuin appellate court
muutos change, alteration, modification esittää lain muutosta propose an amendment (to a law) hakea muutosta päätökseen appeal a decision
muutosesitys proposed amendment
muuttaa 1 change, alter, modify, convert muuttaa autotalli makuuhuoneeksi convert the garage into a bedroom Se muuttaa asian That's different, that's a horse of a different color **2** (lakia tms) amend, revise **3** (tuomiota: alentaa) commute, (kaataa) reverse **4** (asuinsijaa) move, (ulkomaille) emigrate, (linnut) migrate
muuttaa kantaansa change your position, take (up) a different stance
muuttaa mielensä change your mind
muuttaa muotoaan transform yourself, be transformed, shift shape(s), change shape, undergo metamorphosis
muuttaa suuntaa change course, take a different tack
muutto moving, migration
muuttokustannukset moving costs/expenditures
muuttoliike 1 (väestön) migration **2** (firma) moving company
muuttotappio net emigration
muuttua 1 (toisenlaiseksi) change, alter **2** (tulla joksikin) become, turn, grow **3** (vaihdella) vary
muuttuja variable riippuva/ riippumaton muuttuja dependent/ independent variable
muuttumaton constant, unchanging, invariable, immutable
myhäillä smile contentedly/ benevolently
mykerökukkainen composite
mykistyä be dumbfounded, fall silent/ speechless
mykistää silence, strike dumb, dumbfound
mykiö lens
mykkä dumb, mute; (puhelin) dead; (elokuva) silent
mykkäfilmi silent movie
mykkäkoulu leikkiä mykkäkoulua give someone the silent treatment
myllerrys tumult, turmoil
myllertää (kuohuttaa) churn/stir (up), (etsiä) poke/rummage around (in), (kääntää ylösalaisin) turn upside-down
mylly mill
myllynkivi millstone
mylläkkä upheaval, rumble, riot, confusion, tumult
mylläri miller
mylviä howl, bellow
München Munich
myntti coin lyödä mynttiä jollakin put something to good use, take advantage of something, make hay out of something
myriadi myriad
myrkky poison; (käärmeen) venom, (bakteerimyrkky) toxin
myrkkyhammas poison fang
myrkkysieni poisonous mushroom
myrkyllinen poisonous
myrkynvihreä bright green
myrkyttää poison
myrkytys poisoning
myrsky storm, tempest tyyntä myrskyn edellä calm before the storm myrsky vesilasissa a tempest in a teacup
myrskyinen stormy, tempestuous (myös kuv)
myrskyisä stormy, tempestuous (myös kuv)
myrskylyhty hurricane lamp/lantern
myrskypilvi storm cloud
myrskytuuli storm/gale wind
myrskytä storm, rage
myrskyvahinko storm damage
myrskyvaroitus gale warning
myrtyä get depressed, feel dejected/ downcast/dispirited
myssy cap, (nauhalla kiinnittyvä) bonnet
mystiikka mysticism
mystikko mystic
mystinen mystical
mytologi mythologist
mytologia mythology
mytologinen mythological

myydä sell
myydä loppuun have a clearance sale, sell everything
myyjä 1 (kaupassa) sales(wo)man, sales clerk **2** (kaupanteossa) seller
myyjäiset rummage sale
myymälä store, shop
myymäläetsivä store detective
myymäläketju chain of stores
myymälävarkaus shoplifting
myymätön unsold
myynti 1 sale(s) **2** (liikevaihto) turnover
myyntiedustaja sales representative
myyntihinta price
myyntikielto sales ban
myyntipiste outlet
myyntipäällikkö sales manager
myyrä mole tehdä myyrän työtä undermine someone
myyskennellä peddle
myytti myth
myyttinen mythic
myyty mies a goner
myytävänä for sale
myöhemmin later
myöhä late
myöhäinen belated, late
myöhäiskeskiaika the late Middle Ages
myöhässä late
myöhästyskorko overdue interest
myöhästyä be/come/arrive late
myöhäsyntyinen belated
myöhään late myöhään illalla late at night/in the evening
myönnytys concession, admission
myönteinen (asenne tms) positive, (vastaus) affirmative
myönteisesti suhtautua myönteisesti take a positive attitude toward, be sympathetic toward
myöntymätön intractable, unyielding, inflexible
myöntyä agree/consent (to), go along (with)
myöntämispäivä date of issue
myöntävä affirmative vastata myöntävästi answer/reply in the affirmative, say yes
myöntää 1 admit, acknowledge, confess, agree; (murt) own up (to) Kyllä sinun täytyy myöntää, että suutuit ihan turhasta You've got to admit that you lost your temper over nothing **2** (tappio) concede **3** (suoda, antaa) grant, award, give myöntää tohtorin arvo/matka-apuraha grant (someone) a doctorate/travel stipend
myös too, also, as well Minä tulen myös I'll be coming too/as well, I'll also be coming ei ainoastaan vaan myös not only but also
myöskään ei myöskään not either Et sinä saa sitä eikä myöskään hän Neither you nor she will get it
myöten adv: antaa myöten **1** (antautua) give up/in, surrender, yield **2** (taipua) bend, give way **3** (hellittää) abate, ease off **4** (sallia) allow Jos aikatauluni antaa myöten If my schedule allows postp **1** (pitkin) along kävellä jokea myöten walk along the river **2** (jossakin asti) as far as Hän on matkustellut Aasiaa myöten He's traveled all over, all the way to Asia **3** (jostakin asti) all the way from Siellä oli vieraita Ruotsia ja Tanskaa myöten Some of the guests had come all the way from Sweden and Denmark **4** (johonkin asti) (all the way) to korvia myöten velassa up to your ears in debt ääriään myöten täynnä full to the brim pienintä yksityiskohtaa myöten (right) down to the tiniest detail koko Suomi Lappia myöten all of Finland, including Lapland palaa perustuksia myöten burn to the ground
myötä ajan myötä as time passes/goes by, in the course of time myötä tai vastaan for or against
myötäillä 1 (tie maisemia) follow, run along **2** (vaate linjoja) cling tightly to, fit tightly/snugly **3** (jonkun mielipiteitä) adopt (someone's position), accommodate yourself to (someone's opinions)
myötäinen 1 (tuuli tms) favorable purjehtia myötäiseen sail before the wind Onni oli myötäinen Luck was with us **2** (vaate) tight-/close-fitting, snug

myötäjäiset dowry
myötäkarvaan with the fur/grain
myötämielinen sympathetic (to), favorably disposed (to)
myötämielisesti sympathetically
myötäpäivään clockwise
myötäsyntyinen inborn
myötätunto sympathy, compassion
myötätuntoinen sympathetic, compassionate
myötätuntolakko sympathy strike
myötätuuli fair/leading wind
myötävaikuttaa play a part (in doing something), assist (in), (tekijä) be conducive to
mä I Mäkö se olin Was it me?
mädäntyä rot, decay
mäenlaskija ski jumper
mäenlasku ski jumping
mähihyppy ski jumping
mäki 1 hill, slope laskea mäkeä (go) sled(ding) kiivetä mäkeä ylös climb a hill **2** (urh) ski jump
mäkihyppääjä ski jumper
mäkinen hilly
mäkitupa cabin
mälli 1 (tupakka) gob **2** (tälli) blow
mämmi Finnish Easter pudding
mämmikoura butterfingers Sinä olet oikea mämmikoura You're all thumbs
männikkö pine wood(s)/grove
männynhavu pine needle
männynkäpy pine cone
männyntaimi pine sapling
mänty pine
mäntymetsä pine wood(s)/forest
mäntysuopa pine soap
mäntä piston
märehtijä ruminant
märehtiä 1 ruminate, (ark) chew the/its cud **2** (miettiä) ruminate, ponder, chew/hash over
märkiä fester, suppurate; (ark) ooze pus
märkä s pus
adj wet läpimärkä soaking/dripping wet, drenched
märkäpaise boil
mässäillä (ark) chow down, pig/pork out, stuff yourself, eat yourself into a stupor
mässäily overeating
mäsä mäsänä broken, busted lyödä mäsäksi smash (up), break, bust
mätkäyttää slap Minua mätkäytettiin 10 000 mk:n lisäverolla I got slapped with 10,000 marks in back taxes
mätkäytys slap, thump; (vero) additional/back tax
mätä s rot, decay, (lääk) pus
adj **1** (ruoka tms) rotten, decayed **2** (yhteiskunta tms) rotten, corrupt, sick, decadent läpeensä mätä rotten to the core
mätäkuu dog days
mätäneminen rotting, decay(ing)
mätäs hummock
määkiä baa, maa
määrin jossain määrin to some extent
määrite qualifier, modifier
määritellä define
määritelmä definition määritelmän mukaisesti by definition
määrittelemätön undefined, indeterminate
määrittely definition
määrittää 1 specify, determine, define, set määrittää tauti diagnose a disease **2** (kiel) qualify, modify
määritys determination
määrä 1 (paljous) amount, quantity suuret määrät lunta great/vast quantities of snow, lots of snow **2** (lukumäärä) number suuret määrät ihmisiä great numbers/crowds of people, lots of people
määräaika deadline, time limit; (umpeen menevä ajanjakso) term
määräaikainen regular, periodic, (something done/held) at regular intervals
määräasema terminus, (ark) last stop
määräenemmistö (yl) two-thirds majority
määräilevä domineering, bossy
määräillä give orders, boss (people) around

määräinen 1 (kiel) definite määräinen artikkeli the definite article (the) **2** jonkin määräinen (sekki) (a check) in the amount of
määrältään in number(s), numerically
määrämatka a certain distance pysytellä määrämatkan päässä jostakin stay arm's length away from something
määrämitta sahata määrämittaan cut to size
määränpää destination
määräpäivä the specified/agreed upon/appointed day
määräraha allocation, appropriation, funds
määrätä 1 specify, determine, set, fix määrätä jonkin arvo appraise määrätä pidettäväksi schedule **2** (lak: vero) levy, assess; (sakko) impose, inflict **3** (virkaan tms) appoint, assign **4** (käskeä) order, command, instruct kunnes toisin määrätään until further notice **5** (säätää) (fore)ordain, decree, decide **6** (lääkkeitä) prescribe
määrävähemmistö proportionate minority
määräys 1 specification **2** (virkaan) appointment **3** order, command, instruction **4** (säädökset) ordinance, decree, regulation **5** (lääkemääräys) prescription
määräytyä (jonkin mukaan, jostakin) be determined by
määrääjä little tyrant, bossy person
määräämätön unspecified
määräävälnen domineering, bossy
möhkäle piece of rock
möhlätä blunder (ark), goof/screw/foul/fuck up
mökki cottage, cabin
mökkihöperö claustrophobic tulla mökkihöperöksi be climbing the walls
mökkiläinen cottager
mökä racket, ruckus
mököttää pout, sulk
möly bellow(ing), roar(ing), howl(ing)
mölytä bellow, roar, howl
möläyttää blurt (something) out, put your foot in your mouth
mönjä goo
mörinä growl(ing)
möristä growl
mörkö boogeyman
mörskä dump
mörökölli grouch
mössö glop, (gooey) mess
möyhentää loosen
möyheä loose, light, porous
möyhiä (maata) loosen, (tyynyä) plump up
möykky lump möykky kurkussa a lump in your throat
möyriä 1 (myyrä maata) burrow **2** (vaatekomeroa) rummage about (in) **3** (mylviä) bellow, roar

N, n

naakka jackdaw
naama face hapan naama sour face/puss päin naamaa (sanoa) to his/her face, (sylkäistä) in his/her face, (ampua) point-blank vetää naamaansa stuff your face (with) (pitää) naama peruslukemissa (keep a) straight face
naamari mask
naamataulu face, (ark) mug
naamiaisasu costume
naamiaiset costume party, masquerade
naamio 1 (naamari) mask (myös kuv:) disguise **2** (pesukarhun) face mask **3** (meikkinaamio) face pack/mask
naamioida 1 mask (myös kuv:) disguise **2** (sot) camouflage **3** (meikata) make (someone) up
naamiointi masking, camouflage, makeup
naamioitua mask/disguise/camouflage yourself, masquerade (as), make yourself up
naapuri neighbor naapurin tyttö the girl next door
naapurikaupunki neighboring city/town
naapurimaa neighboring country itäinen naapurimaamme our eastern neighbor
naapurukset neighbors
naapurusto neighborhood
naapuruus neighborhood
naara grappling iron, drag
naaras female
naarata drag, dredge naarata ruumista joesta drag the river for the body
naaraus dragging, dredging
naarmu scratch
naarmuttaa scratch
naarmuuntua get scratched
naatti 1 (nauriin) tops **2** (ark) bushed
naava beard lichen
nahina squabble
nahista squabble (about)
nahistella squabble (about)
nahistua wilt
nahjus loafer, do-nothing, good-for-nothing
nahjustella loaf/laze around
nahka 1 (elävänä) skin, hide, (karvainen) pelt Käärme luo nahkansa The snake sheds its slough polttaa nahkansa auringossa get a sunburn, het burned **2** selvitä ehjin nahoin escape in one piece Pysy nahoissasi! Keep your shirt on, hold your horses! saada tuntea nahoissaan bear the brunt of it, suffer the consequences pelastaa nahkansa save your skin/hide/ass pelkkää luuta ja nahkaa all but skin and bones **3** (kuolleena) leather
nahkainen leather
nahkakantinen leather-bound
nahkasohva leather couch/sofa
nahkatakki leather coat/jacket
nahkea 1 (lehti) leathery **2** (maali) tacky
nahkiainen river lamprey
nahkoa skin
nahkuri tanner
naida 1 (joku) marry, wed parempi naida kuin palaa better to marry than to burn **2** (jotakuta) fuck
naiivi naive
naiivisti naively
naiivius naiveté, naivety
naikkonen broad, skirt, (mustien kesken) bitch
nailon nylon
naimakauppa arranged marriage, match

naimaton single, unmarried naimaton mies bachelor naimaton nainen (nuori) bachelorette, (vanha(piika), lak) spinster, unmarried woman
naimattomuus being single/ unmarried
naiminen 1 getting married, (ark) tying the knot **2** (sl) fucking
naimisiinmeno getting married
naimisissa married mennä uusiin naimisiin remarry, get married again mennä rikkaisiin naimisiin marry money
nainen woman, female Hyvät naiset ja herrat Ladies and gentlemen
nainen vaietkoon seurakunnassa let your women keep silence in the churches
nainut s married person adj married
naisasialiike the women's movement
naisellinen womanly, feminine
naisellisuus womanliness, femininity
naishenkilö woman
naisihminen woman
naisiin menevä mies ladykiller, lady's man, lover boy, Casanova, Don Juan
naisistua 1 (ryhmä)(become feminized **2** (mies) become effeminate
naiskuoro women's choir
naisliike the women's mowement, women's lib
naislääkäri woman doctor
naismainen womanish, effeminate
naismaisuus effeminacy
naisopettaja woman teacher
naispalkkaratkaisu equity raise for women
naispappeus ordination of women
naispappi female minister/pastor
naispuolinen female
naissankari lady-killer, lady's/ladies' man
naisseura 1 (seuralainen) date **2** (seura) the company of women olla naisseurassa be in the company of women, be with women
naisten mies ladies' man
naistenpäivä Women's Day
naistentanssit ladie's choice
naistentaudit gynecological diseases, (ark: oppiala) gynecology
naistenvihaaja misogynist
naistyövoima female labor
naisvaltainen female-dominated
naisviha misogyny
naisvoittoinen female-dominated
naittaa 1 (tyttärensä) marry (off) **2** (ark) staple
naivismi naivism, primitivism
naivistinen naivist, primitivist
nakata toss, throw
nakata niskojaan toss your head (defiantly)
nakella toss, throw
nakertaa gnaw (on/at)
nakki 1 wiener, frankfurter, hot dog; (ark) weenie **2** helppo nakki a piece of cake, no sweat
nakkimakkara wiener, frankfurter; (ark) weenie, frank
nakkisämpylä hot dog
naksahtaa click
naksua crack
naku naked
nakukuva dirty picture; (mon) porn, cheescake, T and A (tits and ass)
nakutettu sopia kuin nakutettu (osa, vaate) fit perfectly, (sopia mainiosti) be fine (and dandy)
nakuttaa (moottori) ping, knock; (muu) tap, rap, click, clack
nakutus pinging, knocking, tapping, rapping, clicking, clacking (ks nakuttaa)
naljailla 1 (ystävällisesti) kid, rib, rag **2** (pilkallisesti) taunt, mock, tease, needle
naljailu kidding, ribbing, ragging; taunting, mocking, teasing (ks naljailla)
nalkki jäädä nalkkiin get caught red-handed
nalkuttaa nag
nalkuttaja nag
nalkutus nagging
nalle teddy-bear Nalle Puh Winnie the Pooh
nalli 1 (räjähdyspanoksen tms) blasting cap **2** (leikkipyssyn) cap **3** jäädä kuin nalli kalliolle be left high and dry, be left hanging in the wind, get left out in the cold

nallipyssy cap gun
nami s goody, candy adj yummy nami nami nummy nummy, yum yum
Namibia Namibia
namibialainen Namibian
namu 1 (makeinen) goody, candy **2** (aikuisen lelu) toy **3** (nainen) babe
napa 1 (anat) navel, (ark) belly-button tuijottaa omaan napaansa be all wrapped up in yourself **2** (keskus) hub, center maailman napa hub of the universe **3** (pyörän tms) hub **4** (magneetin, maapallon, akun tms) pole
napaisuus polarity
napakka (ihminen) brisk, efficient; (tuuli) brisk, stiff
napanuora umbilical cord
napapiiri polar circle
naparetkeilijä polar explorer
naparetki polar exploration/ expedition
napaseutu polar region
napata grab, snatch
napata kultamitali land a gold medal
napatanssi belly dance
napata onkeen bite (myös ihmisestä)
napata valokuva snap a photo/ picture, take a snapshot
napata varas catch a thief
napaus 1 (isku) snap **2** (läksy) slap on the wrist
napauttaa snap
napero baby
napinreikä buttonhole
napista grumble, grouse, gripe
napittaa 1 button **2** (tuijottaa) stare, goggle
napostella munch
nappi 1 button avata nappi undo a button avata paidan napit unbutton a shirt panna napit kiinni button (up) a button panna paidan napit kiinni button (up) a shirt Se ei onnistu nappia painamalla You can't just push a button (and everything will be perfect) Ei me napeilla pelata We're not playing for peanuts **2** (kuv) osua nappiin hit the bull's eye, hit the nail on the head **3** töllöttää silmät napilla stare (at something) goggle-eyed, goggle (at something)
nappikauppa (kuv) small-time store, mom-and-pop business
nappikauppias small-time business(wo)man
nappisilmäinen beady-eyed
nappula 1 (painike) button, (katkaisija) switch **2** (tappi) peg, pin **3** (pelinappula) piece, player; (kuv) pawn **4** (raha) dough, bread **5** (lapsi) kid
nappulaliiga junior league; (baseballissa) Little League, (jalkapallossa) Pop Warner football
naprapaatti naprapath
naprapathia naprapathy
napsahtaa snap
napsauttaa snap
naputella tap naputella kirje koneella pound/bang out a letter on the typewriter
naputtaa tap
naputus tapping
narahdus creak
narahtaa creak
narina 1 (portaan tms) creaking **2** (ihmisen) grumbling, griping
narista 1 (porras tms) creak **2** (ihminen) grumble, gripe
narkkari drug addict, dope fiend, junkie
narkolepsia narcolepsy
narkoleptikko narcoleptic
narkomaani drug addict, (ark) junkie
narkomania drug addiction
narkoosi narcosis
narkoottinen narcotic
narrata 1 (vitsailla) kid, pull someone's leg Älä narraa! Don't kid a kidder, don't try that stuff on me, you can't fool me! **2** (petkuttaa) fool, con, dupe, trick narrata joltakulta rahat con someone out of his/her money
narrattava dupe, mark
narri 1 (hist) (court) jester, fool **2** (ark) fool pitää narrinaan make a fool of someone
narsismi narcissism

narsissi narcissus, (keltanarsissi) daffodil
narsisti narcissist
narsistinen narcissistic
narske crunching (noise)
narskua crunch
narskuttaa (hampaitaan) grit/grind (your teeth)
narttu bitch (myös naisesta)
naru 1 string, twine, cord vetää oikeasta narusta pull the right strings **2** (pyykkinaru) clothesline **3** (hyppynaru) jumprope hypätä narua jump rope
naruttaa string (someone) along
nasaali nasal
nasaalinen nasal
nasaalistua nasalize
nasalisaatio nazalization
nasaretilainen Nazarene Jeesus Nasaretilainen Jesus of Nazareth
naseva 1 (sopiva) apt, apposite, apropos **2** (sukkela) witty, aphoristic
naskali awl
nasta s **1** (painonasta) thumbtack **2** (talvirenkaan) stud **3** (ark kaasupoljin) pedal Nasta lautaan! Put the pedal to the metal! Floor it! Step on it! **4** (tekn) pin, peg
adj (ark) great, cool, rad(ical), awes(ome)
nastarengas studded snow tire
nastoittaa stud
natiivi s **1** (alkuperäisasukas) native **2** (äidinkieltään puhuva) native speaker
adj native
nationalismi nationalism
nationalisti nationalist
natista creak
nativismi nativism
nativisti nativist
nativiteetti nativity
nato sister-in-löaw, husband's sister
Nato NATO
natrium sodium
natriumglutamaatti monosodium glutamate, MSG
natriumkloridi sodium chloride, salt
natsa 1 (tupakan) stub, (sikarin) butt **2** (sotilaan) stripe
natsi Nazi
natsismi nazism
naturalismi naturalism
nauha 1 (koriste/kirjoitusnauha) ribbon **2** (kengännauha) (shoe)lace **3** (ääni/eristysnauha) tape ottaa nauhalle tape(-record) **4** (fys) string
nauhalaskuri tape counter
nauhamainen ribbonlike
nauhateoria (fys) string theory
nauhoite (tape) recording
nauhoittaa tape, (tape-)record
nauhoitus 1 (nauhoittaminen) recording (session) **2** (nauhoite) (tape)recording
nauhuri tape recorder
naukua 1 (kissa) meow **2** (ihminen) whine
naula 1 nail **2** (naulakon) peg **3** (pauna) pound
naulakko coat-/hatrack
naulan kanta osua naulan kantaan hit the nail on the head
naulata (drive a) nail
naulita nail naulita katseensa johonkin rivet your eyes on seisoa kuin naulittuna paikallaan stand riveted to the spot
nauraa laugh yrittää olla nauramatta try to keep a straight face nauraa katketakseen split/bust your sides with laughter, die laughing, laugh your head off nauraa partaansa laugh up your sleeve valmiiksi naurettu (a show) with a laugh track, with canned laughter
naurahtaa bark with laughter
naurattaa make (someone) laugh Minua ei nyt naurata I'm not in the mood for jokes, I don't feel much like laughing Älä naurata Don't make me laugh
naurattaja naisten naurattaja charmer
naureskella laugh and laugh
naurettava ridiculous, laughable, absurd
nauris turnip
Nauru Nauru
nauru laugh(ter) Minulla oli naurussa pitelemistä I could hardly keep from laughing, keep a straight face, I had to bite my tongue to keep from laughing Se ei ole mikään naurun asia It's no

laughing matter kuitata naurulla laugh (something) off purskahtaa nauruun burst out laughing
naurulainen s, adj Nauruan
naurunaihe laughingstock
naurunpuuska burst of laughter
nauta 1 (eläinlaji) bovine **2** (karja) cattle, (ark) beef 500 nautaa 500 head of cattle/beef **3** (liha) beef **4** (ihminen) dunderhead
nautinnollinen pleasureable, enjoyable
nautinnonhalu (myönteinen) love of pleasure, (kielteinen) self-indulgence
nautinnonhaluinen pleasure-loving, self-indulgent
nautinto pleasure, enjoyment
nautintoaine stimulant
nautiskelija pleasure-lover, hedonist, epicurean
nautiskella enjoy, bask (in), luxuriate (in)
nautittava enjoyable, pleasureable
nauttia 1 (jostakin) enjoy, take pleasure in, delight in **2** (jotakin: panna suusta alas) take, have, consume; (syödä) eat, (juoda) drink **3** (jotakin: saada osakseen) receive, enjoy
navakka brisk, fresh, sharp
navetta cowbarn/shed
navigoida navigate
navigointi navigation
ne they, (nuo) those, (nämä) these, (akkusatiivissa) them niitä them Oletko niitä ihmisiä? Are you one of them, that kind of person? niiden of them ne (ihmiset) jotka those who, the people who niitä näitä this and that
neekeri Negro
negatiivi negative
negatiivinen negative
neilikka 1 (kukka) carnation **2** (mauste) clove(s)
neiti miss
Neiti Aika Time soittaa Neiti Ajalle call Time
neiti-ihminen young lady
neito maid(en)
neitseellinen virginal, (vanh) maidenly neitseellinen lisääntyminen parthenogenesis
neitsyt 1 virgin Neitsyt Maria the Virgin Mary **2** (horoskoopissa) Virgo
Neitsytsaaret Virgin Islands
neitsyys virginity, (vanh) maidenhead
neliapila four-leaf clover
nelikulmainen four-cornered, quadrangular
nelikulmio quadrangle
nelikätinen four-handed
nelikätisesti four-handedly
nelin kontin on all fours
nelinpeli (tennis ym) doubles
nelinumeroinen four-digit
nelipyöräohjaus four-wheel steering
nelipyöräveto four-wheel drive
nelisenkymmentä around forty
neliskulmainen square, (suorakulmainen) rectangular
nelisylinterinen four-cylinder
nelitahtimoottori four-stroke engine
nelitahtinen four-stroke
neliö 1 square **2** (neliömetri) square meter 200 neliön talo 2000-square-foot house **3** (neliöjuuri) 2 korotettuna neliöön on 4 2 squared is 4
neliöjuuri square (root) 4:n neliöjuuri on 2 the square root of 4 is 2
neliökilometri square kilometer
neliömetri square meter
neliösenttimetri square centimeter
neljä four
neljäkymmentä forty
neljännes fourth, quarter
neljänneskilo quarter (of a) kilo, (noin) half a pound
neljännesvuosisata quarter (of a) century
neljän tuulen lakki fourcornered hat
neljäs fourth
neljäsataa four hundred
neljäskymmenes fortieth
neljäsluokkalainen fourth-grader
neljässadas four-hundredth
neljästi four times
neljästoista fourteenth
neljätoista fourteen

neljätuhatta four thousand
nelonen (the number) four
neloset quadruplets
nelostie Highway 4
neniin saada neniin get the stuffing/ shit beat out of you
nenä 1 nose nenä kiinni kirjassa with your nose in a book nenä tukossa stuffed-up nose nenä vuotaa have a runny nose nenä vuotaa verta have a bloody nose, have a nosebleed kaivaa nenäänsä pick your nose nyrpistää nenäänsä turn up your nose at niistää nenänsä blow your nose pidellä nenäänsä hold your nose pistää nenänsä johonkin stick your nose into something, butt into something antaa jotakuta nenälle show someone what's what, teach someone a lesson saada nenälleen get your nose put out of joint näyttää pitkää nenää thumb your nose (at someone) saada pitkä nenä laugh out of the other side of your face vetää jotakuta nenästä pull someone's leg per nenä per head, each **2** (kepin tms) tip, end
nenäkäs impertinent; (ark) smart-alecky
nenäliina (kankaasta) handkerchief, (paperista) kleenex
nenäontelo nasal cavity
nenä pystyssä with your nose in the air
nenät vastakkain face to face
nenäänsä pitemmälle ei nähdä nenäänsä pitemmälle not be able to see further than your nose
neonvalo neon light
Nepal Nepal
nepalilainen s, adj Nepalese
nero 1 genius **2** Nero Nero
nerokas ingenious, brilliant
nerokkaasti ingeniously, brilliantly
neronleimaus flash of genius
nerous genius
neste liquid, fluid
nestehukka dehydration
nestejäähdytys water-cooling
nestekaasu liquefied petroleum (LP) gas, bottled gas
nestekaasuliesi gas stove
nestekidenäyttö liquid crystal display, LCD
nestemäinen liquid
netota net
netto net
nettopalkka take-home pay
neula needle kuin etsisi neulaa heinäsuovasta like looking for a needle in a haystack istua kuin neuloilla be on pins and needles
neulanen (pine/fir/spruce) needle
neulatyyny pincushion
neule 1 (kangas) knit **2** neuleet knitwear **3** (kudin) knitting
neuloa 1 (kutoa) knit **2** (ommella) sew
neulonta knitting
neuroosi neurosis
neurootikko neurotic
neutraali neutral
neutralisoida neutralize
neutri neuter
neutriino neutrino
neutronipommi neutron bomb
neuvo 1 piece of advice, (mon) advice Annan sinulle ilmaisen neuvon Let me give you some free advice **2** (konsti) plan, device, solution Mikä nyt neuvoksi? What are we going to do now?
neuvoa 1 (antaa neuvoja) advise, counsel **2** (näyttää) show Voisitko neuvoa, miten tätä käytetään? Could you show me how to work this? **3** (kertoa) tell, direct Voisitteko neuvoa, miten pääsen yliopistolle? Could you please direct me to the university?
neuvoa antava advisory
neuvoja advisor, counselor
neuvokas resourceful
neuvola clinic
neuvonantaja advisor
neuvonpito consultation, deliberation
neuvonta 1 (tiski/toimisto) information (desk/office) **2** (terapia) guidance, counseling
neuvos counsel(or)
neuvosto 1 council **2** (NL:ssä) soviet

Neuvostoliitto Soviet Union Sosialististen neuvostotasavaltojen liitto, SNTL Union of Soviet Socialist Republics, USSR
neuvostoliittolainen s, adj Soviet
neuvostoupseeri Soviet officer
neuvostovalta the Soviet state
neuvostovastainen anti-Soviet
neuvotella negotiate, confer, consult, discuss
neuvottelija negotiator
neuvottelu negotiation, conference, consultation, discussion
neuvotteluteitse at the negotiating table
neuvottelutilaisuus negotiation
neuvot vähissä nonplused, baffled, stumped
neva open bog
New Brunswick New Brunswick
Newfoundland Newfoundland
Nicaragua Nicaragua
nicaragualainen s, adj Nicaraguan
nide volume
nidos 1 (sidos) binding **2** (kirja) volume
niekka artist
nielaista swallow (myös kuv) Älä nielaise ennen kuin tipahtaa Don't count your chickens before they're hatched
niellä swallow (myös kuv)
nielu 1 (anat) throat **2** (tulivuoren) crater **3** (kuv) chasm, abyss, maw
nielurisa tonsil
niemeke spit
niemenkärki the tip of a cape
niemi cape, (iso) peninsula, (pieni) spit
niemimaa peninsula
Niger Niger
Nigeria Nigeria
nigerialainen s, adj Nigerian
nigeriläinen s, adj Nigerian
nihilismi nihilism
nihilisti nihilist
nihilistinen nihilistic
niiata curtsey
niiaus curtsey
niin adv **1** so Niin sinä sanot So you say niin iso so big **2** such (a) niin hyvät ystävät such good friends niin hyvä ystävä such a good friend, (vanh) so good a friend **3** niin... kuin as... as niin paljon kuin mahdollista as much as possible **4** (sillä tavalla) like that Niin ei saa puhua You're not supposed to talk like that Niin ei saa sanoa You're not supposed to say that
konj **1** then (tai jää kääntämättä) Jos hän ei tule, niin olemme lirissä If she doesn't come, (then) we're in trouble **2** and Tule tänne niin annan sinulle haukun suklaastani Come here and I'll give you a bite of my chocolate
interj yes, that's right, exactly, precisely Niinpä niin! You're so right! I couldn't have said it better myself niin niin yes yes, right right, sure sure
niin... kuin... -kin both... and, as well as niin miehet kuin naisetkin both (the) men and (the) women miehet niin kuin naisetkin the men as well as the women
niin että so that ei niin että not that
niini bast
niin ikään similarly, likewise
niin ja niin adj so, this niin ja niin iso about this big
adv so (and so) Se piti tehdä just niin ja niin They wanted me to do it just so
niin ja näin up in the air, up to question, doubtful, so-so
niin kai I suppose (so)
niin kauan kuin as long as, while Istun tässä niin kauan kuin sinä olet poissa I'll sit here as long as you're gone
niinku (ark) like Se oli niinku hirveen iso tieksä It was like humongous ya know?
niin kuin (ennen substantiivia) like, (ennen verbiä) as
niin kuin ei mitään just like that, like nothing (at all), no sweat/problem
niinkään Ei ihan niinkään That's not it either Ei niinkään iso Not even that big
niinkö? is that so/right/true?
niin muodoin similarly, in like fashion
niin no 1 (empien) hmm, let's see, I don't know **2** (suostuen) okay, all right, sure
niin ollen thus, therefore

niin pian kuin as soon as niin pian kuin mahdollista as soon as possible, A.S.A.P.
niin sanoakseni so to speak
niin sanottu so-called
niin sitä pitää attaboy, attagirl, that's the ticket/stuff
niin tai näin one way or the other
niin vain just like that
niisi heddle
niistää 1 (nenää) blow **2** (kynttilä) snuff
niitata rivet, (ark nitoa) staple
niittaus riveting, (ark) stapling
niitti rivit, (ark) staple
niitto mowing, cutting, (raam) reaping
niittokone mower
niitty meadow
niittää 1 (viljaa) mow, cut, (raam) reap Mitä ihminen kylvää, sitä hän myös niittää As ye sow, so shall ye reap **2** (mainetta) win, achieve
nikama vertebra
nikkari 1 joiner **2** (ark) handyman
nikkaroida 1 do joinery **2** (ark) fix things up (around the house)
nikkeli nickel
nikotella 1 hiccup **2** (takellella) stammer, stutter Sano äläkä nikottele! Spit it out!
nikotiini nicotine
nikotiinimyrkytys nicotine poisoning
nikottaa Minua nikottaa I've got the hiccups
nikotus the hiccups
niksi trick, (helpful) hint Siinä on omat niksinsä (työ) You've got to know the tricks of the trade, (kone) It's got its little quirks Siinä se niksi onkin That's the whole point
nila bast, inner bark, sieve tissue
niljakas (inhottavan) slimy, (liukas) slipper
nilkka ankle housut nilkoissa with your pants (down) around your ankles
nilkkaimet spats
nilkkuri anklet
nilkuttaa limp
nilviäinen mollusk
nimeen vannoa jonkun/jonkin nimeen swear by someone/something
nimeksi 1 antaa nimeksi name **2** scarcely/hardly (any) Täällä on ruokaa vain nimeksi There's hardly enough food to feed a mouse here
nimekäs well-known, renowned, famous, noted
nimellinen nominal
nimellisarvo face value
nimellisesti in name, nominally
nimellä under/in a/the name (of) kirjoittaa taiteilijanimellä write under a pseudonym, use a pen/assumed name Ainakin se kulkee sillä nimellä That's what it's called anyway Meillä oli pöytä varattuna Virtasen nimellä We have a reservation for Virtanen
nimeltä mainitsematon henkilö a person who shall be/remain nameless
nimenomaan 1 (erityisesti) explicitly, expressly **2** (tarkalleen) precisely, exactly **3** (varsinkin) particularly, in particular, especially
nimenomainen 1 (erityinen) explicit, express **2** (juuri se) the precise/exact **3** (nimetty) particular
nimessä in the name of lain nimessä in the name of the law Jumalan nimessä on tehty paljon hirveitä asioita Many atrocities have been committed in God's name ei missään nimessä under no circumstances, on no condition
nimetä 1 (sanoa nimeltä) name **2** (ehdottaa) nominate **3** (määrätä) appoint, name
nimetön s **1** (sormi) ring finger **2** nimettömät (vaatteet) unmentionables adj nameless, unnamed, anonymous
nimi 1 (ihmisen, eläimen tms) name **2** (kirjan tms) title, heading, name **3** (maine) reputation, name Ei nimi miestä pahenna, jos ei mies nimeä A reputation never hurt anyone, as long as it's a good one hankkia nimi itselleen make a name for yourself
nimike 1 (kustantajan) title **2** (tullinimike) tariff heading/ number/item
nimikirja 1 (toimiston tms) register **2** (yliopiston) placement file, dossier

nimikirjain initial allekirjoittaa nimikirjaimin initial
nimikirjanote dossier
nimikirjoitus signature
nimimuisti memory for names
niminen Ei täällä asu sen nimistä henkilöä No one by that name lives here Hanna-niminen tyttö a girl named/called Hanna
nimi on enne (lat) nomen est omen
nimipäivä name day
nimismies sheriff
nimistö nomenclature
nimitellä call (someone) names
nimittäin 1 (ennen luetteloa) : Kaikki kolme havupuulajiamme, nimittäin kuusi, mänty ja kataja All three of our evergreen species: spruce, pine, and juniper **2** (toisin sanoen) that is (to say), namely, i.e., (vanh) viz. Hän, nimittäin Henry, oli tullut myöhässä He - that is, Henry - had arrived late **3** (tarkalleen ottaen) to be specific **4** (sillä) because, you see En voi tulla, olen nimittäin sairaana I can't come, you see I'm sick (in bed)
nimittäjä denominator
nimittäminen naming, nomination, designation, appointment (ks nimittää)
nimittää 1 (kutsua) call **2** (antaa nimeksi) name **3** (virkaan tms: ehdottaa) nominate; (nimetä) name, designate; (määrätä) appoint
nimitys 1 (nimi) name, appellation; (lempinimi) nickname **2** (virkaan) appointment
nimiö 1 (kirjan) title (page) **2** (tietok) label
nipistys pinch
nipistää pinch
nippu (seteleitä) wad; (nuolia, vehnää, kirjeitä) sheaf; (risuja, kirjeitä, vuotia) bundle; (kukkia, avaimia) bunch
nipukka tip
niputtaa bundle/bunch (up)
nirri ottaa joltakulta nirri pois let the air out of someone, wring someone's neck
nirso particular; (ylät) fastidious; (ark) picky, choosy
nirsoilla be particular/picky, pick and choose, turn your nose up at the things you don't like
nirvana nirvana
niska nape of the neck hengittää jonkun niskaan breathe down someone's neck silmät niskassa(kin) eyes in the back of your head saada jonkun niska taipumaan bring someone to his/her knees tarttua itseään niskasta pull yourself together
niska limassa tehdä töitä niska limassa work your butt/ass off, work like a dog, keep your nose to the grindstone
niskan päällä olla niskan päällä have the upper hand
niskasärky neckache, neck pain
niskat nurin Häneltä meni niskat nurin She broke her neck vääntää joltakulta niskat nurin wring someone's neck
niskoille ottaa syy niskoilleen take full blame/responsibility (for something) lykätä syy jonkun niskoille blame someone else (for something), put the blame on someone else's shoulders
niskoitella be recalcitrant/refractory/insubordinate/impertinent; (ark) talk back, sass
niskuri rebel, nonconformist, dissenter, malcontent
nisu wheat
nisä (anat) mammary (gland), (ark) teat, tit; (naisen) breast; (lehmän) udder
nisäkäs mammal
nitistää 1 (tappaa) snuff out, bump off **2** (voittaa) clean (someone's) clock, wipe (someone) out
nitoa 1 (kirjan sidos) sew, stitch **2** (sitoa) bind **3** (nitojalla) staple
nitro heart medicine, nitro (tablet)
nitroglyseriini nitroglycerin, (ark) nitro
nitroglyseroli nitroglycerin, (ark) nitro
niukalti little, few Ruokaa on niukalti We're running low on food, the cupboard is (almost) bare Aikaa on niukalti We're pressed for time, we're running late

niukin naukin nip and tuck, just barely, by the skin of your teeth
niukka 1 (vähäinen) meager, scanty, bare **2** (askeettinen) ascetic, frugal **3** (täpärä) narrow, close
niukkaeleinen economical, spare
nivaska bundle, bunch
nivel joint
nivelauto articulated bus
nivelreuma rheumatoid arthritis
nivelside ligament
niveltyä 1 (luu tms) be articulated, be connected by joints **2** (asiat) fit/go together, be interrelated/-locked/ -linked
niveltää 1 (akseli tms) articulate, connect with joints **2** (asiat) connect up, link together
nivoutua fit/go together, be interrelated/-locked/-linked
nivuset groin
no well niin no okay, all right
Nobelin palkinto Nobel prize (for literature/chemistry/jne) Nobelin rauhanpalkinto Nobel peace prize
noidannuoli lumbago
noin 1 (tuolla tavalla) like that Ei noin saa puhua! You're not supposed to talk like that! Ei noin saa tehdä/ sanoa! You're not supposed to do/say that! **2** noin iso that/so big noin iso talo such a big house, so big a house, as big a house as that **3** tuolla noin over there **4** (suunnilleen) around, about; (jotain) something like, some Tule noin klo 8 Come around 8 noin v. 1850 in around 1850, circa/ca 1850 noin 60 vuotta sitten some(thing like) 60 years ago
noin niin kuin sort/kind of (like) Me noin niin kuin koputettiin ovelle We just sort of knocked on the door
noin vain just like that
noita witch; (mies) warlock, sorcerer
noita-akka witch
noitua 1 (taikoa) cast a spell on (someone), bewitch (someone), turn (someone) into (something) **2** (kiroilla) swear (up a storm), curse (a blue streak)
noja rest, support
no jaa yeah well, aw hell
nojaan jäädä oman onnensa nojaan be left to your own devices, be left to fend for yourself En halua jättää tätä yhden neuvon nojaan I want a second opinion on this
nojalla jonkin nojalla (perusteella) on the basis/grounds of, by virtue of
nojallaan leaning (against) panna jokin nojalleen jotakin vasten lean something against something
nojapuut parallel bars
nojassa jonkin nojassa **1** (fyysisesti) resting on istua pää käden nojassa with with your head (propped up) on your hand **2** (rahallisesti tms) dependent on Koko perhe elää minun pienen palkkani nojassa The whole family depends on my tiny take-home pay
nojata 1 (fyysisesti: jonkin päälle) rest (on), (jotakin vasten) lean (against) **2** (nojautua: ihminen) base (your actions) on, (asia) be based on **3** (riippua jostakin) (be) depend(ent) on, revolve around
nojautua (ihminen) base (your actions) on, (asia) be based on
nokare (savea) chunk, (voita) pat
noki 1 soot **2** (kasv) blight
nokikolari (chimney)sweep
nokittaa raise Nokitan viidellä I'll raise you five
nokka 1 beak (myös kuv:) nose Kenelläkään ei pitäisi olla nokan koputtamista This shouldn't concern anybody (but me), this is nobody's business (but my own) omin nokkineen on your own (authority), all by yourself ottaa nokkiinsa take offense (at), get hurt **2** (auton) nose, (laivan, veneen) bow **3** (teekannun) spout, (maitokannun) lip **4** (tekn) cam **5** (kärki, nenä) tip
nokkakolari head-on collision/crash
nokkava impertinent; (ark) smart-alecky
nokkela 1 (suunnitelma tms) clever, ingenious, imaginative **2** (repliikki) clever, witty, deft
nokkelasti cleverly, ingeniously, imaginatively, wittily, deftly (ks nokkela)
nokkia peck

nokkimisjärjestys pecking order
nokkonen nettle
nokoset nap, snooze ottaa nokoset grab forty winks
no kun but, 'cause
nolata embarrass, humiliate, mortify Nolattuna luikin tieheni Red with embarrassment I beat a hasty retreat
nolla zero; (ark) zilch, zip; (puhelinnumerossa) 0 /ou/ X johtaa 15-0 (tenniksessä) X is leading fifteen to love; (muissa lajeissa) X is leading fifteen to nothing/zero Sami on täysi nolla Sami's a total nothing/nobody Äiti, reikiä nolla! Look mommy, no cavities! aloittaa nollasta start from scratch viisi astetta nollan alapuolella five degrees below zero
nollakasvu zero growth
nollata 1 (mittari) (reset to) zero **2** (sähköpiiri) zero-ground
nollaus zero(-ground)ing (ks nollata)
nollauspainike reset button
nolo 1 (asia) embarrassing, humiliating, mortifying **2** (olo) embarrassed, humiliated, mortified Tunsin itseni niin noloksi I was so embarrassed/ashamed
nolostua get embarrassed
nolottaa Minua nolottaa I'm embarrassed/ashamed
nomadi nomad
nominatiivi nominative
no niin 1 (alistuen tosiasioihin) oh well, okay, sure **2** (aloittaen innolla uutta) okay, all right, great, let's get started **3** (teinpäs sen!) there (we/you go)! got it!
no no! 1 (lopeta mekastus tms) come come! now now! stop it! snap out of it! **2** (lopeta itkeminen tms) there there! so so! it'll be all right! everything will turn out all right in the end!
nootti note
noottikriisi (the Finnish) note crisis (of 1961)
nopanheitto dice-rolling
nopea fast, quick, rapid, speedy; (run) swift
nopeakasvuinen fast-growing
nopeasti fast, quickly, rapidly, speedily, swiftly
nopeatempoinen upbeat
nopeus speed, velocity
nopeusmittari speedometer
nopeusrajoitus speed limit
nopeuttaa speed up, pick up the pace
nopeutua speed up, (vauhti=pace) pick up
noppa die, (mon) dice
nopsa fast, quick (on your feet), nimble
Norja Norway
norja 1 (taipuisa) flexible, pliable **2** (notkea) supple, lithe **3** (norjan kieli) Norwegian
norjalainen s, adj Norwegian
norjankielinen Norwegian (-language)
norjistaa loosen up
norjistua loosen up
norkko catkin
norkoilla 1 (oleskella) hang around **2** (kärkkyä) lie/hang (around) in wait for, have your eye on
normaali s **1** (kohtisuora) perpendicular **2** (tangentin) normal adj normal, standard
normaalikoulu (hist) normal school; teachers' training school
normaaliobjektiivi standard lens
normaalisti normally
normaalitapaus normal/standard case
normalisoida normalize
normalisointi normalization
normatiivinen normative
normi norm, (vaatimus) standard
normittaa standardize
normitus standardization
noro trickle Kyyneleet valuivat noroina hänen poskillaan The tears were running/trickling down his cheeks
norssi 1 (kala) smelt **2** (ark koulu) Normal High
norsu elephant
norsunluinen ivory
norsunluu ivory
Norsunluurannikko Ivory Coast

nostaa 1 lift (something) up, raise, elevate, (maasta) pick (something) up nostaa kirja alas hyllyltä lift a book down off a shelf **2** (rahaa pankista) withdraw, take/draw out
nostaa ankkuri weigh anchor
nostaa eläkettä receive a pension
nostaa jalustalle put someone up on a pedestal
nostaa katseensa look up (from/at)
nostaa kysymys esiin raise a question
nostaa laatua improve something's quality, the quality of something
nostaa meteli raise hell (about), make a stink (about)
nostaa perunoita dig up potatoes
nostaa syyte file suit (against), sue (someone)
nostaa vettä kaivosta draw water from a well
nostattaa 1 (pölyt tms) raise **2** (protestit tms) provoke, stir up, call forth **3** (taikinaa) let (the dough) rise
nostin hoist, lift(er)
nosto 1 lifting, raising, elevation **2** (pankista) withdrawal **3** (lak) retrial, review
nostokurki crane
nosturi crane
notaari notary julkinen notaari notary public notaarin vahvistama notarized
notariaatti 1 (notaarin virka) notaryship **2** (pankin osasto) credit department
notariaattiosasto credit department
noteerata 1 (osakkeita) quote **2** (ark arvostaa) pay attention to, notice, rate Sitä ei noteerattu miksikään It was completely ignored
notkahtaa buckle
notkea 1 (ihminen) supple, lithe, limber **2** (tanko tms) pliable, flexible **3** (taikina) soft, easy to knead **4** (voi) soft, easy to spread **5** (neste) viscous, (ark) runny
notkelma hollow, depression
notkeus suppleness, litheness, limberness, pliability, flexibility, softness, viscosity (ks notkea)
notkistaa 1 (taivuttaa) bend **2** (tehdä notkeammaksi) loosen up **3** (voita) cream
notkistua loosen up
notko hollow, glen; (maassa) depression; (katossa) sag notkollaan sagging painua notkolle sag
notkoselkäinen swaybacked
notkua 1 (taipua) bend **2** (keinua) sway
noudatella follow
noudattaa 1 obey, observe, comply with, follow noudattaa lakia obey/comply with/observe the law **2** (pitää kiinni jostakin) adhere/conform/keep to Elokuva noudattaa melko uskollisesti romaanin juonta The movie is pretty faithful to the novel's plot **3** (kiel) agree with, be congruent with Verbin täytyy noudattaa subjektin lukua The verb must be numerically congruent with the subject
noudattaa hetken mielijohdetta act on a whim, do something on the spur of the moment
noudattaa kohtuutta be moderate, show moderation
noudattaa kutsua accept an invitation
noudattaa puolueettomuuspolitiikkaa pursue a policy of neutrality
noudattaa varovaisuutta exercise caution
nougat nougat
noukkia pick up
nousta 1 rise, climb, ascend, go up **2** (kulkuneuvoon) get/climb on (ks myös hakusanat) **3** (pois kulkuneuvosta) get/climb off/out **4** (kasvit maasta) sprout, spring/come up **5** (kysymys esille) come up, be raised **6** (vuoteesta) get up, (ylät) rise **7** (olla yhteensä) total, reach, amount/come to, add up to
nousta hevosen selkään mount a horse nousta hevosen selästä dismount (off the horse)
nousta jaloilleen stand up, (ylät) rise to your feet

nousta jotakuta vastaan rise (up) against
nousta kapinaan rise up in revolt/arms
nousta kuolleista rise from the dead
nousta laivaan go on board ship
nousta lentokoneeseen board an airplane/the aircraft
nousta maineeseen become famous
nousta pintaan rise/float up to the surface, (kuv) become famous
nousta pöydästä (get up and) leave the table, excuse yourself from the table
nousta rakkuloille blister
nousta seisomaan stand up
nousta takajaloilleen (fyysisesti) rear up on its hind legs, (suuttua) get your hackles up
nousta tilanteen tasalle rise to the occasion
nousta urallaan get ahead in your career
nousta valtaan rise/ascend to power
nousta valtaistuimelle ascend to the throne
nousta väärällä jalalla get up on the wrong side of the bed
nousu 1 (fyysinen ja kuv) rise, climb, ascent **2** (määrällinen) increase **3** (sängystä) getting up (out of bed) Minulla on aikainen nousu huomenna I've got an early morning (ahead of me) tomorrow **4** (lentokoneen) take-off, (raketin) lift-off **5** (kierteen) pitch **6** (askelman) riser
nousukas upstart
nousukausi boom, upswing
noususuhdanne boom, upswing
noutaa 1 (tavarat, lapset) pick up **2** (koira keppiä) fetch, (ammuttu riistaa) retrieve
noutaja 1 (koira) retriever **2** (kuolema) the (Grim) Reaper
nouto pickup
noutopiha pickup yard
noutoposti general delivery
Nova Scotia Nova Scotia
novelli short story
nudismi nudism
nudisti nudist
nuha (head/chest/throat) cold
nuhainen sniffly
nuhakuume influenza, (ark) flu
nuhde 1 (perheessä tms) scolding **2** (virallinen) reprimand
nuhdella 1 (perheessä) scold, upbraid, take to task, rake over the coals **2** (virallisesti) reprimand
nuhraantua wear out, get (vaatteet) shabby, (kengät) scuffed
nuhteeton impeccable, irreproachable, blameless
nuija 1 club **2** (puheenjohtajan) gavel heilutella nuijaa chair (the meeting/session) **3** (tuntosarven pää) club **4** (ark) dolt, fartface, turkey
nuijia 1 (lyödä) club **2** (lihaa) pound **3** (kokouksessa, huutokaupassa) bring the hammer/gavel down on
nuiva 1 dry **2** (ilme) sour **3** (asenne) sullen, dour
nuivasti dryly, sourly, sullenly, dourly
nujertaa 1 (tuhota) crush, smash **2** (tukahduttaa) suppress **3** (lannistaa) beat down, discourage, dishearten
nujertua 1 (jäädä häviölle) be beaten **2** (tuntea jäävänsä häviölle) feel crushed/discouraged/beaten, lose heart
nukahtaa fall asleep
nukka 1 (nöyhtä) lint **2** (lehden, posken) down, (ark) fuzz **3** (maton) nap, (ryijyn) tuft
nukke 1 doll **2** (nukketeatterissa) puppet (myös kuv), (sätkynukke) marionette
nukkekoti dollhouse
nukketeatteri puppet show
nukkua sleep, (olla unessa) be asleep/sleeping mennä nukkumaan go to sleep/bed
nukkua hyvin/huonosti get a good/bad night's sleep
nukkua kuin tukki sleep like a log
nukkua myöhään sleep in/late
nukkua pommiin oversleep
nukkua päänsä selväksi sleep it off
nukkua taivasalla sleep outside, out of doors, out under the stars

nukkua vanhurskasten unta sleep the sleep of the just
nukkumaanmeno going to bed
nukkumaanmenoaika bedtime
nukkuma-asento sleeping position, the position you sleep in
nukkumapaikka place to sleep Voisitko näyttää minun nukkumapaikkani? Could you show me where I'm going to sleep?
nukkumatti sandman
nukkuvien puolue non-voters, Silent Majority
nukkuvinaan olla nukkuvinaan pretend to be asleep
nukuksissa asleep
nukute anesthetic
nukutella rock/lull/sing someone to sleep
nukuttaa 1 (nukutella) rock/lull/sing someone to sleep **2** (lääk) anesthetize, (ark) knock (someone) out, put (someone) under **3** Minua nukuttaa I'm sleepy
nukutus anesthesia
nukutusaine anesthetic
nukutuslääkäri anesthesiologist
nulikka scamp, imp, rapscalion, scallawag
nuljahdus slip
nuljahtaa slip
numeerinen numerical
numero 1 number, numeral, figure; (luvun yksittäinen numero) digit Luvussa 100 000 on kuusi numeroa 100,000 is a six-digit number soittaa väärään numeroon dial/call/punch the wrong number arabialaiset/ roomalaiset numerot Arabian/ Roman numerals **2** (koko) size Mitä numeroa etsitte? What size did you want that in? **3** (ohjelmanumero) number, piece, act Seuraava numeroni on For my next number I'd like to do **4** (lehden) issue, number vanhat numerot back issues **5** (koulunumero) grade Minun numeroissani on kuulemma toivomisen varaa My parents say I have to bring my grades up **6** (vouhotus) deal tehdä iso numero jostakin make a big deal about something
numeroida number, (sivut) paginate
numeroinen -digit/-figure
numerointi numbering, (sivujen) pagination
numeroittain numerically, by the numbers
numeroitu numbered
numerojärjestys numerical order
numerolukko combination lock
numeronäppäimistö (tietokoneen) numeric keypad
numismaatikko numismat(olog)ist
nummi heath, moor
nunna nun
nunnaluostari convent, nunnery
nuohota 1 sweep (the chimneys) **2** (siivota) sweep, scour, scrub **3** (etsiä) comb
nuokkua (ihminen) nod (off), (kukka) droop
nuolaista lick Älä nuolaise ennen kuin tipahtaa Don't count your chickens before they're hatched
nuoleksia lick
nuolenheitto darts
nuoleskella lick
nuoli 1 arrow **2** (tikka) dart **3** (tähtikuvio) the Arrow
nuolla lick
nuoltu (kuv) slick, sleek
nuora 1 string, twine, cord **2** (pyykkinuora) clothesline **3** (sirkuksessa) tightrope tanssia nuoralla walk the tightrope
nuorallatanssija tightrope-walker
nuorehko youngish
nuorekas youthful
nuoremmakseen Mene sinä nuoremmaksesi You're so young and spry, you go
nuoremmiten when (you're) young
nuoremmuuttaan tarjoutua nuoremmuuttaan lähtemään offer to go because you're younger
nuorempi 1 younger **2** (samannimisen isän poika) junior, (ranskalaisista) fils, (muinaisroomalaisista) the Younger Kurt Vonnegut, Jr.; Alexandre Dumas fils; Pliny the Younger **3** (virkamies, lehtori tms) junior

nuorennusleikkaus rejuvenation operation
nuorenpuoleinen on the young side
nuorentaa 1 (ihmistä) rejuvenate, make you (look/feel) younger **2** (metsää) restock, regenerate
nuorentua grow younger On kuin olisin nuorentunut 20 vuotta! I feel 20 years younger!
nuori s adolescent, teenager
adj **1** young näyttää nuorelta ikäiseksen look young for your age
2 (murrosikäinen) adolescent, teenaged
nuorimies young man
nuorimmainen the youngest
nuoriso youth, the young, young people
nuorisojärjestö youth organization
nuorisokirjallisuus juvenile literature
nuoriso-ohjaaja youth leader
nuorisorikollinen juvenile delinquent, (ark) juvie
nuorisorikollisuus juvenile delinquency
nuorisotyö youth work
nuori sukupolvi the younger generation
nuortua grow/become younger, be rejuvenated; (johtokunta tms) get a transfusion of younger blood
nuorukainen youth, young man, lad
nuoruudenaikainen from your youth nuoruudenaikainen valokuvakansio a photo album from your youth
nuoruus youth(fulness) Järjestön nuoruutta ei voida laskea haitaksi The fact that the organization is so young can't be held against it
nuoruusikä youth
nuoruusvuodet early years
nuoska s warm spring weather just below zero
nuoskalumi wet (and sticky, but not melting) snow, good snowball/snowman snow
nuotinlukija (ralliautoilussa) co-driver
nuotio campfire
nuotiotuli campfire
nuotta seine, net
nuotti 1 (mus) note, (mon) music **2** (puheessa) intonation, lilt, (ruotsalaisten) singsong; (äänensävy) tone (of voice)
nuottikirjoitus (musical) notation
nuottivihko music book
nuottiviiva (staff) line
nuppi knob
nuppineula pin
nuppu (flower) bud nupussa budding, in bud
nurin 1 (ylösalaisin) upside-down **2** (nurja puoli ulospäin) inside-out
nurinajo (autossa) roll, (pyörällä) spill
nurin kurin ass-backwards, all mixed up, helter skelter, topsy-turvy
nurinkurinen backwards, inside-out
nurin narin topsy-turvy
nurin niskoin head over heels, ass over teakettle
nurin päin 1 (ylösalaisin) upside-down **2** (nurja puoli ulospäin) inside-out **3** (takapuoli eteenpäin) backwards
nurista grumble, grouse, gripe
nurja 1 (piilopuoli) reverse, back neuloa nurjaa purl **2** (varjopuoli) adverse, unpleasant **3** (mieliala) surly, morose, glum
nurjamielinen prejudiced/jaundiced/predisposed against (something)
nurkka corner nurkan takana around the corner (myös kuv) nuuskia joka nurkkaa search every nook and cranny viiden nurkilla around five
nurkkakapakka corner bar
nurkkakunta clique, faction
nurkkakuntainen cliquish, factional
nurkkaus corner, nook
nurmi grass, (nurmikko) lawn
nurmikko lawn
nussia (sl) fuck, pork, screw
nussija fucker
nussiminen fucking, fuck, screwing Tämä menee pulun nussimiseksi It's like fucking a pigeon
nuttu jacket
nuttura bun

nuuka 1 (saita) stingy, miserly, tight **2** (niukka) small, skimpy, meager **3** (nirso) finicky, picky
nuukailla be stingy/tight, skimp
nuukuus stinginess, skimpiness
nuuska snuff, (murt) snoose lyödä tuusan nuuskaksi smash (something) to pieces/smithereens
nuuskia 1 (haistella) sniff (at/around) **2** (etsiä) search, (ark) snoop (around)
nuuskija snoop(er)
nyanssi nuance
nyhtää pull/pluck/weed (out) (myös kuv) nyhtää isot rahat make big bucks
nykiä jerk, tug, pull, yank; (suupielestä) twitch
nykyaika modern times
nykyaikainen modern, up-to-date
nykyaikaistaa modernize
nykyhetki the present moment, right now
nykyinen current, present
nykyisin nowadays, currently, at present
nykyisyys contemporaneity
nykykirjailija contemporary/living author/writer
nykykirjallisuus contemporary literature
nykymaailma the present-day/ contemporary world
nykymusiikki contemporary music
nykynuoriso present-day adolescents; (halv) kids these days
nykypäivä the present, today
nykypäiväinen present-day
nykysuomalainen s present-day Finn(ish)
nykysuomi contemporary Finnish
nykytaide contemporary art
nykytila the current state of affairs
nykytilanne the current situation
nykytodellisuus present(-day)/ contemporary reality
nykyvaihe current/present stage/ phase
nykyään nowadays, currently, at present, these days
nykäistä 1 jerk/tug/pull/yank (at) **2** (urh) spurt
nykäisy jerk, tug, pull, yank, spurt
nykäyksittäin in jerks, jerkily
nykäys jerk, tug, pull, yank
nylkeä 1 (eläintä) skin, flay **2** (puuta) strip, debark **3** (kuv ihminen) fleece, con, rob (someone blind)
nylkyhinta scalper's price
nymfi nymph
nymfomaani nymphomaniac
nynny wimp, nerd, dork
nyplätä 1 fumble/fiddle with, twiddle **2** (pitsiä) make lace
nyppiä (ihokarvoja) pluck (out), (nukkaa vaatteista) pick (off)
nyreys moodiness, sullenness
nyreä morose, moody, glum, sullen
nyreästi morosely, moodily, glumly, sullenly
nyrjähdys sprain(ed/twisted/pulled muscle)
nyrjähtää get sprained/twisted
nyrjäyttää sprain, (lievästi) twist
nyrjäytys sprain, twist
nyrkkeilijä boxer
nyrkkeily boxing
nyrkkeilykäsine boxing glove
nyrkki fist kädet nyrkissä with your fists clenched Se sopii kuin nyrkki silmään That suits me perfectly
nyrkkisääntö rule of thumb
nyrpeä ks nyreä
nyrpistää nenäänsä jollekin turn up your nose at something
nysty papilla
nystyrä bump, lump, knot, protruberance
nysä 1 short-stemmed/cutty pipe **2** (tekn) stub pipe **3** (kynän) stub
nyt now vasta nyt only now juuri nyt right now, this instant
nythän on niin että the fact is that
nyt jo? already? this instant?
nytkiä jerk, jolt
nytkähdellä jerk, shake, quiver
nyt tai ei koskaan now or never
nyttemmin more recently, nowadays
nyyhkiä sob, blubber
nyyhkyelokuva tearjerker
nyyhkyttää sob, sniffle, blubber
nyyhkäys sob

nyytti bundle
nyyttikestit potluck (dinner/party)
nyökkiä nod
nyökkäys nod
nyökytellä bob (your head)
nyökyttää nod
nyökätä nod
nyöri string, twine, cord; (kengännyörit) (shoe)laces pitää kukkaron nyörit tiukalla hold tight to the purse strings
nyörittää tie (up) with a string/cord
näemmä it seems Se on näemmä valmis I see it's finished, it looks finished to me
näennäinen apparent, ostensible, seeming
näennäisesti apparently, ostensibly, seemingly
näes you see
näet you see
nähden siihen nähden in that sense/context/connection, in those terms kaikkien nähden in front of (God and) everyone, in public
nähdä 1 see mahdoton nähdä invisible Mitä sinä näet hänessä? What do you see in him? **2** (erottaa) spot, make out, discern
nähdä hyväksi see fit
nähdäkseni as I see it, as far as I can see
nähdä maailmaa see the world, see a little of life
nähdä omin silmin see (something) with your own eyes
nähdä punaista see red
nähdä tarpeelliseksi find it necessary (to)
nähdään sitten! see you (around/later)!
nähkääs you see
nähtävillä on display panna nähtäville display, exhibit
nähtävyys sight, tourist attraction katsella kaupungin nähtävyyksiä go sightseeing in town
nähtävä sight paljon nähtävää lots to see Näin se on nähtävä That's the way it is
nähtäväksi jää it remains to be seen
nähtävästi apparently, it seems/appears
näin 1 (tällä tavalla) like this Tee näin Do this, go like this, do it this way **2** näin paljon this/so much **3** näin iso talo such a big house (as this), this big a house **4** tämä näin this one (here), (murt) this here one täällä/tänne näin over here
näin ikään like this
näin meidän kesken just between you and me (and the doorknob/lamppost)
näin muodoin similarly, in like fashion
näin ollen therefore, thus, this being the case
näivettynyt withered, wilted, faded, shriveled, wrinkly, crackly, atrophied, wasted, dead (ks näivettyä)
näivettyä 1 (kukka tms) wither, wilt, fade **2** (hedelmä) shrivel (up) **3** (iho) grow wrinkly/crackly **4** (lihas) atrophy **5** (ihminen: fyysisesti) waste away, (henkisesti) die inside
näivetys atrophy
näkemiin goodbye; (ylät) farewell, adieu
näkeminen seeing, sight pelkkä sen näkeminen just seeing it, the mere sight of it jälleennäkeminen reunion
näkemyksellinen ideological, philosophical, doctrinal
näkemys 1 (käsitys) view, opinion, conception Sinulla on täysi oikeus omiin näkemyksiisi You have a right to your own opinions **2** (maailmankatsomus) worldview, outlook, philosophy **3** (visio) vision näkemyksellä ohjattu näytelmä a play directed with vision
näkemä 1 sight distance, the distance you can see **2** viime näkemästä since the last time I saw you/him/her/them ensi näkemältä at first sight
näkevinäänkään ei olla näkevinäänkään pretend not to see, turn a blind eye on
näkijä seer
näkinkenkä mussel (shell)
näky 1 sight, spectacle **2** (näkymä) prospect **3** (ilmestys) vision

näkymä 1 (näköala) view **2** (tulevaisuuden) prospect näillä näkymin as things look now
näkymättömyys invisibility
näkymätön invisible
näkyvyys visibility
näkyvä 1 visible, perceptible, obvious; (korostetun) conspicuous **2** (huomattava) prominent
näkyvästi visibly, perceptibly, obviously, conspicuously, prominently (ks näkyvä)
näkyä 1 be visible/seen, show Ikkunasta näkyy järvelle There's a view of the lake out the window, you can see the lake from the window En tykkää kun rintsikat näkyy läpi I don't like my bra to show through (my blouse) **2** (olla paikalla/ maisemissa) be around Onko Viljoa näkynyt? Seen Viljo around? Mekin odotimme häntä muttei häntä ole näkynyt We were waiting for him too but he never showed (up) **3** (näyttää) appear, seem Hän näkyy olevan He seems/appears to be
näkö 1 (eye)sight, vision Näköni on heikentynyt My vision has deteriorated niin nälkä että näköä haittaa so hungry I can hardly see **2** (ulkonäkö) appearance, looks Sinussa on vähän äitisi näköä You look a little like your mother, You resemble your mother a little näön vuoksi for appearances' sake, to look good Sinussa on sekä kokoa että näköä You've got both size and looks
näköaisti (sense of) sight
näköala 1 view **2** (tulevaisuuteen tms) prospect(s)
näköalapaikka 1 (tiellä) lookout spot **2** (kuv) prominent position
näköharha optical illusion, hallucination
näköhavainto visual perception
näköhermo optic nerve
näköinen 1 (näkee) -sighted likinäköinen near-sighted **2** (näyttää) -looking epäilyttävän näköinen shady-looking
näköjään apparently, it seems/ appears
näkökanta position, stance, point of view
näkökenttä field of vision
näkökeskus visual center
näkökohta point, factor, consideration
näkökulma 1 (näkökanta) perspective, viewpoint, standpoint **2** (kulma) visual angle
näkömuisti visual memory
näköpiiri range of vision, (kuv) horizon näköpiirissä on the horizon, within view, in sight
näkösällä in view, visible
näkötorni view tower
näkövinkkeli point, factor, consideration
nälissään starving, famished
nälkiintyä starve, become emaciated
nälkä hunger Onko sinulla nälkä? Are you hungry? nähdä nälkää starve syödä jotain pahimpaan nälkäänsä eat something to tide you over till dinner, to take the edge off your hunger
nälkäinen 1 hungry, starving, famished **2** (kuv) hungry, greedy
nälkäisesti hungrily, greedily
nälkäkuolema (death by) starvation
nälkälakko hunger strike
nälkä on paras kokki hunger is the best sauce
nälvintä needling, gibing, carping
nälviä needle, gibe, carp
nälänhätä famine
nänni nipple
näpelöidä finger, fiddle with, twiddle
näperrellä fiddle/tinker with
näpertää fiddle/tinker with
näpistelijä petty thief, shoplifter
näpistellä steal, swipe, filch
näpistää steal, swipe, filch, get a five-finger discount
näppi finger(tip) Näpit irti! Get your mitts off (that)! Don't touch it! jäädä nuolemaan näppejään come up empty-handed
näppylä pimple, (ark) zit; (mon) acne
näppäimistö keyboard
näppäin 1 key **2** (TV:n tms) (push)button
näppäinpuhelin push-button (tele)phone

näppäryys dexterity, handiness, wit
näppärä 1 (käsistään) clever/good with your hands, deft, dexterous **2** (puheessaan) quick-witted, witty
näppärästi deftly, handily, wittily
näpäys 1 rap, flick **2** (pesäpallossa) bunt **3** Se oli hänelle terveellinen näpäys She had it coming, she deserved it
näpäyttää rap, flick
näre young spruce Näin on näreet That's the way it is
närhi jay
närkästys irritation
närkästyä get irritated (at), (ark) get pissed off
närä grudge, bitterness, rancor
närästys heartburn
närästää Minua närästää I have heartburn
nätisti nicely Mene nyt nätisti sänkyyn Be a good girl and go to bed, toddle off to bed like a good boy now
nätti pretty
näykkiä 1 (nyppiä) nip, nibble, bite **2** (nälviä) needle, gibe, carp
näyte 1 (tavara-/virtsanäyte tms) sample, specimen **2** (taidonnäyte tms) demonstration **3** (opinnäyte) scholarly thesis
näyteikkuna display window
näytellä 1 (näytelmässä) act, (tiettyä hahmoa) play **2** (esittää) pretend (to be), play (at), put on a show (of being), feign Älä viitsi näytellä viatonta Stop trying to feign innocence **3** (näyttää) show (off), display
näytelmä play, (ark) spectacle
näytteenotto sampling, taking (of) samples
näytteilleasettaja exhibitor
näytteillä on display
näyttelijä actor
näytteitys sampling
näyttely exhibition
näyttelytilat exhibition space
näyttelyvieras visitor to an exhibition
näyttämö stage
näyttämöllepano staging
näyttäytyä show yourself/up, put in an appearance
näyttää 1 (jotakin) show Näytä! Show me! Aika näyttää Time will tell näyttää valoa shine a light Vielä näytän! I'll show you yet! **2** (osoittaa) point to, indicate näyttää sormella point a finger at **3** (jotakin) look, appear, seem Hän näyttää minusta epäillyttävältä He looks suspicious to me Näyttää tulevan kaunis päivä It looks like it's going to be a nice day näyttää vihreää valoa give somebody the green light
näyttää vihreää valoa give somebody the green light
näyttö 1 (lak) evidence, (ark) proof Onko sinulla mitään näyttöä siitä? Do you have any evidence/proof of that? Can you back that up with evidence/proof? **2** (tietok) monitor, video display unit (VDU)
näyttölaite monitor, (tietokoneen myös) computer monitor
näyttöpääte terminal, video display terminal, VDT, computer terminal
näytäntö (elokuvan) showing, (näytelmän) performance
näytös 1 (näytelmän) act **2** (esitys) performance, demonstration, act
näännyksissä exhausted, at the end of your rope/tether
nääntyä be exhausted, exhaust yourself, wear/tire yourself out
näärännäppy sty
nääs you see
näätä weasel
näön vuoksi for appearances' sake, to look good
nöyhtä fluff
nöyristellä cringe, cower (before), truckle (to)
nöyristely cringing, cowering, truckling
nöyrtyä humble/submit yourself
nöyryytys humiliation
nöyrä humble; (alistuvainen) submissive, docile
nöyrästi humbly, submissively, docilely

O, o

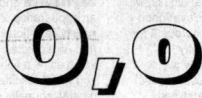

obduktio autopsy, postmortem
obdusoida perrom an autopsy on
obeesi obese
obeliski obelisk
obesiteetti obesity
obituaari obituary
objekti object
objektiivi lens
objektiivin aukko aperture
objektiivinen objective
objektiivin suojus lens cap
objektiivisuus objectivity
objektivismi objectivism
obligaatio 1 (liik) bond **2** (lak) obligation
obligaatiolaina bond loan
oboe oboe
observatorio observatory
observoida observe
observointi observation
obsessiivinen obsessive
obsessio obsession
obsidiaani obsidian
obstetriikka obstetrics
obstetrikko obstetrician
Occamin partaveitsi Occam's razor
odontologi odontologist
odontologia odontology
odontologinen odontological
odotella wait around (for)
odotettavissa to be expected Odotettavissa huomisaamuun mennessä; sadekuuroja ja kovaa lounaistuulta By tomorrow morning we should see some showers accompanied by a stiff wind from the southwest
odotettu expected
odotetusti as might be expected, predictably
odottaa 1 (varrota) wait (for) Saimme odottaa kauan We had a long wait Linja on varattu - odotatteko? That line is busy - will you hold? antaa odottaa keep (someone) waiting (for you) odottaa turhaan wait in vain odottaa vuoroaan wait your turn **2** (otaksua) expect (someone to do something, something to happen) Odotan sinulta suuria I expect great things from you **3** (toivoa, odottaa innolla) anticipate, look forward to (expectantly, with anticipation) Tuskin maltan odottaa lauantaita I can hardly wait till Saturday **4** (vauvaa) be expecting (a baby), be pregnant odottaa toista lasta expect your second (child)
odottamaton unexpected
odottamartta unexpectedly
odottamattomasti unexpectedly
odottavan aika on pitkä a watched pot never boils
odotuksenmukainen (as) expected/anticipated odotustenmukainen tulos the expected result, the result we expected/anticipated
odotuksenvastainen (yllättävä) unexpected, (huonompi) disappointing
odotus 1 wait(ing) **2** expectation, expectancy, anticipation, hope asettaa suuria odotuksia johonkin have great hopes for something, have high expectations about something vastata odotuksia meet (all) expectations yli odotusten beyond your wildest dreams/hopes, beyond all expectations odotuksen vallassa expectantly, with great anticipation, in great suspense **3** (raskaus) pregnancy
odotusaika 1 waiting period **2** (raskaus) term of pregnancy
odotushuone waiting room
odotusten mukaisesti as expected

odotusten vastaisesti contrary to (all) expectations
odotuttaa make (someone) wait, keep (someone) waiting
odysseia (matka) odyssey, (eepos) Odyssey
offensiivi offensive
offensiivinen offensive
offline off-line
offset offset
offsetpaino offset printing/copying
oftalminen ophthalmic
oftalmologi ophthalmologist
oftalmologia ophthalmology
oftalmoskooppi ophthalmoscope
oh oh
ohdake thistle
ohdakkeinen thistly, (kuv) thorny
oheinen enclosed, attached
oheislukemisto (supplementary) reading (list)
oheistaa enclose, attach
ohella in addition to, on top of, along with Tähän ohelle voisin ottaa jotain juotavaa I could drink something with this toimia päivätyönsä ohella yövartijana moonlight as a night watchman
ohenne 1 (maalin) thinner **2** (kem) diluent
ohennus (tukan, maalin) thinning, (nesteen) dilution
ohentaa (tukkaa, maalia) thin (out/ down), (nestettä) dilute
ohentamaton undiluted
ohentua thin (out) Harrin tukka on alkanut ohentua edestä Harri's hair is getting thin in front
ohessa enclosed, attached
oheta ks ohentua
ohhoh (mukava yllätys) my my, (nyt meni överiksi) what the hell, (taasko) oh no
ohi 1 (loppunut) over, past Meidän välillämme kaikki on ohi It's all over between us Vaara/se aika on ohi The danger/that time is past **2** (ohitse) by, past Kuka tuo oli, joka juuri käveli ohi? Who was that who just walked by/past? **3** mennä ohi (kulua loppuun) pass olla mennyt ohi be over/past **4** (ajaa edelle) pass up, outstrip, beat olla mennyt ohi be (way) ahead (of the others), be in the lead, be head and shoulders above the others **5** (ei osua) miss, go wide olla mennyt ohi be a miss
ohiajo drive-by
ohi kiitävä (juna tms) passing, (hetki) fleeting
ohi kulkeva adj passing
ohikulkeva s passerby (mon passersby)
ohikulkija passerby (mon passersby)
ohikulku (kaupungin, autolla) bypass, (tähden) transit
ohikulkuliikenne bypass traffic
ohikulkumatka ohikulkumatkalla on the way (there) Se oli ohikulkumatkallani, poikkesin sinne vain hetkeksi It was on my way, I just stopped in for a second
ohikulkutie bypass
ohilaukaus miss
ohilyönti miss
ohimarssi match-past
ohi menevä passing katsella ohi meneviä autoja wantch the cars go by, watch the passing cars
ohimenevä passing, fleeting, transient Älä huoli, se on ohimenevä vaihe Don't worry, it's just a phase (he's going through), it's a passing thing, it'll pass
ohimennen in passing Ohimennen sanoen incidentally, by the way
ohimo temple
ohi on 330 I've done my gig (in the army)
ohitse ks ohi
ohittaa pass Tässä osavaltiossa ei saa ohittaa oikealta In this state you're not allowed to pass on the right
ohitus passing
ohituskaista passing lane
ohituskielto (merkki) no passing sign
ohitusleikkaus bypass operation/ surgery
ohivalintanumero direct number
ohjaaja 1 (auton) driver **2** (lentokoneen) pilot **3** (moottoripyörän) rider **4** (laivan) helmsman **5** (työmaakoneen)

operator **6** (näytelmän, elokuvan) director **7** (opinto-ohjaaja) (guidance) counselor
ohjaajantuoli director's chair
ohjaamo 1 (lentokoneen: pienen) cockpit (myös ison ark), (ison) flight deck **2** (laivan) bridge **3** (rekan, työmaakoneen) cab
ohjailla 1 guide, direct, instruct, counsel **2** (kielteisenä) manipulate, control **3** (laivaa) maneuver, steer
ohjain 1 (kovalevyn) controller **2** (poran) jig, (hihnan) guide **3** ohjaimet (lentokoneen) controls **4** (ahdin) brace
ohjas 1 (linnun) lore, mastax **2** ohjakset reins antaa hevoselle vapaat ohjakset give a horse its head ottaa ohjakset käsiinsä take the reins/helm olla ohjaksissa be at the helm
ohjata 1 (neuvoa) guide, instruct, counsel **2** (opastaa) lead, show, conduct, direct **3** (suunnata) direct, channel, steer **4** (elokuvaa, näytelmää) direct **5** (autoa) steer, (lentokonetta) pilot **6** (tietok) control
ohjaus 1 (neuvonta) guidance, instruction, counsel(ing) **2** (opastus) guiding, directing **3** (suuntaus) directing, channeling, steering **4** (elokuvan, näytelmän) direction **5** (auton) steering, (lentokoneen: ohjaajan) piloting, (koneen) control automaattinen ohjaus automatic pilot
ohjauslaitteet controls, (auton) steering, (ohjuksen tms) guidance system
ohjauslukko steering lock
ohjauspyörä steering wheel
ohjaussauva control stick, (ark) joystick
ohjaustanko handlebar(s)
ohjautua be directed/guided (toward/away from) Askeleeni ohjautuivat kirkkoon My feet instinctively took me to the church
ohjautuvuus steerability
ohje 1 (ohjenuora) guiding principle, rule, motto, precept **2** ohjeet instructions, directions Jos et saa konetta muuten toimimaan, lue käyttöohjeet If all else fails, read the instructions/directions
ohjeellinen normative
ohjehinta list price
ohjeisto technical documentation, user's manual
ohjekirja instruction/user's manual, (tekn) documentation
ohjelma 1 (TV:n, tietokoneen, konsertin/urheilutapahtuman painettu) program Onko teidän juhlissanne mitään ohjelmaa? Are there going to be any speeches or skits at your party? Is anyone going to be performing anything, putting on anything, at your party? (ohjelma merkityksessä "järjestetty esittäminen" ei käänny englanniksi) **2** (poliittinen) platform **3** (tekemisen suunnitelma) schedule Miltä ensi viikon ohjelma näyttää? What does the schedule for next week look like?
ohjelmajaosto programming section
ohjelmajulistus platform, manifesto
ohjelmallinen programmatic
ohjelmanumero number
ohjelmasarja (TV:ssä) (mini)series, (luentosarja muussa kuin oppilaitoksessa) series of lectures
ohjelmisto 1 (teatterin) repertoire **2** (tietokoneen) software
ohjelmoida program
ohjelmoija programmer
ohjelmointi programming
ohjelmointikieli (tietokoneen) programming language, computer language
ohjesääntö regulation
ohjevähittäishinta suggested retail price, list price
ohjus missile
ohjussiilo missile silo
ohjustukikohta missile base
ohkainen thin, (takista) light
ohmi ohm
oho oho, (vai niin) aha, (hupsista) (wh)oops, (anteeksi) excuse me
ohra barley
ohrainen barley, (kuv) difficult, awkward käydä ohraisesti go badly, get fouled/fucked up

ohrajauhot barley flour
ohraleipä barley bread Nyt otti ohraleipä Now we've done it, we're up shit creek without a paddle
ohranjyvä barleycorn
ohranjyvä silmässä drunk as a skunk
ohrapelto barley field
ohrapuuro barley porridge
ohuehko thinnish
ohuelti thinly ohuelti lunta a thin covering of snow
ohuenlainen on the thin side
ohukainen 1 (lettu) pancake **2** Ohukainen Stan Laurel Ohukainen ja Paksukainen Laurel and Hardy
ohut thin, (tukka) fine, (vyötärö) slender
ohutsuoli small intestine
oi oh, O
oidipaalinen Oedipal
oidipuskompleksi Oedipus complex
oieta straighten (up/out) oieta vuoteeseen stretch out in bed
oijoi oh no, (juutalaiset) oy vey
oikaista 1 (oi'istaa) straighten **2** (mennä oikotietä) cut (through/ across), take a shortcut **3** (ojentaa: jalkoja) stretch (out) **4** (ojentaa: lasta) scold **5** (korjata) correct **6** (lentokonetta) level off
oikaista koipensa (kuolla) kick the bucket
oikaisu 1 (korjaus) correction **2** (lentokoneen) pullout **3** (mat) rectification
oikaisuluku proofreading
oikaisuvedos galley proof, (ark) galley; (sivuvedos) page proof
oikea s **1** (nyrkkeilyssä) right aloittaa oikealla leukaan lead with a right to the jaw **2** (suunnasta) right Mene toisesta kulmasta oikealle Take the second right osua oikeaan hit the nail on the head adj **1** (ei vasen) right **2** (ei väärä) right, correct oikea nainen oikeaan aikaan the right woman at the right time oikea omistaja rightful owner se oikea (mies) Mr. Right, (nainen) the right woman **3** (sopiva) appropriate, proper, fitting **4** (todellinen) real, true Sinä olet oikea kiusankappale You're a real pain in the ass, you know that? **5** (oikeudenmukainen) just, fair oikealla asialla on/for a just/good cause **6** (silmukka) knit neuloa oikeaa knit
oikeakielisyys linguistic/grammatical correctness
oikeakätinen right-handed
oikeakätisyys right-handedness
oikeamielinen right-minded/-thinking
oikeamielisyys right-mindedness
oikeanpuolinen right(-hand)
oikeaoppinen orthodox
oikeaoppisesti in the prescribed/ orthodox manner/fashion
oikeaoppisuus orthodoxy
oikeastaan 1 (itse asiassa) actually, really, in fact, as a matter of fact **2** (loppujen lopuksi) in the end, ultimately
oikeasti really, truly Sano nyt ihan oikeasti Come on, stop joking around, tell me really
oikea tola saattaa asiat oikealle tolalle put/set things right
oikeellinen 1 (asiakirja) legally valid, authentic **2** (ihminen) competent
oikeellisuus validity, authenticity, competence
oikein 1 (ei väärin) right, correctly Oikein! Right! kirjoittaa oikein write/spell (something) correctly **2** (sopivasti) properly, suitably, appropriately Olenko sinun mielestäsi pukeutunut oikein? Do you think I'm appropriately dressed? **3** (oikeudenmukaisesti) fairly Heille pitää nyt tehdä oikein We have to do the right thing by them **4** (täsmälleen) exactly, precisely Mitä sinä oikein ajat takaa? What exactly are you getting at/trying to say? **5** (erittäin) very, really, (ark) real Se on oikein hyvä paikka It's a real(ly) good spot **6** (täysin) quite En oikein ymmärrä mitä tarkoitat I don't quite catch your meaning **7** (oikeastaan) anyway, anyhow Mitä siellä oikein tapahtui? What happened in there, anyway? **8** (kovasti) hard Jos oikein yrität, saat varmasti sen tehtyksi I know you can do it, if you try really hard, if you

put your mind to it **9** kaksi oikein kaksi nurin knit two purl two
oikeinkirjoitus spelling
oikeinkirjoitussääntö spelling rule
oikeinkirjoitusvirhe spelling mistake
oikein päin the right way, right-side up/out/forward/jne
oikeisto the Right, the right wing
oikeistoenemmistö right-wing majority, majority on the right
oikeistohallitus right-wing government/administration/Cabinet
oikeistolainen s rightist, right-winger adj rightist, right-wing
oikeudellinen judicial, juridical, legal
oikeudenkäynti trial, court case; (mon) legal proceedings, litigation
oikeudenmukainen just, fair
oikeudenmukaisesti justly, fairly
oikeudenmukaisuus justice, fairness
oikeus 1 (oikeellisuus) rightness, fairness, (asiakirjan) authenticity **2** (oikeutus) right pitää kiinni oikeuksistaan stand up for your rights, insist on/demand your rights Millä oikeudella sinä noin teet? What gives you the right to do that? **3** (virallinen lupa, tav mon) license A-oikeudet liquor license **4** (oikeusjärjestys) law jakaa oman käden oikeutta take the law into your own hands **5** (oikeudenmukaisuus) justice oikeuden nimessä in the name of the law, of justice Oikeus tapahtui tänään Justice was served today **6** (tuomioistuin) court (of law) käydä oikeutta litigate
oikeusasia legal matter
oikeuskansleri Attorney General
oikeuskäsitys concept of justice
oikeuskäytäntö legal praxis, case law
oikeuslaitos judicial/legal system, judiciary
oikeuslääketiede forensic medicine
oikeusministeri (Suomi) Ministry of Justice, (US) Attorney General
oikeusministeriö (Suomi) Ministry of Justice, (US) Department of Justice
oikeusneuvos Justice of the Supreme Court
oikeustaistelija civil rights defender
oikeustaistelu civil rights struggle
oikeustapaus legal case
oikeustoimi legal/judicial act/transaction
oikeusturva protection under the law
oikeutettu 1 (oikea) well-founded, reasonable, legitimate, rightful **2** (oikeuden hyväksymä poikkeama laista) justified, justifiable oikeutettu kuoleman tuottaminen justifiable homicide **3** (johonkin) entitled oikeutettu asumaan talossa niin kauan kuin haluaa entitled to dwell in the house so long as (s)he desires
oikeutetusti with good reason, on good grounds, rightfully, legitimately, justifiably
oikeuttaa 1 (jälkikäteen) justify **2** (etukäteen: sallia) entitle; (valtuuttaa) authorize, empower
oikeutus justification, entitlement, authorization, empowerment (ks oikeuttaa)
oikku whim, caprice
oikkuilla 1 (ihminen) be capricious/flighty/unpredictable/ difficult **2** (kone tms) act up
oikoa 1 straighten (up), put (things) straight/right oikoa jalkansa stretch your legs oikoa laskokset smooth out the folds **2** (mennä oikotietä) cut (across/through) **3** (korjata) correct, put (things) right
oikoilla ks oikoa
oikolukea proofread
oikoluku proofreading
oikopäätä straightaway, right away, immediately, this instant
oikosulku short circuit
oikoteitse by a shortcut
oikotie shortcut
oikovedos (galley-/page-)proof
oikukas capricious
oikullinen capricious
oikutella 1 (ihminen) be capricious/flighty/unpredictable/difficult **2** (kone tms) act up

oikuttelu capriciousness
oinas 1 (eläin) wether **2** (tähtikuvio) the Ram **3** (horoskoopissa) Aries
oire symptom
oireellinen symptomatic
oireeton symptomless
oireilla show symptoms
oitis immediately, pronto, at once, as soon as possible (ASAP)
oiva excellent, splendid
oivallinen excellent, splendid
oivallisesti excellently, splendidly
oivallus insight, understanding, realization; (oivalluskyky) acumen
oivaltaa understand, realize, become aware of
oja ditch salaoja irrigation/drain ditch
ojaanajo driving off the road (into the ditch)
ojanvarsi the edge of a ditch
ojasta allikkoon out of the frying pan and into the fire
ojennella stretch
ojennus 1 (jalan tms) straightening, stretching **2** (järjestys) order pitää taloa hyvässä ojennuksessa keep the house in good order **3** (lapsen) scolding panna lapset ojennukseen get the kids to behave, calm/quiet the children down saada joltakulta ojennusta get chewed out/yelled at by someone
ojentaa 1 (jalkaa tms) straighten/stretch/reach (out) **2** (palkintoa tms) hand/give/present (someone something, something to someone) Ojentaisitko minulle ketsupin? Could you reach/pass/hand me the catsup? **3** (asetta) point (at) **4** (lasta) scold, (ark) chew out, yell at **5** (sotajoukkoja) dress
ojentautua (makuulle) stretch out, (pystyyn) straighten up
ojentua straighten out
ojitus (drainage) ditching
ojossa extended, out kädet ojossa with outstretched arms käsi ojossa with his/her hand out
oka thorn, prickle
okainen thorny (myös kuv)
okkultismi occultism
oksa 1 branch, bough, limb, (pieni) twig Sellaisia naisia ei kasva joka oksalla You're not going to find women like that growing on every tree **2** (oksakohta laudassa) knot
oksainen knotty
oksaisuus knottiness
oksanhaara crotch
oksastaa graft (onto)
oksastus grafting
oksat pois Nyt on oksat poissa It's not funny, it's no laughing matter
oksennella be vomiting (all day)
oksennus vomit; (ark) throw-up, barf, puke
oksentaa vomit; (ark) throw up, barf, puke, ralph, flash the hash, toss your cookies, blow lunch
oksettaa Minua oksettaa I feel sick (to my stomach), I feel nauseous
oksia prune, (ark) lop off
oksidi oxide
oksisto branches
oktaani octane
oktaaniluku octane rating
oktaavi octave
olalle vie! shoulder arms!
olankohautus shrug (of the shoulders)
olan takaa with everything you've got, with all your might
oleilla be, spend your time, (asua) stay vain oleilla hang/laze around, veg(etate), kill time
ole kiltti please
olemassaolo existence
olemassaolon taistelu struggle for survival/existence
olemassaolon tarkoitus raison d'eltre
olematon 1 (kokonaan) nonexistent hävitä olemattomiin disappear into thin air **2** (melkein) infinitesimal, miniscule
oleminen being
olemus 1 (luonne) being, (inner/essential) nature, essence **2** (käytös) manner, bearing, behavior **3** (ulkonäkö) appearance, looks
olennainen essential, fundamental

olennaisesti essentially, fundamentally
olennaisuus essentiality
olento being, creature
oleskella be, stay, live; (loikoilla) hang around Tiedätkö, missä hän nykyään oleskelee? Do you know where I could find her, where she hangs out nowadays, do you have any idea as to her whereabouts?
oleskelu stay, (ylät) sojourn Asiaton oleskelu kielletty Unauthorized persons keep out
oleskeluhuone lounge
oleskelulupa residence visa/permit
oletettavasti presumably
olettaa 1 suppose, assume; (ark) take it; (ylät) presume Oletan että lukitset paikat lähtiessäsi I assume you'll lock up when you leave **2** (logiikassa) premise, postulate Oletetaan että A on x Let A be x **3** (empiirisessä tutkimuksessa) hypothesize
olettamus 1 supposition, assumption, presumption **2** (logiikassa) premise, postulate **3** (empiirisessä tutkimuksessa) hypothesis
oletus 1 ks olettamus **2** (mat) lemma
oletusarvo default
oleutua adjust/adapt/conform (to), get used to, fall into the habit of
oleva existent
olevainen being, entity
olevaisuus being(ness)
olevinaan Mitä tämä on olevinaan? What's this supposed to be/mean? olla olevinaan pretend to be, put on airs (of being), affect
oliivi olive
oliiviöljy olive oil
olija paikalla-/läsnäolija someone (who is/was) present
oli miten oli be that as it may
olinpaikka 1 whereabouts **2** (asuinpaikka: ihmisen) residence, domicile; (eläimen) habitat
olio being, creature
olipa kerran once upon a time there was
olipa se whoever/whatever it was, no matter who/what it was
olisipa I wish, if only Olisinpa vielä nuori If only I were still young, I wish I was young still Olisipa jo huominen I wish it was tomorrow already
oljenkorsi viimeinen oljenkorsi the last straw, the straw that broke the camel's back
olka shoulder katsoa jotakuta olkansa yli look down on someone, look down your nose at someone
olkain shoulder strap, (univormussa) epaulette
olkapää shoulder
olki straw
olkihattu straw hat
olkoon 1 (sallittakoon) let it be Olkoon ensin sinun vuorosi Let's have it be your turn first olkoon menneeksi (let him/her/them) go ahead **2** (olipa) whoever/whatever it was, no matter who/what it was Olkoon puoliso miten komea tahansa, avioliittoa ei voi rakentaa ulkonäön varaan I don't care how handsome (s)he is, you can't build a marriage on looks
olkoonkin never mind that
olkoon menneeksi sure, go ahead, why not, what the hell
olla pääv ks myös olla-alkuisia hakusanoja **1** be (there/it is) Milloin teidän konserttinne on? When will your concert be (held)/take place? Missä te olette pääsiäislomalla? Where are you going to be (staying) during/over Easter vacation? On liian myöhäistä It's too late Tuossa on lisää There's more (right) there **2** (sijaita) be (located/situated), stand, sit, lie Se iso kaappi on nyt toisessa nurkassa That old cabinet is (standing)/stands in the other corner now Missä teidän mökkinne on? Where is your summer cottage (located/situated)? **3** (olla jollakulla) minulla on I have/own/possess **4** (ruumiillisesta tai henkisestä tilasta) Mikä sinulla on? What's the matter? What's bothering you? Onko teillä nälkä? Are you hungry? Minun on kylmä I'm cold **5** (pakosta yms) minun on I have to/

must Onko sinun tosiaankin lähdettävä? Do you really have to go? Must you go so soon? **6** Ei minusta taida olla siihen I don't think I'm cut out for that, I don't think I'm the right person for that Ei hänestä ole mihinkään He's no use, he's no good for anything **7** (tulla, olla peräisin) come from, (leik) hail from Mistäpäin sinä olet? Where do you come/hail from? **8** (lukea) say Mitä siinä kirjeessä oli? What did the letter say? apuv have Hän on tullut She has come, she's here

olla (vielä) aikaa johonkin be a while until something, something is still a while off Syntymäpäivääsi on vielä kuukausi It's still a month till your birthday

olla (jo) aikaa jostakin be a while since something, something happened a while ago Leikkauksestani on jo kuukausi It's already been a month since my operation

olla ihmisiksi behave yourself

ollako vai eikö olla to be or not to be

ollakseen for a Ollakseen suomalainen hän on oikea suupaltti For a Finn he's a regular blabbermouth

olla olemassa exist, be On olemassa pieni mahdollisuus että There's a slight chance that Anteeksi että olen olemassa Pardon me for living

olla omiaan 1 (sopiva) be perfect/ideal(ly) suited/suitable for Meidän talomme on omiaan kesäjuhliin Our house lends itself perfectly to summer parties **2** (taipuvainen) be likely/liable/inclined to, tend to Se on omiaan lisäämään ihmisten riippuvaisuutta valtiovallasta That's likely to have the effect of increasing people's dependence on government

olla otsaa have the nerve (to) Onpas hänellä otsaa! (He's got) some nerve!

olla saatavilla ks olla tarjolla

olla sanomattakin selvää on sanomattakin selvää että it goes without saying that

olla tarjolla be available, come Tätä paitaa on vain valkoisena This shirt only comes in white, is only available in white

olla tekemäisillään be about to Olin koko ajan purskahtamaisillani nauruun The whole time I was just about to burst out laughing

olla tekemättä stop Oletkos kiljumatta! Would you please stop screaming! En voinut olla nauramatta I couldn't help laughing

olla tekevinään 1 (leikkiä) pretend to do something olla kuuntelevinaan/katselevinaan pretend to be listening/watching **2** (luulla) think you did something olla kuulevinaan/ näkevinään think you heard/saw something

olla tekevä (am/are/is/was) to do something (in the future) Hän ei ollut koskaan enää näkevä vaimoaan elävänä He was never again to see his wife alive

olla (vähällä) tehdä almost/nearly do something Olin (vähällä) kaatua I almost/nearly fell/slipped

olla yhtä kuin (be) equal (to), be, make 2 + 2 = 4 Two plus two is/equals/makes four

ollenkaan at all ei ollenkaan not at all

olo 1 (oleminen) being Mitä minun siellä oloni vaikuttaa neuvotteluihin? What effect will my being there have on the negotiations? **2** (tunne, tuntu) feeling Minulla on hyvä/huono olo I feel good/bad, happy/sad Onko sinulla paha olo? Aren't you feeling very well/good? Are you sick? Tee olosi kotoiseksi Make yourself at home **3** olot conditions, circumstances ahtaat olot straitened circumstances olla oikeissa oloissaan be in your element pysytellä omissa oloissaan keep to yourself, keep your own company jättää joku omiin oloihinsa leave someone alone

olohuone living room

olosuhteet circumstances, conditions Olen pärjäillyt olosuhteisiin nähden ihan hyvin I've been doing all right, considering, under the circumstances

olotila 1 (asianlaita) state of affairs **2** (olomuoto: aineen) state, (ihmisen) condition
oltavat condition, state Ei teilläkään ole helpot oltavat It's tough for you too Pojille tuli kuumat oltavat The boys got into hot water Meillä on tässä ihan hyvät oltavat We like it here just fine
oltermanni alderman
oluenpanija brewer
olut beer
olutkori case of beer
olutpanimo brewery
olutpullo (täysi) bottle of beer, (tyhjä) beer bottle
oluttölkki (täysi) can of beer, (tyhjä) beer can
olvi (vanh, leik) brew
olympiaennätys Olympic record
olympiajoukkue Olympic team
olympiakaupunki host city for the Olympics
olympiakisat Olympic games
olympiakomitea International Olympic Committee, IOC
olympiakulta gold medal in the Olympics
olympiakylä Olympic village
olympialaiset the Olympics
olympiapalkinto Olympic medal
olympiaurheilija Olympic athlete
oma adj **1** ((of) your) own omistaa oma talo own your own house, own a house of your own ajaa omaa etuaan look out for number one, protect your (own best) interests **2** (henkilökohtainen) private, (erillinen) separate oma sisäänkäynti private/separate entrance
pron **1** mine, yours, his, hers, its, ours, theirs Tämä on minun kirjani, missä sinun omasi? This is my book, where's yours? **2** vuoteenoma bed-ridden
oma-aloitteinen spontaneous, unprompted, (something) done on your own initiative
oma-aloitteisesti on your own initiative
oma-aloitteisuus initiative, enterprising spirit
omaa sukua née Virve Antikainen o.s. Ripatti Virve Antikainen née Ripatti
omaehtoinen 1 independent **2** (kasv) autonomic
omaehtoisesti independently
omaelämäkerta autobiography
omahyväinen smug, complacent; (itserakas) conceited, (ark) stuck up
omahyväisesti smugly, complacently, conceitedly
omahyväisyys smugness, complacency, conceit
omainen (close) relative/relation omaiset the (immediate) family lähin omainen next of kin, closest relation/ relative
omaisuus 1 property, possessions, assets; (testamentissa) estate kiinteä omaisuus real estate irtain omaisuus personal property yhteinen omaisuus joint property **2** (rikkaus) fortune, wealth koota itselleen valtava omaisuus make/amass a huge fortune
omaisuusrikos crime involving property
omaisuusvero property tax
oma itsensä olla oma itsensä be yourself
oma kehu haisee stop blowing your own horn
omakohtainen personal, (henkilökohtainen) private, (subjektiivinen) subjective
omakotitalo house, (ark) home
omakotitaloalue residential neighborhood
omakseen ottaa asia omakseen take a matter to heart, make a matter your personal crusade
omaksua 1 (oppia) take in, learn omaksua nopeasti vieras kieli learn a foreign language quickly **2** (ottaa omakseen) adopt, embrace
omakustanne vanity press edition, author's edition
omakustannushintaan at cost
omakuva self-portrait
omalaatuinen peculiar, eccentric
omalaatuisuus peculiarity, eccentricity

omaleimainen distinctive, characteristic, individual
omalla vastuulla at your own risk
omalta osaltani for my part
omalääkäri family doctor
oma maa mansikka, muu maa mustikka East, west, home is best
Oman Oman
omanarvontunto self-esteem
omanilainen s, adj Omani
omankädenoikeus vigilante law
omanlaisensa one of a kind
omantunnonasia matter of conscience
omantunnonkysymys matter of conscience
omantunnonvapaus freedom of conscience
omaperäinen 1 (omaleimainen) distinctive, characteristic, individual **2** (alkuperäinen) native, indigenous
omaperäisyys 1 (omaleimaisuus) distinctiveness, individuality **2** (alkuperäisyys) native/indigenous origin
omasta takaa of your own Meillä on perunaa omasta takaa We grow our own potatoes
omata have, possess
omatekoinen home-/hand-made
omatoiminen self-motivated/-driven
omatoimisesti on your own
omatoimisuus self-motivation
omatunto conscience Minulla on huono omatunto siitä I feel guilty about that Hyvä omatunto on paras päänalunen A quiet conscience sleeps through thunder Omatuntoni soimaa My conscience won't leave me alone
omavalintainen optional omavalintainen aine elective
omavaltainen arbitrary
omavaltaisesti arbitrarily
omavaltaisuus arbitrariness
omavarainen 1 (maa, perhe) self-sufficient **2** (kasvi) autophytic
omavaraisuus 1 (maan, perheen) self-sufficiency **2** (kasvin) autophysis
omena apple Ei omena kauas puusta putoa Like father like son, he's a chip off the old block, the acorn doesn't fall far from the oak tree
omenamehu apple cider
omenapiirakka apple pie
omenapuu apple tree
omenavarkaissa stealing apples
omia take, (ark) help yourself to
omiaan 1 (sopiva) perfect/ideal(ly suited/suitable) for Meidän talomme on omiaan kesäjuhliin Our house lends itself perfectly to summer parties **2** (taipuvainen) likely/liable/ inclined to Se on omiaan lisäämään ihmisten riippuvaisuutta valtiovallasta That's likely to have the effect of increasing people's dependence on government **3** puhua omiaan talk through your hat
omilleen päästä omilleen break even
ominainen distinctive, characteristic
ominaisesti distinctively, characteristically
ominaishaju distinctive smell
ominaisluonne characteristic
ominaispiirre characteristic (feature/ trait)
ominaisuus 1 characteristic, feature, trait, quality **2** (peritty) character
omin päin on your own
omin sanoin in your own words sanoa omin sanoin paraphrase
omintakeinen 1 (itsenäinen) independent **2** (omaperäinen) individual, idiosyncratic
omintakeisesti independently, idiosyncratically
omintakeisuus independence, idiosyncracy
omissa maailmoissaan off in a world of his/her own
omistaa 1 (omaisuutta) own, possess, have **2** (kirja) dedicate, inscribe; (elämä) devote
omistaja owner, (liikkeen) proprietor
omistautua dedicate/devote yourself/ your life (to)
omistus 1 (omaisuuden) ownership, possession, (liikkeen) proprietorship **2** (kirjan) dedication, inscription

omistuskirjoitus dedication, inscription

omituinen peculiar, odd, strange, eccentric

omituisesti peculiarly, oddly, strangely, eccentrically

omituisuus peculiarity, oddity, strangeness, eccentricity

ommel (käsityössä, lääk ark) stitch; (lääk) suture

ommella sew (up) ommella omat vaatteet make/sew your own clothes

ompelija seamstress, (pukujen) dressmaker

ompelu sewing

ompelukone sewing machine

onania onanism, masturbation

ongelma problem

ongelmalapsi problem child

ongelmallinen problematic

ongelmallisuus difficulty

ongelmanuori problem teenager/adolescent

ongelmatapaus problem/difficult case

ongenkoho float, bobber

ongenkoukku fishhook

ongensiima fishline

ongenvapa fishing pole/rod

onginta fishing

onkalo cave, cavity, hollow

onki rod/hook and line lähteä ongelle go fishing Kala käy onkeen The fish are biting ottaa onkeensa keep/bear (something) in mind tarttua onkeen (kuv) fall for (something) hook, line, and sinker

onkia fish, (kuv) fish/dig out onkia tietoonsa scrounge/dig up (information about)

onkija fisher(wo)man, (vanh) angler

onkimato fishworm

online on-line

onnahtaa limp

onnekas 1 (hyvää onnea tuottava/saava) lucky, fortunate **2** (onnellinen) happy, felicitous

onnekkaasti luckily, fortunately, happily, felicitously

onnekkuus luck, fortune, happiness, felicity

onnela paradise, utopia, El Dorado, Happy Isles, Shangri-La

onnellinen 1 (iloinen) happy, glad, joyful; (valinta) felicitous onnellinen loppu happy ending elää onnellisina elämänsä loppuun asti live happily ever after **2** (onnekas) lucky, fortunate

onnellisesti happily, felicitously, luckily, fortunately; (hyvin) well, for the best

onnellisuus happiness, felicity, good luck/fortune

onnenetsijä seeker after happiness

onnenkauppa stroke of good fortune, piece of (good) luck onnenkaupalla by sheer luck, by a fluke, by a freak accident

onnenlahjat Tasan ei käy onnenlahjat Luck is blind

onnenonkija (rikkaisiin naimisiin haluava) fortune-hunter, adventurer; (tilaisuuden käyttäjä) opportunist

onnenpekka lucky devil

onnenpoika lucky devil

onnenpotku stroke of (good) fortune, piece of (good) luck

onnenpyörä wheel of fortune

onnentoivotus best wishes, congratulations

onnetar Lady Luck, (Dame) Fortune, (lat) Fortuna

onneton 1 (kurja) miserable, unhappy, wretched **2** (huono-onninen) unlucky, unfortunate **3** (epäonnistunut) ill-fated/-omened/-starred, luckless, blighted

onnettomasti miserably, unhappily, unluckily, unfortunately, lucklessly (ks onneton) Siinä käy vielä onnettomasti, sano minun sanoneen It's going to flop, it's going to turn out badly, mark my words

onnettomuus accident, disaster, catastrophe Onnettomuus ei tule yksin It never rains but it pours, misery loves company onnettomuudeksi unfortunately, as (ill) luck would have it

onnettomuuspaikka the scene of the accident

onni 1 (onnellisuus) happiness, joy, bliss, delight onnensa kukkuloilla at the height of your happiness **2** (onnekkuus) luck, fortune; (personoituna) Lady Luck, (Dame) Fortune hyvä/huono onni good/bad luck/fortune Silloin onneni kääntyi That was when my luck/fortunes changed/turned jättää joku oman onnensa nojaan leave someone to his/her own devices Onnea matkaan! Have a good trip! Good luck on your trip! **3** Onnea! (yleisonnittelut) Congratulations! (synttärisankarille) Happy birthday! (hääpäivänä) Happy anniversary!
onni onnettomuudessa every cloud has a silver lining, look on the bright side
onnistaa Minua onnisti I did/made it, my (whatever) was a success Häntä aina onnistaa He has all the luck
onnistua succeed (in doing something), be successful/a success (in/at); (ark) work, come out (all right)
onnistuneesti successfully
onnistunut successful
onnitella congratulate
onnittelu congratulations
onomatopoeettinen onomatopoeic
onpa what a Onpa valtava työ! What a (huge) job! Onpas Is too/so Eipäs Is not
Ontario Ontario
ontelo cavity
ontto hollow (myös kuv)
ontua limp Vertaus hieman ontuu The conceit doesn't quite work, the analogy falls a bit short
oodi ode
oopiumi opium Uskonto on kansan oopiumi Religion is the opiate of the people
ooppera opera
oopperalaulaja opera singer
oopperamusiikki opera(tic) music
oopperatalo opera hall
opas (ihminen) guide, (kirja) guide(book)
opastaa guide, lead, conduct
opaste (tieviitta) roadsign, (rautatiellä) signal
opastin signal
opastus 1 guidance kartan opastuksella with the help/aid of a map, following a map **2** (neuvonta) information
operaatio operation
operaattori operator
operetti operetta
operoida operate
opetella learn
opettaa 1 teach, instruct **2** (kouluttaa) train, (harjoituttaa) drill
opettaja teacher, instructor, trainer, drill-master; (mon) faculty, teaching staff
opettajainhuone teachers' room
opettajakunta faculty, teaching staff
opettajankoulutus teacher training
opettajan virka teacher's position
opettajapula shortage of teachers
opettajatoveri colleague, fellow teacher
opettajisto faculty, teaching staff
opettavainen educational, instructive, didactic
opettavaisesti pedantically
opettavaisuus pedantry
opettelija learner, beginner
opettelu learning
opetuksellinen educational, instructional
opetus 1 (opettaminen) teaching, instruction **2** (opetettu/opittu asia) lesson, (tarinan) moral antaa jollekulle pieni opetus teach someone a lesson
opetuselokuva educational movie
opetusharjoittelija student teacher
opetusharjoittelu student teaching
opetuskieli language of instruction
opetuslaitos educational system
opetuslapsi disciple
opetusmenetelmä teaching method
opetusministeri (SF) Minister of Education, (US) Secretary of Health, Education, and Welfare (HEW)
opetusministeriö (SF) Ministry of Education, (US) Department of Health, Education, and Welfare (HEW)
opetusnäyte demonstration lesson
opetusoppi pedagogics
opetussairaala teaching hospital

ɔpetussuunnitelma curriculum
ɔpetustoiminta teaching
ɔpetustyö teaching
ɔpillinen doctrinal
ɔpinahjo seat of learning
ɔpinkappale tenet (of your faith), doctrine
ɔpinnot studies
ɔpinnäyte scholarly thesis
ɔpinnäytetyö scholarly thesis
ɔpintie lähteä opintielle begin school
ɔpintoasiaintoimisto student advisor's office
ɔpintolaina student loan
ɔpintoneuvonta student guidance
ɔpinto-ohjaaja (koulussa) guidance counselor, (yliopistossa) student advisor
ɔpinto-ohjelma curriculum
ɔpintopäivät seminar, conference
ɔpintoretki field trip
ɔpintosuunnitelma curriculum
ɔpintovaatimukset course requirements
ɔpintovapaa study leave
ɔpintovelka student loan
ɔpiskelija (college/university/ undergraduate) student jatko-opiskelija grad(uate) student
ɔpiskelijalevottomuudet student unrest
ɔpiskella study
ɔpiskelu study(ing)
ɔpiskelutoveri friend from college
ɔpisto institute, college
oppi 1 (oppineisuus) learning, erudition ottaa oppia (jostakin) learn from, (jostakusta) follow (someone's) example Ei oppi ojaan kaada A little learning never hurt anybody **2** (opinnot) education olla jonkun opissa be apprenticed to **3** (opinkappale) doctrine, dogma **4** (opetus) lesson, teaching Olkoon tämä sinulle opiksi I hope you've learned your lesson
oppia learn, (ark) pick up
oppia ikä kaikki live and learn, you learn something new every day
oppiaine subject
oppiarvo degree
oppia tuntemaan get to know (someone)
oppi-isä master, (spiritual) father, teacher; (ark) guru
oppikirja textbook
oppikoulu secondary school
oppilaanohjaus student guidance/ canseling
oppilaitos school
oppilas 1 (koulun, yliopiston) student **2** (ammattioppilas) trainee **3** (opetuslapsi) disciple, follower
oppilasarvostelu student evaluation
oppilashuolto student welfare
oppilaskerho student club
oppilaskunta student body
oppilasluettelo student register
oppilasmäärä enrollment
oppiminen learning
oppimäärä course (of study)
oppineisuus learning, erudition
oppinut s learned person, (ark halv) egghead
adj learned, erudite
oppipoika 1 apprentice **2** (aloittelija) beginner
oppirahat maksaa oppirahat pay your dues
oppisopimus indenture
oppisuunta school (of thought)
oppitunti class, lesson
oppivainen quick to learn, apt
oppivelvollinen (someone) of school age
oppivelvollisuus compulsory education
oppivelvollisuusikä school age
opponentti opponent
opportunismi opportunism
opportunisti opportunist
opportunistinen opportunistic
oppositio opposition
optiikka optics
optikko optician
optimaalinen optimal
optimi optimum
optimismi optimism
optimisti optimist
optimistinen optimistic
optinen optical

optio (pörssissä) option
optiolaina option loan
optisesti optically
opus opus
oraakkeli oracle
oranssi orange
oranssinvärinen orange
orapihlaja hawthorn
oras new crop
orastaa 1 (vilja tms) sprout, spring up, germinate **2** (kuv) take shape, develop
orastava budding, nascent, beginning
orastus dawn(ing)
oratorio oratorio
orava squirrel
oravannahka squirrel skin
ordinaaliluku ordinal number
orgaaninen organic
organisaatio organization
organisatorinen organizational
organismi organism
organisoija organizer
organisointi organization
orgasmi orgasm
orgiat orgy
ori stallion, stud
orientaatio orientation
orientoitua get oriented, orient yourself
orientoituminen orientation
originaali original
originelli original
orja slave, (maaorja) serf tapojensa orja creature of habit
orjallinen slavish
orjallisesti slavishly
orjamainen slavish
orjamaisesti slavishly
orjamarkkinat slave market
orjantappura thorn, thistle
orjatalous slave economy
orjuus slavery
orjuuttaa enslave
orjuutus enslavement
orkesteri orchestra
orkesterimusiikki orchestra(l) music
orkesterinjohtaja conductor
orkesterisyvennys orchestra pit
orkesterisävellys orchestral composition
orkestroida orchestrate
orkidea orchid
ornamentaalinen ornamental
ornamentiikka ornamental/ decorative art
ornamentti ornament
ornitologi ornithologist
ornitologia ornithology
ornitologinen ornithological
orpo orphan jäädä orvoksi be orphaned orpo olo forlorn/desolate feeling
orpokoti orphanage
orpolapsi orphan(ed child)
orpous orphanhood
orsi 1 (talon) beam, rafter **2** (linnun) perch, roost kuin kanat orrella cheek by jowl, shank to flank
ortodoksi orthodox
ortodoksinen orthodox
ortodoksisuus orthodoxy
orvaskesi epidermis
orvokki violet
osa 1 part jakaa samansuuruisiin osiin divide up into equal parts: (kangasta) cut up into equal lengths, (kakkua) cut into equal-sized pieces/slices, (rahaa) divide up into equal shares esittää Hamletin osaa play the part/role of Hamlet ostaa osia stereoihinsa buy parts/components for your stereo teoksen ensimmäinen osa (kirjan) first part/book, (kirjasarjan) first volume, (sinfonian) first movement, (lyhyemmän musiikkiteoksen) first part kolmasosa third neljäsosa fourth, quarter **2** (jotkut) some Osa on miehille, osa naisille Some are for men, some for women **3** (kohtalo) fate, lot alistua osaansa resign yourself to your fate/lot
osaa eikä arpaa Minulla ei ole siihen osaa eikä arpaa I had/have nothing to do with it
osa-aikainen part-time
osa-aikatyö part-time job
osaamaton unskilled, incompetent
osaava skilled, competent

osainen neliosainen (artikkeli, saarna tms) four-part (article), (sermon) in four parts; (kirjasarja) four-volume (series), (series) in four volumes; (sinfonia) in four movements
osajako (näytelmän) casting
osakas (yhtiökumppani) partner, (osakeyhtiön) shareholder
osake 1 (paperi) share, (mon) stock **2** (huoneisto) condo(minium)
osakeanti (stock) issue
osake-enemmistö controlling interest (in a company)
osakemarkkinat stock market
osakesalkku stock portfolio
osakeyhtiö corporation, incorporated company (Inc.)
osakkuus partnership
osakseen 1 (itselleen) jää kääntämättä saada osakseen receive saada osakseen runsaasti kiitosta be thanked profusely, have praise lavished upon you saada osakseen pilkkaa be met with scorn/ridicule, be made a laughingstock **2** (kohtalokseen) to your lot Minun osakseni tuli It fell to my lot (to), it became my responsibility (to), it devolved upon me (to)
osaksi part(ly) osaksi puuvillaa, osaksi polyesteriä part cotton, part polyester suureksi osaksi mostly, in large part, for the most part
osakunta (regional) students' club
osallinen part of, party to päästä osalliseksi/olla osallisena jostakin get involved in something, be included in something, take part/participate in something
osallistua 1 take part (in), participate (in), be involved/included (in) **2** (kurssiin tms) attend **3** (kustannuksiin) share
osallisuus 1 part, share, involvement **2** (lak rikokseen) complicity
osaltaan for your part Omalta osaltani voin sanoa että For my part, let me say that; personally I'd like to say that olla osaltaan vaikuttamassa siihen että play a part in (getting someone to do something), contribute to
osamäärä quotient älykkyysosamäärä intelligence quotient, IQ
osanottaja 1 participant **2** (urh) contestant, competitor, entrant
osanotto 1 (kurssiin tms) participation, attendance **2** (suruun) (expression of) sympathy, condolences
osapuilleen approximately, roughly
osapuoli party
osasto 1 (liikkeen) department, division **2** (junavaunun, kaapin) compartment **3** (sanomalehden) section, page(s) **4** (sairaalan, vankilan) ward **5** (sot) detachment
osastonhoitaja 1 (liikkeen) department head **2** (sairaalan) head nurse
osastopäällikkö department(al) head
osata pääv **1** (jo(ta)kin) know (how to do), have a command of Osaatko italiaa? Do you speak Italian? **2** (jonnekin) know how to get somewhere, be able to find your way somewhere Osaatko meille? Do you know where we live? Can you get here all right (or do you need directions)?
apuv can, be able to, know how to Osaatko viheltää? Can you whistle? Do you know how to whistle? Että osaakin olla lujassa How can it be stuck so tight?
osatavoite part objective
osaton jäädä osattomaksi be left high and dry, be left out, be left without a share yhteiskunnan osattomat the have-nots
osavaltio state
osin part(ly) (ks osaksi) joiltakin/kaikilta osin in some/all respects
osinko dividend
osittaa divide; (perintöä) partition; (maapalstaa) parcel (out)
osittain part(ial)ly, in part
osittainen partial
ositus division, partition, parceling (ks osittaa)
osituskäyttö time sharing
oskillaatio oscillation
oskillaattori oscillator

oskilloskooppi oscilloscope
Oslo Oslo
osmankäämi cattail
osmoosi osmosis
osoite address
osoitella point (a finger) (at); (kuv) point fingers (at)
osoitetarra address/mail label
osoitin pointer, indicator; (kellon) hand; (kuv) index
osoittaa 1 (sormella) point (at/to/out) **2** (näyttää) show, display, indicate, demonstrate **3** (todistaa) demonstrate, prove **4** (suunnata) direct, address **5** (varata) allocate, assign, allot
osoittautua prove (yourself) (to be) osoittautua erinomaiseksi ruoanlaittajaksi prove (to be) an excellent cook Osoittautui että hän olikin oikeassa He turned out/proved to be right after all
osoitteenmuutos change of address
osoitus 1 (merkki) sign, indication, token, symbol **2** (maksumääräys) assignment
ostaa buy, purchase ostaa sika säkissä buy a pig in a poke
ostaja buyer, purchaser
osteri oyster
osto purchase
osto- ja myyntiliike second-hand shop
ostopakko obligation to buy
ostopäällikkö head buyer
ostos purchase mennä ostoksille go shopping
ostoskeskus shopping mall/center
ostosmatka shopping trip
ostosopimus contract of purchase
ostovoima buying/purchasing power
osua hit, strike Osuin häntä selkään I got him in the back
osua ohi miss
osua oikeaan hit the nail on the head, hit the bull's eye
osua vastakkain bump/run into each other
osuma hit saada osuma käteen get hit in/on the hand, (ark) get/take it in/on the hand
osumatarkkuus accuracy
osuus 1 share, part suhteellinen osuus proportion **2** (yhtiöstä) interest **3** (tieosuus) section, segment **4** (viestijuoksun) stage
osuuskauppa cooperative store, (ark) co-op
osuuskunta cooperative, (ark) co-op
osuuspankki cooperative bank, savings and loan association
osuustoiminta cooperation, (liik) cooperative
osuva apt, appropriate osuva kommentti telling remark
osuvasti aptly sanoa osuvasti (hyvin) hit the nail on the head, capture the situation perfectly; (loukkaavasti) hurt someone to the quick, hit a sore spot
osuvuus aptness
osvitta clue, hint
ota (raam) sting Kuolema, missä on sinun otasi? Death, where is thy sting?
otaksua suppose, assume, (ylät) presume
otaksuma supposition, assumption, presumption
otaksuttavasti presumably
otanta sampling satunnaisotanta random sampling
otattaa have (something) taken otattaa perheestään kuva have someone take a picture of your family
otava Ursa Major, the Big Dipper
ote 1 (kädellä) grip, grasp, hold (myös kuv) Inflaatio kiristää otettaan Inflation is tightening its grip/stranglehold **2** kovat otteet severe/drastic/harsh measures käyttää kovia otteita come down hard (on people), play hardball **3** (tekstin ote) extract, passage **4** (tiliote) (bank) statement, (nimikirjanote) dossier **5** (kerta) time, occasion pariin otteeseen several times, on several occasions
otelauta fingerboard
otella contend, compete, fight
otettu pleased, touched, moved Olin hyvin otettu teidän huomaavaisuudestanne Your thoughtfulness really pleased me, really made me happy
otollinen opportune, favorable, (erittäin hyvä) perfect

otos 1 (valokuva) (snap)shot **2** (elokuvassa) take **3** (empiirisessä tutkimuksessa) sample

otsa 1 forehead otsa rypyssä knitbrowed, with a frown kirkkain otsin with a straight face/innocent look **2** nerve Onpa sinulla otsaa! You've got some nerve!

otsatukka bangs

otsikko 1 (kirjassa tms) title, heading **2** (sanomalehdessä) headline

otsikoida (en)title, head

otsikointi titling, heading

ottaa 1 take (ks myös hakusanat) Ota tai jätä! Take it or leave it! Otahan lisää! Take/have some more! **2** (juoda) drink Oletko ottanut? Have you been drinking? **3** (koskettaa) touch, reach down to Hame ottaa lattiaan The skirt hangs down to the floor

ottaa aika time, clock

ottaa asiakseen make it your business (to)

ottaa esille bring up, mention

ottaa haltuunsa seize, confiscate

ottaa hampaisiinsa chew (someone) out

ottaa huomioon take (something) into consideration/account

ottaa irti remove, dismantle ottaa elämästä kaikki ilo irti let loose, paint the town red ottaa työläisistä kaikki irti work your employees to the bone, till they drop

ottaa ja up and Hän otti ja lähti He up and left

ottaa jalat alleen take to your heels, beat a hasty retreat

ottaa kantaa take a stance (on)

ottaa kiinni 1 catch (a ball, a criminal) **2** (etumatkaa) catch up with **3** (tarttua) take hold of, grab ottaa jotakuta kädestä take someone by the hand, take someone's hand

ottaa koville hit (you) hard, be hard/tough to take

ottaa kunnia jostakin take credit for something

ottaa käsiteltäväksi 1 take under consideration, raise for discussion, bring up **2** (hakata) work (someone) over

ottaa käyttöön introduce, (auto) register

ottaa lainaa take out a loan, borrow money

ottaa lujille hit (you) hard, be hard/tough to take

ottaa mukaansa 1 (matkalle tms) take (something/someone) along (with you) **2** (laskuihin tms) include

ottaa nokkiinsa take offense, take (something) personally, get hurt (by)

ottaa onkeensa heed, pay attention to, take (something) seriously, tuck (something) away for later reference

ottaa opiksi learn (your/a lesson)

ottaa oppia learn (your/a lesson), follow someone's example

ottaa osaa 1 (osallistua) take part (in), participate (in), (seminaariin, konferenssiin tms) attend **2** (tuntea samaa) share, sympathize with Otan osaa (suruunne) My condolences/sympathies

ottaa pois 1 (joltakulta) take away **2** (päältä) take off, remove **3** (sisältä) take out **4** (lapsi koulusta tms) pull out, withdraw

ottaa puheeksi bring up, mention

ottaa päähän irritate, make (you) mad, (sl) piss/brown (you) off

ottaa selvää find out (about)

ottaa sisään admit

ottaa sydämelleen take (something) to heart

ottaa syyt niskoilleen take the blame (for something)

ottaa tavakseen make a habit (of doing)

ottaa tehtäväkseen undertake (to)

ottaa todesta take (someone/something) seriously

ottaa (täysi) vastuu take (full) responsibility (for)

ottaa töihin employ, hire, take on

ottaa vaarin heed, pay attention to, take (something) seriously, tuck (something) away for later reference

ottaa vapaus take the liberty (of doing something)
ottaa vastaan receive, meet, (kutsu) accept Meinasin kaatua, mutta kaide otti vastaan I almost fell, but (fortunately) the railing caught me
ottaa vastuu accept responsibility for (doing something)
ottaa vauhtia get a run at it
ottaa voimille be tiring, wear you out/down
ottaa yhteen clash
ottaa yhteys contact, get in touch (with)
ottelu match, game, (nyrkkeilyssä) fight
otto 1 (pankissa) withdrawal **2** (elokuvauksessa) take
ottokela take-up reel
ottolainaus deposits
ottolapsi adopted child
otus creature
oudokseltaan because of its unfamiliarity
oudoksua find it strange/odd/peculiar
oudoksuttaa find it strange/odd/peculiar
oululainen s person from Oulu adj from Oulu, pertaining to Oulu
ounastella have a hunch/suspicion/feeling (that), suspect
outo strange, odd, peculiar
ovaali oval
ovela clever, crafty, cunning
ovelasti cleverly, craftily, cunningly
ovella 1 (oven edessä) at the door **2** (lähellä) near, just around the corner
ovellinen (hut) with a door
ovelta ovelle (from) door to door
oveluus cleverness, craftiness, cunning
ovenavaaja door-opener
ovenkarmi door frame
ovenpieli doorjamb seisoa ovenpielessä stand in the doorway
ovensuu seisoa ovensuussa stand in the doorway
oveton doorless
ovh list price, suggested retail (price)
ovi door; (kuv) door/gateway Ovi auki! Open up! osoittaa jollekulle ovea show someone the door Avain on ovessa The key is in the lock Jätin sormeni oven väliin I pinched my finger in the door, my finger got caught in the door olla oven ja saranan välissä be between a rock and a hard place, between the devil and the deep blue sea
oviaukko door opening
ovikello doorbell
ovimies doorman
oy. Inc.

P, p

paaduttaa harden
paaduttaa sydämensä harden your heart
paahde heat lämmitellä nuotion paahteessa warm up by the fire auringon paahteessa in the (scorching) heat of the sun
paahdin leivänpaahdin toaster kahvinpaahdin coffee roaster
paahtaa 1 (aurinko) scorch, burn **2** (leipää) toast **3** (kahvia) roast **4** (tehtä työtä) grind (away)
paahtimo roasting house/plant
paahtoleipä 1 (paahdettuna) toast **2** (paahtamattomana) sliced bread
paahtopaisti roast (beef/pork)
paahtua (leipä, iho) toast, (kahvi, iho) roast
paakku (maan) clod, (veren) clot, (lumen) cake
paakkuinen (kastike tms) lumpy, (maa) cloddy
paakkuuntua clod, clot, cake (up)
paalata bale
paali bale
paalittaa bale
paalu 1 post, pole, stake, (kroketissa) peg, (perustuspaalu) pile
paalupaikka pole position
paalusolmu bowline (hitch)
paalutus (merkitseminen) staking, (tukipilareiden laitto) pile-driving, (pilarit) pilework
paanu shingle
paanukatto shingle roof
paapuuri port
paaria pariah
paarit 1 (sairaspaarit) stretcher **2** (ruumispaarit) bier
paarma horsefly
paasata trumpet, spout, rant (and rave)
paasi rock bench, flagstone
Paasikiven-Kekkosen linja the Paasikivi-Kekkonen foreign policy line
paasto fast
paastonaika Lent
paastonaikainen Lenten
paastota fast
paatoksellinen pompous
paatos pathos, (äänessä) pomposity
paatti boat
paatua become hardened
paatumus obduracy, unrepentance
paatunut hardened, obdurate, unrepentant
Paavali Paul
paavi pope paavin papal
paavinistuin Apostolic/Holy See
paavinkirje (papal) bull/brief
paavius Papacy
padota 1 (jokea) dam (up) **2** (tunteet) suppress, contain, hold back/in
paella paella
paeta 1 (juosta pakoon) flee (from), run away (from) paeta johonkin (paikkaan) flee to; (työhön tm,s) take/seek refuge in; (pulloon tms) escape into paeta onnettomuuspaikalta leave the scene of an accident, hit and run paeta maasta flee/skip the country **2** (päästä pakoon) escape, get away **3** (kadota) vanish, disappear
pagodi pagoda
pah bah, pshaw
paha s **1** evil välttämätön paha necessary evil pienempi paha the lesser of two evils pahat mielessä up to some mischief **2** (paholainen) the Devil Siinä paha missä mainitaan Speak of the devil

adj **1** (usk) bad, evil, wicked, malicious puhua pahaa jostakusta malign someone, say malicious things about something pahassa tarkoituksessa maliciously, with malicious intent **2** (pahannäköinen/-makuinen) bad, nasty, ugly, severe, serious paha haava a bad/nasty/serious cut/wound Jäi paha maku suuhun It left me with a bad taste in my mouth Ei niin pahaa ettei jotain hyvääkin Every cloud has a silver lining **3** (tuhma) bad, naughty olla paha suustaan have a sharp tongue **4** (vahingollinen) bad, harmful, insidious, pernicious pahaksi onneksi unfortunately tehdä jollekulle pahaa hurt/harm someone **5** paha mieli hurt, insulted, offended, feeling bad ei millään pahalla no offense Älä pane pahaksesi Don't take this wrong, don't get me wrong Älä muistele pahalla No hard feelings tykätä pahaa be upset/angry/hurt **6** (vaikea) hard, difficult Mäki on paha nousta It's a hard hill to climb, it's not much fun walking up that hill

pahaa aavistamaton unsuspecting, unaware

pahaa aavistamatta unsuspectingly, unawares

pahaenteinen foreboding, ominous, ill-omened

paha haltija evely fairy/spirit

paha henki evil spirit

paha hyvällä maksaa paha hyvällä return good for evil, turn the other cheek

pahamaineinen infamous, notorious

pahanen mökkipahanen miserable shack/hovel, ramshackle old cabin

pahanhajuinen smelly, foul

pahanilmanlintu pessimist

pahan kerran erehtyä pahan kerran be dead wrong

pahankurinen unruly, wild, misbehaved

pahanlainen pretty bad

pahanmakuinen bad-tasting, acrid

pahannäköinen bad-/nasty-looking, (haava) ugly

pahanolontunne sick feeling

pahanpäiväinen 1 (kurja) shabby, sordid, sorry **2** (paha) serious, disastrous, dreadful

pahanpäiväisesti badly pelästyttää pahanpäiväisesti scare/frighten the daylights out of (someone) haukkua pahanpäiväisesti chew (someone) out, rake (someone) over the coals

pahansisuinen vicious, ill-tempered, mean

pahansuopa malicious, malign, spiteful

pahantapainen 1 (huonot tavat) misbehaving, ill-mannered, unmanageable **2** (paheet) corrupt, immoral, dissolute

pahantekijä malefactor; (rikollinen) wrongdoer, transgressor, lawbreaker; (lapsi) troublemaker, mischief-maker, (little) devil

pahanteko mischief, (ilkivalta) vandalism olla pahanteossa be up to no good pitää poissa pahanteosta keep (someone) out of mischief

pahantuulinen 1 (aina) ill-humored, sullen, crabby **2** (nyt) crabby, out of sorts, snappish

pahassa pinteessä in a jam, in trouble, in it up to your neck, up shit creek without a paddle

pahastella take offense (at), be upset (about)

pahasti 1 (pahalla tavalla) badly, terribly pahasti sanottu a nasty/ terrible thing to say **2** (paljon) much, greatly, to a large extent, far pahasti jäljessä far/ way behind

pahastua 1 (loukkaantua) take offense (at), be upset (about) **2** (vihastua) be angry (about), resent

pahastus resentment, indignation

pahastuttaa pahastuttaa jonkun mieli make (someone) feel bad, hur (someone's) feelings

pahat kielet kertovat wicked rumor has it (that)

pahaääninen loud, earsplitting

pahe vice, (lievempi) bad habit

paheellinen vicious, depraved, wicked, dissolute

paheksua 1 (pitää pahana) disapprove (of), reprehend **2** (torua) censure, find fault with, reproach
paheksunta disapproval, reprehension, censure, fault-finding, reproach
pahemmanpuoleinen pretty bad Heräsi aamulla pahemmanpuoleisessa kankkusessa (s)he woke up in the morning with a pretty serious/bad hang-over
pahempi worse Ei ollut Pekkaa pahempi He was not to be bested, he had to go one better Sitä pahempi! So much the worse! Worse luck! ei pahemmasta väliä bad enough
pahennus 1 offense pahennusta herättävä offensive, objectionable, scandalous **2** (raam) stumbling block Älköön puheenne olko kenellekään pahennukseksi Let not your words be a stumbling block to any
pahentaa 1 make (things) worse, worsen, aggravate **2** (loukata) hurt Ei nimi miestä pahenna, jos ei mies nimeä A reputation never hurt anyone, so long as it's a good one
pahentua 1 get worse, go from bad to worse, worsen, be aggravated **2** (mennä pilalle) spoil, rot, mold, go bad
paheta get worse, worsen, be aggravated
pahimmillaan at worst
pahimmoiksi (pahalla hetkellä) at the worst possible time; (tunne on luontevinta ilmaista lyhyellä pessimistisellä tokaisulla kuten:) of course, it figures, I/it would have to
pahimmoillaan at the worst possible time (ks pahimmoiksi) Pahimmoilleen tuli vielä rankkasade Of course, on top of everything else it started to pour
pahiten worst pahiten loukkaantuneet the worst injured, the most seriously injured, those with the worst injuries
pahitteeksi ei olisi pahitteeksi jos I wouldn't mind if, it wouldn't hurt you/me/them to (do something) Kalja ei olisi pahitteeksi I wouldn't mind a beer, I wouldn't protest if you brought me a beer
pahka burl
pahna 1 (sikala tms) pigsty, crib **2** pahnat straw; (leik putka) jail, the slammer
pahoillaan sorry, upset, (surullinen) sad Olen pahoillani I'm sorry
pahoin 1 (pahasti) badly kohdella pahoin mistreat, treat badly **2** pelkään pahoin I'm afraid **3** voida pahoin feel sick (to your stomach), feel nauseous
pahoinpidellä 1 (ihmistä) maul, manhandle, beat (up); (vaimoa) batter, be physically abusive; (lasta) abuse **2** (eläintä, konetta, huonekalua tms) abuse, mistreat, maltreat
pahoinpitelijä assaulter
pahoinpitely 1 (physical) abuse, rough handling **2** (lak) assault (and battery)
pahoinvointi 1 (vatsassa) nausea **2** (huonovointisuus) sickness, indisposition
pahoinvointinen nauseous, sick to your stomach
pahoinvoiva nauseous, sick to your stomach
pahoitella be sorry (about/for), regret, bemoan, bewail
pahoittaa pahoittaa jonkun mieli offend/hurt someone, make someone sad pahoittaa mielensä take offense (at), get hurt/sad, get/feel distressed/upset
pahoittelu regret, sorrow, grief, remorse
pahoittua get hurt, take offense
paholainen devil, demon
pahuksenmoinen heck of a, hell of a
pahus (euf) heck, darn, gosh Voi pahus! Oh darn/gosh!
pahuus 1 (usk) evil **2** (ilkeys) malice, malevolence, spite
pahvi 1 cardboard **2** (ark todistus) paper, diploma, sheepskin
pahvilaatikko cardboard box
paidanhelma shirttail
paidanhiha shirt sleeve
paidankaulus shirt collar
paidannappi shirt button
paidaton shirtless, bare-chested

paijata love, stroke, pet
paikalla 1 there, present, on the spot, where the action is Onko lääkäriä paikalla? Is there a doctor here/in the house/present? **2** (tilalla) in place of, in (something's/someone's) stead Sinun paikallasi minä If I were you I **3** heti paikalla at once, immediately, right away
paikallaan 1 in order, appropriate Muutama sana voisi olla paikallaan A few words might be in order **2** in place mies/nainen paikallaan the right (wo)man in the right place pitää paikallaan hold in place poissa paikaltaan out of place
paikallaan olo standing still, immobility
paikallaan polkeva stagnant, in a rut
paikallajuoksu running in place
paikallakäynti marching in place
paikallinen local
paikallisesti locally
paikallishallinto local government
paikallishistoria local history
paikallisjuna local train
paikallisjärjestö local organization
paikallislehti local paper
paikallisliikenne local traffic/transportation
paikallisluonteinen local
paikallislähetys local broadcast
paikallismurre local dialect
paikallisosasto local branch
paikallispuudutus local anesthesia
paikallisradio local radio (station)
paikallistaa 1 (rajoittaa yhteen paikkaan) localize **2** (paikantaa) locate, pinpoint
paikallistelevisio local television
paikallisuus local orientation
paikallisvaalit local election
paikallisverkko (tietokoneiden) local area network, LAN
paikallisväestö local population, (ark) the locals
paikallisväri local color
paikanhakija applicant (for a job)
paikanhaku application for a job
paikannimi place name
paikannimistö place names
paikan päällä on the spot, there, present
paikantaa 1 (paikantaa) locate, pinpoint **2** (rajoittaa yhteen paikkaan) localize
paikantua be pinpointed/located
paikantuntemus knowledge of the area
paikanvaihdos (työpaikan) change of jobs, job change; (asuinpaikan) move to another city, change of domicile; (olinpaikan) change of scenery
paikanvaraus (seat) reservation tehdä paikanvaraus (asiakas) reserve a seat, make a reservation, (virkailija) book a seat
paikata 1 (paitaa) patch, mend, sew (up) **2** (kenkiä) fix, repair **3** (hammasta) put in a filling **4** (aukkoja tiedoissa) fill (the gaps) **5** (ihmissuhdetta) patch up **6** (teatterissa) be someone's understudy, take someone's place **7** (keilailussa) roll a spare
paikata taskujaan (kuv: varastaa) fill your pockets
paikka 1 place, location, spot, site vaihtaa paikkaa change places Tämä olisi mukava paikka talolle This would be a nice spot/site for a house osoittaa jollekulle paikkansa put someone in his/her place osua arkaan paikkaan hit a sore spot määrätä kaapin paikka wear the pants in the family kuolla siihen paikkaan die on the spot **2** (alue) area, region, locality, neighborhood **3** (tilaa) space, room Ei taida olla paikkaa sille I don't think there's room for it paikat sekaisin (in) a mess **4** (tapahtumapaikka) scene paeta onnettomuuspaikalta leave the scene of an accident **5** (istumapaikka) seat (myös eduskuntapaikka) vaihtaa paikkaa change places (with someone) **6** (makuupaikka) berth **7** (työpaikka) job, post, position Mitä paikkaa hait? Which job did you apply for? **8** (korjauspaikka) patch **9** (hammaspaikka) filling **10** pitää paikkansa be/ hold true puolustaa paikkaansa

serve a purpose, be useful/valuable
11 (ark tilanne) situation kovan paikan tullen when the going gets tough tiukan paikan tullen when it comes right down to it, when push comes to shove Tulee kuumat paikat The heat's gonna be on
12 (ark jäsenet) parts, bones Minulla on paikat kipeät I'm sore all over
paikka auringossa a place in the sun
paikkailla fill (the gaps in your knowledge)
paikkainen 4-paikkainen 4-seater
paikkakunnallinen local
paikkakunnittain by region/locality/ town
paikkakunta (kunta) town, (asuma-alue) neighborhood, (alue) region, locality
paikkakuntalainen local (resident)
paikkalippu reserved seat
paikkansapitämätön 1 (väärä) untrue, false, erroneous **2** (harhaanjohtava) misleading, unreliable **3** (pohjaton) unfounded, ungrounded, unsound, invalid
paikkansapitävä true, calid, sound
paikka paikoin here and there
paikkapuolustus zone defense
paikkaus 1 (vaatteiden tms) patching, mending, sewing up **2** (hampaan) filling
paikkauttaa have (something) fixed; (vaate) have (a shirt tms) mended/sewn/ patched, (hammas) get a filling
paikkavaraus (seat) reservation, (paikka) reserved seat
paikkeilla around, about, approximately Tule kolmen paikkeilla Come around three jossain näillä paikkeilla around here somewhere
paikko spare
paikoillaan 1 (oikeassa paikassa) in place Lapset keräsivät lelut paikoilleen The children put their toys away Paikoillenne, valmiina, nyt! On your mark, set, go! **2** (sopiva) appropriate, fitting
paikoin here and there
paikoitellen here and there
paikoittaa park
paikoittain here and there
paikoittainen (something that occurs) here and there
paikoitusalue parking lot
paikoitusruutu parking place/slot
paikoitustalo parking garage
paimen shepherd, (pappi) pastor
paimenhuilu pan pipe
paimenkirje pastoral (letter)
paimenkoira German shepherd
paimentaa herd, tend; (ihmisiä) (shep)herd
paimentolainen nomad
paimentolaisheimo nomadic tribe
paimentolaiskansa nomadic people
painaa tr **1** (alas tms) push, press painaa nappia push a/the button
2 impress, imprint painaa suukko jonkun otsaan kiss someone on the forehead, imprint a kiss on someone's forehead
3 (paperiin) print Montako kappaletta painettiin? How large was the print run?
4 (laskea) painaa katseensa alas lower your eyes, cast your eyes down (to the ground) painaa päänsä alas bow your head
itr **1** (kiloja) weigh, be heavy Paljonko painat? How much do you weigh? painaa enemmän vaakakupissa outweigh (something in your estimation), have more/greater significance, take precedence over **2** (vaivata) weigh upon, bother, trouble Mikä mieltäsi painaa? What's on your mind? What's bothering/ troubling you? **3** (painella) go, walk, run painaa vihaisesti sisälle storm/stomp inside painaa karkuun make good your escape, take off
painaa litteäksi flatten, squash, (ark) squish
painaa lokaan drag (someone) (down) in(to) the gutter/mud
painaa lusikka pohjaan put the pedal to the metal
painaa mieleen impress (something) on someone, insist on something Paina se mieleesi! Don't forget it!
painaa mieltä trouble/bother you, be on your mind
painaa nasta lautaan push/put the pedal to the metal, step on it

painaa puuta sit down, have a seat
painaa päähänsä memorize, drum into your head
painaa päälle not give up, not relent kytät painaa päälle (sl) the heat is on
painaa päänsä pensaaseen hide your head in the sand
painaa töitä (lujasti) work hard, work your ass off
painaa villaisella downplay, soft-pedal
painajainen nightmare, bad dream
painajaismainen nightmarish
painajaisuni nightmare
painallus 1 push napin painallus the push of a button **2** print jalan painallus footprint
painama 1 (painallus) push **2** (jälki) (im)print, impression
painamaton (lähde tms) unprinted, unpublished; (liuska) blank
painamo (liike) print(ing) shop, printer('s); (osasto) print(ing) room/department/division
painanta printing, (käsin) screening
painate publication painatteet ptinted matter
painattaa (have something) print(ed)
painatus 1 (painattaminen) printing **2** (painos) print run, edition **3** (jälki) print, impression
painatuskelpoinen printable, fit to print, (kirja) publishable
painauma depression, impression, (lommo) dent
painautua press (against/close (to)) painautua toisiinsa kiinni huddle together
painatuskulut printing/pubication costs
painava 1 (esine, ihminen) heavy painava kirja heavy/thick/fat book **2** (sana, asia) weighty sanoa muutama painava sana say a few well-chosen words painava teos important/significant work
paine (fys ja kuv) pressure työskennellä kovan paineen alla work under immense pressure/stress
paineaalto blast, pressure wave
paine-ero pressure difference
paineilma compressed air
paineinen 1 (ilma) -pressure korkea/matalapaineinen high-/low-pressure **2** (ihminen) stressed-out, under a lot of pressure/stress
paineistaa pressurize
painekattila pressure cooker
painekeitin pressure cooker
painekyllästää weatherproof, weatherize
painella 1 push **2** (puristella) squeeze **3** (ark) go, run painella tiehensä make off, beat a hasty retreat, take to your heels
painepakkaus pressure-sealed package
painesäiliö pressure tank
paini wrestling
painia 1 (urh) wrestle (myös kuv) **2** (kuv) struggle/grapple (with)
painija wrestler
painike handle
painimatto (wrestling) mat
painiskella 1 (fyysisesti) wrestle, wrassle, tussle, (piehtaroida) roll around on the floor **2** (henkisesti) struggle/grapple (with)
paino 1 (fys ja kuv) weight, (taakka) load nostaa painoja lift weights nojata koko painollaan lean with your whole weight Oletko pudottanut painoa? Have you lost (some) weight? painon mukaan by weight **2** (merkitsevyys) weight, importance, significance, stress panna suurta painoa jonkun neuvoille lay great store by someone's advice omalla painollaan on its own, by/of itself panna painoa jollekin stress/emphasize something, place (a good deal of) emphasis/stress on something **3** (kiel) stress, accent **4** (kirjapaino) (printing) press olla painossa be in press mennä painoon go to press valmis painoon ready to go into press/production juuri painosta tullut hot off the presses
painoala 1 (kirjapainoala) the printing business **2** (painopiste) specialty, (area of) specialization, focus area

painoasu (kirjainten) typeface; (kirjan) appearance, how the book looks in print
painoinen 10 kg:n painoinen weighing (in at) 10 kg, (noin) 20-pounder
painokas emphatic, insistent
painokelpoinen printable, fit to print, pubilishable
painokelpoisuus printability
painokkaasti emphatically, insistence
painokone printing press
painolasti 1 (laivan) ballast **2** (rasite) burden, strain, onus
painollinen 1 (olomuoto) weighted **2** (tavu) stressed, accented **3** (kehotus) pointed, weighty
painoluokka weight class
painomitta unit of weight
painonappi 1 (neppari) snap **2** (painonappi) pushbutton
painonnostaja weight-lifter
painonnosto weight-lifting
painopaikka place of publication
painopiiri printed circuit
painopiirikortti printed circuit board
painopiirilevy printed circuit board
painopiste 1 (fys) center of gravity **2** (hankkeen) emphasis, focus
painoprosentti percent(age) by weight
painorajoitus weight limit
painos 1 (laitos) edition uusi painos reprint, second edition **2** (painatus) print run 10 000 kappaleen painos a print run of 10,000 (copies)
painosmäärä (print) run
painostaa 1 (jotakuta) press(ure), put pressure on, bring pressure to bear on; (ark) breathe down (someone's) neck Älä painosta minua! Don't rush me! Stop breathing down my neck! **2** (eteenpäin) push/press on
painostava oppressive
painostus pressure
painostuskeino strong-arm tactics Tiedän painostuskeinon joka tepsii häneen I know a way to squeeze him, I know an angle that'll work on her
painosuhde weight ratio
painotarkastus 1 (julkaisusensuuri) censorship of the press **2** (rekkojen) weight inspection
painotekniikka print(ing) technology
painoton 1 (esine) weightless **2** (tav) unstressed
painottaa 1 (tavua) accent, stress **2** (asiaa) stress, emphasize, insist on, place/put (special) emphasis/stress on
painotuore hot off the presses
painotuote printed matter
painotus 1 (tavun) accent, stress **2** (asian) stress, emphasis
painotyö 1 (painamistyö) print job **2** (kirja) publication
painovapaus freedom of the press
painovirhe printer's error, misprint, typographical error, (ark) typo
painovirhepaholainen printer's devil
painovoima 1 (maan) gravity, gravitation **2** (laitteen) pressure
painovuosi year of publication
painua 1 sink, sag, dro(o)p, fall, descend painua veden alle submerge, go underwater **2** (antaa myöten) give way, yield painua kumaraan bend, bow, stoop, (pää) droop painua kokoon collapse, (kutistua) shrink, be compressed **3** (kulkeutua) drift, be driven **4** (ääni: olla painoksissa) be hoarse **5** (painella) go, walk, run painua tiehensä beat it, get the hell out of somewhere painua maata go to bed, hit the sack/ hay Painu helvettiin! Go to hell! Painu vittuun! Go fuck yourself! Painu kuuseen/suolle! Get lost! Get out of here! Go jump in a lake!
painua mieleen be imprinted on your memory painua helposti mieleen be easy to remember
painua pehkuihin hit the sack
painua pohjaan fall/drop to your knees
painua tiehensä take to your heels, take off, beat it
painua upoksiin sink, (be) submerge(d)
painuksissa 1 (pää tms) lowered, bowed **2** (ääni) hoarse

painuma depression
paise 1 boil, ulcer **2** (yhteiskunnan) festering sore
paiskata toss, hurl, fling, sling, pitch; (ark) chuck paiskata menemään throw away, chuck, pitch, heave paiskata rikki smash paiskata seinään smash (something) against the wall paiskata totuus vasten kasvoja hurl the truth in (someone's) face
paiskata kättä pump (someone's) hand
paiskautua 1 (heittäytyä) throw/hurl yourself (down/on the ground) **2** (viskautua) fly, sail, (jotakin vasten) be dashed/thrown/hurled against
paiskella toss, hurl, fling, sling paiskella ovia slam/bang doors
paiskia toss, hurl, fling, sling paiskia töitä put/keep your nose to the grindstone, work your ass off
paistaa tr **1** (paistinpannussa) fry **2** (avotulella) grill, barbecue **3** (padassa) braise **4** (uunissa) bake, roast itr **1** (aurinko tms) shine Satoi tai paistoi Rain or shine **2** (tuli) blaze **3** (kasvot) beam **4** (näkyä) show Se paistoi hänestä You could tell just by looking at her
paistaa silmään 1 (valo) shine in your eye, be glary, be too bright **2** (asia) stare you in the face, be right under your nose, be as plain as day
paistaa särkeä 1 fry (up some) fish **2** (tuijottaa) have a staredown, try to stare each other down
paistatella bask (in)
paistattaa bask (in)
paiste 1 (auringon) shine **2** (tulen) light, heat, flickering
paisti roast
paistinkastike brown gravy
paistinpannu frying pan
paistinperuna baked potato
paistinrasva frying grease
paistokelmu oven wrap
paistopussi roasting bag
paistos 1 (paistannainen) baked dish, (mon) bakery goods **2** (laatikko) casserole **3** (piiras) (deep-dish) pie
paistovarras spit
paistua 1 (paistinpannussa) fry **2** (uunissa) bake **3** (auringossa) bake, roast
paisua 1 swell (up), expand (myös abstraktisti), inflate, (muodottomaksi) bulge **2** (kohota) rise, increase antaa taikinan paisua let the dough rise
paisuntasäiliö expansion/overflow tank
paisutella magnify, exaggerate, blow (something) up out of all proportion paisutella pikkuasiaa make a mountain out of a molehill
paisutin 1 (tekn) expander, (muovin) inflating agent **2** (mus) swell
paisuttaa 1 swell, expand, inflate **2** (asiaa) magnify, exaggerate, blow (something) up out of all proportion
paita shirt, (naisen) blouse
paitahihasillaan in your shirt sleeves
paita ja peppu two peas in a pod
paitapusero shirtwaist
paitsi 1 except (that/for) Se on totta, paitsi että Yes, that's true, except that **2** (muttei) but Kaikki muut paitsi minä Everyone but me **3** (sen lisäksi) in addition to, besides, not only... but also Paitsi nopea hän on tarkka She's not only fast, she's accurate
paitsio offside paitsiossa (urh) offside; (kuv) in the doghouse
paja 1 workshop **2** (sepän) smithy, forge
pajatso 1 (hist ilveilijä) clown, buffoon, jester **2** (raha-automaatti) slot machine
paju willow (tree)
pajunkissa pussy willow
pajunköysi syöttää jollekulle pajunköyttä feed someone a line
pajupilli willow whistle
pakaasi baggage, luggage
pakahduttaa burst Sydäntä pakahduttaa riemu My heart is bursting with joy
pakahtua burst (with) Sydämeni oli pakahtua (surusta) I thought my heart would break, (ilosta) I thought my heart would burst nauraa pakahtuakseen split your sides laughing

pakana 1 pagan, heathen **2** (ark) damn pakanan kallis damn expensive
pakanallinen 1 pagan, heathen **2** (säädytön) indecent, unChristian, godless, shocking **3** (hillitön) boundless, wild, extravagant, bacchanalian
pakanuus paganism
pakara buttock
pakastaa 1 (ulkona) freeze, drop down to freezing, get cold, feel like winter **2** (pakastimessa) (deep-)freeze, put in the freezer
pakaste frozen food
pakastearkku freezer chest
pakastekaappi (upright) freezer
pakastelokero freezer compartment
pakastin freezer
pakastua freeze, drop down to freezing, get cold, feel like winter
pakastus freezing
pakata tr pack Joko olet pakannut matkaan? Are you packed for your trip yet? pakata väkeä pikku huoneeseen pack/cram/stuff/jam the little room full of people pakata laukkunsa ja lähteä pack up and walk out, take your stuff and go itr **1** (tupata) crowd (into), flock (to) Kaupunkeihin pakkaa aina vaan lisää väkeä People keep crowding into/ flocking to the cities **2** (ark) be in the habit of Se pakkaa aina myöhästymään He's always late Minua pakkasi naurattamaan I could hardly keep from laughing
paketoida 1 pack(age), wrap up; (lahjapaperiin) giftwrap **2** (pelto) let (a field) lie fallow
paketointi 1 pack(ag)ing, (gift)wrapping **2** (pellon) letting lie fallow
paketti package, parcel jalka paketissa your leg in a cast
pakettiauto van avolavapakettiauto pick-up (truck)
pakettihinta package price
pakettikortti (contents declaration) tag
pakettimatka package tour
pakettiratkaisu package deal
pakina (humorous) column, causerie
pakinatyyli conversational style
pakinoida 1 write a (humorous) column **2** (rupatella) tell humorous stories/anecdotes, chat lightly
pakinoitsija (humorous) columnist
pakista chat (lightly), shoot the breeze/bull, gab
Pakistan Pakistan
pakistanilainen s, adj Pakistani
pakka 1 pack(age), bundle, (kangaspakka) roll, (korttipakka) deck **2** (paperia) 10 reams **3** (laivan) fo'c'sle
pakkaaja 1 (tehtaassa) packer, packaging worker **2** (ruokakaupassa) bagger, bagboy/-girl **3** (tavaratalossa) (gift)wrapper
pakkaamo 1 (tehtaan) pack(ag)ing department/line **2** (tavaratalon) (gift)wrapping department/desk
pakkanen 1 subzero/freezing weather, weather below zero 35 astetta pakkasta 35 (degrees) below zero (Fahrt,) **2** (halla) frost, freeze, (personoituna) Jack Frost Pakkanen puree Jack Frost's nipping at my nose pakkasen purema frost-bitten **3** (kylmä) cold Onpa siellä kova pakkanen! Man is it cold out there! It's colder than the brass balls on a monkey out there! **4** (ark) freezer panna pakkaseen put (something) in the freezer
pakkasaamu frosty morning
pakkasenkestävä frost-proof
pakkasilma subzero weather/ temperatures
pakkasneste antifreeze
pakkastalvi (unusually) cold winter
pakkasvahinko frost-damage
pakkasvoide (suksien) cold-weather wax
pakkaus 1 package, wrapping **2** (sot) pack täysi pakkaus selässä in full marching kit **3** (ark tyyppi) character
pakkausaine packing material
pakkauskulut packing costs
pakkausluettelo packing list
pakkaustarvikeet pack(ag)ing materials/supplies/equipment
pakkausteippi packign/strapping tape

pakkautua 1 (maa, lumi tms) pack **2** (ihmiset) pack/crowd/jam in, throng
pakkeli spackle
pakki 1 (peruutusvaihde) reverse ottaa pakkia (autossa) throw it into reverse, back up; (kuv) back-pedal, retreat **2** (työkalupakki) toolkit **3** (kenttäpakki) mess kit **4** (urh) back **5** saada pakit get turned down antaa pakit turn (someone) down
pakko 1 (välttämättömyys) necessity, must Onko mun ihan pakko? Do I have to? Ei ole mitään pakkoa mennä sinne Nobody's holding a gun to your head, you don't have to go if you don't want to Meidän on pakko ostaa jätskit nyt heti We insist that you buy us some ice cream right this instant Pakko ei ole muuta kuin kuolla You don't have to do anything except die (and pay taxes) **2** (pakkokeino) force, coercion, compulsion suosiolla tai pakolla willingly or by force
pakkoajatus obsession
pakkoavioliitto shotgun marriage
pakkohoito committal (to institutional care)
pakkohuutokaupata (talo) foreclose (on), put up for execution sale, auction off by the sheriff
pakkohuutokauppa foreclosure, sheriff's/execution sale
pakkokeino force, compulsion, coercion; (mon) coercive means
pakkolaitos maximum security prison/wing
pakkolasku emergency landing
pakkoliike tic
pakkoloma lay-off
pakkolomauttaa lay off
pakkolunastaa expropriate, seize/condemn (a house) by eminent domain
pakkolunastus expropriation, eminent-domain condemnation
pakkomielle obsession
pakkonukahtelu narcolepsy
pakkopaita straitjacket
pakkopeli power play
pakkopulla 1 (vehnäleipä) dry bread **2** (tylsä tehtävä) chore Näytelmä alkoi maistua pakkopullalta (näyttelijöille tai kirjailijalle) The play began to feel forced/contrived, (yleisölle) Just sitting through the play became something of a chore
pakkosiirtolainen displaced person, DP, deportee
pakkosyöttää force-feed
pakkosyöttö 1 (vauvan ja kuv) force-feeding **2** (tekn) forced feed
pakkosäännöstely rationing
pakkotilanne Tämä on pakkotilanne We've got no choice in the matter, our hands are tied, this is out of our hands
pakkotoimenpide coercive/emergency measure ryhtyä pakkotoimenpiteisiin resort to force
pakkotoiminta compulsion
pakkotyö hard labor, (ark) chain gang
pakkotyölaitos workhouse, penitentiary, (ark) pen
pakkovaatimus ultimatum
pakkovalta dictatorship, tyranny
paklata spackle
pako 1 escape, flight pötkiä/lähteä pakoon take to your heels ajaa pakoon put (someone) to flight, (sot) rout maanpako exile **2** (sekasortoinen: sot) rout, (karjalauman) stampede **3** (silmukapako) run (in your stocking)
pakokaasu exhaust fumes
pakokauhu panic joutua pakokauhuun panic
pakolainen refugee
pakolaishallitus government in exile
pakolaislaiva refugee ship
pakolaisleiri refugee camp
pakolaistulva influx/flood of refugees
pakolaisvirta flow/flood of refugees
pakollinen 1 compulsory, mandatory, required **2** (pakko-) (en)forced, involuntary **3** (välttämätön) necessary, unavoidable
pakolliset kuviot 1 (urh) obligatory routine **2** (ark) the usual routine
pakomatka escape, flight; (vankilasta) jailbreak
pakonalainen forced pakonalaisena (lak) under duress

pakon edessä when there's no choice/alternative/out joutua myöntymään pakon edessä have no choice but to give in
pakonopeus escape velocity
pakon sanelema necessary, unavoidable
pakopaikka refuge, hiding place
pakoputki exhaust pipe
pakoputkisto exhaust (system)
pakosalla on the run
pakosarja exhaust manifold
pakosta jonkin pakosta under the pressure of, by force of välttämättömyyden pakosta by necessity
pakostakin unavoidably, unescapably, inexorably, by necessity
pakote sanction käyttää pakotteita jotakuta vastaan impose sanctions on someone
pakotie escape (route)
pakoton 1 (luonnollinen) natural, spontaneous; (käytös) unaffected, (juoni) uncontrived **2** (vapaa) free, unconstrained; (vapaaehtoinen) voluntary
pakottaa 1 force, make, compel, coerce, oblige pakottaa joku tunnustamaan extort a confession out of someone, get a forced confession **2** (jomottaa) ache, pound, throb Päätäni pakottaa My head is pounding/throbbing
pakotus 1 force, compulsion, coercion, obligation **2** (jomotus) ache
pakoventtiili escape valve (myös kuv)
paksu 1 thick, (syvä) deep **2** (lihava) fat, stout, plump **3** paksuna pregnant, in a family way **4** paksulla painettu (in) bold(face) **5** paksuna savusta thick with smoke
paksuinen metrin paksuinen meter-thick, (lumipeite) meter-deep
paksulti thickly
paksuna pregnant, knocked-up, in a family way
paksunahkainen thick-skinned
paksunema buldge, swelling
paksunnos thickening, bulge, swelling
paksuntaa thicken, swell
paksuntua thicken, swell
paksupäinen thick-headed, thick-witted
paksupää bonehead
paksusti Voihan paksusti Keep your end up, hang in there
paksuus 1 thickness, (läpimitta) diameter, (numero) gage **2** (lihavuus) fatness
pala 1 piece, scrap, fragment **2** (sokeripala) (sugar) cube **3** (leivän, kakun) slice **4** (suupala) bite, mouthful **5** (kuv) Minulla nousi katkera pala kurkkuun I had a bitter lump in my throat karvas pala a bitter bill to swallow Se on sinulle liian iso pala purtavaksi You've bitten off more than you can chew
palaa 1 burn (up/down/out/away), combust panna tupakka palamaan light up (a cigarette) **2** (liekehtiä) blaze, flame, flare (up), glow Hänen silmänsä paloivat vihasta Her eyes blazed with anger **3** (kärventyä) be scorched/singed/charred **4** palaa halusta long, burn with longing/desire palaa innosta shine/be flushed with enthusiasm **5** (valaista) be on Vieläkö kuistin valo palaa? Is the porch light still on? **6** olla palanut (lamppu) burn out, (sulake) blow (out) Sulake on palanut We blew a fuse **7** (komposti) decompose **8** (jäädä kiinni) get/be caught **9** (pesäpallossa) be out **10** istu ja pala! I'll be damned (if it isn't...)
palaa karrelle burn to a crisp
palaa loppuun burn out
palaa pohjaan burn on the bottom
palaa poroksi burn to the ground
palaa päreet lose your temper, fly off the handle
pala kakkua a piece of cake (myös kuv)
palamaton 1 (ei ole palanut) unburned **2** (ei voi palaa) nonflammable, noncombustible
palanen piece, bit, shard, fragment palanen elämää/historiaa a slice of life/history hajottaa palasiksi smash into pieces/smithereens

pala nieltäväksi karvas pala nieltäväksi a bitter pill to swallow
palan pain(ikk)eeksi (a sip of water) to wash it down with
palanut burnt(-out) haistaa palaneen käryä (kirjaimellisesti) smell something burning, (kuv) smell a rat
palapaisti beef stroganoff
pala palalta piece by piece, piecemeal, bit by bit
pala purtavaksi Hän otti liian ison palan purtavaksi She bit off more than she could chew
palasittain in bits and pieces
palasokeri cube sugar
palata return, come/turn/get back aika palata töihin time to get back to work palata aiheeseen return/revert to a topic, get back to a subject palata ajassa taaksepäin (matkustaa ajassa) go back in time, (katsoa taaksepäin) cast a backward glance (at) palata kotiin go/come/return home palata lähtökohtaansa come full circle
palataali palatal
palataalinen palatal
palataalistaa palatalize
palata asiaan get back to the matter at hand
palata ennalleen return to normal, revert to the status quo
palata mieleen come to mind, (vaivaamaan) come back to haunt you
palata päiväjärjestykseen get pack to normalcy, return to business as usual
palata tajuihinsa regain/recover consciousness
palatessaan (up)on your return
palatsi palace
palatsivallankumous palace coup
palattuaan when you come back, (up)on your return
palaute feedback
palautella (muistikuvia tms) recover/remember gradually, (kirjoja tms) return over a period of time
palautin reset/return mechanism rivinpalautin carriage return
palauttaa 1 return, restore, bring/take/send/give back Joko palautit kirjaston kirjan? Did you return that library book? palautetut tavarat returns **2** (raha) repay, reimburse, refund **3** (syytetty) remand (into custody) **4** (mat) reduce **5** (tekn, tietok) reset
palauttaa entiselleen restore (something) to its previous/earlier/former state/conditon, to normal, to the status quo
palauttaa juttu alempaan oikeusasteeseen remand a case
palauttaa järjestys restore law and order
palauttaa kotimaahan repatriate/deport (a foreign national)
palauttaa lähettäjälle return to sender
palauttaa maanpinnalle bring (someone) back down to earth
palauttaa mieleen(sä) recall, dredge up from (your) memory
palauttaa todellisuuteen bring (someone) back to reality
palautua 1 (be) return(ed), be restored, revert, resume **2** (tointua) recover **3** (sana, olla jostakin peräisin) derive (from)
palautusnäppäin backspace key
palautuspullo returnable bottle
palava 1 (tulessa) burning (myös kuv), on fire; (tulinen) passionate, fervent palavan kuuma burning hot palava katse (intohimoinen) hot/steamy/burning/ gaze/look, (vihainen) fiery/fierce look palava kiire terrible hurry Mihin sinulla on niin palava kiire? Where's the fire? **2** (tulenarka) combustible, inflammable
palavahenkinen ardent, fervent, (halv) fanatical
palavasieluinen passionate, ardent, (halv) fanatical
palaveri meeting, discussion, talk pitää palaveri hold/have a meeting
palella be freezing, shiver with cold Minua palelee I'm cold/freezing
palelluksissa freezing (cold)

palelluttaa get frostbite (in), get (your fingers) frostbitten
paleltaa Minua paleltaa I'm cold/ freezing Sormiani paleltaa My fingers are cold/freezing
paleltua get frostbite, freeze paleltua kuoliaaksi freeze to death Minähän palellun tänne! I'm freezing to death out here! Toinen omenapuu paleltui viime talvena Frost killed the other apple tree last winter
paleltuma frostbite
paleogeografia paleogeography
paleografia paleography
paleoliittinen paleolithic
paleontologi paleontologist
paleontologia paleontology
paleotsooinen paleozoic
Palestiina Palestine
palestiinalainen s, adj Palestinian
paletti palette
palikka 1 (rumpupalikka) (drum)stick **2** (rakennuspalikka) (building) block
palindromi palindrome
paliskunta reindeer owners' association
paljaaltaan (viina) straight, (leipä tms) with nothing on it
paljakka bare/treeless area, (vuoren huipulla) above the treeline
paljas 1 bare, naked paljain päin hatless paljain jaloin bare-footed paljain säärin bare-legged paljain käsin with your bare hands, bare-handed(ly) paljain varpain bare-foot(ed) yläruumis paljaana stripped to the waist paljaan taivaan alla under the stars, in the out-of-doors **2** (kasv) hairless **3** (höyhenetön) callow, unfledged **4** (pelkkä) mere, sheer, pure, plain paljasta hulluutta sheer madness
paljasihoinen bare-skinned
paljasjalkainen 1 bare-footed **2** (paikkakuntalainen) native-born
paljastaa 1 (fyysisesti) reveal, expose, uncover **2** (tuoda julki) reveal, expose, unveil, bring to light **3** (antaa ilmi) betray, give (something/ someone) away, turn (someone) in; (ark) rat on **4** (keksiä, löytää) discover, detect, find out, learn
paljastaa itsensä 1 (ekshibitionisti) expose yourself, flash **2** (kuv) reveal yourself/your intentions/motives
paljastaa korttinsa show your hand pakottaa joku paljastamaan korttinsa call someone's bluff
paljastaa kyntensä show your claws
paljastin detector tutkanpaljastin fuzz-buster valheenpaljastin lie-detector, polygraph
paljastua 1 (fyysisesti) be revealed/ exposed, appear **2** (tulla julki) be revealed/exposed/unveiled, come to light, come out **3** (joutua kiinni) be betrayed/caught, get turned in **4** (löytyä) be discovered/detected, show up
paljastustilaisuus unveiling ceremony
palje 1 (palkeet, tulen puhallin, myös kameran tai haitarin) bellows painaa/ polkea paljetta work the bellows **2** (keuhkot) lungs huutaa täysin palkein shout/bellow at the top of your lungs
paljeovi folding door
paljetti sequin
paljo a lot Saan kiittää sinua paljosta I have a lot to thank you for Me olemme paljossa samanlaisia We're a lot alike Emme saaneet hänestä irti paljoakaan We didn't get much out of him
paljoksua think (of something) as high/expensive/large
paljolti largely, mainly, basically, fundamentally Kyse on paljolti siitä että The main thing is that
paljon 1 (runsaasti eriytymätöntä) a lot of, lots of, large/great quantities/ amounts of, plenty of; (partisiipin kanssa) much paljon parjattu much abused/criticized paljon väkeä/rahaa lots of people/money paljon näkemistä a lot to see, many things to see aika paljon quite a lot **2** (suuri lukumäärä) many, a (large) number of, a lot of, lots of, large/great quantities/amounts of, plenty of Miten sinulla voi olla näin paljon kirjoja? How can you possibly have so many books? aika paljon quite a few **3** paljon suurempi much/far

bigger/greater paljon enemmän (rahaa) much more, (ihmisiä) many more paljon ennen long before paljon lukenut well-read
paljon kiitoksia thanks a lot
paljonko kello on? what time is it?
paljon mahdollista quite possible
paljon melua tyhjästä much ado about nothing
paljonpuhuva eloquent, significant, pregnant with meaning
paljon puuttunut Ei paljon puuttunut etten itkenyt I was on the verge of tears, I could hardly hold/choke back the tears
paljous (large) quantity/amount, plenitude; (lukumäärä) number väen paljous press/crowd/throng of people
paljousalennus bulk discount
PAL-järjestelmä PAL system
palkallinen paid
palkanalennus cut in pay, pay cut
palkankorotus raise
palkankorotusvaatimus demand for higher pay
palkanlisä bonus
palkannousu raise
palkansaaja wage-earner
palkata hire, employ, sign/take on
palkaton unpaid
palkattu 1 (työ) paid, salaried; (ihminen) hired **2** (hyväpalkkainen) hyvin palkattu well-paid
palkeenkieli (torn/ripped) flap
palkeet bellows (ks myös palje)
palkinto 1 prize, award **2** (palkkio) reward
palkintoehdokas candidate for an award/a prize
palkintojenjako award ceremony
palkintojenjakotilaisuus award ceremony
palkintokoroke victor's stand
palkintosija one of the top three päästä palkintosijoille place
palkintosumma prize money
palkita reward, repay
palkka 1 pay, (tuntipalkka) (hourly) wages, (kuukausipalkka) (monthly) salary **2** (palkkio: kertasuoritus) fee, (luentopalkka) honorarium, (tekijänpalkkio) royalty, (palveluksesta) reward, (vaivannäöstä) recompense saada palkkansa get your just desserts, receive your just reward **3** (kiitos) thanks Se on minun palkkani 30 vuoden raatamisesta! That's the thanks I get for 30 years of working my fingers to the bone
palkka-armeija wage army
palkka-asteikko pay/salary scale
palkkaedut salary
palkkahaitari salary spread liian pieni palkkahaitari salary compression
palkkahaitari wage/salary spread
palkkakehitys wage/slaary trend
palkkakuoppa salary lag
palkkalainen hired man/hand
palkkalista payrolla olla Fazerin palkkalistoilla be on the payroll at Fazer, work for Fazer
palkkaluokka pay/salary bracket, (valtion työssä) GS-level (GS, Government Service)
palkkamenot labor costs, wages and salaries
palkkamurhaaja contract killer, (ark) hitman
palkkaorja wage-slave
palkkapolitiikka wage policy
palkkasotilas mercenary (soldier)
palkkasoturi mercenary (soldier)
palkkasulku wage freeze
palkkasäännöstely wage controls
palkkataistelu wage dispute
palkkataso wage/salary level
palkkatulo earned income
palkkatyö paid labor
palkkatyöläinen paid laborer, wage-earner
palkkaus 1 (palkkaaminen) hiring, employment **2** (palkkaedut) salary
palkkavaatimus desired salary
palkki beam, (lattiapalkki) joist, (kattopalkki) rafter, (teräspalkki) girder
palkkikamera view camera
palkkio 1 (kertasuoritus) fee **2** (luentopalkka) honorarium **3** (tekijänpalkkio) royalty **4** (välityspalkkio) commission **5** (palveluksesta) reward **6** (vaivannäöstä) recompense

palkkiotalletus premium deposit
palko pod, legume
palkollinen hired hand, (palvelija) servant, (halv) menial
pallas halibut
pallea diaphragm
pallero 1 (lapsi) tot, toddler **2** (pallo) ball
palleroinen s tot, toddler adj round, ball-shaped
palli 1 (jalkatuoli) hassock, (foot)stool **2** (koroke: urh) winner's stand, (liik) executive chair **3** (kives) ball
palliatiivinen palliative
pallinaama moonface ihan tavallinen pallinaama ordinary Joe
pallo 1 ball Pallo on nyt teillä The ball's in your court, it's your turn/move, the floor is yours **2** (geom) sphere
pallo hallussa on top of the eight-ball
pallo hukassa clueless Hänellä on pallo hukassa He's lost it, he's out of it, he's got a screw loose, he doesn't have a clue (of what's going on)
palloilla 1 (pelata palloa) play ball/catch, throw a ball around **2** (hengailla) hang/laze/bum around
palloilu playing ball, hanging/lazing/bumming around
palloiluhalli gymnasium
pallo jalassa wearing a ball and chain (englanniksi viittaa myös naimisissaoloon; mies voi käyttää vaimosta nimitystä my ball and chain)
pallojuusto (baby) Edam
pallokas s (purje) spinnaker adj round, spherical
pallokenttä ball court
pallomeri ball sea
pallonivel ball(-and-socket)/swivel joint
pallonkäsittely ball-handling
pallonmuotoinen round, spherical
pallonpuolisko hemisphere
pallopeli ball game
pallopoika ball boy
pallopullo roll-on (bottle/dispenser)
pallosalama ball/globe lightning
pallosilla olla pallosilla play catch
pallotykki (baseballissaa) pitching machine, (tenniksessä) automatic server
pallotyttö ball girl
palloventtiili globe valve
palmikko 1 (hiuspalmikko) braid **2** (muu) twist, plait
palmikoida braid, twist, plait
palmu palm (tree)
palmusunnuntai Palm Sunday
palo 1 fire, burning **2** (huuhta) burned(-over) clearing **3** (pesäpallossa) out
paloasema fire station
paloauto fire truck
palohälytys fire alarm
paloilmoitus fire report
paloitella 1 cut/chop/slice up **2** (osittaa) divide up, (maata) parcel out
palokirjoitus inflammatory article/piece
palokunta fire department
palolaitos fire department
paloletku fire hose
palomies fireman
palomuuri fire wall
palonkestävä fireproof, (melkein) flame-resistant/-retardant
palontorjunta fire protection
palo-ovi fire door
palopaikka scene of the fire
palopesäke seat of fire, (kuv) trouble spot
palopommi fire bomb
paloposti fire hydrant
palopuhe inflammatory speech
palopäällikkö fire chief
palorakko (burn) blister
palosireeni fire alarm, (paloautossa) siren
palotarkastus fire (safety) inspection
palotorvi klaxon (horn) huusi lapsilleen kuin palotorvi screeched at her children like a banshee
paloturvallisuus fire safety
palovaara fire hazard
palovahinko fire damage
palovakuuttaa insure (a house tms) for fire, buy fire insurance
palovakuutus fire insurance
palovamma burn

paloviina hard liquor, (pontikka) moonshine
palsami balsam, (kuv) balm
palsta 1 (maapalsta) lot, plot **2** (vihannesmaa) patch **3** (sanomalehdessä) column
palstatila 1 (maatila) small farm **2** (sanomalehden) column space/ inches
palstoittaa parcel (out)
palttina 1 (kangas) thin linen **2** (sidos) plain weave
palttu blood pudding antaa palttua jollekin not give a dàmn/hoot/fart about something
palturi puhua palturia blow it out your ear, tell fairy-tales, make up stories
paluu 1 (paluumatka) return, homecoming **2** (palautuminen) reversion (to) Ei ole paluuta entiseen There's no turning back now, you can't go home, you can't turn the clock back
paluumatka home journey, return trip paluumatkalla on your way home
palveleva puhelin crisis (intervention) hotline
palvelija 1 servant, domestic; (halv) menial; (mon) the help **2** (palvoja) worshipper
palvella 1 serve, give/render (a) service to valmis palvelemaan at your service palvella aikansa loppuun serve/do your time palvella Pattonin joukoissa serve under Patton palvella uskollisesti serve faithfully, render/give loyal/faithful service to **2** (kaupassa) help, wait on, attend to Voinko palvella teitä? Can I help you? **3** (olla palvelijana) work for, be in service with **4** (tarkoitusta) serve, meet, satisfy **5** (palvoa) worship
palvelu 1 service **2** palvelut (kaupat yms) conveniences, (rakennukset) facilities **3** (palvonta) worship
palvelualtis helpful, friendly, willing to serve
palveluammatti service occupation
palveluelinkeino service industry
palveluksessa 1 (päivystämässä) on duty **2** (armeijassa) in the service **3** (jonkun) working for someone, in someone's employ Palveluksessanne At your service
palvelupiste service center, outlet
palvelus 1 service kutsua palvelukseen draft, call up ilmoittautua palvelukseen report for duty tarjota palveluksiaan offer your services (to someone) **2** (ystävälle) favor Voisitko tehdä minulle palveluksen? Could you do me a favor?
palvelusaika term of service, tour of duty
palvoa 1 worship **2** (ihannoida) worship the ground (s)he walks on, adore, idolize, idealize
palvoja worshipper
palvonta worship
pamahdus bang, slam, (iso) crash, (pieni) pop
pamahtaa bang, slam, crash, pop; (räjähtää) explode, go bang/pow
pamaus bang, slam, crash, pop; (pyssyn) report, (räjähdys) explosion, detonation suuri pamaus -teoria the big bang theory
pamauttaa bang, slam, crack, whack, pop pamauttaa päähän crack/whack (somebody) over/upside the head pamauttaa leukaan pop/poke (somebody) in the jaw
pamfletti pamphlet
pamppu 1 (nuija) billy club, nightstick **2** (iso kiho) bigshot, bigwig, (mon) the brass
Panama Panama
panamalainen s, adj Panaman
Panaman kanavavyöhyke Panama Canal Zone
panamerikkalainen pan-American
panda panda
paneeli panel
paneelikeskustelu panel discussion
paneerata bread
paneloida panel
panetella slander, vilify, smear, defame
panettaa have (somebody) put (something somewhere/in order/jne)
panettelija slanderer, backbiter

panettelu slander, backbiting
paneutua (johonkin) delve into something, take up something **paneutua asiaan** delve/go into something (closely), familiarize yourself with something (in detail) **paneutua jonkun asemaan** put yourself in another person's place **paneutua juhlakuntoon** get all dressed/spiffed/gussied/dolled up, get all decked out **paneutua pitkälleen** lie down, stretch out (on the bed/couch) **paneutua polvilleen** drop to your knees, kneel down
paniikki panic **joutua paniikkiin** panic
paniikkitunnelma (feeling of) panic
panimo brewery
pankinjohtaja bank manager
pankki bank
pankkiautomaatti cash machine, automated teller machine, ATM
pankkiholvi vault
pankkikirja bank book
pankkikortti bank card
pankkilaitos banking (system)
pankkiryöstö bank robbery
pankkisiirto bank transfer
pankkitili bank account
pankkitoiminta banking
pankkivirkailija bank teller
panna s ban, interdict; (pannaanjulistus) excommunication, anathema **julistaa pannaan** (ihminen) excommunicate, anathematize; (asia) ban **päästä pannasta** be(come) allowed/legal again
v **1** put, place, set, lay, stick **hän pani kirjan hyllyyn** he put the book in the shelf **hän pani kirjan pöydälle** he put/lay the book on the table **panna kello oikeaan aikaan** set the clock **2** (kiinnittää) fasten, fix, attach **3** (saada tekemään) get (you to do), set (you to doing), make (you do) **4** (naida) fuck, poke, pork
panna ajattelemaan make you/someone think
panna ehdolle rank (a candidate for a job)
panna hanttiin resist, fight back, get/put your back up, dig your heels in
panna hihat heilumaan put your nose to the grindstone
panna jalkaan put on
panna kahtia split in half, halve, divide into two parts
panna kampoihin resist, fight back, get/put your back up, dig your heels in
panna kiinni 1 (kiinnittää) fasten, fix, attach **2** (sulkea) shut, close; (TV, radio, hana) turn off; (napeilla) button; (vetoketjulla) zip up **3** (sijoittaa) invest in, sink into
panna kokoon assemble, put together
panna koville give (someone) a hard time, breathe down their necks, ride them, make life tough for them
panna kumoon turn over, overturn
panna kädet ristiin cross/fold your hands
panna leikiksi (hyvänä asiana) have some fun, play some games; (pahana asiana) make a mockery out of (something)
panna liikkeelle start, initiate, get (someone/something) going
panna likoon stake (all your money)
panna lujille give (someone) a hard time, breathe down their necks, ride them, make life tough for them
panna matalaksi criticize, find fault with
panna merkille notice, remark, pay attention to
panna muistiin write/note/jot down
panna mustaa valkoiselle put in black and white
panna nimensä alle sign
panna näkyville 1 put/set (something) out (where everybody can see it) **2** (julkistaa) post
panna näytille (put on) display
panna olutta brew beer
panna omiaan tell fairy-tales, make/cook up stories
panna pahakseen take offense (at), get hurt/offended/upset (at)
panna paikoilleen put (something) away, where it goes
panna parastaan do your best

panna piipuksi light up (a pipe)
panna pilalle ruin, spoil
panna pitkäkseen lie down
panna pois put (something) away, lay (something) down
panna pois päiviltä knock/bump off, put away
panna pois päiväjärjestyksestä get (something) out of the way, get it over with
panna pystyyn organize, arrange
panna päälleen/päähän put on
panna pää pyörälle make (someone's) head spin
panna rahaa menemään blow money, throw money away
panna ranttaliksi disrupt/disturb (something), interfere in (something), make a mockery out of (something)
panna sekaisin mix/screw up, confuse, scramble
panna sivuun set/put aside
panna syrjään set/put aside
panna toimeen initiate, execute, carry out
panna toisen syyksi blame (something) on someone else, (ark) pass the buck
panna tuleen light a fire, set fire to
panna tupakaksi light up (a cigarette)
panna vastaan resist, fight back, get/put your back up, dig your heels in
panna vauhtiin get (something) going, build up some momentum, give (something/someone) a push/shove
panna viralta fire, suspend (someone from the performance of his/her duties)
pannu 1 pan, pot, kettle **2** (höyrykattila) boiler **3** Tuo ottaa minua pannuun That really browns me off
pannukakku 1 (lettu) pancake, (uunipannukakku) Yorkshire pudding **2** (kuv) flop, fiasco
pannulappu hotpad
pannupihvi panfried steak
pano 1 putting, setting **2** (tilille) deposit **3** (nainti) fuck pikapano quickie
panos 1 (lataus) charge **2** (patruuna) cartridge, round **3** (korteissa) stake, bet pelata korkein panoksin play for high stakes **4** (sijoitus) investment **5** (kuv) contribution antaa merkittävä panos johonkin contribute significantly to, make a significant contribution to
panostaa 1 (ladata) load **2** (sijoittaa) invest in, sink your money into **3** (korteissa) place your bets, stake your money on
panostus 1 (lataus) charge **2** (korteissa) bet
panssari 1 (vaunun tms) armor, (hist) (suit of) armor **2** (panssarivaunu) tank **3** (luodin tms) metal jacket **4** (kilpikonnan) carapace, (krokotiilin) cuirass **5** (ihmisen henkinen) wall, defense(s), (protective) armor
panssarintorjunta antitank defense
panssarivaunu tank
panssaroida armor(-plate)
panta 1 (nauha) band, ribbon **2** (hiuspanta) hairband **3** (kaulapanta) choker
pantata 1 (panttilainaamoon) pawn, hock **2** (vakuutena: osakkeet) pledge, (talo) mortgage **3** (ark pidättää) hold back, withhold
panteismi pantheism
pantteri panther
pantti 1 (vakuus) collateral, security; (osakkeet) pledge; (talo) mortgage, lien lunastaa pantti redeem a pledge, pay off a mortgage ottaa pantiksi accept as collateral/security Panen maineeni pantiksi I'll stake my reputation on it tyhjän panttina useless **2** (pullosta) deposit **3** (rakkauden) token, sign, symbol **4** (pelissä) forfeit
panttilainaamo pawnshop
panttivanki hostage
paperi 1 paper **2** (asiakirja) paper, document; (henkilöllisyystodistus) ID Kysyttiinkö sinulta papereita? (kapakassa, Alkossa) Were you carded? puhtaat paperit clean record/slate: (poliisista) no police record; (sairaalasta) completely cured, no disease panna paperinsa vetämään apply, send in your application **3** (kirjoitettu puhe) written

speech puhua ilman paperia speak freely, without reading/notes maistua paperilta sound/talk like a book
paperikone paper machine
paperikori waste(paper) basket, (leik) the circular file
paperinen paper
paperinenäliina kleenex
paperinjalostus paper manufacture
paperinjalostusteollisuus paper industry
paperiraha paper money, (mon) bills
paperisota red tape
paperitehdas paper factory/mill
paperiteollisuus paper industry
paperiveitsi paper/letter knife
paperoida (seinä) (wall)paper, (laatikko) line (with paper)
papinkaapu (clergyman's) robe/gown
papinkaulus (clerical) collar
papinvirka (protestanttinen) ministry, (katolinen) priesthood
papisto clergy
papitar priestess
pappa 1 (isä) papa, pops **2** (isoisä) gramps
pappeus ministry, priesthood
pappi pastor, clergyman; (protestanttinen) minister; (anglikaani, katolinen) priest, father
pappila vicarage, manse
pappismies clergyman
pappisseminaari seminary, divinity school
pappisvaltainen clergy-dominated
paprika (mauste) paprika, (vihannes) red pepper
papu bean
papualainen s, adj Papuan
Papua-Uusi-Guinea Papua New Guinea
papukaija parrot
papupata (suupaltti) blabbermouth, chatterbox, motormouth
papyrus papyrus
-pa, -pä 1 sure, certainly Olipa/ kylläpä oli kiva että tulit It sure/ certainly was nice that you came **2** what a Onpa hieno talo What a nice house **3** what a thing to do Mennäpä nyt sanomaan tuollaista What a thing to do, saying something like that **4** it was Anttipa se olikin It was Antti all along/after all **5** I think I'll Minäpä lähdenkin tästä kaupunkiin I think I'll head into town **6** precisely, exactly Siksipä menenkin That's exactly why I'm going **7** I wish, if only Olisinpa rikas I wish I were rich, if only I were rich Kunpa tietäisin! If only I knew, I wish I knew **8** no matter what/who, whoever/ whatever Olipa se mikä/ kuka/miten tahansa No matter what/ who/how it is/was, whatever/ whoever/however it is/was **9** too, (painollinen) not Saapas Can too/so Eipäs Can not **10** just Olipahan vain joku tuttavani It was just somebody I met somewhere **11** jää kääntämättä Sinäpä sen sanoit You said it Kukapa ei muistaisi Who wouldn't remember
paraati parade, procession
paraboliantenni parabolic antenna
parabolinen parabolic
paraboloidi paraboloid
paradoksaalinen paradoxical
paradoksi paradox
parafiini parafin
parafraasi paraphrase
Paraguay Paraguay
paraguaylainen s, adj Paraguayan
parahiksi just right/enough, perfectly tulla parahiksi syömään be just in time for dinner
parahin dear
parahtaa cry out
paraikaa right now, at this moment
parallaksi parallax
paranematon incurable, (krooninen) chronic
parannus 1 improvement, betterment, reform **2** (usk) repentance Tehkää parannus! Repent! **3** (lääk) cure
parannusehdotus reform proposal, suggested improvement
parannussuunitelma plan for reform/improvement/betterment
parantaa 1 improve, (make something) better, reform parantamisen varaa room for improvement **2** (lääk) heal, cure Aika parantaa haavat Time heals all wounds

parantaa tapansa mend your ways, see the error of your ways
parantaja healer
parantola sanatorium
parantua 1 improve, get better **2** (lääk) heal, mend, get well/better, (toipua) recover **3** Ei sitä parane syödä You'd better not eat that
parantumaton 1 (tauti) incurable, (krooninen) chronic **2** (romantiikko tms) incorrigible, hopeless, inveterate
parapsykologia parapsychology
parapsykologinen parapsychological
paras the best tehdä parhaansa do your best panna parastaan put your best foot forward On parasta olla hiljaa It's better not to say anything
paraskin kuin paraskin asiantuntija like some kind of expert
paras mahdollinen the best possible
parastaikaa right now/then, at this/that (very) moment
parasta tarkoittaen tehdä jotakin parasta tarkoittaen mean well, have good intentions
parata ks parantua
paratiisi paradise
paratiisillinen paradis(iac)al
paratkoon Herra paratkoon! God forbid!
pareittain by/in pairs, by couple, two by two
paremman puutteessa for lack/want of anything better
paremmin 1 better Meni paremmin kuin osattiin odottaa We did better than we dared hope **2** (pikemminkin) rather, more Se on paremmin(kin) poikkeus kuin sääntö It's (almost) more/rather the exception than the rule tai paremmin sanottuna or rather
paremmuus superiority, better quality/performance/jne
parempi better, superior Sitä sattuu paremmissakin piireissä It happens even in the best families/homes ei paremmasta väliä good enough for government work pitää parempana prefer (something to)
parempi katsoa kuin katua look before you leap
parempi myöhään kuin ei milloinkaan better late than never
parempiosainen s fortunate one, wealthy person, a "have"; (mon) the well-to-do/well-off
adj better/well off, well to do
parfyymi perfume
parhaaksi jonkun parhaaksi for his/her good, in his/her own best interests
parhaalla tahdollakaan with the best will in the world (I can't...)
parhaassa iässään in his/her prime
parhaillaan currently, at present, right now, at this (very) moment
parhaimmillaan at its/your best
parhaimmisto the best/elite, the cream of the crop, the pick of the litter
parhain best
parhain päin kääntyä parhain päin turn out for the best selittää asiat parhain päin put a good face on it
parhaiten best
pari s **1** pair **2** (pariskunta) couple **3** (kumppani) partner, (aviosiippa) mate, spouse hansikkaan pari the other/missing glove
adj a pair/couple (of), a few pari kolme two or three, a couple three
pariisilainen Parisian, (nainen) Parisienne
parikymmentä (around) twenty
parikymmenvuotias twenty-year-old
parila gridiron, grill
parillinen even
pariloida grill, broil
pariluistelu pair skating
parisataa a couple hundred
parisen two or three, a couple, a few
pariskunta couple
parissa with, among, in the midst of viettää aikaa lasten parissa spend time with (the) children
paristo battery
parisänky double bed
pariteetti parity
paritella copulate
pariton odd

parittaa 1 (eläimiä) mate **2** pimp/ procure (for), pander (to)
parittain by couple(s), in pairs, two by two
parittaja pimp, panderer
parittelu copulation
parituhantinen joukko a crowd a couple of thousand strong
parituhatta couple of thousand
parivaljakko carriage and pair, team (of horses)
parjata slander, malign, defame, smear
parka poor miesparka poor man
parkaista cry out
parkaisu cry
parketin partaveitsi highstepper
parketti 1 parquet(ry) **2** (tanssilattia) dance floor
parkettilattia parquet floor
parkita 1 (nahkaa) tan **2** (luonnetta) toughen, harden
parkita jonkun selkänahka tan someone's hide
parkitus tanning
parkkeerata park
parkkeeraus parking
parkkiintunut hardened, toughened, weathered
parkkipaikka 1 (yhden auton) parking place/spot **2** (parkkialue) parking lot
parkua bawl, blubber
parlamentaarinen parliamentary
parlamentarismi parliamentarism
parlamentti parliament
parodia parody
parodinen parodic
parodioida parody
paroni baron
paronitar baroness
parrakas bearded, hirsute
parranajo shaving
parranajokone razor, shaver
parranaiku peachfuzz
parrankasvu growth of beard
parras 1 (reuna) edge, brink (myös kuv:) verge **2** (teatterin) apron, (mon) footlights **3** (laivan) gunwale
parrasvalot footlights
parraton beardless, cleanshaven
parru beam, (kattoparru) rafter, (laivassa) spar
parsa asparagus
parsi 1 beam, pole, spar **2** (karsina) stall, pen **3** (tapa) manner puheenparsi manner of speaking
parsia (sukkaa) darn, (muuta) mend, patch; (kuv) fill in the gaps (in)
parsinneula darning needle
parta beard
partakarva bristle
partakone razor, shaver
partavaahto shaving cream
partavesi aftershave
partikkeli particle
partio 1 (sot) patrol **2** (partioliike) scouting, the Boy Scout movement lähteä partioon go to a scout meeting
partioida patrol, (go out) scout(ing), reconnoitre
partiojohtaja scoutmaster
partiojärjestö the Boy Scout organization
partiolainen scout
partio-osasto scout troop
partiopoika Boy Scout
partiotoiminta scout activities
partiotyttö Girl Scout
partisiippi participle
partitiivi partitive
partituuri (musical) score
partneri partner, (ark) sidekick, pard
parturi barber
parturi-kampaamo barber/ hairdresser
parturoida barber, shave
parveilla (hyönteiset) swarm, (linnut) flock, (kalat) shoal
parveke 1 balcony **2** (lehteri) gallery
parvekekasvi balcony flower/plant
parvi 1 (hyönteisiä, ihmisiä) swarm, (lintuja) flock, (kaloja) school; (ihmisiä) crowd, horde, group, troop **2** (parveke: ylinen) loft, (lehteri) loft, gallery, balcony
pasifismi pacifism
pasifisti pacifist
paska shit, crap Ja paskat! Bullshit! Haista paska! Fuck you! Eat my shit!

Et tiedä siitä paskaakaan You don't know shit about it
paska jäykkänä olla paska jäykkänä to be scared shitless
paskamainen shitty, crappy paskamainen temppu a shitty thing to do
paskantaa take a shit/dump
paskantärkeä self-important, full of shit
passata 1 wait on (someone hand and foot) **2** (sopia) suit, be perfect (for) **3** (urh) pass
passi 1 passport **2** (vahti) guard, duty passissa on guard/duty **3** (urh) pass
passiivi passive
passiivinen passive
passiivisuus passivity
passikuva passport photo
passintarkastus passport control
passittaa send passittaa kotiin (sotilas) demob(ilize), (sairaalasta) release passittaa sairaalaan hospitalize passittaa takaisin kotimaahansa deport, repatriate passittaa tutkintavankeuteen remand (someone) into custody passittaa rikollinen vankilaan commit/ send (a criminal) to prison
passitus demobilization, release, hospitalization, deportation, repatriation, remandment, imprisonment (ks hakusanat)
passivoida passivize
pasta pasta
pasteija 1 (lihapiirakka) meat pie/ past(r)y **2** (tahna) patà
pastilli lozenge
pastori (protestanttinen) pastor, minister; (anglikaani) curate, vicar pastori Jones Rev. Jones
pastöroida pasteurize
pastörointi pasteurization
pasuuna 1 (orkesterin) trombone **2** (Ilmestyskirjan) trump
pata kettle hyvää pataa bosom buddies, close, intimate
pata kattilaa soimaa The pot calling the kettle black
pataljoona battalion
pataluhaksi haukkua joku pataluhaksi chew someone out, give someone a piece of your mind, really tear into someone
patapaisti pot roast
patarumpu tympani, kettle drum
patavanhoillinen ultraconservative
patentoida patent
patentti patent
patenttiasiamies patent attorney
patenttihakemus patent application
patentti- ja rekisterihallitus National Board of Patents and Registration of Trademarks
patenttilainsäädäntö patent legislation
patenttilääke patent medicine/drug
patikoida hike, backpack
patikointi hike, hiking, backpack(ing) (trip)
patistaa push, prod, hustle, urge
patistella push, prod, hustle, urge
patja 1 mattress **2** (tien patja) blanket **3** (geol) bed, stratum
pato 1 dam **2** (rantapato) dyke, embankment
patologi pathologist
patologia pathology
patologinen pathological
patoutua 1 (vesi) be dammed/backed up; (jäät) be blocked, piled up **2** (tunteet) be bottled/dammed/pent up
patouma repression
patriarkka patriarch
patruuna 1 (aseen) cartridge **2** (hist) squire ruukin patruuna iron foundry owner
patsas 1 (kuvapatsas) statue **2** (pylväs) column, pillar savupatsas a pillar of smoke
patteri 1 battery (myös ark paristo) **2** (lämpöpatteri: sähkö) register, (öljy) radiator
patteristo artillery battalion
patti 1 (kuhmu) bump, lump, knot **2** (pahka) burl **3** (šakissa) stalemate
patukka 1 billy club, nightstick **2** (suklaapatukka) (chocolate/candy) bar
pauhata 1 rumble, roar **2** (ihminen) rant (and rave), bluster
pauhu rumble, roar, thunder

paukahdella bang, slam, crash, crack
paukahdus bang, slam, crash, crack
paukahtaa bang, slam, crash, crack
paukama lump, swelling
pauke banging, slamming, crashing, cracking
paukku 1 (räjähdys) blast, explosion **2** (räjähde) charge **3** (isku) blow, setback, trauma **4** (ryyppy) (stiff) shot, bracer **5** (pieru) fart
paukkua bang, slam, crash, crack paukkuva pakkanen bitter/crackling cold Se tuli takaisin niin että paukkui They returned it so fast I hardly noticed it was gone
paukkupatruuna blank cartridge
paukkurauta firearm
paula 1 string, cord, twine; (koristenauha) ribbon; (kengännauha) (shoe)lace **2** (ansa, myös kuv) snare, trap, net saada pauloihinsa get (someone) in your clutches
paviaani baboon
paviljonki pavilion
PC PC, personal computer
pedaali pedal
pedagogi pedagogue
pedagoginen pedagogical
pedagogisesti pedagogically
pedantti pedant
peeveli Voi peeveli! Goddamn it!
pehkut painua pehkuihin hit the hay/sack
pehmennys 1 softening **2** (permanentti) perm(anent)
pehmentyä soften, mellow out
pehmentää soften, (luonnetta) mellow
pehmetä soften
pehmeys softness, silkiness, smoothness, tenderness, gentleness, mellowness (ks pehmeä)
pehmeä soft; (hiukset) silky, (iho) smooth, (liha) tender, (luonne) gentle, mellow
pehmeäkantinen paperback
pehmeä lasku soft landing
pehmeästi softly
pehmike pad(ding), cushion
pehmittää 1 soften (up), (sydäntä) melt **2** (piestä) tenderize
pehmitä soften
pehmoinen soft
pehmoisesti softly
pehmustaa pad, cushion
pehmuste pad(ding), cushion; (mon) upholstery
pehmustus padding, cushioning
pehmyt soft
pehmytjäätelö soft ice cream
pehtori (farm/ranch) foreman
peijaiset funeral feast
peijakas the dickens
peikko 1 goblin, troll, ogre **2** (kuv: turhaan pelätty) bugbear, (aavemainen) spectre
peilailla 1 (itseään peilistä) gaze at yourself in the mirror **2** (kuvastua) be reflected
peilata 1 (itseään peilistä) look at yourself in the mirror **2** (heijastaa) reflect (myös kuv) Romaani peilaa oman aikansa yhteiskuntaa The novel holds a mirror up to contemporary society, reflects the social reality of its time **3** (mer suuntia) take your bearings, get a fix on your position **4** (luodata) sound (out) the depth of the water
peili mirror katsoa peiliin look in the mirror
peiliheijastuskamera (mirror) reflex camera
peililamppu parabolic spot (light/lamp)
peiliovi panel door
peilityyni smooth as glass, glassy
peippo (chaf)finch
peipponen (chaf)finch iloinen kuin peipponen happy as a lark
peite 1 covering ohut lumipeite light covering of snow **2** (peitto) blanket **3** (pressu) tarp(aulin)
peitellä 1 (sänkyyn) tuck (a child) in, kiss (a child) goodnight **2** cover (something) up (myös kuv:) conceal, hide, mask, disguise Mitä sinä peittelet? What are you keeping from me?

peitetysti 1 (kiertäen) indirectly, evasively **2** (salamyhkäisesti) secretively, under wraps/cover
peitota beat the pants off
peitsi lance taittaa peistä (jonkun kanssa) tilt against, take up arms against; (jonkun puolesta) go to bat for
peitteinen (maasto) wooded, (kieli) furred lumipeitteinen covered with snow
peitto 1 (huopa) blanket, (vuodevaatteet) covers panna pää peiton alle hide your head under the covers **2** covering jonkin peitossa covered with something, have something all over pölyn peitossa all dusty punaisten täplien peitossa all spotty, covered with red spots
peittyä be covered (up by, in) Aurinko peittyi pilveen The sun went behind a cloud
peittää 1 cover peittää lapset tuck the kids into bed peittää kustannukset lainalla take out a loan to cover costs **2** cover up, hide, conceal peittää pöytäliinan tahra maljakolla cover up/hide the stain on the tablecloth with a vase
peittää jälkensä cover your tracks
pekka Ei ollut pekkaa pahempi He was not to be bested, he had to go one better
pekoni bacon
pelargoni geranium
pelastaa 1 save (myös usk), rescue, salvage, redeem (myös usk) Ole kiltti ja pelasta Keith Abbyn kynsistä Be a good boy and go save/rescue Keith from Abby Royn tulo pelasti illan Roy showing up when he did salvaged/saved the evening, the evening was redeemed by Roy's arrival tulla pelastamaan joku come to someone's rescue **2** (varjella) protect, preserve, keep (something from harm)
pelastaja savior, (ihmisen) rescuer, (kansan) deliverer Pelastaja (usk) the Savior
pelastautua save yourself, be rescued/delivered, (selvitä hengissä) survive/escape (a disaster)
pelastua 1 be saved/rescued/delivered, make it (out of somewhere, to safety) **2** (usk) be saved/ delivered/redeemed, find salvation
pelastus 1 salvation, saving, rescue Nopsat jalkasi koituvat vielä sinun pelastukseksesi Those quick feet will be the saving of you yet **2** (usk) salvation, deliverance, redemption, saving grace **3** (pelastuskeino) escape, way out Ainoa pelastus oli nopea perääntyminen The only way to save their skins was to retreat quickly **4** (tavaran) salvage
pelastusarmeija Salvation Army
pelastustoimi 1 (ihmisten) rescue operation **2** (tavaran) salvage operation
pelastusyritys rescue/salvage attempt
pelata 1 (peliä) play Osaatko pelata bridgeä? Do you know how to play bridge? **2** (toimia) work Eihän tämä pelaa This doesn't work
pelata aikaa play for time
pelata häitä (vanh) play a wedding
pelata joku pussiin get someone right where you want him/her
pelata korkein panoksin play for high stakes
pelata uhkapeliä gamble
pelehtiä 1 (hyppelehtiä) frolic, gambol, caper **2** (leikitellä) play/fool around, play games pelehtiä tyttöjen kanssa fool around (with girls) **3** (pelleillä) play the fool, clown around
peli 1 game, play(ing) Mitä peliä tämä on olevinaan? What (game) are you playing at? likaista peliä foul play, dirty pool reilu peli fair play **2** (keino) way, means Millä pelillä aiot maksaa laskusi? How are you planning to pay your bills? **3** (vempain) gadget, contraption, (auto) machine
pelit ja vehkeet Hänellä on kaikki pelit ja vehkeet He's got a house full of gadgets and gizmos
peliaika playing time
pelialue playing field
pelihimo passion for gambling
pelikaani pelican
pelikortti (playing) card

pelimerkki chip
pelinavaus opening move/gambit (myös kuv)
peliohjain (tietokoneen ym.) joystick
pelkistetty 1 reduced, simplified **2** (sisustustyyli) bare, ascetic, uncluttered pelkistetty taide minimalist art
pelkistää reduce, simplify
pelkkä just/only a, pure, mere, sheer, nothing but pelkkä muodollisuus a mere/ sheer formality Hän kuittasi sen pelkällä kiitoksella He just passed it off with a thank you
pelko 1 fear, dread, terror, fright Ei ole pelkoa, että epäonnistumme We have no fear of failing, there's no chance of not succeeding **2** (ahdistus) worry, anxiety, apprehension Martta tunsi pelkoa poikansa puolesta Martta wracked herself with worry for her son
pelkuri coward, (ark) chicken, scaredy-cat
pelkurimainen cowardly, (ark) chicken
pelkuruus cowardice
pelkästään just, only, purely, merely, solely Tämä ei voi olla pelkästään hänen syytään This can't just be her fault
pelkäänpä pahoin I'm afraid (that)
pellava 1 (kasvi) flax **2** (kangas) linen
pelle clown, fool minusta hän on täysi pelle I think he is a complete fool
pelleillä play/fool/mess/clown around
pelleily tomfoolery, horseplay
peloissaan 1 afraid, terrified, frightened **2** (ahdistus) worried, anxious, apprehensive Martta oli peloissaan poikansa puolesta, kun tämä joutui ajamaan yötä myöten Martta worried about her son driving all night
pelokas 1 (yleensä) timid, fearful, timorous **2** (vaaran läheisyydessä) frightened, scared, afraid, terrified; (ark) spooked
pelokkaasti timidly, fearfully, timorously
pelote deterrent ydinpelote nuclear deterrent
pelotella frighten, scare, intimidate; (ark) spook
peloton fearless, bold, daring
pelottaa 1 Minua pelottaa I'm afraid/ scared/frightened Tuo pelottaa minua That scares/frightens me, it makes me afraid **2** (pelotella) scare, frighten pelottaa tiehensä scare (someone) off
pelottava scary, frightening, terrifying
pelottavasti alarmingly
pelotus intimidation
pelti 1 (metallilevy) sheet metal aaltopelti corrugated iron **2** (savupelti) damper pellit kiinni dead drunk pellit auki full tilt **3** (konepelti) hood **4** (leivinpelti) cookie sheet
peltiseppä 1 (hist) tinsmith, tinker **2** (nyk) sheet iron worker
pelto field, (viljelysmaa) arable land ajaa pellolle throw (someone) out on his/her ear, show (someone) the door
peltoala acreage under cultivation, arable area
peltotyö farm work, work in the fields
peluu playing
pelästys sudden fright
pelästyttää startle, (ark) spook
pelästyä start, be startled/frightened
pelätin scarecrow, (kuv) fright
pelätä 1 fear, be afraid/frightened/ scared of pelätä henkeään fear for your life pelätä lentämistä be afraid/scared of flying **2** (kantaa huolta) worry, be anxious/ apprehensive about
pelätä kuollakseen be scared to death
penger 1 (parras) edge, brink ojan penkereellä on the edge of the ditch **2** (joen) embankment, dike **3** (tasanne) terrace
pengermä embankment, terrace
pengertää embank, bank up; terrace
penikka 1 pup(py) **2** (kuv halv) whelp, spawn **3** (muksu) brat
peninkulma league
penisilliini penicillin
penkka (em)bank(ment), (reuna) edge
penkki 1 (istuin: pitkä) bench, (auton) seat, (kirkon) pew koulun penkillä at school istua syytetyn penkillä be (the)

accused mennä penkin alle flop **2** (työpenkki) workbench **3** (kukkapenkki tms) bed
penkkiurheilija armchair quarterback, sports fan
penkkiurheilu armchair/spectator sports
penkoa rummage through, (kuv) dredge up
penni penny ei penninkään arvoinen not worth a plug nickel/red cent Minulla ei ole penniäkään I haven't got a red cent venyttää joka penniä pinch pennies pitkä penni pretty penny
pensaikko bushes, (omakotipihassa) shrubbery, (tiheikkö) thicket
pensas bush, shrub
pensasaita hedge
pensassakset garden shears
penseys halfheartedness, lukewarmth, indifference
penseä halfhearted, lukewarm; (välinpitämätön) indifferent, cool
penseästi halfheartedly, indifferently, coolly
penska kid
pensseli (paint) brush
pentaprisma pentaprism
pentele the dickens
pentu 1 (koiran) pup(py), (kissan) kitten, (suden, ketun, karhun tms) cub; (mon) young **2** (lapsi) kid
pentue litter
penätä 1 (vaatia) demand, lay claim to, insist on **2** (inttää) insist, be stubborn/obstinate/pigheaded (about), refuse to budge
peppu bottom, rear end, fanny kuin paita ja peppu inseparable, like two peas in a pod
per 1 (per nuppi) per (person) **2** (per tietty päivämäärä) as per
perata 1 (kaloja) clean **2** (marjoja) pick the leaves and branches out **3** (vihannesmaata) weed **4** (metsää) clear
perehdyttää familiarize (someone with something), teach/show (someone) the ropes, break (someone) in, give (someone) training/ orientation (in)
perehdytys familiarization, training, orientation
perehtyä familiarize (yourself with something), learn the ropes, get oriented (in), find out/learn (all about)
peremmällä further/farther in/back Käykää peremmälle! Come on in!
perestroika perestroika
perfekti (kiel) present perfect (tense) pluskvamperfekti past perfect (tense)
performanssitaide performing art(s)
pergamentti parchment
perhana damn perhanan damn(ed)
perhe family viisihenkinen perhe a family of five
perheauto family car
perhe-eläke dependent's pension
perhe-elämä family life
perheenemäntä housewife, homemaker
perheenisä father
perheenjäsen family member
perheenlisäys odottaa perheenlisäystä be in a/the family way
perheenäiti mother
perheittäin by family
perhekalleudet the family jewels (myös ark, kuv)
perhekasvatus family education
perhekohtainen family-specific
perhepiiri family circle
perhesalaisuus family secret
perhesuhteet family relations
perhetuttava friend of the family('s)
perheväki the family Sano perheväellesikin terveisiä Say hello to the family
perho 1 butterfly, (yöperho) moth **2** (kalastusperho) fly
perhokalastus fly-fishing
perhonen butterly, (yöperhonen) moth
perhostutkija lepidopterist
periaate principle pitää periaatteenaan make a point of (doing something)
periaatteellinen (ihminen) principled, (person) of principle; (keskustelu) hypothetical
periaatteellisesti 1 (pohjimmiltaan) fundamentally, basically **2** (hypoteettisesti) hypothetically, in theory

periaatteen mies/nainen a man/ woman of principle
periaatteessa 1 (teoriassa) in principle/theory, theoretically **2** (pääpiirteissään) essentially, in essence **3** pysyä periaatteessaan stick to your principles, refuse to deviate/swerve/ budge (an inch) from your principles
periaatteesta on principle
periaatteeton unprincipled, unscrupulous
perijä (mies) heir, (nainen) heiress
periksi antaa periksi **1** (antautua) give in/up, surrender, throw up your hands, throw in the towel **2** (joustaa) give way, yield, settle for less
perikunta 1 (perilliset) the heirs **2** (kuolinpesä) estate
perikuva 1 (asian) the epitome, a model nöyryyden perikuva the epitome of humility, a model of humility **2** (ihmisen) the very image hyvän aviomiehen perikuva the very image of a good husband
perillemeno getting through (to someone), being heard/understood Kyllä minä sen hänelle sanoin, mutta perillemenosta en tiedä I told him, but I don't know if he heard me
perillepääsy getting there, reaching your destination
perilletulo getting there, reaching your destination
perillinen heir, scion
perillä 1 (matkanpäässä) at your destination, there Milloin olemme perillä? When are we going to be/get there? **2** (selvillä) aware of, familiar with, well-informed on asiasta hyvin perillä olevien lähteiden mukaan according to well-informed sources, those in the know
perimmäinen 1 (kauimmainen) farthest, furthest, remotest; (reunimmainen) outermost; (takimmainen) back **2** (viimeinen) ultimate elämän perimmäinen merkitys the (ultimate) meaning of life perimmäiset kysymykset the big/ ultimate questions **3** (pohjimmainen) fundamental, basic **4** (sisimmäinen) innermost, deepest perimmäinen minä the innermost/ real me
perimmältään 1 (ihmisen luonteesta) basically, fundamentally, at heart, deep down **2** (tapahtumasta) finally, ultimately, in the last analysis, when all's said and done
perimys succession
perimysjärjestys order of succession
perimä genotype
perimätieto (oral) tradition
perin 1 (takimmainen) back **2** (erittäin) very, extremely, exceedingly; (täysin) utterly
perin juurin thoroughly, utterly, completely, root and branch
perinne tradition
perinnäinen traditional, customary
perinnäisesti traditionally, customarily
perinnäiskäsitys traditional conception
perinnäistapa custom
perinnäisyys traditionality, traditionalism
perinnöllinen (lak ja biol) hereditary Se on perinnöllistä It runs in the family
perinnöllisesti by heredity
perinnöllisyys heredity
perinnöllisyystiede genetics
perinnöllisyystutkija geneticist
perinnönjako distribution of an estate
perinnöttömyys disinheritance
perinnötön disinherited jättää perinnöttömäksi disinherit
perinpohjainen thorough(going), complete, exhaustive, full
perinpohjaisesti thoroughly, completely, exhaustively, fully
perinpohjaisuus thoroughness
perinteinen traditional
perinteisesti traditionally
perintä collection
perintö 1 (omaisuus) inheritance, estate, legacy jättää jollekulle perinnöksi leave (something) to someone kulkea perintönä be handed down (from generation to generation) Olen saanut

sen perintönä isoisältäni My grandfather left/bequeathed it to me **2** (perinne) heritage, legacy kulttuuriperintö cultural heritage
perintöesine heirloom
perintöhopeat the family silver
perintöprinsessa crown princess; (missikisoissa) runner-up
perintöprinssi crown prince
perintötekijä gene, hereditary factor
perintötila family estate
perintövero estate/inheritance tax
perintöverotus estate/inheritance taxation
periodi period, (opetuksessa) block
periodiopetus block teaching
periskooppi periscope
perisuomalainen typically Finnish
perisynti original sin
perivihollinen bitter enemy, archenemy
periytymätön uninheritable
periytyvä inheritable, hereditary
periä 1 (saada perintönä, myös biol) inherit periä vanhempansa be your parents' heir, receive an inheritance from your parents, inherit money/ property from your parents periä iso omaisuus inherit a fortune, come into a fortune **2** (saada maksuna) collect, (ottaa maksuna) charge **3** (tapahtua, käydä) become of, happen to Mikä meidät nyt perii? What will become of us now? Hukka sinut vielä perii You're heading for a fall Paha minut perii jos minä I'll be damned if I'm going to
periä voitto win out, be victorious/ triumphant, come out on top
perjantai Friday
perjantaiaamu Friday morning
perjantai-ilta Friday night/evening
perjantainen Friday('s)
perjantaipäivä Friday (during the day)
perjantaisin Fridays
perkaus 1 (kalojen) cleaning **2** (marjojen) picking the leaves and branches out **3** (vihannesmaan) weeding **4** (metsää) clearing
perkele devil, demon perkeleen (god)damn(ed), fucking Perkele! (God)dammit
perkeleenmoinen helluva
perkeleesti a helluva lot (of) Miksi kiroilet niin perkeleesti? Why do you swear so goddamn much?
perkuu ks perkaus
permanentti permanent, (ark) perm
permanto 1 (lattia) floor **2** (teatterissa) parquet circle **3** Voi permanto! Gosh darn it! Oh shoot/heck!
permantopaikka a seat in the parquet circle
perna spleen
perse ass lentää perseelleen fall flat on your ass (myös kuv) nuolla jonkun persettä lick/kiss someone's ass olla perse auki to be flat broke
perseennuolija asskisser, asslicker
persikka peach
persikkaiho peaches-and-cream complexion
persilja parsley
perso crazy/nuts (about) olla perso makealle have a sweet tooth
persoona 1 (henkilö) person, individual; (persoonallisuus) personality olla läsnä/saapua omassa persoonassaan show up in person, put in a personal appearance, be there/come personally **2** (psyk) persona **3** (kiel) person puhua itsestään kolmannessa persoonassa refer to yourself in the third person
persoonallinen 1 (henkilökohtainen) personal **2** (ystävällinen) personable, warm, friendly, intimate **3** (omaleimainen) distinctive, different persoonallinen talo a house with personality/character
persoonallisuus 1 personality, (psyk) persona **2** (ystävällisyys) personability, warmth, friendliness, intimacy **3** (omaleimaisuus) distinctiveness, character
perspektiivi perspective
perspektiivipiirustus perspective drawing
persreikä asshole (myös kuv)
Peru Peru

peru olla jotakin perua come/stem/ derive from olla vanhaa perua be very old
perua 1 (sanat) withdraw, renege on, retract; (ark) take back, go back on, bum out on **2** (ark peruuttaa) cancel
perukirja estate inventory deed
perukka out-of-the-way corner Pohjan perukoilla in the far north
perulainen s, adj Peruvian
peruna potato ranskalaiset perunat (French) fries kuuma peruna (kuv) hot potato
perunajauho potato flour
perunakeitto potato soup
perunalaatikko potato casserole
perunamaa potato patch
perunanenä potato-nose
perunanistutus potato planting
perunankuori potato peel/jacket
perunannosto potato harvest
perunasalaatti potato salad
perunasose mashed potatoes
perunasäkki sack of potatoes, (tyhjänä) gunny sack
perunkirjoitus estate inventory
perus- basic, fundamental
perusajatus main/leading idea
perusasento 1 (sot) attention perusasennossa at attention **2** (koneen tms) off position
perusero basic/fundamental difference
perusjoukko 1 (empiirisessä tutkimuksessa) population **2** (mat) fundamental set
peruskallio bedrock
peruskoulu comprehensive school
peruskoululainen student in the comprehensive school
peruskoulun ala-aste elementary school
peruskoulun johtaja comprehensive school superintendant
peruskoulun johtokunta comprehensive school board
peruskoulun opettaja comprehensive school teacher
peruskoulun yläaste junior high (school)
peruskouluopetus comprehensive school instruction
peruskoulutaso comprehensive-school level
peruskoulutus comprehensive education
peruskysymys main question/point, central issue
peruslinjat outline(s)
perusluku cardinal/base number
perusluonne fundamental character
perusluonteinen fundamental
perusmerkitys base/dictionary meaning, denotation
perusmuoto basic form; (verbin) infinitive
perusmuuri foundation wall
perusnopeus basic speed
perusolettamus fundamental assumption/presupposition/premise
perusominaisuus essential quality
perusopetusryhmä basic training group, elementary instruction group
peruspalkka base pay/salary
membrane
membrane
perusparannus 1 (maalla) land improvement **2** (talossa) fundamental improvement
perusperiaate basic/fundamental principles
peruspiirre basic/essential feature
peruspyrkimys main intent
perusta 1 (pohja) ground, base, (foundation) bed **2** (kuv) foundation, basis, fundament
perustaa 1 (rakennus) lay the foundation for **2** (liike tms) found, establish, form, institute; (ark) start, set up, open **3** (väite tms) base (something on) **4** (ark välittää) care En perusta kaiken maailman kursseista I don't believe in all these courses they give, I wouldn't give you a plug nickel for all the courses in the world
perustaja founder
perustajajäsen founding member
perustaminen foundation-laying, founding, establishment, formation, institution (ks perustaa)
perustarkoitus basic purpose/intent

peruste 1 ground(s), cause, justification Millä perusteella teit sen? On what grounds did you do it, what cause/justification did you have for doing it, how do you justify doing/having done it? **2** (perustelu) argument **3** (syy) reason, motive millä perusteella why **4** (pohja) basis, foundation millä perusteella on what basis
perusteellinen 1 (perinpohjainen) thorough(going), complete, exhaustive, full **2** (perustavaa laatua) fundamental, radical
perusteellisesti thoroughly, completely, exhaustively, fully; fundamentally, radically (ks perusteellinen)
perusteellisuus thoroughness
perusteeton unfounded, ungrounded, groundless, false, erroneous
perusteettomasti groundlessly, falsely, erroneously, without foundation
perustekijä major factor
perustella defend, justify, give/state reasons (for), argue (on behalf of), provide arguments (for)
perustellusti justifiably, with good reason; (ark) quite right(ly)
perustelu defense, justification, reason, argument
perusteos major work
perustiedot basic/fundamental/elementary knowledge, the rudiments
perustosiasia basic fact
perustua be based/founded (on), be grounded (in), rest (on)
perustus foundation palaa perustuksia myöten burn to the ground laskea perustus jollekin lay the foundation/groundwork for something
perustuslaillinen constitutional
perustuslaillisesti constitutionally
perustuslaillisuus constitutionality
perustuslaki constitution
perusvaatimus basic demand
peruukki wig
peruukkipäinen bewigged
peruuttaa 1 (auto tms) back, (tietok) backspace **2** (palauttaa) return **3** (ottaa takaisin) withdraw, retract, rescind, recant, renege; (ark) take back, go back on **4** (mitätöidä) revoke, cancel, invalidate
peruuttaa avioliitto annul a marriage
peruuttaa kokous cancel a meeting; (toistaiseksi) postpone a meeting
peruuttaa käsky countermand an order
peruuttaa sopimus nullify a contract
peruuttamaton irreversible, irrevocable
peruuttamattomasti 1 irreversibly, irrevocably **2** (varmasti) absolutely, positively
peruuttaminen backing (up), returning, withdrawal, retraction, rescindment, recanting, reneging, revocation, cancellation, invalidation (ks peruuttaa)
peruutus 1 (auton) backing (up) **2** cancellation (ks myös peruuttaminen)
peruutuspaikka cancellation
peruutuspeili rear-view mirror
peruutusvaihde reverse
peruutusvalo backing light
perverssi perverse
perä 1 (takapää) rear/back/tail/butt (end) pitää perää bring up the rear mennä pihan perälle go to the outhouse huoneen perä the rear/far end of the room **2** (laivan) stern pitää perää steer, take/hold the tiller/helm keulasta perään from stem to stern **3** perät (kellonvitjat) chain **4** (pohja) foundation, grounds perää vailla unfounded, ungrounded, without foundation Hänen puheessaan ei ollut mitään perää There was nothing to his claims, what he said was totally without foundation **5** (alkuperä) origin, extraction amerikkalaista perää of American extraction/origins
peräaukko anus, rectum, (sl) asshole
peräisin olla peräisin **1** come/stem from, originate in Mistä olet peräisin? Where are you from? **2** (kiel) (be) derive(d) from Sana "kioski" on peräisin persian kielestä The word "kioski" is derived from the Persian

peräkkäin 1 (tapahtumia tms) consecutively, in succession, one after another/the other neljä kertaa peräkkäin four times in a row **2** (ihmisiä) one behind the other, in a line, single-file

peräkkäinen consecutive, successive

perälämpö rectal temperature

perämies 1 (laivan) mate **2** (soutuveneen) cox(swain) **3** (purjeveneen) helmsman, steersman **4** (lentokoneen) copilot

perämoottori outboard motor

perämoottorivene outboard motorboat

peränpitäjä 1 (laivan) helmsman **2** (kuv) straggler, slowpoke olla peränpitäjänä bring/wipe up the rear, be engaged in a rearguard action

Peräpohjola southern Lapland; (mytologiassa) deep north

peräpuikko suppository

peräpukama hemorrhoid

peräpää 1 (laivan, veneen) stern **2** (jonon, käytävän) end

peräruiske enema

peräsin rudder, (peräsimen varsi) tiller, (kuv ruori) helm hoitaa peräsintä steer

perässä 1 (jäljempänä) behind kävellä pari askelta perässä walk a few steps behind someone juosta jonkun perässä chase/pursue someone (myös rakkausasioissa), (pysytellä kannoilla) dog someone's heels sulkea ovi perässä close the door behind you Pysytkö perässä? Are you keeping up (with me)? (myös kuv:) Are you with me? **2** (perällä) at/in the rear/back; (laivassa) aft, astern, abaft (the beam) **3** (maksuissa) behind, in arrears

perästä 1 (takaa) from behind, (takaosasta) from the rear, (peräpäästä) from astern **2** (kuluttua) after, in muutaman päivän perästä in/after a few days jonka perästä after which

perästä kuuluu (sanoi torventekijä) you'll find out, you'll see

perästä päin afterwards, after the fact, subsequently

peräsuoli rectum

peräti 1 (jopa) even, as much as, actually Olisiko hän matkoilla, peräti ulkomailla? Could she be traveling, even abroad? Kas kun ei sano itseään peräti tilanomistajaksi I'm just astonished he didn't go right ahead and call himself a landowner **2** (erittäin) very, extremely, (ark) pretty He asuvat peräti niukoissa oloissa They're pretty strapped

perätila breech position syntyä perätilassa be born/delivered in the breech position

perättäin ks peräkkäin

perättäinen ks peräkkäinen

perättömyys falsity

perättömästi falsely, erroneously, without grounds

perätysten ks peräkkäin

perätä 1 (asiaa) ask/inquire about, try to find out about **2** (saataviaan) dun, try to get your money, demand what's coming to you **3** (oikeuksiaan) demand your rights

perätön unfounded, ungrounded, groundless, false, erroneous perättömiä väitteitä lies

perävaunu trailer

perään 1 (laivan) aft, astern **2** (jälkeen) after antaa perään give in/up/way, yield juosta perään run after (someone), follow heti perään immediately after/following toinen toisensa perään one after another

peräänantamaton 1 unyielding, persistent, tenacious **2** (tinkimätön) uncompromising, implacable **3** (jäykkä) inflexible, unbending

peräänantamattomasti persistently, tenaciously, uncompromisingly, implacably, inflexibly, unbendingly (ks peräänantamaton)

perääntyä 1 (sot) retreat **2** (pakittaa) move back(wards), take a few steps back **3** (antaa periksi) give in/up/way, yield, withdraw, back out of

pesemätön unwashed
peseytyä wash up
pesijä washer(woman)
pesiytyä take hold, find a foothold, become established/entrenched (in)
pesiä 1 (lintu) nest **2** (tauti tms) breed
pessaari diaphragm, (vanh) pessary
pessimismi pessimism
pessimisti pessimist
pessimistinen pessimistic
pessimistisesti pessimistically
pestata 1 (sot) recruit, (väkisin, hist) impress **2** (palkata) hire, engage
pestautua enlist, sign up/on, join up
pesti ottaa pesti (armeijaan) enlist, sign up/on, join up, (työpaikkaan) hire on, join the firm saada pesti get a job
pestä 1 wash (up/off/down/out), scrub; (hangata) scour pestä hiukset wash/shampoo your hair pestä kemiallisesti dry-clean **2** (ark voittaa) clean (someone's) clock, take (someone) to the cleaners
pestä astiat do/wash the dishes
pestä kätensä jostakin wash your hands of something
pestä pyykkiä wash clothes, do the laundry
pesu wash(ing); (hiusten) shampoo; (pyykki) laundry Väri lähtee pesussa That (color) will run in the wash
pesuaine detergent pyykinpesuaine laundry detergent astianpesuaine dishwasher detergent
pesue litter koko pesue (kuv perhe) the whole gang/bunch/tribe/clan
pesuhuone (kylpyhuone) bathroom, (suihkuhuone) shower room, (pyykkihuone) laundry room
pesukone washing machine
pesula laundry, (dry-)cleaner's
pesunkestävä 1 washable **2** (aito) dyed-in-the-wool pesunkestävä konservatiivi dyed-in-the-wool conservative
pesuvesi (ammeessa) bathwater, (altaassa, vadissa) dishwater heittää lapsi pois pesuveden mukana throw the baby out with the bathwater
pesä 1 (linnun) nest liata oma pesänsä foul your own nest lähteä pesästä leave the nest (myös lapsista) **2** (mehiläisen) hive **3** (muurahaisen) anthill **4** (villieläimen) lair; (ketun) den; (jäniksen) burrow, hole ajaa pesäänsä run (an animal) to ground paheiden pesä den of iniquity **5** (leikeissä) home, safety; (pesäpallossa) base **6** (tulipesä) hearth, fire pot; (uuni) stove, (takka) fireplace, (liesi) grate lisätä puita pesään put more wood on the fire lisätä pökköä pesään (kuv) pour oil on the fire **7** (tekn) case, casing, housing **8** (lusikan, piipun) bowl **9** (kuolinpesä) estate
pesäero separation tehdä selvä pesäero make a clean break
pesäke 1 (sot konekivääripesäke) nest **2** (lääk) seat, focus **3** (kuv) hotbed, center vallankumousaatteen pesäke a hotbed of revolution
pesäkekovettumatauti (keskushermoston) multiple sclerosis
petkel spudder, chopper, stamper
petkuttaa deceive, cheat, con, swindle; (ark) take (someone for a ride)
petkuttaja 1 (rahoja tms vievä) deceiver, cheat, con-artist/-man, swindler **2** (muuna esiintyvä) impostor
petkutus 1 deceit, con, swindle, sting **2** imposture
peto 1 (wild) beast, wild animal, predator **2** (ihmisestä) beast, brute, animal **3** (mato) whiz, demon, animal Juha on oikea peto jalkapallossa Juha is a real animal in football
petoeläin predator, beast of prey
petollinen 1 (ihminen) treacherous, deceitful, cheating, untrustworthy, fraudulent **2** (tilanne tms) deceptive, misleading, illusory, delusory
petollisesti treacherously, deceitfully; deceptively
petomainen bestial, beastly
petos 1 treachery, treason, deceit, deception, fraud **2** (petkutus) swindle, con, sting **3** (muuna esiintyminen) imposture, impersonation
petrata fix/touch up, improve
petroli petroleum oil, kerosene
petsata stain
petturi traitor

petturuus treason, betrayal
pettymys disappointment
pettyä be disappointed (in)
pettäjä deceiver, cheat, (aviopuolison) unfaithful/cheating husband/wife
pettämättömästi reliably, trustworthily, solidly
pettämätön reliable, trustworthy, solid, (ark) trusty
pettää 1 (petkuttaa) cheat, con, swindle, defraud **2** (johtaa harhaan) deceive, delude, mislead Elleivät silmäni petä If my eyes don't deceive me, if I can believe my eyes **3** (kavaltaa) betray **4** (olla uskoton) cheat on (your spouse), be unfaithful to **5** (sortua) give way, break (down), fall/tumble down **6** (jättää pulaan) let (someone) down, disappoint, desert, fail Jos muistini ei petä If my memory serves me correctly, if memory serves, if I remember (a)right
pettää jonkun toiveet let someone down, disappoint someone('s hopes), puncture someone's dreams
pettää lupauksensa break your promise, go back/renege on your promise
petäjä (Scots) pine
peuhata roughhouse, be wild/noisy/ rambunctious
peuhtoa thrash (around wildly)
peukalo thumb
peukaloida 1 (sormeilla) finger, feel **2** (korjailla) fiddle/meddle/tamper/ monkey with, doctor
peukalo keskellä kämmentä all thumbs
peukku pitää peukkua keep your fingers crossed (for someone) Peukut pystyyn! Knock on wood!
peura caribou
piakkoin soon, shortly
pian soon, shortly
pianisti pianist, piano-player
piano piano
pianomusiikki piano music
pianonvirittäjä piano tuner
pidellä 1 (pitää) hold; (sormeilla) finger, feel **2** (pidätellä) hold (someone/ something) back, restrain, hinder, curb **3** (hoidella) care for, take care of
pidennys 1 (hameen tms) lengthening, extension **2** (lainan tms) extension, (lykkäys) postponement, (uusiminen) renewal
pidentyä lengthen, get longer
pidentää 1 (hametta tms) lengthen, extend **2** (lainaa tms) extend, postpone, renew
pidetä lengthen, get/grow longer
pidike retainer, holder, clamp
pidin retainer, holder, clamp tehdä työtä vain henkensä pitimiksi only work to keep body and soul together
pidäke 1 restrainer, restraint, check, drag, hold **2** (mus) hold, fermata
pidätellä 1 hold (someone/something) back, restrain, hinder, curb; (naurua tms) suppress yrittää pidätellä itkua try to hold back the tears **2** (viivytellä) delay, detain, slow (someone) down, hold (someone) up
pidättyneisyys reserve, reticence, inhibition
pidättynyt reserved, reticent, inhibited
pidättyvä(inen) 1 (pidättynyt) reserved, reticent, inhibited **2** (vetäytyvä) retiring, withdrawn, aloof, standoffish, distant **3** (alkoholin suhteen) abstemious, temperate, moderate **4** (sukupuoliyhteyden suhteen) continent, celibate
pidättyv(äis)yys reserve, reticence, inhibition, withdrawal, aloofness, standoffishness, distance, abstention, temperance, moderation, continence, celibacy (ks pidättyvä(inen))
pidättyä 1 (tekemästä) refrain (from) **2** (alkoholista) abstain (from) **3** (fys) be absorbed
pidättäminen restraining, hindrance, suppression, delaying, detention, withholding, deduction, arresting, reservation, absorption (ks pidättää hakusanat)
pidättää 1 hold (someone/something) back, restrain, hinder, curb; (naurua tms) suppress **2** (viivytellä) delay, detain, slow (someone) down, hold (someone) up **3** (ennakkoveroa)

withhold, deduct **4** (rikoksentekijä) arrest, book, lock (someone) up **5** (fys) absorb
pidättää ennakkovero withhold taxes
pidättää oikeus reserve the right (to) Kaikki oikeudet pidätetään All rights reserved
pidättää virantoimituksesta suspend (someone from office)
pidätys 1 (rikoksentekijän) arrest, (vankeudessa pitäminen) detention **2** (veron) withholding **3** (palkan) garnishing
pidätysmääräys warrant for (someone's) arrest
piehtaroida roll around, roll/tumble over and over piehtaroida itsesäälissä wallow in self-pity
pieleen mennä pieleen go wrong/ badly, get all fouled up, bomb, flop laulaa pieleen sing off key, out of tune
pielessä 1 (pilalla) ruined Tänään kaikki on pielessä This is just one of those days **2** (vieressä) next to oven pielessä by the door **3** Suun pielessä alkoi näkyä hymyn häivä The corners of her mouth began to twitch into a smile
pieli 1 (paalu) post **2** (kuv) pieleen, pielessä ks hakusanat **3** (reuna) edge, corner jonkin pielessä next to/by something oven pielessä by the door suun pielet the corners of your mouth
pielus 1 (tyyny) pillow **2** ks pieli
piena 1 (lista) molding, batten, cleat **2** (puola) rung
pienaakkonen lower-case letter, (ark) small letter
pienehkö smallish
pieneliö microbe, micro-organism
pienennys reduction
pienen pieni miniscule, infinitesimal, minute, diminutive, tiny; (ark) tee-niney
pienenpuoleinen on the small side
pienentyä 1 shrink, become smaller, be reduced **2** decrease, diminish, lessen
pienentäminen reduction, dicing, mincing, decreasing, diminishing, lessening, lowering (ks pienentää)
pienentää 1 reduce, shrink, make (something) smaller **2** (pieniä) chop/cut (something) up, dice, mince **3** (vähentää) decrease, diminish, lessen, cut/turn down, lower
pieni 1 (pienikokoinen) little, small; (pienen pieni) diminutive, tiny, minute; (poika) runty, stubby; (tyttö) petite, dainty; (ark) pint-sized häviävän pieni infinitesimal **2** (lyhyt) short, squat, (ark) stubby **3** (vähäinen) slight pienessä humalassa slightly drunk **4** (vähäpätöinen) petty, minor pieni asia petty thing, minor matter Mitä pienistä! Never mind!
pienikokoinen little, small; (pienen pieni) diminutive, tiny, minute; (poika) runty, stubby; (tyttö) petite, dainty; (ark) pint-sized
pienilukuinen few in number(s)
pienimuotoinen small-scale
pienipalkkainen poorly paid, underpaid
pienitehoinen underpowered
piennar edge, (tien) shoulder
pienois- miniature, model, toy, baby
pienoiskivääri small-bore rifle
pienoismalli model
pienoisrautatie electric train set
pienokainen baby, little one
pienryhmä small group
pienteollisuus small industry
pienuus smallness, small size, littleness
pienviljelijä small farmer
pieraista fart
pieru fart
piestä beat, thrash, whip, lash
pietismi Pietism
piha yard; (koulun) schoolyard, (maatalon) farmyard, (sisäpiha) courtyard (ajopiha) driveway mennä pihan perälle go to the outhouse
pihahtaa 1 hiss **2** (puhua) make a sound
pihamaa courtyard
piharakennus outbuilding
pihdit 1 pliers, (ottimet) tongs **2** (lääk) forceps **3** (kuv) clutches pitää jotakuta pihdeissään have someone in your clutches

pihi stingy, tight(-fisted)
pihinä fizzing, hissing
pihistä fizz, hiss niin kauan kuin henki vielä pihisee as long as I have a breath left in my body
pihistää 1 (puristaa) tighten **2** (näpistää) swipe, pinch **3** (kitsastella) pinch pennies, skimp **4** (välttää velvollisuutta) shirk
pihka sap, resin
pihkainen sappy, resinous
pihkassa olla pihkassa johonkuhun have a crush on someone
pihlaja rowan (tree)
pihti forked stick, crotch joutua pihteihin get into a bind
pihvi steak Asia on pihvi It's a deal
pii 1 (piikivi) flint **2** (aine) silicon **3** (geom) pi **4** (piikki) tooth, (haarukan) tine **5** (linnun ääni) peep
piika maid, hired girl
piikikäs 1 (piikkinen) stickery, prickly **2** (ivallinen) sarcastic, stinging, caustic
piikitellä jeer at, mock, tease, rag
piikittely jeering, mocking, teasing, ragging
piikivi flint
piikkarit (urh) spikes
piikki 1 (ruusun) thorn, prickle **2** (piikisian) quill, (siilin) spine, (ampiaisen) stinger **3** (kamman) tooth, (haarukan) tine, (piikkarin) spike **4** (rakennustyökalu) spike, (sot hist) pike, (mer) peak **5** (pistos) shot, injection; (huumepiikki) fix **6** (pistosana) taunt, gibe, jeer, jab
piikkilanka barbwire
piikkilanka-aita barbwire fence
piikkisika porcupine
piileskellä hide out
piileskely hiding
piilevä hidden, concealed; (psyk) latent, dormant
piillä 1 be/lie hidden **2** (olla) be, lie Missä vika piilee? Where does the problem/fault lie? What's the problem?
piilo hiding place
piilokamera candid camera
piilolasit contact lenses, (ark) contacts
piilopaikka hiding place; (kätkö) cache, (ark) stash
piilopirtti safehouse
piilosilla olla piilosilla play hide and seek
piilossa hidden, concealed mennä piiloon hide
piilotajuinen unconscious
piilotajunta unconscious
piilotella hide (out)
piilottaa hide, conceal
piilottautua hide (yourself away)
piiloutua hide (yourself)
piimä buttermilk
piina suffering, pain, anguish, agony, torture
piinallinen 1 (kivulias) painful, agonizing, torturous **2** (kiusallinen) painful, embarrassing, difficult, awkward
piinapenkki (hist) rack joutua piinapenkkiin (kuv) be put on the spot, be raked over the coals
piinata pain, torture, torment
piintyä 1 (lika tms) get encrusted/ embedded **2** (ihminen) get stuck in your ways, fall into a rut
piipahtaa stop/drop by (for a brief visit)
piipittää peep
piipitys peeping
piippo wood rush
piippu 1 pipe **2** (pyssyn) barrel **3** (savupiippu: talon) chimney, (tehtaan) smokestack (ks myös piipussa)
piipussa 1 (uuvuksissa) exhausted, worn out, dead tired **2** (jumissa) stuck, jammed, (lauluääni) blocked **3** (pielessä) all balled up
piiputtaa act up, cause problems; (auto) stall, kill
piirakka pie
piiras pie
piiri 1 circle, ring tanssia piirissä dance in a ring/round **2** (ympyrän kehä) circumference, (aitauksen tms) perimeter **3** (ihmisryhmä) circle asiasta hyvin perillä olevat piirit well-informed circles **4** (toimiala) sphere, field Se ei oikein kuulu tutkimukseni piiriin I think that's a bit outside the compass of my

research **5** (hallinnollinen) district, (kaupungin) ward, (poliisin) precinct, (tuomiopiiri) circuit **6** (sähköpiiri) circuit
piirihallinto distinct government
piirijako division into districts, (omaan pussiin) gerrymandering
piirikonttori district office
piirikunta (administrative) district
piirileikki round game
piiripäällikkö district manager
piirittää 1 circle, surround **2** (saartaa) besiege, lay siege to, blockade
piiritys siege
piironki chest of drawers, bureau, dresser
piirre characteristic, feature, trait, aspect
piirrellä draw, doodle
piirros 1 drawing, sketch, design **2** (luonnos) outline, draft **3** (kuvio) diagram, figure
piirrättää have your picture drawn/ sketched
piirto stroke viimeistä piirtoa myöten right down to the last/tiniest detail
piirtoheitin overhead projector
piirturi plotter, recorder
piirtyä be drawn piirtyä muistiin be inscribed/engraved/etched on your memory
piirtää 1 draw, sketch, make (pictures) piirtää viiva draw/trace a line piirtää läpi trace **2** (arkkitehti taloa tms) design **3** (luonnostella) outline, draft piirtää vapaalla kädellä draw freehand **4** (mat) describe **5** piirtää nimensä (alle) your name/signature scrawl
piiru 1 (piirto) mark, scratch, score **2** (mer) point Suunta muutettiin neljä piirua oikealle They changed course four points to starboard ei piiruakaan not one iota **3** (sot) mil **4** (sahalla) flitch
piirustaa draw, sketch, make (pictures)
piirustus drawing, sketch, outline, draft (ks myös piirros)
piirustuslehtiö sketchpad
piisami muskrat
piisata be enough Se piisaa kyllä That will be quite enough thank you
piiska whip, lash, switch, rod saada piiskaa get whipped
piiskata 1 whip, lash, flog piiskata mattoja beat rugs **2** (antaa selkään) spank **3** (hoputtaa) drive/urge (on)
piiskuri 1 (pol) whip **2** (ark) slavedriver
piispa bishop piispan episcopal
piitata care En piittaa heidän mielipiteistään I couldn't care less about what they think kustannuksista piittaamatta regardless of expense
piittaamaton 1 unconcerned, indifferent, unmoved **2** (ajattelematon) heedless, careless, thoughtless
piittamattomuus unconcern, indifference, heedlessness, carelessness, thoughtlessness (ks piittaamaton)
pikaa tuota pikaa quickly, in short order, in no time (at all)
pikainen 1 (nopea) quick, speedy luoda pikainen silmäys glance quickly (at) **2** (yhtäkkinen) sudden, abrupt saada pikainen loppu come to a sudden end **3** (viivyttelemätön) prompt toimittaa tavarat pikaisesti make prompt delivery
pikajuna express (train)
pikakelaus fast forward kelata eteenpäin pikakelauksella fast-forward
pikakirjoitus shorthand
pikakuva instant/Polaroid photo
pikakuvakamera instant camera, Polaroid camera
pikalinja express bus (line)
pikaluistelija speed skater
pikaluistelu speed skating
pikaluistin speed skate
pikamatka sprint pikamatkojen juoksija sprinter
pikapuoliin quickly, shortly, in a jiffy
pikari (wine) glass, cup, goblet
pikaruoka fast food
pikemmin 1 (nopeammin) sooner Mitä pikemmin sitä parempi The sooner the better **2** pikemmin(kin) rather, better pikemmin(kin) liian paljon kuin liian vähän better too much than too little
piki pitch

pikimmiten as soon as possible, ASAP
pikimusta pitch-black
pikkasen a little
pikkelsi pickle relish
pikku 1 little, small, slight pikku hiprakassa a little happy **2** (vähäpätöinen) minor, insignificant, trivial, petty pikkuasia a trifling matter
pikku-ukko little man, (mon) the little people nähdä pikku-ukkoja see pink elephants
pikkuaivot cerebellum
pikkuauto car
pikkuhousut underpants, (naisen) panties
pikkuinen little one
pikkuisen a little
pikkujoulu Christmas party
pikkujoulujuhla Christmas party
pikkukaupunki small town
pikkukaupunkilainen person from a small town, provincial
pikkukirjain lower-case/small letter
pikkulapsi (vauva) baby, (leikki-ikäinen) toddler, small child
pikkumainen 1 (pikkusieluinen) petty **2** (turhantarkka) pedantic
pikkumaisesti pettily, pedantically
pikkupaketti small packet
pikkurihkama knickknacks, bric-a-brac
pikkuriikkinen eensy-weensy, teeniney
pikkurilli pinkie, baby finger
pikkurumpu side drum
pikkuseikka minor detail
pikkusielu petty person
pikkusieluinen petty
pikkusormi pinkie, baby finger
pikkutakki jacket
pikkuvaltio small country
pila (practical) joke, prank, gag tehdä pilaa make fun (of) Sehän oli vain pilaa I was only joking
pilaantua 1 (mädäntyä) spoil, rot **2** (tärveltyä) be ruined
pilaantumaton good
pilailla joke (around)
pilailu 1 joking, tomfoolery, fun **2** (näytelmä) farce, burlesque
pilanpäiten in jest/fun/sport
pilanteko 1 (pilailu) joking, tomfoolery, fun **2** (pilkka) mockery, ridicule
pilapiirros 1 (ihmisen päästä) caricature **2** (sanomalehdessä) (political) cartoon
pilapiirtäjä caricaturist, cartoonist
pilari pillar (myös kuv), column
pilata 1 (tärvellä) ruin, spoil, damage **2** (saastuttaa) pollute, contaminate
pilkahdus flicker, trace, glimmer
pilkahtaa peep/peek out
pilkallinen sarcastic, mocking, derisive
pilkallisesti sarcastically, mockingly, derisively
pilkata mock, deride, ridicule, jeer at, make fun of pilkata Jumalaa blaspheme
pilke 1 (silmässä) gleam, glint, twinkle **2** pilkkeet (chopped) firewood
pilkistää peep/peek out Aurinko pilkisti hetken pilvistä The sun peeked out from behind the clouds for just a second
pilkka 1 mockery, derision, ridicule pitää pilkkanaan hold (someone) up to ridicule, make fun/sport of (someone) **2** Jumalan pilkka blasphemy **3** (maalitaulu) target
pilkkaaja mocker, scoffer, (Jumalan) blasphemer
pilkkahinta absurdly low price ostaa pilkkahintaan get a great bargain, buy (something) for a song
pilkka sattui omaan nilkkaan the joke backfired, he/she was hoist with his/her own petard
pilkki jig pilkillä ice-fishing
pilkkiä ice-fish
pilkkoa chop, split
pilkkopimeä pitch-dark
pilkku 1 (läiskä) speck, spot, stain; (kuv) blot **2** (välimerkki) comma (,), (desimaalipilkku) point (.) nolla pilkku viisi point five
pilkkusääntö punctuation rule
pilkulleen to a T

pilkunnussija hairsplitter, pedant
pilleri pill, (e-pilleri) the Pill
pillerihumalassa (ark) high, stoned, on drugs/something
pilli 1 pipe (myös urkupilli), tube pistää pillit pussiin take your ball and go home **2** (mehupilli) straw **3** (vihellyspilli) whistle (myös tehtaan); (ark sireeni) siren **4** (soitin: pikkuhuilu) fife, (ruokopilli) reed pipe tanssia jonkun pillin mukaan dance to someone's tune, march to someone's drum
pillittää bawl, blubber
pillu (sl) pussy
pilotti pilot
pilttuu stall, crib
pilvessä 1 (taivas) cloudy, clouded over **2** (ark ihminen) high, stoned
pilvetön cloudless
pilvi 1 cloud Aurinko meni pilveen The sun went behind a cloud ylistää jotakuta pilviin asti praise someone to the skies **2** polttaa pilveä smoke dope
pilvilinna castle in the air
pilvinen cloudy
pilvisyys cloudiness
pimahtaa (suuttua) blow up, blow a gasket, hit the roof Kieli pimahti poikki The string snapped
pimennys 1 (valojen) blackout **2** (auringon/kuun) eclipse
pimento darkness pitää pimennossa keep (someone) in the dark
pimentyä 1 get/dark dark, darken, (grow) dim Taivas pimeni The sky grew dark Silmissäni pimeni Everything went black, I blacked out **2** (aurinko/kuu) be eclipsed
pimentää 1 darken, obscure **2** (valot) black out **3** (järki) cloud (someone's mind)
pimetä ks pimentyä
pimeys darkness Pimeyden Ruhtinas the Prince of Darkness
pimeä s dark pimeän tullen at/come nightfall
adj **1** (myös kuv) dark, black **2** (laiton: puuha) shady, (kauppa) illicit, (palkka) under-the-table, (tulot) unreported

pimittää 1 (piilottaa) hide, conceal; (tietoja) withhold, hold back **2** (pimentää) darken, obscure
pimitys concealment, obfuscation
pimiö (valok) darkroom
pimiövalo (valok) safelight
pinaatti spinach
pingotin temple
pingottaa 1 (kiristää) tighten, tauten, stretch, (lihaksia) tense Ihoani pingottaa My skin feels (too) tight **2** (jännittää) tense up, be high-strung/uptight (rehkiä) push yourself, overdo (things) pingottaa tenttiin cram for a test
pingottua 1 tighten, tauten, stretch, (lihas) tense up **2** (hermot) be on edge, be keyed up
pingottunut 1 (stretched) tight, taut, tense **2** (hermot) on edge, keyed up
pingotus 1 tightness, tautness, tension **2** (tenttiin) cramming
pingviini penguin
pinkka pile, stack
pinko teacher's pet
pinna 1 (puola) spoke, bar **2** (piste) point **3** (hermot) nerves pinna kireällä uptight Minulta katkesi pinna I blew up, I hit the roof
pinnakkaislaite (valok) contact printer
pinnakkaisvedos contact print
pinnallinen superficial, shallow
pinnallisesti superficially
pinnallisuus superficiality, shallowness
pinnanmuodot contours, topography
pinnari 1 (velvollisuuksista) shirker, slacker **2** (koulusta) truant
pinnata 1 (velvollisuuksista) shirk, slack off **2** (koulusta) play truant; (ark) play hooky, skip, cut **3** (pinnoittaa) retread
pinne clip olla pinteessä be in a jam/tight spot/fix
pinnistellä strain/exert yourself, do your best, huff and puff
pinnistely (self-)exertion
pinnistää strain/exert yourself, do your best, huff and puff

pinnoite (paperin tms) coating, (renkaan) retread
pinnoitettu rengas retread
pinnoittaa (paperia tms) coat, (rengasta) retread
pinnoitus coating, retreading
pino pile, (siisti) stack, (sekava) heap
pinota stack/pile (up)
pinotavara firewood sold by the cord
pinsetit tweezers
pinta 1 surface pinnalta katsoen superficially, to outward appearances pysytellä pinnalla keep your head above water **2** (taso) level 300 m meren pinnan yläpuolella 300 meters above sea level **3** (maalikerros) coat, (lakkapinta) finish **4** (iho) skin paljas pinta bare skin **5** pinnassa near, close to rajan pinnassa near the border juosta maili neljän minuutin pintaan do the mile in right around four minutes **6** pitää pintansa hold your own, stick to your guns, not give in, not fold up **7** pinnalla (julkisuudessa) in the public eye pysytellä pinnalla stay in the public eye, stay on top päästä pinnalle make it, make a name for yourself, become famous/known, become a celebrity
pinta-ala (geom) surface area, (tontin) acreage
pintakiilto veneer
pintapuolinen superficial, shallow
pintapuolisesti superficially
pinttyä 1 (lika tms) get encrusted/embedded **2** (ihminen) get stuck in your ways, fall into a rut pinttynyt käsitys (ransk) idée fixe, fixed idea, fixation
pioneeri pioneer
pioni peony
pipari cookie
piparjuuri horseradish
piparkakku (gingerbread) cookie
piparminttu peppermint
pipetti dropper
pipi s hurtie, owie adj sick, feeling bad
pipo skicap
pippuri pepper Painu sinne missä pippuri kasvaa! Go jump in a lake!
pippurinen 1 (ruoka) peppery, spicy, hot **2** (luonne) fiery, passionate, spunky
pirahtaa 1 (pisara) squeeze out Silmästä pirahti kyynel A tear squeezed out of her eye **2** (kello) ring
pirauttaa 1 (itkeä) shed a few tears **2** (kelloa) ring; (puhelimella) ring (someone up), give (someone) a ring
pirinä ring(ing)
piripintaan tulla/täyttää piripintaan fill to the brim
piriste (aine) stimulant kutsua päivän piristeeksi vieraita have some people over to brighten up the day
piristysaine stimulant, (ark) pick-me-up
piristyä pick/cheer up, feel better/refeshed
piristä ring
piristää 1 (virkistää) refresh, enliven, stimulate **2** (ilahduttaa) cheer (someone) up, bring some cheer into (someone's) day
pirskahdus spurt
pirskahtaa spurt, spray
pirskeet party, (ark) shindig
pirssi car, (ark) wheels
pirstale piece, fragment, splinter lyödä pirstaleiksi smash to pieces/smithereens mennä pirstaleiksi go/fall to pieces (myös kuv)
pirstoa 1 smash (something) to pieces, bust/break/smash up **2** (puolue tms) split/break up, splinter
pirstoutua fall to pieces, shatter, splinter
pirtelö (milk)shake
pirteys liveliness, perkiness, peppiness, buoyancy, sprightliness, youthfulness (ks pirteä)
pirteä 1 (virkeä) lively, perky, peppy, buoyant; (vanhus) sprightly, youthful **2** (virkku) awake
pirtti 1 (talo) (log) cabin **2** (huone) greatroom
pirtu moonshine
piru devil piru tappelemaan a scrapper pirun hyvä damn(ed) good maalata piruja seinille be a prophet of doom, be an alarmist/pessimist/doomsayer

piruetti pirouette
piruilla have a little fun (with someone, at someone's expense)
pirullinen 1 (tilanne) diabolical **2** (ihminen) nasty, mean; (ivallinen) sardonic, sarcastic pirullinen hymy sardonic/sarcastic smile **3** (temppu) rotten, dirty
pirunmoinen helluva, (one) hell of a hän on pirunmoinen mies he's one hell of a guy/man
pisama freckle
pisara drop pisara meressä a drop in the bucket/ocean
pisaratartunta airborne/droplet infection
pisaroida 1 (muodostaa pisaroita, vars hiki) bead (up) **2** (juoksennella pisaroina) trickle/run (down) **3** (vuodattaa pisaroita) drip, (sade) sprinkle
piski mutt, pooch
piskuinen a slip of a piskuinen tyttö a slip of a girl
pissa pee; (lasten) potty, peepee, weewee; (vahvempi) piss käydä pissalla (lapsi) go pee/potty/weewee, (vahv) take a piss, (euf) go to the bathroom
pissahätä Mulla on pissahätä I gotta go pee/number one
pissata (lapsi) go pee/potty/weewee, (vahv) take a piss, (euf) go to the bathroom
pissattaa Mua pissattaa I gotta go pee/number one
piste 1 (kohta) point kriittinen piste critical point kuollut piste dead center Olemme siis vieläkin samassa pisteessä So we're back at square one, so we haven't made any progress at all **2** (arvoasteikon) point saada hyvät pisteet kokeista get a high score on the test **3** (i:n päällä, myös sähkötyksessä) dot **4** (lauseen lopussa) period panna jollekin piste put a stop to something **5** (täplä) spot, dot **6** (myyntipiste) outlet, branch
piste-ero point spread
piste i:n päällä (kuv) icing on the cake
pistekirjoitus Braille
pisteliäs sarcastic, cutting
pisteliäästi sarcastically, cuttingly
pistellä 1 (reikiä) poke, prick, puncture **2** (kirvellä) sting, burn, smart **3** (piikitellä) needle, ridicule, mock, jeer at **4** (kävellä, juosta) pump your legs, hump it
pistellä poskeensa stuff/feed your face
pistely 1 (kirvely) stinging, burning, smarting **2** (piikittely) needling, ridicule, mocking, jeering, sarcasm
pistemittari (valok) spot meter
pistemittaus (valok) spot metering
pistesaalis total points, final score
pistesija ranking (in points)
pistetilanne score
pisteviiva dotted line
pistevoitto win (in points)
pistin bayonet
pisto 1 (mehiläisen) (bee)sting **2** (puukon) stab, (neulan) prick, (renkaassa) puncture **3** (harhakuvitelmiin) puncture, (sydämeen) pang, (omantunnon) prick **4** (miekkailussa) hit
pistooli pistol, handgun, (pieni) derringer
pistos 1 sting, stab, prick, puncture (ks pisto) **2** (lääk) shot, injection **3** (vihlova kipu) stab(bing pain), stitch, twinge
pistosaha keyhole/compass/stab saw
pistäytyä stop/drop in (for a brief visit)
pistää 1 (terävä) stab, poke, prick, jab; (ampiainen) sting Minua pistää rinnasta I have a stabbing pain in my chest **2** (sana, muisto tms) sting, rankle, burn pistävä haju sharp smell **3** (työntää) put, push, insert, stick **4** (antaa) give, hand, slip (something into someone's hand) **5** (työntyä esiin) stick/jut/hang/peep out, protrude **6** (jää kääntämättä, ks hakusanat) pistää kone käyntiin start the engine
pistää esiin stick/jut/hang/peep out, protrude
pistää korvaan sound funny/odd
pistää kuntoon put (things) in order
pistää lauluksi strike up a song
pistää leikiksi laugh it off

pistää lusikkansa soppaan meddle with something, stick your (big fat) nose into something
pistää mieleen occur (to someone)
pistää nenänsä johonkin stick/poke your nose into something (that's no concern of yours), into someone else's business
pistää nimensä alle sign your name
pistää palamaan (tupakaksi) light up
pistää pillit pussiin take your ball and go home
pistää poskeensa stuff/feed your face (with)
pistää pystyyn organize, arrange
pistää päähän occur (to someone)
pistää rahoiksi rake in the dough, make big bucks
pistää reikä johonkin poke a hole in something, pierce/puncture something
pistää silmään be obvious/conspicuous, stick out like a sore thumb
pistää sisulle make you mad, get your goat
pistää toimeksi get busy, get right down to it, get to work
pistää tupakaksi light up
pistää tuulemaan let 'er rip, let loose
pistää vastaan resist, fight back, get your back up, dig your heels in
pistää vihaksi make you mad, get your goat
pistää väliin put in, interject
pitimiksi tehdä työtä vain henkensä pitimiksi only work to keep body and soul together
pitipäs sattua that's just what we needed, great
pitkin 1 (viertä) along **2** (kautta) by (way of), via **3** (lävitse) through putkea pitkin through a pipe **4** (päältä) on, across maata pitkin along/on/across the ground **5** (ympäriinsä) all over juoksennella pitkin huonetta charge all over the room **6** (ylös) up kiivetä kallion seinämää pitkin climb up the face of a cliff **7** (koko) all (the) pitkin vuotta all (through the) year
pitkin ja poikin far and wide, here and there, this way and that, every which way matkata pitkin ja poikin Suomea crisscross Finland
pitkin matkaa the whole way, all along, all the time (we were driving)
pitkin pituuttaan full length kaatua pitkin pituuttaan fall flat (on your face)
pitkistyä be prolonged/protracted, drag on
pitkittyä be prolonged/protracted, drag on
pitkittäin lengthwise
pitkittäinen longitudinal
pitkittää 1 (venyttää) prolong, protract, extend **2** (viivyttää) delay
pitko coffee-bread loaf; (palmikoitu) twist, (pieni) cruller
pitkospuut causeway
pitkulainen oblong, (soikea) oval
pitkä long, (ihminen) tall Aika käy pitkäksi kun ei ole mitään tekemistä Time drags when there's nothing to do päivät pitkät day after day, days on end
pitkäaikainen 1 long(-standing) **2** (laina) long-term **3** (pitkällä tähtäyksellä) long-run **4** (pitkittynyt) protracted
pitkä aikaväli long time pitkällä aikavälillä over the long haul
pitkällinen prolonged, protracted
pitkällä 1 (ulkona) sticking out, protruding Hän ei ajattele nenäänsä pitemmälle He thinks no farther than the end of his nose **2** (kaukana) far kulkea pitkällä muiden edellä walk way ahead of the others Tuolla asenteella et kyllä kovin pitkälle pääse You won't get far with an attitude like that **3** (etenemisestä) well along Hanke on jo pitkällä The project is already well under way, well along **4** (ajasta) well into Oltiin silloin pitkällä heinäkuussa We were already well into July by then jutella pitkälle yöhön talk well into the night
pitkällään lying down, (vatsallaan) supine, (selällään) prone
pitkälti (aikaa) a long time, (matkaa) a long way pitkälti yli 1000 mk well over a thousand marks

pitkämatkainen (guests) from far away
pitkä nenä näyttää jollekulle pitkää nenää thumb your nose at someone
pitkän matkan long-range
pitkänomainen oblong
pitkän tähtäyksen long-range
pitkänä stretched out kieli pitkänä with your tongue hanging out juosta kieli pitkänä run hell-bent for leather
pitkä penni a pretty penny
pitkäperjantai Good Friday
pitkäpiimäinen boring, tedious
pitkäsiima longline, trawl line
pitkästi ks pitkälti
pitkästyminen boredom, getting bored
pitkästyttävä boring, tedious, dull
pitkästyttää bore, put (someone) to sleep
pitkästyä get bored (with)
pitkästä aikaa! long time no see!
pitkät aallot long waves
pitkätukkainen long-haired
pitkävartinen long-handled
pito 1 (mehiläisten tms) keeping **2** (kutsujen tms) holding, having **3** (renkaiden) traction **4** pidot party
pitoisuus content sokeripitoisuus sugar content
pitopalvelu catering service, caterer
pitsi lace
pituinen long, (korkuinen) high, tall kahden metrin pituinen (lauta tms) two meters long, (ihminen) two meters tall, (pystypaalu) two meters high
pituus 1 length kaatua pitkin pituuttaan fall flat (on your face) **2** (korkeus) height kasvaa pituutta shoot up **3** (pituusaste) longitude 26 astetta läntistä pituutta 26 degrees east longitude **4** (urh pituushyppy) long jump hypätä pituutta do the long jump
pituusakseli longitudinal axis
pituusaste degree (of) longitude
pituushyppy long jump
pituushyppääjä long jumper
pituusmitta length, linear measure
pituussuuntainen longitudinal
pitäisi should, ought to Pitäisihän sinun se tietää You should know
pitäjä parish, county
pitävä vene watertight boat
pitäytyä stick/cling to, not budge from
pitää 1 (kädessä, paikallaan) hold Pitääkö tämä köysi? Will the rope hold? Pidätkö tätä hetken? Could you hold this for a second? (ks myös hakusanat) **2** (itsellään, lupaus) keep Saanko pitää tämän? Can I keep this? Luuletko, että hän pitää lupauksensa? Do you think he'll keep his promise? (ks myös hakusanat) **3** (yllä) maintain Osaatko pitää nämä herhiläiset kurissa? Can you maintain discipline with these wild animals? pitää liian suurta hintaa ask an exorbitant price, overcharge **4** (ääntä tms) make Voisitteko pitää hiukan vähemmän ääntä? Could you keep it down in there, could you try to make a little less noise? (ks myös hakusanat) **5** (lomaa tms) take Pidä välillä tauko Why don't you take a break for a change? **6** (jonakin) find, consider, take (someone/something) for Pidin sinua ystävänäni I thought you were my friend **7** (joinakin) treat Hän pitää meitä vauvoina He treats us like babies **8** (jostakin) like Mitä pidät uudesta mekostani? How do you like my new dress? **9** Minun pitää I must, I have to Sinun pitää mennä jo Now you really must be going Mitä minun pitikään sanoa? What was I going to say? Minun piti juuri lähteä I was just leaving Ei sinun pidä pelätä Don't be afraid Kyllä sinulla pitää olla huono näkö jos et sitä näe You really must be nearsighted if you can't see that
pitää asianaan take it upon yourself (to do something)
pitää elossa keep (someone) alive
pitää enemmän kuin pitää jostakusta/jostakin enemmän kuin prefer something to (something else)
pitää esitelmä give a lecture/speech
pitää hauskaa have fun
pitää hengissä keep (someone) alive

pitää hereillä keep (someone) awake
pitää huolta 1 (jostakusta) take care (of someone) **2** (että jotain tapahtuu) make sure (that)
pitää hyvänä 1 (hoitaa) take (good) care of, care for, nurse **2** (hyväillä) caress, stroke, show love/tenderness/ affection for
pitää hyvänään keep (something) Pidä hyvänäsi! Keep it (and good riddance)!
pitää isoa suuta talk big, be all talk
pitää jonkun puolta stick up for someone, go to bat for someone
pitää jostakusta/jostakin enemmän kuin prefer something to (something else)
pitää jotakuta kädestä hold someone's hand, hold someone by the hand
pitää jännityksessä keep (someone) in suspense
pitää järjestystä maintain (law and) order
pitää kiinni hold onto (something)
pitää kirjaa (kirjanpitäjä) keep the books; (ark) count, keep track (of)
pitää kokous hold a meeting
pitää koossa hold (something/ someone) together
pitää kuin piispaa pappilassa treat (someone) like royalty
pitää kuria maintain discipline
pitää kutinsa be on the mark, hold water
pitää kutsut throw a party
pitää kuulustelu 1 (poliisi) hold an interrogation **2** (opettaja) give an exam
pitää kädestä pitää jotakuta kädestä hold someone's hand, hold someone by the hand
pitää lomaa take a vacation, go on vacation, take time off
pitää luento give a lecture
pitää lujilla press (someone), keep (someone) hard pressed
pitää lupauksensa keep your promise
pitää melua 1 make noise, be noisy **2** (jostakusta) make a fuss (over), make a big deal (about)
pitää mielessä bear in mind
pitää muita jumalia Älä pidä muita jumalia minun rinnallani Thou shalt have no other gods before me
pitää mukanaan carry (something) with you
pitää neuvoa consult (with someone)
pitää oikeutenaan consider it your right (to do something)
pitää omana tietonaan keep (something) to yourself
pitää paikkaa jollekulle save a seat/spot for someone
pitää paikkansa be/hold true, hold water
pitää pankkia (peleissä) be the banker
pitää peukkua cross your fingers
pitää pienempää suuta quiet/pipe down
pitää pilkkanaan make a fool of (someone), ridicule, mock, make fun of
pitää pintansa hold your own, stick to your guns, not give in, not fold up
pitää puhe give a speech
pitää puolensa stick to your guns, stick up for your rights
pitää puolta pitää jonkun puolta stick up for someone, go to bat for someone
pitää päänsä stick to your guns, refuse to budge/negotiate/ compromise, have your way
pitää ravintolaa own/run/manage a restaurant
pitää ruokalepo take a siesta
pitää sadetta be rainproof
pitää sanansa keep your word
pitää sanomansa Mitä minun pitikään sanomani? What was I going to say?
pitää seuraa jollekulle keep someone company
pitää silmällä keep an eye on
pitää silmäpeliä jonkun kanssa make eyes at someone
pitää silmät auki keep your eyes peeled

pitää sisällään include
pitää suotavana find/consider it wise (to do something)
pitää suukopua make a fuss (over)
pitää suunsa kiinni keep your mouth shut
pitää suuta pitää pienempää suuta quiet/pipe down pitää vähempää suuta make less noise, keep it down to a dull roar pitää isoa suuta talk big, be all talk
pitää taloutta keep house, run the household
pitää tauko take a break
pitää tilanteen tasalla keep (someone) informed/up-to-date
pitää vallassaan have/hold (someone) in your power
pitää vapaata take time off
pitää velvollisuutenaan consider it your duty (to do something), feel dutybound (to do something)
pitää vihaa carry a grudge
pitää vähempää suuta make less noise, keep it down to a dull roar
pitää vähältä be close, be a close one/call
pitää väliä 1 (levätä) take it easy, take a break **2** (välittää) care (about someone)
pitää yhteyttä stay/keep in touch (with)
pitää yhtä band/stick together, speak with one voice
pitää yllä maintain
pitää ääntä make (a) noise
piukat paikat tight spot joutua piukkaan paikkaan get in a tight spot, get in a jam
piukka tight piukat farkut tight jeans
piupaut antaa jollekulle piupaut not give a damn about someone
pivo palm parempi pyy pivossa kuin kymmenen oksalla better a bird in the hand than two in the bush
pizza pizza
pizzeria pizzeria, pizza house/ restaurant
plagioida plagiarize
planeetta planet
planetaario planetarium
plasma plasma
plasmanäyttö plasma display
plastiikkakirurgi plastic surgeon
plastiikkakirurgia plastic surgery
platina platinum
platoninen platonic
plus 1 plus 2 + 2 = 4 two plus two is/equals four Siinä on liukuva työaika plus siitä maksetaan hyvin They're on flextime, plus they pay well **2** (plusasteita) above zero plus kaksi two degrees above zero
pluskvamperfekti past perfect
plussa plus Se on iso plussa That's a real plus
plutonium plutonium
plyysi plush
pneumaattinen pneumatic
pohatta tycoon, magnate; (ark) bigshot, bigwig
pohdinta 1 (harkinta) thought, consideration **2** (keskustelu) debate, discussion
pohja 1 bottom, base, basis, foundation, ground hyvällä pohjalla (rakennelma) securely/well founded; (asia) well founded/grounded, on a solid footing meren pohjassa at the bottom of the ocean/sea mennä pohjaan sink (to the bottom), go aground sydämeni pohjasta from the bottom of my heart jonkin pohjalta on the basis of something yhteinen pohja common ground **2** (pohjola) north pohjan perillä in the far north
pohjainen -bottomed
pohjalainen s, adj Ostrobothnian
pohjallinen insole
Pohjanlahti Gulf of Bothnia
Pohjanmaa Ostrobothnia
pohjanoteeraus bottom price/figure/ quotation; (kuv) the dregs Se oli todellinen pohjanoteeraus That was really an all-time low
pohjapiirros floor plan, layout
pohjasakka sediment; (kuv) the dregs
pohjata 1 (kenkä) resole **2** (ulottua pohjaan) reach/touch the bottom **3** (pohjautua) be based/founded/ grounded on, rely on

pohjaton bottomless (myös kuv:) abysmal
pohjautua be based/founded/grounded on, rely on
pohjavesi groundwater
pohje calf
pohjia myöten thoroughly, in depth/detail
pohjimmainen 1 (alimmainen) bottom(most), lowest, lowermost **2** (kuv) fundamental, basic, ultimate
pohjimmiltaan fundamentally, basically, ultimately, at bottom
pohjoinen s (the) north pohjoiseen (to the) north of Jyväskylästä pohjoiseen north of Jyväskylä pohjoisessa up north adj north(ern/-erly) pohjoista leveysastetta degrees (of) northern latitude pohjoisin northernmost
Pohjois-Carolina North Carolina
Pohjois-Dakota North Dakota
pohjois-eteläsuunta (a) north-south direction kulkea pohjois- eteläsuunnassa run north and south
Pohjois-Irlanti Northern Ireland
Pohjois-Jemen Yemen Arab Republic
Pohjois-Korea North Korea
pohjoiskorealainen s, adj North Korean
Pohjoismaat the Nordic countries
pohjoisnapa the North Pole
pohjoispuoli northern side jonkin pohjoispuolella (to the) north of something
pohjoispuolinen northern
pohjoispuolitse (to the) north of
pohjoispää northern end
pohjoissuomalainen s Northern Finn
adj northern Finnish
Pohjois-Suomi Northern Finland
pohjoistuuli northerly (wind)
Pohjola Northern Europe, the Nordic countries; (mytologiassa) pohjola ('pohjoinen seutu') the North
pohjukka bottom
pohjus base
pohjustaa 1 (maalipinta) prime **2** (asia) lay the groundwork for, pave the way for
pohtia 1 (mielessään) consider, ponder, reflect on, think about **2** (muiden kanssa) discuss, debate; (ark) hash over
poiju buoy
poika 1 boy, (oma) son Katsos poikaa! Attaboy! aika poika quite a guy, a helluva guy isänsä poika a chip off the old block, like father like son Hyvät pojat sentään! Oh boy! **2** (hyvä) good Kahvi tekisi nyt poikaa A cup of coffee would hit the spot right about now
poikajoukko crowd/gang/bunch of boys
poikakoulu boys' school
poikamainen boyish
poikamies bachelor, single man
poikanen 1 (poika) (a mere) boy, lad **2** (nuori eläin: kissan) kitten, (kanan) chick, (linnun) fledgling **3** (häivä) hint, trace hymyn poikanen the faintest hint/trace of a smile
poikarukka poor boy
poiketa 1 (tieltä, myös kuv) turn off, diverge, deviate, stray, (asiasta) digress tavallisesta käytännöstä poiketen contrary to standard procedure **2** (pistäytyä) stop off, drop/stop in **3** (olla erilainen) (be) differ(ent) poiketa edukseen muista stand (head and shoulders) above the others, stand out from the crowd
poikia 1 (eläin) bring forth young, have (kittens/puppies/jne); (hevonen) foal, (lehmä) calve Kun kovalle ottaa niin koiraskin poikii In a pinch even a rooster will lay eggs **2** (asia) spawn, generate poikia halpoja jäljitelmiä spawn (a flood of) cheap imitations panna raha poikimaan put your money to work
poikin pitkin ja poikin far and wide, here and there, this way and that, every which way matkata pitkin ja poikin Suomea crisscross Finland
poikittain crosswise, diagonally, obliquely
poikittainen transverse
poikkeama 1 divergence, variation, deviation sallittu poikkeama tolerance **2** (fys) deflection **3** (tavanomaisesta) deviation, departure

poikkeava s deviant
adj deviant, different, divergent, abnormal
poikkeuksellinen exceptional, (erinomainen) extraordinary poikkeuksellisen exceptionally
poikkeuksellisesti exceptionally
poikkeus exception Ei sääntöä ilman poikkeusta There's an exception to every rule sillä poikkeuksella että except, with the (single) exception that
poikkeuslaki emergency law
poikkeustapaus exception(al case)
poikkeustila state of emergency; (sot) martial law
poikkeustoimi special/exceptional/ emergency measure
poikkeus vahvistaa säännön the exception proves the rule
poikki adj **1** (murtunut) broken, fractured; (irti) broken off, severed **2** (kuitti) exhausted, beat, dead tired Olen aivan poikki I'm pooped!
adv (kahtia) in two/half, (irti) off Minulta meni jalka poikki I broke my leg panna poikki cut, chop/lop off;
postp (yli) across, (läpi) through juosta pihan poikki run/cut across/through the yard
poikkikatu cross street
poikkileikkaus cross-section
poikkinainen 1 (rikkinäinen) broken **2** (vastustava) Ei sille uskalla sanoa poikkinaista sanaa I'm afraid to cross him poikkinaista puhetta backtalk, sass
poikkisuuntainen cross-directional
poikkitie crossroad
poikkiviiva cross line/rule; (mer) beam; (mat) transversal
poikue (nisäkäs) litter, (lintu) brood
poikuus boyhood
poimia 1 (irrottaa varresta) pick **2** (kerätä) gather, (tietoja) glean **3** (noukkia maasta) pick up **4** (valita) pick out
poimu 1 (ihossa) wrinkle, line, (otsassa) furrow; (vauvalla) fold **2** (vaatteessa) fold, (laskos) tuck **3** (Star Trekissä) warp
poimuilla wrinkle, fold
poimuttaa 1 (kangasta: laskostaa) fold, pleat; (poimutella) drape; (röyheltää) ruffle, crimp(le) **2** (tekn) corrugate
poimutus folding, pleating, draping, ruffling, crimp(l)ing, corrugation (ks poimuttaa)
pointillismi pointillism
pointillisti pointillist
pois 1 (veck) away, (päältä) off, (sisältä) out Mene pois! Go away! Get out of here! Get out of my face! Beat it! jättää pois omit, neglect to mention jäädä pois stay away; (kokouksesta tms) fail to appear; (moottoritieltä) exit, get off **2** (vain) ahead Sano pois! Go ahead and say it! Spit it out! Cough it up! Usko pois! You'd better believe it!
poismennyt the deceased, the departed poismennyt mieheni my late husband
poismeno death
poisnukkunut the deceased, the departed
poispääsy escape, way out Tästä ongelmasta ei ole mitään poispääsyä There's nothing to do about this, we're stuck with this one
poissa 1 (poissaoleva) absent, gone, somewhere else, not here, off (doing something), away **2** (jostakin) away from, out of Poissa silmistä, poissa mielestä Out of sight, out of mind
poissaoleva absent
poissaolo absence
poissaololupa permission to be absent; (sot) leave
pois se minusta! perish the thought
poistaa 1 remove, take off/out/away poistaa kaikki epäilykset remove all doubt poistaa epäkohta remedy a flaw/defect poistaa hammas pull/extract a tooth poistaa juurineen uproot, eradicate, extirpate poistaa maasta deport (someone) poistaa mielestään put (something/someone) out of your mind, (pelot) banish, (ajatus) suppress poistaa tapetit strip (off) wallpaper **2** (pyyhkiä pois) erase, obliterate, delete poistaa käytön jäljet remove/obliterate/

ɪb off/erase all traces/signs of use (jättää pois) omit, leave out poistaa ana tekstistä delete a word in the text (liikenteestä: rahaa) withdraw (from rculation), take (a bus) out of service oistaa käytöstä (linja-auto tms) take (a us) out of service; (kengät tms) discard (peruuttaa) repeal, cancel, revoke, do way with; (orjuus) abolish **6** (mitätöidä) nnul, nullify, invalidate **7** (kirjanpidos-a: kokonaan) write off, (osa) epreciate, mark down **8** (oikeusjuttu) acate, dismiss

oisto 1 removal **2** (liik) write-off, nark-down, depreciation (ks poistaa 7)

oistua 1 leave, depart, go/walk away oistua hyvästelemättä leave/go without aying goodbye poistua junasta get off ne train **2** (näytelmässä) exit Lear oistuu exit Lear kaikki poistuvat exeunt ll **3** (tahra tms) come out

oistua keskuudestamme depart this world)

oistua näkyvistä vanish, lisappear from sight

poistua näyttämöltä (teatterissa) exit; (kuv) quit the scene

poju boyo, sonny-boy

pokaali trophy

pokkuroida bow (and scrape) (before), fawn on

poks pop, pow

poksahdus pop

poksahtaa (go) pop, burst

polarisaatio polarization

polarisaatiosuodin (valok) polarizer, polarizing filter

poleeminen polemic(al)

polemiikki polemic

poli 1 (poliklinikka) the ER (emergency room) **2** (polytekninen oppilaitos) the poly Kalifornian polytekninen korkea-koulu Cal Poly

poliisi 1 (laitos) the police; (ark) the fuzz/cops **2** (ihminen) police(wo)man, police officer; (ark halv) cop, fuzz, pig; (leik) Smokey (the Bear) liikkuva poliisi highway patrol(man) siviilipukuinen poliisi plain-clothes(wo)man

poliisiauto police car; (ark) cop car, cherry-top

poliisikomisario police lieutenant

poliisikonstaapeli police officer

poliisilaitos 1 (hallinnollinen) police department **2** (fyysinen) police station, (ark) the precinct, the station

poliisimestari chief of police

poliisipäällikkö police commissioner

poliitikko politician

poliittinen political

poliittisesti politically

poliittisuus political nature/aspect

poliklinikka emergency room, ER

polio polio

politiikka 1 (poliittinen toiminta) politics **2** (periaatteellinen toimintamalli) policy

politikoida politic (for)

politisoida politicize

politisoitua be politicized

poljento beat, rhythm

poljin pedal kaasupoljin gas pedal kytkinpoljin clutch pedal jarrupoljin brake pedal

polkaista step/stamp on polkaista kaasua step on it polkaista käyntiin (moottoripyörä) kickstart

polkea 1 (tallata) trample, walk/tread on; (tömistellä) stamp (your foot/feet) **2** (poljinta: polkupyörän) pedal, (jalka-käyttöisen ompelukoneen) treadle, (sähköisen ompelukoneen) work **3** (oikeuksia tms) trample on, walk all over

polkea hintoja (taloudellinen tekijä) drive/force prices down; (myydä alihintaan) dump

polkea jalkoihin trample underfoot

polkea varpaille polkea jonkun varpaille step on someone's toes (myös kuv)

polkea maahan walk on, trample underfoot, trample in the mud

polkea paikallaan get nowhere, mark time

polkea tahtia beat time (with your foot), tap your foot to the beat

polkka polka

polku (foot)path, trail, track; (kuv) path
polkupyörä bicycle, (ark) bike
polkupyöräilijä bicyclist, (ark) biker, bike-rider
polkupyöräily bicycling, bike-riding
polkupyörän lukko bicycle lock
polkupyörän rengas bicycle/bike tire
polkupyörätie bicycle/bike path
polkupyörävaras bicycle/bike thief
polkupyörävarkaus bicycle theft
polkusin treadle, pedal
pollari 1 (mer) bollard, bitt **2** cop, fuzz, pig, Smokey (the Bear)
poloinen poor, miserable, wretched
polskutella splash around
polskuttaa splash
polte burning, sting(ing), ache, fire polte veressä fire in your veins rakkauden polte the fire of love
poltella (kirjeitä tms) burn, (tiiliä) fire, (piippua) smoke
poltin burner
polttaa 1 burn, (kuumalla vedellä) scald, (savitavaraa) fire, (polttouunissa) incinerate **2** (polttohaudata) cremate **3** (lääk) cauterize **4** (tupakoida) smoke Ethän polta kiitos Thank you for not smoking **5** (kirvellä) burn, sting, smart **6** Raha poltti hänen taskussaan He had money burning a hole in his pocket Maa alkoi polttaa hänen jalkojensa alla It was getting too hot for comfort **7** (pesäpallossa) put (someone) out, make an out **8** (saada kiinni) catch (someone) red-handed/in the act
polttaa kaikki sillat takanaan burn your bridges behind you
polttaa kynttilää molemmista päistä burn your candle at both ends
polttaa näppinsä get your fingers burnt (myös kuv)
polttaa päreensä blow your top, hit the roof
polttaa roviolla burn (someone) at the stake
polttaa viinaa make moonshine
polttaja smoker
polttimo 1 (viinan) distillery **2** (tiilen) brickworks **3** (poltin) burner **4** (lamppu) bulb
poltto 1 burning, combustion **2** (savitavaran) firing **3** (kipu) burning/stinging (pain), (supistus) contraction (synnytys)poltot labor (pains) Miten kauan poltot kestivät? How long were you in labor?
polttoaine fuel
polttoaineenkulutus fuel consumption; (litraa satasella) miles per gallon, mpg
polttoainesäiliö fuel tank
polttohautaus cremation
polttopiste focus
polttopuu piece of firewood; (mon) firewood
polttorovio pyre polttaa roviolla burn at the stake
polttouhri burnt offering
polveilla wind, twist, zigzag, meander (myös kuv)
polveke 1 (tien, joen) bend, curve, turn **2** (tekn) bend, knee, angle
polveutua 1 (jostakusta) be descended (from), be a descendent of **2** (biol, kiel ym) descend/derive from
polvi 1 knee mennä polvilleen kneel (down), drop to your knees; (katolisessa kirkossa) genuflect istua jonkun polvella sit on someone's knee istua jonkun polvilla sit on/in someone's lap **2** (joen) bend **3** (tekn: putken) elbow, (muu) bend, knee, joint **4** (sukupolvi) generation polvesta polveen from generation to generation alenevassa polvessa in direct (lineal) descent
polvihousut knickers
polvillaan (down) on your knees
polvinivel knee joint; (tekn) toggle/elbow joint
polvistua kneel (down), (katolisessa kirkossa) genuflect
polvisukka kneesock; knee-high sock
polvisuojus kneepad
polyteismi polytheism
polyyppi polyp

pommi 1 bomb **2** (jymyuutinen) bombshell **3** mennä pommiin bomb nukkua pommiin oversleep
pommikone bomber
pommiräjähdys explosion
pommittaa bomb(ard) pommittaa kysymyksillä bombard someone with questions
pommittaja bombadier
pommitus bombing, bombardment, shelling; air raid
pommiuhka bomb threat
pommivaroitus bomb warning
pomo boss
pompottaa 1 (palloa) bounce **2** (ihmistä) jerk around, haze
pompotus 1 (pallon) bouncing **2** (ihmisen) hazing
pomppia 1 (pallo) bounce **2** (ihminen: ylösalas) bounce/bound/hop/pop up and down, (sängyssä) jump (up and down)
poni pony
ponnahdus spring, bounce, (re)bound
ponnahtaa spring/bound/(re)bound (back/off)
ponnekaasu propellant (gas)
ponnekas emphatic, strong, urgent, energetic
ponnekkaasti emphatically, strong, urgently, energetically
ponnekkuus emphasis, urgency, energy, drive; (ark) go-get-'em, get-up-and-go
ponneton slack, weak, feeble
ponnistaa 1 (työntää) push Ponnista! Push! (synnytyksessä) Bear down! **2** (loikkia) push off, leap, jump **3** (yrittää kovasti) try hard, make a massive/great/ supreme effort, put your back into it; (kilvoitella) struggle, strive
ponnistaa kaikkensa give it your all, muster all your strength
ponnistaa liikaa overdo it, overexert/strain yourself
ponnistella push, try hard, keep your nose to the grindstone, struggle, strive
ponnistus 1 (työntö) push **2** (yritys) effort, exertion, struggle
ponsi 1 (eduskunnassa) resolution **2** (ponnin) incentive, spur **3** (ponnekkuus) energy, drive
ponteva emphatic, strong, forceful, energetic
pontevasti emphatically, strongly, forcefully, energetically
pontikka moonshine
ponttilauta tongue-and-groove board
ponttoni pontoon
poolo polo
poolopaita turtleneck
pop s pop music adj (suosittu) pop(ular), in
popkulttuuri pop culture
popmusiikki pop music
poppakonsti trick, gimmick, easy solution Tähän ei ole mitään poppakonstia There's no easy answer here
poppamies witch-doctor, medicine man, shaman
poppeli poplar
popsia (pillereitä, karkkia) pop; (muuta ruokaa) wolf down, gobble up
populaarikulttuuri popular culture
populaatio population
pora drill
porakone (power) drill
poranterä drill bit
porari blaster, dynamiter
porata 1 drill (a hole in), (esim moottoria) bore (out) **2** (katseellaan) look straight through you **3** (itkeä) bawl
poraus drilling, boring
porauslautta offshore drilling rig
poraustasanne drilling platform
pore bubble
poreallas jacuzzi, hot tub
poreilla 1 bubble, effervesce, sparkle, fizz **2** (keitto) simmer
poreilu bubbling, fizzing, simmering
porho tycoon, magnate; (ark) fat cat
porilainen 1 (ruoka) meatpie with wiener **2** (marssi: lähin vastine) Hail to the Chief
porina hum(ming), murmur(ing)
porista hum, murmur
porkkana carrot
porkkanalaatikko carrot casserole

porkkanaraaste (grated) carrot salad
pormestari mayor
porno porn(o)
pornofilmi porn/stag/dirty movie, skin flick, (euf) adult/X-rated movie
pornografia pornography; (ark) nudic/girlie pictures/magazines/jne, cheesecake; (euf) entertainment for men; (sl) tits-and-ass, T&A
pornografinen pornographic
pornolehti porn magazine; (sl) stroke mag; (euf) men's magazine
poro 1 (eläin) reindeer **2** (sakka) dregs, (kahvin) grounds palaa poroksi burn to the ground, to ashes
poroerotus (reindeer) roundup
poronliha reindeer (meat)
poropeukalo butterfinger(s)
poroporvari petty bourgeois
porottaa scorch, parch, burn
porras 1 (rappu: ulko) step, (sisä) stair(step), (rakenteellisesti) riser portaat steps, stairs, (portaikko) stairway/-case/-well **2** (kerrostalossa: ulko-ovi) door Mikä porras se on? Which door is it? **3** (virkahierarkiassa) step, rung (on the ladder), level, echelon johtoporras management, higher echelon portaat ladder
porraskäytävä stairway/-case/-well
porrastaa 1 (kaltevaa pintaa) (stair)step, (pengertää) terrace **2** (lomia, kouluuntuloa tms) stagger, (palkkoja tms) scale, grad(at)e
porrastettu terraced, staggered, scaled, gradated (ks porrastaa)
porrastus terracing, staggering, scaling, gradation (ks porrastaa)
porsaankyljys pork chop
porsas 1 (elävä) pig, (ark) porker, (lasten kielellä) piggy **2** (syötävä) pork **3** (kuv ihminen) pig, hog
porsastella 1 (syödä paljon) make a pig/hog of yourself, pig out **2** (käyttäytyä sikamaisesti) act like a pig
porsastelu 1 (syöminen) pigging out **2** (sikamaisuus) gross behavior
porskua splash
porskuttaa splash
portaikko stairway/-case/-well
portieeri doorman
portti gate(way), (ylät) portal portti ikuisuuteen the gateway to eternity
portto whore, (ylät) harlot
porttola whorehouse, brothel, bordello
portugali Portuguese
Portugali Portugal
portugalilainen s, adj Portugese
portviini port (wine)
poru 1 (itku) bawling, blubbering **2** (suukopu) fuss, deal, hullabaloo; (ylät) ado paljon porua tyhjästä much ado about nothing
porukalla all together, in unison/concert
porukka crowd, bunch, set, gang paljon porukkaa lots of people
porvari 1 (hist) burgher **2** bourgeois, middle-class person porvarit the bourgeoisie, the middle class **3** (Suomi politiikka) conservative, right-winger porvarit the Right
porvarienemmistö conservative/right-wing majority
porvarillinen 1 (keskiluokkainen) bourgeois, middle-class **2** (oikeistolainen) conservative, right-wing
porvarillistua 1 (keskiluokkaistua) become bourgeois, be bourgeoisified **2** (oikeistolaistua) move right
porvaripuolue conservative/right-wing party
porvaristo the bourgeoisie
poseerata pose (before/in front of the camera, for a picture)
posetiivi organ grinder
positiivi (kiel, mus, valok ym) positive
positiivinen 1 positive **2** (myönteinen) affirmative **3** (rakentava) constructive
positiivisesti positively, affirmatively, constructively
positiivisuus positivity, affirmation, constructiveness
positivismi positivism
posketon 1 (häpeämätön) blatant, brazen, shameless **2** (uskomaton) incredible, unbelievable, fantastic

3 (naurettava) ridiculous, laughable, absurd
poskettomasti blatantly, brazenly, shamelessly, incredibly, unbelievably, fantastically, ridiculously, laughably, absurdly (ks posketon)
poski 1 cheek pistää poskeensa feed/stuff your face poski poskessa cheek by jowl **2** (vieri) edge, side tien poskessa by the road, on the shoulder
poskihammas molar
poskiontelo nasal passage, sinus
poskisolisti motormouth
posliini porcelain, pottery
posti 1 (kirjeet) mail ensimmäisen/toisen luokan posti first/second class mail lentopostissa by airmail pintapostissa by surface mail vastata paluupostissa reply post haste **2** (postinkanto) delivery Tänään ei tule postia There's no mail/delivery today **3** (toimisto) post office Voisitko viedä nämä kirjeet postiin? Could you take these letters to the post office, could you mail these letters for me please?
postiauto mailtruck
postiennakko cash on delivery, C.O.D. lähettää postiennakolla send (something) C.O.D.
postikortti postcard
postilaatikko mailbox
postileima postmark
postilokero (post office) box
postimaksu postage
postimerkki stamp
postinkantaja mailcarrier, (vanh seksistinen) mailman
postinkanto mail delivery
postinumero zip code
postiosoitus money order
postipaketti postal package/parcel
postipalvelut postal service(s)
postisiirto bank transfer
postisiirtotili bank transfer account
postitoimipaikka post office
postitoimisto post office
postitse by mail
postittaa mail
postitus mailing
postpositio postposition
potea be sick with, have, suffer from potea flunssaa/alemmuskompleksia have the flu/an inferiority complex
potenssi 1 (mat) power korottaa kolmanteen potenssiin raise (a number) to the third power korottaa toiseen potenssiin square ylellisyyden korkein potenssi (kuv) luxury to the nth degree **2** (seksuaalinen) potency
potentiaalinen potential
potilas patient
potilaspaikka (vuodepaikka) bed
potkaista kick Sinua on onni potkaissut You got a lucky break, that was a stroke of luck
potkaista tyhjää (kuolla) kick the bucket
potkia kick
potku 1 kick potku persuksiin kick in the ass/pants **2** potkut dismissal antaa potkut fire/sack (someone) saada potkut get the boot/sack, get fired
potkuhousut jumpsuit
potkukelkka kicksled
potkulauta scooter
potkupallo soccer ball
potkuri 1 propeller, (laivan) screw **2** (hevonen) kicker **3** (potkukelkka) kicksled
potkurikone prop plane
potti 1 (rahasumma) pot, (pokerissa) kitty; (iso) jackpot **2** (pissapotti) potty seat
pottu potato, spud
pottuilla give (someone) a hard time, wise/mouth off
potut pottuina maksaa potut pottuina give (someone) a taste of his/her own medicine, give (someone) as good as you got
potuttaa Kyllä sellainen potuttaa That sort of thing really pisses me off, gets my goat
poukama cove
poukkoilla bounce (back and forth, here and there, up and down)
pouta dry weather pilvistä mutta enimmäkseen poutaa cloudy with little rain
poutainen dry

povaaja fortuneteller, soothsayer
povari fortuneteller, soothsayer
povata 1 (povari) tell fortunes **2** (meteorologi) predict, forecast; (poliittinen kommentaattori) forecast, prognosticate, speculate on
povi bust, bosom pehmeä kuin naisen povi soft as a baby's bottom painaa povelleen press (someone) to your breast
povitasku breast pocket
pragmaattinen pragmatic
pragmatismi pragmatism
Praha Prague
praktiikka practice
pramea showy, gaudy, loud
prameasti showily, gaudily, loudly
predestinaatio predestination
predikaatti predicate
predikatiivi predicate complement
preeria prairie
preesens present
premissi premise
preparaatti preparation, (mikroskooppia varten) slide
preparoida 1 prepare, mount, fix **2** (tenttiä varten) prep, tutor
prepositio preposition
presidentinvaalit presidential election
presidentti president
presidenttiehdokas presidential candidate
presidenttikausi presidency, presidential term
prestiisi prestige
priima prime(-quality), first-rate, choice, select
priimus head of the class; (koko lukion ajalta) valedictorian
prikaati brigade
priki brig
primaari- primary
primaarinen primary
primadonna prima donna (myös kuv), leading lady
primitiivinen primitive
prinkkala mennä päin prinkkalaa go to pot
prinsessa princess
prinssi prince
Prinssi Edwardin saari Prince Edward Island
prioriteetti priority
prisma prism
prismaetsin (valok) prism finder
problemaattinen problematic
problemaattisuus difficulty
profeetallinen prophetic
profeetta prophet
professori professor
professorin virka professorship
professuuri professorship
profetia prophesy
profetoida prophecy
profiili profile pitää matalaa profiilia maintain a low profile
prognoosi prognosis
progressiivinen progressive
progressio progression
projektori projector
projektoritelevisio television projector
projisoida project (myös psyk)
prokuristi signer, signing clerk
proletaari proletarian, (ark) prole
proletariaatti proletariate
prologi prologue
promille per mil
promootio commencement/ graduation (exercises)
promovoida confer an academic degree (on someone)
pronomini pronoun
pronssi bronze
pronssikausi the Bronze Age
pronssimitali bronze medal
proomu barge
proosa prose
proosakirjallisuus prose literature
proosallinen prosaic
propaganda propaganda
propositio proposition
proppu Häneltä paloivat proput He blew a fuse, blew his top
prosentti percent
prosentuaalinen percentual
prosentuaalisesti percentually; by percent
prosessi process

prostituoitu prostitute
prostituutio prostitution
proteesi prosthesis; (hammasproteesi) dentures, false teeth; (jalkaproteesi tms) artificial limb (leg/arm/jne)
proteiini protein
protestantti Protestant
protestanttinen Protestant
protesti protest mennä protestiin (vekseli tms) be protested (for nonpayment)
protestoida protest
provinssi province
provisio (myyjän) commission; (meklarin) brokerage (fee)
provisiopalkka provisiopalkalla on commission
provosoida provoke
präntti print pikkupräntti the small print
prässi 1 press housun prässit the crease in your pants **2** (koripallossa) full-court press
prässätä press (myös kuv:) pressure, push prässätä housuja iron your pants
prätkä motorcycle, (ark) bike
psalmi psalm
pst! psst
psykiatri psychiatrist
psykiatria psychiatry
psykiatrinen psychiatric(al)
psykoanalysoida psychoanalyze
psykoanalyysi psychoanalysis
psykoanalyytikko (psycho)analyst, (ark) shrink
psykologi psychologist
psykologia psychology
psykologinen psychological
psykologinen tutkimus psychological test(ing)
psykopaatti psychopath
psykoterapia psychotherapy
psyyke psyche
psyykkinen psychic, psychological
ptruu whoa
puberteetti puberty
pudistaa shake pudistaa hihastaan produce out of nowhere
pudistella shake
pudistus shake
pudokas windfall
pudota fall/drop (off/down) pudota käsistä drop/slip out of your hand, through your fingers pudota (raskaasti) tuoliin collapse/slump in a chair pudota hyllyltä fall/drop/come (tumbling down) off a shelf puusta pudonnut dumbfounded, flabbergasted
pudota jaloilleen land on your feet
pudota kärryiltä lose track (of what's going on/being said) Nyt minä putosin kärryiltä Now you lost me
pudotella 1 (omenia puusta) shake (down), (murusia pöydästä) drop **2** (sadella) snow, rain Lunta oli pudotellut koko yön The snow had been coming down all night **3** (päästellä: vasaralla tms) go at it, let 'er fly; (suksilla) shoot (down the hill)
pudottaa drop Vaahtera on pudottanut melkein kaikki lehtensä The maple has almost lost/dropped all its leaves Voisitko pudottaa minut asemalle? Could you drop me off at the station? Hevonen pudotti ratsastajansa The horse threw its rider
pudotus drop(ping) pommien pudotus bombing, dropping bombs Se on aikamoinen pudotus That's quite a drop
Puerto Rico Puerto Rico
puertoricolainen s, adj Puerto Rican
puhallin 1 (tekn) blower, fan **2** (mus) wind instrument
puhallus 1 (tekn) blast **2** (mus) blowing **3** (petkutus) sting, con
puhaltaa 1 blow katsoa mistä tuuli puhaltaa see how the land lies puhaltaa täyteen ilmaa blow up, inflate **2** (puhallinsoitinta) blow on, play, sound
puhaltaja 1 (lasin tms) blower **2** (mus) wind player, (mon) the wind section
puhdas 1 clean, clear, pure puhtaat kädet/linjat clean hands/lines puhdas iho/omatunto/voitto clear complexion/conscience/profit puhtaat ajatukset pure thoughts puhua suunsa puhtaaksi get something off your chest, spill your guts kirjoittaa puhtaaksi type up sanoa puhdas totuus speak the plain truth

2 (pelkkä) pure, sheer puhdas sattuma pure/sheer chance/coincidence
puhdasoppinen orthodox
puhdasvetinen clear, clean
puhdistaa 1 clean/clear/wash (up); (hangata) cleanse (myös usk), scour puhdistaa itsensä syytöksistä clear yourself of all charges puhdistaa kaikista synneistä cleanse (someone) of all (his/her) sin(s) puhdistaa maineensa clear your reputation/name **2** (pogromissa) purge **3** (jalostaa) refine, purify **4** (saastunut vesi/ilma) purify **5** (ryöstää) clean someone out
puhdistaminen cleaning, washing, cleansing, scouring, purging, refining, purification (ks puhdistaa)
puhdistamo refinery; (jäteveden) sewage treatment plant
puhdistua get clean(ed), clear up; (tekn) be refined/purified
puhdistus 1 cleaning, cleansing, washing **2** (pogromi) purge, pogrom **3** (tekn) refinement, purification
puhe 1 (puhuminen) speech, talk Älä välitä ihmisten puheista Never mind what people say kangerrella puheessaan stumble over your words Ei puhettakaan! Not a chance! No way! tulla puheeksi come up **2** (keskustelu) conversation, discussion johtaa puhetta moderate/chair the session/discussion/ meeting Puhe kääntyi naisliikkeeseen Talk turned to the women's movement **3** (esitelmä) speech, lecture, address, talk pitää puhe give a speech pitemmittä puheitta without further ado
puheenaihe topic, subject of conversation
puheenjohtaja chair(person), (vanh) chairman
puheen ollen Siitä puheen ollen Speaking of that, apropos
puheensorina hum/murmur of talk
puheenvuoro floor jakaa puheenvuoroja moderate/chair a discussion/ meeting antaa puheenvuoro jollekulle recognize someone, give someone the floor Valtosella on nyt puheenvuoro Valtonen has the floor pyytää puheenvuoroa ask/motion to be recognized, signal for the floor käyttää puheenvuoroa take the floor, address the meeting
puhehäiriö speech defect
puhehäiriöinen (someone) with a speech defect
puheilla pyrkiä jonkun puheille try to talk to someone päästä jonkun puheille (korkea-arvoisen henkilön kanssa) be granted an audience; (muun kanssa) get to talk to someone
puhekyky power of speech, ability to talk
puhelahjat eloquence, (ark) gift of gab hänellä on hyvät puhelahjat she has the gift of gab
puheliaasti garrulously, talkatively
puhelias garrulous, talkative
puhelimitse by (tele)phone, over the (tele)phone
puhelin telephone, (ark) phone Puhelimeen! Telephone! sulkea puhelin hang up palveleva puhelin crisis (intervention) hotline
puhelinherätys wake-up call
puhelinjohto telephone line
puhelinjäljitys telephone trace, (putting) a trace on a telephone call
puhelinkeskus switchboard
puhelinkioski (tele)phone booth
puhelinkone (tele)phone
puhelinkoppi (tele)phone booth
puhelinlaitos (tele)phone company
puhelinluettelo (tele)phone book/ directory
puhelinnumero (tele)phone number
puhelinpäivystys answering service
puhelinsoitto (tele)phone call
puhelintilaaja telephone subscriber
puhelintyttö call girl
puhelinvaihde switchboard
puhelinvastaaja (telephone) answering machine
puhelinverkko telephone network
puhelinvälittäjä operator
puhelinyhteys telephone communication

puhelu 1 (juttelu) talk(ing), chat(ting), conversation **2** (puhelinsoitto) (tele)phone call
puhelumaksu call charge
puhemies 1 (eduskunnan) speaker puhemies Mao Chairman Mao **2** (naimakaupan) matchmaker, go-between, marriage broker **3** (puolestapuhuja) spokesperson, (vanh) spokesman
puheopetus speech/logopedic instruction
puhetaito (the art of) rhetoric/oratory
puheripuli diarrhea of the mouth
puhevalta 1 (lak) right of action **2** (puheoikeus) right to speech
puhevika speech defect
puhevälit He eivät ole puheväleissä They aren't on speaking terms, they aren't speaking to each other
puhista (huff and) puff, pant, (kiukusta) snort
puhjeta 1 (ilmapallo tms) pop, burst Heiltä puhkesi rengas They had a flat tire **2** (kukka) open, blossom **3** (tauti, sota, myrsky ym) break out **4** (nauruun, itkuun ym) burst out (laughing, crying), burst into (laughter, tears)
puhkeaminen bursting, opening, blossoming, outbreak
puhki kulu(tta)a puhki wear out mennä puhki (rengas) blow out, go flat; (ilmapallo) pop puhua asiat puhki talk/work things out/through miettiä päänsä puhki wrack your brains
puhkua (huff and) puff puhkua intoa be bursting with enthusiasm puhkua vihasta snort indignantly/angrily
puhtaaksikirjoitus typing (up)
puhtaana käteen after taxes, net saada palkkaa 10 000 puhtaana käteen take home 10,000 marks a month, make 10,000 a month in take-home pay
puhtaanapito public sanitation; (jätehuolto) garbage collection
puhtaasti 1 (palaa tms) cleanly **2** (puhua tms) correctly; (laulaa) in tune, on pitch/key **3** (pelkästään) purely, merely, solely
puhtaat paperit clean record/slate: (poliisista) no police record; (sairaalasta) completely cured, no disease
puhtaus 1 clean(li)ness, tidiness **2** (ilman, ajatusten tms) purity, (siveys) chastity
puhtaus on puoli ruokaa cleanliness is next to godliness
puhti energy, vim, vigor, zest; (ark) pep, (get-up-and-)go
puhua 1 speak, (puhella) talk, (mainita) mention, (sanoa) say puhua englantia speak English puhua ilmoista talk about the weather Heistä ei voi puhua samana päivänä They shouldn't be mentioned on the same day Minulla on sinulle puhuttavaa I've got something to say to you **2** (huhuta) say, tell, rumor Mitä minä siitä, mitä ihmiset puhuvat? What do I care what people say? Kylällä puhutaan, että sinä olet lähdössä The word/rumor around town is that you're leaving us, a little birdie told me you were leaving **3** (sopia) work out, agree kuten puhuttiin as we agreed **4** (pitää puhe) speak, give a speech/lecture/talk; (saarna) preach **5** (viestiä) speak, communicate puhua käsillään talk/speak/communicate with your hands paljon puhuva ele eloquent gesture
puhua asia selväksi talk something over (with someone), work things out
puhua halaistua sanaa Hän ei puhunut halaistua sanaa He didn't utter a sound/word
puhua itsensä pussiin contradict yourself, lead yourself into a trap, give yourself away
puhua ja pukahtaa Ei se puhunut eikä pukahtanut She didn't make a peep, didn't utter a sound/word
puhua joutavia talk nonsense, run off at the mouth, say the first thing that comes into your head
puhua järkeä jollekulle talk sense to someone, try to make someone see reason
puhua keskenään talk/chat together, have a talk He eivät enää puhu keskenään They aren't on speaking terms, they aren't speaking to each other

puhua kielillä speak in tongues
puhua loppuun finish your sentence, say your piece, say what you have to say (without being interrupted)
puhua läpiä päähänsä not know what you're talking about
puhua lööperiä talk nonsense, run off at the mouth, bullshit
puhua mitä sylki suuhun tuo say whatever pops into your head, run off at the mouth
puhua omaa kieltään speak for itself
puhua omiaan tell fairy-tales, make up stories
puhua pelkkää hyvää jostakusta have nothing but good to say about someone
puhua puolelleen persuade someone to take your side
puhua pökerryksiin talk someone's ear off
puhua reikiä päähänsä not know what you're talking about
puhua selvää kieltä make yourself perfectly clear, leave no room for (mis-)interpretation
puhua suulla suuremmalla 1 (olla suuremman suukappale: Jumalan) be the mouthpiece/messenger of the Lord; (suurten ajattelijoiden) invoke the great sages/philosophers **2** (isotella) talk big
puhua suunsa puhtaaksi get something off your chest, spill your guts
puhua ympäri convince/persuade (someone), bring (someone) around
puhuen Totta puhuen To tell the truth, frankly yleisesti puhuen generally speaking
puhuja speaker, orator
puhujakoroke podium, rostrum
puhujalava speaker's platform, stage
puhumattakaan to say nothing of, not to mention
puhumatta paras the less said the better, mum's the word
puhuminen speaking, talking, saying, telling (ks puhua-hakusanat)
puhu pukille! tell it to the Marines
puhutella 1 (jotakuta) speak to, address; (ventovierasta) accost; (liikuttaa) move, hit/strike home puhutteleva näytelmä moving play **2** (joksikin) call Miksi häntä pitää puhutella? What do I call her?
puhuttaa Minua puhuttaa I feel like talking (to someone) jäädä puhuttamaa ystävää stop to chat with a friend puhu taa tuppisuuta try to draw someone ou (who doesn't want to talk) puhuttaa kok kaupunkia make tongues wag
puhuttelu 1 (form/manner of) address, title **2** (puheen ensimmäiset sanat) salutation, greeting **3** (nuhtelu) lecture, reprimand; (ark) talking-to joutua esimiehen puhutteluun get chewed out/hauled over the coals/ lectured by your boss, get a proper talking-to from your superior
puhuttelusana term of address
puhuva eloquent, expressive, pregnant, meaningful
puhveli buffalo
puida 1 (viljaa) thresh **2** (ongelmaa) thrash/hash out **3** (nyrkkiä) shake
puijata swindle, cheat, con, trick
puijaus swindle, cheat, con, trick
puikkelehtia weave, zigzag
puikko 1 stick **2** (hitsauspuikko) (welding) rod **3** (syömäpuikko) chopstic **4** (tahtipuikko) baton **5** (sukkapuikko) knitting needle **6** (jäätelöpuikko) ice cream bar **7** (kalapuikko) fishstick
puilla paljailla (flat) broke, owning only the clothes you've got on joutua puille paljaille go broke
puimakone thresher
puimuri thresher
puinen wooden
puinti threshing, working out, shaking (ks puida)
puiseva dull, boring, dry
puistattaa (kauhu) make you shudder, (kylmä) make you shiver
puistatus shudder, shiver
puisto park
puitesopimus skeletal agreement
puitteet 1 (karmit) frame **2** (miljöö) setting, (ilmapiiri) atmosphere, (tausta)

ckdrop **3** jonkin puitteissa within a
ven framework sääntöjen puitteissa
thin the scope/framework of the law
ajahdus dash
ajahtaa 1 (nopeasti) dash, slip
arinko pujahti pilvien välistä The sun
eked from behind the clouds **2** (salaa)
nk (away), sneak (off)
ujoa splice
ujotella 1 (mattoja) weave **2** (väki-
ukon läpi) weave (your way through a
owd) **3** (hiihtää) downhill ski, slalom
(palloa) dribble
ujottelija (downhill/slalom) skier
ujottelu (downhill/slalom) skiing
ujottelumäki ski slope
ujottelusuksi downhill/slalom ski
ukahtaa Hän ei puhu eikä pukahda
'e can't get a word out of him
ukea 1 (päälle) dress, put on; (per-
ettään) clothe pukea hienoksi dress
omeone) up pukea joksikin disguise
omeone) as pukea päälle put (some-
ing) on pukea päälleen get dressed
(sopia) become Tuo väri pukee sinua
hat color becomes you, is becoming
n you, looks good on you **3** (ajatuk-
ensa) clothe, express, articulate, couch
ukea ajatuksiaan sovinnaiseen muo-
oon express/ articulate/couch your
oughts in conventional form, give your
leas a traditional expression **4** (sinua)
ecome Tuo pusero pukee sinua That
louse is very becoming/attractive, it
uits/becomes you
ukeminen dressing
ukeutua get dressed, put on your
lothes
ukeutuminen getting dressed
ukine piece of clothing, garment;
mon) clothing
ukki 1 buck, billy-goat panna pukki
aalimaan vartijaksi set a goat to guard
he cabbage patch **2** (teline) stand,
upport, block panna auto pukille put a
ar up on blocks **3** (sahapukki)
awhorse **4** (hyppyteline) buck **5** hypätä
ukkia (play) leapfrog **6** (joulupukki)
Santa Claus **7** (huoripukki) (old) goat,
echer, dirty old man

puksuttaa chuff, chug
puksutus chuffing, chugging (along)
puku 1 (asu) outfit, clothes, what
you're wearing **2** (naisten) dress, (ilta-
puku) (evening) gown, (housupuku)
pantsuit **3** (miesten) suit
pukuinen (dressed) in tuo vihreäpu-
kuinen punatukkainen nainen that
woman in green with the red hair
siviilipukuinen etsivä plainclothes
detective
pula 1 (niukkuus) shortage, lack
2 (hätä: taloudellinen) financial
difficulties/trouble; (muu) trouble, (ark)
scrape, fix, pinch joutua pulaan get into
trouble **3** (pula-aika) bad times,
depression, recession
pulahdus jump/dive/plop (into the
water)
pulahtaa jump/dive/plop (into the
water)
pulikoida splash/play (around in the
water)
pulina 1 (veden) bubbling, burbling
2 (puheen) whisper, hum, murmur
3 (vastarinnan) (angry) whispering/
murmuring Pulinat pois! Put a lid on it!
Shut up!
pulisongit sideburns
pulista 1 (vesi) bubble, burble
2 (puhe) whisper, hum, murmur **3** (vas-
taan) whisper/murmur against, gripe/
complain about
pulittaa 1 (pälpättää) yak **2** (maksaa)
shell out
puliukko wino, derelict
pulkka 1 (puupulikka) pointed stick
2 (lasten) sled, (poron) pulka
pulla (sweet) bun pulla uunissa
(raskaana) a bun in the oven Sinulla
tuntuu olevan pullat hyvin uunissa You
seem to be in good shape, you've got it
made
pullakahvit coffee and buns
pullataikina bun dough
pullea plump, chubby
pulleus plumpness, chubbiness
pulliainen tavallinen pulliainen
regular/average/run-of-the-mill guy,
ordinary Joe, no Einstein

pullikoida pullikoida vastaan kick up a fuss, kick against the traces, dig in your heels
pullikointi resistance, protest(s), complaint(s)
pullistaa distend, puff/swell/fill out
pullistua (become) distend(ed), puff/swell/fill out; (maha) protrude, stick/hang out; (silmät, lihakset) bulge, (silmät ark) bug out
pullistuma distension, swelling
pullo bottle, (taskumatti) flask
pullokori case, crate
pullollaan (posket) stuffed, bulging; (silmät) bulging/bugging (out of your head); (taskut) stuffed/crammed/jammed (full); (laatikko) (stuffed/crammed/jammed) full (to bursting)
pullollinen bottleful
pullonavaaja bottle-opener
pullonkaula bottleneck (myös kuv)
pullonpalautus bottle-return
pullonpohja the bottom of the/a bottle katsoa pullonpohjan läpi drink (straight) from the bottle
pullopantti bottle deposit
pulloposti message in a bottle
pullottaa 1 (viiniä tms) bottle **2** (pullistaa) bulge (out)
pullukka plump, chubby, roly-poly
pulma problem, difficulty; (ark) hang-up, hassle; (mon) trouble Pulma on katsos siinä että The problem is, see, that Minulla on muuan pulma I've got this problem
pulmatilanne difficult situation, (knotty) problem; (ark) spot, fix
pulmunen snow bunting puhdas kuin pulmunen pure as the driving snow En minä mikään pulmunen ole I'm not exactly Snow White either Oma pulmuseni! My little dove!
pulpahtaa bubble/well up; (veri) spurt (out); (kuv) pop up pulpahtaa pintaan rise to the surface (myös kuv:) appear out of nowhere
pulpetti (school) desk
pulputa bubble/well/gush out/up/over pulputa ideoita/intoa be bubbling over with ideas/enthusiasm
pulputtaa 1 (kahvi) perc(olate) **2** (ihmiset ark) yak
pulska 1 (pullea) plump, chubby, fat **2** (terveennäköinen) big, strong, healthy-looking
pulssi pulse tunnustella jonkun pulssi feel someone's pulse
pulssimittari pulsimeter
pultti bolt, (pieni) pin, (kannaton) stuc kiinnittää pultilla bolt (on/together) Älä ota siitä pulttia Don't let it get to you
pulveri powder
pummata 1 (pyytää) bum (something off someone) **2** (repata) fail, flunk
pummi 1 (ihminen) bum **2** (reputus) failure
pumpata pump Hän yritti pumpata minulta tietoja She tried to pump me fo information pumpata täyteen pump up, inflate
pumppu 1 (tekn) pump **2** (ark sydän) pump, ticker
pumpuli cotton pitää jotakuta pumpulissa overprotect someone
pumputa (tekn) pump
puna 1 red(ness), (meikki) rouge **2** (ihonväri) ruddiness, (punastus) blush
puna-armeija the Red Army
punainen red (myös kuv) nähdä punaista see red Se oli kuin punainen vaate It was like waving a red flag (to a bull) yksi punainen minuutti just a sec(ond) mennä punaiseksi kuin kalkkuna (häpeästä) go red as a beet olla punainen kuin rapu (auringosta) be red as a lobster ajaa päin punaista run a red light
punainen lanka scarlet thread
punaisuus redness, ruddiness
punajuuri beet
punakaarti the Red Guard
punakka red, ruddy, florid
punamultahallitus coalition government/Cabinet between the Left and the (Agrarian) Center
punaruskea reddish brown; (hevonen) sorrel, bay
punastella blush/flush (at) punastella toisten puheita blush at the things people say, be embarrassed/mortified a what others say

unastua blush, flush
unavihersokeus red-green
olorblindness
unertaa be reddish; (pol) lean to the
ft
unertava reddish; (pol) left-leaning
unertua turn red
unerva reddish
unikki (halv) pinko
unkka 1 (soikko) tub **2** (sänky) bunk
ainua punkkaan hit the sack
unkkari punk(-rock)er
unkki mite, tick
unnerrus 1 (käsipunnerrus) pushup
(painonnosto) press
unnertaa 1 do a pushup **2** (nostaa)
ress
unniskella (käsin) heft, (mieles-
ään) weigh, ponder
unnita weigh (myös kuv:) ponder,
onsider punnita asiaa tarkoin weight
he pros and cons
unnus weight
unoa 1 twist, twine, twirl; (köyttä)
raid, (koria) weave **2** punoa juonia
cheme, plot, cook up schemes
unoittaa be/flush/glow red, be
ushed/rosy
unos rope, twine, cord;
koristepunos) braid, lace
unssi punch
unta pound (sterling)
puntari scale(s), (vanh) balance Se ei
paina paljon puntarissa (kuv) That
doesn't weigh much in the balance, that
doesn't carry much weight olla punta-
rissa be hanging in the balance
puntaroida weigh (myös kuv:)
ponder, consider
puntarointi weighing (myös kuv:)
pondering, consideration
puntti 1 (kimppu) bunch, bundle
2 (punnus) weight
Puola Poland
puola 1 (pinna: pyörän) spoke, (sän-
gyn) bar, (tikapuiden) rung **2** (käämi,
rulla) bobbin, (sähkö) coil **3** (puolan
kieli) Polish
puolalainen s Pole
adj Polish

puoleen 1 (pudottaa, leikata) in half
pienentää puoleen halve, reduce to a
half of its present level **2** (kohdalle) to
kääntyä jonkun puoleen turn to
someone vetää puoleensa attract **3** Ei
sen puoleen, en minä varma ole Not
that I know for sure No joo, sen puoleen
kyllä Okay, in that sense yes
puoleensavetävä attractive
puoleinen 1 (melko) on the (adjective)
side tummanpuoleinen on the dark side,
darkish, fairly dark **2** (puolella) pohjois-
puoleinen on the north side, (huo-
neesta) facing north, (a room) with a
northern exposure vasemmanpuoleinen
lefthand
puoleksi half, (adjektiivin kanssa)
semi-; (osittain) in part, partly
puolesta 1 (jonkun kannalla) for, in
favor of, in (someone's) favor äänestää
puolesta vote in favor, vote yes
2 (jonkun nimissä/vuoksi) on behalf of,
in the name of, for Järjestelytoimikun-
nan puolesta haluan toivottaa teidät
kaikki tervetulleiksi On behalf of the
organizing committee I'd like to
welcome you all kuolla maansa puolesta
die for your country viran puolesta ex
officio **3** (johonkin nähden) as far as
(something) is concerned, as to, with
regard/respect to Kyllä tämä on muodon
puolesta kunnossa This is formally
correct/in order **4** (jonkun mielestä) as
far as (someone) is concerned Kyllä
tämä on minun puolestani kunnossa I
think it's fine (but that's just my opinion),
as far as I'm concerned this is in order
5 (kotoisin) from Oletko Turun puolesta
kotoisin? Are you from Turku?
puolestaan 1 (osaltaan) for your
part/sake, as far as you're concerned
Haluaisin omasta puolestani lisätä että
Let me add that personally I **2** (vuoros-
taan, taas) in turn Kerroin sen Pekalle,
joka puolestaan kertoi Marjalle I told
Pekka, who in turn told Marja
puolesta ja vastaan for and against
perustelut puolesta ja vastaan the pros
and cons
puolestapuhuja advocate,
proponent, supporter

puolet 1 half puolta enemmän (ennen substantiivia) twice as much, double the puolet enemmän half again as much, fifty percent more puolet heistä half of them **2** pitää puoliaan/ puolensa stick up for yourself, stick to your guns

puoli s **1** (sivu) side (myös kuv) kuunnella molempia puolia listen to both sides olla samaa puolta be on the same side asettua jonkun puolelle take someone's side/part jonkun puolella on someone's side, in favor of someone kahden puolen on both sides of tuolla puolen on the other side of, beyond (the) **2** (piirre) side, aspect, characteristic, feature, quality Hänessä on hyviäkin puolia There are good sides to him too Asialla on puolensa It has its points/advantages (asian) hyvä/heikko puoli advantage/ disadvantage tarkastella asiaa kaikilta puolilta consider the matter from all angles **3** (urh) side, end **4** (osa) part meidän puolessamme, kotipuolessa where I come from, in my part of the country, back home **5** (mat) member **6** puolet half puolet heistä half of them (ks myös hakusana)
lukus half kolme ja puoli kertaa three and a half times
adj half puoleen hintaan (at) half-price, half off, marked down fifty percent puolella palkalla on half pay puoli tuntia half an hour, a half-hour kello puoli seitsemän (at) six-thirty kuunnella puolella korvalla listen with one ear Puhtaus on puoli ruokaa Cleanliness is next to godliness

puoliaika (urh) halftime, (muu) intermission

puoliautomaattinen semiautomatic

puoliautomaattisesti semiautomatically

puolihuolimaton casual, unconcerned, offhand

puolihuolimattomasti casua[...] offhand

puoliintua decay, have a h[...]

puoliintumisaika halfli[...]

puolijohde semicond[...]

puolijumala demigo[...]

puolikas half

puolikenkä (dress/street) shoe

puolikolmatta two and a half

puoliksi 1 half puoliksi intiaani half-Indian **2** (leikata tms) in half panna puoliksi split/share evenly (between the two of you)

puolikuiva medium dry, demisec

puolikuoliaana half-dead

puolikuollut half-dead

puolikuu 1 half moon, crescent (moon) (myös muodosta) **2** (kuukauden puoliväli) the middle of the month heti puolenkuun jälkeen just after the middle of the month

puolikuuro half deaf

puolilainausmerkki single quotation mark

puolilihava (teksti) semibold

puolillaan half-full

puolimatka halfway (there)

puolin kaikin puolin (tavoin) in every way/respect, in all respects/senses; (mokomin) by all means, go right ahead molemmin puolin on both sides of puolin ja toisin on both sides (of the fence), mutually päällisin puolin superficially

puolinainen 1 (puolittainen) half **2** (epätäydellinen) incomplete, unfinished, imperfect **3** (riittäm[...]) insufficient, inadequate, no[t] good enough puolinaiset [...] halfway measures [...]en

puolinaisesti by [...] the

puolinen -side[...] north- northern; (huo[...]sti) only northern sid[e] [...]ine) on one [...]) lopsided; facing toi[...] prejudiced (writte[n] on both sides (of the side; [...]oimme puolin ja (p[...] Both of us said

[...] half-note

[...]vaunu semi-trailer, (ark)

[...]ivä noon, midday puolenpäi-[...]an around noon/ midday, in the [...] of the day

puolisentoista about one and a half
puolisko half
puoliso spouse, mate; (mies) husband, (vaimo) wife; (kuninkaallinen) (royal) consort
puolisokea half-blind
puolisotilaallinen paramilitary
puolitangossa at halfmast
puolitie tulla jotakuta puolitiehen vastaan meet someone halfway puolitiessä halfway jättää työ puolitiehen leave a job unfinished
puolitoista one and a half puolitoista viikkoa/kuukautta/vuotta a week/month/year and a half
puolitse on the (something) side hän kiersi joen puolitse kaupungin she circled the town on the river side
puolittaa 1 halve, cut/split in half/two **2** (geom) bisect
puolittain half(way), partly
puolittainen halfway (ks myös puolinainen)
puolituhantinen half a thousand strong
puolivahingossa (leik) accidentally n purpose
olivalmis half-/semifinished
ivalmiste semifinished product; emifinished goods
P inen half-breed
pu llinen semiofficial
sem
midd **1** (6 kk) half a year, (liik)
la arooden puoliväli) the
summe puolenvuoden tienoil-
puoliv of the year, in
subscripti
puoliväk f-year/six-month
mukaan I pr
with me Sain
mään I practic puoliväkisin
the door ag him
puoliväli midd lähte-
middle, halfway (tn out
puoliympyrä se
puoltaa 1 (auto) p
to one side) **2** (tukea)
recommend

puoltaminen approval, recommendation
puolto approval, recommendation
puolue party; (kuv) faction, camp
puolueellinen partisan, partial, biased, prejudiced
puolueellisesti partially, with bias
puolueellisuus partiality, bias, prejudice
puolue-erimielisyys partisan divisiveness
puolueeton 1 impartial, neutral, unbiased, unprejudiced **2** (pol) independent
puolueettomasti neutrally, without bias/prejudice, without taking sides
puolueettomuus neutrality
puolueettomuuspolitiikka policy of neutrality
puoluejohto party leadership
puoluekokous party caucus/convention
puoluepolitiikka party politics
puolueraja party line
puoluesihteeri party secretary
puoluetuki public funding for political parties
puolukassa käydä puolukassa be/go out picking lingonberries
puolukka lingonberry
puolustaa 1 (suojella) defend, protect, safeguard **2** (puhua/toimia jonkun puolesta) speak/stand/stick up for, plead for, (oikeudessa) defend; (asian puolesta) advocate, propound, uphold **3** (oikeuttaa) vindicate, justify, make (something) right Se ei puolusta hänen tekoaan That doesn't justify his actions, that doesn't make what he did right
puolustaja 1 defender, protector, advocate, proponent **2** (oikeudessa) defense attorney/counsel, counsel for the defense **3** (urheilussa) back, defender, defense player; (mon) defense
puolustaminen defending, protecting, safeguarding, pleading, advocacy, propounding, upholding, indication, justification (ks puolustaa)

puolustautua 1 defend yourself, speak/stand/stick up for yourself, stick to your guns **2** (puolustella) make excuses (for your behavior), rationalize (your behavior), try to get yourself off the hook
puolustella (toista) make excuses (for what they did), apologize (for them); (itseään) make excuses (for your behavior), rationalize (your behavior), try to get yourself off the hook
puolustuksellinen defensive
puolustus defense
puolustusasianajaja defense lawyer/attorney; (oikeudessa) defense counsel, cousel for the defense
puolustuskannalla olla/pysyä puolustuskannalla be/stay on the defensive
puolustuslaitos the armed forces/ services, (ark) the service/military
puomi 1 (mer, tekn) boom **2** (nostopuomi tms) bar(rier) **3** (voimistelupuoli) balance beam
puoskari quack
puoskaroida doctor; (kuv) botch
puoti shop, (muodikas) boutique
pupilli pupil
puppu nonsense; (ark) twaddle, hogwash, rot, baloney
puraista bite, nip/snap (at), take a bite/nip of
pureksia chew
purema bite
purenta bite
pureskella 1 (suussa) chew valmiiksi pureskeltu predigested **2** (jyrsiä: kynsiä) bite, (kynää tms) chew/gnaw on
pureskelu chewing, biting, gnawing
pureutua 1 bite into, seize/grab something with your teeth **2** (tarttua) grab onto, seize, (tarrautua) cling to **3** (upota) sink into, take hold in Saha pureutui puuhun The saw bit/cut into the wood
pureva biting, sharp pureva pakkanen bitter cold pureva huomautus biting/ cutting/sarcastic/nasty/hurtful remark
purevasti sharply
purevuus sharpness
puristaa 1 press, push; (kädessä) clasp, grasp, squeeze; (kättä) squeeze, shake; (kättä nyrkkiin, hampaat yhteen) clench; (litteäksi) flatten, squash puristaa yhteen press together, (liimausta varten) clamp together **2** (pakottaa: fyysisesti) force, squeeze; (ark) jam, cram, stuff; (henkisesti) force, compel Suomen kieli puristettiin latinan kielioppisääntöihin Finnish was forced into (the straitjacket of) Latin grammar **3** (saada väkisin ulos) squeeze, force puristaa kymmenen sivua opettajalleen perjantaiksi squeeze/churn out ten pages for your teacher by Friday Puristapas pannusta vielä kupponen! Can you squeeze another cup of coffee out of that pot? **4** (hangata: kenkä) rub, pinch, be too tight; (kaulus) constrict Mistä kenkä puristaa? What's the problem? **5** (ahdistaa) constrict, strangle, choke Huoli puristaa rintaa/ kurkkua My chest/throat is all constricted with worry, I feel like I'm strangling/choking with anxiety
puristaa kättä shake/squeeze (someone's) hand
puristaminen pressing, pushing, clasping, grasping, squeezing, clenching, flattening, squashing, forcing, jamming, cramming, stuffing compelling, rubbing, pinching, constricting, strangling, choking (ks puristaa)
puristella press, squeeze
puristi purist
puristin press, (ruuvipuristin) clamp, vise
puristua ve pressed/squeezed/ flattened/squashed puristua kokoon be compressed
puristus 1 (käden) squeeze; (sormien) pinch; (väkijoukon) jam, press; (raskaan esineen) press(ure) jäädä puristuksiin (väkijoukoun) get/be caught in the press of the crowd, (oven) get caught in the door **2** (tekn) pressure, compression
puritaani Puritan (myös kuv)
purje sail saada uutta tuulta purjeisiin get a fresh wind
purjehdus sailing; (matka) sail(ing trip), cruise

purjehtia sail
purjehtija sailer, yacht-owner/-operator, (vanh) yachtsman
purjelaiva sailing ship/vessel
purjelauta windsurfboard
purjelautailija windsurfer
purjelento sailplane/glider flying
purjelentokone sailplane, glider
purjelentäjä glider/sailplane pilot
purjevene sailboat
purjo leek
purkaa 1 (osiinsa) dismantle, disassemble, take apart **2** (sotku) disentangle, undo, clear (up) purkaa auto varaosiksi cannibalize a car **3** (neuletta) unravel, (ommelta) unstitch **4** (solmu) untie, (side) unwind, (köysi) untwist, (paketti: narut/paperit) unwrap, (sisältö) unpack **5** (matkalaukku) unpack **6** (lasti) unload **7** (rakennus) demolish, wreck, tear/pull/take down **8** (näytelmän kulissit) strike (a set) **9** (yhtiö) dissolve, liquidate **10** (sopimus) cancel, annul, revoke; (ark) call off **11** (avioliitto) annul **12** (kihlaus) break off **13** (lak päätös) rescind, reverse **14** (pommi) defuse **15** (akkua) discharge **16** (tunteita) discharge, release, vent, take out Älä pura pettymystäsi minuun Don't take your frustration out on me **17** (sydäntä) unburden, lighten, let off steam
purkaa huoliaan jollekulle pour your heart out to someone, share your troubles/cares with someone
purkaa laavaa (tulivuori) spew lava, (purkautua) erupt
purkaa savua (savupiippu) spew smoke
purkaa tuomio overrule/reverse a ruling/judgment/decision
purkaa vetensä (järvi jokeen) empty into; (putki säiliöön) release, (ark) dump; (pilvet) burst
purkaa yhdistys disband an organization
purkaa ääninauha transcribe a tape
purkaminen dismantling, disassembly, disentanglement, unraveling, untying, unpacking, unloading, demolition, dissolution, liquidation, cancelation, annulment, revocation, rescindment, reversal, discharge, release, venting, transcription, overruling, disbanding, cannibalization, eruption (ks purkaa-hakusanat)
purkaus 1 (tulivuoren) eruption **2** (akun) discharge **3** (tunteen) fit, blowup, explosion, eruption
purkautua 1 (osiinsa) be dismantled, come apart **2** (neule) unravel, come undone **3** (solmu tms) come untied/unwound **4** (yhtiö) be dissolved/liquidated **5** (sopimus) be canceled/annuled/revoked; (ark) fall through **6** (avioliitto) break up **7** (kihlaus) get broken off **8** (lak päätös) be rescinded/reversed **9** (akku) lose its charge, run down **10** (tunteet) be released/vented, burst out **11** (tulivuori) erupt
purkka (chewing/bubble) gum
purkki 1 can, (maitopurkki) carton, (muu) container **2** (aluksesta leik) tincan
purku 1 (hajotus) demolition, destruction **2** (osiin) dismantling, disassembly
purnata gripe, grouse, grumble
puro stream, brook
purppura purple
purppurainen purple
purppuranpunainen crimson, scarlet
purppuranvärinen purple, crimson, scarlet
purra 1 bite (myös kuv:) take effect Häneen ei pure mikään Nothing works on him **2** (pureksia) chew Pure ruokasi kunnolla ennen kuin nielaiset Chew your food properly before you swallow it
pursi boat, (huvipursi) yacht
pursimies (kauppalaivaston) chief petty officer; (laivaston) boatswain
pursiseura yacht club
purskahtaa 1 (veri haavasta) gush, spurt **2** (nauruun tms) burst into (laughter/tears), burst out (laughing/crying)
purskua gush/spurt (out)
purso tube

pursotin 1 (leipomiseen käytetty) pastry bag/tube, cornet **2** (ketsuppipullo tms) squeeze-bottle **3** (suutin) nozzle
pursua ks pursuta
pursuava 1 (neste) oozing, dripping, flowing, spurting, squirting, gushing, bubbling (ks pursuta) **2** (into tms) bubbling, effervescent, overflowing
pursuilla ks pursuta
pursuta 1 (neste: työntyä) squeeze out, (tihkua) ooze/drip (out), (virrata) flow (out), (purskahtaa) spurt/squirt (out), (tulvia) gush (out), (kuohua) bubble (out) **2** (intoa tms) gush with, bubble/run over with
purtilo trough
purukumi (chewing) gum
pusakka shirt, blouse
pusero (naisten) blouse, (miesten) shirt, (villapusero) sweater
puserrus squeeze, press
pusertaa 1 squeeze, press; (rikki) crush, (litteäksi) squash, (palloksi) ball (up), (tiiviiksi) compress **2** (sydäntä tms) clutch at **3** (työssä) push/drive yourself, make a last-ditch effort
pusertua be squeezed/crushed/ squashed/compressed
puskea butt, ram puskea päänsä seinään keep butting your head against a brick wall puskea töitä bust your buns/ass working
pus kii! sic 'em!
puskuri (auton) bumper, (kuv) buffer
puskurimuisti (tietokoneen, oheislaitteen) buffer (memory)
pussata kiss, (ark) smooch
pussi 1 bag (myös silmien alla) **2** (kengurun) pouch **3** (rahapussi) purse maksaa omasta pussista pay (for something) out of your own pocket puhua omaan pussiin have an axe to grind **4** (saarros) trap puhua itsensä pussiin contradict yourself, lead yourself into a trap, give yourself away joutua pussiin be surrounded/ trapped
pussillinen bagful
pussittaa bag
pusu kiss, (kuuluva) smack
putiikki store, shop; (muotialan) boutique
putipuhdas clean as a bell/whistle
putkahtaa appear, emerge, (näkyviin) come into sight, (keskustelussa) come/pop up Koskaan ei tiedä, missä hän seuraavaksi putkahtaa esiin You never know where he's going to show up next
putki 1 (vesijohto) pipe, (pieni muovinen) tube/tubing vesiputket plumbing **2** (sähköputki) cable **3** (kaukoputki) telescope **4** (radio, TV) (vacuum) tube kuvaputki picture tube **5** (anat) tube, duct, canal **6** (virkaputki) the professional ladder; (tutkintoputki) the academic assembly-line **7** mennä putkeen work perfectly, turn out just right
putkiasentaja plumber
putkimies plumber
putkisto plumbing
putkivahvistin tube amplifier
putkiyhdistin connector
putous 1 fall, drop **2** (vesiputous) waterfall, cataract
putsata 1 clean(se), scrub, scour, wash **2** (ryöstää) clean out
puu 1 (metsässä) tree Puu kaatuu! Timber! elämän/hyvän ja pahan tiedon puu the tree of life/knowledge (of good and evil) olla kuin puusta pudonnut be dumbfounded/ flabbergasted **2** (laudassa) wood, (puutavara) lumber Paina puuta! Take a load off koskettaa puuta knock on wood Tämä alkaa maistua puulta This is beginning to lose its novelty, this isn't fun any more, the enjoyment is starting to go out of this **3** (polttopuu) piece of firewood, (mon) firewood; (tukki) log olla puilla paljailla be flat broke, wiped out **4** (puola) rung, bar, spoke poikkipuu cross-bar **5** (hierarkia: kiel, tietok ym) tree
puuduttaa anesthetize, numb Voisitteko puuduttaa? (hammaslääkärille) Could you give me some Novocaine?
puudutus anesthesia paikallispuudutus local anesthesia

puuha 1 (askare) chore, task, job, activity; (mon) things to do kotipuuhissa puttering around the house **2** (hanke) project, plan, scheme
puuhailla putter around (doing this and that), keep busy (with various projects) Mitä sinä nykyään puuhailet? What are you up to these days? What are you working on nowadays?
puuhata 1 ks puuhailla **2** (yrittää järjestää) work on (arranging), try to arrange, make arrangements for, be organizing/planning Me puuhaamme USA:n matkaa ensi jouluksi We're trying to get to the States next Christmas
puuhevonen wooden horse olla kankea kuin puuhevonen pakkasessa act like you had an ironing board up your ass
puuhka 1 (turkiskaulus) fur collar, (lakin turkisreunus) fur lining **2** (muhvi) muff
puukenkä wooden shoe, clog
puukko knife
puukkojunkkari knife-toting rowdy
puukottaa knife, stab (someone with a knife)
puukotus knifing, knife-stabbing
puuma puma, cougar, mountain lion
puumerkki personal mark panna puumerkkinsä johonkin make one's mark on something
puunilaissodat Punic Wars
puunjalostus wood processing/working
puunjalostusteollisuus wood-processing industry
puunjuuri (tree) root
puunkuori (tree) bark
puunoksa 1 (kasvavassa puussa) (tree) branch/limb **2** (laudassa) knot
puupiirros woodcut
puupää blockhead
puurakennus wooden building
puuro 1 hot cereal, porridge riisipuuro rice porridge kaurapuuro (hot) oatmeal (porridge) maissipuuro (cornmeal) mush kiertää kuin kissa kuumaa puuroa beat around the bush **2** (tekn massa) mash, mush, pulp **3** (sotku) mess **4** (sotkuinen äänite tms) mishmash Ei siitä saanut mitään selvää, se oli pelkkää puuroa We couldn't make anything out, the whole thing was a mishmash
puurokattila kettle (full of hot cereal)
puurokauha ladle (for serving hot cereal)
puuroutua thicken (up)
puurtaa plod (along with), toil (on)
puuseppä carpenter
puusepänteollisuus joinery/woodworking industry
puuska 1 (tuulen) gust **2** (innon) burst, fit
puuskittainen 1 (tuuli) gusty **2** (into) off-and-on, hot-and-cold
puuskittaisesti off and on, hot and cold, by fits and starts
puuskuttaa puff (and pant/blow), chuff
puuskutus puffing (and panting/blowing), chuffing
puusto trees, tree stand; (puuteollisuudessa) growing timber
puutalo wooden house
puutarha (vihannesmaa) garden, (hedelmätarha) orchard
puutarha-ala gardening
puutarhakasvi garden plant
puutarhanhoito gardening, horticulture
puutarhanviljely horticulture
puutarhuri gardener
puutavara lumber
puutavarakauppa lumber store/yard
puute 1 (puuttuu) lack, want, absence Siitä puhe mistä puute You talk the most about what you have the least paremman puutteessa for lack of a better (one) ajan puute shortness/lack of time **2** (ei ole tarpeeksi) shortage, dearth, paucity; (vitamiineja) deficiency, (unta) deprivation **3** (hätä) poverty, need, want, destitution elää puutteessa live in want **4** (puutteellisuus) failing, shortcoming, limitation, weakness; (haitta) drawback
puuteri powder
puuteroida powder

puutos 1 (vitamiinin) deficiency **2** (vajavuus) failing, shortcoming, limitation, weakness
puutostauti deficiency disease
puutteellinen 1 (vajavainen) inadequate, insufficient, deficient **2** (viallinen) defective, faulty, imperfect **3** (rajallinen) limited, meager, scanty
puutteellisesti inadequately, insufficiently, deficiently, defectively, faultily, imperfectly, meagerly, scantily (ks puutteellinen)
puuttua 1 (ei olla) Minulta puuttuu I lack, I don't have (any) Meidän huoneestamme puuttuu liitu We don't have any chalk in our room No puuttukoon, ei meillä ole enempää You'll have to do without, we don't have any more Sinulta puuttuu pitkäjännitteisyyttä You lack perseverence, you give up too easily Kaksi markkaa puuttuu (olet maksanut liian vähän) This is/you're two marks short; (joku on vienyt ne) Two marks are missing Kuka puuttuu? Who's not here? Who's absent? **2** (sekaantua) interfere/intrude/meddle (in); (ark) butt/horn in, stick in your oar; (sotilaallisesti) intervene Älä puutu minun asioihini Stay/(ark)butt out of my business puuttua toisen maan sisäisiin asioihin interfere in another country's internal affairs puuttua yksityiskohtiin go into detail(s)
puuttua puheeseen 1 (keskeyttää) interrupt, cut in **2** (käsitellä) take issue with a speech, talk about it, discuss/analyze it
puuttumattomuuspolitiikka policy of non-interference/-intervention
puuttuminen 1 (jostakin) lack(ing of), want (of), absence (of) **2** (johonkin) interference (in), intervention (in)
puutua fall asleep, go numb
puutunut numb, asleep
puuvilla cotton
puvusto wardrobe
pyh! pshaw!
pyhiinvaellus pilgrimage
pyhiinvaeltaja pilgrim
pyhimys saint
pyhisin Sundays and holidays
pyhittäytyä 1 sanctify yourself **2** (omistautua) devote yourself
pyhittää 1 (tehdä pyhäksi) sanctify, consecrate, hallow **2** (kunnioittaa) venerate, revere **3** (viettää) celebrate, observe Pyhitä lepopäivä Remember the Sabbath and keep it holy **4** (omistaa) devote, dedicate, give
pyhyys holiness, sacredness, sanctity
pyhä s **1** (sapatti) Sabbath **2** (juhlapäivä) holiday joulun pyhät the Christmas holidays/season, (ark) the holidays **3** (sunnuntai) Sunday **4** (pyhimys) saint Myöhempien Aikojen Pyhät Latter-Day Saints
adj **1** holy, sacred **2** (hurskas) pious, devout, reverent, saintly **3** (pyhitetty) sanctified, consecrated, hallowed (myös kuv) **4** (loukkaamaton) sacrosanct, inviolable
pyhäinhäväistys sacrilege
pyhäinpäivä All Saints' Day
pyhäisin Sundays and holidays
Pyhä Istuin (Vatikaani) Holy See
pyhäkkö temple, shrine
pyhäkoulu Sunday school
pyhäkoululainen child who goes to Sunday school
pyhä lehmä sacred cow
pyhäpukeissaan all dressed/duded/gussied up, in your Sunday finest
pyhäpäivä 1 (raam) Sabbath, (ark) Sunday **2** (vapaapäivä) holiday
pyhätamineet your Sunday finest
pyhättö temple, shrine
pyhävaatteet church/dress clothes
pykälä 1 (lak) section, paragraph, clause **2** (lovi) notch, nick, cut (myös kuv) pykälää parempi a cut/notch above
pyllistää bend over (and stick out your rear end) pyllistää jollekulle moon someone, give someone a big red eye
pylly bottom, rear end, behind, fanny
pyllähtää (lapsi) plump down on your bottom, (aikuinen) fall on your ass/butt/can
pylväikkö colonade; (käytävä) arcade
pylväs pillar, column, pole, support, (sillan) pier

pylväspyhimys pillar saint, stylite
pynttäytyä get all dressed/duded/gussied up
pyntätä get all dressed/duded/gussied up
pyramidi pyramid
pyrintö pursuit, striving, aspiration
pyristellä 1 (lintu) fluff (out its feathers) **2** (rimpuilla) fight, struggle, wriggle, kick On ihan turhaa pyristellä vastaan It will do you no good to fight
pyristely fight(ing), struggle/struggling, wriggling, kicking
pyrkijä applicant
pyrkiminen trying, aiming, striving, aspiring, seeking, pursuing, applying (ks pyrkiä)
pyrkimys 1 (yritys) attempt, ambition, endeavor, effort **2** (päämäärä) aim, aspiration, intention, purpose
pyrkiä 1 (fyysisesti) try to get/go (somewhere), try to do/achieve (something) pyrkiä lentoon try to fly **2** (henkisesti) aim/strive (for/toward), aspire (to), seek, pursue pyrkiä päämäärään strive toward a goal **3** (hakea) apply (for) Mihin sinä aiot pyrkiä What college are you going to apply for? **4** (olla taipuvainen) tend to, be inclined/apt to Vanhat astiat pyrkivät helposti menemään rikki Old dishes break easily, have a tendency to break easily
pyrkiä puheille try to talk to someone, seek an audience with someone
pyrkiä täydellisyyteen be a perfectionist
pyrkiä yliopistoon apply for admission into college/university
pyrkijä applicant
pyrkyri climber, upstart
pyromaani pyromaniac
pyrstö tail
pyrstöevä tail fin
pyry (kevyt) (snow) flurry, (kova) snowstorm; (kuv) whirlwind, tempest
pyryttää 1 (sataa lunta) snow **2** (puhaltaa lunta) blow/drive snow; (kieppua) whirl, swirl
pyrähdys 1 (linnun) flutter, a few flaps of its wings **2** (ihmisen pikamatka: juoksu) dash, (turistimatka) quick trip
pyrähtää flutter, flap, dash, make a quick trip (ks pyrähdys)
pyssy gun, (kivääri) rifle, (haulikko) shotgun, (pistooli) handgun
pysty (standing) upright, perpendicular, erect
pystyasento upright/standing position pystyasennossa upright, standing, perpendicular
pystykorva (koira) Spitz
pystymätön 1 (kykenemätön) unable, incapable **2** (pätemätön) incompetent
pystyssä up; (jaloillaan) on your feet, (eläin) on its legs; (pystyasennossa) upright, standing, perpendicular nousta pystyyn (jaloilleen) stand/get up; (karvat) bristle Minulta nousi karvat pystyyn It raised my hackles, I bristled nostaa pystyyn raise, lift (something up) pää pystyssä with your head held upright kulkea nenä pystyssä walk with your nose in the air pysyä pystyssä stay upright/on your feet/up, not fall over panna pystyyn set up, organize, arrange haukkua pystyyn (ihminen) tell (someone) off/where to shove it/where to go, give (someone) a piece of your mind; (asia) tear/rip apart, consign to the dungheap
pystysuora perpendicular
pystysuunta vertical direction
pystysuuntainen vertical
pystyttää set up, put together, organize, arrange; (talo) build, (teltta) pitch; (muistomerkki) raise
pystyvä able, capable, competent
pystyä 1 be able to, be capable of, feel up/equal to, (voida) can Pystyisitkö auttamaan minua? Could you give me a hand? **2** (tehota) work (on), have an effect (on) Häneen eivät mitkään mairittelut pysty Flattery won't work on him
pysytellä stay, keep, remain Lämpötila on pysytellyt nollan tienoilla The temperature has been hovering right around freezing

pysyttää maintain, retain
pysyvyys permanence, constancy, stability
pysyvä 1 (vakituinen) permanent, lasting, (vakiintunut) established **2** (vakaa) constant, stable **3** (pitävä) firm, fast
pysyvä armeija standing army
pysyvä käytäntö standard operating procedure, SOP
pysyvä osoite permanent address
pysyvä sopimus continuing contract
pysyvästi permanently, constantly, stably, firmly, fast (ks pysyvä)
pysyvä vamma permanent disability
pysyä 1 (ei lähteä) stay, remain, not leave, not go away **2** (ei irrota) hold (tight/fast), not come/fall off/out **3** (ei poiketa) keep/stick to (an agreement/ a course of action/a decision/ schedule), keep (a promise); not renege (on an agreement), not deviate (from a course of action), not change your mind (on a decision), not change (a schedule), not be late, not break (a promise)
pysyä asemissaan stay in position
pysyä elossa stay alive, survive, make it
pysyä ennallaan stay the way it is/was
pysyä entisissä uomissaan stay in the old rut(s)
pysyä hengissä stay alive, survive, make it
pysyä hereillä stay awake
pysyä hiljaa stay quiet, keep your mouth shut
pysyä housuissaan keep your pants on Koeta nyt pysyä housuissas Keep your pants/shirt on, hold your horses, don't get too excited
pysyä järjestyksessä stay in order, stay neat/tidy/organized
pysyä kannallaan hold your ground, stick to your guns
pysyä kiinni 1 (ihminen kannassaan tms) cling/hold (on)to **2** (ruuvi, liima tms) hold (tight/fast) **3** (liimattu esine) stick, not come off
pysyä koossa hold together, not come apart
pysyä lestissään stick to your last
pysyä liikkeessä keep moving
pysyä lujana remain firm, (ark) hang tough
pysyä lupauksessaan keep your promise
pysyä maassa stay on the ground Koeta nyt pysyä maassa Try to keep both/your feet on the ground, try to restrain your enthusiasm
pysyä mukana 1 (matkassa) keep up, stay with the others, not straggle, not fall behind **2** (kärryillä) keep up, follow (what someone is saying)
pysyä muuttumattomana remain unchanged, stay the way you are/it was
pysyä nahoissaan keep your shirt on
pysyä paikallaan 1 (ihminen) stay where you are, not move/stir **2** (esine) stay in place **3** (helikopteri) hover
pysyä perässä keep up (with)
pysyä pinnalla 1 (veden) stay up, keep your head above water (myös kuv:) not go under **2** (julkisuuden) keep your name on everybody's lips, keep your face in the public eye
pysyä poissa stay away
pysyä pystyssä stay up(right), not fall over; (erikseen ihminen) stay on your feet, keep your feet
pysyä salassa remain/stay a secret, not come out, not be revealed
pysyä sanassaan keep your word, be as good as your word
pysyä sovinnossa live in peace (with)
pysyä tajuissaan stay conscious, (hereillä) stay awake
pysyä tasoissa stay even (with)
pysyä totuudessa stick to the truth
pysyä uskollisena 1 (jollekulle) remain loyal/faithful to **2** (jollekin) cling/ stick to
pysyä voimassa remain in effect/ force, remain valid
pysyä voimissaan keep up your strength
pysyä yhdessä stick together
pysyä äänessä keep talking

pysähdys 1 stop, halt; (hetkeksi) pause joutua pysähdyksiin come to a stop/standstill **2** (pysähdystila) stagnation
pysähtyä (come to a) stop/halt Hän pysähtyi keskelle lausetta He stopped in midsentence, he broke off in the middle of a sentence pysähtyä yhtäkkiä come to a sudden stop, stop short
pysähtyä ajattelemaan stop to think
pysähtyä paikalleen 1 (ihminen) stop dead, halt in your tracks **2** (kehitys tms) stagnate, mark time
pysähtyä puolitiehen stop halfway, break/leave off in the middle
pysähtyä yöksi stop (off/over) for the night, spend the night
pysäkki stop, (junan) station
pysäköidä park
pysäköinti parking
pysäköintialue parking lot
pysäyttää (bring to a) stop/halt
pysäyttää kone kill the engine
pysäyttää pallo stop/trap the ball
pysäyttää verenvuoto stop/staunch the bleeding
pyy hazelhen pienenee kuin pyy maailmanlopun edellä melt away like last winter's snow parempi pyy pivossa kuin kymmenen oksalla better a bird in the hand than two in the bush
pyydellä ask, beg pyydellä anteeksi say you're sorry
pyydettäessä on request
pyydys trap, snare
pyydystää 1 (pyydyksillä) trap, snare **2** (pyytää: riistaa) hunt, (kaloja) fish (for) **3** (napata: aviosiippa) snare, catch, net
pyydän Pyydän saada kiittää May I express my gratitude (to) Ei enempää, pyydän! No more, please! I beg you!
pyyhe towel, (rätti) rag
pyyheliina towel
pyyhkiä 1 wipe (off/up); (lattiaharjalla) sweep (up/off); (sinipiialla) mop (up); (pölyt) dust; (kumilla) erase, rub out; (kädellä) brush (off) **2** (sivellä jotakin johonkin) rub, stroke, apply
pyyhkäistä 1 (pyyhkiä) wipe, dab (at) pyyhkäistä hikeä otsalta wipe the sweat off your forehead **2** (porhaltaa) zoom (by)
pyykki 1 (vaatteet) (dirty) wash, laundry; (peseminen) washing, laundry kirjopyykki coloreds **2** (rajapyykki) boundary stone/marker
pyykkikone washing machine
pyykkikori (clothes) hamper
pyykkinaru clothesline
pyykkipoika clothespin
pyykkipäivä wash/laundry day
pyykkäri laundress, washerwoman
pyylevä plump, chubby, tubby
pyynti (riistan: ampumalla) hunting, shooting, (pyydyksillä) trapping; (kalojen) fishing
pyyntiaika hunting/fishing season
pyyntö 1 request pyynnöstä as requested; (jonkun) at someone's request **2** (vaatimus) demand, insistence **3** (vetoomus) appeal, entreaty **4** (anomus) petition, application **5** (oikeudessa) motion
pyyteettömyys unselfishness, selflessness, altruism
pyyteettömästi unselfishly, selflessly, altruistically, unstintingly, with no selfish/ulterior motives
pyyteetön unselfish, selfless, altruistic, unstinting
pyytäminen asking, requesting, demanding, insisting, appealing, beseeching, entreating, petitioning, applying/application, moving/motion, inviting/invitation (ks pyytää)
pyytää 1 ask, request Paljonko aiot pyytää palkkaa? How much money are you going to hold out for? What kind of salary are you going to ask for? **2** (vaatia) demand, insist on **3** (vedota) appeal (to someone), beseech/entreat (someone) **4** (anoa) petition, apply (for) **5** (oikeudessa) move **6** (kutsua) invite, have over Pyydetäänkö Virtaset? Shall we have/invite the Virtanens over? pyytää ammattimies asialle/töihin call (in) an expert (plumber, electrician jne) **7** (haluta) desire, wish, want Emme

pyydä paljon, vain myötätuntoanne We don't want much, only your compassion; we're not asking for much **8** (metsästää) hunt (for), (kalastaa) fish (for)
pyytää anteeksi ask for forgiveness, (ark) say you're sorry
pyytää apua ask/call for help
pyytää eroa resign, hand in/submit your resignation; (ark) quit
pyytää kauniisti ask nicely
pyytää kättä ask for (someone's) hand in marriage
pyytää lainaksi ask to borrow (something)
pyytää neuvoa ask for advice
pyytää nätisti ask nicely
pyytää omaa voittoa be in it for the money, look out for number one
pyytää puheenvuoroa motion/ signal to be recognized (by the chair/ moderator), ask to (be able to) speak
pyytää vaimokseen ask (someone) to marry you, to be your wife
pyältää notch
pyökki beech
pyöreys 1 roundness **2** (pulleus) plumpness, chubbiness, fatness
pyöreä 1 round (myös kuv) pyöreä luku round number **2** (pallomainen) spherical, globular **3** (lieriä) cylindrical **4** (ympyrämuotoinen) circular **5** (pullea) plump, chubby, fat **6** (ympäripyöreä) noncommittal, evasive, vague
pyöreä hinta approximate/ball-park price
pyöreähkö roundish
pyöreäkärkinen round-tipped
pyöreän pöydän neuvottelut round-table negotiations
pyöreä päivä tehdä pyöreitä päiviä work around the clock
pyöreästi roughly, approximately, about
pyöreä vuosi täyttää pyöreitä vuosia celebrate a major birthday
pyöriminen spinning, rotation, revolving, turning, circling, rolling (ks pyöriä)
pyöriskellä roll/spin around
pyöristys rounding off
pyöristyä 1 (vartalo) round/fill out, grow plump **2** (silmät) widen, grow wide
pyöristää 1 round (off), (huulensa) pucker up **2** (luku) round off/up
pyöritellä roll pyöritellä asiaa mielessään turn a matter over (and over) in your mind, look at it from every angle
pyöritellä peukaloitaan twiddle your thumbs
pyöritellä päätään try to figure out something; (olla ymmällään) be at a loss
pyöritellä silmiään roll your eyes
pyörittäminen spinning, turning, rotating, swiveling, cranking, whirling, winding, twirling, managing (ks pyörittää)
pyörittää 1 (akselinsa ympäri) spin, turn, rotate, (tuoliaan) swivel **2** (veivata) turn, crank **3** (tanssittaa) spin, whirl **4** (kiertää) wind, twirl **5** (ark hoitaa) run, manage
pyöriä 1 (akselinsa ympäri) spin, rotate, revolve, turn, go around **2** (ympyrässä) circle, go around in circles **3** (kieriä) roll **4** (ark luistaa) roll, spin, run Homma on lähtenyt taas pyörimään We've got the ball rolling again **5** (ark elokuva) be showing/running/playing **6** (tanssija) spin, whirl **7** (ajatukset) spin, whirl Pääni pyörii My head is spinning, my thoughts are all in a whirl **8** (parveilla jonkun ympärillä) swarm/ circle around (someone) **9** (ark liikuskella) hang/run around (with) Kenen kanssa sinä nykyisin pyörit? Who do you run/hang around with these days?
pyöriä kielellä Sana pyörii kielelläni It's on the tip of my tongue
pyörre 1 (veden) whirl(pool), maelstrom, vortex, eddy **2** (tuulen) whirlwind (myös kuv) **3** (elämän) whirl(wind) **4** (hiusten) whorl
pyörremyrsky 1 (pieni) tornado, (ark) twister **2** (iso) typhoon, hurricane
pyörryttää Minua pyörryttää I feel dizzy/faint, I feel like I'm going to faint
pyörrytys dizziness, dizzy spell, faintheadedness
pyörrytyskohtaus dizzy spell
pyörtymiskohtaus fainting spell

pyörtyä faint, (ark) black out, (ylät) swoon
pyöryksissä (pyörtynyt) fainted (dead away), in a faint; (pää pyörii) dizzy, your head in a spin
pyörylä circle Et saa minulta pennin pyörylää You won't get a red cent out of me
pyörä 1 wheel, (huonekalun) castor **2** (polkupyörä) bike, (moottoripyörä) motorbike
pyörähdys (tanssissa) swing, spin; (autolla) spin, ride
pyörähtää 1 (tanssija) swing/spin around **2** (planeetta tms) spin, rotate
pyöräilijä bicyclist, (ark) bike-rider
pyöräillä bicycle, ride (a/your) bicycle/bike
pyöräily bicycling, bike-riding
pyöräkorjaamo bike shop
pyörätie bike path
pyöräyttää 1 (joku ympäri) swing (someone) around **2** (kietoa) wind (something) around (someone/something) **3** (kyhätä kokoon: ateria tms) whip up, (lapsi) produce
pyöveli 1 executioner, (hirttäjä) hangman **2** (kuv) butcher
pähkinä nut
pähkinänkuoressa in a nutshell
pähkinäsakset nutcracker
pähkähullu (ark) nuts, out of his/her tree
päihde controlled substance
päihderiippuvuus substance addiction
päihdyksissä (viinalla) intoxicated, inebriated; (ark) drunk, boozed; (lak) under the influence (of alcohol); (huumeilla) high, stoned
päihdyttävä (alkoholi) intoxicating; (huume: näkyjä aiheuttava) hallucinogenic; (kokemus) exhilarating, heady
päihdyttää 1 (alkoholi) intoxicate; (huume) give you a buzz, turn you on; (kokemus) exhilarate **2** (ihminen toista) get (someone) drunk/high
päihtynyt (viinalla) intoxicated, inebriated; (ark) drunk, boozed; (lak) under the influence (of alcohol); (huumeilla) high, stoned
päihtyä become intoxicated/inebriated; (ark: alkoholista) get drunk; (huumeista) get stoned
päin 1 (jonnekin) towards, -wards, to, in the direction of Minne päin olet menossa? Which way are you headed? Helsinkiin päin (sinne asti) To Helsinki, (siihen suuntaan mutta ei perille asti) Towards Helsinki Ikkuna on kadulle päin The window faces the street paranemaan päin on the road to recovery Tänne päin (Over) this way! Over here! **2** (jostakin) from Mistä päin olet tulossa? Where are you coming from? Mistä päin tulet? Where've you been? **3** (jossakin) somewhere Missä päin hän nykyään oleskelee? Where(abouts) does she live nowadays? Jossain Amerikassa päin Somewhere (over) in America Meillä päin sanotaan Where I come from we say **4** (johonkin) into ajaa toista autoa päin crash into another car **5** (läpi) through ajaa päin punaista run a red light **6** (tavalla) way Miten päin tämä kuuluu/menee? Which way does this go? How does this go? Kummin päin tahansa Whichever way you like, either way Näin päin Like this, this way väärin päin the wrong way
päin helvettiä to hell (myös kuv)
päin kasvoja (straight/right) to his/her face
päin mäntyä all wrong
päinsä käydä päinsä be fine
päinvastainen opposite, reverse
päinvastoin on the contrary tehdä päinvastoin do the opposite ja päinvastoin and vice versa
päissään drunk (as a skunk/on your butt)
päistikkaa head over heels, (sl) ass over teakettle
päitset halter
päivemmällä (yöllä) closer to morning; (aamulla) later in the morning, closer to noon
päivettyminen tanning, getting tanned/sunburned

päivettynyt tan, (palanut) sunburned, (tummaksi) bronzed
päivettyä tan, (palaa) get sunburned
päivineen and everything/all; lock, stock, and barrel Meni talo päivineen kaikkineen We lost the house lock, stock, and barrel
päivin ja öin day and night
päivitellä 1 (voivotella) moan/groan (over), complain (about) **2** (ihmetellä) wonder (at)
päivittäin daily
päivittäinen daily
päivyri calendar
päivystys on-call
päivystäjä person/doctor on call
päivystää be on call
päivä 1 (vuorokausi, päivänvalon aika) day Mikä päivä tänään on? What day (of the week) is it today? joulupäivä Christmas Day Tämä on taas niitä päiviä This is another one of those days kaiken päivää all day keskellä kirkasta päivää in broad daylight ei kuuna päivänä never (in a million years) näinä päivinä one of these days puoliltä päivin around noon tähän päivään mennessä till now kuin viimeistä päivää like it was going out of style **2** (päivämäärä) date Monesko päivä tänään on? What date is it today? What's the date today? **3** (vuosipäivä) anniversary **4** päivät (seminaari) seminar, conference **5** (aurinko) sun Päivä paistaa kirkkaasti The sun is shining brightly
päivähoito day care
päiväjärjestys 1 (päivän ohjelma) daily routine saada jokin pois päiväjärjestyksestä get something over with Sehän kuuluu päiväjärjestykseen That's nothing special/out of the ordinary, that's all part of a day's work **2** (esityslista: kokouksen) agenda; (sot) order of the day, O.D.; (eduskunnassa) calendar, (ark) the day's business siirtyä päiväjärjestykseen get down to (the day's) business
päivä kerrallaan one day at a time
päiväkirja 1 (yksityinen) diary, journal **2** (opettajan) class register **3** (ajopäiväkirja) logbook
päivälaina overnight/day-to-day money/loan
päivälento day flight
päivälleen to the day
päivällinen s dinner adj (something) of the day
päivälliskutsu dinner invitation
päivällisvieras dinner guest
päivällä by day, in the daytime
päivältä per day/diem
päivälämpötila daytime temperature
päivämatka day trip
päivämäärä date
päivän annos the daily special
päivänavaus morning devotion
päivän hintaan at the going rate/price
päivänkohtainen current, topical
päivänpaiste sunshine
päiväntasaaja equator
Päiväntasaajan Guinea Equatorial Guinea
päivänvalo daylight nähdä päivänvalo (kuv) see the light of day tulla päivänvaloon come out, be revealed
päivänäytäntö matinee
päiväpalkka day rate, daily wages/pay
päivä päivältä day by day, increasingly
päiväraha per diem
päiväseltään for the day
päivästä päivään from day to day
päivät pitkät day after day, day in day out, for days on end
päivät päästään day after day, day in day out, for days on end
päivätyö daytime job
päivätä date
päiväuni 1 (nukkuminen) nap **2** (unennäkö) daydream
päiväys date
päiväämätön undated
pälkähtää päähän strike you, occur to you, enter your head Sitten hänen päähänsä pälkähti myydä talonsa ja muuttaa Kiinaan Then he took it into his

head to sell his house and move to China

pälyillä ympärilleen keep looking over your shoulder, glance around furtively

pälyily furtive glancing/peeking

päntätä cram (for a test)

päre shake, (kattopäre) shingle polttaa päreensä blow a fuse, blow your top

pärinä (summerin) buzzing, (mopon) blatting, (rummun) roll

päristellä (moottoria) rev, (rumpua) play a roll on, (sieraimiaan) snort, (pitkin tietä) clatter along

pärjätä get along, make it, do, succeed Miten sinä olet pärjännyt uudessa työpaikassasi? How've you been doing in that new job of yours?

pärske (veden) splash, (aivastuksen) splatter, (paistinpannun) spatter

pärskiä (vettä) splash, (aivastaa) sneeze, (roiskia esim rasvaa) spatter, (hevonen) snort

pärstä face, (ark) mug

pärstäkerroin good-looks factor, surface appeal

pässi ram tyhmä kuin pässi dumb as an ox

pässinpää bonehead

päteminen competence, being (seen as) competent/able/capable

pätemätön 1 (ei voimassa) invalid, void **2** (huono) incompetent, (muodollisesti) unqualified

pätevöityä qualify

pätevyys 1 (muodollinen) qualifications **2** (osaaminen) competence

pätevyys 1 (muodollinen) qualification(s) **2** (kykenevyys) competence, ability **3** (voimassaolo) validity

pätevyysvaatimus required qualifications

pätevä 1 (muodollisesti) qualified julistaa päteväksi declare (someone) qualified **2** (kykenevä) competent, able, capable **3** (voimassa) valid

pätevästi competently

päteä 1 (pitää paikkansa) hold true, (ark) hold water **2** (olla voimassa) be valid, be in effect **3** (pärjätä) be competent/able/capable, be good at what you do yrittää päteä try to prove your worth, how good you are

pätkittäin bit by bit, little by little

pätkittäinen intermittent

pätkä 1 (pala, osuus: puun) piece, (köyden) end, (kynän) stub, (laulun) snatch, (tien) stretch, (tekstin) passage **2** (ihminen) shorty, stubby, shrimp

pätsi furnace kuuma kuin pätsi hot as hell

pää 1 head Käytä päätäsi! Use your head/brains! hattu päässä with a/your hat on nostaa päätään raise your/its head (myös kuv) laskea päässään count (something)/add (something) up/work (something) out in your head keksiä omasta päästään think up something on your own Minua ottaa päähän tuollainen That sort of thing really gravels me, really gets my goat pitää päänsä keep your head **2** (yläpää) head, top istua pöydän päässä sit at the head of the table **3** (osa, puoli: narun) end; (sormen, kielen) tip; (kynän tms) tip, point saada pää auki get/set the ball rolling, put things in motion parhaasta päästä one of the best/finest yhtä päätä constantly, uninterruptedly, without a break **4** (mieliala) mood hyvällä/pahalla päällä in a good/bad mood Millä päällä sinä lähdet sinne? How do you feel about going there?

pääasia the main thing/point pääasiassa on the whole, in the main

pääasiallinen main, chief, primary

pääasiallisesti mainly, chiefly, primarily

pää edellä head first

pääelinkeino major source of income, primary industry

päähine hat, (mon) headgear

päähänpinttymä obsession, idée fixe

päähänpisto whim, sudden impulse

pääilmansuunta cardinal point, main compass point

pääjohtaja managing director, chief executive officer (CEO), president
pääkallo skull; (lääk) cranium
pääkallokeli treacherous driving conditions, very slippery/icy roads
pääkallonmetsästäjä headhunter
pääkallopaikka 1 Calvary, the Place of the Skull **2** (leik) where it's happening, where it's at, the hub of activity
pääkatsomo grandstand
pääkaupunki (maan, osavaltion) capital (city); (maakunnan) seat
pää kiinni shut your face
pääkirjoitus editorial
pääkohdittain selostaa pääkohdittain review the main points of (something)
pääkohta main point, salient feature
pää kolmantena jalkana (juosta) hellbent for leather
pääkonttori headquarter(s), main office
pääkoppa noggin
pääksytysten päivät pääksytysten day after day, day in day out, for days on end
päälaki crown, top of your head
päälause main clause
pääliike primary movement
päälle 1 on(to), over ajaa jonkun päälle (yli) run over someone, (töytäistä) hit someone with your car käydä jonkun päälle attack someone, jump on top of someone panna päälleen put (something) on Pane päällesi! (yöpukuiselle) Get dressed! (alastomalle) Get some clothes on! **2** (yläpuolelle) above Saanko laittaa sen tänne sinun päällesi? Can I put it up here above your head?
päällekkäin one on top of the other
päällekkäinen overlapping
päällekäypä aggressive, insistent
päällepäin ks päälle
päällepäsmäri bully
päälle päätteeksi over and above (everything else), to top it all, to add insult to injury, to rub salt in my wounds
päällikkyys leadership, command, captaincy
päällikkö 1 (liikkeen, osaston) head, director, manager, chief; (ark) boss **2** (armeijan, sotajoukon) commander, commanding officer (CO) **3** (lentokoneen, laivan) captain, (ark) skipper **4** (intiaaniheimon) chief
päällimmäinen 1 (ylimmäinen) top(most), uppermost **2** (tärkein) uppermost, main, primary
päällinen s **1** (pysyvä) outer surface, coat(ing), top; (huonekalun) cover, upholstery **2** (irtonainen: huonekalun) slipcover, throw; (tyynyn) (pillow) case; (sängyn) bedspread
adj: jonkin päällinen (something) on top of (something) maanpäällinen above ground
päällisin puolin superficially
päällys 1 (päällyste) cover(ing), coat(ing), wrap(ping)/wrapper, package/packaging, case/casing **2** (päällystä) top, surface
päällyste 1 cover(ing), coat(ing), wrap(ping)/wrapper, package/packaging, case/casing **2** (tien) surface, top, pavement asfalttipäällyste asphalt surface, (ark) blacktop **3** voileivän päällyste something to put on/in your sandwich, sandwich filler
päällystys covering, coating, upholstering, lining, overlaying, gilding, (re)surfacing, paving (ks päällystää)
päällystäminen covering, coating, upholstering, lining, overlaying, gilding, (re)surfacing, paving (ks päällystää)
päällystää 1 (verhoilla) cover, coat, upholster; (vuorata) line; (kullalla) overlay (with gold), gold-plate, gild **2** (tie) (re)surface, pave
päällystö officers
päällysvaate outer garment, (mon) outer clothing
päällä 1 on Onko telkkari vielä päällä? Is the TV still on? Onko sinulla mitään päällä? Do you have anything on? Are you decent? Se on tuolla hyllyn päällä It's (up/over) on (top of) that shelf **2** (yläpuolella) above Se on tuolla sinun päälläsi It's up there over your head, (right) above you

päältä 1 (yläpuolelta) on (the) top (of) päältä vihreä green on top **2** (ulkopuolelta) (on the) outside, outwardly, externally Moni kakku päältä kaunis All that glitters is not gold **3** (yltä) off riisua vaatteet päältään take off your clothes **4** (jonkin päältä) off/from (the top of), from above kuoria kerma päältä skim off the cream ottaa kulut päältä recover/ skim off/recoup your expenses Katso jääkaapin päältä Look on top of the refrigerator

päältäpäin ks päältä

päämaja headquarters, HQ

päämies 1 (valtion) head (of state), (perheen) head (of the family) **2** (lak) client, (liik) principal

pääministeri Prime Minister

päänahka scalp

pään päällä over your head Meillä ei ole kattoa pään päällä We don't have a roof over our heads

päänsärky headache

päänsärkylääke headache medicine, aspirin

päänvaiva pain in the neck, nuisance

päänähtävyys main attraction

pääoma capital; (velan) principal omapääoma equity

pääomakustannukset capital outlay

pääomavaltainen capital-intensive

pääosa 1 (suurin osa) majority, major part/share, lion's share, bulk pääosaltaan principally, primarily **2** (tähtiosa) lead(ing) role miespääosa male lead, leading actor/man naispääosa female lead, leading actress/lady

pääosakas major stockholder

pääperiaate main principle

pääpiirre main/major/salient characteristic/feature/aspect

pääpiirteissään generally, on the whole, overall

pääpiirteittäin generally, on the whole, overall

päärakennus main building

pääri peer

päärme hem

pääryhmä main group

päärynä pear

pääsisäänkäynti main entrance

pääsiäinen Easter

pääsiäisloma Easter vacation

pääsiäismuna Easter egg

pääskynen swallow

päässä 1 (mielessä) in your head laskea päässään count something in your head **2** (pään päällä) on (your head) hattu päässä with a hat on (your head) **3** (matkan) away 3 km:n päässä three kilometers away Muista pitää poikia haravanvarren päässä. Remember to keep boys at arm's length, to keep your distance from boys Se on vielä vuosien päässä That's still years away/ahead, that's years from now

päässälasku mental arithmetic

päästellä 1 (autolla) let 'er rip, race; (hevosella) give the horse its head **2** (suustaan) rattle on, reel off, (vitsejä) crack

päästä v **1** (saapua) get to, reach, arrive (at/in) **2** (saada mennä) get to go, be allowed/permitted to go, (tulla päästetyksi) be let/allowed (in/out) Pääseekö Sanna mukaan? Can Sanna come too? Pääsen töistä kuudelta I get off work at six päästä nukkumaan get to bed **3** (yliopistoon tms) get in, be admitted (to) **4** (johonkin) make it to, get to (a place/level), reach, attain, achieve **5** (tapahtua vahingossa) manage to Vesi pääsi kuivumaan The water dried up, somehow the water managed to dry up **6** (eroon) get rid of, (surusta tms) get over päästä ahdistuksesta get over your anxiety **7** (välttyä) avoid, escape, get out of (doing something), not have/need to (do something), be spared (the necessity of doing something) **8** (pakoon) evade, elude, escape, (ark) shake Pääsinpä niistä I shook them after all! **9** (selviytyä) escape, get off/by päästä vähällä (rangaistuksesta) get off lightly, (työstä) get by easily **10** (sairaalasta, vankilasta) be released/ discharged adv **1** (ajan) in, after kahden tunnin päästä in two hours, two hours from

now, after a couple of hours **2** (matkan) at/from (a distance of) ampua 100 m:n päästä shoot from a hundred meters (away)
päästä alkuun get started, make a start
päästä auki come undone, (nappi) come unbuttoned
päästä hengestään get yourself killed
päästä huokaus Häneltä pääsi syvä huokaus She heaved a deep sigh
päästä irti get loose
päästä itku Häneltä pääsi itku (tippa) He shed a tear, (raju) he burst into tears
päästä jaloilleen get (back up) on your feet (myös kuv)
päästä jäljille (jäljittää) pick up (someone's) trail; (saada tietoa pahantekemisestä) get onto (someone)
päästä kintuista juosta minkä kintuistaan pääsee run as fast as your legs will carry you
päästä kuin koira veräjästä get off scotfree
päästä käsiksi johonkin get your hands on (myös kuv)
päästä liikkeelle get started/going
päästä mihinkään Ei siitä pääse mihinkään (ei voi kieltää) There's no denying it; (ei voi auttaa) Nothing can be done about it
päästä mukaan come along, get to go too
päästä oikeuksiinsa come into your own
päästä omilleen break even
päästä pakoon get away, escape
päästä palkinnoille place
päästä perille arrive (at your destination), get where you're going
päästä pinteestä get out of a scrape/fix
päästä pitkälle go far
päästä puheille get (in) to talk to (someone), obtain an audience with (someone)
päästä puhumasta finish talking puhua puhumasta päästyäänkin keep chattering/jabbering on forever
päästä pälkähästä get out of a scrape/fix
päästä päähän from end to end, from stem to stern
päästä rahoistaan (ark) blow all your money
päästä selville vesille make it to smooth waters/sailing
päästä selvyyteen find out (about something)
päästä synneistään be absolved of your sins, be forgiven for your sins
päästä tilanteen tasalle be brought up to date, get the latest information/ news
päästä unohtumaan be forgotten, slip your mind Se on jotenkin päässyt minulta unohtumaan I somehow managed to forget all about it, it completely slipped my mind
päästä vapaaksi be freed/ liberated/ released/discharged
päästä voitolle get the upper hand, come out on top
päästä vähällä (rangaistuksesta) get off lightly, (työstä) get by easily
päästä yhteen get together
päästä yksimielisyyteen come to a unanimous agreement, reach an accord
päästää 1 (sisään/ulos) let (someone/ something in/out) **2** (sallia) let, allow, permit **3** (menemään) let (someone/ something) go, release **4** (suustaan: sana) utter, (vitsi) crack, (huokaus) heave, (nauru) emit **5** (päästellä) let 'er rip päästää mäessä suksensa täyteen vauhtiin ski/schuss down the hill (at) full speed/tilt
päästää helpolla let (someone) off easily
päästää hukkaan waste, let (something) go to waste
päästää irti let (someone/something) go/loose, release
päästää julkisuuteen (virallisesti) publicize something, release it to the press/public; (salaa) leak something to the press

päästää liian pitkälle let (something) go too far/get out of hand
päästää mielikuvituksensa valloilleen give free rein to your imagination
päästää ohitseen let (someone) pass you
päästää osalliseksi let (someone) in on (something), include (someone) in (something)
päästää päiviltä knock (someone) off
päästää rappiolle let (something) go to wrack and ruin, (vihannesmaa) let it go to seed (myös kuv)
päästää sisään admit, let (someone) enter/come in
päästää tentistä pass (someone) in an exam
päästää vähällä let (someone) off easily
päästö 1 (kaasun) discharge, emission; (nesteen) effluent **2** (metallin) tempering **3** (synnin) absolution
päästötodistus diploma
pääsy 1 (ulos) exit, way out **2** (johonkin: jotakin käyttämään) access (to); (oppilaitokseen) admission, entrance; (teatteriin tms) entrance, admittance
pääsy kielletty no admittance/ trespassing, keep out
pääsylippu ticket
pääsymaksu entrance/admission fee
pääsytutkinto entrance exam(ination)
pääsääntöisesti as a rule, on the whole, in general
pääte 1 (loppu) end(ing) päätteeksi in conclusion, as a finishing touch **2** (kiel) affix; (alkupääte) prefix; (loppupääte) suffix, ending **3** (tietok) terminal
pääteasema terminal, (ark) the end of the line
päätekijä 1 (ihminen) major figure, (ark) shaker and mover **2** (asia) major factor
päätellä 1 (käsityössä) fasten/tie off the loose ends/threads **2** (ajattelussa) conclude, draw/reach a conclusion, decide, infer; (ark) figure, reckon
päätelmä conclusion, inference; (logiikassa) deduction, syllogism
pääteos major work, magnum opus
päätevahvistin power amplifier
päätie main road, major arterial
päätoimi full-time job, (veroilmoituksessa) primary source of income
päätoimisesti (work) full-time
päätoimittaja editor in chief
päättely reasoning, argumentation, deduction
päättelykyky reasoning power, power of deduction
päättymätön 1 unending, endless, ceaseless, continuous **2** (mat) infinite
päättyä 1 (loppua) (come to an) end, finish, stop, cease, (be) conclude(d) **2** (määräaika) be up, (voimassaoloaika) expire **3** (valmistua) be finished/ completed
päättäjäiset graduation (ceremony)
päättäväinen 1 (luonne) decisive, strong-minded **2** (lujasti päättänyt) resolute, determined
päättäväisesti decisively, resolutely, with determination (ks päättäväinen)
päättäväisyys decisiveness, resolution, strong-mindedness, determination
päättää 1 (tehdä päätös) decide, make up your mind, resolve, determine **2** (lak) find, hold **3** (päätellä) judge, infer, conclude jostakin päättäen judging from kaikesta päättäen apparently, evidently **4** (lopettaa) end, conclude, terminate, bring to a close; (ark) wrap/ wind up päättää työt tältä päivältä call it a day **5** (sopimus) conclude, close, settle Se on siis päätetty It's settled, then; it's a deal **6** (lanka) tie off, fasten
päättää päivänsä depart this life; (itse) commit suicide
päättää tilit balance the books
päättömästi mindlessly, foolishly; (hurjasti) recklessly
päätuntomerkki distinguishing characteristic
päät vastakkain head to head, face to face

pääty 1 (tekn) end **2** (talon) gable
päätyä end/wind up (as), finish (as), land (somewhere) päätyä sovintoon reach an agreement, be reconciled, achieve a reconciliation
päätä pitempi a head taller (than)
päätöksenteko decision-making
päätös 1 (loppu) end(ing), conclusion, (esityksen suurenmoinen) finale saattaa päätökseen conclude, bring (something) to a close, (ark) wrap it up päätökseksi (lopuksi) in conclusion; (esityksen) for a grand finale **2** (päätöksenteon tulos) decision Olen tehnyt päätökseni I've made my decision, I've made up my mind yhteisellä päätöksellä by common consent **3** (päättäväisyys) resolve, resolution, determination Luja päätökseni on It is my firm intent/resolve/resolution to **4** (lak) decision, order, judgment, (valamiehistön) verdict
päätösvalta authority Kenellä on tässä jutussa päätösvalta? Who has the authority (to make a decision) in this case?
päätösvaltainen having jurisdiction (in a matter), (kokous) having a quorum
päätösvaltaisuus (kokouksen) quorum
päävaihe main phase
päävarasto central warehouse
päävärit primary colors
pöhöttyä swell/puff up, become swollen/puffy
pökertyä (pyörtyä) faint, (joutua pokerryksiin) be stunned/dazed
pökkö lisätä pökköä pesään put more wood on the fire; (kuv) pour oil on the fire
pöksyt pants, (pikkuhousut: miesten) underpants, (naisten) panties
pölinä 1 dust(iness) **2** (puhe) chatter, chitchat, yackety-yak
pölistä 1 be dusty, give off dust **2** (puhua) chatter, chitchat, (yackety-) yak
pölkky block (of wood), (tukki) log laskea kaulansa/päänsä pölkylle (kuv) lose your head, be beheaded, put your head on the chopping-block
pölkkypää blockhead
pöllytä (pöly) swirl/whirl around; (savu) spew/belch (forth)
pöllähdys cloud
pöllähtää 1 (savua tms) spew/belch (forth) **2** (saapua) show up without warning, appear suddenly Mistä sinä pöllähdit? What hole did you crawl out of?
pöllämystynyt dumbfounded, flabbergasted, struck speechless
pöllö owl
pölpöttää puhua pölpöttää chatter (on), yak, gab
pöly dust pyyhkiä pölyt dust (the room/furniture/jne)
pölykapseli hubcap
pölynimuri vacuum cleaner
pölysokeri powdered sugar
pölyttyä 1 get dusty **2** (kasvi) be pollinated
pölyttää 1 raise a cloud of dust **2** (kasvi) pollinate
pölytys 1 making the dust fly **2** (kasvin) pollination
pönkittää prop up, support, buttress pönkittää jonkun itsetuntoa bolster someone's self-esteem/self-confidence/ego
pönttö 1 (astia) barrel, cask, tin, can **2** (vessanpönttö) (toilet) bowl istua pöntöllä sit on the john **3** (linnunpönttö) birdhouse **4** (puhujanpönttö: kirkossa) pulpit, (juhlasalissa) rostrum, (muualla) podium
pöperö 1 (tekn) mash, pulp **2** (ruoka) shit
pöpi goofy
pöpö 1 (täi) louse **2** (basilli) germ, (ark) bug Minä olen kai saanut jonkun pöpön I must have caught a bug somewhere **3** (mörkö) boogey(man), bugbear
pörheä bushy
pörhistellä (eläin) ruffle (its feathers), (ihminen) get your feathers ruffled
pörröinen 1 (karvainen) fuzzy, bushy, fluffy, fleecy **2** (sekaisin) rumpled, messed up
pörssi stock exchange
pörssikeinottelija speculator

pörssikeinottelu speculation on the stock market
pörssikurssi stock/exchange price
pörssimeklari stockbroker
pörssiromahdus collapse of the stock exchange
pötkiä (pakoon/tiehensä) take to your heels, (make a) run for it, bolt
pötkö bar yhteen pötköön without a break, straight through
pötsi rumen
pöty nonsense
pöydänjalka table leg
pöydänpää the head of the table
pöyhiä (vuodevaatteita) air/shake out; (tyynyjä) fluff/plump up; (asioita) stir up, hash over
pöyhkeillä swagger, strut, boast/brag (about), preen yourself
pöyhkeily swaggering, strutting, boasting, braggadocio, preening
pöyhkeys conceit
pöyhkeä conceited, stuck-up
pöyristyttää appal, horrify, shock
pöytä table, (kirjoituspöytä) desk, (keittiönpöytä) counter pöydälle on the table/desk/counter pöydässä at the table Käykää pöytään! Sit down! Come eat! kattaa/tyhjentää pöytä set/clear the table jättää esitys pöydälle (kokouksessa) table a motion
pöytäkirja minutes
pöytälaatikko desk drawer
pöytäliina tablecloth
pöytäpäivyri desktop calendar
pöytätavat table manners
pöytätennis pingpong, table tennis
pöytävuori mesa, (pieni) butte

Q, q

Qatar Qatar
quatarilainen s, adj Quatari
Quebec Quebec

R, r

raadanta drudgery
raadella 1 (repiä) tear (something up, myös kuv), maul, claw Syyllisyys raateli sisintäni Th eguilt was tearing me up inside **2** (hävittää) devastate, ravage, lay waste
raadollinen sinful, wretched
raadollisuus sinfulness, wretchedness
raadonsyöjä carrion eater, (tiet) necrophagous animal
raahata drag, haul, lug
raahautua 1 (olla raahattavana) be dragged (along) **2** (raahata itsensä) drag yourself, trudge (along)
raaistaa brutalize
raaistava brutalizing
raaistua be brutalized
raaja limb
raajarikko s cripple (myös kuv); (euf) handicapped/disabled person adj crippled, handicapped, disabled, physically challenged
raajarikkoinen crippled; (euf) handicapped, disabled, physically challenged
raaka 1 (liha, hedelmä, vihannes) raw; (liha myös) underdone, rare; (hedelmä/vihannes myös) green, unripe, not ripe **2** (viina) straight, neat **3** (materiaali) raw; (öljy, sokeri ym) crude; (vuota) undressed, untreated, untanned; (jalokivi) rough **4** (ihminen) cruel, brutal, barbarous **5** (epämiellyttävä) harsh, crude raaka tuuli harsh wind raaka peli foul play **6** raaka työ hard/rough/back-breaking work raaka voima brute strength **7** (likimääräinen) rough raaka arvio rough estimate
raaka-aine raw material
raaka-ainevarat supply of raw materials
raakahiili raw coal
raakakaasu crude gas
raakakopio (tekstin) rough copy, (valokuvan) rough print
raakakuitu crude fiber
raakakumi raw/crude/India rubber
raakakäännös rough translation
raakalainen barbarian, savage, brute; (epäkohtelias) boor, cad
raakalaismainen barbaric, savage, brutish; boorish
raakalaisuus barbarism, savagery, brutishness
raakalasite raw glaze
raakaleikata rough-cut
raakamalmi crude ore
raakanahka undressed leather
raakapurje square sail
raakapuu rough wood
raakarauta cast/pig iron
raakasokeri raw sugar
raakata scratch, strike, cut
raakaterva crude tar
raakatuotanto raw-material production
raakatuote raw product
raakaturve raw peat
raakavedos rough proof
raaka voima brute/sheer strength
raakile green fruit/berry
raakimus animal, beast, brute
raakki (myös kuv) wreck, hulk
raakkua croak
Raamattu Bible, the Holy Scriptures, Holy Writ
raamattupiiri Bible study circle/group
raamatullinen biblical
raamatunkäännös Bible translation
raamatunkäännöskomitea Bible translation committee

raamatunlause Bible phrase/quote, quotation from Scripture
raamatunselitys exegesis
raamatunvastainen unbiblical, unscriptural
raamit (ikkunan) frame, (elämän) framework
raanu Finnish (woven, woolen) wall hanging
raapaista scratch, scrape
raapaista pintaa (kuv) (merely) scratch the surface
raapaista tulitikku strike a match
raapaisu scrape, scratch
raapia scratch, scrape
raappa scraper
raapustaa scratch out, scribble, scrawl
raapustus chicken scratching, scribble, scrawl
raaputtaa scrape, scratch, rub
raaskia bear, stand, have the heart to Miten raaskit lähteä pois täältä? How can you bear/stand to leave?
raastaa (juustoa tms) grate, (hermoja) grate on; (hiuksia ja kuv) tear (at); (vaatteita ja kuv) rend Se raastaa sydäntäni It really tears me apart, it tears at my heart
raaste grated cheese/carrot/jne
raastin (cheese) grater
raastupa 1 (hist raatihuone) city hall **2** (nyk) court(room) haastaa raastupaan sue (someone), take (someone) to court
raastuvanoikeus city/municipal court
raasu poor guy/girl/woman/kid
raataa toil, drudge, slave/grind/plug away raataa otsa hiessä work your fingers to the one, slave away
raataja drudge, grind, (leik) workaholic
raati 1 (hist) (city) council **2** (nyk) jury, panel
raatihuone (hist) city hall
raato carcass, corpse, (raatoa) carrion
raavaanliha beef
raavas s beef
adj big, strong, beefy, burly
rabbi rabbi
radeerata etch
radeeraus etching
radiaalinen radial
radiaani radian
radiaatio radiation
radikaali s, adj radical
radikaalisti radically
radikaalistua be(come) radicalized
radikalismi radicalism
radikalisoida radicalize
radikalisoitua be(come) radicalized
radio radio
radioaallot radio waves
radioaktiivinen radioactive
radioaktiivinen iänmääritys radioactive dating
radioaktiivinen jäte radioactive waste(s)
radioaktiivinen laskeuma radioactive fallout
radioaktiivisuuden puoliintumisaika half-life
radioaktiivisuus radioactivity
radioamatööri (kotona) ham/ shortwave radio enthusiast; (autossa) CB-er
radioantenni radio antenna
radioasema radio station
radioastronomia radio astronomy
radiohiiliajoitus (radio)carbon dating
radioida broadcast on radio, transmit a radio broadcast
radiojumalanpalvelus radio church service
radiokasettinauhuri radiocassette player
radiokemia radio chemistry
radiokuuntelija radio listener, (mon) radio audience, listeners at home
radiologia radiology
radiolähetin radio transmitter
radiolähetys radio broadcast/ transmission
radiomajakka radio beacon
radiomasto radio tower
radionauhuri radiocassette player, (iso myös) ghetto blaster
radio-ohjattu radio-controlled
radio-ohjaus radio control
radio-ohjelma radio program

radiopuhelin radiotelephone
radioselostaja radio announcer/ commentator
radiosähköttäjä radio operator
radiosähkötys radiotelegraphy
radioteleskooppi radio telescope
radioterapia radiotherapy, radium treatment
radiouutiset radio news
radiovastaanotin radio receiver
radisti radio operator
rae 1 hailstone Sataa rakeita! It's hailing! **2** (sokerin) granule, (hiekan) grain
raejuusto cottage cheese
raesade hailstorm
raetarkennin focus magnifier
raha 1 (rahaa) money, (käteinen) cash; (ark) dough, bread Ei se ole rahasta kiinni Money's no object Aika on rahaa Time is money panna rahoiksi cash in, make big bucks, make money hand over fist muuttaa rahaksi (sekki) cash; (omaisuus) convert into ready money, realize nyhtäistä/kääriä isot rahat haul in big bucks **2** (kolikko) coin **3** (seteli) bill, (mon) currency; (ark USD:stä) greenback
rahaa kuin roskaa money to burn
raha-asiat money/financial matters, finances
raha-automaatti cash machine
rahahuolet worries about money
rahakas rich, wealthy, affluent; (mon) the well-to-do
rahake token
rahakukkaro coin purse
rahallinen monetary, financial, pecuniary
rahallinen arvo mone(tar)y value
rahamaailma financial world, the world of finance; (ark) high finance, big business
rahamarkkinat money market
rahanahne money-grubbing
rahanhimo lust for money
rahanielu (rahapuhelimen, peliautomaatin) coin slot
rahan tarpeessa strapped for money/funds
rahantarve need for money
raha polttaa taskussa money's burning a hole in your pocket
rahapuhelin coinbox telephone
rahapula shortage of money
raha ratkaisee money talks
rahastaa collect fares
rahastaja conductor
rahasto fund, (säätiö) foundation
rahastus fare-collection
rahasumma sum of money
rahataloudellinen financial
rahatalous money economy
rahaton penniless, destitute; (ark) broke
raha tulee rahan luo money makes money
rahatulo income
rahavarat funds, money, financial resources
rahdata 1 (tavara) ship, freight-forward **2** (alus) charter
rahi stool
rahina rasp(ing noise)
rahka baker's cheese, sour cream
rahoissaan in the money, flush
rahoittaa pay for, finance, fund, support financially, provide financial/ monetary support/backing (for); (ark) bankroll; (sponsoroida) sponsor
rahoittaja (financial) backer, underwriter, (mesenaatti) patron, (sponsori) sponsor
rahoitus financing, funding, (financial) support/backing
rahtaus 1 (tavaran) shipping, freight-forwarding **2** (aluksen) chartering
rahti freight
rahtikulut freight charges
rahtilaiva freighter
rahtitavara freight, (laivan) cargo, (lentokoneen) air freight
rahvaanomainen common, vulgar
rahvas the peasantry, common/ ordinary people/folk(s)
raide track, (mon) rails saapua raiteelle 2 arrive at track 2 suistua raiteilta be derailed mennä pois raiteiltaan (ihminen) get off track pysyä raiteillaan (ihminen) stay on track

raideleveys 1 (rautatien) (track) gauge **2** (auton) track
raihnainen decrepit, feeble, frail
raikas fresh, refreshing
railakas 1 (rempseä) rollicking, lively, vivacious **2** (roima) daring, adventuresome
railakkaasti boisterously, rambunctiously
railo crack in the (melting) ice
raiskaaja rapist
raiskata rape
raiskaus rape
raisu rambunctious, boisterous, rollicking
raisusti rambunctiously, boisterously
raitiovaunu tram, streetcar
raitis 1 fresh mennä haukkaamaan raitista ilmaa go out for a breath of fresh air **2** (selvä) sober **3** (absolutistinen) teetotaling; (juoppo) on the wagon Hän on täysin raitis He never touches a drop, he doesn't drink
raitti main street
raittius 1 (ei ole juonut) sobriety **2** (ei koskaan juo) teetotaling, abstinence; (hist) temperance
raittiusliike the Temperance Movement
raivata clear
raivata joku tieltään get/push someone out of your way, do away with someone
raivata pöytä clear the table
raivata tie 1 (metsikön läpi) blaze a trail (through a forest) **2** (väkijoukon läpi) make/push/elbow your way (through a crowd) **3** (huipulle) climb the ladder (to success)
raivaus clearing
raivo s **1** (suuttumus) rage, fury **2** (takaraivo) back of the head adj raging, furious
raivoisa raging, furious
raivoisasti furiously
raivokas frantic, frenetic, fierce
raivokkaasti frantically, frenetically, fiercely
raivokohtaus (aikuisen) fit of rage; (lapsen) temper tantrum saada raivokohtaus (aikuinen) fly into a rage/fury; (lapsi) throw a (temper) tantrum
raivonpuuska fit of rage/anger
raivopäinen raging
raivoraitis s fanatic teetotaler, antirum crusader adj teetotaling
raivostua get furious, get mad as hell, lose your temper, fly off the handle, blow your top, blow a fuse, hit the roof
raivostuttaa make you furious/mad, infuriate
raivostuttava infuriating
raivostuttavasti infuriatingly
raivota rage, storm/stomp around furiously, rant and rave
raivotauti rabies
raja 1 (maantieteellinen) boundary (line), border(line), (raja-alue) frontier, (kaupungin) (city) limit, (maalaiskunnan) (county) line sulkea raja close the border kaupungin rajojen sisällä within the city limits **2** (yhteiskunnallinen, henkinen) limit, bound, confine Hänen ilollaan ei ollut mitään rajoja Her joy knew no bounds, was unbounded ylittää sopivaisuuden rajat transgress/exceed the bounds of decorum vetää raja draw the line **3** (urh) line
rajakauppa border trade
rajaliikenne border traffic
rajallinen limited, restricted
rajallisuus limitation, restriction
rajankäynti 1 (pol) demarcation **2** (muu) defining the boundaries
rajansa kaikella you've got to draw the line somewhere
rajapyykki boundary marker
rajaselkkaus border incident
rajaseutu border district, (sivilisaation ja erämaan välillä) frontier
rajassa katon rajassa up by the ceiling, just under the ceiling, at the top of the wall
rajata 1 (vetää rajat) mark (the boundaries), demarcate **2** (rajoittaa) limit, restrict, confine **3** (hiuksia) trim (the edges)
rajatapaus borderline case

rajatilapsykoosi borderline pyschosis
rajaton limitless, unlimited, unrestricted, boundless, unbounded, infinite; (valta) absolute
rajattomasti limitlessly, without restriction, boundlessly, infinitely
rajaus marking, demarcation, limiting, restricting, confining, trimming (ks rajata)
rajautua border (on), be bounded by
rajavartiolaitos border guard
rajavartiosto border guard post
rajoilla toimeentulon rajoilla at the lower limits/level of subsistence Se oli niillä rajoilla, ettei ollut rivoa It was right on the dirty edge of being obscene, it bordered on the obscene
rajoissa jonkin rajoissa within the limits/bounds/confines of juuri ja juuri säädyllisyyden rajoissa marginally decent/acceptable, just barely within the bounds/confines of decency
rajoittaa 1 limit, restrict, confine, check **2** (olla rajana) border
rajoittamaton unlimited, unrestricted, unconfined, unchecked
rajoittamattomasti without limitation/restriction, freely
rajoittautua limit/restrict/confine yourself
rajoittua 1 (olla jonkin rajalla) border (on), be bounded by **2** (olla rajoitettuna) be limited/restricted/ confined (to) **3** (rajoittautua) limit/restrict/confine yourself
rajoitus limit(ation), restriction, check nopeusrajoitus speed limit
raju fierce, violent rajut bileet a wild party
rajuilma storm
rajumyrsky hurricane
rajusti fiercely, violently; (paljon) tons, scads, piles
rakas s love, sweetheart, darling; (ark) honey, sweetie, baby
adj loving, beloved, sweet, darling, dear; (ark) lovey
rakastaa love
rakastaja lover
rakastajatar lover, mistress
rakastavainen lover, (ark) lovebird
rakastella make love
rakastelu lovemaking
rakastettu beloved
rakastua fall in love with
rakeinen granular, (filmi) grainy
rakeisuus granularity, graininess
rakenne 1 structure, construction rakenteilla under construction **2** (koostumus) composition, (ark) makeup
rakennella build
rakennemuutos structural change/ shift hallittu rakennemuutos controlled structural transition
rakennetekijä structural factor
rakennus 1 (talo) building **2** (rakentaminen) building, construction
rakennusaine building material
rakennusala construction
rakennushanke building/ construction project
rakennuskaava building plan
rakennuskustannukset construction costs
rakennuslupa building permit
rakennusmestari building contractor
rakennusoikeus permitted building volume
rakennuspaikka building/ construction site
rakennussuunnittelu building/ construction planning
rakennustaide architecture
rakennustarvike building/ construction supply
rakennustekniikka structural engineering
rakennustyö construction (work)
rakennustyöläinen construction worker
rakennustyömaa building site
rakennusurakoitsija (building) contractor
rakennusvaihe phase of construction
rakennuttaa have built, (ark) build
rakennuttaja developer
rakentaa build, construct, (ark) put up

rakentaa jonkin varaan (kuv) count/rely/go on something
rakentaa rauhaa work for peace
rakentaa sovintoa take steps toward reconciliation, make conciliatory gestures
rakentaa uudelleen rebuild, reconstruct
rakentaja builder
rakentava constructive
rakenteellinen structural
rakenteellisesti structurally
rakenteinen (talo) of (a certain type) of construction; (vartalo) of (a certain type) of build
rakentua 1 (koostua jostakin) be made/composed of **2** (perustua jollekin) be based on
raketti rocket
rakkaus love tehdä jotakin rakkaudesta do something for love
rakkauselokuva romantic movie
rakkausromaani romance
rakkaussuhde love affair
rakki mutt
rakkine (auto) beater, piece of junk
rakko 1 (virtsarakko) bladder tyhjentää rakkonsa relieve yourself, urinate; (ark) take a piss **2** (rakkula) blister
rakkula blister; (lääk myös) cyst
rako 1 hole, gap, chink tirkistää oven raosta peek from behind the door paistaa pilvien raosta peek from behind the clouds **2** (välimatka) gap, distance juosta rako umpeen close the gap
rakoilla 1 split, crack, break up Iltapäivällä pilvipeite rakoilee (We'll see) decreasing cloudiness in the afternoon **2** (avioliitto tms) be on the rocks
raksahdus click(ing)
raksahtaa click
ralli rally ajaa rallia korttelin ympäri cruise the loop
ralliajaja rally driver
ralliauto rally car
ralliautoilu rally driving
ramaista Minua ramaisee I'm dead beat, I'm exhausted
rampa cripple, (työkyvytön) disabled, (ontuva) lame
ramppi 1 (teatterissa) stage front, footlights **2** (auton) ramp
ramppikuume stage fright
rangaista punish, penalize, mete out a penalty/punishment
rangaistus punishment, penalty saada rangaistus be punished (for) määrätä rangaistus penalize (someone for), inflict/impose a punishment/penalty (on someone for)
ranka 1 (puun) (disbranched/ long-length) log **2** (kasvin) stem
rankaiseminen punishing, penalization
rankaisu punishment
rankka heavy, hard rankka päivä tough/hard day
rankkasade downpour, cloudburst
ranne wrist
ranneke 1 (hihansuu) cuff **2** (rannekellon hihna) wristband
rannekello wristwatch
rannerengas bracelet
rannikko coast, (merenranta) shore
rannikkoalue coastal region/area
rannikkokalastus offshore fishing
rannikkokaupunki coast city
rannikkovartiosto coast guard
Ranska France
ranska French
ranskalainen s Frenchman, Frenchwoman
adj French
ranskalaiset (ihmiset) the French, (perunat) (French) fries
ranskanleipä French bread
ranskannos French translation
ranskanperunat (French) fries
ranta beach, (sea-/lake-)shore, (joen) bank Länsiranta the West Bank kautta rantain indirectly, circuitously vastata kautta rantain beat around the bush
rantakaistale strip of beach(front property)
rantakallio cliff, palisade
rantalaituri dock
rantasauna lakefront/-side sauna
rantautua go/come ashore, (sot) hit the beach
rantavesi shallow water

raottaa open (something) a crack/ little, crack raottaa ikkunaa crack a window raottaa masennuksensa syytä hint at what's wrong
rapa mud, slush, mire
rapakko puddle; (Atlantti) the Pond rapakon takana across the Pond
rapakunto lousy shape
raparperi rhubarb
rapata plaster
rapautua (muuraus) crumble (away), (kallio) weather
rapea crisp(y), crunchy
rapina (kynän) scratching; (hiiren) scritching; (paperin) rustling
rapista 1 (ääni) scratch, scritch, rustle **2** (maali tms) peel, flake, come/drop off **3** (tiedot) get rusty
rapistella rustle
rapistelu rustling
rapistua 1 (talo tms) decay, deteriorate, become dilapidated, fall into disrepair, become ramshackle **2** (tiedot) get rusty **3** (kauneus) fade
rapistuminen decaying, deterioration, fading (ks rapistua)
raportoida report (on)
raportti report
rappaus plaster(ing)
rappeutua 1 (fyysisesti) decay, deteriorate, disintegrate, fall into disrepair/decay, become dilapidated **2** (henkisesti) (fall into) decay, become decadent, decline, go to (wrack and) ruin; (ark) go to pot/hell
rappio decay, decadence, decline, degeneration mennä rappiolle (kulttuuri) decline, degenerate, become decadent; (rakennus) fall into disrepair, become dilapidated/ ramshackle; (ihminen) decline, degenerate, go to seed/pot/the dogs, fall on evil days
rappiotila 1 (rappio) decay, decadence, decline, degeneration **2** (rappiolla oleva maatila) dilapidated/neglected farm
rappu step, (sisällä) stair
rappunen step, (sisällä) stair
rapsi rape
rapsuttaa scratch, rub
rapu 1 crab; (jokirapu) crayfish, (murt) crawdad **2** (horoskoopissa) Cancer
rasahdus (katkeavan oksan) snap, (paperin, puiden) rustle
rasahtaa snap, rustle
rasia box, container; (margariinia) tub; (savukkeita) pack
rasiallinen boxful
rasite 1 (taloudellinen) encumbrance **2** (henkinen) burden
rasittaa 1 (kiinnityksellä) encumber Taloa rasittaa kiinnelaina The house is mortgaged **2** (henkisesti) burden, weigh on, trouble, bother, strain Häntä rasittaa kaikki mitä minä teen Everything I do is a burden to him En halua rasittaa sinua näillä minun typerillä huolillani I don't want to burden/trouble/bother you with these petty cares of mine **3** (väsyttää) tire, weary, exhaust Kylläpä minua rasittaa tuommoinen I get so (sick and) tired of that **4** (silmiä tms) strain Et saisi rasittaa silmiäsi tuossa huonossa valaistuksessa You shouldn't strain your eyes reading in that poor light
rasittava burdensome, troublesome, bothersome, tiring, wearying, exhausting (ks rasittaa)
rasitus 1 (kiinnitys) encumbrance rasituksista vapaa free of all (liens and) encumbrances **2** (henkinen) burden, strain **3** (fyysinen) strain, stress, tiredness, weariness
raskaanpuoleinen heavyish, on the heavy side
raskaasti heavily ottaa raskaasti take something hard erehtyä raskaasti make a grievous/grave error/mistake Jos luulet että minä tulen sinne, erehdyt raskaasti If you think I'm coming with you, think again
raskas 1 heavy; (vakava) serious, greivous, grave; (kova) hard, tough **2** raskaana pregnant; (ark) PG, have a bun in the oven; (ylät) great/big with child tulla raskaaksi get pregnant
raskaslukuinen heavy, hard-to-read Se on kyllä aika raskaslukuinen It's pretty tough sledding

raskasmielinen melancholic, heavy-hearted
raskas sarja heavyweight
raskassoutuinen 1 (järjestö tms) slow to act, unwieldy, ponderous **2** (tyyli) ponderous, heavy, hard to read
raskas uni sound sleep
raskaus 1 (paino) heaviness, weight **2** (vakavuus) seriousness, gravity **3** (raskaustila) pregnancy
raskausaika gestation period (ark ei naisista), duration of pregnancy
raskausarvet striae, (ark) stretch marks
raskauskuukausi month of pregnancy
raskauttaa 1 (mieltä) burden, weigh on **2** (rikosta) aggravate raskautettu pahoinpitely aggravated assault
raskauttava aggravating
rassata 1 (putsata) clean **2** (korjailla) work on, fix up **3** (vaivata) bother, nag at Mua koko ajan rassaa tuo eilinen I can't get my mind off what happened yesterday
rassu poor (man/woman/boy/girl/dog/jne)
rasteri screen
rasti (merkki) check, (risti) cross, X merkitä rasti ruutuun jossa check the box which
rasva 1 (eläimen) fat, (juokseva) grease **2** (tekn) grease, lubricating oil, lubricant **3** (ihovoide) skin oil/cream/lotion **4** (huulirasva) chapstick, lip balm
rasvaantua get greasy
rasvaimu liposuction
rasvainen 1 (liha) fatty **2** (moottori, iho, tukka) greasy, (tukka myös) oily **3** (tekn: lihava) fat **4** (rivo) filthy, dirty, disgusting, gross
rasvakudos fat tissue
rasvankäry smell of burnt grease
rasvata 1 (moottoria tms) grease, oil, lubricate; (ark) lube **2** (ihoa: öljyllä) rub (someone/yourself) down with oil; (ihovoiteella) apply skin cream/lotion **3** (huulia) put chapstick on
rasvatahra grease spot
rasvaus lubrication, (ark) lube
rata 1 (rautatie) railroad (line), (ark) the tracks radan väärällä puolella on the wrong side of the tracks **2** (juoksurata: koko kenttä) track, (kaista) lane; (hevos-/autorata) racetrack, (autorata myös) speedway; (moottoripyörille) course **3** (planeetan, kuun) orbit, (komeetan) track **4** (luodin, keihään) trajectory **5** (elämän) course; (ajatusten) train, chain
ratapiha trainyard
ratapölkky cross-tie
ratas (cog)wheel juuttua byrokratian rattaisiin get caught/tangled/meshed up in the wheels/machinery of bureaucracy ratas mammuttiyhtiön koneistossa a cog in the wheel of the mammoth company
ratifioida ratify
ratifiointi ratification
rationaalinen rational
rationalisoida improve (something's) efficiency, make (something) more efficient
rationalisointi efficiency-improvement
ratkaisematon unsolved, undecided, unsettled; (peli) tied; (kysymys) open; (päätös) pending; (mat = funktio) implicit
ratkaiseva decisive, deciding, determining, critical, crucial, conclusive
ratkaista 1 (ongelma; myös mat = yhtälö) solve mahdoton ratkaista insoluble, impossible to solve **2** (erimielisyys: oikeussalin ulkopuolella) settle (out of court), (oikeudessa) adjudicate **3** (oikeusjuttu) judge, pronounce judgment on, decide ratkaista jonkun kohtalo decide someone's fate ratkaista kantajan/vastaajan hyväksi find for the plaintiff/defendant **4** (äänestys) decide, be the deciding vote, be decisive/critical/crucial **5** (sauma) rip, tear
ratkaisu solution, settlement, judgment, decision (ks ratkaista)
ratkaisuvaihe the decisive/critical/crucial phase/stage/moment
ratketa 1 (revetä) split/burst (at the seams), come/pull/tear apart Taivas ratkesi ja vesi valui virtanaan The clouds/sky burst (open) and the rain

poured down **2** (selvitä) be solved/decided/settled/determined **3** (ruveta) start, burst out ratketa nauruun burst out laughing (ks myös hakusanat)
ratketa itkuun burst out crying, burst into tears, break down and cry/bawl (like a baby)
ratketa laulamaan burst into song
ratketa ryyppäämään hit the bottle, go off on a drunken binge, break down and start (doing a little "controlled") drinking
ratki adj (ratkennut) open, split, burst adv (ylen) utterly, completely ratki mahdoton out of the question
ratki riemukas uproariously/hilariously funny
ratkoa 1 (sauma tms) unpick, unstitch, undo **2** (ongelma) solve
ratsain on horseback
ratsastaa ride ratsastaa ilman satulaa ride bareback
ratsastaa aallon harjalla ride the crest of the wave
ratsastaa aatteella crusade on a single issue, make a (political) crusade out of a cause
ratsastaa jonkun menestyksellä ride (along) on someone's coattails, cash in on someone else's success
ratsastaja rider, horse(wo)man, equestrian; (kilparatsastaja) jockey Yksinäinen Ratsastaja the Lone Ranger
ratsastus (horseback) riding, equestrianism
ratsia 1 (taloon tms) (police) raid tehdä ratsia juhliin raid a party **2** (tien poskessa) stop check
ratsu 1 (hevonen) horse, mount, (run) steed **2** (shakissa) knight
ratsuhevonen horse, mount, (run) steed
ratsupoliisi mounted police
ratsuväki cavalry
rattaat 1 (kärry) cart panna rattaat hevosen eteen put the cart before the horse **2** (lasten) stroller
ratti (steering) wheel ratissa at the wheel
rattijuoppo drunken driver
rattijuoppous drunken driving, drinking and driving; (lak) driving while/under the inthence, DWI/DUI
rattoisa enjoyable, convivial Meillä oli rattoisaa We had a great time, we had fun
rattoisasti enjoyably, convivially
raudanluja (as hard as) iron, steely
raudoittaa reinforce (with iron) raudoitettu betoni reinforced concrete
raudoitus reinforcement
raueta 1 (lak: sopimus) expire, (vakuutus) lapse **2** (talo) tumble down, collapse **3** (neuvottelut) break down; (hanke) come to nothing, fall through, fail, miscarry
rauha peace Mitä sinun rauhaasi kuuluu? How are you doing? What's new with you? What's up? Hän ei ole antanut minulle hetkenkään rauhaa She hasn't given me a moment's rest/peace
rauhaisa peaceful, quiet, serene, tranquil
rauhallinen 1 (ilta tms) peaceful, quiet, restful, serene, tranquil **2** (ihminen) calm, quiet **3** (olo) blissful, serene, untroubled **4** (vauhti) slow, unhurried, unrushed
rauhallisesti peacefully, quietly, restfully, serenely, tranquilly, calmly, blissfully, slowly (ks rauhallinen)
rauhallisuus peace(fulness), quiet, serenity, tranquility, calmness, bliss(fulness), slow/unhurried pace (ks rauhallinen)
rauhanaate pacifism
rauhanaloite peace initiative
rauhanen gland
rauhanhalu desire for peace
rauhanliike peace movement
rauhanneuvottelut peace negotiation
rauhanomainen rinnakkaiselo peaceful coexistence
rauhansopimus peace treaty
rauhanteko signing a peace treaty
rauhantila state of peace, (rauhanaika) peacetime
rauhanturvajoukot (U.N.) peacekeeping forces

rauhantyö work for peace
rauhassa in peace jättää joku rauhaan leave someone alone/in peace Ole ihan rauhassa! Don't worry about it, don't trouble yourself over it, forget it; (kyllä minä hoidan sen) rest assured that I'll handle it Tee se kaikessa rauhassa Take your time
rauhaton 1 (fyysisesti: yksilö) restless; (kaupunki tms) troubled heittelehtiä rauhattomana koko yön toss and turn restlessly all night Beirutissa on taas rauhatonta There is unrest in the streets of Beirut once again **2** (henkisesti) troubled, uneasy, worried, anxious
rauhattomuus 1 (fyysinen) restlessness, unrest **2** (henkinen) unease, worry, anxiety
rauhoittaa 1 (tyynnyttää) pacify, appease, reassure, calm/quiet (someone) (down) **2** (lääkitä: hermoja) calm; (vatsaa) settle **3** (suojella) protect, preserve
rauhoittava lääke tranquilizer, (ark) trank
rauhoittua calm/quiet/settle down
rauhoitusaika closed (game) season
raukaista Minua raukaisee **1** (väsyttää) I'm bushed/tired, I can hardly move a muscle, I feel like I've been through a wringer **2** (rentouttaa, esim sauna) I feel relaxed/calm
raukea 1 (hervoton) limp, listless, languid **2** (rento) relaxed, calm, drowsy
raukka 1 (ressukka) poor thing **2** (pelkuri) coward, (ark) chicken, scaredy-cat
raukkamainen 1 (pelkurimainen) cowardly, (ark) chicken **2** (alhainen) despicable, contemptible, mean
raukkamaisesti 1 (pelkurimaisesti) like a coward, in a cowardly fashion **2** (alhaisesti) despicably, contemptibly
raukkamaisuus 1 (pelkuruus) cowardice **2** (alhaisuus) meanness, baseness
raunio 1 (rakennuksen) ruin, (lentokoneen tms) wreck(age) **2** (ihminen) wreck hermoraunio nervous wreck
raunioitua fall into ruin
rauniokaupunki ruined city
rausku ray
rauta 1 iron liian monta rautaa tulessa too many irons in the fire takoa kun rauta on kuumaa strike while the iron is hot **2** raudat (kahleet) chains, (käsiraudat) (hand)cuffs, (jalkaraudat) leg-irons **3** raudat (hampaissa) braces **4** (auto) wheels Amerikan rauta American car, (iso) dinosaur, (isoruokainen) gas-guzzler
rautaesirippu Iron Curtain
rautainen 1 (of) iron, steely rautaiset hermot nerves of iron, steely nerves **2** (sl) hot, dynamite
rautaisannos concentrated dos(ag)e
rautakaivos iron mine
rautakauppa hardware store
rautakausi Iron Age
rautalanka wire
rautamalmi iron ore
rautaromu scrap iron
rautaruukki iron works
rautateitse by rail
rautatie railroad
rautatieasema railroad/train station
rautatieliikenne rail traffic
rautatieläinen railroad worker
rautatievaunu railroad/train car
rautatieyhteys train connection
ravata 1 (hevonen) trot **2** (ihminen ympäri kaupunkia) run (all over town)
ravi trot, (mon) the (horse) races
ravihevonen trotter
ravinne nutrient
ravinnonhaku foraging
ravinnonsaanti nourishment
ravinnontarve nutrient/food requirements
ravinto nourishment, nutrition; (ruoka) food; (ravintoaine) nutrient
ravintoaine nutrient
ravintoarvo nutritional value
ravintola restaurant
ravirata race track
ravistella shake
ravistelu shake, shaking
ravita nourish, feed huonosti ravittu undernourished, malnourished
ravitsemus nutrition

reaaliaineet arts and sciences
reaalipääoma real capital
reagoida react/respond (to)
reagointi reaction, response
reaktio reaction, response
reaktioaika reaction/response time
reaktionopeus reaction rate/speed/ velocity
reaktori reactor
realismi realism
realisti realist
realistinen realistic
realistisesti realistically
realiteetti reality, fact elämän realiteetit the (hard) facts of life
referoida summarize
refleksi reflex
refleksiivinen reflexive
reformi reform
regressiivinen regressive
rehdisti honestly, with integrity, up front
rehellinen 1 (vilpitön) honest, straightforward, frank **2** (kunniallinen) respectable, reputable **3** (todellinen) real, true
rehellisesti honestly, straightforwardly, frankly
rehellisyys 1 honesty, straightforwardness, frankness **2** (kunniallisuus) respectability, reputability, (luonteen lujuus) integrity
rehennellä boast, brag, talk big, swagger
rehentely boasting, bragging, big talk, swaggering
rehevyys 1 (metsä) lushness, luxuriance, luxuriant/thick/dense growth **2** (tyyli) exuberance, expansiveness, earthiness
rehevä 1 (vehmas, myös kuv) lush, rich, luxuriant **2** (tiheä, esim kasvillisuus) dense, thick **3** (elämäniloinen, esim tyyli) exuberant, expansive, earthy **4** (uhkea, esim emäntä) ample, buxom **5** (rehvakka) big-/swell- headed, cocky
rehevästi lushly, richly, luxuriantly, densely, thickly, exuberantly, expansively, earthily (ks rehevä)
rehevöittää 1 (järvi) make/render (a lake) eutrophic, grow algae **2** (tyyliä tms) spice/liven up, enliven
rehevöityminen entrophication
rehevöityä (järvi) become entrophic
rehkiminen hard work, drudgery
rehkintä drudgery
rehkiä work hard/like a dog/your ass off, slave away
rehottaa 1 (kasvi: kukat tms) flourish, be lush/thick/green; (rikkaruohot) grow/ be rank **2** (synti tms) be rife/rampant
rehti honest, upfront, straightforward
rehtori (Suomi) rector; (US: koulun) principal, (yliopiston) president
rehu feed
rehvakas self-important, swaggering; (ark) big-/swell-headed, cocky
rehvakkaasti self-importantly, boastfully, swaggeringly, cockily
rehvastella boast, brag, swagger, talk big
rehvastelu boasting, bragging, swaggering, big talk
rei'itin hole-punch, (tekn) perforator
rei'ittää (esim mappia varten) punch holes (in); (tekn) perforate
rei'itys hole-punching, (tekn) perforation
reikä hole laitattaa reiät korviinsa have your ears pierced
reikäinen 1 (predikaattina) holey, full of holes; (tekn) perforated **2** (yhdyssanoissa) -hole 9-reikäinen golfrata nine-hole golf course
reikäkortti punch card
reikälevy (television) shadow mask
reilassa (kunnossa) okay, all right; (järjestyksessä) all set up
reilu 1 (rehti) honest, upfront, straightforward reilu kaveri a good/great guy **2** (oikeudenmukainen) fair Se ei ole reilua! It's not fair! **3** (runsas: antelias) generous, (enemmän kuin) a good reilu annos a generous helping reilut 10 m a good ten meters **4** (kunnollinen) good, real, proper Reilu riita on parempi kuin puolinainen sovinto A good (honest) fight is better than half-hearted harmony
reilu peli fair play, good sportsmanship

reimari spar-buoy
reinkarnaatio reincarnation
reipas 1 (pirteä) lively, perky, peppy **2** (rivakka) peppy, brisk, snappy, **3** (innokas) eager, enthusiastic, willing **4** (kiltti) good Oletpas sinä reipas poika kun autat! You're such a good helper/boy
reisi thigh
reisiluu thighbone, femur
reissu trip
reistailla act up, give you trouble, have something wrong with it
reitti route Reitti on selvä The coast is clear
reiällinen (something) with holes/a hole (punched) in it, perforated
reiätön (something) with no hole(s) (in it), unperforated
reki sleigh
rekisteri register
rekisterikilpi license plate
rekisteriote registration, (certificate of) title
rekisteröidä register
rekisteröinti registration
rekka 1 (puoliperävaunu) semi-trailer, (ark) semi **2** (rekka-auto) truck and trailer, (ark) truck, semi
rekkakuski truck driver
rekonstruoida reconstruct
reksi (Suomi) rector, (US) principal
rekyyli recoil, (ark) kick
rekyylitön recoilless, non-recoiling
relatiivilause relative clause
relatiivinen relative
relatiivipronomini relative pronoun
relativismi relativism
rele relay
reliefi relief
rellestys binge
rellestää kick over your traces, go wild, let loose
remmi (hihna), strap, (talutushihna) leash, (nahkanuora) thong joutua remmiin get put to work astua remmiin take charge
remontoida remodel, fix (something) up; (sisustaa uudelleen) redecorate; (entisöidä) renovate
remontti remodeling, redecoration, renovation
rempallaan in a shambles/jumble/ muddle, slipshod
rempseä happy-go-lucky, easy-going
remu noise, din, racket
remuta live it up, party (noisily), kick up your heels
renessanssi Renaissance
rengas 1 (ympyrä) ring, circle **2** (auton) tire
rengasrikko flat tire, blowout
rengastaa 1 (lintu) band **2** (oikea vastaus) circle
renki hired hand
rennosti (puhua) casually, offhandly, freely and easily ottaa rennosti take it easy
rento 1 (veltto) limp, relaxed **2** (rempseä) relaxed, casual, offhand, free and easy rento asu casual outfit/dress
rentous 1 (velttous) limpness **2** (rempseys) casualness, casual/offhand manner
rentouttaa relax
rentoutua relax
rentoutuminen relaxation
rentoutus relaxation, (esim lomalla) recreation
renttu bum, derelict
repaleet rags, tatters
repaleinen tattered, ripped, torn
repeentyä rip, tear, split
repeytyä rip, tear, split
repeäminen ripping, tearing, splitting
repeämä rip, tear, split; (lääk) rupture
repiä rip/tear (up/apart) (myös kuv) Tämä asia repii minua I feel torn (in two) over this
repliikki 1 (vastaus) reply, retort **2** (näytelmässä) line
reportaasi coverage, (pitempi raportti) reportage
reportteri reporter
repostella pull/tear (something) apart, air (something) in public
repostelu public airing
reppana poor thing
reppu (back)pack
republikaani Republican

republikaaninen Republican
reputtaa fail, (ark) flunk
repäisevä 1 exciting, rousing; (uutisjuttu) sensational Mitäs repäisevää tehtäis? Let's think of something exciting to do **2** (ihminen) inspiring, dashing, charismatic
repäistä rip, tear
repäisy rip, tear
resepti 1 (ruoka) recipe **2** (lääke) prescription
reservaatio reservation
reservaatti 1 (intiaani) reservation **2** (eläin) (wildlife) preserve
reservi reserve olla reservissä (sot) be in the Reserves; (varalla) be in reserve
reserviläinen reserve
reserviupseerikoulu Reserve Officers Training Corps, ROTC
resiina handcar
reskontra ledger
resonoida resonate
ressu poor thing
restauroida restore, renovate
restaurointi restoration, renovation
retale 1 (rääsy) rag **2** (renttu) bum, derelict, dirt-bag
retiisi radish
retkahtaa 1 (tuoliin) fall/drop/plop (down in) **2** (johonkuhun) fall for (someone) **3** (juomaan) break down and start, go/fall off the wagon
retkallaan hanging/drooping (down)
retkeilijä 1 (rinkkaretkeilijä) hiker, backpacker **2** (retkikunnan jäsen) member of an expedition **3** (löytöretkeilijä) explorer
retkeillä hike, backpack, go hiking/backpacking/camping
retkeily hiking, backpacking, camping
retkeilymaja youth hostel
retki 1 trip, outing, excursion; (luokkaretki) field trip; (eväskorin kanssa) picnic; (päivämatka) day-trip **2** (tutkimusretki) expedition
retkikunta expedition
retku 1 (rääsy) rag **2** (retale) bum, derelict
retoriikka rhetoric
retorinen rhetorical
rettelö brawl, rumble
rettelöidä brawl, rumble, make trouble, pick/start a fight
retuperällä in a shambles/jumble/muddle, slipshod
retuuttaa 1 (kantaa) drag/haul/lug (something around) **2** (johdatella) pull/yank (someone by the arm)
reuhka vanha lakin reuhka a tattered/beatup old hat
reuma rheumatism
reumatismi rheumatism
reuna 1 edge, side, border tien reunalla by the edge/side of the road, on the shoulder **2** (paperin) margin, border **3** (parras) edge, brink **4** (kupin) brim vuotaa yli reunojen overflow **5** (uima-altaan) coping
reunahuomautus 1 (paperiin) marginal note, (mon) marginalia **2** (kuv) aside
reunempana closer to the edge/side/brink
reunimmainen (the one) closest to the edge, outermost
reunus border, trimming, edging
reunustaa 1 (laittaa reunus) edge, trim **2** (muodostaa reunus) line puiden reunustamat kadut tree-lined streets
revalvaatio revaluation
revetä 1 rip, tear **2** (lääk) rupture
revolveri revolver, pistol
revolverisankari gunslinger
revontuli northern lights, aurora borealis
revyy revue, show/chorus line
revähdys 1 (venähdys) sprain; (lievä) strain, pull **2** (repeämä) rupture
revähdyttää sprain, strain, pull; rupture
revähtää get sprained/strained/pulled/ruptured
Rh-tekijä Rh factor
rieha happening, shindig
riehaantua get excited, get worked/jazzed up
riehakas rowdy, rambunctious, boisterous
riehakkaasti rowdily, rambunctiously, boisterously

riehakkuus rowdiness, rambunctiousness, boisterousness
riehua rage, storm, go on (at full blast/tilt)
riehunta raging, storming
riekale rag, tatter Minulla on hermot ihan riekaleina I'm just about at the end of my tether/rope, I'm at my wits' end, my nerves are shattered, I'm teetering on the brink of a nervous breakdown
riekko willow ptarmigan
riemastua be delighted/overjoyed
riemu delight, joy
riemuita delight/rejoice (in), be delighted/overjoyed
riemukaari (Roomassa tms) triumphal arch; (Pariisissa) l'Arc de Triomphe, the Arch of Triumph
riemunkirjava gaudy, garish, showy
riemusaatto triumphal procession
riena 1 (rienaus) blasphemy **2** (kirous) curse **3** (riesa) nuisance, bother
rienaaja blasphemer
rienata blaspheme
rienaus blasphemy
riento 1 (ajan) passage, rushing past; (virran) flowing; (pilvien) scudding (across the sky) **2** (kiirehtiminen) rushing, hurrying **3** (puuhailu) activity, busyness poliittiset riennot political activities
rientää rush, hurry rientää apuun rush to (someone's) aid, hurry to the rescue Aika rientää Time flies
riepotella 1 (fyysisesti) mangle, maul, manhandle **2** (sanallisesti) criticize (in detail), tear (something) to shreds, chew (something) up and spit it out
riepottaa drag/haul/lug (something) along behind you
riepottelu manhandling, criticism
riepu rag
riesa nuisance, bother
rieska unleavened bread
rietas indecent, obscene, lewd
rietastella debauch, be licentious/ dissipate/depraved, live a life of debauchery
riettaasti indecently, obscenely, lewdly
riettaus indecency, obscenity, lewdness
rihkama trinkets, gewgaws, knickknacks, junk
rihla 1 (aseen, myös tekn) rifle, groove **2** (tekn myös) flute, furrow
rihlaamaton (ase) unrifled, smoothbore
rihlata 1 (aseen, myös tekn) rifle, groove **2** (tekn myös) flute, furrow
rihlattu rifled
rihma 1 (siima) line **2** (ansa) spring-trap/-snare **3** (lanka) thread Hänellä ei ole rihman kiertämääkään päällä He doesn't have a stitch (of clothing) on
rihman kiertämä a stitch of clothing
rihmasto mycelium
riidanaihe bone of contention
riidanhaastaja quarrelmonger, someone who's looking for a fight
riidanhaluinen quarrelsome, ornery
riidaton 1 (ei voi kiistää) indisputable, unquestionable **2** (ei ole kiistetty) undisputed, unquestioned
riidellä fight, argue, bicker, quarrel En viitsi riidellä sinun kanssasi I don't want to fight with you
riihi drying barn
riikinkukko peacock
riikinruotsi High/Standard Swedish, Swedish Swedish
riimi rhyme
riimittää rhyme
riimu 1 (päitset) halter **2** (kirjoitus) rune
riimukirjoitus rune, runic script
riippua 1 (fyysisesti) hang/dangle (from), be suspended (from) **2** (kuv) depend (on) Sehän riippuu kokonaan sinusta That's entirely up to you riippuen siitä onko depending on whether
riippumaton independent, (valtio myös) autonomous taloudellisesti riippumaton financially independent/self-supporting, on your own
riippumatta 1 (siitä että) despite the fact that, in spite of the fact that **2** (siitä onko) whether or not, irrespective/ regardless of whether **3** (toisistaan) independently

riippumatto hammock
riippumattomuus independence, autonomy
riippuvainen dependent (on)
riippuvaisuus dependency
riipus pendant olla riipuksissa be hanging/dangling/drooping down
riiputtaa hang, dangle
riisi 1 (paperia) ream **2** (ruokaa) rice
riista game
riistanhoitaja game warden
riistanhoito preservation/protection of game
riisto oppression, exploitation
riistäjä oppressor, exploiter
riistäytyä 1 (käsistä fyysisesti) tear (yourself) away, break/twist/wriggle away, wriggle/slip out of your/someone's grip **2** (käsistä kuv) get out of hand
riistää 1 (viedä käsistä) take, rip, wrench, snatch **2** (viedä kuv) deny (someone something), deprive (someone of something), take (something away) **3** (sortaa) oppress, exploit
riisua undress, strip; (ark = riisuuntua) get undressed; (kengät tms) take off
riisua joku aseista disarm someone (myös kuv)
riisua joltakulta harhakuvitelmat strip someone of his/her illusions, burst someone's bubble, puncture someone's pomposity
riisua joulukuusi take down a Christmas tree
riisua sielunsa paljaaksi bare your soul
riisua vaatteet take off your/someone's clothes, undress/strip (yourself)
riisua yläruumis alastomaksi strip/undress to the waist
riisuuntua (get) undress(ed), take off your clothes
riita fight, argument, quarrel, (knock-down) battle; (julkinen) controversy haastaa riitaa pick a fight, look for a fight sopia riita make up panna riita puoliksi reach a compromise
riitaantua fall out (with someone), have a falling-out (with someone)
riita-asia (lak) civil dispute/case/suit
riitainen 1 (riitaisa) quarrelsome, ornery **2** (kiistelty) disputed, contested
riitaisa quarrelsome, argumentative, ornery
riitaisuus argumentativeness, orneriness
riitakysymys controversial subject, bone of contention
riitapukari quarrelmonger, someone who's looking for a fight
riitapuoli party to a dispute, disputant
riiteleminen fighting, arguing, bickering, quarreling
riitely fighting, arguing, bickering, quarreling
riitti rite
riittoisa economical, long-lasting
riittämättömyys insufficiency, inadequacy
riittämättömästi insufficiently, inadequately, not enough
riittämätön insufficient, inadequate
riittävyys sufficient/adequate amount
riittävä sufficient, adequate riittävän usein often/frequently enough riittävä määrä lautasia enough plates
riittävästi enough, plenty
riittää be enough/plenty/sufficient, do Se riittää hyvinkin That'll be plenty, that'll do fine Jo riittää! That's enough! Rahani eivät riitä siihen I don't have enough money for that, I can't afford it Kyllä täällä töitä riittää There's plenty to do around here
riivaaja demon, evil spirit
riivata possess Mikä sinua riivaa? What's gotten into you? What's the matter with you? (miten saatoit tehdä noin:) What possessed you?
riivattu possessed; (ark = kirottu) damned
riivinrauta grater
riiviö rascal
rikas rich (myös kuv), wealthy, affluent, well-to-do
rikastaa (tekn) enrich, concentrate
rikastin (aut) choke

rikastua 1 (rahassa) get rich (off of), make your fortune (from) **2** (kokemuksissa) be enriched (by)
rikastuttaa (tehdä rikkaaksi) make (someone) rich; (parantaa) enrich
rike minor offense, misdemeanor
rikesakko traffic fine
Rikhard (kuninkaan nimenä) Richard
rikka 1 piece of trash/garbage/litter; (mon) trash, garbage, litter; (raam) mote **2** (aluslaatta) washer
rikkalapio dust pan
rikkaruoho weed
rikkaus wealth (myös kuv), affluence, riches
rikki s sulphur
adj, adv **1** broken, smashed, (ark) busted mennä rikki break, shatter, smash, get broken/busted **2** (revennyt) ripped, torn mennä rikki rip, tear **3** (kulunut läpi) worn out/through, (takki kyynärpäistä) out at elbows **4** (epäkunnossa) out of order mennä rikki go out of order, go on the fritz/blink, (auto) die
rikkihappo sulfuric acid
rikkinäinen 1 broken (myös kuv), smashed, (ark) busted rikkinäinen koti/ääni broken home/voice **2** (revennyt) ripped, torn, (kulunut) worn out
rikkinäisyys division, disunion, dissension
rikkiviisas 1 (viisasteleva) smart-/wise-ass **2** (turhan oppinut) abstract, academic
rikkoa break rikkoa ikkuna break/smash/shatter a window
rikkoa ennätys break a record
rikkoa hyviä tapoja vastaan commit a breach of decorum, transgress against common decency
rikkoa lakia break/disobey the law, commit a crime
rikkoa lupaus break a promise
rikkoa rauhaa disturb the peace
rikkoa sanansa go back on your word
rikkoa seteli break a bill Voitko rikkoa kympin? Can you break a ten? Do you have change for a ten?
rikkoa sopimus renege on a contract/agreement
rikkoa välinsä jonkun kanssa break off relations/your friendship with someone
rikkomus 1 offense, transgression (myös usk), crime, (lak) misdemeanor **2** (urh) foul
rikkonainen ks rikkinäinen
rikkoutua break (off/down), get broken
rikkuri scab
rikoksentekijä the perpetrator of a crime, (ark) perp
rikollinen criminal
rikollisesti criminally
rikollisjärjestö criminal organization
rikollisuus crime
rikos crime, criminal offense tehdä rikos commit/perpetrate a crime törkeä rikos felony
rikoselokuva crime movie, cop show
rikoslainsäädäntö criminal code
rikoslaki criminal law
rikospoliisi police
rikosrekisteri police record
rima 1 (puurima) lath, batten **2** (urh) (cross)bar ylittää rima clear the bar asettaa rima korkealle aim high, shoot for the stars riman reilusti alittava esitys third-rate performance
rimakauhu the jitters, butterflies in your stomach saada rimakauhu back/chicken out at the last moment
rimpsu 1 ruffle, flounce **2** (runo) jingle, ditty
rimpuilla struggle/wriggle/fight to get away
rinkeli bagel, (munkkirinkeli) doughnut
rinkka backpack
rinnakkain side by side; (kävellä) shoulder to shoulder, abreast; (istua leik) shank to flank asettaa rinnakkain juxtapose, set side by side
rinnakkainen 1 (muodoltaan, käytöltään) parallel, corresponding, interchangeable **2** (ajallisesti) simultaneous, contemporaneous
rinnakkaiselo rauhanomainen rinnakkaiselo peaceful coexistence

rinnakkaiskäsittely (tietokoneessa) parallel processing
rinnakkaisliitäntä parallel interface
rinnakkaismuoto parallel construction, variant (form)
rinnakkaisohjelma 1 (rinnakkaistaajuus) second/parallel radio station **2** (rinnakkaisohjelmointi) parallel radio programming
rinnakkaissuoritin parallel processor
rinnalla 1 (vierellä) next to, beside, at (someone's) side, alongside seisoa jonkun rinnalla (fyysisesti) stand next to someone; (kuv) be at someone's side, be there for someone päästä jonkun rinnalle come up alongside someone **2** (ohella) in addition to, alongside käyttää englantilais- englantilaista sanakirjaa suomalais-englantilaisen rinnalla use an English dictionary alongside the Finnish-English one **3** (verrattuna) compared to/with, next to, beside Sinun rinnallasi minä olen ruma ankanpoikanen Compared to you I'm an ugly duckling
rinnan alongside, (ajallisesti) simultaneously with rinta rinnan ks rinnakkain
rinnastaa 1 (samastaa) equate **2** (yhdistää) link, associate **3** (vertailla) compare **4** (kiel) coordinate
rinnasteinen coordinate
rinnastus 1 (vertaus) comparison, analogy **2** (kiel) coordination
rinnastuskonjunktio coordinating/correlative conjunction
rinne 1 slope, (laskettelurinne) ski slope **2** (maantiellä) gradient, grade **3** (mäenrinne) hillside, (vuorenrinne) mountainside
rinnus the front of a shirt tarttua jotakuta rinnuksista grab someone by the lapels
rinta 1 (rintakehä) chest **2** (naisen) breast; (ark) boob; (sl) tit, knocker; (mon) bust, bosom antaa lapselle rintaa breast-feed a baby, (vanh) give a baby suck **3** (linnun, elävänä ja syötävänä) breast **4** (tunne, sydän) heart (ks myös rinnalla, rinnan)
rintakehä chest
rintakipu chest pain
rintalapsi suckling, nursing infant
rintaliivit brassiere, (ark) bra
rintama (sot ja ilmatieteessä) front
rintamaa heartland
rintamamies veteran
rintamamieseläke veteran pension
rintaruokinta breast-feeding, nursing
rintasyöpä breast cancer
rintauinti breast stroke
ripa (kahva) handle
ripaska trepak, gopak
ripeys rapidity, promptitude
ripeä quick, rapid, prompt
ripeästi quickly, rapidly, promptly
ripittäytyä confess your sins, go to confession
ripittää 1 (usk) hear (someone's) confession **2** (ark) tell (someone) off
ripitys 1 (usk) confession **2** (ark) scolding
ripotella 1 (sokeria tms) sprinkle **2** (vaatteita tms) scatter, strew
ripottelu sprinkling, scattering, strewing (ks ripotella)
ripotus pinch
rippeet remnants, remains, scraps itseluottamuksen rippeet what's left/the remnants of your self- confidence
rippi 1 (ripitys) confession **2** (konfirmaatio) confirmation päästä ripille be confirmed
rippi-isä (father) confessor
rippikoulu confirmation class
rippikoululainen member of a confirmation class
rippikoululeiri confirmation camp
ripsi (eye)lash
ripsiväri mascara
ripsiä (vedellä) sprinkle
ripsu fringe
ripuli diarrhea
ripustaa hang (up/out), suspend
ripustin hanger
ripustus hanging, suspension
risa s **1** (nielurisa) tonsil **2** (riekale) rag, tatter, shred **3** ja risat (ark) -odd, -something 30 ja risat thirty- something/-

odd kuukausi ja risat a little over a month, a month plus, a month and a few odd days
adj (risainen) ripped, torn, tattered, in shreds
riskeerata (take a) risk
riski s risk
adj strong, hefty
riskipääoma venture capital
risoa Minua risoo tuommoinen That really grates on me
risotto risotto
risteilijä cruiser
risteillä **1** (laivalla) cruise **2** (mennä ristiin rastiin) crisscross
risteily cruise
risteilyohjus cruise missile
risteys intersection, crossing, crossroad(s), junction
risteyttää (eläimiä) cross(-breed), (kasveja) cross(-fertilize)
risteytys **1** (risteyttäminen) cross(breed-/fertiliz)ing **2** (risteymä) cross, hybrid
risteytyä cross (with)
risti **1** cross ristissä ks hakusana **2** (mus) sharp G-duurissa on yksi risti The key of G major has one sharp **3** (korteissa) club ristiässä the ace of clubs **4** (taakka) cross, burden Katso ristejäni, Herra! Look at the crosses I have to bear, Lord! olla ristinä jollekulle be a burden to someone
ristiaallokko cross-swell, chop(py sea)
ristiin panna kädet ristiin fold your hands mennä ristiin (kävellen, autolla) miss each other, (postissa) cross in the mail; (tarinat, väitteet) clash, not jibe, be discrepant puhua ristiin (yksi ihminen) contradict yourself; (useat) give contradictory/different accounts Sinä et ole pannut tikkua ristiin You haven't lifted a finger to help me
ristiinnaulita crucify
ristiin rastiin this way and that, every which way, here and there (and everywhere) mennä ristiin rastiin crisscross
ristikko crossword puzzle
ristikkäin **1** (ristissä) crossed, (kädet rinnalla) folded **2** (poikittain) crosswise, across
ristiminen christening, baptizing
ristinkuolema death on the cross, crucifixion
ristin sielu Siellä ei ollut ristin sielua There wasn't a soul there
ristiretkeläinen crusader (myös kuv)
ristiretki Crusade
ristiriita **1** (ihmisten välillä) conflict, clash, disagreement **2** (raporttien tms välillä) disagreement, discrepancy, inconsistency
ristiriitainen conflicting, clashing, discrepant, inconsistent (ks ristiriita)
ristiriitaisesti inconsistently
ristisanatehtävä crossword puzzle
ristissä jalat ristissä with your legs crossed, cross-legged kädet ristissä with your arms folded seisoa kädet ristissä kun joku muu tekee kaikki työt stand there twiddling your thumbs, with your hands in your pocket, with your thumb up your ass while someone else does all the work
ristituli crossfire
ristiä **1** christen, (nimetä) name, (kastaa) baptize **2** (kätensä) fold, clasp
ristiäiset christening, baptism
risu branch, (pieni) twig; (mon) brushwood
risuparta scraggly beard
ritari knight
ritistä crackle
ritsa slingshot
rituaali ritual
ritva (hanging) branch
riuhtaista yank, jerk, snatch, tug, pull
riuhtaisu yank, jerk, snatch, tug, pull
riuhtoa **1** ks riuhtaista **2** (rimpuilla) struggle, wriggle, fight
riuku pole, spar
riuska hard-working, industrious
riuskasti industriously
riutta reef
riutua (fyysisesti) waste away, (henkisesti) pine away
riveittäin by row

rivi row, line; (sot) rank (myös kuv) asettua riviin line up, (sot) fall in(to rank) koota rivinsä (kuv) close up/tighten your ranks lukea rivien välistä read between the lines kansan syvät rivit the people, the grassroots, (tavalliset ihmiset) the rank and file
Riviera the Riviera
rivikirjoitin line printer
rivinvaihto return, (tietok) enter
rivinväli spacing ykkös-/ kakkosrivinvälillä kirjoitettu single/ double-spaced puolentoista rivinvälillä kirjoitettu typed space and a half
rivistö 1 double file **2** (rivit) rows
rivitalo rowhouse, (kaksikerroksinen) townhouse
rivo obscene, (ark) dirty
rivosti obscenely
rivous obscenity, dirty word/joke
robotti robot
rockmusiikki rock music
rocktähti rock star
rodeo rodeo
rodullinen racial
rodullisesti racially
rohkaiseva encouraging
rohkaista encourage rohkaista mielensä screw up your courage
rohkaisu encouragement
rohkaisuryyppy bracer
rohkea 1 courageous, brave, bold, fearless, unafraid; (ylät) valiant **2** (uskalias) daring, suggestive, risqué
rohkea rokan syö nothing ventured nothing gained, fortune favors the brave
rohkeasti courageously, bravely, boldly, fearlessly, valiantly
rohkeus courage, bravery, boldness, fearlessness kerätä rohkeutensa screw up your courage menettää rohkeutensa lose heart, chicken out, have your heart in your boots
rohmuta hog, (hamstrata) hoard
rohto drug, medicine
rohtua (get) chap(ped)
rohtuma chap, (lääk) eczema
roihu blaze, blazing fire
roihuta blaze
roikka 1 (sakki) gang, crowd **2** (jatkoroikka) extension cord **3** (valoroikka) trouble light
roikkua 1 hang (down) Sitä ei päätetty, se jäi roikkumaan We didn't make a decision on it, we just left it hanging **2** (kiinni jossakin) hang on, cling to Älä koko ajan roiku minussa! Don't keep hanging on me! Stop clinging to me! **3** (hengailla) hang around
roikottaa drag/haul/lug (something) behind you
roima hefty, good-sized
roimasti nousta roimasti rise sharply
roiskahtaa splash
roiskauttaa splash (something on something)
roiske splash
roiskesuoja mudflap
roiskia splash
roiskis! splash! sploosh!
roiskua splash, spray; (kuuma rasva) spatter
roisto hood, thug, bad guy Senkin roisto! You bastard!
rojahtaa crash/flop down
roju junk, (sl) shit
rokka pea soup
rokokoo rococo
rokote vaccine
rokottaa 1 vaccinate **2** (ark: ottaa maksuksi) charge, (kostaa) get your own back
rokotus vaccination
rokuli nukkua rokuliin oversleep
romaani 1 (kirja) novel **2** (ihminen) gypsy, Romany
romaanihenkilö character in a novel
romaanikirjailija novelist
romaanikirjallisuus the novel, (prose) fiction
romaaninen 1 (kieli) Romance **2** (arkkitehtuuri) Romanesque
romahdus crash (myös tal), collapse henkinen romahdus nervous breakdown, mental collapse, (ark) crackup
romahduttaa 1 (talo) devastate, destroy **2** (talous) send (the economy,

the dollar jne) into a tailspin, spiraling downwards **3** (hallitus) overthrow, topple
romahtaa 1 (rakennelma) collapse, crash/come/tumble/topple down, cave in **2** (talous) crash, collapse; (lamaantua) slump, go into a recession; (hinnat, noteeraukset tms) go into a tailspin, spiral downwards, plummet (hermot) collapse, break down, crack up
Romania Romania, Rumania
romania Romanian, Rumanian
romanialainen s, adj Rumanian, Romanian
romanssi romance
romantiikka 1 romance **2** (aikakausi) Romanticism
romantikko romantic
romantisoida romanticize
romanttinen romantic
rommi rum
romppu CD-ROM
romu 1 (romutavara) scrap myydä romuksi sell as scrap ajaa auto romuksi total a car **2** (roju) (piece of) junk, (mon) junk
romuauto junk car
romukoppa heittää romukoppaan scrap, junk, throw (something) away joutaa romukoppaan be ready for the scrap-/junkheap
romutavara scrap
romuttaa 1 (tehdä romuksi) scrap, smash, crush, break up **2** (ajaa romuksi) total **3** (tehdä tyhjäksi) scrap, junk, ruin
romuttua 1 (auto kolarissa) be totaled **2** (hanke) come to nothing, fall flat, flop
ronkkia dig in/at, pick/poke at, finger; (kuv) meddle with
rooli role, part
roomalainen Roman
roomalaiskatolinen Roman Catholic
roottori rotor
ropina patter
ropista patter
roppakaupalla lots/tons/piles/heaps of
roska trash, garbage (myös kuv) Roskaa! Nonsense! koko roska the whole schmear/kit-n-kaboodle
roskaantua get littered
roskainen littered, messy
roskakori waste(paper) basket
roskakulttuuri trashy/low(brow) culture
roskalaatikko trash can
roskaromaani trashy novel
roskasakki trash(y folks)
roskata litter
rosoinen rough-surfaced
rosvo bandit
rosvota rob, thieve, plunder
rotanloukku rat hole (myös kuv)
rotary Rotarian
rotary-järjestö the Rotary organization
rotary-klubi Rotary club
roteva burly, sturdy, robust
rotko ravine, gorge
rotta rat (myös kuv)
rottinki wicker
rottinkihuonekalu (piece of) wicker furniture
rotu 1 (ihmisrotu) race **2** (eläinrotu) breed
rotuennakkoluulo racial prejudice
rotuerottelu racial discrimination
rotuinen breed Minkä rotuinen koira tuo on? What breed of dog is that?
rotukoira purebred dog
rotulevottomuudet racial unrest
rotusyrjintä racial discrimination
rotuviha racial hostility
rouhe (vilja) coarsely ground grain, (pähkinät) finely chopped nuts
rouhia grind (something) coarse, chop (something) finely
rousku milk cap
routa frost
routainen frozen
routia buckle in the spring freeze
rouva married woman, matron Rouva! Ma'am! rouva Halttunen (vanh) Mrs. Halttunen, (nyk) Ms. Halttunen
rouvashenkilö married woman, matron
rovaniemeläinen s person from Rovaniemi
adj pertaining to Rovaniemi
rovasti (lähin vastine) head pastor

rovio pyre polttaa roviolla burn at the stake
Ruanda Rwanda
ruandalainen s, adj Rwandan
ruhje bruise, contusion
ruhjevamma bruise, contusion
ruhjoa bruise, mangle, maul
ruhjoutua be bruised/mangled/mauled (by/in)
ruho (dead) body, carcass Siirräs ruhos Move your carcass
ruhtinaallinen princely (myös kuv:) sumptuous ruhtinaallinen ateria a meal fit for a king
ruhtinaallisesti (elää) like a prince/king; (kestitä) lavishly
ruhtinas prince Rauhan/Pimeyden Ruhtinas the Prince of Peace/ Darkness
ruikuttaa moan, groan, gripe, grouse, complain
ruinata beg (for)
ruipelo beanstalk
ruis rye
ruiskaunokki cornflower
ruiskauttaa spray, squirt
ruiske injection, (ark) shot piristävä ruiske (kuv) shot in the arm
ruisku 1 (letku) hose, (paloruisku) fire hose **2** (suutin) spray nozzle **3** (injektioruisku) (hypodermic) syringe
ruiskuttaa 1 (letkulla tms) spray, squirt, hose (down) **2** (lääk) inject
ruiskutusmoottori fuel-injection engine
ruisleipä rye bread
rujo (rampa) crippled, (muotopuoli) misshapen, deformed
rukka poor thing
rukkanen mitten lyödä rukkaset pöytään throw in the towel saada rukkaset get rejected, get turned down
rukki spinning-wheel
rukoilevainen Beseecher
rukoilla 1 (usk) pray Rukoilkaamme Let us pray **2** (anella) pray, beg, implore, beseech
rukoilu 1 praying, prayer **2** praying, begging, imploring, beseeching
rukous prayer Hiljentykäämme rukoukseen Let us bow our heads in prayer
rukoushuone chapel
ruletti roulette
rulla roll; (papiljotti) roller, curler
rullafilmi roll film
rullata 1 roll saada asiat rullaamaan get the ball rolling rullata tukkansa roll/curl/set your hair, put your hair up in rollers/curlers rullata juoppo roll a drunk **2** (lentokone) taxi
ruma 1 (naama) ugly, homely **2** (haava) bad(-looking), nasty **3** (sana) nasty, naughty, dirty **4** (käytös) naughty, bad, not nice
ruma ankanpoikanen ugly duckling
rumanlainen uglyish, on the ugly/homely side
rumasti tehdä rumasti play a mean/nasty/dirty trick (on someone), do a terrible/awful thing (to someone) sanoa rumasti (epäkohteliaasti) be rude/impolite (to someone), insult/offend/hurt (someone); (rivosti) swear (at someone), say a bad word/thing (to someone)
rumentaa disfigure, blemish
rumilus ugly thing; (talon tms) eyesore; (miehen) hulk (of a man); (naisen) hag, witch
rummunkalvo drumhead
rummuttaa drum (myös kuv)
rummutus drumming, (sateen) pounding
rumpali drummer
rumpu drum lyödä rumpua jostakin asiasta thump the pulpit about something
rumpujarru drum brake
rumpupalikka drumstick
rumuus ugliness, homeliness
runkata beat/jerk/jack off, do a hand job (on); (ylät) masturbate
runko 1 (puun) trunk, (kaadettu) log **2** (ihmisen) frame **3** (polkupyörän, auton) frame, (laivan) hull, (lentokoneen) fuselage, (rakennuksen) skeleton **4** (puheen tms) skeleton, (skeletal) outline; (ark) bare bones
runnella mangle, maul
runnoa crush, smash runnoa läpi (kuv) railroad (through)

runo poem
runoilija poet
runoilla write poetry
runoilu poetry-writing
runosuoni poetic inspiration
runous poetry
runsaalla kädellä generously, liberally
runsaasti 1 (ennen substantiivia) plenty/lots of runsaasti ihmisiä lots of people **2** (ennen adjektiivia tai predikaattina) abundantly, copiously, heavily runsaasti kuvitettu copiously illustrated kastella runsaasti water heavily
runsain mitoin abundantly
runsain määrin amply
runsas 1 (määrältään suuri) abundant, copious, plentiful, bounteous; (ark) large runsas tukka thick head of hair runsas sato large/bumper crop runsas liikenne heavy traffic 80-luvun runsaat vuodet the good/fat years of the 80s **2** (reilu) a good, well over runsaat puolet a good half, well over half runsas vuosi sitten more than a year ago
runsaslukuinen numerous, (yleisö tms) large
runsaudenpula embarrassment of riches
runsaudensarvi cornucopia
runsaus abundance, bounty, plenty, wealth (myös kuv)
runtelu mangling, mauling
ruoaksi kelpaava edible
ruoan- ks ruuan-
ruodoton filleted
ruohikko grass, lawn; (ylät) sward
ruohonjuuritaso grassroots level
ruohonleikkuri lawnmower
ruohonleikkuukone lawnmower
ruohonvihreä grass-green
ruoka 1 food laittaa ruokaa (yleensä) cook **2** (ateria) meal; (aamiainen) breakfast, (lounas) lunch, (päivällinen) dinner laittaa ruokaa (tiettyä ateriaa) fix breakfast/lunch, fix/cook dinner Ruoka on valmista Breakfast/lunch/dinner is ready **3** (ruokalaji) dish, food Mikä on sinun lempiruokasi? What's your favorite dish/food?
ruoka-aika meal time
ruokahalu appetite Hyvää ruokahalua! Enjoy your meal, bon appetit kiihottaa ruokahalua whet your appetite viedä ruokahalu ruin your appetite Minulla ei oikein ole ruokahalua I'm not really very hungry, I don't have much of an appetite, I'm a bit off my feed
ruokahalu kasvaa syödessä the more you eat the hungrier you get
ruokahaluton not hungry; (lääk) inappetent, anorectic
ruokailla eat, dine, sup
ruokaisa filling
ruokajono cafeteria line
ruokakauppa grocery store
ruokala cafeteria
ruokalaji 1 (yhdessä astiassa tarjoiltava) dish **2** (aterian vaihe) course
ruokalasku grocery bill
ruokalista menu
ruokamulta topsoil, humus
ruokaostokset groceries
ruokapaikka restaurant, place to eat Meidän vakinainen ruokapaikkamme Our favorite place to eat
ruokapöytä dinner/dining-room table
ruokasali dining room
ruokasieni edible mushroom
ruoka sisältyy hintaan price includes meals
ruokatavara groceries
ruokatorvi esophagus
ruokatunti lunch hour
ruokavalio diet
ruokaöljy cooking oil
ruokinta feeding
ruokinta-aika feeding time
ruokkia feed (myös kuv)
ruoko reed, (sokeriruoko) cane
ruokoton 1 (siivoton) unkempt, uncared-for, sloppy, slovenly, scruffy **2** (rivo) dirty, filthy, smutty puhua ruokottomia talk dirty, have a filthy mouth **3** (tavaton) an incredible amount of sataa ruokottomasti come down in buckets
ruopata dredge
ruoppari dredger
ruoppaus dredging

ruori (peräsin) rudder, (ruoritanko) tiller, (ruoriratas) helm Ruori vasempaan! Helm to lee! mennä ruoriin take the helm olla ruorissa be at the helm
ruoriratas helm
ruoska whip, (kuv) lash
ruoskia whip, (kielellä) (give someone a tongue-)lash(ing)
ruoskinta whipping, (tongue-)lashing
ruoste rust
ruosteenesto antirust/-corrosion treatment
ruosteensuojaus rust-sealant
ruosteessa rusty
ruostesuojata rust-seal
ruostua (get) rust(y)
ruostumaton rustproof, (teräs) stainless
ruostuttaa corrode
ruotia 1 (kalaa) fillet **2** (asiaa) mull over, pick apart, look into closely
ruoto (fish)bone
ruotoinen bony
ruotsalainen s Swede
adj Swedish
ruotsalaisuus Swedishness
Ruotsi Sweden
ruotsi Swedish
ruotsinaikainen from the Swedish period
ruotsinkielinen Swedish(-language)
ruotsinnos Swedish translation
ruotsinsuomalainen s Finnish-Swede
adj Finnish-Swedish
ruotu 1 (sot) platoon (in the old Swedish army) **2** (hist) land unit (the amount required to maintain one soldier)
rupatella chat, gab, yak, shoot the breeze/bull
rupeama 1 (työrupeama) work period **2** (tovi) spell yhteen rupeamaan at a single stretch
rupi scab
rupinen scabby
rupisammakko toad
rupla rouble
rusakko European hare; (ark) jackrabbit
rusetti bow; (solmio) bowtie
rusikoida beat (someone) black and blue; (kuv) pan
rusina raisin
rusinaleipä raisin bread
ruskea brown; (ruskettunut) tan(ned)
ruskea kirjekuori manila envelope
ruskettaa tan
ruskettua (get) tan(ned)
rusketus tan(ning)
ruskistaa brown
ruskistua brown
ruskistus browning
rusko brown horse
russakka German cockroach
rusto 1 (elävänä) cartilage **2** (syötävänä) gristle
rutiini routine; (taito) skill Se rullaa häneltä jo rutiinilla He can do it without thinking now
rutikuiva dry as dust
rutinoitua become (a) routine, fall into a routine/rut
rutistaa squeeze, (halata) hug, (paperi) crumple (up)
rutkasti lots/piles/heaps of
rutosti lots/piles/heaps of
rutto the plague karttaa jotakuta kuin ruttoa avoid someone like the plague
rutussa crumpled (up)
ruuanlaitto cooking
ruuansulatus digestion
ruuansulatuselimistö digestive tract
ruuansulatushäiriö indigestion
ruudinkeksijä ei mikään ruudinkeksijä no Einstein
ruudinkäry gun(powder) smoke
ruudullinen (vaate) plaid, checkered ruudullinen paperi graph paper
ruuhi punt
ruuhka 1 (ruuhka-aika) rush-hour; (liikenneruuhka) traffic jam, rush-hour traffic **2** (työruuhka) backlog
ruuhkaliikenne rush-hour traffic
ruuhkautua (liikenne) jam up; (työ) back/pile up
ruukku pot
ruukkukasvi potted plant
ruuma hold

ruumenet chaff
ruumiillinen bodily, corpor(e)al, physical ruumiillinen rangaistus corporal punishment ruumiillinen työ manual labor
ruumiillisesti physically
ruumiillistua be incarnated (as)
ruumiillistuma incarnation, embodiment
ruumiinavaus autopsy
ruumiinlämpö body temperature
ruumis (elävä tai kuollut) body, (kuollut) corpse, carcass, cadaver Vain minun kuolleen ruumiini yli Over my dead body
ruumisarkku coffin, casket
ruumishuone morgue
ruusu rose saada ruusuja ja risuja get feathers in your cap and black eyes Elämä ei ole ruusuilla tanssimista Life isn't a bed of roses
ruusuinen rosy nähdä tulevaisuutta ruusuisena look at the future through rose-colored glasses
ruusuke rosette, (rusetti) bow
ruusukimppu bouquet of roses
ruusunhohteinen rosy
ruusunmarja rosemary
ruusunpunainen rose-red, red as roses
ruuti gunpowder
ruutu 1 (neliö) square, (lomakkeessa) box Pane rasti ruutuun jossa Check the box that **2** (TV:n) screen **3** (korteissa) diamond **4** (vaatteen) check
ruutupaperi graph paper
ruuvata screw
ruuvi screw Hänellä taitaa olla ruuvi löysällä I think he's got a screw loose
ruuviavain wrench
ruuvikierre thread
ruuvimeisseli screwdriver
ruuvipenkki vice
ruuvitaltta screwdriver
ruveta 1 start (doing), begin (to do) ruveta harrastamaan uintia take up swimming **2** (joksikin) become ruveta opettajaksi become a teacher
ryhdikkyys uprightness, erectness, dignity
ryhdikkäästi with dignity
ryhdikäs upright (myös kuv), erect
ryhdistäytyä pull yourself together, get ahold of yourself
ryhmitellä group, classify, categorize, organize by group
ryhmittely grouping, classification, categorization
ryhmittyminen grouping, lane-changing
ryhmittymä group; (pol) coalition, (valtiotasolla) bloc; (liike-elämässä) syndicate, consortium, cartel
ryhmittyä 1 (form a) group, form groups, gather (together) **2** (liikenteessä) change lanes ryhmittyä vasemmalle get in the left lane
ryhmittäin by group
ryhmittää group, classify, categorize, organize by group
ryhmitys group(ing)
ryhmä 1 group; (ark) bunch **2** (poliisin) division, department **3** (sot) squad
ryhmäjako classification
ryhmäkeskustelu group discussion
ryhmäristiside occupant mail
ryhmäseksi group sex
ryhmätyö group work
ryhmätyöskentely group work
ryhti posture, bearing, carriage; (kuv) backbone
ryhtivika posture defect, bad posture
ryhtyminen starting, becoming asiaan ryhtyminen getting down to business, digging in
ryhtyä 1 start (doing), begin (to do) ryhtyä harrastamaan uintia take up swimming **2** (joksikin) become ryhtyä opettajaksi become a teacher
ryijy rya (rug)
rykelmä group, cluster
rykiä clear your throat
rykmentti regiment
rykäistä clear your throat
rymäkkä commotion, uproar, pandemonium
rynkyttää pound (on), rattle
rynnistys (urh) sprint; (sot) charge, attack
rynnistää rush, dash; (urh) sprint

rynnäkkö charge, attack
rynnäs 1 (mer) bow **2** ryntäät chest, breast
rynnätä 1 rush, dash, charge (in/out) **2** (sot) charge, attack
ryntäys rush, charge; (pankkiin) run (on)
rypeä wallow (in)
rypistyä get wrinkled/crumpled (up)
rypistää wrinkle, (rutata) crumple rypistää otsansa wrinkle your forehead, knit your brow(s)
ryppy wrinkle; (otsassa) furrow; (ihossa) line, (silmien ympärillä) crows' feet olla rypyssä be wrinkled otsa rypyssä knit-browed
ryppyillä make trouble, be a nuisance; (sanoa vastaan) talk back, give (someone) lip
ryppyily trouble-making, hassle; backtalk, lip
ryppyinen wrinkled
rypsi (turnip) rape
rypäle 1 (terttu) bunch **2** (viinirypäle) grape
rypälemehu grape juice
ryske crash, clatter, banging pitää ryskettä make a commotion
ryskis! crash!
ryskyttää pound/bang (on), rattle
ryskyä crash
ryssä (halv) Russkie
rystylyönti backhand harjoitella rystylyöntiään work on your backhand
rystyset knuckles
rysä 1 fyke (net) **2** (ark = poliisin) speed trap **3** tavata rysän päältä catch (someone) red-handed, in the act
rysähdys crash yhdessä rysähdyksessä in one fell swoop
rysähtää crash, bang
ryteikkö thicket, brake
rytinä crash, clatter
rytmi rhythm
rytmihäiriö (sydämen) arrhythmia, fibrillation
rytmikäs rhythmic
rytmitaju sense of rhythm
rytäkkä scuffle, tussle, scrap
ryynit grits
ryypiskellä booze, tipple
ryyppiä booze, tipple
ryyppy 1 (alkoholia) drink, shot, swig, pull **2** (auton) choke
ryyppylasi shot glass
ryyppyretki drunken spree/binge
ryyppytuuli Taidan olla ryyppytuulella I feel like a drink
ryypätä drink, booze ratketa ryyppäämään hit the bottle, go on a drinking spree, go off on a drunken binge ryypätä rahat blow your money on booze
ryystää slurp
ryysy rag, tatter
ryysyinen ragged, tattered
ryökäle Senkin ryökäle! You son of a bitch!
ryömintäkaista creeper lane
ryömiä crawl, creep (along)
ryöppy flood, torrent, storm
ryöstäytyä (irti) get/break away ryöstäytyä käsistä get out of hand
ryöstää 1 rob, (ark) knock over (a bank); (talo) burglarize; (ja mukiloida) mug, (ark) roll; (kääntää taskut) pick (someone's) pocket; (tavaraa) steal **2** (kidnapata) kidnap, abduct **3** (ja hävittää) plunder, loot
ryöstö robbery, burglary, mugging, theft, kidnapping, abduction, plunder, looting; (ark) caper, job (ks ryöstää)
ryöstömurha robbery with murder
ryöstösaalis loot, booty
ryöväri robber, thief, highwayman, bandit
ryövätä rob, thieve
rähinä 1 (melu) racket, commotion **2** (tappelu) scuffle, tussle, scrap **3** (huutelu) yelling, shouting, (verbal) abuse
rähinöidä fight, brawl, scrap, bust up the place
rähinöinti fighting, brawling, scrapping; (lak) being drunk and disorderly, D and D
rähinöitsijä scrapper
rähistä 1 (huutaa) yell/shout (at), abuse, tell (someone) off, give (someone) a piece of your mind **2** (meluta)

make a racket/commotion **3** (tapella) fight, brawl, scrap
rähjä wreck vanha auton rähjä old beatup car, beater, piece of junk
rähjäinen beatup, dirty, scruffy, grungy
rähjätä 1 (kituuttaa) plug along, (nyhjätä) (sl) muck/fart/fuck around **2** (liata) beat/scruff up, get (something) all dirty/grungy **3** (huudella) yell/shout (at), abuse, tell (someone) off, give (someone) a piece of your mind
rähjääntyä get beat up, fall apart, fall into disrepair, get dirty and scruffy
rähkiä slave/drudge away, work like a dog
rähmällään flat on your face, propped up on your elbows, on your hands and knees kaatua rähmälleen fall flat on your face
rähäkkä 1 (melu) racket, commotion **2** (tappelu) scuffle, tussle, scrap
räikeys garishness, flagrancy, obviousness
räikeä 1 (silmäänpistävä väri) garish, glaring **2** (silmäänpistävä rikos) glaring, blatant, flagrant **3** (silmäänpistävä muu) obvious, clear, patent räikeä ero patent difference **4** (vihlova ääni) grating, rasping, jangling, jarring, harsh
räikeästi garishly, glaringly, blatantly, flagrantly, obviously, clearly, patently, gratingly, raspingly, jarringly, harshly (ks räikeä) räikeästi toisistaan eroavat värit two completely different colors, clashing colors
räiske 1 (äänen) crackle/crackling, crash(ing), thundering **2** (valon) twinkle/twinkling, sparkle/sparkling, flash(ing)
räiskiä splash, spatter
räiskyä 1 (ääni) crackle, thunder, crash, boom **2** (tuli) spark, pop, snap **3** (valo) flash, twinkle, sparkle **4** (into) sparkle, flash, bubble (over with) **5** (vesi) splash, (kuuma rasva) spatter
räiskähtää 1 (mennä rikki) crack, splinter, crash, shatter **2** (räjähtää) explode, blow up **3** (välähtää) flash **4** (roiskahtaa) splash
räiskäle pancake, (ark) flapjack
räjähde explosive
räjähdellä go off
räjähdys explosion, blast; (pommin räjäyttäminen) detonation
räjähdysaine explosive
räjähdyspiste bursting point
räjähtää (myös suuttumisesta) explode, (ark) blow (up)
räjäyttää explode, (ark) blow up; (pommi) detonate; (kallio) dynamite, blast
räjäytys explosion, detonation, blasting
räkyttää yip, yap (at)
räkytys yipping, yapping
räkä snot
räkäkännissä stewed to the gills
räkänokka snotnose, snotty brat
räkätauti (eläimen) glanders, farcy; (ark) runny nose
räkättirastas fieldfare
rälssi (hist) waiving of land tax
räme (pine) bog
rämpiä (rämeessä) muck (about/around in); (lumessa) trudge/plod (through)
rämpyttää (guitar) strum, (pianoa) pound
rämäkkä jangling rämäkkä nauru loud boisterous laugh, guffaw
rämäpäinen hotheaded
rämäpää hothead, daredevil, speed demon
ränni 1 (syöksytorvi: vedelle) gutter spout/pipe, (viljalle tms) chute **2** (myllyn) millcourse
ränsistyneisyys dilapidation
ränsistynyt dilapidated, ramshackle, rundown
ränsistyä dilapidate, fall into disrepair, run down
räntä sleet sataa räntää sleet
räntäsade sleetstorm
räpiköidä flounder (about)
räpiköinti floundering
räppänä vent, flap
räpylä 1 (ankan) web **2** (uimaräpylä) flipper **3** (pesäpalloräpylä) mitt **4** (leik = käsi) mitt, paw
räpyläjalka webbed foot

räpytellä (silmiä) blink; (ripsiä) batt; (siipiä) flap, flutter
räpyttää ks räpytellä
räpäyttää blink silmää räpäyttämättä without blinking an eye, without batting an eye(lash)
rästi 1 (maksu) arrears rästiin jääneet maksut payments in arrears **2** (työ) backlog rästiin jääneet työt backed-up work, a backlog of work/chores **3** (tentti) make-up (exam/test)
räsy rag
räsähtää crack(le), snap
rätistä sizzle, crackle
rätti rag
rävähtää burst rävähtää nauramaan burst out laughing
räväyttää 1 (up and) do something suddenly/quickly/abruptly myydä räväyttää talo up and sell the house **2** (sanoa totuus) hurl the truth in someone's face
räväyttää kasvonsa kasvojaan räväyttämättä without flinching, without blinking an eye
räväyttää kätensä yhteen clap your hands together
räväyttää ovi auki throw open the door
räystäs eaves räystään alla under the eaves
rääkkyä croak, (varis) caw
rääkkäys mistreatment, torment, cruelty, torture
rääkyä squall, squeal, howl; (lintu) screech
rääkätä 1 (eläintä) mistreat, torment, be cruel to **2** (ihmistä: kiduttaa) torture, (henkisesti) torment; (huolestuttaa) worry **3** (kieltä) mangle, fracture, murder
rääpiä botch, bungle, blow, screw/fuck up
rääppiäiset day-after party, a party/dinner/coffee where you eat leftovers from the big party/dinner the day before
rääpäle puny little thing
rääsy rag olla rääsyissä be dressed in rags, wear rags
räätäli tailor
räätälintyö räätälintyönä tehty tailor/custom-made
rääväsuinen foul-mouthed, coarse
rääväsuu sewermouth
röhinä wheeze, wheezing
röhistä wheeze
röhönauru guffaw
rökittää 1 (piestä) beat (someone) up, tan (someone's) hide, (sl) beat the shit out of (someone) **2** (antaa selkään) spank, lay into (someone), warm (someone's) backside, thrash/whip (someone)
rökitys beating, tanning, spanking, thrashing, whipping
rönsy 1 (köynnös) runner **2** (liikasanaisuus) unnecessary word(iness), digression
rönsyillä 1 (kasvi) produce runners **2** (romaani) wander, meander; (artikkeli tms) digress
rönsyily wandering, meandering, digressing
röntgen X-ray
röntgenkuvaus X-ray
röntgensäteet X rays
rötös offense, infraction, irregularity; (mon) corruption
rötösherra corrupt official
rötöstellä give/take bribes/kickbacks/payoffs/payola
rötöstely bribery; (government) graft/corruption
röyhelö frill, ruffle
röyhelöinen frilly, ruffled
röyhelökaulus frilly collar, ruff
röyhkeillä be insolent/insulting/impudent, insult (someone), presume (on someone), brazen it out
röyhkeily insolence, impudence, cheekiness
röyhkeys insolence, impudence, cheekiness
röyhkeä insolent, insulting, impudent, brazen; (ark) cheeky
röyhkeästi insolently, insultingly, impudently, brazenly; (ark) cheekily
röyhtäistä burp, belch
röyhtäisy burp, belch
röykkiö pile, heap

S, s

saada pääv **1** get, receive, obtain, attain, acquire Saanko tämän omakseni Can I have/keep this? (ks myös hakusanat) **2** (joltakulta seksiä) (sl) get laid, get a piece of ass, get something **3** (suostuttaa, pakottaa) get, make, force, bring **4** (pystyä) be able to, manage to Sain sen tehdyksi I got it done, I did it, I managed to complete/ finish it
apuv **1** (saada lupa) may, can, be allowed to Saanko lähteä? May/can I go (now)? **2** (saada tehdä) have to, be made to Sain kysyä sitä häneltä lähes päivittäin I practically had to ask him daily **3** (pitäisi) should, ought to Saisit hävetä! You should be ashamed of yourself! Se saisi olla hiukan isompi It probably ought to be a little bigger
saada aikaan achieve, attain, bring about
saada alkunsa start, originate
saada anteeksi be forgiven
saada apuraha be granted a grant/ stipend/scholarship/fellowship, receive a grant/jne
saada arvostelua be criticized/ attacked
saada asiansa kuntoon get things straightened out, taken care of
saada ehdot have to go to summer school to make up a subject you failed
saada elantonsa make a living (at something, by doing something), earn your livelihood (at something, by doing something)
saada elinkautinen get life
saada esiin uncover, reveal
saada halveksuntaa meet with scorn/contempt, be scorned
saada harmaita hiuksia get gray hairs Saan sinulta harmaita hiuksia! You're giving me gray hairs!
saada harmia find yourself (knee- /neck-deep) in trouble
saada hepulit 1 (vihastua) have a cow **2** (nauraa) throw a fit
saada hyvä vastaanotto be well received
saada häkkiä get put away
saada ihmeitä aikaan perform miracles
saada jalansijaa take hold, get a good foothold
saada jalka oven rakoon get your forr in the door
saada kasteessa nimi be christened/named
saada kaupaksi (manage to) sell, unload, dump, get rid of
saada kenkää get the boot
saada keppiä get the stick, get caned
saada kiinni catch (up to)
saada kiinnitys johonkin get hired (on) somewhere
saada kiitosta get praised
saada kosketus johonkin get a feel for something
saada kunnia receive an honor; (tehdä jotakin) have the honor of (doing something)
saada kuulla hear
saada kuulla kunniansa get chewed out
saada kyllikseen have enough (of), get sick (of)
saada kylmää vettä niskaansa have your parade rained on
saada kynsiinsä get your hands on, get (someone) in your clutches

saada kärsiä jostakin have to pay/suffer for something
saada käsiinsä get your hands on
saada käsitys get/be under/have the sense/impression Sain hänestä aika hyvän käsityksen (hän teki minuun hyvän vaikutelman) He seemed all right to me, he made a good impression on me; (sain hyvät tiedot hänestä) I got a pretty good sense of him, I found out a lot about him
saada lapsi have a baby
saada linnareissu get slammed in jail, get sent to the slammer, get thrown in the clink, get put inside/away
saada luottoa get credit, be granted a loan
saada lupa receive/be granted permission Saat luvan totella You do what I say Saanko luvan? (tanssia) May have this dance?
saada lähtöpassit get/be sent packing, be given your walking papers
saada lääkettä (reseptinä) get a prescription for medicine; (suuhun tms) receive/be given your medicine
saada maksaa jostakin have to pay for something (myös kuv)
saada maksu jostakin get paid for something
saada mieleensä remember, recall
saada myötätuntoa meet with sympathy/compassion, have people's sympathies
saada neniinsä get beat up
saada nenälleen fall flat on your face
saada nuhteita get scolded/yelled at/chewed out
saada nukutuksi manage to sleep
saada näkyviinsä see, lay (your) eyes on; (erottaa) make out, discern
saada näpeilleen take it in the shorts
saada odottaa have to wait, be kept waiting
saada olla rauhassa get left alone, get to be in peace, find some peace and quiet
saada opetus learn a/your lesson
saada osakseen get, receive
saada perintö inherit money, receive an inheritance
saada piiskaa get a thrashing/whipping
saada pois päiviltä bump/knock (someone) off
saada potkut get fired/canned, get the boot
saada päähänpisto get the/an impulse (to do something), take it in your head/mind (to do something)
saada päähänsä occur
saada päänsä täyteen get stewed to the gills, get drunk on your butt
saada päätökseen finish/wrap up, complete
saada raivoihinsa make you mad, drive you up the wall/around the bend, make you see red, infuriate
saada rauha sielulleen get peace of mind
saada rikki manage to break
saada rintaa be nursed/breast-fed
saada rohkeutta find the courage (to do something), screw up your courage
saada rukkaset get rejected, get turned down (flat)
saada sakkoa get fined
saada sanotuksi manage to say, get/spit it out, cough it up
saada selville find out, learn, unearth, uncover
saada selvää find out (about), clarify, clear (something) up
saada surmansa be killed/slain, (leik) meet your maker
saada syyte jostakin be charged with something, be accused of something
saada sätky 1 (säikähtää) start, be starled/scared **2** (vihastua) have a fit
saada tahtonsa läpi get/have your way
saada takaisin get (something) back, recover
saada takkiin(sa) get taken to the cleaner's, get your clock cleaned, take it in the shorts

saada tarpeekseen have enough (of something), get your fill (of something)
saada tartunta catch a disease
saada tehtäväkseen get assigned (to do something, a task)
saada tietoonsa find out
saada tolkkua make sense (of)
saada tuntea omissa nahoissaan (have to) taste a little of your own medicine
saada turpiinsa get a poke in the jaw, get smacked in the face
saada tuulta purjeisiin get a fresh wind, find new strength
saada täysosuma hit the bull's eye
saada unen päästä kiinni fall asleep
saada unta fall asleep
saada uskonnollinen herätys convert, undergo religious conversion
saada valmiiksi finish, complete
saada valta take over (myös kuv)
saada valtaansa get (someone) in your power
saada vankeutta get sentenced to jail
saada vastarakkautta be loved (in return)
saada vatsansa täyteen fill your stomach/belly, eat your fill
saada vauhtia pick up speed
saada vettä myllyynsä feel encouraged, take heart
saada vihamiehiä make enemies
saada vihiä hear a rumor (that); (poliisi) get a tip, an anonymous phone call, (that)
saada virkavapautta be granted leave of absence
saada voimaa find the strength (to do something)
saada yhteys get through (to), make contact (with)
saada ylenkatsetta meet with scorn/contempt, be scorned
saada ympäri korviaan get boxed on the ears, (kuv) get trounced
saada ystäviä make friends
saada äänensä kuuluville be heard
saaga saga
saaja recipient; (kirjeen) addressee, (vakuutuksen) beneficiary, (palkinnon) winner, (lähetyksen) consignee
saakeli damn (it)
saakelinmoinen a hell of a
saakka 1 (paikkaan) (all the way) to, through kotiin saakka all the way home **2** (aikaan) until, till, through tähän saakka thus far, until now viime aikoihin saakka until recently **3** (paikasta) (all the way) from tulla Japanista saakka come all the way from Japan **4** (ajasta) since alusta saakka since the start/beginning
saali shawl
saalis 1 (eläimen) prey (myös kuv) joutua petkuttajan saaliiksi fall prey to a con-man **2** (kalasaalis) catch, haul **3** (ryöstösaalis) haul, loot, booty
saalistaa prey upon (myös kuv), stalk
saalistaja predator, stalker
saalistus rapacity, (highway) robbery
saamari damn (it)
saamaton lazy, slothful, indolent, unproductive
saamattomasti lazily, slothfully, indolently
saamattomuus laziness, sloth, indolence
saame Sami
saamenkielinen Sami
saaminen (liik) claim; (mon) debts, money owed
saanen (if) I might, may I
saanti 1 (saaminen, tarjonta) supply **2** (tietok) access **3** (liik) receipt
saantioikeus right to (something) kesäloman saantioikeus right to a summer vacation
saanto 1 (omistusoikeuden) title **2** (tuotemäärän) yield
saa nähdä we'll see
saapas boot tyhmä kuin saapas dumb as an ox
saapastella tramp, trudge, mosey
saapikas ankle boot

saapua arrive, come, appear, reach (your/its) destination; (ark) show (up), make it
saapua asemalle pull into the station
saapua maahan enter a country
saapua paikalle appear, show/turn up
saapuminen arrival, appearance
saapuvilla present
saareke island
saarelainen islander
saarelma island
saari island
saarinen (place) with many islands
saaristo archipelago, islands
saaristolainen islander
saarna sermon; (vanhemman lapselle) lecture, scolding
saarnaaja preacher
saarnastuoli pulpit
saarnata 1 preach **2** (vanhempi lapselle) lecture, scold
saarni ash
saarrostaa encircle, surround
saartaa surround, encircle, hem in; (satamaa) blockade, (kaupunkia) besiege
saarto 1 (sataman) blockade **2** (kaupungin) siege **3** (yhtiön, tuotteen) boycott
saasta filth, dirt Senkin saasta! You piece of shit!
saastainen filthy, dirty; (raam) unclean Senkin saastainen juoppo! You filthy drunk!
saaste pollution, (aine) pollutant
saasteeton unpolluted
saasteinen polluted
saastua be(come) polluted
saastuminen pollution
saastuttaa pollute
saatana s Satan, the devil interj goddammit
saatanallinen satanic
saatananmoinen goddamned, helluva
saatava claim, balance due, amount owed; (mon) receivables
saatavilla available, accessible
saatavuus availability, access (to)
saate (lähete) cover letter, accompanying note muutama sana kirjan saatteeksi a few words by way of introduction, foreword
saatekirje cover letter
saatesanat foreword, introductory remarks
saati (sitten) 1 (puhumattakaan) not to mention, to say nothing of, let alone **2** (vielä vähemmän) much less
saattaa pääv **1** (saatella) see, usher, accompany, escort Tulisitko saattamaan minua? Could you come see me off? saattaa junalle take/see (someone) to the train **2** (viedä) bring, drive saattaa kaksi ihmistä yhteen bring two people together
apuv can, may Saatan lähteäkin I may well go at that Kuinka saatoit! How could you!
saattaa alkuun get (something) started, start up, set (something) in motion
saattaa asiansa kuntoon put things in order, return things to normalcy
saattaa epätoivoon drive (someone) to despair
saattaa huonoon huutoon make (someone) look bad
saattaa hämmästyksiin amaze, astound, astonish
saattaa häpeään put (someone) to shame
saattaa jonkun pää pyörälle set (someone's) head spinning
saattaa julkisuuteen (julkaista) publish, (julkistaa) publicize, (vuotaa) leak (to the press)
saattaa järjiltään drive (someone) crazy (myös suututtamisesta)
saattaa järkiinsä make (someone) see reason
saattaa kiusaukseen tempt Äläkä saata meitä kiusaukseen And lead us not into temptation
saattaa käyntiin get (something) started, start up, set (something) in motion
saattaa matkaan cause, bring about, set in motion, start, instigate

saattaa noloon asemaan place/put (someone) in a difficult/awkward/ embarrassing situation/position
saattaa oikealle tolalle put things in order, return things to normalcy
saattaa pulaan get (someone) in trouble, put (someone) in a difficult spot
saattaa päiviltä bump/knock (someone) off
saattaa päivänvaloon bring (something) into the light of day, reveal
saattaa päätökseen finish/wrap up, complete,
saattaa raivoon drive (someone) around the bend, make (someone) furious
saattaa sekaisin confuse, mix/stir/ screw up, scramble
saattaa suunniltaan drive (someone) wild
saattaa syytteeseen press charges against (someone), bring (someone) up on charges
saattaa tiedoksi inform (someone of something), bring (something) to (someone's) notice
saattaa turmioon corrupt (someone), lead (someone) astray
saattaa vaaraan endanger, jeopardize, place (someone) in danger/ jeopardy
saattaa vararikkoon bankrupt, ruin
saattaa ymmälle puzzle, baffle, bewilder, dumbfound
saattaja escort; (seuralainen) companion, date
saatto procession vuosien saatossa over the years, as the years go by, in the course of years
saattojoukko escort, (vainajan) cortège
saattoväki mourners
saattue (mer) convoy, (poliisin) escort
saavi tub, (lähin vastine) plastic trash can sataa kuin saavista kaataen (be) coming down in buckets
saavuttaa 1 (saapua jonnekin) reach, arrive at, come to **2** (saada kiinni) catch (up to), overtake, pass (someone up) **3** (saada aikaan) achieve, attain, reach, gain, accomplish Et saavuta sillä yhtään mitään That's not going to do you one bit of good Se saavutti suuren suosion It was a smash hit, it was very big, it made a big splash
saavuttaa huippunsa (reach its/ your) peak
saavuttaa hyviä tuloksia get/ obtain good results
saavuttaa jonkun kunnioitus win/gain (someone's) respect
saavuttaa jonkun luottamus win/ gain (someone's) confidence
saavuttaa jonkun rakkaus win (someone's) love
saavuttaa kuuluisuutta achieve fame, become famous
saavuttaa mainetta make a reputation/name for yourself
saavuttaa myötätuntoa win/gain (people's) sympathy
saavuttaa sukupuolikypsyys reach sexual maturity, enter puberty
saavuttaa tarkoituksensa achieve your purpose/end/objective, reach your goal, do what you set out to do
saavuttaa täydellisyys reach/attain perfection
saavuttaa valtaa rise to power, assume power
saavutta kuuluisuutta achieve fame, become famous
saavuttamaton unattainable, unachievable
saavutus attainment, achievement, accomplishment
sabloni template, stencil
sabotaasi sabotage
sabotoida sabotage
sabotööri saboteur
sadannes one-hundredth
sadanpäällikkö centurion
sadas hundredth
sadasosa one-hundredth
sadasti a/one hundred times
sadastuhannes hundred-thousandth
sadatella curse
sade rain; (sadanta) rainfall, precipitation hapan sade acid rain

sateella in the rain liukas sateella slippery when wet
sadeaika rainy season
sadealue rain(fall) area
sadehattu rain hat, sou'wester
sadekartta rain map
sadekuuro (rain) shower
sademetsä rain forest
sadepilvi rain cloud
sadesää rainy weather
sadetakki raincoat, slicker
sadetin sprinkler
sadettaa water (with a sprinkler), run a sprinkler, (letkulla) water
sadevesi rain water
sadeviitta poncho
sadin trap satimessa trapped, caught
sadismi sadism
sadisti sadist
sadistinen sadistic
sadistisesti sadistically
sadoittain in/by the hundreds
sadomasokismi sadomasochism, S and M
sadonkorjuu harvest
sadunhohteinen fabulous
sadunomainen fabulous
saeta thicken
safari safari
safaripuisto wild animal park
safiiri sapphire
saha 1 (työkalu) saw **2** (tehdas) sawmill, lumber yard
sahaaja sawyer
sahaamo sawmill, lumber mill
sahajauho sawdust
sahalaitainen sawtoothed
sahanpuru sawdust
sahanterä saw blade
sahapukki sawhorse
sahata saw (up/at)
sahata linssiin pull a fast one (on someone)
sahata omaa oksaansa saw off the branch you're sitting on
sahata silmään pull the wool over (someone's) eyes
sahatavara lumber
sahateollisuus lumber industry
sahaus sawing
sahrami 1 (kukka) crocus **2** (mauste) saffron
sahti home-brew(ed ale)
sahuri sawyer
saippua (yl) soap; (saippuapala) bar of soap
saippuakotelo soapdish
saippuakupla soap bubble
saippuaooppera soap opera
saippuoida soap, lather (yourself/someone) up
sairaala hospital joutua sairaalaan be taken to the hospital olla sairaalassa be in the hospital
sairaalahoito hospital care
sairaalapaikka bed
sairaalloinen sick(ly), pathological sairaalloinen mielikuvitus sick/warped mind
sairaanhoidollinen medical
sairaanhoitaja nurse
sairaanhoito nursing
sairas s patient, sick person adj **1** sick (myös henkisesti ja kuv), ill, (elin) diseased sairaana sick (in bed) ilmoittautua sairaaksi (työhön) call in sick, (sot) report to sick bay Oletko sairas? Are you feeling all right? (oletko mielipuoli) Are you out of your mind? Olet vähän sairaan näköinen You're not looking very good, you're looking a little peaked/pale Taidan olla tulossa sairaaksi I think I'm coming down with something **2** (epäterveellinen) unhealthy
sairasauto ambulance
sairasmielinen mentally ill, psychotic; (ark) sick (in the head)
sairastaa (tautia) have (a disease), be sick (in bed with)
sairastaminen being sick
sairastua get sick; (johonkin) come down (with something), catch (something)
sairastuminen getting sick
sairasvoimistelija physiotherapist
sairasvoimistelu physiotherapy
sairasvuode sickbed
sairaus sickness, illness, ailment, disease; (lääk) disorder
sairauseläke disability pension

sairauskertomus case history, (ark) chart
sairauskohtaus attack/fit/bout of illness
sairausloma sick leave
sairausvakuutus health insurance
sairausvakuutuskortti health insurance card
saita stingy, miserly, tight
saituri miser
saituus stinginess, miserliness
saivar nit
saivarrella split hairs
saivarteleva nitpicking
saivartelu hair-splitting, nitpicking
sakaali jackal
sakara (piikki) spike, prong, tine; (tähden) point, (ristin) arm, (tornin) tooth; (mon esim vasaran) claw
sakariini saccharine
sakaristo sachristy
sakasti sachristy
sakata (lentokone) stall, (laiva) drop/ fall astern
šakata check
sake sake
sakea thick Veri on vettä sakeampaa Blood is thicker than water
sakeasti thickly
saketti morning coat
sakeus thickness, (kem) consistency
sakeute thickening agent, (ark) thickener
sakeutin thickener, concentrator
sakeuttaa thicken
sakeutua thicken
sakinhivutus hazing
sakka sediment, (kahvin) grounds; (mon) dregs
sakkainen thick, feculent
sakkariini saccharine
sakkaroosi saccharose
sakkauma sediment, deposit
sakkaus stall(ing)
sakkauttaa sediment (something) out
sakkautua sediment out
sakkautuma sediment, deposit
sakki gang, crowd, bunch koko sakki the whole gang
šakki chess
šakkilauta chessboard
šakkinappula chesspiece
sakko fine
sakkokorko penalty interest
sakkolappu ticket
sakottaa fine, (poliisi) give (someone) a ticket; (opettaja virheistä) take points off (for)
sakraali sacral
sakraalinen sacral
sakramentaalinen sacramental
sakramentillinen sacramental
sakramentti sacrament
saksa German
Saksa Germany
saksalainen s, adj German
saksalaistaa Germanize
saksalaistua become Germanized
Saksan demokraattinen tasavalta German Democratic Republic, GDR
saksan kieli German
saksankielinen German(-language), (something) in German
Saksan liittotasavalta Federal Republic of Germany, FRG
Saksan markka German mark, D-mark, Deutsche mark
saksannos German translation
saksanpaimenkoira German shepherd
saksanpolkka schottische
saksanpähkinä walnut
saksantaa translate (something) into German
saksata corss, scissor
sakset 1 scissors, (puutarhasakset) (garden) shears **2** (painissa) scissor grip
saksia 1 cut, clip, snip, trim **2** (hiihdossa) herringbone
saksilainen Saxon
saksimainen scissor-like
saksofoni saxophone, (ark) sax
saksofonisti saxophonist, (ark) sax player
sala secret Nyt tuli salat julki Now your secrets are out!
salaa 1 (salassa) in secret, on the sly, clandestinely juoda salaa be a closet drinker **2** (salailevasti) covertly, furtively,

surreptitiously katsoa jotakuta salaa sneak a covert/furtive/surreptitious look/ peek/glance at someone
sala-ampuja sniper
salaatinkastike salad dressing
salaatti 1 (kasvi) lettuce **2** (ruoka) salad
salaattikastike salad dressing
salailla hide, conceal, keep (something a) secret
salainen secret, clandestine, concealed; (erittäin) classified, top secret, confidential salainen puhelinnumero unlisted number
salainen ase secret weapon
salaisuus secret paljastaa jollekulle salaisuus let someone in on the secret
salajuoni plot, conspiracy
salajuoppo closet drinker/lush
salakaato poaching
salakapakka (hist) speakeasy
salakari sunken rock, (kuv) pitfall
salakauppa 1 (kaupankäynti) illegal trade, (huumeiden) drug trade, (alkoholin) bootlegging **2** (yksittäinen) illegal transaction, (huumeiden) drug deal
salakauppias (huumeiden) drug/ dope dealer, pusher, (alkoholin) bootlegger, (aseiden) arms merchant, (varastettujen tavaroiden) fence
salakavala 1 (ihminen) treacherous, deceitful, devious; (juonitteleva) sly **2** (häkä, musta jää tms) treacherous, dangerous, hazardous
salakavaluus treachert, deceit, deviousness; (hidden) danger (ks salakavala)
salakieli code kääntää salakielelle encode, encrypt selvätä salakieli decode/decipher (a text), break a code
salakirjoitus (kirjoitus) code, cipher; (kirjoittaminen) encryption, enciphering; (menetelmä) cryptography
salakka bleak
salakuljettaa smuggle
salakuljettaja smuggler
salakuljetus smuggling
salakuunnella eavesdrop; (mikrofonilla) bug, wiretap
salakuuntelija eavesdropper; (mikrofonilla) bugger, (puhelimen) wiretapper
salakuuntelu eavesdropping; (mikrofonilla) bugging, (puhelimen) tapping (someone's) phone
salakähmäinen underhand(ed), furtive; (vakoilu) covert, clandestine, huggermugger
salakätkö (ihmisen) secret hiding place, (tavaran) secret stash
salakäytävä secret passage(way)
salaliitto conspiracy
salaliittolainen conspirator
salama lightning kuin salama kirkkaalta taivaalta (like a (thunder)bolt) out of the blue kuin salaman lyömänä (as if) thunderstruck kuin rasvattu salama like greased lightning
salamanisku a bolt/stroke of lightning
salamannopea quick as a flash
salamanteri salamander
salamapallo Finnish rugby
salamasota blitzkrieg
salamatkustaja stowaway
salamatäsmäys flash synchronization, flash sync
salamatäsmäyskenkä (valokuvauskoneen) hot shoe
salamavalo flash
salamavalolaite flash
salamavalomittari flash meter
salamenot secret/arcane/mystical rites
salametsästys poaching
salametsästäjä poacher
salami salami
salamoida lighten, flash Ukkosti ja salamoi koko iltapäivän It thundered and lightened all afternoon Hänen silmänsä salamoivat Her eyes were blazing, flashed fire
salamurha assassination, (ark) hit
salamurhaaja assassin, hired killer, (ark) hit(wo)man
salamyhkäinen secretive, enigmatic, cryptic; (salaperäinen) mysterious
salamyhkäisyys secretiveness; mysteriousness
salamyhkää secretively, furtively, mysteriously, on the sly

salanimi assumed name; (kirjailijan) pen name, pseudonym; (näyttelijän) stage name
salaoja subsurface drain
salaohjaputki drain pipe
salaojittaa (under)drain
salaperäinen mysterious, secretive
salaperäisyys (ihmisen) mysteriousness, secretiveness; (asian) mystery, secrecy
salapoliisi detective
salapoliisiromaani detective novel, mystery (novel)
salarippi auricular confession
salaseura secret society
salassa in secret pitää salassa keep (something) secret, conceal pitää joltakulta salassa keep someone in the dar (about something), keep (something) from someone pidettävä salassa (strictly) confidential
salassapito secrecy
salassapitovelvollisuus vow of secrecy/silence/confidentiality
salata hide, conceal, keep (something) secret, cover (something) up Hän ei salannut sitä että hän on lähdössä He made no secret of the fact that he was leaving, he made no bones about his upcoming departure
saldo balance
sali hall; (olohuone) living room
saliininen saline
salkku briefcase, (attach) case; (ministerin) portfolio
salko pole vetää lippu salkoon raise the flag/colors
salkunhoitaja stock broker
salkunhoito stock brokerage
salkuton ministeri minister without portfolio
sallia allow, let, permit, give (someone) permission (to do something) Sallikaa minun kantaa matkalaukkuanne Please, allow me to carry your suitcase; (ark) here, let me get that for you jos sää sallii weather permitting
sallimus providence, (kohtalo) fate, destiny
salmi sound, strait
salmiakki salmiac
salmiakkipastilli salmiac lozenge
salmonella salmonella
salmonelloosi salmonellosis
salo backwoods, woodland, wilderness
salomaisema wooded lanscape
Salomonsaaret Solomon Islands
salonki salon
salonkikelpoinen presentable
salonkikomedia comedy of manners, drawing-room comedy
salonkikommunisti parlor communist
salonkivaunu saloon car
salottisipuli shallot
salpa bolt, bar, (lukon) latch
salpautua 1 (tekn) freeze, stick, jam **2** (liikenne) jam, (hengitys) be blocked
salpietari saltpeter, potassium nitrate
salskea good-looking, well-built
saluuna saloon
salvadorilainen s, adj Salvadorean
salvaa 1 (talo) frame **2** (koiraseläin) castrate, geld, (euf) fix
salvata bolt, bar, latch
salvetti (table) napkin
salvoa frame
salvos frame(work)
salvukukko capon
sama same tuo on sama mies that's the same one/man samana vuonan the same year sama koskee sinuakin the same goes for you, this includes you Sitä samaa sinullekin! The same to you! samaan menoon all at once, without stopping samaa päätä immediately, straight off mennä samaa kyytiä (ride/drive/walk) together samalla kun while Toisitko minulle juotavaa samalla kun haet kirjan? While you're getting your book, could you bring me something to drink?
samaan aikaan at the same time, simultaneously, concurrently, meanwhile sattua samaan aikaan kun coincide with
samaan hengenvetoon in the same breath
samaan hintaan 1 for the same price **2** (kaupan päälle) into the bargain

šamaani shaman
samaan muottiin valetut cast in the same mold (myös kuv)
samainen the (very) same
sama kuin heittäisi rahaa kaivoon it's like throwing money down a hole, like flushing money down the toilet
samalla kertaa 1 (matkalla) at a/one time, on the same trip **2** (samalla) at the same time, meanwhile
samalla tavalla similarly, in the same way, alike
samalta istumalta in one sitting Voin tarkistaa asian tältä samalta istumalta I can check it for you right now
sama missä no matter where, wherever
samanaikainen simultaneous, concurrent
samanaikaisesti 1 (saman ajan) contemporary, contemporaneous **2** simultaneously, concurrently sattua samanaikaisesti (kuin) coincide (with)
samanaikaistaa synchronize samanaikaistaa kellot synchronizxe your watches
samanaikaisuus 1 (saman ajan) contemporaneity **2** (samaan aikaan) simultaneity, concurrence
samanarvoinen (of) equal (value), equivalent (to)
samanhenkinen kindred, like-minded Onneksi naapurimme ovat samanhenkistä väkeä Fortunately our neighbors are people like us, are kindred spirits
samanhetkinen simultaneous (with)
sama niin tain näin it's all the same (to me), it doesn't matter which way you do it
samanikäinen s peer adj the same age (as)
šamanismi shamanism
šamanisti shamanist
samankaltainen 1 (kun) similar to, like, the same kind (as) **2** (predikaattina) similar, alike He ovat hyvin samankaltaiset They're very similar, very much alike
samankaltaisuus similarity, likeness
samankokoinen same-size, the same size
samanlainen 1 (kun) similar to, like, the same kind (as) Se on samanlainen kuin muut It's just like the rest **2** (predikaattina) similar, alike He ovat hyvin samanlaiset They're very similar, very much alike
samanlaistaa standardize
samanlaisuus similarity, likeness
samanmerkkinen the same brand/kind/make (as)
samanniminen of the same name
samannäköinen similar-looking Et näytä enää ollenkaan samannäköiseltä You don't look at all the same
samanpäiväinen (something) made/done oin that day, on the same day samanpäiväistä leipää fresh(-baked) bread
samansuuntainen in the same direction
samansuuruinen same-size, of/in the same amount
samantapainen similar, of the same sort
samantapaisesti similarly
samantekevä all the same Se on minulle täysin samantekevää It's all the same to me, it's a matter of total indifference to me
saman tien 1 (samassa yhteydessä) while we're at it **2** (heti) right/straight away, immediately **3** (mukana) along with it Kun poltin roskat meni kuitti saman tien I managed to burn the receipt along with the trash
samanveroinen equal, equivalent
saman verran the same amount, as much saman verran lisää as much more
samapa se oh well, what the hell, what difference does it make, same difference
samasanainen verbatim, word-for-word
samastaa associate, link, (sekoittaa) confuse
samasta puusta veistetyt made of the same mettle

samasta työstä samaa palkkaa equal pay for equal work
samastua identify (with)
samaten ks samoin
samat sanat! same to you! (sama täällä) same here!
samat sävellykset I've got the same problem
Sambia Zambia
sambialainen s, adj Zambian
samea 1 (vesi) cloudy, muddy, brown kalastaa sameassa vedessä fish in troubled waters, put troubled times to work **2** (katse) blurry, (silmät) bleary **3** (ajatukset) dim, dull
sameasti muddily, blurrily, blearily, dimly, dully (ks samea)
samentaa cloud, muddy (up), blur, dim, dull (ks samea)
samentua cloud up, become muddy, blur, dim, become dull (ks samea)
sametti velvet vakosametti corduroy
sameus cloudiness, muddiness, blurriness, bleariness, dimness, dullness (ks samea)
sammakko 1 (eläin) frog uida sammakkoa do the breaststroke **2** (virhe) blooper
sammakkomies frogman
sammakonkutu frog spawn
sammal moss
sammaleinen mossy
sammaloitua become mossy Vierivä kivi ei sammaloidu A rolling stone gathers no moss
sammaltaa 1 (puhua epäselvästi) slur your speech/words, speak thickly **2** (lespata) lisp **3** (tilkitä) stuff (the cracks of a log house) with moss
sammio tub, vat
sammua 1 (valo) go out/off **2** (tuli) go out, die (down) **3** (jano) be quenched **4** (tunne) die, fade/melt away, diminish **5** (ark = nukahtaa) crash, conk out; (känniin) pass out
sammuksissa 1 (tuli) out, extinguished puhaltaa kynttilä sammuksiin blow out a candle **2** (ihminen) crashed, conked/passed out
sammumaton inextinguishable, insatiable, unquenchable
sammutin fire extinguisher
sammuttaa 1 (tuli) extinguish, put/stamp out **2** (valo, TV tms) turn/switch off
sammutus extinguishing, fire-fighting
sammutustyö fire-fighting
samoin similarly, in the same way; (samaten) likewise, (ark) ditto tehdä samoin do the same thing, do likewise Kiitos samoin Thanks, (the) same to you
samoin kuin 1 (kuten) like, as tehdä samoin kuin kaikki muut do what everybody else does **2** (sekä) as well as yliopiston väki samoin kuin kaupunkilaiset the university people as well as the locals
samojedinpystykorva Samoyed
samota rove, roam
samovaari samovar
sampi sturgeon
sampo the Sampo, (kuv) money-maker
samppoo shampoo
samppanja champagne
sana word laulun sanat the lyrics of a song jättää sana leave word, leave a message julistaa Jumalan sanaa preach the Word of God Eikö sana kuulu? Didn't you hear me? Hän ei sanonut siitä halaistua sanaa I couldn't get a word out of him about that, he wouldn't say a thing sanaakaan sanomatta without a word panna sanoja jonkun suuhun put words in someone's mouth viedä sanat suusta take the words right out of someone's mouth syödä sanansa go back on your word, break a promise Sanasta miestä, sarvesta härkää A man is as good as his word sanalla sanoen in a word ryhtyä sanoista tekoihin stop talking about it and do it
sanaharkka argument joutua sanaharkkaan jonkun kanssa have words with someone
sanakirja dictionary
sanallinen verbal
sanaluokka part of speech
sananlasku saying, proverb

sananparsi saying, proverb, manner of speaking
sananvaihto conversation
sanastaa record, transcribe
sanasta sanaan word for word; (sanatarkasti: toistaa) verbatim, (kääntää) literally
sanasto 1 vocabulary, lexicon, glossary **2** (terminologia) terminology, nomenclature
sanastus recording, transcription
sanaton speechless
saneerata 1 (rakennus) renovate, remodel, restore **2** (yhtiö) reorganize, (ark) shake down
saneeraus 1 (rakennuksen) renovation, remodeling, restoration **2** (yhtiön) reorganization, (ark) shakedown
sanella dictate (to)
sanelu dictation
sanelukone dictaphone
sangattomat lasit pincenez
sangen very, extremely, most
sangviinikko sanguine person
saniainen fern
sanka (kattilan, sangon) handle; (silmälasien) earpiece, temple
sankari hero syntymäpäiväsankari the birthday boy/girl
sankarihauta soldier's grave
sankarillinen heroic
sankaripalvonta hero worship
sankaritar heroine
sankaritarina heroic story
sankka thick sankoin joukoin in droves
sanko bucket, pail
sanktio sanction
San Marino San Marino
sanmarinolainen s, adj San Marinese
sanoa 1 say Sinäpä sen sanoit! You said it! You can say that again! Sano minun perässäni Repeat after me **2** (lausua) state, express sanoa mielipiteensä state/express/give your opinion **3** (kertoa) tell Sano, oliko se vihreä vai sininen? Tell me, was it supposed to be green or blue Älä sano kenellekään! Don't tell anyone **4** (kutsua) call Sano vain Nipa Just call me Nipa **5** (ääntää) pronounce En osaa sanoa suomalaista r:ää I can't roll my r's like a Finn
sanoa irti dismiss, let go; (ark) fire, sack sanoa itsensä irti resign, (ark) quit
sanoakseni niin sanoakseni so to speak toden sanoakseni to tell you the truth, as a matter of fact, frankly, honestly
sanoa uudelleen repeat, reiterate
sanoa vastaan (neutraalisti) answer, reply; (uhmaten) talk back
sanoen toisin sanoen in other words suoraan sanoen frankly, honestly, not to put too fine a point on it lyhyesti sanoen in short, to make a long story short, in a nutshell tarkemmin sanoen to be precise, more accurately, actually; (toisaalta) on the other hand, come to think of it
sanojenkäsittely word processing
sanoma message
sanomalehdistö the press
sanomalehti newspaper
sanomalehtiala journalism
sanomalehtiarvostelu newspaper review
sanomalehtikirjoitus newspaper article
sanomalehtipaperi newsprint
sanomattakin selvää it goes without saying (that)
sano minun sanoneen mark my words
sano mitä sanot say what you like, I don't care what you say
sano muuta you can say that it again, you said it
sanonta phrase, saying
sano se suomeksi say it in plain English
sano suoraan give it to me straight, don't beat around the bush, don't hem and haw
sanottava 1 (sanominen) something to say sanoa sanottavansa say what you have to say, say what's on your mind, say your piece Eikö sinulla ole mitään sanottavaa? Don't you have anything to say (for yourself)? **2** (mer-

kitsevä) appreciable, perceptible, significant ei sanottavaa merkitystä no appreciable significance
sanottu tarkemmin sanottuna more accurately, actually; (toisaalta) on the other hand, come to think of it suoraan sanottuna frankly, honestly, not to put too fine a point on it kuten sanottu as I said, as I was saying niin sanottu so-called Hyvin sanottu! Well said/put! Se on liikaa sanottu That's going too far, saying too much helpommin sanottu kuin tehty easier said than done sanottu ja tehty no sooner said than done
sanoutua irti resign, (ark) quit
santa sand
saota thicken
saparo (possun) tail, (ihmisen) pigtail
sapatti Sabbath
sapekas bilious (myös kuv:) vitriolic, acid, nasty
sapeli saber
sapettaa gall Että tuo sapettaa Boy that galls me
sapiska scolding saada sapiskaa get told (where to get) off
sappi 1 (sappirakko) gall bladder **2** (sappineste) bile, (eläimen) gall **3** (kuv) gall Se saa sappeni kiehumaan That really galls me, that makes my blood boil
sappikivi gallstone
sappineste bile, (eläimen) gall
sappirakko gall bladder
sara sedge
sarake column
sarana hinge
sarastaa dawn (myös kuv)
sarastus dawn(ing), sunrise, the break of day
sardiini sardine
sarja 1 (yl, mat, liik, kem, sähkö) series **2** (tapahtumien) chain, sequence, succession **3** (kirjojen, kattiloiden, veisten, työkalujen tms täydellinen) set **4** (sarjakuvasarja) strip **5** (urh) division
sarjakuva comic strip
sarjakuvalehti comic book
sarjakuvasankari comic-strip/-book hero
sarjakuvasivut the comics, the funny pages, the funnies
sarjaliitäntä serial interface
sarjallinen musiikki serial music
sarjatuli sustained fire
sarjatuotanto serial production
sarka 1 (pelto) patch, strip **2** (ala) field, area, branch
sarkain tab(ulator)
sarveiskalvo cornea
sarvi 1 horn ottaa härkää sarvesta take the bull by the horns **2** (ark = kuhmu) goose egg
sarvikuono rhinoceros
sarvisankainen (silmälasit) horn-rimmed
Saskatchewan Saskatchewan
sassiin on the double
sata hundred ajaa tuhatta ja sataa go careening down the road
sataa rain; (lunta) snow; (rakeita) hail; (räntää) sleet Sataa It's raining (/snowing/hailing/sleeting) Sataa kaatamalla It's coming down in buckets, it's pouring, it's raining cats and dogs satoi tai paistoi rain or shine
satakertainen hundredfold
satakiloinen two-hundred-pounder
satama port, harbor; (kuv) haven poiketa satamaan put in at a port
satamarkkanen hundred-mark bill/note
satanen C-note
sataprosenttinen hundred-percent
sataprosenttisesti a hundred percent
satavuotias hundred-year-old, (ihminen) centenarian
satavuotinen hundred-year-old
satavuotisjuhlat centennial (celebration)
sateenkaari rainbow
sateensuoja 1 shelter (from the rain) **2** (ark) umbrella
sateenvarjo umbrella
sateenvarjoheijastin (valokuvauksessa) umbrella diffuser
satelliitti satellite
satelliittiantenni satellite dish
satelliittitelevisio satellite television

satiini satin
satiiri satire
satiirikko satirist
sato harvest, crop
satsi batch, lot
sattua 1 (tapahtua) happen, occur Missä se sattui? Where did it happen? kaikki mitä eteen sattuu whatever comes along/up jos hyvin sattuu if all goes well miten sattuu any old (which) way, haphazardly, hit or miss Satuin näkemään Harrin eilen I happened/ chanced to run into Harri yesterday **2** (osua) hit, strike Mihin se sattui? Where did it hit/land? **3** (tehdä kipeää) hurt Mihin sattuu? Where does it hurt? Minuun sattui kun sanoit noin What you said hurt me
sattua arkaan paikkaan hit a sore spot
sattua erehdys Minulle sattui pieni erehdys I made a little mistake
sattua hyvään/huonoon saumaan come/happen at a good time
sattua kohdalleen fall into place; (osua) strike home, hit the nail on the head
sattua vastakkain bump/run into each other
sattua yhteen (asiat) coincide; (katseet) meet; (ihmiset) bump/run into each other
sattuma 1 chance, coincidence, happenstance pelkkä sattuma pure/ sheer coincidence jättää sattuman varaan leave (something up) to chance **2** (tapahtuma) (fortuitous) event, incident
sattumalta by chance/accident/ coincidence, accidentally, coincidentally Se on minulla sattumalta mukana I just happen to have it with/on me, by sheer luck I've got it here
sattuman kaupalla by sheer (good) luck/fortune, as (good) luck would have it
sattumanvarainen random, haphazard
sattumoisin ks sattumalta
sattuneesta syystä for obvious reasons
sattuva apt, fitting, telling, (sana) well-chosen
sattuvasti aptly, fittingly, tellingly
satu fairy tale (myös kuv)
satukirja story-book
satula saddle
satumaa story-book/fairy-tale land, wonderland
satumainen fabulous, wonderful
satunnainen random
satunnaisesti randomly
satunäytelmä fairy play
satuprinsessa fairy-tale princess
satuprinssi fairy-tale prince
satusetä story-teller
satuttaa hurt
saudi Saudi
Saudi-Arabia Saudi Arabia
saudiarabialainen s, adj Saudi Arabian
sauhu smoke
saukko otter
sauma 1 seam sattua hyvään/huonoon saumaan come/happen at a good/bad time **2** (tekn) seam, joint
saumaton seamless (myös kuv)
saumattomasti seamlessly
sauna sauna
saunailta sauna evening
saunoa take a sauna
saunottaa 1 (pestä) wash (someone) in the sauna **2** (lämmittää) heat up the sauna (for someone)
sauva 1 rod, staff, stick **2** (hiihtosauva) (ski) pole **3** (kainalosauva) crutch **4** (taikasauva) (magic) wand **5** (piispan) crozier
sauvoa pole (myös hiihtämisestä)
savanni savannah
savi clay Menköön syteen tai saveen Come hell or high water
saviastia clay pot; (mon) pottery, earthenware
savinen clay, earthen
savitavara earthenware
savolainen s person from Savo adj pertaining to Savo

savotta logging mennä savottaan go logging
savu smoke Ei savua ilman tulta Where there's smoke there's fire haihtua savuna ilmaan go up in smoke
savuke cigarette
savupommi smoke bomb
savusauna smoke sauna
savusilakka smoked herring
savustaa smoke savustaa joku ulos (talosta/virastaan) smoke someone out (of a house/job)
savuta smoke
savuton (ruuti) smokeless; (työpaikka) smoke-free
savuttaa smoke
se pron **1** it, (tuo) that Se on liian iso (painottomana) It's too big, (painollisena) That's too big **2** (ark) he, she Se on mun systeri She's my sister
art the, that Se on katso se mies See that's the man I mean se jokin the little something
seassa among, in amongst mennä (muiden) sekaan mingle (with the others) roskien seassa in (amongst) the trash
seepra zebra
seerumi serum
seesam aukene open sesame
seesteinen 1 (pilvetön) clear, unclouded (myös kuv) **2** (rauhallinen) peaceful, serene, tranquil
seestyä 1 (taivas, tilanne) clear up **2** (ajatus) crystallize, take shape **3** (mieliala) relax, calm (down)
segmentti segment
seikka matter, fact(or), detail, thing se seikka että (the fact) that
seikkailija adventurer
seikkailla have adventures, wander, explore
seikkailu adventure
seikkailunhalu adventurous spirit
seikkailunhaluinen adventurous, adventuresome
seikkaperäinen detailed
seikkaperäisesti in detail
seilata sail
seimi 1 (raam) manger seimessä syntynyt born in a manger **2** (lasten) nursery school
seinusta wall pankin seinustalla by the bank
seinä wall iskeä päätään seinään bang your head on a brick wall kuin olisi puhunut seinille like talking to a brick wall loppua kuin seinään dead-end hyppiä seinille be climbing the walls
seinähullu out of his/her tree, bonkers, gonzo
seinämä wall
seipäänheitto javelin throw
seipäänheittäjä javelin-thrower
seireeni siren
seis! stop! halt!
seisaallaan standing nousta seisaalleen stand up seisaaltaan from a standing position
seisahtua 1 stop, pause **2** (henkisesti) stagnate
seisake flag/whistle stop
seisaus 1 stop, halt, standstill **2** (työn) stoppage
seisauttaa stop, halt, bring to a standstill
seisminen seismic
seisoa 1 stand nousta seisomaan stand up niin kauan kuin maailma seisoo as long as the world exists **2** (olla pysähdyksissä) be at a standstill, be stopped Kelloni seisoo My watch has stopped Järki seisoo I can't think panna koneet seisomaan stop the machines **3** (penis) be erect Minulla seisoi I had an erection, (ark) I had a hard-on
seisoallaan ks seisaallaan
seisonta standing (position)
seisontajarru parking/emergency/hand brake
seisoskella stand/hang around
seisottaa 1 (antaa seisoa) let (someone/something) stand (up, in place); (panna seisomaan) make (someone) stand (up, in place), stand (someone) up **2** (pysäyttää) stop, halt
seisova standing, (vesi) stagnant, (ilma) stuffy

seisova pöytä buffet table; (tav syö niin paljon kuin haluat -ravintola) smorgasbord
seistä stand (ks seisoa)
seitsemisen around seven
seitsemäinen (the number) seven
seitsemän seven
seitsemänkymmentä seventy
seitsemänsataa seven hundred
seitsemäntoista seventeen
seitsemäntuhatta seven thousand
seitsemänvuotias seven-year-old
seitsemäs seventh
seitsemäskymmenes seventieth
seitsemäsluokkalainen seventh grader
seitsemässadas seven-hundredth
seitsemäs taivas seitsemännessä taivaassa in eleventh heaven
seitsemästoista seventeenth
seitsenkerroksinen seven-floor/-story
seitsenvuotias seven-year-old
seitti (spider-/cob)web
seiväs 1 (urh = heitettävä) javelin, (hypättävä) pole heittää seivästä throw the javelin hypätä seivästä pole-vault **2** (sot hist) lance, spear
seivästää pierce/stab (with a spear/ lance)
se ja se so-and-so rouva Se ja Se Mrs. So-and-So sinä ja sinä päivänä on such-and-such a day
seka- mixed
sekaannus confusion, mix-up, (sl) balls-up On sattunut jonkinlainen sekaannus There's been some sort of mistake/mix-up
sekaantua 1 (mennä sekaisin jonkin kanssa) get mixed up with Salkkumme olivat sekaantuneet Our briefcases had gotten switched **2** (sotkeentua) get tangled up Vyyhti sekaantui täysin The skein got all tangled up **3** (joutua osalliseksi johonkin pahaan) get involved in, get mixed up with **4** (eri rotua olevat eläimet) cross-breed **5** (olla luvattomassa yhdynnässä johonkuhun/johonkin) have illicit intercourse (with), sodomize **6** (puuttua johonkin) interfere/meddle (in), (sotilaallisesti) intervene (in) sekaantua keskusteluun butt in, put your two bits/cents in, kibitz En halua sekaantua siihen I don't want to get involved in that
sekainen 1 (sotkuinen) untidy, cluttered, messy **2** -sekainen mixed with pelonsekainen kunnioitus fearful respect, awe
sekaisin 1 (sotkussa) (all) cluttered/ messed/tangled up, in a mess/tangle, helter skelter mennä sekaisin (huone) get messed up **2** (huonosti) (all) screwed/balled up mennä sekaisin (hanke) get screwed/balled up Minulla on vatsa ihan sekaisin My stomach's upset **3** (keskenään) mixed up (together) **4** (päästään) confused, rattled, muddled, befuddled päästään sekaisin not running on all cylinders
sekakuoro mixed choir
sekalainen miscellaneous
sekaleipä mixed-grain bread
sekametsä mixed forest
sekarotuinen mixed-/cross-breed
sekasikiö hybrid; (halv) mongrel
sekasorto chaos, confusion, disorder, unrest
sekasortoinen chaotic, confused, disordered, turbulent
sekava confused, disordered, chaotic; (puhe) incoherent sekavin tuntein with mixed feelings
sekavasti incoherently
sekavuus confusion, disorder, chaos, incoherence
sekki check
sekkivihko checkbook
sekoitin blender, mixer
sekoittaa 1 (aineet: yhteen) mix, blend; (toinen toiseen) add (one to the other); (hämmentää) stir **2** (laittaa sekoittamalla) fix, make, cook (up) **3** (sotkea joku mukaan johonkin) get (someone) mixed up (in something), involve/entangle (someone in something) **4** (sotkea keskenään) mix (two people) up, confuse (one for the other) **5** (sotkea) mess/clutter/jumble (something) up **6** (kortit) shuffle **7** (suun-

nitelmat tms) upset, ruin, screw/foul up **8** (jonkun pää) confuse
sekoittua mix, blend; (toisiinsa) intermix/-mingle
sekoitus 1 mix(ture), blend **2** (kem) compound **3** (metallisekoitus) alloy
seksi sex
seksikkyys sexiness
seksikkäästi sexily
seksikäs sexy
sekstetti sextet
seksuaalinen sexual
seksuaalisesti sexually
seksuaalisuus sexuality
sektori sector
sekunda second
sekunti second
sekuntikello stopwatch
sekvensseri (mus) sequencer
sekä 1 (ja) and isä sekä äiti mother and father **2** (ja myös) in addition, and also isät ja äidit sekä heidän lapsensa mothers and fathers and also their children
sekä että both sekä... että both... and sekä isät että äidit both mothers and fathers
selata flip/browse through
seleeni selenium
selektiivinen selective
selin with your back to(wards something) kääntyä selin johonkuhun turn your back on someone
selinmakuu lying on your back, supine position
selitellä make excuses (for), (try to) explain (something) away
selitettävissä explicable, explainable
selittely (making) excuses
selittyä be explained (by) Sehän selittyy sillä että The explanation for that is that
selittämätön inexplicable, unfathomable, unaccountable
selittää 1 explain, give a reason/an explanation for, account for **2** (teosta) interpret, analyze, comment (on), write a commentary (on)
selittää jokin olemattomaksi explain something away
selittää parhain päin put the best possible face on (something)
selittää unia interpret dreams
selittää väärin misread, misinterpret
selitys 1 explanation **2** (teoksen) commentary, interpretation; (Raamatun myös) exegesis **3** (veruke) excuse **4** (kuvan alla) caption
selitysteos commentary
seljetä 1 (taivas) clear up **2** (asia) dawn on (someone), become clear
selkeys clarity
selkeytyä clear up, be clarified
selkeä clear antaa selkeät ohjeet give clear/explicit/unambiguous instructions
selkeästi clearly, distinctly
selkkaus conflict, clash
selko ottaa/saada selkoa jostakin find out about something, clear something up antaa tarkka selko jostakin make a full/detailed report on something tehdä selkoa jostakin account for something
selkokieli simplified language
selkokielinen simplified
selkä 1 back Jumalan selän takana out in the middle of nowhere, out in the sticks/boonies **2** (takapuoli) backside, rear end saada selkään get spanked antaa jollekulle selkään give someone a spanking, tan someone's hide, warm someone's backside (for them) **3** (järven/meren) open water/sea **4** (vuoren) ridge
selkäkipu backache
selkäpuoli back, (takapuoli) rear
selkärangaton 1 (eläin) invertebrate **2** (ihminen) spineless
selkäranka spine, backbone (myös kuv)
selkärankainen vertebrate
selkäreppu backpack
selkäsauna spanking
selkäsärky backache
selkäuinti backstroke
selkäydin spinal cord (marrow)
sellainen pron s **1** that sort of thing Sellaista ei saa sanoa You shouldn't say things like that A: Aiotko jäädä? B: Sellainen on tarkoitus A: Are you going to stay? B: That's the idea Miehet ovat

sellaisia Men are like that, that's what men are like **2** one Sellainen kuuluu joka kotiin Every household should have one (of these)
pron adj like that/those, such (a) Minä en aio kuunnella sellaista puhetta I refuse to listen to talk like that Hän on sellainen nipottaja että He's such a stickler that ei mitään sellaista nothing like that Minulla on sellainen mielikuva että The way I remember it
sellainen ja sellainen such-and-such
sellainen ja tällainen so-so
sellainen kuin 1 sellainen kuin tämä/sinä like this/you Sellainen renki kuin isäntä Like father like son Sellaiset näytelmät kuin Kuningas Lear ja Macbeth Such plays as King Lear and Macbeth, plays like KL and M **2** Tule sellaisena kuin olet Come as you are
sellaisenaan as it is/was hyväksyä sellaisenaan approve (something) as it is, pass (something) without change
sellaista ei tehdä that is simply not done
sellaista on elämä that's life, such is life, c'est la vie
sellaista sattuu these things happen, that's life, c'est la vie
selleri celery
selli cell
sello cello
selluliitti cellulite
selluloidi celluloid
selluloosa cellulose
sellutehdas pulp mill
selonteko report
selostaa 1 (selittää) explain Voitko selostaa miten tätä käytetään? Could you explain how to operate this?
2 (antaa selonteko) report (on), give an account (of) selostaa lyhyesti sellu-teollisuuden nykynäkymiä give a brief account of the pulp industry's prospects
3 (peliä) announce, do a (running/play-by-play) commentary (on)
selostaja reporter; (TV, radio) announcer, commentator
selostus report; (TV, radio) commentary
selusta 1 (tuolin) back **2** (armeijan tms) rear
selvennys clarification
selventää clarify
selvetä clear up
selvillä 1 (ihminen) in the know, aware (of) En ole aivan selvillä siitä itsekään I'm not sure of that myself **2** (asia) known saada selville find out Se on jo saatu selville We already know all about that
selvitellä 1 (kurkkua) clear **2** (aja-tuksia) clear, clarify, work out **3** (ongel-maa) clear up, settle, work/straighten out **4** (sotkuista vyyhteä tms) straighten out, untangle **5** (humalaista) sober up
selvittely 1 (erimielisyyden) settling, settlement **2** (liik) clearing
selvittää 1 (kurkkua, aita hyppää-mällä) clear Hevonen selvitti aidan kirkkaasti The horse cleared the fence easily **2** (ajatuksia, asiaa toiselle) clear, clarify, work out, (asiaa myös) explain Minun täytyy selvittää itselleni motiivejani I've got to think through my motives on this **3** (ongelmaa) clear up, solve, settle, work/straighten out Saitteko sen selvitettyä? Did you get it worked/ straightened out, did you settle your differences, did you solve your problem? **4** (sotkua) straighten out/up, (vyyhteä tms) untangle Selvitäpäs tuo sotkusi Straighten/pick up that mess you made **5** (humalaista) sober up **6** (liike) liquidate; (kuolinpesä) execute, wind up
selvitys 1 (raportti) report, account antaa täydellinen selvitys matkasta give a full report of the trip **2** (lähtöselvitys: lentokentällä) check-in (counter), (mer) outwards clearance; (mer tuloselvitys) inwards clearance **3** (saldoselvitys) clearance (of the balance) **4** (riidan) settlement **5** (konkurssipesän) liquidation **6** (kuolinpesän) execution, administration **7** (rikoksen) investigation
selvitä 1 become clear Asia selvisi melko nopeasti I straightened that out quickly enough Tästä selviää että This

indicates/makes it clear/shows that Sitten minulle selvisi että Then it dawned on me that, then I realized that **2** (toipua) recover, get over Etköhän selviä siitä You'll get over it **3** (jäädä henkiin) survive, live, escape Etköhän selviä siitä I think you'll live/survive **4** (pärjätä) manage, get along/by, make it Etköhän selviä yksinkin I think you can make it on your own Selviätkö lentokentälle itse? Can you make it to the airport yourself? **5** (humalasta) sober up
selvitä pelkällä säikähdyksellä get off with a scare
selviytyä 1 (ongelmasta) make it, work it out, cope with it **2** (taudista, traumasta) get over it, pull through **3** (tentistä) get through, do all right (in) **4** (vaaratilanteesta) survive, escape, make it **5** (elämässä) manage, get by, do all right **6** (loppukilpailuun) qualify (for), make it (to) **7** (aidan yli) clear
selviytyä veloista pay off your debts
selviö axiom pitää selviönä consider it axiomatic (that); (ark) take it for granted (that)
selvyys clarity, (kirjoituksen) legibility päästä selvyyteen asiasta get a matter cleared up, come to understand it, finally realize what it's all about
selvä 1 clear selvät faktat the plain/obvious facts Mutta onhan ihan selvää että But it's perfectly clear/obvious/evident/plain that Asia on selvä It's a deal, it's settled selvällä suomen kielellä in plain Finnish ottaa/saada selvää find out (about) tehdä selväksi make it clear (to) Onko se sillä selvä? Will that do it? selvä käsiala clear/distinct/legible/intelligible handwriting Selvä! All right! Fine! **2** (ei juovuksissa) sober
selvänäköinen clear-sighted, clairvoyant
selvänäköisyys clairvoyance
selväpiirteinen clear(-cut)
selväpiirteisesti clearly
selväpiirteisyys clarity
selvärajainen clearly defined
selväsanainen 1 clear(ly worded), unambiguous **2** (suora) frank, straight(forward)
seläkkäin back to back
selällään on your/its back
selänne 1 (harju) ridge **2** (ilmatieteessä) front
selättää pin
semantiikka semantics
semanttinen semantic
sementti cement
seminaari seminar
semmoinen ks sellainen
sen 1 its, that's **2** (ark) his, her(s)
senaatti senate
senaattori senator
sen ajan murhe Se on sen ajan murhe We'll cross that bridge when we come to it
Senegal Senegal
senegalilainen s, adj Senegalese
senhetkinen (silloinen) the then/current Mikä senhetkinen tilanne onkaan Whatever the situation at the time (happens to be)
seniili senile
sen johdosta due to that, owing to that, on account of that sen johdosta että due to the fact that, given that, since
senkaltainen (sellainen) of that/a kind/sort, the kind/sort of (ks sen tyylinen)
senkka blood sedimentation, ESR
sen koommin Ei häntä ole sen koommin näkynyt We haven't seen hide nor hair of him, he hasn't shown his face around here
senluonteinen (sellainen) of that/a kind/sort, the kind/sort of (ks sen tyylinen)
senmukainen (something) done/calculated/jne along the same lines as, in accordance with, according to Viime vuonna päätettiin pysyä 4,5 pennin tasolla ja tämä on senmukainen ehdotus Last year we decided to stay at 4.5 cents, and this proposal is in line with that decision

sen mukaisesti (do something) along those lines, in accordance with, according to Sehän menee sen mukaisesti, mitä päätettiin viime vuonna It follows the lines we settled on last year
sen pituinen se That's the end of it, of the story; that's all there is to it
sensaatio sensation
sen seitsemän kertaa repeatedly, over and over, time and again
sensitiivinen sensitive
sensuroida censor
sensuuri censorship
sen takia (siksi) therefore, hence, thus; (siksi juuri) that's why Sen takia pyysinkin sinua tänne That's why I asked you here
sentapainen (sellainen) of that/a kind/sort, the kind/sort of (ks sentyylinen)
sentimentaalinen sentimental
sentrifugi centrifuge
sentti centimeter
senttimetri centimeter
sentyylinen 1 sentyylinen talo a house in that style **2** (sellainen) of that type/order/magnitude, the type of Sentyylinen ongelma on vaikea ykskaks ratkaista A problem of that order is difficult to solve overnight Se on sentyylinen ongelma että It's the kind of problem that
sentään 1 (kuitenkin) yet, still **2** (ainakin) at least, anyway Summa ei ole suuri, mutta sentään jotain It's not much, but at least it's something, but it's something anyway **3** (tosiaan) really, truly, sure On tuo Hanna sentään vahva tyttö! That Hanna sure is a strong girl! **4** Voi voi sentään! Oh me oh my! Oh dear!
se on that is, i.e.
seos mixture; (kem) compound; (metalliseos) alloy
seota 1 (sotkeutua) get mixed up (with), get messed up **2** (tulla hulluksi) get/be really messed/fucked up
sepalus fly
separaattori separator
sepeli gravel
sepite writing, composition, (ark) piece
sepitteinen fictional
seppele wreath
seppelöidä wreathe, (ihmistä) crown (someone) with a wreath/garland
sepposen selällään wide open, gaping
seppä smith oman onnensa seppä master of your own fate
sepustaa write, scribble, jot down; (sepittää) cook/make up
sepustus piece Tässä on yksi minun sepustukseni Here's a piece I did, a thing I wrote
seremonia ceremony
seremoniamestari master of ceremonies, emcee
serenadi serenade
šeriffi sheriff
serkku cousin
serkukset cousins
serpentiini streamer
sesaminsiemen sesame seed
se siitä that's that
seteli bill, (bank)note; (mon) currency, paper money
setelipaino currency printing press
seteliraha (yksi) bill, (bank)note; (rahaa) currency, paper money
setelistö the currency in circulation
setelitukku a wad of bills
setri cedar (tree/wood)
setä uncle; (ark) man
seula sieve; (hiekkaseula tms) screen; (kuv = karsinta) screening vuotaa kuin seula leak like a sieve ampua seulaksi riddle with bullets
seuloa sift (out); (kiviä, hakijoita) screen
seura 1 (toiset ihmiset) company pitää jollekulle seuraa keep someone company etsiä seuraa go out looking for companionship **2** (yhdistys) society, organization, club **3** seurat prayer meeting, (herätyshenkinen) revival meeting
seuraaja 1 (virassa tms) successor **2** (opetuslapsi tms) follower
seuraa karttava asocial, unsociable
seuraamus consequence

seuraa rakastava social, sociable, friendly, gregarious, companionable
seuraava 1 (järjestyksessä) next, subsequent, following **2** (seuraavanlainen) the following seuraavassa in the following, in what follows, below Juttu oli seuraava It was as follows, this is the way it was
seuraavan kerran next time
seuraavanlainen the following, as follows (ks myös seuraava)
seuraeläin social animal/creature
seuraihminen sociable/friendly/ outgoing person
seurailla 1 (myötäillä) follow **2** (katsella) watch
seurakunta (Suomi evlut, US katol) parish; (US prot) congregation
seurakuntalainen parishioner, church member
seuralainen 1 companion, (treffeillä) date, (mies hienoissa juhlissa) escort **2** (seurueen jäsen) member of a (tour) group
seurallinen sociable, social, outgoing, friendly
seurallisesti sociably
seurallisuus sociability
seuramatka package tour
seuranaan with you, for company, as your companion
seuranneina vuosina in subsequent years
seuranta follow-up
seurantasäädin (kuvanauhurin) tracking control
seuran vuoksi just to have someone to talk to, be with Taidan sittenkin ottaa kupposen, ihan seuran vuoksi I guess I'll have a cuppa after all, just to join you
seurapiiri 1 (high) society, the monde **2** (ystäväpiiri) your circle (of friends)
seurata 1 follow Oletko seurannut Kiinan tapahtumia? Have you been following what's going on in China? Siitä seuraa, etten voi tulla What follows from that is that I can't come, the result/ consequence of that Seuraatko isääsi firman johdossa? Are you going to follow/succeed your father as the head of the company? **2** (katsella) watch, follow (something) with your eyes Olen seurannut tuota sorsaperhettä koko aamun I've been watching that family of ducks all morning **3** (mukana) follow, accompany; (ark) go with; (kuninkaallisia) attend **4** (luentoja) attend **5** (ohessa) accompany, be enclosed Asiakirjat seuraavat eri lähetyksessä Documents follow under separate cover
seurata aikaansa keep up with the times, keep abreast of world/current events
seurata hetken mielijohdetta act on a whim, act on impulse
seurata jonkun esimerkkiä follow someone's example/lead
seurata jonkun jalanjälkiä (kuv) follow in someone's footsteps
seurata jonkun kintereillä dog someone's heels
seurata jonkun neuvoja take/ follow someone's advice
seurata toinen toistaan follow one after the other, in (quick/rapid) succession
seura tekee kaltaiseksi like breeds like
seuratkaa johtajaa follow-the-leader
seurauksena Sinun huolimattomuutesi seurauksena tuli 100 000:n tappio Your carelessless cost the company a hundred grand, as a result/consequence of your carelessness we lost a hundred thousand
seuraus consequence, result syy ja seuraus cause and effect syy-seuraussuhde causal relation vastata seurauksista take the consequences
seurue 1 party, group neljän hengen seurue party of four **2** (kuninkaallisen tms, myös julkkiksen leik) entourage, retinue
seurustella 1 (ystävien kanssa) associate (with); (ark) hang/run around (with); (keskustella) talk, chat **2** (rakkaussuhteessa) go together, date; (koulussa) go steady (with)

seurustelu 1 (seuraelämä) social life/ intercourse **2** (rakkauselämä) dating, going together/steady
seutu region, area, district, neighborhood näillä seuduilla around here, in these parts
seutukaava regional plan
seutuvilla 1 (paikan) in the neighborhood/vicinity of, near, close to kirkon seutuvilla near the church **2** (määrän) in the neighborhood of, roughly, somewhere around Siinä tonnin seutuvilla Somewhere around a grand, in the neighborhood of a thousand marks **3** (ajan) sometime/ somewhere around, about Tule klo 7:n seutuvilla Come around seven, about seven o'clock, at sevenish
seychelliläinen s, adj Seychellois
Seychellit Seychelles
sfinksi sphinx
sherry sherry
siamilainen Siamese
sianliha pork
siansaksa pig-Latin
siansorkka pig's foot
side 1 (haavan) bandage, dressing, (kannatinside) sling **2** (kahle) bond **3** (ystävyyden) bond, (perheen, veren) tie **4** (suksiside) binding **5** (kirjan) binding, (nide) volume **6** (sideaine) binder Jutussa oli totta vain siteeksi There was just enough truth in the story to make it plausible, to make it look good **7** (terveysside) sanitary napkin, (ark) pad **8** (anat) ligament
sideaine binder
sideharso gauze
sidekudos connective tissue
sidonta 1 (haavan) bandaging, dressing **2** (kirjan) binding **3** (kukkien) (flower) arrangement **4** (seppeleen) (wreath-)making **5** (mus) ligature **6** (kiel) liaison
sidos 1 (haavan) bandage, dressing **2** (kem) bond(ing) **3** (kirjan) binding, (nidos) volume **4** (kankaan) weave **5** olla sidoksissa be tied/bound to
sidottu 1 (ihminen: köysillä tms) tied up, (työhönsä tms) tied, (vuoteeseen) bedridden, (perheeseensä tms) bound **2** (energia, morfeemi ym) bound **3** (kirja) (hard)bound, (ark) hardback **4** (pää-oma) tied up, (osake) restricted
siedettävä tolerable, bearable
siekailematon 1 (empimätön) unhesitating, (vastaus) quick, immediate **2** (suora: ihminen) outspoken, blunt; (tai vastaus) frank, straightforward **3** (häikäilemätön) unscrupulous, unprincipled
siekailemattomasti unhesitatingly, quickly, immediately, bluntly, frankly, straightforwardly, unscrupulously (ks siekailematon)
siekailla Hän ei siekaillut käyttää minun nimeäni He didn't hesitate/ scruple to use my name
siellä there jossain sielläpäin somewhere over there siellä missä where Ei siellä ollut mitään There was nothing there
siellä täällä here and there
sielu soul ei ristin sielua not a (single/ living) soul Hän on laitoksen sielu She's the (life and) soul of the department
sielukas soulful
sielullinen 1 (henkinen) mental; (psyykkinen) psychic, psychological; (hengellinen) spiritual **2** (ei sieluton) animate
sielunelämä (henkinen) mental/ intellectual life; (emotionaalinen) emotional life; (hengellinen) spiritual life
sielunhoitaja counselor, (ark) someone to talk to
sielunhoito counseling, (papin) pastoral care; (ark) therapy
sielunvaellus transmigration of souls
sieluton 1 (ei sielullinen) inanimate **2** (hengetön) soulless, lifeless, dead
siemaista take a gulp of, (alkoholia) take a pull/swig of
siemaus gulp; (alkoholia) pull, swig
siemen 1 seed; (kirsikan tms) pit, stone epäilyksen siemenet the seeds of doubt **2** (siemenneste) semen, sperm; (raam) seed
siemenneste semen, sperm; (lääk) seminal fluid; (ark) come, jizz

siemensyöksy ejaculation, (male) orgasm; (ark) coming
sienestys mushrooming
sienestäjä mushroomer, mushroom-picker
sienestää go mushrooming
sieni 1 (syötävä) mushroom, (myrkyllinen) toadstool **2** (itiö) fungus, (jalkasieni) athlete's foot **3** (pesusieni) sponge
sienimyrkytys mushroom poisoning
siepata 1 (ottaa kiinni) catch, grab, seize, snatch; (am jalkapallossa toisen joukkueen heitto) intercept **2** (kaapata) snatch, kidnap, abduct; (radiosanoma tms) intercept **3** (ark löytää) find, round up Mistä ihmeestä minä nyt sellaisen summan sieppaan? Where on earth am I going to find that kind of money? **4** (ark suututtaa) rankle Että minua sieppaa tuommoinen That really rankles me
sieppaaja 1 (käsilaukun) purse-snatcher **2** (ihmisen) kidnapper, abductor
sieppari (pesäpallossa) catcher
sieppaus 1 (pallon tms) catch(ing) **2** (kaappaus) kidnapping, abduction, snatching
sierain nostril
Sierra Leone Sierra Leone
sierraleonelainen s, adj Sierra Leonean
siesta siesta
sietokyky tolerance
sietämätön intolerable, unbearable
sietää pääv stand, bear, take, tolerate; (ylät) endure; (ark) put up with En siedä (nähdäkään) häntä I can't stand (the sight of) him En siedä tätä enää I can't stand/take this any more En aio sietää tätä I will not tolerate this, I won't stand for it, I refuse to put up with this Souda minkä selkäsi sietää! Row as hard as you can Hän ei siedä leikkiä He can't take a joke, he's got no sense of humor apuv be worth (doing), should, ought to Sietäisit hävetä! You should be ashamed of yourself! Sitä sietää miettiä It's worth considering
sieventää 1 prettify, beautify **2** (mat) reduce, simplify
sievistelevä affected, pretentious
sievistellä tr (tarinaa) embellish itr act affected, put on airs, be pretentious
sievistely affectation, pretension(s)
sievistää prettify, beautify Pöytää sievistää kukkanen A flower adorns the table
sievoinen pretty, tidy sievoinen summa pretty/tidy sum
sievä pretty
sievästi prettily
signaali signal
sihahdus hiss
sihahtaa hiss
sihinä hiss
sihistä hiss
sihteeri secretary
sihteeristö secretariat, (konekirjoittajat) typing pool
sihti (seula) sieve, (siivilä) strainer
siideri cider
siihen Siihen meillä ei ole aikaa/rahaa We don't have time/money for that Menet vain siihen pöytään asti Just go as far as that table Pane takaisin siihen, mistä sen otit Put it back where you found it
siihenastinen previous, earlier siihenastinen käytäntö standard procedure up till then
siika whitefish
siili hedgehog
siima 1 (ongen) line Kauppa käy kuin siimaa We're doing business hand over fist **2** (jono) line, string Miestä lappoi sisään siimanaan There was a steady stream of men coming in
siimes shade puun siimeksessä in the shade of the tree
siintää glint of water/light in the distance, be dimly visible; (kuv) loom
siinä there On siinäkin ystävä! Some friend you are! siinä missä where siinä viiden aikoihin right around five
siinä ja siinä close Se oli siinä ja siinä, selviäisikö hän siitä It was touch and go whether he'd make it Se oli siinä

ja siinä, kumpi voitti It was a close call, a photo finish
siinä paha missä mainitaan speak of the devil
siinäpä se! that's just it, that's the problem/point
siipi 1 wing (myös rakennuksen, puolueen) kokeilla siipiään try your wings siipi maassa downcast/ -hearted, depressed **2** (tekn) wing, blade, arm, vane **3** (suojelus) elää jonkun siivellä live/sponge/mooch off someone, be kept/supported by someone
siipikarja poultry
siippa spouse, (leik) your better half
siirappi molasses vaahterasiirappi maple syrup
siirappinen (myös kuv) syrupy, sicky sweet; (kuv) sentimental
siirrellä move/shift (things) around
siirrettävä 1 portable, movable **2** (liik) transferable
siirrännäinen (elin) transplant, (ihon) graft
siirto 1 (pelin) move (myös kuv) **2** (työpaikan, rahan, lainan, bussin) transfer **3** (sekin) endorsement **4** (kirjapidollisen luvun) forward **5** (kokouksen) postponement, adjournment; (maksun) deferral **6** (elimen) transplant, (ihon tms) graft, (veren) transfusion **7** (sävellajin) transposition **8** (psyk) transference
siirtola colony, settlement rangaistussiirtola penal colony
siirtolainen (maahan) immigrant, (maasta) emigrant
siirtolaisasutus immigrant settlement
siirtolaisuus immigration
siirtolaisviisumi immigrant visa
siirtolaisvirta wave of immigrants/ immigration
siirtomaa colony
siirtyillä shift (here and there, back and forth)
siirtymä transition
siirtymävaihe transitional phase/ stage
siirtyä 1 (mennä, liikkua) move, go, shift En saa tätä kiveä siirtymään I can't move this rock, I can't get this rock to move/budge siirtyä pois tieltä get out of the way **2** (työssään) be transferred **3** (vaihtaa) change, go/shift (over), move/go on, proceed, pass Talo siirtyy isännän kuollessa hänen tyttärelleen Upon the owner's death the house will go/pass to his daughter **4** (lykkääntyä) be postponed/delayed/deferred/ adjourned Matka on nyt siirtynyt viikon The trip has been postponed/ delayed a week **5** (uuteen) enter/ embark (upon), start, begin
siirtyä ajassa taaksepäin go back in time, (ajatuksissa) cast your thoughts back in time
siirtyä ajasta ikuisuuteen pass away
siirtyä ammattilaiseksi turn professional, (ark) go pro
siirtyä asiasta toiseen change the subject
siirtyä eläkkeelle retire
siirtyä historiaan go down in history
siirtyä käsittelemään jotakin move on to (deal with) something
siirtyä perintönä be handed/passed down
siirtyä pois maasta leave the country, (pysyvästi) emigrate
siirtyä seuraavalle luokalle be promoted to the next grade
siirtyä syrjään step down/aside
siirtyä uuteen aikakauteen enter a new era
siirtyä uuteen puolueeseen change parties
siirtää 1 move, shift, transfer siirtää huonekaluja rearrange the furniture, (muutossa) move/carry (the) furniture Minut on siirretty (toiseen konttoriin) I've been moved/transferred (to another office) **2** (tehtäviä) delegate, transfer **3** (liik) transfer, convey, assign; (sekki siirtomerkinnällä) endorse **4** (kirjanpidossa) carry/bring (a figure) forward **5** (myöhemmäksi) postpone, delay, defer; (kokousta) adjourn; (ark) move (something) back, put (something) off **6** (aikaisemmaksi) advance, (ark) move

(something) up **7** (elin) transplant, (ihoa tms) graft, (verta) transfuse **8** (transponoida) transpose
siis 1 so, then Sinä olet siis menossa pois So you're leaving us; you're leaving us, then? **2** (siksi) thus, therefore Ajattelen, siis olen olemassa I think, therefore I am
siisteys cleanliness, tidiness; hygiene
siisteyskasvatus training in hygiene; (pottakasvatus) toilet training; (koiran tms) house-breaking
siisti 1 neat, tidy, clean **2** (koira tms) housebroken
siististi neatly, tidily, cleanly
siistiytyä get cleaned/spruced/ washed up
siistiä straighten/tidy (a place) up
siitepöly pollen
siitepölyallergia pollen allergy
siitin penis
siitos breeding, (hedelmöitys) fertilization
siittiö spermatozoon (mon -zoa), (ark) sperm cell
siittää conceive, (vanh) get, (raam) beget
siitä v be conceived sikisi Pyhästä Hengestä was conceived of the Holy Spirit
adv there Näpit pois siitä Get your fingers out/off of there! jatkaa siitä, mihin lopetti pick up where you left off
siiveke aileron
siivekäs winges (myös kuv)
siivelläeläjä sponge, moocher, parasite
siivetön wingless Ihminen on siivetön höyhenetön kaksijalkainen eläin Man is a wingless, featherless biped
siivilä strainer
siivilöidä strain
siivittää give/lend wings to
siivo s order kamalassa siivossa in a godawful mess
adj decent, courteous, gracious
siivooja (nainen) cleaning lady, charwoman; (mies) janitor
siivosti olla siivosti behave yourself
siivota clean (up), pick/tidy/straighten up
siivoton 1 (epäsiisti) messy, disordered, cluttered; (ihminen) disheveled, unkempt, frowsy **2** (epäsiivo) indecent, smutty, vulgar **3** (törkeä) gross, disgusting
siivottomasti messily, indecently
siivottomuus messiness, indecency
siivous (house)cleaning
siivu slice
sija 1 place ensi sijassa in the first place päästä/jäädä toiselle sijalle place second, come in second, make second place saada sijaa take hold (in), catch on jonkin sijaan/sijasta in place/stead of something täynnä viimeistä sijaa myöten standing room only, SRO **2** (tila) room Heille ei ollut sijaa majatalossa There was no room for them at the inn tehdä sija make a bed **3** (sijamuoto) case
sijainen substitute, replacement; (ark) stand-in vs (viransijainen) professori acting professor
sijainti location
sijaiskärsijä surrogate victim
sijaisuus temporary position/job/post
sijaita be situated/located (in/by/at) Missä Koli sijaitsee? Where is Koli?
sijaluku rank
sijata make (your bed)
sijoiltaanmeno dislocation
sijoittaa 1 (esine tms) put, position, place, set Näytelmä on sijoitettu 1400-luvun Ranskaan The play is set in fifteenth century France **2** (ihminen) place, plant; (istumaan) seat, (seisomaan) stand **3** (urh) place, rank **4** (rahaa) invest (in), (ark) sink (money into)
sijoittaja investor
sijoittua 1 take up a/your position/ place (in/by/at), place/position yourself, (istumaan/seisomaan) (go) sit/stand (somewhere) **2** (urh) place, come in sijoittua kolmanneksi place third, come in third
sijoitus 1 placement, (re)location **2** (urh) place, placing **3** (rahallinen) investment

sijoitustoiminta investment program
sika 1 (elävä) pig, (uros) hog, (naaras) sow, (villi) boar ostaa sika säkissä buy a pig in a poke **2** (syötävä) pork **3** (ihminen) pig sovinistisika chauvinist pig
sikala (tila) pig farm, (talo) hog house
sikamainen dirty, nasty, gross sikamainen temppu dirty trick
sikari cigar
sikarinkatkaisin cigar cutter
sikarinpolttaja cigar smoker
sikariporras the brass
sikermä group, cluster; (mus) medley
sikeästi soundly
sikeä uni sound sleep
sikin sokin helter skelter, higgledy piggledy, all in a jumble
sikiö 1 fetus, (alkio) embryo **2** (kuv) spawn Te kyykäärmeitten sikiöt! You generation of vipers!
sikiöasento fetal position
sikiönkehitys prenatal/embryonic development
sikolätti pigsty
sikseen jättää sikseen drop/abandon/bag/leave (something), give (something) up, forget (something) Leikki sikseen Joking aside Se on ihan hyvä sikseen It's all right, considering
siksi 1 (sen vuoksi) therefore, thus; (siksi juuri) that's why; (niinpä) so; (siksi että) because, since Siksi annoinkin sen sinulle That's why I gave it to you **2** (siihen mennessä) by then; (siksi kun) by when; (siksi kunnes) until, till Pystytkö tulemaan siksi kun minä pääsen töistä? Can you come by the time I get off work? Jätän sen sinulle siksi kun(nes) palaan kaupungilta I'll leave it with you until I get back from town **3** (ark = niin) so Asia on siksi tärkeä ettei se voi odottaa Timoa This is so important that we can't leave it till Timo gets here
sikäli Olet sikäli oikeassa että You're right in the sense that Sikäli kuin minä tiedän As far as I know
sikäläinen local sikäläiset tavat the local customs, the way they do things around there
silakka Baltic herring
silaus plating antaa lopullinen silaus touch/polish something up, put the finishing touches on (something)
silava lard; (paistettuna) cracklin's, (pekoni) bacon
sileys smoothness, sleekness
sileä smooth; (tukka, turkki) sleek panna rahaa sileäksi go through money like water
sileästi smoothly, sleekly
silikageeli silicagel
silinterihattu top hat
silitellä stroke, (eläintä) pet, (hieroa) rub Siitä ei sinun päätäsi silitellä Don't expect a pat on the back for that
silittely stroking, petting, rubbing
silittää 1 smooth (out/down) **2** (voita leivälle) spread **3** (silityslaudalla) iron **4** (silitellä) stroke, (eläintä) pet, (hieroa) rub
silitys ironing
silityslauta ironing board
silitysrauta iron
silitä smooth/straighten (out)
siliävä itsesiliävä permapress
silkka pure, sheer, plain silkka vale a barefaced/shameless lie puhua silkkaa roskaa talk sheer/unmitigated nonsense/bullshit
silkki silk
silkkipaperi tissue paper
silkkiperhonen mulberry silkworm
silkkiäistoukka silkworm
sillanpääasema bridgehead
silli herring kuin sillit suolassa packed in like sardines
sillisalaatti 1 mixed herring salad **2** (kuv) hodgepodge, mishmash, jumble
silloin then, at the/that time silloin kun when jo silloin even then vasta silloin only then
silloinen the then, the (something) of that time silloinen mieheni Aulis my ex(-husband) Aulis; Aulis, who I was still married to at the time silloinen presidentti Ryti (the then) president Ryti
silloin tällöin now and then/again, on occasion
silloittaa bridge

sillä for, since Oli liian myöhäistä, sillä Marja oli jo lähtenyt It was too late, for Marja had already gone Ei sillä että se nyt minua liikuttaisi Not that I care
sillä selvä taken care of, okay, done Se on sitten sillä selvä That takes care of it
sillään as it is, unchanged, untouched jättää silleen leave (something) as it is, not change it
silmikko visor
silmittömästi blindly olla silmittömästi rakastunut be madly in love, be head over heels in love
silmitön blind silmitön viha blind rage silmitön pelko irrational/panicky fear
silmu bud
silmukka loop (myös urh, tietok); (verkon) eyelet; (oikea/nurja) stitch
silmä 1 eye (myös kuv) pistää silmään be noticeable/obvious/conspicuous etsiä jotakin silmä kourassa keep your eyes peeled for something Pois silmistäni! Get out of my sight! Olin pudottaa silmäni I couldn't believe my eyes iskeä silmää jollekulle wink at someone katsoa jotakuta hyvällä/huonolla silmällä look on someone with (dis)favor silmät selässäkin eyes in the back of your head sielunsa silmillä in the mind's eye ummistaa silmänsä jollekin look the other way, turn a blind eye to **2** (silmukka: oikea/nurja) stitch, (verkon) eyelet
silmäillä (tarkkailla) eye; (lukaista läpi) glance at/through, browse through
silmälappu eye patch
silmälasikotelo glasses case
silmälasit glasses
silmälläpito supervision; (ark) watching, keeping an eye on lasten silmälläpito keeping an eye on the kids, watching/sitting the kids
silmälääkäri opthalmologist, (optikko) optician; (ark) eye doctor
silmämuna eyeball
silmämääräinen (ark) rough, eyeball mitata silmämääräisesti eyeball it
silmänkantamattomiin as far as the eye can reach
silmänkääntötemppu sleight-of-hand trick
silmänlume show Se on pelkkää silmänlumetta It's all for show
silmänpalvelija hypocrite
silmänruoka something to feast your eyes on, a sight for sore eyes
silmänräpäys a blink of the eye
silmä silmästä an eye for an eye
silmäterä 1 pupil **2** (kuv) the apple of your eye
silmätikku a thorn in your flesh, a constant irritation pitää jotakuta silmätikkunaan pick on someone, single someone out for special harassment
silmätipat eyedrops
silmäys glance rakkautta ensi silmäyksellä love at first sight
silmäänpistävä noticeable, obvious, conspicuous
siloinen smooth
siloisesti smoothly
siloisuus smoothness
silosäe blank verse
silottaa smooth (out/over/down); (hiekkapaperilla) sand (down)
silpoa 1 (ruumis) mutilate, dismember **2** (ruokaa, paperia) shred
silppu shredded paper/wood/mushrooms/wheat/jne leikata silpuksi shred
silta bridge polttaa sillat takanaan burn your bridges behind you
silti 1 (kuitenkin) (but) still/yet, though, however, anyway Silti sait hyvät muonat Still/anyway, you got good grub Surullista mutta silti totta Sad but/yet true **2** (siitä huolimatta) nevertheless, still Hän on silti minun äitini Nevertheless/still, she's my mother; she's still my mother Silti pidän sinusta Even so, I like you
siluetti silhouette
sima mead
simahtaa 1 (ihminen) nod off, conk out, (kännissä) pass out **2** (moottori) die
simpanssi chimpanzee, (ark) chimp
simppeli simple(-minded)
simpukka 1 (laji) bivalve **2** (sinisimpukka) mussel, (kampasimpukka)

scallop **3** (sisäkorvan) cochlea **4** (auton) steering housing
simputtaa haze
simputus hazing
simulaattori simulator
simuloida simulate
simulointi simulation
simultaanitulkkaus simultaneous interpretation
sinappi mustard
sinertävä bluish
sinertää be bluish
sinetti seal
sinetöidä seal sinetöidä kohtalonsa seal your fate
sinfonia symphony
sinfoniaorkesteri symphony orchestra
sinfoninen symphonic
Singapore Singapore
singaporelainen s, adj Singaporean
singota tr throw, hurl, fling, sling itr fly (off), hurtle
siniaalto (tekn) sine wave
siniharmaa bluish gray
sinikaulustyöntekijä blue-collar worker
sininen blue (myös kuv)
sinisilmäinen (naively) optimistic, Pollyannaish
sinisilmäisyys (blue-eyed) optimism, Pollyannaism
sinivalkoinen blue-and-white
sinkilä staple; (puristin) clamp; (auton) U-bolt
sinkki zinc
sinko rocket launcher, (kevyt) bazooka
sinkoutua be hurled/flung/thrown/dashed (somewhere)
sinne there, (vanh) thither sinne missä where sinne asti that far lähettää joku sinne missä pippuri kasvaa send someone to the farthest corner of the globe
sinnepäin in that direction, that way sinnepäin vielä further jotakin sinnepäin something like that ei sinnepäinkään not even close, nothing like that
sinne tänne here and there (and everywhere) milloin sinne milloin tänne now here now there Yksi päivä sinne tai tänne ei merkitse mitään One day here or there isn't going to make a difference
sinnikkyys persistence, stubbornness, doggedness; (ark) gutsiness, stick-with-itness
sinnikäs persistent, stubborn, dogged; (ark) gutsy
sinunkaupat tehdä sinunkaupat go on a first-name basis
sinunlaisesi like you
sinutella call someone by his/her first name
sinuttelu informal speech, calling someone by his/her first name
sinä you sinua you sinun your (hat), (this hat is) yours sinulle to/for you Toin sinulle kukkia I brought you some flowers sinuna if I were you tulla sinuiksi (jonkun kanssa) get to know each other, (jonkin kanssa) familiarize yourself with (something) olla sinut jonkun kanssa be on a first-name basis with someone
sinänsä 1 (itsessään) in (and of) itself, in its own right, per se Kyky käyttää tietoa on valtaa, ei tieto sinänsä The ability to apply knowledge is power, not knowledge in (and of) itself **2** (teoriassa) in principle/theory Se on sinänsä ihan hyvä idea, mutta It's a good idea in theory, but
sionismi Zionism
sipaista brush, touch (someone/something) lightly; (sivellä) stroke; (hipaista) graze
sipaisu brush, (light) touch, stroke
Siperia Siberia
siperialainen Siberian
sipsuttaa tiptoe, pitpat, pad
sipuli 1 onion **2** (kasvisipuli) bulb **3** (sipulikupoli) onion-shaped dome
sir sir
sireeni siren
siristää silmiään squint
sirittää chirp
sirkka cricket
sirkkeli circular saw, (ark) skillsaw
sirkus circus

sirkusareena circus arena
sirkuspelle circus clown
siro dainty, petite, slender
sirotella sprinkle
sirotin shaker
sirottaa 1 sprinkle, scatter, strew **2** (fys) scatter
sirpale shard, splinter, fragment, chip, (broken) piece lyödä sirpaleiksi shatter, (puuta) splinter
sirppi sickle
sirppi ja vasara the hammer and sickle
siru chip (myös tietok)
sisar sister
sisarus sibling
sisempi inner, interior
sisempänä farther/further in
sisennys indentation
sisentää indent
sisilisko lizard
sisin in(ner)most
sisko sister
sissi guerilla
sissiliike guerilla movement
sissisota guerilla warfare
sisu stick-with-it-ness, guts, (sl) balls käydä sisulle stick in your craw, bug you Minun sisu ei antanut periksi I couldn't bring myself to do it, to give up
sisukas gutsy, ballsy
sisukkaasti gutsily
sisukkuus gutsiness, balls
sisus 1 (sisäpuoli) inside, interior **2** (sisältö) core, filling, (hedelmän) flesh **3** (sisälmykset: eläimen) entrails, innards (myös kuv); (ihmisen) innards, insides, guts; (suolet) bowels, intestines
sisusta inside(s), interior
sisustaa furnish, decorate, (ark) fix/do up; (vuorata) line
sisuste 1 (vuori) lining **2** sisusteet (interior) fittings
sisustus (huonekalut) furniture, furnishings; (tyyli) decor
sisustusarkkitehti interior decorator
sisustustaide interior decoration
sisuuntua get pissed off
sisä- inner, internal, interior, inward; (talossa) indoor; (maassa) inland
sisäasiainministeri (Suomi) Minister for Internal Affairs, (US) Secretary of the Interior
sisäasiainministeriö (Suomi) Ministry for Internal Affairs, (US) Department of the Interior
sisäelin internal organ
sisäinen internal, inward, inner, interior sisäinen posti interdepartmental mail sisäinen tiedote company/ departmental/ office/jne newsletter/ memo
sisäisesti internally, inwardly nauttia sisäisesti take internally
sisäistää internalize
sisäkautta (talossa) from inside; (juoksuradalla) on the inside
sisäkkäin one inside the other, inside each other; (geom: ympyrät) concentrically
sisäkkäinen (geom) concentric sisäkkäiset laatikot (kuv) Chinese boxes
sisäkuva indoor picture/photo/scene; (taiteessa, elokuvassa) interior
sisällissota civil war
sisällyksetön empty, vapid, vacuous
sisällys contents (myös luettelona)
sisällysluettelo (table of) contents
sisällyttää include
sisällä adv **1** in(side), (talon myös) indoors pitää sisällään include, (fyysisesti) contain pyytää jotakuta sisälle ask someone in **2** (jossain asiassa) familiar with, trained in Joko olet sisällä siinä? Do you have it down yet? Do you have the hang of it yet? postp in(side), within kiven sisällä (sl) inside viikon sisällä within a week, this week
sisällöllinen kirjan muodolliset ja sisällölliset ansiot the book's excellence in both form and content
sisällöllisesti content(s)-wise, in terms of (something's) contents
sisälmykset entrails, (ark) guts
sisältyä be included (in)
sisältä from inside, out of lukea sisältä read
sisältäpäin from within
sisältää include

sisältö contents
sisälähetys domestic mission
sisämaa inland
sisämaa-alue inland area(s)
sisäministeri (Suomi) Minister of the Interior, (US) Secretary of the Interior
sisäministeriö (Suomi) Ministry of the Interior, (US) Department of the Interior
sisäoppilaitos boarding school
sisäpiha courtyard
sisäpiiriläinen insider
sisäpoliittinen domestic, pertaining to domestic policy
sisäpoliittisesti domestically, in terms of domestic policy
sisäpolitiikka domestic policy
sisäpuoli inside jonkin sisäpuolella inside something
sisärengas inner tube
sisärenkaaton tubeless
sisässä in(side) kiven sisässä (vankilassa) inside
sisästä from inside/within
Sisä-Suomi inland Finland
sisätauti internal disorder
sisätautien erikoislääkäri internist
sisävedet inland waters
sisään in(side) Käykää sisään! Come in!
sisäänajo breaking in (myös kuv)
sisäänhengitys inhalation, breathing in
sisäänpääsykoe entrance exam(ination)
siten 1 (sillä tavoin) like that siten kuin as **2** (sitä kautta) that way, by that means **3** (siksi) thus, therefore
sitkeä tough sitkeää lihaa tough/leathery/gristly meat sitkeä vastarinta tenacious/persistent/dogged resistance
sitkeästi tenaciously, persistently, doggedly
sitoa tie/bind (up) sitoa haava bind up/bandage/dress a wound sitoa murtovaras köydellä tie/truss a burglar up with a rope, bind a burglar hand and foot Tämä ei sido sinua mitenkään This isn't binding, it doesn't tie you down, there is no obligation here for you
sitomo bindery
sitoumus commitment, (velvoite) obligation, (velkasitoumus) liability
sitoutua 1 (luvata) pledge/promise (to do something) **2** (tehdä sopimus) contract (to do something) **3** (toiselle ihmiselle) commit yourself (to), make a commitment (to)
sitoutumaton 1 uncommitted **2** (pol: yksilö) independent; (maa) neutral, nonaligned **3** (kem) unbound
sitoutumattomat maat neutral/nonaligned countries
sitruuna lemon
sittemmin later, subsequently, afterwards
sitten adv then, next, after that Se on sitten tehty That's it then Ensin sinä, sitten minä First you, then me Mitä sitten tapahtui? What happened next/after that/then?
postp ago kolme vuotta sitten three years ago
prep since sitten viime joulun since last Christmas
sittenkin after all, all the same, nonetheless, nevertheless, still Kaikesta huolimatta sinä olet sittenkin hyvä ystävä In spite of everything you're still a good friend Otan sittenkin sen sinisen I think I'll take the blue one after all
sitä mitä pikemmin sitä parempi the sooner the better sitä parempi all the better
sitä mukaa kuin in proportion as
sitä myöten sitä myöten kuin in proportion as Se on sitten sitä myöten selvä That's it then, it's all straight/clear/set
sitä paitsi besides
sitä sun tätä this and that (and the other thing)
sitä vastoin on the other hand, whereas, while
siunailla wonder at, shake your head at
siunata bless, (ylät) consecrate siunata ruoka say the blessing, say grace Sussiunatkoon! (God) bless me! Bless my soul!

siunauksellinen blessed
siunaus blessing ruumiin siunaus funeral service
siunauskappeli funeral chapel
siunaustilaisuus funeral service
siunautua Heille on siunautunut paljon lapsia They've been blessed with many children
sivallus (miekan) slash, stroke; (ruoskan) lash; (käden) slap
sivaltaa (miekalla) slash; (ruoskalla) lash, whip; (kädellä) slap
sivari conscientious objector
siveellinen 1 (eettinen) ethical, (moraalinen) moral **2** (säädyllinen) moral, virtuous, decent
siveellisesti morally
siveellisyys morality
siveetön immoral
sivellin brush
sivellä 1 (levittää: maalia) paint, (voita) spread, (ihovoidetta) apply, (munaa) brush sivellä voita leivälle butter a slice of bread **2** (silittää) stroke
sively painting, spreading, application, brushing, stroking (ks sivellä)
siveys virtue, (seksuaalinen) chastity
siveysoppi ethics
siveä virtuous, decent; (seksuaalisesti) chaste
siveästi virtuously, decently, chastely
siviili 1 civilian siviilissä in civilian life **2** siviilit civvies
siviili- civil
siviiliavioliitto civil marriage
siviilipalvelu civil alternative service
siviilipalvelusmies conscientious objector
siviilirekisteri civil register
siviilisääty marital status
sivilisaatio civilization, culture
sivistyksellinen educational
sivistymättömyys lack of culture/education, boorishness
sivistymätön 1 (primitiivinen) uncivilized, boorish, coarse, loutish **2** (oppimaton) uneducated, (ark) illiterate
sivistyneesti in a civilized/cultured/cultivated/refined/polite way, politely, courteously
sivistyneistö 1 (älymystö) the intelligentsia **2** (yläluokka) the upper crust, high society
sivistynyt 1 (ei primitiivinen) civilized **2** (ei karkea) cultured, cultivated, refined **3** (ei oppimaton) educated, learned
sivistys civilization, culture, refinement, education (ks sivistynyt)
sivistysmaa bastion of culture
sivistyssana 1 (vierasperäinen sana) loan word **2** (ark = vaikea sana) polysyllabic word, (ark) jawbreaker
sivistyä 1 become civilized **2** (saada kasvatusta) become educated/cultivated/refined
sivistää 1 civilize **2** (kasvattaa) educate, cultivate, refine
sivu s **1** (kylki) side sivulta katsottuna see from the side, in a side view sivusta katsottuna seen from the outside, from an outsider's point of view **2** (kirjan) page
adv, postp past, by kulkea jonkin sivu pass (by) something maailman sivu (aina) always, invariably; (kautta aikojen) from time immemorial
sivuammatti second job, sideline; (ark) moonlight job
sivuansio extra/additional/secondary income
sivuhuomautus aside
sivuitse past, by (ks sivu)
sivuittain 1 (sivu sivulta) page by page, one page at a time **2** (sivuttain) sideways
sivulla adv (kirjan) on page
postp near, by, beside
sivulle adv **1** (kirjan) to page **2** (vinottain) sideways, sidelong katsoa sivulle look to the side, cast a sidelong glance (at)
postp to one side of
sivullinen (sivulta katsoja) bystander, onlooker; (ulkopuolinen) outsider Sivullisilta pääsy kielletty Unauthorized personnel keep out; No trespassing/admittance
sivulta käsin from the side
sivumennen in passing; (sanoen) incidentally, by the way

sivunkuvauskieli (tietokoneen) page description language
sivupersoona alter ego
sivuraide side track (myös kuv) mennä sivuraiteelle get sidetracked (myös kuv)
sivuseikka minor detail/point
sivussa aside vetäytyä sivuun step aside pysytellä sivussa stay out of (something), stay on the sidelines jättää sivuun ignore, omit, neglect, fail to deal with jäädä sivuun be ignored/omitted/neglected/forgotten/ dropped/tabled/shelved heittää huomautus sivusta kibitz siinä sivussa on the side
sivustakatsoja bystander, onlooker, outsider
sivu suun puhua sivu suun blurt something out, let the cat out of the bag antaa tilaisuuden mennä sivu suun miss (out on) an opportunity Se meni minulta sivu suun I missed it
sivusuunta liikkua sivusuunnassa move sideways
sivusuuntainen sideways
sivuta 1 (mat) touch, be tangent to **2** (asiaa) touch on (tangentially)
sivuttaa paginate
sivuttain sideways
sivutus pagination
sivuuttaa ignore, omit, neglect, fail to deal with
skandaali scandal
skandinaavi Scandinavian
Skandinavia Scandinavia
skandinavialainen Scandinavian
skanneri (kuvanlukija) scanner
skisma schism
skitsofreeninen schizophrenic
skitsofrenia schizophrenia
skorpioni scorpion
skotlanninpaimenkoira collie
Skotlanti Scotland
skotlantilainen s Scot, Scotchman, Scotchwoman skotlantilaiset the Scots, the Scotch
adj Scottish, (sanayhdistelmissä:) Scotch
skotti 1 (asukas) Scot, Scotchman, Scotchwoman **2** (kieli) Gaelic
slaavi Slavic
slaavilainen Slavic
slangi slang
slummi slum, ghetto
slummiutua become ghettoized
smaragdi emerald
smaragdinvihreä emerald-green
smokki tuxedo
SNTL USSR
sodanjulistus declaration of war
sodanlietsoja war-monger
sodanuhka threat of war
sodanvastainen antiwar, pacifist, (US pol) dove
sodanvastaisuus antiwar sentiments, pacifism
sodomia sodomy
sohia poke/prod at
sohjo slush
sohva couch, sofa
soida 1 (kello) ring; (ylät) peal, chime, toll; (pieni) jingle Soiko ovikello? Did (I hear) the doorbell ring? **2** (muu ääni) (re)sound panna levy soimaan put on a record panna herätyskello soimaan set the alarm (clock)
soidin courtship, mating
soidinmenot courtship/mating rites
soihdunkantaja torchbearer (myös kuv)
soihtu torch
soihtukulkue torchlight parade
soija soy
soikea oval
soikio oval
soikko tub
soimata reproach, reprimand; (syyttää) blame, accuse Omatuntoni soimaa siitä eilisestä I feel guilty about (what I did) yesterday, my conscience bothers me about yesterday
soimaus reproach
soinnillinen voiced
soinniton (äänne) unvoiced, (ääni) toneless
soinnukas sonorous, euphonius, melodious
soinnutus harmonization
sointi tone, sound

sointu 1 chord H-duuri sointu B major chord kolmisointu triad **2** (sointi) tone, ring, sound
sointua yhteen harmonize, go (well) together
soitella 1 (soitinta) play jäädä lehdelle soittelemaan be left high and dry **2** (puhelimella) phone, call Soitellaan! Let's keep in touch
soitin (musical) instrument
soitonopettaja music teacher
soittaa 1 (soitinta, levyä) play; (puhalinsoitinta myös) blow **2** (kelloa) ring **3** (puhelimella) (tele)phone, call (someone up) Saanko soittaa? Can I use your phone?
soittaja 1 (soittimen) player, musician; (eri soittimien: viulun) violinist, (pelimanni) fiddler, (kitaran) guitarist, jne **2** (kellon) bellringer **3** (puhelimella) caller
soitto 1 (musiikin) music **2** (kellon) ringing **3** (puhelinsoitto) ((tele)phone) call
soittokello bell
soittokunta band
soittotunti music lesson
sojottaa stick out, protrude
sokaiseva blinding, glaring; (kuv) dazzling
sokaista blind, glare; (kuv) dazzle
sokea blind tulla sokeaksi go blind, be blinded
sokeainkirjoitus Braille
sokeasti blindly
sokeri sugar
sokerijuurikas sugar beet
sokerikko sugar bowl
sokerina pohjalla last but not least jättää sokerina pohjalle leave the best for last
sokeriruoko sugar cane
sokeriton sugar-free, unsweetened
sokeroida sweeten, add sugar to; (päälle) sprinkle sugar over
sokeus blindness
sokkelo labyrinth, maze
sokkeloinen labyrinthine
sokki shock
sokko 1 (sokea) blind (person) **2** (sokkoleikki) blind man's buff **3** (sokkoleikissä) it
sokkoleikki blind man's buff
sola pass, (kapea) defile
solakka slender, slimness
solakkuus slenderness, slimness
solarium solarium
solidaarinen loyal
solidaarisuus solidarity
solisluu collarbone, clavicle
solista burble, ripple, murmur
solisti soloist
solkata suomea speak broken Finnish
solki (kengän) buckle, (hakasolki) clasp, (hiussolki) clip, (rintasolki) brooch
solmia 1 (naru tms) tie, knot, lash, fasten **2** (suhteet) establish, set up
solmia avioliitto enter the marriage contract; (ark) get married/hitched, tie the knot,
solmio (neck)tie
solmu knot (myös mer) mennä solmuun get tied/tangled/knotted up; (kieli) get tongue-tied
solmuke bowtie
solu 1 cell (myös pol) **2** (raamattupiiri) Bible-study group/circle
solua flow, glide, slip
solukko (cell) tissue
solunjakautuminen cell division
soluttaa infiltrate, insinuate
soluttautua infiltrate, insinuate yourself
soluttautuminen infiltration, insinuation
solvata insult, abuse, deride
solvaus insult, abuse, derision
soma pretty
somaattinen somatic
Somalia Somalia
somalilainen s, adj Somalian
somasti prettily
somistaa prettify, beautify, decorate, adorn; (näyteikkunaa) dress, trim Pöytää somistaa kukkanen A flower adorns the table

somistautua get prettied/dressed/ dolled/gussied up, make yourself beautiful
somiste decoration, ornament(ation); (mon) window dressing (myös kuv)
sommitella (muotoilla) design, (suunnitella) plan, (laatia) compose
sommitelma design, plan, composition
sommittelu designing, planning, composition
sompa ring
sonaatti sonata
sonetti sonnet
sonni bull
sonnustautua 1 (matkalle) get ready/ packed (for) **2** (juhliin) get prettied/ dressed/dolled/gussied up
sonta manure
sontiainen dungbeetle, (ark ihminen) shithead
sooda sodium carbonate, (baking) soda
soolo solo
sooloilla solo, go it alone; (näyttä-västi) grandstand
soopa hogwash
sopeuttaa adapt, adjust
sopeutua adapt/adjust (yourself to); (alistua) resign/reconcile yourself (to)
sopeutumaton unadaptable sopeutumaton ihminen misfit
sopeutuminen adaptation, adjustment; (alistuminen) resignation
sopeutumiskyky adaptability
sopeutumiskykyinen adaptable
sopeutumisvaikeus difficulty in adapting (to something)
sopia 1 (mahtua) fit **2** (yhteen) be compatible, go (together) with, (väril-tään) match (ks myös sopia-hakusanat) **3** (olla sovelias) suit, be suitable, become, befit Tuommoinen ei sovi minulle (vaate) That sort of thing wouldn't/doesn't look good on me; (toiminta: soveliaisuuden vuoksi) It wouldn't be suitable for me to do that, (muun estelyn vuoksi) I'm just not cut out for that sort of thing Ei sinun sovi mennä It wouldn't be right for you to go **4** (tehdä sopimus) agree (on), reach/come to/make an agreement, make a deal; (tapaaminen tms) agree/arrange (to meet) Se on sitten sovittu It's a deal Sovitaanko, että tavataan tässä klo 6? Let's meet right here at six, okay? **5** (tehdä sovinto: laillinen) settle, reach a settlement; (epämuodollinen) be reconciled, (ark) make up suudella ja sopia kiss and make up (ks myös sovittu)
sopia erimielisyydet resolve your differences (with someone)
sopia keskenään be reconciled, make up He eivät sovi keskenään They don't get along together, they can't spend two minutes in the same room together, they're like cat and dog
sopia kuin nyrkki silmään be right as rain
sopia riita settle an argument, work out your differences, be reconciled (with each other), reach a reconciliation
sopia yhteen 1 (värit) match, go together, blend in, be color- coordinated ei sopia yhteen clash **2** (tarinat) jibe, match up, tally ei sopia yhteen diverge, be discrepant **3** (ihmiset) go (well) together, be compatible (myös tietok) ei sopia yhteen be incompatible
sopii kysyä one may well ask, the question is
sopii toivoa one only hopes, hopefully
sopimaton 1 (soveltumaton) unfit, unsuitable **2** (huono) inconvenient **3** (epäasiallinen) irrelevant, ill-timed, untimely, inappropriate **4** (epäsovelias) inappropriate, improper, unbecoming, ill-bred **5** (säädytön) indecent, immoral, immodest, obscene
sopimus 1 agreement, arrangement päästä sopimukseen reach an agreement/arrangement sanaton sopimus tacit agreement/ understanding **2** (laillinen) contract **3** (valtiollinen) pact, treaty, convention, accord
sopiva 1 (soveltuva) fit, suited, suitable **2** (hyvä) convenient **3** (asial-linen) well-timed, timely, appropriate

tulla sopivaan aikaan come at a good time, time your arrival well **4** (sovelias) appropriate, proper, becoming, well-bred **5** (säädyllinen) decent, moral, good
sopivan kokoinen right-/good-sized, of a good size
sopivan tuntuinen that feels right sopivan tuntuinen maila a racket that feels right
sopivasti at the right time
sopivuus suitability, convenience, timeliness, appropriateness, propriety, decency, morality (ks sopiva)
soppa soup; (kuv) mess, a fine kettle of fish Mitä useampi kokki sen huonompi soppa Too many cooks spoil the broth Älä pane lusikkaasi tähän soppaan You keep out of this, don't you butt in here, we don't need your advice
soppi 1 (geom) polyhedral angle **2** (ark) place, corner, nook etsiä joka sopesta look in every nook and cranny
sopraano soprano
sopu harmony, peace elää sulassa sovussa live in sweet peace and harmony keskustella sovussa jostakin talk things out in a calm, rational manner
sopuisa harmonious, peaceful
sopuisasti harmoniously, peacefully
sopukka nook, corner
sopuli lemming; (kuv) journalist
sopu sijaa antaa where there's a will there's a way
sopusointu harmony olla sopusoinnussa jonkin kanssa harmonize with something
sopusointuinen harmonious
sora gravel
sorahtaa grate, jar
soraääni voice of protest
sorja (solakka) slender, dainty, petite; (kaunis) pretty, lovely
sorkka 1 (eläimen) cloven hoof **2** (vasaran) claw **3** (ihmisen) foot joka sorkka every last one of you
sorkkia poke/prod/pick at; (kuv) interfere/meddle with
sormeilla finger
sormenjälki fingerprint
sormi finger katsoa läpi sormien look the other way, turn a blind eye on polttaa sormensa get (your fingers) burnt sormensa joka pelissä a finger in every pie osata jokin kuin viisi sormeaan know something like the back of your hand
sormikas glove
sorminäppäryys dexterity
sormituntuma feel saada sormituntumaa jostakin get a feel for something
sormus ring
sormustin thimble
sorsa wild duck, mallard
sorsastaa hunt ducks, go duck-hunting
sorsastus duck-hunting
sortaa 1 (kansaa tms) oppress, persecute, tyrannize **2** (koulussa tms) bully, (ark) push (someone) around
sortaja oppressor, persecutor, bully
sorto oppression, persecution, tyranny, bullying
sortsit shorts
sortti sort, kind
sorttinen of every sort/kind
sortua 1 (talo tms) collapse, crash/fall/tumble down, cave in **2** (ihminen: houkutukseen) cave/give in, yield, break down, succumb; (kuolla) succumb, perish, die
sortua huonoille teille fall into evil ways, hit the skids
sortua viinaan hit the bottle, give in/break down and start drinking
sorvaaja turner, lathe operator
sorvata 1 turn (on a lathe) **2** (kuv) crank out
sorvi lathe
sose 1 purée **2** (perunasose) mashed potatoes
soseuttaa purée
sosiaalidemokraatti Social Democrat
sosiaalidemokraattinen social democratic
sosiaalidemokraattinen puolue Social Democratic Party

sosiaali- ja terveysministeri (Suomi) Ministry of Health and Social Affairs, (US) Department of Health and Welfare
sosiaalilainsäädäntö social security legislation
sosiaalilautakunta social security board
sosiaalinen pertaining to social security
sosiaalipoliittinen sociopolitical; (byrokratiassa) pertaining to social security policy
sosiaalipolitiikka social politics; (byrokratiassa) social security policy
sosiaalisesti socially
sosiaalitoimisto social security office
sosiaaliturvamaksu social security tax
sosiaaliturvatunnus social security number
sosialismi socialism
sosialisoida socialize
sosialisointi socialization
sosialisti socialist
sosialistimaa socialist country
sosialistinen socialistic
Sosialististen neuvostotasavaltojen liitto Union of Soviet Socialist Republics
sosiologi sociologist
sosiologia sociology
sosiologinen sociological
sosiologisesti sociologically
sota war; (sodankäynti) warfare; (taistelu) battle, fight sota- war, military
sota-aika war-time
sotahullu militarist
sotahuuto war cry
sotainen warlike, bellicose, belligerent
sotaisa warlike, martial
sotaisuus warlike disposition, bellicosity, martial spirit
sotajalalla on the warpath
sotajoukko army, (mon) troops
sotakorkeakoulu military academy
sotakorvaukset war reparations
sotakoulu military academy
sotalelu war toy
sotamaalaus warpaint
sotamarsalkka Field Marshal
sotamies 1 soldier, (soturi) warrior; (mon) the rank and file **2** (korteissa) jack **3** (šakissa) pawn
sotaministeri Minister/Secretary of War
sotamorsian war bride
sotanäyttämö theater of war/ operations
sotaoikeus courtmartial asettaa sotaoikeuden eteen courtmartial
sotapoliisi military police, MP
sotapäällikkö military commander, (presidentti) commander-in-chief
sotatila state of war
sotavammainen disabled veteran
sotaveteraani war veteran, (ark) vet
sotaväki the Army joutua sotaväkeen get drafted
sotia 1 make war (with/against), be at war (with) **2** (järkeä vastaan) not stand to reason, not make sense; (periaatteita vastaan) be against your principles; (vakaumusta vastaan) be against your religion
sotilaallinen 1 (armeijan) military **2** (sotilaan) soldierly
sotilaallisesti militarily
sotilas soldier sotilas- military
sotilasarvo military rank
sotilasdiktatuuri military dictatorship
sotilasjuntta military junta
sotilaskoti canteen, PX
sotilaspiiri military district
sotilassoittokunta army band
sotilasvalta military rule, (valtio) military power
sotkea 1 (aineet yhteen) mix, blend **2** (aineita, tavaroita, asioita keskenään) mix/mess up **3** (pää) confuse, bewilder, baffle Älä nyt sotke asioita Don't confuse things, don't make things any more complicated than they already are **4** (joku mukaan johonkin) entangle (someone in something), get (someone) involved (in something)
sotkea elämänsä trash your life

sotkea jalkoihinsa trample (something/someone) underfoot
sotkea taikinaa knead the dough
sotkeutua 1 (fyysisesti) get tangled/ messed (up) **2** (ajatuksissaan) get confused, get mixed up, get turned around **3** (mukaan johonkin) get involved/entangled in, get mixed up in
sotku mess, clutter; (sekaannus) mix-up, confusion
sottapytty little piggy
sotu (sosiaaliturvatunnus) soc. sec. no.
soturi warrior
soudella row
soutaa row
soutaja rower
soutu rowing
soutukilpailu rowing competition
soutulaite rowing machine
soutuvene rowboat
soveliaasti appropriately, properly, suitably, decently
soveliaisuus propriety, suitability, decency
sovelias appropriate, proper, suitable, decent
sovellus application
sovellusohjelma (tietokoneen) application program
soveltaa apply, (sovittaa) adapt
soveltava applied
soveltua 1 (ihminen) be suitable/fit (for), be suited (to), have a knack/ aptitude (for) **2** (asia: olla sovelias) be suited (to), lend itself (to) **3** (asia: päteä) apply (to), be applicable (to)
soveltuvuus applicability, aptitude
soveltuvuuskoe aptitude test
sovinismi chauvinism
sovinisti chauvinist
sovinistisika (male) chauvinist pig
sovinnainen conventional
sovinnaisesti conventionally
sovinnaisuus conventionality
sovinnolla willingly, voluntarily, of your own free will
sovinnollinen conciliatory, yielding, compliant
sovinnollisesti conciliatorily
sovinnollisuus conciliatory spirit
sovinnonhalu desire for reconciliation
sovinto 1 (riidan jälkeen) reconciliation; (liik) amicable settlement tehdä sovinto be reconciled, make up; (liik) settle, reach a settlement **2** (sopu) peace, harmony elää sovinnossa live in (peace and) harmony sovinnolla ks hakusana
sovitella 1 ks sovittaa **2** (toimia sovittelijana) arbitrate, mediate
sovittaa 1 (johonkin) fit (something in(to)), **2** (jollekin, joksikin) suit/adapt/ adjust (something to), (mus) arrange (something for) **3** (vaatetta päälle) try (something) on **4** (riitaa) arbitrate, settle, reconcile (differences), mediate (between two parties) **5** (usk) atone (for sins), mediate (between God and humans), reconcile (God and humans)
sovittelija arbitrator, mediator
sovittelu arbitration, mediation
sovittu Sovittu! It's a deal! etukäteen sovittu prearranged, preset Ellei toisin ole sovittu Unless otherwise agreed sovittuun aikaan/hintaan at the time/ price we agreed on
sovitus 1 (johonkin) fitting (myös vaatteen) **2** (jollekin, joksikin) adaptation, adjustment, arrangement **3** (riidan) arbitration, settlement, reconciliation, mediation **4** (usk) atonement, mediation, reconciliation
sovituskoppi dressing room, fitting booth
sovituskuolema expiatory death, the atonement
sovitusuhri expiatory sacrifice
sovitusyritys attempted arbitration
spagetti spaghetti
spektri spectrum
spekulaatio speculation
spekuloida speculate
sperma sperm
spesialisti specialist
spiraali spiral
spiritismi spiritualism
spiritisti spiritualist
spiritistinen spiritualistic
spitaali leprosy

spitaalinen s leper
adj leprous
spontaani spontaneous
spontaanisti spontaneously
sprii spirit(s)
sprinkleri sprinkler
Sri Lanka Sri Lanka
srilankalainen s, adj Sri Lankan
staattinen static
staattori stator
stabliili stable
stadion stadium
stalagmiitti stalagmite
stalaktiitti stalactite
standardisoida standardize
standardisointi standardization
startata (autoa) turn the ignition, (käynnistää) start; (kaapeleilla) jump-start
startti start
starttimoottori starter (motor)
statisti statistic
status status
statussymboli status symbol
steariini wax, paraffin
Steiner-koulu Steiner school
stepata tap-dance
stereolaitteet stereo (system)
stereolähetys stereo broadcast
stereot stereo
stereotelevisio stereo television
steriili sterile
sterilisoida sterilize
sterilisointi sterilization
steriloida sterilize
sterilointi sterilization
stigma stigma
stimuloida stimulate
stradivarius Stradivarius, (ark) Strad
strategia strategy
strateginen strategic
stratosfääri stratosphere
stressaantunut stressed-out, under a lot of stress
stressata stress
stressi stress
stroboskooppi stroboscope
strutsi ostrich
stuertti (male) flight attendant, (vanh) steward

subjekti subject
subjektiivinen subjective
subjektiivisesti subjectively
subjektiivisuus subjectivity
subtrooppinen subtropic
subventio subvention, subsidy
subventoida subvent, subsidize
sudenkuoppa pitfall
suggeroida influence (someone) by suggestion
suggestio suggestion
suhdanne economic trend
suhdannevaihtelu economic fluctuation
suhde 1 relation(ship); (rakkaussuhde) affair; (hyödyllinen henkilösuhde) connection, contact ylläpitää hyviä suhteita itänaapuriin maintain good relations with your eastern neighbor **2** (suhtautuminen) attitude **3** yhdessä suhteessa in one sense/respect **4** (mittasuhde) proportion samassa suhteessa in the same proportion **5** (mat) ratio
suhina 1 (tuulen) rustling, whistling, sighing **2** (äänityksessä) noise, (radiossa) static
suhista rustle, whistle, sigh
suhtautua (tuntea) feel (about); (asennoitua) take an attitude/stance (toward) Miten sinä suhtaudut feminismiin? How do you feel about feminism? What's your position on feminism? suhtautua johonkuhun kuin lapseen treat someone like a child, patronize someone, condescend to someone suhtautua vakavasti johonkin take something seriously
suhtautuminen attitude, stance, position
suhteellinen relative, comparative, proportionate suhteellisen relatively, comparatively
suhteellisesti relatively, comparatively
suhteellisuus relativity
suhteellisuusteoria theory of relativity

suhteen jonkin suhteen in respect to something, in connection with something, concerning something
suhteeton 1 (epäsuhta) disproportionate, a-/unsymmetrical **2** (liian korkea) excessive, extreme, unreasonable
suhteettoman disproportionately, excessively, extremely, unreasonably
suhteettomasti disproportionately, excessively, extremely, unreasonably
suhteuttaa proportion, put (something) in proportion (to something)
suhuäänne sibilant
suihke spray
suihkia spray
suihku 1 (kylpy) shower **2** (muu) spray, jet
suihkukaappi shower stall
suihkukaivo fountain
suihkukone jet (plane)
suihkulähde fountain
suihkumoottori jet engine
suihkuttaa spray, squirt, shower
suikale strip
suinkaan ei suinkaan not at all; (ei missään nimessä) no way, not a chance
suinkin at all jos suinkin mahdollista if at all possible niin pian kuin suinkin as soon as possible
suin päin headlong, headfirst, head over heels, (sl) ass over teakettle
suipentua taper off
suippo point(ed/tapered end)
suippopäinen tapered, pointed
suistaa throw off/down
suistaa raiteiltaan (juna) derail; (ihminen) get (someone) off track, sidetrack
suistaa vallasta overthrow, depose
suisto delta, estuary
suistua be thrown (off/down)
suistua perikatoon be ruined
suistua raiteiltaan (juna) (be) derail(ed); (ihminen) get off track, get sidetracked
suistua tieltä skid off the road
suistua vallasta be overthrown/ deposed
suitset bridle
suitsuke incense
sujahdus flash
sujahtaa flash/whiz/zoom/slip (by)
sujauttaa slip
sujua 1 (vene) float (downstream), (liikenne) flow **2** (asiat) go Miten sujuu? How's it going? Miten se sujui? How did it go?
sujuva fluent
sujuvasti fluently puhua sujuvasti englantia speak fluent English, speak English fluently
sujuvuus fluency
sukellus dive, plunge; (sukellusveneen) submersion
sukellusvene submarine
sukeltaa dive
sukeltaja diver
sukia (hiuksia) brush, comb; (partaansa) stroke; (hevosta) curry; (lintu höyheniään) preen
sukka sock, stocking
sukkahousut pantyhose; (ark) hose, stockings
sukkasillaan in your stocking feet
sukkela clever, witty
sukkelasti cleverly, wittily
sukkeluus witticism, bon mot
sukkula shuttle (myös avaruus-)
suklaa chocolate
suklaakastike chocolate topping
suklaalevy chocolate bar
suklaapatukka chocolate bar
suksi ski
suksia ski Suksi suolle/kuuseen Go jump in a lake Suksi vittuun Go take a flying fuck at the moon
suksivoide ski wax
suku 1 family, relatives/relations; (ark) clan Oletteko sukua toisillenne? Are you two related (to each other)? Virve Virtanen o.s. Vehviläinen Virve Vehviläinen Virtanen **2** (sukujuuri) stock, ancestry, line olla hyvää sukua come of good stock, have an illustrious line of ancestors **3** (kiel) gender **4** (biol) genus
sukuhauta family tomb
sukuinen related to feminiinisukuinen feminine (in gender) hyväsukuinen of good stock

sukujuuri stock, ancestry, line
sukulainen relative, relation, kins(wo)man
sukulaisuus kinship
sukupolvi generation
sukupuoli (biologinen) sex, (sosiologinen) gender
sukupuolielin sex organ, genital (mon genitalia, ark genitals)
sukupuolielämä sex life
sukupuolinen sexual
sukupuolisuhde sexual relation
sukupuolitauti venereal disease
sukupuoliyhteys sexual intercourse
sukupuu family tree, genealogy
sukurutsaus incest
sukutila family/ancestral farm/estate
sukututkimus genealogy
sula 1 (maa) unfrozen, (voi) melted, (metalli) molten, (vesi) open **2** (pelkkä) pure, sheer sulaa hyvyyttään out of the sheer goodness of her heart
sulaa 1 (jää, lumi) melt (myös kuv) Se sulaa suussa It melts in your mouth **2** (maa) thaw **3** (ruoka) digest **4** (metalli) fuse
sulake fuse
sulamaton 1 (metalli) in-/nonfusible **2** (ruoka: ei ole sulanut) undigested, (ei sula) indigestible
sulattaa 1 (jäätä, lunta) melt (myös kuv), (pakastinta tms) defrost Sääli sulatti hänen sydämensä Pity melted his heart **2** (malmia) smelt, (metallia) fuse **3** (maata) thaw **4** (ruokaa) digest **5** (asiaa: ymmärtää) digest, fathom, comprehend; (sietää) stomach
sulatto smeltery, foundry
sulatus smelting, fusion
sulautua 1 blend/fuse/merge into **2** (yhtiöt) merge
sulava 1 (ruoka) digestible, easy to digest **2** (käytös) suave, polished, smooth
sulavakäytöksinen suave, polished, smooth
sulavaliikkeinen graceful, lithe
sulavasti suavely, smoothly, gracefully
sulhanen (kihloissa) fiancé; (häissä) (bride)groom
suljettu closed, shut
suljetun paikan kammo claustrophobia
suljin shutter
sulka feather
sulkakynä quill
sulkapallo (peli) badminton, (pallo) shuttlecock
sulkasato molting
sulkasatoinen molting
sulkea 1 close/shut (up/down/off), (lukita) lock (up) **2** (sululla katu) block, (ovi) bar **3** (ihminen pois) bar, exclude; (urh) disqualify
sulkeet parentheses panna sulkeisiin put in parentheses, parenthesize
sulkeiset (sot) marching drill
sulkemisaika closing time
sulkeutua close/shut (yourself in/up), (kuoreensa) withdraw/retire (into your shell)
sulku 1 (tiesulku) road block, barrier, barricade **2** (sulkuportti) sluice, floodgate; (mon) lock **3** (työnsulku) lockout **4** (kauppasulku) embargo **5** (sot) barrage **6** sulut (sulkeet) parentheses **7** (toppi) stop, end panna sulku jollekin put a stop to something
sulloa stuff, jam, cram
sulloutua stuff/jam/cram (yourself into)
sulo charm naiselliset sulot feminine charms
suloinen sweet
suloisesti sweetly
sulttaani sultan
suma (tukkisuma) log jam; (ark) jam, bottleneck
sumea blurry, misty, foggy, hazy
sumentaa blur over, mist/fog up
sumentua blur over, mist/fog up
sumerilainen Sumerian
summa sum summassa at random
summamutikassa at random
summeri buzzer
summittain 1 sum by sum, figure by figure **2** (suurin piirtein) roughly **3** (suurin määrin) lots of

summittainen rough, approximate
sumplia widger (something) around, doctor
sumu 1 fog, mist, haze **2** (tähtisumu) nebula
sumutin atomizer
sumuttaa 1 spray **2** (kuv) pull the wool over (someone's) eyes, throw dust in (someone's) eyes
sunnuntai Sunday
sunnuntaiaamu Sunday morning
sunnuntainen Sunday
sunnuntaipäivä Sunday
sunnuntaisin Sundays
suntio (lähin vastine) church custodian
suo 1 swamp, marsh, bog Painu suolle! Go jump in a lake! Painu helvettiin! Go to hell! **2** (kuv) quagmire
suoda give, allow, permit, grant jos Jumala suo God willing suokaa anteeksi forgive me!
suodatin filter
suodatinkahvi fine-ground coffee
suodatinpaperi filter paper
suodatinsavuke filter-tip cigarette
suodattaa filter, percolate; (ark) perc
suodatus filtration, percolation
suoda vastahakoisesti grudge (someone something)
suodin filter
suoja 1 (katos) shelter, cover; (vaja) shed **2** (turva) protection, haven, refuge lain suoja legal protection, the protection of the law ottaa suojiinsa take (someone) under your protection/wing pimeän suojissa under cover of darkness **3** (suojasää) thaw
suojailma thaw
suojakatos shelter; (kankainen) awning, canopy
suojalasit safety glasses/goggles
suojalumi spring snow
suojapuku coveralls; (lasten) snowsuit
suojasää thaw (myös pol)
suojata shelter, cover, protect, shield, guard
suojatie crosswalk
suojaton unprotected, vulnerable
suojatti (mies) protégé, (nainen) protégée
suojautua shelter/protect/shield/guard yourself (against)
suojelija patron, protector
suojelupoliisi Security Police
suojelus protection, patronage opetusministeriön suojeluksessa under the auspices of the Ministry of Education
suojelushenki guardian spirit/angel
suojeluskunta civil guard
suojeluspyhimys patron saint
suojus guard, shield, cover, case; (kirjan) dust jacket
suola salt maan suola the salt of the earth
suolainen salty
suolata salt
suolaus salting
suoli intestine, (vanh) bowel
suolisto intestinal tract, (vanh) bowels
suoltaa (puhetta) run on (at the mouth); (tekstiä) churn/crank out
suomalainen s Finn adj Finnish
suomalaisittain Finnish-style
suomalaiskansallinen s Finnish national adj Finnish
suomalaistaa Finnicize
suomalais-ugrilainen Finno-Ugric
suomalaisuus Finnishness, Finnicism; Finnish culture/spirit
suomen kieli Finnish
suomenkielinen Finnish, Finnish-language, in Finnish
suomennos Finnish translation
suomenopettaja Finnish teacher
suomenopetus Finnish teaching
suomenpystykorva Finnish Spitz
suomentaa translate into Finnish
suomentaja Finnish translator
suomentunti Finnish class
Suomen-vierailu visit to Finland
suomettua be Finlandized
suomettuminen Finlandization
Suomi Finland
suomi Finnish suomeksi sanoen in (plain) Finnish

suomia whip, lash; (suullisesti) give (someone) a tongue-lashing
Suomi-neito the Finnish Maid
suomu scale Suomut putosivat silmiltäni The scales dropped off my eyes
suomupeite (coating of) scales
suomustaa scale
suomuurain cloudberry
suonenisku bloodletting
suonensisäinen intravenous, IV
suonenveto cramp, charley horse
suoni (veren) blood vessel, (laskimo) vein; (kasvin, malmin, marmorin) vein
suonikohju varicose vein
suopea favorable, approving, friendly, kind, benign
suopeasti favorably, approvingly, kindly, benignly
suopeus favor(able attitude), approval, kind(li)ness
suopursu marsh tea
suora s **1** (maantien, urh) straightaway, (loppusuora) home stretch **2** (korteissa) straight **3** (mat) straight
adj **1** (tie, viiva tms) straight **2** (rehellinen) straightforward, upfront, frank, direct **3** (välitön) direct suora lento direct/nonstop flight suora vastakohta direct/ diametric opposite suorassa suhteessa johonkin in direct proportion to something suora käännös literal translation
suoraan 1 straight, right, direct(ly) mennä suoraan asiaan get right to the point **2** (salailematta) directly, frankly, openly, up front sanoa suoraan be blunt, tell (someone something) straight to his/her face
suoraan sanoen to be frank/honest, frankly, to tell (you) the truth
suoraa päätä straight away/off
suora kulma right angle
suorakulmainen right-angle
suoranainen obvious, actual, real, patent
suoranaisesti obviously, actually, really, patently
suorasaantimuisti random-access memory, RAM
suorasanainen 1 (ei runomuotoinen) prose **2** (suorasukainen) blunt, frank, outspoken
suorasatelliitti direct broadcast satellite, DBS
suoraselkäinen erect, upright (myös kuv)
suorassa straight; (pystyssä) erect, upright
suorastaan (kerrassaan) downright, out-and-out, utterly, plainly; (oikeastaan) actually, really, in fact; (yksinkertaisesti) simply; (jopa) even Hän suorastaan säteili She was practically glowing Hän oli aika kylmäkiskoinen, ellei suorastaan töykeä He was pretty cold, if not downright/out-and-out rude
suorasukainen blunt, frank, outspoken
suorasukaisesti bluntly, frankly, outspokenly
suorasukaisuus bluntness, frankness
suoraviivainen 1 (mat) rectilinear **2** (ihminen: suora) straightforward; (yksioikoinen) single-minded Hän on aika suoraviivainen poika He's a bit single-minded, he's got a one-track mind, he's a bit of a Boy Scout
suoraviivaisesti rectilinearly, straightforwardly, single-mindedly
suoristaa 1 straighten (out/up), (kangasta) smooth (out) **2** (mat) rectify
suoristua straighten; (tukka) go straight, lose its curl
suorittaa 1 (toiminta) perform, do, make, undertake; (tutkimusta) carry out **2** (tutkinto) take, earn, pass; (ark) get suorittaa maisterin tutkinto earn/get a Master's degree suorittaa ensiapukurssi take/pass a first-aid class **3** (maksu) pay (off/up), remit, defray
suorittaa loppuun finish, complete, (ark) wrap up
suorittaja 1 person doing something **2** (ohjelmannumeron tms) performer **3** (rikoksen) perpetrator, (ark) perp **4** (maksun) payer **5** (junan) dispatcher
suoritus 1 performance **2** (saavutus) accomplishment, achievement

3 (suoritettu kurssi) completed course, (loppumerkintä) signature (in your book), (arvosana) grade **4** (maksun) payment, remittance, settlement
suorituskyky **1** competence, capacity, ability; (auton) performance **2** (maksukyky) solvency, ability to pay
suoriutua get over/by/through (something), get (something over and) done (with); (selviytyä) make it suoriutua hyvin jostakin do fine on something
suosia **1** favor, (opettaja) make (someone) your pet/favorite **2** (tukea) support, patronize Suosi suomalaista! Buy Finnish!
suo siellä vetelä täällä between the devil and the deep blue sea, between a rock and a hard place
suosija patron
suosikki favorite
suosio **1** (suuren yleisön) popularity saavuttaa suosiota become popular, win a following **2** (jonkun) esteem, high opinion/regard, (vanh) favor olla jonkun suosiossa be thought highly of by someone, (opettajan) be the teacher's pet osoittaa suosiotaan applaud, clap your hands
suosiolla willingly, gladly, without being asked
suosiollinen friendly, amicable, kind, benevolent jonkun suosiollisella avustuksella (ystävän) with someone's kind assistance; (yhdistyksen tms) with the generous support of someone
suosiollisesti amicably, kindly, benevolently suhtautua suosiollisesti johonkuhun take a beneficent/ benevolent interest in someone
suosionosoitus **1** (teko) favor, dispensation, courtesy **2** suosionosoitukset applause
suositella recommend
suosittaa recommend
suosittelu (re)commendation
suosittu popular
suositus recommendation
suosituskirje letter of recommendation
suostua **1** agree/consent (to), be willing (to), comply (with) Hän ei suostunut (tekemään niin) She refused (to do it that way) **2** (hyväksyä) accept, approve Hän ei suostunut kosintaani She rejected my proposal, she turned me down
suostuminen agreement, consent, willingness, compliance, acceptance, approval (ks suostua)
suostumus agreement, consent, willingness, compliance, acceptance, approval (ks suostua)
suostutella (try to) talk (someone) into (doing something), (try to) persuade (someone to do something); (maanitella) coax, wheedle
suotava desirable, advisable
suotta for nothing, for no reason/ purpose; (tarpeettomasti) unnecessarily Älä suotta vaivaudu Don't bother
suotuisa favorable, advantageous, propitious; (ark) good
suotuisasti favorably, advantageously, propitiously
suoturve peat
superlaajakulmaobjektiivi superwideangle lens
superlatiivi superlative
supernova supernova
supertietokone supercomputer
supista whisper
supistaa **1** (vähentää) cut back, decrease, reduce **2** (pienentää) reduce, cut down **3** (rajoittaa) restrict, limit **4** (lyhentää) shorten, cut short **5** (tiivistää) abridge, condense **6** (mat) reduce **7** (lääk) contract, constrict
supistua **1** (fyysisesti) contract, shrink **2** (vähentyä tms) be cut back/down/ short, be decreased/reduced/restricted/ limited/shortened/ abridged/condensed (ks supistaa)
supistus **1** (synnytyssupistus) contraction, (mon) labor Supistukset tulevat jo 10 minuutin välein The contractions are coming ten minutes apart Kuinka kauan supistukset kestivät? How long were you in labor? **2** (vähentäminen tms) reduction,

restriction, limitation, abridgement, condensation (ks supistaa)
supisuomalainen Finnish to the core
supliikki Sinullapa on hyvä supliikki You've really got the gift of gab
suppea 1 (pieni) small suppeissa puitteissa on a small scale **2** (rajoittunut) restricted, limited, narrow sanan suppeassa merkityksessä in the (re)strict(ed)/narrow sense of the word **3** (lyhyt) short, brief, concise suppea sanakirja a concise dictionary **4** (tiivis) compact, abridged, condensed **5** (perus) basic matematiikan suppea kurssi the basic course in mathematics
suppilo funnel
suprajohde superconductor
suprajohdin superconductor
suprajohtavuus superconductivity
sureva (surua tunteva) grieving, (poismenneen omainen) bereaved
surina hum, whir, drone
surista hum, whir, drone
surkastua 1 (kasvu) be stunted, (lihas) atrophy **2** (kuihtua) wither/waste away (myös ihminen)
surkastuma 1 (lihaksen) atrophy **2** (turha elin) rudiment, vestige
surkastuminen stunting, atrophying; withering, wasting
surkea 1 (kehno) terrible, (ark) lousy surkeassa kunnossa in terrible/lousy shape **2** (viheliäinen) wretched; (ark) nasty, mean surkea temppu a dirty/ mean trick **3** (valitettava) unfortunate surkea onnettomuus an unfortunate accident **4** (murheellinen) miserable, unhappy, downcast katsoa surkeana muiden ilonpitoa watch miserably while others have fun **5** (surkuteltava) pathetic, pitiful, pitiable surkea ilmestys a pathetic sight **6** (sydäntä särkevä) heart-wrenching surkea itku a heart-wrenching cry
surkeus misery
surku Minun käy häntä surku I feel sorry for her
surkuhupaisa (säälittävä) pathetic; (näytelmän/romaanin juoni) tragicomic
surkutella feel sorry for; (yhdessä) commiserate (with)
surma death saada surmansa die, be killed/slain; (leik) meet your maker
surmata kill, slay
surra 1 (kuollutta) mourn/grieve (over) **2** (huolehtia) worry (about), be worried **3** (olla pahoillaan) be sorry
surrealismi surrealism
surrealisti surrealist
surrealistinen surrealistic
suru sorrow, grief/grieving, mourning Otan osaa suruunne My condolences/ sympathies (in your sorrow)
suruharso mourning veil
surullinen sad; (ihminen myös) sorrowful, mournful, melancholy; (tapahtuma myös) tragic Äiti tulee hyvin surulliseksi kun teet noin It makes Mommy very sad when you do that surullista kyllä unfortunately
surullisesti sadly, sorrowfully, mournfully, tragically
surullisuus sadness, sorrow
surun murtama grief-stricken
surunvalittelu condolence(s)
suruton 1 blithe, casual **2** (maallinen) worldly
surutta without a second thought, blithely
survoa 1 crush, mash; (soseeksi) purée; (jauhaa) grind **2** (ihmisiä jonnekin) stuff, jam, cram
susi 1 (eläin) wolf yksinäinen susi lone wolf (myös kuv) **2** (ark) dud, botch(ed job), hash, (auto) lemon
susi lammasten vaatteissa a wolf in lamb's clothing
sutkaus (karkea) (wise)crack; (hienompi) witticism, bon mot
suttaantua 1 (likaantua) get dirty/ messy **2** (mennä hyvin) work/turn out (fine)
suttura chippie, floozy
suu 1 mouth Suu kiinni! Shut up! Be quiet! piestä suutaan run off at the mouth, beat your gums soittaa suutaan shoot off your mouth olla suuna päänä talk big, strut pitää pienempää suuta quiet/pipe down pitää suurta suuta talk

big, be all talk puhua suulla suuremmalla ks hakusana **2** (aukko: luolan tms) entrance, (aseen) muzzle, (letkun tms) nozzle oven suussa at the door, in the doorway
suudella kiss
suudelma kiss
suuhunpantava something to eat, eats, grub; (mutusteltava) munchies
suukappale 1 mouthpiece (myös kuv) **2** (letkun) nozzle
suukapula gag
suukko kiss
suukopu pitää suukopua kick up a fuss
suulaki the roof of the/your mouth
suulas talkative
suullinen oral
suullisesti orally
suun kautta orally
suunnanmuutos change of course/ direction
suunnanvaihdos change of course/ direction
suunnata 1 direct suunnata jonkun huomio johonkin direct someone's attention to something suunnata kysymys jollekulle ask someone a question, address a question to someone **2** (tähdätä) aim, point, train
suunnaton immense, enormous
suunnattomasti immensely, enormously
suunnikas parallelogram
suunnilleen approximately, roughly, about
suunnistaa take your bearings, get oriented; (urh) do/practice orienteering
suunnistaja orienteerer
suunnistus orienteering
suunnitella plan, design suunnitella matkaa plan a trip, map out your itinerary, figure out what you want to do on your trip suunnitella taloa design a house, draw up designs for a house
suunnitelma plan, scheme Se ei sovi minun suunnitelmiini That doesn't fit in to/with my plans, that's not what I had in mind
suunnitelmallinen systematic, methodical
suunnitelmallisesti systematically, methodically
suunnitelmallisuus systematic/ methodical planning
suunnittelematon unplanned, poorly planned, unthought-out
suunnittelu planning, design
suunsoittaja bigmouth, motormouth
suunsoitto big talk, all talk, hot air
suunta 1 direction, way; (laivan, lentokoneen ja kuv) course katsoa molempiin suuntiin look both ways jotakin siihen suuntaan something along those lines suuntaan tai toiseen one way or the other jossakin Mikkelin suunnalla somewhere near/around Mikkeli **2** (kehityssuunta) trend, tendency; (taiteen) school, movement
suuntainen jonkin suuntainen parallel with something
suuntaneula compass needle
suuntanumero area code
suuntaus 1 (suuntaaminen) orientation **2** (taiteen tms) trend, tendency
suuntautua 1 (ihminen) turn, tend, be oriented toward, direct your activities/ efforts (toward) ulospäin suuntautunut ihminen extrovert, outgoing person oikeistoon suuntautunut ihminen right-winger, right-leaning person, a person with right-wing/conservative tendencies **2** (esine, tapahtuma) be directed/ aimed (toward/at) Matkamme suuntautui etelään We headed south
suuntaviivat 1 (ohjeelliset) guidelines, outlines **2** (kuvailevat) trend, tendency
suuntia take a bearing
suuntima bearing
suuntäysi mouthful kirota suuntäydeltä curse up a blue streak
suunvuoro a chance to speak En saanut koko iltana suunvuoroa I couldn't get a word in edgewise all evening
suupala a bite (to eat)
suupaltti blabbermouth, chatterbox

suur- great, grand; (kaupunkialue) greater
suuraakkonen capital/upper-case letter, (ark) cap
suure quantity, (fys) magnitude
suurehko largish
suurenmoinen great, wonderful, stupendous, magnificent
suurennella 1 magnify, exaggerate, (ark) blow (something) up (out of all proportion) **2** (kerskailla) brag, boast, talk big
suurennos enlargement
suurennus magnification, enlargement
suurennuskone enlarger
suurennuslasi magnifying glass
suurentaa magnify, enlarge
suuresti greatly, immensely, highly
suuret ikäluokat baby boom (generation)
suuri 1 big, large, great kaksi kertaa niin suuri kuin twice as big as, double the size of olla suureksi avuksi be a lot of help, be a big help luulla suuria itsestään have an inflated opinion of yourself, be stuck-up, have a big/ swelled head **2** (suurialainen) wide, extensive silmät suurina wide-eyed **3** (korkea) high **4** suurella äänellä loudly, in a loud voice
suurilukuinen numerous
suurimittainen large-scale; (taiteellisesti ansiokas) magnificent
suurimmillaan at its greatest/peak/ height
suurimot grits
suurin biggest, greatest, largest suurin sallittu nopeus maximum speed
suurin osa the majority (of), most (of), the lion's share (of)
suuri osa a/the majority (of), a large part (of) suureksi osaksi largely
suuriruhtinas grand duke
suuriruhtinaskunta grand duchy
suurisuinen bigmouthed; (kerskaileva) boastful; (uhoava) blustering
suuritehoinen powerful
suurituloinen high-income
suuritöinen laborious; (ark) hard, tough
suurkaupunki metropolis
suurkaupunkilainen metropolitan
suurkuvatelevisio big-screen television
suurlähettiläs ambassador
suurlähetystö embassy
suurmies great man
suurpiirteinen 1 (suvaitsevainen) broad-/open-minded, tolerant, permissive **2** (löyhä) lax, negligent, lackadaisical
suurpiirteisesti tolerantly, benevolently; lackadaisically
suurpiirteisyys broad-/open-mindedness, an open mind, tolerance; laxity, negligence
suurpujottelu giant slalom
suursiivous thorough (house)cleaning, spring cleaning
suurtietokone mainframe, mainframe computer
suuruinen Minkä suuruisen sekin kirjoitit? How big a check did you write? How much did you write the check for?
suurustaa thicken
suuruudenhullu megalomaniac
suuruudenhulluus megalomania
suuruus 1 size, magnitude, dimensions **2** (laajuus) extent **3** (määrä) amount **4** (henkinen) greatness; (kuuluisuus) fame, celebrity; (sydämen) largeness/capacity of heart
suuruusluokka (tähden) magnitude, (purjeveneen) class Mitä suuruusluokkaa sinun palkkasi on? What are they paying you, roughly?
suurvalta superpower
suurvaltapoliittinen pertaining to superpower politics
suurvaltapolitiikka superpower politics
suurvaltataso the superpower level
suuryritys 1 (yhtiö) large/major company **2** (toiminta) large-scale operation/undertaking, major/ massive effort
suusanallinen oral, verbal
suusta ladattava muzzle-loading

suusta suuhun kulkea suusta suuhun spread by word of mouth suusta suuhun -tekohengitys mouth-to- mouth resuscitation
suutahtaa lose your temper, flare up
suutari 1 cobbler Jerusalemin suutari the Wandering Jew **2** (pommi) dud
suutelu kissing; (ark) making out
suutin nozzle
suuttua 1 (vihastua) get mad (at), lose your temper (at), fly into a rage (at); (ark) blow your top, blow a fuse, have a cow **2** (loukkaantua) get offended, take offense, get hurt; (ark) go into a snit/huff
suuttumus anger, rage, fury
suuttuneesti angrily, furiously
suutuksissa angry, (ark) pissed off
suutuspäissään in a fit/burst of anger/rage
suvaita 1 tolerate, stand En suvaitse häntä tähän taloon I refuse to let him enter this house, I will not have him in this house **2** (alentuvasti) condescend, deign Hän ei suvainnut vastata kirjeeseeni He didn't deign to answer my humble missive
suvaitsematon intolerant
suvaitsemattomuus intolerance
suvaitsevainen tolerant
suvaitsevaisuus tolerance
suvanto smooth waters
suvereeni sovereign hallita jotakin suvereenisti have a perfect command of something, have total mastery over something
suvi summer
suvullinen sexual
suvunjatkaminen procreation, reproduction
suvunjatkamisvietti procreative drive
suvunkehitys phylogeny
suvuton asexual
SV SV, Still Video
Sveitsi Switzerland
sveitsiläinen s, adj Swiss
svetisismi a Swedish-influenced word or phrase in Finnish, Sveticism
sydämellinen warm(-hearted), friendly sydämellinen vastaanotto a warm reception
sydämellisesti warmly Haluan toivottaa teidät sydämellisesti tervetulleiksi Let me welcome you all warmly
sydämellisyys warm-heartedness, warmth
sydämensiirto heart transplant
sydämen tahdistin pacemaker
sydämen vajaatoiminta cardiac insufficiency
sydämetön heartless
sydän 1 heart (myös kuv) sydämensä halusta to your heart's content koko sydämestä from the bottom of your heart vihlaista jonkun sydäntä cut someone to the quick Sydämeni sykkii sinulle My heart aches for you totella sydämensä ääntä follow your heart **2** (kynttilän) wick, (maapallon) core, (suklaakonvehdin) filling, (puun) pith
sydänala the pit of the stomach
sydänfilmi electrocardiogram, EKG
sydäninfarkti myocardial/cardiac infarct
sydän- ja verisuonisairaudet cardiovascular diseases/disorders
sydänkohtaus heart attack
sydän kurkussa with your heart in your mouth
sydänkäyrä electrocardiogram, EKG
sydänlääke heart medication
sydänsairaus heart disease
sydänsuru heartache
sydäntalvi the depth of winter
sydäntä lämmittävä heart-warming
sydäntä särkevä heart-breaking
sydänvika heart problem, weak heart
sydänystävä bosom buddy/friend
sydänääni (the sound of a baby's) heartbeat
syfilis syphilis
syke pulse (myös kuv) kaupungin syke the pulse/heartbeat of the city
sykintä beat(ing), pulsation; (sähkön) ripple
sykkiä beat, throb, pound
sykkyrä (letkun tms) kink, (sotku) tangle

syklamaatti cyclamate
sykli cycle
syksy fall, (ylät) autumn
syksyinen autumnal Tänään on syksyinen ilma Fall is in the air today
syksymmällä closer to (the) fall
sykähdys throb, beat
sykähdyttää stir you
sykähtää throb, beat, pound; (hypähtää) leap
sykäys (puhelun) billing unit
syleillä hug, embrace
syleily hug, embrace
syli 1 (istuvan) lap, (seisovan) arms **2** (pituusmitta) fathom **3** (halkomitta) cord
sylillinen armful
sylinteri cylinder
sylitietokone laptop (computer)
syljeksiä spit
syljeneritys salivation
sylkeä spit
sylki saliva, (ark) spit puhua mitä sylki suuhun tuo say the first thing that pops into your head
sylkäistä spit
syltty headcheese
symbioosi symbiosis
symboli symbol
symboliikka symbolism
symbolinen symbolic
symboloida symbolize
symmetria symmetry
symmetrinen symmetrical
symmetrisesti symmetrically
symmetrisyys symmetricality
sympaattinen sympathetic Hän on oikein sympaattinen He's very friendly, he's a really nice guy
sympatia sympathy
synagoga synagogue
synapsi synapse
synkata Eiks meillä synkkaa aika hyvin? We get along pretty well, don't we? We're pretty well in tune/sync with each other, don't you think?
synketä ks synkistyä
synkistyä 1 (taivas) darken, get dark and threatening **2** (ihminen) get sad/depressed/disheartened/downcast Hänen ilmeensä synkistyi Her face fell
synkkyys gloominess
synkkä gloomy, dismal, dreary, bleak, depressing
synkkäilmeinen glum, doleful
synkronoida synchronize
synkästi gloomily, dismally, drearily, bleakly
synnillinen sinful
synninpäästö absolution/forgiveness of sins
synnintunto contrition, repentance
synnitön sinless, without sin
synnyinkoti the house you were born in
synnyinseutu the region you were born in
synnynnäinen innate, inborn
synnyttäjä woman in labor, parturient
synnyttää 1 (vauva) deliver, give birth to **2** (pentu) drop; (eri eläimistä: lehmä) calve, (tamma) foal, (vuohi) kid, jne **3** (keskustelua tms) give birth/rise to, spark, breed, produce, generate **4** (sähköä) generate, produce
synnytys delivery, birth; (supistukset) labor
synnytysoppi obstetrics
synonyymi synonym
syntaksi syntax
synteesi synthesis
synteettinen synthetic
syntetisoida synthesize
synti sin Anna meille meidän syntimme anteeksi Forgive us our trespasses/debts/sins
syntiinlankeemus the Fall (of Man)
syntiinlankeemuskertomus the Biblical story/myth about the Fall of Man
syntinen s sinner
adj sinful
syntipukki scapegoat
syntisesti sinfully
syntisyys sinfulness
synty birth, (ja kehitys) genesis pohtia syntyjä syviä ponder profound matters, talk philosophy, solve the world's problems
syntyessään at birth
syntyisin born (in)
syntyjään originally, by birth

syntymä birth
syntymäaika birthdate
syntymämerkki birthmark
syntymäpäivä birthday
syntymäpäiväjuhlat birthday party
syntymäpäiväonnittelu birthday greeting/card
syntymätodistus birth certificate
syntyperäinen native
syntyvyyden säännöstely birth control
syntyvyys birth rate, natality
syntyä 1 be born Meille on syntynyt kolmas lapsemme We've just had our third child Hän on syntynyt muusikoksi She's a born musician Milloin sinä olet syntynyt? When were you born? What's your birthday? **2** (saada alkunsa) originate, spring up, break out, arise, come into being/existence; (jostakin) come/derive from Syntyi kiusallinen hiljaisuus There was an embarrassed silence Mitähän tästä vielä syntyy? Whatever will come of this?
syntyä keskosena be born prematurely, (ark) be a preemie
syntyä kuolleena be stillborn
syntyä uudesti be reborn (in Christ)
syntyään ks syntyjään
syrjä edge, side, border mäen syrjässä on the hillside, at the foot of the hill (ks myös syrjässä)
syrjähyppy affair tehdä syrjähyppy cheat on your husband/wife
syrjäinen remote, distant
syrjäseutu remote/outlying area
syrjäseutulisä salary bonus for work in a remote area
syrjäsilmin with a sidelong glance
syrjässä aside jättää/panna syrjään set/put (something aside), ignore, neglect; (kokouksessa) table, shelve vetäytyä syrjään step aside, withdraw pysytellä syrjässä stand/keep aloof, stay out of the fracas/fray, keep your distance
syrjäyttää 1 (menetelmä tms) replace, supplant **2** (ihminen: työntää sivuun) supplant, oust, edge out, (valtias) depose, (kuningas) dethrone; (jättää sivuun) pass over **3** (huomautus) pass over, ignore, disregard **4** (fys) displace
sysimusta pitch black
systeemi system
systeemisuunnittelija system planner
systemaattinen systematic
systemaattisesti systematically
systematiikka systematics
systole systole
sysätä push, shove; (ajatuksia syrjään) dismiss sysätä syy jonkun niskoille blame someone else for something; (ark) pass the buck
sysäys push, shove
syttyminen ignition, combustion; (sodan tms) outbreak
syttyä 1 (tuleen) ignite, catch fire, burst into flames, light (on fire) **2** (valo) light up, be lit, go on Hänen silmiinsä syttyi ilo Her eyes lit up with happiness **3** (tähti) come out **4** (sota tms) break out **5** (kuv) spark, kindle Hän syttyy helposti (asiaan) She gets excited/enthusiastic about things quickly; (seksuaalisesti) She's easily aroused
sytytin 1 (räjähteen) detonator, (detonating) fuse **2** (savukkeen) lighter
sytyttää 1 (tuli) light (a fire, something on fire), start a fire; (tuleen) set (something) on fire, set fire to (something) sytyttää tulitikku light/strike a match **2** (räjähde) detonate; (ark) fire, blow **3** (mielenkiinto) (en)kindle, stir, arouse, excite **4** (kapina tms) incite, inflame **5** (ark = leikata) understand, get it Nytkö sulla vasta sytytti? Did you just get it? Hänellä sytyttää nopeasti He's sharp, he's quick on the uptake
sytytys 1 (tulen, auton) ignition **2** (räjähteen) detonation **3** (hoksaaminen) understanding, grasp Hänellä on hidas sytytys He's slow on the uptake
syvennys depression, indentation, hollow; (seinässä) recess, niche, alcove
syventynyt johonkin engrossed/wrapped up/absorbed in something
syventyä 1 deepen, grow deeper **2** (aiheeseen) go into (something) more

deeply, deal with (something) in greater detail
syventävät opinnot advanced studies; (lähin vastine) Master's-level major studies, 500-level coursework
syventää 1 deepen, make/dig (a hole) deeper **2** (aihetta) amplify, go into (something) more deeply, deal with (something) in greater detail
syvetä deepen, grow deeper
syvyinen -deep, in depth
syvyys depth (myös kuv), deepness meren syvyyksissä in the depths of the ocean pohjaton syvyys the bottomless pit, the abyss
syvä deep, (kuv) profound syvä epätoivo utter/total despair syvässä unessa fast/sound asleep
syvällinen deep, profound
syvällisesti deeply, profoundly
syvällisyys depth, profundity
syvällä deep syvällä sisämaassa deep in the heart of the country Onko hän niin syvälle vajonnut? Has he stooped/fallen so low?
syvänne deep
syväpaino rotogravure
syvässä deep kolme metriä syvässä vedessä in water nine feet deep
syvästi deeply, profoundly rakastaa syvästi love dearly
syväterävyys (valokuvauksessa ym) depth of field
syy 1 (aihe(uttaja)) cause ilman laillista syytä without legal cause syy ja seuraus cause and effect **2** (motiivi) reason, motive; (perustelu) ground(s); (veruke) excuse Minulla oli hyvät syyt toimia niin kuin toimin I had good reasons/grounds for acting as I did, my motives were good for doing what I did sitä suuremmalla syyllä all the more reason (to do something), all the more so **3** (vika) fault; (syyte) blame sysätä syy jonkun niskoille blame someone else for something, put the blame on someone else; (ark) pass the buck Syy on sinun It's your fault
syy-seuraus-suhde causal relation
syyllinen s guilty party, offender, culprit
adj guilty
syyllistyä be guilty of; (rikokseen) commit
syyllisyydentunne (feeling of) guilt, guilty conscience
syyllisyys guilt kiistää syyllisyytensä protest your innocence, (oikeudessa) plead not guilty
syylä wart
syyni inspection
syyntakeeton irresponsible; (laillisesti) non compos mentis
syynätä inspect, (ark) snoop (into)
Syyria Syria
syyrialainen s, adj Syrian
syys- fall
syyskuu September
syyskylvö fall planting
syyslukukausi (kahdesta) fall semester, (kolmesta) fall quarter
syyspäiväntasaus autumnal equinox
syystä (kyllä) with (good) reason sattuneesta syystä for obvious reasons jostakin syystä for some reason (or other) meistä riippumattomista syistä for reasons beyond our control, due to circumstances beyond our control
syysvilja winter grain
syyte accusation, charge, indictment asettaa syytteeseen accuse, charge, indict; (oikeudessa) bring (someone) to trial, prosecute joutua syytteeseen jostakin be accused/charged/indicted/ prosecuted for something luopua syytteestä drop charges vapauttaa syytteestä acquit
syytetty the accused
syyttäjä 1 accuser **2** (lak) prosecutor, district attorney, DA
syyttä suotta for no particular reason
syyttää 1 blame (something on someone, someone for something), accuse (someone of something) Syytä itseäsi! It's your own fault, you have only yourself to blame **2** (laillisesti) accuse, charge, indict
syyttää tietämättömyyttään plead ignorance

syytää 1 (sylkeä) spew, spit **2** (iskuja) rain (down), (rahaa) blow, (moitteita) heap
syytön innocent, (oikeuden päätöksellä) not guilty
syytös accusation, charge
syy-yhteys causal relation
syödä 1 eat syödä pilleri take a pill syödä lounas eat/have lunch **2** (kala) bite **3** (syövyttää) eat (away at); (vesi maata) erode, wash away; (happo metallia) corrode **4** (auto bensiiniä) consume, use; (leik) guzzle Kuinka paljon se syö satasella? What kind of mileage do you get? **5** (šakissa) take, capture
syödä sanansa go back on your word, renege on a promise
syöjä eater, devourer (myös kuv) kuusi syöjää pöydässä six mouths at the table
syöksy rush, dash; (sukellus) dive, plunge; (putoaminen) plunge, fall
syöksykierre (lentokoneen) spin, (ihmisen) downward spiral
syöksylaskija schusser; (kilpailija) downhill racer
syöksylasku schuss; (kilpailu) downhill racing
syöksyä 1 (juosta tms) rush, dash, charge **2** (sukeltaa) dive, plunge **3** (pudota) plunge, fall (headlong), plummet **4** (törmätä) crash
syöksähtää rush, burst; (kyyneleet) gush
syöminen eating
syömingit feast; (ark) food bash, tongue orgy, blowout
syömä- eating
syömäkelpoinen edible
syömälakko hunger strike
syömäpuikot chopsticks
syömäri glutton, pig, big eater
syömätön 1 (ihminen) someone who hasn't eaten olla päiväkausia syömättömänä go for days without eating **2** (ruoka) uneaten
syönti eating syönnin jälkeen after a meal, after eating
syöpyä 1 eat into; (maaperä) erode, (metalli) corrode **2** syöpyä mieleen be (indelibly) engraved/inscribed on your mind/memory syvään syöpynyt deep-seated, deeply ingrained
syöpä cancer, (perunan ja kuv) canker
syöpäläinen vermin (myös mon)
syöpäsairaus cancer (disease), carcinosis
syöpää aiheuttava carcinogenic
syöstä 1 (suistaa) push, shove; (viskata) fling, hurl **2** (sylkeä: tulta) spit, (savua) spew (out)
syötti bait (myös kuv), (sorsan) decoy (myös kuv)
syöttää 1 feed syötetty vasikka the fatted calf syöttää jollekulle pajunköyttä feed someone a line Älä syötä minulle tuota paskaa! Don't give me that (bull)shit **2** (tenniksessä, lentopallossa tms) serve, (pesäpallossa) pitch, (jalkapallossa) pass
syöttö 1 feeding **2** (tekn) feed, supply; (tietok) input **3** (tenniksessä, lentopallossa tms) serve, (pesäpallossa) pitch, (jalkapallossa) pass
syövyttää 1 eat into; (maata) erode, (metallia) corrode **2** (jonkun muistiin) engrave, inscribe, etch
syövytys erosion, corrosion
sä you, ya
säde 1 (fys ja kuv) ray, (kuun) (moon)beam; (vain kuv) glimmer **2** (geom) radius
sädehoito radiation treatment
sädekehä halo
säe 1 (runon) line, verse **2** (laulun) phrase
säestys accompaniment
säestäjä accompanist
säestää accompany
sähke telegram, cable; (ark) wire
sähkö electricity (myös kuv)
sähköasentaja electrician
sähköenergia electrical energy
sähköinen 1 electrical (myös kuv:) electifying Sinun tukkasi on ihan sähköinen Your hair is standing on end (with static electricity) **2** (elektroninen) electronic sähköinen posti electronic mail sähköiset viestimet the electronic media

sähköisku (electric) shock
sähköistys electrification
sähköistää electrify
sähköjohto wire, cord
sähköjuna electric train
sähkölaitos electric company
sähkölamppu light bulb
sähkölasku electricity bill
sähkölämmitys electric heating
sähkömoottori electric motor
sähkösanoma telegram, cable(gram), (ark) wire
sähköttää telegraph, cable, wire
sähkövalo electric light
sähkövoima electric power
säie strand, fiber
säihkyä sparkle, glitter, glint
säikky jumpy, nervous, easily spooked
säikkyä startle, jump, spook
säikähdys scare, fright
säikähtää be scared/frightened/ startled
säikäyttää frighten, startle, spook
säiliö tank, (iso) reservoir, (kaivomainen) cistern
säiliöauto tanker, tank truck
säilykkeet canned foods/goods
säilyttää 1 keep (up), retain, maintain, preserve säilyttää tasapainonsa/ arvokkuutensa maintain your balance/ dignity **2** (varastoida) store (up), stow/put/salt away, lay up/by/aside, keep Mitä varten säilytät näitä vanhoja lehtiä Why do you keep all these old magazines?
säilytys 1 storage, safekeeping; (vaatteiden) cloakroom **2** (säilyttäminen) preservation, conservation
säilyä 1 last, endure, keep, remain; (olla ylläpidettynä) be kept up/ preserved Eihän tämä maito säily viikonlopun yli This milk won't keep over the weekend, will it? **2** (hengissä) escape, survive, be spared
säilä sword, saber; (terä) blade
säilö storage, (turva) safekeeping panna säilöön (matkalaukku) leave in storage; (juoppo) lock up (for the night), put (a drunk) in the tank
säilöä preserve, (ark) can; (etikkaliemeen) pickle
säkeistö (runon) stanza, (laulun) verse
säkenöidä sparkle, flash
säkki sack, bag
säkkipilli bagpipes
säkkipimeä pitch(black) dark
säle slat, (aidan) picket
säleaita picket fence
säleikkö trellis, lattice
sälekaihdin Venetian blind
sälli guy, fella
sälyttää load/burden/saddle (someone with something) sälyttää syy jonkun niskoille pass the buck
sämpylä bun
sängynpeite bedspread
sänki stubble
sänky bed
säntillinen punctual, meticulous, precise
säpinä action
säppi latch, hook, hasp, clasp
säpäle splinter mennä säpäleiksi splinter lyödä säpäleiksi smash/ break/bust into pieces/smithereens
särkeä 1 (rikkoa) break, crush, smash; (ark) bust **2** (sattua) ache, hurt Minun päätäni särkee My head aches, I've got a headache
särki roach
särkkä sandbank/-bar
särky ache, pain
särkylääke analgesic, (ark) painkiller
särkyä 1 break (up/down), burst; (säpäleiksi) shatter **2** (ääni) break, crack
särmikäs rough, unpolished, abrasive
särmä edge hioa jostakusta särmät pois rub the rough edges off of someone
särvin garnish for bread or potatoes Leipänä ruisleipää ja särpimenä piimä A little rye bread and buttermilk to go with it
särähtää crack särähtää korvaan grate on your ear, sound wrong, hit you wrong
särö 1 crack sröllä cracked **2** (äänentoistossa) distortion, (radiossa) static

säröillä crack Heidän avioliittonsa alkoi silloin jo säröillä Their marriage was already on the rocks back then
säteilevä 1 (fys) radiative **2** (ilosta) radiant, beaming
säteillä radiate (myös kuv)
säteily radiation
säteilyvaara radiation danger
säteittäin radially
säteittäinen radial
sätky saada sätkyt fly off the handle
sätkynukke marionette, puppet
sätkytellä flap, wiggle, jerk; (vastaan) wriggle/struggle (to get free)
sätkähtää chug, putt-putt
sättiä scold, nag/carp at
sävel 1 (nuotti) note **2** sävelet strains, sounds **3** (sävelmä) melody, air, tune **4** (sävy) tone, note
sävellaji key
sävellys composition, song
sävelmä melody, air, tune
säveltäjä composer
säveltää compose, write
sävy 1 (värin) shade, tint, tone **2** (äänen) tone, tinge, nuance
sävyisyys compliance, docility, peaceability
sävyisä compliant, docile, peaceable
sävyisästi compliantly, docilely, peaceably
sävyttää 1 (värillä) dye, tint **2** (tunteella) tinge, color, infuse
sävytys (valokuvan) toning
sävähtää flinch, start(le) sävähtää punaiseksi blush/flush suddenly
säväys flair, finesse, soupcon
säväyttää startle
säyseys meekness, mildness, gentleness
säyseä meek, mild, gentle
säyseästi meekly, mildly, gently
sää weather
säädellä adjust
säädin controller, regulator, adjustor
säädyllinen 1 (kunnollinen) decent, presentable, respectable **2** (kohtuullinen) reasonable
säädyllisesti decently, presentably
säädyllisyys decency, presentability
säädyttömyys indecency, impropriety
säädyttömästi indecently, immodestly
säädytön 1 indecent, immodest, improper, unseemly **2** (kohtuuton) unreasonable, exorbitant
säädös statute, regulation, ordinance säännöt ja säädökset the rules and regulations
sääennuste weather forecast
sääli pity Minun käy sinua sääliksi I feel sorry for you Sääli hyvää juustoa, joutua nyt tämmöiseen käyttöön It's a shame to waste a good cheese like this
säälimättömästi mercilessly
säälimätön unpitying, merciless
säälittävä pathetic, pitiable, pitiful
säälittää arouse pity in Hän säälittää minua I feel sorry for him Minua säälittää ajatella että It makes me sad to think that
sääliä (take) pity (on), feel sorry/pity for
säämiskä chamois, shammy
säännöllinen regular
säännöllisesti regularly, as a rule
säännöllisyys regularity
säännönmukainen regular säännönmukaisessa järjestyksessä in due order
säännöstellä 1 (palkkoja, hintoja) regulate, control **2** (ruokaa, bensaa tms) ration (out)
säännöstely 1 (palkkojen, hintojen) regulation, control **2** (ruoan) rationing
säännöstö code
säännötön irregular
sääntö rule, regulation, law Poikkeus vahvistaa säännön The exception proves the rule
sääri shin, (koko jalka) leg upeat sääret great legs
säärystin legging, legwarmer
säästeliäs economical
säästeliäästi economically
säästyä 1 (jäädä säästöön) be left (over), be saved **2** (joltakin) be spared, escape

säästäväinen prudent, frugal, economical, parsimonious
säästää 1 (rahaa) save (up), put/sock/salt away, lay/put aside **2** (muuta) keep, save, store, put away/aside **3** (ihmistä) spare Säästä minut selityksiltäsi! Spare me your explanations! **4** (olla säästäväinen) economize/scrimp/stint (on), be prudent/frugal/economical/parsimonious
säästö saving(s) On minulla muutama pennonen säästössä I've got a dollar or two put/stashed away
säästöpankki savings bank
säästöporsas piggy bank
säätiedotus weather report
säätila weather (conditions)
säätiö foundation
sääty 1 (hist) estate viides sääty the fifth estate **2** (luokka) (social) class
säätyläinen member of the upper crust (upper class or haute bourgeoisie)
sääty-yhteiskunta class society
säätää 1 (tekn) adjust, regulate, (TV:tä tms) tune **2** (lak) prescribe, ordain, decree
säätö adjustment, control, tuning
söpö cute
sössö mush
sössöttäjä mushmouth
sössöttää 1 (s-vika) lisp **2** (känni) talk thickly
sössötys 1 (s-vika) lisp(ing) **2** (kännipuhe) mushmouthed talk

T, t

taa behind mennä nurkan taa go around behind the corner
taaempana ks taempana
taaimmainen ks takimmainen
taaja 1 (paikallisesti) dense, thick **2** (ajallisesti) rapid, quick
taajama populated/built-up area, population center
taajeta become denser
taajuus 1 (metsän tms) density **2** (radioaallon) frequency
taajuuskorjain (äänentoistolaitteissa) equalizer
taajuusmodulointi frequency modulation
taakka load, burden (myös kuv)
taakse adv in the back Jukka nukahti sinne taakse Jukka fell asleep back there, in the back
postp behind saada tukijoita taakseen get backers, get people to support you katsoa taakseen look back(wards) (myös kuv), look behind you
taaksepäin backwards, (laiva) astern siirtää kello tunnin verran taaksepäin move the clock back an hour katsoa ajassa taaksepäin take a retrospective look (at past events, back in time), look back(wards) in time
taaksetaivutus retroflexion
taala dollar, (ark9 buck tuhannen taalan paikka million-dollar spot
taalailainen Dalecarlian
Taalainmaa Dalecarlia
taalari (hist) taler
taaleri (hist) thaler
taampana further back
taannehtia move/look back(wards) in time, retrospectively
taannehtivasti retroactively
taannoin recently, not long ago, the other day
taannoinen recent
taannuttaa retard, set (something) back
taantua (lääk) decline, degenerate; (psyk) regress; (biol) revert
taantumuksellinen s, adj reactionary
taantumuksellisuus reaction
taantumus reaction
taapertaa (lapsi) toddle, (ankka, ihminen) waddle
taara tare
taas 1 again Miten se taas menikään How did it go again? Joko taas! What, again? Not again! **2** (kun taas) while, where(as) Seija oli nukkumassa, minä taas siivoamassa While Seija was sleeping, I was cleaning; Seija was sleeping, whereas I (on the other hand) was cleaning
taasen ks taas
taata guarantee, ensure, warrant; (luvata) promise, (vakuutella) assure, (mennä takuuseen) vouch (for) En voi taata sitä, mutta I can't promise (you) anything, but; no guarantees, but
taateli date
taatelipalmu date (palm)
taatto grandpa, gramps
taattu guaranteed, certain, assured
tabletti 1 (pilleri) tablet **2** (pöytään) placemat
tabloidi tabloid
tabu taboo
tabulaattori (kirjoituskoneen) tabulator, (ark) tab
tabuoida taboo
tae guarantee Onko takeita siitä että Is there any way we can be sure that

taekwondo tae kwon do
taempana further back
taempi (something) further back tuo taempi kuppi that cup further back
taeta 1 (ajallisesti) go back (in time), (psyk) regress Takenen jälleen lapsuusvuosiin This takes me back to my childhood days again **2** (paikallisesti) go backwards, retrace your steps
taffeli 1 (piano) square piano **2** (pöytä) buffet table **3** (vuori) mesa
taffelivuori mesa
tafti taffeta
tahallaan on purpose, intentionally
tahallinen intentional
tahansa ever kuka tahansa whoever mikä tahansa whatever miten tahansa however milloin tahansa whenever missä/mihin/minne tahansa wherever Mistä tahansa tuletkin Wherever you come from
tahaton unintentional, accidental
tahattomasti unintentionally, accidentally
tahdas paste
tahdikas tactful, diplomatic, discreet
tahdikkaasti tactfully, diplomatically, discreetly
tahdikkuus tact, diplomacy, discretion
tahdistaa synchronize
tahdistin pacemaker
tahdistus synchronization
tahditon 1 (epätahtinen) out of rhythm, arrhythmic **2** (epähieno) tactless
tahdittaa bar, divide (music) into measures
tahdittomasti tactlessly, indiscreetly
tahdittomuus tactlessness, indiscretion
tahdoit tai et whether you want to or not, willy-nilly
tahdonalainen voluntary
tahdonvoima willpower
tahdoton involuntary
tahko 1 (geom) face **2** (juustotahko) (cheese) wheel **3** (tahkokivi) grindstone, (tekn) grinder
tahkota grind, whet/sharpen (something on a grindstone)
tahma sticky/gooey substance, (ark) goo; (kielessä) fur
tahmainen sticky, gooey; (kieli) furred, coated
tahmea (pinta) sticky; (neste) thick, viscous
tahmeasti stickily
tahmeta get/become sticky, (maalista myös) get tacky
tahna (hammastahna) toothpaste, (voileipätahna) spread
taho quarter, level Siltä taholta ei voi odottaa mitään Nothing can be expected from that quarter Ylemmät tahot ovat päättäneet The higher-ups have decided; the decision was made higher up, at higher levels; the decision came from above
tahra (myös kuv) spot, stain, blemish
tahraantua spot, stain, soil
tahraantumaton 1 (ei tahraannu) stain-resistant, stain-proof **2** (ei ole tahrattu) unstained (myös kuv)
tahrainen stained (myös kuv)
tahraton (myös kuv) unsoiled, clean; (vain kuv) impeccable
tahria spot, stain, soil, dirty tahria sormensa liimaan get glue on your fingers
tahriintua spot, stain, soil
tahti 1 (mus: viivojen välissä) bar; (tahtilaji) time (signature); (poljento) time, beat, rhythm, tempo 8-tahtinen johdanto eight-bar intro 3/4-tahti three-four time lyödä jalalla tahtia beat time with your foot, tap your foot to the beat kävellä samassa tahdissa walk in step marssia rumpujen tahdissa march to a drum cadence pysyä tahdissa (musiikissa) stay on the beat, (marssissa) stay in step, (soudussa) stay in stroke, (jonkun kanssa) keep up (with someone) eksyä tahdista (musiikissa) get off (the) beat, (marssissa) get out of step Tahdissa, mars! Double-time, march! **2** (elämän) tempo, rhythm; (vauhti) pace **3** (moottorin) stroke 4-tahtinen moottori four-stroke engine
tahtilaji time

tahtilajimerkintä time signature
tahtilepo (runoudessa) caesura
tahtimerkintä time signature
tahtimittari metronome
tahtipuikko baton toimia jonkun tahtipuikon mukaan follow someone's lead, march to someone's drum
tahtiviiva bar (line)
tahto will, volition; (toivomus) wish(es), request viimeinen tahto (testamentti) last will (and testament); (toivomus) last/final request/wish vapaa/hyvä/paha tahto free/good/ill will Tapahtukoon sinun tahtosi myös maan päällä niin kuin taivaassa Thy will be done on earth as it is in heaven ehdoin tahdoin deliberately, intentionally, on purpose
tahtoa 1 (saada aikaan tahdonvoimalla) will, resolve **2** (haluta) want, wish, desire Tahdotko lisää kahvia? Would you like some more coffee? Tahdon kotiin! I want to go home! Se tahtoo sanoa että (ihminen) What he's getting at is, what she's trying to say is; (sana, fraasi) it means, the implication is Tahdon (vihkiäiskaavassa) I do **3** (taipua) tend to, have a tendency to, be inclined to Niin siinä tahtoo käydä That's the way these things (usually/often) go **4** Mitä tämä tahtoo sanoa? What does this mean? What is this trying to say?
tahtomattaan 1 (vastoin tahtoaan) against your will **2** (tahattomasti) unintentionally, accidentally
tai or tai muuten or else tai paremmin or rather
taianomainen magical
taide art
taideaine art
taideakatemia art school/college, academy of the arts
taidearvostelu art review
taide-esine work of art, objet d'art
taidegalleria art gallery
taidegrafiikka graphic art
taidehistoria art history
taidekasvatus art education
taidekokoelma art collection
taidekäsityö arts and crafts
taidekäsityöläinen artisan
taidelukio high school for the visual arts
taidemuoto art form taidemuodot the various arts
taidemuseo art museum
taidenautinto aesthetic enjoyment
taidenäyttely art exhibition
taideproosa literary prose
taiderunous poetry
taideteollinen pertaining to industrial art
taideteollisuus industrial art
taideteos work of art
taidokas 1 (ihminen) skillful **2** (teos) well/skillfully made/done/executed
taidokkaasti skillfully
taidollinen 1 skillful **2** (taitoon liittyvä) skill-related taidolliset puutteet deficiencies in skill
taidonnäyte demonstration of skill
taidoton unskilled, unskillful
taifuuni typhoon
taika magic (myös kuv)
taikaisku kuin taikaiskusta as if by magic, as if at the wave of a magic wand
taikakeino magic käyttää taikakeinoja use magic, wave your magic wand taikakeinoin by magic
taikalamppu magic lamp
taikasauva magic wand
taikatemppu magic trick
taikausko superstition
taikauskoinen superstitious
taikavoima magic(al power)
taikina (vaivattava) dough, (nestemäinen) batter, (tahna) paste
taikka or (ks tai)
taikoa conjure; (taikuri) do magic tricks, (noita) cast spells taikoa joku sammakoksi turn (someone) into a frog taikoa jänis hatusta pull a rabbit out of a hat Mistä nyt senkin rahan taion! Where am I going to find that (kind of) money?
taikuri magician, wizard; (ark) whiz
taikuruus wizardry (myös kuv)
taimen trout
taimi (puun) sapling; (kasvin) seedling
taimitarha nursery

taimpana furtherst back, all the way at the back
tai muuta sellaista and so on, et cetera
tainnoksissa unconscious, insensible; (ark) out cold
tainnuttaa knock (someone) unconscious, stun
taintua faint, lose consciousness, (ark) pass out)
taipale (matka) trip, journey; (vaihe) leg (of the trip)
taipua 1 (fyysisesti) bend, give **2** (henkisesti) give in, yield; (alistua) submit; (suostua) consent, agree **3** (kielellisesti) (be) inflect(ed); (substantiivi, adjektiivi) (be) decline(d); (verbi) (be) conjugate(d) **4** (fys) diffract
taipuilla sway, wave
taipuisa flexible, (com)pliant, pliable
taipumaton inflexible (myös fyysisesti), uncompromising, unyielding, unbending
taipumattomuus inflexibility
taipumus tendency, inclination, propensity, (pre)disposition Sinulla on taipumus myöntyä kun haluat kieltäytyä You tend to say yes when you mean no
taipuvainen 1 (taipuisa) flexible, (com)pliant, pliable **2** (tekemään jotakin) inclined, (pre)disposed olla taipuvainen tekemään jotakin tend to do something, have a tendency to do something, be apt/inclined/disposed to do something
taistelija fighter, warrior
taistella fight, (do) battle (with/against), combat, struggle (with/against)
taistella tuulimyllyjä vastaan tilt against windmills
taistelu fight, battle, combat, struggle
taistelukelpoinen battle-ready, fit for battle/combat
taistelukenttä battleground, battlefield
taistelukykyinen battle-ready, fit for battle/combat
taistelukärki warhead
taistelulaiva battleship
taistelulaulu battle song
taistelulento combat mission
taistelulentokone combat (air)plane
taistelulentäjä combat pilot
taistelunhalu feistiness, pugnacity, bellicosity, belligerence
taistelunhaluinen feisty, pugnacious, bellicose, belligerent
taistelusukeltaja frogman
taistelutahto fighting spirit, morale
taistelutoveri comrade-in-arms
taisteluvahvuus battle strength
taisteluvalmis battle-/combat-ready
taisteluvarustus combat gear
taisteluväsymys combat fatigue
taisto battle, combat, fray
taitaa pääv know, master, command, have a command/mastery of, have a proficiency in Hän taitaa englantinsa She knows her English
apuv **1** (voida) can Taidatko sanoa sitä sen paremmin? Could you say it any better? **2** Ei hän taida tulla He's probably not coming, I don't think she's going to show up
taitamaton inexpert, inexperienced, unskilled, unskillful, incompetent, incapable, unable
taitava expert, experienced, skilled, skillful, competent, (cap)able
taitavasti expertly, skillfully, competently, (cap)ably
taitavuus expertise, skill, competence, (cap)ability
taite 1 (paperin) fold, (kankaan) crease **2** (putken tms) bend, curve **3** (vuosisadan tms) turn vuosisadan taitteessa at the turn of the century
taiteellinen artistic
taiteentutkimus art scholarship/research
taiteikas artful
taiteilija artist
taiteilijakortteli artists' quarter
taiteilijanapuraha artist fellowship/grant
taitelijaneläke artist pension
taiteilijanero artistic genius
taiteilijanimi professional name; (kirjailijan) pen name, nom du plume; (näyttelijän) stage name

taiteilijaprofessori (vapaa) honorary arts professor, (yiopistossa) artist-in-residence
taiteilijasielu artistic type
taiteilla 1 (tasapainoilla) balance **2** (tehdä taitavasti) do (something) skillfully/artfully/brilliantly Maalivahti taiteili pallon hyppysiinsä The goalie made a brilliant save **3** (saada aikaan taitavasti) finagle Puoluejohtajat taiteilivat kansanedustajille 5 000 markan palkankorotuksen The party bosses finagled a five-thousand-mark-a-month raise for members of parliament
taitella (ruumista, oksia tms) bend; (lautasliinoja) fold
taiten skillfully
taito skill; (ruoanlaiton tms) art, knack; (kielen tms) proficiency, command, mastery Minulla on taidot vähän ruosteessa I'm a little rusty (at this)
taitoinen able, skilled in lukutaitoinen literate, able to read
taitolento aerobatics, stunt flying
taitoluistelu figure skating
taitoniekka expert, virtuoso; (ark) whiz
taitos fold, crease
taitotieto know-how
taitouinti water ballet
taitovoimistelu gymnastics
taittaa 1 (paperi tms) fold taittaa sivun kulma dogear a page(/book) taittaa haulikko break a shotgun taittaa kokoon fold (something) up, (veitsi9 close, snap shut **2** (niska tms) break **3** (fys = valo) refract **4** (sivu toimituksessa) lay out **5** (matka) do, cover a (certain) distance taittaa 500 km:n matka neljässä tunnissa go 500 km in four hours
taittaa peistä break lances with someone
taittaen (voimistelussa) with pike
taitto 1 (sivun) layout **2** (urh) pike
taittohyppy (voimistelussa9 pike jump; (uimahyppy) jackknife, (vanh) pike
taittokyky refractive power
taitto-ovi folding door
taittovirhe astigmatism
taittua 1 (paperi tms) fold (up) **2** (niska tms) break **3** (fys = valo) be refracted **4** (matka) pass Matka taittui nopeasti The miles flew by, the trip was over quickly
taituri wizard, (ark) whiz; virtuoso
taiturillinen masterly, virtuoso
taituroida do something with grace Hän taituroi riman yli He somehow managed to clear the bar
taituruus wizardry, virtuosity
taivaallinen heavenly (myös kuv)
taivaanisä (our) heavenly father
taivaankansi the vault/dome of heaven
taivaan lintu vapaa kuin taivaan lintu free as a bird
taivaabmerkki 1 (enne) heavenly portent **2** (horoskoopissa) sign (of the zodiac) **3** Kyllä minä hänelle taivaanmerkit näytän! I'll get him for this, he'll pay dearly for this
taivaanranta horizon
taivaanvaltakunta the kingdom of heaven
taivaaseen astuminen ascension (to heaven) Kristuksen taivaaseenastumisen päivä Ascension Day
taivainen heavenly
taival (matka) trip, journey; (vaihe) leg (of the trip)
taivallus journey
taivaltaa travel, journey, tramp
Taiwan Taiwan
taiwanilainen s, adj Taiwanese
taivas 1 (fyysinen) sky, (run) the heavens Voi taivas! Heavens! kaikkea taivaan ja maan välillä everything under the sun tie on auki taivasta myöten the sky's the limit olla seitsemännessä taivaassa to be in seventh heaven taivasta kohti skyward(s), up to the skies vanha kuin taivas as old as Methusaleh, as old as the hills räjähtää taivaan tuuliin be blown to kingdom come kadota taivaan tuuliin vanish into thin air **2** (usk) heaven päästä taivaaseen go to heaven taivas suokoon että heaven grant that taivas tietää heaven knows taivasta kohti heavenward taivaan tähden for

heaven's sake taivas varjelkoon heaven help us
taivasalla out(-of-)doors, under the stars
taivasosa birthright
taivastella 1 (katsella) gaze/stare (wistfully/longingly) **2** (vetkutella) dawdle, dillydally
taive bend
taivutella coax, wheedle, (try to) persuade (someone to do something)
taivuttaa 1 (fyysisesti) bend, (raajaa) flex **2** (henkisesti) coax, persuade, get (someone) to do something **3** (kielellisesti) inflect; (substantiivia, adjektiivia) decline; (verbiä) conjugate
taivutus 1 (fyysinen) bending, flexion **2** (henkinen) coaxing, persuasion **3** (kielellinen) inflection, declination, conjugation
taivutuskaava paradigm
taivutusluokka (substantiivien) declension, (verbien) conjugation
taivutusmuoto inflection
taivutuspääte inflectional ending
taivutusvartalo inflectional stem
taju 1 (aisti) sense; (käsitys) conception, idea, notion Sulla ei ole mitään tajua siitä mitä me ollaan täällä tehty sun hyväkses You have no conception of what we've been doing for you here **2** (tajunta) consciousness, awareness menettää taju lose consciousness, (ark) go out cold tulla tajuihinsa regain consciousness, (ark) come to
tajuamaton 1 (joka ei tajua) unaware, ignorant, oblivious **2** (jota ei tajua) incomprehensible, unfathomable, unimaginable tajuamattoman nopea unimaginably fast
tajuinen 1 (tajuissaan oleva) conscious puoliksi tajuinen half-/semi-conscious alitajuinen subconscious **2** (tietoinen) conscious, aware tulla tajuiseksi jostakin become conscious/aware of something **3** (ymmärrettävä) accessible helppotajuinen easily accessible kansantajuinen popular, accessible
tajuissaan conscious
tajunnanvirta stream of consciousness
tajunnanvirtaromaani stream-of-consciousness novel
tajunta consciousness, the conscious mind, awareness
tajuta understand, realize, grasp, be(come) aware/conscious of; (ark) see, get Tajuutsä? Ya get it?
tajuton 1 unconsciousness, senseless, (ark) out cold **2** (ark = muissa maailmoissa) out of it
tajuttomuus unconsciousnessness, coma
taka- back, (auton) rear, (anat) posterior, (eläimen) dorsal
takaa from behind; (toiselta puolelta) from the other side of, from across haudan takaa from beyond the grave Takki on takaa revennyt This coat is torn in the back Tunnemme toisemme vuosien takaa We go way back (years and years)
takaa-ajaja pursuer
takaa-ajo chase, pursuit
takaaja guarantor olla lainan takaajana guarantee a loan, stand surety for a loan
taka-ajatus ulterior motive, an axe to grind
taka-ala background jäädä taka-alalle be ignored/neglected/forgotten
takaapäin from behind, from the back puukottaa jotakuta takaapäin stab someone in the back (myös kuv)
takaikkuna rear window
takainen 1 (vokaali) back **2** jonkin takainen behind something, in back of something
takaisin back, re- sinne ja takaisin there and back maksaa takaisin repay, pay (someone/something) back Haluan takaisin I want to go back
takaisinkelaus rewind
takaisinkelauspainike rewind button, rewind
takaisinkytkentä feedback
takaisinmaksu refund, reimbursement, (velan) repayment

takaisinosto repurchase
takaisinostosopimus repurchase agreement
takaisinponnahdus rebound
takaisku setback
takajalka hind leg nousta takajaloilleen (fyysisesti) rear up on your hind legs; (kuv) get your back up, raise your hackles
takakansi 1 (kirjan) back cover **2** (laivan) aft(er) deck
takakautta (ihmisen tms) from behind; (talon tms) the back way, through the back door/entrance, around back
takakenossa leaning back(wards)
takakenttä 1 (kenttä tenniksess tms) backcourt, (pesäpallossa) outfield **2** (pelaajat) the outfield(ers)
takakenttäpelaaja (pesäpallossa) outfielder, (muu) back
takakierre backspin
takakäteen 1 (myöhemmin) later, afterwards, subsequently **2** (taaksepäin) backwards
takalinja (sodassa) rear
takalisto 1 (takaosa) back, rear, (maatilan) back forty, (pihan) far end etsiä onkimatoja tallin takalistolta dig for worms behind the barn; (näyttämön) stage rear **2** (pään takaosa) raapia takalistoaan scratch the back of your head **3** (syrjäseutu) backwoods, (run) hinterlands; (ark) boondocks, boonies, sticks **4** (takamus) backside, rear end housujen takalisto the seat of the/your pants
takallinen 1 (jossa on takka) (something) with a fireplace takallinen leivinuuni a woodstove with a fireplace **2** (takan täysi) armload, armful Poltettiin kolme takallista puita We burned three armloads of firewood
takalukossa double-locked, (kuv) deadlocked
takamaa hinterland, backwoods
takamies (koripallossa) guard
takamus 1 (ihmisen) rear (end), backside, bottom, behind **2** (eläimen) rump, hindquarters **3** (housujen) seat
takana behind
takanapäin behind (someone), (kuv) behind (someone's) back Se aika on nyt takanapäin That's all behind us/you now, that's old history, that's water under the bridge
takanojassa leaning back(wards)
takanurkka back/rear/far corner
takanäyttämö stage rear
takaosa back, rear
takaovi 1 back/rear door, (julkisen rakennuksen) back/rear entrance **2** takaoven kautta (salaa) under the counter
takapajuinen backward
takapajula (kylä) hick town, one-horse town, wide place in the road
takapakki ottaa takapakkia (alkaa peräytyä) back-pedal, (kokonaan9 back out Sitten tuli takapakkia Then we/he hit a snag, then they discovered a problem/hitch
takaperin backwards
takaperoinen 1 (takaperin tapahtuva) backward **2** (taantuva) backward, retrograde **3** (nurinkurinen) topsy-turvy, ass-backward
takapiha back yard
takapiru 1 (vallankäyttäjä) puppet-master Tässä on joku takapiru Someone's pulling our strings here **2** (korttipelissä) kibitzer
takaportti 1 (pihan) back/rear gate **2** (sopimuksen) escape clause
takapuoli 1 back(side), rear jonkin takapuolella in the back of something, behind something **2** (takamus) rear (end), backside, bottom, behind
takapuskuri back/rear bumper
takapyörä rear wheel, (rengas) rear tire
takapyörävetoinen rear-wheel drive
takapää rear (end)
takaraivo occiput, (ark) back of the head
takaraja 1 (urh) back line, (tenniksessä) baseline **2** (määräaika) deadline
takarivi back row
takaruumis (hyönteisen) abdomen

takasuora back stretch
takatalvi spring/summer frost
takatasku back/hip pocket Hänellä on jotakin takataskussaan She's got something up her sleeve
takauma flashback
takaus guarantee, surety
takautua return (to), go back (to)
takautuva retroactive
takautuvasti retroactively
takavalo taillight
takavarikko confiscation
takavarikoida confiscate, seize, (ark) take away; (poliisi-/sotilas-tarkoituksiin) commandeer
takaveto rear-wheel drive
takavetoinen rear-wheel-drive
takaviistossa leaning backwards, at a backwards slant
takavokaali back vowel
takavuosina in the/years past, in past years
takellella 1 (puheessa) stammer, stutter **2** (kehityksessä) stop and start, be spasmodic/halting/erratic
takeltaa stammer, stutter
takeltelu stammering, stuttering, erratic progress
takeneva 1 (psyk) regressive **2** (sukututkimuksessa) ascending takenevassa polvessa in an ascending line
takerrella stumble, fumble, flounder takerrella sanoissaan stumble over your words
takertua cling (to), seize (on)
takertuminen clinging
takia 1 (syystä) Sinun takiasi myöhästyin (sinun vikasi oli) I was late because of you, on account of you, due/owing to you minkä takia what for, why **2** (hyväksi) for (the sake of) Sinun takiasi menin (sinun eduksesi) I went there for you
takiainen burr (myös kuv) takertua johonkuhun kuin takiainen cling/stick to someone like a burr
takila rig(ging), tackle
takimmainen (farthest/furthest) back, rear
takka fireplace takan ääressä by the fire/hearth
takkahuone fireplace room
takkatuli fire in the fireplace
takki jacket, coat saada takkiinsa (fyysisesti) get the stuffing beat out of you; (rahallisesti) lose your shirt, take it in the shorts
takku tangle, (ihmisen tukassa) snarl
takkuinen tangled
taklata tackle
taklaus tackle
takoa (tehdä takomalla) forge; (lyödä, myös kuv) beat, pound, hammer takoa kun rauta on kuumaa strike while the iron is hot
takomo forge
takorauta wrought iron
taksa rate, price, fare
taksi taxi, cab
taksiasema taxi stand
taksikuski taxi/cab driver, cabbie
taksoittaa assess, appraise taksoittaa työnsä set an hourly rate for your work
taksonomi taxonomist
taksonomia taxonomy
taksonominen taxonomical
taksvärkki (hist) workday, (koululaisten) work-a-thon
taktiikka tactics
taktikko tactician
taktikoida (suunnitella) plan (your) tactics; (toimia) do something strategically
taktinen tactical
takuu 1 (koneen tms) guarantee, warranty mennä takuuseen (jostakin) guarantee, (jostakusta) vouch for **2** (lainan tms) surety, security **3** (vangin) bail vapauttaa takuita vastaan release on bail
takuuaika warranty period
takuuhinta guaranteed price
takuuhuolto warranty service
takuukorjaus warranty repair
takuulla absolutely, definitely, certainly; (ark) for sure, (interj) you bet(cha)
takuupalkka guaranteed salary

takuutodistus warranty
takykardia tachucardia
talas boathouse
talassofobia thalassophobia
talassokratia thalassocracy
talassologi thalassologist
talassologia thalassology
talentti talent
tali tallow
talidomidi thalidomide
talidomidilapsi thalidomide child
talikko pitchfork
talja 1 (eläimen) skin, hide, fur **2** (väkipyörästö) pulley, tackle
talkki talcum, (ark) talc
talkoohenki neighborly/community/pitch-in-and-help spirit
talkoot community effort; (hist) bee sadonkorjuutalkoot harvest bee ompelutalkoot sewing bee
tallata trample/tread (on)
tallella (jäljellä) left, (olemassa) extant Onko sinulla vielä tallella Do you still have
tallelokero safe-deposit box
tallenne record(ing)
tallentaa record
tallessa (turvassa) in safekeeping ottaa talteen (panna turvaan) put (something) in a safe place, set (something) aside (where it won't get broken/lost); (tallentaa) record
tallettaa deposit
tallettaja depositor
talletus deposit
talletustodistus 1 (pankin) certificate of deposit, CD **2** (varaston) warehouse receipt
talli 1 (hevosen) stall, stable **2** (autourheilun) stable, team **3** (autotalli) garage
tallustaa trudge/shamble/plod (along/off)
tallustella trudge/shamble/plod (along)
talo 1 (rakennus) building kerrostalo apartment building parkkitalo parking garage **2** (omakotitalo) house **3** (ark = firma) house talon lehti house organ Talo tarjoaa It's on the house **4** (maatila) farm
talonmies janitor, custodian
talonpoika peasant
talonpoikainen peasant
talonpoikaisjärki common sense
talonvaltaus the occupation of a building
talonväki (members of the) household
taloudellinen 1 (liiketaloudellinen tms) economic, financial **2** (säästäväinen) economical, thrifty
taloudellisesti economically
taloudellisuus economicality, economy
taloudenhoitaja housekeeper
taloudenhoito housekeeping
talous 1 (yhden talon väki) household, (rahat) finances **2** (koko maan rahat) economy
talousalue economic region
talousarvio budget
talouselämä economy, economic/commercial/financial life
taloushistoria economic history
talousihme economic miracle
talouspakote economic sanction
talouspolitiikka economic policy
taloussuunnittelu economic planning
taloustavara household goods
taloustiede economics, (ark) econ
taloustieteellinen economic
talousuudistus economic renewal/reform
talousuudistusohjelma economic renewal/reform program
talsia trudge, shamble, plod
taltioida (arkistoon) file, (nauhalle) record
taltiointi recording konserttitaltiointi recorded/televised concert, (elokuva) concert movie/video
taltta chisel
talttua calm/settle down, subside
taltuttaa (tyynnyttää) calm/settle down, pacify; (eläintä) curb; (intoa tms) restrain
taluttaa lead sokea sokeaa taluttamassa the blind leading the blind
talutusnuora leash

talvehtia (spend/pass the) winter; (olla talviunesssa) hibernate
talvenkestävä (kasvi) hardy, (talo) winter-proof(ed)
talvi winter
talviaamu winter morning
talvikausi the winter season
talvikäyttö winter use
talvimaisema winter landscape/ scene
talvinen winter, wintry
talviolympialaiset the Winter Olympics
talvipäivänseisaus winter solstice
talvisaika winter talvisaikaan in the winter
talvisin in the winter, winters
talvisota the Winter War
talviteloilla in dry dock for the winter
talviurheilu winter sport(s)
talvivaatteet winter clothes/clothing
talvivarustus winter equipment
tamineet gear, duds, togs
tamma mare
tammi 1 (puu) oak **2** (peli) checkers
tammikuinen January
tammikuu January
tammipakkanen January cold/ freeze
tammiparketti oak parquet (floor)
tammukka brown trout
tampata 1 (maata) trample/tread/tamp (down/flat) **2** (mattoa) beat
tamperelainen s person from Tampere
adj (pertaining to) Tampere
tamponi tampon
tamponoida (plug something with a) tampon
tanakka sturdy, solid, husky
tandempyörä tandem bicycle
tangentti tangent
tango tango
tanhu (Finnish) folk/square dance
tanhuta (folk/square) dance
tankata 1 (auto) fill the tank, get some gas, gas/tank up; (lentokone) refuel **2** (takellella) stammer, stutter; (jankuttaa) harp on
tankkaus (auton) filling, (lentokoneen) refueling
tankki tank Tankki täyteen ysiseiskaa/ lyijytöntä Fill 'er up with premium/ unleaded
tanko bar ohjaustanko handlebars
tanner ground, field taistelutanner battleground/-field
Tansania Tanzania
tansanialainen s, adj Tanzanian
tanska Danish
Tanska Denmark
tanskalainen s Dane
adj Danish
tanskan kieli Danish
tanssi dance
tanssia dance; (eri tansseja: valssia) waltz (myös kuv), (tangoa) tango, jne tanssia jonkun pillin mukaan dance to someone's tune, march to someone's drum
tanssiaiset dance, (hieno) ball
tanssielokuva dance movie
tanssija dancer
tanssit dance mennä tansseihin go to a dance, go out dancing
tanssittaa dance (with someone), spin (someone around the floor)
taolainen Taoist
taolaisuus Taoism
tapa 1 (tapa tehdä) way, manner, (keino) means Et tietäis parempaa tapaa tehdä tätä? You wouldn't happen to know (of) a better way of doing this, would you? millä tavalla how, in what way tavallaan, tavalla tai toisella ks hakusanat **2** (pinttynyt tapa) habit, custom, way päästä tavasta break a/the habit parantaa tapansa mend your ways tapana, tapansa mukaisesti, tavan takaa ks hakusanat **3** (yhteisön normatiivinen tapa) custom, tradition, convention, norm Maassa maan tavalla When in Rome, do as the Romans do **4** tavat (käytöstavat) manners noudattaa hyviä tapoja mind your manners, be on your best behavior
tapaamisoikeus visitation/visiting rights

tapahtua happen, occur, take place Mitä helvettiä täällä tapahtuu? What the hell is going on here?
tapahtuma 1 event, incident, occurence, occasion, happening tapahtumien kulku the course of events **2** (tilitapahtuma tms) transaction
tapahtumaköyhä uneventful
tapailla 1 (ihmistä) see, go out with, date **2** (sanoja tms) grope/fumble for
tapailla hymyä try to smile, give a halfhearted/feeble smile
tapailla sävelmää pianosta pick out a song on the piano
tapailu going out (together), dating
tapainen 1 -like, -mannered miekantapainen sword-like pahatapainen ill-mannered juuri hänen tapaistaan just like him **2** (jonkinlainen) some sort of olla juoksupojan tapaisena kaupassa work in a store as some sort of errand boy hymyntapainen huulillaan with a half-smile on her lips
tapakristitty nominal Christian
tapana olla tapana be in the habit of, have a habit of doing Minulla oli tapana kulkea tuntikausia metsässä I used to roam through the woods for hours, I would wander through the woods for hours on end kuten on tapana sanoa as the saying goes pitää tapanaan make a habit of doing
tapani Boxing Day
tapaninpäivä Boxing Day
tapansa mukaisesti as usual/ always Opettaja meni tapansa mukaisesti ensimmäiseksi taululle As always the teacher went straight to the board
tapaoikeus case law
tapattaa 1 (eläin) have (it) put to sleep **2** (ihminen laillisesti) have (someone) executed; (laittomasti) have (someone) killed/hit, put a contract out on (someone), put a hit on (someone) tapattaa itsensä get yourself killed
tapaturma accident
tapaturmaisesti accidentally
tapaturmavakuutus accident insurance
tapauksessa parhaassa/pahimmassa tapauksessa at best/worst joka tapauksessa in any case/event, at any rate, anyway/how ei missään tapauksessa in no case, under no circumstances yhdeksässä tapauksessa kymmennestä nine times out of ten, in nine cases out of ten
tapauksittain case by case
tapaus 1 (tapahtuma) event, incident, occurrence, occasion iloinen tapaus a happy occasion/occurrence **2** (yksittäinen) case, instance joka tapauksessa ks tapauksessa
tapauskohtainen case-by-case
tapella fight (myös sanoilla)
tapetoida (put up) wallpaper tapetoida seinät paper the walls
tapetti wallpaper olla tapetilla (julkisuudessa) be in the public eye, be getting a lot of attention; (kehitteillä) be on the drawing board
tappaa kill, murder, slay; (salaa) assassinate; (sl) hit, knock/bump off, rub out
tappaja killer, murderer, assassin, hitman
tappava lethal, deadly, killing tappava vauhti killing/numbing pace
tappavasti lethally
tappelu fight (myös sanallinen)
tappelupukari scrapper, brawler
tappi 1 peg, plug, bung, tap **2** (ark) iso tappi big shot lyhyt tappi shrimp
tappio 1 (sot, urh) defeat (myös kuv) kärsiä tappio suffer a defeat olla tappiolla be losing/behind **2** (liik) loss (myös kuv) käydä/myydä tappiolla run/sell at a loss
tappiomieliala defeatism
tappo 1 kill(ing), slaying **2** (lak: kuolemantuottaminen) homicide, (huolimattomuudesta aiheutuva) manslaughter
tapuli 1 (kellotapuli) belltower **2** (kark-ko) stack
taputella pat, tap taputella olkapäälle pat (someone) on the back
taputtaa 1 (selkään tms) pat, tap; (lujasti) slap, clap taputtaa jotakuta päähän pat someone on the head; (kuv)

condescend to someone, patronize someone **2** (käsiään) clap, applaud
taputus 1 (selkään tms) pat, tap; (luja) slap, clap **2** (suosionosoitus) clap(ping), applause
tarha 1 (karjatarha) pen, enclosure; (hevostarha) corral, paddock; (lammastarha) sheepfold **2** (puutarha) garden; (hedelmätarha) orchard **3** (minkkitarha) mink farm/ranch **4** (lastentarha) kindergarten
tariffi (tuontitariffi tms) tariff; (taksa) rate, price, charge, fee
tarina story, tale, anecdote
tarinoida 1 (kertoa tarinoita) tell stories, spin yarns **2** (jutella) chat, talk, rap, pass the time of day, shoot the breeze
tarinointi 1 story-telling **2** (juttelu) chatting, talking, rapping
tarjeta be warm enough, withstand the cold Tarkenetko? Are you warm enough?
tarjoilija (mies) waiter, (nainen) waitress
tarjoilla wait (on tables), be a waiter/waitress, serve Teille ei tarjoilla enää You've had enough, we can't serve you any more
tarjolla available Tarjolla on useita vaihtoehtoja There are several options
tarjonta 1 (tavaroiden) supply **2** (TV-ohjelmien) offerings, (ark) what's on **3** (lääk) presentation perätarjonta breech presentation
tarjota 1 (tarjoutua antamaan) offer (myös huutokaupassa:) bid tarjota apuaan offer your help/assistance, offer to lend a hand tarjota enemmän outbid (someone) **2** (suoda) offer, present, provide, afford tarjota hyvä esimerkki jostakin be a good example of, exemplify perfectly Tehdas tarjoaa työpaikkoja 500:lle The factory will employ 500 people, will provide jobs for 500, will create 500 jobs **3** (maksaa toisen puolesta, kustantaa) treat Minä tarjoan tänään This is my treat, tonight's on me Talo tarjoaa It's on the house **4** (tarjoilla) serve, (ojentaa) pass
tarjotin tray
tarjous 1 (ehdotus) offer, bid **2** (alennusmyynti) sale tarjouksessa on sale, reduced price
tarjoutua 1 offer/volunteer (to do something, your services) **2** (lääk) present
tarkalleen exactly, precisely
tarkastaa 1 (suorittaa tarkastus) inspect, (sot myös) review **2** (tutkia) examine, test, check; (tilit) audit; (etsiä) (conduct a thorough) search
tarkastaja inspector
tarkastamo testing station/plant
tarkastelija observer
tarkastella study, examine, consider, look at; (tarkkailla) observe
tarkastelu study, examination, consideration, observation
tarkastus inspection
tarkata 1 monitor, watch/study closely/carefully/alertly **2** (herkistää) strain (your eyes/ears)
tarke diacritic(al mark)
tarkennin focus
tarkennus focus(ing)
tarkentaa 1 (kameraa, projektoria) focus **2** (asiaa) define, delineate, specify, particularize, itemize
tarkentua sharpen
tarkistaa 1 (varmistaa) check, verify **2** (muuttaa) revise, correct tarkistaa ylöspäin revise upwards, (ark) up
tarkistus 1 (varmistus) check(ing), verification **2** (muutos) revision, correction
tarkka 1 (mittaus tms) accurate, exact, precise **2** (ihminen: säntillinen) precise, punctual, meticulous; (nirso) particular, picky **3** (aisti, kuva) sharp **4** (selvitys) close, full, exhaustive; (yksityiskohtainen) detailed **5** (tarkkaavainen) attentive, alert
tarkka-ampuja sharpshooter; (sala-ampuja) sniper
tarkkaan accurately, exactly, precisely, punctually, closely, fully, in detail, attentively, alertly (ks tarkka)
tarkkaavainen attentive, alert
tarkkaavaisesti attentively, alertly

tarkkailija observer
tarkkailla observe, watch; (virallisesti: esim lääk) monitor
tarkkailu observation, monitoring
tarkkailuluokka special-education class
tarkkapiirtoinen (TV tms) fine-resolution, high definition (TV) tarkkapiirtotelevisio HDTV
tarkkarajainen clearly defined
tarkkasilmäinen sharp-eyed; (kuv) observant, discerning
tarkkuus accuracy, exactitude, precision
tarkoin closely
tarkoittaa 1 mean; (sanakirjan mukaan) denote, signify; (viitata johonkin/johonkuhun) refer to **2** (joksikin, jollekulle) mean, intend, aim, design Tarkoitin sen sinulle I meant/intended it for you, it was supposed to be for you Hän tarkoittaa hyvää She means well
tarkoittaa totta mean it/business
tarkoituksellinen 1 (tahallinen) intentional **2** (jolla on jokin tarkoitus) purposeful
tarkoituksellisesti intentionally, purposefully (ks tarkoituksellinen)
tarkoituksenmukainen (asiallinen) appropriate, suitable; (toimiva) functional; (tuottava) productive; (edullinen) expedient
tarkoituksenmukaisesti suitably, appropriately, functionally, productively, expediently (ks tarkoituksenmukainen)
tarkoituksenmukaisuus appropriateness, suitability, expedience
tarkoitukseton purposeless, useless, pointless
tarkoitus 1 purpose, function elämän tarkoitus the meaning of life täyttää tarkoituksensa serve its purpose, fulfill its function Mikä tämän vekottimen tarkoitus on? What's this thing for? **2** (aikomus) intent(ion) Tarkoitus oli että sinä tulet ensin The idea was to have you arrive first, the way it was supposed to go was you were to enter first Tarkoitukseni oli hyvä I meant well, I had good intentions
tarkoitusperä purpose, intention, end, aim
tarkoitus pyhittää keinot the end justifies the means
tarmo energy, vigor; (ark) pep, hustle
tarmokas energetic, vigorous; (ark) peppy, go-getting
tarmokkaasti energetically, vigorously
tarmokkuus energy, vigor, zeal, drive
tarmoton enervated, sluggish, listless
tarpeeksi enough, sufficient/adequate (amounts of), sufficiently, adequately Onko meillä tarpeeksi viinaa? Do we have enough booze?
tarpeellinen necessary, essential
tarpeellisuus necessity
tarpeen necessary, essential Onko tuo tarpeen? Is that necessary?
tarpeen mukaan according to (someone's) need, as the need arises
tarpeen vaatiessa if need be, if necessary
tarpeen varalta just in case
tarpeessa needy; (seksuaalisesti, sl) horny jonkin tarpeessa in need of something Auto olisi pesun tarpeessa The car could stand washing, could do with a wash(ing)
tarpeeton unnecessary, inessential, useless, extraneous, superfluous
tarpeettomuus uselessness, superfluity
tarpeisto 1 (lak) appurtenances (myös kuv) **2** (teatterin) props (myös kuv)
tarpoa trudge, shamble, stalk, plod
tarra sticker
tarrautua grab/cling onto, (tarttua) stick to
tarttua 1 (takertua) stick (on/to/in), adhere (to), cling (to), catch (on), get caught (on) Miksei tämä postimerkki tartu? Why won't this stamp stick on? **2** (tauti, haukotus, hilpeys ym) catch, be catching/infectious/contagious **3** (tarrata) grab (onto), seize, take (ks hakusanat)
tarttua aseisiin take up arms

tarttua asiaan take something up, make something your concern
tarttua härkää sarvista take the bull by the horns (myös kuv)
tarttua syöttiin take the bait (myös kuv)
tarttua tilaisuuteen seize the day
tarttua työhön get down to work/ business, get cracking
tarttuva catching, infectious, contagious; (ark) catchy
tarttuvuus infectiousness, contagiousness
tartunta infection, contagion
tartuntatauti infectious/contagious disease
tartuttaa infect (someone with something) (myös kuv)
taru 1 myth, legend, fable **2** (kuvitelma) fairy-/tall-tale, fantasy Todellisuus on usein tarua ihmeellisempi Truth is often stranger than fiction
tarunhohtoinen fabled, fabulous
tarunomainen fabled, fabulous
tarusto mythology
tarve need(s), want(s); (vaatimus) demand, requirement(s) jos tarve vaatii if need be, if necessary Kahvi olisi nyt hyvään tarpeeseen A cup of coffee would hit the spot right now rakennustarpeet building supplies tehdä tarpeensa relieve yourself
tarveharkinta discretionary power as to need(iness)
tarvikkeet materials, supplies, equipment, gear, accessories
tarvis need (ks tarve)
tarvita pääv need, require Me tarvitsemme lisää paperia We need more paper
apuv have/need to Ei sinun tarvitse mennä You don't have/need to go
tasaantua even out; (rauhoittua) steady, calm/settle down, normalize
tasa-arvo equality
tasa-arvoinen equal
tasa-arvoisuus equality, egalitarianism
tasa-arvolaki Equality Act
tasa-arvovaltuutettu ombudsman for equality
tasainen 1 even, (tie) level, (litteä) flat **2** (sileä) smooth **3** (muuttumaton) steady; (vakio) constant, uniform **4** (säännöllinen) regular **5** (tyyni) placid, calm
tasaisesti evenly, levelly, flatly, smoothly, steadily, constantly, uniformly, regularly, placidly, calmly (ks tasainen)
tasajako even distribution/sharing/ division
tasajalkaa 1 (hypätä) with both feet hypätä tasajalkaa (kuv) be impatient, jump up and down on one foot **2** (marssia) in step
tasalla jonkin tasalla level with something tehtäviensä tasalla up/equal to your task tilanteen tasalla equal to the occasion nousta tilanteen tasalle rise to the occasion ajan tasalla up to date, current palaa maan tasalle burn to the ground
tasaluku 1 (parillinen) even number **2** (pyöreä) round number/figure
tasalämpöinen warm-blooded
tasamaa flatland
tasan 1 (tarkalleen) exactly, precisely Se tekee tasan 300 mk That comes to exactly 300 marks tasan klo 20 at 8 p.m. sharp **2** (tasaisesti) evenly jakaa tasan divide up evenly pelata tasan tie tasan 30 30 all
tasanko plain
tasanne 1 plateau, (penger) terrace **2** (portaikon) landing
tasapaino balance (myös kuv), equilibrium
tasapainoaisti sense of balance
tasapainoilla balance; (kuv) walk a fine line (between this and that)
tasapainoinen (well-)balanced
tasapainotaiteilija equilibrist
tasapainottaa balance, equilibrate
tasapaksu 1 (tukki) same-diameter **2** (kuv) monotonous
tasaparinen abruptly pinnate
tasapeli tie, draw; (tenniksessä) deuce; (šakissa) stalemate
tasapohjainen flat-bottomed

tasapuolinen fair, equitable; (puolueeton) impartial
tasapuolisesti fairly, equitably, impartially
tasapuolisuus fairness, equitability, impartiality
tasaraha exact change
tasasivuinen equilateral
tasasuhtainen 1 (tasamukainen) symmetrical **2** (sopusuhtainen) (well-)proportioned **3** (tasapainoinen) (well-)balanced **4** (tasapuolinen) equitable
tasata 1 (tasoittaa) even out, level; (tukkaa, pensasaitaa tms) trim **2** (sivun oikeaa marginaalia) justify **3** (jakaa tasaisesti) split/divide up/share (evenly)
tasaus leveling, trimming, justification, division
tasavalta republic
tasavaltalainen s, adj republican
tasavertainen equal, equally matched, on an equal footing with
tasavirta direct current, DC
tasaväkinen even, well/equally matched
tasaväkisesti evenly, equally
tasavälein at even intervals
tase balance sheet kauppatase balance of trade
tasku pocket maksaa omasta taskustaan pay (for something) out of your own pocket tuntea jokin kuin omat taskunsa know something like the back of your hand
taskukamera pocket camera
taskukello pocket watch
taskukirja pocket book
taskulamppu flashlight
taso 1 level, grade, standard; (geom) plane samalla tasolla at the same level as samassa tasossa kuin level with korkean tason virkamies a high-level/-ranking official **2** (lentokone) plane, (siipi) wing vesitaso seaplane **3** (työtaso) work table, desk top; (laskutaso) horizontal surface **4** (mus) pitch
tasoinen -level, -ranking, -grade
tasoissa 1 even (-up/-steven), (pelissä) tied **2** (sujut) quits, even
tasoittaa 1 level/smooth (off/out) **2** (urh) even up (the score), tie (the score)
tasoittua even out
tasoitus 1 leveling, smoothing **2** (urh, esim golfissa) handicap; (tasoitusmaali) tying point/goal/ basket/jne
tasoituskilpailu handicap
tasoitusmaali tying point/goal/ basket/jne
tasoristeys grade crossing
tassu paw (myös leik ihmisen kädestä)
tatti boletus
tatuoida tattoo
tatuointi tattoo(ing)
taudinaiheuttaja pathogen
taudinmääritys diagnosis
tauko 1 pause, break, interval **2** (esityksen) intermission **3** (mus) rest
taukoamaton incessant, unceasing, ceaseless
taukoamatta incessantly, without a break
taulapää numbskull, blockhead, shit-for-brains
taulu 1 (kirjoitustaulu tms) board ilmoitustaulu notice board liitutaulu (black)board **2** (kytkintaulu tms) (switch)board, (instrument) panel **3** (maalaus) painting **4** (maalitaulu) target **5** (taulukko) table
taulukko table
taulukkolaskentaohjelma spreadsheet
taulukko-ohjelma spreadsheet (program)
taulukoida tabulate
taulunäyttely art exhibit
tauota stop, cease, pause
tausta 1 background **2** (yhtye) backing, back-up group **3** (takaosa) back
taustamusiikki background music
tauti disease, illness
tautinen diseased, sick(ly); (ark) cool
tavallaan in a way omalla tavallaan in his/her own way
tavalla tai toisella one way or another, by hook or by crook

tavallinen ordinary, everyday, usual, common
tavallisesti ordinarily, usually
tavallisuus ordinariness
tavanmukainen ks tavanomainen
tavanomainen 1 (tavallinen) habitual, customary, usual **2** (sovinnainen) conventional **3** (mitäänsanomaton) boring, blasé)
tavanomaisesti habitually, customarily, usually, conventionally (ks tavanomainen)
tavanomaisuus habituality, conventionality
tavan takaa habitually, constantly, repeatedly, over and over again
tavantakainen repeated
tavarajuna freight train
tavaraliikenne freight traffic, commercial transportation
tavaramerkki trademark
tavaraseloste specification
tavara(t) 1 (omistettavat) belongings, effects; (ark) things, stuff **2** (myytävät) goods, items, articles, merchandise **3** (kuljetettavat) freight matkatavarat (kaikki) baggage, (matkalaukut) luggage
tavata pääv **1** (kohdata: vieras) meet; (tuttu) see, run/bump into Hauska tavata! (vieraalle) Nice to meet you! (tutulle) Nice to see you! Tapasin Janitan tänään kadulla I bumped into Janita in the street today **2** (löytää) find Tapasimme hänet lukemasta We found her reading **3** (yllättää) catch tavata joku verekseltään catch someone red-handed **4** (lukea) spell apuv be in the habit of Hän tapasi istua joka iltapäivä elokuvissa She used to go to the movies every afternoon
tavaton 1 (outo) unusual, extraordinary tavattoman iso unusually/ extraordinarily large **2** (iso) immense, enormous
tavattomasti terribly, awfully Häntä harmittaa niin tavattomasti He's really/ terribly upset
tavoite goal, objective, aim
tavoitehakuinen goal-oriented
tavoitella 1 (jotakin käsiinsä) reach for, (ihmistä, eläintä tms) try to catch **2** (tavoitetta) seek, pursue, reach for, aspire to tavoitella tähtiä taivaalta shoot/reach for the stars
tavoittaa (saada kiinni: fyysisesti) catch (up with), (puhelimella tms) reach Olen yrittänyt tavoittaa sinua koko eilisen päivän I tried to get ahold of you all day yesterday
tavoittelu pursuit, aspiration oman edun tavoittelu looking out for number one voiton tavoittelu profit seeking, the quest for the almighty dollar
tavu 1 (sanan) syllable **2** (tietok) byte kilotavu kilobyte, KB; (ark) K megatavu megabyte, MB; (ark) meg
tavujako hyphenation
tavuttaa hyphenate
te you, (etelän murt) y'all
teatraalinen theatrical, histrionic
teatteri theater (myös kuv)
teatteriesitys theater performance
teatteritalo theater
teddy-karhu Teddy bear
tee tea
tee itse do-it-yourself
tee itse -opas do-it-yourself manual/ guide
teekkari engineering student
teekuppi tea cup
teelusikallinen teaspoonful
teelusikka teaspoon
teenjuoja tea-drinker
teennäinen artificial; (ihminen) affected; (ark) put-on, phony, fakey
teennäisesti artificially; in an affected/artificial way, phonily
teennäisyys artificiality, affectation, phoniness, fakiness
teepussi tea-bag
teerenpilkku freckle
teeri black grouse En ole mikään eilisen teeren poika I wasn't born yesterday
tee se itse do-it-yourself
teesi thesis
teeskennellä pretend, feign; (ark) put on

teeskentelemätön 1 (ihminen) unpretentious, unaffected, natural, plain, simple; (naiivi) ingenuous **2** (asenne tms) unpretended, unfeigned
teeskentelevä pretentious, affected; (ark) hoity-toity, stuck-up, put-on
teeskentely pretension, pretense, pretensiousness, affectation
teettää 1 (avain tms) have (something) made; (puku tms) have (something) sewn/tailored; (muotokuva tms) have (something) painted **2** (lisää työtä) make, generate En aio ottaa apulaista, se teettää vain lisää töitä I'm going to do without an assistant, it just makes more work
teflonpannu Teflon pan
tehdas factory, mill, plant
tehdasmainen industrial
tehdastuotanto industrial production
tehdastyöläinen factory worker
tehdasvalmisteinen factory-made
tehdä tr make Oletko tehnyt tämän itse? Did you make/build/sew/draw/jne this (all by) yourself? (ark) Did you do this yourself? Mistä se on tehty? What is it made of? Teet itsesi vain naurunalaiseksi You'll just make a fool of yourself
itr do Mitä teet? What are you doing? Tehtyä ei saa tekemättömäksi What's done is done (and can't be undone), no use crying over spilled milk Helpommin sanottu kuin tehty Easier said than done
tehdä ehdotus make a suggestion
tehdä ero draw a distinction
tehdä haavaa wound, cut, hurt Ei haukku haavaa tee Sticks and stones will break my bones but words will never hurt me
tehdä halkoja chop wood
tehdä hallaa harm, be harmful to, have a harmful effect on
tehdä heinää make hay
tehdä historiaa make history
tehdä housuihinsa go in your pants, do it in your pants
tehdä huonoa feel bad
tehdä huorin fornicate, commit adultery
tehdä hyvä vaikutus make a good impression
tehdä hyvää feel good
tehdä iso numero jostakin make a big deal (out) of something
tehdä itse do it yourself
tehdä itsensä ymmärretyksi make yourself understood
tehdä jollekulle mieliksi try to please someone
tehdä jonkun tahto obey (someone)
tehdä juoksu (pesäpallossa) hit a home run
tehdä kaikkensa do everything possible, everything in your power
tehdä kanne file a (law)suit, bring charges (against), sue (someone)
tehdä kantelu file/lodge a complaint
tehdä kaupat make a deal, (talon) close
tehdä kauppakirja draw up a deed
tehdä kauppansa do the trick
tehdä keksintö make a discovery
tehdä kipeää hurt, sting, ache
tehdä kiusaa tease, pester, bother
tehdä kuje play a trick/prank (on someone)
tehdä kunniaa salute
tehdä kuolemaa be dying
tehdä kuperkeikka turn a somersault; (kuv) flipflop
tehdä kärpäsestä härkänen make a mountain out of a molehill
tehdä käsin make by hand käsin tehty home-/hand-made
tehdä lapsi have a child, make a baby Hannu teki lapsen naapurin tytölle Hannu got the girl next door pregnant
tehdä leipää bake bread
tehdä loppu jostakin put a stop/an end to something
tehdä lähtöä be leaving
tehdä löytö make a discovery
tehdä muistiinpanoja take/jot down/make notes
tehdä myönnytyksiä make concessions
tehdä nimi itselleen make a name for yourself

tehdä oikeutta jollekin do justice to something
tehdä palvelus do (someone) a favor
tehdä parannus (katua) repent, (muuttaa tapojaan) mend your ways
tehdä parhaansa do your best
tehdä pentuja have/drop young
tehdä pilaa jostakin make fun of something, ridicule something
tehdä poikkeus make an exception
tehdä päätelmiä draw inferences, infer
tehdä päätös make a decision
tehdä rahaa make money
tehdä ristinmerkki cross yourself
tehdä ruokaa fix food/breakfast/lunch/dinner, cook
tehdä selkoa jostakin report on something
tehdä selväksi make (something) clear
tehdä sovinto make up
tehdä suunnitelmia make plans
tehdä syntiä commit (a) sin
tehdä taikatemppuja do magic tricks
tehdä tarjous make an offer
tehdä tarpeensa relieve yourself, heed the call of nature
tehdä tehtävänsä do the trick
tehdä tekemällä crank something out tekemällä tehty contrived, artificial
tehdä tiedettä do science
tehdä tikusta asiaa do something on a flimsy pretext
tehdä tilaa make room
tehdä tiliä make reckoning
tehdä tuhojaan wreak havoc (on)
tehdä tuloaan be in the wings, be announcing its arrival, be coming up in a big way
tehdä tyhjäksi undo
tehdä työtä work
tehdä työtä käskettyä follow instructions
tehdä täyskäännös do an aboutface
tehdä valinta choose, make a choice
tehdä vastarintaa resist
tehdä velvollisuutensa do your duty
tehdä virhe make a mistake
tehdä voitavansa do what you can
tehdä vääryyttä jollekin do an injustice to something, be unfair to something
tehdä ylitöitä work overtime
tehkää hyvin please (help yourself)
teho 1 (tehtaan) capacity (myös kuv), (moottorin) power tehdä työtä täydellä teholla work at your full capacity **2** (vaikutus) effect, impact
tehokas 1 effective, efficient Hän on erittäin tehokas opettaja, kaikki oppilaat ovat oppineet paljon He is an extremely effective teacher, all his students have learned a lot Hän on erittäin tehokas työntekijä, hän ei haaskaa hetkeäkään She is an extremely efficient worker, she puts every second of her time to good use **2** (moottori) powerful **3** (aine) active
tehokeino effect
tehokkaasti effectively, efficiently
tehokkuus effectiveness, efficiency
tehosekoitin food processor
tehostaa 1 make (something) more effective/efficient, improve (something's) effectiveness/efficiency tehostettu ohjaus power(-assist) steering **2** (valvontaa) tighten **3** (omaa kauneuttaan) heighten, enhance, touch up **4** (asiaa) stress, emphasize
tehoste 1 effect **2** (lak) sanction
tehostua become more effective/efficient, intensify
tehota affect/impact (someone), have an effect/impact (on someone)
tehoton 1 ineffective, ineffectual **2** (moottori) powerless, (ark) gutless **3** (aine) inactive
tehovahvistin power amplifier
tehtaanmyymälä factory shop
tehtaanpiippu factory smokestack
tehtävä 1 task, duty ottaa tehtäväkseen take it upon yourself to tehdä tehtävänsä do the trick Minulla on mieluinen tehtävä esitellä It gives me great pleasure to introduce **2** (kouluteh-

tävä) assignment, (mon) homework; (harjoitustehtävä) exercise, (yksittäinen) problem **3** (sot ja kuv) mission elämän tehtävä your mission in life **4** (funktio) function, (rooli) role **5** ei mitään tehtävää nothing to do
teidänlaisenne s people/men/guys/ women/jne like you, your sort/kind/ilk, the likes of you
adj like you
teikäläinen s one of your people
adj your teikäläiset tavat your customs
teilata 1 (hist) break (someone) on the wheel **2** (ehdotus) reject, (taideteos/ -esitys) pan
teilaus bad/scathing review
teini high school student
teini-ikä teenage
teini-ikäinen teenager, (ark) teen
teipata tape
teippi tape
teititellä address (someone) by his/ her last name
teitittely formal address
tekaista make up, fake
tekaistu made-up, fake
tekeillä under construction/way, in progress/preparation
tekele (neutraalisti) piece; (halv) piece of junk/shit
tekeminen Minulla ei ole mitään tekemistä I don't have anything to do tekemiset doings, comings and goings Sinulla on täysi tekeminen tuon kanssa You're going to have your hands full with that tekemisissä ks hakusana
tekemisissä En aio olla missään tekemisissä hänen kanssaan I will have nothing to do with him, I'm through with him joutua jonkun kanssa tekemisiin have to deal with someone, have someone to deal with
tekemätön undone Tehtyä ei saa tekemättömäksi What's done can't be undone
tekeytyä pretend to be, try to pass yourself off as, pose as tekeytyä kuuroksi pretend/feign/affect/sham deafness
tekijä 1 (kirjan) writer, author; (näytelmän) playwright; (runon) poet; (laulun) composer, (erikseen sanojen) lyricist; jne **2** (aiheuttaja) factor (myös mat) Sinä olit tärkeä tekijä hänen päätöksessään You were an important factor influencing his decision **3** (taitaja) hand Sinä olet vanha tekijä näissä asioissa You're an old hand at these things
tekijänoikeus copyright
tekijänpalkkio royalty
tekniikka 1 (koneet tms) technology **2** (menettelytapa) technique
teknikko technician
teknillinen technical
teknillinen korkeakoulu institute of technology
tekninen technical
tekniset (työntekijät, mon) technical staff
teknologia technology
teko- artificial, synthetic, false
teko act(ion), deed En kadu tekoani I don't regret (doing) what I did tavata itse teosta catch (someone) in the act amerikkalaista tekoa made in America, American-made
tekohammas false tooth; (mon) dentures, false teeth
tekohengitys artificial respiration
tekokukka fake/plastic/silk flower
tekosyy excuse, alibi
tekoäly artifical intelligence, AI
Teksas Texas
tekstata print
tekstaus printing
teksti 1 text, (präntti) print Katsotaan tekstiä tarkemmin Let's take a closer look at the text **2** (valokuvan alla) caption **3** (TV-/elokuva-käännös) subtitle **4** (liturginen teksti) Scripture reading, lesson, text **5** (oopperan) libretto **6** (ark = puhetta) talk Kaisa puhui suoraa tekstiä Kaisa didn't mince her words
tekstiili textile
tekstiilitaide textile art
tekstinkäsittely word-processing

tekstinkäsittelylaite word processor
tekstinkäsittelyohjelma word-processing program, word processor
tela 1 roller, cylinder, (kirjoituskoneen) platen **2** telat (veneen) stocks laskea teloiltaan launch vetää teloilleen dock
telaketju caterpillar tread/track
telakka drydock
telefax telefax lähettää telefaxilla (tele)fax
telejatke teleconverter
telekopiointi telefax, facsimile
telekopiointilaite telefax machine, facsimile machine, fax (machine)
teleliikenne telegraph communications
teleneuvottelu videoconference
teleobjektiivi telephoto lens
telepalvelu telegraph service
teleskooppi telescope
teleskooppiantenni telescopic antenna
teletex teletex
televisio television, TV
televisioantenni television/TV antenna
televisioida televise
televisiointi televising, airing, television broadcast(ing)
televisiokuuluttaja television/TV announcer
televisio-ohjelma television/TV program
televisioprojektori TV projector, television projector
televisiovastaanotin television/TV set
telex telex lähettää telexillä telex, wire
teli spindle, truck
teline 1 stand, rack, easel **2** (rakennustelineet) scaffolding **3** (starttitelineet) (starting) blocks **4** (voimistelun) apparatus
telinevoimistelu apparatus gymnastics
teljetä bar, (salvata) bolt
telki bar, (salpa) bolt telkien takana behind bars
telkkä goldeneye
telmiä frolic
teloittaa execute
teloittaja executioner
teloitus execution
teltta tent
telttailla go camping
temmata snatch, grab, jerk, pull, tear
temmellys frolicking, romping
temmellyskenttä battlefield
temmeltää 1 (telmiä) frolic, romp **2** (myrsky) rage, blow **3** (ajatukset) storm, whirl
tempaista 1 snatch, grab, pull, tear, jerk **2** (painnonnostossa) jerk
tempaus 1 snatch, grab, pull, tear, jerk **2** (painnonnostossa) jerk **3** (hyväntekeväisyystempaus) campaign, benefit, telethon **4** (yllättävä teko) coup
tempautua be carried away (by) (myös kuv)
temperamentti temperament
tempo tempo
tempoa tug/pull/strain at
tempoilla tug/pull/strain at
temppeli temple
temppu trick, stunt, gag, prank
temppuilla 1 play/pull tricks/stunts/pranks **2** (konstailla) be difficult/refractory, act up (myös auto)
temppuilu 1 tricks, stunts, pranks **2** (konstailu) acting up
tenava kid
tendenssi tendency
tenho charm, enchantment, magic glow
tennis tennis
tenniskenttä tennis court
tenniskilpailu tennis tournament
tennismaila tennis racket
tennismestaruus tennis championship
tennisottelu tennis match
tennisverkko tennis net
tenori tenor
tentaattori examiner
tentti exam(ination)
tenttiä take an examination (in/on)
tenä tehdä tenä refuse to budge, go on strike, stop dead, dig in your heels, kick up a fuss

teollinen industrial
teollisesti industrially
teollistuminen industrialization
teollisuus industry
teollisuuslaitos industrial plant
teologi theologian; (pappi) minister, clergy(wo)man; (teol kand) M.Div.
teologia theology
teologinen theological
teoreetikko theoretician, theorist
teoreettinen theoretical
teoretisoida theorize
teoria theory
teos work, (kirja) book, (nide) volume
tepastella step, strut, sashay
tepponen trick tehdä tepposia play tricks on you Sinun mielikuvituksesi taitaa tehdä tepposia I think you're letting your imagination run away with you
tepsiä work, take effect, have an effect; (purra) bite
terapeutti therapist
terapeuttinen therapeutic
terapia therapy
terassi terrace
terhakka animated, lively, buoyant; (koiranpentu) frisky; (kissanpentu) playful; (vuohenpoika tms) frolicsome
terhi madwort
termi term
termiini futures
termiitti termite
terminaalipotilas terminal patient
terminologi terminologist
terminologia terminology
termipankki term bank
termistö terminology
termostaatti thermostat
teroitin (pencil) sharpener
teroittaa **1** (terää) sharpen, (hiomakoneella) grind, (hiomakivellä) whet **2** (katsettaan tms) strain **3** (tähdentää) stress, impress on (someone the importance of something), insist on (something)
teroittua sharpen, get sharp(er)
terrieri terrier
terrori terror(ism)
terrorismi terrorism
terrorisoida terrorize
terroristi terrorist
terssi (mus) third
terttu bunch, cluster
terva tar liikkua kuin täi tervassa move like a bug in molasses
tervahauta tar-burning pit
tervaskanto resinous stump
tervata tar
tervaus tarring
terve adj (hyvässä kunnossa) well, healthy; (henkisesti) sane
interj **1** (tavatessa) hi! howdy! Tervetuloa! Welcome! **2** (erotessa) bye! see ya! Tervemenoa vaan! Good riddance!
terveellinen healthy, wholesome; (ark) good for you
terveellisesti healthily, wholesomely
terveellisyys healthiness
terveesti healthily
tervehdys greeting; (ylät) salutation; (sot) salute
tervehdyttävä curative, restorative, beneficial
tervehenkinen wholesome
tervehtiä greet, (sot) salute
terveiset greetings Vie terveiset perheellesi! Say hi to the family
terve järki common sense
terve sielu terveessä ruumiissa a sound mind in a sound body
terve talonpoikaisjärki good common sense
tervetuliaiset welcome party
tervetuliaisjuhla welcome party
tervetullut welcome
tervetuloa welcome
terveydeksi! (malja) to your health! (aivastavalle) bless you! Gesundheit!
terveydellinen health-related terveydellisistä syistä for reasons of health
terveydenhoito health care
terveydentila (the state of your) health
terveys health terveydelle vaarallinen hazardous to your health hyväksi terveydelle good for (what ails) you

terveyssisar public-health/clinic nurse
terä **1** (sahan) blade, (poran) bit; (leikkaava) edge **2** (mustekynän) nib; (kuulakärkikynän) point; (tussin) tip; (lyijykynän) lead, point **3** (hampaan) crown **4** (viljan) ear **5** (jalan, sukan) foot **6** (kuv = teho) bite, sting **7** tehdä terää do you good
teräksinen steel
teräs steel
teräsbetoni reinforced concrete
terästää **1** (kirvestä tms) steel **2** (katsettaan tms) strain **3** (punssia tms) spike **4** (kuv = terävöittää) sharpen
terävyys sharpness; (älykkyys myös) intelligence
terävyysalue depth of field
terävä **1** (kärki tai kieli tms) sharp, pointed, keen **2** (ihminen) sharp, smart, quick
teräväpiirteinen (ihminen) sharp-featured; (kuva) clear, finely resolved
teräväpiirtotelevisio high-definition television, HDTV
teräväsilmäinen sharp-eyed
terävästi sharply
terävä-älyinen sharp-/quick-witted
testaaja tester
testamentata will, bequeath
testamentti **1** (lak) (last) will (and testament) **2** (raam) Testament
testata test
testi test
testikuva test pattern
teuraseläin animal to be slaughtered
teurastaa slaughter (myös kuv:) butcher
teurastaja slaughterer, (lihakauppias) butcher (myös kuv)
teurastamo slaughterhouse
teurastus (myös kuv) slaughter, butchery
Thaimaa Thailand
thaimaalainen s, adj Thai
thriller thriller
tiainen titmouse
tie road, (polku) path, (reitti) route, way Tie nousi pystyyn We reached a deadend saman tien immediately; (voisitko...) while you're at it Hän oli jo tiessään She was already on her way, she'd vanished already tiehensä, tiellä, tietä ks hakusanat
tiede science; (humanistisilla aloilla) scholarship
tiedeakatemia Finnish Academy for the Sciences (and Letters)
tiedekeskus science center
tiedemies scientist, (humanistisilla aloilla) scholar
tiedenainen scientist, (humanistisilla aloilla) scholar
tiedollinen intellectual, mental, pertaining to knowledge
tiedonala branch of knowledge
tiedonanto communiqué, notification, notice, bulletin
tiedonjulkistamispalkinto prize for the popularization of science
tiedossa **1** (tietämä) Sinulla oli kuulemma tiedossa hyvä lääkäri Somebody said you knew of a good doctor **2** (luvassa) Hänellä on tiedossa iso yllätys She has a big surprise in store for her, is she ever going to be surprised
tiedostaa be(come) aware/conscious of, realize
tiedostamaton subconscious
tiedostaminen realization
tiedosto (tietok) file
tiedostonhallintaohjelma database management program
tiedoton unconscious, subconscious
tiedottaa inform, notify, announce; (julkistaa) publicize
tiedottaja publicist, publicity/press secretary
tiedotus **1** (tiedottaminen) publicity **2** (tiedote) notice, announcement, report, warning (ks myös tiedonanto)
tiedotustilaisuus briefing, (lehdistötilaisuus) press conference
tiedotustoiminta publicity
tiedotusvälineet the media
tiedustella **1** (kysyä) ask, inquire **2** (sot) scout, reconnoiter
tiedustelu **1** (kysely) inquiry **2** (sot) reconnaisance **3** (vakoilu) intelligence

tiedustelupalvelu intelligence service
tiedustelusatelliitti intelligence satellite
tiedä häntä who knows?
tiehensä ajaa/juosta tiehensä drive/run off lähteä tiehensä be on your way, take off Mene tiehesi siitä! Get out of here!
tiehye duct
tiehyt duct
tiellä in the way Mene pois tieltä! Get out of the/my way! väistyä tieltä make way/room for, get out of (someone's) way Hän lähti ja jäi sille tielle He left and never came back Hän on sillä tiellään vieläkin He hasn't been heard of since
tienata earn/make (money) Paljonko tienaat siinä uudessa työpaikassasi? How much do you make in that new job of yours?
tienesti pay, income, earnings lähteä tienestiin get a job
tienhaara fork in the road; (kuv) parting of the ways, crossroad(s)
tienoo region, area näillä tienoilla around here somewhere keskiyön tienoilla around midnight
ties who knows Ja hän on ties missä And who knows where she is seksiä ja väkivaltaa ja ties mitä muuta sex and violence and I don't know what all else
tieteellinen scientific, (humanistisilla aloilla) scholarly
tieteellisyys science, (humanistisilla aloilla) scholarship
tietenkin of course
tietenkään of course not
tieten tahtoen knowingly, with full knowledge/awareness (of what he/she was doing)
tieto 1 (yksittäinen tieto) fact, piece of information, (tieteessä) datum; (mon) facts, information, data **2** (tietämä, tietäminen) knowledge Minulla ei ole tarpeeksi tietoa siitä I don't know enough about it pitää omana tietonaan keep (something) to yourself, keep quiet about (something) tällä tietoa as things look/stand now saattaa jonkun tietoon inform/tell someone about (something) saada tietoonsa find out (that, about something), hear, learn tiedossa, tietoakaan ks hakusanat **3** (vakoilutieto) intelligence
tietoakaan Ei ole tietoakaan (keväästä) There's no sign (of spring); (lumesta) there's no trace (of snow); (sateesta) there's no rain in sight, no chance (of rain); (ruoasta: kaapissa) the cupboards are bare, there isn't a crumb of food in the house; (ateriasta) there's no indication that we're ever going to eat
tietoinen s the conscious (mind), consciousness
adj knowledgeable, aware, conscious
tietoisesti consciously; (tahallaan) deliberately, intentionally
tietoisuus consciousness, awareness
tietojensaanti (tietok) information-retrieval
tietokannan hallintaohjelma database management program
tietokanta database
tietokantaohjelma database, database management program
tietokirja nonfiction book
tietokirjallisuus nonfiction
tietokone computer mikrotietokone microcomputer sylitietokone laptop (computer) pöytätietokone desktop computer minitietokone minicomputer suurtietokone mainframe supertietokone supercomputer
tietokoneanimaatio computer animation
tietokoneavusteinen opetus computer-assisted instruction, CAI
tietokoneavusteinen suunnittelu computer-aided design, CAD
tietokoneavusteinen valmistus computer-aided manufacture, CAM
tietokonegrafiikka computer graphics
tietokoneintegroitu valmistus computer-integrated manufacture, CIM
tietokonekieli computer language
tietokonemonitori computer monitor

tietokoneohjelma (computer) software
tietokonepeli computer game
tietokonepääte computer terminal
tietokonerikollisuus computer crime
tietokoneslangi computerese
tietokonetomografia computerized axial tomography, CAT
tietokonevirus computer virus
tietoliikenne (data) communications
tietopankki data bank
tietoperäinen theoretical
tietopuolinen theoretical
tietosanakirja encyclopedia
tietosuoja data protection/security
tietotekniikka information/data technology, teleinformatics
tietotoimisto news agency, wire service
tietoyhteiskunta information society
tietty 1 (eräs) a certain/given Se pitää tehdä tietyllä tavalla It has to be done in a certain (specific/specified) way **2** (ark = tietysti) of course, (ark) natch
tietue (tietok) record
tietymätön olla teillä tietymättömillä to have vanished without a trace, be nowhere to be found
tietysti of course, naturally; (ark) natch
tietyö road construction
tietyömaa road construction area
tietyömies road construction worker
tietä näyttää tietä show the way tietä pitkin along/down the road rauhanomaista tietä by peaceful means virallista tietä through official channels
tietäjä seer, wise(wo)man, soothsayer kolme itämaan tietäjää the Three Wise Men
tietämys knowledge, (tietotaito) knowhow
tietämyskanta knowledge bank, data bank
tietämä 1 kaikki tietämäni everything I know/knew **2** klo 6:n tietämissä around six (o'clock)
tietämätön ignorant, uninformed
tietävinään Hän ei ollut tietävinään mitään She played dumb, she pretended not to know anything, not to know what I was talking about Ei olla tietävinämmekään Let's just play dumb/innocent Hän on tietävinään kaikki asiat maan päällä He thinks he knows everything
tietäväinen (tietävä) knowledgeable; (kärkevän tietävä) knowing
tietää 1 know (of/about), be aware/conscious/knowledgeable about Jokainenhan tietää että It's common knowledge that saada tietää find out, hear Ei sitä koskaan tiedä You never know (about these things) tietää rajansa know your limits ettäs (sen) tiedät for your information mene ja tiedä, tiedä häntä who knows tietävinään, tietääkseen ks hakusanat **2** (tarkoittaa) mean, (enteillä) bode Tämä tietää monen päivän lisätyötä This is going to mean many more days of work tietää hyvää/huonoa bode well/ill
tietääkseen 1 Hän ei ollut tietääkseen minusta She ignored me, she pretended not to notice me **2** minun tietääkseni as far as I know, to the best of my knowledge
tihentyä 1 (paikallisesti) grow denser, thicken, tighten **2** (ajallisesti) quicken, pick/speed up, become more frequent, increase in frequency
tihentää 1 (paikallisesti) make denser, thicken, tighten **2** (ajallisesti) quicken, pick/speed up, increase (the frequency of) tihentää tahtia speed up, pick up the pace, quicken your steps
tihetä Tunnelma tiheni The crowd tensed, a wave of tension/excitement swept over the audience (ks myös tihentyä)
tiheys density, thickness, tightness; pace, frequency (ks tiheä)
tiheä 1 (paikallisesti) dense, thick; (tiukka) tight, (lähekkäinen) close(-knit) **2** (ajallisesti) quick, rapid, fast; (usein toistuva) frequent tiheään frequently, often, at short intervals; (jatkuvasti) constantly, incessantly, all the time

tihkua (verta, märkää) ooze, seep; (vesitippoja) drip, trickle; (sadetta) drizzle; (tietoja) leak/trickle (out)
tihkukytkin (tuulilasinpyyhinten) intermittent/pulse wipers
tihkusade drizzle
tihutyö act of vandalism/sabotage
Tiibet Tibet
tiibetiläinen s, adj Tibetan
tiikeri tiger
tiili brick
tiiliskivi brick (myös kuv)
tiilitalo brick house
tiimalasi hourglass
tiine pregnant, gravid; (eri eläimistä: tamma) with foal, (lehmä) with calf, jne
tiira tern
tiirikka lockpick, picklock
tiistai Tuesday
tiistaiaamu Tuesday morning
tiistainen Tuesday
tiistaipäivä Tuesday
tiistaisin Tuesdays
tiiviisti 1 (suljettu) tightly, hermetically **2** (pakattu, tampattu tms) densely, compactly **3** (tehdä työtä) closely, intimately; (olla yhdessä) a lot **4** (opiskella) intens(iv)ely **5** (selostaa, kertoa tms) concisely
tiivis 1 (kansi tms) tight(ly closed/sealed) vesitiivis waterproof ilmatiivis airtight **2** (tiheä) dense, compact **3** (kosketus, yhteistyö tms) close, intimate **4** (kurssi) intensive **5** (kertomus tms) concise, condensed
tiiviste 1 (mehutiiviste) concentrate, (maitotiiviste) condensed milk **2** (tiivisterengas) washer, (tiivistenauha) insulating tape, (tiivistemassa) caulking, (autoon, putkityöhön tms) gasket
tiivistelmä summary, abstract, précis; (oopperan tms) synopsis
tiivistyä 1 become tighter, (tunnelma) become tense(r)/excited **2** (fys) condense
tiivistää 1 (ikkunaa tms) seal/calk (up) **2** (ihmisjoukkoa) pack/squeeze (in more tightly/closely), tighten/close up (the ranks) **3** (kertomusta tms) tighten up, condense; (referoida) summarize, sum up (in a few words) **4** (nestettä) condense, concentrate
tiiviys tightness, density, compactness, closeness, intimacy, intensity, concision, condensation (ks tiivis)
tikahtua be bursting/choking/convulsed (with laughter/tears)
tikanheitto darts
tikapuut ladder
tikari dagger
tikasauto ladder truck
tikata stitch, (täkkiä) quilt
tikittää tick Aikapommi tikittää (kuv) Time is ticking/slipping away
tikitys ticking
tikka 1 (lintu) woodpecker **2** (heitettävä) dart
tikkaat ladder
tikkataulu dartboard
tikkaus quilting
tikki 1 stitch (myös lääk) vikatikki dropped stitch; (kuv) mistake, error, (ark) booboo **2** (bridgessä) trick
tikku 1 stick, (sormessa) splinter seistä kuin tikku paskassa stand around with your thumb up your ass tehdä tikusta asiaa do something on a flimsy pretext **2** (tulitikku) match, (hammastikku) toothpick
tikkukaramelli lollipop, sucker
tila 1 (tilat) premises, grounds, property; (yksi tila) room **2** (tilaa) room, space Vieläkö on tilaa? Do you have any more room/space? **3** (olotila) condition, status, state Mikä hänen tilansa on? (lääk) What's her condition/status? (ark) How is she? **4** (maatila: hieno) estate, (tavallinen) farm **5** (paikka ja urh) place Joku on minun tilallani Someone has taken my place laittaa joku muu sinun tilallesi replace you; (urh) substitute (in) for you, pull/yank you out (of the game) kolmas tila third place **6** (lääk) position perätilassa in the breech position
tilaaja 1 (tavaran) orderer, buyer, purchaser **2** (lehden) subscriber
tilaisuus 1 (mahdollisuus) chance, opportunity elämäsi tilaisuus the chance

of a lifetime heti tilaisuuden tullen at the first opportunity, the first chance you/I get päästää tilaisuus käsistään miss your chance/opportunity käyttää tilaisuutta hyväkseen take the opportunity (to do something) **2** (tapahtuma) event, occasion, function, ceremony
tilallinen farmer
tilanahtaus cramped quarters, lack of space
tilanne 1 situation tällaisessa tilanteessa in a situation like this pitää joku tilanteen tasalla keep someone informed/up-to-date (about what's going on) Tilanne on tämä Here's the situation, this is where we stand **2** (asema) status, station, position **3** (urh) score Mikä on tilanne? What's the score? Who's winning/ahead?
tilannekatsaus overview/review of the situation
tilanpuute lack of space, cramped quarters
tilapäinen temporary
tilapäisesti temporarily
tilapäisjärjestely temporary arrangement
tilapäisratkaisu temporary solution
tilapäistyö temporary employment
tilapäisyys temporariness
tilasto statistic(s) En halua olla pelkkä tilasto I don't want to be just a mere statistic/number
tilastoida compile statistics on
tilastointi the compilation of statistics
tilastollinen statistical
tilastollisesti statistically
tilastotiede statistics
tilastotieto statistic(s)
tilata 1 (tavara, ateria, puhelu tms) order **2** (lentolippu, hotellihuone, ravintolapöytä tms) reserve **3** (lääkäri) make an appointment for **4** (taksi) call **5** (lehti) subscribe to **6** (muotokuva, juhlasävellys tms) commission
tilaus order, reservation, subscription, commission (ks tilata) Tulit kuin tilauksesta You're just the person/ man/ woman I wanted to see
tilaushinta subcription price
tilava roomy, spacious, big; (ylät) capacious, commodious, voluminous
tilavasti spaciously
tilavuus (cubic) volume, (veto) capacity
tilavuusmitta cubic measure
tilhi waxwing
tili 1 account sulkea/avata tili close out/open an account ylittää tilinsä overdraw your account, (ark = shekillä) bounce a check Onko teillä tili Saks Fifth Avenuessa? Do you have an account at Saks? ostaa tilille (luottokortilla) charge; (allekirjoittamalla) buy on credit, put it on your account/tab **2** (kuv) account, reckoning Tästäkin sinun täytyy tehdä tiliä You're going to have to account for this too, I'm going to want a full explanation for this too panna kokemattomuuden tiliin put it down to inexperience, chalk it up to inexperience panna jonkun tiliin blame someone (for something) **3** (ark=palkka) pay(check)
tilikausi accounting period
tilintarkastaja auditor; certified public accountant, CPA
tilintarkastus audit
tilinteko account tilinteon päivä (usk ja kuv) day of reckoning
tilinumero account number
tiliote bank statement
tilipussi paycheck
tilipäivä payday
tilisiirto bank transfer
tilitapahtuma transaction
tilittää 1 account (for something), report on **2** (kuv) examine, explore, analyze; (menneitä) reminisce about
tilitys 1 account, report **2** (kuv) examination, exploration, analysis; (menneiden) reminiscence
tilkitä seal/stuff/stop up, caulk
tilkka drop Tilkka viiniä ei tekisi pahaa I wouldn't mind a drop of wine
tilkku patch, scrap maatilkku a patch of land
tilli dill
tilpehööri necessities, essentials
tilukset estate, grounds
timantti diamond

timanttihäät diamond wedding anniversary
timanttikaivos diamond mine
timanttilevy diamond record
timanttisormus diamond ring
timotei timothy (grass)
tina tin; (-astia) pewter; (tinajuote) solder hävitä kuin tina tuhkaan vanish into thin air tinassa tipsy
tinata 1 tin-plate **2** (juottaa) solder
tingassa lähteä viime tingassa leave at the last minute tulla viime tingassa arrive just in (the nick of) time ettei jäisi viime tinkaan so as not to leave it to the last thing
tingata demand, press/badger for
tinkiminen 1 (ostajan) haggling, dickering **2** (myyjän) coming down, (price-)reduction **3** (kuv) compromise, flexibility
tinkimätön 1 (kuri tms) strict, rigid, inflexible **2** (rehellisyys) unbribable, unflinching, upright **3** (tieteellisyys) rigorous
tinkiä 1 (ostaja) haggle, dicker **2** (myyjä) come down (on the price), knock off (the price) **3** (kuv) compromise, settle for less, bend, be flexible
tipahdella drip
tipahtaa drop, fall off
tipotiessään vanished (into thin air), gone
tippa 1 drop Sinä et välitä tippaakaan tästä koko hommasta You don't give a damn/hoot (in hell)/shit about this whole thing En ole maistanut tippaakaan I haven't had a drop **2** (kyynel) tear Tuli tippa silmään It brought tears to my eyes **3** (IV-tippa) (IV-)drip **4** tipalla nip and tuck, close On tipalla, ehditäänkö It's going to be nip and tuck whether we'll make it Oli tipalla, ettei käynyt huonommin That was a close call/shave/one
tippaleipä May-Day fritter
tippua 1 drip **2** (ark = tipahtaa) drop, fall off tippua joukosta drop/fall/lag behind the others **3** (ark = hellitä) Ei tipu No way, not a chance, not a cent from me
tippukivi dripstone
tippukiviluola stalactite cave
tippuri gonorrhea, (ark) the clap/drip
tipu chick (myös tytöstä)
tiputella drop
tiputtaa 1 (laittaa tippoja) apply/squeeze/drip a few drops (into) **2** (ark = pudottaa) drop, let fall
tiputus intravenous (IV) drip, dripfeed; (ark) drip olla tiputuksessa be fed intravenously, be on the drip
tiristä sizzle
tirkistelijä voyeur, Peeping Tom
tirkistellä peek, steal a peek/look/glimpse, look surreptitiously
tirkistely voyeurism
tirskua titter, snicker
tiskaaja dishwasher
tiskata wash (the) dishes, do the dishes
tiski 1 (pöytä) counter, desk myydä tiskin alta sell (something) under the counter lyödä hanskat tiskiin quit **2** (tiskattava) (dirty) dishes
tiskikone dishwasher
tislaamo (laitos) distillery, (kone) still
tislata distill
tislaus distillation
tisle distillate
tismalleen exactly, precisely Tismalleen! Exactly! That's just it! That's right!
tissi tit, boob; (leik) titty
titteli title
tiuha tight, dense, close (ks myös tiivis)
tiukalla 1 (kovilla) panna joku tiukalle press someone, come down hard on someone joutua tiukalle have a tough time of it, be hard pressed/put **2** (vähän) Aika on tiukalla We're pretty hard pressed/put for time, we're running short on time Raha on tiukalla Money is tight
tiukassa tight Se on liian tiukassa It's too tight; (kun yrittää irrottaa) it's stuck
tiukasti tight(ly) pitää tiukasti kiinni hold on tight seurata tiukasti jonkun kannoilla follow close on someone's heels, close behind someone; dog someone's heels pysyä tiukasti asiassa stick close/strictly to the subject

tiukata demand (an answer), press (someone for a response)
tiukentaa tighten (myös kuv), restrict
tiukentaminen tightening, restriction
tiukentua tighten (up)
tiukka 1 tight tiukka ote tight/firm grip tiukka aikataulu tight/busy/ hectic/full schedule tiukalla, tiukassa, tiukasti ks hakusanat **2** (kova) strict, stern, tough olla tiukkana (jollekulle) be rough/tough (on); (tinkimättä) stand/hang tough tehdä tiukkaa, tiukan paikan tullen when the going gets tough olla tiukkana to be tough/rough tiukka kuri strict/rigid discipline **3** (ottelu) close
tiukkailmeinen tight-lipped, stern-faced
tiukkapipo martinet, old biddy Se on aikamoinen tiukkapipo She's really got a bug up her ass
tiukkuus tightness, strictness, sternness, toughness (ks tiukka)
tiuku bell Mitä tiuku repii? You got the time?
tiuskaista snap, (ark) bite (someone's) head off
tiuskia snap, (ark) bite (someone's) head off
tivata 1 (vastausta) demand, press (someone for) **2** (maksua) dun
tms. or some such, or the like; etc.
todella really, truly, actually En todellakaan ymmärrä sinua I really/ truly/just don't understand you
todellinen real, true, actual, genuine Hän näyttää todellista pitemmältä She looks taller than she really is
todellinen arvo (liik) intrinsic value
todellisuudenmukainen realistic, true to life
todellisuudentaju sense of reality, grip on reality
todellisuus reality, actuality, real life palauttaa joku todellisuuteen bring someone back down to earth, back to reality menettää kosketuksensa todellisuuteen lose (all) touch with reality
todellisuus on tarua ihmeellisempi truth is stranger than fiction
todellisuuspohjainen based on/in reality
todenmukainen 1 (kuva tms) realistic, lifelike **2** (kuvaus tms) true-to-life, veracious
todenmukaisesti realistically
todennäköinen probable
todennäköisesti probably
todennäköisyys probability
todennäköisyyslaskenta probability calculation
todenperäinen authentic, genuine
todenperäisyys authenticity
todentaa verify, authenticate
toden teolla really Minua pelotti toden teolla I was really frightened, I was scared half out of my mind ryhtyä toden teolla töihin get right down to work/business, really pitch in and work
toden tullen if push comes to shove, if things really get tough
toden tuntuinen 1 (nukke tms) lifelike Se on ihan toden tuntuinen It feels like the real thing **2** (tarjous tms) legitimate-sounding Minusta se on toden tuntuinen tarjous I think the offer's legit
todesta ottaa todesta take (someone) seriously
todeta 1 (huomauttaa) state, note **2** (huomata) notice, discover, find (out) todeta oikeaksi authenticate
todistaa 1 (todisteilla) prove (myös mat), demonstrate, substantiate todistettava ks hakusana **2** (todistajana) (give/bear) witness (to), testify/attest (to); (lak) depose; (usk) give a testimonial (of/to) oikeaksi todistettu kopio certified copy
todistaja witness kutsua todistajaksi (oikeuteen) subpoena a witness; (oikeudessa) call a witness (to the stand) todistajien läsnäollessa in the presence of witnesses
todistajanlausunto (kirjallinen) deposition, (oikeussalissa) testimony
todistajanpalkkio witness's fee
todistamaton 1 unproved, unproven **2** (todistajan allekirjoitus puuttuu) unwitnessed, unattested

todiste piece of evidence; (mon) evidence
todisteeton unsubstantiated
todistella try to prove (something) todistella syyttömyyttään protest your innocence
todistelu argumentation; protests
todistettava todistettavissa oleva provable todistettavasti as can be proved mikä oli todistettava, MOT quod erat demonstrandum, QED
todistus 1 (mat) proof, demonstration **2** (lak: todisteet) evidence; (todistevahvistus) proof; (todistajan lausunto) testimony; (todistajan allekirjoitus) attestation, certification **3** (asiakirja) certificate **4** (usk) testimonial Älä sano väärää todistusta lähimmäisestäsi Thou shalt not bear false witness against thy neighbor
todistusaineisto evidence
todistusvoima probative force
todistusvoimainen probative, probatory, conclusive
toffee toffee, taffy
tohelo butterfingers, bungler, screwup
toheloida bungle (things), screw (things) up
tohista fuss/stir/bustle/flutter about
tohjona smashed/busted up
tohkeissaan enthusiastic/excited about, (ark) jazzed up about
tohtia dare, venture, have the nerve En tohtinut kysyä I couldn't bring myself to ask
tohtori doctor
tohtorinarvo doctorate, doctoral degree
tohtorinhattu doctoral tophat
tohtorin väitöskirja doctoral dissertation
tohveli slipper
tohvelisankari henpecked husband
toi that, (murt) that-there
toilaus blunder, stupid thing to do
toimeenpaneva executive
toimeenpano execution Jätämme tämän suunnitelman toimeenpanon teille We'll leave it up to you how you carry out the plan, put the plan into practice
toimeentulo income, livelihood, living; (niukka) subsistence juuri toimeentulon rajoilla at the subsistence level
toimeentulomahdollisuudet chance to make a living, means of subsistence
toimeksi panna toimeksi get busy, get to work antaa toimeksi hire/commission/ ask (someone) to do (something) ottaa toimeksi undertake (to do) something), take it upon yourself to do (something) saada toimeksi be asked/charged to do (something)
toimelias hard-working, industrious
toimenpide 1 measure, step; (mon) measures, action ryhtyä toimenpiteisiin take measures/ steps/action **2** (homma) operation, (ark) thing Koko toimenpide ei vienyt kuin puoli tuntia The whole thing couldn't have taken more than half an hour
toimeton idle, inactive
toimettomuus idleness, inactivity
toimi 1 (askare) chore, task, job, duty; (mon) activities, business, affairs, action tyhjin toimin doing nothing, killing time toimeksi ks hakusana **2** (toimenpide) action, measure (ks myös toimenpide) **3** (työpaikka) job, post, position puhelin toimeen work/office (phone) number **4** tulla toimeen (jonkun kanssa) get along (with someone); (jollakin) get by (on something), manage, make do, make both ends meet, keep body and soul together tulla toimeen ilman do without jonkun toimesta (done/ ordered) by someone
toimia 1 (ihminen: ryhtyä toimiin) act, take action/steps/measures; (jonakin) act/serve (as), be toimia lakimiehenä/ lääkärinä practice law/medicine toimia illan isäntänä host the party, (juontajana) emcee the ceremony Nyt on aika toimia Now is the time for action **2** (kone tms) work, function, operate Miten tämä toimii? How does this work? Kone ei toimi The machine is broken, isn't working, is out of order, is not in working order

toimiala line (of business/activities), field (of operations)
toimielin organ
toimihenkilö clerical worker/ employee
toimikas twill
toimikausi term (of office)
toimikunta committee, commission
toimilupa (operating) license; (myymäläketjun myöntämä) franchise
toiminimi company/business name
toiminnallinen functional
toiminnanjohtaja chief executive officer (CEO), president, managing director
toiminta action, activity/activities, operation(s), functioning (yhdyssanoissa jää usein kääntämättä) ryhtyä toimintaan take action aloittaa liiketoiminta Kaakkois-Aasiassa begin business operations in South-East Asia ottaa selvää koneen toiminnasta figure out how the machine works kasvatustoiminta education tiedotustoiminta publicity
toimintaedellytys foundation for operations
toimintahäiriö (koneen) malfunction, (ihmisen) functional disorder
toimintakertomus annual report
toimintakykyinen functional, operative, in working order
toimintakyvytön dysfunctional, inoperative, out of order
toimintamalli operational/functional model
toimintamuoto operational/functional mode
toimintaperiaate principle
toimintasuunnitelma plan of action
toiminto function, operation
toimintonäppäin (tietokoneen) function key, (ark) F-key
toimipaikka 1 (työpaikka) job, post, position **2** (toimipiste) office, branch, agency
toimisto office, bureau, agency
toimistopäällikkö department head
toimistotekniikka office technology
toimistotyö clerical/secretarial work
toimitsija 1 (agentti) agent, (yhtiön) trustee **2** (urh) official
toimittaa 1 (lähettää) send, (liik) deliver; (viedä) take; (hakea) get, fetch; (antaa) give, supply/provide (someone) with **2** (suorittaa) hold, conduct, perform, preside at **3** (kirjaa, sanomalehteä tms) edit
toimittaja 1 (kirjan, sanomalehden vastaava) editor; (sanomalehden tutkiva) reporter, journalist **2** (liik) supplier
toimituksellinen editorial
toimitus 1 (liik: lähetys) delivery; (toiminta) operation; (tapahtuma) transaction **2** (kirjan) editing; (sanomalehden: toimituskunta) editorial board/ staff; (toimitushuone) editorial office(s) **3** (toimittaminen) performance, execution **4** (usk) ceremony, service
toimitusaika delivery time
toimitusehdot terms of delivery
toimituskulut handling/service fee
toimituspäällikkö (sanomalehden) editor-in-chief
toimitussihteeri (sanomalehden) editorial assistant
toimiupseeri warrant officer
toimiva working, active, functional
toimivalta authority, powers, jurisdiction
toinen s the other, another; (ensinmainittu kahdesta) one (mon) the others, the rest joku toinen someone/-body else Anna toinen vain Just give me one for the other
adj **1** (järjestyksessä) the second Aleksanteri II Alexander II (lue: the second) Eikö toinen sanominen vielä riitä? Wasn't it enough to tell you a second time? **2** (ensimmäinen kahdesta) one Hän näkee vain toisella silmällä She can only see out of one eye Anna toinen käsi Give me one of your hands **3** (toinen kahdesta, muu) the other, another, other joku toinen kerta some other time puolelta toiselle from one side to the other toinen... toinen, toiseksi, toisiaan ks hakusana

toinen... toinen one... the other Tässä on vasta toinen kenkä, missä toinen on? This is only one shoe, where's the other? toiset... toiset some... some/the others/rest Toiset tykkäsivät, toiset inhosivat (kaikki muut inhosivat) Some liked it, but the others hated it; (jotkut muut inhosivat) some liked it, some/others hated it
toipilas convalescent
toipua recover (from something), convalesce, get over (sth), convalesa, get well
toisaalla elsewhere, somewhere else, in another place/direction/area
toisaalta on the one/other hand, on second thought Toisaalta haluan lähteä, mutta toisaalta en viitsisi jättää sinua yksin On the one hand I want to go, but on the other hand I don't feel like leaving you alone Niin, mutta toisaalta silloin en näkisi Petriä Yes, but on second thought, then I would miss Petri
toisarvoinen (of) secondary/minor (importance)
toiseksi second(ly) jäädä toiseksi come in second, place second toiseksi nuorin the second youngest, the next to youngest toiseksi viimeinen the next to last, the penultimate Ensiksikin... toiseksi(kin)/toisekseen First(ly)... second(ly); in the first place...in the second place
toisen asteen koulutus secondary education
toisenlainen different (from), unlike
toisiaan each other, one another He rakastavat toisiaan kovasti They love each other deeply, they're very much in love (with each other)
toisin otherwise, differently, in another/a different way Minä ajattelen toisin I think otherwise/ differently olla toisin be different toisin kuin (ennen substantiivia) unlike (something), (ennen verbiä) contrary to what (you say, people believe) Toisin kuin yleisesti luullaan Contrary to popular belief
toisinajattelija dissident
toisinto variant, version, redaction
toiskesäinen summer before last
toisluokkalainen second-grader
toispaikkakuntalainen out-of-towner
toispuolinen one-sided, uneven, unequal, unilateral
toispuolisuus one-sidedness, uneven/ unequal distribution, unilaterality
toissailtainen (something that happened) the night before last
toissakesäinen (something that happened) the summer before last
toissapäiväinen (something that happened) the day before yesterday
toissavuotinen (something that happened) the year before last
toissijainen secondary
toissijaisesti secondarily
toissijaisuus secondariness
toistaa 1 repeat toistaa omaa puhettaan repeat/reiterate your own words toistaa toisen puhetta repeat/ spit back/echo what someone else said **2** (levysoitin tms) reproduce
toistaiseksi 1 for the time being, until further notice, for an indefinite period A: Miten kauan olette siellä? B: Toistaiseksi A: How long will you be there? B: Indefinitely **2** (tähän mennessä) so far, until now, up till now Ei ole saatu toistaiseksi mitään So far we've gotten nothing
toistakymmentä more than ten
toistamiseen (once) again, once more, (for) a second time
toistasataa more than a hundred
toiste s redundancy
adv joskus toiste some other time
toistella repeat over and over, reiterate
toisto 1 repetition, repetitiveness, reiteration **2** (äänen) reproduction, sound-quality
toistua (be) repeat(ed), happen again Tämä ei saa toistua! Just don't let it happen again!
toistuvaisavustus periodical support
toitottaa 1 (torvea) honk, toot **2** (asiaa) proclaim, announce, trumpet
toive wish, hope herättää toiveita raise (someone's) hopes, give (someone)

hope romuttaa toiveet dash (someone's) hopes Toiveeni romuttuivat täysin My hopes were wiped out/dashed Toiveeni toteutui I got my wish onnistua yli toiveiden succeed beyond all expectation, do better than you dared hope

toiveajattelu wishful thinking

toiveikas hopeful, optimistic

toiveikkaasti hopefully, optimistically

toiveikkuus hope, optimism

toivo hope muuttaa Amerikkaan paremman elämän toivossa move to America in hopes/the hope of a better life viimeinen toivomme our last hope maajoukkueen nuoret toivot the national team's young hopefuls Siitä ei ole toivoakaan There's not a chance of that

toivoa 1 hope Toivon pääseväni ensi vuodeksi opiskelemaan USA:han I hope to be able to study in the States next year **2** (haluta) desire, want, wish Toivon tulevani rikkaaksi ja kuuluisaksi I want to be rich and famous Toivon etten olisi ikinä nähnyt häntä I wish I'd never laid eyes on her **3** (olettaa) trust Toivomme saavamme suorituksenne pikimmiten We trust we will receive your remittance ASAP

toivomus wish, (pyyntö) request jonkun toivomuksesta at someone's request saada kolme toivomusta be granted three wishes

toivonkipinä a spark/glimmer of hope

toivon mukaan I hope, hopefully

toivotella wish (someone something) toivotella onnea wish (someone) good luck toivotella hyvää joulua wish (someone a) Merry Christmas

toivoton hopeless, desperate toivoton tapaus hopeless case

toivottaa wish (someone something) toivottaa kaikkea hyvää wish (someone) all the best toivottaa joku hiiden kattilaan tell someone to go to hell

toivottavasti hopefully, I hope

toivottomasti hopelessly, desperately

toivottomuus hopelessness, desperation

toivotus greeting, wish onnen toivotukset good luck wishes

tokaista say, utter, remark

toki 1 (tottahan toki) sure, of course A: Tunnethan Riston? B: Toki! A: You know Risto, don't you? B: (I) sure do, of course (I do) **2** (kehotuksissa) Tule toki sisään Come on in Mene toki Go ahead (and go) **3** (sentään) still, at least Rahat olivat toki tallella, vaikka reppu olikin kadonnut The money was still there, though the pack was gone Muistit toki ottaa turkin mukaan At least you remembered your fur

Tokio Tokyo

tokko 1 (tuskin) hardly Tokkopa hän sinne haluaa I doubt he'll want to go, I hardly think he'll be going **2** (onko) whether En tiedä, tokko hän tietää koko asiasta I have no idea whether he even knows about it

tokkurassa (unesta) sleepy, drowsy, half-asleep; (alkoholista) smashed

tola shape hyvällä/huonolla tolalla in good/bad shape poissa tolaltaan (huolestuneisuudesta/surusta) beside yourself (with worry/grief) saattaa asia oikealle tolalle put something right

tolkku 1 (järki) sense En saa mitään tolkkua tästä I can't make heads or tails of this Ei siinä ole mitään tolkkua että It's pointless/senseless to **2** kuukausitolkulla for months on end

tolkuton senseless, (tarkoitukseton) pointless, (kohtuuton) unreasonable

tolkuttomasti senselessly, pointlessly, unreasonably

tollo moron, dunderhead, dummy

tolppa post, pole; (jalkapallossa) goalpost

tolvana lunkhead, numbskull, dunce

tomaatti tomato

tomppeli bonehead, dolt, oaf

tomu dust (myös kuv)

tomuinen dusty

tomuta be dusty, throw up/off a lot of dust

tongit pliers

tonkia 1 (eläin) root/grub ((around) in) **2** (ihminen tavaroita) dig/root/ rummage

around in, ransack; (papereita) rifle (through) **3** (ihminen asioita) stick your nose in (someone's business), poke around in
tonkiminen rooting, grubbing, digging, rummaging, ransacking, rifling, poking (ks tonkia)
tonni 1 ton (myös kuv) Tämä matkalaukku painaa ainakin tonnin! This suitcase must weigh a ton! **2** (ark = 1 000) a grand Voitin kymppitonnin lotossa I won ten grand in the lottery
tonnikala tuna
tonnikaupalla by the ton, tons of
tonnikeiju beefy beauty
tontti lot, (rakennustontti) building site
tonttu 1 elf **2** (tyttö) Brownie
tonttuilla fool/monkey around
topakka brisk, bustling
topata pad; (sohvaa tms) upholster; (eläintä) stuff
topografia topography
tora wrangle, squabble; (ark) spat, tiff
toraisa quarrelsome, argumentative
torakka cockroach, (ark) roach
tori marketplace; (aukio) square, plaza
torjua 1 (kieltäytyä) reject, refuse, rebuff; (kieltää) deny **2** (psyk) repress **3** (ehkäistä) prevent, fight, control, avert **4** (pysäyttää: urh) stop, block, catch, (make a) save; (sot: hyökkäys) repel, (ohjus) intercept
torjunta 1 (kieltäytyminen) rejection, refusal, rebuff; (kielto) denial **2** (psyk) repression **3** (ehkäisy) prevention, control **4** (urh) stop, block, catch, save **5** (sot = puolustus) defense
torjuva negative, repressive, defensive
torjuvasti negatively, repressively, defensively
torkahtaa doze/nod off
torkku sleepyhead Illan virkku, aamun torkku Early to bed, early to rise makes a man healthy, wealthy, and wise ottaa torkut take a nap, snooze
torkkua take a nap, snooze, doze
torni 1 tower, (kirkon) steeple **2** (sot) turret **3** (šakissa) rook, castle
torpedo torpedo
torpedoida torpedo (myös kuv)
torppa (tila) croft, (mökki) crofter's cottage
torppari crofter
torso torso (myös kuv) jäädä torsoksi be left incomplete/unfinished/half-done, remain a torso
torstai Thursday
torttu tart
torttutaikina pastry dough
torua scold, berate, haul (someone) over the coals
torveilla 1 (mahtailla) talk big, shoot off your mouth **2** (kuljeksia) wander, roam, amble aimlessly
torvi 1 horn; (sot) bugle soittaa torvea honk your horn **2** (rulla) roll, (putki) pipe **3** (ark) jerk, asshole, fool
torvisoittokunta brass band
tosi s the truth, reality, the real thing Nyt on tosi kyseessä This is the real thing todella, todesta, tosiaan, tosissaan ks hakusanat
adj **1** (totuudenmukainen) true Puhu totta Tell me the truth (ks myös hakusana) **2** (todellinen) real, serious tosi tilanteessa in a real(-life) situation tosi paikan tullen if push comes to shove, if it gets right down to it ryhtyä tosi toimiin take serious action
adv (todella) really, (ark) real Se oli tosi kivasti tehty That was real(ly) nice of you tosi iso talo a real(ly) big house
tosiaan really Oletko tosiaan sitä mieltä? Is that what you really think?
tosiasia fact
tosiasiallinen factual, true, real, actual tosiasiallinen syy the real/true reason
tosi kuin vesi as true as the day is long, as right as rain
tosin (it's) true Hän on tosin vanhempi, mutta minä olen fiksumpi True, he's older, but I'm smarter; he's older, it's true, but I'm smarter
tosiolevainen (the) real
tosioloissa in real life, in real-life situations
tosiseikka fact

tosissaan serious, in earnest Oletko tosissasi? Are you serious? Olen ihan tosissani I mean it/business, I'm not fooling around
tositapahtuma real event Elokuva perustuu tositapahtumiin The movie is based on a true story
tosite receipt
tossu 1 (baletti/aamutossu) slipper **2** (lenkkitossu tms) tennis/jogging shoe, sneaker **3** olla tossun alla be henpecked, be tied to someone's apron strings, be under someone's thumb
totalisaattori parimutuel pelata totalisaattoria bet on the horses
totalitaarinen totalitarian
totalitarismi totalitarianism
toteamus statement, utterance, remark
toteemi totem
toteen käydä toteen come true näyttää toteen prove, verify
totella 1 obey **2** (kuv) respond to, be responsive
toteuttaa carry (something) out/through, put (something) into effect/practice toteuttaa itseään fulfill yourself; (ark) do your own thing
toteutua come true
toteutus implementation, achievement, fulfillment
totinen serious, grave, earnest, sober; (yksitotinen) staid, humorless Tämä on totista työtä This is serious business Hän on aika totinen poika He's a bit of a Boy Scout
totisesti seriously, gravely, earnestly, soberly
totisuus seriousness, gravity, earnestness, sobriety
toto parimutuel pelata totoa bet on the horses
totta true Ei oo totta! I don't believe it! You gotta be kidding! Tämä on sinun, eikö totta? This is yours, isn't it? Ihanko totta? Really? You don't say hitunen totta a grain of truth Se on ihan totta That's so true Tottahan sinä minut muistat? You remember me, don't you? Surely you remember me? Tarua vai totta? Fact or fiction?
totta ihmeessä (you're) damn right/tootin'
totta kai of course, naturally; (ark) natch, sure
totta puhuen to tell the truth, frankly
totta tosiaan 1 (tosiaankin) true, for sure, certainly **2** (aivan niin) you're/that's right
tottelematon disobedient; (auto tms) unresponsive
tottelemattomasti disobediently
tottelemattomuus disobedience
tottelevainen obedient
tottelevaisuus obedience
tottua get used/accustomed (to something) Kaikkeen tottuu kun se tarpeeksi usein sattuu You can get used to anything
tottumaton inexperienced
tottumattomasti clumsily, fumblingly
tottumus 1 habit vanhasta tottumuksesta out of habit **2** (kokemus) experience
totunnainen conventional, customary, habitual
totutella get used to (doing something), (tutustua) familiarize yourself (with something)
totuttautua ks totutella
totutusajo breaking in
totuudellinen truthful
totuus truth Karvaskin totuus on parempi kuin kiduttava epätietoisuus The least pleasant truth is better than the most pleasant uncertainty
totuusarvo truth value
touhu activity, bustle, (ark) to-do koko touhu the whole shebang
touhukas active, bustling, busy
touhuta bustle/hustle/dash/putter about, do this and that
toukka larva, caterpillar
touko spring crop
toukokuinen May
toukokuu May
toveri friend, pal, buddy; (kommunistitoveri) comrade
toverihenki camaraderie

toverillinen friendly, comradely; (leik) palsy-walsy, buddy-buddy
toverillisuus comradeship
toveripiiri circle of friends
toveriseura companionship, company
toverukset friends, pals, buddies
toveruus companionship, comradeship
tovi while, (murt) spell istua tovi sit for a while/spell
t-paita T-shirt
traaginen tragic
traagisesti tragically
traditio tradition
traditionaalinen traditional
tragedia tragedy
tragikoominen tragicomic
traktori tractor
trampoliini trampoline
transistori transistor
transitiivinen transitive
transkriboida transcribe
transkriptio transcript(ion)
translitteraatio transliteration
translitteroida transliterate
transsendentaalinen transcendental
transsi trance
trauma trauma
traumaattinen traumatic
treffit date käydä treffeillä jonkun kanssa date someone pyytää jotakuta treffeille ask someone out (on a date) sokkotreffit blind date
tremolo tremolo
trikki trick
trikkikuvaus trick photography, special effect
trikoo tricot
trilleri thriller
trilogia trilogy
trimaraani trimaran
trio trio
triviaali trivial
trokari bootlegger
trokata bootleg
trooppinen tropical
tropiikki tropic
trubaduuri troubadour, minstrel
trukki forklift
trumpetisti trumpet player
trumpetti trumpet
trusti trust
tryffeli truffle
tsaari czar, tsar
tsaaritar czarina, tsarina
tsaarivalta czarism, tsarism
Tšad Chad
tšadilainen s, adj Chadian
tšekki (asukas ja kieli) Czech
Tšekki Czech Republic
tšekkiläinen s, adj Czechoslovakian
Tšekkoslovakia Czechoslovakia
tšekkoslovakialainen s, adj Czechoslovakian
tuberkuloosi tuberculosis
tuhannes thousandth
tuhannesosa one-thousandth
tuhannesti tuhannesti anteeksi a thousand apologies
tuhansittain thousands of, by the thousands
tuhat ajaa tuhatta ja sataa drive hellbent for leather
tuhat thousand tuhatneljäsataa fourteen hundred
tuhatjalkainen centipede, millipede
tuhatkertainen thousandfold
tuhatpäinen tuhatpäinen joukko a crowd a thousand strong
tuhattaituri Jack-of-all-trades
tuhdisti (ruokaa) lots/plenty of
tuhertaa 1 (töhertää) fumble at/with **2** (piirtää, kirjoittaa) scribble, scrawl, doodle
tuhista (nuhaisena) sniffle; (vihaisena) snort Nenä tuhisee My nose is all stuffed up
tuhka ash(es) kadota kuin tuhka tuuleen vanish into thin air
tuhkanharmaa ash-gray
tuhkarokko measles
Tuhkimo Cinderella
tuhkimotarina Cinderella story
tuhlaaja prodigal
tuhlaajapoika prodigal son
tuhlaavainen extravagant, wasteful, prodigal

tuhlaavaisuus prodigality, wastefulness, extravagance
tuhlari spendthrift
tuhlata waste, throw away; (ylät) squander; (ark) blow
tuhlautua be wasted
tuhma naughty, bad
tuhmasti naughtily
tuhmuus naughtiness
tuho 1 damage, devastation, annihilation, destruction **2** (perikato) destruction, fall, ruin, undoing **3** (usk ja kuv) doom
tuhoaminen 1 ks tuho **2** (tuholaisten) extermination
tuhoeläin vermin, pest
tuhoisa damaging, devastating, destructive, ruinous
tuhoisasti destructively
tuholainen 1 (eläin) vermin, pest **2** (ihminen) saboteur
tuhopolttaja arsonist
tuhopoltto arson
tuhota 1 devastate, annihilate, destroy, ruin, exterminate tuhota jonkun onni wreck someone's happiness **2** (tuholaisia) exterminate
tuhottomasti tons of
tuhoutua be devastated/destroyed
tuhoutuminen devastation, destruction
tuhrata dirty, soil, blacken, smudge, smear
tuhrautua be spent/wasted
tuhria dirty, soil, blacken, smudge, smear
tuhruinen dirty, soiled, smudged, smeared; (ark) black
tuhrusilmäinen bleary-eyed
tuhti 1 (ihminen) strapping big, lusty, husky **2** (ateria) hefty, man-sized
tuhto thwart
tuijottaa stare; (lumoutuneena) gaze; (ihmetellen) gape; (vihaisena) glower, glare tuijottaa omaan napaansa contemplate your own navel
tuijottaminen staring, gazing, gaping, glowering, glaring (ks tuijottaa)
tuijotus staring, gazing, gaping, glowering, glaring (ks tuijottaa)
tuikahdella twinkle
tuikata 1 (sujauttaa) slip, stick tuikata seteli kantajan käteen slip a bill into the bellhop's hand tuikata toista puukolla selkään slip/stick a knife into someone's back tuikata toiselle kättä stick out your hand **2** (tuleen) light/set (something) on fire
tuike twinkle
tuikea 1 (katse) stern, fierce, angry **2** (maku) hot, fiery
tuiki very, highly, extremely tuiki tärkeä asia a matter of the greatest significance
tuikkia 1 twinkle **2** (ks tuikata)
tuikku 1 (valo) light, lamp **2** (ark = naukku) swig
tuima 1 (ihminen) stern, fierce, angry **2** (tuuli tms) sharp, biting **3** (ruoka: tuikea) hot, fiery; (suolainen) salty
tuiskia snap (at)
tuisku gust/flurry of snow, snow flurry/storm
tuiskuta blow/gust/flurry/whirl about
tuiskuttaa blow/gust/flurry/whirl (snow) about
tuittupäinen hotheaded
tuittupää hothead
tukahduttaa 1 (haukotus, sisäinen ääni tms) stifle, smother, suppress **2** (kapina tms) suppress, quell, put down
tukahduttava 1 (kuumuus) stifling **2** (vallankäyttö) repressive, oppressive
tukahduttavasti stiflingly, repressively, oppressively
tukala embarrassing, awkward, ticklish
tukea 1 (fyysisesti tai henkisesti) support, shore/prop/back up **2** (rahallisesti) back financially, give financial support to, subsidize **3** (tukeutua) lean/rest/rely on
tukehduttaa suffocate, choke
tukehtua suffocate, choke
tukehtuminen suffocation, choking
tukeutua lean/rest/rely on
tukeva 1 (rakennelma) firm, steady, solid(ly built), sturdy **2** (ihminen) sturdy, strong; (lihava) stocky, beefy, chunky **3** (ateria) hefty, man-size, substantial

tukevasti firmly, solidly, sturdily
tukevuus 1 (rakennelman) solidity, sturdiness **2** (ihmisen) stockiness, beefiness, chunkiness
Tukholma Stockholm
tuki support (myös kuv:) backing antaa tukea jollekulle/jollekin support, lend your support to ottaa tukea jostakin lean on/against, brace/balance yourself (on/against)
tukiaiset subsidy maatalouden tukiaiset farm subsidies
tukija supporter, backer; (taiteen) patron
tuki- ja liikuntaelimistö locomotor system
tuki- ja liikuntaelinsairaus locomotor disease
tukikohta (sot) base
tukilisä supplementary benefit
tukimaksu contribution
tukimies (urh) half(back)
tukiopetus remedial instruction
tukiosa supplementary benefit
tukipiste 1 (fys) point of support, (vivun) fulcrum **2** (tukikohta) base
tukistaa pull (someone's) hair; (kuv) chew (someone) out, criticize, rap (someone) on the knuckles
tukka hair leikkauttaa tukkansa have/get your hair cut Ihan nousee tukka pystyyn That really raises my hackles olla koko ajan toistensa tukassa be constantly at each others' throats
tukkanuottasilla olla tukkanuottasilla be at each others' throats
tukkeuma clog, block(age), obstruction; (liikenteen) jam
tukkeutua clog/block/back up
tukki log; (aseen tms) stock, (mankelin) roller nukkua kuin tukki sleep like a log
tukkia clog/block/stop/plug (up), obstruct
tukkia suunsa shut up tukkia jonkun suu shut someone up, quiet/muzzle/silence someone
tukko 1 (hiustukko tms) tuft, (pumpuli-/rahatukko) wad **2** (veritukko) clot **3** (side) bandage **4** (tukkeuma) clog, plug, stopper nenä tukossa stuffed-up nose Auto jäi tukoksi tielle The car was blocking the road
tukku 1 ks tukko **2** myydä tukkuna sell wholesale
tukkualennus wholesale discount
tukkukauppa (kaupanteko) wholesale trade; (liike) wholesaler, wholesale store tukkukaupalla hyviä neuvoja a whole lot of free advice
tukkukauppias wholesaler
tukuittain wholesale
tuleentua ripen
tulehdus infection, inflammation
tulehtua get infected/inflamed
tuleminen coming
tulemus coming Kristuksen toinen tulemus the Second Coming of Christ
tuleva upcoming, forthcoming, future
tulevaisuudenkuva outlook, prospect
tulevaisuuden suunnitelma plan for the future
tulevaisuudentutkija futurologist
tulevaisuudentutkimus futurology
tulevaisuudenusko belief in the future, optimism
tulevaisuus future lähitulevaisuudessa in the near future
tuli 1 (myös sot ja kuv) fire tulessa on fire syttyä tuleen catch fire sytyttää tuleen light (something) on fire hiljaisella tulella over a low flame kahden tulen välissä between a rock and a hard place **2** Onks sulla tulta? Gotta light?
tuliainen present Toitko tuliaisia? Did you bring us anything?
tuliase firearm
tulikoe trial by fire
tulikuuma redhot
tuliliemi firewater
tulimeri sea of fire
tuli mitä tuli come what may, come hell or high water
tulimmainen Tuhat tulimmaista! Blast it!
tulinen fiery, burning, passionate, ardent
tulin näin voitin I came, I saw, I conquered

tulipalo fire
tulipaloale fire sale
tulipalopakkanen biting cold
tuliperäinen volcanic
tulirokko scarlet fever
tulisesti passionately, ardently
tulistua flare up (at someone)
tulisuus passion, ardor
tuliterä brand new
tulitikku match
tulitikkulaatikko matchbox
tulittaa fire (on), shell
tulitus fire, shelling
tulivuorenpurkaus volcanic eruption
tulivuori volcano
tulkata interpret
tulkinnallinen interpretive
tulkinnallisesti interpretively
tulkinta interpretation
tulkita interpret tulkita väärin misinterpret, misconstrue, misunderstand
tulkkaus interpretation
tulkki interpreter simultaani-/konsekutiivitulkki simultaneous/consecutive interpreter
tulkoon valkeus let there be light
tulla pääv **1** come, arrive Milloin tulit? When did you get here? What time did you arrive? Tule 8:n maissa Come around eight mennen tullen coming and going **2** (joksikin, jostakin jotakin) be(come), get, grow, turn tulla sairaaksi get sick Ei siitä tule mitään It's not going to work Kuka tuli valituksi? Who was elected? Tulin siitä surulliseksi It made me sad
apuv **1** (tulla tekemään) will, be going to Sinä tulet yllättymään You're going to be surprised, you'll be surprised **2** (tulla tehdä) must be, should be, is to be Työn tulee olla huomenna valmis The job is to be finished tomorrow
tulla ajatelleeksi come/happen to think of (something)
tullaan tullaan! coming!
tulla esiin come out (myös kuv), appear
tulla eteen come along/up, appear Kohta pitäisi tulla talo eteen We should be coming to the house pretty soon Neuvottelussa tuli seinä eteen The negotiations ran up against a brick wall
tulla halvemmaksi be cheaper
tulla hulluksi go crazy; (ark) flip your wig, lose your marbles
tulla hyvälle/pahalle päälle get in a good/bad mood
tulla hyvästä perheestä come of a good family
tulla hyvään tarkoitukseen go to a good cause
tulla hätä käteen panic
tulla ikävä miss (someone) Minun tulee kotia ikävä I'm going to miss home, I'm going to be homesick
tulla ilmi be revealed/uncovered, be found out
tulla johonkin ikään reach the age of
tulla johtopäätökseen draw the conclusion that
tulla jollekulle Mikä sinulle tuli? What came over you?
tulla jonkun korviin Minun korviini on tullut huhuja siitä että A little bird told me that, rumor has it that
tulla jonkun silmille/nenille hyppimään jump all over someone
tulla julki come out, be revealed Salat tulevat julki Secrets will out
tulla julkisuuteen become public, come out
tulla järkiinsä come to your senses
tulla jäädäkseen come to stay
tulla kipeäksi get sick
tulla kuuloon Ei tule kuuloonkaan I won't hear of it, not another word about that, it's out of the question
tulla kyseeseen Minkälainen tulisi kyseeseen? (kaupassa tms) What kind would you be interested in? Sellainen ei tule kyseeseenkään That is out of the question
tulla lähelle jotakuta become very dear/important to someone, touch someone in an important way

tulla maaliin toisena come in second; cross the finish-line second
tulla mieleen occur, come to mind Tuli tässä mieleen että It occurred to me that, it struck me that, one thing that came to mind was that Ei tulisi mieleenkään I would never dream of it
tulla nälkä get hungry
tulla puheeksi come up Tuli puheeksi uskonto ja We started talking about religion and
tulla päivänvaloon be brought out into the light of day, see the light of day
tulla selville become clear/obvious
tulla sinuiksi (ihmisen kanssa) get on friendly terms with (someone); (koneen kanssa) learn how to use (something)
tulla sokeaksi go blind
tullata clear (something) through customs; (tutkia) check, examine ei mitään tullattavaa nothing to declare
tulla tajuihinsa come to
tulla tavaksi become a habit
tulla tehneeksi do/make accidentally Tulin paljastaneeksi salaisuuden I accidentally let the secret slip
tulla tehtäväksi have to be done Talo tulee myytäväksi huutokaupassa The house is going to have to be auctioned off
tulla toimeen 1 (jonkun kanssa) get along with **2** (jollakin) get by on
tulla tulokseen reach a result, draw a conclusion
tulla täyteen fill up
tullaus (customs) clearance
tullauttaa clear (your luggage) through customs
tulla vastaan 1 (asemalle) go/come meet (someone at the station) Tuletko minua vastaan? Will you be there to meet me? **2** (autoja tiellä) pass you (going the other way) **3** (tulla eteen) appear Seuraavaksi tuli karhu vastaan Next we came upon a bear **4** (kuv = tehdä kompromissi) meet (someone) halfway Kyllä minä olen tullut enemmän kuin vastaan I've met you more than halfway
tulla voimaan go into effect
tulla vähästä tyytyväiseksi be easily satisfied
tulla yleisesti tunnetuksi become commonly known
tulla yllättäen be sudden
tulla äitiinsä take after your mother
tullen tarpeen tullen if need be toden tullen if push comes to shove (ks myös hakusanat)
tulli 1 (laitos ja maksu) customs, (maksu) duty **2** (moottoritiellä, sillalla) toll
tullihallitus (SF) National Board of Customs; (US) Bureau of Customs
tulliton duty-exempt
tullivapaa duty-free
tullivapaus freedom/exemption from duties
tulo 1 coming, arrival, approach **2** tulot (yksilön) income, earnings; (liikkeen) receipts, sales and revenues; (hallinnon) revenue; (hyväntekeväisyystilaisuuden tms) proceeds
tuloaika arrival time, time of arrival
tulo- ja menoarvio budget
tulokas newcomer
tuloksellinen productive, successful, fruitful
tulokseton unproductive, unsuccessful, fruitless
tulonjako distribution of income
tulonsiirto transfer of income
tulos 1 result, product, fruit; (lopputulos) outcome odottaa testituloksia wait for test results tuottaa tulosta bear fruit sillä tuloksella että with the result that vaalin tulokset the results of the election pelin tulos the outcome/final score of the game urheilutulokset sports results/scores **2** (liikkeen tuotto) return(s)
tulospalvelu result service
tulostaa (tietok) print (something out)
tulostase profit and loss statement
tuloste printout
tulosvastuu accountability
tulotaso 1 income level **2** (fys) plane of incidence
tulovero income tax
tuloverotus income taxation

tulppa 1 stopper, plug **2** (sytytystulppa) spark plug, (ark) plug **3** (lääk) embolus, (tulpan tukkeuma) embolism
tulppaani tulip
tulva flood tulvillaan jotakin flooded with something (myös kuv)
tulvia flood (myös kuv:) pour; (ihmisiä) flock
tuma nucleus
tumma dark
tummaihoinen dark-skinned, dusky
tummanpuhuva dark, ominous, foreboding
tummentaa darken
tummua darken, turn dark(er)
tummuus darkness
tumppi 1 (tupakan) butt **2** (miehen) shorty, short stuff, shrimp
tunari bungler, butcher, screwup
tunaroida bungle, butcher, screw up
tundra tundra
tungeksia crowd, push, shove (in)
tungetella 1 (tungeksia) crowd, push, shove (in) **2** (tunkeutua) intrude (on), invade (someone's privacy), trespass (on someone's property), barge in; (juhliin) (gate-)crash
tungetteleva intrusive
tungettelevasti intrusively
tungettelu crowding, pushing, shoving, intrusion, invasion (of privacy), trespassing, gate-crashing (ks tungetella)
tungos crowd, push, press
tunika tunic
Tunisia Tunisia
tunisialainen s, adj Tunisian
tunkea tr **1** (tavaraa sisään) jam, cram, stuff **2** (pois tieltä) shove, push, elbow
itr (tunkeutua) shove/push/elbow (your way into/onto), crowd (into/onto)
tunkeilija intruder, trespasser; (juhlissa) gate-crasher; (asiassa) interloper
tunkeilla 1 (tungeksia) crowd, push, shove (in) **2** (tunkeutua) intrude (on), invade (someone's privacy), trespass (on someone's property), barge in; (juhliin) (gate-)crash
tunkeutua intrude (on), invade (someone's privacy), trespass (on someone's property), barge in; (juhliin) (gate-)crash
tunkeutuminen intrusion, invasion, trespassing
tunkio dungheap, (komposti) compost (pile)
tunkkainen stuffy, musty, fusty, stale
tunkkaisuus stuffiness, mustiness, fustiness, staleness
tunkki (auton) jack
tunne 1 feeling, emotion, sentiment soittaa tunteella play with feeling vedota tunteisiin appeal to (someone's) feelings/emotions Tässä ei ole tunteille sijaa We can't let ourselves be guided by emotion/ sentiment on this **2** (tuntu) feeling, sense, sensation, inkling Minulla on sellainen tunne että hän ei tule I've got a hunch that he isn't coming, my guess is that he won't show, I suspect he won't be coming
tunne-elämä emotional life
tunneittain hourly, every hour, once an hour
tunnekuohu surge of emotion/feeling
tunneli tunnel
tunnelma mood, atmosphere, ambience luoda tunnelmaa create a romantic atmosphere Tunnelma oli jo korkealla The party was already in full swing
tunnelmamusiikki mood music
tunnepuoli emotional side
tunneseikka emotional factor
tunneside emotional tie, sentimental attachment
tunnettu (well-)known, renowned, famous; (ark) (big-)name kuten tunnettua as is well known, as everyone knows/is aware, as is common knowledge tehdä tunnetuksi (ilmoittaa) let (someone) know about (something); (tehdä kuuluisaksi) make (someone/ something) famous/ (well)known, make a name for (someone)
tunnetusti as is well known Suomi on tunnetusti interferon-tutkimuksen uranuurtajamaa As I'm sure you're

aware, Finland is a world leader in interferon research
tunnevaltainen emotional
tunnistaa recognize, identify; (ark) know
tunnollinen conscientious
tunnollisuus conscientiousness
tunnoton 1 (fyysisesti) numb, without feeling; (puutunut) asleep; (kivulle tms) insensible **2** (henkisesti) unfeeling, uncaring, insensitive; (häikäilemätön) unscrupulous, ruthless, remorseless
tunnus 1 sign, badge, mark; (kuva) symbol, emblem **2** (laivan) colors, (lentokoneen) markings **3** (sot) insignia **4** (tietok) access code
tunnuslaulu theme song
tunnuslause slogan, catchphrase, motto
tunnusmerkki distinctive/ characteristic/distinguishing mark/ feature
tunnussana password
tunnustaa confess, admit, acknowledge, recognize; (leik) 'fess up tunnustaa syntinsä confess your sins tunnustaa tehneensä väärin confess/ admit/acknowledge/recognize that you did the wrong thing, acted wrongly tunnustaa lapsensa acknowledge a child (as your own) tunnustaa hallitus recognize a government
tunnustautua profess tunnustautua kristityksi profess Christianity tunnustautua homoseksuelliksi come out of the closet
tunnusteko miracle tehdä tunnustekoja perform miracles
tunnusteleva tentative, exploratory
tunnustelija 1 (sot) scout **2** (esineuvottelija) (initial) negotiator
tunnustella 1 feel/grope (your way, around in the dark) tunnustella jonkun pulssia take someone's pulse **2** (sot) scout (out), reconnoiter **3** (kuv) put out feelers (to see whether), explore; (jonkun mielipidettä) sound/feel (someone) out
tunnustelu feeling, groping, scouting, reconnaissance, exploratory inquiries (ks tunnustella)
tunnustuksellinen 1 (uskonto, runo) confessional **2** (opetus tms) denominational
tunnustukseton nondenominational
tunnustus 1 (rikoksen, synnin tms) confession **2** (uskon) creed **3** (hyvien tekojen tms) acknowledgement, recognition, token of esteem/gratitude
tuntea 1 know Tunsin hänet heti I knew/recognized her immediately Tunnetko miten hyvin italialaista kirjallisuutta? How well do you know Italian literature, how familiar/ conversant are you with Italian literature? Alexis Stenvall tunnetaan paremmin nimellä Aleksis Kivi Alexis Stenvall is better known as Aleksis Kivi **2** (aistia, kokea) feel; (hajua) smell Tunnetko kun teen näin? Can/do you feel this? Tunnen suurta myötätuntoa häntä kohtaan I feel great sympathy for him, I have great compassion/fellow-feeling for him tuntea itsensä/olonsa ks hakusanat **3** (vaistota) sense Tunsin että hän ei ollutkaan kovin halukas yhteistyöhön I sensed that he wasn't all that enthusiastic about working with us after all
tuntea itsensä feel; (nälkäiseksi) feel hungry, (kylmäksi) feel cold, jne
tuntea olonsa feel; (epämukavaksi) feel uncomfortable, (paremmaksi) feel better, (turvattomaksi) feel insecure
tunteellinen emotional, sentimental, mawkish; (ark) mushy, sappy, corny
tunteellisesti emotionally, sentimentally, mawkishly
tunteellisuus emotionalism, sentimentality, mawkishness
tunteeton unfeeling, uncaring, unemotional; rational, cold
tunteettomasti unfeelingly, uncaringly, unemotionally; rationally, coldly
tunteettomuus lack of feeling/ emotion, rationalism, coldness
tunteikas emotional
tunteilla get emotional/sentimental/ maudlin/mawkish, gush over

tunteilu indulging/wallowing in emotion(alism)/sentiment(ality)
tuntematon s **1** (an) unknown (myös mat) suuri tuntematon the great unknown **2** (vieras) stranger, unfamiliar face
adj **1** unknown, unfamiliar, obscure matkustaa tuntemattomana travel incognito **2** (nimeltä) anonymous
tuntematon sotilas the Unknown Soldier
tuntemus 1 (tunne, tuntu) sense, sensation, hunch **2** (perehtyneisyys) knowledge, expertise, familiarity, acquaintance, proficiency
tunti 1 hour 100 km tunnissa 100 kilometers per hour, 60 miles per/an hour tunnin matkan päässä an hour('s drive) away/from here veloittaa 300 mk tunnilta charge 300 marks an hour **2** (oppitunti) class, period Mikä tunti meillä on seuraavaksi What do we have next? soittotunti piano/trumpet/clarinet/ jne lesson laulutunti voice lesson
tuntija expert (in), master (of), authority (on); (viinin) connoiseur; (ihmistuntija) judge (of people); (ark) ace, whiz, shark
tuntikaupalla (for) hours on end, for hours (and hours)
tuntinopeus speed per hour ajaa 100 km:n tuntinopeudella drive at a hundred kilometers per/an hour, do 100 kph
tuntiopettaja hourly instructor
tuntipalkka hourly pay olla tuntipalkalla be/get paid by the hour
tunto 1 sense, feeling Minulla ei ole mitään tuntoa vasemmassa pikkusormessa I don't have any feeling in my left little finger, (ark) in my left pinkie Tunto on usein laiminlyöty aisti (Our sense of) touch is an often neglected sense velvollisuuden/vastuun tunto sense of duty/responsibility **2** (tietoisuus) awareness, consciousness **3** (omatunto) conscience kauheuksia tunnollaan horrible crimes/atrocities on your conscience
tuntoaisti sense of touch
tuntoaistimus sensation of touch, tactile sensation
tuntomerkki distinguishing/ identifying feature/mark
tuntu 1 touch (myös kuv), feel Ilmassa on jo kevään tuntua There's a feel/touch of spring in the air **2** (tunne) feeling Minulla on sellainen tuntu että I've got a feeling that
tuntua feel, seem Tuntuuko tämä? Can you feel this? Miltä tuntuu? How do you feel? Minusta tuntuu että I think/feel that, it seems to me that Ei tunnu missään (ei satu) I feel no pain, I don't hurt; (ei näy sen vaikutusta) It's had no effect, it's changed nothing, nothing's different/changed
tuntuinen -feeling, -seeming Tämä on avaran tuntuinen huone This room feels big/spacious
tuntuma contact, touch, connection jonkin tuntumassa near something, in the neighborhood/vicinity of something saada tuntuma johonkin get a feel for something sormituntuma a feel (for) menettää tuntuma johonkin lose your feel/ touch for something
tunturi fell
tuntuva marked, noticeable, perceptible; (iso) considerable, heavy, substantial
tuntuvasti markedly, noticeably, perceptibly, considerably, heavily, substantially
tuo that (one) Tuo on äitini That's my mother tuolla tavalla like that tuo tuossa that, (murt) that-there tuo tuolla that one over there (ks myös tuolla, tuon ja tuossa)
tuoda bring, (hakea) get Toisitko minulle lasin vettä? Could you bring/get me a glass of water? puhua mitä sylki suuhun tuo talk off the top of your head, ramble on mindlessly, say the first thing that comes to mind
tuoda esiin bring forward/up, raise, draw (people's) attention to
tuoda ilmi bring out, show, reveal
tuoda kotiin bring home (myös kuv)
tuoda maahan import, (aate, muoti

tms) introduce Kristinuskon toivat maahamme ruotsalaiset Christianity was introduced into Finland by the Swedes
tuoda posti deliver the mail
tuoda terveisiä bring (someone's) greetings
tuoda tullessaan bring (with it), bring about
tuohi birch bark
tuohikulttuuri (halv) hokey folk culture
tuohivirsu birch-bark shoe
tuohtua get irritated/worked up/pissed off (at/about something, at someone)
tuoja 1 (onnen) bringer; (sanoman) bearer, messenger **2** (maahan) importer
tuokio moment, while, time tuossa tuokiossa in a second/moment/jiffy
tuoksahtaa smell Äsken tuoksahtivat tuoreet pullat I just caught a whiff of fresh-baked buns
tuoksina uproar, commotion, turmoil
tuoksu smell, scent, aroma, odor; (ylät) fragrance, perfume, cachet; (ark) whiff
tuoksua smell (of)
tuoli chair, (ilman selkänojaa) stool
tuolinjalka chair/stool leg
tuolinselkä chair back
tuolirivi row of chairs
tuolla (over) there Tuolla on kolme lasta There are three children over there (ark = hänellä) She has three children tuolla alhaalla/ylhäällä/ ulkona down/up/ out there
tuollainen that kind of, a (something) like that Ja minä en ota tuollaista miestä I wouldn't take/marry a man like that (if he was the last man on earth)
tuolla lailla like that
tuolla puolen beyond
tuollapäin over there
tuolloin then, at that time
tuomari 1 (päättävä) judge (myös Jumalasta), magistrate, justice; (asianajaja) lawyer; (sovintotuomari) arbitrator **2** (erotuomari: voimistelun tms) judge, (ottelun) referee, (baseballissa) umpire
tuomaristo jury
tuomas Thomas epäilevä tuomas Doubting Thomas
tuomi black cherry
tuomio 1 (tuomarin) sentence, decision (myös erotuomarin) joutua tuomiolle jostakin be tried for something langettaa tuomio sentence (someone for something) **2** (lautamiehistön) verdict (myös kuv) **3** (Jumalan) judgment viimeinen tuomio the Last Judgment
tuomioistuin court (of law)
tuomiokapituli chapter
tuomiokirkko cathedral
tuomiokunta judicial district
tuomiopäivä the Day of Judgment
tuomiovalta jurisdiction Se ei ole minun tuomiovaltani alainen That's out of my jurisdiction
tuomiset present Meillä pitäisi olla lapsille tuomiset We need to get something to bring the kids
tuomita 1 (lak: jostakin) convict; (johonkin) sentence, condemn; (juttua) try, hear, sit, adjudicate tuomita vankilaan sentence (someone) to jail, give (someone) a jail sentence **2** (usk) judge Älkää tuomitko, ettei teitä tuomittaisi Judge not, lest ye be judged **3** (kuv) judge, condemn tuomittu epäonnistumaan doomed (to failure) **4** (urh) referee, (baseballia) umpire
tuommoinen ks tuollainen
tuonela Hades, the Underworld
tuon ikäinen (someone) of that age, (someone) that old
tuon kaltainen (something) like that
tuon laatuinen 1 (tuota laatua oleva) (something) of that quality **2** (tuon kaltainen) (something) like that, (something) of that order
tuon muotoinen (something) shaped like that, (something) of that shape
tuonne (over) there Se kuuluu tuonne It goes over there
tuonnepäin that way, in that direction; (vanh) thither, (leik) thataway He menivät tuonnepäin They went that(a) way

tuonpuoleinen s **1** the beyond **2** (usk) the hereafter adj transcendental, otherworldly tuonpuoleinen elämä the afterlife, life after death
tuonti import(s)
tuontitavara imports, import(ed) goods
tuon tuostakin (every) now and then/again, from time to time, off and on
tuoppi beer mug/stein, tankard
tuore (hedelmä, tapahtuma) fresh; (tapahtuma myös) recent tuoreessa muistissa fresh in your memory
tuoreeltaan 1 (heti) right away **2** (tuoreena) fresh Osa syötiin tuoreeltaan, loput pantiin pakkaseen Some we ate (fresh), the rest we froze
tuoremehu (unsweetened fruit) juice; (appelsiinimehu) orange juice
tuossa there Ota tuosta Help yourself Mikäpä tuossa Sure, why not Tuossa nyt näet See? I told you so tuossa kuuden paikkeilla around six
tuossa tuokiossa in a jif(fy)/ flash/ sec(ond) Tulen takaisin tuossa tuokiossa I'll be back in a flash
tuotanto 1 (tal) production, (tehtaan) output **2** (kirjailijan) oeuvre, works
tuotantoelämä industrial life
tuotantokustannus production cost
tuotantotulos output
tuota pikaa lickety-split, in a jif(fy)/ flash/sec(ond)
tuote product (myös kuv)
tuotekehittely research and development, R and D
tuottaa 1 (tuotteita, elokuvaa) produce **2** (satoa tms) yield, bear **3** (rahaa) bring in, generate **4** (ongelmia) generate, cause, make, bring
tuottaja producer (myös elokuvan); (tehdastuotteen myös) manufacturer, (maataloustuotteen myös) grower
tuottava productive, profitable
tuottavuus productivity
tuotteliaisuus productivity
tuottelias productive
tuotto proceeds, returns, yield, intake; (voitto) profit
tuottoisa profitable, lucrative
tupa 1 (talo) cottage, house Oma tupa oma lupa My home is my castle **2** (huone) greatroom
tupakanhimo craving for a cigarette
tupakanpoltto (cigarette-)smoking
tupakeittiö combined kitchen-living room
tupakka tobacco; (savuke) cigarette panna tupakaksi light up mennä ulos tupakalle step outside for a smoke
tupakkalakko tehdä tupakkalakko quit smoking, give up smoking
tupakoida smoke Ethän tupakoi kiitos Thank you for not smoking
tupakoimaton s nonsmoker adj nonsmoking
tupakointi smoking
tupakointikielto ban/prohibition on smoking; (kyltti) No Smoking sign
tupata tr **1** (ahtaa) stuff, jam, cram **2** (pistää) stick **3** (tyrkyttää) force (something/yourself on someone) itr **1** (tuppautua: jonnekin sisälle) push/ force your way in, (jonkun seuraan) impose (yourself on someone) **2** (olla taipuvainen) tend, be in the habit of (doing)
tupaten täynnä stuffed, jammed/ crammed (full), packed (to overflowing)
tupenrapinat Nyt tuli tupenrapinat Now we've/I've done/had it
tupla- double
tuplata 1 double **2** (kouluaine) retake
tuplautua be doubled
tuppautua (jonnekin sisälle) push/ force your way in; (jonkun seuraan) impose (yourself on someone)
tuppi (puukon) sheath, (miekan) scabbard
tuppisuinen 1 (ei suostu puhumaan) close-mouthed/-lipped, taciturn, uncommunicative **2** (ei pysty puhumaan) speechless, tongue-tied
tuppisuu s the silent type, not a big talker adj silent, quiet, taciturn, reticent, uncommunicative

tuppisuuna adv silently, quietly, reticently, without making a sound, without saying a word
tuppo tuft, wad
tuprahtaa 1 (savu, pöly) billow, roil **2** (tuleen) go up with a whoosh **3** (ihminen) burst in
tupruta 1 (savu) billow, roil **2** (lumi tms) whirl, swirl
tupruttaa 1 (savuketta) puff (away on) **2** (lunta) blow
tupsahdus thump
tupsahtaa 1 (pudota tms) drop/fall with a thump, thump down **2** (savu) billow, roil **3** (ihminen paikalle) burst/ drop in, (talo täyteen väkeä) fill up
tupsu 1 (hiustupsu) tuft **2** (vaatteen) tassel
tupsulakki hat with a tassel
turbaani turban
turbo turbo(charged engine/car)
turbomoottori turbo(charged) engine
turha s **1** (turhuus) nothing Mitä turhia! (ei kestä) Forget it, never mind, it was nothing; (ei hyödytä) What's the point? What good will it do? suuttua turhasta get all worked up over nothing suuttua turhaan get all worked up for nothing mennä turhaan make a wasted trip, go on a wild-goose chase kiistellä turhista argue about nothing **2** (tarpeettomuus) Älä turhaan vaivaudu Don't bother Älä turhaan pelkää There's no need to be afraid
adj **1** (hyödytön) useless, pointless, futile Sitä on nyt turha toivoa Don't hold your breath **2** (tarpeeton) unnecessary, superfluous, gratuitous turha huomautus unnecessary/ gratuitous remark
turhamainen conceited, (vanh) vain, (ark) stuck-up
turhamaisuus vanity, conceit
turhan unnecessarily Se on turhan iso (liian iso) It's too big; (sitä voisi pienentää) it doesn't have to be that big
turhanpäiten for nothing (ks myös turha)
turhanpäiväinen trivial, trite (ks myös turha)
turhauma frustration
turhauttaa frustrate Minua turhauttaa tämä I'm frustrated with this, this is frustrating me
turhautua get frustrated (with something)
turhautuma frustration
turhautunut frustrated
turhuus vanity; (mon) trifles, fripperies törsätä turhuuksiin blow your money on useless things turhuuden markkinat vanity fair
turismi tourism
turisti tourist
turkanen Voi turkanen sentään! Goshdarn it! turkasen kallis darned expensive
turkis fur
turkiseläin fur(-bearing) animal
Turkki Turkey
turkki 1 (eläimen) fur **2** (kieli) Turkish
turkkilainen s Turk kiroilla kuin turkkilainen swear up a blue streak
adj Turkish
turkkilainen sauna Turkish bath
turkkuri furrier
turkoosi turquoise
turkulainen s person from Turku
adj pertaining to Turku
turma 1 accident, crash **2** (tuho) destruction, perdition
turmella 1 (fyysisesti) damage, ruin, spoil **2** (moraalisesti) corrupt
turmeltua 1 (fyysisesti) be damaged/ ruined/spoiled **2** (moraalisesti) be corrupted
turmelus corruption, depravity
turmio destruction, ruin, perdition viedä turmioon lead (you) to your ruin, lead you to (doom and) destruction
turnajaiset (hist) tourney, tilt, joust; (myös urh) tournament
turnaus (hist) tourney, tilt, joust; (myös urh) tournament
turpa 1 (eläimen) muzzle **2** (ihmisen) mouth, face Turpa kiinni! Shut your mouth/face! antaa turpiin bust (someone) in the chops
turska cod
tursuta ooze

turta numb (myös kuv)
turtua (fyysisesti ja henkisesti) go numb, be numbed; (vain henkisesti) stop caring (about), become hardened (to)
turtumus torpidity
turva 1 (turvallisuus) safety, security olla turvassa be safe tuntea olevansa turvassa feel safe/secure **2** (suoja) safeguard, protection, shelter, defense ottaa joku turviinsa take someone under your wing/protection lain turvin under the protection of the law pimeyden turvin under cover of darkness **3** (apu) apurahan turvin supported by a grant, with financial assistance from (someone) kainalosauvojen turvin on crutches
turvaamistoimenpide precautionary measure
turvaistuin (child's) car seat
turvajoukot security forces; (YK:n rauhanturvaajat) (UN) Peacekeeping Forces
turvakoti shelter
turvalaite safety device
turvallinen safe, secure
turvallisesti safely
turvallisuus safety, security
turvallisuusneuvosto (YK:n) Security Council; (USA:n) National Security Council
turvata tr (suojella, varmistaa) protect, safeguard, secure
itr (turvautua) trust (in), rely (on)
turvatarkastus security inspection/ check
turvatoimenpiteet security measures
turvaton 1 (ihminen: suojaton) defenseless, vulnerable; (epävarma) insecure **2** (paikka) unsheltered, unprotected, open, vulnerable
turvattomuus insecurity
turvautua 1 (luottaa) trust (in), rely (on), put/place your faith/trust in **2** (ryhtyä käyttämään) resort/turn to
turvavyö seat/safety belt
turve 1 (mätäs) turf, sod turpeen alla (haudattu) six feet under **2** (polttoturve) peat
turvevoimala peat-burning power plant
turvota swell up
turvotus swelling
tusina dozen kaksi tusinaa kananmunia two dozen eggs
tusinakaupalla dozens of (something), (something) by the dozen
tusinatavara Se on tusinatavaraa It's a dime a dozen
tusinoittain dozens of (something), (something) by the dozen tusinoittain halvempaa cheaper by the dozen
tuska pain, distress, agony, suffering Se oli tuskan takana It was a real bear, a real pain (in the ass/neck) saada työllä ja tuskalla aikaan do something with great effort
tuskaa lievittävä analgesic, painkilling
tuskaantua get/grow impatient/ irritated/bored with, get/grow sick/tired of
tuskailla 1 (olla huolissaan) worry/ agonize about, be in a blue funk about, sweat Älä tuskaile turhaan Don't sweat the small stuff **2** (tehdä kovalla vaivalla) sweat/ agonize over
tuskainen (tuskissaan) in pain; (kivulias) painful; (kipua ilmentävä) pained, agonized, anguished
tuskallinen painful, distressing, grievous, trying
tuskanhiki cold sweat
tuskanhuuto agonized/anguished cry, cry of pain
tuskastua get/grow impatient/ irritated/bored with, get/grow sick/tired of
tuskin 1 hardly, barely; (ylät) scarcely Tuskin tunnen häntä I hardly/barely know her **2** Tuskinpa vain! (en usko) I doubt it; (en taida) don't count on it, don't hold your breath Tuskin menen! Count me out
tussi 1 (muste) drawing ink **2** (kynä) felt-tipped pen
tussu (sl) pussy
tuta saada tuta (ylät) be made to feel (something)

tutina trembling
tutiseva trembling; (vanhuuttaan) doddering
tutista tremble, shiver, shake, quiver
tutka radar
tutkailla 1 (tarkkailla) watch, observe, keep an eye out (for something), keep your eye on (someone/something) **2** (tutkia) explore **3** (tunnustella) sound/ feel (someone) out, put out feelers
tutkain 1 (avaruus-/syvyystutkain) (space/depth) probe; (miinanpaikallistamistutkain) prod **2** (tietok) scanner **3** (raam) goad, prick potkia tutkaimia vastaan kick against the pricks
tutkia 1 study, examine, investigate, inspect; (ark) look over/into Tutkia kaikki paikat Look/search everywhere **2** (tieteellisesti) study, research; (tuntematonta seutua tms) explore **3** (kuulustella: tenttijää) examine, test; (epäiltyä) interrogate, question
tutkielma (scholarly) thesis; (väitöskirja) dissertation; (lyhyt) essay, paper
tutkija (humanistinen) scholar, (empiirinen) researcher
tutkijakoulutus graduate studies
tutkijalautakunta 1 (onnettomuuden) board of inquiry, investigative committee/commission **2** (sot) court of inquiry **3** (poliisin) Internal Affairs Divison, IAD **4** (verojen) tax appeals board
tutkimaton 1 (alue) unexplored **2** (ilme) inscrutable Tutkimattomat ovat Herran tiet Mysterious are the ways of the Lord
tutkimus 1 (tutkiminen) examination, investigation, inquiry, scrutiny; (tieteellinen) study, research, scholarship **2** (tutkielma) study, scholarly book
tutkintavankeus pretrial detention ottaa tutkintavankeuteen take (someone) into custody
tutkintavanki prisoner awaiting trial
tutkinto 1 (tentti) exam(imation) **2** (loppututkinto) degree
tutkintovaatimukset course/ degree requirements, syllabus
tutkiskella 1 (tutkia) study, explore, look closely at **2** (miettiä) ponder, contemplate, reflect on
tutkiskelu study, exploration; contemplation, reflection (ks tutkiskella)
tutkistella ks tutkiskella
tuttava friend, acquaintance, someone you know
tuttavallinen 1 (ihminen) friendly, familiar **2** (puhe-/kirjoitustapa) casual, chatty, conversational
tuttavallisesti familiarly, casually, conversationally (ks tuttavallinen)
tuttavaperhe family friends, a family you know
tuttavapiiri your circle of friends
tuttavuus acquaintance, friendship; (vars asian kanssa) familiarity
tutti 1 (hupitutti) pacifier **2** (pullon) nipple
tuttipullo baby bottle
tuttu s friend, acquaintance Mun yksi tuttu A friend/buddy of mine
adj **1** (ihminen) (someone) you know Onko tuo sinulle tuttu mies? Do you know that guy? **2** (asia, naama tms) familiar
tutun näköinen familiar-looking Onko tämä tutun näköinen? Does this look familiar?
tutun tuntuinen familiar-feeling Onko tämä tutun tuntuinen? Does this feel familiar?
tutustua 1 (ihmiseen) get to know (someone), make friends with (someone), make (someone's) acquaintance **2** (asiaan) acquaint/ familiarize yourself with (something) tutustua paikkakunnan nähtävyyksiin go sightseeing
tuuba tuba
tuubi tube
tuudittaa cradle, rock; (lullata) lull
tuudittautua lull yourself (into something)
tuuhea thick, bushy
tuulahdus breath (of air/wind) raikas tuulahdus a breath of fresh air
tuulenhenki breath of wind, breeze
tuulenpuuska gust of wind
tuulensuoja shelter from the wind

tuulen suunta wind direction
tuulesta temmattu made-up (out of the whole cloth), fabricated, fictitious
tuuletin fan
tuuleton windless, still, dead
tuulettaa 1 air (out) (myös kuv:) refresh tuulettaa itseään refresh yourself, go out for some rest and relaxation tuulettaa kaupungin tunkkaista kulttuurielämää let some fresh air into the city's stuffy cultural life
tuuletus ventilation, airing
tuuli 1 (ilma) wind (myös kuv) tuulen alapuolella downwind (from) tuulta vasten against/into the wind tietää mistä tuuli puhaltaa know which way the wind is blowing haistella tuulia see which way the wind is blowing räjäyttää taivaan tuuliin blow up, blow to smithereens **2** (mieliala) mood hyvällä/huonolla tuulella in a good/bad mood, in high/low spirits
tuuliajolla adrift
tuulihattu 1 (savupiipun) cowl **2** (leivonnainen) cream puff **3** (ihminen) weathercock, (tyttö) flibbertigibbet
tuulilasi windshield
tuulimylly windmill
tuulinen windy
tuulispää gust of wind mennä tuulispäänä go like the wind
tuuliviiri weathervane
tuulla Tuulee It's windy Sitten alkoi tuulla Then the wind started to blow panna tuulemaan (ryhtyä työhön) (roll up your sleeves and) get down to work, pitch in (and work); (tuulettaa tunkkaista tilannetta) stir things up, let in some fresh air
tuuma 1 (mitta) inch olla antamatta tuumaakaan periksi not budge/give an inch **2** (ajatus) thought, idea; (suunnitelma) plan, scheme
tuumailla think (about), consider, ponder, reflect (on)
tuumasta toimeen no sooner said than done ryhtyä tuumasta toimeen stop talking about it and start doing it, put your money where your mouth is
tuumata think (about), consider, ponder, reflect (on)
tuumia think (about), consider, ponder, reflect (on)
tuupata push, shove
tuupertua keel over
tuuraaja substitute, stand-in
tuurata 1 (olla sijaisena) stand in (for someone), relieve (someone), take over (for someone) **2** (onnistaa) Minua tuurasi I hit it lucky, I got lucky **3** (lyödä tuuralla) pick, chip, hack
tuuri 1 (onni) luck Sinulla kävi tuuri You got lucky **2** (vuoro) turn, (työvuoro) shift
tuusa mennä tuusan nuuskaksi get smashed to pieces
tuutin täydeltä at full blast, cranked all the way up
tuutti 1 (paperi-/jäätelötuutti) cone **2** (suppilo) hopper
tuutulaulu lullaby
tv TV
tyhjennys emptying; (suoliston) evacuation, (mahalaukun) pumping, (postilaatikon) collection, pick-up
tyhjentyä empty (out); (akku) run down, discharge
tyhjentää empty; (tankki tms vedestä) drain; (rengas tms ilmasta) deflate; (varastot tms tarvikkeista) deplete, exhaust
tyhjentää huone(isto) vacate a room/an apartment
tyhjentää kaupunki evacuate a city
tyhjentää lautasensa clean your plate
tyhjentää mahalaukku pump (someone's) stomach
tyhjentää oikeussali clear the courtroom
tyhjentää pöytä clear the table
tyhjentää suolensa move/evacuate your bowels, have a bowel movement (BM)
tyhjiin vuotaa tyhjiin (tankki tms) leak out; (ihminen) bleed to death käyttää tyhjiin use up, exhaust raataa itsensä tyhjiin run yourself down, burn yourself out, exhaust yourself

tyhjillään empty; (talo) deserted, abandoned, uninhabited; (huone) vacant jättää tyhjilleen (talo) desert, abandon; (huone) move out of, vacate
tyhjiö vacuum
tyhjyys emptiness; (kuv) the void, nothingness, empty space tuijottaa tyhjyyteen stare off into space
tyhjä s **1** (tyhjää tilaa) (empty) space/room Täällä on vielä tyhjää There's more space/room over here **2** (tyhjä kohta/aukko) blank jättää tyhjäksi kun ei tiedä sanaa leave a blank when you don't know a word Minulla löi tyhjää My mind went blank, I blocked on it äänestää tyhjää abstain **3** (ei mitään) nothing Tyhjästä on paha nyhjäistä You can't get blood out of a turnip, you can't get something from/for nothing katsoa jotakuta kuin tyhjää look right/straight through someone, pretend someone isn't there, treat someone like air aloittaa tyhjästä start from scratch Se on yhtä tyhjän kanssa It's pointless adj (myös kuv) empty, vacant, blank tyhjä katse vacant/blank stare tehdä tyhjäksi undo, baffle, foil tyhjin käsin empty-handed tyhjiin, tyhjillään ks hakusanat
tyhjä akku dead/run-down battery
tyhjä kumi flat tire
tyhjäkäynti idling Tyhjäkäynti kielletty Turn off your engine
tyhjän panttina idle, serving no useful purpose istua tyhjän panttina sit around doing nothing
tyhjänpäiten for nothing (ks myös turhanpäiten)
tyhjänpäiväinen trivial, trite, pointless (ks myös turhanpäiväinen)
tyhjäntoimittaja idler, loafer, good-for-nothing
tyhjäpaino dead weight
tyhjä panos blank
tyhjä pullo empty
tyhjä seinä blank wall
tyhjästä temmattu made-up (out of the whole cloth), fabricated, fictitious
tyhmeliini dummy
tyhmyri dolt
tyhmyys stupidity
tyhmä dumb, stupid tyhmä kuin pässi dumb as an ox tyhmä kuin kana silly as a goose Olinpas minä tyhmä! How stupid of me! What an idiot I was!
tyhmästi stupidly Se oli tyhmästi tehty That was a dumb/stupid thing to do
tykinlaukaus gunshot, cannon shot/blast tervehtiä 12 tykinlaukauksella give a 12-gun salute
tykistö artillery
tykki gun, artillery piece; (vanh) cannon
tykkänään completely, totally, utterly, altogether Top tykkänään! Whoa there! Hold your horses!
tykyttää beat, pound, throb; (ylät) palpitate
tykytys beating, pounding, throbbing; (ylät) palpitation
tykätä 1 (pitää) like Mitäs tykkäät uudesta hameestani? How do you like my new dress? **2** (olla mieltä) think Tykkään että se on liian iso I'd say it's too big, I think it's too big
tykö (un)to Sallikaa lasten tulla minun tyköni Suffer the little children to come unto me
tykötarpeet necessities, essentials
tylppä blunt
tylppäkärkinen blunt
tylsistyttää dull
tylsistyä grow/get dull
tylsistää dull
tylsä 1 (terä) dull, blunt **2** (tilaisuus tms) dull, boring
tylsäkärkinen blunt
tylsämielinen s moron, idiot adj moronic, idiotic
tylsänpuoleinen on the dull/boring side
tyly 1 (ihminen: ynseä) cold; (lyhytsanainen) curt, short, brusque; (julma) cruel, mean, nasty **2** (luonto tms) hostile, indifferent
tylysti coldly, curtly, shortly, brusquely, cruelly, meanly, nastily, hostilely, indifferently (ks tyly)

tylyys coldness, curtness, shortness, brusqueness, cruelty, meanness, nastiness, hostility, indifference (ks tyly)
tympeys disgust, repulsion, revulsion
tympeä 1 (asia) disgusting, repulsive, revolting, sickening, nauseating **2** (mieli) disgusted, repulsed, revolted, sickened, nauseated
tympäistä 1 (kyllästyttää) bore, tire, weary **2** (etoa) disgust, repulse, revolt
tympääntyä get (sick and) tired of, get bored with
tynkä s stub, stump
adj (fore)short(ened), incomplete, unfinished
tynnyri barrel; (oluttynnyri) keg, (viinitynnyri) cask tynnyristä laskettu olut draft beer
tynnyrillinen barrelful
typeryys stupidity, silliness, foolishness, folly
typerä stupid, dumb, silly, foolish
typerästi stupidly, foolishly
typistää 1 (korvia) crop, (häntää) dock **2** (pensasta) trim, clip, cut back; (puuta) prune **3** (tekstiä) prune, cut, shorten
typografia typography
typpi nitrogen
typykkä 1 (tyttö) chick tytön typykkä sweet little thing **2** hännän typykkä stubby tail
tyranni tyrant
tyrannia tyranny
tyrannisoida tyrannize
tyrehdyttää 1 (vuoto: veden) stop, check; (veren) stanch **2** (kuv) check, arrest, halt, bring (something) to a standstill
tyrehtyä 1 (vuoto) stop, dry up (myös inspiraatiosta) **2** (kuv) stop, come to a halt
tyrkkiä push, shove, jostle
tyrkyttää (ruokaa tms) force (something on someone), insist (that someone do/take something); (itseään) impose (on someone)
tyrkätä 1 (työntää) push, shove **2** (antaa) thrust, stick **3** (tökätä) jab, poke
tyrmistynyt dumbfounded, stunned, bewildered, shocked
tyrmistys bewilderment, shock
tyrmistyttää dumbfound, stun, bewilder, shock
tyrmistyä be dumbfounded/stunned/ bewildered/shocked
tyrmä (hist) dungeon; (vankila) jail, (selli) cell
tyrmätä 1 (nyrkkeilyssä) knock out (myös kuv), KO **2** (torjua) reject (something out of hand) **3** (haukkua) criticize, (arvostelussa) pan
tyrmäys knock-out, KO
tyrsky (aalto) breaker; (mon) breakers, (aallokko) surf
tyssätä 1 (lysmistää) upset **2** (ponnahtaa takaisin: pallo) bounce back, rebound; (luoti) ricochet **3** (pysähtyä) come to a halt, get deadlocked, get bogged down; (epäonnistua) flop, fail
tyttärenpoika grandson
tyttärentytär granddaughter
tyttö girl
tyttölapsi girl
tyttönimi maiden name
tyttöystävä girlfriend
tytär daughter
tytäryhtiö subsidiary, affiliate
tyven s still, calm, serenity yön tyvenessä in the still of the night tyveneen joutunut becalmed
adj still, calm, serene
tyvi base
tyydyttymätön unsaturated
tyydyttyä be saturated
tyydyttävä 1 (tyydytystä antava) satisfying, gratifying **2** (riittävä) satisfactory, fair
tyydyttää satisfy, gratify; (tarvetta) meet, supply
tyydytys satisfaction, gratification
tyyli style Tuossa kaverissa on tyyliä There goes a guy with style, that fellow certainly has style
tyylihuonekalu period piece (of furniture)
tyylikkyys stylishness, style
tyylikkäästi stylishly, fashionably
tyylikäs stylish, fashionable, chic, trendy
tyylillinen stylistic

tyylinen -style, in the (something) style
tyylitellä stylize
tyylittely stylizing, stylization
tyylivirhe stylistic error/fault
tyynesti calmly, serenely
tyyneys calmness, serenity
tyyni s still, calm, serenity tyyntä myrskyn edellä the/a calm before the storm joutua tyyneen be becalmed adj still, calm, serene Tyynessä vedessä suuret kalat kytevät Still waters run deep
Tyynimeri the Pacific (Ocean)
tyynni kaikki tyynni all of it/them, (ark) the whole bunch/lot (of them), the whole kit 'n caboodle
tyynnyttää calm (someone down), pacify, placate, appease; pour oil on troubled waters
tyyntyä calm down, (myrsky) abate
tyyny pillow
tyynyliina pillow case
tyynynpäällinen pillow case
tyypillinen typical
tyypillisesti typically
tyypittää type(cast), classify, categorize
tyyppi type Sä et ole mun tyyppiäni You're not my type
tyyppinen -type minkä tyyppinen what type/kind of
tyyris pricy
tyyssija 1 (hyvän asian) seat, center, stronghold, bastion **2** (pahan asian) seedbed, den, nest
tyystin completely, entirely, totally
tyytymättömyys dissatisfaction, discontent
tyytymätön unsatisfied, dissatisfied, discontented
tyytyväinen satisfied, content(ed), gratified, pleased; (itseensä) smug, self-satisfied, complacent
tyytyä 1 be satisfied/content (with), content yourself (with) **2** (saada tyytyä) accept, settle (for), resign (yourself to)
työ 1 (työnteko, teos, fys) work työn alla oleva työ work in progress tehdä työtä work, be working käydä työssä work, be employed mennä töihin go to work olla töissä be at work Se käy työstä kun kaksosia paimentaa It's a full-time job looking after twins Sinulla on tuossa täysi työ You've got your work cut out for you lisensiaatin työ licentiate thesis **2** (työpaikka, myös tietok) job etsiä työtä look for a job, go job-hunting hakea työtä apply for a job, submit a job application olla jollakulla töissä be working for someone, have a job somewhere **3** (työssäolo) employment ottaa joku työhön employ/hire someone Minulla ei ole työtä (ei työpaikkaa) I'm unemployed, I'm out of work; (ei tekemistä) I've got nothing to do **4** (tehtävä) task, chore; (teko) deed, act laupeuden työ an act of kindness **5** (toimiala) line, business Mitä työtä teet, mitä teet työksesi? What do you do (for a living)? What line/business are you in? **6** (työvoima) labor
työaika 1 (työssäoloaika) (working) hours Minkälainen työaika sinulla on? What are your hours? **2** (työntekoaika) working time Yö on minulle tehokkainta työaikaa I work best at night
työaine working material
työansiot earnings
työasento working position
työehtosopimus collective (labor) contract/agreement
työehtosopimusneuvottelut collective bargaining
työeläke employee pension
työelämä working life mennä työelämään go (out) to work, get a job
työhalu Minulla ei ole oikein työhalua I don't feel much like working pursuta työhalua be brimming over with enthusiasm for a job
työhullu workaholic
työhuone 1 (henkisen työn: kotona) study, den; (työpaikalla) office **2** (fyysisen työn) (work)shop
työinto enthusiasm for your work
työjuhta beast of burden; (ihminen) workhorse

työjärjestys order of business, (esityslista) agenda, (eduskunnassa) order of the day
työkalu tool, implement, utensil, instrument
työkalulaatikko toolbox
työkaveri fellow worker, a friend at work, someone you work with; (kollega) colleague
työkokemus job experience
työkyky ability to work
työkykyinen able to work, fit for work
työkyvyttömyys disability
työkyvyttömyyseläke disability pension
työkyvytön disabled
työllistäminen employment
työllistää employ
työllisyys employment
työllisyysmääräraha employment appropriation
työllisyystilanne employment/job situation
työläinen worker, working (wo)man; (työväen jäsen) working-class (wo)man
työläs 1 (vaikea, raskas) difficult, hard, heavy; (ylät) laborious; (ark) tough **2** (tylsä) boring, tedious
työläästi with much effort/difficulty; (hengittää) heavily
työmaa 1 (building/construction) site **2** (kuv) job kivinen työmaa a rocky field to plow, a tough job
työmaaruokala canteen
työmahdollisuudet employment/job opportunities
työmarkkinajärjestö labor organization
työmehiläinen worker bee
työmuurahainen worker ant
työmyyrä eager beaver
työmäärä workload
työnantaja employer
työnantajajärjestö employers' organization
työnantajapuoli management
työnarkomaani workaholic
työnhakija (job) applicant
työnimi working title
työnjako division of labor
työnjohtaja fore(wo)man, supervisor
työnjohto management
työnsaanti employment
työnsaantimahdollisuus employment opportunity
työntekijä employee, worker
työntekijäjärjestö labor organization/union, employees' organization
työntekijäpuoli labor
työnteko work(ing)
työntyä 1 (mennä) push/shove (your way) **2** (sojottaa) protrude, project, stick out
työntää 1 push, shove; (sulloa) stuff, cram, jam; (tyrkätä) stick **2** (polkupyörää) walk, (sairaalavuodetta) wheel **3** (versoa) put out, (lehtiä) sprout
työntää esiin stick out
työntää kieli suustaan stick out your tongue (at someone)
työntää kuulaa put the shot
työntää syrjään dismiss, set/put (something) aside, put (something) out of your mind, (kokouksessa) table
työntää syy jonkun niskoille blame someone else (for something), shift the blame to someone else, pass the buck
työntö 1 push, shove, thrust **2** (fys) thrust, propulsion **3** (urh: painonnostossa) jerk, (kuulan) put
työnvälitystoimisto employment agency
työnäyte sample
työpaikka 1 (ansiotyö) job, post, position **2** (paikka) workplace, place of work
työpaikkailmoitus job ad(vertisement)/notice
työpaikkakoulutus on-the-job training, OJT
työpaja workshop
työpäivä work(ing) day
työpöytä desk
työrauha Annetaan hänelle työrauha Let's let her work in peace
työrytmi work(ing) place
työskennellä work
työskentely work(ing)

työssäkäyvä working
työstää work (on) (myös kuv); (koneella) machine
työstökone machine tool
työsuhde employment
työsuhdeasunto (yhtiön) employee housing, (oppilaitoksen) faculty/staff housing
työsuhdeauto company car
työsuojelu occupational health and safety
työsuojelulainsäädäntö occupational health and safety legislation
työsuunnitelma working schedule, (koulun) curriculum
työtaakka workload
työtahti work(ing) pace, pace of work
työtaistelu industrial action, labor battle
työtapa approach, method
työtapaturma industrial/occupational accident
työteho 1 (ihmisen) working efficiency, output **2** (koneen) output, (teho) power
työteliäs hard-working, industrious
työterveyshuolto occupational health service
työtodistus work certificate; (lähin vastine) reference, letter of recommdendation
työtoveri fellow worker, colleague (ks myös työkaveri)
työttömyys unemployment
työttömyyseläke unemployment pension
työttömyyskorvaus unemployment benefit
työttömyystyö public/relief work(s)
työttömyysvakuutus unemployment insurance
työtulo earned income
työtunti (working) hour, (miestyötunti) man-hour
työtuomioistuin labor (arbitration) court
työturvallisuus industrial/ occupational safety
työturvallisuuslaki industrial/ occupational safety legislation
työtä pelkäämätön unafraid of work
työtä tekevä working
työtön unemployed
työvaatteet work clothes
työvaltainen labor-intensive
työviikko work week
työvoima (työläiset) work force, (voima) labor
työvoimaministeri (Suomi) Minister of Labor, (US) Secretary of Labor
työvoimaministeriö (Suomi) Ministry of Labor, (US) Department of Labor
työvoimapula labor/manpower shortage
työvoimareservi labor/manpower reserves/pool
työvoimatoimisto employment agency
työväenaate working-class ideology, workers' movement
työväenluokka working class, proletariat
työväenopisto workers' institute; (lähin vastine) night school
työväentalo community hall
työväenteatteri workers' theater; (draama) socialist drama/theater
työväenyhdistys workers' association
työväestö workers; (työväenluokka) working class
työympäristö working environment
tädillinen auntly, aunt-like
tähden 1 (syystä) because of, on account of, due to, for minkä tähden what for Tulin sen tähden kun I came because I **2** (hyväksi) for (someone's) sake Herran tähden for God's sake
tähdentää (place/put great) stress (on), emphasize, insist on
tähdistö constellation
tähdittää (elokuvaa) star in
tähdätä aim tähdätä aseella jotakuta aim/point a gun at someone, train a gun on someone tähdätä ivansa johonkuhun aim/direct your sarcasm at/towards

someone Mihin sinä sillä tähtäät? What are you getting/ driving/hinting at?
tähkä (viljan) spike, (maissin) ear
tähteet remains, remnants; (seuraavan päivän ruoassa) leftovers, (eläimelle annettuna) scraps
tähti 1 star (myös kuv) nouseva/ laskeva tähti rising/setting star (myös kuv) Minusta tulee vielä tähti Some day I'm going to be a star tähtien valossa by starlight tähtien valaisema starlit **2** (kirjoituskoneen, tekstin) asterisk merkitä tähdellä mark (something) with an asterisk
tähtien sota Star Wars
tähtihetki high point/light
tähtilippu the Stars and Stripes
tähtitaivas starry/star-studded sky
tähtitiede astronomy
tähtitieteellinen astronomical (myös kuv)
tähtitorni (astronomical) observatory
tähtiurheilija star athlete
tähtäin sight(s) pitkän/lyhyen tähtäimen long-/short-term/-range Marjalla on valtuustopaikka tähtäimessään Marja has her sights/heart set on a council seat, Marja's aiming/shooting for a council seat
tähtäys aim(ing), sight ottaa tarkka tähtäys johonkin take aim/sight at something, draw a bead on something
tähyillä watch, observe, scan
tähystin (kiväärin, lääk) scope
tähystys 1 lookout, observation **2** (lääk) -scopy rakon tähystys cystoscopy peräaukon tähystys proctoscopy
tähystäjä lookout
tähystää 1 watch, observe, look out (for), keep a lookout (for) **2** (lääk) scope, perform a cystoscopy/ proctoscopy/jne
tähän here Tähän sattuu It hurts right here En jätä asiaa tähän You'll hear from me again, I'll be back, I won't leave it at that Nukahdan kohta tähän paikkaan Pretty soon I'm going to fall asleep right here
tähän asti this/thus far, until now
tähänastinen heretofore, previous, the (something) till now
tähän mennessä so/thus far
täi louse (mon lice)
täkki quilt
täky bait
täkänä double weave
tällainen (something) like this Se on tällainen vekotin It's a gizmo like this Tällaisenko halusit? Is this the kind you wanted? Haluatko tällaisen? Do you want one of these?
tälli blow
tällä hetkellä at present, at the present time/moment, currently, just/ right now; (näinä päivinä) nowadays, these days
tällä kerralla this time
tällä lailla like this
tällä tavoin like this, in the way/ fashion Tee tällä tavoin Do (it like) this
tällä välin in the meantime/-while, meanwhile, since then
tällöin 1 (tähän aikaan) at this/that time, (silloin) then **2** (tässä tapauksessa) in this/that case
tämmöinen ks tällainen
tämä 1 this (one/thing) tänä päivänä today, nowadays tähän päivään/ hetkeen asti until today/the present (moment) tänä aamuna this morning tänä iltana this evening, tonight tämä minun takkini this coat of mine Asian laita on tämä Here's the situation **2** (viimeksi mainittu) he, she, it; (jälkimmäinen) the latter Pyysin Pekkaakin tulemaan, mutta tämä kieltäytyi asked Pekka to come too, but he refused
tämänaamuinen this morning's, (th something) this morning tämänaamuinen kokous the meeting (we had) this morning, this morning's meeting
tämän ajan ihmiset people today
tämänhetkinen the current/present
tämänkaltainen (someone/ something) like this, such a(n) Olen varautunut tämänkaltaisiin tilanteisiin I'
prepared for situations like this

ämänkertainen (something) this
me tämänkertainen voittaja this year's
/inner
ämänkesäinen this summer's,
something) this summer
ämänluonteinen (something of) this
ort/type/nature, (something) like this
ämänpituinen (something) this long
en pitää olla suunnilleen tämän
ituinen I need one about this long
ämänpuoleinen (something) on this
ide Otan tämänpuoleisen I'll take the
ne closest to me
ämänpäiväinen today's
ämäntapainen (something of) this
ort/type/nature, (something) like this
ämän tästäkin (every) now and
ien
ämän vuoksi because of this, on
ccount of this, due to this, for this
ämä puoli this side tällä puolella
atua, kadun tätä puolta on this side of
ie street
ämä puoli ylöspäin this side up
änne here Anna tänne! Give it to me!
ark) Gimme! Give it here!
ännempänä more this way, over this
'ay more/closer
ännepäin this way, towards us/me
änään today
äplikäs spotty, spotted, speckled,
otchy
äplittää spot, speckle, blotch
äplä spot, speck, blotch
äpärä close, narrow
äpärällä Se oli täpärällä That was a
ose one/call/shave, a tight squeeze Oli
äpärällä ettei ehditty We almost didn't
ake it, we barely made it, we nearly
issed it Aika on täpärällä Time is
unning) short
äpärästi narrowly, just barely
elastua täpärästi just barely make it
ut of there) alive, escape narrowly,
ave a close call/shave
äpötäynnä filled to the brim, full to
verflowing, stuffed/jammed full
ärinä trembling, shaking, quivering,
bration; (ark) vibe
äristä tremble, shake, quiver, vibrate

tärisyttää shake, rattle
tärkeillä swagger, strut, throw your weight around, boss people around
tärkeily swagger(ing), strut(ting), bossiness
tärkeä 1 important, significant **2** (tärkein, pää-) main, major, chief **3** (tärkeilevä) self-important
tärkkelys starch
tärkki starch
tärkätä starch
tärpätti turpentine
tärpätä 1 (kala) bite **2** (onni) strike it lucky, get lucky Nyt tärppäsi Now I did/made/hit/got it
tärsky 1 crash **2** tärskyt (ark) date tehdä tärskyt make a date, arrange to meet someone
tärskähtää crash, smash
tärvellä ruin, spoil, destroy; (ark) trash
tärveltyä be ruined/spoiled/destroyed
tärvätä waste, squander; (ark) blow
tärvääntyä be wasted/squandered on; (ark) get blown on
tärykalvo eardrum
tärähdys shock, bump, jolt aivotärähdys concussion
tärähtänyt cracked
tärähtää 1 (täristä) tremble, shake, quake **2** (iskeytyä) crash, bash, smash, crack **3** (henkisesti) crack up
täräyttää 1 (iskeä) hit, crack, bash, smash, strike **2** (ampua) hit, shoot **3** (räväyttää) blast, hurl, blurt out **4** (tehdä yhtäkkiä) up and Sitten hän ostaa täräytti suurimman kilpailijansa Then she up and bought out her biggest competitor
täsmennys clarification, specification
täsmentää clarify, make (something) clear, specify, be specific (about something)
täsmälleen exactly, precisely; (ark) on the dot
täsmällinen 1 exact, precise, accurate **2** (ajan suhteen) prompt, punctual **3** (ihminen) punctilious, meticulous, fastidious

täsmätä 1 match (up), tally; (tilit) balance; (ark) jibe **2** (täsmäyttää) synchronize

tässä here A: Miten olet jaksellut? B: Mikäpäs tässä A: How've you been feeling? B: Not too bad/shabby, okay, all right On tässä muutakin tekemistä kuin I've got better things to do than

tässä ja nyt here and now

tässä yhtenä päivänä (menneisyydessä) a few days ago, (tulevaisuudessa) one of these days

tästedes from now on, from here on in

täten 1 (näillä sanoilla) hereby **2** (näin ollen) thus **3** (tällä tavalla) like this

täti 1 (sukulainen) aunt, (ark) auntie Maija-täti Aunt Maija **2** (nainen) lady, woman

täti-ihminen woman

tätimäinen old-womanish/-ladyish, prim

tätä nykyä nowadays, these days

täydellinen 1 (ei virheitä) perfect **2** (kokonainen) complete, full

täydellisesti perfectly, completely, fully

täydellisyys perfection

täydennys 1 supplement, addition, fresh supply **2** (sot) reinforcements

täydennysosa supplement

täydentää 1 supplement, add to, fill täydentää toisiaan complement each other **2** (sot) (provide/send) reinforce(ments)

täynnä full, filled Olen ihan täynnä I'm stuffed täynnä kuin Turusen pyssy so full you're about to pop olla syli täynnä polttopuita have an armload of firewood olla täynnä itseään be full of yourself, be stuck up

täysautomaattinen fully automatic

täysi 1 full Siellä oli jo täysi meno päällä Things were already in full swing täysin tunnein every hour on the hour täyttä, täysillä ks hakusanat **2** (täydellinen) full, whole, complete, entire, total, utter, perfect **3** (puhdas) solid, pure Tämä on täyttä ainetta This is the real thing/stuff **4** ottaa täydestä fall for (something) hook, line, and sinker; swallow (something) whole mennä täydestä pass undetected, (onnistua) come off without a hitch

täysi-ikäisyys majority, adulthood

täysiaikainen full-term

täysihoito (hotellissa) full board; (asuntolassa) room and board

täysihoitola boarding house

täysi-ikäinen adult, of age olla täysi-ikäinen be of age tulla täysi-ikäiseksi come of age

täysikasvuinen full-grown

täysikokoinen full-size

täysillä at full tilt/speed/blast, flat out

täysilukuinen complete saapua täysilukuisena paikalle arrive in full strength/numbers

täysimittainen full-scale/-blown/-size/-length

täysin fully, completely, entirely, totally, utterly, perfectly

täysinäinen full

täysipainoinen 1 (fyysisesti) (something) of full weight **2** (henkisesti) full, balanced, full-bodied

täysistunto plenary session

täysivaltainen 1 (jäsen) full(y authorized) **2** (kansalainen) legally competent **3** (diplomaatti) plenipotentiary **4** (valtio) sovereign

täysiverinen full-blooded, thoroughbred, pedigreed

täysjyväleipä whole-grain bread

täysosuma bull's eye

täystyöllisyys full employment

täyte 1 (ruoan) filling, stuffing, center **2** (tekstin tms) filler

täyteen full Tankki täyteen lyijytöntä Fill it up with unleaded, please juoda päänsä täyteen get stewed to the gills Huomenna tulee kymmenen vuotta täyteen siitä kun Tomorrow it will be ten years since

täyteinen 1 (umpinainen) solid **2** (yhdyssanassa) full of, filled with ilon- ja suruntäyteinen kesä a summer filled with joy and sorrow

täytekakku cake

täytekynä fountain pen

äyteläinen 1 (vartalo tms) full, ounded, plump **2** (ääni, maku tms) full, ch, full-bodied
äytetty 1 filled **2** (topattu) stuffed (raam) finished
äyttymys fulfillment
äyttyä 1 (tila) fill (up) **2** (aika) run out (toive) come true, be fulfilled/ realized
äyttä 1 full **2** täyttä päätä/häkää/vauh-a at full blast/tilt/speed täyttä kurkkua the top of your lungs
äyttävä filling, substantial
äyttää 1 fill (up), stuff täyttää auton ankki fill your tank, tank/gas up täyttää askunsa/joulukalkkuna/haukka stuff our pockets/a Christmas turkey/a hawk (lomake) fill in/out, complete **3** (lu-aus) fulfill; (toive, tarve, vaatimustaso) eet; (tehtävänsä) serve
äyttää (astian)pesukone load a ishwasher/washing machine
äyttää ilmalla inflate
äyttää käsky obey a command/an rder, do what you're told (to do)
äyttää lupauksensa keep your romise
äyttää miehen mitta do a man's b
äyttää mitat meet (certain) tandards
äyttää pyyntö comply with a equest, do what someone asks you to
äyttää tahto do (someone's) dding
äyttää tarve meet/supply a need
äyttää tehtävänsä serve its urpose
äyttää toiveet meet/fulfill (some-e's) expectations, come up to (some-e's) expectations
äyttää uudestaan refill
äyttää vaatimukset meet/reach/ tain (someone's) standards, (ark) ome up to snuff/scratch
äyttää vatsansa fill your belly ith), stuff yourself (with)
äyttää velvollisuutensa do your uty

täyttää virka 1 (määrätä joku siihen) fill a post/position, appoint someone to a post/position **2** (toimia siinä) perform your duties, do a job
täyttää vuosia have a birthday täyttää pyöreitä vuosia celebrate a major birthday 30 täyttäneet those thirty and older
täytyä must, have (got) to Sinun täytyy mennä You've got to go, you have to go, you must go Sinun on täytynyt olla hyvin nuori You must have been very young
täytäntöönpano execution
tää this, (murt) this-here
täällä here Hei, Jorma täällä Hi, this is Jorma
täältä from here 50 km täältä pohjoiseen fifty kilometers north of here
töherrys scribble, scribbling, scrawl
töhertää scribble, scribbling, scrawl
töhriä smear, smudge, soil
tökerö 1 (ihminen) clumsy, awkward, blundering, bungling **2** (esine: huonosti tehty) crude, rough, inept; (hankala käsitellä) cumbersome, bulky, unwieldy
tökerösti clumsily, awkwardly, crudely, roughly, ineptly (ks tökerö)
tökkiä poke, jab, dig
töksähtelevä jerky, (kuv) clumsy
töksähtää jerk (to a halt)
tökätä poke, jab, dig
tölkki (lasinen) jar, (metallinen) can, (pahvinen) carton
töllötin (televisio) boob tube, idiot box
töllöttää gape/gawk/rubberneck at; (TV:tä) be glued to the TV
tömistellä stamp, stomp
tömistä rumble, thunder
tömistää stamp/stomp (your feet)
töniä push, shove, jostle
tönäistä push, shove, nudge
töpeksiä (tyriä) foul (something) up
töpinä panna töpinäksi set to (something) with a will
töppäys screw-up
töpätä (tyriä) screw up
törkeä 1 (karkea) coarse, boorish, base **2** (rivo) indecent, obscene, disgusting; (ark) gross **3** (lak) gross,

grand, felonious törkeä rikos felony törkeä huolimattomuus gross negligence törkeä varkaus grand larceny törkeä pahoinpitely felonious/ aggravated assault
törkeästi coarsely, boorishly, basely, obscenely, disgustingly, grossly (ks törkeä)
törkimys lout, boor, churl; (ark) scumbag
törkkiä 1 (tökätä) poke, jab, dig **2** (toikkaroida) stagger
törky filth, garbage, trash, junk
törmä (joen) bank, (rinne) slope, (jyrkänne) bluff
törmäilijä stumblebum
törmäillä stumble (around wildly), bump/crash into things
törmätä 1 (osua) collide (with), hit, crash/bump (into) **2** (tavata) bump/run into Törmäsin tänään Eevaan kaupungilla I ran/bumped into Eeva in town today **3** (rynnätä) dash (out) **4** (käsitykset tms) clash, conflict
törröttää stick/jut out, protrude, project
törsätä waste, squander; (ark) blow
tötterö cone
töyhtö tuft, plume; (linnun) crest
töykeä rude, surly
töykeästi rudely
töykätä push, shove; (tuikata) stick
töyssy bump
töyssyttää bump, jolt
töytäistä push, shove; (tökätä) poke
töytäisy push, shove, poke
töötätä toot (your horn)

U, u

udella pry, snoop, poke your nose into someone's affairs) En halua udella mutta I don't want to pry but Älä utele! utt out! Mind your own business!
ufo UFO, unidentified flying object
Uganda Uganda
ugandalainen s, adj Ugandan
ugristi Ugric philologist
ugristiikka Ugric philology
uhalla upon pain of kieltää sakon uhalla threaten to fine someone if they don't stop something kieltää kuoleman uhalla forbid upon pain of death henkensä uhalla risking your life, at risk your life kaiken uhalla at all costs, no matter what the cost, come what may erron uhallakin I don't care what you do/say, I'm going to tell you anyway En uhallakaan lähde sinne You couldn't pay e enough to go there, I wouldn't go ere for a million dollars
uhanalainen endangered uhanalainen laji endangered species
uhata 1 threaten uhata aseella threaten someone with a gun, point a gun at someone, hold someone at gunpoint uhata nyrkillä threaten to hit someone, shake your fist at someone sodan/sateen uhatessa at the threat of war/rain **2** (olla vaarana) be imminent, be in danger (of) Sota uhkaa War is imminent Koko hanke uhkasi kaatua the whole enterprise threatened to come to nothing, the whole enterprise was in danger of foundering
UHF UHF, ultrahigh frequency
uhitella 1 (uhmailla) defy (someone) **2** (uhkailla) threaten (someone)
uhka threat, danger, risk uhka Suomen turvallisuudelle a threat to Finland's national security
uhkaava 1 threatening, menacing, dangerous uhkaava taivas/koira menacing sky/dog **2** (pian tapahtuva) imminent, impending uhkaava kriisi/myrsky impending/imminent crisis/storm
uhkaavasti threateningly, dangerously lähestyä uhkaavasti (uhaten) approach uttering threats, come closer looking threatening/menacing; (uhkaavan lähelle) get dangerously close
uhkapeli game of chance, (sen pelaaminen) gambling; (kuv) gamble pelata uhkapeliä gamble Tämä hanke on aikamoista uhkapeliä This is a big gamble
uhkapeluri gambler
uhkarohkea 1 (rohkea) daring, bold, audacious **2** (tyhmä) foolhardy, rash, reckless
uhkaus threat
uhkavaatimus ultimatum
uhkea 1 (talo) stately, grand, sumptuous **2** (kasvillisuus) lush, luxuriant **3** (povi) ample, (nainen) buxom, busty, big-breasted
uhkua 1 (fyysisesti) radiate, emit, give off **2** (henkisesti) radiate, exude, be bubbling/sparkling/overflowing with
uhma defiance
uhmaikä negative age, defiant stage; (kaksivuotiaassa) the terrible twos
uhmakas defiant
uhmamieli defiance
uhmamielinen defiant
uhmapäinen 1 (omapäinen) stubborn, obstinate, pigheaded **2** (uhkarohkea) daring, reckless, (tyhmänrohkea) foolhardy
uhmata defy (myös kuv) uhmata luonnon lakeja defy the laws of nature

kuolemaa uhmaava temppu death-defying stunt uhmata isäänsä defy your father, stand up to your father, talk back to your father uhmata perinteitä fly in the face of tradition

uho 1 (ilmavirta) exhalation, emanation **2** (ilmapiiri, henki) spirit **3** (touhu) hustle, bustle, commotion **4** (into) excitement, animation, passion **5** (uhmamieli) bluster, swagger, machismo

uhota 1 (hehkua) radiate, emit, give off **2** (kerskailla) boast, brag, talk big **3** (uhmailla) act defiant, bluster, talk big

uhotella 1 (kerskailla) boast, brag, talk big **2** (uhmailla) act defiant, bluster, talk big

uhottelu boasting, bragging, defiance, bluster(ing), big talk

uhrata 1 sacrifice uhrata uransa hoitaakseen vanhaa äitiään sacrifice your career to take care of your aging mother **2** (omistaa) devote, spend, give, waste uhrata aikaansa lukemiseen (viettää) spend your time reading, devote (a lot of) your time to reading; (haaskata) waste your time reading En uhrannut hänelle enää ajatustakaan I didn't waste another thought on him uhrata henkensä maansa puolesta give your life for your country, die for your country **3** (antaa uhri) offer (up), make an offering

uhraus sacrifice taloudellinen uhraus financial sacrifice

uhrautua sacrifice yourself, your life (for)

uhrautuvainen 1 (self-)sacrificing, giving (of yourself) **2** (itseään kieltävä) self-denying/-effacing

uhri 1 (uhrilammas tms) offering, sacrifice **2** (väkivallan tms kohde) victim raiskausuhri rape victim sodan uhrit the casualties of war

uhrilahja offering, (kirkossa myös) [illegible]

[illegible] sacirificial lamb (myös [illegible]) scapegoat

[illegible] ennä uimaan go [illegible] or a swim **2** (kellua: [illegible] a tms) float

uiguuri Uig(h)ur

uija swimmer

uikku grebe

uikuttaa whimper, whine

uima-allas swimming pool

uimahalli (public/indoor) swimming pool

uimahousut swim(ming) trunks

uimahyppy dive uimahypyt (lajina) diving

uimakoulu swim(ming) lessons

uimalasit (swim) goggles

uimaopettaja swimming teacher

uimaopetus swimming lesson(s)

uimapaikka swimming hole

uimapuku swimsuit, bathing suit

uimaranta swimming area/beach

uimari swimmer

uimataito ability to swim

uimuri float

uinahtaa drift/float off to sleep, doze/drop off

uinailla doze, snooze, sleep lightly

uinti swimming

uintikilpailu swimmeet

uinua doze, sleep (lightly), (run) slumber

uiskennella swim/paddle around

uistella troll

uistin lure

uitella 1 (veneitä tms) float **2** (jalkoja tms) splash

uittaa 1 (lapsia tms) take (someone) for a swim märkä kuin uitettu koira/rotta wet as a drowned rat **2** (kastaa) dip, (liota) soak, drench **3** (päihittää) trounce, clean (someone's) clock **4** (tukkeja) raft, (karjaa) drive, (hevosia) swim

uitto (tukkien) log-rafting, (karjan) driving a herd across a river

uiva swimming, floating uiva ooppera floating opera uiva panssarivaunu amphibious tank

uivelo smew

ujellus whistle, wail, whine

ujeltaa whistle, wail, whine; (ohi) whiz

ujo shy, timid, bashful

ujostella 1 be (too) shy (to do something) **2** (olla kehtaamatta) be (too)

embarrassed/ashamed (to do something) **3** (pelätä) be afraid (to) ujostella puhua vierasta kieltä be afraid/embarrassed to speak a foreign language
ujostelu shyness, embarrassment, shame; acting shy/embarrassed/ashamed
ujosti shyly, timidly, bashful
ujostuttaa Minua ujostuttaa I'm embarrassed/afraid Häntä ujostuttaa He's just (feeling) shy
ujous shyness, timidity, bashfulness
ujuttaa squeeze/edge/inch your way into (a small place) ujuttaa puheeseen (manage to) work (something) into conversation
ukaasi 1 (hist) ukase **2** (ark) order, command, edict
ukkeli old man/geezer
ukki grandpa, gramps
ukko old man Jos minun ukkoni kuulee tästä, hän panee aivan ranttaliksi (isä, aviomies) If my old man hears about this, he'll hit the roof
ukkomies married man
ukkonen (jylinä) thunder; (myrsky) thunderstorm, electrical storm; (salama) lightning Ukkonen iski taloon The house was struck by lightning
ukkosenilma thunderstorm
ukkoskuuro thundershower
ukkosmyrsky thunderstorm
ukkospilvi thundercloud
ukkostaa thunder (myös kuv)
ukonilma thunderstorm
ukon käppänä shriveled-up old man
ukonputki hogweed
ukonsieni parasol mushroom
ukraina Ukranian
Ukraine Ukraine
ukrainalainen Ukranian
U-käännös U-turn
ula VHF (very high frequency) olla ihan ulalla be out of it, be completely lost, have no idea what people are talking about
ulappa the open sea, the middle of the lake
ulataksi radio taxi
ulina whine/whining, wail(ing), howl(ing)
ulista whine, wail, howl
uljaasti 1 (urheasti) bravely, boldly, courageously **2** astella uljaasti step pretty
uljas 1 (urhea) brave, bold, courageous; (run) gallant, valiant **2** (uhkea) grand, stately, handsome
ulkoa 1 (sisään) from (the) outside tulla ulkoa lämmittelemään come inside to warm up **2** (ulkomuistista) by heart Osaan sen ulkoa I know it by heart opetella ulkoa learn something by heart, (vanhan ajan kouluissa) learn something by rote
ulkoapäin 1 (liike) from the outside Ellei teillä ole omassa porukassa asiantuntijoita, täytyy pyytää apua ulkoapäin If none of your group is an expert, you'll have to get outside help **2** (paikka) on/from the outside teljetä ovi ulkoapäin bolt the door on/from the outside **3** (ulkonäkö) outwardly, on the outside Ulkoapäin se on ihan hyvännäköinen talo Outwardly the house looks fine, It's a nice enough looking house on the outside
ulkoasiainministeri (Suomi) Foreign Minister; (US) Secretary of State; (UK) Foreign Secretary
ulkoasiainministeriö (Suomi) Foreign Minisry; (US) Department of State, State Department, (ark) State; (UK) the Foreign Office
ulkoasiainvaliokunta foreign affairs committee
ulkoasu 1 (vaatteet) outfit, outdoor-wear, (pakkas-/sadevaatteet) snow/rain gear **2** (ulkonäkö) (outward) appearance(s), the way something looks esitelmän ulkoasu (ulkonäkö) how a paper looks, (välimerkit ym) a paper's mechanics
ulkoavaruus outer space
ulkohuone outhouse, (sl) shithouse
ulkoilla take a walk, play/exercise out-of-doors
ulkoilma fresh air ulkoilmassa out the open, outdoors, in the great ou

doors nukkua ulkoilmassa sleep under the stars
ulkoilu walking/playing/exercising out-of-doors
ulkoilualue outdoor recreation area
ulkoiluttaa (koiraa) walk, (lasta) take (a child) out(side) to play
ulkoinen outer, outward, external ulkoinen kauneus/tyyneys outward beauty/calm ulkoiset syyt external causes hänen ulkoinen olemuksensa her outward appearance, her/his outer self
ulkoisesti outwardly, externally, in appearance muistuttaa ulkoisesti bear a certain superficial resemblance to, (ark) look like
ulkoistaa externalize
ulkoistaminen externalization
ulkokautta kiertää ulkokautta go around by/on the outside
ulkokohtainen 1 (kylmän tieteellinen) detached, dispassionate, disinterested, objective **2** (pintapuolinen) superficial, shallow
ulkokohtaus (elokuvassa) exterior (scene)
ulkokultainen hypocritical
ulkokuntalainen s out-of-towner, non-resident
adj out-of-town, non-resident
ulkokuori 1 covering, casing, case, shell, (puun) bark, (maapallon) crust **2** (ihmisen) exterior, front Tuon karkean ulkokuoren alla sykkii lämmin sydän Under that rough exterior beats a warm/good heart Hänen ystävällisyytensä on pelkkää ulkokuorta His kindness is all front/show, is a sham
ulkokuvaus exterior(s), exterior/location shots
ulkolainen s foreigner
adj foreign
ulkolaitamoottori outboard motor
ulkolinjapuhelu long-distance (phone) call, (UK) trunk call
ulkoluku rote learning
ulkomaa foreign country ulkomailla, ulkomaille abroad ulkomailta from abroad
ulkomaailma the outside world, the big wide world out there
ulkomaalainen foreigner; (lak) alien
ulkomaalaistoimisto office for alien affairs
ulkomaankauppa foreign trade
ulkomaanmatka trip abroad
ulkomainen foreign
ulkomeri the open sea
ulkoministeri (Suomi) Foreign Minister; (US) Secretary of State; (UK) Foreign Secretary
ulkoministeriö (Suomi) Foreign Ministry; (US) Department of State, State Department, (ark) State; (UK) the Foreign Office
ulkomitat outer measurements
ulkomuisti rote memory lukea runo ulkomuistista recite a poem from memory, by heart
ulkomuoto (outer) appearance(s)
ulkona 1 outside, (ulkoilmassa) outdoors, out-of-doors **2** (kodin/ kentän ulkopuolella) out syödä ulkona eat out Ulkona! (urh) Out! roikkua ulkona hang out **3** ulkona kuin lumiukko out of it
ulkonainen outward, external
ulkonaisesti outwardly, externally
ulkonaliikkumiskielto curfew
ulkonema protuberance, protrusion, projection; (jalkojen alla) ledge, (pään päällä) overhang
ulkonäkö (outer) appearance(s), looks hyvällä ulkonäöllä siunattu blessed with good looks
ulkopoliittinen foreign-policy, pertaining to foreign policy
ulkopoliittisesti in terms of foreign policy
ulkopolitiikka foreign policy
ulkopuolella outside maalata ovi vain ulkopuolelta paint a door only on the outside, paint only the outside surface of the door kuulustelussa ulkopuolelle jääneet those left out of the interrogation rakennuksen ulkopuolella outside the building
ulkopuoli the outside, exterior
ulkopuolinen s outsider tuntea itsensä ulkopuoliseksi feel left out, feel

out of it
adj outside, outward, external hakea ulkopuolista apua get outside help Skandinavian ulkopuoliset maat countries outside Scandinavia
ulkorata outer/outside lane
ulkosalla outdoors, out-of-doors, in the open (air) nukkua ulkosalla sleep under the stars
ulkoseinä outer wall
ulkosuomalainen Finnish expatriate/emigrant
ulkotyö outdoor work
ulkovalaisin outdoor lamp/light
ulkovalaistus outdoor lighting
ulkovuorossa in the field
ullakko attic
uloimpana farthest out
uloin outermost
uloke projection; (jalkojen alla) ledge, (pään päällä) overhang
ulompana farther/further out
ulompi outer
ulos out(side/-doors) mennä ulos go out, go outside, go outdoors kävellä ovesta ulos walk out the door katsoa ikkunasta ulos look out the window ajaa ulos drive/skid off the road ULOS (kyltti) EXIT Ulos! Out! Get out!
ulosanti delivery, (self-)presentation Hänellä on hyvää sanottavaa mutta huono ulosanti He's got something to say but doesn't know how to say it, he's got a good theme but poor delivery, he's got a good message but presents it badly
uloshengitys exhalation, (ark) breathing out
ulosmitata repossess
ulosmittaus repossession
ulosotto recovery (proceedings), (laskun) collection
ulosottomies repossessor, (laskun) collector
ulosottoviranomainen collection agency
ulospäin outwardly Hän ei näyttänyt mitään ulospäin He gave no sign (of what he was thinking/feeling) outwardly
ulospääsy exit
ulostaa defecate, move your bowels, make a bowel movement (BM)
uloste feces, excrement
ulostus defecation, bowel movement
ulostuslääke laxative
ulottaa extend (something) to ulottaa määräykset koskemaan lapsiakin extend the regulations to cover children too ulottaa matkansa johonkin continue/push on to
ulottaa juurensa johonkin (kasvi) send roots down to, (suku) have roots that go back to, that are traceable to
ulotteinen dimensional kolmiulotteinen three-dimensional, (ark) three-D
ulottua 1 (olla tilana levinneenä) extend, stretch, reach ulottua silmänkantamattomiin extend/stretch/reach as far as the eye can see **2** (ylettyä) reach ulottua sormenpäillään puukkoon be able to reach the knife with your fingertips **3** (olla jollakin tasolla) come/be up/down to ulottua poikaa vyötäröön come up to the boy's waist
ulottumattomissa out of reach, beyond reach; (pyssyn tms) out of range
ulottuvilla within reach, (käsien) at hand, (pyssyn tms) within range
ulottuvuus 1 (geom) dimension Aika on neljäs ulottuvuus Time is the fourth dimension **2** (sot, mus) range tykistön ulottuvuus artillery range Käyrätorvi on ulottuvuudeltaan melko laaja The French horn has a fairly wide range **3** (liik, lak) scope, extent sopimuksen ulottuvuus the scope of the contract/agreement lain ulottuvuus the extent/coverage of the law **4** (urh) reach Sinulla on nyrkkeilijäksi liian pieni ulottuvuus You've got too short a reach to be a boxer hevosen ulottuvuus (šakki) the knight's reach
ultraviolettisäteily ultraviolet radiation
ulvoa 1 (susi) howl, (tuuli) shriek **2** (ark: itkeä) bawl ulvoa naurusta howl with laughter
ummehtua 1 (aine) get musty/moldy, mold, mildew **2** (ilma) get stuffy, go stale

ummehtunut 1 (aine) musty, moldy, mildewed **2** (ilma) stuffy, stale
ummessa 1 (kiinni) closed, shut Osaan mennä sinne vaikka silmät ummessa I could get there blindfolded, with my eyes shut **2** (tukossa: oja, polku) blocked (off), (tunne) all locked up Nyt on sekin tie ummessa Now that door is closed too **3** (lehmä) dried up **4** (ohi) up, over, expired Aikasi on ummessa Your time is up Haku-/voimassaoloaika on ummessa The application deadline/ expiration date is past
ummetus constipation
ummikko monolingual person, someone who can only speak his/her native language
ummistaa close ummistaa silmänsä jollekin close your eyes to something, blind yourself to something, ignore something, let someone do something behind your back
umpeen 1 (kiinni) closed, shut panna silmät umpeen close/shut your eyes **2** (tukkoon: oja, polku) (get) blocked (off), (tunne) (get) locked up Tuuli on tuiskuttanut polun umpeen The path is blocked by snowdrifts Nyt Pekka meni täydellisesti umpeen Now Pekka has withdrawn (into his shell) entirely, completely shut out the outside world **3** (lehmä) (go) dry **4** (ohi) up, over, expired mennä umpeen expire
umpeutua 1 (aika) expire **2** (haava) heal **3** close, shut, get blocked (off), withdraw (ks umpeen)
umpi s **1** deep, unbroken snowdrift(s) **2** kysyä ummet ja lammet (juoruilija) pry into all the (gory) details, wheedle all the juicy tidbits out; (poliisi tms) interrogate a suspect thoroughly, take a witness's full statement puhua ummet ja lammet (ikävän perusteellisesti) give you a blow-by-blow narration, tell the whole story down to the last tedious detail; (kierrellen) beat around the bush **3** (eläimen ummetus) obstipation
adv completely umpikuuro stone deaf
umpihumalassa dead drunk
umpikuja dead end, blind alley
umpilevy (tietokoneen) hard disk
umpilisäke appendix
umpilisäkkeen tulehdus appendicitis
umpimielinen withdrawn, reserved, uncommunicative; (juro) morose, sullen
umpimähkäinen random, haphazard
umpimähkään at random, haphazardly
umpinainen 1 (suljettu) (en)closed, (tiivis) sealed (off) **2** (kauttaaltaan samaa ainetta) solid umpinainen suklaamuna solid chocolate egg
umpisolmu knot that won't slip: overhand/square knot
umpisuolentulehdus appendicitis
umpisuoli appendix
uneksia (day)dream (of/about) Enemmän rahaa kuin mistä olisin voinut uneksiakaan More money than I could have dreamed of
uneksija dreamer
uneliaasti sleepily, drowsily
unelias sleepy, drowsy
unelma dream pyrkiä toteuttamaan unelmaansa work to make your dream come true
unelmoida (day)dream Mitä sinä täällä istut ja unelmoit, töihin siitä! What are you doing sitting around daydreaming, get back to work!
unelmointi (day)dreaming
unenlahjat the ability to sleep well Ykällä on hyvät unenlahjat Ykä's a sound sleeper
unenomainen dreamlike
unenpöpperöinen (still) half-asleep, drowsy
unenpöpperössä (still) half-asleep, drowsy
unentarve need for sleep Mulla on 8 tunnin unentarve I need 8 hours of sleep every night
uneton sleepless, insomniac
unettaa put you to sleep, make you feel sleepy Minua unettaa I'm (feeling) sleepy/drowsy, I feel like going to sleep
unhola joutua unholaan be forever forgotten

uni 1 (yöuni) sleep herätä syvästä unesta awake from a deep sleep unten mailla in the land of Nod, in sleepland Uni painaa silmiäni My eyes are heavy with sleep En saa unta, unen päästä kiinni I can't (get to) sleep **2** (unennäkö) dream Kauniita unia! Sweet dreams!

unikeko 1 sleepyhead **2** (hiiri) dormouse

unikko poppy

uninen sleepy, drowsy

unissaan asleep kävellä unissaan sleepwalk, walk in your sleep

unissakävelijä sleepwalker

unityö (psykoanalyysissä) dreamwork

univormu uniform

unkari Hungarian

Unkari Hungary

unkarilainen s, adj Hungarian

unohdus forgetfulness, lapse of memory joutua unohduksiin be forgotten kauan unohduksissa ollut long-forgotten

unohtaa 1 forget Unohda koko asia Forget the whole thing, forget it En ole unohtanut sinua I haven't forgotten you Unohdin sulkea oven I forgot to close the door Unohdin pankin kokonaan! I forgot all about the bank! Sinä unohdat aina kaiken! You're so forgetful! **2** (jättää) leave, (jättää tekemättä) neglect unohtaa takkinsa kotiin (accidentally) leave your jacket at home unohtaa kiittää neglect/forget to say thank you

unohtaminen forgetting

unohtua 1 be forgotten Sinulta taisi unohtua You must have forgotten esittämättä jäänyt, täysin unohtunut näytelmä an unperformed, completely neglected/forgotten play **2** (jäädä) get/be left (behind) Unohtuiko tämä sateenvarjo sinulta? Is this your umbrella? Did you leave this umbrella (behind) (at our place)?

unohtumaton unforgettable

unssi ounce

untuva feather, (mon) down

untuvatakki down jacket

untuvatäkki down quilt

uoma 1 (joen tms) (river)bed **2** (vako) furrow

upea 1 magnificent, splendid **2** (talo) stately, grand **3** (puku tms) gorgeous, stunning **4** (ark) great Se olisi upeaa That would be great

upota 1 (veteen laiva tms, hankkeeseen rahaa) sink Tähän tiehen on uponnut jo 3 milliä We've already sunk 3 mil into this road **2** (kuraan) get stuck (in), (get) bog(ged) down (in) **3** (puuhun saha) bite **4** (kuulijaan) go over, strike home Vitsit upposivat hyvin yleisöön His jokes went over well Valmentajan palopuhe upposi pelaajiin The coach's pep talk struck home, hit the players where they lived, did its work on the players

upottaa 1 (laiva, rahaa) sink **2** (peittää vedellä) flood **3** (laittaa veden alle) immerse, submerge, (ark) dip (in water) **4** (kastaa upottamalla) baptize (by total immersion) **5** (puukko, keihäs) plunge **6** (katseensa) drill, (surunsa) drown upottaa katseensa johonkuhun drill/burn your eyes into someone upottaa surunsa viinaan drown your sorrows (in the bottle) **7** (kaappi seinään) build in/flush, (naula) countersink, (pistorasia) install flush, (kone betoniin) embed **8** (lauseenvastike lauseeseen) embed **9** (tietok) insert **10** (kivi sormukseen) set, mount

upotus 1 sinking, immersion, submersion **2** (kaste) total immersion **3** (koristeupotus) inlay **4** (lukkoa varten) mortise

upouusi brand-new, brand spanking new

uppiniskainen insolent, impudent, defiant, disobedient

uppoamaton unsinkable

uppopuu sunken log, (laivalta nähtynä) snag

upporikas filthy rich, rolling in money/it

uppoutua 1 (pehmeään sänkyyn) sink (back/down) into **2** (velkoihin) drown in (debt) **3** (työhön tms) get wrapped up in, get absorbed in

upseeri officer

ura 1 (tekn) groove, slot, slit **2** (maan pinnassa: polku, myös kuv) path, trail, track; (pyörän jälki) rut ajautua väärälle uralle get off on the wrong track, go off on a tangent luoda/ uurtaa uusia uria break new paths/ ground, blaze new trails jäädä polkemaan samaa uraa fall into a rut **3** (tietok) track **4** (karrieeri) career uransa huipulla at the peak of your career **5** (mat) locus
uraani uranium
uraauurtava ground-/path-breaking, trailblazing, pioneering
urakka 1 (liik) contract, (ark) job **2** (kuv) job Huh mikä urakka! Whew, what a job!
urakkapalkka tehdä urakkapalkalla töitä (rakennus- yms töissä) get paid by the piece, on a piecework basis, get paid by the job; (ark) get paid a lump sum
urakointi contracting
urakoitsija contractor
uranuurtaja pioneer, trailblazer
uraputki the career ratrace
urautua fall into a rut
urea urea
urhea brave, bold, courageous; (run) gallant, valiant
urheilija athlete urheilla
urheilu sports -> do sports
urheiluauto sports car
urheiluhullu sports nut/fan
urheilukalastus sport fishing
urheilukenttä sports field: baseball/ football/soccer/jne field
urheilukilpailu sports/athletic competition
urheilulaji sports event
urheiluloma skiing holiday
urheiluseura athletic club
urhoollinen brave, bold, courageous; (run) gallant, valiant
urhoollisesti bravely, boldly, courageously; (run) gallantly, valiantly
urkkia pry, probe, snoop (around/ about); (vakoilla) spy urkkia tietoja ferret out information
urkuparvi organ loft
urkuri organist
urologi urologist
uros male
uroteko heroic deed, feat of valor
urotyö heroic deed, feat of valor
urputtaa (ark) gripe, grouse, moan and groan
Uruguay Uruguay
uruguaylainen s, adj Uruguayan
urut organ
USA USA, US, United States of America
usea 1 many, (ark) a lot (of) useassa kohdin in many places useita ihmisiä a lot of people, quite a few people **2** (eri) various Siihen on useita syitä There are various reasons (for that)
useampi more, (mon) most Useampi päivä olisi liikaa More days would be too many Useammat ihmiset valitsevat juuri noin Most people make the same choice (as you)
useasti often, frequently
useimmiten most often/commonly/ usually, in most cases; (ark) more often than not
usein often, frequently
uskalias 1 (rohkea) daring, bold **2** (riskille altis) risky
uskallus courage, boldness, daring
uskaltaa dare, venture, have the courage to, be bold/brave enough to Etpäs uskalla hypätä jänishousu! You're too scared to jump, chicken/ scaredy-cat! parempi hinta kuin uskallettiin toivoakaan a better price than we dared hope for, than we expected Joka ei mitään uskalla, ei mitään voitakaan Nothing ventured, nothing gained
uskaltautua venture
usko belief, faith usko siihen että the belief that siinä uskossa että in the belief that usko Jumalaan/sinuun faith in God/you Usko tekee teidät vapaiksi Faith will set you free tulla uskoon be born again, accept Jesus Christ as your personal savior
uskoa 1 (olla jossakin uskossa, luulla) believe, think uskoa tietävänsä kaikki think you know everything uskoa kirjan menestyvän hyvin believe/think that a

book will be a success **2** (pitää jotakin totena) believe, (ark) buy En usko hetkeäkään tuota I don't believe/buy that for a second Uskokaa tai älkää Believe it or not En olisi hänestä uskonut I never would have believed it of him, I never thought he had it in him **3** (ottaa vakavasti) believe, obey, listen (to), take (someone) seriously Äitiä pojat eivät uskoneet, vain isää The boys would never listen to their mother, only their father; would only obey their father, take him seriously, never their mother **4** (luottaa johonkin) believe (in), trust, have faith (in) uskoa joulupukkiin/ihmelääkkeeseen believe in Santa Claus/a wonder drug **5** (antaa jollekulle: huoleksi) entrust, (tehtäväksi) charge Uskon sinulle nämä kassakaapin avaimet I'm going to entrust the keys to the safe to you **6** (kertoa luottamuksellisesti) confide, trust (someone) with a secret uskoa intiimi asia ystävälle confide an intimate matter to a friend, trust a friend with an intimate secret

uskolla parantaja faith-healer uskolla parantaminen faith-healing

uskollinen 1 faithful, loyal, true uskollinen aviomies/-vaimo faithful husband/wife uskollinen työntekijä loyal employee uskollinen ystävä true friend **2** (horjumaton) staunch, devoted uskollinen kannattaja staunch/devoted follower

uskollisesti faithfully, loyally, truly, staunchly, devotedly

uskollisuus faithfulness, fidelity, devotion aviouskollisuus marital fidelity palvelijan uskollisuus a servant's devotion

uskomaton incredible, unbelievable, beyond belief

uskomus belief

uskonasia matter of faith

uskonnollinen religious Hän on syvästi uskonnollinen She's very religious

uskonnonopettaja religion teacher

uskonnon opetus religious education/instruction; (kouluaineena) religion (class)

uskonnonvapaus freedom of religion

uskonpuhdistaja Reformer

uskonpuhdistus Reformation

uskonpuute lack of faith

uskonto religion

uskontunnustus creed apostolinen uskontunnustus the Apostolic Creed Nikean uskontunnustus the Nicean Creed

uskotella 1 (itselleen) pretend (that, to be), fool/deceive yourself (into thinking), try to convince yourself (that) **2** (toiselle: itsekin uskoen) try to convince someone (that, of something), try to make someone believe something; (kyynisesti) fool/deceive/ dupe (someone) Turha minulle tuommoista on uskotella (ark) Don't try that line on me, don't feed me that bullshit, don't give me that garbage

uskoton s unbeliever, infidel
adj **1** (pettävä: aviopuolisolle) unfaithful, faithless, cheating; (maalle tms) disloyal olla uskoton puolisolleen cheat on your spouse **2** (usk) unbelieving

uskottava credible, believable, plausible

uskottomuus (aviollinen) infidelity; (muu) disloyalty, unfaithfulness

uskottu s (läheinen ystävä) intimate; (jolle kertoo kaiken: mies) confidant, (nainen) confidante
adj trusted, intimate

uskoutua confide (in), take (someone) into your confidence

uskovainen s devout Christian; (ark) born-again Christian
adj religious, devout

usuttaa 1 (ihmisiä) provoke, incite, urge; (ark) egg on **2** (koiraa tms) sic Usuta koirasi hänen kimppuunsa Sic your dog on him

usva mist, fog

usvainen misty, foggy

utare udder

uteliaasti curiously, inquisitively

uteliaisuus curiosity, inquisitiveness; (ark) nosiness

utelias s (ark) snoop, nosy Parker adj curious, inquisitive; (ark) nosy, snooping
utopia Utopia, (ark halv) pipe-dream
utopisti Utopian, (ark) optimist, (halv) dreamer
utopistinen Utopian, (ark) optimistic
utu mist
utuinen misty
uudehko newish
uudelleen again, once more/again, newly, (eri verbien liitteenä) re- arvioida uudelleen reappraise, reevaluate miettiä uudelleen reconsider, rethink yhä uudelleen again/time and again, over and over (again) Me järjestimme olohuoneen huonekalut uudelleen We rearranged the furniture in our living room
uudenaikainen modern, up-to-date; (murt halv) newfangled
uuden veroinen good as new, like new
uudenvuodenaatto New Year's Eve
uudenvuodenjuhla New Year's Eve party
uudenvuodentervehdys New Year's card
uudestaan ks uudelleen
uudestisyntyminen rebirth; (usk) regeneration, (ark) being born again
uudestisyntynyt reborn; (usk) born again
uudisasukas settler, colonist
uudisasutus settlement, colony
uudisraivaaja pioneer settler/farmer, homesteader
uudistaa **1** (uusia: lehtitilaus, kirjalaina, lääkeresepti, ystävyyttä jne) renew **2** (korjata: yl) redo; (taloa tms) renovate, remodel; (kirjaa) revise; (suunnitelmaa) revamp **3** (korjata: lainsäädäntöä tms) reform **4** (korvata uudella) replace **5** (uudenaikaistaa) modernize, bring up to date
uudistua be transformed/renewed Minulla on ihan uudistunut olo! I feel like a new (wo)man!
uudistumaton nonrenewable uudistumattomat luonnonvarat nonrenewable natural resources
uudistus **1** (uusiminen) renewal **2** (talon tms korjaaminen/korjaus) renovation, remodeling **3** (kirjan tms korjaaminen/korjaus) revision **4** (lainsäädännön tms korjaaminen/ korjaus) reform **5** (uudella korvaaminen) replacement **6** (uudenaikaistus/-istaminen) modernization
uumenissa maan/laivan uumenissa deep in the bowels of the earth/ship metsän uumenissa in the middle/ depths of the forest sielun uumenissa in the nether regions of the soul
uumoilla have a feeling/hunch (about, that) uumoilla petosta (ark) smell a rat
uuni **1** oven, stove **2** (tekn: sulatus-/ polttouuni) furnace, (kalkkiuuni) limekiln, (tiiliuuni) (brick)kiln polttaa savimaljaa uunissa fire pottery in a kiln
uupua **1** (rasittua) get exhausted/tired; (ark) get (all) pooped out olla uupunut kuuntelemaan be tired/sick of listening **2** (puuttua) (be) lack(ing), be missing/ absent kirja joka ei saisi uupua mistään kirjastosta a book that no library can do without, should lack
uupumaton inexhaustible, untiring
uupumus exhaustion, fatigue
uurastaa work (at something), slave away; (ark) bust your buns, work your ass off
uurastus hard work
uurna **1** (tuhkauurna tms) urn **2** (vaaliuurna) ballot box
uurre **1** (ponttilaudan tms) groove **2** (otsaryppy) furrow, line **3** (pylvään) flute, (mon) fluting
uurtaa **1** (puuta tms) groove, carve **2** (otsaa) furrow, line huolten uurtama otsa a brow lined/furrowed by care
uurteinen grooved, furrowed, fluted (ks uurre)
uusi new, novel, fresh Tarvitaan uusia ideoita We need new/novel ideas, we need a fresh approach Huomenna on uusi päivä Tomorrow's another day

uudemman kerran once again Mitä uutta? What's new? Kuuluuko mitään uutta? Any news?
uusia 1 (lehtitilaus, kirjalaina, sopimus, lääkeresepti jne) renew **2** (korjata: yl) redo; (taloa tms) renovate, remodel; (sisustus) redecorate; (kirjaa) revise; (suunnitelmaa) revamp; (järjestys) rearrange **3** (tentti) retake, (rikos) repeat, (ottelu) replay, (TV-ohjelma) rerun, (radio-ohjelma) rebroadcast **4** (korvata uudella) replace, renew **5** (uudenaikaistaa) modernize, bring up to date renew
uusi aalto new wave
uusi aika (hist) the modern period
Uusi-Englanti New England Uuden-Englannin asukas New Englander
uusiksi Se meni uusiksi Now we have to start over (again), start from scratch ottaa uusiksi try something/it again
uusi maailma (Amerikka) the New World
uusinta 1 (uudelleen esitetty: TV-ohjelma) rerun, (radio-ohjelma) repeat (broadcast) **2** (pelikohdan hidastus) (instant) replay **3** (uusintaottelu) rematch, make-up game, (nyrkkeilyssä) return bout/fight **4** (taudin) relapse
Uusi-Seelanti New Zealand
uusiseelantilainen s New Zealander
uusi tulokas newcomer
uusiutua 1 (biol) (be) regenerate(d) **2** (tauti) recur Hänen tautinsa on uusiutunut He's suffered a relapse
uusi vasemmisto the New Left
uusivuosi New Year('s)
uusköyhyys the new poverty
uuslukutaidottomuus the new illiteracy
uusmoralismi the new moralism
uute extract
uutinen (piece of) news Minulla on sinulle uutinen I've got news for you
uutiset the news
uutiskuvaaja press photographer
uutislähetys newscast, (ark) the news
uutistoimisto press agency
uutistoimittaja news editor
uuttaa extract
uuttera hard-working, diligent, industrious
uutterasti diligently, industriously
uutukainen uuden uutukainen brand-new
uutuudenviehätys novelty
uutuus 1 (esineen) newness, novelty uutuuttaan jäykät kengät shoes that haven't been broken in yet **2** (esine) novelty, (uusi tuote) new model Uutuus! (pakkauksen kyljessä) New (and improved)!
uutuusarvo novelty value
uuvuksissa exhausted; (ark) bushed, (all) pooped (out)
uuvuttaa exhaust, tire Simo uuvutti minua puoli tuntia matkakertomuksillaan Simo wore me down for half an hour with stories of his travels, with his travelogues
uuvutussota war of attrition

V, v

vaa'ankieli pointer, indicator olla vaa'ankielenä tip the scales
vaade claim
vaadin reindeer doe
vaadittaessa on demand/request
vaadittava required, requisite
vaahdota foam, (saippua) lather, (olut) froth
vaahtera maple
vaahterasiirappi maple syrup
vaahterasokeri maple sugar
vaahto foam, (saippuan) lather, (oluen) froth
vaahtokumi foam rubber
vaahtokupla soap bubble
vaahtokylpy bubble bath
vaahtomuovi foam(ed) plastic
vaahtopesu shampoo
vaahtopäinen whitecapped, (meren rannalla) breaking
vaahtopää whitecap, (meren rannalla) breaker
vaahtosammutin foam extinguisher
vaaita level
vaaitus leveling
vaaja 1 (paalu) pile **2** (kiila) wedge
vaaka 1 scale, balance kallistaa vaaka jonkun eduksi tip the scales/balance in someone's favor **2** (voimistelussa) horizontal stand, (taitoluistelussa) arabesque **3** (horoskoopissa) Libra
vaaka-asento horizontal position
vaakakuppi pan Tämä ei vaakakupissa paljon paina This doesn't count for much (in the grand sceme of things)
vaakalauta Minun koko tulevaisuuteni on tässä vaakalaudalla My whole future is at stake here, my future hangs in the balance here panna henkensä vaakalaudalle (jonkun puolesta) risk your life for someone, (jonkin edestä) stake your life on something
vaakasuora horizontal vaakasuoraan horizontally
vaakataso horizontal plane
vaakaviiva horizontal line
vaaksa hand, span Parempi virsta väärää kuin vaaksa vaaraa Better safe than sorry
vaakuna (coat of) arms, seal
vaalea 1 (iho) white, light(-colored), fair(-complexioned) **2** (tukka) fair(-haired), blond, (nainen) blonde
vaaleahko blondish
vaaleaihoinen white, light(-colored), fair(-complexioned)
vaaleanpunainen pink
vaaleatukkainen fair(-haired), blond, (nainen) blonde
vaaleaverikkö blonde
vaaleaverinen blond(e)
vaalentaa lighten, (hiukset) bleach
vaaleta lighten
vaali election (ks myös vaalit)
vaalia cherish, (hoivata) tend, take (tender) care of, care for (tenderly)
vaaliehdokas candidate (for elective office)
vaaliheimolainen like-minded person
vaalihuoneisto polling place
vaalijärjestelmä election process
vaalikampanja (election) campaign
vaalikausi term
vaalikelpoinen eligible
vaalikelpoisuus eligibility (for office)
vaalikelvoton ineligible
vaalilautakunta election committee/board
vaaliliitto (electoral) coalition
vaalilippu ballot

vaaliluettelo list of voters, electoral register
vaalilupaus election promise
vaalimainonta campaign advertising
vaalimainos campaign ad(vertisement), (TV:ssä) spot
vaaliohjelma platform
vaalioikeus right to vote, suffrage naisten vaalioikeus women's suffrage
vaalipaikka polling place
vaalipetos election fraud, rigged election
vaalipiiri electoral district
vaalipuhe election speech
vaalipäivä election day
vaaliruhtinas (hist) Elector
vaalisalaisuus secret ballot
vaalit election; (vaaliuurnat, äänestäminen) polls yleiset vaalit general election menestyä vaaleissa be successful at the polls
vaalitaistelu campaign battle
vaalitentti campaign debate
vaalitulos election return(s)
vaalitulospalvelu election coverage
vaaliuurna voting/ballot box, poll käydä vaaliuurnilla go to the polls
vaalivalvojaiset election coverage
vaalivoittaja the winner of the elections
vaalivoitto electoral victory
vaan 1 but, (but) rather, (but) on the contrary Ei hän vaan minä Not him, me; not him but me; (ylät) not he but rather I ei ainoastaan...vaan myös not only...but also En ole vastahakoinen vaan innostunut I'm not at all reluctant, on the contrary, I'm excited **2** (ark = vain) just, only; on, ahead Se oon vaan mä It's just me Tuu vaan Come on Mee vaan Go ahead
vaania lurk/skulk/sneak/slink (about), lie in ambush
vaappu plug
vaappua 1 (ankka, ihminen) waddle; (hoiperrella) stagger **2** (polkupyörä, tuoli tms) wobble **3** (juna, auto tms) jostle, bounce **4** (vene) rock **5** (kuv) waver, hover vaappua kahden vaiheilla waver between two possibilities, be torn Voitto vaappui hiuskarvan varassa Victory hung by a thread
vaara 1 (mäki) hill **2** danger, risk; (ylät) peril, hazard, jeopardy saattaa joku vaaraan endanger/imperil/ jeopardize someone('s life) antautua siihen vaaraan että run the risk of (doing something)
vaarallinen dangerous, risky; (ylät) perilous, hazardous
vaarallisesti dangerously, perilously, hazardously
vaarallisuus danger(ousness), peril, hazard
vaarantaa endanger, risk, imperil, jeopardize, hazard, place/put (someone/ something) in danger/peril, at hazard/ risk
vaarantua be endangered/imperiled/ jeopardized, be placed/put in danger/ peril, at hazard/risk
vaaraton safe, innocuous, not dangerous
vaaravyöhyke danger zone
vaari 1 (isoisä) grandpa, gramps **2** ottaa vaari(n) (take) heed, take (someone) seriously, pay attention to (someone's warning)
vaarua list
vaasi vase
vaate garment, piece/article of clothing; (mon) clothes, clothing Vaatteet tekevät miehen Clothes make the man
vaate-esittely fashion show
vaateharja clothes brush
vaatehuone walk-in closet
vaatekaappi wardrobe, closet
vaatekappale garment, piece/article of clothing
vaatekauppa clothing store
vaatekerta outfit, (matkalla) change of clothes
vaatekomero wardrobe, closet
vaateliaisuus demanding nature, exactingness, discrimination, sophistication, fastidiousness, meticulousness (ks vaatelias)
vaatelias 1 demanding, exacting **2** (sofistikoitunut) sophisticated,

discriminating **3** (turhantarkka) fastidious, meticulous, nitpicking; (ark) picky
vaatettaa clothe, (pukea) dress
vaatetus clothing
vaatetusala the clothing business, the garment industry vaatetusalan liike clothing store
vaatetusliike clothing store
vaatia 1 (tekemään) demand, insist, require, call for, ask En voi vaatia sitä sinulta I can't insist that you do it, (pakottaa) I can't require/force you to do it, (pyytää) I couldn't possibly ask you to do that Tämä tehtävä vaatii kärsivällisyyttä This job requires/calls for patience **2** (itselleen) claim, demand vaatia korvauksia file a claim for damages vaatia rahansa takaisin demand your money back **3** (tarvita) need, take Tuo kukka vaatii liikaa tilaa That plant takes up too much room Lapset vaativat paljon rakkautta Children need plenty of love **4** vaatia antautumaan demand (that someone) surrender vaatia tekijä esiin call for the aurhor/composer (tms) vaatia eroamaan ask for (someone's) resignation vaatia kaksintaisteluun challenge (someone) to a duel **5** vaatia ihmishenkiä (onnettomuus tms) claim (human) lives
vaatia kuuliaisuutta demand obedience of, insist on obedience from, exact obedience from
vaatia liikaa demand too much, make exorbitant demands (on)
vaatia uhreja cause casualties, claim lives
vaatimalla vaatia (put your foot down and) insist
vaatimaton modest, humble vaatimaton ihminen modest/ unassuming/ unpretentious/humble person vaatimaton talo humble/ lowly/shabby/ ordinary house vaatimaton maku simple taste(s) vaatimaton rooli minor/bit part Et saa olla turhan vaatimaton! You shouldn't be so modest!
vaatimattomasti modestly, unassumingly, unpretentiously, humbly, simply (ks vaatimaton)
vaatimattomuus modesty, humility, simplicity
vaatimus 1 demand täyttää jonkun vaatimukset meet someone's demands, do what someone expects of you **2** (pääsy/tutkintovaatimus) requirement täyttää vaatimukset meet the requirements **3** (vaatimustaso) standard täyttää vaatimukset be up to standard, meet the standards **4** (vaade) claim esittää vaatimus file a claim, lay claim to
vaatimustaso standard(s)
vaativa demanding, exacting
vaatteet clothes
vaatturi tailor, haberdasher
vadelma raspberry
vaellus 1 travel, trek, wandering(s) **2** (eläinten, kansojen) migration **3** (pyhiinvaellus) pilgrimage (myös kuv)
vaellusromaani picaresque novel
vaeltaa 1 travel, trek, wander, roam, ramble Hänen katseensa aina vaeltaa kun hänelle puhuu His eyes always wander all over the place when you talk to him **2** (eläimet, kansat) migrate
vaeltaja wanderer, rambler; (partiossa) Explorer (Scout)
vagina vagina
vaha wax olla kuin vahaa jonkun käsissä be like wax/putty in someone's hands
vahakabinetti wax museum
vahakangas oilcloth
vahakenno honeycomb
vahakuva wax figure
vahakynä wax applicator
vahamaalaus wax painting
vahamainen waxy, (tieteessä) ceraceous
vahamuseo wax museum
vahanukke wax figure
vahas stencil
vahata wax
vahatulppa wax (ear)plug
vahdata watch, keep an eye on; (vartioida myös) guard Mitä sinä minua vahtaat, hoida omat asiasi What're you spying on me for, mind your own business
vahdinvaihto changing of the guard

vahingoittaa damage, injure, hurt, harm, wreck
vahingoittua be damaged/injured/hurt/harmed, suffer damage(s)/injury, come to harm
vahingoittumaton intact, unhurt, unharmed, unscathed; (ark) all in one piece
vahingollinen injurious, harmful, bad (for you)
vahingonilo pleasure in someone else's misfortune, malicious pleasure/delight
vahingonkorvaus damages, indemnity
vahingonkorvausvaatimus claim for damages
vahingonkorvausvelvollisuus liability for damages, indemnity liability
vahinko 1 (onnettomuus) accident, mishap, piece of misfortune vahingossa by accident, accidentally; (erehdyksessä) by mistake Minulle tuli vahinko housuun I had an accident in my pants **2** (vaurio) damage, harm, injury, impairment Kyllä minä korvaan kaikki vahingot I'll pay for all damages Vahingosta viisastuu Those who don't learn from their mistakes are condemned to repeat them; live and learn **3** (sääli) pity, shame Vahinko ettet voi tulla A pity/shame you can't come Sepä vahinko! That's too bad! What a (crying) shame!
vahinko ei tule kello kaulassa disaster strikes when you least expect it
vahti watch, guard olla vahdissa stand watch/guard, be on guard (duty)
vahtia watch, guard, protect, keep an eye on; (varrota) keep an eye out for
vahtikoira watch/guard dog
vahtimestari 1 (siivooja/korjaaja) janitor, custodian **2** (portieeri) doorman, porter
vahva strong (myös kiel), powerful, robust; (ark) tough Kärsivällisyys ei ole vahvempia puoliani Patience is not one of my strengths, my strong suits
vahvasti strongly Epäilen vahvasti, ettei hän tule I strongly suspect he isn't coming
vahvennus 1 (vahventuminen) strengthening odottaa jään vahvennusta wait till the ice is stronger/thicker **2** (vahventava lisäys) reinforcement seinärakenteiden vahvennus wall reinforcement saada vahvennukseksi uusia pelaajia get reinforcements **3** (lihavointi) bold(ing)
vahventaa strengthen, harden, fortify; (tukea) reinforce
vahventua get stronger(/better/thicker jne) Joukkue on vahventunut viime kaudesta The team's improved since last season
vahvero chantarelle
vahvike 1 reinforcement **2** (ark: paukku) fortifier, pick-me-up kaataa kahviin vahvikkeeksi konjakkia spike the coffee with brandy
vahvistaa 1 (vahventaa) strengthen, harden, fortify; (tukea) reinforce, build/shore/prop up **2** (tekn = ääntä) amplify **3** (todentaa, varmentaa) confirm, verify, corroborate, substantiate, validate; (laki) ratify
vahvistaa huhu confirm a rumor
vahvistaa kauppa close a deal
vahvistaa muistiaan refresh your memory
vahvistaa taitoaan impove your skill
vahvistamaton 1 (tieto) unconfirmed, unsubstantiated, unverified **2** (laki) unratified
vahvistin amplifier
vahvistua 1 (dollari) strengthen **2** (lihakset) get stronger, gain strength
vahvistus 1 fortification, reinforcement jenkkivahvistus American basketball player, Yankee reinforcement **2** (tiedon) confirmation, verification, corroboration, substantiation; (periaatteen) validation; (lain) ratification
vahvuinen 1 (ihmismäärä) -man, -person, strong 60:n vahvuinen kuoro a 60-person choir, a choir 60 strong **2** (paksuus) -thick metrin vahvuinen jää meter-thick ice

vahvuus 1 (voimakkuus, ihmismäärä) strength **2** (paksuus) thickness **3** (linssin) power
vai or En oikein tiedä, olenko tulossa vai menossa I'm not quite sure whether I'm coming or going Vai niin Is that so, is that a fact, really Vai sinäkin tulit So you came too Olin oikeassa vai mitä? I was right, wasn't I?
vaientaa silence, gag, muzzle; (ark) shut someone up
vaientaminen silencing
vaieta 1 (lakata puhumasta) fall silent **2** (olla puhumatta) keep silent, say nothing, hold your tongue
vaihdanta exchange mielipiteiden vaihdanta exchange of opinions tavaroiden vaihdanta exchange of commodities
vaihdantatalous barter economy
vaihde 1 (muutos) change, (vaihdos) turn vuosisadan vaihteessa at the turn of the century vaihteeksi, vaihteen vuoksi for a change, (ark) for a switch **2** (rautatien, tietok) switch **3** (puhelinvaihde) switchboard **4** (auton, pyörän: laite) gear, (nopeus) speed vaihtaa ykkösvaihde päälle shift into low/first (gear) Pyörässä on kymmenen vaihdetta It's a tenspeed
vaihdekeppi (ark) stick
vaihdelaatikko transmission, (ark) tranny
vaihdella tr **1** (vaihtaa) change, keep changing **2** (muunnella) vary, (vuorotella) alternate
itr **1** (muuttua) vary, fluctuate, shift A: Miten lämmintä täällä on kesällä? B: Sehän vaihtelee A: How warm is it here in the summer? B: It varies **2** (vuorotella) alternate, switch
vaihdepyörä 1 (polkupyörä) gearshift bicycle **2** (tekn) gearwheel
vaihdetanko gearshift, (ark) stick
vaihdevuodet menopause
vaihdin (CD-vaihdin) CD changer, (ilman) ventilator, (lämmön) heat exchanger
vaihdokas changeling
vaihdokki trade-in
vaihdos change
vaihduksissa interchanged joutua vaihduksiin be interchanged
vaihdunta (ilman) ventilation, replenishment; (työntekijöiden) turnover
vaihe 1 phase, period, stage; (mon) development, progress, history seurata Don Quijoten värikkäitä vaiheita follow the colorful adventures of Don Quixote Wittgensteinin myöhempi vaihe the later Wittgenstein, Wittgenstein's late(r) period **2** olla kahden vaiheilla be caught between two choices/ alternatives, be torn
vaiheikas rich, eventful, checkered
vaiheittain in stages/phases ottaa vaiheittain käyttöön phase in
vaiheittainen gradual
vaihejännite phase voltage
vaihemittari phasemeter
vaihetyö production-line work olla vaihetyössä work on the (production) line
vaihetyöntekijä production-line worker
vaihtaa 1 change, switch, shift; (päinvastaiseksi) reverse vaihtaa junaa change trains vaihtaa autoon akku replace your car battery Missä täällä voi vaihtaa rahaa? Where can I change some money around here? Voitko vaihtaa tämän kympin pienemmäksi? Do you have change for a ten? vaihtaa kantaansa change your stance/opinion/ position vaihtaa vaatteita change (your) clothes vaihtaa vartio change the guard (on duty) vaihtaa öljyt change the oil **2** (keskenään) exchange, switch, trade, swap Vaihdetaanko leipiä? You wanna trade/swap sandwiches? vaihtaa vanha autonsa uuteen trade your old car in on a new one Pitäisi vaihtaa nämä markat dollareiksi I need to exchange these marks for dollars
vaihtaa jalkaa change feet; (painoa) shift your weight from one foot to the other
vaihtaa karvaa shed its winter fur/ coat

vaihtaa kylkeä turn over (onto the other side)
vaihtaa miekka auraan beat your swords into plowshares
vaihtaa maisemaa get a change in scenery, move on to greener pastures
vaihtaa nahkansa shed its skin
vaihtaa nimensä change your name
vaihtaa omistajaa change owners(hip)
vaihtaa paikka change places
vaihtaa pari sanaa exchange a few words
vaihtaa pienemmälle vaihteelle downshift
vaihtaa pois barter away
vaihtaa puolta change sides
vaihtaa rahaksi (sekki) cash a check; (omaisuus) realize your property
vaihtaa salkkuja switch briefcases
vaihtaa sormuksia exchange rings
vaihtaa vaihdetta change gears, shift
vaihtaa vauva kuiviin change the baby('s diaper)
vaihtaa viestiä (urh) pass the baton, make the change
vaihteisto transmission, (ark) tranny
vaihteleva varying, variable, changeable; (tal) fluctuating vaihteleva pilvisyys variable cloudiness vaihtelevalla menestyksellä with varyingg success
vaihtelevuus variety, variability
vaihtelu 1 (vaihteleminen) variation, (tal) fluctuation **2** (erilaisuus) variety, change
vaihtelu virkistää variety is the spice of life
vaihteluväli range
vaihto 1 change, ex/interchange mielipiteiden vaihto exchange/interchange of ideas **2** (junan tms) change, (bussin) transfer **3** (tavaran) barter, trade **4** (liikevaihto) trade, sales, volume, turnover **5** (pelaajan) substitution
vaihtoarvo exchange value, (käytetyn) trade-in value
vaihtoauto used car
vaihtoehto alternative
vaihtoehtoinen alternative
vaihtoehtoliike alternative movement
vaihtojännite alternating/A.C. voltage
vaihtokauppa trade, barter, (ark) swap Tehdäänkö vaihtokaupat? You wanna trade/swap?
vaihtokelpoinen interchangeable, compatible
vaihtokurssi exchange rate
vaihtolyönti (lähin vastine) sacrifice
vaihtolämpöinen cold-blooded
vaihtomies (urh) substitute
vaihtonäppäimen lukitsin shift lock
vaihtonäppäin shift key
vaihto-objektiivi interchangeable lens
vaihto-oikeus right of exchange
vaihto-omaisuus floating assets, inventory
vaihto-oppilas exchange student
vaihtopelaaja substitute
vaihtoraha change
vaihtotalous barter economy
vaihtotase balance of (current) payments
vaihtotavara barter(able) good(s)
vaihtovaatteet a change of clothes/clothing
vaihtovelkakirja convertible debenture
vaihtovelkakirjalaina convertible debenture loan
vaihtovirta alternating current, A.C.
vaihtovirtavastus impedance
vaihtoväline medium of exchange
vaihtua change, turn; (päinvastaiseksi) reverse Nyt meidän osamme ovat vaihtuneet Now the shoe's on the other foot, the tables are turned Ei aikaakaan ennen kuin vuosituhat vaihtuu It won't be long before we're into a new millennium Salkkumme vaihtuivat vahingossa We got our briefcases mixed up by accident, our briefcases accidentally got switched

vaihtuva korko variable interest (rate)
vaihtuvakorkoinen laina variable-interest loan/mortgage
vaihtuvuus (työntekijöiden tms) turnover
vaikea 1 difficult, hard; (ark) tough vaikea tilanne a difficult/awkward/embarrassing situation vaikea valinta a difficult/tough choice/decision Minun on aika vaikea mennä sanomaan hänelle että It's pretty difficult/hard/tough for me to go and tell her to Älä viitsi olla vaikea Stop being difficult Sinua on niin vaikea miellyttää You're so hard to please **2** (vakava) serious vaikea sairaus/vamma a serious illness/injury
vaikeakulkuinen rough, difficult
vaikealukuinen hard to read
vaikeaselkoinen difficult/hard to understand Se on aika vaikeaselkoinen kirja It's a hard/ difficult read, it's pretty tough sledding
vaikeasti 1 vaikeasti luettava difficult/hard to read, (huonon käsialan vuoksi) almost illegible **2** vaikeasti sairas seriously ill
vaikeatajuinen difficult/hard to read (ks myös vaikeaselkoinen)
vaikeatöinen hard to use
vaikeavammainen s seriously disabled person
adj seriously disabled
vaikeneminen silence
vaikeneminen on kultaa silence is golden
vaikeneminen on myöntymisen merkki silence means consent
vaikeroida 1 (voihkia) groan, moan **2** (voivotella) bemoan, bewail
vaikerointi groaning, (be)moaning, bewailing
vaikerrella moan and groan, bewail, lament
vaikertaa moan, groan
vaikeus difficulty, (mon) trouble olla vaikeuksissa be in (big) trouble Siinä se vaikeus onkin That's the problem Pukeutuminen tuotti suuria vaikeuksia Dressing herself was almost too much for her
vaikeusaste degree of difficulty
vaikeusjärjestys order of difficulty
vaikeuttaa make (something more) difficult, impede, hinder, hamper; (pahentaa) aggravate; (mutkistaa) complicate
vaikeutua become (more) difficult; (pahentua) be aggravated; (mutkistua) get complicated
vaikka 1 (vaikka on) (al)though, even though Kyllä sinun täytyy mennä vaikka oletkin sairaana You've got to go, even though you're sick; I don't care how sick you are, you still have to go **2** (vaikka olisi) even if Kyllä sinun täytyisi mennä vaikka olisit itse Ukko Jumala You'd have to go even if you were God in Heaven **3** (joskin) (even) though/if Hän näytti paremmalta vaikka vieläkin vähän kalpealta She looked better, though still a little pale **4** (jos) if En ihmettelisi vaikka et tulisi ollenkaan I wouldn't be a bit surprised if you decided not to come at all **5** (esimerkiksi) say Mennään vaikka elokuviin Why don't we go, say, to the movies **6** (jos haluat) if you like Saat vaikka koko satsin You can have the whole lot if you want Lähdetään vaikka heti I'm ready to go right now (if you're in such a hurry) **7** (tahansa) any vaikka kuka anybody/-one, no matter who Älä sano että minä olen täällä, vaikka kuka soittaisi No matter who calls, say I'm not here (ks myös hakusanat)
vaikka kuinka no matter how Vaikka kuinka yritin en voinut I couldn't do it, no matter how I tried Hän vääntelehti vaikka kuinka She contorted herself every which way, I couldn't believe how she twisted her body Olen sanonut sulle vaikka kuinka monta kertaa If I've told you once I've told you a million times; how many times do I have to tell you? Siellä oli vaikka kuinka paljon väkeä There were crowds of people, the place was crawling with people
vaikka millä mitalla loads, tons väkeä vaikka millä mitalla thousands/tons of people

vaikka missä anywhere, no matter where Olen hakenut sitä vaikka mistä I've been looking for it everywhere
vaikka mitä anything Hän tekisi vaikka mitä päästäkseen eteenpäin He would do anything to get ahead Hän huusi ja kiroili ja teki vaikka mitä She screamed and swore and did I don't know what all else
vaikka muille jakaa way too much/ many Minulla on paperia vaikka muille jakaa I've got more paper than I know what to do with
vaikku (ear)wax
vaikute influence saada vaikutteita jostakusta be influenced by someone
vaikutelma impression, feeling, sense saada se vaikutelma että get the impression that, be under the impression that, have a feeling/sense/ hunch that, gather that
vaikutin motive
vaikuttaa 1 (johonkuhun, johonkin) influence, affect, have an effect on Se vaikutti minuun voimakkaasti It affected/ moved/influenced me powerfully, it had a powerful effect/influence on me Älä anna sen vaikuttaa sinuun Don't let it influence/sway/persuade you, don't let it have an effect on your decision **2** (joltakin) seem, look, appear Se vaikuttaa minusta hyvältä It looks good to me Siltä vaikuttaa So it seems **3** (toimia) work Missä hän vaikuttaa nykyään? Where's he working nowadays?
vaikuttaja 1 (ihminen) influential person, trend-setter, opinion leader; (ark) mover and shaker Siellä olivat kaikki kaupungin vaikuttajat All the political movers and shakers in town were there **2** (geol) agent, (fysiol) effector
vaikuttava 1 impressive **2** (kem) active
vaikutteinen 1 (vaikutteita saanut) showing the influence of slaavilaisvaikutteinen showing a Slavic influence **2** (kem) -acting
vaikutus 1 influence, effect, impact TV:n vaikutus nuoriin the influence/ effect/impact of TV on adolescents **2** (vaikutelma) impression vaikutuksille altis impressionable Hän teki vähän kylmän vaikutuksen He struck me as being a little cold Se teki minuun suuren vaikutuksen I was really impressed by it **3** (kem) action
vaikutusaika duration of action
vaikutuspiiri sphere of influence
vaikutusvalta influence, authority, clout
vaikutusvaltainen influential, powerful
vaikutusvoima 1 (ihmisen) influence **2** (myrskyn tms) power, (myrkyn tms) potency
vailla 1 (ilman) without, un-, -less suojaa vailla defenseless, without protection, unprotected olla jotakin vailla lack/want (for something), need (something) Olin viittä vaille rakastunut häneen kun hän lähti I was on the verge of falling in love with him when he took off **2** (ennen) till, to viittä vaille (kymmenen) five to/till (ten)
vaillinki deficit
vaillinnainen 1 (epätäydellinen) imperfect, incomplete, deficient, defective **2** (osittainen) partial
vaimea 1 (ääni) faint, soft, subdued **2** (tunnelma) subdued, lukewarm; (vastaanotto) indifferent
vaimennin 1 (trumpetin tms) mute, (rummun) muffler, (pianon) damper **2** (äänenvaimennin: auton) muffler, (pistoolin) silencer **3** (iskunvaimennin: auton) shock absorber, (ark) shock; (tekn) shock compressor/reducer
vaimennus damping, attenuation
vaimennuspainike (nauhurissa) record mute
vaimentaa 1 (liikettä) damp(en) (myös kuv), lessen, reduce; (pehmentää) cushion, soften, deaden, absorb vaimentaa jonkun intoa put a damper/ curb/check on someone's enthusiasm **2** (ääntä) muffle, mute, absorb
vaimeta 1 (ääni) fade/die out/away, grow faint(er) **2** (myrsky, into) subside, die down **3** (värähtely) damp out

vaimo 1 wife, (sl) the old lady **2** (raam: nainen) woman
vain 1 just, only; (ylät) merely, solely, purely Haluan vain tietää I just/only/ merely want to know Vain me kaksi tiedetään tästä We're the only two who know about this, just you and I know about this, nobody but you and me know about this Älä vain pudota sitä Just don't drop it, whatever you do don't drop it Tule niin pian kuin vain voit Come just as soon as you can **2** (kunpa vain) if only Tietäisit vain mitä kaikkea täällä tapahtuu If only you knew what all goes on around here Kunhan vain pidät mielessäsi että Just as/so long as you bear in mind that **3** Eihän se vain ole tulossa tänne? He's not coming here, is he? Please let him not be coming here! Ettei sille ole vain sattunut mitään? I hope she's all right, I wonder if something's happened to her **4** Tulkoon vain! Let her come! I don't give a damn if she does come Menköön vain Let him go (for all I care); goodbye to him and good riddance **5** (tahansa) any Mitä vain haluat Anything you like Sanoit mitä vain No matter what you say, whatever you say
vainaa dead Sä oot kuule vainaa You're dead meat
vainaja dead person; (euf) the departed; (yhdyssanassa) the late; (lak) the deceased/decedent miesvainajani my late husband
vainajainpalvonta worship of the dead
vainio field
vain minun kuolleen ruumiini yli over my dead body
vaino persecution, harassment, oppression
vainoharha paranoia, persecution complex
vainoharhainen s paranoiac adj paranoid
vainooja persecutor, oppressor, tormentor
vainota 1 persecute, harass, oppress, torment **2** (kuv) haunt, dog, pursue
vainu 1 (haju) scent **2** (hajuaisti) nose Vainuni sanoo että tulee myrsky A storm is coming, I can feel/smell it; my bunion says we're in for bad weather
vainukoira bloodhound
vainuta scent, nose out
vaippa 1 (vauvan) diaper vaihtaa kuivat vaipat change a baby **2** (viitta) cloak, cape, mantle **3** (geol, nilviäisen) mantle **4** (putken, tankin, luodin) jacket; (konekiväärin) casing; (kaapelin) sheath(ing) **5** (lieriön) surface **6** (liekin) inner cone, middle/ reducing zone **7** (lumivaippa) blanket, (usvavaippa) shroud verhoutua salaperäisyyden vaippaan be shrouded in mystery
vaipua 1 (fyysisesti) drop, fall, sink vaipua polvilleen drop/fall/sink to your knees **2** (moraalisesti) fall, stoop vaipua niin alas että stoop so low as to **3** (henkisesti) get engrossed/ absorbed (in something); (ark) get wrapped up (in something)
vaipua epätoivoon fall into despair
vaipua hypnoosiin fall into a hypnotic trance
vaipua jonkun jalkoihin prostrate yourself before someone, fall at someone's feet
vaipua uneen fall asleep, drift off to sleep
vaipua unelmiinsa daydream, let your attention wander
vaipua unhoon be forgotten, sink into the waters of Lethe
vaisto 1 (psyk, biol) instinct **2** (taju) sense, intuition, hunch Mitä sinun vaistosi sanoo? How does it feel to you?
vaistomainen instinctive
vaistomaisesti instinctively
vaistonomainen instinctive, instinctual
vaistonvarainen instinctive, instinctual
vaistota sense, know instinctively/ intuitively; (vainuta) scent
vaisu 1 (ääni) faint, soft, quiet **2** (valo) dim, faint **3** (muisto) faint, faded **4** (olo) faint, weak, limp, listless, lifeless **5** (il-

me) lifeless, blank **6** (toiminta) lifeless, spiritless, half-hearted
vaisusti faintly, lifelessly
vaitelias 1 (ei puhelias) quiet, reticent, taciturn, close-lipped, silent **2** (vaiti) silent, mum
vaiti silent, quiet, mum Ole vaiti! Be still/quiet! Silence! Shut up!
vaitiolo silence
vaitiololupaus vow of silence
vaitiolovelvollisuus professional confidentiality
vaiva 1 (hankaluus) trouble, bother, inconvenience, annoyance, irritation En halua olla vaivaksi I don't want to bother/inconvenience/disturb you nähdä vaivaa go to a lot of trouble, take great pains, put yourself out, go out of your way (to do something) Se ei maksa vaivaa It's not worth it, not worth the trouble/effort etsiä jotakin vaivojaan säästelemättä leave no stone unturned in your search for something Se on kuule turha vaiva It's no use/good, there's no point, it's useless/pointless **2** (tauti tms) trouble, ailment, complaint; (särky) ache, pain Hänellä on kaikenlaisia vaivoja She has all sorts of things wrong with her, all kinds of aches and pains
vaivaantua 1 (rasittua) get strained **2** (nolostua) get embarrassed **3** (kiusaantua) get (sic and) tired (of something)
vaivaantunut ill at ease, uneasy, feeling awkward/embarrassed
vaivainen s pauper, indigent, down-and-outer, charity case
adj **1** (sairas) sick, infirm, ailing; (murt) poorly **2** (köyhä) poor, poverty-stricken; (ark) down and out **3** (raajarikko) crippled, disabled **4** (mitätön) measly, paltry, ridiculous; (ark) lousy vaivaiset viisi markkaa a lousy five marks
vaivaisesti poorly
vaivaishiiri harvest mouse
vaivaiskoivu dwarf birch
vaivaispalmu dwarf fan palm
vaivaispaju dwarf willow
vaivaispäästäinen pygmy shrew
vaivalla hankittu hard-earned
vaivalloinen difficult, trying, troublesome, toilsome
vaivalloisesti with (great) difficulty
vaivannäkö pains, efforts, trouble
vaivata 1 (ihmistä) trouble, bother, inconvenience, annoy, irritate, disturb, pester Mikä sinua vaivaa? (mieltä) What's troubling/bothering/disturbing/eating you? (ruumista) What's wrong with you? What's the matter with you? (käytöstä) What's wrong with you? What's gotten into you? vaivata kysymyksillä bother/annoy/irritate/pester someone with questions **2** (taikinaa) knead
vaivaton easy, effortless, painless
vaivattomasti easily, effortlessly, painlessly
vaivautua bother, take the time (to do something), go to the trouble (to do something) Älä suotta vaivaudu Don't bother, don't go to all that trouble
vaivihkaa secretly, in secret, covertly, furtively, stealthily, on the sly
vaivihkainen covert, furtive, stealthy
vaivoin barely, hardly
vaivuttaa 1 (uneen) luull (someone) to sleep **2** (maahan) knowck (someone) down, deck (someone)
vaja shed
vajaa 1 (mitta) short, (ark) shy; (mon) less than Se on pikkuisen vajaa It's a little short/shy vajaat kymmenen kiloa just under ten kilos **2** (miehitys tms) shorthanded
vajaakehittynyt underdeveloped
vajaamielinen s mentally retarded/handicapped person
adj mentally retarded/handicapped
vajaamittainen undersized
vajaatoiminta insufficiency
vajaatyöllistetty underemployed
vajanainen 1 ks vajaa **2** (epätäydellinen) deficient, insufficient
vajaus 1 (vaje) deficit **2** (puute: vitamiinin tms) deficiency, (ruoan tms) shortage
vajavainen 1 (epätäydellinen) incomplete, imperfect **2** (puutteellinen)

deficient, defective **3** (riittämätön) insufficient, inadequate
vajavaisesti incompletely, imperfectly, defectively, insufficiently, inadequately (ks vajavainen)
vajavaisuus incompleteness, imperfection, deficiency, defect, insufficiency, inadequacy (ks vajavainen
vaje deficit
vajentaa lower vajentaa kolikkoa clip a coin vajentaa kuormaa lighten a load
vajeta (pino) dwindle, (taso) drop
vajoama depression, hollow
vajota 1 (fyysisesti) sink (in); (rakennelma) settle, subside **2** (moraalisesti) sink, stoop, lower yourself; (ylät) descend; (ark) go to the dogs, go to pot, go from bad to worse Olisiko hän voinut vajota niin alas? Could he have stooped so low? **3** (henkisesti) sink, give in to vajota epätoivoon give in to despair, give up all hope
vajottaa 1 (ihminen) sink, lower, bury, put down **2** (lumi, kura tms) not hold you up, be boggy; (ark) be squishy/gooshy/ mushy Tämä lumihan vajottaa I'm sinking into this snow
vakaa 1 (esine) steady, solid, firm, sturdy, stable **2** (ihminen: luotettava) stable, steady, reliable; (vakava) serious, earnest, stolid
vakaannuttaa 1 stabilize, steady, firm up **2** (vakiinnuttaa) set/fix up, put on a solid/firm footing, put on a regular basis, regularize, settle
vakaantua stabilize, settle down
vakaantumaton unstable, unsettled, up in the air
vakaasti steadily, solidly, firmly, sturdily, stably, reliably, seriously, earnestly, stolidly (ks vakaa)
vakain stabilizer
vakanssi 1 (avoin toimi) vacant post/ position, vacancy **2** (toimi) post, position
vakaumuksellinen devoted, dedicated
vakaumus conviction, strong/firm belief olla uskollinen vakaumukselleen have the courage of your convictions, practice what you preach
vakaus 1 (se että jokin on vakaa) stability **2** (mittausvälineen) inspection (of weights and measures)
vakaustoimisto Bureau of Standards, (UK) Office of Weights and Measures
vakauttaa 1 (taloutta, auton/ lentokoneen kulkua tms) stabilize **2** (velka) consolidate
vakava serious vakava tilanne serious/grave/critical situation vakava ihminen serious/earnest/stolid person pysyä vakavana keep a straight face vakavissaan ks hakusana
vakavamielinen serious, soberminded, stolid
vakavanlaatuinen serious, critical
vakavarainen solid, (financially) sound, stable, well-established, respectable
vakavaraisuus respectability, financial soundness, solvency
vakavasanainen serious(ly worded)
vakavasti seriously, earnestly; (sairas) critically, gravely
vakavissaan serious, in earnest Puhutko vakavissasi? Are you serious? Do you mean that? vain puolittain vakavissaan only half-serious En sanonut sitä vakavissani I didn't really mean it, I was only joking/ kidding
vakavoitua sober, get/turn serious
vakavuus 1 seriousness, gravity **2** (vakaus) stability
vakiinnuttaa 1 set/fix up, put on a solid/firm footing, put on a regular basis, regularize, settle **2** (vakaannuttaa) stabilize, steady, firm up
vakiintua 1 (käytäntö tms) be settled/ established, (vakaantua) stabilize **2** (ihminen) settle down
vakiintumaton unsettled, unstable
vakiintunut established
vakinainen permanent vakinainen virka permanent position, (yliopistossa) tenured post vakinainen armeija standing army
vakinaisesti permanently
vakinaistaa make (something) permanent vakinaistaa virka establish a

permanent post/position; (lähin vastine) decide to hire at the tenure-track level
vakinaistua 1 (virka) be made permanent **2** (viranhaltija) receive a permanent appointment, (opettaja) get tenure(d)
vakio constant pysyä vakiona remain stable/constant, not change/vary
vakioida standardize
vakioitua be standardized
vakituinen regular, steady kulkea vakituisesti jonkun kanssa go steady with someone
vakka (kori) basket, (hist ja mitta) bushel Vakka kantensa valitsee Like attracts like
vako (auralla tehty) furrow, (tien pinnassa) rut, (tekn) groove
vakoilija spy, (intelligence) agent
vakoilla spy (on), do intelligence/espionage work
vakoilu spying, espionage, intelligence
vakoiluskandaali spy/espionage scandal
vakosametti corduroy
vakuumi vacuum package
vakuus collateral, security; (pantti) pledge; (vahvistus) witness varmemman vakuudeksi just in case, to be on the safe side
vakuutettu s the insured
adj insured, covered/protected by insurance
vakuuttaa 1 (vakuutella) insist, declare, affirm, assert, assure (someone of something); (vastalauseeksi) protest Vakuutan että puhun totta I assure/tell/promise you that I'm telling the truth **2** (saada vakuuttuneeksi) convince, persuade, satisfy, win (someone) over **3** (ostaa vakuutus) insure, take out (an) insurance (policy)
vakuuttamaton uninsured
vakuuttautua make sure (of something)
vakuuttua be convinced/persuaded/satisfied, convince/satisfy/assure yourself (of something) Hän ei saanut minua vakuuttuneeksi I didn't find his assurances convincing, I wasn't convinced by his protests
vakuutus 1 (vakuuttelu) insistence, declaration, affirmation, assertion, assurance, protest **2** (talon, auton tms) insurance (policy)
vakuutusasiamies insurance agent
vakuutusliike insurance company, insurer
vakuutusmaksu (insurance) premium
vakuutusyhtiö insurance company
vala oath vannoa vala take/swear an oath, (ark) swear ottaa joltakulta vala administer an oath to someone, swear someone in; (oikeussalissa) put someone under oath väärä vala perjury vannoa väärä vala perjure yourself, commit perjury
valaa 1 cast, (muottiin) mold valaa betonia lay concrete valaa kynttilöitä dip candles sopia kuin valettu fit like a glove samaan muottiin valettu cut out of the same cloth **2** (kuv) instill/infuse (some life into something), imbue (something with life), inspire (some life in someone), impart (some life to something)
valaa kannuja (kuv) put your foot in your mouth
valaanpyynti whaling
valaa öljyä tuleen throw/cast oil on the fire
valahtaa 1 (läiskähtää) spill **2** (pudota) drop, fall, slip **3** valahtaa kalpeaksi go white (as a sheet/ghost)
valaiseva illuminating (myös kuv:) instructive, illustrative
valaisin lamp, light
valaista 1 light (up), illuminate **2** (selventää) illuminate, elucidate, illustrate, shed (some) light on (something); (valistaa) enlighten
valaistus light(ing), illumination
valaliitto confederacy, confederation; (raam) covenant
valallinen sworn, (something) said/made under oath
valamiehistö jury
valamies juror
valamiesoikeus jury court

valantehnyt kielenkääntäjä sworn translator
valas whale
valehdella lie valehdella vasten kasvoja tell a barefaced lie valehdella niin että korvat heiluvat tell a whopper, lie through your teeth Valehtelet! You're a dirty liar! You're lying! That's a lie!
valehtelija liar
valehtelu lying
valehurskaus false/sham piety, hypocrisy
valeisku feint, fake
valekuva virtual image
valelaite dummy
valelause dummy statement
valella pour (something on something) valella paistia baste a roast
valenimi false name
valeoikeudenkäynti mock trial
valeovi false/blind door
valepohja false/fake bottom
valepuku disguise pukeutua valepukuun disguise yourself (as someone) valepuvussa Iin disguise
valepukuinen disguised, in disguise, dressed up (as something)
valeraaja phantom limb
valeraskaus false pregnancy
valeriaana valerian
valeruumis phantom body
valesopimus sham contract
Wales Wales
walesilainen s, adj Welsh
valetaistelu mock battle/fight
valetodistus sophistry
valhe lie, falsehood, untruth emävalhe whopper, a big fat (dirty) lie pelkkää valhetta a pack of lies valkoinen valhe white lie
valheellinen false, untrue, untruthful; (harhaanjohtava) misleading
valheellisesti falsely, untruthfully
valheellisuus falsehood, falsity
validi valid
validiteetti validity
validius validity
valikko (tietok) menu
valikkopohjainen (tietok) menu-driven
valikoida select, (pick and) choose; (karsia) screen
valikoima 1 (valinnanvara) choice, range, selection **2** (valitut palat) selection, collection; (antologia) anthology
valikoitu select, exclusive
valikoiva discriminating; (liian tarkka) picky
valimo foundry
valinkauha (casting) ladle joutua valinkauhaan (kuv) be thrown into the crucible
valinnainen optional, elective
valinnainen aine elective, option
valinnaisvaruste (optional) accessory, option
valinnan vapaus freedom of choice
valinnan vara choice, range, selection
valinta 1 choice, choosing, selection luonnollinen valinta natural selection presidentin valinta presidential election **2** (urh) trial (heat)
valintamyymälä store; (pieni) convenience store; (iso) supermarket
valiojoukko the elite, the select few, the cream (of the crop)
valiokunta committee
valistaa enlighten, inform; (sivistää) educate, edify
valistunut enlightened, (well-) educated/informed; (suvaitsevainen) tolerant, liberal
valistus enlightenment, education sukupuolivalistus sex education valistuksen aika the Enlightenment
valistusaate 1 (valistamisen) the cause of education, educational ideal **2** (valistusajan) Enlightenment ideal; (mon) Enlightenment ideology/ thought
valistusaika the Enlightenment
valita 1 choose, pick, select **2** (vaaleissa) elect **3** (puhelinnumero: pyörittää) dial, (näppäillä) punch **4** (radioasema) tune in (to)
valitella 1 (voihkia) moan, groan **2** (valittaa) complain (about) **3** (pyydellä anteeksi) apologize (for)

valitettava unfortunate, deplorable, regrettable
valitettavasti unfortunately
valitsija selector; (äänestäjä) voter
valitsijamies elector, member of the Electoral College
valitsijamiesvaalit Electoral College vote
valitsin selector, (pyöreä) dial
valittaa 1 (voihkia) moan, groan **2** (purnata) complain/grouse/gripe (about); (inistä) whine (about) **3** (vedota korkeampaan instanssiin) appeal **4** (pyytää anteeksi) apologize (for), make your apologies, be sorry, say you're sorry; (ylät) deplore, regret
valittaja complainer, whiner, moaner and groaner; (lak) appellant
valittelu 1 (vaivojen) complaining, whinig; (ark) bitching and moaning **2** (surun) commiseration, expression of sympathy
valittu select, elect valitut kohdat maailmankirjallisuudesta selections from world literature Valitut Palat Reader's Digest valittu joukko select group valittu kansa the chosen people Jumalan valitut the Elect vastavalittu presidentti the President-elect
valitus 1 (voihkinta) moan, groan **2** (purnaus) complaint, gripe; (ininä) whine **3** (vetoomus korkeampaan instanssiin) appeal tehdä päätöksestä valitus appeal a decision **4** (anteeksipyyntö) apology; (ylät) regret
valitusaika appeal period
valitusmenettely appeal procedure
valitusoikeus right to appeal
valitusperuste grounds for an appeal
valitusvirsi lament(ation)
valjaat harness valjaissa (hevonen) harnessed; (kuv) in harness
valjastaa harness (myös kuv), (ikeeseen) yoke (myös kuv)
valjeta 1 (muuttua valkoisemmaksi) whiten, bleach **2** (muuttua kirkkaammaksi: pilvinen taivas, asia) clear up; (öinen taivas, asia) dawn Nyt minulle alkaa viimeinkin valjeta Now things are starting to clear up, I'm finally starting to see my way clear, now it finally dawned on me (what's going on)
valju 1 (kasvot) wan, pallid, pale **2** (muisto tms) dim, faded
valkaista 1 (kangasta) bleach **2** (salaattia tms) blanch **3** (seinä tms) whitewash (myös kuv)
valkaisu bleaching, blanching, whitewashing
valkaisuaine bleach
valkama 1 boatdock **2** (run: satama) haven
valkata choose, pick
valkea s **1** fire **2** (šakissa) white adj white
valkea kääpiö (tähti) white dwarf
valkeus white(ness); (usk) light Tulkoon valkeus Let there be light
valkohai great white shark
valkohehku white heat
valkohehkuinen white-hot, incandescent
valkohäntäpeura white-tailed deer
valkoihoinen s, adj white
valkoinen s, adj white valkoisille vaarallinen kaupunginosa a dangerous part of town for whites Valkoinen talo the White House
valkoisenaan white (with snow/petals tms)
valkokaali white cabbage
valkokaarti the White Guard
valkokaartilainen member of the White Guard
valkokangas projection screen, screen
valkokastike white sauce, (maitokastike) béchamel sauce
valkokaulusrikollinen white-collar criminal
valkokaulusrikollisuus white-collar crime
valkokaulustyöntekijä white-collar worker
valkokulta platinum
valkolainen whitey, honky
valkolakki student's (white) cap
valkonaama paleface

valkopesu hot-water cycle kestää valkopesun can be washed in hot water
valkopippuri white pepper
valkopyykki whites
valkosipuli garlic valkosipulin kynsi clove of garlic
valkosipulisuola garlic salt
valkosolu white (blood) cell/corpuscle
valkotasapaino (videokuvauksessa) white balance
valkotukkainen white-haired
Valko-Venäjä Byelorussia
valkovenäläinen Byelorussian
valkoviini white wine
valkovuokko wood anemone
valkovuoto leukorrhea, (ark) white discharge
valkuainen (egg)white, albumen
valkuaisaine protein
vallan quite; (ark) pretty darn vallan hyvä tähän tarkoitukseen pretty darn good for this
vallanhimo power-hunger, lust for power
vallanhimoinen power-hungry
vallankaappaus coup (d'état), (mon) coups (d'état), putsch
vallankaappausyritys attempted coup (d'état)
vallankahva the reins of power pitää kiinni vallankahvasta hold the reins of power, snatch the reins of power
vallankin especially, particularly
vallankumouksellinen revolutionary
vallankumous revolution
vallankäyttö exercise of power
vallanperijä heir (to the throne), successor
vallanperimyssota war of succession
vallanpitäjä ruler, (mon) the powers that be
vallantavoittelija aspirant to power
vallantavoittelu aspiration(s) to power
vallassa in power olla vallassa be in power, hold sway/dominion pitää vallassaan hold (someone) in your power Ei ole minun vallassani myöntää sitä It is not in my power to grant you that himojensa vallassa (hyvä) in the throes of passion, (paha) overpowered by lust levottomuuden vallassa unable to sit still, consumed by anxiety/restlessness rikkaruohojen vallassa overgrown with weeds
Vallat (USA) the States Valloissa in the States
vallata 1 seize, capture, occupy, take (over) vallata alaa gain ground, advance vallata hallintorakennus occupy the administration building **2** (asuttamaton maa-alue tms) claim, stake a claim for; (suoalue, meri) reclaim **3** Minut valtasi silmitön pelko I panicked, I was suddenly filled with irrational fear Minut valtasi lohduton suru I was wracked/overcome with inconsolable grief
vallaton wild, unruly
vallattomuus wildness, unruliness
vallesmanni sheriff, marshall
valli 1 (maavalli) (em)bank(ment); (sot) bulwark, rampart **2** (biljardipöydän) cushion
vallihauta moat
vallita 1 (olla vallalla) prevail, predominate vallitsevissa olosuhteissa under prevailing circumstances **2** (hallita) dominate, administer
vallittaa (fortify with a) rampart
valloillaan loose, free päästää mielikuvituksensa valloilleen give free rein to your imagination, let your imagination run wild
valloittaa 1 (maa) conquer, take **2** (yleisö tms) captivate, mesmerize, enrapture, win over
valloittaja conqueror Vilhelm Valloittaja William the Conqueror
valloittamaton impregnable
valloitus conquest (myös kuv)
valloitusretki expedition of conquest
valmennus training, coaching, preparation
valmennuskurssi prep(aratory) course
valmennusleiri training camp
valmennusohjelma training program
valmentaa train, coach, prepare

valmentaja trainer, coach
valmiiksi finished, (tehty) pre- tehdä valmiiksi finish, (ark) wrap up valmiiksi pakattu prepack(ag)ed valmiiksi äänitetty prerecorded valmiiksi naurettu (jos nauru tulee ääninauhalta) with canned laughter, with a laugh track, (studioyleisön naurua sisältävä) recorded live before a studio audience valmiiksi pureskeltu predigested
valmis 1 (ihminen: johonkin) ready, prepared; (halukas) willing Täytyy olla valmis mihin tahansa You have to be ready/prepared for anything Oletko valmis? Are you ready? Are you all set? Valmiina, paikoillenne, nyt! Take/on your marks, get set, go! (ark) ready, set, go! **2** (ihminen: koulusta) graduated, finished Milloin sinä olet valmis? When are you going to graduate? When are you getting out of here? **3** (toiminta tms) finished, completed, done Eikö se sanakirja ole ikinä valmis? Aren't you ever going to get that dictionary finished?
valmismatka package tour
valmispuku off-the-rack suit
valmistaa make, prepare valmistaa ruoka make/fix/cook/prepare dinner valmistaa puhe write/prepare a speech valmistamaton puhe extempore/impromptu/off-the-cuff speech valmistaa pumppuja make/ manufacture/produce pumps Häntä täytyy valmistaa siihen You've got to build/lead up to it, prepare her for it
valmistaja manufacturer, maker
valmistalo prefab(ricated) house
valmistautua get ready (for something), prepare (yourself for something) valmistautua tenttiin study/cram for an exam valmistautua henkisesti johonkin get yourself psyched up for something
valmistautumaton unprepared
valmistautuminen preparation
valmiste 1 (teollisuusvalmiste) product; (mon) (manufactured) goods **2** (kem, anat) preparation
valmisteinen -made, of (a certain) make suomalaisvalmisteinen Finnish-made, made in Finland, of Finnish make
valmistelematon unprepared
valmistella prepare; (järjestellä) arrange, set up; (luonnostella) draft
valmisteltu prepared, arranged
valmistelu preparation(s), arrangement(s)
valmistua 1 (talo tms) be finished/completed/done **2** (opiskelija) graduate, finish/get your degree valmistua filkandiksi 5 vuodessa get an MA in five years
valmistuminen 1 (talon tms) completion **2** (opiskelijan) graduation
valmistus making, preparation, manufacture (ks valmistaa)
valmisvaatteet ready-made clothes; (ark) off-the-rack clothes
valmius 1 (valmistuneisuus) completion **2** (valmistautuneisuus) readiness, preparedness; (sot) standby, alert **3** (halukkuus) readiness, willingness **4** (kyky) ability, facility, faculty
valmiusasemat standby olla valmiusasemissa be on standby, be on the alert; (kuv) be ready and willing, be ready to go/march
valo light; (lamppu) lamp; (valaistus) lighting tulla julkisuuden valoon come to light kynttilän valossa by candlelight näiden tapahtumien valossa in the light of what happened today saattaa huonoon valoon put (someone) in a bad light näyttää vihreää valoa give (someone) the green light, the go-ahead Mene pois valon edestä! Get out of my light!
valoanturi light sensor
valodiodi light-emitting diode, LED
valoisa s daylight ennen valoisaa before daybreak, while it's still dark (n)
adj **1** light; (huone) well-lighted/-lit; (aurinkoinen) sunny **2** (luonne) sunny, bright, cheerful
valoisuus sunniness, brightness, cheerfulness
valokopio photocopy
valokopioida (photo)copy
valokopiokone photocopier, photocopying machine

valokuva photograph; (ark) photo, snap(shot)
valokuvaaja photographer
valokuvaamo photography studio
valokuvanäyttely photography exhibition
valokuvata photograph
valokuvataide photographic art
valokuvauksellinen photogenic
valokuvaus photography
valokuvauskilpailu photography competition
valokuvauskone camera, photographic equipment/apparatus
valokynä light pen
valoladonta photocomposition
valonarka 1 (silmä) photophobic **2** (valokuvauksessa) photo-/light-sensitive
valon nopeus the speed of light
valopilkku bright spot; (kuv) bright side, ray of light/hope
valottaa 1 (filmi) expose **2** (asiaa) shed (some) light on
valotus exposure
valotusaika exposure
valotusarvo exposure value
valotusmittari light meter, exposure meter
valovoima 1 (tähden) luminosity **2** (fys) luminous intensity **3** (kameran) F-stop **4** (kuv) brilliance
valovoimainen brilliant
valovuosi light year
valssata roll
valssi 1 (tanssi) waltz **2** (tekn) roller
valta 1 power (myös valtio) päästä valtaan rise to power, assume/take control Mikäli se on vallassani If it's in my power (to do) antaa valtaa jollekin surrender/yield to something, give way to something valtansa kukkuloilla at the height of your power **2** (hallitusvalta) dominion, domination, rule, authority, sway **3** (vaikutusvalta) sway, influence **4** Valloissa (ark) in the States **5** vallalla prevailing, common
valta-asema position of power, influential/powerful position
valtaelinkeino principal industry
valtaistuin throne
valtakirja power of attorney
valtakunnallinen national
valtakunnallisesti nationally
valtakunta country, nation, realm; (kuningaskunta, myös usk) kingdom; (kuv) realm, domain Kolmas Valtakunta the Third Reich tulkoon sinun valtakuntasi thy kingdom come
valtameri ocean
valtataistelu power struggle
valtatie highway
valtaus 1 conquest, seizure, capture, occupation, takeover **2** (asumattoman maa-alueen tms) claim, (suoalueen, meren) reclamation
valtava immense, enormous, huge
valtavasti immensely, enormously, hugely
valtavuus immensity, enormity
valtias ruler, sovereign
valtiatar ruler, mistress
valtikka scepter
valtimo 1 artery **2** (pulssi) pulse tunnustella valtimoa take (someone's) pulse
valtio 1 (hallitus) state, government; (US) the Federal Government **2** (maa) country, nation
valtiojohtoinen state-run/-owned
valtiokirkko state church
valtiollinen state, government(al), (US) Federal; (julkinen) public; (valtakunnallinen) national
valtiollistaa socialize, nationalize
valtiomahti governmental power/ authority
valtiomies statesman
valtioneuvos Councillor of State
valtioneuvosto Cabinet
valtion obligaatio government bond
valtionpäämies head of state
valtiontalous national economy
valtiopäivät parliament
valtiosääntö constitution
valtiosääntöuudistus constitutional reform
valtiotiede political science, (ark) poly sci

valtiovarainministeri (Suomi) Minister of Finance, (US) Secretary of the Treasury
valtiovarainministeriö (Suomi) Ministry of Finance, (US) Department of the Treasury
valtiovierailu official/state visit
valtiovieras official/state visitor
valtoimenaan loose, free(ly), unrestrained(ly) Mielikuvitukseni mellasti valtoimenaan My imagination ran wild
valtti trump (myös kuv:) asset
valtuus power, authority, authorization täydet valtuudet full authority, (ark) a free hand ylittää valtuutensa exceed/ overstep your authority
valtuuskunta delegation
valtuusto (kunnan) (municipal/county) council
valtuutettu 1 (valtuuston jäsen) council(wo)man/-person, council member **2** (valtuuskunnan jäsen) delegate **3** (lak) agent, representative, proxy
valtuuttaa authorize, empower; (diplomaatti) accredit
valtuutus authorization; (valtakirja) power of attorney
valu casting
valua run, flow, stream, pour Hiki valui hänestä The sweat was running/ pouring/dripping off her antaa pestyn astian/puseron valua kuivaksi let a washed dish/blouse drip dry Kaikki se työ valui hukkaan All that work went down the drain/toilet Peitot valuivat yöllä lattialle The blankets slid off onto the floor during the night
valumuotti (betonin) form, (metallin) mold
valurauta cast iron
valuttaa (vettä hanasta) run, (vettä riisistä tms) strain, (hiekkaa sormista) let (the sand) flow (through your fingers)
valuutanvaihto money/currency exchange
valuutta currency
valuuttakurssi exchange rate
valveilla awake
valveutunut aware, conscious
valvoa 1 (olla valveilla) be/stay awake/ up valvoa myöhään stay up/awake late Vieläkö valvot? Are you still awake? **2** (tarkkailla) oversee, supervise; (katsoa) watch, keep an eye on; (lakia) enforce; (tenttiä) supervise, proctor, monitor
valvoja 1 (työn) overseer, supervisor, superintendent **2** (lain) enforcer **3** (tentin) supervisor, proctor, monitor
valvojaiset 1 (vainajan) wake **2** (pääsiäisyön) vigil **3** (uudenvuodenaaton) party
valvonta 1 (työn) supervision, control, direction **2** (toiminnan) surveillance **3** (lain) enforcement
valvottaa keep (someone) up/awake
vamma 1 (parannettava) injury, wound; (psyykkinen) trauma **2** (pysyvä) handicap, disability, impairment
vammainen s handicapped/disabled person; (mon) the handicapped, the disabled
adj handicapped, disabled näkö-/ kuulovammainen sight-/hearing-impaired kehitysvammainen mentally/ developmentally/ emotionally handicapped/retarded
vammaishuolto social work with the handicapped/disabled
vamppi vamp
vampyyri vampire
vana wake (myös kuv)
vanavesi wake (myös kuv)
vandalismi vandalism
vaneri 1 (levy) plywood **2** (viilu) veneer
vanginvartija prison guard
vangita 1 (panna vankilaan) imprison, incarcerate, jail **2** (pidättää) arrest, place (someone) under arrest, take (someone) into custody, put (someone) in detention **3** (jonkun huomio) captivate, enthrall, enrapture
vanha s old/elderly person; (mon) the elderly, the aged, senior citizens
adj **1** old, aged vanha polvi the older generation elää vanhaksi live to a ripe old age vanhalla iällä when you're old vanha kunnon Martti good old Martti vanha vitsi old joke vanhempi, vanhin ks

hakusanat **2** (pitkäaikainen) old, long-standing, well-established **3** (vanhentunut) obsolete, obsolescent, old-fashioned, out-of-date **4** (entinen) old, former ennen vanhaan back in the olden days **5** (käytetty) used, second-hand vanhain tavarain kauppa second-hand store
vanhahko oldish
vanhahtava oldish, old-feeling, slightly archaic/out-of-date
vanha kaarti the Old Guard
vanha konsti on parempi kuin pussillinen uusia old dogs can't learn new tricks
vanha kuin taivas (as) old as the hills
vanhanaikainen old-fashioned
vanhanaikaisuus old-fashionedness
vanhapiika old maid
vanhapoika bachelor
vanhastaan Se on vanhastaan tuttu (ihminen) He's an old friend (of mine), we're old friends, we go way back; (asia) I know all about that, I knew how to work/do that when you were still a gleam in your daddy's eye
vanha suola janottaa old love never dies
vanhatestamentillinen Old-Testament
Vanha testamentti Old Testament
vanha virsi the same old story
vanhemmiten the older I/you get, later in life
vanhempainilta open house
vanhempainkokous parents' meeting; (opettajien kanssa) parent-teacher association (PTA) meeting
vanhempainneuvosto parents' council
vanhempi s **1** (perheen) parent **2** (kirkon) elder
adj **1** older, (vanh vars perheessä) elder vanhempi veli/sisko older/big brother/ sister Hän on kolme vuotta minua vanhempi She's three years older than me **2** (eläkeläisestä) elderly vanhempi mieshenkilö an elderly gentleman **3** (samannimisen pojan isästä) Senior (Sr.); (ransk) père; (lat) the Elder Henry James vanhempi Henry James, Senior (Sr.) Alexandre Dumas vanhempi Alexandre Dumas père Marcus Porcius Cato vanhempi Marcus Porcius Cato the Elder/ Censor
vanheneminen 1 aging **2** (umpeutuminen) expiration, (tentin) getting out-of-date, (rikoksen) limitation
vanhentua 1 age, get old(er) **2** (vanhanaikaistua) get old-fashioned, fall out of fashion, become out-of-date/obsolete
vanhentunut 1 aged, old **2** (umpeutunut) expired, (tentti) out-of-date, (rikos) statute-outlawed/ -barred **3** (vaate, aate tms) old-fashioned, out-of-date/-fashion, no longer fashionable/in/trendy, obsolete
vanheta 1 get old, age **2** (umpeutua) expire, (tentti) get out-of-date, (rikos) fall under the statute of limitations
vanhin s **1** (ammattikunnan) senior member, grey eminence, grand old man **2** (kylän, seurakunnan tms) elder
adj **1** oldest, (vanh vars perheessä) eldest **2** the (most) senior; (sot) ranking
vanhoillinen conservative
vanhoillisesti conservatively
vanhoillisuus conservatism
vanhurskaasti righteously; (hurskastellen) self-righteously
vanhurskas righteous; (hurskasteleva) self-righteous
vanhurskaus righteousness; (hurskastelu) self-righteousness
vanhus old/elderly person, senior citizen; (leik vanhemmista) the old folks
vanhuudenhöperö senile
vanhuus (old) age
vanhuuseläke retirement(/old-age pension)
vanhuusvuodet the declining/golden years, the years of your old age, the autumn/evening of your life
vanilja vanilla
vankasti steadfastly pysyä vankasti kannassaan hold fast to your position, remain firm in your conviction, stick to your guns

vankeinhoito correctional treatment (of prisoners)
vankeus imprisonment, detention; (eläimen) captivity saada viisi vuotta vankeutta get five years in prison, get sentenced to five years' imprisonment kärsiä vankeutta serve a prison sentence; (ark) do time
vankeusaika prison term
vanki prisoner (myös kuv), convict, inmate; (ark) con ottaa vangiksi capture, take (someone) prisoner pitää vankina keep (someone) prisoner/in jail, confine
vankila prison, jail; (sl) the slammer, the clink joutua vankilaan be sent to prison/jail, go to jail, be jailed; (sl) be thrown in the slammer/clink, be put inside olla vankilassa be in prison/ jail; (sl) be in the slammer/clink, be inside, be doing time
vankilakapina prison riot
vankileiri prison camp
vankityrmä dungeon
vankka 1 (tuoli tms) sturdy, solid, strong **2** (käsitys tms) strong, firm, steady, steadfast; (jääräpäinen) stubborn
vankkarakenteinen sturdy, strong, solid, sturdily/strongly/solidly built
vankkumaton unshakeable, unyielding, unflinching, unfailing, steady, steadfast
vankkurit wagon
vannas 1 (auran) (plow) share **2** (keulan) stem, (perän) sternpost
vanne 1 (tynnyrin tms) hoop **2** (pyörän) rim; (ark = auton pyörä) wheel talvirenkaat Saabin vanteilla snow tires on Saab wheels
vannoa swear, take an oath, vow Enpä mene vannomaan I don't know for sure, I can't say for sure, I can't guarantee it Olisin voinut vaikka vannoa että I could have sworn that
vannoa kostoa vow (to get) revenge
vannoa luopuvansa jostakin swear off something
vannoa uskollisuutta jollekulle swear/pledge allegiance to someone
vannoa väärin commit perjury, perjure yourself
vannomatta paras you never know, you can never be sure (about these things)
vannottaa make (someone) swear (to something) vannottaa joku olemaan vaiti swear someone to secrecy
vannoutua swear, vow
vannoutunut sworn, confirmed, dedicated, devoted
vantaalainen s person from Vantaa adj pertaining to Vantaa
vanu (absorbent) cotton
vanua mat/felt (up)
vanukas pudding
vanupuikko Q-tip
vanuttaa full, mill
vapa (fishing) rod/pole
vapaa free, (tyhjä) vacant pitää iltapäivällä vapaata take the afternoon off, have a free afternoon Onko tämä huone vapaa? Is this room free/vacant/ unoccupied, can we use this room? täyttää vapaata paikkaa fill a vacant post päästää vapaaksi let (someone/an animal) go (free), let (someone/ something) loose, release, free vapaalla jalalla (ei naimisissa) free, unhooked, footloose and fancy-free; (karannut) on the loose Hän on aika vapaa seksiasioissa She's pretty free/easy/loose/ uninhibited/liberal about sex ajaa vapaalla coast vaihtaa vapaalle (auto) put (the car) in neutral; (itsensä) cast off the workaday world, get ready to boogie/party, let loose
vapaa-ajattelija free thinker
vapaa-aika free/leisure/spare time
vapaa ajattelu free(dom of) thought
vapaaehtoinen s volunteer adj voluntary
vapaakappale free copy; (tekijän) author's copy, (arvostelijan) review copy
vapaakappaleoikeus (kirjaston) free copy right
vapaa kasvatus permissive childrearing/upbringing

vapaa kauppa free trade Euroopan vapaakaupan järjestö European Free Trade Association, EFTA
vapaa lehdistö free(dom of the) press
vapaalippu (free) pass, free/ complimentary ticket
vapaa maailma the free world
vapaamielinen free-thinking, broad-/ open-minded, liberal, tolerant
vapaapalokunta volunteer fire department
vapaapäivä day off, (pyhä) holiday
vapaa pääsy free admission, no charge, no entrance fee
vapaa sana free(dom of) speech sana on vapaa the floor is open
vapaaseurakunta independent/ nonstate congregation; (vapaakirkko) Free Church
vapaasti freely saada tehdä vapaasti mitä haluaa be free to do whatever you want Kysyhän vapaasti (Feel free to) ask whatever you like puhua vapaasti speak freely/openly; (pitää valmistamaton puhe) speak ex tempore, make an impromptu speech
vapaasti seisova free-standing
vapaa tahto free will
vapaat kädet antaa jollekulle vapaat kädet give someone free hands, a free rein
vapaat sukupuolisuhteet free sex, casual sexual relations
vapaa työpaikka help wanted
vapaauinti freestyle
vapaavalintainen optional
vapahtaa (usk) redeem
Vapahtaja (usk) the Redeemer
Vapaudenpatsas the Statue of Liberty
vapaus 1 freedom, liberty ottaa tiettyjä vapauksia take certain liberties (with) runoilijan vapaus poetic license **2** (toiminnan) freedom, latitude, scope **3** (erivapaus) exemption
vapausrangaistus loss of liberty, prison sentence
vapaussota war of independence
vapaustaistelija freedom fighter
vapauttaa 1 (set) free/loose, let loose/go, liberate, emancipate **2** (lak: syytteistä) acquit (someone of), (vankilasta) release (someone from), (velvoitteesta) exempt (someone from), (tehtävistään = erottaa) relieve (someone of her duties) **3** (myynti, jakelu tms) lift the restrictions on, decontrol, deregulate
vapauttaminen liberation, emancipation, acquittal, release, exemption, relief, decontrol(ling), deregulation (ks vapauttaa)
vapautua 1 (tulla vapautetuksi) be freed/set free/let go/released/liberated/ emancipated/relieved/ deregulated Minulla on niin vapautunut olo I feel so relieved vapautua jännityksestä loosen up **2** (vapauttaa itsensä) free yourself of, (päästä eroon) get rid of (someone/ something) **3** (huone) be vacated, (virka) become vacant, (puhelin) become free
vapautuminen release, liberation, emancipation
vapautus 1 release, liberation, emancipation **2** (erivapaus) exemption
vapautusarmeija liberation army
vapautusliike liberation/emancipation movement
vapina the shivers/shakes
vapista shiver, shake
vappu May Day
vappuhuiska May Day pompom
vappujuhla May Day celebration
vappukulkue May Day parade
vapunvietto May Day celebration/ party
vara 1 room, margin; (tahallaan jätetty) allowance parantamisen varaa room for improvement toivomisen varaa a lot to be desired valinnan varaa a choice/ selection, something/ plenty to choose from tulkinnan varaa interpretive play **2** olla johonkin varaa be able to afford something **3** pitää varansa watch out, watch your step, be on your guard, keep your eyes open **4** varalla, varassa ks hakusanat

vara- 1 (ihminen) vice; (apulais-) deputy, lieutenant, assistant; (pelaaja) substitute, second-string **2** (esine) extra, spare; (hätä-) emergency
varaaja 1 (kuuman veden) hot-water heater **2** (sähkön) condenser
varainhoitaja treasurer
varakas wealthy, rich, affluent, prosperous, well-to-do, well-off
varalla 1 (varattuna) in reserve/store; (saatavilla) on/at hand, (readily) available **2** (varten) for pahan päivän varalle for a rainy day säästää vanhojen päivien varalle save up for retirement siltä varalta että (jotain sattuu) in case (something happens) kaiken varalta just in case, just to make sure, to be on the safe side
varallisuus wealth, assets; (omaisuus) property, (pääoma) capital
varallisuusvero capital tax
varaosa spare part
varapresidentti vice president
varapuheenjohtaja vice chairperson
vararikko bankruptcy
varas thief Tilaisuus tekee varkaan Opportunity makes the thief varkain, varkaissa (ks hakusanat)
varaslähtö false start
varassa on olla jonkin varassa (fyysisesti) rest on, (kuv) rely/depend on heittäytyä jonkun/jonkin varaan depend/count/bank on (someone/ something) rakentua jonkin varaan be based/founded on, be grounded in
varastaa 1 steal (myös kuv); (ark) snitch, swipe **2** (plagioida) plagiarize, steal from, copy; (ark) crib **3** (ottaa varaslähtö) jump the gun (myös kuv)
varasto 1 supply, supplies, stock, store(s) varastossa (liik) in stock; (varastoituna) in storage, stored/stocked/ put away; (varalla) in store pitää varastossa (liik) stock loppua varastosta (liik) be out of stock **2** (rakennus) store(house/-room), warehouse
varastopäällikkö stock manager
varastotila storage space
varat 1 (luonnon) resources, reserves **2** (varasto) stores, stocks **3** (rahat) funds, (maksukyky) means, (varallisuus) assets elää yli varojen live beyond your means olla varoissaan be wealthy/well-to-do, (ark) be flush Se maksetaan valtion varoista It's being funded by the government
varata 1 (varastoida) store (up), stock (up with); (akkua tms) charge **2** (pitää varalla) set/put (something) aside (for something); (myöntää varoja johonkin) appropriate/allocate/ earmark (funds for something) **3** (pitää varattuna, tilata) reserve varata aika make an appointment (with a doctor) varata pöytä make a reservation (at a restaurant) varattu reserved; (WC) occupied; (ihminen, puhelin) busy
varaton penniless, indigent
varattomuus indigence
varatuomari Master of Jurisprudence; (ark) lawyer, attorney-at-law
varaukseton unreserved, unqualified; (fys) uncharged
varauksettomasti unreservedly, without reservation/qualification
varauloskäynti exit
varaus 1 (tilaus) reservation **2** (pidättyvyys) reservation, qualification; (ehto) condition, proviso, provision, stipulation tietyin varauksin with certain reservations/ qualifications; (ehdoin) on certain conditions, with certain provisos/ stipulations **3** (akun tms) charge
varautua 1 be prepared (for something), prepare yourself (for something), be/get ready (for something) **2** (tukeutua: fyysisesti) lean on, (kuv) rely/draw on **3** (tekn) be charged
varaventtiili safety valve (kuv)
varhain early Jo varhain hän tiesi Even at a tender age she knew
varhainen early liian varhainen premature
varhaisaamu early (in the) morning
varhaiskeskiaika the early Middle Ages
varhaiskypsä precocious

variaatio variation
varietee variety show, vaudeville
varikko 1 (sot, rautatie) depot **2** (autourheilussa) the pit(s)
variksenpelätin scarecrow
varioida vary, introduce variations on
varis crow
varista fall/drop (off) puista varisee lehtiä the trees are losing/shedding/dropping their leaves
varistaa 1 (kasvi) shed, lose, drop **2** (ravistaa) shake
varistella ks varistaa
varjella protect/guard (against), keep (something) safe from/against Herra varjelkoon! Good God/Lord! (katol) The saints preserve us!
varjelu protection
varjo 1 (jonkun/jonkin) shadow joutua jonkun varjoon be overshadowed by someone Hän oli vain varjo entisestään He was a mere shadow of his former self **2** (katve, myös myt = haamu) shade 30 astetta varjossa ninety (degrees) in the shade **3** (suoja: auringon) shade, (sateen) umbrella **4** (suoja: kuv) cover, (dis)guise, pretext, pretense ystävyyden varjolla under the pretense/pretext of friendship uskonnon varjolla harjoitettu julmuus cruelty practiced under (the) cover/guise of religion
varjoaine contrast medium, opaque matter
varjoisa shady, shaded; (pimeä) shadowy
varjokuva 1 (varjo kuviona) shadow (figure) **2** (siluetti) silhouette
varjonyrkkeily shadow-boxing
varjopuoli 1 (haittapuoli) drawback, disadvantage **2** (paha puoli) dark/sordid/seamy side, less pleasant aspect(s)
varjostaa 1 (varjota, peittää) shade, (over)shadow; (kuv) overshadow, cast a shadow on **2** (seurata) shadow, tail
varjostaja shadow, tail
varjostin shade
varjostus shading
varkain secretly, in secret, furtively, covertly, stealthily
varkaissa omenavarkaissa stealing apples yllättää joku autovarkaista catch someone stealing a car
varkaus theft; (lak) larceny
varkausvakuutus theft insurance
varma 1 (ihminen) sure, certain, confident, self-assured olla varma itsestään be/feel sure of yourself, be self-confident/-assured olla varma asiastaan know what you're talking about **2** (asia: luotettava) sure, certain, dependable, definite, reliable Yksi asia on varmaa One thing's (for) sure/certain **3** (asia: turvallinen) secure, safe pelata varman päälle play it safe **4** (toiminta: vankka) sure, steady, firm **5** (yhdyssanoissa) -proof idioottivarma foolproof, failsafe
varmaan probably, most likely, almost certainly Sinä varmaankin haluat lainata rahaa I bet you want to borrow money off me Ei hän varmaankaan tule I bet she isn't coming, she's probably not going to show
varmahko fairly sure/certain
varmasti certainly, definitely, absolutely, positively; (luotettavasti) reliably Kyllä minä varmasti tulen I'll definitely be there, you can count on my being there
varmennus 1 (varmistus) assurance **2** (allekirjoitus) countersignature, (sekin) endorsement
varmentaa 1 (varmistaa) ensure, assure, make sure of, warrant; (ark) clinch **2** (todentaa) verify, validate, substantiate **3** (tosittaa) certify **4** (sekki tms) countersign, endorse
varmentua become sure/certain, be confirmed
varmistaa 1 (asia) ensure, assure, make sure of, warrant **2** (vahvistaa: asiaa) confirm, establish, prove; (ark) clinch **3** (vahvistaa: esinettä) strenghten, tighten, cinch (down) **4** (sot: turvata) secure, (lujittaa) fortify, (vakauttaa) stabilize; (ase) put/flip the safety on
varmistautua check (on), make sure (of)

varmistin safety
varmistua 1 (ihminen: ottaa selvää) find out (for certain), make sure/certain (of something); (tulla vakuutetuksi) be(come) (more and more) convinced (of something) **2** (asia) be confirmed
varmistus 1 (varmistaminen) check(ing) **2** (vahvistus) confirmation **3** (varmistin) safety
varmuudella with certainty/ confidence, confidently
varmuuden vuoksi just to make/be sure, to be on the safe side, to play it safe, just in case
varmuus 1 (asiasta) certainty, confidence; (itsevarmuus) self-confidence saada varmuutta jostakin, päästä varmuuteen jostakin find out (for sure) about something **2** (asian: turvallisuus) safety, security; (luotettavuus) reliability **3** (toiminnan) sureness, steadiness, firmness
varmuusaste degree of certainty
varmuuskerroin safety factor
varmuuskopio (tietovälineestä) back-up copy, back-up ottaa varmuuskopio tiedostosta to back up a file
varmuustulitikku safety match
varoa 1 (käsitellä varoen) be careful (with/of), handle carefully Varo ettet pudota sitä Be careful not to drop it, don't drop it Käsiteltävä varoen Fragile, handle with care **2** (olla varuillaan) watch/look (out for something), be on your guard Varo putoavia kiviä Watch out for falling rocks varoa sanojaan watch what you say, guard your tongue Varo! Look out! Careful! Watch it! Varo autoja! Look/watch out for cars Varokaa koiraa Beware of dog
varoiksi ks varmuuden vuoksi
varoitella 1 (varoittaa) (fore)warn, admonish **2** (varotella) be careful, tread carefully
varoittaa (fore)warn, caution, alert (someone to danger), admonish
varoittelu (fore)warning, caution(ing), admonition
varoitus (fore)warning, caution(ing), admonition
varoitusaika notice puolen tunnin varoitusajalla at a half-hour's notice
varoitushuuto warning shout
varoke fuse
varokeino precautionary/security measure
varomaton 1 (harkitsematon) imprudent, indiscreet, rash, incautious **2** (huolimaton) incautious, careless
varomattomasti imprudence, indiscretion, rashness, lack of caution, carelessness (ks varomaton)
varotoimi precautionary/security measure
varovainen 1 (huolellinen) careful, cautious **2** (harkitsevainen) cautious, prudent, guarded, wary **3** (konservatiivinen) conservative, moderate varovainen arvio conservative estimate
varovaisuus carefulness, cautiousness, caution, prudence, guardedness, wariness (ks varovainen)
varovasti 1 carefully, with care, cautiously **2** (harkiten) cautiously, prudently, guardedly, warily
varoventtiili safety valve (myös kuv)
varpaankynsi toenail
varpaillaan on your toes (myös kuv)
varpaisillaan on your tiptoes (myös kuv)
varpu 1 (oksa) twig, (koristeeksi) sprig **2** (vitsa) stick, wand
varpunen sparrow
varras 1 spit, (uunissa) rotisserie; (tikku) skewer **2** (ruoka) shishkebab, shashlik **3** (leipävarras) (bread) pole
varrastaa skewer, spit
varrella 1 (paikallisesti) along(side), by the side of, on joen varrella along(side) the river **2** (ajallisesti) during/in (the course of) elämänsä varrella in your lifetime, during your life, in the course of your life
varrellinen 1 (työkalu) (a tool) with a handle **2** (kasvi) stemmed, stalked
varsa foal; (orivarsa) colt, (tammavarsa) filly
varsi 1 (kahva) handle; (kirveen) haft, helve; (viikatteen) snath(e) **2** (tekn) rod, arm, shaft **3** (rak: pylvään) shaft,

(portaan) flight **4** (anat: luun) shaft, (kasvaimen) pedicel, peduncle **5** (siitepölyhiukkasen) pedicel **6** (kasvin) stem, stalk; (köynnös) vine; (naatti) top **7** (piipun) stem **8** (saappaan, sukan) leg **9** (vierus) side (ks myös varrella) **10** (vartalo) figure, frame

varsin quite, fairly; (ark) pretty

varsinainen 1 (todellinen) true, proper, real, actual; (ensisijainen) primary sanan varsinaisessa merkityksessä in the strict/literal/true sense of the word **2** (säännönmukainen) regular, ordinary; (pysyvä) permanent varsinaiset jäsenet permanent members **3** (ark = aikamoinen) real varsinainen törppö a real jackass

varsinaisesti 1 (oikeastaan) actually, really, as a matter of fact, in fact/actuality **2** (tarkalleen ottaen) strictly speaking **3** (ensi sijassa) primarily, chiefly, principally, in the first place

Varsinais-Suomi Finland Proper, Southwestern Finland

vartalo 1 (ihmisen) figure, frame, form, body; (keskiosa) trunk, torso kaunis vartalo beautiful figure **2** (sanan) stem

vartalonmyötäinen tight(-fitting), close-fitting, snug

varta vasten especially, expressly; (ark) just Tein sen varta vasten sinulle I did it just for you

varteenotettava 1 (huomattava) notable, noteworthy, substantial varteenotettava summa a substantial/tidy sum, quite a bit of money **2** (vakavasti otettava) serious Minusta hän on varteenotettava hakija I find her a serious contender, I think we should take her candidacy seriously, I think she has a good chance of winning

varten for Onko tämä minua varten? Is this for me? Mitä varten? What for? Why? Sitäkö varten teit sen? Is that why you did it?

vartija 1 (security) guard, watchman; (sot myös) sentry, sentinel **2** (valvoja) attendant, keeper **3** (kuv) guardian, watchdog

vartinen 1 (työkalu) -handled **2** (kasvi) -stemmed

vartio 1 guard pitää vartiota stand guard vartion vaihto the changing of the guard **2** (ajanjakso) watch, (laivalla) bell

vartioida 1 (keep) guard/watch (over), patrol **2** (urh) cover, guard

vartiointi 1 security **2** (urh) covering, guarding

vartiointiliike security firm

vartiopaikka (guard/watch/sentry) post

vartti quarter varttia vaille viisi a quarter to five akateeminen vartti the academic practice of starting lectures at a quarter after the hour

varttitunti a quarter (of an) hour, fifteen minutes

varttua grow (up (to be)), mature/develop (into)

varttuneen tieteenharjoittajan apuraha senior research fellowship

varuillaan on your guard/toes, on the lookout (for) Jos et ole varuillasi sinun käy kalpaten You're going to be in trouble if you don't watch out

varuskunta garrison

varusohjelma (tietok) (system) program

varustaa 1 equip, fit (up/out), outfit, supply; (ruoalla) provision, (aseilla) arm; (linnoittaa) fortify **2** (valmistaa) prepare, get (someone) ready (for something); (tehdä valmisteluja) make arrangements/preparations

varustamo shipfitter, shipowning company

varustautua 1 (hankkia varusteet) equip/outfit yourself; (ark) rig/trick yourself out; (aseella ja kuv) arm yourself varustautua sotaan arm yourself for war, gear up for war **2** (valmistautua) get ready (to do something), make arrangements/ preparations (for something)

varusteet 1 equipment, outfit, gear; (ark) stuff **2** (lisävarusteet) accessories

varustelu (re)armament

varustus 1 (varusteet) equipment, outfit, gear; (ark) stuff **2** (sot) fortification(s)
varvas toe astua jonkun varpaille step/tread on someone's toes
varvastossut 1 (balettitossut) ballet slippers **2** (kumiset) thongs, zorries, flipflaps, japflaps
vasa 1 (hirven tms) fawn, (poron) calf **2** (rak) joist
vasalli vassal
vasara hammer (eri merkityksiä); (puheenjohtajan) gavel
vasaroida hammer (out)
vasemmanpuoleinen lefthand
vasemmisto the Left
vasemmistoenemmistö left majority
vasemmistolainen s leftist, leftwinger
adj leftist, leftwing
vasemmistolaisuus leftism
vasemmistosiipi the left wing
vasen left kääntyä seuraavasta vasemmalle take the next left, turn left at the next corner/street/ intersection
vasenkätinen s lefthander, (ark) southpaw
adj lefthanded
vasenkätisyys lefthandedness
vasensuora left-justified
vasikka 1 (elävä) calf, (syötävä) veal **2** (ilmiantaja) informer; (ark) snitch
vasikoida 1 (synnyttää) calve **2** (ilmiantaa) inform; (ark) snitch
vaski (messinki) brass, (kupari) copper, (pronssi) bronze
vaskisoitin brass instrument; (mon) the brass (section)
vasomotorinen vasomotor
vasta s birch switch
adv **1** (ei ennen kuin) not until/till, only Hän tulee vasta huomenna She isn't coming until tomorrow Hän tulee vasta kun kaikki on valmiina She'll only come when everything's ready, she won't come until **2** (vain) only Hän on vasta pieni poika He's only a little boy **3** (vastikään) just Vastahan syötiin! We just ate! **4** (tulevaisuudessa) in the future Tervetuloa vastakin! Welcome back! Come back again! **5** Siinä vasta auto! Now there's a (real) car!
vasta- 1 (jotakin vastaan) counter- **2** (vastikään) new/fresh(ly)(-) vastasyntynyt newborn vastanainut just married, newly wed vastaleivottu freshbaked
vasta-aine 1 (lääke) antidote **2** (anat) antibody **3** (fys) antimatter
vastaaja 1 (lak) defendant, (avioerojutussa) respondent **2** (tenniksessä) receiver
vastaan 1 (vastakkainasettelusta) against, versus (vs.) pelata/taistella jotakuta vastaan play/fight somebody Onko sinulla jotain häntä vastaan? Do you have something against him? Suomi vastaan Ruotsi Finland vs. (lue: versus) Sweden Kymmenen yhtä vastaan että hän voittaa Ten to one he wins, (ark) ten'll getcha one he wins olla jotakin vastaan be against something, be opposed to something, object to something panna vastaan resist (ks myös hakusana) sanoa vastaan talk back **2** (vasten) against **3** (kaupasta) (in exchange/return/ payment) for kohtuullista maksua vastaan for a reasonable fee kuittia vastaan against a receipt ottaa vastaan receive (ks myös hakusana) **4** (kulkemisesta: kohti) towards you, (vastakkaiseen suuntaan) the other way Voitko tulla minua vastaan junalle? Can you pick me up at the train station? Hän ajoi meitä vastaan tiellä We passed her/she passed us on the road ks myös vastassa **5** (takaisin) back hymyillä vastaan smile back
vastaanotto 1 (ihmisen, asian, lähetyksen) reception **2** (hotellin) reception (desk); (lääkärin) doctor's office; (professorin tms) office hours tilata (lääkäriltä) vastaanotto make an appointment (to see someone)
vastaanottoaika office hours
vastaanottoapulainen receptionist
vastaanpano resistance, opposition
vastaansanomaton 1 (ihminen) meek, compliant, submissive, passive,

willing to be led (around by the nose) **2** (asia) incontrovertible, incontestable, uncontested, indisputable, undisputed

vastaansanomatta without a protest/murmur

vastaantulija 1 (ihminen) passerby, (auto) oncoming car **2** (urh) pushover

vastaava s (mon) assets adj **1** (samanlainen) equivalent, corresponding, similar, parallel, comparable **2** (johtava) managing, responsible, (person) in charge

vastaavanlainen comparable, similar, analogous

vastaava päätoimittaja editor-in-chief

vastaavasti correspondingly, similarly, comparably; (samassa suhteessa) proportionately, in proportion (to)

vastaavuus equivalence, correspondence, similarity

vastaehdotus counterproposal

vastahakoinen 1 (ihminen) reluctant, unwilling, disinclined **2** (aine) intractable

vastahakoisesti reluctantly, unwillingly

vastahankaan asettua vastahankaan get your back up, dig your heels in, refuse to budge

vastahyökkäys counterattack

vastainen 1 (vastapäinen) opposing, opposite (to) pääalttarin vastainen seinä the wall opposite (to) the altar **2** (välinen) sunnuntain vastaisena yönä Saturday night Neuvostoliiton vastaisella rajalla at the Soviet border **3** (jotakin päin oleva) facing **4** (jotakin vastaan oleva) against you Tuuli oli vastainen The wind was against us, we were heading into the wind **5** (jotakin vastoin oleva) contrary (to) Se olisi omien etujesi vastaista That wouldn't be in your own best interests, that would be contrary to your own interests **6** (yhdyssanoissa) anti- kommunismin vastainen anticommunist **7** (tuleva) future vastaisen varalle (huonon ajan varalle) for a rainy day, (myöhemmän käytön varalle) for future reference/ use

vastaisku counterblow, counterstrike, (miekkailussa) counter(thrust); (ydinsodassa) second strike antaa vastaisku strike back, counter

vastaisuus 1 (tulevaisuus) the future vastaisuuden varalta in the future, for future reference, if this ever happens again **2** (vastustaminen) opposition sodanvastaisuus pacifism

vastakaiku sympathy, a sympathetic response saada vastakaikua be well received, gain/win favor

vastakarvaan the wrong way (myös kuv:) against the grain

vastakeino countermeasure

vastakkain 1 (toisiaan vastapäätä) opposite/facing each other, face to face asettaa vastakkain (kaksi ihmistä) bring (two people) face to face (with each other), confront (someone with someone); (kaksi ideaa tms) juxtapose **2** (toisiaan vastaan) against each other, in opposition Ottelussa olivat kaksoset vastakkain The fight was between two twins **3** (yhteen) together painaa kätensä lujasti vastakkain press your hands tightly together törmätä vastakkain crash into (someone/something), collide with (someone/something)

vastakkainasettelu juxtaposition

vastakkainen opposite, opposed, contrary, contradictory, reverse

vastakohta 1 opposite, contrary **2** (vastakohtaisuus) contrast, opposition; (vihamielisyys) antagonism, conflict

vastakohtainen opposite, contrary

vastakysymys counterquestion

vastalahja return present

vastalause protest

vastaleivottu fresh-baked; (kuv) brand-new

vastamyrkky antidote

vastanäyttelijä costar

vastapaino counterweight/-balance olla vastapainona jollekin counterbalance something

vastapuhelu collect call soittaa vastapuhelu jollekulle place a collect call to someone, call someone collect

vastapuoli 1 (kääntöpuoli) reverse, flip/counter side **2** (vastaan oleva puoli) the opposition, the opposing team/side; (vastaava puoli) counterpart
vastapäin against, opposite to, in opposite directions
vastapäinen opposite, facing
vastapäivään counterclockwise
vastapäätä opposite to, across from
vastarakkaus mutual love saada vastarakkautta be loved in return, have your love requited/returned
vastaranta the opposite bank/shore
vastarinta resistance, opposition
vastarintajärjestö resistance organization
vastarintaliike resistance movement; (ranskalainen natseja vastaan) the (French) Resistance
vastassa 1 (edessä) in front of **2** (esteenä) blocking the way, in the/your way Rajalla oli poliisi vastassa We were stopped at the border by the police **3** (vastapäätä) opposite **4** He ovat meitä vastassa asemalla They'll meet us at the station, they'll pick us up at the station junaa/lentokonetta vastassa meeting a train/plane
vastata 1 (johonkin: kysymykseen) reply/respond (to), answer; (tunteeseen, tuleen tms) return **2** (jostakin) be responsible/ answerable/accountable (for), take responsibility (for); (seurauksista) bear/shoulder the consequences (for) Kuka vastaa ruoasta? Who'll bring the food? **3** (jotakin) correspond to, be equivalent/analogous/proportionate/ equal to; (toiveita) meet, satisfy, come up to; (tarinat keskenään) match (up), tally, jibe, coincide
vastata jonkun velasta be liable for someone's debt
vastata kustannuksista shoulder the expense, cover the cost
vastata oikeudessa jostakin stand trial for something
vastata puhelimeen answer the phone; (ark) get the phone Minä vastaan! I'll get it!
vastata samalla mitalla answer in kind, give as good as you got, pay (someone) back in the same coin, fight fire with fire
vastata seurauksista take fill responsibility
vastatusten ks vastakkain
vastatuuli headwind, (kuv) contrary/ adverse wind vastatuuleen against/into the wind, upwind, windward
vastaus 1 (kysymykseen) reply, response, answer **2** (ongelmaan) answer, solution
vastauskonpuhdistus Counter-Reformation
vastausta pyydetään R.S.V.P.
vastavaikutus reaction, counteraction
vastavallankumous counterrevolution
vastavalosuoja lens hood
vastaveto countermove
vastavierailu return visit
vastavirta countercurrent vastavirtaan upstream, against the current
vastavoima counterforce, opposite force
vastavuoroinen reciprocal, mutual
vastavuoroisesti reciprocally, mutually
vastaväite counterargument, rebuttal, refutation, objection
vastaväittäjä 1 objector, questioner, opponent **2** (väitöstilaisuudessa) ex officio opponent; (lähin vastine) member of the doctoral reading committee
vastedes in the future, from now on, from here on out; (ylät) henceforth/ -forward
vasten against, next to; (törmätä) into ajaa aurinkoa vasten drive into the sun
vastenmielinen repulsive, repellent, disgusting, repugnant Tuntui vastenmieliseltä sanoa että I hated to say that, it really rubbed me the wrong way to say that
vastenmielisyys repulsiveness, disgust, repugnance, antipathy
vastentahtoinen unwilling (ks myös vastahakoinen)

vastike 1 (vastine) equivalent, counterpart, analogue **2** (korvike) substitute, surrogate **3** (maksu) payment, compensation; (yhtiövastike) maintenance charge vastikkeetta free of charge
vastine 1 (vastike) equivalent, counterpart, analogue **2** (lak) plea **3** saada vastinetta rahoilleen get your money's worth, get something for your money
vastoin against, contrary/counter to sitä vastoin whereas, while (on the other hand)
vastoinkäyminen setback, reverse, hardship, misfortune
vastus resistance Sinä olet ikuisena vastuksena minulle You're nothing but trouble for me ilman vastus drag magneettinen vastus reluctance
vastustaa resist; (olla jotakin vastaan) (be) oppose(d to), object to Voin vastustaa mitä vain, paitsi kiusausta I can resist anything but temptation
vastustamaton irresistable
vastustella resist, protest
vastustus resistance, opposition
vastuu responsibility, (vastuuvelvollisuus) liability, (tilivelvollisuus) accountability joutua vastuuseen jostakin have to answer for something olla jonkun vastuulla be somebody's responsibility olla vastuussa jostakin be responsible/answerable/accountable/ liable for something sysätä vastuu jonkun niskoille shift the blame/ responsibility to someone else, (ark) pass the buck (to someone else) vältellä vastuuta shirk (your) responsibility
vastuualue area/scope/sphere of responsibility
vastuullinen responsible
vastuunalainen responsible, answerable, accountable
vastuuntunnoton irresponsible
vastuuntuntoinen responsible
vastuuvakuutus liability insurance
vastuuvapaus discharge from liability
vasuri 1 (ihminen) lefthander, lefty, southpaw **2** (käsi) left (hand)
vati (pesuvati) basin; (tarjoiluvati) platter, (serving) plate vaatia jonkun päätä vadille demand someone's head on a platter
Vatikaani Vatican
Vatikaanivaltio Vatican City
vatkain beater, mixer; (vispilä) whisk
vatkata (munia) beat, (kermaa) whip, (voita) cream
vatsa stomach, abdomen; (ark) belly, gut täydellä/tyhjällä vatsalla on a full/an empty stomach Tie miehen sydämeen käy vatsan kautta The way to a man's heart is through his stomach maata vatsallaan lie on your stomach, (ylät) lie prone
vatsahaava ulcer
vatsakipu stomachache
vatsalihas stomach muscle
vatsastapuhuja ventriloquist
vatsastapuhuminen ventriloquism
vatsatauti stomach/intestinal flu
watti watt
vattu raspberry
vatupassi level
vatvoa 1 (villaa tms) mill, full **2** (lihasta tms) rub, knead **3** (asiaa) hash over, turn over and over
vauhdikas 1 (ihminen) speedy, fast, quick **2** (elokuva tms) action-packed, fast-paced
vauhdittaa 1 speed up, facilitate, expedite **2** (urh) set the pace
vauhko 1 (pelokas) skittish **2** (pelästynyt) spooked, startled **3** (ark = poissa tolaltaan) (all) worked up, upset; (hurja) wild
vauhti speed, pace, rate; (fys) velocity; (ark) clip ottaa vauhtia get a (good) run (at something) antaa vauhtia give (someone) a push päästä vauhtiin get going (good), hit your stride täydessä vauhdissa in full swing, at top speed
vauhtihurjastelija speed-demon
vaunu 1 (hevosvaunut: yksinkertaiset) cart, (hienot) carriage, (postivaunut) stagecoach, (sotavaunut) chariot **2** (lastenvaunut) baby carriage/buggy **3** (työntövaunut) cart, trolley **4** (raitio-

vaunu) trolley, streetcar **5** (junavaunu) car **6** (kirjoituskoneen) carriage
vauras wealthy, affluent, well-to-do, prosperous, rich
vaurastua prosper, flourish, get rich/ wealthy/affluent
vauraus wealth, affluence, prosperity
vaurio damage
vaurioittaa damage
vaurioitua be damaged
vauva baby, infant
vauvaikä infancy
vavahduttaa shake (myös kuv:) stir
vavahtaa shake vavahtaa hereille wake up with a start, jerk awake
vavista tremble
vavistus trembling
WC toilet; (huone) half-bath
vedenalainen s submarine, (ark) sub adj underwater, submarine, subaquatic; (uponnut) sunken, submerged, submersed
vedenpaisumus flood, deluge vedenpaisumuksen aikainen (leik) antediluvian
vedenpinta 1 (kupissa tms) (water) surface **2** (altaassa) water level, (maassa) water table
vedenpitävä watertight
vedenrajassa (reunassa) by the water, at the water's edge; (pinnassa) on the surface (of the water)
vedin 1 (kahva) handle, (nuppi) knob **2** (tekn) extractor, puller
vedonlyönti betting
vedos (kirjapainossa, taidegrafiikassa) proof, (valokuvauksessa) print, (tietok) dump
vedota 1 (kääntyä jonkun puoleen, viehättää) appeal vedota jonkun tunteisiin appeal to someone's emotions **2** (esittää jotakin selitykseksi) plead vedota tietämättömyyteen plead ignorance
vedättää 1 (hammas) have (a tooth) pulled/extracted **2** (auto liian isolla vaihteella) lug
vegetarismi vegetarianism
vegetaristi vegetarian
vehje thing; (vekotin) gadget, gizmo, thingamajig; (mon) stuff, (sl) shit
vehkeilijä schemer, plotter, conniver, conspirator
vehkeillä scheme, plot, connive, conspire
vehkeily scheming, plotting, conspiring
vehmas lush, luxuriant, green; (viljava) fertile
vehnä wheat
vehnäjauho wheat flour
vehnäleipä wheat/white bread
vehreä green, verdant
veikata 1 (arvata) guess, (lyödä vetoa) bet Veikkaan, että hän ei tule I bet he isn't coming **2** (täyttää veikkauskuponki) bet on soccer
veikeillä play pranks/games/tricks, be mischievous/impish
veikeä (veitikkamainen) mischievous, impish, prankish; (hauska) playful, sportive
veikkaus 1 (arvaus) guess, (vedonlyönti) bet **2** (veikkauskupongin täyttö) betting on soccer, (toiminta) the soccer pools
veikkauskuponki soccer betting form
veikko guy, fellow
veikkonen 1 brother, buddy; (nuoremmalle miehelle) son(ny), kid Odota veikkonen minuakin Hey, wait for me **2** Voi veikkoset Oh brother, my my, Jeez En veikkosella! Not on your life! No way! Älä veikkosella sinne mene! Don't even think of going there!
veisata sing (hymns) viis veisata jostakin not give a damn/hoot/shit about something
veistellä 1 (puuta) whittle **2** (vitsejä) crack
veisto carpentry, woodworking
veistos sculpture, statue
veistämö (puun) carpentry/ woodworking shop; (kiven) carver's shop
veistää 1 (puuta) whittle, carve; (kiveä) carve, sculpt **2** (vitsejä) crack (jokes), (juttua) spin (yarns)

veitikka imp, prankster
veitikkamainen impish, prankish, mischievous
veitsenteroitin knife-sharpener/ -grinder
veitsenterävä razor-sharp
veitsi knife
veivata crank, turn, grind
veivi crank (handle) heittää veivinsä kick the bucket
vekara kid
vekkihame pleated skirt
vekkuli s **1** (ihminen) imp, rascal, scamp **2** (kuje) prank, gag, stunt, joke adj funny, droll
vekseli bill (of exchange), (promissory) note
vektori vector
velaksi on credit/time, on the installment plan
velallinen debtor niin kuin mekin annamme anteeksi meidän velallisillemme as we forgive our debtors
velaton debt-free, (omaisuus) unencumbered
velho wizard, sorcerer; (nainen) witch, sorceress
veli brother Hyvä Veli (kirjeessä) Dear... (saajan nimi)
velikulta sport, good old boy
velimies brother
velipuoli (saman isän, eri äidin poika, tai päinvastoin) half-brother; (isä- tai äitipuolen poika) step-brother
veljeillä fraternize
veljeily fraternization
veljekset brothers
veljellinen fraternal
veljenrakkaus brotherly love
veljenvaimo sister-in-law
velka debt varat ja velat (kirjanpidossa) assets and liabilities joutua velkaan get/go into debt olla jollekulle jotakin velkaa owe someone something Sinä olet minulle anteeksipyynnön velkaa You owe me an apology velaksi, veloissa ks hakusanat
velkaantua go/get into debt
velkainen debt-ridden, (talo) (heavily) mortgaged
velkakirja promissory note, (ark) IOU
velkoja creditor
velli gruel
velloa swell, surge, heave, churn
velmu s sport, good old boy adj funny, amusing
veloissa in debt olla korviaan myöten veloissa be up to your ears in debt
veltosti sluggishly, indolently, lethargically, listlessly, lazily
veltostua go slack/limp, get fat and lazy
veltto 1 (lihas tms) slack, limp, flabby, flaccid **2** (ihminen, olo) sluggish, indolent, lethargic, listless, lazy
velttoilla laze around, slack off
velttoilu lazing around, taking it easy
velttous 1 (lihaksen tms) slackness, limpness, flabbiness, flaccidity **2** (ihmisen) sluggishness, indolence, lethargy, listlessness, laziness
velvoite obligation, commitment; (lak) court order, injunction
velvoittaa oblige, bind; (vaatia) require, insist Aateluus velvoittaa (ransk) Noblesse oblige
velvoitus obligation, commitment
velvollinen obliged, (duty-)bound, under an obligation (to do something)
velvollisuudentuntoinen dutiful, responsible
velvollisuus duty, obligation; (mon) duties, responsibilities tehdä velvollisuutensa do your duty
vene boat olla samassa veneessä be in the same boat
veneenrakentaja boatbuilder
venelaituri boat dock
venematka boat trip
venepakolaiset the boat people
Venetsia Venice
venetsialainen s, adj Venetian
venevaja boathouse
Venezuela Venezuela
venezuelalainen s, adj Venezuelan
ventovieras total stranger
ventti s (korttipeli) Blackjack, Twenty-one adj beat, bushed, dead

venttiili 1 (trumpetin, auton, pyörän) valve **2** (tuuletusventtiili) vent(ilator)
venytellä stretch (yourself); (voimistella) do stretching exercises, warm up
venyttely stretching exercises
venyttää 1 stretch venyttää markkaa soikeaksi pinch pennies **2** (kokousta) prolong, protract, draw/drag out
venytys stretch
venytysharjoitus stretching exercise
venytysliike stretching exercise
venyvyys stretchiness, elasticity
venyvä stretchy, elastic
venyä 1 stretch; (urh) stretch/push yourself **2** (kokous tms) be prolonged/protracted, go on and on **3** (olla kärsivällinen) be patient, have patience
venähdys strain
venähtää strain
Venäjä Russia
venäjä Russian
venäjänkielinen Russian
venäläinen s, adj Russian
venäläisyys Russianness
venäyttää strain
veranta veranda(h), porch
verbaalinen verbal
verbi verb
verekseltään 1 (heti) immediately, right away, without delay **2** (rysän päältä) red-handed, in the act, (lat) in flagrante delicto **3** (tuoreeltaan) fresh
verenhimoinen bloodthirsty
verenimijä bloodsucker
verenkierto circulation
verenluovuttaja blood donor
verenluovutus giving blood
verenpaine blood pressure
verenperintö kulkeutua verenperintönä run in the family
verensiirto blood transfusion
verenvuodatus bloodshed
verenvuoto bleeding, hemorrhaging kuolla verenvuotoon bleed to death
verestää 1 (silmä) be bloodshot **2** (muistoaan tms) refresh, revive, renew; (kielitaitoaan) brush up
veretön bloodless
verevä 1 (iho) ruddy, florid, rubicund **2** (ihminen) full-blooded, lusty
verho 1 (ikkunaverho) curtain; (mon) drape(rie)s **2** (kuv) cloak, veil, shroud, blanket
verhoilla upholster
verhoilu upholstery
verhokangas curtain material/fabric
verhosuljin (valok) focal-plane/curtain shutter
verhota 1 (peittää) cover, wrap, drape **2** (päällystää) cover, (sur)face; (paneeleilla) panel, (tiileillä) brick
verhotanko curtain rod
verhous covering; (lautaverhous) wood siding, paneling; (tiiliverhous) brick face
verhoutua wrap/clothe/drape yourself (in something) verhoutua salaperäisyyteen be shrouded in mystery
veri blood vuotaa verta bleed Veri on vettä sakeampaa Blood is thicker than water kaivata verta nenästään be looking for a punch in the nose veressä bloody, bleeding
verikoe blood test
verikoira bloodhound
verilöyly bloodbath, massacre
verimakkara blood sausage
verinen bloody
veripalttu blood sausage
verirahat blood money
veriryhmä blood type
verisesti loukkaantua verisesti johonkuhun take mortal offense at someone
veriside blood bond
verisolu blood cell/corpuscle
verisukulainen blood relative/relation
verisukulaisuus blood kinship, consanguinity
verisuoni blood vessel
verisyys bloodiness
verisyöpä cancer of the blood, leukemia
verivelka blood guilt
verka (broad)cloth
verkakangas (broad)cloth
verkkainen slow, deliberate; (rauhallinen) unhurried, leisurely

verkkaisesti slowly, deliberately, unhurriedly
verkkaisuus slowness
verkkarit warmup/sweat/jogging suit
verkko 1 net(ting) syöksyä verkolle (tenniksessä) rush the net saada/ kietoa verkkoihinsa (kuv) catch, (en)snare
2 (verkosto) network **3** (hämähäkin ja kuv) web salajuonten/valheiden verkko web of intrigue/lies
verkkojohto power cord
verkkokalastus net-fishing
verkkokalvo retina
verkkoryhmä directory area
vermutti vermouth
vernissa linseed oil
vero tax, (tuontivero tms) duty
veroasteikko tax(ation) scale/ schedule
verohelpotus tax break
veroilmoitus tax return
veroinen olla jonkun veroinen be someone's equal, be as good as someone, equal/rival someone, be comparable with someone, be on a par with someone uuden veroinen as good as new
verokarhu the taxman
verokavallus tax fraud
verollinen 1 (ihminen) tax-paying
2 (tulo) taxable
veroluokka tax bracket
veronalainen 1 (verollinen) taxable
2 (Veronasta) Veronan
veronmaksaja taxpayer
veronpalautus tax return
verotoimisto tax office; (US) Internal Revenue Service (IRS) office
veroton (tax-)exempt
verottaa tax, levy a tax on; (kuv) tax, take a heavy toll on
verottaja the taxman
verotuksellinen fiscal
verotulot tax revenue(s)
verotus taxation
verouudistus tax/fiscal reform
verovelvollinen s taxpayer adj taxable
veroviranomaiset tax authorities
verovähennys tax deduction
verovähennyskelpoinen deductible
veroäyri tax rate/percentage
verrannollinen 1 (vertauskelpoinen) comparable, (vars filos) commensurate
2 (mat) proportional, proportionate
verrata compare, make/draw a comparison (between) vertaa (vrt) compare (cf) verrattuna johonkin compared to/with something olla verrattavissa johonkin be comparable with something
verraten comparatively, relatively, fairly; (ark) pretty
verraton 1 wonderful, excellent, splendid; (ark) great, super verrattoman extremely, exceedingly, highly, very
2 (lyömätön) unbeaten, unrivaled, unmatched, matchless, peerless, unparalleled
verrattain comparatively, relatively, fairly; (ark) pretty
verrattomasti incomparably, by far, far and away
verryttely warm(ing) up
verryttelypuku warmup/sweat/ jogging suit
versio version
verso sprout, shoot
versoa 1 sprout, (put out) shoot(s)
2 (kuv) spring up, take shape/form, germinate
verstas (work)shop
verta vetää vertoja jollekulle rival/ equal someone, be someone's equal/ match/peer Kukaan ei vedä vertoja hänelle She is beyond compare, she is second to none, no one can match her vertaansa vailla beyond compare, second to none, unparalleled, unmatched, matchless, peerless jonkin verran a little/bit, (jossain määrin) to some extent metrin verran about a meter minkä verran how much, (missä määrin) to what extent En välitä siitä penninkään vertaa I wouldn't give a plug nickel for it Ei tässä ole senkään vertaa, että sinä saat There isn't even enough for you kaksin verroin parempi twice as good
verta hyytävä bloodcurdling

vertailla compare, make/draw a comparison (between)
vertailu comparison
vertailukelpoinen comparable, commensurate
vertailukohde (samanlainen asia) parallel; (malli) model
vertailutesti comparative test
vertainen equal kohdella jotakuta vertaisenaan treat someone as your equal seurustella vertaistensa kanssa fraternize with your peers tavata vertaisensa meet your match ensimmäinen vertaistensa joukossa first among equals, (lat) primus inter pares Se hakee vertaistaan It is beyond compare, it is unparalleled/ unmatched/matchless/ peerless
vertaisryhmä peer group
vertauksellinen figurative, symbolic, allegorical
vertaus **1** (vertailu) comparison **2** (kuvailmaus) figure (of speech), trope, metaphor; (kuin-vertaus) simile **3** (symbolinen tarina) parable; (allegoria) allegory puhua vertauksin speak in parables
vertauskuva **1** (symboli) symbol, emblem, type **2** ks vertaus
vertauskuvallinen figurative, symbolical, metaphorical, allegorical
vertauskuvallisesti figuratively, symbolically, metaphorically, allegorically
veruke excuse, pretext, subterfuge keksiä verukkeita make excuses
veräjä gate
vesa **1** (puun tms) shoot, sprout, sucker; (vanh) scion **2** (perheen) scion; (mon) offspring
vesakko coppice (forest)
vesi water Se toi veden kielelle It made my mouth water vedet silmissään with tears in your eyes sataa vettä rain Kasvimaa kaipaa vettä The garden needs rain/watering heittää vettä make water, urinate; (leik) water your lizard
vesihana water faucet
vesihiihto waterskiing
vesihiihtäjä waterskier
vesihöyry steam
vesijohto water pipe, (pää-) water main
vesijohtovesi water from the tap, tap water
vesijäähdytteinen water-cooled
vesijäähdytys water-cooling
vesikatto roof
vesikauhu rabies
vesikauhuinen rabid
vesikouru (räystäskouru) rain gutter; (tukkikouru) flume
vesilasi water glass
vesiliikenne water traffic
vesilintu waterfowl heittää jollakin vesilintua pitch/chuck/heave something (out the window)
vesiliukoinen water-soluble
vesillelasku launch(ing)
vesimaksu water charge
vesipallo (peli) water polo; (pallo) water-polo ball
vesiperä (kalastuksessa) water haul vetää vesiperää (kuv) draw a blank
vesiposti (pihassa) water faucet; (kadulla) fire hydrant
vesiraja **1** (veden korkeus) water level, (laivan) water line **2** (rannan) water's edge, waterside, waterfront **3** (valtion) sea boundary
vesirokko chickenpox
vesiskootteri jet ski
vesistö lake system, (natural) waterway
vesisuksi waterski
vesisuoni water vein
vesisänky waterbed
vesitiivis watertight
vesitse by water
vesittyä be watered down, be diluted
vesittää **1** (laimentaa, myös kuv) water down, dilute **2** (kastella) water, irrigate
vesivahinko water damage
vesivoima hydroelectric power
vesivoimala hydroelectric plant
vesiväri watercolor
vesiväritvö watercolor

vesoa 1 (kasvaa vesaa) sprout, put out shoots **2** (leikata vesat) trim/prune (off the new growth)
vesseli kid, tyke
vesuri bill(hook)
vetelehtiä laze/loaf around, slack off
vetelys loafer, slacker, do-nothing, good-for-nothing, no-count
vetelä 1 loose, runny, watery olla vatsa vetelänä have diarrhea, (ark) have the runs/trots **2** (veltto) slack, sluggish, lethargic
velästi loosely, runnily, slackly, sluggishly, lethargically (ks vetelä)
veteraani veteran, (ark) vet
vetinen watery, waterlogged, soggy, wet
vetistellä blubber, (leik) turn on the waterworks
vetisyys wateriness, sogginess, wetness
vetkutella 1 (pyrstöä) wag **2** (kuv) dawdle
veto 1 pull(ing), haul(ing), tow(ing); (vetäisy) yank(ing), jerk(ing), tug(ging) **2** (vetovoima) pull, attraction **3** (lääk) traction jalka vedossa your leg in traction **4** (ilmavirta) draft **5** (auton) drive neliveto four-wheel drive etuveto front-wheel drive **6** (ihmisen) strength, energy Minulla on veto lopussa I'm dead(-tired/-beat) hyvässä vedossa in fine form **7** (siveltimen tms) stroke **8** (pelissä) move rohkea veto a bold move **9** (lak) (notice of) appeal **10** (pol) veto kaataa lakiesitys vetollaan veto a bill
vetoinen 1 (huone) drafty **2** (laiva, astia) ...in capacity litran vetoinen kannu a liter pitcher, a pitcher that holds a liter **3** (auto) -drive etuvetoinen auto a car with front-wheel drive
vetojuhta draft animal
vetonaula drawing card
vetonumero drawing card
veto-oikeus (right/power of) veto
vetoomus appeal
vetovoima 1 (tekn) pulling/tractive/traction force/power **2** (fys) gravitation, gravity, pull, attraction **3** (henkinen) attraction, appeal
vetreä lithe, limber, supple
veturi locomotive, engine
veturinkuljettaja engineer
veturitalli locomotive shed/depot
vety hydrogen
vetypommi hydrogen bomb
vetäistä yank, jerk, tug (at), give (something) a quick yank/jerk/tug
vetäjä 1 (vetojuhta) draft animal **2** (urh) frontrunner, pacesetter **3** (juontaja) Master of Ceremonies, emcee **4** (johtaja) leader
vetävyys attraction, appeal, effectiveness, spaciousness (ks vetävä)
vetävä 1 (viehättävä) attractive, appealing, fetching **2** (iskevä) impressive, striking, effective **3** (tilava) spacious, roomy
vetäytyä 1 (fyysisesti) move/back away (from); (tulvavesi tms) recede **2** (sosiaalisesti, myös sot) withdraw, retire, retreat; (vastuusta) shirk
vetää 1 pull, haul, tow; (vetäistä) yank, jerk, tug (on) **2** (sot) withdraw **3** (kello tms) wind **4** (johtaa) lead, run, manage, conduct; (juontaa) emcee **5** (kaapelia) lay, run **6** (vettä: pullo) hold, take; (laiva) draw **7** (ilmaa) Takka vetää hyvin The fireplace draws well Täällä vetää! There's a draft in here! **8** panna paperit vetämään apply, send in your application
vetää hammas pull/extract a tooth
vetää henkeä inhale, breathe in; (kuv = hiiskua) breathe a word
vetää hirsiä catch some Z's, get some shuteye
vetää hirteen string (someone) up
vetää jonkun huomio johonkin draw someone's attention to something
vetää jonkun maine lokaan drag someone's name in the dirt
vetää kiinni pull (something) shut Kiinni veti! Done! It's a deal!
vetää käteen (alat) jack/jerk off
vetää köyttä have a tug-of-war
vetää leukaa do chin-ups

vetää leukaan crack/smack (someone) in the jaw
vetää lonkkaa stretch out your legs
vetää lyhyempi korsi draw the short(er) straw
vetää miekkansa draw your sword
vetää nenästä pull (someone's) leg
vetää oikeuteen sue (someone)
vetää puoleensa attract (myös kuv)
vetää pyssynsä draw (on someone)
vetää rajaa draw a line; (tehdä eroa) make a distinction (between)
vetää rakoa (urh) pull out in front
vetää sanansa takaisin take (something) back, take back (what you said)
vetää sisään retract, pull in
vetää suonta cramp (up)
vetää vastuuseen bring (someone) to justice
vetää vatsa sisään suck up your gut
vetää vertoja jollekulle equal/rival someone, be someone's equal/match/ peer Kukaan ei vedä vertoja hänelle She is beyond compare, she is second to none, no one can match her
vetää vessa flush the toilet vetää alas vessasta flush (something) down the toilet
vetää viimeisiään breathe your last
VHF VHF, very high frequency
viallinen defective, faulty
viaton innocent, (harmiton) harmless
viattomasti innocently, harmlessly
viattomuus innocence
video video Minulla on se elokuva videolla I have the movie on video
videokamera video camera
videokasetti videocassette
videokasettinauhuri videocassette recorder, VCR
videonauha videotape
videonauhuri (kasetti) videocassette recorder, VCR, (kelanauha) videotape recorder, VTR
videoneuvottelu videoconference
videopuhelin videophone
videovuokraamo video rental (store/ department)

viedä 1 (kuljettaa) take, carry, convey, transport, deliver; (ark) tote, lug, haul **2** (johdattaa) take, lead (myös tanssissa), conduct, guide; (johtaa) result in Kaikki tiet vievät Roomaan All roads lead to Rome **3** (kähveltää) take, steal, rob; (ark) swipe **4** (tavaraa maasta) export **5** Piru vie(köön)! Damn it!
viedä aikaa take time
viedä eteenpäin advance, further
viedä harhaan mislead, lead (someone) astray
viedä huippuunsa perfect (something)
viedä joltakulta henki take someone's life
viedä loppuun finish (something up), complete, bring (something) to a conclusion
viedä mennessään take with you; (tulva tms) sweep/carry away
viedä pitkälle go a long ways with (something) viedä liian pitkälle take (something) too far
viedä päätökseen finish (something up), complete, bring (something) to a conclusion
viedä tahtonsa läpi have/get your way
viedä tilaa take (up) space
viedä voittoon lead (someone) to victory
viedä yöunet keep you awake
viedä äärimmäisyyksiin take (something) to extremes
viehe lure
viehkeä alluring, charming, entrancing
viehkeästi alluringly, charmingly, entrancingly
viehtymys interest (in), fascination (with)
viehättävä attractive, charming, appealing
viehättävästi attractively, charmingly, appealingly
viehättää attract, charm, appeal (to)
viehätys attraction, charm, appeal
viehätysvoima attraction, charm, appeal
viejä exporter

viekas clever, crafty, cunning
viekkaasti cleverly, craftily, cunningly
viekkaus cleverness, craft(iness), cunning
viekoitella lure, tempt, entice, (seksuaalisesti) seduce viekoitella joltakulta jotakin con someone out of something
vielä 1 still, yet, even Hän ei ole tullut vielä She hasn't come yet, she still hasn't come Vielä viime kuussa se oli kunnossa It was still working last month, it was working fine as late/recently as last month ei vielä not yet vielä parempi still/even better yhä vieläkin even now/today **2** (lisäksi) further(more), more(over) Otatko vielä yhden? Would you like one more, will you take another (one)? On vielä todettava että It is further to be noted that Mitä vielä haluat? What else do you want?
vieläpä even Asia on vaikea, vieläpä mahdoton ratkaista It's a difficult, even impossible problem to solve
viemiset presents, gifts Onko meillä mitään viemisiä? Do we have anything to take them?
viemäri drain; (viemärioja) gutter; (viemäristö) sewer (system)
viemäristö sewer system
Wien Vienna
wienerleipä Danish pastry
wieniläinen s, adj Viennese
vieno soft, gentle, muted, hushed
vienosti softly, gently, in hushed tones
vienti export
vientikauppa export trade
vientikiintiö export quota
vientiluotto export credit
vientimaksu export duty
vientitavara export goods
vientituote product for export
vieraannuttaa alienate, estrange; (tehdä vieraantuntuiseksi) defamiliarize
vieraantua become alienated/ estranged (from someone)
vieraantuminen alienation, estrangement
vieraanvara food kept on hand in case someone drops by
vieraanvarainen hospitable
vierailija visitor, guest; (TV-ohjelmassa) special guest, guest star
vierailla 1 visit, pay (someone) a visit **2** (TV-ohjelmassa tms) guest(-star on), make a special appearance (on)
vierailu visit
vierailuaika visiting hour(s)
vieraisilla visiting mennä vieraisille go visiting, go see someone
vieraissa käydä vieraissa cheat on your spouse
vieras s **1** (tuntematon ihminen) stranger Älä puhu vieraille! Never talk to strangers! **2** (vierailija) guest, visitor; (kuv ja ylät) visitant
adj **1** (tuntematon) strange, unknown, unfamiliar, alien Ei ajatus ole täysin vieras minulle The idea has occurred to me **2** (johonkin kuulumaton) alien, foreign vieras aine alien/foreign substance **3** (ulkomainen) foreign vieras työvoima/korostus/kieli foreign labor/ accent/language
vierasmaalainen s foreigner, (lak) alien
adj foreign
vieraspaikkakuntalainen out-of-towner, stranger, nonlocal
vierasperäinen foreign
vierastaa 1 (arkailla) be shy **2** (kaihtaa) shy away from, shun, steer clear of **3** (oudoksua) find (something) strange
vierastyöläinen foreign/guest worker
viereinen next, adjacent Menkää viereisestä ovesta Use the next door kirkon viereinen kauppa the store next to the church
vierekkäin side by side, next to each other
vierekkäinen adjacent, adjoining; (ylät) contiguous Meillä on vierekkäiset huoneet We have adjacent/adjoining rooms, we have rooms next to each other
vierellä jonkun vierellä at someone's side, beside someone, next to someone Kuljetko kotvan vierelläni? Will you walk with me a while?

vieressä beside, next to, alongside, by; (lähellä) close to, near by Menehän istumaan mummin viereen Go sit by grandma, pull up a chair next to grandma
vieri side kulkea aidan viertä walk along the fence
vierittää 1 (kiveä tms) roll **2** (tietok) scroll **3** vierittää syy jonkun niskoille blame someone else for it, (ark) pass the buck
vieri vieressä right next to each other, close together
vieriä 1 (kivi tms) roll Vierivä kivi ei sammallu A rolling stone gathers no moss **2** (aika) roll by/on, pass vuosien vieriessä ohi as the years roll by
vieroittaa 1 (vauva) wean **2** (aineriippuvainen tms) break (someone) of a habit, cure (someone's) addiction, help (someone) kick the habit **3** (vieraannuttaa) alienate, estrange
vieroitus 1 (vauvan) weaning **2** (aineriippuvaisen) withdrawal
vieroitusoire withdrawal symptom
vieroksua 1 (kaihtaa) shy away from, shun, steer clear of **2** (oudoksua) find (something) strange
vieroksunta repulsion
vierusta side
vierustoveri the person next to you
vierähtää 1 (vieriä) roll Kivi vierähti sydämeltäni That took a load off my mind **2** (pudota) fall, drop **3** (aika) pass, slip by/away; (ark) zip by
viesti 1 (sana) message, news, word; (ylät) tidings **2** (sot, tietok) communication **3** (urh) relay (race)
viestikapula baton
viestimet the media
viestinjuoksu relay race
viestintä communication
viestintäsatelliitti telecommunication satellite
viestittää communicate; (sot) signal
viestitys communication; (sot) signaling
vietellä lure, tempt, entice; (seksuaalisesti) seduce
vieteri spring Onpa sinulla lyhyt vieteri You certainly are on a short fuse
vie terveisiä! send my love/ greetings, say hello
Vietnam Vietnam
vietnamilainen s, adj Vietnamese
viettelijä seducer, lady-killer, lady's man, Don Juan, Casanova
viettelijätär seductress, charmer, sweet-talker, temptress, siren
viettely seduction
viettelys (al)lure(ment), enticement, temptation; (seksuaalinen) seduction
vietti drive
vietto 1 (mäen) slope, gradient **2** (juhlien) celebration
viettää 1 (olla kalteva) slope **2** (aikaa) spend, pass; (ark) kill viettää talvi etelässä spend the winter in the south **3** (juhlia) celebrate viettää synttäreitä celebrate a birthday
vietävä Hän huusi kuin vietävä He screamed like a stuck pig vietävän nälkä damned hungry
vietävästi Väsyttää niin vietävästi I'm so damned sleepy
viha 1 (suuttumus) anger, fury, rage; (ylät) wrath pitää vihaa jonkun kanssa, olla vihoissa jonkun kanssa feud with someone pistää vihaksi make you mad **2** (inho) hatred, hate, hostility; (vihollisuus) enmity unohtaa vanhat vihat bury the hatchet joutua jonkun vihoihin make an enemy, fall into someone's disfavor
vihaaja hater miesten vihaaja man-hater, misanthropist; (ark) ball-breaker naisten vihaaja woman-hater, misogynist; (ark) chauvinist pig
vihainen angry, furious; (ark) mad; (ylät) wrathful, irate
vihaisesti angrily, furiously, wrathfully
vihamielinen hostile
vihannes vegetable
vihanneskeitto vegetable soup
vihastua get angry/mad, lose your temper; (ark) fly off the handle, blow your top, hit the roof
vihastus anger, indignation, exasperation

vihastuttaa anger, enrage; (ark) make (someone) mad (at you)
vihata hate, loathe, abhor, detest Joka vitsaa säästää se lastaan vihaa Spare the rod and spoil the child
vihdoin finally, at last
vihdoin viimein at long last, finally, eventually
viheliäinen 1 (huono) terrible, miserable, execrable; (ark) lousy **2** (alhainen) base, mean, vile; (ylät) contemptible, despicable, dastardly; (ark) dirty
vihellellä whistle (away)
vihellys 1 whistle **2** vihellykset (yleisön epäsuosion ilmaukset) boos, catcalls, hisses, jeers
viheltää whistle
viheralue park
viheriö (golf) green
viherkaihi glaucoma
vihertävä green
vihertää be green
vihi saada vihiä jostakin get wind of something
vihillä mennä vihille get married; (ark) get hitched, tie the knot
vihjailla hint, insinuate
vihjailu hinting, insinuation
vihjata hint, insinuate
vihjaus hint
vihje hint, (ark) tip
vihkiminen 1 (avioparin) wedding **2** (papin) ordination, (piispan) consecration **3** (kirkon) consecration, dedication; (rakennuksen, tien tms) opening, inauguration
vihkiytyä 1 (tutustua) familiarize yourself (with); (saloihin) penetrate (the mysteries); (salaseuraan) be initiated (into) asiaan vihkiytyneet initiates, those in the know **2** (omistautua) dedicate/ devote yourself (to)
vihkiä 1 (aviopari) marry, wed, join (a couple) in holy matrimony **2** (papiksi) ordain, (piispaksi) consecrate **3** (kirkko) consecrate, dedicate; (käyttöön) open, inaugurate **4** (elämänsä) devote/ dedicate/consecrate (your life to)
vihkiäiset 1 (avioparin) wedding **2** (papin) ordination, (piispan) consecration **3** (kirkon) consecration, dedication; (rakennuksen, tien tms) opening, inauguration
vihkiäistilaisuus wedding/ ordination/consecration/dedication/ opening/inaugural ceremony (ks vihkiäiset)
vihko notebook/-pad
vihlaista cut, pierce, rend vihlaista sydäntä cut you to the quick, tear at your heart-strings vihlaiseva kipu stabbing/shooting pain
vihloa vihloa korvia grate on your ears vihloa hermoja jar on your nerves vihloa hampaita have a stabbing pain in your teeth
vihmoa drizzle
vihne awn
vihoitella 1 (pitää vihaa) be angry/ mad (at someone), nurse/hold a grudge (against someone); (huutaa) rant and rave **2** (haava = tulehtua) get inflamed/ infected
vihoittaa anger, enrage, make (someone) angry/mad
vihollinen enemy, (ylät) foe
vihollisalue enemy territory
vihollisjoukot enemy troops
vihollisuudet hostilities
vihoviimeinen the very last Tämä on vihoviimeistä työtä This is a lousy/ shitty job
vihreä s (pol) Green
adj green (myös kuv = kokematon) vihreä nuorukainen green/callow youth, greenhorn
vihreä aalto synchronized traffic lights
vihreänä kateudesta green with envy
vihreä peukalo green thumb
vihreä valo näyttää vihreää valoa give (someone) the green light, the go-ahead
vihta birch-switch
vihtoa slap yourself/someone with a birch-switch
vihuri gust (of wind)

vihurirokko German measles, (lääk) rubella
viidakko jungle
viidenkymmenen villitys midlife fling
viidennes (one-)fifth
viides fifth
viideskymmenes fiftieth
viidessadas five-hundredth
viidesti five times
viidestoista fifteenth
viidestuhannes five-thousandth
viihde entertainment
viihdekirjailija popular novelist
viihdekirjallisuus popular literature, light reading
viihdemusiikki pop music
viihdeohjelma entertainment program
viihdyke pastime, diversion
viihdyttää 1 (hauskuuttaa) entertain, divert, amuse **2** (hyssytellä) soothe, calm, pacify
viihtyisä pleasant, comfortable, cozy; (ark) comfy, homey
viihtyisästi pleasantly, comfortably, cozily
viihtyä 1 (ihminen: nauttia) enjoy yourself, like (something, it somewhere); (olla kuin kotonaan) feel at home; (tulla viihdytetyksi) be amused/entertained Viihdytkö täällä? Do you like it here? **2** (kasvi) thrive, flourish
viikata fold
viikate scythe Väinämöisen viikate (tähtikuvio) Orion's Belt
viikatemies (myt = kuolema) the Grim Reaper
viikinki Viking
viikko week viikon päästä a week from now, in a week ensi/viime viikolla next/last week ensi viikon torstaina a week from Thursday ensi viikon loppupuolella late next week kaksi viikkoa sitten two weeks ago viikosta toiseen week after week
viikkokaupalla week after week, for weeks on end
viikkolehti weekly (magazine)
viikkosiivous weekly cleaning
viikkotunti (koulussa) period per week
viikkotuntimäärä number of periods/class-hours per week
viikonloppu weekend
viikonloppualennus weekend discount
viikonloppuisin weekends, on the weekend
viikonloppuisä weekend daddy
viikottain weekly
viikottainen weekly
viikset 1 (miehen) mustache **2** (kissan) whiskers
viikuna fig
viikunanlehti figleaf
viila file, (karhea) rasp
viilata file viilata linssiin fool, dupe, trick; pull the wool over (someone's) eyes
viilentyä cool off/down
viilettää mennä viilettää burn up the road, go hell-bent for leather, hightail it
viiletä cool off/down
viileys coolness
viileä cool viileä kuin viilipytty cool as a cucumber
viileäkaappi cooler
viileästi coolly
viili natural yoghurt
viillos cut, slash; (lääk) incision
viilto cut, slash; (lääk) incision
viiltohaava cut, slash
viiltää cut, slash, slit viiltää kurkkunsa/ranteensa auki slit your throat/wrists
viilu veneer
viima cutting/icy wind
viime last, past viime viikolla/vuonna last week/year viime vuosina over the past few years
viimeinen 1 last, final viimeinen pisara/oljenkorsi the last straw sanoa viimeinen sana have the last word **2** (viimeisin) latest, most recent; (ark) last viimeistä huutoa the latest thing, all the rage, in Viimeinen tieto jonka sain oli että Last I heard Kiitos viimeisestä We had a great time at your house the other night, thanks for having us over the other day

viimein(kin) at last, finally
viimeiseksi last of all, lastly, finally
viimeisillään (kuolemaisillaan) on your last leg; (raskaana) nine months pregnant
viimeistelemätön unpolished, unfinished
viimeistellä polish, finish, touch up, put the finishing touches on
viimeistely polishing, finishing, touching up
viimeistään at the latest, no later than
viimekertainen pyytää anteeksi viimekertaista käytöstään apologize for acting the way you did
viimekesäinen last summer's, (something that happened) last summer
viimeksi last; (lopuksi) lastly, finally, in conclusion Milloin hänet on viimeksi nähty? When was she last seen?
viimeksi mainittu the last-mentioned
viimekuinen last month's, (something that happened) last month
viimetalvinen last winter's, (something that happened) last winter
viimeviikkoinen last week's, (something that happened) last week
viimevuotinen last year's, (something that happened) last year
viina hard liquor, (ark) booze, sauce
viinaan menevä boozing
viinakauppa liquor store
viinamäen mies boozer, drinker, lush
viinanjuonti boozing, drinking
viinapäissään (when) drunk
viineri Danish (pastry)
viini wine
viini, laulu ja naiset wine, women, and song
viinimarja currant
viinimarjapensas currant bush
viinirypäle grape
viipale slice
viipaloida slice
viipaloitu sliced
viipottaa tr **1** (heiluttaa) wave, wag **2** (kiikuttaa) carry (something) along **3** Minua viipottaa I feel faint
itr **1** (heilua) wave, wag **2** mennä viipottaa go/fly like the wind **3** (sojottaa) stick/jut out
viipurinrinkeli pretzel
viipymättä without delay, promptly
viipyä 1 (jäädä, pysyä) stay, remain; (asiassa) dwell (on); (ylät) linger, (ark) hang around Kauanko voit viipyä? How long can you stay? **2** (viivytellä) take your time (doing something), do (something) slowly, dawdle Missä hän nyt viipyy? What's keeping her? Where is she? What's taking her so long? **3** (viivästyä) be delayed/late
viiru stripe, streak
viisaasti wisely
viisas s wise (wo)man, sage
adj **1** (ihminen) wise, intelligent; (ylät) sagacious; (ark) smart kaukaa viisas far-sighted **2** (toimenpide tms) wise, sensible, sound
viisastelija smart-aleck/-ass, wise-acre/-ass, wise guy
viisastella wise off, be a smart-aleck/-ass
viisastelu sophistry, casuistry
viisasten kivi the philosophers' stone
viisastua become wise; (ark) wise up
viisaus wisdom
viisi five tuntea jokin kuin viisi sormeaan know something like the back of your hand viittä vaille (kellonajasta) five till; (kuv) almost, practically
viisihenkinen (perhe/seurue) (family/party) of five
viisikko pentad
viisikymmenkertainen fiftyfold
viisikymmenluku the fifties
viisikymmentä fifty
viisikymppinen in your fifties
viisimiehinen five-man
viisinkertainen fivefold, five-time, quintuple
viisinumeroinen five-digit
viisiottelu pentathlon
viisipaikkainen five-seater
viisisataa five hundred
viisitoista fifteen

viisituhatta five thousand
viisivuotinen five-year
viisivuotissuunnitelma five-year plan
viisto oblique; (taso) sloping, slanting; (reuna) beveled, mitered
viistossa at a slant, aslant taka-/ etuviistossa leaning backward/ forward taulut viistossa seinällä the paintings hanging crookedly on the wall laskea viistoon hiihtorinnettä traverse the ski slope mennä viistoon kadun poikki cut obliquely/ diagonally/cattycorner across the street
viistää **1** (laahata) drag **2** (viistota) bevel, miter
viisu song, broadsheet
viisumi visa
viisumipakko required visa
viis veisata jostakin not give a damn/hoot/shit about something
viitata **1** (kädellä: kohti) point (at/to); (tännemmäs) beckon/wave (to); (koulussa) raise your hand **2** (enteillä) point (to), indicate, suggest **3** (puheessa) refer/allude (to), make a reference/ allusion (to) viitaten kirjeeseenne with reference to your letter
viite reference; (kirjeessä) re; (kirjassa) (foot-/end-)note
viitisen around five
viitoittaa mark hyvin viitoitettu tie well-marked road
viitoittamaton unmarked
viitonen (the number) five; (seteli) fiver, five-spot
viitoset quintuplets
viitostie highway 5
viitsiä **1** (olla kiltti) Viitsisitkö tulla vähän tänne? Could you come here for a minute? Would you mind stepping over here? Älä viitsi Stop it, please; do you mind? **2** (haluta) feel like (doing something), be bothered (to do something) En viitsi lähteä I don't feel like going, I couldn't be bothered to go
viitta **1** (vaate) cape, cloak, robe **2** (tien) sign
viittaus **1** (ele) motion, sign(al), gesture **2** (viite) reference, allusion **3** (vihjaus) hint, insinuation
viitteellinen allusive, evocative, suggestive; (epäsuora) indirect, veiled
viitteellisesti allusively, evocatively, suggestively, indirectly
viittoa **1** motion, gesture, beckon, signal **2** (viittomakielellä) sign
viittoilla **1** ks viittoa **2** (lipuilla) semaphore
viittomakieli sign language
viiva line vetää viiva jonkin yli cross/ strike something out mennä viivana fly/dash off
viivain ruler
viivakoodi bar code
viivata rule, line viivattu paperi ruled/ lined paper
viive lag
viivoitin ruler
viivoitus ruling, lineation
viivytellä delay, dawdle, dillydally, drag your feet
viivyttää delay, put off, defer, postpone
viivytys delay
viivähtää stay (on), linger, tarry; (asiassa) dwell (on)
viivästyminen delay
viivästys delay
viivästyä be delayed/late
vika **1** fault, flaw, weakness, shortcoming, defect Ei se minun vikani ollut It wasn't my fault mennä vikaan go wrong **2** (ruumiillinen) defect, disability, disorder, disease, trouble Ei minussa mitään vikaa ollut There was nothing wrong with me
vikailmoitus false alarm
vikapaikka the wrong place
vikapisto dropped stitch; (kuv) blunder, screwup
vikatikki wrong stitch; (kuv) blunder, screwup
vikinä **1** (hiiren) squeaking **2** (lapsen) whining
vikistä **1** (hiiri) squeak **2** (lapsi) whine
vikitellä lure, tempt, entice; (seksuaalisesti) seduce
vikkelyys quickness, nimbleness
vikkelä quick, nimble

vikkelästi quickly, nimbly
Viktoria (kuningatar) Victoria
viktoriaaninen Victorian
vikuroida balk
vilahtaa flash
vilaus flash nähdä vilaukselta catch a glimpse of
vilauttaa flash
Vilhelm (kuninkaan nimenä) William
Vilhelm Valloittaja William the Conqueror
vilinä (hustle) and bustle, commotion, stir
vilistä swarm, surge, throng, teem
vilistää dash/dart (off)
vilja grain; (kasvava) crops
viljatuote grain product
viljava fertile, fruitful
viljavuori surplus grain, grain glut
viljelemätön untilled
viljelijä farmer
viljellä 1 (maata) cultivate, farm, till **2** (kasveja) raise, grow **3** (biologisia näytteitä) culture **4** (henkisiä hyveitä) use, cultivate
viljelmä 1 (maatila) farm **2** (vihannesmaa) garden **3** (iso) plantation **4** (biol) culture
viljely 1 (maan) cultivation, agriculture, agronomy, farming **2** (hengen) cultivation, culture
viljelykelpoinen arable
viljelys cultivated/arable land, field(s), plantation olla viljelyksessä be tilled/cultivated, be under cultivation
vilkaista (take a quick) glance (at), glance/look through/over (quickly)
vilkas 1 (elävä) lively, animated, vivacious; (ark) perky, peppy **2** (voimakas) vivid vilkas mielikuvitus vivid imagination **3** (vikkelä) quick, fast, rapid livahtaa vilkkaasti tiehensä dash/dart off, beat a hasty retreat **4** (liik) brisk, (ark) hot Kaupankäynti on vilkasta They're selling like hotcakes **5** (kiireinen) busy, bustling, hectic vilkas liikenne heavy traffic
vilkasliikenteinen busy
vilkastua 1 (ihminen) liven/perk up, become (more) lively/animated **2** (kaupankäynti) pick up
vilkkaasti animatedly, with animation, vivaciously, perkily, peppily, vividly, quickly, fast, rapidly, briskly, busily, hectically (ks vilkas)
vilkku 1 (auton) turn indicator, blinker **2** (vilkkuva valo) flashing light
vilkkuvalo flashing light
vilkuilla glance (around), sneak/steal a glance/look/peek vilkuilla sivuille (fyysisesti) cast sidelong glances; (seksuaalisesti) look at other (wo)men
vilkutella 1 (vilkkua) flash, (tuikkia) twinkle **2** (heilutella) wave **3** (juosta) dash
vilkuttaa 1 (vilkkua) flash, (tuikkia) twinkle **2** (heilutella) wave **3** (iskeä silmää) wink
vilkutus flash(ing), twinkle, twinkling, wave, waving, wink(ing) (ks vilkuttaa)
villa 1 (lampaan) wool, (mon) fleece **2** (talo) villa
villainen woolen
villakoira 1 (koira) poodle **2** (pölykerä) dust-bunny
villakoiran ydin the main thing, the essence of the thing
villapaita sweater
villasukat woolen socks/stockings
villatakki sweater jacket
villi s **1** (alkukantainen) savage **2** (johonkin kuulumaton: liittoon) nonunion worker; (puolueeseen) independent; (urheiluseuraan, lähin vastine) free agent
adj **1** (alkukantainen) wild, uncivilized, primitive, savage; (kesyttämätön) untamed, unruly **2** (johonkin kuulumaton: liittoon) nonunion; (puolueeseen) independent; (urheiluseuraan) unaffiliated villi lakko wildcat strike
villieläin wild animal/beast, (mon) wildlife
villi-ihminen savage
villiintyä 1 (lapsi) get wild, get out of hand/control **2** (väkijoukko) run riot **3** (kasvit) run wild
villi länsi the Wild West

villinlännenelokuva Western
villisti wildly
villitys craze, fad viidenkympin villitys midlife fling
villitä drive (someone) wild; (agitoida) agitate, incite, stir up, foment
vilpillinen deceitful, fraudulent
vilpillisyys deceit(fulness), fraudulence
vilpittömyys sincerity, honesty
vilpitön sincere, honest, guileless
vilpoisa cool, breezy
vilppi deceit, fraud, guile
vilske bustle, stir, commotion
viltti blanket
vilu cold Eikö sinun tule vilu? (yleensä) Don't you get cold? (nyt) Aren't you getting cold? olla viluissaan be freezing
viluinen cold, (ark) freezing
vilustua catch (a) cold olla vilustunut have a cold
vilustuttaa itsensä catch (a) cold
viluttaa Minua viluttaa I'm cold
vilvoitella cool off
vimma 1 fury, furor, frenzy, rage **2** (ark = halu) itch, yen, mania
vimmaantua 1 (suuttua) fly into a fury/rage/passion **2** (joutua himon valtaan) be possessed by a passion
vimmastua fly into a fury/rage/passion
vimmattu s mad(wo)man adj furious, frantic, frenzied, possessed
vimmatusti like hell/mad/crazy
vinguttaa make (something) squeal vinguttaa viulua scrape the violin/fiddle
vinha 1 (nopea) fast, furious, breakneck, headlong vinhaa vauhtia at a breakneck pace **2** (erikoinen) odd, peculiar, weird vinhan näköinen mies a weird-looking man
vinhasti fast and furious, hell-bent for leather, headlong
vinkkeli 1 (suora kulma) (right) angle vinkkelissä on the square **2** (ark = näkökanta) point of view käsitellä asiaa toisesta vinkkelistä come at it from another angle, get another viewpoint on it
vinkki hint, tip
vinksahtaa (osua harhaan) miss, slip vinksahtanut (tärähtänyt) cracked, touched (in the head), off your rocker, gonzo
vinkua 1 (luoti) whiz, whistle; (hengitys) wheeze **2** (ovi) squeak, (lapsi, koira) whine
vino 1 (taso) sloping, slanting, inclined vinot silmät slanty eyes **2** (viiva) diagonal, oblique **3** vino hymy wry smile vino suu twisted mouth vinossa ks hakusana
vinoilla taunt, gibe (at), twit
vinoneliö diamond, (geom) rhomb(us) vinoneliön muotoinen rhomboid
vinossa 1 (fyysisesti) crooked, aslant, askew **2** (vialla) wrong Tässä on jotain vinossa Someone's wrong/fishy here, everything isn't right here
vinosti diagonally, obliquely
vinoutua get distorted/warped/twisted
vinoutuma distortion
vinoviiva (/) slash
vintilä brace (and bit), crank brace
vintiö scamp
vintti 1 (kaivon) sweep **2** (ullakko) attic, loft, garret
vinttikoira greyhound
vintturi winch
vinyyli vinyl
vioittua be damaged/impaired/injured; (ark) get busted, go on the blink/fritz
violetti violet
vipata 1 (pyytää, saada vippiä) bum, scrounge vipata kaverilta tupakkia bum a smoke off a friend **2** (antaa vippi) loan, lend Vippaaks vitosen? Can you spare me a five-spot?
vipeltää cut loose, go like the wind
vippaskonstilla by hook or by crook
vipu 1 (fys, tekn) lever **2** (ansa) trap, snare
virallinen 1 official **2** (sävy tms) formal
virallinen kielenkääntäjä official translator
virallisesti officially, (muodollisesti) formally
virallisuus official nature, (muodollisuus) formality

viraltapano dismissal, suspension
viranhakija job applicant, candidate for a post/position
viranhaku job application
viranhaltija office-holder, incumbent, appointee
viranhoitaja substitute, deputy
viranomainen authority
viransijainen substitute, deputy
viransijaisuus substitute job, deputyship, locum post
virantoimitus the performance/ discharge of your official duties virantoimituksessa on duty virantoimituksen ulkopuolella off duty pidättää virantoimituksesta suspend
virasto office, agency, bureau
virastoaika office/business hours
virastotalo office building
virastotyö office/clerical/secretarial work
vire 1 (ilman) breeze, (veden, naurun) ripple **2** (äänen) note, tone
vireessä 1 (soitin) in tune, (laulu) on key **2** (pyssy) cocked **3** (ihminen) in the mood, ready (and willing), raring to go
vireillepano (oikeusjutun) institution of proceedings
vireillä (oikeusjuttu) pending; (kysymys) under discussion; (asia) active panna vireille institute, start, take (something) up
vireilläolo (oikeusjutun) pendency, lis pendens
vireys activity, vigor
vireä 1 (ihminen) alert, aware, active **2** (toiminta) active, lively, vigorous
virhe 1 error, mistake; (laiminlyönti) oversight **2** (vika) flaw, defect; (luonteen) fault, shortcoming **3** (urh) foul
virheellinen 1 erroneous, mistaken, inaccurate, incorrect, false virheellinen ääntäminen mispronunciation **2** (viallinen) flawed, defective, faulty
virheellisesti erroneously, mistakenly, inaccurately, incorrectly, falsely
virheellisyys inaccuracy, incorrectness, falsity
virheettömyys flawlessness, faultlessness, correctness, accuracy
virheettömästi flawlessly, faultlessly, impeccably, correctly, accurately
virheetön flawless, faultless, impeccable, correct, accurate
virhemahdollisuus chance of error
virheprosentti percent of error
virike stimulus, impulse, impetus; (ark) shot in the arm saada virikettä jostakin be stimulated/inspired/ influenced by something, take impetus from something
virikkeettömyys lack of stimulation/ inspiration
virikkeetön unstimulating, uninspiring
virikkeinen stimulating, inspiring
virikkeisyys stimulation, inspiration
viritin tuner
viritinvahvistin receiver
virittäytyä work/psyche yourself up (for something)
virittää 1 (soitin) tune **2** (pyssy) cock **3** (ansa) lay, set **4** (puhe tms) pitch, couch korkealle viritetty idealismi high-pitched idealism koomiseen sävyyn viritetty ylistyspuhe comically couched eulogy
virittää juonia plot, scheme, connive
virittää kameran laukaisin set the delayed timer
virittää kello set a clock
virittää laulu strike up a tune/song
virittää mielenkiintoa spark (someone's) interest
virittää moottori tune up an engine; (lisätä tehoa) hop up an engine
virittää riitaa pick a fight
virittää vastaanotin jollekin aaltopituudelle tune in to a radio station
viritys tuning
viritä break out, crop up, burst forth, be kindled Hänen kysymyksestään virisi vilkas keskustelu Her question sparked a lively discussion
virka office; (toimi) post, position, job olla virassa, hoitaa virkaa hold an office

astua virkaan assume your office/post/ responsibilities/duties, be inaugurated/ installed/inducted into office asettaa virkaan inaugurate/ install/induct (someone) into office julistaa virka haettavaksi advertise a post viran täyttäminen filling a post, appointing someone to a post viran täyttämättä jättäminen stopping a job search, leaving a post vacant
virka-aika 1 (päivittäinen: viraston) office hours, (työntekijän) working hours **2** (virkakausi) term (of office)
virkaanastujaisesitelmä inaugural address
virkaanastujaiset inauguration
virka-apu executive assistance
virka-asema official rank/position
virkaatekevä acting
virkaehtosopimus collective bargaining contract
virkaehtosopimusneuvottelut collective negotiations/bargaining
virkaheitto dismissal, discharge, suspension
virkailija official, bureaucrat; (pankkivirkailija) teller, clerk
virkaintoinen officious
virkakausi term of office
virkakelpoisuus qualifications
virkakirje official/franked letter
virkamatka business trip
virkamies official, bureaucrat, civil servant
virkanainen professional/career woman
virkanimike (official/job) title
virkapuhelu official/business (tele)phone call
virkapuku uniform
virkarikos malfeasance
virkasuhde post, position
virkasääntö official regulations
virkata crochet
virkatehtävä official duty
virkateitse through official channels
virkatodistus extract from the civil register
virkatoimi post, position
virkatoveri colleague
virkavalta 1 (viranomaiset) the authorities, government **2** (poliisi) the (police) force, (ark) the cops **3** (virkavaltaisuus) bureaucracy, (ark) red tape
virkavapaa virkavapaalla, -na on leave
virkavapaus leave of absence
virkaveli colleague
virkavirhe misconduct (in office)
virke sentence
virkeä active, alert, lively
virkeästi actively
virkistys recreation, relaxation, refreshment
virkistysmatka recreational trip, vacation
virkistyä pick/perk up, be refreshed
virkistää (fyysisesti) freshen (you) up; (fyysisesti ja henkisesti) refresh; (henkisesti) cheer/buoy/perk (you) up virkistää muistiaan refresh your memory
virkkaa say, utter
virkkaus crocheting, crochet-work
virkkuu crocheting, crochet-work
virkkuukoukku crocheting needle
virne grin
virnistellä ks virnuilla
virnistys grin; (kivusta) grimace
virnistää grin; (kivusta) grimace
virnuilla 1 smirk, grin Älä virnuile siinä! Wipe that smirk/grin off your face! **2** (ivallisesti) sneer, jeer
Viro Estonia
viro Estonian
virolainen s, adj Estonian
virota revive, recover; (ark) come to
virpoa go trick-or-treating (on Palm Sunday) Virvon varvon, tuoreeks terveeks, vitsa sulle palkka mulle Trick or treat!
virrata flow, run, pour, stream
virsi hymn Lyhyestä virsi kaunis Short and sweet
virsikirja hymnal, hymn book
virsta verst Parempi virsta väärää kuin vaaksa vaaraa Better safe than sorry
virstanpylväs milestone
virta 1 (veden) current; (joki) river, stream **2** (sähkön) current **3** (autojen, ihmisten) stream, flow, flood kulkea

virran mukana go with the flow, drift with the tide
virtahepo hippopotamus
virtakytkin power switch
virtalähde power source
virtaus 1 (veden) current, flow **2** (muodin tms) tendency, trend
virtaviivainen streamlined
virtsa urine
virtsaneritys excretion of urine
virtsanäyte urine specimen
virtsata urinate
virtuoosi virtuoso
virua lie hurt/sick/unconscious; (ylät) languish
virus virus
virveli rod and reel
virvoitusjuoma soft drink
virvokkeet refreshments
visa 1 (koivu) curly birch, (puutavara) curly-grained wood **2** (tietovisa) quiz (show)
visainen knotty
visaisuus knottiness
viserrys chirp(ing), twitter(ing)
visertää chirp, twitter Älä muuta viserrä! You can say that again!
visio vision
viskaali 1 prosecutor, (assistant) district attorney, (A.)D.A. **2** (leik = iso kiho) bigwig
viskata 1 (viljaa) winnow **2** (heittää) pitch, chuck, heave, throw, toss
viskellä pitch, chuck, heave, throw, toss
viski whiskey, scotch, bourbon
viskoa throw, cast, hurl
vispata whip
vispikerma (vispattu) whipped cream, (vispattava) whipping cream
vispilä (wire) whisk
vissi certain Se onkin vissin varmaa että It's a sure thing that vissiksi ajaksi myönnetty laina a loan granted for a certain period
vissiin 1 (varmasti) certainly, definitely, absolutely, positively **2** (varmaankin) probably, likely
visuaalinen visual
visusti carefully, closely, painstakingly
vitamiini vitamin
vitamiininpuute vitamin deficiency
vitamiinipilleri vitamin pill
vitaminoida vitamin-enrich vitaminoitu vitamin-enriched
vitivalkoinen snow-white, white as snow, pure white
vitkalaukaisin (kameran) self-timer
vitkastella delay, dawdle, dillydally
vitkastelu delay(ing), dawdling
vitonen five-spot/note, fiver
vitsa twig saada vitsaa get a whipping/birching/thrashing antaa vitsaa give (someone) a whipping/birching/thrashing
vitsailla joke around, make/crack jokes
vitsaus plague, scourge
vitsi joke Hänellä on nyt vitsit vähissä She's laughing out of the other side of her mouth now Siinä se koko vitsi onkin That's the whole point
vitsikkyys wittiness
vitsikkäästi wittily
vitsikäs funny, witty,
vitsiniekka wit
vittu cunt, pussy, twat Voi vittu! Fuck! Haista vittu! Fuck you! Ja vitut! The fuck you say! Bullshit!
vittuilla be a prick, fuck someone over
vittumainen shitty, a real bastard of a
vittunaama fuckface, clitlips
vitunmoinen a fuck of a
vituttaa Minua vituttaa tuommoinen That really pisses me off
viuhahtaa 1 whiz, whistle **2** (juosta alasti) streak
viuhahtaja streaker
viuhka fan
viuhkamainen fan-shaped
viulisti violinist, (pelimanni) fiddler
viulu violin, fiddle maksaa viulut pay the piper
viulunsoittaja fiddler, violinist
vivahde nuance, shade
vivahdus nuance, shade
vivahdusero nuance

vivahtaa be tinged with harmaalta vivahtavat hiukset hair tinged with gray violettiin vivahtava sininen purplish blue
vivuta pry
vohkia swipe, lift, snatch
vohveli waffle, (keksi) wafer cookie
vohvelirauta waffle iron
voi s butter
interj oh Voi sinua! Poor you! Voi kun tietäisin! I wish I knew!
voida pääv be, feel, do Kuinka voitte? How are you feeling/doing? Voi paksusti Keep your end up
apuv can, be able to; (saada, saattaa) may Voisitko auttaa minua? Could you please give me a hand? En voinut kuin nauraa I couldn't help but laugh Olen voinut erehtyä I may be wrong Toivoisin voivani I wish I could Teen kaiken minkä voin I'll do everything I can, everything in my power Kunpa voisin! I wish I could!
voide lotion, cream
voidella 1 (tekn: rasvata) grease; (öljytä) oil, lubricate, (ark) lube; (vahata) wax **2** (ihoa) rub lotion/ cream/oil into/ on(to) **3** (raam) anoint
voihkia moan, groan
voijuusto butter/cream cheese
voileipä sandwich
voileipäpöytä buffet table
voima (myös henkinen) power, force, strength käydä voimille tire you out, tax your strength voimalla by brute strength, by main force hänen sanansa voimalla on the strength of his word voimassa, voimin, voimissa ks hakusanat
voimailu athletics
voimainkoetus trial of strength
voimakas 1 strong, forceful, powerful, potent **2** (raju) violent, heavy, drastic
voimakkaasti strongly, forcefully, powerfully, potently, violently, heavily, drastically (ks voimakas)
voimakkuus strength, force, power, potency, violence (ks voimakas) äänen voimakkuus volume, intensity
voimala power plant
voimalaitos power plant
voimallinen mighty, powerful, potent
voimanlähde (tekn) power source; (kuv) source of strength
voimaperäinen strong, powerful, intensive
voimaperäisesti strongly, powerfully, intensively
voimariini butter-margarine mix, spreadable butter
voimasana swearword, curse word
voimassa in force/effect, valid tulla voimaan take effect, become valid voimassa oleva valid lakata olemasta voimassa expire
voimassaoloaika (period of) validity
voimaton 1 (veltto) limp, slack, weak, feeble **2** (toimintakyvytön) powerless, helpless, incapacitated
voimattomuus limpness, slackness, weakness, feebleness, powerlessness, helplessness, incapacity (ks voimaton)
voimavarat resources
voimin kaikin voimin with all your strength, with everything you've got omin voimin by your own efforts uusin voimin with renewed strength/ vigor yhdistetyin voimin by a combined effort, in concert
voimissa hyvissä voimissa in good shape/condition täysissä voimissaan in full possession of your faculties parhaissa voimissa in your prime voimissaan feeling your strength/oats
voimistaa strengthen, build up strength
voimistelija gymnast
voimistelu gymnastics
voimistelusali gymnasium
voimistua get stronger, gain strength, be strengthened
voinokare pat of butter
voitava tehdä voitavansa do what you can, do your best
voitelu 1 (tekn: rasvalla) greasing, (ark) grease job; (öljyllä) lubrication, oiling, (ark) lube; (vahalla) waxing **2** (raam) anointing viimeinen voitelu Extreme Unction
voiteluaine lubricant
voitokas triumphant, victorious
voitollinen triumphant, victorious

voitonhaluinen profit-seeking
voitonhetki your moment of triumph/glory
voitonjuhla triumphal/victory celebration
voitonmaku the taste of victory
voitonmerkki V for Victory
voitonriemu triumph
voitonriemuinen triumphant, triumphal
voitonvarma confident of victory
voittaa 1 (joku, myös kuv) beat, conquer, overcome Rakkaus voittaa kaikki Love conquers all **2** (kilpailussa, sodassa tms) win voittaa aikaa/alaa gain time/ground voittaa rahaa hevoskilpailuissa win money on the horses **3** (saada voittoa) (make a) profit (on), make Paljonko voitit kaupassa? How much (profit) did you make on the deal?
voittaja winner, (ylät) victor
voittajajoukkue the winning team
voittamaton 1 (este tms) insuperable, unsurmountable **2** (joukkue tms) invincible, unbeatable
voitto 1 (sodassa tms) victory, triumph **2** (pelissä) win, (ylät) victory **3** (kaupoissa) profit
voittoinen predominantly, mainly havupuuvoittoinen metsä a predominantly evergreen forest
voittoisa victorious
voittopuolisesti predominantly, mainly
voiveitsi butter knife
voivotella 1 (voihkia) moan and groan **2** (sadatella) bitch and moan, complain; (ylät) bemoan, bewail
voivuori surplus butter
vokaali vowel
vollottaa bawl
voltti volt
volyymi volume
vonkua howl, shriek
voro thief, bandit
vossikka horse-drawn cab
votka vodka
votkaturisti vodka tourist, tourist who goes to Russia/Estonia for the cheap alcohol
vouhottaa fuss/fret (over); (ark) make a big deal over/about
vouti bailiff, overseer
vulgaari vulgar
vuodattaa (vettä tms) pour out, (verta, kyyneleitä) shed
vuodattaa koko sielunsa johonkin put your whole soul in something, pour yourself into something
vuodattaa sydäntään pour out your heart/troubles (to someone)
vuodattaa ylistystä sing (someone's) praises
vuodatus 1 (veren, kyynelten) shedding veren vuodatus bloodshed **2** (sanojen, tunteiten tms) pouring out, flood, outburst; (ylät) effusion
vuode bed olla vuoteen oma be laid up in bed (with something)
vuodenaika season tähän vuodenaikaan (at) this time of (the) year
vuodenvaihde viime vuodenvaihteessa around the end of last year, early this year Se tulee vuodenvaihteessa It'll be coming around the end of the year
vuodepaikka bed 200 vuodepaikkaa (sairaalassa) 200 beds, (hotellissa) accommodations for 200
vuodevaatteet bedclothes
vuohi goat
vuoka 1 (astia) pan **2** (ruoka) casserole
vuokko (kasvi) anemone
vuokra rent, (pitkäaikainen) lease
vuokra-aika lease (period) Vuokra-aika päättyy vuodenvaihteessa The lease will expire at the end of the year
vuokraaja renter, (talon) tenant; (liisaaja) lessee, leaseholder
vuokraamo rental agency/store/outlet
vuokraemäntä landlady
vuokrahuoneisto rental apartment
vuokraisäntä landlord
vuokralainen tenant
vuokranantaja lessor, landlord/-lady
vuokrasäännöstely rent control
vuokrata rent, (pitkäksi aikaa) lease; (laivaa, lentokonetta) charter
vuokraus rental, lease, charter

vuoksi s high/flood tide
postp **1** (johdosta) because of, owing/due to, on account of, as a result of tilan puutteen vuoksi due to lack of space **2** (tähden) for (someone's sake), in the interest(s) of Tein sen perheeni vuoksi I did it for my family
vuoksi ja luode ebb and flow
vuolas 1 (virta) rapid, swift, fast-flowing, torrential **2** vuolas puhe/selittely a torrent/flood/outburst of words /explanations
vuolla whittle/carve (out/at/up)
vuolle current, flow, torrent (myös kuv)
vuolukivi soapstone
vuono (Norjassa) fjord, (Skotlannissa) firth
vuorata 1 (vaatetta) line **2** (taloa: laudoilla) (clap)board, (tiilillä) brick
vuoraus (ulkovuoraus) siding, (sisävuoraus) paneling
vuorenhuippu (mountain) peak, summit
vuorenrinne (mountain) slope
vuori 1 (takissa) lining **2** (luonnossa) mountain Kamerunvuori Mount/Mt. Cameroon
vuorineuvos Honorary Mining Councilor
vuorisaarna the Sermon on the Mount
vuoristo mountain range
vuoristorata roller coaster
vuoriton unlined
vuoro 1 turn mennä vuoron perään take turns going vuoroin, vuorostaan ks hakusanat Nyt on teidän saunavuoronne (omakotitalossa) It's your turn to take a sauna; (kerrostalossa) the sauna is all yours **2** (urh = lyöntivuoro) at-bat, half-inning **3** (työvuoro) shift **4** (kulkuneuvon) departure; (linja-auto) bus, (juna) train, (laiva) sailing, (lento) flight Finnairin vuoro AY 145 Los Angelesiin, portti A4 Finnair flight AY 145 to Los Angeles, gate A4 pikavuoro Ouluun the Oulu express, the express bus to Oulu
vuoroin (vuorotellen) alternately, taking turns, one at a time
vuoroin... vuoroin now... now, sometimes... sometimes vuoroin täällä vuoroin siellä sometimes here, sometimes there; here and there in turn
vuoroittain in turn, by turns, alternately
vuorokaudenaika time of (the) day (or night)
vuorokausi 24-hour period; (ark) day avoinna vuorokauden ympäri open round the clock, open 24 hours
vuorokausittain daily
vuorolento scheduled/regular/commercial flight
vuoroliikenne scheduled/regular bus traffic
vuoropuhelu dialogue
vuoropäivinä on alternate days, every other day
vuorostaan in turn, for your part; (toisaalta) on the other hand
vuorotella take turns, alternate Voin vuorotella sinun kanssasi Let's take turns, I'll spell you
vuorotellen alternately, by turns, in turn Ajetaan vuorotellen Let's take turns driving, let's spell each other at the wheel
vuorottaa 1 (vuorotella) alternate **2** (lomittaa) relieve **3** (mat) invert
vuorottaja relief
vuorottelu alternation, turn-taking; (työssä) rotation
vuorotyö shift work
vuorotyöläinen (rotafing-) shift worker
vuorovaikutus interaction, reciprocity
vuorovaikutussuhde interrelation, reciprocal relation
vuorovesi tide
vuoroviljely crop rotation
vuorovuosina in alternate years, every other year
vuosi year vuonna 1992 in 1992 ensi/viime vuonna next/last year viime vuosina the last few years jo vuosia for years täyttää vuosia have a birthday joka vuosi every year, yearly, annually

vuosikerta 1 (lehden) (annual) volume **2** (viinin) vintage
vuosikertomus annual report
vuosikirja annual, yearbook
vuosikurssi class
vuosikymmen decade
vuosiloma annual vacation
vuosimaksu annual fee
vuosineljännes quarter
vuosisata century
vuosisatainen 1 (ikivanha) centuries-/age-old **2** (satavuotis-) centennial
vuosittain annually, yearly
vuosittainen annual, yearly
vuosituhantinen millennial
vuosituhat millennium
vuositulot annual income
vuota hide, (turkis) pelt
vuotaa 1 leak **2** (valua) run, trickle, flow; (tihkua) ooze, seep; (tippua) drip, drop Minulla vuotaa nenä I've got a runny nose vuotaa verta bleed
vuotaa kuiviin run/drain dry/out; (ihminen) bleed to death
vuotaa tietoja lehdistölle leak information to the press
vuotaa yli overflow
vuoteenkastelu bedwetting
vuoto 1 leak(ing), leakage **2** (veren) bleeding, flow; (eritteen) discharge
vuotuinen yearly, annual
vyyhti (villanlangan) skein, (köyden) hank
vyö belt isku vyön alle a blow below the belt
vyöhyke belt, zone
vyöry 1 (veden) wave, flood **2** (maan) landslide (myös pol), (lumen) avalanche (myös kuv)
vyöryttää roll (up/out) vyöryttää syy jonkun niskoille blame someone else, pass the buck to someone else
vyöryä (allokko) run, roll, crest; (maa tms) slide/tumble down
vyöttää belt vyöttää kupeensa (raam) gird your loins
vyötärö waist(line)
väentiheys population density
väentungos crush, press, jam, crowd
väen väkisin by (main) force
väestö population
väestökeskus population center
väestönkasvu population growth
väestönlaskenta census
väestönsuoja airraid shelter
väestönsuojelu civil defense
väestörekisteri civil register
väestöryhmä segment of the population
väheksyntä dismissal, downplaying, belittling, ridicule, disparagement (ks väheksyä)
väheksyvä dismissive, belittling, disparaging, derogatory
väheksyvästi dismissively, disparagingly, derogatorily
väheksyä 1 (aliarvioida) underrate, underestimate **2** (korostaa jonkin pienuutta) dismiss, downplay, play down **3** (halveksia) belittle, ridicule, disparage; (ark) run down
vähemmistö minority
vähemmän less, (harvempia) fewer enemmän tai vähemmän more or less Mitä vähemmän väkeä sitä vähemmän vaivaa The smaller the group the smaller the bother
vähennettävä (mat) minuend
vähennys 1 (vähentyminen) decline, decrease, fall, drop, reduction **2** (veroissa) deduction **3** (vähennyslasku) subtraction
vähennyskelpoinen deductible
vähentyä 1 decline, decrease, fall/drop (off), diminish, be reduced **2** (kuu) wane
vähentää 1 (alentaa) decrease, reduce, diminish **2** (veroissa) deduct **3** (mat) subtract
vähimmäis- minimum
vähimmäisnopeus minimum speed
vähimmäispalkka minimum wage
vähimmäisvaatimus minimum demand
vähin the least Vähin mitä voin tehdä The least I can do
vähin erin little by little, bit by bit
vähintään at least
vähin äänin quietly, secretly, on the sly/quiet

vähissä olla vähissä be (running) short Aika on vähissä We're running out/short of time, we're almost out of time, time's almost up vähissä varoissa short of funds/money, hard up (for money) vähissä vaatteissa scantily clad, almost naked
vähitellen gradually, little by little, bit by bit; (ennen pitkää) eventually, by and by
vähiten (the) least; (pienin lukumäärä) (the) fewest
vähittäishinta retail price
vähittäiskauppa retail (trade)
vähittäismyynti retail sales
vähä little vähät rahani the little money I have Vähät siitä! What do I care (about that)? vähin, vähän, vähällä, vähässä ks hakusanat
vähäeleinen spare, plain, unpretentious, unaffected
vähäinen small, slight, insignificant, minor vähäisen ks vähän
vähällä olla vähällä tehdä jotakin be about to do something, come close to doing something, narrowly escape doing something, have a close call Olin vähällä pudota, vähältä piti etten pudonnut I almost fell päästä vähällä get off easily tulla toimeen vähällä get along on little jäädä vähälle huomiolle be (almost entirely) neglected/ignored
vähälukuinen few in number
vähäluminen talvi a winter with (unusually) light snowfall
vähän 1 (pikkuisen) a little/bit, some; (vain pikkuisen) (only a) little, very little, not much **2** (muutamia) a few, some; (vain muutamia) (only a) few, very few, not many **3** Minä vähän ajattelin että I sort of thought that
vähän väliä every now and then/again, periodically, occasionally; (usein) frequently, every little while
vähäpätöinen insignificant, trivial, unimportant
vähäsanainen laconic, taciturn vähäsanainen nainen a woman of few words
vähässä vähässä suolassa lightly pickled supistaa mahdollisimman vähään reduce to the bare minimum vähään tyytyväinen easily satisfied, content with little Hän ei vähästä säikähdä She doesn't scare easily Älä noin vähästä suutu! Don't get all worked up over nothing
vähätellä 1 (aliarvioida) underrate, underestimate **2** (korostaa jonkin pienuutta) minimize, downplay, play down **3** (halveksia) belittle, ridicule, disparage; (ark) run down
vähättely minimizing, downplaying, belittling, ridicule, disparagement (ks vähätellä)
vähä vähältä little by little
väijyksissä in wait/hiding, (sot) in ambush
väijytys ambush
väijyä lurk, (sot) lie in ambush
väistyä 1 (antaa tietä) make/give way (to), yield (to), retreat **2** (vetäytyä) withdraw, recede, fall back, go away
väistämätön unavoidable, inescapable, inevitable, unavertable
väistää avoid, evade, dodge; (paeta) escape, get/duck out of
väistää jonkun katsetta avoid someone's eye
väistää kiperää kysymystä evade/sidestep a difficult question
väistää oikealle (liikenteessä) swerve to the right, move to the right (lane)
väite 1 claim, contention, assertion, argument **2** (lak) plea **3** (logiikassa) proposition, predication
väitellä 1 (kinastella) argue, debate, discuss **2** (tohtoriksi) defend your (doctoral) dissertation; (tulla tohtoriksi) get your doctorate Mistä sinä väittelit? What did you do your dissertation on? Milloin sinä väittelit? When did you get your doctorate?
väittelijä 1 debator, polemicist, controversialist **2** (väitöstilaisuudessa) doctoral candidate
väittely argument, debate, discussion, polemic, controversy
väittämä claim; (logiikassa) proposition; (mat) theorem

väittää 1 claim, contend, assert, argue **2** (lak) plead **3** (logiikassa) predicate
väittää kivenkovaan insist
väittää vastaan argue (back), contradict
väitös 1 (väitöstilaisuus) dissertation defense **2** (geom) proposition **3** ks väite
väitöskirja (doctoral) dissertation
väkevyys strength
väkevä (ruumis, ruoka) strong, powerful
väkevästi strongly, powerfully
väki people, (ark) folks; (porukka) crowd, bunch, group mies-/naisväki the men-/womenfolks
väkijoukko crowd, (väkivaltainen) mob
väkijuoma alcoholic beverage, liquor; (ark) booze
väkilannoite (artificial) fertilizer
väkiluku population
väkinäinen 1 (vaikea) forced, strained, awkward **2** (teeskentelevä) pretentious, affected, artificial
väkinäisesti forcedly, with strain, awkwardly, pretentiously, affectedly, with affectation, artificially (ks väkinäinen)
väkinäisyys strain, pretension, affectation, artificiality (ks väkinäinen)
väkipakolla by force
väkipyörä pulley
väkirehu concentrated feed
väkisin 1 (väkipakolla) by force, forcibly maata väkisin rape, violate, molest **2** (vastoin tahtoaan) involuntarily, against your will Ajattelen väkisin Sannaa I can't help thinking about Sanna
väkivalta 1 violence, (hyökkäys) assault tehdä väkivaltaa (jollekulle) commit an act of violence (on someone), assault, beat (someone) up; (jollekin) do violence (to something) **2** (voimakeinot) force väkivalloin by (sheer) force
väkivaltainen violent
väkivaltaisuus violence
väkä barb, (koukku) hook

väli 1 (ajallinen) time, interval; (tauko) break kolmen tunnin välein at three-hour intervals, every three hours sillä/tällä välin in the meantime/-while Lasten välillä on kolme vuotta The children are three years apart Jossain välissä minun pitää käydä kaupassakin At some point I need to go to the store **2** (paikallinen) space, gap, distance; (mus, mat) interval kulkea Helsingin ja Jyväskylän väliä run between Helsinki and Jyväskylä **3** (erotus) difference Paljonko tästä pitäisi maksaa väliä? What would the difference be between this car's price and ours? **4** Mitä sillä on väliä? What difference does it make? Väliäpä sillä onko I don't care whether, it's all the same to me whether Hällä väliä Who cares? **5** välit (suhteet) relations olla hyvissä/huonoissa väleissä jonkun kanssa be on good/bad terms with someone joutua huonoihin väleihin jonkun kanssa have a falling-out with someone katkaista välinsä jonkun kanssa cut someone off, break (off relations) with someone, have nothing more to do with someone
väliaika 1 interval lyhyin väliajoin at short intervals **2** (näytelmän tms) intermission **3** (ottelun tms) halftime
väliaikainen 1 temporary **2** (virkaatekevä: hallitus tms) provisional, interim; (virkamies) acting **3** (ohimenevä) passing, ephemeral, transient
väliaikatieto interim report
välienselvittely scene, battle; (ark) showdown
väli-ilmansuunta half-cardinal point
väliin 1 between nukahtaa isin ja äitin väliin fall asleep between mommy and daddy tulla väliin intervene, interfere **2** (toisinaan) every now and then/again, occasionally, sometimes
väliinputoaja someone who falls between two chairs
väliintulo intervention, interference
välikohtaus incident, scene rajavälikohtaus border incident
välikysymys interpellation

välikäsi intermediary, middleman; (ark) go-between joutua ikävään välikäteen get caught in the middle of a bad situation, get caught between a rock and a hard place
välilasku stopover
välilevy 1 (anat) disk Minulta luiskahti välilevy paikoiltaan I slipped a disk **2** (tekn) spacer (plate)
välillinen indirect
välillisesti indirectly
välillä 1 between Mutta meidän välillämme ei ole yhtään mitään! But there's nothing between us! **2** (toisinaan) every now and then/ again, occasionally, sometimes
välilyönti space
välilyöntinäppäin space bar
välimatka distance
Välimeri the Mediterranean Sea
välimerkki punctuation mark; (mon) punctuation
välimiesmenettely mediation, arbitration (proceedings)
välimuoto transitional/intermediate form
väline tool, instrument, implement, utensil; (keino) means
välineellinen instrumental
välinen 1 (kahden) between; (kolmen) among, (ark) between Se on heidän välinen asia That's their business/ concern Jos tämä voisi olla ihan meidän kahden välinen asia I'd appreciate it if we could keep this between us, if we could let this be our secret, if this could remain between you, me, and the lamppost **2** Helsingin ja Jyväskylän väliset junayhteydet train connections between Helsinki and Jyväskylä, from Helsinki to Jyväskylä/Jyväskylä to Helsinki Olen täällä tiistain ja keskiviikon välisen yön I'll be here Tuesday night
väline on viesti the medium is the message
välinpitämättömyys indifference
välinpitämättömästi indifferently
välinpitämätön indifferent
välinäytös interlude
välipala snack

väliraha cash payment maksaa 10 000:n väliraha pay a difference of ten thousand marks
välirauha truce
välirikko break
väliseinä 1 (talossa) partition **2** (anat) diaphragm
välissä between kahden pahan välissä between a rock and a hard place, between the devil and the deep blue sea kirjan välissä between the leaves of a book
välistä 1 from between Aurinko pilkisti pilvien välistä The sun peeked out from between/behind the clouds **2** (toisinaan) every now and then/again, occasionally, sometimes
välittyä be transmitted/conveyed/ passed on/forwarded
välittäjä 1 (ihminen) mediator, intermediary, middleman, go-between, intercessor; (kaupan) broker, agent; (kiinteistön) real estate agent, realtor **2** (väline) medium, (taudin) carrier
välittää 1 (tavaraa tms eteenpäin) transmit, convey, forward, pass on Pekka välitti sinun kirjeesi minulle Pekka brought/sent/forwarded me your letter **2** (toimia välikätenä: hankkia) supply, provide, procure, act as an agent; (neuvotella) (inter)mediate, arbitrate; (tulla väliin) intercede **3** (huolehtia) take care of, handle, deal with; (olla huolissaan) worry (about), bother/trouble (yourself about) Älä välitä (vaivaudu) Don't bother, (suutu) never mind (him/her) Hän ei edes välittänyt kertoa She didn't even bother to tell me **4** (tykätä) care for/about, like, be fond of Välitätkö yhtään minusta? Do you like me at all? Do you care for me at all?
välittömyys directness, frankness, openness, spontaneity
välittömästi 1 (heti) immediately, right away; (vanh) directly **2** (suoraan) directly, frankly, openly, spontaneously
välitunti recess
välitys 1 (neuvottelu) mediation, arbitration, negotiation **2** (väliintulo) intercession, intervention **3** (liik: vaihto)

exchange, (asianhoito) agency, (meklaruus) brokerage **4** (tekn) transmission **5** välityksellä through, by, via
välityspalkkio broker's fee, commission
välitön 1 immediate, direct **2** (luonne) direct, frank, open, spontaneous
väljentää loosen; (vaatetta) let out; (reikää tms) enlarge, ream, bore; (sääntöjä) relax
väljyys looseness, slack, play; (kaliiperi) calibre
väljä loose, wide, broad Ulkona on väljempää There's more room outside, it's less crowded outside
väljä asutus sparsely populated area
väljä hame full skirt
väljähtynyt flat, stale
väljähtyä go flat/stale
väljä kasvatus (pahana pidetty) loose/lax/permissive education/ upbringing, (hyvänä pidetty) free/ tolerant/indulgent education/ upbringing
väljä moraali loose morals
väljä omatunto stretchy/elastic conscience
väljä sanamuoto loose phrasing, a phrasing that leaves plenty of leeway, plenty of room for interpretation
väljät housut loose(-fitting) pants
väljät tilat plenty of room
väljä tulkinta loose/broad interpretation
väljät vedet open waters
välke (kimallus) sparkle; (kimmellys) glitter; (tuike) twinkle, glint; (hohto) shine, gloss
välkehtiä sparkle, glitter, twinkle, glint, shine (ks välke)
välkky 1 ks välke **2** (ark) brain
välkkyä ks välkehtiä
välkähdys flash
vältellä 1 (kysymystä) evade, dodge, sidestep, avoid **2** (ihmistä) avoid, shun
välttyä avoid, escape, get out of Ei voi välttyä ajatukselta että I can't help thinking that
välttämättä necessarily Minun on välttämättä päästävä aamukoneella I must make the morning plane
välttämättömyys necessity, (väistämättömyys) inevitability alistua välttämättömyyteen bow before necessity, give in to the inevitable
välttämättömyystavarat necessities, essentials
välttämätön 1 (tuiki tarpeellinen) essential, necessary, indispensable **2** (väistämätön) inevitable, unavoidable, inescapable välttämätön paha necessary evil
välttävä passable, tolerable, (barely) adequate/satisfactory, (only) fair; (arvosanana) pass, satisfactory
välttävästi passably, tolerably, adequately puhua välttävästi englantia get by in English
välttää 1 (väistää) avoid, evade, escape, dodge; (katastrofia tms) avert heti kun silmä välttää as soon as I turn my back väärinkäsitysten välttämiseksi to prevent misunderstanding(s), lest there be any misunderstanding välttää tekemästä refrain from doing, make a point of not doing **2** (menetellä) do, be good enough Vanha hökkeli saa välttää vielä pari vuotta We'll have to make do with that old shack for another couple of years, that shack will have to do for a few more years
välähdys flash, (vilahdus) glimpse nähdä välähdykseltä catch a glimpse of
välähtää flash
välähtää mieleen cross/enter your mind, occur to you
väläys flash
väläytellä flash väläytellä mahdollisuutta että raise/hint at/flash the possibility that
väläyttää ks väläytellä
vängätä insist (doggedly/stubbornly) vängätä vastaan be difficult, dig in your heels
vänrikki (sot) second lieutenant, (mer) ensign
väpättää 1 (lippu tms) flap; (leuka) quiver, tremble **2** (sättiä) yell/jabber at, chew (someone) out
väre 1 (veden) ripple **2** (vapina) shiver nostatti kylmiä väreitä selkäpiihin It sent (cold) shivers down my spine

värehtiä 1 (vesi) ripple **2** (valo) shimmer **3** (ilme) flicker, flit Hänen kasvoillaan värehti epävarma ilme A sudden doubt flickered across her face
väreillä ks värehtiä
väri 1 color; (sävy) tint, shade, hue **2** (maali) paint, pigment; (värjäysaine) dye **3** (korteissa) suit
väriaisti color sense
värierottelu (kirjap) color separation
värifilmi color film
värikartta color card/chart
värikkyys colorfulness
värikäs colorful
värillinen colored
värinen -colored Minkä värinen se on? What color is it? Tuo vihreänvärisessä puserossa oleva nainen That woman in the green blouse
värinä 1 quivering, shivering, trembling; (lääk) fibrillation **2** (tekn) vibration, (tietok) flicker
värisokea color-blind
värisokeus color-blindness
väristä quiver, shiver, shake, tremble
värisuodin color filter
värisuora straight flush
väritelevisio color television
värittyä 1 be colored **2** (ideologisesti) have a slant, be slanted oikeistolaisesti värittynyt with a right-wing slant
värittää color; (tarinaa) embroider, embellish
värittömyys colornessness
väritys color(ing/-ation)
väritön colorless, wan
värivalokuva color photo(graph)
värjätä dye, (sävyttää) tint, (petsata) stain; (kuv) tinge
värjäytyä dye; (kuv) turn, be tinged (with)
värjötellä shiver
värkki contraption, thing(umajig), gizmo On sulla värkeissä varaa Don't give up yet, you haven't used up all your options yet
värkätä make, build, knock/hammer together
värttinä spindle
värvätä recruit (myös kuv); (hist = väkisin) impress, pressgang
värväys recruitment
värväytyä enlist, sign up
värvääjä recruiter
värähdellä 1 (tekn) vibrate, pulsate, oscillate, quiver **2** (ääni tms) quiver, tremble, shake
värähdys vibration, pulse, oscillation, quiver, tremble, shake (ks värähdellä)
värähtely vibration, oscillation
värähtää quiver, tremble, shake; (liikahtaa) stir
västäräkki wagtail
väsyksissä tired (out), exhausted; (ark) beat, dead
väsymys tiredness, weariness, exhaustion; (kuv ja tekn) fatigue
väsymättömästi tirelessly
väsymätön tireless, untiring
väsyneesti tiredly, wearily
väsynyt tired, weary
väsyttää make (you) tired, tire (you) out, exhaust, weary Minua väsyttää I'm tired
väsyä 1 (ihminen) tire, get/grow/ become tired (of) **2** (metalli) fatigue
väsähtää tire out, run down, flag; (ark) (get) poop(ed) out
vätys loafer, idler, good-for-nothing, do-nothing
vävy son-in-law
väylä channel
vääjäämätön 1 inescapable, unavoidable; (väistämätön) inevitable; **2** (kiistaton) undeniable, indisputable **3** (peruuttamaton) irrevocable
väännellä twist väännellä jonkun sanoja twist someone's words väännellä käsiään wring your hands käännellä ja väännellä twist and turn
väännös distortion, distorted version
vääntelehtiminen tossing and turning
vääntelehtiä toss and turn
vääntyä turn, twist, warp
vääntää 1 twist, turn, wind, crank **2** (taivuttaa) bend; (kangeta) pry, prise **3** (vääristää) distort Kääntäminen on

vääntämistä The translator is a traducer, (ital) traduttore traditore
vääntää auki turn on
vääntää esiin wring (something) out (of someone)
vääntää irti twist off
vääntää itkua fake-cry, work up tears
vääntää itsensä sängystä drag yourself out of bed
vääntää kovemmalle turn up
vääntää käyntiin crank up, start
vääntää niskat nurin wring (someone's) neck
vääntää pienemmälle turn down
vääntää pyykkiä wring out wet clothes
vääntää sanoja twist (someone's) words
vääntää sijoiltaan dislocate
vääntää väkisin wrest, wrench
väänähtää twist, get twisted väännähtää pystyyn drag yourself out of bed
vääpeli sergeant first class
väärennys forgery, falsification; (rahan) counterfeiting
väärennös forgery, (jäljitelmä) imitation; (ark) fake; (raha) counterfeit
väärentäjä forger, (rahan) counterfeiter
väärentämätön authentic, genuine; (tunne) unadulterated, unalloyed
väärentää forge, falsify; (rahaa) counterfeit
väärin wrong(ly), incorrectly; (vilpillisesti) falsely Se on väärin That's wrong, that's not right Oikein vai väärin? True or false? Ellen väärin muista If I remember correctly kirjoittaa väärin misspell ääntää väärin mispronounce käsittää/ ymmärtää väärin misunderstand käyttää väärin misuse, abuse
väärinkäsitys misunderstanding, misconception
väärinkäyttö misuse, abuse päihteiden väärinkäyttö substance abuse
väärinkäytös malfeasance, misconduct, abuse; (lääkärin) malpractice
vääristellä twist, distort, pervert, misrepresent; (tulkita väärin) misinterpret, misread
vääristymä distortion
vääristyä twist, warp, be twisted/ warped/contorted
vääristää 1 ks vääristellä **2** (vääntää) bend, warp, twist
väärti worth nimensä väärti well-named Se mies oli ruokansa väärti That man was worth his weight in gold Luulo ei ole tiedon väärti Believing isn't knowing, better safe than sorry
vääryys wrong, injustice, iniquity, villainy kärsiä vääryyttä be wronged tehdä jollekulle vääryyttä do someone an injustice, wrong someone vääryydellä wrongfully, unjustly, unfairly vääryydellä hankittu raha ill-gotten gain
väärä 1 wrong, false, incorrect, erroneous myöntää olleensa väärässä admit your mistake, admit that you were wrong **2** (epäoikeudenmukainen) unjust, unfair; (kiero) crooked **3** (fyysisesti) crooked, bent, curved; (vääntynyt) warped väärät sääret bowlegs selkä vääränä bent over Talo oli väärällään väkeä The place was bursting at the seams with people
väärä kuva wrong idea saada väärä kuva jostakin get the wrong idea/ impression of something antaa jollekulle väärä kuva mislead someone, give someone the wrong idea
väärä pää the wrong end aloittaa väärästä päästä start at the wrong end, do something backwards
väärä raha counterfeit money
väärä tieto misinformation saada vääriä tietoja be misinformed
väärä todistus false witness Älä sano väärää todistusta lähimmäisestäsi Thou shalt not bear false witness against thy neighbor
väärä vala perjury vannoa väärä vala commit perjury, perjure/forswear yourself

Y, y

ydin 1 (kasvin) pith, (siemenen) kernel **2** (luun) marrow, (hampaan) pulp **3** (atomin) nucleus **4** (asian) heart, core, essence, substance
ydinase nuclear weapon
ydinaseeton vyöhyke nuclear-free zone
ydinasekielto nuclear weapons ban
ydinenergia atomic energy
ydinfysiikka nuclear physics
ydinfyysikko nuclear physicist
ydinhermo the gist, the essence, (ark) the drift
ydinhiukkanen nucleon
ydinjäte nuclear waste(s)
ydinjätehuolto nuclear waste disposal
ydinkemia nuclear chemistry
ydinkoe nuclear test(ing)
ydinkoekielto nuclear test ban
ydinkohta main/essential point, essence, substance; (mon) the gist
ydinkysymys central/main question
ydinkärki nuclear warhead
ydinperhe nuclear family
ydinreaktio nuclear reaction
ydinreaktori nuclear reactor
ydinräjähde nuclear explosive
ydinräjähdys nuclear explosion
ydinsaaste pollutant(s)/pollution emitted by a nuclear power plant
ydinsota nuclear war
ydinsukellusvene nuclear submarine
ydinsuojelu civil defense for nuclear fallout
ydinsäteily nuclear radiation
ydintalvi nuclear winter
ydintekniikka nuclear technology
ydintutkimus (sub)atomic research, nuclear physics research
ydinvoima nuclear power
ydinvoimala nuclear power plant
yhdeksikkö (number) nine, niner
yhdeksisen around nine
yhdeksäinen (number) nine, niner
yhdeksän nine
yhdeksänkertainen nine-fold
yhdeksänkymmentä ninety
yhdeksänkymmentäluku the (nineteen-)nineties
yhdeksänsataa nine hundred
yhdeksäntoista nineteen kello yhdeksäntoista at seven (pm/in the evening)
yhdeksäntuhatta nine thousand
yhdeksänvuotias nine-year-old
yhdeksäs the ninth
yhdeksäskymmenes ninetieth
yhdeksäskymmenesosa one-ninetieth
yhdeksäsluokkainen ninth-grader
yhdeksäsosa one-ninth
yhdeksästoista nineteenth
yhden istuttava one-seater
yhden maattava single, twin
yhdenmukainen uniform, standard, conforming yhdenmukainen jonkin kanssa consistent with, analogous to
yhdenmukaisesti uniformly
yhdenmukaistaa unify, standardize, conform
yhdenmukaisuus uniformity, conformity, consistency
yhdenmuotoinen similar (in shape), isomorphic
yhdenmuotoisuus similarity, isomorphism
yhdennäköinen similar-looking, similar in appearance
yhdennäköisyys resemblance

yhdensuuntainen unidirectional, (samansuuntainen) parallel
yhdentekevä irrelevant, insignificant, indifferent Se on minulle ihan yhdentekevää It's all the same to me, I don't care one way or the other, it's a matter of utter indifference to me
yhdentyminen unification Euroopan yhdentyminen the unification of Europe
yhdentyä merge, fuse, coalesce; (ark) become one
yhdentää integrate, unite
yhdenvertainen equal
yhdessä together toimia yhdessä collaborate, cooperate, act in concert
yhdessä hujauksessa in a jiffy
yhdessä humauksessa in a flash
yhdessä hurauksessa in two shakes
yhdessäolo being together, togetherness
yhdestoista eleventh yhdennellätoista hetkellä at the eleventh hour
yhdiste (kem) compound
yhdistellä combine, blend, mix; (löytää yhdistelmäkohtia) connect
yhdistelmä 1 (sekoitus) combination, blend, mix **2** (yhteenveto) sum(mary) **3** (paitahousut) outfit, pantsuit
yhdistely combination
yhdistetty (kilpailu) combined competition
yhdistymisvapaus freedom of association/assembly
Yhdistyneet arabiemiirikunnat United Arab Emirates
Yhdistyneet Kansakunnat United Nations
yhdistys organization, association, society
yhdistyä 1 be joined (together), combine **2** (pol) (be) unite(d)
yhdistävä unifying
yhdistää 1 (konkr ja kuv) join, connect, unite, bring together, combine yhdistää kaksi ihmistä pyhässä avioliitossa join/unite two people in holy matrimony yhdistää kaksi perhettä avioliiton kautta connect two families through marriage En yhdistänyt sinua Maijaan! I never connected you up with Maija! Yhdistän teidät vientisihteerille I'll connect you with an export secretary **2** (pol: viereinen maa) annex, (viereinen kunta) annex, (pieniä valtioita) unite, (Eurooppa) unify
yhdyntä copulation, (sexual) intercourse
yhdyselämä 1 (pariskunnan) cohabitation, (ark) living together, (halv) shacking up **2** (kylän) communal life
yhdyskunta community
yhdyskuntasuunnittelu community planning
yhdyslause compound/complex/periodic sentence
yhdysmerkki (-) hyphen
yhdysmies contact, intermediary, liaison
yhdyssana compound noun
Yhdysvallat United States, (ark) the States Amerikan yhdysvallat United States of America
yhdysvaltalainen American
yhtaikaa simultaneously, (all) at the same time kaikki yhtaikaa all together
yhtaikainen simultaneous, concurrent
yhteen together
yhteenajo collision
yhteenkuuluvuudentunne feeling of togetherness, feeling that you belong (together), community spirit
yhteenkuuluvuus togetherness, affinity
yhteen kyytiin all at once, without a break
yhteenlasku addition
yhteen menoon all at once, without a break
yhteen otteeseen once, at one time
yhteenotto clash, confrontation, encounter; (ark) run-in
yhteensattuma coincidence olla pelkkä yhteensattuma be sheer coincidence
yhteensopimaton incompatible
yhteensopiva compatible IBM-yhteensopiva IBM compatible alaspäin yhteensopiva downward compatible

ylöspäin yhteensopiva upward compatible
yhteensopivuus compatibility
yhteensä Se tekee yhteensä 575 mk That comes to 575 marks, that'll be 575 marks altogether/in all Yhteensä (laskun lopussa) Total
yhteentörmäys collision
yhteenveto summary tehdä yhteenveto jostakin summarize something
yhteinen common, shared, mutual yhteiset aineet (koulussa) general subjects yhteisin ponnistuksin in a united/concerted effort yhtyä yhteiseen iloon join in the general rejoicing Heillä ei ole mitään yhteistä They don't have anything in common
yhteinen pankkitili joint bank account
yhteinen ystävä mutual friend
yhteisantenni communal antenna
yhteisen edun mukainen in the common/public interest yhteisen etumme mukainen in our mutual interest
yhteiseurooppalainen pan-European
yhteishenki communal/neighborly spirit, spirit of togetherness/belonging
yhteiskunnallinen (yhteinen) social, (yhteiskuntaan liittyvä) societal
yhteiskunta society
yhteiskuntaelämä social life, life in society
yhteiskuntajärjestelmä social system
yhteiskuntalaitokset social institutions
yhteiskuntaluokka social class
yhteiskuntaoppi social studies
yhteiskuntapoliittinen social-political
yhteiskuntapolitiikka social policy
yhteiskuntaryhmä social group
yhteiskäyttö communal/joint use
yhteismitallinen commensurable
yhteisneuvottelu joint negotiations
yhteisomaisuus (yhteisön) community property, (aviopuolisoiden) joint property
yhteisomistus (yhteisön) community ownership, (aviopuolisoiden) joint ownership
yhteispeli cooperation, teamwork
yhteispohjoismainen Nordic
yhteistoiminta cooperation, collaboration
yhteistyö ruveta yhteistyöhön work together, cooperate, collaborate
yhteisvaikutus 1 combined effect **2** (lääk) synergism **3** (äänityksessä) superimposing
yhteisvastuu joint/shared responsibility
yhteisvastuukeräys charitable collection
yhteisvoima joint strength
yhteisvoimin with combined/concerted/joint efforts, by pooling your strength
yhteisymmärrys (mutual) understanding, agreement päästä yhteisymmärrykseen come to an agreement, reach an understanding
yhteisyys community yhteisyyden tunne feeling of community/solidarity
yhteisö community
yhteneväinen convergent
yhtenäinen 1 (yhtä kappaletta oleva) whole, solid, one-piece, of a piece **2** (yhtäjaksoinen) unbroken, uninterrupted kolmen viikon yhteinäinen poutakausi three straight weeks of no rain yhtenäinen vieraiden kuhina constant stream of visitors/ guests **3** (tasalaatuinen) homogenous, smooth, even **4** (yhdenmukainen) uniform, standard(ized), consistent todistusten yhtenäinen sanamuoto standard formula for certificates **5** (yhdistynyt) united yhtenäinen rintama united front **6** (eheä) unified, harmonious yhtenäinen kokonaisuus unified/harmonious whole **7** (järjestelmällinen) orderly, organized
yhtenäisesti uniformly
yhtenäiskoulu comprehensive school
yhtenäistämispyrkimys standardization efforts

yhtenäistää standardize, unify
yhtenäisyys homogeneity, uniformity, consistency, unity, harmony
yhtenään constantly, continuously, all the time, always yhtenään epäkunnossa always on the blink/fritz
yhteys 1 connection tässä yhteydessä in this connection suora yhteys eilisiin tapahtumiin a direct connection with what happened yesterday Firmallamme on hyviä yhteyksiä koko maan johtoihmisiin Our company is well-connected with the ruling class of the country **2** (liikenneyhteydet) service Täältä on hyvät linja-autoyhteydet kaupunkiin We have good bus service into town **3** (viestiyhteydet) communications **4** (kosketus, vaikutussuhde) connection, contact Edetäkseen uralla täytyy luoda hyviä henkilökohtaisia yhteyksiä To get ahead you need to make good personal contacts/ connections olla yhteydessä johonkuhun be in contact with someone panna yhteydet poikki jonkun kanssa break off all contact with someone ottaa yhteyttä johonkuhun contact someone **5** (yhteenkuuluvuussuhde) relation(ship) ei mitään yhteyttä todelliseen elämään no relation to/with the real world **6** (jäsenyys) ottaa seurakunnan yhteyteen bring into the church erottaa kirkon yhteydestä (katolinen) excommunicate **7** (ykseys) oneness, unity tajunnan yhteys the oneness/unity/holism of consciousness **8** (asiayhtys) context Sanan merkitys ilmenee yleensä siitä yhteydestä, jossa sitä käytetään The meaning of a word is usually clear from the context in which it is used
yhteyttäminen assimilation
yhteyttää assimilate
yhteytys assimilation
yhtikäs mitään ei yhtikäs mitään (ark) not one goldurned dadblasted thing
yhtiö corporation, (ark) company
yhtiöjärjestys articles of incorporation
yhtiökokous general/stockholders' meeting
yhtiömuoto corporate form
yhtiöpääoma share capital, joint stock
yhtiötoveri partner
yhtiövastike maintenance fee
yhtye band, ensemble
yhtymä 1 combination **2** (tal) concern, consortium, syndicate
yhtyä 1 (fyysisesti) combine, join, meet Huulemme yhtyivät silloin intohimoiseen suudelmaan Then our lips met/joined in a passionate kiss **2** (seksuaalisesti) copulate, (raam) know Ja mies Aatami yhtyi vaimoonsa Eevaan And the man Adam knew his wife Eve **3** (poliittisesti) join/band together, unite yhtyä vieraiden joukkoon join the guests yhtyä yhdeksi valtioksi unite to form a single state **4** (toimintaan) join in yhtyä lauluun/ ilonpitoon join in the singing/merrymaking **5** (mielipiteeseen) agree/concur (with), endorse; (ark) go along with Yhdytkö Y:hyn? Do you agree with Y?
yhtä aikaa simultaneously
yhtäjaksoinen uninterrupted, constant, continuous
yhtäjaksoisesti without interruption, constantly, continuously
yhtäkkinen sudden, unexpected
yhtäkkiä suddenly, without warning, unexpectedly, out of the blue
yhtä kuin olla yhtä kuin equal, add up to Se on yhtä kuin nolla That adds up to a big zero, that comes to nothing
yhtä lailla by the same token, still
yhtäläinen similar, (yhdenvertainen) equal, (identtinen) identical
yhtäläisyysmerkki (=) equal sign
yhtälö equation
yhtä mittaa in a steady stream, constantly, continuously
yhtämittainen constant, continuous, continual
yhtämittaisesti constantly, continuously, continually
yhtä perää one after the other, constantly, continuously
yhtäpitämättömyys discrepancy
yhtäpitämätön discrepant
yhtäpitävyys agreement

yhtäpitävä (mutually) consistent Tarinat olivat yhtäpitävät The stories tallied/matched up/jibed, were in agreement
yhtäpitävästi in agreement
yhtäsuuruusmerkki (=) equal sign
yhtäällä...toisaalla (over) here... (over) there, in one place...another
yhtään any, at all A: Eikö jäänyt yhtään rahaa? B: Ei yhtään A: Don't you have any money left? B: None, not a penny/cent A: Eikö se yhtään lohduta? B: Ei yhtään A: Doesn't that make you feel at all better? B: Not at all
yhyy! boohoo!
yhä still, ever yhä enemmän more and more yhä isompi bigger and bigger
yhä edelleen still
yhä kasvava ever-increasing, still growing
yhä uudelleen over and over, time and again, time after time
YK UN, the United Nations
ykkönen number one, (leik) numero uno
ykseys oneness, unity
yksi one olla yhtä jonkin kanssa be one and the same as something pitää yhtä (pitää toistensa puolta) stick together, (olla yhtäpitävä) tally, jibe yhtä sun toista this and that, this that and the other
yksiavioinen monogamous
yksiavioisuus monogamy
yksiin käydä yksiin tally, match (up), (ark) jibe
yksi ja sama all the same, all one Se on minulle yksi ja sama It's all the same to me, all one to me, (sl) it's no sweat off my balls/ass
yksikantaan 1 (itsepintaisesti) doggedly **2** (lyhyesti) curtly
yksikerroksinen (talo) single-/ one-story, (kakku tms) single-layered, (WC-paperi) single-ply
yksikielinen monolingual
yksisilmäinen peiliheijastuskamera single-lens reflex
yksikkö unit
yksikköhinta unit price, price per unit
yksikseen all by yourself, on your own, (all) alone
yksi lysti Se nyt on yksi lysti What difference does it make? Who cares? Who gives a damn/shit?
yksilö individual
yksilöidä individualize
yksilöityä be individualized
yksilöllinen individual
yksilöllisesti individually
yksilöllisyys individuality
yksilönkehitys ontogeny
yksimielinen unanimous
yksimielisesti unanimously
yksin 1 (ilman muita) (all) alone, (all) by yourself Tein sen ihan yksin I did it all by myself Oletko yksin? Are you alone? **2** (vain) only, alone Kunnia kuuluu yksin minulle The glory belongs to me alone, only to me, the glory is all mine
yksinhuoltaja single parent
yksinkertainen 1 simple yksinkertainen ruokavalio simple/ plain diet yksinkertainen tehtävä simple/easy/ elementary task yksinkertainen puhetapa plain/ simple/straightforward address yksinkertaista väkeä simple/ uneducated/unsophisticated/plain folks yksinkertainen poika simpleminded boy **2** (yksikerroksinen)›single; (ikkuna) single-glazed, (WC- paperi) single-ply; (yksisuuntainen) one-way
yksinkertaisesti simply
yksinkertaistaa simplify
yksinkertaistua be simplified
yksinkertaistus simplification
yksinkertaisuus simplicity Voi pyhä yksinkertaisuus! O blessed ignorance!
yksinlaulu solo saksalainen yksinlaulu lied
yksinlento solo (flight)
yksinmyynti exclusive/sole sales rights
yksinoikeus exclusive/sole rights, monopoly
yksinomaan exclusively, only, solely, entirely
yksinpuhelu monologue

yksinumeroinen single-digit
yksinvalta monarchy, autocracy
yksinvaltainen autocratic
yksinvaltias autocrat
yksinvaltius autocracy
yksinäinen 1 (itsekseen oleva) alone, lone, solitary, single yksinäinen ratsastaja the Lone Ranger yksinäinen ihminen loner yksinäinen lintu pyörähti lentoon a single/ solitary/lone bird burst into flight **2** (haikea yksinolostaan) lonely, lonesome tuntea olonsa yksinäiseksi feel lonely/lonesome **3** (erillinen) solitary yksinäinen huone/kammio solitary room/cell **4** (naimaton) single, unmarried
yksinäinen susi lone wolf, loner
yksinäistyä get lonely/lonesome
yksinäisyys solitude, loneliness, lonesomeness
yksinään 1 (ilman muita) (all) alone, (all) by yourself Tein sen ihan yksinäni I did it all by myself **2** (vain) only, alone Yksinään sinä voit auttaa minua Only you can help me, you alone can help me
yksioikoinen simple yksioikoinen järjenjuoksu one-track mind
yksipuolinen 1 one-sided yksipuolinen sopimus unilateral agreement/ contract yksipuolinen ruokavalio unbalanced diet **2** (puolueellinen) biased, partial, prejudiced, narrow-minded yksipuolinen päätös biased/ prejudiced decision
yksipuolisesti unilaterally, partially, prejudicially (ks yksipuolinen)
yksipuolisuus one-sidedness, unilateralism, bias, partiality, (ks yksipuolinen) prejudice, narrow-mindedness
yksiselitteinen unambiguous, straightforward, clear
yksissä together (with someone), in unison/concert
yksissä tuumin miettiä jotain yksissä tuumin put your heads together (to figure something out) päättää jotain yksissä tuumin decide something unanimously
yksistään 1 (yksinomaan) only, purely, solely On yksistään hyvä asia että It's all to the good that yksistään tieteelle omistautunut devoted solely/ entirely/purely to science **2** (jo) just, alone Yksistään oopiumissa on yli 20 erilaista alkaloidia Opium alone has more than 20 different alkaloids
yksisuuntainen (tie) one-way, (sähkövirta) unidirectional
yksitellen one by one, one at a time
yksitoikkoinen monotonous
yksitoikkoisuus monotony
yksitoista eleven
yksitotinen 1 (tosikkomainen) earnest, staid, stolid **2** (yksitoikkoinen) monotonous
yksitotisesti earnestly, stolidly; monotonously, in a monotone
yksitotisuus earnestness, stolidity; monotony
yksittäin one at a time, one by one
yksittäinen single, individual, separate Muutamia yksittäisiä sanoja lukuun ottamatta hän ei virkannut koko iltana mitään Apart from a few stray/ sporadic words he didn't utter a sound all evening
yksityinen 1 private, (salassa pidettävä) confidential yksityinen juhla/tie private party/road **2** (yksittäinen) single, individual, separate
yksityinen koulu private school
yksityisasia private/confidential matter
yksityiselämä private life
yksityisesti privately, confidentially
yksityisetsivä private detective/ investigator, private eye, P.I.; (ark) gumshoe
yksityishenkilö private person
yksityiskohta detail
yksityiskohtainen detailed
yksityiskohtaisesti in detail
yksityiskokoelma private collection
yksityiskäyttö private/personal use
yksityisluonteinen confidential
yksityisomaisuus private property
yksityisopettaja private teacher/ tutor

yksityisopetus private tuition
yksityisoppilas private pupil
yksityistapaus individual case
yksityisyrittäjä entrepreneur
yksiö studio apartment
ykskaks all at once, all of a sudden, before you could blink an eye
yl (lyh) gen. (generally)
yleensä 1 generally, usually, on the whole, in general **2** (ylipäätään) at all jos se on nyt yleensä mahdollista if it's at all possible
yleinen 1 (kaikkien) general yleinen kielitiede general linguistics yleinen tyytymättömyys widespread dissatisfaction **2** (laajalle levinnyt) common, usual, prevalent yleinen käsitys on että it is commonly believed that **3** taudin yleinen kulku the usual course of a/the disease **4** (julkinen) public yleiset kulkuneuvot public transportation
yleinen asevelvollisuus universal conscription
yleinen mielipide public opinion
yleisesti generally, commonly, usually yleisesti luullaan että it's commonly/frequently/widely believed that
yleiskaava formula
yleiskatsaus overview, survey
yleiskieli standard language
yleiskokous general meeting/assembly
yleiskäsite general concept
yleislakko general strike
yleismaailmallinen global, universal, worldwide
yleispiirre general feature
yleispiirteittäin in general, overall
yleispätevyys universality, universal applicability
yleispätevä universal(ly applicable)
yleisradio (broadcasting) network Suomen yleisradio Finnish Broadcasting Network
yleisradiosatelliitti direct broadcast satellite, DBS
yleissairaala general hospital
yleissanakirja general dictionary
yleissilmäys overview, survey
yleissivistys liberal education
yleissivistävä liberal-arts
yleisteos introduction (to a field), general survey (of a field)
yleistys generalization rohkea yleistys sweeping generalization
yleistyä become (more) common/frequent
yleistää generalize
yleisurheilija track-and-field athlete
yleisurheilu track and field
yleisyys generality, commonality, universality, frequency
yleisö audience, public; (katsojat) spectators, (lukijat) readers kosiskella yleisöä (teatterissa) play to the gallery, (kirjallisuudessa) pander to your readers paljon/vähän yleisöä large/small attendance, big/small crowd yleisöltä pääsy kielletty No Admittance/Entrance
yleisöennätys attendance record
yleisömenestys (teatteri, elokuva) box-office success, (konsertti) sell-out crowd, (romaani) bestseller
yleisömäärä attendance
yleisönosasto letters to the editor Luin tänään yleisönosastosta jännän jutun I read an interesting letter to the editor today
yleisöpuhelin public (tele)phone, coin-operated phone
ylellinen luxurious, (ateria) sumptuous, (elämäntapa) extravagant viettää ylellistä elämää live a life of ease/luxury, live in the lap of luxury
ylellisesti luxuriously, sumptuously, extravagantly
ylellisyys luxury Vierashuone on todellinen ylellisyys A guest room is a real luxury
ylemmyydentunne feeling of superiority
ylemmyydentunto feeling of superiority
ylemmyys superiority
ylempi s superior, better; (ark) high mucky-muck kunnioittaa ylempiään respect your superiors/betters adj upper, higher-up; (sosiaalisesti) superior, better

ylempänä higher/further up
ylen very, extremely, exceedingly, terribly ylen onnellinen blissfully/terribly happy
ylen antaa 1 (oksentaa) throw up **2** (hylätä) throw over
ylen määrin a lot, too much ylen määrin humalassa dead drunk, drunk as a skunk sataa ylen määrin pour down rain (for weeks)
ylennys 1 (työssä) promotion saada ylennys get promoted, get a promotion hyvät ylennysmahdollisuudet good career prospects **2** (mielen) uplift
ylenpalttinen 1 (runsas) overflowing, profuse, lavish ylenpalttinen onni overflowing bliss ylenpalttiset kiitokset profuse thanks ylenpalttinen ateria lavish meal ylenpalttisen ystävällinen/kiitollinen/ylistävä effusive **2** (liiallinen) excessive, to excess ylenpalttinen juominen excessive drinking, drinking to excess ylenpalttinen syöminen overeating
ylenpalttisesti profusely, lavishly kiitellä ylenpalttisesti gush
ylenpalttisuus profusion, excess(iveness)
ylensyödä overeat, eat too much
ylensyönti overeating
ylentää 1 (fyysisesti) raise, lift, elevate **2** (korkeampaan virkaan) promote, give (someone) a promotion **3** (korkeampaan arvoasemaan) raise ylentää aatelissäätyyn raise to the peerage **4** (mieltä) uplift, elevate mieltä ylentävä elokuva uplifting movie
ylettyvillä within reach, at hand
ylettyä 1 reach Yletytkö tuonne ylähyllylle siihen maljakkoon? Can you reach (me) that vase on the top shelf? **2** (olla jollakin tasolla) be/come up/down to Vesi ylettyi minua vyötäröön The water was up to my waist
ylettää reach, be/come up/down to
yletä 1 (nousta) rise **2** (kasvaa) grow (up) **3** (edetä urallaan) move up, advance, be/get promoted
yletön excessive yletön vaatimus impossible/unreasonable/exorbitant demand yletöntä juomista excessive/immoderate drinking
ylevyys uplift, sublimity, loftiness
ylevä uplifting, sublime, lofty
ylevästi sublimely, loftily
ylhäinen 1 (jalosukuinen) noble, high-born **2** (korkeassa asemassa) high ylhäinen virkamies high official **3** (herraskainen) aristocratic, lordly ylhäinen käytös lordly/regal bearing
ylhäisyys excellency Teidän Ylhäisyytenne Your Excellency
ylhäisö 1 (aatelisto) the nobility, the aristocracy **2** (yläluokka) the upper class/crust, the ruling class(es)
ylhäällä high (up), up Se on tuolla ihan ylhäällä It's (way) up there, it's right there, way up high Minä olin ylhäällä koko yön lasten kanssa I was up all night with the kids
ylhäältä päin from above ylhäältä päin tullut käsky an order from higher up katsoa jotakin ylhäältä päin (fyysisesti) get a bird's eye view of something, look at something from above; (halveksien) look down on something
yli 1 over hypätä aidan yli jump over the fence vuotaa yli overflow ampua yli (fyysisesti) shoot high, (kuv) overdo it hypätä yli (fyysisesti) jump over, (kuv) skip (over) ajaa yli run over (someone), run (someone) down **2** (enemmän kuin) more than maksaa yli 1 000 mk cost more than 1000 marks, in excess of 1000 marks **3** (jälkeen) after, past 5 yli 5 5 after/ past 5 **4** (poikki) across tien yli across the street **5** (tuolla puolen) beyond voimiensa yli beyond your strength elää yli varojensa live beyond your means mennä yli ymmärryksen be over your head, beyond your comprehension
yliampuva overdone, exaggerated
yliarvioida overestimate
yliarviointi overestimation
yliassistentti (pre-/postdoctoral) instructor
ylihintaan myydä ylihintaan overcharge (for)
ylihintainen overpriced

ylihuomenna the day after tomorrow
yli-ihminen superman
yli-insinööri senior engineer
ylijäämä surplus; (tavaramäärästä) remainder, (aineesta) residue; (ark) what's left over
ylikansallinen supranational
ylikuormittaa overload
ylikuormitus overload
ylikäytävä crossing
yli laidan overboard (myös kuv)
yliluonnollinen supernatural
ylilyönti excessive action; (mon) excess of zeal
ylilääkäri (osaston) senior physician/ surgeon; (sairaalan) medical director; (vakuutusyhtiön) chief medical officer; (armeijan) surgeon general
ylimalkaan generally, as a general rule, on the whole
ylimalkainen 1 (summittainen) rough, approximate **2** (pintapuolinen) cursory, superficial
ylimalkaisesti roughly, approximately, superficially
ylimenokausi transitional period
ylimerkintä oversubscription
ylimielinen arrogant, haughty, disdainful
ylimielisesti arrogantly, haughtily, disdainfully
ylimielisyys arrogance, haughtiness, disdain
yliminä superego
ylimitoitettu oversized
ylimittainen oversize
ylimmillään at its highest/peak nousta ylimmilleen (reach its) peak/climax
ylimmäinen 1 (fyysisesti) highest, uppermost, top ylimmäinen hylly/ laatikko/rappu top shelf/drawer/step Hannelen ääni kuului ylimmäisenä Hannele's voice rose above the others **2** (sosiaalisesti) supreme, highest ylimmäinen johto supreme command ylimmäinen pappi high priest
ylimys aristocrat
ylimääräinen extra, additional
ylin 1 (fyysisesti) highest, uppermost, top ylin hylly/laatikko/rappu top shelf/ drawer/step Hannelen ääni kuului ylimpänä Hannele's voice rose above the others **2** (sosiaalisesti) supreme, highest ylin johto supreme command **3** (suurin) maximum, ceiling, top ylin hinta maximum/ ceiling/top price
ylinnä highest, (at the) top ylinnä virkahierarkiassa at the top of the bureaucratic hierarchy
yliolkainen 1 (välinpitämätön) casual, nonchalant, off-the-cuff **2** (ylimielinen) arrogant, haughty, scornful
yliolkaisesti casually, nonchalantly, off-the-cuff; arrogantly, haughtily, scornfully (ks yliolkainen)
yliolkaisuus casual behavior, nonchalance; arrogance, haughtiness, contemptuousness (ks yliolkainen)
yliopisto university
yliopistokaupunki university city, (pienempi) college town
yliopistolaitos institute of higher education/learning
yliopistollinen academic yliopistollinen sairaala university hospital
yliopisto-opetus university instruction
ylioppilas high school graduate, (opiskelijana) undergrad(uate) ikuinen ylioppilas eternal student
ylioppilasjuhla graduation party
ylioppilaskoe matriculation exam; (USA:ssa lähin vastine) college boards
ylioppilaslakki student cap
ylioppilastodistus high school diploma
ylipappi high priest
ylipuhua convince, persuade, talk (someone) into (something) Puhuit minut yli You talked me into it, you twisted my arm
ylipäällikkö supreme commander; (armeijan) commander-in-chief
ylipäänsä in general, on the whole, at all Onko se nyt ylipäänsä mahdollista? Is it at all possible, is it even within the realm of possibility? Täällä päin asuu ylipäänsä äveriästä väkeä This neighborhood is pretty much owned by wealthy people

ylirasittua get overtired/overworked; (ark) get stressed out, burn out
ylirasittunut overtired, overworked; (ark) stressed out, burned out
ylistys praise
ylistää praise; (luetella hyveet) extol; (ylistyspuheessa) eulogize; (isänmaallisessa tms runossa) celebrate; (ylempi alaistaan) commend
ylitarjonta oversupply, surplus, glut
ylitse over (ks yli)
ylitsepääsemätön insurmountable, insuperable
ylitsevuotava overflowing, overabundant, effusive; (ark) gushing
ylittämätön 1 (ylitsepääsemätön) insurmountable, insuperable **2** (lyömätön) unbeatable, invincible; (ark) the greatest
ylittää 1 cross ylittää Atlantti cross the Atlantic Atlantin ylittävä transatlantic **2** exceed, surpass, go over ylittää kaikki odotukset exceed all expectations ylittää itsensä surpass yourself Se ei saa ylittää 100 mk:aa It can't go over 100 marks, it can't cost more than 100 marks
ylitunti (opettajan) extra hour, (työntekijän) hour of overtime
ylitys 1 (Atlantin, vuoriston) crossing **2** (kiintiön tms) exceeding, surpassing **3** tilin ylitys overdraft, (ark) going in the hole **4** (urh: riman) clearance
ylityö overtime
ylityökorvaus overtime (pay) Minkälaisen ylityökorvauksen täällä saisin? What kind of overtime do you pay?
ylivalottaa overexpose
ylivalotus overexposure
ylivalta supremacy saada ylivalta jostakusta get the upper hand of someone, get the better of someone
yliveto (ark) the greatest, the best, number one Kyllä sä oot yliveto! (vitsin kertojalle, nauraen) You're too much!
ylivoima superior force/numbers taipua ylivoiman edessä yield to superior force
ylivoimainen 1 (lyömätön) invincible, unbeatable; (ark) too strong **2** (ylitsepääsemätön) insurmountable, insuperable ylivoimaiset mittasuhteet insurmountable odds ylivoimainen este force majeure **3** (valtava) overwhelming ylivoimainen enemmistö overwhelming majority
ylivoimaisuus invincibility, insurmountability, insuperability
ylkä (ylät) bridegroom
ylle 1 (yläpuolelle) over, above nousta pilvien ylle rise/fly (up) above/over the clouds **2** (päälle) on Mitä minä panen ylle? What shall I put on? What shall I wear?
yllyke incitement (to do something), (lapset) dare saada yllykettä jostakin take impetus from tehdä yllykkeestä jotain do something on a dare
yllyttäjä instigator
yllyttää (hurjiin tekoihin) dare; (pelottavaan tai vastenmieliseen tehtävään) encourage, urge, egg on; (suuttumaan) provoke; (kapinaan) incite, instigate A: Miksi sinun piti hypätä katolta! B: No kun Janne yllytti! A: Why did you have to go jump off the roof? B: Janne dared me to!
yllytyshullu dupe, butt, toy
yllä 1 (yläpuolella) over, above kaupungin yllä (up) above the city, over the city **2** (päällä) on Mitä hänellä oli yllään? What did she have on? What was she wearing? **3** (kirjassa ennen) above yllä mainittu above-mentioned **4** (kunnossa) up pitää yllä keep up, maintain
ylläpito upkeep, maintenance
ylläpitää keep up, maintain
yllättyä be surprised/astonished/astounded, be taken unawares/aback/by surprise olla yllättyneen näköinen look surprised
yllättää surprise, astonish, take (someone) unawares/by surprise; (itse teosta) catch (someone) in the act yllättää iloisesti give someone a pleasant surprise Eniten minua yllätti se että I was most surprised by the fact that, what surprised me most was that
yllätyksellinen surprising, sudden, abrupt, unexpected

yllätys surprise Yllätyksekseni totesin että Much to my surprise I found that, I was surprised to note that
ylpeillä 1 be proud of, feel/take pride (in), be filled with pride (at) **2** (kerskailla) boast, brag
ylpeily boasting, bragging
ylpeydenaihe pride and joy, something to be proud of
ylpeys 1 pride niellä ylpeytensä swallow your pride Ylpeys käy lankeemuksen edellä (raam) Pride goeth before a fall **2** (ylpeydenaihe) pride and joy **3** (ylimielisyys) haughtiness, arrogance, conceit
ylpeä proud; (ylimielinen) haughty, conceited, (ark) stuck-up ylpeä isä proud father ylpeä ihminen conceited/stuck-up person
ylpistyä become conceited; (ark) get stuck-up, get a swelled head, let something go to your head
yltiöisänmaallinen superpatriotic, chauvinistic
yltiöpäinen 1 (omapäinen) headstrong **2** (hurja) reckless, daring **3** (kiihkomielinen) fanatic(al) **4** (asiaansa sokeasti uskova) quixotic
yltympäri all over (the place), everywhere
yltyä 1 (tuuli) rise **2** (vauhti) increase **3** (kipu) get worse, intensify
yltä 1 (yläpuolelta) from (up) above/over kaupungin yltä from up above the city **2** (päältä) off riisua vaatteet yltään take off your clothes, undress
yltäkylläinen plentiful, (over)abundant, profuse
yltäkylläisesti plentifully, (over)abundantly, profusely elää yltäkylläisesti live off the fat of the land
yltäkylläisyys plenty, abundance, profusion
yltä päältä from head to toe, from top to bottom, all over
yltää 1 reach Yllätkö tuonne ylähyllylle siihen maljakkoon? Can you reach (me) that vase on the top shelf? yltää johonkin saavutukseen achieve something **2** (olla jollakin tasolla) be/come up/down to Vesi ylsi minua vyötäröön The water was up to my waist
ylväs grand, stately, noble, proud
ylvästelijä boaster, braggart; (ark) big talker
ylvästellä boast, brag; (ark) talk big
yläaste 1 upper level/degree **2** (koulu) junior high (school)
yläikäraja maximum age
yläkerta upstairs Yläkerta on vielä laittamatta We still have to remodel the upstairs
yläluokka upper class
ylänkö highlands, uplands
yläosa upper part; (vaateasun) top
yläosaton topless
yläpuoli upper/top part/half
yläpää upper/top end
yläraaja upper limb
yläraja upper limit, maximum
yläreuna upper edge, (sivun) top
yläsänky top bunk
ylävartalo upper body
ylävuode top bunk
ylös up ylös alas up and down Kädet ylös! Hands up! nousta ylös get up, (sängystä) get out of bed, (maasta) stand up
ylösalaisin upside-down
ylösnousemus resurrection
ylöspäin upward(s)
ym etc.
ymmällään puzzled, baffled, bewildered, confused
ymmärrettävä understandable, comprehensible Minusta on toki täysin ymmärrettävää, mitä teit I do find your action entirely understandable
ymmärrys 1 understanding, comprehension Se käy yli minun ymmärrykseni It's over my head, it's beyond me, beyond my comprehension **2** (järki) sense Pitäisi sinulla olla nyt sen verran ymmärrystä että You should have sense enough to, you should be smart enough to
ymmärtäväinen understanding, sympathetic
ymmärtäväisesti understandingly, sympathetically

ymmärtäväisyys understanding, sympathy
ymmärtää 1 understand, comprehend, grasp; (ark) get, see En ymmärrä sinun vitsejäsi I don't get your jokes **2** (saada selville) figure out, (äkätä) realize; (ark) get, see Nyt ymmärrän Now I get it, now I see **3** (tietää) know Etkö ymmärtänyt jäädä pois niistä juhlista Didn't you know better than to go to that party?
ymmärtää väärin misunderstand
ymmärtää yskä take a hint
ympyrä circle (myös kuv) kiertää ympyrää go around and around, go around in circles liikkua tietyissä ympäröissä move in certain circles Hänellä on aika pienet ympyrät (rajoittunut) He's pretty limited, (pieni maailma) his world is pretty small
ympäri adv **1** around pyörittää ympäri spin (something around/in circles) **2** puhua ympäri talk (someone) into (something), convince, persuade Puhuit minut ympäri You talked me into it
postp around kellon ympäri around the clock maailman ympäri around the world juosta pari kertaa radan ympäri run a few laps around the track
prep all over/around ympäri maailmaa all over the world heitellä tavaroita ympäri huonetta throw things all over the room juosta ympäri kaupunkia kenkien perässä run all over/around town looking for shoes
ympäriinsä all over (the place)
ympärileikata circumcise
ympärileikkaus circumcision
ympärillä adv (all) around paljon ihmisiä ympärillä lots of people around (you)
postp around Heidän ympärillään oli satoja uteliaita They were surrounded by hundreds of curious people, rubberneckers swarmed around them in the hundreds
ympäripyöreä 1 (epämääräinen) vague, evasive, noncommittal **2** (kellonympärinen) around-the-clock tehdä ympäripyöreitä päiviä work around the clock
ympäristö 1 (lähialue) surroundings, surrounding area, neighborhood, vicinity yliopiston ympäristössä in the neighborhood/vicinity of the university **2** (luonto) environment ympäristön saastutus/raiskaus pollution/rape of the environment
ympäristöhaitta environmental hazard
ympäristöministeri Secretary for the Environment
ympäristöministeriö Department of the Environment
ympäristömyrkky environmental poison
ympäristönsuojelu environmental protection/conservation
ympäristötaide earth art
ympäristötekijät environmental factors/considerations
ympäristövahinko environmental disaster
ympärysvallat (hist) the Allies, Allied forces
ympäröidä surround, encircle, ring
ympätä 1 (puuhun) graft (onto) **2** (kirjaan, puheeseen tms) stuff/cram/fit/force (something) into
yms etc., and the like
ynnä and
ynnätä add (up)
ynseys coldness, indifference, unfriendliness
ynseä cold, indifferent, unfriendly
ynseästi coldly, indifferently kohdella ynseästi ystäväänsä give a friend the cold shoulder
ypöyksin all alone
yritteliäisyys enterprise, enterprising spirit; (ark) go-get-em spirit, get-up-and-go
yritteliäs enterprising, ambitious; (ark) go-get-em
yrittäjä entrepreneur
yrittää try, attempt, endeavor; (ark) take a shot (at), have a go (at) yrittää parhaansa try/do your best Älä yritä! Don't pull that (shit) on me, don't give me that Ei yrittänyttä laiteta There's no

harm in trying; nothing ventured, nothing gained
yritys 1 (hanke) attempt, endeavor, effort epäonnistunut yritys failure, failed attempt; (ark) flop kaikista yrityksistä huolimatta despite all efforts **2** (yritteliäisyys, liikeyritys yleensä) enterprise, venture yhteinen yritys joint venture yksityinen yritys private enterprise/venture **3** (firma) business, company, firm, corporation
yritysdemokratia industrial democracy
yritys ja erehdys trial and error
yritysgrafiikka (tietokoneella tuotettu) business graphics
yrityslehti company (news)paper/magazine/newsletter; (halv) house organ
yritysosto acquisition
yrityspolitiikka company policy
yritystalous company finances
yritystoiminta entrepreneurial activity
Yrjö (kuninkaan nimenä) George
yrjö barf, puke, ralph
yrjötä be sick, throw up, barf, puke
yrtti herb
yrttitee herbal tea
yskittää Minua yskittää I have a cough
yskiä cough
yskä cough ymmärtää yskä take the hint, get the message
yskänpastilli cough drop
yskös sputum, expectoration
ystävykset buddies, companions, pals
ystävyys friendship
ystävä friend Hän on hyvä ystäväni He's a good friend of mine Hädässä ystävä tutaan A friend in need is a friend indeed
ystävällinen friendly, kind(ly), amicable
ystävällisesti kindly, amicably Voisitko ystävällisesti kertoa minulle Could you please tell me
ystävällisyys friendliness, kindness
ystävänpalvelus favor, friendly turn
ystävänpäivä Valentine's day
ystävätär girlfriend, woman friend
ytimekkyys conciseness, pithiness
ytimekkäästi concisely, pithily
ytimekäs concise, pithy, to the point
Yukonin territorio (Kanadan) Yukon Territory
yö night ensi yönä tonight viime yönä last night jäädä yöksi spend/stay the night, stay overnight yötä päivää night and day, day and night tiistain vastaisena yönä, tiistaita vasten yöllä Monday night
yöjumalanpalvelus latenight worship service pääsiäisen yöjumalanpalvelus Easter vigil
yök yuck, ick
yökerho night club
yökkiä throw up, barf, puke
yökyöpeli night owl (myös kuv)
yököttää Minua yököttää I feel sick (to my stomach), I'm nauseous Sä yökötät mua You make me sick/puke
yölento night flight (leik) redeye flight
yöliikenne night traffic
yöllinen nocturnal, nightly
yömyöhään late at night
yöpaikka place to spend the night, a room/bed for the night
yöpakkanen night frost
yöpakkaset (pol) disturbances in Finland's relations with the Soviet Union
yöpimeä the dark of the night
yöpommitus nighttime bombing
yöpyä spend the night
yötyö (työpaikka) night job, (yövuoro) graveyard shift hankkia lisärahoja yötyöllä moonlight, go moonlighting saada (tällä viikolla) yötyötä pull graveyard (this week)
yöuni (night's) sleep saada hyvä yöuni get a good night's sleep
yövartija night watchman
yövartio night watch; (raam) vigil, watch
yövuoro night shift, (ark) graveyard shift

Z, z

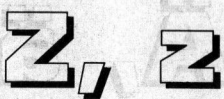

Zaire Zaire
zairelainen s, adj Zairean
zeniitti zenith
zeppeliini blimp, (hist) Zeppelin

Ä, ä

äes harrow
äestys harrowing
äestää harrow
äh! pshaw! bull(shit)!
äheltää 1 (ähkiä) huff, puff **2** (ahertaa) sweat
ähkäistä grunt, groan
ähkäisy grunt, groan
ähä! 1 (vahingoniloa) nyahahah! nah nah! **2** (oivallus) ahah! so! **3** (mielihyvä) ahhh
äidillinen motherly, maternal
äidillisesti maternally
äidinkielenopettaja (äidinkielen mukaan: suomen) Finnish teacher, (ruotsin) Swedish teacher, (englannin) English teacher jne
äidinkielenopetus Finnish/Swedish/ English (jne) teaching
äidinkieli native language/tongue, mother tongue
äidinmaidonkorvike (baby) formula
äidinmaito mother's milk
äidinrakkaus maternal love
äidinvaisto maternal instinct
äijä old man/geezer/fart Mun äijä räyhää kotona (isä/aviomies) My old man's on the rampage at home
äitelä 1 sickly sweet **2** (sentimentaalinen) saccharine, sugary, sentimental; (ark) corny, schmaltzy, mushy **3** (typerä) mawkish, insipid, vapid
äiti mother; (ark) Mom, Mommy odottava äiti expectant mother, mother-to-be
äitienpäivä Mother's Day
äitikortti (tietokoneen) motherboard
äitiysloma maternity leave
äityä 1 (ryhtyä) take/fall to äityä ryyppäämään hit the bottle äityä kiroamaan let loose a string of curses, start swearing a blue streak **2** (kiihtyä) get excited/worked up/upset
äkeys anger
äkeä angry; (kuv) ticked/pissed/ browned off
äkeästi angrily
äkikseltään suddenly, unexpectedly, at short notice, without warning En ollut äkikseltään tuntea sinua At first I didn't recognize you
äkillinen sudden, abrupt äkillinen sairaus acute illness
äkisti quickly
äkkiarvaamatta without warning, unexpectedly, out of the blue
äkkijyrkkä 1 (pudotus) sheer, precipitous **2** (mielipide) extremist, fanatical
äkkikäännös 1 (fyysinen) sudden turn **2** (henkinen) sudden aboutface/ turnabout
äkkilähtö Hänelle tuli äkkilähtö She had to hightail it out of there, she had to make tracks, she had to beat it
äkkinäinen s (aloittelija) greenhorn, tenderfoot, tyro
adj **1** (äkillinen) sudden, abrupt **2** (hätäinen) hasty, rushed **3** (harjaantumaton) unpracticed
äkkinäisesti suddenly, abruptly, hastily, in a rush
äkkinäisyys suddenness, abruptness, hastiness
äkkipikainen 1 (liian nopeasti toimiva) rash, reckless **2** (nopeasti suuttuva) quick-tempered, hot-headed
äkkipikaisesti rashly, recklessly
äkkisyvä precipitous, steep Varo, edessäsi on äkkisyvää! Watch out, there's a sudden dropoff right in front of you

äkkiä 1 (yhtäkkiä) suddenly, abruptly, all of a sudden **2** (äkisti) quickly Sano äkkiä! Tell me quickly!
äksy mean, nasty, ill-/bad-tempered
äkäinen 1 (ärtynyt) hopping mad, burned up, furious **2** (ärtyisä) irascible, irritable, testy, snappish, crusty
äkäisesti furiously, irascibly, irritably, testily (ks äkäinen)
äkäisyys irascibility, irritability
äkämä (paise) boil, (kasvannainen) gall
äkäpussi shrew, harridan
älli smarts, brains Eiks sulla oo älliä päässä? Ain't you got no smarts?
ällikällä lyöty dumbfounded
ällistynyt taken aback, dumbfounded
ällistys surprise, amazement, astonishment
ällistyttää amaze, astonish, astound
ällistyä be taken aback, be taken by surprise, be dumbfounded
äly 1 (älykkyys) intelligence, intellect älyn kirkas valo the clear/shining light of intellect **2** (järkevyys) brains, sense, wit(s); (ark) smarts Eikös äly sano mitään? Don't you have any common sense? Can't you figure it out on your own? vaivata älyään jollakin rack your brains over something
älykkyys intelligence, intellect
älykkyysikä mental age
älykkyysosamäärä intelligence quotient (IQ)
älykkyystesti IQ test
älykkäästi intelligently
älykäs intelligent, smart; (ark) brainy
älyllinen intellectual, rational, logical
älyllisesti intellectually, rationally, logically
älymystö intelligentsia, the intellectuals
älynlahjat intelligence, brains
älyttömyys 1 (älyn puute) idiocy, senselessness, folly, stupidity **2** (älytön teko) absurdity viedä älyttömyyksiin reduce something to absurdity, take something to absurd extremes
älyttömästi 1 (tyhmästi) senselessly, idiotically, foolishly, stupidly **2** (valtavasti) an awful lot Siellä oli älyttömästi ihmisiä The place was crawling with people
älytä realize, become aware of, figure out Nyt minä älysin! Now I got it! Now I see!
älytön 1 (ei-älyllinen) irrational, mindless, brutish **2** (tyhmä) senseless, idiotic, foolish, stupid
älä don't älkäämme let's not Älköön tulko esiin He/she shouldn't step forward Älköön kukaan tulko esiin Nobody step forward!
älähtää cry out, shriek, yelp
äläkkä to-do, fuss, stink Siitä nousi valtava äläkkä They made a big fuss/stink about it
ämmä old lady/woman/cow/sow ämmien juttuja (old) wives' tales
ämpäri bucket, pail
ängetä (fyysisesti) push/shove/elbow your way (in), (sanallisesti) cut/break in
änkyttäjä stutterer, stammerer
änkyttää stutter, stammer
änkytys stutter, stammer
äpärä bastard, illegitimate child
äreys irascibility, irritability
äreä irascible, irritable, testy, snappish, crusty
äreästi irascibly, irritably, testily
ärhäkkä 1 (äkäinen) snappish **2** (terhakka) peppy, zippy, full of get-up-and-go **3** (haukkuva) yapping
ärjyä bellow, holler, roar (at the top of your lungs)
ärsyke 1 (ärsyttävä aine) irritant **2** (psyk) stimulus **3** (kiihotin) impulse, incentive, enticement, motivation
ärsyttää 1 (fyysisesti ja henkisesti) irritate, (henkisesti) bother, exasperate; (ark) bug, drive you crazy **2** (kiusata) tease, harass, hector **3** (psyk) stimulate
ärsytys irritation, exasperation, harassment, stimulation (ks ärsyttää)
ärsyyntyä get irritated (at someone/something, about something), lose your temper (at/about), fly off the handle
ärtyisä irritable, touchy, peevish

rtyisästi irritably, peevishly, irascibly
rtymys irritability, peevishness, ascibility
rtyä 1 (lääk) get inflamed **2** (henkiesti) lose your temper, fly off the andle
sh! pshaw! hah! huh! oh come now! et off it!
skeinen last, past, recent äskeinen siakas the customer that just left, that 'as just here äskeiset sanasi the last ıing you said, your last words äskeinen ıatkasi that trip you just got back from
sken 1 (juuri) just (now), just a ıoment/minute/second ago Tulin äsken just got here, I just now arrived, I only tepped in a moment ago **2** äsken tullut ewly arrived äsken syntynyt newborn sken mainittu just mentioned, (the)fore-mentioned
skettäin (hiljattain) recently; (taanoin) a little while ago, some time ago
skettäinen recent Tuo sinun äskettäinen huomautuksesi What you just aid
ssä 1 (kirjain) (the letter) S **2** (korttielissä, tenniksessä jne) ace
ssävika (ark) lisp
veriäs wealthy, well-to-do, well-off
yri 1 (raha) öre **2** (veroäyri) tax unit
yriäinen (elävä) crustacean, (syötä-ä) shellfish
yskäri bailer
yskäröidä bail (out)
äliö dope, dolt, ninny, asshole, damn ɔol, jerk
änekkäästi loudly, noisily, vocally, ı a loud voice
änekäs loud, noisy, (erikseen ihmisestä) vocal
äänenkannattaja (yhtiön) house ɔrgan, (puolueen) party organ
äänenmurros Hänellä on äänenmuros His voice is changing/ breaking
äänen nopeus the speed of sound
äänenpaino stress, emphasis
äänensävy tone (of voice)
äänentoisto sound reproduction
äänentoistolaitteisto audio equipment, sound-reproducing equipment
äänestys vote, ballot; (äänestäminen) voting, (vaalit) election
äänestyslippu ballot
äänestäjä voter
äänestää vote
äänetì silently, in silence, quietly, without making a sound
äänettömästi silently, in silence, quietly, without making a sound
äänetön silent, quiet, soundless
ääni 1 (mikä tahansa ääni) sound, noise ääntä nopeampi supersonic **2** (äänensävy) tone puhua vihaisella äänellä speak angrily, in an angry tone **3** (ihmisääni) voice (myös kuv) olla koko ajan äänessä run your mouth the whole time, always have your yap going kansan ääni the voice of the people yhteen ääneen with one throat, (yksimielisesti) unanimously **4** (lauluääni) key, pitch pysyä äänessä stay on pitch/key avata ääni warm up (for singing) **5** (äänestysääni) vote 1 000 äänen enemmistöllä by a 1000-vote margin, by a majority of 1000
äänielokuva (hist) sound movie, (ark) talkie
ääniharava vote-puller
äänihuuli vocal cord
äänikirje talking letter
äänilevy record
äänimerkki honk antaa äänimerkki honk/sound your horn
äänimuuri sound barrier
äänimäärä number of votes
ääninen (yleensä) -sounding, (ihmisäänestä) -voiced
äänioikeus right to vote, suffrage
äänite recording
äänitorvi 1 (auton) horn **2** (kuv) mouthpiece
äänittää record
äänitys recording
äänivalli sound barrier
äänne phoneme
äänneasu phonetic form
ääntämisohje pronunciation guide
ääntää 1 pronounce, enunciate, articulate **2** (äännähdellä) grunt
äärellinen finite

äärellisyys finitude
äärellä by, near, close to
ääressä by, at tietokoneen ääressä at the computer
äärettömyys infinity
äärettömästi infinitely
ääretön infinite
ääri 1 (reuna: maailman) edge, end, (kupin) brim Seuraan sinua maailman ääriin asti I'll follow you to the ends of the earth täyttää kuppi ääriään myöten fill a cup to the brim **2** (raja) limit, bound(ary) Katsomo oli ääriään myöten täynnä The bleachers were jammed/ packed full
ääriaines extremist element
äärimmillään at its peak/zenith Nälänhätä oli äärimmillään Starvation was at its worst
äärimmäinen 1 extreme, utmost, supreme äärimmäisin ponnistuksin by a supreme effort **2** (kauimmainen) farthest, furthest, remotest **3** (viimeisin) final, last, ultimate
äärimmäisessä tapauksessa as a last resort
äärimmäisyys extremity
äärioikeisto the far right
ääriryhmä extremist group
ääriviiva outline

Ö, ö

öh! argh, ugh, ow
öinen nocturnal, nightly
öisin at night, nights
öljy oil
öljyinen oily, (ääni) unctuous
öljykriisi oil crisis
öljylamppu kerosene lamp/lantern
öljylämmitys oil heating
öljymaalaus oil painting
öljymaali oil paint
öljypoltin oil burner
öljytä oil; (rasvata) grease, lubricate; (ark) lube
öljyvahinko oil spill
öljyväri oil color
öljyvärimaalaus oil painting
öljy-yhtiö oil company
öristä growl, snarl
öykkäri bully, rowdy, roughneck, tough guy
öykkäröidä 1 (käytöksellä) act tough push people around, rough people up **2** (puheella) shoot off your mouth, wise off

ENGLANTI/SUOMI

A, a

A, a /eɪ/ A, a

AA Alcoholics Anonymous; American Airlines

AAA American Automobile Association

AAM air-to-air missile ilmasta ilmaan ammuttava ohjus

a, an /ə eɪ æn/ epämääräinen artikkeli, an esiintyy vokaalin edellä a bottle, an arm, a house, a/an hotel; he bought a car hän osti auton that's a way to do it (painokkaana) voihan sen noinkin tehdä

aardvark /ˈard,vark/ s maasika

ab. about

ABA American Basketball Association; American Bar Association; American Booksellers Association

abaci /əˈbækeɪ ˈæbəkaɪ/ ks abacus

aback /əˈbæk/ adv: to be taken aback järkyttyä, hämmästyä, ällistyä

abacus /əˈbækəs ˈæbəkəs/ s (mon abaci, abacuses) helmitaulu

abandon /əˈbændən/ s: with wild abandon hillittömästi, antaumuksellisesti, innostuneesti
v hylätä, luopua jostakin, lopettaa they abandoned ship

abandoned adj hylätty, autio (rakennus)

abandonment s jättäminen, hylkääminen, luopuminen, lopettaminen

abandon yourself to v heittäytyä, antautua (jonkin tunteen valtaan)

abase /əˈbeɪs/ v alentaa (arvoa ym), häpäistä, olla häpeäksi jollekulle

abase yourself v alentua tekemään jotakin

abashed /əˈbæʃt/ adj nolo, nolostunut, häpeissään, hämillään

abatement /əˈbeɪtmənt/ s tyyntyminen, väheneminen, lasku

abattoir /,æbəˈtwar/ s teurastamo

abbess /æbəs/ s abbedissa, nunnaluostarin johtajatar

abbey /æbi/ s **1** luostari **2** luostarikirkko

abbot /æbət/ s apotti, (munkki)luostarin johtaja

abbr. abbreviation lyhenne

abbreviate /əˈbrivieɪt/ v lyhentää

abbreviated adj lyhennetty, lyhyt

abbreviation /ə,briviˈeɪʃən/ s lyhennys, lyhenne

ABC /ˈeiˈbiˈsi/ s **1** aakkoset it's as easy as ABC se on lastenleikkiä, se on helppoa kuin mikä **2** American Broadcasting Company, yksi Yhdysvaltain neljästä suuresta televisioverkosta

abdicate /ˈæbdɪ,keɪt/ v erota, luopua (virasta, vallasta, kruunusta)

abdication /æbdɪˈkeɪʃən/ s ero, eroaminen, (vallasta, kruunusta) luopuminen

abdomen /æbˈdəmən/ s **1** vatsa **2** (hyönteisen) takaruumis

abdominal /,æbˈdamɪnəl/ adj vatsa- abdominal muscles vatsalihakset

abduct /æbˈdʌkt/ v siepata, ryöstää, kidnapata

abduction /æbˈdʌkʃən/ s sieppaus, ryöstö, kidnappaus

abductor /æbˈdʌktər/ s sieppaaja, (lapsen- yms) ryöstäjä, kidnappaaja

abeam /əˈbim/ adv poikittain

aberrant /əˈberənt/ adj poikkeava, epänormaali

aberration /,æbəˈreɪʃən/ s **1** poikkeavuus **2** erehdys, hetken mielijohde I must have had an aberration minä en ollut täysin järjissäni

abet /əˈbet/ v kannustaa (rikokseen, paheeseen tms) to aid and abet someone auttaa jotakuta rikoksessa

beyance /ə'beɪəns/ s: to be in
beyance olla (toistaiseksi) kesken, ei
lla enää voimassa/käytössä to fall into
beyance jäädä pois käytöstä, unohtua,
ädä unholaan
bhor /əb'hɔr/ v kammoksua, inhota
bhorrence s kammo to hold
omething in abhorrence kammoksua
takin
bhorrent adv kammottava,
auhistuttava
bide /ə'baɪd/ v abode/abided,
bode/abided: sietää he couldn't abide
er company hän ei voinut sietää hänen
euraansa
bide by v pitää (sanansa,
upauksensa), pitää kiinni (sanasta,
upauksesta, päätöksestä)
biding adj kestävä, pysyvä, pitävä,
ankaikkinen
bility /ə'bɪləti/ s **1** kyky (tehdä
takin) ability to pay maksukyky I'll do it
 the best of my ability teen sen
arhaani mukaan **2** taito, lahja,
ahjakkuus, kyky a man of many abilities
nonipuolinen mies she has great ability
än on pystyvä/lahjakas/taitava
bject /,æb'dʒekt/ adj **1** (olot) kurja,
uono, surkea **2** (ihminen, käytös)
öyristelevä; kurja (valehtelija)
bjection /,æb'dʒekʃən/ s **1** kurjuus
2 nöyristely
bjectly adv **1** kurjasti **2** nöyristele-
västi
bjure /,æb'dʒuər/ v **1** kieltää (jonkin
aikkansapitävyys), kiistää, perua
puheensa) **2** lakata, sanoa irti, perua
ablaze /ə'bleɪz/ adj, adv tulessa,
liekeissä the arsonist set the building
ablaze pyromaani sytytti rakennuksen
uleen **2** ablaze with hehkua, loistaa,
punoittaa her cheeks were ablaze with
color hänen poskensa hehkuivat
punaisina
able /eɪbəl/ adj **1** to be able to do
something kyetä, osata, voida, pystyä
tekemään jotakin **2** pätevä, pystyvä,
osaava, taitava, kyvykäs
able-bodied adj vahva, voimakas,
roteva

abloom /ə'blum/ adj, adv kukassa,
kukkiva, täydessä kukassa
ablution /ə'bluʃən/ s (uskonnollinen
ym) peseytyminen, käsienpesu
ably /eɪbli/ adv taitavasti, osaavasti,
pätevästi, kyvykkäästi
abnormal /,æb'nɔrməl/ adj poikkeava,
epänormaali
abnormality /,æbnɔr'mæləti/ s
poikkeavuus
abnormally adv poikkeavan,
poikkeavasti, epänormaalisti,
epätavallisen
abnormity /,æb'nɔrmɪti/ s poikkeus,
poikkeavuus
abo /æbou/ s (halv) Australian
alkuasukas, aboriginaali, ks Aborigine
aboard /ə'bɔrd/ adv, prep kyydissä,
kyytiin, laivassa, laivaan, junassa,
junaan, lentokoneessa, lentokoneeseen,
linja-autossa, linja-autoon; (kuv)
mukana, mukaan
abode /ə'boud/ s koti, asunto welcome
to my humble abode tervetuloa
matalaan majaani he is of no fixed
abode hänellä ei ole vakinaista
asuinpaikkaa
abolish /ə'balɪʃ/ v lakkauttaa (esim
orjuus), kumota (esim laki)
abolition /,æbə'lɪʃən/ s lopettaminen,
lakkauttaminen, lopetus, lakkautus
abolitionist s (hist) mustien orjuuden
tai muun yhteiskunnallisen ilmiön
vastustaja
A-bomb /'eɪ,bam/ Atomic bomb
ydinpommi
abominable /ə'bamɪnəbəl/ adj
kammottava, inhottava, vastenmielinen,
kurja, huono
Abominable Snowman (Himalajan)
lumimies
abominably adv kammottavasti,
kammottavan, inhottavasti, inhottavan,
vastenmielisesti he failed abominably
hän epäonnistui pahanpäiväisesti
abominate /ə'bamɪneɪt/ v
kammoksua, kammoa, inhota
abomination s **1** kammo, inho
2 kammottava/inhottava asia

aboriginal /ˌæbəˈrɪdʒənəl/ s alkuasukas adj alkuperäinen, syntyperäinen
Aborigine /ˌæbəˈrɪdʒəni/ s Australian alkuasukas
abort /əˈbɔrt/ v peruuttaa, keskeyttää (hanke, raskaus)
abortion /əˈbɔrʃən/ s raskauden-keskeytys, abortti
abortionist s **1** (laiton) abortin tekijä, puoskari **2** aborttivapauden kannattaja
abortive /əˈbɔrtɪv/ adj epäonnistunut, myttyyn mennyt
abortively adv epäonnistuneesti, onnistumatta
abound in/with /əˈbaund/ v jossakin vilisee/kuhisee jotakin, jossakin on jotakin vaikka millä mitalla these woods abound with rabbits jäniksiä (kaniineita) vilisee tässä metsässä
about /əˈbout/ adv, prep **1** suunnilleen, kutakuinkin, noin about three p.m. (kello) kolmen (15) maissa it's about time no jo oli aikakin! that's about the size of it sen pituinen se, siinä koko juttu, se siitä yes, that's about right suunnilleen niin se oli to be up and about olla jalkeilla to bring something about saada jotakin aikaan, johtaa johonkin to come about tapahtua, seurata **2** jostakin, jotakin koskien, -sta/stä tell me all about it kerro kaikki I know about it tiedän siitä, olen kuullut siitä how about a sandwich? maistuisiko sinulle voileipä? and what about me? entä miten minun käy? **3** ympärillä, ympärille she had a scarf about her neck hänellä oli huivi kaulassa he looked about him hän katseli ympärilleen **4** lähistöllä, ympärillä, siellä täällä the trees about the house taloa ympäröivät puut all about the room (siellä täällä/hujan hajan) pitkin huonetta **5** jossakin I have no money about me minulla ei ole rahaa mukana there is something about him that makes me curious jokin hänessä saa uteliaisuuteni heräämään be quick about it pidä kiirettä äläkä jahkaile **6** to be about to do something aikoa juuri tehdä jotakin, olla tekemäisillään jotakin she was about to leave when Tom came hän aikoi juuri lähteä kun Tom tuli the movie is about to end elokuva on loppumaisillaan, loppuu kohta
about-face s täyskäännös (myös kuv) to do an about-face tehdä täyskäännös, kääntää kelkkansa, muuttaa jyrkästi mielipidettään
above /əˈbʌv/ adv, prep **1** yläpuolella, ylähäällä **2** (tekstissä) edellä as stated above kuten edellä todettiin **3** (lämpötilasta) nollan (0 fahrenheitasteen, −17,8 °C) yläpuolella it's almost five above **4** yllä, ylle, yläpuolella to fly above the clouds lentää pilvien yläpuolella **5** yli, enemmän kuin above average keskimääräistä suurempi, korkeampi, enemmän tms above all ennen kaikkea **6** jonkin ulkopuolella, yläpuolella to be above suspicion olla kaiken epäilyksen ulkopuolella he is not above lying hän on valmis vaikka valehtelemaan, hän alentuu jopa valehtelemaan **7** to live above your means elää yli varojensa the above persons edellä mainitut (henkilöt)
aboveboard /əˌbʌvˈbɔrd/ adj rehellinen adv rehellisesti, avoimesti
aboveground /əˌbʌvˈgraund/ adj **1** maanpäällinen, maanpinnan yläpuolinen **2** avoin, salaamaton
abovementioned /əˈbʌvˌmenʃənd/ adj edellä mainittu
above water some of us have trouble keeping their heads above water toisilla meistä on vaikeuksia saada rahat riittämään/tulla toimeen
abr. abridged lyhennetty
abracadabra /ˌæbrəkəˈdæbrə/ s **1** abrakadabra **2** loitsu **3** hölynpöly; siansaksa
abrasion /əˈbreɪʒən/ s **1** hiertyminen, hankautuminen, kuluminen **2** (ihon) hiertymä
abrasive /əˈbreɪsɪv/ s hankausaine; hiomapaperi adj **1** hankaava, hiova, hiertävä **2** raastava (ääni), hyökkäävä, hankala (ihminen)

abreast /ə'brest/ adv rinnakkain, rintainnan to keep abreast of the news/times pysytellä ajan tasalla, seurata uutisia/aikaansa
abridge /ə'brɪdʒ/ v lyhentää (kirjaa ms)
abdridged edition s lyhennetty painos/laitos, lyhennelmä
abridgement s **1** lyhentäminen **2** lyhennelmä, lyhennetty painos/laitos
abroad /ə'brad/ adv ulkomailla, ulkomaille to go abroad lähteä ulkomaille
abrupt /ə'brʌpt/ adj **1** äkkinäinen, jyrkkä (mutka, muutos) **2** töykeä, tyly, epäystävällinen **3** jyrkkä (rinne, mäki)
abruptly adv **1** yhtäkkiä **2** töykeästi **3** (nousta) jyrkästi
abruptness s **1** äkkinäisyys, yllättävyys **2** töykeys, epäystävällisyys **3** (mäen) jyrkkyys
abscess /æbses/ s paise
abscond /əb'skand/ v paeta, karata, lähteä karkuun
absence /æbsəns/ s **1** poissaolo in the absence of the director johtajan poissaollessa the boy had many absences from school pojalla oli paljon poissaoloja **2** puute absence of courage rohkeuden puute **3** leave of absence virkavapaa, loma, poissaololupa
absent v olla poissa (koulusta, työstä)
absent adj ajatuksiinsa uppoutunut, poissaolevan näköinen
absentee /,æbsən'ti/ s poissaolija
absentee ballot s postiäänestys
absentee landlord s vuokratalon omistaja joka ei asu samassa talossa vuokralaistensa kanssa
absent from adj ei läsnä, poissaoleva
absently adv hajamielisesti
absent-minded adj hajamielinen, ajatuksiinsa uppoutunut
absent-mindedly adv hajamielisesti
absent-mindedness s hajamielisyys
absent without leave fr (sot) luvattomasti poissaoleva, puntiksella (sot ark)
absolute /,æbsəlut/ adj **1** ehdoton, koko, aukoton **2** rajaton (valta), yksinvaltainen (hallitsija) **3** kiistaton, ehdottoman varma
absolutely adv täysin, ehdottomasti, jyrkästi, ilman muuta
absolute majority /mə'dʒɔrɪti/ s ehdoton enemmistö
absolute pitch /pɪtʃ/ s absoluuttinen sävelkorva
absolute zero s absoluuttinen nollapiste (–273,15 °C)
absolution /,æbsə'luʃən/ s synninpäästö
absolutism /'æbsəlu,tɪzm/ s yksinvaltius, absolutismi
absolve /əb'zalv/ v vapauttaa (syytöksistä, lupauksesta), päästää (synnistä, velvollisuuksistaan)
absorb /əb'zɔrb/ v **1** imeä itseensä (nestettä, lämpöä,valoa) **2** omaksua, imeä itseensä (tietoa) **3** viedä jonkun kaikki voimat/huomio
absorbed in adj uppoutunut, syventynyt (esim työhönsä)
absorbent s imukykyinen aine adj imukykyinen
absorbent cotton s vanu
absorption /əb'zɔrpʃən/ s **1** imeytyminen **2** uppoutuminen, syventyminen
abstain /əb'steɪn/ v ei tehdä jotakin, pidättäytyä jostakin to abstain from alcohol/voting/comment ei juoda (alkoholia), ei äänestää/käydä äänestämässä, ei sanoa mielipidettään ääneen
abstainer s **1** raitis ihminen total abstainer täysin raitis, raivoraitis **2** joku joka jättää äänestämättä
abstemious /əb'stimiəs/ adj **1** pidättyväinen **2** joka syö/juo vähän, pieniruokainen
abstemiously adv pidättyvästi, vähän
abstemiousness s pidättyväisyys, pieniruokaisuus
abstention /,æb'stenʃən/ s **1** raittius **2** äänestämättä jättäminen **3** tyhjä (ääni, äänestyslippu)

abstinence /æbstənəns/ s raittius, pieniruokaisuus total abstinence täydellinen raittius, raivoraittius
abstract /'æbstrækt/ s lyhennelmä, tiivistelmä
abstract /,æb'strækt/ v **1** erottaa (metallia) **2** saada irti (tietoa)
adj **1** abstrakti, käsitteellinen in the abstract teoriassa **2** vaikeatajuinen
abstracted adj hajamielinen, omissa ajatuksissaan oleva
abstractedly adv hajamielisesti
abstraction /,æb'strækʃən/ s **1** hajamielisyys **2** teoria, haihattelu to lose yourself in abstractions unohtaa käytäntö/todellisuus
abstruse /,æb'strus/ adj vaikeatajuinen, vaikeaselkoinen
abstrusely adv vaikeatajuisesti
abstruseness s vaikeatajuisuus, syvällisyys
absurd /əbsərd/ adj järjetön, älytön
absurdity s **1** järjettömyys **2** järjetön/älytön teko/puhe, järjettömyys
abundance /ə'bʌndəns/ s yltäkylläisyys, paljous, runsaus to have something in abundance olla jotakin yllin kyllin, vaikka millä mitalla
abundant adj runsas, riittävä (todiste)
abuse /ə'bjuz/ v **1** rikkoa/pettää (jonkun luottamus), käyttää hyväkseen *jotakin* **2** *haukkua, syyttää* (julmasti/perusteetta) **3** pahoinpidellä
abuse /ə'bjus/ s **1** väärinkäyttö **2** väärinkäytös, rikkomus **3** haukkumiset, kiroilu **4** pahoinpitely
abusive /ə'bjusɪv/ adj **1** ruma (kieli, puhe) abusive language haukkuminen, kiroilu **2** joka pahoinpitelee jotakuta she has an abusive husband hänen miehensä pahoinpitelee häntä
abusively adv: ks abusive
abuse yourself v masturboida, tehdä itsetyydytystä
abv. above
abysmal /ə'bɪzməl/ adj pohjaton, rajaton, loputon
abysmally adv hirvittävän huonosti
abyss /ə'bɪs/ s **1** pohjaton kuilu **2** horna
A/C air-conditioning ilmastointi
AC alternating current vaihtovirta
academe /,ækə'dem/ s akateeminen maailma, yliopistomaailma
academic /,ækə'demɪk/ s akateemikko, akateemisesti koulutettu (henkilö), korkeakoulun opettaja tai tutkija
adj **1** akateeminen, yliopisto- **2** epäkäytännöllinen, liian teoreettinen **3** sovinnainen, kankea
academically adv: ks academic
academic freedom s akateeminen vapaus
academician /,ækədə'mɪʃən/ s **1** akateemikko, akatemian jäsen **2** akateemikko, akateemisesti koulutettu (henkilö)
academy /ə'kædəmi/ s oppilaitos, opisto; yliopistomaailma military academy eräänlainen sisäoppilaitos; sotakorkeakoulu
Academy Award s (elokuva-alan) Oscar®(-palkinto)
Acadia /ə'keɪdɪə/ kansallispuisto Mainessa
accede /æk'sid/ v **1** suostua, myöntyä (pyyntöön) **2** nousta (valtaistuimelle), astua (virkaan)
accelerate /ək'seləreɪt/ v kiihdyttää (vauhtia), kiihtyä, nopeuttaa, nopeutua
acceleration s kiihtyminen, nopeutuminen, vilkastuminen, (auton) kiihtyvyys
accelerator s (auton) kaasupoljin
accent /æksent æk'sent/ v **1** murtaa, puhua vierasperäisesti korostaen **2** painottaa (sanaa, tavua, asiaa), korostaa
accent /æksent/ s **1** sanapaino, paino the accent is on the first syllable paino on ensimmäisellä tavulla **2** aksentti, korkomerkki **3** (vierasperäinen/murteellinen) korostus she speaks English with an accent hän puhuu englantia murtaen **4** paino, korostus the accent is on computers tietokoneet ovat muodissa/korostuneesti esillä
accentuate /,æk'sentʃueɪt/ v korostaa, tähdentää
accentuation /æk,sentʃu'eɪʃən/ s (asian) korostus, (sanojen) painotus

ccept /ək'sept/ v **1** ottaa vastaan
hetys, lahja, kutsu), ottaa (vastuu),
ostua **2** hyväksyä, myöntää,
ımärtää, tunnustaa we must accept
e fact that meidän on hyväksyttävä/
yönnettävä (se tosiasia) että
cceptable adj **1** riittävä, tyydyttävä,
yväksyttävä **2** mieluisa, tervetullut
cceptance /ək'setəns/ s **1** tunnustus
meet with general acceptance saada
sakseen yleistä tunnustusta **2** vastaan-
to, hyväksyntä
ccepted adj (yleisesti) hyväksytty/
nnustettu it's the accepted
terpretation se on yleinen/yleisesti
yväksytty tulkinta
ccess /ækses/ s **1** tie, väylä, reitti, ovi,
ukku **2** oikeus/mahdollisuus käyttää
takin/käydä jonkun puheilla
1 päästä käsiksi johonkin, voida
äyttää jotakin **2** (tietok) etsiä, hakea,
vata (tiedosto)
ccessibility /ək,sesə'bıləti/ s
aatavuus, käyttömahdollisuus,
ahdollisuus päästä jonnekin, pääsy
ccessible /ək'sesəbəl/ adj
lottuvissa/käytettävissä oleva, yleisölle
voin, altis (imartelulle)
ccession /ək'seʃən/ s lisäys, kartutus
ccession to s yleneminen,
ohoaminen, nousu (virkaan,
altaistuimelle)
ccessory /ək'sesəri/ s **1** rikostoveri
lisävaruste **3** lisäasuste
ccess road s (tontille johtava)
auttakulkutie; (moottoritien) liittymätie
ccess time s (tietok) hakuaika,
aantiaika
ccident /æksıdənt/ s **1** onnettomuus,
apaturma, kolari, vahinko, haaveri
sattuma by accident sattumalta it was
ure accident that I met her tapasin
änet aivan sattumalta it's no accident
at you failed ei ollut ihme että
päonnistuit
ccidental /,æksə'dentəl/ adj
dottamaton, yllätyksellinen, sattuman
anelema
ccidentally /,æksə'dentli/ adv
attumalta, yllättäen

accidentally on purpose fr muka
vahingossa, tahallaan
accident-prone adj tapaturma-altis
acclaim /ə'kleım/ s suosionosoitukset
critical acclaim myönteiset arvostelut,
arvostelijoiden antama tunnustus
v **1** osoittaa suosiotaan jollekulle,
taputtaa käsiään jollekulle **2** valita
huutoäänestyksellä
acclamation /,æklə'meıʃən/ s
1 suosionosoitukset **2** huutoäänestys to
elect someone by acclamation valita
joku huutoäänestyksellä
acclimate /'ækləmeıt/ v mukauttaa,
mukautua, totuttaa, tottua (uuteen
ilmastoon, uusiin oloihin)
acclimatization /ə,klaımətə'zeıʃən/ s
totuttaminen, totuttautuminen, tottumi-
nen, mukauttaminen, mukautuminen
acclimatize /ə'klaımə,taız/ v
mukauttaa, mukautua, totuttaa, tottua to
become acclimatized mukautua,
totuttautua (uuteen ilmastoon, uusiin
oloihin)
accolade /'ækə,leıd/ s ylistys,
tunnustus
accommodate /ə'kamədeıt/ v **1** tehdä
tilaa jollekulle/jollekin **2** majoittaa
jonnekin, mahtua jonnekin the car can
accommodate four adults autoon
mahtuu neljä aikuista **3** mukauttaa,
sovittaa johonkin, muuttaa johonkin
sopivaksi
accommodating adj avulias, valmis
myönnytyksiin
accommodation s majoituspaikka,
hotellihuone
accompaniment /ə'kʌmpənımənt/ s
1 (mus) säestys **2** johonkin liittyvä asia;
sivuseikka
accompanist /ə'kʌmpənəst/ s (mus)
säestäjä
accompany /ə'kʌmpəni/ v **1** (mus)
säestää **2** olla/mennä/tulla jonkun
mukana, saattaa **3** esiintyä
samanaikaisesti jonkun kanssa, liittyä
johonkin
accomplice /ə'kampləs/ s rikostoveri
accomplish /ə'kamplıʃ/ v saada
aikaan/valmiiksi/tehdyksi that didn't

accomplish anything siitä ei ollut mitään hyötyä, se oli ihan turha teko/huomautus
accomplished adj **1** pätevä, taitava, osaava **2** valmis, tehty
accomplishment s **1** (tavoitteiden) saavuttaminen, (työn) valmistuminen **2** saavutus, aikaansaannos **3** taito, kyky
accord /ə'kɔrd/ s **1** yhteisymmärrys, yksimielisyys; sopimus Gerry is in accord with his boss Gerry on pomonsa kanssa samaa mieltä of its own accord itsestään of your own accord omin päin, vapaaehtoisesti with one accord yksimieliset/kuin yhdestä suusta/yhteen ääneen **2** suoda, antaa jollekulle jotakin
accordance /ə'kɔrdəns/ s: in accordance with jonkin mukaisesti
accordingly adv siksi, sen vuoksi, siis
according to prep jonkin/jonkun mukaan according to the rules sääntöjen mukaan according to size koon mukaan according to height pituusjärjestyksessä, pituusjärjestykseen
accordion /ə'kɔrdıən/ s harmonikka
accord with v sopia yhteen jonkin kanssa, olla ristiriidassa jonkin kanssa
accost /ə'kast/ v lähestyä, puhutella jotakuta
account /ə'kaʊnt/ s **1** tili to open a bank account avata pankkitili to settle your account with someone maksaa velkansa jollekulle, (kuv) selvittää välinsä jonkun kanssa **2** selonteko, lehtikirjoitus by his own account oman selityksensä mukaan by all accounts ilmeisesti; näyttää siltä että **3** (mainostoimiston) asiakas **4** of no/little account mitätön, merkityksetön to take account of someone/something ottaa joku/jokin huomioon on no account ei missään nimessä/tapauksessa on this/that account sen vuoksi, sen tähden v pitää jonakin, katsoa joksikin to account someone guilty pitää jotakuta syyllisenä
accountable adj vastuussa jostakin, tilivelvollinen jollekulle
accountant s **1** tilintarkastaja **2** veroneuvoja
account for v **1** selittää how do you account for it? miten sinä sen selität? **2** muodostaa, olla this area accounts for two thirds of world production tällä alueella valmistetaan kaksi kolmannesta maailman kokonaistuotannosta
accredit /ə'kredıt/ v **1** nimittää/määrätä suurlähettilääksi, akkreditoida **2** (koulusta) antaa/saada oikeus valmistaa oppilaita korkeakouluopetukseen
accrue /ə'kru/ v kasvaa (korkoa), poikia, koitua jonkun osaksi
accrued interest s (tal) kertynyt korko
accumulate /ə'kjumjəˌleıt/ v kerätä, kertyä, kasata, kasautua, kasvaa (korkoa)
accumulation /əˌkjumjə'leıʃən/ s kerääminen, kasaaminen, kasautuminen, (koron) kasvu
accumulative /ə'kjumjələtıv/ adj kasaantuva, kasaava, kumulatiivinen
accumulator /ə'kjumjəˌleıtər/ s akku (myös tietok)
accuracy /ækjərəsi/ s tarkkuus
accurate /ækjərət/ adj tarkka (kello, sanoissaan), huolellinen (työssään)
accurately adv tarkasti, huolellisesti
accursed /ə'kərst/ adj kirottu, viheliäinen
accusation /ˌækjə'zeıʃən/ s syytös, syyte
accuse /ə'kjuz/ v **1** syyttää he stands accused for murder häntä syytetään murhasta **2** moittia
accused the accused syytetty (osapuoli)
accuser s syyttäjä
accusingly adv syyttävästi, tuomitsevasti
accustom /ə'kʌstəm/ v totuttaa to accustom yourself to something totuttautua/tottua johonkin to become accustomed to something tottua johonkin
accustomed adj lempi-, tavanomainen my accustomed seat lempipaikkani, lempituolini

e /eɪs/ s **1** ässä, valtti to have an ace your sleeve olla jotakin takataskusan/yllätyksenä **2** mestari, loistoeilija yms **3** he came within an ace of cceeding hän oli vähällä onnistua
e in the hole fr valtti
erbic /ə'serbɪk/ adj kitkerä, hapan yös kuv), katkera
erbity /ə'serbəti/ s (maun) kitkeryys, ppamuus (myös kuv), katkeruus, kikkyys, ilkeys, pahantuulisuus
he /eɪk/ s kipu, särky, jomotus v rkeä, jomottaa, olla kipeä
he for v kaivata kipeästi/kovasti akin
hievable adj mahdollinen; joka on ahdollisuuksien rajoissa
hieve /ə'tʃiv/ v **1** saada aikaan saavuttaa (mainetta, menestystä, nniaa)
hievement s saavutus, kaansaannos
chilles heel /ə'kɪliz hiəl/ s Akilleen ıntapää, heikko kohta
chilles tendon /tendən/ s illesjänne
ching /eɪkiŋ/ adj kipeä (myös kuv), ɪrkevä
cid /æsɪd/ s **1** happo **2** LSD dj hapan (maku, puhe, käytös)
cid-head s (sl) LSD-narkomaani
cidity /ə'sɪdəti/ s happamuus
cid rain s happosade
cid test s koetinkivi, tulikoe
cknowledge /ək'nalədʒ/ v **1** tunnusa, myöntää **2** ilmoittaa (että lähetys on aapunut) **3** kiittää jostakin, tunnustaa nsiot) **4** tervehtiä, vastata tervehdykeen
cknowledgement s tunnustus, tos, vastaus (*kirjeeseen*), vahvistus hetyksen saapumisesta) in knowledgement of something jonkin erkiksi, osoitukseksi jostakin
me /ækmi/ s huippu, huipentuma he at the acme of his career hän on ansa huipulla
ne /ækni/ s akne, finnit, finnitauti
orn /eɪkɔrn/ s tammenterho
oustic /ə'kustɪk/ adj akustinen, ääntä, kuulumista tai kaikusuhteita koskeva
acoustics /ə'kustɪks/ s **1** (tiede) akustiikka **2** huoneakustiikka, akustiikka
acquaint /ə'kweɪnt/ v tutustuttaa johonkin to be acquainted with someone/something tuntea joku, hallita/osata jokin asia to become acquainted with someone/something tutustua johonkuhun/johonkin, saada kuulla jostakin, perehtyä johonkin to acquaint yourself with someone/something tutustua johonkuhun/johonkin
acquaintance /ə'kweɪntəns/ s **1** tuttu, tuttava **2** tuttavuus, asiantuntemus, tuntemus, hallinta to make the acquaintance of someone tutustua johonkuhun, oppia tuntemaan joku his acquaintance with the subject is limited hän tuntee alaa vain huonosti
acquiesce /ˌækwɪ'es/ v myöntyä, alistua, suostua, nöyrtyä johonkin
acquiescence /ˌækwɪ'esəns/ s myöntyminen, nöyrtyminen, alistuminen; nöyryys
acquiescent adj nöyrä, alistuvainen, alistunut; joka on samaa mieltä
acquire /ə'kwaɪər/ v hankkia, oppia to acquire a taste for something oppia pitämään jostakin, päästä jonkin makuun
acquired immune deficiency syndrome /ə'kwaɪərd ɪ'mjun də'fɪʃənsi 'sɪndroum/ s immuunikato, aids
acquisition /ˌækwə'zɪʃən/ s **1** kerääminen, keruu **2** ostos, hankinta; yritysosto **3** arvokas lisä, uusi jäsen/työntekijä
acquisitive /ə'kwɪsətɪv/ adj *omistushaluinen, ahne*
acquit /ə'kwɪt/ v **1** vapauttaa syytteestä, julistaa syyttömäksi **2** selviytyä, käyttäytyä tietyllä tapaa she acquitted herself well hän hoiti asiansa hienosti
acquittal /ə'kwɪtəl/ s syytöksestä vapauttaminen, vapauttava tuomio
acre /eɪkər/ s eekkeri (0,4 hehtaaria)
acreage /eɪkərɪdʒ/ s maa-ala, pinta-ala

acrid /ækrəd/ adj kitkerä, karvas (haju, maku)
acrimonious /ˌækrəˈmoniəs/ adj pisteliäs, piikikäs, kiivas,kärkevä (puhe, kiista)
acrimony /ˈækrəˌmoni/ s piikikkyys, kiivaus, kärkevyys
acrobat /ˈækrəˌbæt/ s akrobaatti, sirkusvoimistelija
acrobatic /ˌækrəˈbætɪk/ adj akrobaattinen
acrobatics s akrobatia, sirkusvoimistelu
acromion /əˈkroumiən/ s olkalisäke
acronym /ˈækrəˌnɪm/ s kirjainsana, useiden sanojen alkukirjaimista muodostettu sana (esim NASA sanoista National Aeronautics and Space Administration)
acrophobia /ˌækrəˈfobiə/ s korkean paikan kammo, akrofobia
acropolis /əˈkrapəlɪs/ s akropolis, linna vanhoissa Kreikan kaupungeissa
across /əˈkras/ prep **1** yli, poikki to run across the road juosta tien yli/poikki **2** toisella puolella, toiselle puolelle across the river joen vastarannalla **3** ristissä, ristikkäin, poikittain he was sprawled across the bed hän makasi vuoteella poikittain
across-the-board /əˈkrasðəˌbord/ adj yleinen, *kaikkia koskeva, kautta linjan*
across the board fr kautta linjan, yleisesti
act /ækt/ s **1** teko an act of madness hullu teko/temppu he was caught in the act hänet saatiin kiinni itse teosta/verekseltään **2** laki, asetus **3** (näytelmän) näytös **4** (ohjelman osan muodostava) esitys, numero **5** teeskentely it's all an act se on pelkkää teeskentelyä/teatteria v **1** toimia **2** (esim lääkkeestä) vaikuttaa **3** näytellä, esittää jotakin osaa **4** teeskennellä, esittää jotakin don't act stupid! älä esitä/leiki/teeskentele tyhmää!
act as v toimia jonakin, toimia jossakin ominaisuudessa, hoitaa jonkun tehtäviä
acting s näytteleminen adj sijais-, virkaatekevä
action /ækʃən/ s **1** toiminta now is the time for action on aika toimia/ryhtyä toimiin to take action ryhtyä toimiin course of action menettely **2** (näytelmän, romaanin, elokuvan) tapahtumat **3** teko **4** oikeudenkäynti to bring action against someone haastaa joku oikeuteen, nostaa kanne jotakuta vastaan **5** vaikutus **6** (sot) taistelu he was killed in action hän kaatui sodassa
activate /ˈæktəˌveɪt/ v käynnistää (laite), kytkeä päälle (hälytin), sytyttää (pommi), aktivoida
active /æktɪv/ adj aktiivinen, toimiva, vilkas, reipas to be active in politics olla aktiivisesti mukana politiikassa to be under active consideration olla vakavasti harkittavana
actively adv aktiivisesti, vilkkaasti, reippaasti
active voice s (kieliopissa) aktiivi
activist /ˈæktəvəst/ s aktivisti, aktiivinen osallistuja/kannattaja
activity /ˌækˈtɪvɪti/ s **1** puuha, harrastus, työ, toiminta **2** vireys, energia
act of God s luonnonmullistus, luonnonihme
act of war s sotatoimi
act on v **1** noudattaa, seurata (neuvoja, ohjeita, hetken mielijohdetta), ryhtyä toimenpiteisiin **2** (lääkkeestä tms) vaikuttaa
actor /æktər/ s näyttelijä
act out v esittää, näytellä
actress /æktrəs/ s näyttelijätär, näyttelijä
actual /ækʃuəl/ adj todellinen, varsinainen in actual fact oikeastaan, itse asiassa
actuality /ˌækʃuˈæləti/ s todellisuus, tosiasiat, (mon myös) realiteetit
actually adv **1** todellisesti, varsinaisesti **2** ihme kyllä, itse asiassa
actuate /ækʃueɪt/ v **1** kannustaa **2** käynnistää
actuator s servojärjestelmä, servo
act up v reistailla, vaivata jotakuta, aiheuttaa harmia, mutkitella
act your age fr olla ihmisiksi, käyttäytyä ikänsä edellyttämällä tavalla
acumen /ækjumən/ s taju, vainu

acupuncture /'ækjʊ,pʌŋkʃər/ s akupistely
acute /ə'kjut/ adj **1** (aisti) terävä, tarkka **2** (sairaus) äkillinen, akuutti **3** (ongelma) vakava, kova, pakottava, (pula) huutava
acute accent s akuutti aksentti (´)
acute angle s terävä kulma
acutely adv: ks acute
acuteness s: ks acute
ad /æd/ s lehtimainos, mainos, ilmoitus to run an ad in the paper panna ilmoitus lehteen
A.D. anno domini jKr.
A/D analog to digital analogia/digitaali-
adage /ædədʒ/ s sananparsi, vanha viisaus
Adam /ædəm/ Aatami not know somebody from Adam ei tuntea jotakuta
adamant /ædəmənt/ adj tiukka, järkkymätön; joka ei anna periksi
Adam's apple s aataminomena
adapt /ə'dæpt/ v sovittaa, mukauttaa, sopeutua, mukautua (uusiin oloihin tms)
adaptable /ə'dæptəbəl/ adj sopeutuvainen, sopeutuva, sopeutumiskykyinen, mukautuvainen, mukautuva
adaptation /,ædæp'teɪʃən/ s (televisio/näyttämö)sovitus
adapter /ə'dæptər/ s sovitin; putkiyhde
add /æd/ v **1** laskea yhteen **2** lisätä
add. additional; addition; address
addax /'ædæks/ s mendesinantilooppi
addenda /ə'dendə/ ks addendum
addendum /ə'dendəm/ s (mon addenda) lisäys, liite
adder /ædər/ s kyykäärme, kyy
addict /ædɪkt/ s narkomaani a drug addict narkomaani cocaine addict kokainisti heroin addict heroinisti
addicted to adj riippuvainen jostakin, -narkomaani he is addicted to movies hän on elokuvahullu
addiction /ə'dɪkʃən/ s riippuvuus
addictive /ə'dɪktɪv/ adj riippuvuutta aiheuttava
adding machine s laskukone
Addis Ababa /,ædəs'æbəbə adɪs'abeba/ Addis Abeba (Etiopiassa)
addition /ə'dɪʃən/ s **1** yhteenlasku **2** lisä; uusi työntekijä **3** in addition to lisäksi
additional adj ylimääräinen, lisä the batteries are additional paristot eivät kuulu hintaan, paristoista veloitetaan erikseen
additionally adv lisäksi
additive /ædətɪv/ s lisäaine food additive elintarvikelisäaine
add onto v the neighbors are adding onto their house naapurit laajentavat taloaan
address /ə'dres/ v **1** puhua jollekulle, pitää puhe **2** puhutella jotakuta jollakin tittelillä **3** osoittaa, kohdistaa, suunnata jotakin jollekulle **4** kirjoittaa osoite kuoreen/kirjeeseen
address /ædres ə'dres/ s **1** osoite **2** puhe **3** (golf) aloitusasento jossa pallo on mailan takana
addressee /ə,dre'si/ s (kirjeen) vastaanottaja
add to v lisätä, vaikuttaa osaltaan johonkin
adduce /ə'dus/ v tuoda esiin, esittää
add up v **1** laskea yhteen could you add this column of figures up for me? voisitko laskea nämä luvut yhteen? **2** merkitä, tarkoittaa, seurata, täsmätä, olla merkitsevä/järkevä **3** this offer just doesn't add up en parhaallakaan tahdolla saa tolkkua tästä tarjouksesta, se on aivan päätön
add up to v tehdä yhteensä it adds up to a pretty penny siitä tulee sievoinen summa
Adelaide /'ædə,leɪd/ Adelaide
adenoids /'ædə'nɔɪdz/ s (mon) kitarisat
adept /ə'dept/ adj taitava
adequacy /ædəkwəsi/ s riittävyys he doubts his adequacy for the job hän epäilee onko hänestä siihen työhön
adequate /ædəkwət/ adj riittävä, tarpeeksi hyvä
adequately adv riittävästi, tarpeeksi, tarpeeksi hyvin
adherence /əd'hɪərəns/ s **1** pito, kiinnipysyminen **2** uskollisuus

adherent s kannattaja
adhere to /əd'hıər/ v **1** kiinnittyä **2** pysyä uskollisena jollekin, pitää kiinni mielipiteestään tms
adhesion /əd'hiʒən/ s **1** kiinnittyminen, pito, kiinnipysyminen **2** (kudosten) yhteenkasvaminen, kiinnikasvaminen
adhesive /əd'hisıv/ s **1** liima, sideaine **2** nuoltava postimerkki
adv tarttuva, itsestään kiinnittyvä
ad hoc /æd hak/ adj, adv tilapäinen, tiettyä tarkoitusta varten perustettu
adieu /æ'du/ s jäähyväiset interj näkemiin!
adipose tissue /ædıpous tıʃu/ s rasvakudos
Adirondacks /,ædə'randæks/ Adirondackvuoret (New Yorkin osavaltiossa)
adjacent /ə'dʒeısənt/ adj viereinen, vierekkäinen, rinnakkainen, naapuri-
adjectival /,ædʒək'taıvəl/ adj adjektiivi-
adjective /ædʒəktıv/ s adjektiivi
adjoin /ə'dʒoın/ v olla vierekkäin, olla jonkin vieressä
adjourn /ə'dʒərn/ v **1** siirtää myöhemmäksi, lykätä **2** lopettaa (kokous) **3** siirtyä toiseen paikkaan, mennä shall we adjourn to the parlor? siirrymmekö olohuoneeseen?
adjournment s siirto (myöhemmäksi), lykkääminen
adjudge /ə'dʒʌdʒ/ v (tuomioistuimesta) päättää, määrätä the court adjudged him guilty oikeus totesi hänet syylliseksi
adjudicate /ə'dʒudıkeıt/ v **1** (tuomari) päättää, määrätä **2** olla tuomarina, toimia välittäjänä
adjudication s tuomitseminen, ratkaiseminen; tuomio, ratkaisu
adjudicator s tuomari; sovittelija
adjunct /ædʒʌnkt/ s **1** lisävaruste **2** (kieliopissa) määrite, attribuutti
adjuration /,ædʒə'reıʃən/ s harras pyyntö
adjure /ə'dʒuər/ v vannottaa joku tekemään jotakin, vaatia hartaasti
adjust /ə'dʒʌst/ v **1** sopeutua, mukautua **2** säätää
adjustable adj säädettävä
adjustment s **1** sopeutuminen **2** säätö **3** säädin
adjutant /ædʒətənt/ s adjutantti, avustaja
ad lib /,æd'lıb/ adv vapaasti
ad-lib v keksiä/lisätä omiaan, improvisoida
Adm. admiral
adman /'æd,mæn/ s mainosihminen, mainosten tekijä, mainostilan myyjä (sanoista advertising man)
admeasure /æd'meʒər/ v mitata, annostella
admin. administrator
administer /əd'mınəstər/ v **1** johtaa, hallita, hoitaa hallintoa/hallintoasioita **2** antaa (apua, lääkettä, rangaistus)
administer an oath to someone fr ottaa joltakulta vala
administration /əd,mınəs'treıʃən/ s **1** valtionhallinto, hallinto **2** myös The Administration Yhdysvaltain hallitus (valtionhallinnon toimeenpaneva haara: presidentti ja hallitus) during the Bush administration Bushin hallituskaudella
administrative /əd'mınə,strətıv/ adj hallinnollinen, hallinto-
administrator /əd'mınə,streıtər/ s **1** hallintovirkailija **2** (kuolin)pesänselvittäjä
administratrix /əd'mınə,streıtrıks/ s **1** (naispuolinen) hallintovirkailija **2** (naispuolinen) (kuolin)pesänselvittäjä
admirable /ædmərəbəl/ adj ihailtava, erinomainen
admirably adv ihailtavasti, erinomaisesti
admiral /ædmərəl/ s amiraali
admiration /,ædmə'reıʃən/ s ihailu, ihastus
admire /əd'maıər/ v **1** ihailla, ihmetellä **2** ihastella, kehua
admirer /əd'maıərər/ s ihailija
admiring adj ihaileva
admiringly adv ihaillen, ihailevasti
admissible /əd'mısəbəl/ adj sallittu, luvallinen, hyväksyttävä

admission /əd'mɪʃən/ s **1** sisäänpääsy, pääsy no admission pääsy kielletty **2** pääsymaksu **3** tunnustus by/on his own admission kuten hän itse myönsi that meant an admission of failure se merkitsi tappion tunnustamista
admit /əd'mɪt/ v **1** päästää sisään **2** olla tilaa tietylle ihmismäärälle **3** myöntää, tunnustaa she admitted stealing the money hän myönsi varastaneensa rahat
admit of v sallia
admittance /əd'mɪtəns/ s sisäänpääsy, pääsy no admittance pääsy kielletty
admittedly /əd'mɪtədli/ adv kieltämättä; täytyy myöntää että
admit to v tunnustaa he admitted to a feeling of envy hän myönsi olevansa kateellinen
admixture /æd'mɪkstʃər/ s sekoitus
admonish /æd'manɪʃ/ v nuhdella, ojentaa, varoittaen moittia
admonition /ˌædmə'nɪʃən/ s nuhtelu, ojennus
ad nauseam /æd 'nauzɪəm/ adv liikaa, kyllästyttävässä määrin, pitkästymiseen saakka
ado /ə'du/ without further ado sen pitemmittä puheitta much ado about nothing paljon touhua tyhjästä
adobe /ə'doubi/ s auringossa kuivattu savi- ja olkitiili
adj savi- ja olkitiilistä tehty adobe house savitiilitalo
adolescence /ˌædə'lesəns/ s nuoruus
adolescent s, adj nuori
adopt /ə'dapt/ v **1** adoptoida, ottaa ottolapseksi **2** omaksua (ajatus, tapa) **3** hyväksyä (esim lakiehdotus)
adoption /ə'dapʃən/ s adoptio, ottolapseksi ottaminen his country of adoption hänen uusi kotimaansa
adoptive /ə'daptɪv/ adj adoptio- adoptive parents adoptiovanhemmat
adorable /ə'dɔrəbəl/ adj ihastuttava, hurmaava
adorably adv ihastuttavasti, hurmaavasti
adoration /ˌædə'reɪʃən/ s ihailu, palvonta, (rajaton) rakkaus jotakuta kohtaan
adoring adj ihaileva, rakastava
adoringly adv ihaillen, täynnä ihastusta
adorn /ə'dɔrn/ v koristella
adornment s koristeet, somisteet, korut
adrenal gland /ə'drinəl glænd/ s lisämunuainen
adrenalin /ə'drenələn/ s adrenaliini
adrift /ə'drɪft/ adj, adv **1** (laiva, vene) tuuliajolla **2** to come adrift irrota, (kuv) mennä myttyyn to cast/turn someone adrift jättää joku oman onnensa nojaan
adroit /ə'drɔɪt/ adj taitava, nokkela, terävä
adroitly adv taitavasti, nokkelasti, terävästi
adroitness s taitavuus, nokkeluus, terävyys
adulation /ˌædʒə'leɪʃən/ s **1** ihannointi **2** imartelu
adult /ə'dʌlt/ s, adj aikuinen, täysi-ikäinen, täysikasvuinen
adulterate /ə'dʌltəreɪt/ v jatkaa (ruokaa, juomaa) huonoilla aineilla, laimentaa, huonontaa sekoittamalla
adulterer s avionrikkoja (mies)
adulteress /ə'dʌltərəs/ s avionrikkoja (nainen)
adulterous /ə'dʌltərəs/ adj aviorikos-, uskoton
adultery /ə'dʌltəri/ s aviorikos, uskottomuus to commit adultery tehdä aviorikos
adulthood s aikuisikä
advance /əd'væns/ s **1** edistys(askel), kehitys **2** lisäys, kasvu **3** lähentely-yritys that Johnson boy is always making advances at me tuo Johnsonin poika aina vaan lähentelee minua **4** in advance etukäteen, ennakolta, ennen jotakuta thanking you in advance (kirjeessä) kiitän teitä jo etukäteen to be well in advance of your time olla paljon aikaansa edellä
v **1** edetä, kulkea eteenpäin **2** edistyä, kehittyä, edetä (uralla) **3** (hinnoista)

nousta, nostaa, kallistua **4** aikaistaa, siirtää aikaisemmaksi **5** auttaa, olla avuksi, edistää **6** maksaa ennakkoa/ etukäteen Could you advance me $100 out of next month's paycheck? Voisitko antaa ensi kuun palkastani 100 dollaria ennakkoa? to advance towards someone/something lähestyä jotakuta/jotakin

advancement s **1** ylennys **2** edistäminen, parantaminen

advance sales s (esim lippujen) ennakkomyynti

advantage /əd'væntədʒ/ s **1** etu, etumatka **2** hyöty **3** to take advantage of käyttää hyväkseen to have an advantage over olla etulyöntiasemassa johonkuhun nähden, olla edellä jostakusta to have the advantage of numbers olla miesylivoima, olla lukumääräinen ylivoima, olla enemmän kuin vastustajia

advantageous /ˌædvən'teɪdʒəs/ adj edullinen, hyödyllinen

advantageously adv edullisesti, jonkun eduksi

advent /ædvent/ s **1** alku, keksiminen **2** Advent adventti

Adventist /ædventəst/ s adventisti

adventitious /ˌædven'tɪʃəs/ adj satunnainen

adventure /əd'ventʃər/ s seikkailu, seikkailuretki, jännitys she is fond of adventure hän on seikkailunhaluinen

adventurer s **1** seikkailija **2** uhkarohkea/epärehellinen onnenonkija, seikkailija

adventuresome /əd'ventʃərsəm/ adj jännittävä, vaarallinen, seikkailukas

adventuress s (naispuolinen) seikkailija (ks adventurer)

adventurous s **1** seikkailunhaluinen **2** jännittävä, vaarallinen

adverb /ædvərb/ s adverbi

adverbial /əd'vərbɪəl/ s adverbiaali adj adverbiaali-

adverbially adv adverbiaalisesti, adverbiaalina

adversary /'ædvərˌseri/ s vastustaja, vihollinen

adverse /əd'vərs 'ædvərs/ adj epäedullinen, epäsuotuisa, huono, ankara (arvostelu)

adversely adv epäedullisesti, huonosti, ankarasti if they decide adversely for our interest jos he tekevät meidän etumme vastaisen päätöksen

adversity /əd'vərsəti/ s hätä, vastoinkäyminen, vaikeus

advertise /'ædvərˌtaɪz/ v mainostaa

advertisement /ˌædvər'taɪzmənt əd'vərtɪzmənt/ s **1** mainonta **2** mainos the company put an advertisement in the paper for their new product yritys pani lehteen ilmoituksen/mainoksen uudesta tuotteestaan

advertising agency s mainostoimisto

advert to /əd'vərt/ v **1** viitata johonkin, huomauttaa jostakin **2** poiketa asiasta, siirtyä toiseen asiaan

advice /əd'vaɪs/ s neuvo, neuvot let me give you a piece of advice haluan antaa sinulle hyvän neuvon I didn't ask for your advice en kysynyt sinulta neuvoa to act on someone's advice noudattaa jonkun neuvoa

advisable /əd'vaɪzəbəl/ adj suositeltava, viisas

advise /əd'vaɪz/ v **1** neuvoa, suositella **2** ilmoittaa she keeps me advised of the latest news hän kertoo minulle uusimmat uutiset

advisement /əd'vaɪzmənt/ s pohdinta, harkinta, käsittely to take something under advisement ottaa jotakin pohdittavaksi, harkita jotakin

adviser /əd'vaɪzər/ s neuvonantaja

advisor /əd'vaɪzər/ s neuvonantaja

advisory s varoitus, tiedotus travelers' advisory kelivaroitus adj neuvoa-antava

advocacy /ædvəkəsi/ s (jonkun tai jonkin) puolustus, kannatus

advocate /ædvəkeɪt/ v kannattaa, puoltaa

advocate /ædvəkət/ s **1** (jonkun tai jonkin) puolustaja, kannattaja, puolestapuhuja **2** asianajaja

AEC Atomic Energy Commission

Aegean Sea /eɪ'dʒiən/ Aigeianmeri, Egeanmeri
aegis /idʒəs/ under the aegis of jonkun/jonkin turvin/suojeluksessa
aerate /ereɪt/ v ilmastaa, sekoittaa ilmaa johonkin
aeration /er'eɪʃən/ s ilmastus, ilman sekoittaminen johonkin
aerial /eriəl/ s antenni
adj ilma-, lento- aerial reconnaissance lentotiedustelu
aerobatics /ˌerə'bætɪks/ s taitolento
aerobics /e'roubɪks/ s aerobinen harjoittelu/liikunta
aerodynamics /ˌerədaɪ'næmɪks/ s aerodynamiikka
aeronautics /ˌerə'nautɪks/ s ilmailu
aeroplane /erəpleɪn/ s lentokone
aerosol /erəsal/ s suihke, aerosoli; suihkepullo
aerospace /erəspeɪs/ s Maan ilmakehä ja avaruus
adj avaruus-
aerospace plane s avaruuslentokone (joka lentää avaruudessa mutta nousee lentokentältä)
aesthete /esθit/ s esteetikko
aestheticism /əs'θetɪˌsɪzəm/ s estetismi
aesthetics /əs'θetɪks/ s estetiikka
afar /ə'far/ adv kaukana, kauas from afar kaukaa
AFB air force base lentotukikohta
affability /ˌæfə'bɪləti/ s ystävällisyys, seurallisuus
affable /æfəbəl/ adj ystävällinen, seurallinen
affably adv ystävällisesti, seurallisesti
affair /ə'feər/ s **1** asia, juttu in the current state of affairs nykytilanteessa a man of affairs liikemies that's my affair se on minun oma asiani, se ei kuulu sinulle/muille **2** rakkaussuhde, suhde the boss had an affair with his secretary pomolla oli suhde sihteerinsä kanssa
affect /ə'fekt/ v **1** vaikuttaa johonkin **2** liikuttaa jotakuta, vaikuttaa voimakkaasti jonkun tunteisiin **3** (sairaus) iskeä johonkuhun his heart is affected hänellä on vikaa sydämessä **4** teeskennellä she affected ignorance hän teeskenteli tietämätöntä **5** pitää yllään, pitää kovasti jostakin, olla kovasti mieleen he affected traditional clothes hän pukeutui (mielellään) perinteisiin vaatteisiin
affect /æfekt/ s (psykologiassa) tunne, affekti
affectation /ˌæfek'teɪʃən/ s teeskentely, teennäinen käytös, esiintyminen, puhetapa tms
affected /ə'fektəd/ adj teennäinen, epäaito (käytös, esiintyminen tms)
affection /ə'fekʃən/ s rakkaus to feel affection for pitää kovasti, rakastaa
affectionate /əˌfekʃənət/ adj rakastava, hellä
affectionately Yours affectionately (kirjeen lopputervehdyksenä) sinun
affective /æ'fektɪv/ adj tunteellinen, tunne-, affektiivinen
affidavit /ˌæfə'deɪvət/ s kirjallinen vakuutus (jota käytetään oikeudessa todisteena)
affiliate /ə'fɪlieɪt/ v liittyä, liittää (järjestön tms jäseneksi)
affiliation /əˌfɪlɪ'eɪʃən/ s liittyminen, liittäminen, yhteys political affiliation poliittinen kanta, puoluejäsenyys
affinity /ə'fɪnəti/ s **1** samankaltaisuus, lähisukuisuus **2** sukulaisuus **3** veto: to feel affinity for/to tuntea vetoa johonkuhun/johonkin
affirm /ə'fərm/ v vahvistaa, todistaa, vakuuttaa oikeaksi tms
affirmation /ˌæfər'meɪʃən/ s vakuutus, varmistus, todistus
affirmative /ə'fərmətɪv/ s (vastaus) kyllä
adj myönteinen (vastaus)
affirmative action s naisten ja vähemmistöjen työnsaanti- ja osallistumismahdollisuuksien parantaminen, tätä valvova ryhmä tai verkosto
affirmatively adv (vastata) myönteisesti, kyllä
affix /æfɪks/ s (sanan) etuliite tai jälkiliite, affiksi
affix /ə'fɪks/ v kiinnittää

afflict /ə'flɪkt/ v vaivata, kiusata to be afflicted with a disease sairastaa, kärsiä jostakin sairaudesta
affluence /æfluəns/ s vauraus, hyvinvointi, yltäkylläisyys
affluent /æfluənt/ adj vauras, hyvinvoipa
affluent society s elintasovaltio
afford /ə'fɔrd/ v **1** olla varaa johonkin I can't afford to make another mistake minulla ei ole varaa enää yhteenkään virheeseen **2** tarjota, antaa that affords me an excellent opportunity to move out of this house siitä saan hyvän syyn muuttaa pois tästä talosta
affordable /ə'fɔrdəbəl/ adj edullinen, halpa, johon jollakulla on varaa the price is very affordable hinta on hyvin edullinen
afforest /ə'fɔrəst/ v metsittää, istuttaa metsää jonnekin
afforestation /ə,fɔrəs'teɪʃən/ s metsitys, metsän istutus
affray /ə'freɪ/ s kahakka, tappelu, yhteenotto
affront /ə'frʌnt/ s loukkaus v loukata
Afghan /'æf,gæn/ s, adj afganistanilainen
Afghani /æf'gæni/ ks edellistä
Afghanistan /æf'gænɪs,tæn/ Afganistan
aficionado /ə,fɪʃə'nadoʊ/ s asianharrastaja, harrastaja
afield /ə'fiəld/ adv kaukana far afield kaukana
afire /ə'faɪər/ adj **1** tulessa the arsonist set the house afire tuhopolttaja sytytti talon palamaan **2** (tunteista) palava, hehkuva to be afire with anger kiehua vihaa
AFL American Federation of Labor; American Football League
aflame /ə'fleɪm/ adj **1** liekeissä, tulessa **2** (tunteesta) palava, hehkuva she was aflame with desire hän paloi intohimosta
AFL-CIO /,eɪef'el ,siaɪ'oʊ/ American Federation of Labor and Congress of Industrial Organizations Yhdysvaltain suurin ammattiliittojen kattojärjestö
afloat /ə'floʊt/ adj, adv **1** (veden) pinnalla to stay afloat kellua, ei upota **2** velaton, pystyssä (ei vararikossa) **3** (huhu) liikkeellä
afoot /ə'fʊt/ adv käynnissä, tekeillä
aforementioned /ə'fɔr,menʃənd/ adj edellä mainittu
aforesaid /ə'fɔrsed/ adj edellä mainittu
afoul /ə'faʊl/ to come/fall/run afoul of the law rikkoa lakia
afraid /ə'freɪd/ adj **1** to be afraid of pelätä he was afraid to leave her alone hän pelkäsi jättää hänet yksin **2** I'm afraid that pelkäänpä että, olen pahoillani mutta, ikävä kyllä, valitettavasti
afresh /əfreʃ/ adv uudelleen alusta, uudestaan
Africa /æfrɪkə/ Afrikka
African /æfrɪkən/ s, adj afrikkalainen
African ass s afrikanvilliaasi
African buffalo /bʌfəloʊ/ s kafferipuhveli
African elephant /eləfənt/ s afrikannorsu
Afrikaans /,æfrɪ'kans/ s afrikaansin kieli, afrikaans
Afrikaner /,æfrɪ'kanər/ s afrikandi, Etelä-Afrikan tasavallassa asuva valkoihoinen afrikaansin puhuja
Afro /æfroʊ/ s afrokampaus
Afro-American /,æfroʊə'merɪkən/ s, adj afroamerikkalainen, Amerikan musta/mustien
aft /æft/ adv (laivan, lentokoneen) perässä
after /æftər/ prep **1** jälkeen after breakfast aamiaisen jälkeen the day after tomorrow ylihuomenna the week after next kahden viikon päästä **2** jäljessä, perässä the man closed the door after him mies sulki oven perässään **3** huolimatta, sittenkin I went there after all menin sinne sittenkin **4** day after day päivästä toiseen **5** jonkun tyylinen, jotakuta mukaileva a painting after

Brueghel Brueghelin tyyliä jäljittelevä maalaus **6** to be after someone yrittää saada joku käsiinsä/kiinni, ajaa takaa jotakuta they asked after you he kysyivät mitä sinulle kuuluu
adj: in after years myöhempinä vuosina
adv myöhemmin, jonkin jälkeen the year after seuraavana vuonna what comes after? mitä sen jälkeen/seuraavaksi tapahtuu?
konj sen jälkeen kun we started to talk after he had left aloimme jutella kun hän oli lähtenyt
aft. afternoon
AFT automatic fine tuning itsetoimiva hienoviritys
aftercare /'æftər,keər/ s jälkihoito
after-effect /'æftərə,fekt/ s jälkivaikutus, sivuvaikutus
afterglow /'æftər,glou/ s **1** iltarusko **2** (kuv) jälkimainingit, mukava muisto
afterlife /'æftər,laɪf/ s **1** kuoleman jälkeinen elämä **2** jonkin tapahtuman jälkeinen elämä, jonkun myöhempi elämä
aftermarket s (tal) jälkimarkkinat, toissijaismarkkinat
aftermath /'æftər,mæθ/ s seuraus, jälkimainingit in the aftermath of something jonkin jälkeen
afternoon /,æftər'nun/ s iltapäivä
aftershave /'æftər,ʃeɪv/ s partavesi
aftertaste /'æftər,teɪst/ s jälkimaku (myös kuv)
aftertax /'æftər,tæks/ adj käteen jäävä, verojen jälkeinen, netto-
afterthought /'æftərθat/ s jälkikäteen saatu ajatus, jälkiviisaus if you have any afterthoughts about it, do tell me kerro ihmeessä jos mieleesi tulee asiasta vielä jotakin muuta I just said it as an afterthought tulipahan vain mieleeni, kunhan sanoin, en minä sillä mitään tarkoittanut
afterward /'æftər,wərd/ adv jälkeenpäin, myöhemmin
afterwards /'æftər,wərdz/ ks afterward
afterworld /'æftər,wərəld/ s tuonpuoleinen (elämä)
again /ə'gen/ adv **1** taas, uudestaan, jälleen I'll see you again in three days tavataan jälleen kolmen päivän päästä time and time again jatkuvasti, yhä uudestaan what was your name again? mikä sinun nimesi olikaan? **2** as many/much again kaksi kertaa niin monta/paljon but then again mutta toisaalta
again and again adv jatkuvasti, yhä uudestaan
against /ə'genst/ prep **1** vastaan do you have something against it? onko sinulla jotakin sitä vastaan? they were against higher taxes he vastustivat verojen kiristämistä **2** vasten I stood with my back against the wall seisoin selkä seinää vasten against the light valoa vasten **3** verrattuna we were ten against their twenty meitä oli kymmenen ja heitä kaksikymmentä
agape /ə'geɪp/ adv auki, ammolla he stood there with his mouth agape hän seisoi suu (hämmästyksestä) auki
agate /ægət/ s **1** akaatti **2** marmorikuula
age /eɪdʒ/ s **1** ikä what age are you? kuinka vanha sinä olet? they are of an age he ovat samanikäiset, yhtä vanhat act your age! ole ihmisiksi to be over/under age olla liian vanha, olla alaikäinen **2** vanhuus, ikä youth and age nuoruus ja vanhuus **3** aikakausi, kausi the Stone Age kivikausi **4** pitkä aika I had to wait there for ages jouduin odottamaan siellä iät ja ajat
v vanheta, ikääntyä
aged /eɪdʒəd/ s the aged vanhukset
adj vanha, ikääntynyt
aged /eɪdʒd/ adj jonkin ikäinen a boy aged three kolmivuotias poika
age group s ikäryhmä
ageism /eɪdʒɪzəm/ s ikäsorto, iän perusteella tapahtuva syrjintä, vanhusten syrjintä
ageless adj iätön, ajaton, ikuisesti nuori
agelong adj iänikuinen, loputon
agency /eɪdʒənsi/ s **1** toimisto, yritys, laitos, virasto **2** through the agency of

jonkun avulla/toimesta through the agency of water vedellä

agenda /ə'dʒendə/ s **1** (kokouksen) esityslista **2** tarkoitus(perä) he's got an agenda and I wish I knew what it was tietäsinpä mitä hän ajaa takaa, mitä hänellä on mielessä, mihin hän pyrkii

agent /eɪdʒənt/ s **1** (yrityksen, tuotteen) edustaja **2** (esiintyvän taiteilijan tai salainen) agentti **3** (tiede) vaikuttava aine/tekijä

age-old adj ikivanha

agglomerate /ə'glamərət/ v kasata, kasautua

agglomeration /ə,glamə'reɪʃən/ s kasauma, kasa

aggrandize /ə'grændaɪz/ v kasvattaa, suurentaa, laajentaa

aggrandizement /ə'grændaɪzmənt/ s kasvattaminen, suurentaminen, laajentaminen

aggravate /'ægrə,veɪt/ v **1** pahentaa, huonontaa **2** ärsyttää

aggravating adj ärsyttävä, kiusallinen, harmillinen

aggravation /,ægrə'veɪʃən/ s **1** pahentuminen, huonontuminen **2** harmi, ärsytys, ärtymys

aggregate /ægrəgət/ s kokonaisuus, summa considered in the aggregate kokonaisuutena ottaen/ajatellen/ tarkastellen

aggression /ə'greʃən/ s hyökkäys, hyökkäävyys, aggressio

aggressive /ə'gresɪv/ adj **1** hyökkäävä, riidanhaluinen, aggressiivinen **2** tarmokas, yritteliäs, aggressiivinen

aggressively adv ks aggressive

aggressiveness s hyökkäävyys, riidanhalu, aggressiivisuus; yritteliäisyys

aggressor s hyökkääjä (henkilö tai valtio)

aggrieved /ə'grivd/ adj loukkaantunut, surullinen

aghast /ə'gæst/ adj tyrmistynyt, kauhistunut

agile /ædʒəl/ adj (ruumiillisesti) ketterä, notkea; (henkisesti) nokkela, terävä

agilely /ædʒəli/ adv: ks agile

agility /ə'dʒɪləti/ s (ruumiillinen) ketteryys, notkeus; (henkinen) nokkeluus, terävyys

aging /eɪdʒɪŋ/ s vanheneminen, ikääntyminen
adj vanheneva, ikääntyvä

agitate /ædʒəteɪt/ v **1** sekoittaa, ravistaa (nestettä) **2** järkyttää, saattaa pois tolaltaan **3** yllyttää (ihmisiä kannattamaan/vastustamaan jotakuta/ jotakin)

agitated adj järkyttynyt, poissa tolaltaan

agitation /,ædʒə'teɪʃən/ s **1** (nesteen) sekoittaminen, ravistelu **2** järkytys **3** väittely, kiistely **4** (poliittinen ym) yllytys

agitator /'ædʒə,teɪtər/ s (poliittinen) yllyttäjä, agitaattori

aglow /ə'gloʊ/ adj hehkuva, loistava to be aglow with health uhkua terveyttä

agnostic /æg'nastɪk/ s agnostikko
adj agnostinen

agnosticism /æg'nastɪ,sɪzəm/ s agnostisismi

ago /ə'goʊ/ adv sitten two years/a week/a few hours ago kaksi vuotta/viikko/muutama tunti sitten as long ago as the 15th century jo 1400-luvulla

agog /ə'gag/ adj jännittynyt, malttamaton, innokas to be agog for curiosity olla täynnä uteliaisuutta to be agog for news odottaa malttamattomana uutisia

agonized /'ægə,naɪzd/ adj tuskainen, tuskan- she had an agonized look hänellä oli tuskanilme kasvoillaan

agonizing /'ægə,naɪzɪŋ/ adj tuskallinen

agonizingly adv tuskallisen, tuskallisesti

agony /ægəni/ s tuska, kärsimys

agoraphobia /,ægərə'foʊbiə/ s avoimen paikan kammo, agorafobia

agr. agricultural; agriculture

agrarian /ə'grerɪən/ adj maatalous-

agree /ə'gri/ v **1** suostua johonkin **2** päättää, sopia, olla samaa mieltä jostakin we agreed to wait päätimme odottaa he and she cannot agree on anything he eivät ole samaa mieltä mistään

agreeable /ə'griəbəl/ adj **1** viehättävä, miellyttävä **2** samaa mieltä jostakin are you agreeable to that? suostutko sinä siihen? sopiiko se sinulle?

agreeably adv viehättävästi, kauniisti, myönteisesti

agreement s **1** sopimus to come to an agreement päästä sopimukseen, solmia sopimus **2** yksimielisyys to be in agreement with someone olla jonkun kanssa samaa mieltä

agree on v sopia, päästä yksimielisyyteen jostakin a new price was agreed on yesterday eilen sovittiin uudesta hinnasta

agree to v suostua johonkin, hyväksyä jotakin the father did not agree to his daughter's marriage isä ei hyväksynyt tyttärensä avioliittoa

agree with v **1** sopia yhteen the green sofa does not agree with the rest of the furniture vihreä sohva ei sovi yhteen muiden huonekalujen kanssa **2** täsmätä, olla yhdenpitävä these two sets of figures do not agree nämä numerot eivät täsmää

agric. agricultural; agriculture

agricultural /,ægrı'kʌltʃərəl/ adj maatalous-

agriculture /'ægrı,kʌltʃər/ s maatalous, maanviljely

aground /ə'graund/ adj, adv (laivasta) karilla, karille to go/run aground ajaa karille

ahead /ə'hed/ adv edessä, edellä, ennen I was two hours ahead of them minulla oli kahden tunnin etumatka heihin he was ahead of his time hän oli aikaansa edellä go ahead ole hyvä vain, sano pois vain in the years ahead seuraavina/tulevina vuosina

ahead of time we finished the job ahead of time saimme työn valmiiksi etuajassa/ennenaikaisesti/ennen määräaikaa

AHL American Hockey League

AHRA American Hot Rod Association

AHST Alaska Hawaii standard time

AI Amnesty International; artificial intelligence tekoäly

aid /eıd/ s **1** apu **2** apuväline
v auttaa

aid and abet fr auttaa rikoksessa

aide /eıd/ s avustaja

aide-de-camp /,eıddə'kæmp/ s adjutantti, avustaja

AIDS acquired immunodeficiency syndrome aids, immuunikato

ail /eıl/ v **1** vaivata jotakuta I don't know what's ailing me en tiedä mikä minua vaivaa **2** sairastaa, olla sairaana

aileron /'eılə,ran/ s (lentokoneen) siiveke

ailment /eılmənt/ s sairaus

aim /eım/ s **1** tähtäys to take careful aim at something ottaa (aseella) tarkka tähtäys johonkin, tähdätä tarkasti johonkin **2** tavoite, päämäärä we did not achieve our aim tavoitteemme ei toteutunut
v **1** tähdätä (ase) **2** suunnitella, aikoa, tähdätä johonkin **3** heittää, suunnata (isku) **4** kohdistaa, tarkoittaa the movie is aimed at an adult audience elokuva on tarkoitettu aikuisille

aimless adj päämäärätön, tarkoitukseton

aimlessly adv (puhua, toimia) päämäärättä, mitä/miten sattuu

ain't /eınt/ v slangi- ja murremuoto sanoista am/is/are not, have/has not

air /eər/ s **1** ilma by air lentokoneella, lentopostissa on/off the air (radio- tai televisioasemasta) lähettää/ei lähettää ohjelmaa in the air olla liikkeellä; olla epävarmaa **2** vaikutelma, käytös, tunnelma, ilmapiiri there was an air of mystery in the affair asiassa oli jotakin salamyhkäistä to put on airs teeskennellä hienoa/tärkeää, olla olevinaan
v **1** tuulettaa (huone) **2** viedä (vaatteita) ulos tuulettumaan **3** tuoda julki/esiin (mielipiteensä)

airbag /'eər,bæg/ s (henkilöauton) turvatyyny

air base /eər beıs/ s lentotukikohta

airborne /eərbɔrn/ adj **1** laskuvarjo-, ilmakuljetus- airborne troops laskuvarjojoukot, ilmakuljetusjoukot **2** to be airborne olla ilmassa/lennossa

air brake /eər breɪk/ s **1** ilmajarru **2** (lentokoneen) lentojarru

Airbus /eər bʌs/ s **1** eräs matkustajakonemerkki **2** (airbus) lentokenttäbussi

air-condition /ˌeərkən'dɪʃən/ v **1** ilmastoida **2** asentaa ilmastointilaite/ilmastointilaitteet jonnekin

air-conditioned /ˌeərkən'dɪʃənd/ adj ilmastoitu

air conditioner /'eərkən,dɪʃənər/ s ilmastointilaite

air conditioning /ˌeərkən'dɪʃənɪŋ/ s **1** ilmastointi **2** ilmastointilaite a car with air-conditioning

air-cooled /'eər'kuld/ adj ilmajäähdytteinen

aircraft /eərkræft/ s (mon aircraft) lentokone

aircraft carrier /'eərkræft,keərɪər/ s lentotukialus

air dam /'eər,dæm/ s (auton) etuspoileri

air-dry /ˌeər'draɪ/ v tuulettaa kuivaksi, ripustaa kuivumaan

airfare /eərfeər/ s lentolipun hinta

airfield /eərfiəld/ s kiitorata; (pieni) lentokenttä

air force /eərfɔrs/ s ilmavoimat

Air Force One /'eər,fɔrs'wʌn/ s Yhdysvaltain presidentin lentokone

air freight /ˌeər'freɪt/ s lentorahti

airfreight /ˌeər'freɪt/ v lähettää/kuljettaa lentorahtina

airhead /'eər,hed/ s (alat) onttoaivo

airless /eərləs/ adj ilmaton; (huoneen ilma) ummehtunut; (sää) tuuleton, tyyni

air letter /'eər 'letər/ s lentopostikirje

airlift /'eər,lɪft/ s ilmasilta

airline /eərlaɪn/ s lentoyhtiö

airliner /eərlaɪnər/ s matkustajalentokone

airmail /eərmeɪəl/ s lentoposti v lähettää lentopostissa

airman /eərmən/ s (mon airmen) lentosotamies

airplane /eərpleɪn/ s lentokone

airplay /'eər,pleɪ/ s äänitteen soittaminen radiossa their new record did not get much airplay heidän uutta levyään ei juuri soitettu radiossa

airport /eərpɔrt/ s lentokenttä, lentoasema

air pressure /'eər,preʃər/ s ilmanpaine

air raid /'eər,reɪd/ s ilmahyökkäys

airscrew /eərskru/ s (lentokoneen) potkuri

airship /eərʃɪp/ s ilmalaiva

airsick /'eər,sɪk/ adj pahoinvoiva (lentokoneessa)

airsickness s matkapahoinvointi (lentokoneessa)

air space /'eər,speɪs/ s ilmatila

airspeed /'eər,spid/ s lentonopeus

airstrip /'eər,strɪp/ s (pieni tai väliaikainen) kiitorata, lentokenttä

airtight /'eər,taɪt/ adj **1** ilmatiivis **2** aukoton (todistelu, puolustuslinja)

airway /eərweɪ/ s lentoreitti

airworthy /eərwərθi/ adj lentokelpoinen

airy /eəri/ adj **1** ilmava, tilava, avara (huone) **2** pinnallinen, huoleton, epämääräinen, tuulesta temmattu

aisle /aɪəl/ s (kirkon, teatterin, lentokoneen istuinrivien välinen) käytävä

aisle seat s (lentokoneessa ym) käytäväpaikka

ajar /ə'dʒar/ adj, adv (ovi) raollaan, auki

AK Alaska

a.k.a. also known as alias

akimbo /ə'kɪmbou/ with arms akimbo kädet lanteilla

akin to /ə'kɪn/ adj sukua jollekin, joka muistuttaa jotakin, jonkin kaltainen

AL Alabama

Alabama /ˌælə'bæmə/

alabaster /'ælə,bæstər/ s alabasteri(kipsi)

à la carte /ˌalə'kart/ adv à la carte, ruokalistan mukaan

alacrity /ə'lækrɪti/ s **1** innokkuus, aulius, halukkuus **2** eloisuus, vilkkaus, pirteys with alacrity nopeasti

à la mode /ˌalə'moud/ adv **1** muodin mukaisesti, muodikkaasti **2** (ruoka) jäätelön kanssa tarjoiltu
alarm /ə'larm/ s **1** hälytys to raise/give/sound alarm antaa hälytys **2** hälytin burglar alarm varashälytin, murtohälytin **3** pelko, säikähdys, pelästys to cause somone alarm pelästyttää joku
v **1** varoittaa, hälyttää **2** pelästyttää, säikäyttää
alarm clock s herätyskello
alarming adj hälyttävä, pelottava
alarmist s tuhon profeetta, pelon lietsoja
adj tuhoa ennustava, pelkoa lietsova
alas /ə'læs/ interj ikävä kyllä, valitettavasti
Alas. Alaska
Alaska /ə'læskə/ Alaska
Alaskan /ə'læskən/ s, adj alaskalainen
alb /ælb/ s alba, messupaita
Alba. Alberta
Albania /æl'beɪnɪə/ Albania
Albanian s, adj albanialainen
albatross /'ælbəˌtras/ s albatrossi
albeit /al'biɪt/ konj joskin, vaikkakin
Alberta /æl'bərtə/ Alberta
albino /æl'baɪnou/ s albiino
album /ælbəm/ s **1** valokuvakansio, leikekansio, kansio **2** LP, äänilevy, albumi
albumen /ˌæl'bjumən/ s munanvalkuainen
Albuquerque /ælbəkərki/ kaupunki New Mexicossa
alchemist /ælkəməst/ s alkemisti
alchemy /ælkəmi/ s alkemia
alcohol /'ælkəˌhal/ s alkoholi
alcoholic /ˌælkə'halɪk/ s alkoholisti
adj alkoholipitoinen, alkoholi-
alcoholism /'ælkəhaˌlɪzm/ s alcoholism
alcove /ælkouv/ s alkovi, huoneen syvennys
ald. alderman
alderman /aldərmən/ s (mon aldermen) (kaupungin)valtuuston jäsen
ale /eɪəl/ s (vaalea) olut
alert /ə'lərt/ s hälytys to give the alert antaa (esim palo)hälytys to be on the alert olla taistelu/toimintavalmiina, olla varuillaan
v varoittaa jotakuta; määrätä taistelu/toimintavalmiuteen
adj valpas, terävä, tarkkaavainen
Aleutians /ə'luʃənz/ Aleutit (Alaskassa)
Alexandria /ˌæləkˈsændrɪə/ Aleksandria (Egyptissä)
alfresco /æl'freskou/ adj ulkoilma-, ulko-
adv ulkona, ulkoilmassa
alga /ældʒə/ s (mon algae /ældʒi/) levä
algebra /ældʒəbrə/ s algebra
algebraic /ˌældʒə'breɪək/ adj algebrallinen
algebraical /ˌældʒə'breɪəkəl/ adj algebrallinen
Algeria /æl'dʒɪrɪə/
Algerian s, adj algerialainen
Algiers /ˌæəl'dʒɪərz/ Alger (Algeriassa)
algorithm /'ælgəˌrɪðəm/ s algoritmi
alias /eɪliəs/ s salanimi
adv alias Mr. Pruitt alias Mr. Jones (myös:) Mr. Pruitt joka esiintyy/on esiintynyt nimellä Mr. Jones
alibi /æləbaɪ/ s **1** alibi **2** veruke, selitys
v esittää/hankkia jollekulle alibi he alibied her
alien /eɪliən/ s, adj ulkomaalainen, vierasmaalainen
s avaruusolento
adj vieras human sacrifice is alien to that culture ihmisuhrit eivät kuulu siihen kulttuuriin
alienate /'eɪliəˌneɪt/ v karkottaa, loitontaa, vieraannuttaa, etääntyä, loitontua to alienate yourself from someone loitontua jostakusta
alienation /ˌeɪliə'neɪʃən/ s loitontuminen, loitontaminen, etääntyminen, vieraantuminen
alight /ə'laɪt/ v laskeutua (esim satulasta), (lintu:) laskeutua (esim oksalle)
adj **1** tulessa, palava **2** tunteiden täyttämä to be alight with happiness pursua onnea
align /ə'laɪn/ v **1** ojentaa, oikaista, panna ojennukseen, suoristaa **2** yhtyä (jonkun näkemykseen/kantaan)

alignment /ə'laınmənt/ s **1** ojennus, suora rivi tms **2** ryhmittyminen, yhdistyminen
alike /ə'laık/ adj, adv sama, samanlainen, samannäköinen, samalla tavalla, samoin, sekä että they look very alike he ovat hyvin samannäköiset she says it's all alike to her hän sanoi että se on hänelle yhdentekevää day and night alike yötä päivää
alimentary /,ælə'mentəri/ adj ruuansulatus-
alimentary canal s ruusansulatuskanava
alimony /'ælı,mouni/ s elatusapu
alive /ə'laıv/ adj **1** elossa, hengissä **2** esillä, käynnissä this question should be kept alive tämä kysymys tulisi pitää esillä/vireillä
alive to to be alive to something tietää jotakin, olla selvillä jostakin
alive with to be alive with people vilistä/kuhista ihmisiä/väkeä
alk. alkaline
alkali /'ælkə,laı/ s emäs
alkaline /'ælkə,laın 'ælkələn/ adj emäksinen
alkaline battery s alkaliparisto
all /al/ s kaikkensa he gave his all hän antoi/teki kaikkensa, hän yritti parhaansa
adj kaikki, koko all the students/staff kaikki oppilaat/koko henkilökunta
adv **1** kokonaan dressed all in white pukeutunut täysin valkoisiin **2** paljon, entistä (parempi, enemmän tms) all the prettier entistä nätimpi
pron kaikki all in all kaiken kaikkiaan all of two dollars kokonaiset kaksi dollaria not at all (vastauksena kiitokseen:) ei kestä (kiittää), ole hyvä once and for all lopullisesti, kerta kaikkiaan
all alone adv ypöyksin; omin avuin
all along adv pitkin matkaa, koko matkan; kaiken aikaa, alusta pitäen
all-American /,alə'merıkən/ adj **1** koko Yhdysvaltain, kansallinen, maanlaajuinen, valtakunnallinen **2** kokonaan amerikkalainen **3** aitoamerikkalainen **4** (urh) tähti-
all and sundry fr kaikki, joka iikka (ark)
all-around /,alə'raund/ adj monipuolinen, yleis-
all thumbs my brother is all thumbs veljelläni on peukalo keskellä kämmentä, veljeni on toivottoman kömpelö
allegation /,ælə'geıʃən/ s väite, syytös, syyte
allege /ə'ledʒ/ v väittää
alleged /ə'ledʒd/ adj niin sanottu, luuloteltu, väitetty
allegedly /ə'ledʒədli/ adv muka allegedly he was there that night hänen väitetään olleen paikalla sinä iltana
Alleghenies /ə'leıgəniz/ Alleghenyvuoret
allegiance /ə'lidʒəns/ s uskollisuus, kannatus
allegiant /ə'lidʒənt/ adj uskollinen
allegoric /,ælə'gɔrık/ adj vertauksellinen, kuvaannollinen
allegorical adj vertauksellinen, kuvaannollinen
allegorically adv vertauksellisesti, kuvaannollisesti
allegory /'ælə,gɔri/ s allegoria, vertauskuva
allergic to /ə'lərdʒık/ adj allerginen jollekin, (myös kuv) herkkä jollekin
allergy /ælərdʒi/ s allergia
alleviate /ə'livıeıt/ v lievittää, helpottaa (kipua, kärsimystä)
alleviation /ə,livı'eıʃən/ s lievitys, helpotus
alley /æli/ s kapea katu, kuja that's right up my alley se on minun heiniäni, minun makuuni blind alley umpikuja (myös kuv)
alley cat /'ælikæt/ s kulkukissa
All Fools Day /al'foəlz,deı/ s aprillipäivä
all for to be all for something kannattaa jotakin innokkaasti, haluta kovasti
all fours on all fours nelinkontin
alliance /ə'laıəns/ s **1** (esim valtio)liitto, allianssi **2** yhteys, yhteenkuuluvuus

allied /ælaɪd/ v: ks ally
adj **1** liittolais-, liittoutunut **2** lähisukuinen, sukulais-
Allies /ælaɪz/ s (hist) liittoutuneet
alligator /'ælə,geɪtər/ s alligaattori
all-important /,alɪm'pɔrtənt/ adj ensiarvoisen tärkeä, erittäin tärkeä (varsinkin jonkun muun mielestä) all right, where's this all-important paper you keep harping on? no niin, näytäpäs nyt se niin hirveän tärkeä paperisi
all in adj väsynyt, uupunut
all-inclusive /,aliŋ'klusɪv/ adj kaiken kattava, kokonais-
alliteration /ə,lɪtə'reɪʃən/ s alkusointu, alliteraatio
allocate /'ælə,keɪt/ v myöntää (varoja johonkin tarkoitukseen)
allocation /,ælə'keɪʃən/ s määräraha(n myöntäminen)
all of a sudden fr yhtäkkiä, yllättäen
allot /ə'lat/ v myöntää, antaa, jakaa, varata
allotment s osuus, kiintiö
all out to go all out tehdä kaikkensa/parhaansa
all-out adj voimia säästelemätön he made an all-out effort to finish the job in time hän teki kaikkensa saadakseen työn ajoissa valmiiksi
all over adv **1** kaikkialla I have been looking for you all over olen etsinyt sinua kaikkialta, joka paikasta **2** ohi, lopussa, mennyttä it's all over between us välimme ovat poikki
allow /ə'laʊ/ v **1** sallia, luvata, antaa lupa I am not allowed to go there alone en saa mennä sinne yksin **2** antaa, myöntää, varata he allowed me one month to finish the job hän antoi minulle kuukauden aikaa työn tekemiseen
allowable /ə'laʊəbəl/ adj sallittu, luvallinen, ei kielletty
allowance /ə'laʊəns/ s **1** rahasumma, avustus, määräraha, viikkoraha **2** make allowances for ottaa jotakin huomioon
allow for v varautua johonkin, ottaa jotakin etukäteen huomioon we have to allow for small delays meidän on varauduttava pieniin viivästymisiin
allow of v hyväksyä, sallia
alloy /ælɔɪ/ s metalliseos
all right adj, adv, interj **1** selvä! hyvä on that's all right ei se mitään, ei se haittaa **2** kunnossa I'm all right minulla ei ole mitään hätää; nyt olen terve **3** riittävä, ihan hyvä they did all right he pärjäsivät aika hyvin
all roads lead to Rome fr kaikki tiet vievät Roomaan
all-round /,al'raʊnd/ ks all-around
All Saints Day /,al'seɪnts,deɪ/ s pyhäinpäivä
allspice /alspaɪs/ s maustepippuri
all-star /alstar/ adj tähti-, tähtipelaajista koottu, all-star-
all-state /,al'steɪt/ adj osavaltion paras, osavaltiota edustava
all that not all that expensive ei erityisen/järin kallis not as expensive as all that ei erityisen/järin kallis
all the rage hi-top sneakers are all the rage korkeavartiset lenkkarit ovat viimeistä huutoa/uusin villitys
all there not all there ei aivan järjissään, tärähtänyt
all the same silti, siitä huolimatta, kuitenkin
all the same to yhdentekevää, yksi ja sama
all thumbs my brother is all thumbs veljelläni on peukalo keskellä kämmentä, veljeni on toivottoman kömpelö
all-time /'al,taɪm/ adj kaikkien aikojen
all-time high s kaikkien aikojen korkein/suurin yms last year, inflation reached an all-time high viime vuonna inflaatio oli suurempi kuin koskaan
all told (kaiken) kaikkiaan, yhteensä
allude to /ə'lud/ v viitata johonkin, mainita ohimennen jostakin
alluring /ə'lʊriŋ/ adj puoleensavetävä, houkutteleva
allusion /ə'luʒən/ s vihjaus, piiloviittaus
allusive /ə'lusɪv/ adj joka on täynnä vihjauksia/piiloviittauksia, vihjaileva
alluvial /ə'luviəl/ adj tulvamaa-, jokipenger-

all wet läpimärkä, (kuv) väärässä you're all wet olet aivan väärässä
all wool and a yard wide fr aito, oikea, tosi, rehti
ally /ə'laɪ/ v (ally, allied, allied) **1** liittoutua jonkun kanssa, solmia liitto: to ally yourself with/to **2** yhdistää, sitoa: they are allied by interests heitä sitoo toisiinsa yhteinen etu
ally /ælaɪ/ s (mon allies) liittolainen; auttaja
almanac / almə,næk/ s **1** almanakka, kalenteri **2** tilasto-, taulukko- ym tietoa sisältävä vuosikirja/hakuteos
Almighty /,al'maɪti/ s Kaikkivaltias, Jumala
adj: almighty kaikkivaltias okay, if you're so almighty smart, you tell me jos sinä olet niin helkkarin viisas niin sano sinä
almond /almənd/ s manteli
almost /al'moust/ adv lähes, melkein she almost fell hän oli vähällä kaatua
alms /almz/ s (mon alms) almu, köyhäinavustus
aloft /ə'laft/ adv **1** korkealla, korkealle, ilmassa, ilmaan **2** (mer) korkealla mastossa, takilassa
aloha /ə'louha/ interj havaijilainen tervehdys jota käytetään kohdattaessa ja erottaessa
alone /ə'loun/ adj, adv **1** yksin he lives alone hän asuu yksin you are not alone in thinking that sinä et ole ainoa joka ajattelee noin leave me alone jätä minut rauhaan, anna minun olla **2** ainoastaan, yksin you alone can decide vain sinä voit päättää asiasta let alone jostakin puhumattakaan
along /ə'laŋ/ adv **1** eteenpäin to move along kulkea, jatkaa matkaa **2** paikalla, paikalle I'll be along pretty soon minä tulen piakkoin perässä **3** mukana, mukaan why don't you come along lähde ihmeessä mukaan
prep pitkin, suuntaisesti along the road/river(bank) tietä pitkin, jokea/joen rantaa pitkin
alongside /ə,laŋ'saɪd/ adv, prep rinnalla, rinnalle, vierellä, vierelle
alongside of prep (ark) johonkuhun/johonkin verrattuna
along with adv jonkun/jonkin lisäksi/kanssa
aloof /ə'luf/ adj kylmäkiskoinen adv erillään, omissa oloissaan, syrjässä
aloofness s kylmäkiskoisuus
aloud /ə'laud/ adv **1** ääneen, normaalilla äänellä to read something aloud **2** kovalla äänellä
alp /ælp/ s alppi
alpaca /æl'pækə/ s alpakka (eräs laamalaji ja sen villa)
alpha /ælfə/ s alfa, kreikan kielen ensimmäinen kirjain
alpha and omega /ou'meɪgə/ fr alku ja loppu, a ja o
alphabet /'ælfə,bet/ s aakkoset
alphabetically adv aakkosjärjestyksessä
alphabetical order /,ælfə'betɪkəl/ s aakkosjärjestys
alphabetize /'ælfəbə,taɪz/ v aakkostaa, panna aakkosjärjestykseen, järjestää aakkosittain
alphabet soup s aakkosmakaronikeitto
alpine /ælpaɪn/ adj alppi-, Alppien
alpine skiing s laskettelu, slalomhiihto
alpinism /'ælpə,nɪzəm/ s vuorikiipeily, alppikiipeily
alpinist /ælpənəst/ s **1** vuorikiipeilijä, alppikiipeilijä **2** alppihiihtäjä
Alps /ælps/ s (mon) Alpit
already /,al'redi/ adv jo we have been there already, we have already been there olemme jo käyneet siellä
Alsace /æl'seɪs/ Elsass
Alsatian /æl'seɪʃən/ s saksanpaimenkoira (UK)
also /alsou/ adv myös, lisäksi, sitä paitsi his new house is not only large but also expensive hänen uusi talonsa on sekä iso että kallis
also-ran s häviäjä, huonosti sijoittunut kilpailija/ehdokas
alt. alteration muutos altitude korkeus
Alta. Alberta
altar /altər/ s alttari

Altar /altər/ (tähdistö) Alttari
alter /altər/ v muuttaa
alterable /altərəbəl/ adj jota voi muuttaa, muuttuva
alteration /ˌaltəˈreɪʃən/ s muutos, muunnos
alternate /altərnət/ adj vuorottainen, vuoro- we buy groceries on alternate days käymme ruokaostoksilla joka toinen päivä they work on alternate days he tekevät työtä vuoropäivin
alternate /altərneɪt/ v vuorotella, vaihdella to alternate one thing with another käyttää vuorotellen
alternate between v vuorotella; olla/tehdä vuoroin sitä, vuoroin tätä
alternating current s vaihtovirta
alternative /alˈtərnətɪv/ s vaihtoehto you have no alternative but to go sinulla ei ole muuta vaihtoehtoa/mahdollisuutta kuin lähteä
adj vaihtoehtoinen
alternatively adv vaihtoehtoisesti, tai
although /alˈðoʊ/ konj (= though) vaikka
altitude /ˈæltəˌtud/ s korkeus (merenpinnasta)
altitude sickness s vuoristotauti
alto /æltoʊ/ s (mus) altto alto saxophone alttosaksofoni
altogether /ˌaltəˈgeðər/ s: in the altogether apposen alasti, ilkosillaan
adv **1** kokonaisuutena, kaiken kaikkiaan taken altogether, it was a pretty nice trip kaiken kaikkiaan matka oli ihan hauska **2** täysin, aivan dad did not altogether agree with me isä ei ollut kanssani täysin samaa mieltä
altruism /ˈæltrʊˌɪzəm/ s epäitsekkyys, altruismi
altruist /æltrʊɪst/ s epäitsekäs ihminen, altruisti
altruistic /ˌæltrʊˈɪstɪk/ adj epäitsekäs, altruistinen
altruistically adv epäitsekkäästi, altruistisesti
ALU arithmetic logic unit aritmeettis-looginen yksikkö
aluminum /əˈlumɪnəm/ s alumiini
always /alwiz alweɪz/ adv aina, jatkuvasti, alinomaa you're always complaining sinä se jaksat aina valittaa
a.m. ante meridiem ennen puoltapäivää, aamupäivällä 11 a.m. klo 11 11 p.m. klo 23
Am. American
AMA American Medical Association
amalgamate /əˈmælgəmeɪt/ v sekoittaa, yhdistää
amalgamation /əˌmælgəˈmeɪʃən/ s yhdistelmä, sekoitus
amass /əˈmæs/ v kerätä, kasata (omaisuutta, rahaa), kääriä (rahaa)
amateur /æmətʃər æmətər æmətjʊər/ s **1** harrastelija, amatööri (ammattilaisen vastakohtana) **2** (väheksyen:) (osaamaton) aloittelija, harrastelija, amatööri
amateurish /æmətʃərɪʃ æmətərɪʃ æmətjʊərɪʃ/ adj osaamaton, taitamaton, harrastelijamainen, aloittelijan
amateurism /æmətʃərɪzəm æmətərɪzəm æmətjʊərɪzəm/ s osaamattomuus, taitamattomuus
amaze /əˈmeɪz/ v ällistyä, hämmästyä he was amazed at the result hän hämmästyi tulosta
amazement s ällistys, hämmästys
amazing adj ällistyttävä, hämmästyttävä, ihmeellinen
amazingly adv ällistyttävän, hämmästyttävän, ihmeellisen, ihmeen
Amazon /ˈæməˌzan/ s **1** amatsoni (kreikkalaisen mytologian sotaisan naiskansan jäsen) **2** miesmäinen nainen, amatsoni **3** Amazon
Amazonian manatee /æməˌzoʊniənˈmænəti/ s kynnetönmanaatti
ambassador /æmˈbæsədər/ s **1** suurlähettiläs **2** edustaja, lähettiläs
ambassadorial /æmˌbæsəˈdɔriəl/ adj (suur)lähettilään
ambassadress /æmˈbæsəˌdrəs/ s **1** (naispuolinen) suurlähettiläs **2** (naispuolinen) edustaja, lähettiläs
amber /æmbər/ s **1** meripihka **2** keltainen/kellertävä väri
adj keltainen, kellertävä

ambidextrous /ˌæmbəˈdekstrəs/ adj molempikätinen, sekä vasen- että oikeakätinen
ambidextrously adv molempikätisesti
ambience /æmbɪəns ˌambɪˈans/ s tunnelma, ilmapiiri
ambiguity /ˌæmbəˈgjʊəti/ s **1** kaksiselitteisyys, kaksimielisyys **2** kaksiselitteinen/kaksimielinen asia/ilmaus ym
ambiguous /æmˈbɪgjʊəs/ adj kaksiselitteinen, kaksimielinen, kaksimerkityksinen, epäselvä
ambiguously adv: ks ambiguous
ambition /æmˈbɪʃən/ s **1** kunnianhimo **2** tavoite, päämäärä
ambitious /æmˈbɪʃəs/ adj kunnianhimoinen (ihminen, tavoite), rohkea, uskalias (yritys)
ambitiously adv kunnianhimoisesti
ambitiousness s kunnianhimo
ambivalence /æmˈbɪvələns/ s **1** tunteiden ristiriitaisuus, ambivalenssi **2** epävarmuus, epäröinti, vitkastelu, jahkailu
ambivalent adj epävarma, epäröivä; jolla on ristiriitaisia tunteita
amble /æmbəl/ s hidas käynti/kävely, matelu, (hevosen) tasakäynti v kävellä hitaasti, madella, (hevosesta:) kulkea tasakäyntiä
ambrosia /æmˈbroʊʒə/ s **1** ambrosia, (kreikkalaisen mytologian) jumalten ruoka **2** jokin joka maistuu tai tuoksuu hyvältä, herkku, ambrosia
ambulance /æmbjələns/ s sairasauto, ambulanssi
ambulance chaser s asianajaja joka kalastaa asiakkaita kehottamalla näitä hakemaan vahingonkorvausta esim lääkärin tekemästä hoitovirheestä
ambush /æmbʌʃ/ s väijytys v väijyä, olla väijyksissä
ambusher s väijyjä
AmE American English
ameba /əˈmibə/ s ameba
ameliorate /əˈmiliəreɪt/ v parantaa, parantua, kohentaa, kohentua
amen /eɪmen amen/ s, interj aamen I'll say amen to that minä kannatan sitä
amenable /əˈmenəbəl/ adj **1** joka on valmis kuuntelemaan/ottamaan vastaan jotakin he is amenable to good advice hän on valmis kuuntelemaan hyviä neuvoja **2** velvollinen noudattamaan (lakia), edesvastuullinen
amend /əˈmend/ v parantaa, korjata, muuttaa
amendable /əˈmendəbəl/ adj jota voi parantaa, korjata, muuttaa
amendment /əˈmendmənt/ s **1** parannus, korjaus, muutos **2** (Yhdysvaltain perustuslain) lisäys
amends /əˈmendz/ make amends for something/to someone korvata, hyvittää, pyytää anteeksi
amenity /əˈmenəti/ s **1** miellyttävyys the amenity of the climate miellyttävä ilmasto **2** (mon) mukavuudet, palvelut, julkiset tilat we live close to all the amenities asumme alueella jossa on hyvät liikenneyhteydet ja runsaasti kauppoja
Amerasian /ˌæmərˈeɪʒən/ s, adj amerikanaasialainen
America /əˈmerɪkə/ s Amerikka the Americas Pohjois- ja Etelä-Amerikka
American s, adj amerikkalainen
Americana /əˌmerɪˈkænə/ s amerikkalainen kulttuuri ja sen tuotteet
American bison /baɪsən/ s biisoni
American Dream s amerikkalainen unelma
American English s amerikanenglanti
American Indian s (Amerikan) intiaani
Americanism /əˈmerɪkəˌnɪzəm/ s **1** amerikanenglannin sana, ilmaus tms **2** amerikkalaisuus, amerikkalainen tapa tms
American option s (tal) amerikkalainen optio
American plan s (hotellissa) huoneen ja aterioiden yhteishinta
American Plate /æˌmerɪkənˈpleɪt/ (geologiassa) Amerikan laatta
American Samoa /səˈmoʊə/ Amerikan Samoa

America's Cup s Amerikan cup, eräs kansainvälinen purjehduskilpailu
AmerInd American Indian
Amerindian /ˌæmər'ɪndɪən/ s Amerikan intiaani
Ameslan American Sign Language amerikkalainen viittomakieli
amethyst /æməθəst/ s ametisti
Amex /æmeks, eɪmeks/ American Express; American Stock Exchange
amiability /ˌeɪmiə'bɪləti/ s ystävällisyys, sydämellisyys
amiable /eɪmiəbəl/ adj ystävällinen, sydämellinen
amiably adv ystävällisesti, sydämellisesti
amicable /æmɪkəbəl/ adj sopuisa, säyseä, ystävällinen
amicably adv sopuisasti, säyseästi, ystävällisesti they got on amicably he tulivat keskenään hyvin toimeen
amid /ə'mɪd/ prep joukossa, keskellä, aikana
amidships /ə'mɪdʃɪps/ adv (mer) laivan keskellä, keskilaivassa
amidst /ə'mɪdst/ prep joukossa, keskellä, aikana
Amish /æmɪʃ amɪʃ eɪmɪʃ/ adj (Pohjois-Amerikan) mennoniittain the Amish mennoniitat, eräs kristillinen lahko
amiss /ə'mɪs/ adj, adv huono, paha, vialla, vinossa there is something amiss kaikki ei ole kohdallaan, jokin on vialla/vinossa to take something amiss loukkaantua jostakin, panna jotakin pahakseen they spoke amiss of you he puhuivat sinusta nurjasti
amity /æməti/ s ystävyys
ammeter /'æmˌmitər/ s ampeerimittari
ammo /æmoʊ/ s (ark lyh sanasta ammunition) ammukset, ampumatarvikkeet
ammonia /ə'moʊnjə/ s ammoniakki
ammunition /ˌæmjʊ'nɪʃən/ s **1** ammukset, ampumatarvikkeet **2** (kuv) (väittelyssä ym) ammus, ase
amnesia /ˌæm'niʒə/ s muistinmenetys
amnesiac /ˌæm'niziæk/ s, adj muistinsa menettänyt, muistinmenetyksestä kärsivä
amnesty /æmnəsti/ s (yleinen) armahdus
amniotic fluid /ˌæmni'atɪk flʊɪd/ s (lääk) lapsivesi
amoeba /ə'mibə/ s ameba
amok /ə'mʌk/ to run amok raivota, saada raivonpuuska; lähteä amokjuoksulle, olla amokjuoksulla
among /ə'mʌŋ/ prep joukossa, seassa, keskellä they were hiding among the bushes he piileksivät pensaikossa/pensaiden seassa among other things muun muassa among the inhabitants of this country tämän maan väestössä New York City is among the largest cities in the world New York on yksi maailman suurimmista kaupungeista you will have to share the money among yourselves teidän on jaettava rahat keskenänne
amongst /ə'mʌŋst/ ks among
amoral /ˌeɪ'mɔrəl/ adj amoraalinen, moraalikäsityksistä riippumaton
amorality /ˌeɪmə'ræləti/ s amoraalisuus
amorous /æmərəs/ adj lemmenkipeä, rakastunut, ihastunut, rakkaus-
amorously adv rakastuneesti, ihastellen
amorphous /ˌeɪ'mɔrfəs/ adj amorfinen, ei-kiteinen; epämääräinen
amortization /əˌmɔrtə'zeɪʃən/ s (lainan) kuoletus
amortize /'æmərˌtaɪz ə'mɔrtaɪz/ v kuolettaa (laina)
amount /ə'maʊnt/ s määrä, (raha)summa a huge amount of junk valtavasti roinaa a small amount of money pieni rahasumma
amount to v olla/tehdä (yhteensä); olla, merkitä it amounts to the same thing se on aivan sama asia, se merkitsee aivan samaa
amour /ə'moər, ə'mʊər/ s (salainen) rakkaussuhde
ampere / æmˌpɪər/ s ampeeri
ampersand /'æmpərˌsænd/ s &-merkki
amphibian /ˌæm'fɪbiən/ s **1** amfibinen eläin, maassa ja vedessä liikkuva eläin **2** amfibiolentokone **3** amfibioajoneuvo

amphibious /ˌæm'fɪbiəs/ adj amfibinen, maassa ja vedessä liikkuva
amphitheater /'æmfəˌθiətər/ s amfiteatteri
amphora /æmfərə/ s amfora, eräs antiikin ajan maljakkotyyppi
ample /æmpəl/ adj runsas, täysin riittävä, suuri, tilava
amplification /ˌæmpləfə'keɪʃən/ s **1** (äänen) vahvistaminen **2** täsmennys, tarkemmat tiedot
amplifier /'æmpləˌfaɪər/ s vahvistin
amplify /'æmpləˌfaɪ/ v **1** vahvistaa (ääntä) **2** täsmentää, selittää tarkemmin
amplitude /'æmpləˌtud/ s **1** laajuus, runsaus, iso koko/määrä **2** (fys) amplitudi, värähdyslaajuus
amply /æmpli/ adv runsaasti, riittävästi, avokätisesti
amputate /'æmpjəˌteɪt/ v amputoida, poistaa esim raaja leikkaamalla
amputation /ˌæmpjə'teɪʃən/ s amputaatio, esim raajan poisto leikkaamalla
amputee /ˌæmpjə'ti/ s amputoitu henkilö, joku jolta on poistettu esim raaja leikkaamalla
amt. amount
Amtrak /'æmˌtræk/ s Yhdysvaltain (pelkästään matkustajaliikennettä harjoittavat) valtionrautatiet
amuck /ə'mʌk/ to run amuck raivota, saada raivonpuuska
amulet /æmjələt/ s amuletti, maskotti
Amundsen Gulf /'æmənsənˌgʌlf/ Amundseninlahti (Kanadassa)
amuse /ə'mjuz/ v huvittaa, hauskuttaa, naurattaa, olla hauskaa
amusement /ə'mjuzmənt/ s huvitus; huvittelu, hauskuttelu, hauskanpito
amusement park s huvipuisto
amusement tax s huvivero
amusing /ə'mjuzɪŋ/ adj huvittava, hauska
an /æn ən/ epämääräinen artikkeli (vokaalin edellä) an angel enkeli
anachronism /ə'nækrəˌnɪzəm/ s **1** anakronismi, aikavirhe, väärä ajoitus **2** vanhanaikainen, vanhentunut, aikansa elänyt tapa/ihminen ym
anaconda /ˌænə'kandə/ s anakonda
anaemia /ə'nimiə/ ks anemia
anaemic /ə'nimɪk/ adj **1** aneeminen, vähäverinen **2** heikko, voimaton, aneeminen
anaesthesia /ˌænəs'θiʒə/ s anestesia, narkoosi, nukutus, puudutus
anaesthetic /ˌænəs'θetɪk/ **1** anestesia, narkoosi, nukutus, puudutus **2** nukutusaine, puudutusaine
anaesthetist /ə'nesθəˌtɪst/ s nukutuslääkäri
anaesthetize /ə'nesθəˌtaɪz/ v nukuttaa, puuduttaa
anagram /'ænəˌgræm/ s anagrammi, yhden sanan kirjainten järjestystä muuttamalla tehty toinen sana
anal /eɪnəl/ adj anaali-, anaalinen, peräaukko-
analgesia /ˌænəl'dʒiziə/ s analgesia, kivuntunnottomuus
analgesic /ˌænəl'dʒizɪk/ s kipulääke, särkylääke
analog /ænəlag/ s vastine
analogous /ə'næləgəs/ adj analoginen, vastaava, yhdenmukainen, samankaltainen
analogously adv vastaavasti
analogue /ænəlag/ s vastine
analogy /ə'nælədʒi/ s **1** analogia, yhtäläisyys, yhdenmukaisuus, vastaavuus **2** vertaus to draw an analogy between two things verrata kahta asiaa
analphabet /æn'ælfəˌbet/ s lukutaidoton ihminen
analphabetic /ænˌælfə'betɪk/ adj lukutaidoton
analysis /ə'næləˌsɪs/ s **1** erittely, tutkimus, analyysi **2** psykoanalyysi
analyst /ænələst/ s **1** tutkija, erittelijä, analyytikko **2** psykoanalyytikko
analytic /ˌænə'lɪtɪk/ adj erittelevä, analyyttinen; kylmän asiallinen
analytical /ˌænə'lɪtɪkəl/ adj erittelevä, analyyttinen; kylmän asiallinen
analytically adv erittelevästi, analyyttisesti; kylmän asiallisesti

analyze /'ænə,laɪz/ v **1** analysoida, tutkia, eritellä **2** tehdä jollekulle psykoanalyysi
anarchic /,æn'arkɪk/ adj anarkinen, sekasortoinen, mielivaltainen
anarchically adv anarkisesti, sekasortoisesti, mielivaltaisesti
anarchism /'ænər,kɪzəm/ s anarkismi
anarchist /'ænər,kɪst/ s anarkisti
anarchy /ænarki/ s anarkia, laittomuus, sekasorto
anathema /ə'næθəmə/ s **1** pannaan julistus, kirkonkirous **2** vastenmielinen ajatus/asia something is anathema to someone joku ei voi sietää jotakin, jokin on jollekulle äärimmäisen vastenmielistä
anatomical /,ænə'tamɪkəl/ adj anatominen
anatomist /ə'nætəməst/ s anatomian tutkija/opettaja, anatomi
anatomy /ə'nætə,mi/ s anatomia, (ruumiin)rakenne, oppi (ruumiin)rakenteesta
ancestor /ænsestər/ s esi-isä, kantaisä, (myös mon) esivanhemmat
ancestral /æn'sestrəl/ adj esi-isien ancestral home alkukoti, kotipaikka
ancestress /ænsestrəs/ s kantaäiti, esiäiti
ancestry /ænsestri/ s syntyperä, suku
anchor /æŋkər/ s ankkuri
v **1** ankkuroida, ankkuroitua **2** kiinnittää, kiinnittyä
anchorage /'æŋkə,rɪdʒ/ s ankkuripaikka
anchorman /'æŋkər,mən/ s (radiossa ja televisiossa miespuolinen) uutisten päälukija, uutisankkuri
anchorperson /'æŋkər,pərsən/ s (radiossa ja televisiossa) uutisten päälukija, uutisankkuri
anchorwoman /'æŋkər,wumən/ s (radiossa ja televisiossa naispuolinen) uutisten päälukija, uutisankkuri
anchovy /'æn,tʃouvi/ s anjovis
ancient /eɪnʃənt/ adj **1** muinainen, antiikin **2** ikivanha
and /ænd/ konj ja more and more yhä enemmän he tried and tried hän yritti yrittämistään, hän yritti yhä uudestaan
Andes /ændiz/ (mon) Andit
andiron /'ænd,aɪərn/ s (takan) rautatuki, paistotuki
Andorra /æn'dɔrə/
Andorran s, adj andorralainen
Andromeda /æn'draməda/ (tähdistö) Andromeda
anecdote /'ænək,dout/ s anekdootti, kasku
anemia /ə'nimɪə/ s anemia, vähäverisyys, verenvähyys
anemic /ə'nimɪk/ adj **1** aneeminen, vähäverinen **2** heikko, voimaton, aneeminen
anemometer /,ænə'mamətər/ s tuulimittari
anemone /ə'neməni/ s vuokko sea anemone merivuokko
anesthesia /,ænəs'θiʒə/ s anestesia, narkoosi, nukutus, puudutus
anesthetic /,ænəs'θetɪk/ s nukutusaine, puudutusaine
anesthetist /ə'nesθə,tɪst/ s nukutuslääkäri
anesthetize /ə'nesθə,taɪz/ v nukuttaa, puuduttaa
anew /ə'nu/ adv **1** uudestaan **2** eri tavalla, uudella tavalla
angel /eɪndʒəl/ s enkeli (myös kuv)
angelic /,æn'dʒelɪk/ adj enkelimäinen, taivaallinen, ihastuttava
angelically adv: ks angelic
anger /æŋgər/ s suuttumus, kiukku, viha
v suututtaa, vihastuttaa, saada suuttumaan/kiukustumaan/ vihastumaan
angle /æŋgəl/ s **1** kulma an acute angle terävä kulma **2** näkökulma, ote
v **1** onkia **2** (kuv) kalastaa, yrittää saada **3** kallistaa, kääntää tiettyyn kulmaan **4** kertoa/kirjoittaa jotakin tietystä näkökulmasta, pyrkiä sanoillaan/ kirjoituksellaan/kysymyksillään johonkin, ajaa takaa jotakin
angler /æŋglər/ s onkija
Anglican /æŋglɪkən/ s anglikaani (Englannin anglikaanisen kirkon jäsen) adj anglikaaninen
Anglicism /'æŋglɪ,sɪzəm/ s englantilaisuus, englantilainen tapa ym,

brittienglannin sana, ilmaus ym, anglismi

Anglicist /'æŋglɪˌsɪst/ s anglisti, englannin kielen/kirjallisuuden tutkija

Anglicize /æŋglɪˌsaɪz/ v englantilaistaa, sovittaa englannin kieleen

Anglistics /ˌæŋ'glɪstɪks/ s anglistiikka, englannin kielen/kirjallisuuden tutkimus

Anglo /æŋgloʊ/ s angloamerikkalainen, valkoihoinen

Anglo-American s, adj angloamerikkalainen

Anglo-Saxon /ˌæŋgloʊ'sæksən/ s **1** anglosaksi; englantilainen **2** anglosaksi, anglosaksin kieli, muinaisenglanti adj anglosaksinen; englantilainen; englantilaisperäinen

Angola /æŋ'goʊlə/

Angolan s, adj angolalainen

angora /æŋ'gɔrə/ s angoravilla

angrily adv vihaisesti, kiukkuisesti, äkäisesti

angry /æŋgri/ adj **1** vihainen, kiukkuinen, äkäinen **2** tulehtunut (haava) **3** uhkaava, synkkä (taivas, pilvi, meri)

anguish /æŋgwɪʃ/ s ahdistus, tuska, kärsimys

anguished adj ahdistunut, hätääntynyt, kärsivä

angular /æŋgjələr/ adj **1** kulmikas **2** hintelä, luiseva, laiha **3** (käytös) kankea, kömpelö, jäykkä

angularity /ˌæŋgjə'lerəti/ s **1** kulmikkuus **2** laihuus **3** (käytöksen) kankeus, jäykkyys

animal /ænəməl/ s eläin adj eläimellinen

animal kingdom s eläinkunta

animate /ænəmət/ adj elävä, eloisa, vilkas

animate /ænəmeɪt/ v vilkastuttaa, tuoda eloa johonkuhun/johonkin, innostaa

animation /ˌænə'meɪʃən/ s animaatioelokuvien/piirroselokuvien valmistus

animosity /ˌænə'masəti/ s vihamielisyys, riita

anise /ænɪs/ s anis

aniseed /'ænəˌsid/ s aniksen siemen

ankle /æŋkəl/ s nilkka

ankylosing spondylitis /ˌæŋkəlousiŋˌspandə'laɪtəs/ s selkärankareuma

annals /ænəlz/ s (mon) annaalit, vuosikirjat

annex /æneks/ s lisärakennus, siipirakennus
v **1** ottaa (alue luvattomasti) haltuunsa **2** lisätä, laajentaa, liittää johonkin

annexation /ˌænek'seɪʃən/ s **1** anneksio, luvaton alueliitos, aluevaltaus **2** laajennus

annihilate /ə'naɪəˌleɪt/ v tuhota, hävittää (maan tasalle)

annihilation /əˌnaɪə'leɪʃən/ s tuho, hävitys

anniversary /ˌænə'vɜrsəri/ s vuosipäivä, esim hääpäivä, syntymäpäivä

annotate /'ænəˌteɪt/ v tehdä merkintöjä johonkin, lisätä huomautuksia johonkin an annotated text selityksin varustettu teos

annotation /ˌænə'teɪʃən/ s huomautus, selitys

announce /ə'naʊns/ v **1** ilmoittaa, tuoda julki **2** kuuluttaa, esitellä lyhyesti

announcement /ə'naʊnsmənt/ s ilmoitus, tiedotus, tiedonanto, kuulutus I have an announcement to make haluan kertoa/ilmoittaa jotakin

announcer s (radio- tai televisio)kuuluttaja

annoy /ə'nɔɪ/ v harmittaa, kiusata, ärsyttää he was very annoyed with the woman/about the problem hän oli vihainen naiselle/ongelma harmitti häntä kovasti

annoyance /ə'nɔɪəns/ s **1** ärtymys, kiukku, suuttumus **2** vaiva, riesa, harmi

annoying adj ikävä, harmillinen, kiusallinen, ärsyttävä

annual /ænjʊəl/ s **1** vuosikirja **2** yksivuotinen kasvi
adj **1** vuosittainen, kerran vuodessa tapahtuva **2** vuotuinen, vuosi- annual salary vuosipalkka

annually adv vuosittain, kerran vuodessa
annual ring s (puun) vuosirengas
annul /əˈnʌl/ v kumota (laki), perua, purkaa (sopimus), mitätöidä, julistaa (avioliitto) mitättömäksi
annulment s kumoaminen, purkaminen, peruminen, mitätöinti
anode /ænoʊd/ s anodi
anoint /əˈnɔɪnt/ v voidella he was anointed king hänet voideltiin kuninkaaksi
anointment s (esim kuninkaaksi) voitelu
anomalous /əˈnamələs/ adj **1** epäsäännöllinen, poikkeava "give" is an anomalous verb give on epäsäännöllinen verbi **2** epämuodostunut
anomalously adv: ks anomalous
anon. anonymous anonyymi, nimetön
anon /əˈnan/ adv (vanh) pian, heti
anonymity /ˌænəˈnɪməti/ s nimettömyys, tuntemattomuus, anonymiteetti
anonymous /əˈnanəməs/ adj nimetön, tuntematon, anonyymi
anonymously adv nimettömästi, nimettä
anorectic /ˌænəˈrektɪk/ s anorektikko, anoreksiaa sairastava henkilö
anorexia /ˌænəˈreksɪə/ s anoreksia, anorexia nervosa, sairaalloinen ruokahaluttomuus (eräs syömishäiriö)
another /əˈnʌðər/ adj, pron toinen, (vielä) yksi, uusi can you make another (one)? voitko sinä tehdä vielä yhden? perhaps another time ehkä joskus toiste that's another of the many problems we are having se on yksi meidän monista ongelmistamme she thinks she is another Grace Kelly hän luulee olevansa uusi Grace Kelly
ANSI American National Standards Institute
answer /ænsər/ s **1** vastaus **2** ratkaisu v vastata (kysymykseen, kirjeeseen, puhelimeen) **2** vastata (tarkoitusta), sopia, kelvata
answerable /ænsərəbəl/ adj **1** johon voi vastata; jonka voi kumota **2** tilivelvollinen, vastuussa jollekulle
answer back v sanoa/mutista vastaan
answer for v vastata/olla vastuussa jostakin, taata, mennä takuuseen jostakin
answering machine s puhelinvastaaja
answering service s puhelinpäivystys
answer to v **1** olla vastuussa/tilivelvollinen jollekulle **2** vastata (kuvausta), olla (kuvauksen) mukainen **3** totella nimeä, olla nimeltään he answers to the name of Robert hänen nimensä on Robert
ant /ænt/ s muurahainen sit still for a second, you look like you have ants in your pants pysy hetki aloillasi, sinullahan on kuin tuli hännän alla
antagonism /ænˈtægəˌnɪzəm/ s vihamielisyys, vastustus
antagonist /ænˈtægəˌnɪst/ s **1** vastustaja, vihamies **2** (lääkeaine) vastavaikuttaja, antagonisti
antagonistic /ænˌtægəˈnɪstɪk/ adj vihamielinen, vastustava, vastakkainen
antagonistically adv vihamielisesti, vastahakoisesti
antagonize /ænˈtægənaɪz/ v vihoittaa, suututtaa
antarctic /æntˈartɪk æntˈarktɪk/ adj antarktinen, etelänapa-
Antarctica /æntˈartɪkə/ Antarktis, Etelämanner
Antarctic Circle /æntˈartɪk/ s eteläinen napapiiri
Antarctic Ocean Eteläinen jäämeri
anteater /ˈænt,itər/ s muurahaiskarhu
antebellum /ˌæntəˈbeləm/ adj (Yhdysvaltain sisällis)sotaa edeltävä
antecedence /ˌæntəˈsidəns/ s etusija
antecedent s **1** aiempi/edeltävä tapahtuma tms **2** (mon) esi-isät **3** (mon) menneisyys **4** (kieliopissa) korrelaatti (sana johon pronomini viittaa)
antechamber /ˈæntəˌtʃeɪmbər/ s odotushuone, eteinen

antedate /'æntə,deɪt/ v **1** aikaistaa, päivätä aikaisemmaksi **2** edeltää, tapahtua aikaisemmin kuin
antediluvian /,æntədɪ'luviən/ adj **1** vedenpaisumusta edeltävä **2** vanhanaikainen, aikansa elänyt
antelope /æntəloup/ s antilooppi
ante meridiem /,antɪmə'rɪdiəm/ ks a.m.
antenatal /,æntə'neɪtəl/ adj syntymää edeltävä
antenna /æn'tenə/ s (mon antennae /æn'teni/) **1** tuntosarvi **2** antenni (mon antennas)
anterior /æn'tɪərɪər/ adj edeltävä, aikaisempi; edempänä oleva, etu-
anthem /ænθəm/ s hymni national anthem kansallislaulu
anther /ænθər/ s (kasvin) ponsi
anthill /'ænt,hɪl/ s muurahaiskeko
anthology /æn'θalədʒi/ s antologia, runokokoelma, proosakokoelma
anthracite /'ænθrə,saɪt/ s antrasiitti
anthropoid /'ænθrə,pɔɪd/ s ihmisapina
adj ihmistä muistuttava
anthropological /,ænθrəpə'ladʒɪkəl/ adj antropologinen
anthropologist /,ænθrə'palədʒəst/ s antropologi
anthropology /,ænθrə'palədʒi/ s antropologia
antiaircraft /,æntɪ'eərkræft/ adj ilmatorjunta-
antibiotic /,æntɪbaɪ'atɪk/ s antibiootti
adj antibioottinen
antibody /'æntɪ,badi/ s vasta-aine
anticipate /æn'tɪsə,peɪt/ v **1** odottaa I anticipate a lot of criticism odotan/uskon saavani osakseni paljon arvostelua **2** ennakoida, arvata **3** edeltää, tehdä/tapahtua aikaisemmin kuin
anticipation /æn,tɪsə'peɪʃən/ s **1** odotus, toive **2** ennakointi
anticlimactic /,æntɪklaɪ'mæktɪk/ adj joka aiheuttaa pettymyksen
anticlimax /,æntɪ'klaɪmæks/ s **1** pettymys **2** antikliimaksi
antics /æntɪks/ s (mon) temput, metkut, oikut
anticyclone /,æntɪ'saɪkloun/ s korkeapaine, korkeapaineen alue, antisykloni
antidote /'æntɪ,dout/ s vastamyrkky (myös kuv)
antifreeze /'æntɪ,friz/ s pakkasneste
Antigua and Barbuda /æn'tigwəənbar'budə/ Antigua ja Barbuda
anti-hero /'æntɪ,hɪərou/ s antisankari
Antilles /,æn'tɪliz/ (mon) Antillit
antipathy /æn'tɪpəthi/ s vastenmielisyys, antipatia
antipodes /æn'tɪpə,diʒ/ s (mon) maapallon vastakkaisella puolella oleva paikka/olevat paikat
antiquated /'æntɪ,kweɪtəd/ adj vanhanaikainen, vanhentunut
antique /æn'tik/ s antiikkiesine
adj **1** antiikkinen, antiikin ajan **2** antiikkinen, vanhanaikainen
antiquity /æn'tɪkwəti/ s **1** antiikki **2** (mon) muinaisesineet
anti-Semite /,æntɪ'semaɪt/ s juutalaisvihaaja, antisemiitti
adj juutalaisvastainen, antisemiittinen
anti-Semitic /,æntɪsə'mɪtɪk/ adj juutalaisvastainen, antisemiittinen
anti-Semitism /,æntɪ'semətɪzəm/ s juutalaisviha, antisemitismi
antiseptic /,æntɪ'septɪk/ s antisepti, antiseptinen aine
adj antiseptinen
antisocial /,æntɪ'souʃəl/ adj yhteiskunnan vastainen, antisosiaalinen; epäsosiaalinen, eristäytyvä, epäseurallinen
antithesis /æn'tɪθəsɪs/ s (mon antitheses /æn'tiθəsiz/) **1** vastakohta, vastakkaisuus **2** antiteesi
antithetic /,æntɪ'θetɪk/ adj vastakkainen; antiteettinen
antithetical adj vastakkainen; antiteettinen
antitoxin /,æntɪ'taksɪn/ s vastamyrkky
antler /æntlər/ s (hirven)sarvi, sarven haara
antonym /'æntə,nɪm/ s vastakohta, merkitykseltään vastakkainen sana, antonyymi

antsy /æntsi/ adj hermostunut to get antsy hermostua, hätääntyä
anus /eɪnəs/ s peräaukko, anus
anvil /ænvəl/ s alasin (myös kuuloluista puhuttaessa)
anxiety /æŋ'zaɪəti/ s **1** ahdistuneisuus, ahdistus, pelko **2** innokkuus, kiihko, halu
anxious /æŋʃəs, æŋkʃəs/ adj **1** ahdistunut, pelokas, huolestunut **2** ahdistava, pelottava
anxious for/to adj innokas, halukas I am anxious for any help you can give kaikki mahdollinen apu on minulle kovasti tarpeen
anxiously adv **1** pelokkaasti, ahdistuneesti **2** innokkaasti, halukkaasti
anxiousness s **1** ahdistuneisuus, pelokkuus **2** innokkuus, halukkuus
any /eni/ adj, pron **1** kukaan, mitään, yhtään, mitään not any ei kukaan, mitään, yhtään, mitään he does not have any money/friends hänellä ei ole lainkaan rahaa/yhtään ystävää do you have any money/friends? onko sinulla (yhtään) rahaa/(yhtään)ystävää/ ystäviä? **2** kuka/mikä tahansa any pen will do mikä/millainen tahansa kynä kelpaa
adv komparatiivin jäljessä I can't wait any longer en voi odottaa enää if you hit it any harder it will break se särkyy jos lyöt sitä (yhtään) kovemmin is it any good? onko siitä mihinkään?, tekeekö sillä mitään? it won't help you any siitä ei ole sinulle mitään apua at any rate joka tapauksessa, kuitenkin in any case joka tapauksessa, kuitenkin
anybody /'eni,bʌdi/ s, pron **1** kukaan, joku not anybody ei kukaan they did not want anybody to leave he eivät halunneet kenenkään lähtevän **2** kuka tahansa anybody who can read kuka tahansa joka osaa lukea, kuka tahansa lukutaitoinen **3** tärkeä ihminen everybody who is anybody was there kaikki merkkihenkilöt olivat paikalla
anyhow /'eni,haʊ/ adv mitenkään, millään, joka tapauksessa, kuitenkin I said not to, but the boy took it anyhow poika otti sen vaikka minä kielsin
anymore /'eni,mɔr/ adv enää she doesn't live here anymore hän ei enää asu täällä
anyone /'eni,wʌn/ adv ks anybody
anyplace /'eni,pleɪs/ adv ks anywhere
anything /'eni,θiŋ/ pron **1** mitään not anything ei mitään do you have anything to say? onko sinulla mitään sanottavaa? **2** mikä/mitä tahansa not just anything ei aivan mitä tahansa give the guests something to drink; anything will do anna vieraille (jotakin) juotavaa, ihan mitä vain
adv yhtään, vähääkään, lainkaan, ollenkaan not anything ei yhtään, ei vähääkään, ei lainkaan, ei ollenkaan is the new typewriter anything like the old one? muistuttaako uusi kirjoituskone yhtään vanhaa?
anything but kaikkea muuta kuin the plan is anything but definite suunnitelma ei ole vielä ollenkaan lukkoon lyöty
anytime /'eni,taɪm/ adv milloin tahansa you may go anytime you want saat lähteä milloin haluat I can do better than that anytime pystyn parempaan milloin tahansa
anyway /eniweɪ/ adv joka tapauksessa, kuitenkin I said no but the boy took it anyway poika otti sen vaikka kielsin
anyways /eniweɪz/ adv (ark muoto sanasta anyway) joka tapauksessa, kuitenkin
anywhere /eniweər/ adv **1** missään, mistään, mihinkään not anywhere ei missään, mistään, mihinkään he never goes anywhere hän ei koskaan käy missään, hän on aina kotona **2** missä tahansa, mistä tahansa, minne tahansa you can sit anywhere voit istua missä tahansa **3** paikasta do you have anywhere to live? onko sinulla asuntoa?
anywheres adv ark muoto sanasta anywhere
ANZUS Australia, New Zealand, Unites States
A-one /'eɪ,wʌn/ adj erinomainen, ensiluokkainen
aorta /eɪ'ɔrtə/ s aortta

apart /ə'part/ adv **1** etäisyydestä the buildings are about a mile apart rakennukset ovat noin mailin päässä toisistaan I can't tell them apart minä en erota niitä/heitä toisistaan **2** syrjässä, syrjään, sivussa, sivuun they were standing apart from the others he seisoivat muista erillään **3** lukuun ottamatta shyness apart, he is okay ujoutta lukuun ottamatta hän on ihan mukiinmenevä ihminen
apart from adv lukuun ottamatta apart from the climate, this is a nice country tämä on ilmastoa lukuun ottamatta mukava maa
apartheid /ə'part,haɪt/ s apartheid, rotuerottelu (Etelä-Afrikassa)
apartment /ə'partmənt/ s vuokrahuoneisto, vuokra-asunto
apartment house s kerrostalo, vuokratalo
apathetic /,æpə'θetɪk/ adj apaattinen, välinpitämätön, haluton, tylsä
apathetically adv apaattisesti, välinpitämättömästi, tylsästi
apathy /æpəθi/ s apatia, välinpitämättömyys, tylsyys
APB all points bulletin etsintäkuulutus
ape /eɪp/ s **1** apina **2** matkija v matkia, apinoida
Apennines /'æpə,naɪnz/ (mon) Apenniinit
aperitif /ə,perə'tif/ s aperitiivi
aperture /'æpər,tʃər/ s (kameran) aukko
aperture priority s (valok) aukon esivalinta
APEX /eɪpeks æpeks/ Advance Purchase Excursion eräs lentolippujen alennusluokka, APEX
apex /eɪpeks/ s (mon apexes, apices /æpəsiz/) kärki, huippu, (kuv) huipentuma
apiece /ə'pis/ adv kappale, kukin, kultakin, kullekin we have two dollars apiece meillä on kummallakin kaksi dollaria
apish /eɪpɪʃ/ adj **1** apinamainen **2** joka apinoi
APL A Programming Language eräs tietokoneiden ohjelmointikieli
aplomb /ə'plʌm/ s itsevarmuus (puheessa, käytöksessä)
APO Army Post Office
apocalypse /ə'pakə,lɪps/ s **1** ilmestys, apokalypsi the Apocalypse Johanneksen ilmestys(kirja) **2** maailmanloppu
Apocrypha /ə'pakrəfə/ s (mon) (Vanhan testamentin) apokryfikirjat
apocryphal /ə'pakrəfəl/ adj anonyymi, nimetön, alkuperältään tuntematon, hämäräperäinen
apologetic /ə,palə'dʒetɪk/ adj anteeksipyytelevä, pahoitteleva they were very apologetic he pyysivät kovasti anteeksi, he olivat kovasti pahoillaan
apologetically adv anteeksipyydellen, pahoitellen
apologize /ə'palə,dʒaɪz/ v pyytää joltakulta anteeksi jotakin she apologized to him for being late hän pyysi anteeksi myöhästymistään
apology /ə'palədʒi/ s **1** anteeksipyyntö, pahoittelu **2** jokin huono, surkea, viheliäinen that's a poor apology for a car onpas melkoinen autonromu
apoplectic /,æpə'plektɪk/ adj **1** halvauksenomainen, halvaus-, apoplektinen **2** raivostunut (ihminen), silmitön (raivo)
apoplexy /'æpə,pleksi/ s (aivo)halvaus
a posteriori /a,pastɪrɪ'ɔri/ adv seurauksesta syyhyn edeten, kokemuksen perusteella, jälkeen päin
apostle /ə'pasəl/ s apostoli (myös kuv)
Apostles' Creed s apostolinen uskontunnustus
apostolic /,æpəs'talɪk/ adj apostolinen
apostrophe /ə'pastrə,fi/ s heittomerkki (')
apothecary /ə'paθe,keri/ s apteekkari
app. appendix liite
Appalachians /,æpə'leɪtʃənz, ,æpə'lætʃənz/ (mon) Appalakit
appall /ə'pal/ v kauhistuttaa, tyrmistyttää, järkyttää
appalling adj kauhistuttava, tyrmistyttävä, järkyttävä

apparatus /,æpə'rætəs/ s laite, (mon myös) välineet, varusteet
apparel /ə'pærəl/ s vaatteet
apparent /ə'perənt/ adj **1** ilmeinen, (ilmi)selvä it's apparent to me that this needs work minusta tämä vaatii selvästi työtä **2** näennäinen the error is only apparent se vain näyttää virheeltä
apparently adv ilmeisesti; näyttää siltä että
apparition /,æpə'rɪʃən/ s näky, ilmestys, haamu
appeal /ə'piəl/ s **1** vetoomus, pyyntö **2** vetovoima, viehätys
v **1** vedota johonkuhun, pyytää/anoa joltakulta jotakin they appealed to the public for money he anoivat yleisöltä rahaa **2** valittaa oikeustuomiosta, vedota korkeampaan oikeuteen **3** vedota johonkuhun, viehättää how does that appeal to you? mitä sinä siitä ajattelet? miltä se sinusta tuntuu?
appealing adj **1** anova (katse) **2** puoleensavetävä, viehättävä, houkutteleva
appear /ə'pɪər/ v **1** ilmestyä, tulla näkyviin he appeared from out of nowhere hän ilmestyi (yhtäkkiä kuin) tyhjästä **2** saapua, tulla, ilmestyä paikalle **3** esiintyä jossakin to appear in Las Vegas/in public/in court esiintyä Las Vegasissa/julkisuudessa/olla oikeudessa **4** (kirja) ilmestyä **5** näyttää, vaikuttaa it appears extremely difficult se näyttää/vaikuttaa äärimmäisen vaikealta
appearance s **1** esiintyminen **2** ulkonäkö at first appearance ensi näkemältä she tried to keep up appearances hän yritti vaalia ulkokuortaan to all appearances he is a crook hän on kaikesta päätellen roisto
appease /ə'piz/ v rauhoittaa, tyynnyttää, lepyttää
appeasement s rauhoittaminen, tyynnytys, lepytys
appendicitis /ə,pendə'saɪtəs/ s umpilisäkkeen tulehdus
appendix /ə'pendɪks/ s (mon appendixes, appendices /ə'pendə,siz/) **1** (kirjan) liite **2** umpilisäke
appertain /,æpər'teɪn/ v kuulua johonkin, koskea jotakin that does not appertain to the discussion se ei kuulu tämän keskustelun piiriin
appetite /'æpə,taɪt/ s ruokahalu, nälkä (myös kuv) I have no appetite for classical music klassinen musiikki ei kiinnosta minua
appetizer /'æpə,taɪzər/ s alkupala
appetizing adj ruokahalua kiihottava (myös kuv), herkullinen (myös kuv)
applaud /ə'plad/ v **1** taputtaa käsiään, osoittaa suosiotaan **2** ylistää, kehua, kannattaa they applauded his courage he ylistivät/kehuivat hänen rohkeuttaan
applause /ə'plaz/ s kättentaputukset, suosionosoitukset
apple /æpəl/ s omena
apple of your eye fr jonkun silmäterä
apple pie s omenapiiras, omenapiirakka
appliance /ə'plaɪəns/ s kone, laite, kodinkone household appliance kodinkone
applicable /ə'plɪkəbəl 'æpləkəbəl/ adj joka voidaan soveltaan johonkin, joka koskee jotakin, asianmukainen the price is $12,000 plus applicable taxes hinta on 12 000 dollaria lisättynä mahdollisilla/asianmukaisilla veroilla
applicant /æpləkənt/ s työnhakija
application /,æplə'keɪʃən/ s **1** (esim voiteen) levitys **2** (lääke)voide **3** käyttö, sovellus **4** ahkeruus, ponnistelu, kova työ **5** (työpaikka)hakemus, (laina-)anomus
application form s hakemus(kaavake)
application software s (tietokoneen) sovellusohjelma(t)
applicator /'æplə,keɪtər/ s sivellin, levitin; asetin
applied /ə'plaɪd/ adj sovellettu, soveltava applied linguistics soveltava kielitiede
apply /ə'plaɪ/ v **1** levittää, sivellä (maalia, voidetta) **2** käyttää, soveltaa they applied a new method to solve the problem he käyttivät ongelman ratkai-

semiseksi uutta menetelmää **3** hakea (työpaikkaa), anoa (määrärahaa, apurahaa) she applied to the company for a job hän haki yrityksestä paikkaa **4** to apply yourself/your mind/your intelligence/your energies to something yrittää tosissaan, keskittää voimansa johonkin, keskittyä, vaivata päätään jollakin

appoint /ə'pɔɪnt/ v **1** nimittää he was appointed to the office hänet nimitettiin virkaan **2** määrätä, sopia at the appointed time sovittuun aikaan, määräaikaan

appointee /ə,pɔɪn'ti/ she is a Clinton appointee Clinton nimitti hänet (virkaan/tehtävään)

appointment /ə'pɔɪntmənt/ s **1** (sovittu) tapaaminen **2** virka, työpaikka

apportion /ə'pɔrʃən/ v jakaa

apposite /æpəzət ə'pazət/ adj osuva, sattuva (huomautus), aiheellinen (kysymys)

appraisal /ə'preɪzəl/ s arviointi, käsitys, mielipide

appraise /ə'preɪz/ v arvioida, punnita, mittailla their house was appraised for tax purposes heidän talonsa arvo arvioitiin verotusta varten

appreciable /ə'priʃəbəl/ adj huomattava, selvä there has been an appreciable increase in sales myynti on kasvanut selvästi

appreciably adv huomattavasti, selvästi, paljon

appreciate /ə'priʃi,eɪt/ v **1** ymmärtää, tiedostaa, olla selvillä jostakin I appreciate your situation ymmärrän tilanteesi, ymmärrän missä tilanteessa sinä olet **2** arvostaa, pitää arvossa, antaa arvoa jollekulle/jollekin I sure do appreciate your help arvostan kovasti apuasi/olen todella kiitollinen avustasi she doesn't appreciate modern poetry hän ei osaa arvostaa nykyrunoutta **3** (hinnat) kallistua, (arvo) nousta real estate prices have appreciated greatly in the past months kiinteistöjen hinnat ovat nousseet kovasti viime kuukausina

appreciation /ə,priʃi'eɪʃən/ s **1** ymmärrys, käsitys, tietoisuus **2** (avun, kykyjen, taiteen jne) arvostus **3** kiitollisuus **4** kallistuminen, arvonnousu

appreciative /ə'priʃə,tɪv/ adj ihaileva, ymmärtävä an appreciative audience esiintyjän kyvyt tunnistava yleisö

apprehend /,æprɪ'hend/ v **1** pidättää, saada kiinni **2** ymmärtää, käsittää **3** pelätä

apprehension /,æprɪ'henʃən/ s **1** pelko, huolestuneisuus **2** pidätys, vangitseminen **3** ymmärrys, ymmärtäminen

apprehensive adj pelokas, levoton, ahdistunut, huolestunut

apprentice /ə'prentɪs/ s oppilas, harjoittelija, oppipoika v lähettää/määrätä joku jonkun oppiin/harjoittelijaksi/oppipojaksi

apprenticeship /ə'prentɪ,ʃɪp/ s oppi, oppiaika, harjoitteluaika

approach /ə'proutʃ/ s **1** lähestyminen **2** (lentokoneen) laskeutuminen **3** (aamun) koitto **4** tie, reitti, pääsy v **1** lähestyä we are now approaching Dallas lähestymme parhaillaan Dallasia Christmas is approaching joulu alkaa olla lähellä **2** kysyä, pyytää, puhua jollekulle jostakin she approached her boss about a rise hän pyysi pomoltaan palkankorotusta

approachable adj (ihmisestä) tavattavissa; jonka kanssa on helppo tulla toimeen; (paikasta) jonne on helppo päästä

appropriate /ə'propriət/ adj sopiva, tarkoituksenmukainen; asiallinen, perusteltu; asianmukainen, oikea

appropriate /ə'proprieɪt/ v **1** takavarikoida, ottaa, anastaa, omia (toisen ajatuksia) **2** myöntää, varata (varoja, määrärahoja)

appropriation /ə,propri'eɪʃən/ s **1** takavarikointi **2** määräraha

approval /ə'pruvəl/ s hyväksyntä, hyväksyminen, tunnustus, suostumus we bought the VCR on approval ostimme kuvanauhurin nähtäväksi/palautusoikeudella

approve /ə'pruv/ v hyväksyä, suostua, myöntyä the proposal was approved ehdotus hyväksyttiin I don't approve of your methods minä en hyväksy menetelmiäsi
approving adj tyytyväinen, hyväksyvä
approvingly adv tyytyväisesti, hyväksyvästi
approx. approximately noin
approximate /ə'praksəmət/ adj summittainen, likimääräinen; noin, suunnilleen his estimates were approximate only hänen arvionsa olivat vain likimääräisiä the approximate flying time is two hours lentoaika on noin kaksi tuntia
approximate /ə'praksə,meɪt/ v vastata suunnilleen/kutakuinkin jotakin, olla lähellä jotakin
approximately /ə'praksəmət ˌli/ adv suunnilleen, noin, kutakuinkin
approximation /ə,praksə'meɪʃən/ s arvio, kutakuinkin/suunnilleen tarkka/oikea arvo tms that is an approximation only se on pelkkä arvio
appurtenances /ə'pərtənənsəz/ s (mon) varusteet, lisävarusteet, tarvikkeet
Apr. April
APR annual percentage rate vuosikorko
apricot /'eɪprə,kat/ s aprikoosi
April /eɪprəl/ s huhtikuu
April fool s (henkilö) aprillipilan kohde
April Fools' Day /,eɪprəl'fuəlz,deɪ/ s aprillipäivä
a priori /,aprɪ'ɔri/ adv syystä seuraukseen edeten, edeltäkäsin
apron /eɪprən/ s **1** esiliina **2** (lentokentän) asemataso
apropos /,æprə'pou/ adj osuva, sattuva (huomautus)
apropos of prep jotakin koskien; mitä johonkin tulee; -sta/stä apropos of nothing sivumennen sanoen, muuten
apse /æps/ s (arkkitehtuurissa) apsis
apt /æpt/ adj **1** sopiva, osuva **2** kyvykäs, nokkela, teräväpäinen
aptitude /'æptɪ,tud/ s lahjakkuus, kyvyt, soveltuvuus, taito I have no aptitude whatever for mathematics minulla ei ole lainkaan matemaatikon lahjoja/laskupäätä
aptly adv sopivasti, osuvasti, hyvin
aptness s **1** sopivuus, osuvuus **2** lahjakkuus, soveltuvuus, taito, kyvyt
apt to do something adj taipuvainen johonkin, tekemään usein/helposti jotakin they're apt to disbelieve you he todennäköisesti eivät usko sinua
aquamarine /,akwəmə'rin/ s akvamariini, eräs puolijalokivi adj akvamariinin värinen, sinivihreä
aquaria ks aquarium
aquarium /ə'kwerɪəm/ s (mon aquariums, aquaria) akvaario
Aquarius /ə'kweərɪəs/ horposkoopissa Vesimies
aquatic /ə'kwatɪk/ adj (kasveista, urheilusta) vesi-
aqua vitae /,akwə'viteɪ/ s viina
aqueduct /'akwə,dʌkt/ s akvedukti, vesijohto
aquifer /akwəfər/ s akviferi, pohjavettä kuljettava maanalainen kerrostuma
aquiline nose /'akwə,lən/ s kotkannenä
ar. arrival tuloaika
AR Arkansas
Arabian s, adj arabialainen
Arabian camel /kæməl/ s dromedaari, yksikyttyräinen kameli
Arabian oryx /ɔrəks/ s valkobeisa
Arabic s arabian kieli adj arabialainen, arabiankielinen
Arabic numerals s arabialaiset numerot (0, 1, 2...)
Arabist /'erə,bɪst/ s arabian kielen, kulttuurin tms tutkija
arable /erəbəl/ adj viljelyskelpoinen
Aral Sea /,erəl'si/ Araljärvi
arbiter /'ar,baɪtər/ s välittäjä, sovittelija, välitysmies
arbitrage s (tal) arbitraasi
arbitrary /'arbə,treəri/ adj mielivaltainen
arbitrate /'arbə,treɪt/ v sovitella, välittää, toimia välittäjänä (riidassa)

arbitration s (riidan) välitys, välitystuomio, välimiesoikeus
arbitrator s välittäjä, sovittelija, välitysmies
arbor /arbər/ s lehtimaja, puutarhamaja
Arbor Day s (Yhdysvalloissa keväällä järjestettävä) puunistutuspäivä
ARC American Red Cross
arc /ark/ s **1** (ympyrän) kaari **2** valokaari
arcade /ar'keɪd/ s katettu (kauppa)käytävä video arcade videopelisali
arcana ks arcanum
arcane /ar'keɪn/ adj hämäräperäinen, salamyhkäinen, harvinainen, tuntematon
arcanum /ar'keɪnəm/ s (mon arcana) salaisuus, salaperäinen asia, arvioitus, mysteeri(o)
Arc de Triomphe /ˌarkdətri'oumf/ s (Pariisin) riemukaari
arch /artʃ/ s **1** holvi, holvikaari **2** (anat) jalkaholvi **3** Golden Arches McDonald'sin pikaruokaravintoloiden keltainen M-tunnus
v **1** köyristää, taivuttaa kaarelle
2 kaartua the foliage arches over the path lehvät kaartuvat polun yli
adj ilkikurinen; veitikkamainen
archaeological /ˌarkiə'ladʒɪkəl/ adj arkeologinen
archaeologist /ˌarki'alədʒɪst/ s arkeologi
archaeology /ˌarki'alədʒi/ s arkeologia, muinaistiede
archaic /ar'keɪɪk/ adj **1** vanhentunut, käytöstä pois jäänyt **2** ikäloppu, kypsä tunkiolle vietäväksi
archaism /ar'keɪɪzəm/ s **1** vanhentunut, käytöstä jäänyt sana tms **2** vanhanaikaisuus, vanhanaikaisten sanojen tms käyttö
archangel /'arkˌeɪndʒəl/ s arkkienkeli
archbishop /ˌartʃ'bɪʃəp/ s arkkipiispa
archeological /ˌarkiə'ladʒɪkəl/ adj arkeologinen
archeologist /ˌarki'alədʒɪst/ s arkeologi
archeology /ˌarki'alədʒi/ s arkeologia, muinaistiede
Archer (tähdistö) Jousimies
archer /artʃər/ s jousiampuja
archery /artʃəri/ s jousiammunta
architect /'arkəˌtekt/ s arkkitehti
architectural /ˌarkə'tektʃərəl/ adj rakennustaiteellinen, arkkitehtoninen
architecture /'arkəˌtektʃər/ s arkkitehtuuri, rakennustaide, rakennustaito
archival /arkaɪvəl/ adj arkisto-
archives /arkaɪvz/ s (mon) arkisto
archivist /'arkəˌvɪst/ s arkistonhoitaja
archly /artʃli/ adv ilkikurisesti, veitikkamaisesti
archt. architect
archway /artʃweɪ/ s holvikäytävä
Arctic Arktis
arctic /artɪk arktɪk/ adj arktinen, pohjoisten (napa)seutujen
Arctic Circle s pohjoinen napapiiri
Arctic Ocean /ˌarktɪk'ouʃən/ s Pohjoinen jäämeri
ardent /ardənt/ adj innokas
ardently adv innokkaasti
ardor /ardər/ s into, innostus, innokkuus
arduous /ardʒuəs/ adj raskas, vaikea
arduously adv ponnistellen, vaivalloisesti
area /erɪə/ s **1** pinta-ala **2** alue in this area tällä alueella **3** ala, alue his area of expertise is computers hän on tietokonealan asiantuntija
area code s (puhelinliikenteessä) suuntanumero
arena /ə'rinə/ s areena, taistelukenttä, kilpakenttä, ala, alue in the political arena politiikassa, politiikan kilpakentällä arena of war sotanäyttämö
Argentina /ˌardʒən'tinə/ Argentiina
Argentine /'ardʒənˌtin/ s, adj argentiinalainen
Argentinean /ˌardʒən'tɪniən/ s, adj argentiinalainen
argon /'argan/ s argon, eräs jalokaasu
arguable /argjuəbəl/ adj **1** jota voidaan perustella it is arguable that he should be released on perusteltua

väittää että hänet tulisi vapauttaa **2** josta voidaan keskustella/väitellä, (kysymys:) avoin I find the question arguable minusta kysymyksestä voi olla kahta mieltä
arguably adv kai, ilmeisesti, lienee
argue /argju/ v **1** kiistellä, riidellä, väitellä why are you guys always arguing? miksi te aina riitelette? **2** väittää, esittää he argued that taxes should be lowered hän oli sitä mieltä että verotusta olisi kevennettävä **3** keskustella, väitellä, pohtia jostakin **4** suostutella joku johonkin/luopumaan jostakin I tried to argue her into going with me yritin taivutella hänet lähtemään mukaani he tried to argue me out of it hän yritti suostutella minut muuttamaan mieleni
argue away v **1** keskustella, väitellä (pitkään) **2** kieltää (tosiasia), todistaa olemattomaksi
argue out v keskustella jostakin perusteellisesti
argument s **1** kiista, riita **2** keskustelu, väittely **3** syy, peruste, argumentti
argumentation /ˌargjəmən'teɪʃən/ s **1** keskustelu **2** todistelu, argumentaatio
argumentative /ˌargj'mentətɪv/ adj riidanhaluinen
aria /arɪə/ s aaria
arid /ærɪd/ adj kuiva (maa, ilmasto)
Aries /eəriz/ horoskoopissa Oinas
arise /ə'raɪz/ v arose, arisen **1** ilmetä, tulla esiin **2** nousta ylös, nousta seisomaan
arise from v seurata jostakin, johtua jostakin
aristocracy /ˌerəs'takrəsi/ s **1** aristokratia, ylimystö, aatelisto, yläluokka; (älyllinen, ammatillinen) eliitti **2** aristokratia, ylimysvalta
aristocrat /ə'rɪstəˌkræt/ s aristokraatti, yläluokan jäsen
aristocratic adj aristokraattinen, yläluokan, ylhäinen
aristocratically adj aristokraattisesti
arithmetic /ə'rɪθməˌtɪk/ s aritmetiikka, laskuoppi
arithmetical /ˌerɪθ'metəkəl/ adj aritmeettinen, laskuopillinen, lasku-

Ariz. Arizona
Arizona /ˌerə'zounə/
Ark. Arkansas
ark /ark/ s (Raamatussa) (Nooan/liiton) arkki
Arkansas /'arkənˌsa/
ark of the covenant s (Raamatussa) liiton arkki
arm /arm/ s **1** käsivarsi to keep someone at arm's length kohdella jotakuta kylmästi to receive someone with open arms ottaa joku avosylin vastaan **2** (vaatteen) hiha **3** (käsivartta jossain määrin muistuttavista esineistä ym) (joen) haara, (tuolin) käsinoja, (levysoittimen) äänivarsi
armada /ar'madə/ s armada, iso sotalaivasto the Spanish Armada (hist) Espanjan armada, (kuv) voittamaton armada
armadillo /ˌarmə'dɪlou/ s vyötiäinen
Armageddon /ˌarmə'gedən/ s **1** (Raamatussa) Harmagedon **2** ydinsota, maailmanloppu
armament /arməmənt/ s **1** (mon) aseet **2** (mon) sotavoimat, asevoimat **3** asevarustelu nuclear armament ydinvarustelu
armaments race s kilpavarustelu
armchair philosopher s nojatuolifilosofi
armd. armored panssaroitu
armed forces /ˌarmd'fɔrsəz/ s (mon) sotavoimat, asevoimat, armeija
armed robbery /ˌarmd'rabəri/ s aseellinen/törkeä ryöstö
armed services /'armd'sərvəsəz/ s (mon) sotavoimat, asevoimat, armeija
Armenia /ar'miniə/ Armenia
armful /armfəl/ s sylillinen; iso kasa, koko joukko
armhole /armhoul/ s (vaatteen) kädentie
arm in arm adv käsi kädessä
armistice /arməstəs/ s aselepo
armor /armər/ s **1** haarniska a suit of armor haarniska(puku) **2** panssari **3** panssarivaunut yms

armored adj panssaroitu, panssari- the president has an armored limousine presidentillä on panssaroitu auto
armored car /ˌarmərd'kar/ s (esim rahan kuljetukseen käytettävä) panssariauto
armory /armәri/ s asevarasto, asevarikko
armpit /armpɪt/ s **1** kainalokuoppa **2** surkea, kurja paikka, pohjanoteeraus he thinks our little city is the armpit of the universe hänen mielestään meidän pikku kaupunkimme on varsinainen kyläpahanen
armrest s (tuolin ym.) käsinoja
arms /armz/ s (mon) aseet small arms käsiaseet to lay down your arms laskea aseensa, lakata taistelemasta to take up arms against someone tarttua aseisiin, hyökätä jotakuta vastaan to be up in arms about something olla raivoissaan jostakin
arms control s aseriisunta
arms race s kilpavarustelu
arm-twisting s suostuttelu, taivuttelu
army /armi/ s armeija, (myös kuv:) suuri joukko
Arnheim Land /'arnәm,lænd/ Arnheiminmaa (Australiassa)
aroma /ә'roumә/ s hyvä tuoksu
aromatic /ˌerә'mætɪk/ adj hyvänhajuinen
arose /ә'rouz/ ks arise
around /ә'raund/ adv, prep **1** ympärillä, ympärille I looked all around katselin joka suuntaan **2** lähellä, lähistössä; noin, suunnilleen we traveled around the Rockies matkustelimme Kalliovuorilla it's around 7:00 kello on seitsemän paikkeilla
around-the-clock /әˌraundðә'klak/ adj jatkuva, koko ajan tapahtuva adv jatkuvasti, kellon ympäri
arouse /ә'rauz/ v **1** herättää joku **2** innostaa, herättää jonkun kiinnostus **3** kiihdyttää (voimakkaita tunteita: seksuaalisia haluja, vihaa) she was clearly aroused hän oli selvästi kiihtynyt/kiihdyksissään/halukas
arr. arrangement; arrival
arraign /ә'reɪn/ v syyttää (oikeudessa), asettaa syytteeseen jostakin
arrange /ә'reɪndʒ/ v **1** järjestää, panna (tavaroita) järjestykseen **2** sopia, järjestää, varata, hankkia can you arrange an appointment for me at 2:00? pystytkö järjestämään minulle ajan kahdelta? the travel agent arranged a vacation in the Bahamas for them matkatoimiston virkailija järjesti heille lomamatkan Bahamasaarille that can be easily arranged se järjestyy/onnistuu helposti **3** (mus) sovittaa
array /ә'reɪ/ s **1** järjestys, asettelu in battle array taistelujärjestyksessä **2** vaatteet in military array sotilasvaatteissa **3** suuri joukko/määrä v järjestää, asetella, ryhmittää (sotajoukot) taisteluun
arrears /ә'rɪәrz/ to be in arrears (maksu) olla myöhässä
arrest /ә'rest/ s **1** pidätys, vangitseminen to make an arrest pidättää, vangita **2** pysähtyminen, pysäyttäminen, pysähdys cardiac arrest sydämen pysähdys
v **1** pidättää, vangita the window displays arrested their attention heidän huomionsa kiinnittyi näyteikkunoihin **2** ehkäistä, estää, pysäyttää
arresting adj huomiotaherättävä, kiintoisa, kiehtova
arrival /ә'raɪvәl/ s **1** saapuminen, tulo **2** (uusi) tulokas **3** saapuva lento, juna yms **4** (aikataulussa tms) tuloaika, saapumisaika
arrive /ә'raɪv/ v **1** saapua, tulla to arrive at a town/in a city saapua pieneen/isoon kaupunkiin they finally arrived at a decision he päättivät viimein asiasta **2** menestyä until you own a Rolls-Royce, you really haven't arrived vasta Rolls-Royce on todellisen menestyksen merkki
arrogance /erәgәns/ s ylimielisyys
arrogant /erәgәnt/ adj ylimielinen
arrogantly adv ylimielisesti
arrow /erou/ s (jousen) nuoli; nuoli(merkki)

arrowhead /'eroʊˌhed/ s nuolenpää
arrowroot /'eroʊˌrut/ s (kasv) nuolijuuri, arrowjuuri
arroyo /ə'roɪˌoʊ/ s (erämään kuiva) joenuoma
arsenal /arsənəl/ s asevarasto, asevarikko, arsenaali (myös kuv)
arsenic /arsənɪk/ s arseeni, arsenikki
arson /arsən/ s tuhopoltto
arsonist s tuhopolttaja, pyromaani
art /art/ s **1** taide arts and sciences taide ja tiede **2** taito the fine art of diplomacy diplomatian vaativa taito **3** (mon) humanistiset tieteet Arts Faculty humanistinen tiedekunta v (vanhentunut muoto verbistä be, käytetään vielä esim Jumalasta) thou art sinä olet
art deco /ˌart'dekoʊ/ s art deco, eräs 1920-luvun taidesuuntaus
artefact /'artəˌfækt/ s keinotekoinen, ihmisen valmistama esine
arteriosclerosis /arˌtɪərɪoʊsklə'roʊsɪs/ s (lääk) arterioskleroosi, valtimonkovetustauti
artery /artəri/ s **1** valtimo coronary artery sepelvaltimo **2** (liikenteen) valtaväylä, (joen) valtasuoni
artesian well /ar'tiʒən wel/ s arteesinen kaivo
artful /artfəl/ adj ovela, juonikas, kavala, taitava
artfully adv ovelasti, juonikkaasti, kavalasti, taitavasti
arthritic /ar'θrɪtɪk/ adj niveltulehdus-
arthritis /ar'θraɪtəs/ s niveltulehdus rheumatoid arthritis nivelreuma
artichoke /'artɪˌtʃoʊk/ s (latva-)artisokka
article /artɪkəl/ s **1** esine, kauppatavara, artikkeli an article of furniture/clothing huonekalu, vaate, vaatekappale **2** lehtikirjoitus, artikkeli **3** (sopimuksen) kohta, osa, artikla **4** (kieliopissa) artikkeli
article of faith s uskonkappale, (kuv) (perus)periaate
articulate /ar'tɪkjələt/ adj selvä (puhuja/puhe), selvästi ilmaistu/lausuttu, sujuva the speaker was not very articulate puhuja ei ilmaissut itseään järin selvästi
articulate /ar'tɪkjəˌleɪt/ v **1** ääntää to articulate clearly **2** esittää, tuoda esiin (näkemyksensä, perusteet), pukea sanoiksi (ajatukset), artikuloida
articulated bus s nivelbussi
articulately adv (ääntää, puhua, ilmaista ajatuksensa) selvästi, sujuvasti
articulateness s ilmaisukyky
articulation /arˌtɪkjə'leɪʃən/ s **1** ääntäminen, artikulaatio **2** nivel; niveltyminen
artifact /'artəˌfækt/ s keinotekoinen, ihmisen valmistama esine
artifice /'artəfəs/ s **1** oveluus, juonikkuus, kekseliäisyys **2** temppu, metku **3** taiteellisuus, fiktiivisuus
artificial /ˌartə'fɪʃəl/ adj **1** keinotekoinen, teko- **2** teennäinen
artificial insemination /ɪnˌsemə'neɪʃən/ s (ihmisen) keinohedelmöitys; (eläimen) keinosiemennys
artificial intelligence /ɪn'telədʒəns/ s tekoäly
artificiality /artəˌfɪʃi'æləti/ s keinotekoisuus; teennäisyys; teennäinen piirre
artificial language /læŋgwədʒ/ s keinotekoinen kieli
artificially adv **1** keinotekoisesti **2** teennäisesti
artificial satellite s tekokuu
artillery /ar'tɪləri/ s tykistö
artisan /artəsən/ s käsityöläinen
artist /artəst/ s taiteilija (myös kuv)
artiste /ar'tist/ s esiintyvä taiteilija
artistic /ar'tɪstɪk/ adj **1** taiteellinen **2** taiteilijan she has an artistic temperament hänellä on taiteilijan luonteenlaatu **3** taidokas, taitava, hyvällä maulla tehty
artistically adv **1** taiteellisesti **2** taitavasti, taidokkaasti, hyvällä maulla
artistry /artəstri/ s **1** taiteellisuus **2** taito
artless /artləs/ adj viaton, teeskentelemätön
artlessly adv viattomasti, teeskentelemättä

aspirin /æsprən/ s aspiriini; aspiriinitabletti
as regards fr jotakin koskien, mitä johonkin tulee
ass. assistant; association
ass /æs/ s **1** aasi **2** typerys, aasi **3** (alat) perse
assail /ə'seɪəl/ v hyökätä, pommittaa (kysymyksillä) he is assailed with doubts epäilykset kalvavat häntä
assailant /ə'seɪlənt/ s hyökkääjä
assassin /ə'sæsən/ s salamurhaaja
assassinate /ə'sæsəneɪt/ v murhata (poliittisista syistä)
assassination /ə,sæsə'neɪʃən/ s salamurha
assault /ə'salt/ s rynnäkkö, hyökkäys v hyökätä (rynnäköllä), käydä kimppuun
assault and battery s pahoinpitely
assemble /ə'sembəl/ v koota, kokoontua cars are assembled on the assembly line autot kootaan/valmistetaan liukuhihnalla the guests assembled in the living room vieraat kokoontuivat olohuoneeseen
assembler s **1** kokoonpanija, kokoaja, asentaja **2** (tietok) (symbolisen konekielen) kääntäjä
assembly /ə'sembli/ s **1** kokous **2** väenkokous, väkijoukko **3** kokoaminen, asennus, valmistus
assembly language s (tietok) symbolinen konekieli
assembly line s liukuhihna, kokoonpanolinja
assemblyman /ə'semblimən/ s (eräiden Yhdysvaltain osavaltioiden parlamentin alemman kamarin miespuolinen) valtuutettu, valtuuston jäsen
assemblyperson /ə'sembli,pərsən/ s (eräiden Yhdysvaltain osavaltioiden parlamentin alemman kamarin) valtuutettu, valtuuston jäsen
assemblywoman /ə'sembli,wumən/ s (eräiden Yhdysvaltain osavaltioiden parlamentin alemman kamarin naispuolinen) valtuutettu, valtuuston jäsen
assent /ə'sent/ s suostumus he gave his assent to the plan hän suostui suunnitelmaan, hän hyväksyi suunnitelman by common assent yksimielisesti v suostua johonkin, hyväksyä jotakin
assert /ə'sərt/ v **1** väittää, vakuuttaa (syyttömyyttään) **2** pitää kiinni jostakin, puolustaa (oikeuksiaan) to assert yourself puolustautua, pitää puolensa
assertion /ə'sərʃən/ s väite
assertive /ə'sərtɪv/ adj (itse)varma
assertively adv (itse)varmasti
assess /ə'ses/ v arvioida, punnita (jonkun tai jonkin arvo, merkitys, mahdollisuudet tms)
assessment /ə'sesmənt/ s arvio in my assessment minun mielestäni
asset /æset/ s (yl mon) **1** varat, omaisuus **2** etu, arvokas lisä he is an invaluable asset to this company hän on korvaamattoman arvokas työntekijä
asset value s (tal) substanssiarvo
asshole /æshoul/ s (alat) **1** persreikä, perse **2** kusipää
assiduous /ə'sɪdʒuəs/ adj **1** jatkuva, hellittämätön **2** tunnollinen, ahkera
assiduously adv **1** jatkuvasti, lakkaamatta **2** tunnollisesti, ahkerasti
assign /ə'saɪn/ v antaa, määrätä, nimittää the smallest room was assigned to me minulle annettiin kaikkein pienin huone I wouldn't assign too much importance to what she said en panisi hänen sanoilleen paljoakaan painoa he was assigned to a new post hänet määrättiin/nimitettiin uuteen tehtävään/virkaan
assignable to adj jostakin johtuva, jonkun/jonkin aiheuttama/tekemä, jonkun/jonkin tiliin laskettava
assignment /ə'saɪnmənt/ s tehtävä
assimilate /ə'sɪməleɪt/ v sulattaa (ruokaa, tietoa), sulautua (alkuperäisväestöön), omaksua (tietoa)
assimilation /ə,sɪmə'leɪʃən/ s **1** sulautuminen **2** omaksuminen
assist /ə'sɪst/ v auttaa, avustaa to assist someone in doing/with something auttaa jotakuta tekemään jotakin, auttaa jotakuta jossakin
assistance /ə'sɪstəns/ s apu

assistant /ə'sɪstənt/ s apulainen, avustaja
assistant professor s (alemman palkkaluokan) apulaisprofessori (vrt associate professor)
assistant professorship s (alempi) apulaisprofessuuri
assn. association
associate /ə'sousiət ə'souʃət/ s liiketoveri, työtoveri, kollega
adj apulais-
associate professor s (ylemmän palkkaluokan) apulaisprofessori (vrt assistant professor)
associate professorship s (ylempi) apulaisprofessuuri
associate with /ə'sousieɪt ə'souʃieɪt/ v **1** yhdistää, liittää, yhdistää mielessään, assosioida **2** pitää seuraa jonkun kanssa, seurustella
association /əˌsousɪ'eɪʃən/ s **1** yhteistyö, suhteet johonkuhun/johonkin **2** yhdistys, seura, järjestö **3** assosiaatio, mielleyhtymä
association football s (UK) jalkapallo
associative /ə'sousɪətɪv/ adj assosiatiivinen, mielleyhtymä-
assorted /ə'sɔrtəd/ adj sekalainen; erinäinen
assortment s sekoitus, valikoima, lajitelma a whole assortment of something koko joukko jotakin
assuage /ə'swadʒ/ v lievittää (kiukkua, pelkoa), tyydyttää, sammuttaa (nälkä, jano, halu)
assume /ə'sum/ v **1** olettaa assuming that you are telling the truth olettaen että sinä puhut totta **2** edellyttää a basic understanding of computers is assumed before you can sign up for the course kurssille ilmoittautuvilta edellytetään perustiedot tietokoneen käytöstä **3** anastaa, ottaa käsiinsä (valta, ohjakset) **4** ottaa (uusi nimi); levittää kasvoilleen (tietty ilme); muuttua (ulkonäöltään, merkitykseltään), saada (uusi merkitys) old values have recently assumed new importance vanhojen arvojen merkitys on viime aikoina jälleen kasvanut
assumed adj **1** väärä, tekaistu, peite- (nimi ym) **2** teennäinen, epäaito
assumption /ə'sʌmpʃən/ s **1** oletus **2** edellytys **3** valtaannousu, vallan anastus; virkaan astuminen **4** teennäinen ilme she looked at the teacher with an assumption of innocence hän katsoi opettajaa viatonta teeskennellen/kasvoillaan viaton ilme
assurance /ə'ʃərəns/ s **1** vakuutus, lupaus, varmistus **2** itseluottamus **3** luottamus in the assurance that he would come siinä uskossa että hän tulisi
assure /ə'ʃuər/ v **1** vakuuttaa, luvata, taata (tekevänsä jotakin) **2** varmistaa, taata
assured adj varma, taattu you can rest assured that everything will be all right voit luottaa siihen että kaikki järjestyy
assuredly adv varmasti, taatusti
AST Atlantic standard time Yhdysvaltain Atlantin-saarten (Puerto Rico ja Yhdysvaltain Neitsytsaaret) talviaika
aster /æstər/ s (kasvi) esteri
asterisk /æstərɪsk/ s asteriski, tähti(merkki) (*)
astern /ə'stərn/ adv (laivan) perässä, perään
asteroid /'æstəˌroɪd/ s asteroidi
asthma /æzmə/ s astma
asthmatic /ˌæz'mætɪk/ adj astmaattinen
astir /ə'stər/ adj, adv touhua täynnä, innoissaan
astonish /əs'tanɪʃ/ v hämmästyttää, ällistyttää
astonishing adj hämmästyttävä, yllättävä
astonishingly adv ihmeellisesti, yllättävästi, kuin ihmeen kautta, ihmeellistä kyllä
astonishment s hämmästys, ihmetys, yllätys
astound /əs'taund/ v hämmästyttää, tyrmistyttää, yllättää
astral /æstrəl/ adj **1** tähti- **2** astraali- astral body astraaliruumis
astray /ə'streɪ/ adj, adv eksyksissä to go astray eksyä, (kuv) joutua

hakoteille/harhateille to lead someone astray johdattaa joku tahallaan harhaan
astride /əs'traɪd/ adj, adv, prep hajareisin (jonkin päällä)
astringency s (sanojen, puheen) piikikkyys, pisteliäisyys
astringent /əs'trɪndʒənt/ adj (sana, puhe) piikikäs, kärkevä
astrologer /əs'tralədʒər/ s astrologi, tähdistä ennustaja
astrological /,æstrə'ladʒɪkəl/ adj astrologinen
astrology /əs'tralədʒi/ s astrologia, tähdistä ennustaminen
astronaut /'æstrə,nat/ s astronautti
astronautics /,æstrə'natɪks/ s avaruusmatkailu, avaruustekniikka
astronomer /əs'tranəmər/ s astronomi, tähtitieteilijä
astronomical /,æstrə,namɪkəl/ adj tähtitieteellinen, (myös kuv:) suunnaton
astronomy /əs'tranəmi/ s astronomia, tähtitiede
astute /əs'tut/ adj viisas, valpas, terävä
astutely adv viisaasti, terävästi
astuteness s viisaus, terävyys, valppaus
asunder /ə'sʌndər/ adv rikki, hajalla, hajalle, erillään, erilleen what God hath joined, let no man put asunder minkä Jumala on yhdistänyt, sitä älköön ihminen erottako
as well fr lisäksi, myös, sekä
as well as it is good as well as expensive se on sekä hyvä että kallis
asylum /ə'saɪləm/ s **1** turvapaikka the refugees asked for political asylum pakolaiset anoivat poliittista turvapaikkaa **2** mielisairaala
asymmetria /,eɪsə'metrɪə/ s asymmetria
asymmetric /,eɪsə'metrɪk/ adj asymmetrinen, epäsymmetrinen
at /æt/ prep **1** paikasta: at the door ovella, oven luona to arrive at a town/the airport tulla kaupunkiin/lentokentälle **2** suunnasta: to look at someone katsoa jotakuta/johonkuhun päin **3** ajasta: at five a.m. kello viisi/viideltä aamulla one at a time yksitellen, yksi kerrallaan at the age of five viisivuotiaana at his death (hänen) kuollessaan **4** toiminnasta: he is at work hän on työssä/töissä/työpaikalla I am not very good at this minä en oikein hallitse/osaa tätä **5** nopeudesta, määrästä: to drive at 55 m.p.h. ajaa 55 mailia tunnissa (88 km/h)
at any rate fr joka tapauksessa; ainakin, sentään
atavism /'ætə,vɪzəm/ s atavismi
atavistic /,ætə'vɪstɪk/ adj atavistinen
ATB all-terrain bicycle maastopolkupyörä
ATC all-terrain cycle maastomoottoripyörä
ate /eɪt/ ks eat
at every turn fr joka käänteessä/vaiheessa, jatkuvasti
at first sight fr ensi näkemältä, päälle päin
at full speed fr täyttä vauhtia (myös kuv)
at full throttle fr (kuv) nasta laudassa, täyttä häkää/vauhtia
atheism /eɪθiɪzəm/ s ateismi
atheist /eɪθiɪst/ s ateisti
atheistic adj ateistinen
Athens /æθənz/ Ateena
atherosclerosis /,æθərouskləˈrousɪs/ s (lääk) ateroskleroosi, valtimon haurauskovetustauti
athlete /æθlit/ s urheilija, yleisurheilija
athlete's foot s (lääk) jalkasieni
athletic /æθ'letɪk/ adj **1** urheilu- **2** atleettinen, lihaksikas; joka pärjää hyvin lajissa kuin lajissa, urheilullinen
athletics s **1** urheilu **2** (UK) yleisurheilu
Atlanta /ət'læntə/ kaupunki Georgiassa
Atlantic /ət'læntɪk/ Atlantin valtameri, Atlantti
Atlantic Ocean Atlantin valtameri, Atlantti
atlas /ætləs/ s kartasto
ATM automated teller machine pankkiautomaatti

atmosphere /'ætməs,fɪər/ s **1** ilmakehä; kaasukehä **2** ilmapiiri, tunnelma
atmospheric /,ætməs'fɪrɪk/ adj **1** ilmakehän, ilman- atmospheric pressure ilmanpaine **2** tunnelmallinen
atoll /ə'tal/ s atolli, kehäriutta
atom /ætəm/ s **1** atomi **2** hitunen they smashed the building to atoms he hajoittivat rakennuksen maan tasalle
atom bomb /'ætəm,bam/ s ydinpommi, atomipommi
atomic /ə'tamɪk/ adj ydin-, atomi-
atomic bomb /ə,tamɪk'bam/ s ydinpommi, atomipommi
atomic energy /ə,tamɪk'enərdʒi/ s ydinenergia, atomienergia
atomizer /'ætə,maɪzər/ s sumutin
atonal /,eɪ'tounəl/ adj (mus) atonaalinen
atonality /,eɪtə'næləti/ s atonaalisuus; atonaalinen musiikki
at one to be at one with someone olla samaa mieltä jonkun kanssa; olla sovussa jonkun kanssa
atone for /ə'toun/ v sovittaa (synti, teko)
atonement /ə'tounmənt/ s sovitus; (Kristuksen) sovintouhri
at one time fr **1** kerran **2** samanaikaisesti, yhtä aikaa
at par fr (tal) arvopaperin sanotaan olevan at par kun sen hinta on 100 prosenttia nimellisarvosta
at present adv tällä hetkellä, nyt
at risk to be at risk olla vaarassa
atrocious /ə'trouʃəs/ adj **1** julma, raaka **2** hirvittävä(n huono), kamala
atrociously adv: ks atrocious
atrocity /ə'trasəti/ s julmuus, raakuus, julma/raaka teko
atrophy /ætrəfi/ s surkastuma
at sword's points they are always at sword's points he ovat aina napit vastakkain, he ovat aina riidoissa
at someone's service to be at someone's service olla jonkun käytettävissä/palveluksessa
attach /ə'tætʃ/ v **1** kiinnittää, kiinnittyä, liittää, liittyä, oheistaa (kirjeeseen) no blame attaches to him häneen ei kohdistu syytöksiä, häntä pidetään syyttömänä **2** pitää jonakin they attach very little importance to the new developments in the area he eivät pidä alueen viimeaikaisia tapahtumia lainkaan tärkeinä
attaché /,ætæ'ʃeɪ/ s (diplomatiassa) attasea, avustaja
attaché case s asiakirjasalkku
attached to adj pitää jostakusta/jostakin kovasti, roikkua jossakussa, olla kiintynyt johonkuhun
attachment s **1** kiinnittäminen, liittäminen **2** lisälaite **3** (kirjeen) liite **4** kiintymys
attack /ə'tæk/ s **1** hyökkäys (myös kuv) **2** (sairaus)kohtaus
v **1** hyökätä (kimppuun) **2** (sairaus) iskeä, (sairauskohtaus) alkaa
attack dog s poliisikoira
attacker /ə'tækər/ s hyökkääjä
attain /ə'teɪn/ v saavuttaa, saada I have not yet attained my goals en ole vielä päässyt tavoitteisiini
attainable adj mahdollinen; joka on mahdollista saavuttaa/saada, saavutettavissa
attainment s **1** saavuttaminen, saaminen **2** (yl mon) saavutus, aikaansaannos
attempt /ə'temt/ s yritys at the first attempt ensi yrityksellä an attempt was made on the president's life presidenttí yritettiin murhata an attempt at something/doing something epäonnistunut yritys
v yrittää
attend /ə'tend/ v **1** käydä (kirkossa, koulua), mennä jonnekin, olla läsnä/paikalla **2** hoitaa, palvella which doctor is attending you? kuka lääkäreistä hoitaa sinua?
attendance /ə'tendəns/ s **1** in attendance läsnä, paikalla, luona, mukana **2** läsnäolo **3** osanottajamäärä, yleisö
attendant /ə'tendənt/ s palvelija, valvoja, hoitaja
adj johonkin liittyvä depression and its attendant problems masennus ja siihen liittyvät ongelmat

attendee /ə,ten'di/ s (konferenssin ym) osanottaja
attend to v **1** huolehtia/pitää huoli jostakusta/jostakin **2** kuunnella, tarkata
attention /ə'tenʃən/ s **1** huomio she called our attention to a recent rumor hän otti esiin/puheeksi erään uuden huhun to pay attention to something keskittyä johonkin **2** (yl mon) huomaavaisuuden osoitus, huomio **3** (sot) asento to stand at attention seisoa asennossa Attention! Huomio! Asento!
attention-getting /ə'tenʃən,getiŋ/ adj huomiota herättävä
attentive /ə'tentɪv/ adj tarkkaavainen
attentively adv tarkkaavaisesti
attentiveness s tarkkaavaisuus
attenuate /ə'tenjʊ,eɪt/ v lieventää, heikentää, hiljentää, vähentää
attenuating circumstances s lieventävät asianhaarat
attenuator /ə'tenjʊ,eɪtər/ s (elektroniikassa) vaimennin
attest /ə'test/ v vakuuttaa, vannoa, todistaa, vahvistaa (oikeaksi, todeksi)
attestation /,ætes'teɪʃən/ s todistus, vakuutus, vahvistus
attest to v kertoa, todistaa, olla osoitus jostakin that if anything attests to his courage se jos mikä on merkki hänen rohkeudestaan
att. gen. attorney general yleinen syyttäjä
at the end of your tether he is at the end of his tether häneltä on voimat/kärsivällisyys lopussa
at-the-money-option s (tal) tasaoptio
at the point of to be at the point of something olla jonkin partaalla
at the same time fr **1** samaan aikaan **2** kuitenkin, silti, siitä huolimatta
at the worst fr pahimmassa tapauksessa, myös at worst
at this point in time fr nyt, tällä hetkellä, tässä vaiheessa
attic /ætɪk/ s ullakko
at times fr toisinaan, ajoittain, aika ajoin
attire /ə'taɪər/ s vaatteet in formal attire juhlavaatteissa
v pukeutua
attitude /'ætɪ,tud/ s **1** asenne, suhtautuminen he said that you have an attitude problem hän sanoi että sinä suhtaudut asiaan väärin, sinä olet kuulemma uppiniskainen **2** (ruumiin) asento, ryhti
attn. attention huom.
at top speed fr täyttä vauhtia (myös kuv)
attorney /ə'tərni/ s asianajaja, lakimies power of attorney valtakirja
attorney-at-law /ə,tərnɪət'la/ s asianajaja
attorney general s **1** Yhdysvaltain osavaltioiden ylin oikeusviranomainen **2** Yhdysvaltain (liittovaltion) oikeusministeri
attract /ə'trækt/ v **1** vetää puoleensa, houkutella a magnet attracts metal magneetti vetää puoleensa rautaa the new company is attracting many investors uusi yritys on saamassa paljon sijoittajia I am not attracted to the proposition ehdotus ei houkuttele minua the revelation attracted a good deal of publicity paljastus sai osakseen paljon julkisuutta **2** attract interest kasvaa korkoa
attraction /ə'trækʃən/ s **1** vetovoima, veto, houkutus **2** houkutus, huvi
attractive /ə'træktɪv/ adj puoleensavetävä, viehättävä, miellyttävä, houkutteleva, hyvä, kaunis
attractively adv houkuttelevasti, hyvin, kauniisti this new TV set is attractively priced tämä uusi televisio(vastaanotin) on edullinen
attractiveness s viehätys, viehätysvoima, kauneus
attributable to /ə'trɪbjətəbəl/ adj johdettavissa jostakin, laskettavissa jonkun/jonkin tiliin
attribute /'ætrə,bjut/ s **1** ominaisuus, piirre **2** (kieliopissa) attribuutti
attribute to /ə'trɪbjut/ v katsoa jonkin johtuvan jostakin, katsoa jotakin jonkin syyksi, laskea jonkun/jonkin tiliin

he attributes his success to hard work hän katsoo menestyksensä perustuvan ahkeruuteen/yrittämiseen

attune to /ə'tun/ v sopeutua, mukautua, totuttautua johonkin, päästä samoille aaltopituuksille I am not attuned to the group yet en ole vielä päässyt ryhmän henkeen

atty. gen. attorney general yleinen syyttäjä

ATV all-terrain vehicle maastomoottoripyörä

at variance fr **1** what you did is at variance with your orders sinä et noudattanut ohjeitasi, sinä teit toisin kuin sinua käskettiin **2** we are at variance with each other olemme (asiasta) eri mieltä

at work to be at work olla työpaikalla/työssä; olla toiminnassa

at worst fr pahimmassa tapauksessa, myös at the worst

at your wit's end to be at your wit's end olla ymmällään; olla helisemässä

atypical /eɪ'tɪpɪkəl/ adj ei tyypillinen/ominainen, poikkeava

auburn /abərn/ adj punaruskea

Auckland /aklənd/

auction /akʃən/ s huutokauppa v huutokaupata

auctioneer /ˌakʃən'ɪər/ s huutokauppameklari

audacious /a'deɪʃəs/ adj **1** hävytön, röyhkeä **2** rohkea, uhkarohkea, uskalias

audaciously adv **1** hävyttömästi **2** uskaliaasti

audacity /a'dæsəti/ s **1** hävyttömyys, röyhkeys **2** rohkeus, uhkarohkeus, uskaliaisuus

audible /adəbəl/ adj (korvin) kuultava, selvästi kuuluva

audibly adv (korvin) kuultavasti, selvästi

audience /adɪəns/ s **1** yleisö, (televisio)katsojat, (radio)kuuntelijat, (kirjan) lukijat **2** audienssi

audio /adɪoʊ/ s **1** audiolaite, audiolaitteet, äänentoistolaite, äänentoistolaitteet **2** ääni turn the audio off sulkea/vaimentaa (esim television) ääni turn the audio up pistää (esim televisiota) kovemmalle adj audio-, kuulo, äänentoisto- audio equipment stereolaitteet

audiophile /'adɪəˌfaɪəl/ s hifi-harrastaja
adj hifi- an audiophile magazine hifi-lehti

audiotape /ˌadɪo'teɪp/ s ääninauha

audiovisual /ˌadɪə'vɪʒʊəl/ adj audiovisuaalinen

audit /adɪt/ s tilintarkastus; (USA:ssa pistokokeena suoritettava) verontarkastus
v **1** tarkastaa tilit, tehdä tilintarkastus; tarkastaa verot I got audited this year minulta tarkastettiin tänä vuonna verot **2** olla kuunteluoppilaana

audition /a'dɪʃən/ s (teatterissa, mus) esiintymiskoe
v käydä esiintymiskokeessa; olla arvostelijana esiintymiskokeessa

auditor /adɪtər/ s **1** tilintarkastaja **2** kuunteluoppilas

auditorium /ˌadɪ'tɔrɪəm/ s katsomo, konserttisali, luentosali, juhlasali, auditorio

auditory /'adɪˌtɔri/ adj kuulo-

Aug. August elokuu

auger /agər/ s käsipora; kaira

augment /ag,ment/ v lisätä, lisääntyä, kasvattaa, kasvaa

augur /agər/ s (hist) auguuri, ennustaja

augur ill fr enteillä pahaa

augur well fr enteillä hyvää

augury /agəri/ s **1** ennustaminen **2** enne, merkki

August /agəst/ s elokuu

august /a'gʌst/ adj arvokas, juhlallinen, ylevä

auk /ak/ s ruokki

auld lang syne /ald læŋ saɪn/ fr (skotlannin murretta) vanhat hyvät ajat

aunt /ænt ant/ s täti

auntie /ænti, anti/ s (ark) täti

au pair /ˌoʊ'peər/ s au pair -tyttö/-poika

aura /ɔrə/ s aura; sädekehä, tuulahdus the girl has an aura of peacefulness about her tytön olemus on hyvin tyyni, tyttö suorastaan säteilee tyyneyttä

aural /ɔrəl/ adj kuulo-, korva-
aureole /ɔrioəl/ s **1** sädekehä **2** (esim auringon) korona **3** sumuvarjo, glooria
au revoir /a'vwa/ interj (ranskasta) näkemiin
auricle /ɔrɪkəl/ s korvalehti
aurora australis /ə,rɔrəas'trælɪs/ s eteläntulet, eteläisen pallonpuoliskon revontulet
aurora borealis /ə,rɔrəbɔri'ælɪs/ s revontulet, pohjantulet
AUS Army of the United States
auscultate /'askəl,teɪt/ v (lääk) auskultoida, kuunnella
auscultation /,askəl'teɪʃən/ s (lääk) auskultaatio, kuuntelu(tutkimus)
auspices /aspɪsəz/ under the auspices of jonkun/jonkin suojeluksessa/tuella
auspicious /as'pɪʃəs/ adj lupaava (alku), suotuisa
auspiciously adv lupaavasti, suotuisasti
Aussie /asi/ s, adj (ark) australialainen
austere /as'tɪər/ adj ankara, karu, koruton
austerity /as'terəti/ s ankaruus, karuus, koruttomuus
austerity program s säästöohjelma, säästötoimenpiteet
Austin /astən/ kaupunki Texasissa
Australia /as'treɪljə/ Australia
Australian /as'treɪliən/ s, adj australialainen
Austrian /astriən/ s, adj itävaltalainen
authentic /a'θentɪk/ adj aito, oikea, luotettava
authentically adv aidosti, oikeasti, luotettavasti
authenticate /a'θentə,keɪt/ v todistaa aidoksi/oikeaksi
authenticity /,aθen'tɪsəti/ s aitous, luotettavuus
author /aθər/ s **1** kirjoittaja, tekijä, kirjailija **2** alullepanija, isä
authoress /aθərəs/ s **1** (naispuolinen) kirjoittaja, tekijä, kirjailija(tar), naiskirjailija **2** alullepanija
authoritarian /a,θɔrə'teriən/ adj autoritaarinen, alistava
authoritative /ə'θɔrə,teɪtɪv/ adj **1** määräävä, komenteleva; kunnioitusta herättävä **2** luotettava, arvovaltainen
authoritatively adv **1** määräävästi, komentelevasti **2** luotettavasti, arvovaltaisesti
authority /ə'θɔrəti/ s **1** valta, valtuudet, määräysvalta you have no authority here sinä et voi määräillä täällä **2** (myös mon) viranomainen **3** asiantuntija **4** yleisesti tunnustettu/arvovaltainen teos/(tiedon)lähde I have it on best authority kuulin/tarkistin sen parhaasta mahdollisesta lähteestä, (myös:) puhun suulla suuremmalla
authority figure s käskijä
authorization /,aθərə'zeɪʃən/ s lupa, valtuudet
authorize /aθəraɪz/ v **1** valtuuttaa he was not authorized to open the safe hänellä ei ollut lupaa/valtuuksia avata kassakaappia **2** hyväksyä, antaa (lupa/määräraha)
authorized biography /baɪ'agrəfi/ s aiheena olevan henkilön luvalla kirjoitettu elämäkerta
authorized translator /'træns,leɪtər/ s virallinen kielenkääntäjä, valantehnyt kielenkääntäjä
Authorized Version /vərʒən/ s englanninkielinen raamatunkäännös vuodelta 1611, Kuningas Jaakon Raamattu
auto /atoʊ/ s auto
autobiographic /,atəbaɪə'græfɪk/ adj omaelämäkerrallinen
autobiographical /,atəbaɪə'græfɪkəl/ adj omaelämäkerrallinen
autobiography /,atəbaɪ'agrəfi/ s omaelämäkerta
autocracy /a'takrəsi/ s itsevaltius, autokratia
autocrat /atəcræt/ s itsevaltias, autokraatti
autocratic /,atəkrætɪk/ adj **1** itsevaltainen, autokraattinen **2** omapäinen, itsepäinen
auto-dialer /,atoʊ'daɪələr/ s (puhelimen) pikavalitsin

autodidact /ˌatəˈdaɪdækt/ s
seoppinut
autograph /ˈatəˌgræf/ s nimikirjoitus
kirjoittaa nimensä (kirjoittamaansa
rjaan), omistaa an autographed copy
kijän nimirkijoituksella varustettu kirja
automate /ˈatəˌmeɪt/ v automatisoida
automatic /ˌatəˈmætɪk/ s
utomaattiase
dj itsetoimiva, automaattinen
automatically adv itsetoimivasti,
utomaattisesti
automation /ˌatəˈmeɪʃən/ s
utomatisointi, automaatio
automobile /ˈatəməˌbiəl/ s auto
automotive /ˌatəˈmoʊtɪv/ adj auto- an
utomotive magazine autolehti
autonomous /aˈtanəməs/ adj
senäinen, riippumaton, autonominen
autonomy /aˈtanəmi/ s itsenäisyys,
sehallinto, riippumattomuus, autonomia
autopsy /ˈaˌtapsi/ s ruumiinavaus
autosuggestion /ˌatəsəgˈdʒestʃən/ s
psyk) itsesuggestio
autoworker /ˈatoʊˌwərkər/ s
autotehtaan/autoteollisuuden työntekijä,
autotyöläinen
autumn /atəm/ s syksy
autumnal /əˈtʌmnəl/ adj syksyinen,
syys-
autumnal equinox
/əˌtʌmnəlˈikwəˌnaks/ s syyspäivän-
tasaus
aux. auxiliary lisä-, vara-, apu-
auxiliary /agˈzɪljəri/ s (kieliopissa)
apuverbi
adj apu-, lisä-, vara-
auxiliary verb s apuverbi
av. average keskimäärin,
keskimääräinen
AV audiovisual audiovisuaalinen
avail /əˈveɪəl/ to be of little/no avail
jostakin on vain vähän apua/jostakin ei
ole mitään apua all his attempts were to
no avail hän yritti turhaan, hänen
ponnisteluistaan ei ollut mitään apua
availability /əˌveɪləˈbɪləti/ s (esim
kauppatavaran) saatavuus, tarjonta
available /əˈveɪləbəl/ adj saatavana,
tarjolla, kaupan

avail yourself of v käyttää
hyväkseen jotakin, tarttua tilaisuuteen
avalanche /ˈævəˌlæntʃ/ s lumivyöry,
maavyöry, (myös kuv:) vyöry, tulva
avarice /ævərəs/ s ahneus
avaricious /ˌævəˈrɪʃəs/ adj ahne
avariciously adv ahneesti
avdp. avoirdupois
avenge /əˈvendʒ/ v kostaa
avenger /əˈvendʒər/ s kostaja
avenida /ˌævəˈnidə/ s (espanjasta)
puistokatu, katu
avenue /ævənu/ s puistokatu, katu
average /ævrədʒ/ s keskitaso,
keskiarvo
v he averaged 60 miles an hour hänen
keskinopeutensa oli 60 mailia tunnissa
she averages $3,000 a month hän
ansaitsee keskimäärin 3000 dollaria
kuukaudessa
adj keskinkertainen, keskimääräinen,
tavallinen the average citizen keski-
vertokansalainen, tavallinen ihminen
Joe Average keskivertokansalainen,
tavallinen ihminen, Matti Meikäläinen
averse to /əˈvərs/ adj haluton,
vastahakoinen tekemään jotakin, jonka
ei tee mieli jotakin
aversion /əˈverʒən/ s vastahakoisuus,
inho, valituksen aihe I have a stong
aversion to formal dinners minä en pidä
alkuunkaan juhla-aterioista
avert /əˈvərt/ v **1** kääntää katseensa/
ajatuksensa pois jostakin **2** estää,
ehkäistä **3** karistaa (epäilykset)
aviary /ˈeɪvɪˌeri/ s lintuhäkki,
(eläintarhan) lintutalo
aviation /ˌeɪviˈeɪʃən/ s ilmailu
aviator /ˈeɪviˌeɪtər/ s lentäjä
avid /ævəd/ adj innokas, halukas she is
an avid fan of yours hän on suuri
ihailijasi he is avid for success hän
haluaa kovasti menestyä, hän janoaa
menestystä, hänellä on kova
menestyksen nälkä
avidity /əˈvɪdəti/ s innokkuus, kova
halu, jano (kuv), nälkä (kuv)
avidly adv innokkaasti, halukkaasti
avocado /ˌavəˈkadoʊ ˌævəˈkadoʊ/ s
avokado

avoid /ə'vɔɪd/ v välttää, välttyä, karttaa, estää, ehkäistä
avoidable adj joka voidaan välttää tai estää
avoidance /ə'vɔɪdəns/ s välttäminen, välttely
avoirdupois /ˌævərdə'pɔɪz/ s **1** (US, UK) punnitusjärjestelmä jossa 1 naula on 16 unssia **2** lihavuus, läski
avoirdupois weight s (US, UK) punnitusjärjestelmä jossa 1 naula on 16 unssia
Avon /eɪvan/ Englannin kreivikuntia
avow /ə'vaʊ/ v myöntää, tunnustaa, vakuuttaa
avowal /ə'vaʊəl/ s tunnustus, vakuutus
avowed /ə'vaʊd/ adj vannoutunut
A/V receiver /ˌeɪvirə'sivər/ s AV-viritinvahvistin (sisältää videoliitännät)
AWACS /eɪwæks/ airborne warning and control system
await /ə'weɪt/ v odottaa he is awaiting further instruction hän odottaa uusia ohjeita big problems awaited him hänellä oli edessään isoja ongelmia
awake /ə'weɪk/ v awoke, awoken/ awoked **1** herätä (unesta) **2** herätä tajuamaan
adj hereillä, valveilla
awaken ks awake
awake to to be awake to something ymmärtää, tiedostaa, olla selvillä jostakin
award /ə'wɔrd/ s palkinto
v palkita, antaa (palkinto) she was awarded the degree of Master of Arts hänelle myönnettiin filosofian kandidaatin pätevyys
awareness s tietoisuus, tieto, käsitys, ymmärrys
aware of /ə'weər/ adj tietoinen, selvillä, perillä jostakin he was not aware of the new law hän ei tiennyt uudesta laista
awash /ə'waʃ/ adj veden peitossa
away /ə'weɪ/ adv **1** päässä, etäisyydellä one mile away mailin päässä **2** jatkuvasti, lakkaamatta to work away ahertaa, huhkia **3** pois, poissa to look away kääntää katseensa pois I was away on business olin poissa työasioilla
awe /a/ s kunnioitus, pelko they are in awe of his accomplishments he suhtautuvat kunnioittavasti hänen saavutuksiinsa
awe-inspiring /'aɪn,spaɪrɪŋ/ adj kunnioitusta herättävä, upea, mahtava
awesome /asəm/ adj **1** kunnioitusta herättävä **2** (nuorten kielessä) loistava, upea
awe-struck /'a,strʌk/ adj kunnioittava, kunnioituksen täyttämä/tyrmistämä
awful /afəl/ adj hirvittävä, kamala, toivoton
awfully adv hirvittävän, kamalan
awhile /ə'waɪəl/ adv hetken aikaa, hetkeksi
awkward /akwərd/ adj **1** vaikea, hankala **2** kiusallinen, nolo **3** kiusaantunut, nolostunut **4** kömpelö, avuton
awkward age s vaikea ikä, varhaisnuoruus, murrosikä
awkward customer hankala/vaikea asiakas, (ark kuv) hankala/vaikea tapaus
awkwardly adv: ks awkward
awkwardness s **1** hankaluus, vaikeus **2** kiusallisuus **3** nolostuminen **4** kömpelyys, avuttomuus
awl /aəl/ s naskali
awning /anɪŋ/ s ulkokaihdin, markiisi
awoke /ə'woʊk/ ks awake
awoken ks awake
AWOL /eɪwaəl/ absent without leave luvatta poistunut, puntiksella (sot ark)
awry /ə'raɪ/ to go awry mennä pieleen/myttyyn
ax /æks/ s kirves to get the ax saada potkut to give someone the ax antaa jollekulle potkut, erottaa to have an ax to grind with someone olla kana kynimättä jonkun kanssa, olla vanhoja kalavelkoja
axe /æks/ ks ax
axiom /æksiəm/ s aksiooma, selviö
axiomatic /ˌæksiə'mætɪk/ adj itsestään selvä, aksiomaattinen

axis /æksɪs/ s (mon axes) akseli (vrt axle) the Earth rotates on its axis Maa pyörii akselinsa ympäri the Axis powers (hist) akselivallat (Saksa, Italia, Japani)

axle /æksəl/ s (tekniikassa) akseli the rear axle of a car auton taka-akseli

aye /aɪ/ s (äänestyksessä) jaa-ääni interj kyllä

AZ Arizona

azalea /ə'zeɪljə/ s atsalea

Azerbaijan /,azər'baɪʒan/ Azerbaidžan

Azores /ə'zɔrz 'eɪ,zɔrz/ (mon) Azorit

Aztec /æztek/ s atsteekki adj atsteekkien

azure /ə'ʒər/ adj taivaansininen

B, b

B, b /bi/ B, b
B & B bed and breakfast
B & W black and white mustavalkoinen (elokuva)
B.A. Bachelor of Arts
baa /bæ/ s määintä
v määkiä
interj (lampaan äänestä) mää!
babble /bæbəl/ s **1** (lapsen) jokeltelu, (turha) lörpötys **2** (veden) solina
v **1** (lapsi) jokeltaa, (aikuinen) pölistä, lörpötellä **2** (vesi) solista
babe /beɪb/ s **1** lapsi, lapsonen **2** (nainen) beibi, (mies) kaveri, heppu
babel /bæbəl/ s **1** sekasorto, myllerrys **2** the Tower of Babel Baabelin torni
babirusa /ˌbabə'rusə/ s hirvisika (Babyrousa babyrussa)
Babs Bunny /ˌbæbz'bʌni/ Viivi Vemmelsääri
baby /beɪbi/ s mon babies **1** lapsi, pikkulapsi, vauva (myös kuv) **2** (tyttö, nainen) beibi
baby boom /'beɪbɪˌbum/ s (toisen maailmansodan jälkeinen) suuri ikäluokka
baby boomer s (toisen maailmansodan jälkeisen) suuren ikäluokan jäsen
baby bust s pieni ikäluokka
baby carriage /kerɪdʒ/ s lastenvaunut
baby face s joku jolla on (lempeät/nuorekkaat) lapsenkasvot
baby grand /ˌbeɪbi'grænd/ s pieni flyygeli
babyish /'beɪbiˌɪʃ/ adj lapsellinen
Babylon /'bæbəˌlan/ Babylon
baby on board fr (auton ikkunaan impukupilla kiinnitetyssä kilvessä) lapsi autossa, kyydissä
baby-sit /'beɪbiˌsɪt/ v olla lapsenvahtina
babysitter /'beɪbiˌsɪtər/ s lapsenvahti
bac. bachelor
bachelor /bætʃələr/ s **1** poikamies, naimaton mies **2** alimman korkeakoulututkinnon suorittanut henkilö, ks Bachelor of Arts, Bachelor of Science
Bachelor of Arts s alin korkeakoulututkinto; sen suorittanut henkilö, humanististen tieteiden kandidaatti
Bachelor of Science s alin korkeakoulututkinto; sen suorittanut henkilö, luonnontieteiden kandidaatti
bacillus /bə'sɪləs/ s (mon bacilli) basilli
back /bæk/ s **1** (ihmisen, eläimen, tuolin, kirjan ym) selkä **2** (talon) takaosa, (huoneen) perä
v **1** peruuttaa (auto) **2** tukea, kannattaa I'm backing your campaign 100 percent minä tuen (vaali)kampanjaasi sataprosenttisesti **3** lyödä vetoa jonkin puolesta **4** panna taustaksi, päällystää kääntöpuolelta jollakin
adv **1** (tilasta) takana, taakse, takaisin let's go back lähdetään takaisin **2** I hit him back minä iskin vuorostani häntä **3** (ajasta) sitten several decades back useita kymmeniä vuosia sitten
backache /'bækˌeɪk/ s selkäsärky, selkäkipu
back and forth adv edestakaisin
back away v perua (sanansa), purkaa (sopimus)
backbite /'bækˌbaɪt/ v panetella
backbiting /'bækˌbaɪtɪŋ/ s panettelu
backbone /'bækˌboun/ s selkäranka (myös kuv)
back-breaking /'bækˌbreɪkiŋ/ adj raskas, uuvuttava

back copy /ˌbæk'kapi/ s (lehden) vanha numero
back country /'bækˌkʌntri/ s syrjäseutu, asumaton seutu
back-country permit s leirintälupa
backdate /'bækˌdeɪt/ v aikaistaa, merkitä johonkin aikaisempi päivämäärä
back down v antaa periksi, myöntyä
backer /bækər/ s **1** vedonlyöjä **2** tukija, kannattaja
backfire /'bækˌfaɪər/ s (polttomoottorin) pamahdus
v **1** (polttomoottori) pamahtaa **2** epäonnistua, johtaa takaiskuun, kostautua
backgammon /'bækˌgæmən ˌbæk'gæmən/ s backgammon(-peli)
background /bækgraund/ s tausta
backgrounder s tiivistelmä, taustatiedot
backhanded /'bækˌhændəd/ adj **1** ironinen (kohteliaisuus) **2** vasemmalle kalteva (käsiala)
back judge /'bækˌjʌdʒ/ s (amerikkalaisessa jalkapallossa) takatuomari
backlash /'bækˌlæʃ/ s takaisku, vastaisku
backlog /'bækˌlag/ s keskeneräiset/rästissä olevat työt
back month s (tal) johdannaisinstrumenttikaupassa myöhäisempi erääntymiskuukausi
back off v peruuttaa (auto)
back office s (tal) kaupankäyntiä palveleva ja tukeva taustatoimintoja suorittava organisaation osa
back on to v olla jonkun takana our house backs on to a park talomme takana on puisto
back out v **1** peruuttaa (auto) **2** perua (sanansa), purkaa (sopimus)
backpack /'bækˌpæk/ s rinkka, reppu
v vaeltaa, patikoida (rinkka/reppu) selässä
backpacker s vaeltaja, patikoija
backpacking s (jalkaisin) retkeily, vaeltaminen, patikointi
backseat /ˌbæk'sit/ s (auton) takaistuin to take a back seat to someone (kuv) astua syrjään jonkun tieltä, tehdä tilaa jollekulle
backseat driver s **1** joku joka antaa takaistuimelta ohjeita auton kuljettajalle, takapenkkikuski **2** (kuv) toisten asioihin puuttuja
backside /'bækˌsaɪd/ s takapuoli
backstage /'bækˌsteɪdʒ/ adv (teatterin) takanäyttämössä, kulissien takana, näyttämön takana
backstroke /'bækˌstrouk/ s selkäuinti
v uida selkäuintia/selällään
backswing /'bækˌswiŋ/ (golf) mailan taaksevienti
backtrack /'bækˌtræk/ v palata jonnekin omia jälkiään seuraten
Bactrian camel /ˌbæktrɪən'kæməl/ s kaksikyttyräinen kameli
backward /'bækˌwərd/ adj **1** takapajuinen, kehittymätön **2** arka, ujo, vastahakoinen **3** (henkisesti) jälkeenjäänyt **4** taaksepäin suuntautuva a backward glance vilkaisu taaksepäin
adv ks backwards
backwardness s (henkinen) jälkeenjääneisyys, (alueen) takapajuisuus
backwards adv taaksepäin, takaperin, väärinpäin to look backwards katsoa taakseen/taaksepäin/menneisyyteen you have that shirt on backwards paitasi on väärinpäin to bend over backwards to do something tehdä kaikkensa jonkin eteen, olla erittäin avulias, nähdä paljon vaivaa
backwoods /'bækˌwudz/ s syrjäseutu
backwoodsman /ˌbæk'wudzmən/ s metsäläinen, syrjäseudun asukas
backyard /ˌbæk'yard/ s takapiha in your own backyard omassa perheessä, kotipiirissä, lähipiirissä
bacon /beɪkən/ s pekoni
bacteria ks bacterium
bacterial /ˌbæk'tɪərɪəl/ adj bakteeri-
bacterium /ˌbæk'tɪərɪəm/ s (mon bacteria) bakteeri
bad /bæd/ s paha to be in bad with someone olla huonoissa väleissä jonkun kanssa
adj (worse, worst) **1** huono, ikävä (uutinen, sää), paha (tapa) she speaks very bad English hän puhuu englantia

erittäin huonosti smoking is bad for you tupakointi on epäterveellistä **2** vakava (virhe, onnettomuus) **3** pilaantunut the eggs have gone bad munat ovat pilaantuneet **4** paha (mieli) don't feel bad about it älä siitä välitä, älä pane sitä pahaksesi

bade /beɪd/ ks bid

badge /bædʒ/ s **1** virkamerkki, jäsenmerkki **2** tunnus, merkki

badger /bædʒər/ s mäyrä
v vaivata, häiritä, kiusata

badlands /'bæd,lænz/ s (mon) eräs karu ja kuiva maastotyyppi mm Etelä-Dakotassa

Badlands /'bæd,lænz/ kansallispuisto Etelä-Dakotassa

bad language s kiroilu, rumat puheet

badly adv (worse, worst) **1** huonosti (tehty) **2** pahasti, vakavasti (haavoittunut) **3** kovasti she wants it badly hän haluaa sitä kovasti

bad-mannered /,bæd'mænərd/ adj pahatapainen, huonotapainen, epäkohtelias

badminton /bædmɪntən/ s sulkapallo

badness s: ks bad

bad-tempered /,bæd'tempərd/ adj pahansisuinen, pahantuulinen

bad word s kirosana

B.A.Ed. Bachelor of Arts in Education

Baffin Island /,bæfən'aɪlənd/ Baffininsaari (Kanadassa)

baffle /bæfəl/ v tyrmistyttää, ällistyttää, saada tyrmistymään/ällistymään

bag /bæg/ s **1** pussi, laukku, kassi, (golf) bägi, mailareppu, mailalaukku **2** (sl) ruma/vanha akka **3** to let the cat out of the bag paljastaa salaisuus I was left holding the bag minä sain kaikki syyt niskaani (vaikka olin syytön tai vain osasyyllinen)
v **1** pussittaa, panna pusseihin/laukkuihin **2** saada (metsästyksessä) saaliiksi **3** ottaa kiinni jostakin, tarttua johonkin

bagel /beɪgəl/ s (makeuttamaton) rinkeli

baggage /bægədʒ/ s matkatavarat

baggy /bægi/ adj (baggier, baggiest) (vaatteesta:) liian iso

bagpipes /'bæg,paɪps/ s (mon) säkkipilli

Bahama Islands /bə,hamə'aɪlənz/ Bahamasaaret

Bahamas /bə'hamәz/ **1** Bahama **2** Bahamasaaret

Bahamian /bə'heɪmiən/ s, adj bahamalainen

Bahrain /ba'reɪn/ Bahrain

Bahraini s, adj bahrainilainen

bail /beɪəl/ s takaus(maksu) (jota vastaan syytetty päästetään vapaaksi oikeudenkäynnin alkuun saakka) to be/let someone out on bail olla/päästää joku vapaaksi takausta vastaan to jump bail jäädä saapumatta oikeuteen (ja menettää takausmaksu)

Bailey bridge s Bailey-silta

bailiff /beɪlɪf/ s oikeudenpalvelija

bailiwick /'beɪlə,wɪk/ s jonkun ala it's not my bailiwick se ei ole minun heiniäni

bail out v **1** maksaa syytetyn takaus (jotta tämä pääsee vapaaksi oikeudenkäyntiin saakka) **2** pelastaa joku pinteestä, auttaa joku pulasta **3** hypätä ulos (uppoavasta veneestä, putoavasta lentokoneesta), irrottautua vaikeasta tilanteesta **4** äyskäröidä (vettä veneestä)

bait /beɪt/ s syötti (myös kuv)
v **1** panna syötiksi, houkutella **2** kiduttaa, kiusata, härnätä

Baja California /,baha,kælə'fɔrnjə/ Kalifornian niemimaa (Meksikossa)

bake /beɪk/ v **1** leipoa **2** paahtaa, paahtua kovaksi (auringossa)

baker s leipuri

baker's dozen /,beɪkərz'dʌzən/ s kolmetoista

bakery s leipomo

bakeshop s leipomo

baking powder /paʊdər/ s leivinjauhe

baking soda s ruokasooda

balalaika /,balə'laɪkə/ s balalaikka

balance /bæləns/ s **1** vaaka to hang in the balance (kuv) olla vaakalaudalla **2** tasapaino to keep/lose your balance pysyä tasapainossa/menettää tasapainonsa **3** (tal) tase, saldo on balance

kaiken kaikkiaan, kokonaisuutena ottaen **4** jäljellä oleva määrä, loput, jäännös for the balance of the year lopun vuotta
v **1** pitää tasapainossa **2** tehdä tilinpäätös, laskea menot ja tulot **3** (tuloista ja menoista) mennä tasan, (tilit) täsmätä **4** verrata (toisiinsa), punnita hyviä ja huonoja puolia, tasapainotella
Balance (tähdistö) Vaaka
balanced adj tasapainoinen
balanced diet s monipuolinen ruokavalio
balance of payments s maksutase
balance of power s (sotilaallinen) voimatasapaino
balance of terror s kauhun tasapaino (suurvaltojen välillä)
balance of trade s kauppatase
balance out v tasapainottaa, tasapainottua, kumota toisensa, täydentää toisiaan
balcony /bælkəni/ s parveke, (teatterin) parvi/parveke
bald /bald/ adj balder, baldest **1** kalju(päinen) **2** koruton (totuus), ytimekäs, suora (puhe)
bald eagle /ˌbald'igəl/ s valkopäämerikotka, Yhdysvaltain kansallislintu
balderdash /'baldərˌdæʃ/ s roskapuhe, hölynpöly
baldie /baldi/ s (ark) kaljupää
baldly adv (puhua) suoraan
baldness s **1** kaljuus **2** koruttomuus, ytimekkyys
baldy s (ark) kaljupää
bale /beɪəl/ s paali; nippu
v paalata, paalittaa, niputtaa
Balearic Islands /ˌbælɪerɪk'aɪlənz/ (mon) Baleaarit
baleful /beɪəlfəl/ adj paha, pahansuopa, uhkaava, vaarallinen
balk /bak/ v **1** estää (suunnitelma) **2** (hevonen) pysähtyä **3** (ihminen) säpsähtää jotakin, järkyttyä jostakin, ei suostua johonkin
Balkan Peninsula /ˌbalkənpə'nɪnsələ/ Balkanin niemimaa
Balkans /balkənz/ s (mon) Balkanin niemimaa, Balkan
balky /baki/ adj vikuroiva, jukuripäinen, omapäinen
ball /bal/ s **1** pallo, kerä to be on the ball olla ajan tasalla, seurata aikaansa, olla valpas to play ball pelata palloa, (kuv) suostua yhteistyöhön **2** tanssit to have a ball olla hauskaa **3** (sl) kives, muna (ks balls)
v (sl) naida, nussia
ballad /bæləd/ s balladi
ballast /bæləst/ s (mer) painolasti
ball bearing /ˌbal'beərɪŋ/ s kuulalaakeri
ballerina /ˌbælə'rinə/ s ballerina, balettitanssijatar
ballet /bæ'leɪ/ s baletti
ballet dancer s balettitanssija
ball game s **1** baseball **2** it's a whole new ball game se on kokonaan eri juttu
ballistic /bə'lɪstɪk/ adj ballistinen (ohjus)
ballistics s ballistiikka
ball of the foot s päkiä
balloon /bə'lun/ s **1** ilmapallo **2** (kuuma)ilmapallo
v paisua kuin ilmapallo, pullistua, täyttyä
balloonist s (kuuma)ilmapallolentäjä, ilmapurjehtija
ballot /bælət/ s **1** äänestyslippu **2** (salainen) äänestys, vaalit **3** äänimäärä
v äänestää
ballot box s vaaliuurna
ballpoint /'balˌpoɪnt/ s kuulakärkikynä
ballpoint pen s kuulakärkikynä
ballroom /'balˌrum/ s tanssisali
balls /balz/ s (mon sl) kivekset, munat, pallit; (kuv) rohkeus, sisu, häikäilemättömyys he's got balls, going in there unarmed hänellä on munaa, kun meni sinne ilman asetta
ballsy /balzi/ adj (sl) rohkea, sisukas, häikäilemätön
ballyhoo /'bæliˌhu ˌbæli'hu/ s ylenpalttinen mainonta, mainoshömpötys
v mainostaa ylenpalttisesti
balm /bam/ s palsami, (myös kuv) lohtu
balmy /bami balmi/ adj **1** samettinen (ilma) **2** hyväntuoksuinen, hyvää tekevä

baloney /bə'louni/ s **1** mortadella(makkara) **2** roska, pöty don't give me that baloney älä syötä pajunköyttä, älä puhu roskaa
balsa /balsə/ s balsapuu
balsam /balsəm/ s **1** palsami **2** palsamipuu
Balt. Baltimore
Baltic /ˌbaltɪk/ adj **1** Itämeren, Itämerta koskeva **2** Baltian (maiden), Baltiaa koskeva
Baltic Sea /ˌbaltɪk'si/ s Itämeri
Baltic States s Baltian maat (Viro, Latvia, Liettua
Baltimore /'baltəˌmɔr/ kaupunki Marylandissa
baluster /bæləstər/ s **1** (kaiteen) välipuola, välitanko **2** (mon) kaide
balustrade /'bæləsˌtreɪd/ s (parvekkeen tms) kaide
bamboo /bæmbu/ s bambu
bamboozle /ˌbæm'buzəl/ v hämätä, hämmentää, huijata, huiputtaa they bamboozled him into giving them some money he narrasivat häneltä rahaa
ban /bæn/ s kielto, (kirkon) panna
v kieltää; antaa porttikielto
banal /bə'næəl beɪnəl/ adj lattea, kulunut, arkinen
banality /bə'næləti/ s latteus, kulunut huomautus tms
banana /bə'nænə/ s banaani to go bananas seota
banana republic s banaanitasavalta
banana split s eräs jäätelöannos jonka pohjalla on halkaistu banaani
band /bænd/ s **1** nauha, hihna **2** sormus wedding band vihkisormus **3** juova, viiru **4** (rosvo)joukko **5** orkesteri, bändi **6** (radion) aaltoalue
v rengastaa (lintu)
bandage /bændədʒ/ s (haava)side
v sitoa (haava)
Band-Aid /'bænˌdeɪd/ s **1** haavalaastari (tavaramerkki) **2** nätäapu, väliaikaisratkaisu
bandanna /ˌbæn'dænə/ s (kaulassa pidettävä) iso liina, (ohueksi kierretty) kaulaliina
bandicoot /'bændəˌkut/ s pussimäyristä ja pussikaniineista (Peramelidae, Thylacmyidae)
bandit /bændɪt/ s (maantie)rosvo
bandstand /'bænˌstænd/ s orkesterilava
band together v liittyä yhteen
bandwagon /'bændˌwægən/ to climb/get/jump on the bandwagon liittyä joukkoon, ruveta jonkin (muotiasian) kannattajaksi
bandy /bændi/ to bandy blows/words with someone tapella/riidellä jonkun kanssa
adj (sääristä:) väärä(t)
bang /bæŋ/ s **1** isku, tälli **2** pamahdus **3** (mon) otsatukka
v **1** lyödä, iskeä, läimäyttää, paiskata (kiinni), läimähtää, paiskautua (kiinni) **2** paukkua, paukahtaa, pamahtaa
bang into v törmätä johonkin
Bangkok /'bæŋˌkak ˌbæŋ'kak/ Bangkok
Bangladesh /ˌbæŋglə'deʃ/
Bangladeshi s, adj bangladeshiläinen
bangle /bæŋgəl/ s rannerengas; nilkkarengas
bang up v kolhia, kolhaista, rutata (ark)
banish /bænɪʃ/ v **1** karkottaa maasta **2** heittää mielestään
banishment s (maasta)karkotus
banister /bænɪstər/ s kaide
banjo /bændʒou/ s banjo
bank /bæŋk/ s **1** (ranta/rata)penger, rinne, (kilparadan tms mutkan) kallistus **2** (järven, joen) ranta **3** (joen, meren hiekka)särkkä **4** (pilvi)muuri, (lumi)kinos **5** pankki, pelipankki, elinpankki, tietopankki
v **1** kallistaa (tietä, lentokonetta) **2** pengertää **3** panna (rahaa) pankkiin, pitää pankissa
bank account /'bæŋkəˌkaunt/ s pankkitili
banker s pankkirnies/nainen, pankinjohtaja, pankkiiri
banking s **1** (tien, lentokoneen) kallistuma, kallistus **2** pankkiala, pankissa asiointi

bankknote /ˈbæŋk,nout/ s seteli
bank on v luottaa johonkin, olla varma jostakin
bankroll /ˈbæŋk,roul/ s käteinen raha v rahoittaa
bankrupt /bæŋkrʌpt/ adj vararikon tehnyt to go bankrupt tehdä vararikko, mennä konkurssiin morally bankrupt moraalisen vararikon tehnyt
bankruptcy /bæŋkrʌpsi/ s vararikko, konkurssi
bank up v **1** kasata/kasaantua kinoksiksi **2** (lentokone, moottoripyörä) kallistua käänteessä
banner /bænər/ s **1** lippu **2** (esim kahden tangon väliin pingotettu kankainen) juliste, banderolli
banner headline s (sanomalehden) otsikko joka on painettu isoilla/kissankokoisilla/kissankorkuisilla (ark) kirjaimilla
banns /bænz/ s (mon) (kirkossa annettu avioliitto)kuulutus publish wedding banns kuuluttaa avioliittoon
banquet /bæŋkwət/ s juhla-ateria, pidot, banketti
v järjestää juhla-ateria (jollekulle); osallistua juhla-ateriaan
bantam /bæntəm/ s bantamkana, bantamkukko
bantamweight /ˈbæntəm,weɪt/ s kääpiösarjan nyrkkeilijä
banteng /bænteŋ/ s (eläin) bantengi
Bantu /bæntu/ s **1** bantu **2** bantukieli
baobab /ˈbeɪou,bæb/ s apinanleipäpuu, baobab
baptism /ˈbæp,tɪzəm/ s kaste, kastetoimitus
baptismal /,bæpˈtɪzməl/ adj kaste-
baptism of fire s tulikaste
Baptist /bæptəst/ s, adj baptisti(-)
baptize /bæptaɪz/ v kastaa, ristiä, antaa nimeksi
bar /bar/ s **1** tanko bar of soap saippua bar of chocolate suklaapatukka **2** baari, kapakka; baarikaappi **3** kalteri, telki to be behind bars olla telkien takana, olla vankilassa **4** este that is no bar to my success se ei estä minua menestymästä **5** (mus) tahti, tahtiviiva **6** hiekkasärkkä **7** asianajajan ammatti/pätevyys
v **1** teljetä (ovi) **2** sulkea, tukkia (tie), olla jonkun/jonkin tiellä **3** sulkea pois kilpailusta, antaa porttikielto, ei päästää jonnekin
adj jotakin lukuun ottamatta bar none poikkeuksetta
barb /barb/ s (ongen, nuolen) koukku, (piikkilangan) piikki (myös kuv)
Barbadian s, adj barbadosilainen
Barbados /barˈbeɪdous/
barbarian /,barˈberɪən/ s barbaari, raakalainen, sivistymätön ihminen
adj raakamainen, sivistymätön, alkeellinen
barbaric /,barˈberɪk/ adj raakamainen, sivistymätön, alkeellinen
barbarism /ˈbarbə,rɪzəm/ s raakamaisuus, sivistymättömyys, alkeellisuus; paha kielivirhe, barbarismi
barbarity /,barˈberəti/ s raakamaisuus, julmuus, raakuus, julma teko
barbarize /ˈbarbə,raɪz/ v raaistaa, raaistua
barbarous /ˈbarbə,rəs/ adj raakamainen, sivistymätön, alkeellinen
barbarously adv raakamaisesti, raakamaisen
barbary sheep /barbəriˈʃip/ s harjalammas
barbecue /ˈbarbɪ,kju/ s **1** (piha)grilli **2** grillijuhlat **3** grillissä valmistettu liha
v grillata
barbed wire /,barbˈwaɪər/ s piikkilanka
barber /barbər/ s parturi
barbiturate /,barˈbɪtʃərət/ s baribituraatti, unilääke, nukutusaine
bar code /ˈbar,koud/ s (tuotteen nimen ja hinnan ilmoittava) viivakoodi
bard /bard/ s bardi, runoilija, runolaulaja
bardic adj bardi-
bare /beər/ v paljastaa the angry dog bared his teeth vihainen koira näytti hampaitaan the President bared his midriff and showed the nation his appendectomy scar presidentti paljasti vatsansa ja näytti kansakunnalle

umpilisäkearpensa

adj **1** paljas, alaston, tyhjä to lay something bare paljastaa jotakin **2** pelkkä a bare majority niukka enemmistö the bare idea makes me sick pelkkä ajatuskin on minusta kuvottava

bare-assed /'ber,æst/ adj, adv alaston, alasti

bareback /'ber,bæk/ adj, adv (hevonen) satuloimaton, ilman satulaa

bare bones /'ber'bounz/ s (mon kuv) luuranko, asian ydin

barefaced /'ber,feɪst/ adj häpeämätön (valhe)

barefisted /,ber'fɪstəd/ adj (tappelu) paljain nyrkein käytävä

barefoot /'ber,fut/ adj,adv paljasjalkainen, paljain jaloin

barefooted ks barefoot

bareheaded /'ber,futəd/ adj, adv (jolla on) pää paljaana, (joka on) ilman hattua, (joka on) paljain päin

barelegged /'ber,legd, 'beər,legəd/ adj, adv (jolla on) sääret paljaana, jolla ei ole sukkia/pitkiä housuja, ilman sukkia/pitkiä housuja

barely adv hädin tuskin, juuri ja juuri, nipin napin

barf /barf/ v (ark) yrjö, oksennus v (ark) yrjötä, oksentaa

barf bag s (ark) (lentokoneen) oksennuspussi, yrjöpussi

bargain /bargən/ s **1** kauppa, sopimus, tarjous to drive a hard bargain olla kova tinkimään, asettaa kovat ehdot **2** erikoistarjous, edullinen/halpa tarjous v neuvotella, tinkiä hinnasta

bargain away v luopua (tyhmästi) jostakin, menettää

bargain basement s tavaratalon tms alakerta jossa on alennustavaraa

bargain for v osata odottaa, arvata we got more than we had bargained for haukkasimme liian ison palan

bargain-hunter s erikoistarjouksien perässä/alennusmyynneissä juoksija

bargain on v luottaa johonkin

barge /bardʒ/ s proomu

barge in v marssia (ilmoittamatta) sisään, keskeyttää, häiritä

barge into v **1** tavata sattumalta, törmätä johonkuhun **2** ks barge in

baritone /'berə,toun/ s baritoni

bark /bark/ s **1** (puun) kuori **2** (koiran) haukahdus his bark is worse than his bite ei haukkuva koira pure, hän ei ole niin vaarallinen kuin miltä hän näyttää/kuulostaa **3** (alus) parkki v **1** kuoria (puu) **2** iskeä, lyödä (vahingossa itsensä johonkin, varsinkin sääriluunsa), raapia (vahingossa) ihonsa auki **3** (koira, hylje) haukkua you're barking up the wrong tree sinä haukut väärää puuta, sinä olet väärässä **4** (ase) paukkua

bark at v haukkua jotakuta, huutaa jollekulle

bark out v kajottaa, huutaa (käskyjä)

barley /barli/ s ohra

bar mitzvah /,bar'mɪtsvə/ s **1** bar mitsva **2** (13-vuotias juutalais)poika joka juhlii bar mitsvaa

barn /barn/ s **1** navetta, talli **2** lato

barn dance /'barn,dæns/ s latotanssit

Barnie Rubble /,barni'rʌbəl/ Tahvo Soranen (sarjakuvassa Kiviset ja Soraset)

bar none fr poikkeuksetta

barnstorm /'barn,stɔrm/ v olla teatteri/vaalikiertueella maaseudulla

barnstormer s näyttelijä/poliitikko joka on teatteri/vaalikiertueella maaseudulla, kiertävä näyttelijä

barnyard /barnyərd, 'barn,yard/ s navetan piha, tallipiha

barograph /'berə,græf/ s piirtävä ilmapuntari

barometer /bə'ramətər/ s barometri, ilmapuntari (myös kuv)

barometric /,berə'metrɪk/ adj barometrinen barometic pressure ilmanpaine

baron /berən/ s paroni he is a Texas oil/cattle baron hän on teksasilainen öljypohatta/karjanomistaja

baroness /berənəs/ s paronitar

baronet /berənət/ s baronetti (englantilainen aatelisarvo)

baronial /bə'rouniəl/ adj paronin; aatelisille sopiva

aroque /bə'rouk/ s, adj barokki(-)
arrack /berək/ s (yl mon) sotilas)kasarmi
arracuda /ˌberə'kudə/ s barrakuda
arrage /bə'raʒ/ s **1** (sot) sulkutuli **2** (kysymysten, sana-, kirje)tulva
arrel /berəl/ s **1** tynnyri, myös lavuusmittana (163,656 l) **2** (aseen) iippu
arrel along v viilettää, ajaa kovaa auhtia
arrel organ s posetiivi
arren /berən/ adj (naisesta) edelmätön, (seudusta) karu, henkisesti) köyhä
arrenness s hedelmättömyys, aruus, mielikuvituksettomuus
arrette /bə'ret ˌbar'et/ s hiussolki
arricade /'berəˌkeɪd/ s katusulku, arrikadi
v sulkea katu, rakentaa katusulku, innoittautua
arrier /berɪər/ s este, (kuv) muuri, aita language barrier kielimuuri the sound barrier äänivalli
barring prep ellei, jos ei barring an accident, we'll get there in time me ehdimme sinne ajoissa jos meille ei satu haaveria
barrio /'barɪˌou/ s (espanjasta) etupäässä latinojen asuttama kaupunginosa/slummi/getto
barrister s **1** (UK) asianajaja jolla on oikeus esiintyä tuomioistuimessa (vrt solicitor) **2** (ark) asianajaja
barrow /berou/ s kärryt
bartender /bartendər/ s baarimestari, baarimikko
barter /bartər/ s vaihtokauppa
v käydä vaihtokauppaa, vaihtaa to barter furs for salt vaihtaa turkiksia suolaan to barter for peace neuvotella rauhasta, hieroa rauhaa
barter away v luopua jostakin, menettää jotakin (arvokasta)
B.A.S. Bachelor of Applied Science; Bachelor of Arts and Sciences
basal metabolism /ˌbeɪsəlmə'tæbəlɪzəm/ s perusaineenvaihdunta
base /beɪs/ s **1** pohja, perusta, perustus, tyvi, kanta **2** tukikohta, leiri **3** (geometriassa, matematiikassa, kieliopissa) kanta **4** (baseballissa) pesä to be off base (kuv) olla väärässä
adj alhainen, halpamainen
baseball /beɪsbal/ s **1** baseball(-peli) **2** baseball-pallo
baseball bat s baseball-maila
baseball glove s baseballräpylä
baseboard /beɪsbɔrd/ s jalkalista
basement /beɪsmənt/ s kellarikerros
base on/upon v perustaa/perustua johonkin
bases 1 /beɪsəs/ ks base **2** /beɪsiz/ ks basis
bash /bæʃ/ s **1** isku, tälli **2** juhlat, kemut
v iskeä, lyödä, pamauttaa
bashful /bæʃfəl/ adj ujo, arka
bashfully adv ujosti, arasti
basic /beɪsɪk/ adj perus
BASIC Beginner's All-purpose Symbolic Instruction Code eräs tietokonekieli
basically /beɪsɪkli/ adv pohjimmaltaan, periaatteessa, suurimmaksi osaksi
basics s (mon) perusteet, alkeet the basics of English grammar
basil /bæzəl beɪzəl/ s basilika (eräs mauste)
basilica /bə'sɪlɪkə/ s (arkkitehtuurissa) basilika
basin /beɪsən/ s **1** kulho, astia, vati washbasin pesuallas **2** (geologiassa) allas the Great Basin Suuri allas (Lounais-Yhdysvalloissa) tidal basin vuorovesiallas
basis /beɪsəs/ s (mon bases) perusta, pohja that claim has no basis in reality se väite on täysin perusteeton
basis point s (tal) prosentin sadasosa
bask /bæsk/ to bask in the sun paistatella päivää to bask in someone's favor paistatella jonkun suosiossa
basket /bæskət/ s kori
basketball /'bæskətˌbal/ s **1** koripallo(peli) **2** koripallo
basket case s (ark) toivoton tapaus

bas mitzvah /ˌbas'mɪtsvə/ s **1** bas mitsva **2** (13-vuotias juutalais)tyttö joka juhlii bas mitsvaa
bas-relief /ˌbarɪ'lif ˌbasrɪ'lif/ s matala reliefi
bass /bæs/ s (mon bass) meriahven
bass /beɪs/ s (mus, mon basses) basso(ääni, -kitara tms)
adj basso-
bassoon /bə'sun/ s (mus) fagotti
basswood /bæswʊd/ s lehmus
bastard /bæstərd/ s **1** avioton lapsi **2** (alat) paskiainen, kusipää **3** (alat) hankala/vaikea homma/juttu
bastardize /'bæstərˌdaɪz/ v väärentää
bastardized adj **1** väärennetty **2** huono, murrettu, barbaarinen (kieli)
baste /beɪst/ v **1** harsia, paikata väliaikaisesti **2** (ruuanlaitossa) kostuttaa lihaa sen omalla liemellä
baster s (ruuanlaitossa) liemiruisku
bastion /bæstʃən/ s **1** (linnoituksen) bastioni, vallinsarvi **2** (kuv) tukipilari, turva, suoja
bat /bæt/ s **1** lepakko as blind as a bat umpisokea **2** (baseball-, pöytätennisym) maila right off the bat heti
v lyödä (mailalla) to go to bat for someone auttaa/tukea jotakuta without batting an eye silmääkään räpäyttämättä
B.A.T. Bachelor of Arts in Teaching
batch /bætʃ/ s joukko, kasa, nippu, erä
bateau /bæ'toʊ/ s (mon bateaux) (soutu)vene
bath /bæθ/ s (mon baths /bæðz/) kylpy, kylpyamme to have/take a bath kylpeä, käydä kylvyssä
bathe /beɪð/ v kylpeä, kylvettää, käydä uimassa, huuhdella, pestä
bathed /beɪðd/ to be bathed in something olla yltä päältä jossakin, kylpeä (esim hiessä, kyynelissä)
bather /beɪðər/ s kylpijä, (UK) uimari
bathing suit /'beɪðiŋˌsut/ s uimapuku
bathing trunks /'beiðiŋˌtrʌŋks/ s uimahousut
bathos /beɪθas bæθas/ s (puheessa, kirjoituksessa) antikliimaksi, äkillinen siirtyminen esim ylevästä arkiseen
bathroom /'bæθˌrum/ s **1** kylpyhuone **2** (US) wc to go to the bathroom mennä vessaan
bathroom tissue s wc-paperi
bathtub /'bæθˌtʌb/ s kylpyamme
baton /bə'tan/ s **1** (mus) tahtipuikko **2** (poliisin) pamppu, patukka **3** komentosauva **4** viestikapula **5** rumpalin sauva
Baton Rouge /ˌbætən'ruʒ/ kaupunki Louisianassa
battalion /bə'tæljən/ s **1** pataljoona **2** (kuv) kokonainen pataljoona, iso joukko
batten /bætən/ s **1** (puu)lista **2** (purjeen) latta
batten down v sulkea tiukasti
batter /bætər/ s **1** (esim ohukais)taikina **2** (baseballissa) lyöjä
v hakata, lyödä, piestä, pahoinpidellä, kolhia (auto) battered wife pahoinpidelty vaimo
battery /bætəri/ s **1** akku; paristo **2** (tykistö)patteri **3** koko joukko, rivi, ryhmä a battery of computers stood in the room huoneessa oli pitkä rivi tietokoneita **4** pahoinpitely assault and battery pahoinpitely
battle /bætəl/ s taistelu (myös kuv), kamppailu
v taistella, kamppailla I am trying to battle my way through this book yritän kahlata tämän kirjan läpi they are battling for freedom he taistelevat vapautensa puolesta he is still battling with his tax form hän on vieläkin veroilmoituksensa kimpussa
battle-ax /'bætəlˌæks/ s **1** sotakirves **2** (naisesta) äkäpussi, noita-akka, (pirtti)hirmu
battlefield /'bætəlˌfiəld/ s taistelutanner, taistelukenttä
battleground /'bætəlˌgraund/ s taistelutanner, taistelukenttä
battle line s rintamalinja
battleship /'bætəlˌʃɪp/ s sotalaiva
batty /bæti/ adj (sl) (harmittoman) hullu, tärähtänyt
bauble /babəl/ s rihkama, hely
bauxite /baksaɪt/ s bauksiitti

Bavaria /bə'verɪə/ Baijeri
bawdily adv karkeasti, rivosti
bawdy /badi/ adj karkea, rivo
bawl /baəl/ v huutaa, parkua, ulvoa
bay /beɪ/ s **1** laakeripuu **2** (mon) laakeriseppele (myös kuv:) kunnia, maine **3** (meren, järven) lahti **4** syvennys **5** (laivan) sairashuone **6** säiliö, lokero overhead storage bay lentokoneen matkustamon säilytyslokero **7** (ajokoiran) haukku to hold/keep someone/ something at bay (kuv) pitää joku/jokin loitolla/aisoissa/aloillaan **8** (hevonen) raudikko, rautias
Bay of Pigs /ˌbeɪəv'pɪgz/ Sikojenlahti (Kuubassa)
bayonet /ˌbeɪə'net/ s pistin v iskeä/surmata pistimellä
bayou /baɪu/ s (Mississippin alajuoksun rämeiset) suvantovedet
bay window s erkkeri-ikkuna
bazaar /bə'zaər/ s **1** basaari **2** (sekatavara)kauppa, myymälä **3** (hyväntekeväisyys)myyjäiset
bazooka /bə'zukə/ s sinko
B.B.A. Bachelor of Business Administration
BBB Better Business Bureau
BBC British Broadcasting Corporation
BB gun /'bibi,gʌn/ s ilmakivääri
bbl. barrel (öljy)tynnyri
BC British Columbia
B.C. before Christ eKr.
bdrm. bedroom
be /bi/ v (preesens) I am (I'm), you are (you're), she/he is (she's/he's), we are (we're), you are (you're), they are (they're);
(imperfekti:) I was, you were, she/he was, we/you/they were;
(perfekti, pluskvamperfekti:) has/have/had been (she's/she'd been, I've/I'd been);
(lyhennettyjä kieltomuotoja:) we/you/they aren't, she/he isn't, I/she/he wasn't, we/you/they aren't, we/you/they weren't;
(kestomuotoja:) I am being, you are being **1** olla today is Thursday tänään on torstai I am a policeman minä olen poliisi he is fat hän on lihava this pen is mine tämä on minun kynäni for the time being toistaiseksi **2** tulla joksikin he wants to be famous/an astronaut hän haluaa tulla kuuluisaksi/astronautiksi **3** olla käynyt jossakin she has never been to America hän ei ole koskaan käynyt Amerikassa **4** liitekysymyksissä: she is very pretty, isn't she? eikö hän olekin nätti? you are not going to leave now, are you? et kai sinä aio nyt lähteä?
apuv **1** (partisiipin preesensin kanssa ilmaistaessa jatkuvaa tekemistä kestomuodolla:) he is watching television hän katselee televisiota **2** (partisiipin perfektin kanssa ilmaistaessa passiivia) the house was built talo rakennettiin **3** (to-infinitiivin kanssa ilmaistaessa pakkoa, käskyä, aikomusta, suunnitelmaa) you are to be there at six sinun kuuluu/pitää/tulee olla siellä kuudelta they are to be married he aikovat mennä naimisiin
B.E. Bachelor of Education; Bachelor of Engineering
beach /bitʃ/ s (hiekka)ranta
beachbag /'bitʃ,bæg/ s rantakassi
beachhead /'bitʃ,hed/ s sillanpääasema (myös kuv)
beachwear /'bitʃ,weər/ s rantavaatteet, uimapuvut
beacon /bikən/ s majakka radio beacon radiomajakka
bead /bid/ s **1** (muovi/savi/puu)helmi (jossa on reikä) **2** (mon) (muovi/savi/puu)helmet, helmi(kaula)nauha **3** pisara beads of sweat hikipisarat
beady /bidi/ adj pieni (esim silmä)
beady-eyed /'bidi,aɪd/ adj nappisilmäinen
beagle /bigəl/ s beagle, pieni englanninajokoira
beak /bik/ s linnun nokka
beaker s **1** laboratoriolasi **2** juomalasi
beam /bim/ s **1** (metalli/puu)palkki, hirsi **2** (valon)säde, (radio/tv-/tutka)signaali v **1** säteillä (valoa/lämpöä, myös kuv) **2** lähettää (radio/tv-)signaali

bean /bin/ s papu to be full of beans puhua joutavia/pötyä to spill the beans paljastaa salaisuus
beanbag /'bin,bæg/ s **1** (peleissä ym käytettävä) hernepussi **2** säkkituoli
beanbag chair s säkkituoli
bear /beər/ s karhu (myös kuv)
v bore, borne/born **1** kantaa to bear arms kantaa asetta, olla aseistettu to bear a grudge kantaa kaunaa his car bears the marks of use hänen autonsa on käytetyn näköinen **2** tuntea (rakkautta jotakuta kohtaan) **3** sietää, kestää she couldn't bear his company hän ei voinut sietää hänen seuraansa **4** synnyttää she bore three children before she turned 20 hän synnytti kolme lasta ennen 20. syntymäpäiväänsä when were you born? milloin olet syntynyt? **5** kääntyä to bear left kääntyä vasempaan
bearable adj siedettävä
beard /bɪərd/ s parta
bearded adj parrakas
bearer /berər/ s **1** lähetti bearer of bad news ikävien uutisten/jobinpostin tuoja **2** (lipun-, arkun)kantaja **3** (sekin) asettaja
bearing s **1** käytös **2** ryhti **3** vaikutus, merkitys to have some/no bearing on something liittyä etäisesti johonkin/ei olla mitään tekemistä jonkin kanssa **4** suunta to find/lose your bearings (kuv) päästä kärryille/pudota kärryiltä **5** (tekn) laakeri
bearish /berɪʃ/ adj (sijoittajista ym) pessimistinen (vastakohta: bullish)
bear market s (tal) markkinatilanne jota kuvaa trendimäinen hintojen lasku (vastakohta: bull market)
bear on v liittyä johonkin, koskea jotakin how does that bear on the question? miten se liittyy tähän?
bear out v vahvistaa I can bear out his story minä voin vahvistaa että hän puhuu totta
bear spread s (tal) laskeva hintaspread/hintaporras
bear up v kestää she couldn't bear up under pressure hän ei kestänyt painetta
be as good as your word Carolyn is as good as her word Carolyniin voi luottaa, Carolynin sana pitää
beast /bist/ s **1** eläin **2** (ihmisestä) eläin, peto
beastly adj kurja, inhottava, viheliäinen
beast of burden s työjuhta (myös kuv)
beat /bit/ s **1** syke, lyönnit **2** tahti, rytmi **3** yksittäisen poliisin toimialue, piiri
v beat, beaten **1** lyödä, hakata, iskeä jotakuta/jotakin to beat time lyödä tahtia to beat around the bush empiä, vitkastella, kiertää kuin kissa kuumaa puuroa to beat a path to someone's door rynnätä jonkun luokse **2** vatkata to beat eggs **3** voittaa, lyödä (pelissä ym) **4** (sydän) sykkiä, hakata, lyödä
beat down v **1** (sade) piiskata, (aurinko) paahtaa **2** laskea (hintaa), tinkiä (hinnasta)
beaten /bitən/ adj **1** (ihmisestä) lyöty, voitettu **2** (polusta) tallattu off the beaten track syrjässä, syrjäseudulla, (kuv) uusilla poluilla/urilla
beater s **1** mattopiiska **2** vispilä **3** riistan ajaja, ajomies
Beat Generation s beat-sukupolvi, 1950-luvun "pettynyt" sukupolvi
beatific /,bɪə'tɪfɪk/ adj autuas, taivaallinen
beatification /bɪ,ætɪfə'keɪʃən/ s autuaaksi julistaminen
beatify /bɪ'ætɪfaɪ/ v julistaa autuaaksi
beatitude /bɪ'ætɪ,tud/ s **1** autuus **2** (mon, Raamatussa) vuorisaarnan "Autuaita ovat..." -kohdat
beatnik /bitnɪk/ s beatnikki, 1950-luvun "pettyneen" beat-sukupolven jäsen
beat off v torjua (hyökkääjiä)
beat out v **1** sammuttaa hakkaamalla (tulipalo), oikaista vasaroimalla (kolhu), lyödä (tahtia), hakata (rumpua) **2** voittaa, ehtiä ensin to beat out someone for a job saada työpaikka (juuri ja juuri) toisen nenän edestä

be at stake fr olla vaakalaudalla/ pelissä what's your stake in this? paljonko sinä olet pannut peliin?; (kuv) mikä osuus sinulla on tässä?
be at the end of your rope fr olla vetänyt itsensä piippuun; olla puilla paljailla
beat the rap fr selvitä rangaistuksetta; päästä pälkähästä, ei joutua kiinni/nalkkiin (ark)
beat the tar out of someone fr (ark) antaa jollekulle perusteellinen selkäsauna
beat up v **1** hakata, antaa selkään jollekulle **2** vatkata
be at your wit's end fr olla ymmällään
beau /bou/ s (mon beaux) miesystävä, poikaystävä, ihailija
beautician /ˌbjuˈtɪʃən/ s kosmetologi
beautiful /bjutɪfəl/ adj kaunis, hieno, loistava
beautifully adv kauniisti, hienosti, loistavasti
beautify /ˈbjutəˌfaɪ/ v kaunistaa, somistaa, koristaa
beauty /bjuti/ s **1** kauneus, erinomaisuus beauty contest missikilpailut the beauty of it is that I don't pay any tax parasta siinä on etten maksa siitä veroa **2** kaunotar your new convertible is a real beauty uusi avoautosi on todella upea
beauty parlor s kauneushoitola
beauty spot s kauneuspilkku
beaver /bivər/ s **1** majava **2** (sl) naisen sukupuolielimet, mirri
bebop /bibap/ s bebop, eräs jazztyyli
became /bɪˈkeɪm/ ks become
because /bɪˈkʌz/ konj koska A: Why did you do it? B: Because! A: Miksi teit sen? B: Kunhan tein!
because of prep vuoksi, takia
béchamel sauce /ˈbeɪʃəˌməl ˌbeɪʃəˈmel/ s maitokastike
beck /bek/ to be at someone's beck and call totella kiltisti jotakuta, olla jonkun käskyläinen
beckon /bekən/ v viittoa (jotakuta tulemaan lähemmäksi)
become /bɪˈkʌm/ v became, become **1** tulla joksikin he became a writer hänestä tuli kirjailija **2** sopia jollekulle, pukea that new tie does not become you tuo uusi solmio ei pue sinua
becoming s joksikin tuleminen (to become)
adj viehättävä, jollekulle sopiva, pukeva
bed /bed/ s **1** sänky, vuode **2** alusta, jalusta **3** (meren, järven) pohja **4** kukkapenkki
v **1** (ark) viedä sänkyyn, naida to wed and bed viedä avioon ja vuoteeseen **2** istuttaa (kasveja)
B.Ed. Bachelor of Education
bed-and-breakfast /ˌbedənˈbrekfəst/ s **1** aamiaismajoitus, huone ja aamiainen **2** aamiaismajoituspaikka, majatalo, pieni hotelli (jossa huoneen hintaan kuuluu aamiainen)
bedazzle /bɪˈdæzəl/ v ällistyttää, hämmästyttää the audience was bedazzled at the conjurer's skill yleisö haukkoi hämmästyksestä henkeään nähdessään miten hyvä taikuri oli
bedclothes /ˈbedˌklouðz/ s (mon) vuodevaatteet
bedding s **1** vuodevaatteet **2** (eläinten) pahnat
bed down v **1** yöpyä jossakin, asettua yöksi jonnekin **2** panna (lapsi) nukkumaan **3** majoittaa joku jonnekin
be dead in the water fr olla poissa kuvioista, olla unohdettu
bedevil /bɪˈdevəl/ v sotkea (suunnitelmat), mutkistaa (asioita), vaivata, kiusata
bedfellow /ˈbedˌfelou/ s petikaveri, (kuv) aisapari those two make strange bedfellows he ovat outo parivaljakko
Bedforshire /bedfərʃər/ Englannin kreivikuntia
bedlam /bedləm/ s metakka, äläkkä, meteli, rähinä
bedpan /ˈbedˌpæn/ s (potilaan) alusastia
bedraggled /bɪˈdrægəld/ adj **1** läpimärkä **2** yltä päältä kurassa **3** siivoton, sottainen

bedridden /'bed,rıdən/ adj vuoteenoma, joka on vuodepotilaana because of his illness, he was bedridden for two weeks hän joutui olemaan sairautensa vuoksi kaksi viikkoa vuoteessa
bedroom /'bed,rum/ s makuuhuone
Beds. Bedfordshire
bedside manner s (lääkärin) ote potilaisiin, hoitotyyli
bedspread /'bed,spred/ s (vuoteen) päiväpeite
bee /bi/ s mehiläinen
beech /bitʃ/ s pyökki
beef /bif/ s naudanliha, häränliha v valittaa
beefsteak /'bif,steık/ s pihvi
beefy adj lihaksikas, vahva
beehive /'bi,haıv/ s mehiläispesä
beeline /bilaın/ to make a beeline for mennä/suunnistaa suoraa päätä/oikopäätä jonnekin
been /bın/ ks be
beeper /bipər/ s kaukohakulaite, piippari (ark)
beer /bıər/ s olut, kalja (ark)
beery adj **1** (haju, maku jne) olut-, oluen **2** (ihminen) oluenhajuinen, kaljan vilkastama
beeswax /'biz,wæks/ s mehiläisvaha none of your beeswax (ark) (se) ei kuulu sinulle
beet /bit/ s punajuuri
beetle /bitəl/ s kovakuoriainen
beetroot /'bit,rut/ s (UK) punajuuri
bef. before
befall /bı'fal/ v befell, befallen: sattua, tapahtua, käydä
befit /bı'fıt/ v sopia (jollekulle, johonkin)
befitting adj asianmukainen, jollekulle sopivaa, jonkun arvon mukainen
before /bı'four/ prep (ajasta, järjestyksestä, sijainnista) ennen the day before yesterday toissapäivänä A comes before B A on (aakkosissa) ennen B:tä adv aikaisemmin, ennen he hadn't driven a car before hän ei ollut vielä koskaan ajanut autoa konj ennen kuin eat your dinner before it gets cold syö ruokasi ennen kuin se jäähtyy
before guy /bı'four,gʌı/ s (mainoksen vertailussa) mies ennen mainostettavan tuotteen käyttöä (vastakohta: after guy)
beforehand /bı'four,hænd/ adv etukäteen, edeltäkäsin
befriend /bı'frend/ v ystävystyä jonkun kanssa, tutustua johonkuhun
befuddle /bı'fʌdəl/ v hämätä, sekoittaa, johtaa harhaan
beg /beg/ v **1** kerjätä **2** pyytää, anoa I beg you to reconsider pyydän tosissani sinua harkitsemaan asiaa uudelleen I beg your pardon? anteeksi (kuinka)? I beg to differ olen asiasta eri mieltä
beg. beginning
began /bı'gæn/ ks begin
beggar /begər/ s kerjäläinen
beggarly adj viheliäinen, mitätön
begin /bı'gın/ v began, begun: aloittaa, alkaa to begin with ensimmäiseksi, alkajaisiksi
beginner /bı'gınər/ s aloittelija
beginner's luck s aloittelijan onni
beginning s alku let's begin at the beginning aloitetaan alusta
begrudge /bı'grʌdʒ/ v kadehtia do you begrudge me my good fortune? etkö soisi minulle tätä onnenpotkua?
beguile /bı'gaıəl/ v **1** huiputtaa, johtaa harhaan **2** houkutella **3** viettää alkaa mukavissa merkeissä, nauttia ajasta
begun /bı'gʌn/ ks begin
behalf /bı'hæf/ in/on behalf of someone/something jonkun/jonkin nimissä, puolesta
behave /bı'heıv/ v **1** käyttäytyä to behave well/badly käyttäytyä kiltisti/huonosti please make your child behave käske lapsesi olla ihmisiksi/kunnolla **2** behave yourself käyttäytyä kunnolla, olla ihmisiksi/kiltisti
behavior /bı'heıvjər/ s käytös, käyttäytyminen
behavioral /bı'heıvjərəl/ adj käyttäytymis-; behavioristinen
behaviorism /bı'heıvjə,rızəm/ s behaviorismi

behaviorist /bɪ'heɪvjərɪst/ s behavioristi
behead /bɪ'hed/ v katkaista pää, teloittaa (katkaisemalla pää)
behemoth /'biə,maθ, bə'himəθ/ s (kuv) hirviö, jättiläinen, mammutti
behest /bɪ'hest/ s käsky, määräys
behind /bɪ'haɪnd/ s takapuoli adv, prep (tilasta:) takana, taakse, jäljessä, jälkeen behind the wall seinän takana don't leave me behind älä jätä minua he is behind all others in his work hän on työssään jäljessä kaikista we are weeks behind schedule olemme useita viikkoja aikataulusta jäljessä to be behind the times olla ajastaan jäljessä
behindhand adj, adv myöhästynyt, myöhässä, jäljessä
behind-the-scenes adj kulissien takainen, salainen
behind the times to be behind the times olla ajastaan jäljessä
be in tune the piano is in tune piano on (oikeassa) vireessä
behold /bɪ'hoəld/ interj katso!
beholden to adj kiitollisuuden velassa jollekulle
behoove /bɪ'huv/ v sopia jollekulle, olla jonkun arvon mukaista it does not behoove the president to travel by taxi presidentin arvolle ei sovi ajaa taksilla
beige /beɪʒ/ adj beige, beesi
Beijing /,beɪ'dʒiŋ/ Beijing, Peking
be in a (bad) spot fr olla pinteessä, olla tukalassa tilanteessa
be in full swing fr olla täydessä vauhdissa
being /biiŋ/ s **1** olemassaolo to come into being syntyä, saada alkunsa **2** olemus, luonne deep in my being I know I'm right sisimmässäni tiedän olevani oikeassa **3** oleminen, olemassaoleva, luonto, luomakunta all being is infinitely valuable kaikki oleva on mittaamattoman arvokasta **4** (elävä) olento human being ihminen
be in someone's shoes fr olla jonkun toisen asemassa/housuissa
be in someone's way fr olla jonkun tiellä/esteenä, estää jotakuta tekemästä jotakin
be in style fr olla muodissa
be in the swim fr olla menossa mukana
be in the wind big changes are in the wind (kuv) luvassa on suuria muutoksia
be in the works fr olla tekeillä/valmisteilla
Beirut /,beɪ'rut/ Beirut
bel. below
belated /bɪ'leɪtəd/ adj myöhästynyt, myöhäinen
belch /beltʃ/ s **1** röyhtäisy **2** (kaasun, savun) purkaus v **1** röyhtäistä **2** (tulivuori) purkautua, (savupiippu) turpruttaa savua ilmaan
Belcher Islands /,beltʃər'aɪləndz/ (mon) Belchersaaret (Kanadassa)
Belfast /bel'fæst, 'belfæst/
belfry /belfri/ s (kirkon) kellotapuli, kellotorni to have bats in the belfry olla löylyn lyömä, ei olla täysijärkinen
Belgian s, adj belgialainen
Belgium /beldʒəm/ Belgia
Belgrade /'bel,grad, ,bel'grad, 'bel,greɪd/ Belgrad
belief /bɪ'lif/ s usko, uskomus, uskonkappale
believable /bɪ'livəbəl/ adj uskottava
believe in v **1** uskoa johonkuhun/johokin I believe in God minä uskon Jumalaan **2** uskoa, luottaa johonkuhun/johonkin she doesn't believe in doctors hän ei usko/luota lääkäreihin **3** kannattaa, hyväksyä, pitää jostakin they do not believe in violence he eivät hyväksy väkivaltaa
believer s **1** uskovainen **2** I am a firm believer in discipline minä kannatan kuria, minä uskon kuriin that made a believer of her se sai hänet uskomaan/vakuuttumaan
belittle /bɪ'lɪtəl/ v vähätellä, pilkata
Belize /bə'liz/
Belizean s, adj belizeläinen

bell /bel/ s (soitto)kello the name doesn't ring a bell nimi ei kuulosta tutulta, en muista nimeä
Belle /beəl/ (sadussa Kaunotar ja Hirviö) Belle
belligerent /bə'lıdʒərənt/ adj sotaa lietsova, sodanhaluinen, sotaisa, riidanhaluinen, hyökkäävä
bellow /belou/ v mylviä, karjua
bellows /belouz/ s (mon) palkeet
bellpush /'bel,puʃ/ s (ovi)kellon painike
belly /beli/ s maha to go belly up kuolla, (kuv) tehdä konkurssi
bellyache /'beli,eık/ s mahakipu, vatsakipu
v purnata, valitella quit your bellyaching and get back to work lakkaa valittamasta ja painu takaisin töihin
bellybutton /'beli,bʌtən/ s (ark) napa
bellyful /belifəl/ s kylliksi, tarpeeksi I've had a bellyful of her olen kurkkuani myöten täynnä häntä
bellyland /'beli,lænd/ v tehdä (lentokoneella) mahalasku
belly-landing /'beli,lændiŋ/ s mahalasku
belong /bı'laŋ/ v kuulua jollekulle, jonnekin that motorcycle belongs to Mr. Pruitt tuo on Mr. Pruittin moottoripyörä she feels that she doesn't belong hänestä tuntuu että hän on väärässä paikassa do you belong to a book club? kuulutko kirjakerhoon?
belongings /bı'laŋiŋz/ s (mon) omaisuus, tavarat
beloved /bı'lʌvəd/ s, adj rakas(tettu)
below /bı'lou/ adv, prep alhaalla, alhaalle, alapuolella, alapuolelle, alla, alle he could see it below the surface of the water hän näki sen vedenpinnan alapuolella the temperature is below zero lämpötila on pakkasen puolella it was below him to do that oli hänen arvolleen sopimatonta tehdä niin as will be explained below (kirjassa:) kuten alempana/edempänä selitetään two miles below the rapids kahden mailin päässä kosken alapuolella to hit someone below the belt iskeä jotakuta vyön alapuolelle/alle (myös kuv)
belt /belt/ s **1** vyö **2** hihna fan belt (auton) tuulettimen hihna **3** vyö(hyke) the Sun Belt Yhdysvaltain eteläiset (aurinkoiset) osavaltiot
v **1** kiinnittää vyöllä **2** piiskata, sivaltaa (vyöllä) **3** (sl) lyödä, hakata **4** viilettää, kiitää kovaa vauhtia
belting s selkäsauna
belt out v päästää ilmoille, kajottaa
bemoan /bı'moun/ v valittaa, surkutella (kohtaloa)
bench /bentʃ/ s **1** penkki **2** (työ)penkki, työpöytä **3** tuomarin istuin; tuomarit
benchmark /'bentʃ,mark/ s **1** kiintopiste, (myös kuv:) mittapuu **2** (tietok) koetin (jolla verrataan laitteiden tai ohjelmien suorituskykyä)
bend /bend/ s **1** (tien)mutka **2** (mon) sukeltajantauti
v bent, bent: taivuttaa, taipua, kumartua to bend over backwards to do something tehdä kaikkensa jonkin eteen, olla erittäin avulias, nähdä kovasti vaivaa
bend down v (ihminen) kumartua, kyyristyä, (oksa) taipua alaspäin, taivuttaa (oksaa) alaspäin
bend over v kumartua, kyyristyä
beneath /bı'niθ/ adv, prep alapuolella, alapuolelle, alhaalla, alhaalle, alla, alle our tent is beneath the hills telttamme on kukkuloiden alapuolella/juurella such behavior is beneath you tuollainen käytös on sinun arvosi alapuolella/ei ole sinun arvoistasi
benediction /,benə'dıkʃən/ s (papin antama) siunaus, varsinkin luterilaisessa liturgiassa se joka alkaa "Herra siunatkoon sinua..."
benefaction /,benə'fækʃən/ s hyväntekeväisyys, hyvä(t) työ(t)
benefactor /'benə,fæktər/ s hyväntekijä, suosija, suojelija, tukija
benefactress /'benə,fæktrəs/ s (naispuolinen) hyväntekijä, suosija, suojelija, tukija

beneficial /ˌbenəˈfɪʃəl/ adj hyödyllinen, hyödyksi, hyväksi to be beneficial to someone/something tehdä hyvää jollekulle/jollekin
beneficiary /ˌbenəˈfɪʃərɪ ˌbenəˈfɪʃɪeri/ s edunsaaja
benefit /benəfɪt/ s **1** etu, hyöty there is no benefit in doing it more carefully sitä ei kannata tehdä tämän huolellisemmin to give someone the benefit of the doubt antaa armon käydä oikeudesta **2** avustus, raha unemployment benefit työttömyysavustus
v hyödyttää jotakuta, hyötyä jostakin
benevolence /bəˈnevələns/ s hyväntahtoisuus, hyvyys
benevolent /bəˈnevələnt/ adj hyväntahtoinen, lempeä, ystävällinen
benign /bəˈnaɪn/ adj **1** hyväntahtoinen, hyvä **2** (kasvain) hyvänlaatuinen
Benin /bəˈnin/
Beninese s, adj beniniläinen
bent /bent/ s taipumus, lahjakkuus; mielenlaatu, luonteenlaatu he has a musical bent/he has a bent for music hän on musikaalinen
v: ks bend
be of service may I be of service? voinko auttaa (teitä)?, voinko olla avuksi?
be on the road fr **1** olla tien päällä, olla matkalla **2** olla kiertueella
be on the spot fr olla pinteessä/kiusallisessa tilanteessa
be on the track of to be on the track of someone/something olla jonkun/jonkin jäljillä
be on the wing fr **1** olla lennossa/ ilmassa **2** olla liikkeellä/vauhdissa/ menossa
be on your toes fr olla varpaillaan/varpaisillaan/varovainen
be out of tune the piano is out of tune piano on epävireessä
bequeath /bɪˈkwiθ/ v testamentata, jättää perinnöksi (myös kuv)
bequest /bɪˈkwest/ s perintö
berate /bɪˈreɪt/ v nuhdella, ojentaa, moittia
bereave /bɪˈriv/ v bereft/bereaved, bereft/bereaved to be bereft of something olla menettänyt jotakin to be bereaved of olla menettänyt jonkun (kuolemalle)
bereaved s, adj sureva, surun murtama, kuolleen omainen/omaiset
bereavement s **1** kuolemantapaus, poismeno **2** suuri suru, menetys
bereft /bɪˈreft/ ks bereave
Berenice's Hair /ˌberəˌnisəzˈheər/ (tähdistö) Bereniken hiukset
beret /bəˈreɪ/ s baskeri, baretti
Bering Sea /ˌberiŋˈsi/ Beringinmeri
Bering Strait /ˌberiŋˈstreɪt/ Beringinsalmi
Berks. Berkshire
Berkshire /bərkʃər/ Englannin kreivikuntia
Berlin /bərˈlɪn/ Berliini
Berlin Wall /bərˌlɪnˈwal/ Berliinin muuri
berry /beri/ s marja
berserk /bəˈzərk/ to go berserk menettää malttinsa, raivostua
berth /bərθ/ s **1** (junassa, laivassa tms) vuode, nukkumapaikka **2** laituripaikka **3** to give someone a wide berth (kuv) kiertää joku kaukaa
v kiinnittää laiva/vene laituriin
beset /bɪˈset/ v beset, beset: piirittää, saartaa to be beset with difficulties olla täynnä vaikeuksia, olla suurissa vaikeuksissa
beside /bɪˈsaɪd/ prep rinnalla, rinnalle, vieressä, viereen there were trees beside the road tien vierellä kasvoi puita to be beside yourself with rage olla suunniltaan (raivosta) that's beside the point se ei kuulu asiaan
besides adv, prep sitä paitsi, lisäksi nobody came besides me minun lisäkseni sinne ei tullut muita
besiege /bɪˈsidʒ/ v piirittää, saartaa
besiege with v ahdistella jotakuta jollakin, hukuttaa joku johonkin
be soft on someone fr olla pihkassa/ihastunut/heikkona johonkuhun

be spoiling for something fr (ark) odottaa malttamattomana jotakin
best /best/ s paras you're the best sinä olet paras he went there in his Sunday best hän meni sinne pyhätamineissaan/ parhaimmissaan/ykkösvaatteissaan I will do my best to help you out teen parhaani auttaakseni sinua to the best of my knowlege minun tietääkseni he was at his best in the competition hän oli kilpailussa parhaimmillaan/edukseen let's try to make the best of this mess yritetään selvitä tästä sotkusta mahdollisimman hyvin, yritetään kääntää se jotenkin eduksemme
adj, adv paras, parhaiten
bestial /bestʃəl/ adj julma, raaka, eläimellinen
bestiality /ˌbestʃɪ'æləti/ s julmuus, raakuus, eläimellisyys
best man s best man, sulhasen ystävä joka avustaa häntä vihkimistilaisuudessa
bestow /bɪ'stoʊ/ v antaa/myöntää/suoda jollekulle jotakin they bestowed a great honor on him by coming for a visit he soivat hänelle suuren kunnian käymällä hänen luonaan
bestseller /ˌbest'selər/ s bestseller, menekkiteos
bet /bet/ s veto, vedonlyönti
v bet, bet: lyödä vetoa (myös kuv) he bets on horses hän harrastaa raviveikkausta you bet aivan varmasti!
bet. between
beta blocker /'beɪtəˌblakər/ s (lääk) betasalpaaja
Bethlehem /'beθləˌhem/ Betlehem (Israelissa)
betoken /bɪ'toʊkən/ v **1** ilmaista, ilmentää, todistaa **2** enteillä, ennakoida
betray /bɪ'treɪ/ v **1** pettää, kavaltaa you betrayed me sinä petit minut his face betrayed him hänen kasvonsa paljastivat/kavalsivat hänet **2** paljastaa (salaisuus) **3** olla uskoton, pettää he betrayed his wife
betrayal /bɪ'treɪəl/ s (ystävän/puolison, luottamuksen) pettäminen, (salaisuuden) paljastaminen, (periaatteesta) luopuminen
betrayer s petturi, kavaltaja, (salaisuuden) paljastaja
betrothal /bɪ'troʊðəl bɪ'traθəl/ s kihlaus
betrothed /bɪ'troʊðd bɪ'traθt/ s, adj kihlattu
better /betər/ s **1** vedonlyöjä **2** parempi all the better sitä parempi, hyvä niin watch how you talk to your betters varo mitä puhut sivistyneiden/parempien ihmisten kanssa
v parantaa, ylittää (aiempi tulos)
adj **1** parempi (kuin) this book is better than that **2** terve, terveempi John's feeling better John voi jo paremmin, on paranemaan päin I'm sure he'll get better soon hän paranee varmasti pian, tulee pian terveeksi
adv paremmin, enemmän I like this ice cream better minusta tämä jäätelö on parempaa you'd better leave right now sinun on parasta/syytä lähteä nyt heti
better half s parempi puolisko, (kuv) aviopuoliso, (yl) vaimo
betterment s **1** parantaminen **2** parannus
bettor /betər/ s vedonlyöjä
between /bɪ'twin/ adv välissä, väliin good restaurants are few and far between hyviä ravintoloita on harvassa
prep **1** välissä, välillä, väliin our town is located between two big lakes kaupunkimme on kahden ison järven välissä between two and four people can go there at a time sinne mahtuu/voi mennä kahdesta neljään ihmistä kerrallaan **2** kesken the crooks divided the money between them konnat jakoivat rahat keskenään between ourselves; between you and me meidän kesken sanoen
between a rock and a hard place fr tiukoilla, kahden tulen välissä; puun ja kuoren välissä
between-the-lens shutter s (valok) keskussuljin

etwixt and between /bɪ'twɪkst/ fr ɔskellä, välimailla, kahden vaiheilla
e up a tree to be up a tree olla ulassa/pinteessä
e up to snuff fr (ark) kelvata, äyttää vaatimukset
evel /bevəl/ s vino/viisto/kalteva pinta ai kappale, särmä, viiste
kallistaa, tehdä kaltevaksi/vinoksi/ iistoksi
everage /bevrədʒ/ s juoma
evy /bevi/ s **1** (lintu)parvi **2** (ihmis)-oukko
eware /bɪ'weɪər/ v varoa beware of he dog (kyltissä) varo koiraa!
ewilder /bə'wɪldər/ v tyrmistyttää, ämmentää, sekoittaa I was bewildered y his anger hänen kiukkunsa sai minut ämilleni
wise to something fr (sl) tajuta, lla jyvällä/selvillä jostakin, tietää
ewitch /bɪ'wɪtʃ/ v noitua, lumota, urmata
bewitching adj lumoava, hurmaava
beyond /bɪ'and/ adv, prep **1** (tilasta) akana, toisella puolen they live beyond he mountains he asuvat vuorten toisella puolella **2** (ajasta) yli I can't make plans beyond next year en osaa suunnitella ensi vuotta pitemmälle **3** kuvaannollisesta ylittymisestä: it's beyond me se menee yli minun ymmärrykseni the company's success is beyond all expectations yrityksen menestys on ylittänyt kaikki odotukset beyond that, he revealed nothing sen lisäksi hän ei paljastanut mitään
beyond price fr suunnattoman/ sanoinkuvaamattoman/korvaamattoman arvokas/kallis
b.f. boldface (ladotaan puoli)lihavalla
BFO Beat Frequency Oscillator
BHP brake horsepower
Bhutan /bu'tan/
Bhutanese s, adj bhutanilainen
bias /baɪəs/ s vastustus, ennakkoluulo, puolueellisuus the customer had a strong bias against our product asiakas suhtautui tuotteeseemme nurjasti jo etukäteen
v värittää asiaa tiettyyn suuntaan, kallistaa/kallistua tiettyyn suuntaan he was trying to bias her against/towards accepting the offer hän yritti taivuttaa hänet hylkäämään/hyväksymään tarjouksen
biased /baɪəst/ adj ennakkoluuloinen, puolueellinen
bias-ply tire /'baɪəs,plaɪ/ s ristikudosrengas
bib /bɪb/ s **1** (lapsen) ruokalappu **2** (vaatteen) rintalappu
Bib. Bible
bibl. bibliography
Bible /baɪbəl/ s Raamattu
Bible Belt s Yhdysvaltain eteläosa ja keskilänsi fundamentalistien asuinalueena
Bible paper s raamattupaperi
Bible-thumper /'baɪbəl,θʌmpər/ s (ark) uskonkiihkoilija
Biblical /bɪbləkəl/ adj Raamatun, raamattu-
bibliographer /,bɪblɪ'agrəfər/ s bibliografi
bibliography /,bɪblɪ'agrəfi/ s bibliografia, kirjaluettelo, (kirjan lopussa) lähdeluettelo
bicarbonate of soda /,baɪ'karbənət/ s ruokasooda, natriumbikarbonaatti
bicentenary /baɪ'sentə,neri/ s kaksisataavuotisjuhla
bicentennial /,baɪsen'tenɪəl/ s kaksisataavuotisjuhla
adj kaksisataavuotis-
biceps /baɪseps/ s (mon biceps) hauis(lihas)
bicker /bɪkər/ v kinata, riidellä (pikkuasioista)
bicycle /baɪsəkəl/ s polkupyörä
v polkupyöräillä
bicycle path s pyörätie
bid /bɪd/ s **1** (osto)tarjous; (tal) ostokurssi, ostonoteeraus **2** yritys his bid for fame led nowhere hänen yrityksensä tulla kuuluisaksi ei kantanut hedelmää
v bid, bid: tarjota, tehdä tarjous
v bade, bid/bidden (vanh) **1** sanoa to bid someone goodbye sanoa jollekulle näkemiin **2** käskeä, määrätä

biennial /baɪ'enɪəl/ adj **1** kaksivuotinen **2** joka toinen vuosi tapahtuva
bier /bɪər/ s (ruumis)paarit
bifocal /baɪ'foʊkəl/ adj (silmälaseista:) kaksiteho-
bifocals /baɪ'foʊkəlz/ s (mon) kaksitehosilmälasit
big /bɪg/ adj, adv iso, suuri, pitkä, tärkeä, paksu (valhe) my big sister isosiskoni when you're big kun kasvat isoksi to be big with child olla raskaana he is too big for his britches hänellä on noussut päähän to talk big mahtailla, rehennellä to have a big mouth olla suuri suustaan
bigamist /bɪgəməst/ s bigamisti
bigamous /bɪgəməs/ adj bigaminen, kaksiavioinen
bigamy /bɪgəmi/ s kaksiavioisuus, bigamia
big bang theory /ˌbɪg'bæŋˌθɪəri/ s suuri pamaus -teoria (maailmankaikkeuden laajenemisesta)
Big Bend /ˌbɪg'bend/ kansallispuisto Texasissa
big brother /ˌbɪg'brʌðər/ s **1** isoveli **2** (kuv) isoveli, kansalaisia tarkasti valvova esivalta
big business /ˌbɪg'bɪznəs/ s rahamaailma
Big Dog (tähdistö) Iso koira
big enchilada /ˌentʃə'ladə/ fr pomo the big enchilada is on a business trip pomo on liikematkalla
bighead /'bɪgˌhed/ s omahyväinen, itserakas ihminen
bighorn sheep /ˌbighɔrn'ʃip/ s paksusarvilammas (Ovis canadensis)
bigmouth /'bɪgˌmaʊθ/ s hölösuu, lavertelija
bigot /bɪgət/ s hurskastelija, kiihkoilija
bigoted /bɪgətəd/ adj suvaitsematon, ahdasmielinen
bigotry /bɪgətri/ s suvaitsemattomuus, ahdasmielisyys
big-screen tv /ˌbigskrinti'vi/ s suurkuvatelevisio
big shot /'bɪgˌʃat/ s iso kiho, pomo
bigwig /'bɪgˌwɪg/ s iso kiho, pomo
bike /baɪk/ s **1** polkupyörä **2** moottoripyörä
v **1** polkupyöräillä **2** moottoripyöräillä
bikini /bə'kini/ s bikinit
bilateral /ˌbaɪ'lætərəl/ adj bilateraalinen, kahdenkeskinen
bile /baɪəl/ s **1** sappi(neste) **2** kiukku, ärtyisyys
bilge /bɪldʒ/ s **1** (aluksen pohjalla oleva) vuotovesi, pohjavesi **2** roskapuhe, pötypuhe
bilingual /ˌbaɪ'lɪŋgwəl/ adj kaksikielinen
bilious /bɪliəs/ adj **1** kiukkuinen, ärtyisä **2** huonovointisen/sairaan näköinen
bill /bɪl/ s **1** linnun nokka **2** lasku **3** juliste post no bills ilmoitusten/mainosten kiinnittäminen kielletty **4** lakiesitys **5** seteli
v **1** laskuttaa he did not bill me for that hän ei veloittanut siitä mitään **2** mainostaa (näyttelijää, näytelmää)
billboard /'bɪlˌbɔrd/ s mainostaulu
billiards /bɪljərdz/ s (mon, v yksikössä) biljardi(peli)
billion /bɪljən/ s miljardi, (UK) biljoona
Bill of Rights s Yhdysvaltain perustuslain kymmenen ensimmäistä lisäystä
billow /bɪloʊ/ s aalto, pilvi a billow of smoke
v aaltoilla, (purje) pullistua, (savu) tupruta
billowy /bɪloʊi/ adj aaltoileva, pullistunut (purje), tupruileva (savu)
billy-goat /'bɪlɪˌgoʊt/ s (kili)pukki
bin /bɪn/ s astia, lokero, säiliö
binary /'baɪˌneri/ adj binaarinen, binäärinen, binaari-, binääri-
bind /baɪnd/ to be in a bind olla pulassa/pinteessä
v bound, bound: sitoa (kiinni, haava, hiukset, kirja), velvoittaa/sitoa joku tekemään jotakin I'm legally bound to record another album sopimus velvoittaa minut levyttämään uuden levyn
binder s kirjansitoja
bindery s kirjansitomo

inding s (kirjan) kannet; sidonta
dj (sopimus yms) sitova
ind up v sitoa (haava, hiukset)
ingo /biŋgou/ s bingo
inoculars /bə'nakjələrz/ s (mon)
ikari a pair of binoculars kiikari
io. biography elämäkerta
iochemical adj biokemiallinen,
iokemian
iochemist /ˌbaɪoʊ'kemɪst/ s
iokemisti
iochemistry /ˌbaɪoʊ'kemɪstri/ s
iokemia
iodegradable /ˌbaɪoʊdɪ'greɪdəbəl/
dj luonnossa hajoava
iographer /baɪ'agrəfər/ s
lämäkerran kirjoittaja
iographic /ˌbaɪə'græfɪk/ adj
lämäkerrallinen
iographical /ˌbaɪə'græfɪkəl/ adj
lämäkerrallinen
iography /baɪ'agrəfi/ s elämäkerta,
iografia
iological /ˌbaɪə'ladʒɪkəl/ s
iologinen, biologian
iologist /baɪ'alədʒɪst/ s biologi
iology /baɪ'alədʒi/ s biologia
BIOS Basic Input/Output System
iotin /baɪətin/ s biotiini (eräs B-
vitamiini)
ipartisan /ˌbaɪ'partəzən/ adj
kaksipuolue-, kahden puolueen
biplane /baɪpleɪn/ s kaksitaso(inen
entokone)
birch /bərtʃ/ s koivu
bird /bərd/ s lintu to kill two birds with
one stone tappaa kaksi kärpästä yhdellä
skulla a little bird told me kuulinpahan
vain, tiedänpähän vain a bird in the
hand is worth two in the bush parempi
pyy pivossa kuin kymmenen oksalla to
flip someone the bird (sl) näyttää
jollekulle keskisormea
birdie /bərdi/ (golf) birdie, lyöntitulos,
jossa pallo saadaan reikään yhdellä
lyönnillä alle par-luvun
Bird of Paradise /ˌbərdəv'perəˌdaɪs/
(tähdistö) Paratiisilintu
Birmingham /bəmiŋəm/ kaupunki
Englannissa
Birmingham /'bərmiŋˌhæm/ kaupunki
Alabamassa Yhdysvalloissa
birth /bərθ/ s **1** synnytys, syntymä,
synty she gave birth to a baby boy hän
synnytti poikalapsen **2** syntyperä he is
Canadian by birth hän on syntynyt
Kanadassa/syntyjään kanadalainen
birth control s ehkäisy, syntyvyyden
säännöstely
birthday /bərθdeɪ/ s syntymäpäivä
birthday suit in your birthday suit
apposen alasti, ilkosillaan
birthrate /'bərθˌreɪt/ s syntyvyys,
syntyneisyys
biscuit /bɪskət/ s (US) sämpylä, (UK)
keksi
bisect /ˌbaɪ'sekt/ v leikata/jakaa/jakautua kahtia, puolittaa
bishop /bɪʃəp/ s **1** piispa **2** (šakissa)
lähetti
bishopric /bɪʃəprɪk/ s hiippakunta
bison /baɪsən/ s (mon bison) biisoni
bit /bɪt/ s **1** pala, muru not a bit ei
tippaakaan, ei lainkaan to do your bit
esittää numeronsa/osansa, tehdä/hoitaa
osuutensa **2** (binäärijärjestelmässä) bitti
3 (hevosen) kuolaimet **4** poranterä
bit by bit fr vähitellen, vähä vähältä
bitch /bɪtʃ/ s **1** (koira) narttu **2** (sl) häijy
akka, muija
v (sl) valittaa, narista
bite /baɪt/ s **1** puraisu, purema,
pureminen his bark is worse than his
bite ei haukkuva koira pure, ei häntä
kannata pelätä **2** suupala **3** (kalan)
nappaus (ongessa)
v bit, bitten **1** purra, puraista, haukata he
bit off more than he can chew hän
haukkasi liian ison palan (myös kuv) to
bite your tongue purra kieltään, katua
sanojaan **2** (hyönteinen) pistää
bite into v iskeä hampaansa
johonkin, puraista, pureutua, porautua,
syöpyä johonkin
bite off v purra poikki/irti don't bite my
head off! älä hypi silmille!
bit part s pieni sivuosa (elokuvassa,
näytelmässä)
bitten /bɪtən/ ks bite

bitter /bɪtər/ adj **1** karvas, kitkerä, katkera (maku, pettymys, riita, viha) **2** kova (talvi), pureva, kylmä (pakkanen, tuuli)
bitter end to do something to the bitter end tehdä jotakin hampaat irvessä/katkeraan loppuun asti
bitterly adv **1** katkerasti (pettynyt) **2** erittäin (kylmä)
bitterness s **1** kitkeryys, katkeruus (myös kuv) **2** (pakkasen, tuulen) kovuus, purevuus
bitumen /bəˈtumən ˌbaɪˈtumən/ s bitumi
bivouac /ˈbɪvʊˌæk/ v bivouacked, bivouacked (sot) leiriytyä
biweekly /ˌbaɪˈwikli/ adj **1** kahden viikon välein tapahtuva/ilmestyvä **2** kahdesti viikossa tapahtuva/ilmestyvä
bizarre /bəˈzaər/ adj outo, kummallinen, eriskummallinen, epätavallinen
bkgd. background tausta(lla)
bkry bakery leipomo
B.L. Bachelor of Law; Bachelor of Letters
B/L bill of lading konossementti
blab /blæb/ v (sl) **1** pölistä, puhua kuin papupata **2** paljastaa salaisuus, kieliä, vasikoida
black /blæk/ s **1** musta (väri) **2** musta (ihminen)
v mustata, mustua
adj **1** musta **2** mustien, mustia koskeva **3** synkkä, toivoton **4** vihainen **5** pilkkopimeä
Blackamoor /blækəmuər/ (Peter Panissa) Mustanaama
black belt /ˈblæk,belt/ s (judossa) musta vyö
blackberry /ˈblæk,beri/ s karhunvatukka
blackbird /ˈblæk,bərd/ s mustarastas
blackboard /ˈblæk,bɔrd/ s liitutaulu
black current /ˌblækˈkərənt/ s mustaherukka
blacken /blækən/ v mustata, maalata/liata mustaksi they tried to blacken his reputation he yrittivät mustata/tahrata hänen maineensa
black eye /ˌblækˈaɪ/ s **1** mustelma silmässä to have a black eye olla silmä mustana **2** (kuv) häpeä(pilkku), häpeän aihe, miinuspiste
blackhead /ˈblæk,hed/ s mustapää
black ice /ˌblæk,aɪs/ s musta jää (maantiellä)
blacklist /ˈblæk,lɪst/ s musta lista
v merkitä/panna mustalle listalle
black magic /ˌblækˈmædʒɪk/ s musta magia
blackmail /ˈblæk,meɪəl/ s kiristys
v kiristää
blackmailer s kiristäjä
black market /ˌblækˈmarkət/ s musta pörssi
v myydä mustassa pörssissä/pimeästi, ostaa mustasta pörssistä/pimeästi
black out v **1** pyörtyä, menettää tajuntansa **2** pimentää, sammuttaa valot **3** unohtaa jotakin (hetkeksi), ei muistaa
blackout /blækaut/ s **1** sähkökatkos **2** muistikatkos **3** pyörtyminen, tajunnan menetys **4** (sodan aikana ikkunoiden ym) pimennys
Black rhinoceros /raɪˈnasərəs/ s suippohuulisarvikuono
Black Sea /ˌblækˈsi/ Mustameri
black sheep /ˌblækˈʃip/ s musta lammas
blacksmith /blæksmɪθ/ s seppä
black-tailed deer /ˌblækteəldˈdɪər/ s muulipeura
black work /ˈblæk,wərk/ s pimeä(t) työ(t)
bladder /blædər/ s virtsarakko
blade /bleɪd/ s **1** (veitsen, partakoneen) terä; (sl) puukko **2** (airon, potkurin) lapa **3** (ruohon) korsi
blame /bleɪm/ s **1** syy, vika **2** syytös, moite
v syyttää, moittia to blame someone for something syyttää jotakuta jostakin to blame something on someone panna/laskea jokin jonkun syyksi you have only yourself to blame for that siitä saat syyttää vain itseäsi they put the blame for the failure on us he syyttivät meitä epäonnistumisesta

blameless adj syytön, viaton, tahraton
blamelessly adv syyttömästi, viattomasti
blameworthy /ˈbleɪm,wərði/ adj syyllinen, syypää, nuhtelun ansaitseva
bland /blænd/ adj **1** ystävällinen, hyväntahtoinen, avulias **2** leuto (ilma), mieto (maku) **3** mitäänsanomaton, väritön, tylsä
blandly adv: ks bland
blandness s **1** ystävällisyys, hyväntahtoisuus, kohteliaisuus **2** (ilman) leutous, (maun) mietous **3** värittömyys, mitäänsanomattomuus, tylsyys
blank /blæŋk/ s **1** tyhjä tila/kohta (kaavakkeessa) **2** paukkupatruuna **3** to draw a blank jäädä tyhjin käsin, epäonnistua; ei muistaa
adj **1** tyhjä (paperi), täyttämätön (lomake) I tried to recall the number but my mind went blank yritin muistaa numeron mutta muistini ei pelannut **2** ilmeetön, tyrmistynyt (katse)
blank check /,blæŋkˈtʃek/ s avoin sekki they gave him a blank check (kuv) he antoivat hänelle vapaat kädet
blanket /blæŋkət/ s peitto, peite (myös kuv) a blanket of snow lumipeite
v peittää everything was blanketed with snow kaikki peittyi lumen alle
adj (kaiken) kattava, yleis-, yleistävä (väite)
blankly adj (katsoa/tuijottaa) ilmeettömänä, tyrmistyneenä
blankness s **1** tyhjyys **2** ilmeettömyys
blank verse /,blæŋkˈvərs/ s silosäe
blare /bleər/ s (torven) törähdys
v töräyttää (torvea), (torvi) törähtää, (radio) pauhata
blaspheme /ˈblæs,fim/ v pilkata Jumalaa
blasphemer /blæsfəmər/ s (jumalan)pilkkaaja, herjaaja
blasphemous /blæsfəməs/ adj (Jumalaa) pilkkaava, herjaava
blasphemy /blæsfəmi/ s (jumalan)pilkka, herjaus
blast /blæst/ s **1** tuulenpuuska **2** räjähdys, pamahdus; räjähdysaalto, paineaalto **3** (torven) törähdys
v **1** räjäyttää **2** laukaista (raketti) **3** mennä myttyyn, kaatua kasaan, romahtaa
blast furnace /ˈblæst,fərnəs/ s masuuni
blastoff /ˈblæs,taf/ s (raketin) laukaisu
blast off /,blæsˈtaf/ v (raketista) nousta ilmaan, (astronautista) nousta raketilla ilmaan
blatant /bleɪtənt/ adj räikeä, häpeämätön, törkeä
blatantly adj ilmiselvästi, häpeämättömästi, törkeästi
blaze /bleɪz/ s **1** tuli, roihu **2** (tulen, värien) hehku, loiste **3** (vihan) purkaus, puuska
v **1** palaa, liekehtiä **2** (aurinko) polttaa, (silmät) palaa, hehkua **3** (aseista) tulittaa, sylkeä tulta **4** pursuta (vihaa), palaa (vihasta)
blaze away v **1** tulittaa, ammuskella, ampua jatkuvasti **2** (tuli) leimuta, roihuta
blazer s bleiseri, irtotakki
blaze up v (tuli) leimahtaa, ruveta roihuamaan
blazing adj **1** palava, tulessa, ilmiliekeissä **2** paahtava, polttava (aurinko) **3** (silmistä) palava, hehkuva
bldg. building rakennus
bldr. builder rakentaja, urakoitsija
bleach /blitʃ/ s valkaisuaine, kloori
v **1** valkaista **2** muuttua valkoiseksi (esim auringossa)
bleak /blik/ adj kurja (ilma), viheliäinen, ankea, lohduton, iloton, synkkä (tulevaisuus)
bleakly adv: ks bleak
bleary /blɪəri/ adj samea, sumea, (silmistä) tihruinen, (näkö) hämärä
bleary-eyed /ˈblɪərɪ,aɪd/ adj (unen, paljon lukemisen jälkeen) tihrusilmäinen
bleat /blit/ s (lampaan) määkiminen
v määkiä
bleed /blid/ v bled, bled: vuotaa verta (myös kuv)
bleeding heart s (ivallisesti) laupias samarialainen
bleeding-heart he is a bleeding-heart liberal hän kannattaa kaikenlaisia sosiaaliavustuksia, hän on olevinaan/varsinainen laupias samarialainen

blemish /blemɪʃ/ s tahra (myös kuv), puute, vika
v vahingoittaa, pilata, mustata (maine)
blend /blend/ s sekoitus, sekoite
v sekoittaa
bless /bles/ v blessed/blest, blessed/blest: siunata she is blessed with good looks häntä on siunattu hyvällä ulkonäöllä
blessed /blesəd/ adj **1** pyhä, siunattu, autuas **2** vahvistavana sanana: every blessed book joka ainoa kirja
blessing s siunaus (myös kuv) it was a blessing in disguise se oli onni onnettomuudessa you can count your blessings saat kiittää onneasi
blew /blu/ ks blow
blight /blaɪt/ s **1** (puun) home- tai nokisieni **2** (kuv) häpeäpilkku, piina, riesa, tahra sexual discrimination against women is a blight on the business world naisten syrjintä tahraa liikee-elämän maineen
v tahrata (maine), pilata (mahdollisuudet, elämä), tehdä tyhjäksi (toiveet)
blind /blaɪnd/ s **1** (ikkunan) rullakaihdin; sälekaihdin **2** (hevosen) silmälappu
v sokaista (myös kuv) he is blinded by love rakkaus on sokaissut hänet, tehnyt hänet sokeaksi
adj sokea, (myös kuv:) päämäärätön, umpimähkäinen, silmitön (viha, ihailu) she is blind from birth hän on ollut syntymästään saakka sokea blind rage sokea raivo to turn a blind eye to something ei olla huomaavinaan jotakin
blind alley /ˌblaɪnd'æli/ s umpikuja (myös kuv)
blind date /ˌblaɪn'deɪt/ s **1** sokkotreffit **2** sokkotreffiseuralainen who was your blind date, anybody I know? kenen kanssa sinulla oli sokkotreffit, tunnenko minä hänet?
blind drunk /ˌblaɪnd'drʌŋk/ adj umpihumalassa
blindfold /'blaɪndˌfould/ s (silmille pantu) side
v sitoa/peittää jonkun silmät to be able to do something blindfolded osata jotakin vaikka silmät ummessa
adj jonka silmät on sidottu
blindly adv sokeasti, umpimähkäisesti, umpimähkään, silmittömästi
blindness s sokeus (myös kuv)
blind spot /'blaɪndˌspat/ s **1** (silmän) sokea täplä **2** (näkökentän) kuollut kulma **3** heikkous, Akilleen kantapää it's his blind spot (myös:) hän ei suostu myöntämään sitä
blink /bliŋk/ s silmänräpäys on the blink epäkunnossa
v (silmä) räpähtää, (valo) välähtää
blinkers s (mon) (hevosen) silmälaput with blinkers on (myös kuv) laput silmillä
bliss /blɪs/ s onni, autuus
blissful adj autuas, ihana, onnellinen
blissfully adv autuaasti, ihanasti, onnellisesti he was blissfully unaware of the events hän oli autuaan tietämätön tapahtumista
blister /blɪstər/ s (maalipinnan, iho)rakkula
v nousta/nostaa rakkuloille
B.Lit. Bachelor of Letters
B. Litt. Bachelor of Letters; Bachelor of Literature
blitz /blɪts/ s **1** salamasota, ilmahyökkäys the Blitz Saksan ilmasota Isossa-Britanniassa 1940-1941 **2** mainoshyökkäys
v **1** hyökätä jonnekin **2** (kuv) pommittaa jotakuta jollakin
blizzard /blɪzərd/ s lumimyrsky
blk. black
bloated /bloutəd/ adj **1** turvonnut, paisunut **2** (kuv) täynnä itseään, liiallinen
blob /blab/ s pisara, tippa, tahra, läiskä
bloc /blak/ s ryhmä, ryhmittymä, joukko the Eastern block itäryhmä, itäryhmän maat
block /blak/ s **1** (puu)pölkky, (kivi)lohkare, möhkäle **2** rakennus, ryhmä rakennuksia **3** kortteli; korttelinmitta **4** tukkeutuma, este, sulku road block tiesulku **5** joukko, erä a block of IBM stock erä IBM:n osakkeita

v **1** sulkea, tukkia the police have blocked the road **2** estää, asettua poikkiteloin jonkun eteen we blocked their takeover attempt estimme heidän valtausyrityksensä
blockade /bla'keɪd/ s saarto
v saartaa
blockage /blakɪdʒ/ s **1** tukkiminen **2** tukkeutuma, tukos
blockhead /'blak,hed/ s pölkkypää, puupää
blond /bland/ s vaalea(ihoinen/tukkainen) ihminen
adj (tukka, iho) vaalea
blonde /bland/ s vaalea(ihoinen/tukkainen) nainen/tyttö, vaaleaverikkö
adj (tukka, iho) vaalea
blood /blʌd/ s veri (myös kuv) it makes my blood boil se saa vereni kiehumaan there is no bad blood between us me olemme keskenämme hyvissä väleissä boasting is in his blood mahtailu on hänellä veressä
blood bank /'blʌd,bæŋk/ s veripankki
bloodbath /'blʌd,bæθ/ s verilöyly
blood brother /'blʌd,brʌðər/ s veriveli
bloodcurdling /'blʌd,kərdəliŋ/ adj vertahyytävä
blood donor /'blʌd,dounər/ s verenluovuttaja
blood group /'blʌd,grup/ s veriryhmä
bloodhound /'blʌd,haund/ s **1** verikoira **2** etsivä, nuuskija
bloodless /blʌdləs/ adj **1** veretön bloodless coup veretön vallankaappaus **2** väritön, vaisu, innoton, laimea
bloodlessly /blʌdləsli/ adv **1** verettömästi **2** innottomasti, vaisusti, laimeasti
blood orange /,blʌd'ɔrəndʒ/ s veriappelsiini
blood pressure /'blʌd,preʃər/ s verenpaine
bloodshed /'blʌd,ʃed/ s verenvuodatus
bloodshot /'blʌd,ʃat/ adj (silmistä) verestävä, punainen, punoittava
bloodsport /'blʌd,spɔrt/ s metsästys, kukkotappelut yms
bloodstream /'blʌd,strim/ s verenkierto
bloodsucker /'blʌd,sʌkər/ s verenimijä (myös kuv); (erityisesti) (veri)juotikas, iilimato
blood sugar /'blʌd,ʃugər/ s verensokeri
blood test /'blʌd,test/ s verikoe
bloodthirsty /'blʌd,θərsti/ adj verenhimoinen
blood transfusion /,blʌdtræns'fjuʒən/ s verensiirto
blood type /'blʌd,taɪp/ s veriryhmä
blood vessel /'blʌd,vesəl/ s verisuoni
bloody /blʌdi/ adj **1** verinen, verta vuotava **2** (erityisesti UK, voimistavana sanana) kirottu, viheliäinen you're a bloody genius sinä olet helvetinmoinen nero!
bloody-minded /,blʌdɪ'maɪndəd/ adj **1** verenhimoinen, väkivaltainen **2** (UK) jääräpäinen, härkäpäinen
bloom /blum/ s kukka, kukinta, kukoistus to be in full bloom olla täydessä kukassaan
v kukkia, kukoistaa (myös kuv)
blossom /blasəm/ s kukka, kukoistus
v kukkia, kukoistaa (myös kuv) his business is blossoming hänen liikeyrityksensä kukoistaa
blossom out v puhjeta kukkaan (myös kuv), kukoistaa, kehittyä/pyöristyä naiseksi
blot /blat/ s **1** mustetahra **2** (kuv) tahra the incident is a blot on his reputation tapaus mustaa hänen maineensa
v **1** tahrata, tahria **2** kuivata (muste imupaperilla)
blotch /blatʃ/ s (iho)läiskä, tahra
blot out v peittää (näkyvistä), pyyhkiä (pois/mielestään), unohtaa
blouse /blaus/ s (naisten, tyttöjen) pusero
blow /blou/ s **1** (nyrkin)isku **2** (kuv) isku, järkytys
v blew, blown **1** (tuuli, ihminen) puhaltaa to blow your nose niistää nenänsä **2** puhaltaa, soittaa (puhallinsoitinta) **3** (sulake) palaa **4** (sl) tuhlata (rahaa), panna menemään he blew all his money on

cars hän tuhlasi kaikki rahansa autoihin **5** he blew his brains out hän ampui itsensä

blower s **1** puhallin **2** (lasin)puhaltaja

blown ks blow

blow out v **1** sammutta, puhaltaa sammuksiin **2** (ilmarengas) puhjeta

blowout s **1** renkaan puhkeaminen **2** sulakkeen palaminen **3** isot rämäpäiset juhlat

blow over v **1** kaatua tuulessa; (tuuli) kataa **2** (myrsky, suuttumus) asettua, laantua, tyyntyä

blow up v **1** räjähtää (myös kuv), räjäyttää **2** suurentaa (valokuva) **3** pumpata ilmaa (renkaaseen)

blowup s **1** räjähdys, riita **2** (valokuva)suurennos

blow your stack fr (sl) polttaa päreensä, pillastua

blow your top fr **1** menettää malttinsa, raivostua, polttaa päreensä **2** menettää järkensä, seota

BLT bacon, lettuce, and tomato pekonisalaattitomaattivoileipä

blubber /blʌbər/ s **1** valaanrasva **2** itku, vollotus
v pillittää, vääntää lohduttomana itkua

bludgeon /blʌdʒən/ s sauva, patukka, pamppu
v **1** iskeä/lyödä patukalla **2** pakottaa my boss bludgeoned me into working on weekends pomoni pakotti minut tekemään työtä viikonloppuisin

blue /blu/ s **1** sininen (väri) **2** out of the blue yllättäen, varoituksetta, kuin salama kirkkaalta taivaalta
adj **1** sininen he is a little blue around the gills hän näyttää hieman sairaalta/huonovointiselta once in a blue moon joskus harvoin **2** alakuloinen, masentunut

blue-blooded /'blu,blʌdəd/ adj siniverinen, jalosukuinen

blue cheese /,blu'tʃiz/ s sinihomejuusto

blue-chip /'blu,tʃɪp/ adj ensiluokkainen, paras mahdollinen

bluecoat /'blu,kout/ s (virkapukuinen) poliisi

blue-collar /,blu'kalər/ s tehdastyöläinen, työläinen
adj tehdastyöläisten, työläis- blue-collar workers (tehdas)työläiset

blue duiker /daɪkər/ s sinisukeltaja-antilooppi

blue moon once in a blue moon joskus harvoin

blueprint /'blu,prɪnt/ s **1** rakennuspiirustus **2** suunnitelma

blues /bluz/ **1** (mon) alakuloisuus, masennus to have the blues olla maassa **2** blues(musiikki)

bluestocking /'blu,stakiŋ/ s sinisukka, älykkönainen

blue whale /'blu,weiəl/ s sinivalas

bluff /blʌf/ s **1** jyrkänne, jyrkkä niemeke, kallionkieleke **2** hämäys, harhautus, bluffi to call someone's bluff selvittää onko joku tosissaan
v hämätä, harhauttaa, vetää nenästä, bluffata
adj vilpitön, hyvää tarkoittava

bluish /bluɪʃ/ adj sinertävä

blunder /blʌndər/ s kömmähdys, virhe, erehdys, munaus
v **1** törmätä johonkin/johonkuhun, kompuroida **2** kömmähtää, munata, tunaroida

blunt /blʌnt/ v **1** tylpistää **2** tehdä tyhjäksi, vesittää
adj **1** (esine) tylsä, tylppä **2** (ihminen) tyly, suora(sukainen)

bluntly adv tylysti, kaunistelematta, suoraan

bluntness s tylyys, suorasukaisuus

blur /blər/ s sumeus, epäselvyys it all became a blur kaikki sumeni silmissäni/mielessäni
v (katse, silmät, ajatukset) sumentua after that everything blurred in my eyes sen jälkeen kaikki sumeni silmissäni

blurb /blərb/ s kirjan kannen mainosteksti

blurt out /blərt/ v paljastaa (vahingossa) she blurted out the secret salaisuus pääsi vahingossa hänen suustaan

blush /blʌʃ/ s punastelu, punastuminen at first blush ensinäkemältä
v **1** punastua **2** hävetä
bluster /blʌstər/ s **1** (myrskyn, tuulen) pauhu, jyly **2** (kerskaileva/isotteleva) ärjyntä, räyhääminen **3** (puheen) kohina, hälinä
v **1** (myrsky, tuuli) pauhata, jylistä **2** (kerskaillen/isotellen) ärjyä, räyhätä **3** (ihmisjoukko) hälistä
blustery adj myrskyinen (ilma), navakka (tuuli)
B.M. Bachelor of Medicine; Bachelor of Music
BMI Broadcast Music Incorporated
BMOC big man on campus
BMX bycycle motocross
boa /bouə/ s boa(käärme)
boa constrictor /'bouəkən,strıktər/ s kuningasboa
boar /bɔər/ s **1** karju **2** villisika
board /bɔərd/ s **1** lauta **2** (ilmoitus)taulu, kyltti **3** lautakunta, johtokunta **4** ateriat room and board täysihoito **5** to go by the board epäonnistua, mennä myttyyn above board rehellinen across the board kautta linjan, yleisesti
v **1** laudoittaa, peittää laudoilla **2** ottaa/mennä täysihoitoon **3** nousta kulkuneuvoon (varsinkin laivaan tai lentokoneeseen)
boarder /bɔrdər/ s **1** täysihoidossa oleva henkilö, (ali)vuokralainen **2** sisäoppilaitoksen oppilas
board foot /,bɔrd'fʊt/ s (sahatavarasta jonka paksuus on yksi tuuma ja pinta-ala yksi) neliöjalka
boarding s **1** laudoitus **2** täysihoito **3** koneeseen/laivaanmeno
boarding house /'bɔrdiŋ,haus/ s täysihoitola
boarding pass /'bɔrdiŋ,pæs/ s (lentomatkustuksessa) tarkistuskortti
boarding school /'bɔrdiŋ,skuəl/ s sisäoppilaitos
boardroom /'bɔrd,rum/ s johtokunnan kokoushuone
boardwalk /'bɔrd,wak/ s laudoista tehty ranta(kävely)katu
boast /boust/ s kehuskelu, rehentely
v **1** rehennellä, kehua, leuhkia **2** olla (kehumisen arvoinen) hyvä asia Southern California boasts a wonderful climate Etelä-Kaliforniassa on hieno ilmasto
boastful adj leuhka
boastfully adv leuhkasti
boat /bout/ s **1** vene we're all in the same boat (kuv) olemme kaikki samassa veneessä **2** laiva
v kuljettaa veneellä/laivalla
boathouse /'bout,haus/ s venevaja
boat people s venepakolaiset
boatswain /bousən/ s pursimies
bob /bab/ s **1** niiaus, (pään) nyökkäys **2** poikatukka
v **1** pomppia, hyppiä, heilua ylösalas **2** niiata **3** nyökätä (päätään) **4** (lintu) heilauttaa pyrstöään
bobbin /babən/ s (lanka)puola
bobsled /'bab,sled/ s (kilpa)rattikelkka
v ajaa/laskea (kilpa)rattikelkalla
bode ill/well /boud/ fr (ei) enteillä hyvää the recent inflation bodes ill for the economy viimeaikainen inflaatio ei enteile hyvää talouselämän kannalta
bodice /badəs/ s (naisten puvun) miehusta, yläosa
bodily /badəli/ adj ruumiillinen, ruumiin
adv **1** henkilökohtaisesti **2** voimakeinoin, väkisin, pakolla
body /badi/ s **1** (ihmisen, eläimen elävä/kuollut) ruumis, (ihmisen) keho; (ihmisen) vartalo, (eläimen) ruho **2** (auton) kori **3** (ihmis)ryhmä, joukko the body politic valtio, kansakunta **4** ydin, valtaosa **5** määrä, joukko, kokonaisuus a body of evidence todistusaineisto a body of water vesimassa: järvi, joki, meri
bodybuilder /'badı,bıldər/ s kehonrakentaja
bodybuilding /'badı,bıldiŋ/ s kehonrakennus, bodybuilding
bodyguard /'badı,gard/ s henkivartija
body politic s kansa poliittisena ryhmänä
body shop s **1** kuntosali **2** (autojen) peltikorjaamo

bog /bag/ s suo
bog down v juuttua kiinni/paikoilleen the project is bogged down hanke polkee paikallaan, ei etene
bogey s **1** /bugi/ kummitus, mörkö, peikko **2** /bougi/ (golfissa) bogey, bogi, lyöntitulos, jossa pallo saadaan reikään yhdellä lyönnillä yli par-luvun
boggle /bagəl/ to boggle the mind olla ällistyttävää/uskomatonta
boggy /bagi/ adj (maasto) soinen
bogieman /'bugɪ,mæn/ s kummitus, mörkö
bogus /bougəs/ adj huijari-, väärennetty, väärä
bogy /bugi/ s kummitus, mörkö, peikko
Bohemia /bou'himɪə/ Böömi
Bohemian /bou'himɪən/ s **1** Böömin asukas, böömiläinen **2** boheemi (myös bohemian)
adj **1** böömiläinen, Böömin **2** boheemi-
bohor reedbuck /,bouhər'ridbʌk/ s pikkuruokoantilooppi
boil /bɔɪəl/ s **1** paise **2** kiehumispiste bring to a boil (ruuanlaitto-ohjeissa) kiehauta
v kiehua, keittää (meri, tunteet) kuohua
boil away v **1** kiehua edelleen **2** kiehua tyhjiin
boil down to fr merkitä, olla (pohjimmiltaan) kyse what it boils down to is money loppujen lopuksi kyse on rahasta, viime kädessä se on rahakysymys
boiler /bɔɪlər/ s kuumavesisäiliö, höyrykattila
boiling point s kiehumispiste (myös kuv)
boil over v **1** kiehua yli **2** (tilanne) kiristyä kiehumispisteeseen/räjähdyspisteeseen, (ihminen) räjähtää, menettää malttinsa
boisterous /bɔɪstərəs/ adj rämäkkä (nauru), riehakas (tilaisuus, ihminen)
bold /bould/ adj **1** rohkea, peloton, uskalias **2** hävytön **3** voimakas (väri, käsiala, tyyli) **4** (puoli)lihava (teksti)
boldly adv: ks bold
boldness s **1** rohkeus, uskaliaisuus **2** hävyttömyys, röyhkeys **3** voimakkuus, selvyys
Bolivia /bə'lɪvɪə/ Bolivia
Bolivian s, adj bolivialainen
bollard /balərd/ s (laiturin) pollari
bolster /boulstər/ s (vuoteella pidettävä) poikkityyny
v tukea (käsitystä, hanketta), rohkaista, kannustaa
bolt /boult/ s **1** (ikkunan, oven) salpa **2** ruuvi, pultti **3** salamanisku a bolt of lightning **4** ryntäys, pakoyritys he made a bolt for the door hän yritti karata ovesta
v **1** salvata (ikkuna, ovi) **2** ruuvata, kiinnittää ruuvilla/pultilla **3** rynnätä, karata **4** (hevonen) pillastua
bolt out v rynnätä, livistää
bomb /bam/ s **1** pommi **2** (sl) täydellinen katastrofi, fiasko, läskiksi mennyt yritys
v **1** pommittaa **2** epäonnistua täysin, mennä myttyyn/läskiksi, ei menestyä alkuunkaan
bombard /,bam'bard/ v pommittaa (myös kuv) the reporters bombarded him with questions toimittajat pommittivat häntä kysymyksillä
bombardment /,bam'bardmənt/ s pommitus (myös kuv)
bomber /bamər/ s pommikone
bombshell /'bam,ʃel/ s **1** pommi **2** täydellinen yllätys; uutispommi
bond /band/ s **1** (kirjallinen) sopimus, lupaus **2** (kuv) side **3** (tal) obligaatio, joukkovelkakirja
bondage /bandədʒ/ s orjuus, vankeus
bond dealer s arvopaperikauppias
bondman /bandmən/ s orja
bondsman /banzmən/ s **1** takaaja **2** orja
bone /boun/ s luu to feel something in your bones tuntea jotakin luissaan to have a bone to pick with someone olla kana kynimättä jonkun kanssa, olla kalavelkoja jonkun kanssa make no bones about it, he is guilty hänen syyllisyydestään ei ole (minun mielestäni) epäilystäkään

bone-dry /ˌboun'draɪ/ adj rutikuiva
bone marrow /'boun,merou/ s luuydin
bone of contention s (kuv) kiistakapula
bone up on v päntätä päähänsä
bonfire /'ban,faɪər/ s kokko, rovio, nuotio
bonnet /banət/ s **1** (naisten, lasten) myssy **2** (UK) (auton) konepelti
bonus /bounəs/ s bonus, lisä(palkkio tms)
bony /bouni/ adj **1** luiseva **2** (kala) ruotoinen
boo /bu/ v buuata (esiintyjälle tms)
booby /bubi/ s idiootti
booby hatch /'bubɪ,hætʃ/ s (sl) hullujenhuone, pöpilä
booby prize /'bubɪ,praɪz/ s (viimeiseksi sijoittuvan) lohdustuspalkinto
booby trap /'bubɪ,træp/ s **1** ansa **2** piilopommi (jonka uhri pahaa aavistamatta laukaisee)
boodie /budi/ s lesurinkaniinikenguru (Bettongia lesueur)
boogeyman /'bugɪ,mæn/ s kummitus, mörkö
boogieman /'bugɪ,mæn/ s kummitus, mörkö
book /buk/ s **1** kirja (myös kirjan osasta) **2** (lippu-, postimerkki)vihko, kansikko book of matches tulitikkukansikko **3** (mon) (liikeyrityksen) kirjanpito, kirjat
v **1** kirjata, merkitä kirjoihin **2** (poliisi) pidättää, vangita **3** varata (paikka, lippu), buukata
bookable /bukəbəl/ adj (lippu) ennakkomyynnissä oleva, (paikka) numeroitu
bookcase /'buk,keɪs/ s kirjahylly(kkö)
bookie /buki/ s vedonvälittäjä
bookkeeper /'buk,kipər/ s kirjanpitäjä
bookkeeping s kirjanpito
book learning /'buk,lərniŋ/ s kirjaoppi, teoria
booklet /buklət/ s kirjanen, esite
book loss s (tal) realisoimaton tappio
bookmaker /'buk,meɪkər/ s vedonvälittäjä
bookmark /'buk,mark/ s kirjanmerkki
bookmobile /'bukmou,bɪəl/ s kirjastoauto
bookrack /'buk,ræk/ s **1** kirjatuki, kirjateline **2** kirjahylly
bookshelf /'buk,ʃelf/ s kirjahylly
bookstore /'buk,stɔr/ s kirjakauppa
book value s (tal) kirjanpitoarvo
bookworm /'buk,wərm/ s lukutoukka
boom /bum/ s **1** (purjeen) puomi **2** jylinä, jyrähdys **3** (taloudellinen) korkeasuhdanne, noususuhdanne, (kaupan) vilkastuminen, (hintojen) nousu
v **1** jylistä, jyristä **2** (talouselämä, kauppa) vilkastua, olla korkeasuhdanne/noususuhdanne
boomerang /'bumə,ræŋ/ s bumerangi
v (sanat, teot) kostautua, kääntyä tekijäänsä tms vastaan
boom out v mylviä, kajottaa, karjua
boor /buər/ s moukka
boorish /burɪʃ/ adj moukkamainen
boost /bust/ s lisäys, kasvu, parannus
v lisätä, kasvattaa, suurentaa
booster s **1** lisävahvistin booster rocket kantoraketti **2** tukija, kannattaja
boot /but/ s **1** saapas, kenkä to get the boot saada kenkää, saada potkut to give someone the boot antaa jollekulle kenkää/potkut, erottaa **2** (UK) (auton) tavaratila
v **1** potkaista **2** käynnistää (tietokoneohjelma)
booth /buθ/ s (myynti)koju, puhelinkoppi, äänestyskoppi, (elokuvateatterin, ravintolan) aitio
booze /buz/ s (ark) viina
v (ark) ryypätä
boozy /buzi/ adj (ark) **1** kännissä **2** viinaanmenevä
border /bɔrdər/ s **1** reuna **2** (maiden välinen) raja **3** (kapea) kukkapenkki
v reunustaa the road is bordered by elms tien vierellä kasvaa jalavia
borderline /'bɔrdər,laɪn/ s rajaviiva
adj rajatila- he is a borderline case (myös:) hän on rajatapaus
border on v olla jonkun rajalla/rajanaapurina, rajoittua johonkin; lähennellä jotakin, olla lähes your hand-

writing borders on the illegible käsialastasi on lähes mahdotonta saada selvää
bore /bɔr/ s **1** (poraus)reikä **2** (putken, sylinterin sisä)halkaisija, (aseen) kaliiperi **3** kiusa, harmi, ikävä/pitkäveteinen ihminen/asia he is a real bore hän on tylsä ihminen
v **1** porata **2** pitkästyttää, ikävystyttää I was bored stiff by his lectures ikävystyin kuollakseni hänen luennoillaan **3** ks bear
boredom /bɔrdəm/ s ikävyys, pitkästyminen, tylsyys
boring adj pitkäveteinen, ikävystyttävä, tylsä
born to be born syntyä, (myös kuv:) saada alkunsa when were you born? milloin olet syntynyt?
borne /bɔrn/ ks bear
borough /bərou bərə/ s **1** (New Jerseyn ja Minnesotan osavaltioissa) hallinnollisesti itsenäinen (pikku)kaupunki **2** yksi New York Cityn viidestä hallintoalueesta **3** (Alaskassa) piirikunta
borrow /barou/ v lainata (joltakulta jotakin, myös ajatuksia) may I borrow your car for an hour? saanko lainata autoasi tunniksi?
borrower s lainaaja (lainaksi ottaja)
Bosnia and Herzegovina /bazniə ən ˌhərtsə'gouvənə/ Bosnia ja Hertsegovina
bosom /buzəm/ s **1** (vanh) rinta, rintakehä; (naisen) rinta **2** (kuv) rinta, sydän a bosom friend sydänystävä deep in her bosom syvällä sisimmässään, sydämessään
Bosporus /baspərəs/ Bospori
boss /bas/ s pomo
v määräillä, komentaa, komennella
bossy /basi/ adj komenteleva, määräilevä
Boston /bastən/ kaupunki Massachusettsissa
botanical /bə'tænɪkəl/ adj kasvitieteellinen
botanist /batənɪst/ s kasvitieteilijä
botany /batəni/ s kasvitiede
botch /batʃ/ s hutiloiden tehty työ/korjaus
v hutiloida, korjata/tehdä huonosti, pilata, tunaroida
both /bouθ/ adj, pron molemmat, kumpikin both houses kumpikin talo, (usein:) both of them are coming; they are both coming he tulevat kumpikin both Finland and Sweden sekä Suomi että Ruotsi
bother /baðər/ s vaiva, riesa, harmi
v **1** häiritä, vaivata, kiusata **2** vaivautua
bothersome /'baðərˌsəm/ adj harmittava, hankala, kiusallinen
Botswana /bots'wanə/
bottle /batəl/ s pullo
v pullottaa
bottle green s tummanvihreä (väri)
bottle-green /ˌbatəl'grin/ adj tummanvihreä
bottleneck /'batəlˌnek/ s pullonkaula (myös kuv)
bottle up v (tunteista) padota, patoutua, niellä, pitää sisällään
bottom /batəm/ s **1** pohja, tyvi, alapää, alareuna **2** (housun) lahje **3** (pöydän) pää **4** (pihan) perä **5** takapuoli, pylly (ark)
bottomless adj pohjaton, loputon, ehtymätön, ääretön
bottom line /ˌbatəm'laɪn/ s **1** tase, voitto tai tappio **2** lopputulos **3** ratkaiseva tekijä, keskeinen seikka (kuv) (kaunistelematon) totuus the bottom line is, we have no choice totuus on ettei meillä ole vaihtoehtoja
bottom out v laskea alimmilleen/pohjalukemiin
bough /bau/ s (puun) oksa
bought /bat/ ks buy
boulder /bouldər/ s kivenjärkäle, kalliolohkare
bounce /bauns/ s (pallon) ponnahdus
v **1** (pallo) ponnahtaa, kimmota **2** hyppiä ylösalas **3** rynnätä **4** (sekki) olla katteeton
bounce back v toipua (iskusta, myös kuv)
bouncing adj terhakka

bound /baund/ s **1** hyppy, ponnahdus **2** (mon) rajat, kohtuus out of/within bounds (pelissä) ulkona/sisällä, (kuv) kohtuuton/kohtuullinen
v **1** hypätä, pomppia, ponnahtaa **2** ks bind the new regulations are bound to cause a lot of problems uudet määräykset aiheuttavat varmasti paljon ongelmia
boundary /baundəri baundri/ s raja(viiva)
bound for adj matkalla, menossa jonnekin he is bound for Chicago
boundless /baundləs/ adj rajaton, loputon, ehtymätön
boundlessly adv rajattomasti, loputtomasti
bound to you are bound to become famous sinusta tulee varmasti kuuluisa
bound up in she is bound up in her studies hän on uppoutunut kirjoihinsa
bountiful /bauntəfəl/ adj **1** antelias, avokätinen **2** runsas, ylenpalttinen
bounty hunter s palkkionmetsästäjä
bouquet /,bou'keı/ s **1** kukkakimppu **2** (viinin) tuoksu
bourgeois /,buʒ'wa/ s porvari
adj porvarillinen, keskiluokkainen
bourgeoisie /,buʒwa''zi/ s porvaristo, keskiluokka
bout /baut/ s **1** (taudin, vihan, innostuksen, tarmon) puuska **2** (nyrkkeily)-ottelu
boutique /bu'tik/ s (muodikas vaate)myymälä, kauppa, putiikki
bow /bou/ s **1** (ase, viulun) jousi **2** rusetti
v **1** soittaa (viulua) jousella **2** (oksa) taipua
bow /bau/ **1** kumarrus **2** (myös mon) (laivan, veneen) keula, kokka
v **1** kumartaa (jollekulle/päätään) **2** alistua, antaa periksi he bowed to fate hän alistui kohtaloonsa
bowel /bauəl/ s (yl mon) **1** suoli to move your bowels ulostaa **2** (maan) uumenet
bowel movement s **1** ulostaminen **2** uloste
bowhead whale /,bouhed'weiəl/ s grönlanninvalas
bowl /bouəl/ s **1** kulho **2** keilapallo **3** (mon) keilapeli
v keilata, pelata keilapeliä
bowler /boulər/ s keilaaja
bowler hat s knallihattu
bowl over v kaataa kumoon, (kuv) tyrmistyttää
bow out v (kuv) luopua leikistä
box /baks/ s **1** (tulitikku-, posti- ym) laatikko, rasia **2** (teatteri- ym) aitio
v **1** panna laatikkoon, paketoida **2** nyrkkeillä
boxer s **1** nyrkkeilijä **2** (koira) bokseri
boxing s nyrkkeily
boxing glove s nyrkkeilykäsine
boxing match s nyrkkeilyottelu
boxing ring s nyrkkeilykehä
box office /'bak,safəs/ s (teatterin) kassa, lipunmyynti
boy /bɔı/ s poika
boycott /'bɔı,kat/ s boikotti
v boikotoida
boyfriend /'bɔı,frend/ s poikaystävä, miesystävä
boyhood /'bɔı,hud/ s poikavuodet, nuoruus
boyish adj poikamainen
bps bits per second
Br. British
BR bedroom; British Railways
bra /bra/ s rintaliivit (sanasta brassiere)
brace /breıs/ s **1** tuki **2** poranvarsi **3** (UK, mon) olkaimet, henkselit **4** (mon) hammasraudat
v **1** tukea (jokin johonkin) **2** (refl) valmistautua, varautua (iskuun, huonoon uutiseen)
bracelet /breıslət/ s rannerengas, ranneketju
bracing /breısiŋ/ adj (ilma) virkistävä, piristävä
bracken /brækən/ s sananjalka
bracket /brækət/ s **1** tuki, seinäkiinnike **2** sulkumerkki, (mon) sulkeet **3** (luokittelussa) ryhmä, luokka
v **1** merkitä sulkeisiin **2** yhdistää, lukea/laskea samaan joukkoon/ryhmään/luokkaan

brackish /brækɪʃ/ adj (vedestä) hieman suolainen
Bradford /brædfərd/
brag /bræg/ v leuhkia, rehennellä, mahtailla
Brahmin /bramɪn/ s **1** (hindulainen) bramiini **2** (Uudessa-Englannissa asuva) aristokraatti
braid /breɪd/ s (hius)palmikko
v palmikoida (hiukset)
Braille /breɪəl/ s sokeainaakkoset, Braillen pistekirjoitus
brain /breɪn/ s aivot, (myös kuv:) äly, järki, älypää
v pamauttaa päähän; tappaa päähän iskemällä
brainchild /'breɪn,tʃaɪəld/ s keksintö it is his brainchild hän on ajatuksen isä, hän sen keksi
brain drain /'breɪn,dreɪn/ s aivovienti
brainless adj aivoton, älytön
brain scan /'breɪn,skæn/ s (lääk) aivokuvaus
brainstorm /'breɪn,stɔrm/ s
1 neronleimaus **2** aivoriihi
v pitää aivoriihi
brainstorming session s aivoriihi
brainwash /'breɪn,waʃ/ s aivopesu
v aivopestä
brainwave /'breɪn,weɪv/ s **1** (lääk) aivokäyrä **2** (ark) neronleimaus
brainy /breɪni/ adj älykäs, terävä, fiksu
braise /breɪz/ v paistaa, kypsentää (lihaa)
brake /breɪk/ s jarru
v jarruttaa, hiljentää vauhtia
brake drum /'breɪk,drʌm/ s jarrurumpu
brake fade /'breɪk,feɪd/ s jarrujen häipyminen
brake pedal /'breɪk,pedəl/ s jarrupoljin
brake shoe /'breɪk,ʃu/ s jarrukenkä
bramble /bræmbəl/ s karhunvatukka, karhunvatukkapensas
bran /bræn/ s lese
branch /bræntʃ/ s oksa, haara (myös kuv) branch office haarakonttori
v haarautua, jakautua
branch out v (liikeyritys) laajentaa (toimintaansa uudelle alueelle)
brand /brænd/ s **1** tavaramerkki, tuotenimi **2** polttorauha
v **1** merkitä (karjaa) polttoraudalla
2 (kuv) leimata joku joksikin
brandish /brændɪsʃ/ v uhata (aseella), heilutella (kädessään)
brand name /'brænd,neɪm/ s **1** tavaramerkki, tuotenimi **2** (ark) julkkis, kuuluisuus, iso nimi
brand-name /'brænd,neɪm/ adj **1** (tuote) merkki- **2** (ark) kuuluisa
brand-new /,brænd'nu/ adj upouusi, tuliterä
Brand X /,brænd'eks/ s (mainonnassa) nimeämätön tuote johon mainostettavaa tuotetta verrataan
brandy /brændi/ s brandy; konjakki
brash /bræʃ/ adj itsevarma, röyhkeä, hävytön
brass /bræs/ s **1** messinki **2** (mus) vaskisoittimet to double in brass hoitaa toistakin tehtävää, toimia myös jossakin toisessa tehtävässä **3** hävyttömyys, röyhkeys
brass band s torvisoittokunta
brassiere /brə'zɪər/ s rintaliivit
brat /bræt/ s kakara, vintiö
bravado /brə'vadou/ s yltiöpäinen rohkeus; mahtailu
brave /breɪv/ v uhmata (vaaroja), kohdata jotakin pelottomasti
adj urhea, rohkea, uskalias
bravely adv urheasti, rohkeasti, uskaliaasti
bravery /breɪvəri/ s rohkeus, urheus, uskaliaisuus
bravo /bravou/ interj hyvä! erinomaista!
brawl /bral/ s tappelu, kahakka
barroom brawl kapakkatappelu
v tapella, riidellä
bray /breɪ/ s aasin kiljahdus
v (aasi) kiljahtaa
brazen /breɪzən/ adj **1** messinkinen, messinki- **2** häpeämätön
brazier /breɪʒər/ s **1** (hiili)tuli **2** hiilipannu, hiilipata
Brazil /brə'zɪl/ Brasilia

Brazilian s, adj brasilialainen
BrE British English
breach /britʃ/ s **1** (säännön, sopimuksen) rikkomus, (velvollisuuden) laiminlyönti **2** aukko, reikä
v puhkaista, tehdä aukko/reikä johonkin
bread /bred/ s **1** leipä (myös mekityksessä elanto) **2** (sl) raha
bread and butter s **1** voileipä **2** leipätyö, elanto
bread-and-butter adj perus-, tavallinen, mitäänsanomaton
breadth /bredθ/ s leveys
breadwinner /ˈbred,wɪnər/ s (perheen) elättäjä
break /breɪk/ s **1** murtuma, lohkeama, repeämä, aukko, katkos **2** (työ- tai muu) tauko **3** (suhteen, välien) katkeaminen, välirikko **4** muutos, käänne, vaihtelu **5** pako, pakoyritys **6** onni, tilaisuus, mahdollisuus
v broke, broken **1** murtua (myös äänestä), murtaa, lohjeta, lohkaista, katketa, katkaista, särkyä, särkeä to break a record rikkoa ennätys **2** rikkoa (lupaus, sopimusta) **3** läpäistä, ylittää, murtaa (äänivalli), puhkaista (iho) **4** keskeytyä, keskeyttää (puhe, hiljaisuus, matka) **5** to break new ground aukoa uusia uria **6** to break the news kertoa uutinen, paljastaa jotakin
breakable adj helposti särkyvä, hauras
breakage /breɪkədʒ/ s murtuma, lohkeama, särö
break away v **1** irrota, irrottaa **2** karata, juosta tiehensä **3** erota jostakusta/jostakin, katkaista siteensä johonkuhun/johonkin
breakdance s breikkitanssi, breikki
v tanssia breikkiä, breikata
break down v **1** särkeä, särkyä, rikkoa, hajottaa, hajota, murtaa, murtua (myös henkisesti:) luhistua **2** (suunnitelma) epäonnistua, (viestintäyhteys) katketa, (avioliitto) kariutua **3** eritellä, analysoida, jakaa/jakautua osiin
breakdown /ˈbreɪk,daʊn/ s **1** (laitteen) vika, toimintahäiriö, särkyminen **2** (viestintäyhteyden) katkos, katkeaminen **3** erittely, analyysi **4** (ruumiillinen tai hermo)romahdus
breaker s murtuva aalto
break even s (tal) kriittinen piste
break even fr päästä (taloudellisesti) omilleen
breakfast /brekfəst/ s aamiainen
v syödä aamiaista
break in v **1** keskeyttää **2** murtautua jonnekin **3** opettaa työ uudelle työntekijälle
break into v **1** murtautua jonnekin **2** ruveta tekemään jotakin, puhjeta (lauluun, itkuun)
break off v **1** lakata (tekemästä jotakin), lopettaa **2** katkaista, irrottaa, murtaa
break open v avautua, avata, murtaa auki
break out v **1** (tuli, sota) syttyä, (tauti) puhjeta, alkaa **2** karata, paeta
break ranks fr poistua riviistä tms; (kuv) olla eri mieltä, ei suostua johonkin
breakthrough /ˈbreɪk,θru/ s läpimurto (myös kuv)
break through v puhkaista, läpäistä, murtautua jonkin läpi
breakup /breɪkʌp/ s hajoaminen, särkyminen; (erityisesti) avioliiton/parisuhteen kariutuminen/purkautuminen/purkaminen
break up v **1** hajota, hajottaa, murtaa, murtua **2** jakaa (osiin, keskenään) **3** (avioliitto, parisuhde) kariutua, (aviopari, avopari) erota
breakwater /ˈbreɪk,watər/ s aallonmurtaja
break wind fr pieraista (ark)
breast /brest/ s **1** (naisen) rinta **2** (vartalon) rinta
breath /breθ/ s hengitys, hengenveto after climbing the steps, he was out of breath portaat kiivettyään hän oli hengästynyt
breathalyzer /ˈbreθə,laɪzər/ s (puhalluskokeessa käytettävä) alkoholimittari
breathe /brið/ v **1** hengittää; vetää henkeä; hengittää ulos **2** kiuskata, hiiskua

breathe in v hengittää sisään, vetää henkeä
breathe out v hengittää ulos
breather s hengähdystauko
breathless adj hengästynyt
breathlessly adv hengästyneesti
breathtaking /'breθteɪkiŋ/ adj henkeäsalpaava
breath test s (alkoholimittaus) puhalluskoe
bred /bred/ ks breed
breech /britʃ/ s (aseen) perä
breed /brid/ s **1** (eläin)rotu **2** laji, tyyppi
v bred, bred **1** kasvattaa (karjaa, kukkia) **2** kasvattaa (lasta), opettaa (käyttäytymään), kouluttaa well bred hyvin kasvatettu (lapsi) **3** (eläin) synnyttää, lisääntyä **4** aiheuttaa, johtaa johonkin
breeder s karjankasvattaja, kasvien kasvattaja, viljelijä
breeder reactor /'bridəri,æktər/ s (ydinvoimalan) hyötyreaktori
breeding s **1** (karjan, kasvien) kasvatus **2** (eläinten) lisääntyminen **3** (ihmisen) kasvatus, hyvät tavat, (myös) hyvä suku breeding shows kasvatus näkyy
breeze /briz/ s **1** leuto tuuli, tuulenhenkäys, tuulahdus **2** (ark) helppo juttu, lastenleikki **3** to shoot the breeze rupatella, jutella; puhua palturia/omiaan
breeze in v porhaltaa/pyyhältää sisään
breeze out v porhaltaa/pyyhältää ulos/pois
breezy adj **1** (mukavan) tuulinen, vilpoisa **2** hilpeä, hyväntuulinen
brethren /breðrən/ s (mon) jäsentoverit, (uskon- tms) veljet
brevity /brevəti/ s lyhyys, ytimekkyys, tiiviys
brew /bru/ s **1** olut **2** (yrtti)tee
v **1** panna (olutta); käydä **2** hauduttaa (teetä), hautua **3** (kuv) hautoa, hautua, olla alulla trouble's brewing pinnan alla kiehuu/kuohuu
brewer /bruər/ s oluenpanija
brewery /bruəri/ s olutpanimo
bribe /braɪb/ s lahjus
v lahjoa
bribery /braɪbəri/ s lahjonta
bric-a-brac /'brɪkə,bræk/ s (pikku)rihkama
brick /brɪk/ s tiili, tiiliskivi
brick in v muurata umpeen
bricklayer /'brɪk,leɪər/ s muurari
brick up v muurata umpeen
brick wall to run into a stone wall jollakulla tulee seinä vastaan, joku ei suostu johonkin
brickwork /'brɪk,wərk/ s tiiliseinä, tiilimuuri, tiilirakennelma
bridal /braɪdəl/ adj morsius-
bride /braɪd/ s morsian
bridegroom /'braɪd,grum/ s sulhanen
bridesmaid /'braɪdz,meɪd/ s morsiusneito
bridge /brɪdʒ/ s **1** silta **2** (laivan komento)silta **3** nenänselkä **4** (viulun yms) talla, kielisilta **5** bridge(peli)
v rakentaa silta jonkin ylitse, silloittaa (myös kuv), (kuv) olla/toimia siltana kahden asian välillä
bridgehead /'brɪdʒ,hed/ s (sot) sillanpääasema (myös kuv)
bridle /braɪdəl/ s (hevosen) suitset
v panna hevoselle/(kuv) jollekulle suitset suuhun, (kuv) hillitä, panna kuriin
brief /brif/ s **1** selvitys, selonteko (esim oikeusjutusta) **2** (mon) lyhyet alushousut **3** in brief lyhyesti, parilla sanalla
v perehdyttää joku johonkin, antaa jollekulle jostakin perustiedot/alustavat tiedot, saattaa joku ajan tasalle
adj lyhyt
briefly adj lyhyesti, ohimennen
brigade /brɪ'geɪd/ s **1** (sot) prikaati **2** fire brigade palokunta
brigadier general /'brɪgə,dɪər 'dʒenrəl/ s prikaatinkenraali
bright /braɪt/ adj **1** kirkas, valoisa **2** iloinen, hilpeä, hyväntuulinen **3** älykäs, terävä, nokkela
brighten v kirkastaa, kirkastua, vaalentaa, vaalentua, piristää, piristyä
brighten up v piristää (huonetta esim värikkäillä verhoilla tai seinämaaleilla), piristyä (hyvästä uutisesta), ilostuttaa, ilostua

bright-eyed /'braɪt,aɪd/ adj kirkassilmäinen
brightly adv **1** kirkkaasti **2** iloisesti **3** terävästi, nokkelasti, älykkäästi
brightness s **1** kirkkaus **2** iloisuus **3** nokkeluus
brilliance /brɪljəns/ s **1** kirkkaus, loisto **2** erinomaisuus **3** nerokkuus, älykkyys
brilliant /brɪljənt/ adj **1** loistava (myös kuv), häikäisevä (myös kuv), kirkas **2** nerokas, älykäs, lahjakas
brilliantly adv loistavasti (myös kuv), kirkkaasti
brim /brɪm/ s (hatun) lieri, (astian) reuna
brim over v olla ääriään/reunojaan myöten täynnä
brindled bandicoot /,brindəld'bændəkut/ s täpläpussimäyrä
brine /braɪn/ s (säilöntään käytettävä) suolavesi
bring /brɪŋ/ v brought, brought **1** tuoda, ottaa mukaansa please bring something to eat ota mukaan syötävää **2** johtaa johonkin, aiheuttaa, tuoda the news brought tears to her cheeks uutinen sai kyyneleet nousemaan hänen silmiinsä **3** (refl) saada itsensä (tekemään), saada itsestään irti, pystyä, iljetä, kehdata he couldn't bring himself to fire the woman hän ei hellinyt antaa naiselle potkuja **4** tuottaa, ansaita, tuoda the sale of the company brought them a nice bundle he käärivät sievoisen summan myymällä yrityksen
bring about v saada aikaan, johtaa johonkin
bring along v **1** ottaa mukaan, tuoda mukanaan **2** aiheuttaa jotakin, johtaa johonkin
bring back v **1** palauttaa, tuoda takaisin **2** palauttaa/tuoda mieleen **3** herättää henkiin, ottaa uudelleen käyttöön
bring down v **1** ampua alas (lintu, lentokone), vetää alas (leija) **2** kaataa (eläin, vastustaja, hallitus) **3** laskea, alentaa (hintoja)
bring forward v **1** ottaa esille/puheeksi **2** aikaistaa, siirtää aikaisemmaksi
bring in v **1** korjata (sato) **2** tuottaa (voittoa), kasvaa (korkoa, osinkoa) **3** esittää (lakiehdotus) **4** sekoittaa joku johonkin, ottaa joku mukaan johonkin let's not bring the principal into this ei sotketa rehtoria tähän **5** (lak) langettaa the jury brought in a verdict of guilty oikeus totesi syytetyn syylliseksi **6** ottaa käyttöön (tapa), saattaa muotiin
bring into the world fr synnyttää; avustaa synnytyksessä
bring off v onnistua jossakin, saada aikaan jotakin
bring on v **1** aiheuttaa jotakin, johtaa johonkin **2** kehittää, valmentaa jotakuta
bring out v **1** tuoda selvästi esiin, korostaa **2** houkutella joku ulos kuorestaan, saada joku vapautumaan **3** julkaista (kirja)
bring someone to reason fr saada joku järkiinsä, saada joku muuttamaan mieltään
bring to pass fr aiheuttaa jotakin, johtaa johonkin
bring to terms fr pakottaa suostumaan/alistumaan
bring up v **1** kasvattaa joku (isoksi) **2** oksentaa **3** ottaa esille/puheeksi
brink /brɪŋk/ s reuna (myös kuv) on the brink of disaster katastrofin partaalla
Brisbane /brɪzbən/
brisk /brɪsk/ adj **1** reipas, ripeä (ihminen, kävely) **2** raikas, virkistävä (ilma, tuuli)
briskly adv reippaasti, ripeästi these days, CDs are selling briskly nykyisin CD-levyt menevät hyvin kaupaksi
bristle /brɪsəl/ s (sian, harjan, siveltimen) harjas, (parran) sänki v nousee karvat pystyyn (myös kuv), suuttua
bristle with v olla tupaten täynnä jotakin, jossakin vilisee/kuhisee jotakin
Bristol /brɪstəl/
Brit. Britain; British
British adj brittiläinen
British Columbia /,brɪtɪʃkə'lʌmbiə/ Brittiläinen Columbia
British Isles /,brɪtɪʃ'aɪəlz/ Britteinsaaret

brittle /brɪtəl/ adj hauras
broad /brad/ s **1** jonkin leveä osa the broad of the back hartiaseutu **2** (sl) muija, donna
adj **1** leveä **2** laaja, kattava, yleinen **3** (puheessa) selvä/voimakas (korostus) **4** epämääräinen, ylimalkainen, karkea **5** in broad daylight keskellä kirkasta päivää
broadcast /'brad,kæst/ s radiolähetys, televisiolähetys
v broadcast, broadcast **1** lähettää radiossa/televisiossa **2** (kuv) levittää (uutista), mainostaa (näkemystään), julistaa
broad jump s (urh) pituushyppy
broadly adv **1** yleisesti **2** suuresti, hyvin (erilainen) **3** (hymyillä) leveästi
broad-minded /,brad'maɪndəd/ adj suvaitseva, avarakatseinen
broadside /'brad,saɪd/ s (kuv) voimakas hyökkäys jotakuta/jotakin vastaan to fire a broadside ampua täydeltä laidalta
broccoli /brakəli/ s (mon broccoli) parsakaali
brochure /,broʊ'ʃʊər/ s esite, mainos
brogue /broʊg/ s **1** raskas kenkä **2** irlantilainen korostus
broil /broɪl/ v grillata, pariloida
broke /broʊk/ ks break
adj (sl) auki, peeaa, rahaton
broken /broʊkən/ ks break
broken-hearted /,broʊkən'hartəd/ adj surullinen, surusta murtunut Mary's broken-hearted over Gary Gary on särkenyt Maryn sydämen
broker /broʊkər/ s meklari, (kaupan)välittäjä
bronchi /braŋkaɪ/ ks bronchus
bronchial /braŋkɪəl/ adj keuhkoputki-, bronkiaali-
bronchitis /,braŋ'kaɪtəs/ s keuhkoputkentulehdus, bronkiitti
bronchus /braŋkəs/ s (mon bronchi) keuhkoputki
bronze /branz/ s **1** pronssi **2** punaruskea, kuparin väri **3** pronssiveistos yms
v **1** ruskettua, ruskettaa **2** pronssata (vauvan kengät)
brooch /broʊtʃ/ s rintakoru
brood /brud/ s (linnun) pesue, poikue (myös kuv)
v (lintu) hautoa (myös kuv)
brood on v hautoa mielessään, pohtia
brood over v hautoa mielessään, pohtia
broody adj alakuloinen, apea
brook /brʊk/ s puro
Brooks Range /,brʊks'reɪndʒ/ Brooksvuoristo (Alaskassa)
broom /brum/ s luuta
bros. brothers
broth /braθ/ s lihaliemi
brothel /braθəl/ s bordelli
brother /brʌðər/ s (mon brothers, merkityksessä 'uskonveli, jäsentoveri' brethren) veli
brotherhood /'brʌðər,hʊd/ s **1** veljeys **2** veljeskunta
brother-in-law /'brʌðərɪn,la/ s (mon brothers-in-law) lanko
brotherly adj veljellinen, veljen, veljes-
brought /brat/ ks bring
brow /braʊ/ s **1** kulmakarva **2** otsa **3** (rinteen, mäen) harja, laki
browbeat /'braʊ,bit/ v browbeat, browbeaten: pelotella, ahdistella, tyrannisoida they browbeat him into accepting the deal he pakottivat hänet hyväksymään kaupan
brown /braʊn/ s ruskea (väri)
v ruskettua, ruskettaa, ruskistua, ruskistaa
adj ruskea
browse /braʊz/ v **1** (karja) laiduntaa, olla laitumella **2** selailla (kirjaa, lehteä), tutkiskella (esim kirjakaupan tai kirjaston hyllyjä)
bruise /bruz/ s mustelma
v lyödä mustelmille, saada mustelma
Brunei /bru'neɪ/
Bruneian s, adj bruneilainen
brunette /bru'net/ s ruskeatukkainen (vaaleaihoinen) nainen, tummaverikkö
brunch /'brʌntʃ/ s lounasaamiainen, brunssi, aamupäiväateria

brunt /brʌnt/ to bear the brunt of something joutua kärsimään eniten jostakin
brush /brʌʃ/ s **1** harja, sivellin toothbrush hammasharja **2** (matala) pensaikko **3** hipaisu, kevyt kosketus **4** lyhyt yhteenotto, kahakka
v **1** harjata **2** koskettaa, hipaista
brush aside v heittää mielestään, ei piitata jostakin, jättää (kommentti) omaan arvoonsa
brush away ks brush aside
brush up v verestää, elvyttää, palauttaa mieleensä he is trying to brush up his French hän yrittää verestää ranskan taitoaan
brusque /brʌsk/ adj töykeä, epäkohtelias
brusquely adv töykeästi, epäkohteliaasti
brusqueness s töykeys, epäkohteliaisuus
Brussels /brʌsəlz/ Bryssel
Brussels sprout /'brʌsəlz,spraut/ s ruusukaali
brutal /brutəl/ adj julma, raaka
brutality /bru'tæləti/ s julmuus, raakuus, julma/raaka teko
brutally adv julmasti, raa'asti
brute /brut/ s eläin (myös kuv)
adj eläimellinen, raaka
brutish /brutɪʃ/ adj eläimellinen
Bryce Canyon /,braɪs'kænjən/ kansallispuisto Utahissa
BS Bachelor of Science; bullshit
B/S bill of sale
btry. battery
Btu British thermal unit
btwn. between
bubble /bʌbəl/ s kupla
v kuplia
bubblegum /'bʌbəl,gʌm/ s purukumi
bubbly /bʌbli/ s samppanja
adj kupliva
buck /bʌk/ s **1** urosjänis, uroskaniini, urospeura ym **2** (sl) dollari, taala
v **1** (hevonen) hypätä ilmaan, heittää (ratsastaja) selästään **2** piristää, innostaa jotakuta
bucket /bʌkət/ s sanko
bucketful s sangollinen
Buckinghamshire /bʌkiŋəmʃər/ Englannin kreivikuntia
buckle /bʌkəl/ s (vyön) solki
v **1** sitoa vyö, sitoa kiinni **2** (pyörä, metalli) taipua
buckle up v käyttää turvavyötä, kiinnittää turvavyö
Bucks. Buckinghamshire
bud /bʌd/ s (kukan) nuppu, (sipulin, lehden) silmu
v puhjeta nuppuun
Buddhism /'bud,ɪzəm/ s buddhalaisuus
Buddhist /budɪst/ s, adj buddhalainen
budding adj nupullaan oleva (myös kuv), aloitteleva budding career lupaavasti alkanut ura
budge /bʌdʒ/ v **1** liikahtaa, saada liikahtamaan **2** (kuv) antaa periksi, taipua
budget /bʌdʒət/ s budjetti, tulo- ja menoarvio
budget for v varautua johonkin menoerään, varata rahaa johonkin tarkoitukseen, budjetoida
buff /bʌf/ s **1** (paksu, pehmeä) nahka in the buff apposen alasti, ilkosillaan **2** kellanruskea **3** harrastaja she is a movie buff hän on elokuvahullu
v kiillottaa (metallia)
Buffalo /bʌfəlou/ kaupunki New Yorkin osavaltiossa
buffalo /bʌfəlou/ s puhveli; biisoni
buffer /bʌfər/ s (junan) puskuri; päätepuskuri
buffer memory s (tietok) puskurimuisti
buffet /bə'feɪ/ s **1** seisova pöytä **2** juhla jossa on seisova pöytä
buffet /bʌfət/ s (nyrkin)isku
v iskeä, lyödä, paiskata
buffoon /bə'fun/ s pelle (myös kuv)
bug /bʌg/ s **1** lude **2** (ark) ötökkä, hyönteinen **3** salakuuntelumikrofoni **4** (ark) pöpö, virus **5** (sl) (laite)vika I still don't have all the bugs ironed out en ole vieläkään saanut sitä kunnolla toimimaan

v **1** asentaa salakuuntelumikrofoni jonnekin their house is bugged heidän talossaan on salakuuntelulaitteet **2** kuunnella salaa **3** (ark) vaivata, risoa, ärsyttää, kiusata
bugbear /'bʌgbeər/ s (kuv) kummitus, peikko the bugbear of higher taxes (myös:) korkeampien verojen pelko
bugle /bjugəl/ s (sot) merkkitorvi
bugler /bjuglər/ s (sot) merkkitorven soittaja
Bugs Bunny /,bʌgz'bʌni/ Väiski Vemmelsääri
Buick /bjuɪk/ amerikkalainen automerkki
build /bɪld/ s ruumiinrakenne
v built, built: rakentaa, koota, luoda
builder s rakentaja, rakennustyöläinen, rakennusurakoitsija
building s **1** rakennus, talo **2** toimistorakennus, pilvenpiirtäjä the Chrysler Building
build on v rakentaa jonkin varaan, luottaa johonkin
build-up s **1** lisäys, kasvu **2** mainostus
build up v **1** syntyä, muodostua, muodostaa **2** kasvaa, kasvattaa, lisääntyä, lisätä **3** mainostaa jotakuta, tuoda jotakuta kovasti esiin
bulb /bʌlb/ s **1** (kasvi)sipuli **2** hehkulamppu **3** (valokuvauskoneessa) B-asento (jossa suljin on auki niin kauan kuin laukaisinta painetaan)
bulbous /bʌlbəs/ adj sipulimainen, sipuli bulbous nose sipulinenä
bulb vegetables s (mon) (syötävät) sipulit
Bulgaria /bəl'gerɪə/ Bulgaria
Bulgarian s bulgarian kieli
s, adj bulgarialainen
bulge /bʌldʒ/ s pullistuma, kyhmy
v pullistua, pullistaa
bulimia /bə'limiə/ s (lääk) bulimia (eräs syömishäiriö)
bulimic /bə'limik/ s bulimikko, bulimiaa sairastava henkilö
bulk /bʌlk/ s (suuri) määrä, joukko, suurin osa in bulk tukuttain
bulky adj suuri, iso, kömpelön kokoinen, tilaa vievä
Bull (tähdistö) Härkä
bull /bʊl/ s **1** härkä, sonni **2** uroshirvi, urosnorsu, urosvalas ym **3** (sl) roskapuhe; rehentely
bulldog /'bʌl,dag/ s bulldoggi
bulldoze /'bʌl,douz/ v **1** raivata/tasoittaa puskutraktorilla **2** pelotella, pakottaa
bulldozer s puskutraktori
bullet /bələt/ s luoti
bulletin /bələtən/ s tiedotus, ilmoitus
bullet loan s (tal) luotto joka maksetaan takaisin kertasuorituksena luottoajan päätyttyä
bulletproof /'bələt,pruf/ adj luodinkestävä
bulletproof vest s luodinkestävät liivit
bullet train /'bʌlət,treɪn/ s nuolijuna, luotijuna
bullion /bəljən/ s harkkokulta, harkkohopea
bullish /bʌlɪʃ/ adj (sijoittajista ym) optimistinen
bull market /,bʌl'markət/ s (tal) markkinatilanne jota kuvaa trendimäinen hintojen nousu
bullock /bələk/ s kuohittu sonni, härkä
bull's eye /'bəl,zaɪ/ s maalitaulun keskusta you really hit the bull's eye that time osuit aivan naulan kantaan
bullshit /bəlʃɪt/ interj,s paskapuhe what a load of bullshit that is! paskapuhetta!
bull spread /,bʌl'spred/ s (tal) nouseva hintaspread/hintaporras
bully /bəli/ s uhottelija, tyranni
v uhotella, uhkailla, pelotella
bulrush /bəlrʌʃ/ s osmankäämi
bulwark /bəlwərk/ s valli, suojamuuri (myös kuv)
bum /bʌm/ s **1** pummi **2** takapuoli, pylly (ark)
v kerjätä, saada kerjäämällä
adj kelvoton, mitätön bum leg huono jalka
bum around v pummailla, lorvia, maleksia
bumblebee /'bʌmbəl,bi/ s kimalainen
bump /bʌmp/ s **1** isku **2** törmäys **3** (tien) kuoppa; muhkura

v **1** iskeä, iskeytyä, tömähtää **2** pomppia, hyppiä, heittelehtiä
bumper s (auton) puskuri
bumper crop /'bʌmpər,krap/ s ennätyssato
bumper sticker /'bʌmpər,stɪkər/ s purskuritarra, autotarra
bumper-to-bumper /,bʌmpərtə'bʌmpər/ adj (liikenne) ruuhkainen
bump into v törmätä johonkuhun, tavata sattumalta
bumpkin /bʌmpkən/ s (maalais)juntti
bump off v (sl) tappaa, ottaa päiviltä
bumpy adj **1** (tie) kuoppainen; muhkurainen **2** (kyyti) epätasainen
bum's rush /,bʌmz'rʌʃ/ to give someone the bum's rush heittää joku ulos jostakin, antaa jollekulle kenkää
bun /bʌn/ s **1** pulla, sämpylä **2** (hius)nuttura
bunch /bʌntʃ/ s terttu, ryväs, nippu, rykelmä, joukko there's a whole bunch of cars outside ulkona on valtavasti autoja
bunch up v koota/kokoontua yhteen/ryhmäksi/nipuksi
bundle /bʌndəl/ s nippu, nivaska he made a bundle on that deal hän pisti siinä kaupassa rahoiksi
bundle up v **1** niputtaa, koota yhteen/nipuksi **2** pukeutua lämpimästi, pukea lämpimät ulkovaatteet päälle; kääriytyä lämpimään peittoon
bung /bʌŋ/ s tappi, tulppa v sulkea tapilla
bungalow /'bʌŋgə,lou/ s (pieni yksi- tai puolitoistakerroksinen) omakotitalo, (loma)mökki
bungee jumping /bʌdʒi/ s benjihypyt
bungle /bʌŋgəl/ v hutiloida, tehdä hutiloiden, tunaroida
bung up v **1** (putki, nenä) tukkeutua, mennä tukkoon **2** kolhia (ks bang up)
bunk /bʌŋk/ s punkka, (laiva)vuode
bunker s **1** (sot) bunkkeri **2** (golf) hiekkaeste
bunny /bʌni/ s jänöjussi, pupujussi, pupu; (Playboyn) puputyttö
buoy /bui/ s **1** poiju **2** pelastusrengas v merkitä poijulla
buoyancy /bɔɪənsi/ s **1** kelluvuus **2** iloisuus, hyväntuulisuus **3** (hintojen, markkinoiden) vakavuus, (kaupankäynnin) vilkkaus
buoyant /bɔɪənt/ adj **1** kelluva **2** iloinen, hyväntuulinen **3** (hinnat, markkinat) vakaat, (kaupankäynti) vilkas
buoyantly adv: ks buoyant
buoy up v **1** pitää jotakin/jotakuta pinnalla, kelluttaa **2** (kuv) pitää (haaveet, toivo) elossa/yllä
burden /bərdən/ s taakka, (myös kuv:) rasite, vaiva white man's burden valkoisen miehen (moraalinen) taakka v olla taakkana/taakaksi jollekulle/ jollekin, rasittaa
burdensome /'bərdən,səm/ adj rasittava, raskas, vaivalloinen
bureau /bjərou/ s (mon bureaus, bureaux) **1** lipasto **2** (valtion) virasto
bureaucracy /bjə'rakrəsi/ s byrokratia, virkavalta
bureaucrat /'bjərə,kræt/ s byrokraatti
bureaucratic /bjərə'krætɪk/ adj byrokraattinen, virkavaltainen
burglar /bərglər/ s murtovaras
burglar alarm /'bərglərə,larm/ s murtohälytin, varashälytin
burglarize /bərgləraɪz/ v tehdä murtovarkaus
burglarproof /'bərglər,pruf/ adj murronkestävä
burglary /bərgləri/ s murtovarkaus
burgle /bərgəl/ v tehdä murtovarkaus
burial /berɪəl/ s hautaus, hautajaiset
Burkina Faso /bər,kinə'fasou/
burly /bərli/ adj (ihminen) vankkarakenteinen, isoluinen, (pelottavan/ uhkaavan) iso, lihaksikas the loanshark sent over two burly henchmen to talk sense into me koronkiskuri lähetti kaksi pahannäköistä kätyriä puhumaan minulle järkeä
Burma /bərmə/ (ent) Burma, (nyk) Myanmar
Burmese /bər'miz/ s, adj (ent) burmalainen, (nyk) myanmarilainen

burn /bərn/ s palohaava, palovamma
v burnt, burnt: polttaa, palaa (myös kuv) he is burning with anger hän palaa kiukusta
burn away v palaa palamistaan, palaa edelleen
burn down v palaa/polttaa poroksi/maan tasalle/loppuun
burnish /bərnɪʃ/ v kiillottaa, hioa/hangata kiiltäväksi
burn out v **1** (tuli) sammua, palaa loppuun **2** (kuv) palaa loppuun, väsyttää itsensä loppuun **3** savustaa (vihollinen) ulos jostakin
burnout /bərnaʊt/ s **1** työuupumus, loppuunpalaminen **2** loppuunpalanut ihminen
burn up v **1** polttaa (roskia, polttoainetta, liikakiloja) **2** suututtaa, saada raivostumaan **3** (raketti) palaa ilmakehään osuessaan
burn up the road fr (sl) ajaa nasta laudassa
burp /bərp/ s röyhtäisy
v röyhtäistä
burrow /bəroʊ/ s (kaniinin ym) pesä, kolo
v kaivaa pesä/kolo
bursar /bərsər/ s (yliopiston) kamreeri
burst /bərst/ s **1** räjähdys **2** repeämä, halkeama **3** (innostuksen, voiman)puuska
v burst, burst: **1** räjähtää, räjäyttää **2** revetä, haljeta, (kuplasta) puhjeta, (nupusta) aueta **3** rynnätä jonnekin/jostakin **4** olla haljeta innostuksesta/halusta, ei malttaa odottaa she is bursting to open her present hän palaa halusta avata lahjansa
burst in v keskeyttää joku/jokin, tuppautua seuraan/keskusteluun
burst into v ruveta/alkaa yhtäkkiä tehdä jotakin, puhjeta johonkin she burst into tears hän puhkesi kyyneliin
burst out v **1** (tunteista) nousta pintaan, puhjeta She burst out laughing/crying Hän puhkesi nauruun/itkuun **2** rynnätä jostakin
burst with v olla vähällä haljeta jostakin, olla täynnä jotakin he is bursting with anger hän on pakahtua kiukkuunsa
Burundi /bʊ'rundi/
Burundian s, adj burundilainen
bury /beri/ v buried, buried **1** haudata (ruumis) **2** piilottaa, kätkeä, haudata (aarre) she buried her face in her hands hän peitti kasvonsa käsillään **3** bury yourself in uppotua/syventyä johonkin, haudata itsensä työhön ym
bus /bʌs/ s (mon buses, busses) linja-auto, bussi
v (bused/bussed, bused/bussed) mennä/viedä linja-autolla (ks busing)
bush /bʊʃ/ s **1** pensas **2** (Afrikan, Australian viljelemätön, harvaan asuttu) pensasmaa, salomaa
bushpig /'bʊʃ,pig/ s pensselisika
bushy adj (bushier, bushiest) **1** pensaita kasvava, pensaiden peittämä **2** tuuhea
busily /bɪzəli/ adv kiireisesti, innokkaasti
business /bɪznəs/ s **1** kaupankäynti, liikeala **2** liikeyritys, kauppa **3** asia, tehtävä it's none of your business se ei kuulu sinulle get down to business ruveta töihin, panna hihat heilumaan, panna toimeksi mind your own business pidä huoli omista asioistasi
businesslike /'bɪznəs,laɪk/ adj asiallinen
businessman /bɪznəsmən/ s liikemies
businesswoman s liikenainen
busing /bʌsiŋ/ s koululaisten kuljettaminen linja-autoilla lähintä koulua kauempaan kouluun jotta samassa koulussa on riittävästi erirotuisia lapsia
bus stop /'bʌs,stap/ s linja-autopysäkki
bust /bʌst/ s **1** (veistos) rintakuva **2** povi, naisen rinnat
v särkeä, iskeä mäsäksi/säpäleiksi go bust tehdä vararikko, mennä konkurssiin
Buster Bunny /,bʌstər'bʌni/ Veli Vemmelsääri
bustle /bʌsəl/ s touhu, hyörinä
v touhuta, hyöriä, hääriä, puuhata; hoputtaa, kiirehtiä

busy /bɪzi/ adj **1** (busier, busiest) kiireinen (ihminen, työpäivä) I can't come, I'm busy en ehdi, minulla on kiireitä **2** (puhelimesta) varattu
v puuhata jotakin, häärätä, touhuta
but /bʌt/ konj mutta not this but that ei tämä vaan tuo
adv pelkkä, ei...kuin, (sanan cannot kanssa) vain you're (nothing) but an amateur sinä olet pelkkä harrastelija/aloittelija I cannot but regret my decision voin vain katua päätöstäni
prep paitsi it was anything but fun se oli kaikkea muuta kuin hauskaa
butcher /butʃər/ s teurastaja (myös kuv)
v teurastaa (myös kuv)
butchery s (kuv) teurastus
but for prep lukuun ottamatta, ilman but for your help, we'd be lost ilman sinun apuasi me olisimme pulassa
butler /bʌtlər/ s hovimestari
butt /bʌt/ s **1** tynnyri **2** aseen perä **3** (sl) persukset, takapuoli **4** (tupakan) tumppi, natsa **5** maalitaulu, kohde (myös kuv esim vitsin, pilkan kohteesta)
v tönäistä, tuupata päällään
butte /bjut/ s pieni pöytävuori
butter /bʌtər/ s voi
v voidella voilla, levittää voita johonkin
buttercup /'bʌtər,kʌp/ s leinikki
butterfly /'bʌtər,flaɪ/ s (mon butterflies) perhonen
butterscotch /'bʌtər,skatʃ/ s kinuski, kermakaramelli, kermatoffee
butter up v imarrella, mielistellä, hännystellä
but then konj mutta toisaalta
butt in v keskeyttää keskustelu, tuppautua seuraan
buttock /bʌtək/ s pakara
button /bʌtən/ s **1** nappi **2** painonappi, painike
v napittaa, kiinittää/kiinnittyä napilla
button-down /'bʌtən,daun/ adj napein kiinnitettävä (kaulus)
buttonhole /'bʌtən,houl/ s napinläpi
v saada/ottaa joku kiinni ja jutella tämän kanssa, (ottaa hihasta kiinni ja) jututtaa (pitkään)
button up v **1** napittaa kiinni **2** (kuv kaupasta, sopimuksesta) solmia
buttress /bʌtrəs/ s tukipilari (myös kuv) v vahvistaa, tukea
buxom /bʌksəm/ adj **1** (naisen kehosta) rintava, isorintainen **2** (naisen luonteesta) lupsakka
buy /baɪ/ s ostos a good buy edullinen ostos
v bought, bought **1** ostaa **2** uskoa I don't buy that sitä en usko
buyer /baɪər/ s (tavaratalon ym) sisäänostaja
buying power s ostovoima
buzz /bʌz/ s (hyönteisen) surina, (puheen) sorina
v **1** (hyönteisestä, korvista) surista **2** kutsua joku paikalle summerilla **3** lentää vaarallisen läheltä toista lentokonetta
buzzard /bʌzərd/ s hiirihaukka
buzzer s summeri
buzz off v, interj (sl) häipyä, häivy!, lähteä nostelemaan, lähde siitä!
buzzword /'bʌz,wərd/ s (kapulakielinen) muotisana
by /baɪ/ prep **1** luona, luokse, lähellä, läheltä, lähelle, vieressä, vierestä, viereen he is sitting by the window hän istuu ikkunan ääressä the house is located by the road/river/school talo sijaitsee tien/joen/koulun vieressä/lähellä **2** kautta I came by the main road tulin päätietä **3** ohi, ohitse he rushed by me hän kiiruhti ohitseni **4** tekijästä, aiheuttajasta he was killed by a bomb hän sai surmansa pomminiskusta I did it by myself minä tein sen yksin, omin päin **5** menetelmästä, keinosta, tavasta we came by car/land me tulimme autolla/maitse the door to the vault is opened by turning this handle holvin ovi avataan kääntämällä tätä kahvaa **6** jonkun/jonkin mukaan, jostakin päätellen it's fine by me se sopii minulle, minulla ei ole mitään sitä vastaan **7** erosta, välimatkasta the truck missed the car by a few inches rekka-auto meni vain muutaman tuuman päästä henkilöautosta **8** mennessä by five, he was really nervous kello viiden aikaan hän oli

jo erittäin hermostunut
by all manner of means fr varmasti, ilman muuta, tottakai
by a whisker fr täpärästi, nipin napin
by easy stages fr vähitellen, rauhallisesti, kaikessa rauhassa, kiireettömästi
Byelorussia /ˌbjeləˈrʌʃə/ Valko-Venäjä
bygone /ˈbaɪˌgan/ s to let bygones be bygones unohtaa menneet
adj mennyt in bygone days ennen vanhaan
by-law /ˈbaɪˌla/ s (paikallinen, yrityksen tai oppilaitoksen sisäinen) sääntö, määräys, säädös
by no manner of means fr ei missään nimessä, ei millään muotoa, ei suinkaan
BYOB bring your own beer/bottle
bypass /ˈbaɪˌpæs/ s ohitustie (joka kiertää taajaman)
v **1** ohittaa ohitustietä ajamalla **2** välttää jotakin, välttyä joltakin
bypass surgery s ohitusleikkaus
byproduct /ˈbaɪˌpradəkt/ s sivutuote
bystander /ˈbaɪˌstændər/ s sivustakatsoja, syrjästäkatsoja
byte /baɪt/ s (tietok) tavu
by the same token fr lisäksi, sitä paitsi
by the skin of your teeth fr nipin napin, juuri ja juuri, (jokin on) hiuskarvan varassa
by the way fr muuten by the way, how is your dad? mitä muuten isällesi kuuluu?
by turns to do something by turns vuorotella, tehdä jotakin vuorotellen
by water to travel by water matkustaa vesitse/laivalla
by way of fr **1** kautta we drove to Tucson by way of Phoenix ajoimme Tucsoniin Phoenixin kautta kautta **2** jotta he told the story to us by way of example hän kertoi tarinan meille esimerkiksi/varoitukseksi

C, c

C, c /si/ C, c
C & I cost and insurance
ca. circa noin
CA California
cab /kæb/ s **1** taksi **2** (veturin, maansiirtokoneen, trukin) ohjaamo, hytti
cabaret /ˌkæbəˈreɪ/ s kabaree, varietee
cabbage /kæbədʒ/ s kaali green cabbage keräkaali white cabbage valkokaali
cabin /kæbən/ s **1** (lentokoneen) matkustamo, (laivan, köysiradan) hytti **2** mökki
cabin cruiser /kruzər/ s kajuuttavene, iso umpimoottorivene
cabinet /kæbnət/ s **1** kaappi, vitriini **2** hallitus
cable /keɪbəl/ s **1** kaapeli, touvi **2** (sähkö)kaapeli **3** (tal) GBP/USD-kurssi
v sähköttää, lähettää sähke
cable car s köysirata (vuoristossa); köysivetoinen raitiovaunu
cackle /kækəl/ s **1** (kanan) kotkotus **2** (naurun)hekotus **3** hölötys, lörpöttely
v **1** (kanasta) kotkottaa **2** nauraa hekottaen/hekottaa **3** hölöttää, lörpötellä
cactus /kæktəs/ s (mon cacti, cactuses) kaktus
CAD computer-assisted/aided design tietokoneavusteinen suunnittelu
caddie /kædi/ (golf) caddie, mailojen kantaja, mailapoika
cadet /kəˈdet/ s **1** kadetti **2** poliisikokelas
cadge /kædʒ/ v kerjätä, lainata, vipata joltakulta jotakin
Cadillac /ˈkædəˌlæk/ amerikkalainen automerkki
Caesarea /ˌsizəˈrɪə/ Kesarea
café /kæˈfeɪ/ s kahvila
CAFE corporate average fuel economy viittaa saman valmistajan autojen keskikulutukseen joka ei saa ylittää tiettyä valtion määräämää tasoa
cafeteria /ˌkæfəˈtɪərɪə/ s (itsepalvelu)kahvila, ruokala
caffeine /kæˈfin/ s kofeiini
cage /keɪdʒ/ s (eläin-, lintu)häkki
v sulkea häkkiin, pitää häkissä
cagey /keɪdʒɪ/ adj salamyhkäinen, varovainen, ovela
CAI computer-aided instruction tietokoneavusteinen opetus
cairn /keərn/ s (esim maamerkiksi koottu) kivipyramidi
Cairo /kaɪroʊ/ Kairo
cajole /kəˈdʒoʊl/ v suostutella, houkutella (imartelemalla) he cajoled her into doing the job hän houkutteli hänet (imartelemalla) tekemään työn
cake /keɪk/ s **1** (täyte)kakku **2** pala: a cake of soap saippua a fish cake kalapihvi **3** a piece of cake helppo homma, lastenleikkiä
v **1** peittää/peittyä kuraan **2** (kurasta, meikistä) kuivua kiinni johonkin
cal. calorie
calamity /kəˈlæmətɪ/ s katastrofi
calcium /kælsiəm/ s kalsium
calculable /kælkjələbəl/ adj joka on laskettavissa/arvioitavissa
calculate /ˈkælkjəˌleɪt/ v **1** laskea; arvioida **2** suunnitella, tarkoittaa, tähdätä johonkin the announcement was calculated to divert attention from the main issue ilmoituksen tarkoituksena oli viedä huomio pois pääasiasta **3** olettaa, uskoa (tapahtuvaksi)
calculate on v varautua johonkin, olettaa jotakin

calculating adj laskelmoiva, juonitteleva
calculation /ˌkælkjəˈleɪʃən/ s **1** laskelma, arvio **2** laskelmointi, juonittelu
calculator s laskin
Calcutta /kæəlˈkʌtə/ Kalkutta
caldron /kaldrən/ s **1** pata **2** noidankattila (myös kuv)
calendar /kæləndər/ s **1** kalenteri, ajanlasku **2** kalenteri, päivyri, almanakka
calf /kæf/ s (mon calves) **1** vasikka, norsun/hylkeen/valaanpoikanen **2** pohje
Calgary /kælgəri/
caliber /kæləbər/ s **1** (aseen) kaliiperi **2** laatu, laji, luokka, kaliiperi
California /ˌkæləˈfɔrnjə/ Kalifornia
Californian s, adj kalifornialainen
calipers /kæləpərz/ s (mon) mittaharppi
call /kal/ s **1** huuto, (linnun) kutsu, (torven) törähdys **2** puhelu, puhelinsoitto **3** (lennon lähtö)kuulutus **4** kutsu, käsky this doctor is on call today tämä lääkäri päivystää tänään **5** käynti, vierailu they made/paid a call on her he kävivät hänen luonaan **6** tarve, syy, aihe you had no call telling him he is an idiot sinulla ei ollut mitään perustetta haukkua häntä idiootiksi the call of nature virtsahätä
v **1** huutaa, kutsua, (torvesta) törähtää, soida **2** olla nimenä, kutsua/sanoa joksikin I am called Phoebe nimeni on Phoebe **3** kutsua paikalle/sisään/todistajaksi/koolle to call a strike julistaa/aloittaa lakko
call a spade a spade fr puhua suoraan, sanoa asiat niin kuin ne ovat to call a spade a spade, he is hopeless hän on suoraan sanoen toivoton (tapaus)
call down v moittia, haukkua, sättiä
caller s **1** vieras, kävijä **2** (puhelin)soittaja
call for v **1** olla tarpeen, (tilanteesta:) vaatia **2** noutaa, tulla hakemaan joku
calligraphy /kəˈlɪgrəfɪ/ s kalligrafia, kaunokirjoitus
call in v vaatia (laina takaisin)maksettavaksi/palautettavaksi
calling s kutsumus, ammatti
call in sick fr ilmoittautua sairaaksi, ei mennä työhön (sairauden vuoksi)
callipers ks calipers
Callisto /kəˈlɪstoʊ/ Kallisto, eräs Jupiterin kuu
call it quits fr lopettaa, luopua (yrityksestä)
call off v **1** peruuttaa, perua, lopettaa **2** käskeä/kutsua pois
call on v **1** piipahtaa jossakin, käydä jonkun luona I called on her on my way back piipahdin paluumatkalla hänen luonaan **2** vedota johonkuhun, anoa/pyytää/kutsua/vaatia jotakuta tekemään jotakin
call your shots fr ilmoittaa aikeensa
call option /ˈkal,apʃən/ s (tal) osto-optio
callous /kæləs/ adj **1** (ihosta) kovettunut, parkkiintunut (myös kuv) **2** kovasyväminen, kylmäkiskoinen
call out v **1** huutaa (apua), huudahtaa, parahtaa **2** hälyttää, kutsua palvelukseen
callover /ˈkal,oʊvər/ s (tal) julkihuuto
callow /kæloʊ/ adj kypsymätön, nuori, kokematon
call the shots fr määrätä (missä kaappi seisoo), pitää jöötä (ark)
call the tune fr määrä, olla määräävässä asemassa
call to order to call a meeting to order aloittaa kokous
call-up s kutsunta (sotilaspalvelukseen)
call up v **1** soittaa jollekulle (puhelimella) **2** palauttaa mieleen, muistella **3** kutsua (sotilas)palvelukseen
callus /kæləs/ s känsä
calm /kalm/ v rauhoittaa, tyynnyttää adj tyyni (ilma, mieliala), rauhallinen, tuuleton
calm down v rauhoittaa, rahoittua, (mieliasta, tuulesta) tyynnyttää, tyyntyä
calmly adv rauhallisesti, tyynesti
calmness s rauhallisuus, tyyneys, tuulettomuus

calorie /'kælə,ri/ s kalori
calumet /'kæljə,met/ s rauhanpiippu
calve /kæv/ v vasikoida, poikia
calves ks calf
calypso /kə'lɪp,soʊ/ s calypso, kalypso
CAM computer-aided manufacturing tietokoneavusteinen valmistus
camber /kæmbər/ s **1** kuperuus **2** (auton) pyörän kallistuma, camber
Cambodia /kæm'doʊdɪə/ Kambodža
Cambodian s, adj kambodžalainen
Cambridgeshire /keɪmbrɪdʒʃər/ Englannin kreivikuntia
camcorder /'kæm,kɔrdər/ s kameranauhuri, videokamera(n ja nauhurin yhdistelmä)
came /keɪm/ ks come
camel /kæməl/ s kameli
cameo /kæmɪoʊ/ s (mon cameos) **1** kamee(koru) **2** ks cameo part
cameo part (role) s (kuuluisan näyttelijän yhden kohtauksen mittainen) sivuosa (elokuvassa)
camera /kæmrə/ s valokuvauskone, (valokuva/elokuva/video)kamera
Cameroon /,kæmə'run/ Kamerun
Cameroonian s, adj kamerunilainen
camouflage /'kæmə,flaʒ/ s naamio(inti) (myös kuva)
v naamioida (myös kuv), salata, peittää
camp /kæmp/ s leiri (myös kuv) he joined the conservative camp hän siirtyi vanhoillisten leiriin
v leiriytyä; retkeillä, telttailla
campaign /,kæm'peɪn/ s **1** sotaretki **2** vaalikiertue, vaalikampanja, mainoskampanja
v olla sotaretkellä/vaalikiertueella
campaigner s **1** soturi **2** vaaliavustaja, kannattaja, puolestapuhuja (for), vastustaja (against)
camper s retkeilijä, telttailija; leiriläinen
campfire /'kæmp,faɪər/ s (leiri)nuotio
campus /kæmpəs/ s kampus, yliopiston alue
can /kæn/ s **1** (säilyke- tai muu) tölkki, purkki, kannu, (roska)tynnyri **2** (sl) vankila **3** (sl) vessa
v purkittaa, säilöä, panna/pakata tölkkiin/purkkiin can it (sl) turpa kiinni!
apuv (could, kielt lyh can't, cannot, couldn't) **1** voida, kyetä, pystyä, osata can you do it alone? selviätkö siitä yksin, osaatko tehdä sen yksin? I can't hear you en kuule mitä sanot **2** saada, voida you can go now voit jo lähteä **3** voida, saattaa life can be hard elämä voi olla joskus vaikeaa **4** tehdä mieli, voida I could die minä häpesin kuollakseni, olisin voinut kuolla häpeään
Can. Canada; Canadian
Canada /kænədə/ Kanada
Canadian /kə'nəɪdiən/ s, adj kanadalainen
canal /kə'næəl/ s kanava the alimentary canal ruuansulatuskanava
canary /kə'nerɪ/ s kanarialintu
Canary Islands /kə,neri'aɪlənz/ (mon) Kanariansaaret
Canberra /kæn'berə/
cancel /kænsəl/ v **1** mitätöidä (leimamerkki, postimerkki) **2** peruuttaa (tilaus, tilaisuus, paikkavaraus, lehtitilaus)
cancellation /,kænsə'leɪʃən/ s **1** (leimamerkin, postimerkin) mitätöinti **2** (tilauksen, tilaisuuden, paikkavarauksen, lehtitilauksen) peruutus **3** peruutuspaikka (hotellissa, lentokoneessa ym)
cancel out v kumota toisensa
cancer /kænsər/ s syöpä
Cancer horoskoopissa Rapu
cancerous /kænsərəs/ adj syöpä-
candid /kændɪd/ adj rehellinen, avoin, vilpitön, aito
candidate /kændədət/ s **1** ehdokas **2** kokelas
candid camera s piilokamera
candidly adv rehellisesti, avoimesti, vilpittömästi, aidosti
candle /kændəl/ s kynttilä
candlestick /'kændəl,stɪk/ s kynttilänjalka
candor /kændər/ s rehellisyys, avoimuus, vilpittömyys
candy /kændɪ/ s makeiset, karamelli(t)
cane /keɪn/ s **1** ruoko sugar cane sokeriruoko **2** keppi, raippa
v antaa jollekulle keppiä, piiskata, antaa raipparangaistus

canine /keınaın/ adj koira-
caning /keınıŋ/ s raipparangaistus
canister /kænəstər/ s kanisteri, metalliastia, metallisäiliö
cannabis /kænəbəs/ s kannabis
cannery /kænərı/ s säilyketehdas
cannibal /kænəbəl/ s ihmissyöjä
cannibalism /'kænəbə,lızəm/ s kannibalismi, ihmissyönti
cannibalistic /,kænəbə'lıstık/ adj kannibalistinen, ihmissyöjä-
cannibalize /'kænəbə,laız/ v purkaa osiksi (vanha auto, lentokone ym)
cannon /kænən/ s (mon cannon, cannons) kanuuna, tykki
cannot /kə'nat kæ'nat/ ks can
canoe /kə'nu/ s kanootti
v meloa (kanootilla)
canoeist /kə'nuəst/ s (kanootilla) meloja
canon /kænən/ s **1** (kirkollinen) kaanon **2** yleinen periaate/ohje, kaanon **3** (mus) kaanon **4** (katolinen, anglikaaninen) kaniikki
canonical /kə'nanıkəl/ adj kanoninen, (katolisen) kirkkolain mukainen
canonize /'kænə,naız/ v kanonisoida, julistaa pyhimykseksi, (kuv) nostaa suureen arvoon
canopy /kænəpı/ s **1** markiisi **2** baldakiini, kateverho, kunniakatos **3** (lentokoneen ohjaamon) kuomu
cant /kænt/ s **1** hurskastelu **2** varkaiden kieli **3** ammattikieli, jargon **4** kallistuma
can't /kænt/ ks can
cantankerous /,kæn'tæŋkərəs/ adj riidanhaluinen, pahantuulinen, nyrpeä, äreä
canteen /,kæn'tin/ s **1** kanttiini, ruokala, kahvila, myymälä **2** leili, kenttäpullo
canter /kæntər/ s (ratsastuksessa) hiljainen/lyhyt laukka
v ratsastaa hiljaista/lyhyttä laukkaa, laukata hiljaa
cantilever /'kæntə,levər, 'kæntə,livər/ s uloke, tuki, kannatin
cantilever bridge s ulokesilta
Canton /kæntan kæn'tan/ Kanton, Guangzhou
canvas /kænvəs/ s (mon canvasses) **1** purjekangas; öljykangas **2** öljymaalaus
canvass /kænvəs/ v **1** kerätä/kalastaa ääniä **2** kaupitella, mainostaa (tuotetta, ehdokasta) **3** luodata/tunnustella mielipiteitä
canyon /kænjən/ s kanjoni
Canyonlands /'kænjən,lænz/ kansallispuisto Utahissa
cap /kæp/ s **1** lippalakki **2** myssy, pipo **3** (pullon, purson) korkki, suljin
v **1** korkittaa, sulkea (korkilla) **2** kertoa parempi juttu/vitsi kuin, parantaa jonkun tulosta/ennätystä, pistää paremmaksi
capability /,keıpə'bılətı/ s **1** lahjakkuus, pätevyys, kyvyt, taidot **2** sotilaallinen voima, iskuvoima
capable /keıpəbəl/ adj pätevä, osaava, lahjakas, taitava
capable of adj **1** (ihmisestä) joka pystyy/kykenee johonkin I am not capable of doing it en pysty siihen/en selviä siitä **2** (esineestä, tilanteesta) joka voi tehdä jotakin, jolle voidaan tehdä jotakin the machine is capable of breaking down any minute laite saattaa hajota minä hetkenä hyvänsä
capably adj pätevästi, taitavasti, osaavasti
capacity /kə'pæsətı/ s **1** (astian) tilavuus **2** kyky, taito **3** ominaisuus: in my capacity as director johtajan ominaisuudessa
cape /keıp/ s **1** viitta **2** niemi
Cape Horn /,keıp'hɔrn/ Kap Horn
Cape of Good Hope /,keıpəv,gʊd'hoʊp/ Hyväntoivonniemi
Cape Town /'keıp,taʊn/ Kapkaupunki
Cape Verde /,keıp'verdi/ Kap Verde
capillary /'kæpə,lerı/ s hiussuoni
capital /kæpətəl/ s **1** pääkaupunki **2** iso kirjain **3** pääoma
adj kuolemalla rangaistava
capitalism /'kæpıtə,lızəm/ s kapitalismi
capitalist /'kæpıtə,ləst/ s kapitalisti
capitalist realism s (taiteessa) kapitalistinen realismi

capitalize /'kæpɪtə,laɪz/ v **1** kapitalisoida **2** rahoittaa **3** kirjoittaa isolla kirjaimella
capitalize on v käyttää hyväkseen jotakin, hyötyä jostakin
capital letter s iso kirjain
capital punishment s kuolemanrangaistus
capitulate /kə'pɪtʃə,leɪt/ v antautua
capitulation /kə,pɪtʃə'leɪʃən/ s antautuminen
Capricorn /kæprəkɔrn/ horoskoopissa Kauris
caps. capitals suuraakkoset
capsize /'kæp,saɪz/ v (veneestä, laivasta) kaatua
capstan /'kæp,stæn/ s (ankkuri) vintturi; (nauhurin) vetoakseli
capsule /kæpsəl/ s **1** (kasvin) kota **2** (lääke)kapseli **3** avaruuskapseli
Capt. captain
captain /kæptən/ s (armeijan, laivan, urheilujoukkueen) kapteeni, urheilujoukkueen johtaja
v johtaa jotakin, toimia kapteenina
Captain Hook /,kæptən'hʊk/ (Peter Panissa ym) Kapteeni Koukku
caption /kæpʃən/ s (sanomalehden, kirjan) kuvateksti closed-captioned (kuulovammaisille) tekstitetty (televisiolähetys)
captivate /'kæptə,veɪt/ v kiehtoa jotakuta, saada lumoihinsa
captive /kæptɪv/ s vanki, vangittu eläin/ihminen
adj vangittu
captivity /,kæp'tɪvətɪ/ s (eläimen, ihmisen) vankeus
captor /kæptər/ s vangitsija, pyydystäjä
capture /kæptʃər/ s **1** vangitseminen, valtaus, valloitus **2** saalis, vanki
v **1** vangita, ottaa kiinni **2** vallata
car /kar/ s **1** auto **2** junanvaunu, raitiovaunu **3** hissin kori
caramel /karməl/ s karamelli(seos)
carat /kerət/ s (kullasta, jalokivistä) karaatti
caravan /'kerə,væn/ s **1** karavaani **2** (mustalais)vaunut
carbohydrate /,karbə'haɪdreɪt/ s **1** hiilihydraatti **2** hiilihydraattipitoiset ruuat, tärkkelys
carbon /karbən/ s **1** hiili **2** hiilipaperi **3** (hiilipaperi)kopio, jäljennös
carbuncle /karbʌnkəl/ s (lääk) karbunkkeli, ajospahka
carburetor /'karbə,reɪtər/ s (polttomoottorin) kaasutin
carcass /karkəs/ s (eläimen) ruho, raato
card /kard/ s kortti playing card pelikortti, postcard postikortti birthday card onnittelukortti credit card luottokortti
cardboard /'kard,bɔrd/ s pahvi
cardiac /'kardɪ,æk/ adj sydän- cardiac insufficiency sydämen vajaatoiminta
Cardiff /kardɪf/
cardigan /kardəgən/ s villatakki
cardinal /kardnəl kardənəl/ s **1** (roomalaiskatolisessa kirkossa) kardinaali(kollegion jäsen) **2** (lintu) kardinaali **3** cardinal red kirkkaanpunainen väri
adj tärkein, pää, kardinaali-
cardinal number s kardinaaliluku, perusluku
cardinal virtue s **1** kardinaalihyve **2** (suuri) hyve
cardioid /kardɪɔɪd/ s (mat) kardioidi
cardioid microphone /,kardɪɔɪd 'maɪkrə,foun/ s herttamikrofoni
care /keər/ s **1** huoli, huolenpito take care of huolehtia, pitää huolta jostakusta/jostakin **2** huosta, hoiva we left the kids in my mother's care jätimme lapset äitini hoivaan **3** (yl mon) huolet, murheet
v **1** välittää, piitata I don't care what they think minulle on sama mitä mieltä he ovat **2** haluta, tehdä mieli, välittää, pitää would you care to follow me, please? voisitteko ystävällisesti seurata minua?
care a tinker's damn to not care a tinker's damn viis veisata, ei välittää tuon taivaallista/tippaakaan
career /kə'rɪər/ s ura, ammatti
v viilettää, kiitää
careerist /kə'rɪərəst/ s uraihminen

care for v **1** huolehtia, pitää huoli jostakusta/jostakin **2** haluta, tehdä mieli, pitää would you care for another? saako olla/haluatko lisää?
carefree /'ker,fri/ adj huoleton
careful /kerfəl/ adj **1** varovainen **2** huolellinen
carefully adv **1** varovasti **2** huolellisesti
carefulness s **1** varovaisuus **2** huolellisuus
careless adj **1** huolimaton a careless mistake huolimattomuusvirhe **2** välinpitämätön, huoleton, piittaamaton
carelessly adv **1** huolimattomasti **2** välinpitämättömästi, huolettomasti, piittaamattomasti
carelessness s **1** huolimattomuus **2** välinpitämättömyys, huolettomuus, piittaamattomuus
caress /kə'res/ s hyväily v hyväillä
caretaker /'ker,teɪkər/ s kiinteistönhoitaja, talonmies, huoltaja, (esim lapsen tai kokoelman) hoitaja
cargo /kargoʊ/ s (mon cargoes) rahti(tavara)
carhop /'kar,hap/ s drive-in-ravintolan tarjoilija
Caribbean /,kerə'biən kə'rɪbiən/ **1** Karibianmeri **2** Karibia, Karibianmeren maat/alue
Caribbean Sea Karibianmeri
caricature /'kerəkə,tʃər/ s pilakuva, pilapiirros, karikatyyri v piirtää pilakuva jostakusta, karrikoida
Carlsbad Caverns /'karəlz,bæd'kævərnz/ Carlsbadin luolat ja kansallispuisto New Mexicossa
carnage /karnədʒ/ s verilöyly
carnal /karnəl/ adj lihallinen, aistillinen
carnation /,kar'neɪʃən/ s neilikka
carnival /karnəvəl/ s **1** tivoli **2** laskiaisaika, karnevaali
carnivore /'karnə,vɔr/ s lihansyöjä(eläin)
carnivorous /kar'nɪvərəs/ adj lihansyöjä-
carol /kerəl/ s laulu Christmas carol joululaulu v laulaa (iloisesti)
carp /karp/ s (mon carp) karppi v **1** valittaa, kitistä, narista **2** moitiskella
Carpathians /kar'peɪʃɪənz/ ˛mon˛ ɪarpaatɪt
carpenter /karpəntər/ s puuseppä, kirvesmies
carpentry /karpəntrɪ/ s puu(sepän)työt, kirvesmiehen työt
carpet /karpət/ s matto wall-to-wall carpeting kokolattiamatto v peittää matolla
carpool /'kar,pul/ s kimppakyyti v ajaa/viedä kimppakyydillä
carriage /keərɪdʒ/ s **1** vaunu(t) baby carriage lastenvaunut **2** ryhti
carrier /kerɪər/ s **1** kuljetusliike, huolintaliike, lentoyhtiö, linja-autoyhtiö **3** alus an aircraft carrier lentotukialus **2** taudinkantaja
carrion /kerɪən/ s haaska, raato
carrot /kerət/ s porkkana
carry /kerɪ/ v (carried, carried) **1** kantaa **2** kuljettaa, viedä **3** olla/pitää mukanaan, kantaa (asetta) he never carries any cash on him hänellä ei ole koskaan käteistä mukanaan **4** kannattaa, tukea **5** (äänestä) kuulua, kantautua **6** (sanomalehdistä, televisiosta) julkaista/kertoa (uutinen) **7** olla tietynlainen ryhti he carries himself very erect hänellä on hyvin suora ryhti **8** fr: to carry a child olla raskaana, odottaa the loan carries a five per cent interest lainan korko on viisi prosenttia his promise carries a lot of weight hänen lupauksensa painaa paljon, hänen lupauksellaan on suuri merkitys
carry a torch for someone fr (sl) rakastaa jotakuta (saamatta vastarakkautta)
carry away v to get carried away innostua liikaa
carry back v palauttaa/tuoda mieleen, muistuttaa jostakin
carry forward v siirtää (uuteen sarakkeeseen)
carry off v voittaa

carry on v **1** johtaa (liikeyritystä) **2** pitää melua, käyttäytyä sopimattomasti **3** jatkaa jotakin
carry-on s (lentokoneessa) käsimatkatavara
adj: carry-on luggage käsimatkatavara
carry out v toteuttaa, panna toimeen
carry-out s **1** ravintola jossa valmistetaan ruokaa mukaan otettavaksi **2** ravintolaruoka joka otetaan mukaan muualla syötäväksi
carry over v siirtää, lykätä
carry-over s **1** (kirjanpidossa) siirto **2** jäänne (menneeltä ajalta), vanha tapa, perinne
carry through v **1** auttaa jotakuta selviytymään jostakin **2** pitää sanansa/lupauksensa, toteuttaa
cart /kart/ s kärry(t)
v **1** kuljettaa kärry(i)llä, kärrätä (myös kuv) **2** kuljettaa to put the cart before the horse panna kärryt hevosen eteen, aloittaa väärästä päästä
CART Championship Auto Racing Teams
cartilage /'kartə,lɪdʒ/ s rusto
carton /kartən/ s pahvilaatikko carton of cigarettes tupakkakartonki
cartoon /,kar'tun/ s **1** pilapiirros **2** piirroselokuva
cartoonist /,kar'tunɪst/ s pilapiirtäjä
cartridge /'kart,rɪdʒ/ s **1** patruuna **2** (levysoittimen) äänirasia **3** filmikasetti, nauhakasetti
carve /karv/ v **1** veistää, kaivertaa **2** leikata (liharuokaa), paloitella
carver s paistiveitsi
carving s veistos, (puu)kaiverrus
cascade /kæs'keɪd/ s **1** vesiputous **2** ryöppy
v ryöpytä (myös kuv)
Cascades /,kæs'keɪdz/ mon Kaskadivuoristo
case /keɪs/ s **1** tapaus in his case hänen tapauksessaan/kohdallaan in any case joka tapauksessa **2** potilas, tapaus **3** oikeudenkäynti, oikeusjuttu **4** (kieliopissa) sija **5** laatikko, kotelo
v panna laatikkoon, koteloon
case history s tapauskertomus; sairaushistoria
cash /kæʃ/ s **1** käteinen (raha) **2** raha
v lunastaa (sekki)
cash crop /'kæʃ,krap/ s myyntiin tarkoitettu sato
cashew /,kæʃ'u kə'ʃu/ s cashewpähkinä, cashewpuu
cashier /,kæ'ʃɪər/ s kassa(nhoitaja)
cash in on v pistää rahoiksi jollakin, rikastua jollakin
cashmere /'kæʒ,mɪər/ s kasmir(villa)
cash register /,kæʃ'redʒɪstər/ s kassakone
casino /kə'sinou/ s (mon casinos) (peli)kasino
cask /kæsk/ s tynnyri
casket /kæskət/ s **1** rasia **2** ruumisarkku
Caspian Sea /,kæspɪən'si/ Kaspianmeri
cassava /kə'savə/ s maniokki
casserole /'kæsə,roəl/ s (astiasta ja ruuasta) vuoka, laatikko
cassette /kə'set/ s kasetti audio/video cassette ääninauhakasetti, videokasetti
Cassiopeia /,kæsiə'piə/ (tähdistö) Kassiopeia
cassock /kæsək/ s (papin) kasukka
cast /kæst/ s **1** heitto **2** (valu)muotti, valettu esine, valos **3** kipsiside **4** (näytelmän, elokuvan) näyttelijät, esiintyjät **5** (silmien) karsastus
v cast, cast **1** heittää **2** valaa **3** luoda nahkansa/varjo johonkin she cast a quick glance at him vilkaisi häntä **4** valita (näytelmän, elokuvan) näyttelijät, jakaa osat **5** to cast doubt on someone/something herättää epäilyksiä jostakusta/jostakin to cast a vote äänestää
castanets /,kæstə'nets/ s (mon) kastanjetit
cast aside v hylätä, heittää menemään, luopua
castaway /'kæstə,weɪ/ s haaksirikkoinen, haaksirikkoutunut
caste /kæst/ s kasti

caster /kæstər/ s **1** (huonekalun yms) pyörä **2** (auton pyörän) olkatapin takakallistuma, caster **3** (suola- ym) sirotin
castigate /'kæstə,geɪt/ v nuhdella, ojentaa, kurittaa, rangaista
castigation /,kæstə'geɪʃən/ s nuhtelu, ojennus, kuritus, rangaistus
Castile /kæs'tiəl/ Kastilia
casting /kæstiŋ/ s **1** valos, valettu esine **2** (näytelmän, elokuvan) osajako, näyttelijöiden valinta
casting vote s ratkaiseva ääni
cast in someone's teeth fr syyttää jotakuta jostakin, panna jokin jonkun syyksi
cast iron /,kæs'taɪərn/ s valurauta
cast-iron adj **1** valurauta- **2** (kuv) rautakova
castle /kæsəl/ s **1** linna **2** (šakissa) torni
cast off v **1** irrottaa laiturista **2** luopua, hylätä, heittää menemään
castor /kæstər/ s **1** (huonekalun) pyörä **2** (suola- ym) sirotin
castor oil s risiiniöljy
cast someone in the shade fr (kuv) jättää joku varjoonsa, joku/jokin kalpenee jonkun/jonkin rinnalla
castrate /'kæs,treɪt/ v kuohita
castration /,kæs'treɪʃən/ s kuohinta, kastraatio
cast the first stone fr (kuv) heittää ensimmäinen kivi
casual /kæʒwəl kæʒjuəl/ adj **1** satunnainen, sattumalta/hetken mielijohteesta tapahtuva **2** välinpitämätön, (puoli)huolimaton it was just a casual remark en sanonut sitä tosissani **3** rento, vapaa, arkinen she was dressed very casually hän oli pukeutunut hyvin arkisesti **4** tilapäinen, väliaikainen casual worker tilapäistyöntekijä
casually adv sivumennen, satunnaisesti
casualty /'kæʒjuəl,tɪ/ s (sodassa) kaatunut, (sodan, onnettomuuden) uhri, kuollut, loukkaantunut
cat /kæt/ s **1** kissa **2** kissaeläin **3** katamaraani
CAT computerized axial tomography (lääk) kerroskuvaus
catacombs /'kætə,koumz/ s (mon) katakombit
catalog /'kætə,lag/ s luettelo v luetteloida
catapult /kætəpəlt/ s **1** ritsa **2** (hist, lentotukialuksen) katapultti v ampua/laukaista katapultilla
catapult seat s heittoistuin
cataract /'kætə,rækt/ s **1** vesiputous **2** harmaakaihi
catarrh /kə'taər/ s katarri, hengitysteiden ja ruuansulatuskanavan limakalvojen tulehdus
catastrophe /kə'tæstrə,fi/ s katastrofi, luonnonmullitus
catastrophic /,kætəs'trafɪk/ adj katastrofaalinen, romahdusmainen, mullistava, tuhoisa
catbird seat /'kæt,bərd,sit/ to be in the catbird seat jollakulla on kissan päivät
catch /kætʃ/ s **1** (kalastus/metsästys) saalis (myös kuv) **2** (pallon sieppaaminen) koppi **3** ansa there must be a catch in it siihen on varmasti koira haudattuna **4** salpa, koukku
v caught, caught **1** saada (metsästys/kalastus)saaliiksi, saada kiinni (pallo, karannut), saada koppi **2** yllättää, saada kiinni tekemästä jotakin I caught him red-handed sain hänet kiinni itse teosta **3** tarttua, jäädä kiinni johonkin **4** ehtiä (junaan, lentokoneeseen) **5** ymmärtää, käsittää if you catch my drift jos ymmärrät yskän/mitä ajan takaa **6** sairastua johonkin, saada tauti **7** to catch your breath saada hengityksensä tasaantumaan, (kuv) hengähtää to catch someone's eye osua jonkun silmään, saada joku huomaamaan jotakin
catch at a straw fr (yrittää) tarttua (vaikka) oljenkorteen, myös to catch at straws
catcher s (baseball) sieppari
catch fire v syttyä tuleen (myös kuv) syttyä, innostua
catching adj (taudista) tarttuva (myös kuv)

catch on v **1** tulla muotiin/suosioon **2** ymmärtää, käsittää
catch sight of fr saada näkyviin, nähdä, huomata; iskeä silmänsä johonkin
catchup /kætʃəp/ s ketsuppi
catch up with v ottaa/saada joku kiinni (myös kuv), kuroa välimatka umpeen (myös kuv)
catchword /'kætʃ,wərd/ s iskusana, avainsana
catchy adj (catchier, catchiest) (melodiasta) mieleenpainuva
categorical /,kætə'gɔrəkəl/ adj ehdoton, jyrkkä
categorically adj ehdottomasti, jyrkästi
categorize /'kætəgə,raız/ v luokitella
category /'kætə,gɔrı/ s luokka, kategoria
cater /keıtər/ v huolehtia (juhlien) pitopalvelusta
catercorner /'kætə,kɔrnər/ adj diagonaalinen, lävistäjän suuntainen, vino
adv diagonaalisesti, vinosti
caterer /keıtərər/ s pitopalvelu, pitopalvelun järjestäjä
cater for/to v olla suunnattu jollekulle/jollekin, sopia jollekulle/jollekin to cater for/to all tastes olla kaikkien makuun, tarjota jokaiselle jotakin
caterpillar /'kætə,pılər/ s toukka
caterpillar tread s telaketju
cathedral /kə'θidrəl/ s tuomiokirkko, katedraali
cathode /'kæ,θoʊd/ s katodi
catholic /kæθlık/ s (roomalais)katolilainen
adj **1** yleinen, laaja-alainen, moninainen **2** (roomalais)katolinen
Catholicism /kə'θalə,sızəm/ s (roomalais)katolilaisuus
catnap /'kæt,næp/ s nokoset, torkut
Catskills /'kæt,skılz/ (mon) Catskillvuoret (New Yorkin osavaltiossa)
catsup /kætsəp/ s ketsuppi
cattle /kætəl/ s (mon) karja
catty /kætı/ adj ilkeä, katala, kavala

CATV /,sieıti'vi/ Community Antenna Television, kaapelitelevisio
Caucasus /kakəsəs/ Kaukasus
caught /kat/ ks catch
cauldron /kaldrən/ s **1** pata **2** noidankattila (myös kuv)
cauliflower /'kalə,flaʊər/ s kukkakaali
cause /kaz/ s **1** syy, peruste cause and effect syy ja seuraus **2** asia he is working for/in the human rights cause hän toimii ihmisoikeuksien asialla
v aiheuttaa, tuottaa, johtaa, olla syynä johonkin
konj ('cause) koska
causeway s **1** pengertie **2** (päällystetty) maantie
caustic /kastık/ adj **1** syövyttävä **2** pureva, piikikäs, ivallinen
caustically adv purevasti, piikikkäästi, ivallisesti
caution /kaʃən/ s **1** varovaisuus **2** varoitus
v varoittaa
cautionary /'kaʃə,nerı/ adj opettavainen, varoittava
cautious /kaʃəs/ adj varovainen
cautiously adj varovasti
cautiousness s varovaisuus
CAV constant angular velocity eräs laserkuvalevytyyppi
cavalcade /'kævəl,keıd/ s kavalkadi, juhlallinen (ratsu)kulkue
cavalry /kævəlrı/ s ratsuväki
cave /keıv/ s luola
cave in v **1** luhistua, sortua (kasaan) **2** antaa periksi, antautua
cavern /kævərn/ s luola
cavernous /kævərnəs/ adj **1** (huoneesta) valtava(n suuri) **2** (ääni) matala, syvä **3** (silmät) syvät
caviar /'kævı,ar/ s kaviaari
cavity /kævətı/ s (hampaan) reikä
cayenne /kaı'en keı'en/ s cayennenpippuri
cayenne pepper s cayennenpippuri
Cayman Islands /keımən/ (mon) Caymansaaret
CB citizens band LA-radiopuhelin
CBC Canadian Broadcasting Corporation

CBS Columbia Broadcasting System, yksi Yhdysvaltain neljästä suuresta televisioverkosta
cc carbon copy; copies
CD corps diplomatique; certificate of deposit (tal) talletustodistus; Compact Disc
CDC Centers for Disease Control
cease /sis/ v lopettaa, lakata
ceasefire /ˌsis'faɪər/ s tulitauko, aselepo
ceaseless /sisləs/ adj loputon, jatkuva
ceaselessly adj loputtomasti, jatkuvasti
Cecco /tʃekou/ (Peter Panissa) Italiaano
cedar /sidər/ s setri
ceiling /siliŋ/ s laipio, katto (myös kuv)
Cel. Celcius
celebrate /'seləˌbreɪt/ v **1** juhlia (syntymäpäivää) **2** ylistää (jonkun saavutuksia)
celebrated adj kuuluisa, maineikas
celebration /ˌselə'breɪʃən/ s **1** juhla(t) **2** ylistys
celebrity /sə'lebrətɪ/ s **1** maine, kuuluisuus **2** kuuluisa henkilö, kuuluisuus, julkkis
celery /selərɪ/ s selleri
celestial /sə'lestʃəl/ adj **1** taivaan, taivaalla oleva **2** (kuv) taivaallinen
celibacy /seləbəsɪ/ s naimattomuus, selibaatti
celibate /seləbət/ s naimaton ihminen
adj naimaton
cell /sel/ s **1** (vanki)selli **2** (pieni) huone (luostarissa) **3** solu (myös kuv ihmisryhmästä)
cellar /selər/ s kellari
cellist /tʃelɪst/ s sellisti
cello /tʃelou/ s (mon cellos) sello
cellular /seljələr/ adj solu-
cellular phone s matkapuhelin
Celsius /selsɪəs/ s celsiusaste
cement /səment/ s **1** sementti **2** liima
v **1** sementoida **2** liimata **3** (kuv) lujittaa, vahvistaa this deal will cement our relationship tämä sopimus lujittaa välejämme
cemetery /'seməˌteərɪ/ s hautausmaa
censor /sensər/ s sensori
v sensuroida
censorship /'sensərˌʃɪp/ s sensuuri, (lehtien, kirjojen, elokuvien) ennakkotarkastus
censure /senʃər/ s nuhtelu, arvostelu, moite
v nuhdella, arvostella, moittia
census /sensəs/ s väestönlaskenta
cent /sent/ s cent (dollarin sadasosa)
per cent prosentti
centaur /'senˌtaər/ s kentauri
Centaur /sentar/ (tähdistö) Kentauri
centenarian /ˌsentə'nerɪən/ s, adj satavuotias
centenary /'sentəˌnerɪ/ s satavuotispäivä, satavuotisjuhla
adj satavuotis-
centennial /ˌsen'tenɪəl/ s satavuotispäivä, satavuotisjuhla
adj satavuotis-
center /sentər/ s **1** keskipiste (myös kuv) **2** keskus, keskusta **3** (amerikkalaisessa jalkapallossa) sentteri
v keskittää, keskittyä
center on v keskittää/keskittyä johonkin their interest centers on the upcoming election heidän huomionsa kohdistuu/keskittyy tuleviin vaaleihin
centigrade /'sentəˌgreɪd/ adj celsiusastetta the temperature was 28 degrees centigrade lämpötila oli 28 celsiusastetta
centimeter /'sentəˌmitər/ s senttimetri
centipede /'sentəˌpid/ s satajalkainen, tuhatjalkainen
CENTO Central Treaty Organization
central /sentrəl/ adj **1** keskeinen (sijainti), keski-, keskusta- **2** keskeinen (kuv), tärkeä, pää-
Central African Republic Keski-Afrikan tasavalta
Central America s Keski-Amerikka
Central American adj keskiamerikkalainen, Keski-Amerikan
Central Europe s Keski-Eurooppa
Central European adj keskieurooppalainen, Keski-Euroopan
central heating s keskuslämmitys

centralization /ˌsentrələˈzeɪʃən/ s keskitys
centralize /ˈsentrəˌlaɪz/ v keskittää
centrally adv ks central
centrifugal /senˈtrɪfjəgəl/ adj keskipakoinen centrifugal force keskipakovoima
century /sentʃərɪ/ s vuosisata
CEO chief executive officer pääjohtaja
Cepheus /sifiəs/ (tähdistö) Kefeus
ceramic /səˈræmɪk/ adj keraaminen, savi-
ceramics s **1** savenvalu **2** keramiikka, saviesineet **3** keraamit high-tech ceramics uudet keraamit
cereal /səriəl/ s (viljatuote) muro breakfast cereals aamiaismurot
cerebellum /ˌserəˈbeləm/ s (mon cerebellums, cerebella) pikkuaivot
cerebrum /səˈribrəm/ s (mon cerebrums, cerebra) isoaivot
ceremonial /ˌserəˈmouniəl/ s seremonia, juhlamenot, juhlatilaisuus adj juhlallinen, juhla-, virallinen
ceremonially adv juhlallisesti
ceremonious /ˌserəˈmouniəs/ adj juhlallinen, juhla-, virallinen
ceremony /ˈserəˌmounɪ/ s **1** seremonia, juhlamenot, juhlatilaisuus **2** muodollisuus, muodollisuudet
certain /sertən/ adj **1** varma, väistämätön he is certain to become famous hän tulee varmasti kuuluisaksi **2** eräs, tietty a certain Mr. Jones wants to speak to you muuan/joku Mr. Jones haluaa päästä puheillenne
certainly adv varmasti, varmaankin
certainty /sertəntɪ/ s varmuus, väistämättömyys
certificate /sərˈtɪfɪkət/ s todistus
certificate of deposit s (tal) talletustodistus
certify /sərtəfaɪ/ v todistaa (virallisesti), vahvistaa
cesspool /sespuəl/ s lokakaivo (myös kuv) likakaivo
cf. compare vertaa
CFI cost, freight, and insurance
CFL Canadian Football League
Chacoan peccary /tʃəˌkouənˈpekərɪ/ s chaconpekari
Chad /tʃæd/ Tšad
Chadian s, adj tšadilainen
chafe /tʃeɪf/ s hiertymä v **1** hiertää **2** ärsyttää, hermostuttaa
chaff /tʃæf/ s akanat
chagrin /ʃəˈgrɪn/ s harmi, nolostus to my chagrin I noticed that harmikseni huomasin että
chain /tʃeɪn/ s ketju (myös kuv), kahle (myös kuv) a chain of events tapahtumien ketju v kahlehtia (myös kuv), sitoa ketjulla
chain reaction /ˌtʃeɪnrɪˈækʃən/ s ketjureaktio
chainsmoker /ˈtʃeɪnˌsmoukər/ s ketjupolttaja
chainstore /ˈtʃeɪnˌstɔr/ s (myymäläketjun) myymälä
chair /tʃeər/ s **1** tuoli electric chair sähkötuoli **2** puheenjohtajuus **3** puheenjohtaja **4** oppituoli, professuuri v toimia kokouksen puheenjohtajana
chalet /ʃəˈleɪ/ s sveitsiläismökki
chalk /tʃak/ s liitu v kirjoittaa/merkitä liidulla
chalk up to chalk something up to something lukea jonkin syyksi, katsoa johtuvan jostakin
challenge /tʃæləndʒ/ s haaste v haastaa
challenger s (kaksintaisteluun, kilpailuun) haastaja
challenging adj haastava, vaativa
chamber /tʃeɪmbər/ s **1** (vanh) kamari, huone **2** (aseen) patruunapesä **3** (sydämen) kammio **4** (mon) tuomarin huone
chambermaid /ˈtʃeɪmbərˌmeɪd/ s sisäkkö
chamber music /ˈtʃeɪmbərˌmjuzɪk/ s kamarimusiikki
Chamber of Commerce /ˌtʃeɪmbərəvˈkamərs/ s kauppakamari
chameleon /ʃəˈmilɪən, kəˈmiljən/ s kameleontti (myös kuv)
chamois /ʃæmɪ/ s säämiskä
chamois /ˌʃæmˈwa/ s gemssi, vuorivuohi

champ /tʃæmp/ s (ark) mestari, voittaja
v **1** (hevosesta) pureksia **2** olla kärsimätön to champ at the bit olla kärsimätön, ei malttaa odottaa
champagne /ˌʃæm'peɪn/ s samppanja
champion /tʃæmpiən/ s **1** kannattaja, puolustaja, puolestapuhuja **2** mestari, voittaja
v kannattaa, puolustaa, puhua jonkin asian puolesta
championship /'tʃæmpiənˌʃɪp/ s **1** mestaruus **2** mestaruusottelu, mestaruuskilpailu **3** (asian) kannatus, puolustus
chan. channel kanava
chance /tʃæns/ s **1** sattuma, onni by chance sattumalta **2** mahdollisuus your chances are slim sinulla on huonot mahdollisuudet **3** tilaisuus please give me another chance anna minun yrittää uudestaan **4** riski I don't want to take chances minä en halua ottaa riskejä
v **1** sattua he chanced to meet her hän tapasi naisen sattumalta **2** yrittää, kokeilla (onneaan)
chancel /tʃænsəl/ s (kirkon) kuori
chancellor /tʃænsələr/ s kansleri
chance on v tavata sattumalta, törmätä johonkuhun
chancy adj uskalias, rohkea
chandelier /ˌʃændə'lɪər/ s kattokruunu
change /tʃeɪndʒ/ s **1** muutos I have to make some changes to the manuscript minun on korjailtava käsikirjoitusta **2** vaihtelu he needs a change of pace hän tarvitsee vaihtelua elämäänsä **3** vaihtoraha
v **1** vaihtaa, vaihtua to change the oil/gear/one's name/hands vaihtaa öljyt/vaihdetta/nimeä/omistajaa I'll change quickly minä vaihdan nopeasti vaatteita **2** muuttaa, muuttua you have changed a lot since we last met olet muuttunut paljon viime näkemästä he changed his mind hän muutti mielensä
changeable adj ailahteleva (luonne, mieliala), epävakainen (luonne, sää)
changeless adj muuttumaton, vakaa, samanlainen
change your tune fr tulla toisiin aatoksiin, muuttaa mielensä
Chang Jiang /ˌtʃaŋ'dʒjaŋ/ Jangtse, Chang Jiang
channel /tʃænəl/ s **1** kanaali the English Channel Englannin kanaali **2** (television) kanava **3** (kuv) kanava, tie, väline, keino to go through channels tehdä jotakin virkateitse, oikeita kanavia pitkin
v kanavoida, kanavoitua (myös kuv)
Channel Islands /ˌtʃænəl'aɪlənz/ (Ison-Britannian) Kanaalisaaret
chant /tʃænt/ s laulu
v **1** laulaa **2** hokea
chaos /keɪas/ s kaaos, sekasorto
chaotic /keɪ'atɪk/ adj kaoottinen, sekasortoinen
chaotically adv kaoottisesti, sekasortoisesti
chap /tʃæp/ s ihon hilseily, huulten rohtuminen
v (ihosta) hilseillä, (huulista) rohtua
chap. chapter luku
chapel /tʃæpəl/ s kappeli
chaplain /tʃæplən/ s kappalainen, sotilaspappi
chapter /tʃæptər/ s **1** (kirjan) luku **2** (järjestön yms) paikallisosasto
Chapter 13 s (tal) selvitystila
char /tʃar/ v polttaa mustaksi/karrelle, kärventää
character /kerəktər/ s **1** luonne, olemus **2** luonteenlujuus he is a man of character hänellä on luja luonne **3** (romaani)henkilö **4** heppu, tyyppi, persoonallisuus he is quite a character **5** kirjain, merkki, lyönti the printer's output is 200 characters per second kirjoitin tulostaa 200 merkkiä sekunnissa
characteristic /ˌkerəktə'rɪstɪk/ s (luonteen)piirre, ominaisuus
characteristically adj luonteenomaisesti, tyypillisesti, tapansa mukaan
characteristic of adj luonteenomainen, tyypillinen jollekulle/jollekin

characterize /'kerəktə,raɪz/ v **1** luonnehtia, kuvailla **2** olla luonteenomaista/ ominaista jollekulle/jollekin
characterless adj mitäänsanomaton, laimea
charade /ʃə'reɪd/ s **1** arvausleikki jossa pyritän arvaamaan vastapuolen pantomiimina esittämät sanat **2** (kuv) täydellinen farssi
charcoal /'tʃar,kouəl/ s puuhiili
charge /tʃardʒ/ s **1** syyte, syytös **2** hyökkäys **3** maksu, veloitus **4** luotto will that be cash or charge? maksatteko käteisellä vai luottokortilla? **5** johtoasema, vastuu who's in charge here? kuka täällä määrää/kuka on täällä johtajana? **6** taakka, rasite **7** räjähde, panos **8** (sähkö)varaus, lataus
v **1** syyttää he was charged with murder häntä syytettiin murhasta **2** hyökätä **3** rynnätä, törmätä johonkin **4** veloittaa, laskuttaa, ottaa maksuksi he charged it to his Visa card hän maksoi sen Visakortillaan **5** antaa tehtäväksi, määrätä johonkin tehtävään they charged him to lead the ad campaign hänet pantiin mainoskampanjan johtajaksi **6** ladata (ase, akku), varata (akku)
chargé d'affaires /,ʃarʒ'eɪdə'feərz/ s (diplomatiassa) asiainhoitaja
charge with v **1** syyttää jotakuta jostakin **2** antaa jollekulle tehtäväksi, määrätä joku tekemään jotakin
chariot /tʃerɪət/ s (hist) (sota)vaunut
charioteer /,tʃerɪə'tɪər/ s (hist) sotavaunujen ajaja
Charioteer /,tʃerɪə'tɪər/ (tähdistö) Ajomies
charisma /kə'rɪzmə/ s **1** karisma **2** vetovoima, karisma
charitable /tʃerətəbəl/ adj **1** ihmisrakas, hyväntahtoinen, antelias **2** hyväntekeväisyys-
charitably adv anteliaasti, hyväntahtoisesti
charity /tʃerətɪ/ s **1** lähimmäisenrakkaus **2** suvaitsevaisuus, hyväntahtoisuus **3** almu, avustus **4** hyväntekeväisyys **5** hyväntekeväisyysjärjestö
charlatan /ʃarlətən/ s huijari, petturi
Charles Turley /,tʃarlz'tərli/ (Peter Panissa) Tolvana-Charles
Charlotte /ʃarlət/ kaupunki Pohjois-Carolinassa
charm /tʃarm/ s **1** viehätysvoima **2** taika, lumous **3** amuletti, maskotti
v **1** viehättää, olla mieleen **2** lumota, taikoa
charming adj ihastuttava, hurmaava
chart /tʃart/ s **1** taulukko, diagrammi **2** (mon) (äänilevyjen myynti)lista
v kartoittaa, seurata, merkitä muistiin
charter /tʃartər/ s **1** peruskirja, (yhdistyksen) säännöt **2** (lentokoneen, linja-auton) tilaus, charter on charter tilausajossa, tilauslennolla, charter-lennolla
v tilata (lentokone, linja-auto)
charwoman /'tʃar,wumən/ s (nais)siivooja
chase /tʃeɪs/ s takaa-ajo, jahti, riistan ajo
v ajaa takaa, jahdata (myös kuv)
chase after v juosta jonkun/jonkin perässä
chase away v ajaa/karkottaa tiehensä
chasm /kæzəm/ s railo, kuilu (myös kuv)
chassis /ʃæsɪ/ s (auton) alusta, (lentokoneen pää)laskuteline, (television, radion, vahvistimen) runko
chaste /tʃeɪst/ adj **1** siveä, puhdas, neitseellinen **2** koruton, yksinkertainen
chasten /tʃeɪsən/ v nuhdella, ojentaa; pysähtyä miettimään
chastise /'tʃæs,taɪz/ v rangaista, kurittaa
chastisement /,tʃæs'taɪzmənt/ s rangaistus, kuritus
chastity /tʃæstətɪ/ s siveys, koskemattomuus, neitsyys
chat /tʃæt/ s rupattelu, jutustelu
v rupatella, jutella to chat with someone about something
chateau /,ʃæ'tou/ s (mon chateaux, chateaus) linna (Ranskassa)
chatter /tʃætər/ s **1** hölynpöly, tyhjät puheet **2** puheensorina, (kirjoituskoneen) naputus, (linnun) sirkutus
v **1** pölistä, hölöttää, puhua pälpättää; (lintu) sirkuttaa **2** (hampaista) kalista

chatterbox /'tʃætər,baks/ s hölöttäjä, pölisijä, papupata
chatty adj **1** puhelias, juttutuulella **2** (kirjoitustyylistä) puhekielimäinen, tuttavallinen
chauffeur /,ʃoʊ'fər/ s autonkuljettaja
v ajaa autoa, viedä autolla, kuskata
chauvinism /'ʃoʊvə,nɪzəm/ s sovinismi, kansalliskiihko, sukupuolisorto
chauvinist /'ʃoʊvə,nɪst/ s sovinisti, kansalliskiihkoilija, sukupuolisortaja
chauvinistic /,ʃoʊvə,nɪstɪk/ adj sovinistinen
chauvinist pig s sovinistisika
cheap /tʃip/ adj **1** halpa to buy something on the cheap ostaa jotakin pilkkahintaan **2** huono, heikko, rihkama- **3** alhainen (teko), halpamainen (käytös), halpa (huvi)
cheapen v halventaa (myös kuv), halventua
cheapskate /'tʃip,skeɪt/ s kitupiikki
cheat /tʃit/ s **1** petturi, huijari **2** petos, huiputus
v pettää, huiputtaa, vetää nenästä
cheating s pettäminen, huiputtaminen, (avio)uskottomuus
adj epärehellinen, petollinen, kiero, uskoton
cheat on v pettää jotakuta, olla uskoton jollekulle
check /tʃek/ s **1** tarkistus, tutkimus **2** hillike, pidäke **3** ruutukuvio, ruudutus **4** sekki **5** matkatavarasäilytys, vaatesäilytys
v **1** tarkistaa, tutkia, ottaa selvää jostakin, kysellä **2** hillitä, pidättää jotakin/jotakuta, pitää aisoissa **3** jättää/antaa (päällysvaate, matkatavara) säilytettäväksi/kuljetettavaksi
check back with v ottaa uudestaan yhteyttä johonkuhun, palata asiaan
checkbook /'tʃek,buk/ s sekkivihko
checkerboard /'tʃekər,bɔrd/ s **1** šakkilauta; tammilauta **2** ruutukuvio
v tehdä ruutukuvioksi, kirjavaksi
checkered adj ruudullinen, kirjava (kuv: menneisyys)
checkers /tʃekərz/ s (mon, verbi yksikössä) tammipeli
check in v kirjoittautua hotelliin
check-in s (hotellin) vastaanotto
checklist /'tʃek,lɪst/ s muistilista
checkmate /tʃek,meɪt/ s **1** (šakki)matti **2** loppu, tappio
v **1** šakittaa **2** panna joku selkä seinää vasten, tehdä tyhjäksi jonkun suunnitelmat
check out v maksaa laskunsa ja lähteä hotellista
check-out s (valintamyymälän) kassa
check up v tarkistaa, tutkia
check-up s (lääkärin)tarkastus
check up on v tarkistaa, tutkia, ottaa selvää (esim jonkun menneisyydestä)
cheek /tʃik/ s **1** poski **2** röyhkeys, (olla) otsa(a)
v uhmata jotakuta, olla jollekulle röykeä, hävytön
cheeky adj hävytön, röyhkeä
cheer /tʃɪər/ s **1** suosionosoitus, ylistys, ylistyshuuto, hurraahuuto **2** rohkaisu, kannustus, piristys
v **1** hurrata, juhlia, osoittaa suosiotaan **2** rohkaista, kannustaa, piristää
cheerful adj iloinen (ihminen, väri), pirteä (ihminen, sisustus), hyväntuulinen, hilpeä
cheerfully adj iloisesti, hyväntuulisesti, hilpeästi
cheerfulness s iloisuus, hyväntuulisuus, hilpeys
cheerily adv iloisesti, hilpeästi, pirteästi
cheering s juhlinta, hurraahuudot
adj **1** juhliva, hurraava **2** piristävä, rohkaiseva, kannustava
cheerleder s (urheilukilpailussa tms) cheerleader, henkilö joka ryhmänsä mukana kannustaa katsojia hurraamaan ja esittää taitotemppuja
cheerless adj iloton, apea, synkkä, harmaa, (mahdollisuuksista:) heikko
cheer up v piristää, piristyä, rohkaista, saada/antaa rohkeutta
cheery adj iloinen, hilpeä, pirteä
cheese /tʃiz/ s juusto cheese! (valokuvattaessa:) muikku!
cheeseburger /'tʃiz,bərgər/ s juustohampurilainen

cheetah /tʃitə/ s gepardi
chef /ʃef/ s keittiöpäällikkö, keittiömestari (pää)kokki, (ark) kokki, ruuanlaittaja
chemical /kemɪkəl/ s kemikaali
adj kemiallinen
chemically /kemɪklɪ/ adj kemiallisesti
chemist /kemɪst/ s **1** kemisti **2** (UK) apteekkari
chemistry /keməstrɪ/ s **1** kemia **2** henkilökemia, ihmissuhteet
cherish /tʃerɪʃ/ v helliä (jotakuta, muistoja), vaalia (jotakuta, tunteita, muistoja)
cherry /tʃerɪ/ s kirsikka
adj kirsikanpunainen
cherub /tʃerəb/ s kerubi (myös kuv)
Ches. Cheshire
Chesapeake Bay /'tʃesə,pik'beɪ/ Chesapeakenlahti
Cheshire /tʃeʃər/ Englannin kreivikuntia
chess /tʃes/ s šakki(peli)
chest /tʃest/ s **1** laatikko **2** lipasto **3** rinta(kehä)
chestnut /tʃesnət/ s kastanja
adj kastanjanruskea, punaruskea
Chevrolet /,ʃevrə'leɪ/ amerikkalainen automerkki
chevrotain /ʃevrə,teɪn/ s kääpiökauris
Chevy /ʃevɪ/ Chevrolet
Chevy Chase /,tʃevɪ 'tʃeɪs/ kaupunki Marylandissa
chew /tʃu/ v pureskella, pureksia
chew away v pureskella, nakertaa (hiljakseen)
chewing-gum /'tʃuiŋ,gʌm/ s purukumi
chew off v purra irti, haukata
chew out v antaa jonkun kuulla kunniansa, haukkua perinpohjaisesti
chew the fat fr rupatella, jutella (joutavia)
chew the rag fr rupatella, jutella (joutavia)
chew up v pureskella kunnolla, jauhaa/pureksia hienoksi/silpuksi, hienontaa
Chiang Kai-shek /,ʃæŋkaɪ'ʃek/ Tšiang Kai-šek, Jiang Jieshi

chic /ʃik/ s tyyli(kkyys), hyvä maku
adj tyylikäs, elegantti
Chicago /ʃə'kagou/ kaupunki Illinoisissa
chick /tʃɪk/ s kananpoika, linnunpoika(nen), tipu (myös kuv naisesta)
chicken /tʃɪkən/ s **1** kana **2** broileri **3** pelkuri, jänis
chicken-and-egg problem s ongelma jonka kaksi osatekijää edellyttävät toisiaan, kysymys siitä kumpi tulee ensin
chicken out v jänistää, mennä sisu kaulaan, jäädä pois pelkojensa vuoksi
chickenpox /'tʃɪkən,paks/ s vesirokko
chief /tʃif/ s (heimon, yrityksen, intiaani)päällikkö, johtaja
adj tärkein, pää-
chiefly adv pääasiassa, lähinnä, enimmäkseen
chieftain /tʃiftən/ s (heimon, intiaani)päällikkö
child /tʃaɪəld/ s (mon children) lapsi (myös kuv)
childhood /'tʃaɪəld,hud/ s lapsuus
childish adj lapsellinen
childless adj lapseton
childlike /'tʃaɪəld,laɪk/ adj lapsenomainen
children /tʃɪldrən/ (mon) ks child
Chile /tʃɪli/ Chile
Chilean s, adj chileläinen
chili /tʃɪli/ s **1** (mauste) chili(pippuri) **2** (ruokalaji) chili con carne
chili con carne /,tʃɪli,kan'karni/ s chilillä maustettu (papu- ja) liharuoka
chili dog s hot dog joka on maustettu chili con carnella
chill /tʃɪl/ s **1** puistatus **2** viileys, kylmyys (myös kuv) **3** to catch a chill vilustua
v viilentää, viilentyä, jäähdyttää, jäähtyä, kylmentää, kylmetä (myös kuv)
adj viileä, kylmä (myös kuv)
chill out /,tʃɪl'aut/ v (ark) rauhoittua
chilly adj viileä, kylmä (myös kuv)
chime /tʃaɪm/ s **1** (ovi- tai muun kellon) kilahdus **2** soiva (ovi)kello
v (kellosta) kilahtaa, soida

chime in v keskeyttää joku, sanoa väliin jotakin
chimney /tʃɪmni/ s savupiippu
chimney sweep s nuohooja, nokikolari (ark)
chimpanzee /ˌtʃɪmpæn'zi/ s simpanssi
chin /tʃɪn/ s leuka
china /tʃaɪnə/ s posliini, posliiniesineet
China /tʃaɪnə/ Kiina
China Sea Kiinanmeri
Chinese /tʃaɪ'niz/ s kiinan kieli
s, adj kiinalainen
chink /tʃɪŋk/ s **1** halkeama, lohkeama, repeämä **2** kilinä **3** (halv) kiinalainen
v **1** tukkia, tilkitä **2** kilistä
chip /tʃɪp/ s **1** lastu, sirpale, siru **2** pelimerkki **3** (mikro)siru **4** (golfissa) chippi, matala lyönti jolla lähestytään viheriötä
v **1** lohkaista, lohkeilla, lohjeta, (maali) hilseillä **2** (golfissa) lyödä chippi, chipata
chip away v hakata/nokkia irti pitkään
chipboard /'tʃɪpˌbɔrd/ s lastulevy
chip in v **1** keskeyttää **2** pulittaa, antaa (rahaa keräykseen) he chipped in a couple of bucks häneltä liikeni pari taalaa
chip off v irrottaa (maali), irrota, hilseillä
chirp /tʃərp/ s (linnun) viserrys, liverrys, (heinäsirkan) siritys
v (linnusta) visertää, livertää, (heinäsirkasta) sirittää
chirpy adj iloinen, hyväntyylinen, pirteä
chisel /tʃɪzəl/ s taltta
v työstää taltalla, taltata
chiseled adj **1** taltalla työstetty **2** (kasvonpiirteistä) hieno, kaunis, komea
chit /tʃɪt/ s **1** lapsi, nuori ihminen, nuori nainen **2** ravintolalasku (jota ei makseta heti), piikki (ark)
chital /tʃitəl/ s aksisihirvi
chivalrous /ʃɪvəlrəs/ adj ritarillinen
chivalrously adv ritarillisesti
chivalry /ʃɪvəlrɪ/ s **1** ritarilaitos **2** ritarillisuus
chloroform /'klɔrəˌfɔrm/ s kloroformi
v nukuttaa/puuduttaa kloroformilla
chlorophyll /'klɔrəˌfɪəl/ s lehtivihreä, klorofylli
chocolate /tʃaklət/ s **1** suklaa **2** kaakaojuoma
adj suklaanruskea
choice /tʃɔɪs/ s **1** valinta, vaihtoehto they gave me no choice minulle ei annettu valinnan varaa you have three choices sinulla on kolme vaihtoehtoa **2** valikoima
adj **1** ensiluokkainen, laatu-, valikoitu (tavara) **2** huoliteltu (puhe)
choir /kwaɪər/ s **1** kuoro **2** (arkkitehtuurissa) kuori
choke /tʃoʊk/ s (polttomoottorin) rikastin, (ark) ryyppy
v **1** tukehtua, tukahduttaa (myös kuv) **2** kuristaa **3** tukkia
choke back v niellä, tukahduttaa (kyyneleet, tunteet)
choke down v niellä, tukahduttaa (kyyneleet, tunteet)
choker /tʃoʊkər/ s kaulanauha, kaulapanta, helminauha
cholera /kalərə/ s kolera
choose /tʃuz/ v chose, chosen **1** valita **2** päättää he chose not to go hän päätti olla menemättä
choosy adj nirso, valikoiva
chop /tʃap/ s **1** isku, lyönti **2** kyljys
v **1** iskeä, lyödä **2** pilkkoa, paloitella
chopper s **1** kyljyskirves, lihakirves **2** (ark) helikopteri **3** chopper(-moottoripyörä)
choppy adj **1** (tuulesta) puuskainen **2** (aallokosta) säännötön, hakkaava
chopsticks /'tʃapˌstɪks/ s (mon) syömäpuikot
choral /kɔrəl/ adj kuoro-
chord /kɔrd/ s **1** (geometriassa) jänne **2** (musiikissa) sointu
chore /tʃɔr/ s **1** (arki)askare, puuha **2** riesa, vaiva
choreographer /'kɔrɪəˌgræfər, kɔri'agrəfər/ s koreografi
choreography /ˌkɔri'agrəfɪ/ s koreografia
chorister /kɔrɪstər/ s kuorolaulaja, kuoropoika
chortle /tʃɔrtəl/ v hihittää, hykerrellä

chorus /kɔrəs/ s **1** kuoro in chorus yhteen ääneen **2** kertosäe
v laulaa/lausua/esittää/hokea kuorossa
chose /tʃouz/ ks choose
chosen ks choose
Christ /kraɪst/ Kristus
christen /krɪsən/ v ristiä, kastaa, antaa nimeksi
christening s ristiäiset, kaste(tilaisuus)
Christian /krɪstʃən/ s kristitty
adj kristitty, kristillinen
Christianity /ˌkrɪstʃi'ænɪti/ s **1** kristinusko, kristillisyys **2** kristillisyys, hurskaus
Christianize /'krɪstʃəˌnaɪz/ v käännyttää kristinuskoon
Christian name s etunimi
Christmas /krɪsməs/ s joulu
Christmas card s joulukortti
Christmas gift s joululahja
Christmas present s joululahja
Christmas stocking s sukka johon joululahjat pannaan
Christmastime /'krɪsməsˌtaɪm/ s joulunaika
Christmas tree s **1** joulukuusi **2** (öljynporauksessa) tuotantoventtiilistö
chrome /kroum/ s **1** kromi **2** (väri)dia
chromium /kroumɪəm/ s kromi
chromosome /'kroumәˌsoum/ s kromosomi
chromosphere /'kroumәsˌfɪәr/ s kromosfääri
chronic /kranɪk/ adj krooninen, pitkäaikainen, jatkuva
chronically adv kroonisesti, pitkäaikaisesti (sairas)
chronicle /kranɪkəl/ s kronikka, aikakirja
v kronikoida
chronicler s kronikoitsija
chronological /ˌkranə'ladʒɪkəl/ adj kronologinen, aikajärjestyksessä oleva
chronology /krə'nalədʒɪ/ s kronologia, ajanlasku, aikajärjestys
chronometer /krə'namətər/ s kronometri, tarkkuuskello
chrysalis /krɪsələs/ s (hyönteisen) kotelo
chrysanthemum /krə'sænθəməm/ s krysanteemi
Chrysler /kraɪslər/ amerikkalainen automerkki
chubby /tʃʌbɪ/ s (sl) erektio
adj pyylevä, pyöreä
chuck /tʃʌk/ s **1** (poranterää pitelevä) istukka **2** (sl) sapuska
v **1** heittää, viskata **2** lopettaa, panna välit poikki
chuckle /tʃʌkəl/ s hihitys, hykertely
v hihittää, hykerrellä, nauraa itsekseen
chum /tʃʌm/ s kaveri, ystävä
chummy adj tuttavallinen, (liian) ystävällinen
chump /tʃʌmp/ s **1** typerys, ääliö **2** puupölkky, puunpala
chunk /tʃʌŋk/ s pala(nen), kimpale, möhkäle
chunky adj **1** tanakka, paksu **2** jossa on isoja (maapähkinän) paloja chunky peanut butter
Chunnel /tʃʌnəl/ Kanaalitunneli (Englannin kanaalin alittava rautatietunneli)
church /tʃərtʃ/ s kirkko (laitos ja rakennus)
churchgoer /'tʃərtʃˌgouər/ s kirkossakävijä
churchman /tʃərtʃmən/ s kirkonmies
church mouse as poor as a church mouse köyhä kuin kirkon rotta
church register s kirkonkirjat
churn /tʃərn/ s kirnu
v **1** kirnuta **2** (vedestä) hyökyä, (pyörä, potkuri) pyöriä vimmatusti, (tunteet, vesi) kuohua
churn out v suoltaa (tekstiä)
chute /ʃut/ s **1** liukumäki, kuilu **2** koski, putous **3** (ark) laskuvarjo
chutney /tʃʌtnɪ/ s chutney(-mausteseos)
C & I cost and insurance
CIA Central Intelligence Agency Yhdysvaltain keskustiedustelupalvelu
CIC commander-in-chief ylipäällikkö
cider /saɪdər/ s siideri
c.i.f. cost, insurance, and freight hinta vakuutuksineen ja rahteineen
cigar /sə'gar/ s sikari

cigarette /ˌsɪɡəˈret/ s savuke, tupakka
cigarette lighter s tupakansytytin
CIM computer-integrated manufacturing tietokoneintegroitu valmistus
cinch /sɪntʃ/ s **1** satulavyö **2** helppo homma, lastenleikki **3** helppo juttu/nakki it's a cinch se on helppoa
v sopia asiasta, varmistaa sopimus
Cincinnati /ˌsɪnsəˈnæti/ kaupunki Ohiossa
cinder /ˈsɪndər/ s **1** kekäle **2** (mon) tuhka
Cinderella /ˌsɪndəˈrelə/ Tuhkimo
cinema /ˈsɪnəmə/ s **1** elokuvat(aide) **2** (UK) elokuvateatteri
CinemaScope™ /ˈsɪnəməˌskoup/ (elokuvissa) eräs laajakangasmenetelmä
cinematographer /ˌsɪnəməˈtagrəfər/ s (elokuvan) kuvaaja
cinematography /ˌsɪnəməˈtagrəfɪ/ s (elokuvan) kuvaus director of cinematography kuvauksen ohjaaja
Cinerama™ /ˌsɪnəˈræmə/ (elokuvissa) eräs laajakangasmenetelmä
Cinn. Cincinnati
cinnamon /ˈsɪnəmən/ s kaneli
adj **1** kaneli- **2** kanelinvärinen
cinnamon roll /ˈsinəmənˌroəl/ s eräänlaisesta korvapuustista
CIO Congress of Industial Organizations
cipher /ˈsaɪfər/ s **1** nolla **2** numero **3** (ihmisestä) täysi nolla **4** salakirjoitus, salakieli
v **1** kirjoittaa salakielellä, koodata **2** (vanh) laskea, tehdä laskutehtäviä
cir. circa noin
circa /ˈsərkə/ prep noin
circle /ˈsərkəl/ s **1** ympyrä **2** rengas **3** (esim ystävä/perhe)piiri
v **1** ympyröidä (kynällä), ympäröidä **2** piirittää, saartaa **3** lentää ympyrässä/ympärillä
circle around v kulkea ympäriinsä/ sinne tänne, kiertää kehää
circle the wagons fr **1** (villissä lännessä) järjestää vaunut suojaksi ympyrään **2** (sl) käydä puolustusasemiin
circuit /ˈsərkət/ s **1** kierto, kulku, mutka, lenkki **2** virtapiiri **3** kilparata **4** urheiluliiga, -sarja
circuit board s piirikytkentälevy
circuit breaker s (virran)katkaisin, pääkatkaisin
circuitous /sərˈkjuətəs/ adj mutkikas, vaivalloinen, kierto-
circuitry /ˈsərkətrɪ/ s virtapiirit
circular /ˈsərkjələr/ s **1** kiertokirje **2** ristiside
adj pyöreä, pyörivä
circular saw /ˈsərkjələrˌsa/ s pyörösaha, sirkkeli
circulate /ˈsərkjəˌleɪt/ v **1** kiertää, kierrellä (ympäriinsä, paikasta toiseen) **2** kierrätää, panna kiertämään **3** levittää (huhua, tietoa)
circulation /ˌsərkjəˈleɪʃən/ s **1** (veren, rahan) kierto **2** (lehden) levikki
circumcise /ˈsərkəmˌsaɪz/ v ympärileikata
circumcision /ˌsərkəmˈsɪʒən/ s ympärileikkaus
circumference /sərˈkʌmfrəns/ s ympärysmitta
circumflex /ˈsərkəmˌfleks/ s sirkumfleksi
circumlocution /ˌsərkəmlouˈkjuʃən/ s kiertoilmaus, kaunisteleva ilmaus
circumnavigate /ˌsərkəmˈnævəgeɪt/ v purjehtia (maailman, saaren, niemen) ympäri, kiertää
circumnavigation /ˌsərkəmnævəˈgeɪʃən/ s (maailman)-ympäripurjehdus
circumscribe /ˈsərkəmˌskraɪb/ v **1** ympyröidä, merkitä ympyrällä **2** rajoittaa
circumscription /ˌsərkəmˈskrɪpʃən/ s **1** rajoitus **2** (kolikon) reunakirjoitus
circumspect /ˈsərkəmˌspekt/ adj varovainen, harkitseva
circumspection /ˌsərkəmˈspekʃən/ s varovaisuus, harkinta
circumstance /ˈsərkəmˌstæns/ s **1** seikka, näkökohta, (mon) olot, olosuhteet **2** (mon) taloudelliset olot, varallisuus

circumstantial /ˌsərkəmˈstænʃəl/ adj **1** yksityiskohtainen, perusteellinen **2** epäolennainen, sivu-

circumstantial evidence s (lak) aihetodiste

circumvent /ˈsərkəmˌvent ˌsərkəmˈvent/ v kiertää, välttää, välttyä joltakin

circus /ˈsərkəs/ s **1** sirkus **2** aukio

cirrus /ˈsirəs/ s cirrus, untuvapilvi

cistern /ˈsɪstərn/ s (wc:n) huuhtelusäiliö

citation /saɪˈteɪʃən/ s **1** sitaatti, lainaus **2** kunniamaininta **3** haaste (saapua oikeuteen) **4** sakko(lappu)

cite /saɪt/ v **1** siteerata, lainata **2** mainita (myös ohimennen) **3** (laki) syyttää

citizen /ˈsɪtəzən/ s **1** kansalainen **2** (kaupungin) asukas

citizenship /ˈsɪtəzənˌʃɪp/ s kansalaisuus, kansalaisoikeus

citric acid /ˌsɪtrɪkˈæsəd/ s sitruunahappo

citrus /ˈsɪtrəs/ s sitrushedelmä adj sitrus-

city /ˈsɪtɪ/ s **1** kaupunki **2** the city (puhujaa lähin suuri) kaupunki **3** the City Lontoon City

city desk s (sanomalehden) paikallistoimitus

city hall s kaupungintalo

civic /ˈsɪvɪk/ adj **1** kaupungin, kaupunki- **2** kansalais-

civic center s **1** (kaupungin) kulttuurikeskus, kulttuurirakennus **2** (kaupungin) hallintokeskus, hallintorakennus **3** monitoimitalo

civics /ˈsɪvɪks/ s (mon, verbi joko yksikössä tai mon) kansalaistaito

civil /ˈsɪvəl/ adj **1** kansalais- **2** siviili- **3** kohtelias, huomaavainen

civil disobedience /ˌsɪvəlˌdɪsəˈbidɪəns/ s kansalaistottelemattomuus

civil engineer /ˌsɪvəlˌendʒəˈnɪər/ s rakennusinsinööri; tie- ja vesirakennusinsinööri

civil engineering s tie- ja vesirakennustyöt

civilian /səˈvɪljən/ s siviili adj siviili-

civility /səˈvɪlətɪ/ s kohteliaisuus

civilization /ˌsɪvəlɪˈzeɪʃən/ s **1** sivilisaatio, kulttuuri **2** sivistäminen

civilize /ˈsɪvəˌlaɪz/ v sivilisoida, sivistää

civil liberty s kansalaisvapaus

civilly adv kohteliaasti, ystävällisesti

civil rights s (mon) kansalaisoikeudet

civil rights movement s kansalaisoikeusliike

civil servant /ˌsɪvəlˈsərvənt/ s valtion virkamies

civil service /ˌsɪvəlˈsərvəs/ s valtionhallinto

claim /kleɪm/ s **1** vaatimus **2** väite **3** osuus **4** (kultakentän yms) valtausoikeus
v **1** vaatia (itselleen), väittää omakseen the Isarelis claim this area israelilaiset vaativat tätä aluetta omakseen **2** väittää he claims to be American hän väittää olevansa amerikkalainen

claim back v vaatia takaisin/maksettavaksi/palautettavaksi

claim to fame s nähtävyys, suursaavutus, erikoisuus

clairvoyance /ˌkleɪrˈvoɪəns/ s selvänäköisyys

clairvoyant /ˌkleɪrˈvoɪənt/ s selvänäkijä

clam /klæm/ s (venus)simpukka

clamber /ˈklæmbər/ s kompurointi v kompuroida, nousta/kulkea kömpelösti

clammy /ˈklæmi/ adj kostea, nihkeä

clamor /ˈklæmər/ s **1** meteli, äläkkä **2** äänekäs vaatimus

clamor against v vastustaa äänekkästi jotakin

clamor for v vaatia äänekkäästi jotakin

clamp /klæmp/ s kiinnitin, puristin v kiinnittää, puristaa

clamp down on v panna (joku, menot, rikollisuus) kuriin, koventaa otteita

clan /klæn/ s klaani; suku; heimo

clandestine /ˌklænˈdestən/ adj salainen

clang /klæŋ/ v kilahtaa

clap /klæp/ s **1** kättentaputus **2** (sl) tippuri
v **1** taputtaa käsiään **2** peittää nopeasti kädellään
claret /klerət/ s punaviini, bordeauxviini
adj viininpunainen
clarification /ˌklerəfɪ'keɪʃən/ s selvitys, selvennys
clarify /'klerəˌfaɪ/ v **1** selvittää, selventää **2** kirkastaa, kirkastua, seljetä, puhdistaa, puhdistua
clarinet /ˌklerə'net/ s klarinetti
clarinetist /ˌklerə'netɪst/ s klarinetisti
clarity /klerətɪ/ s **1** kirkkaus **2** selkeys, helppotajuisuus
clash /klæʃ/ s yhteentörmäys (myös kuv), yhteenotto (myös kuv), (ihmisten, värien) yhteensopimattomuus, (etujen) ristiriitaisuus
v törmätä/ottaa yhteen (myös kuv), ei sopia yhteen, olla ristiriidassa keskenään
clasp /klæsp/ s **1** suljin, haka(neula) **2** ote
v **1** tarttua johonkin **2** ristiä (kätensä) **3** sulkea, napsauttaa kiinni, kiinnittää hakaneulalla
class /klæs/ s **1** koululuokka **2** oppitunti **3** luokkahuone **4** yhteiskuntaluokka **5** luokka, ryhmä **6** (ark) tyyli, hyvä maku she's got class hänessä on tyyliä
v luokitella itsensä/joku/jotakin johonkin ryhmään
class act s (ark) hieno temppu, erinomainen asia
class book s (opettajan luokasta pitämä) päiväkirja
class conflict s luokkataistelu
class consciousness s luokkatietoisuus
classic /klæsɪk/ s klassikko
adj klassinen (myös kuv)
classical adj klassinen
classical music s klassinen musiikki
classification /ˌklæsəfɪ'keɪʃən/ s luokittelu, jaottelu
classified /'klæsəˌfaɪd/ adj **1** luokiteltu **2** salainen
classified ads s (mon) (sanomalehden) luokitellut ilmoitukset, pikkuilmoitukset
classify /'klæsɪˌfaɪ/ v luokitella, lukea/laskea johonkin kuuluvaksi
classless /klæsləs/ adj luokaton (yhteiskunta)
classmate /'klæsˌmeɪt/ s luokkatoveri
classroom /'klæsˌrum/ s luokkahuone
class struggle s luokkataistelu
class war s luokkataistelu
clatter /klætər/ s (särkyvien astioiden) kilinä, räminä, (kavioiden) kopse
v kilistä, rämistä, kopista
clause /klaz/ s **1** (kieliopissa) lause; lauseke **2** (lak) klausuuli
claustrophobia /ˌklastrə'foubiə/ s ahtaanpaikan kammo, klaustrofobia
claustrophobic /ˌklastrə'foubɪk/ adj klaustrofobinen, ahtaanpaikan kammoa kokeva/aiheuttava
clavicle /klævɪkəl/ s solisluu
claw /kla/ s **1** (eläimen) kynsi **2** (ravun yms) sakset **3** (vasaran) sorkka
v **1** raapia, kynsiä, raadella **2** hapuilla jotakin, yrittää saada ote jostakin
clay /kleɪ/ s savi
clean /klin/ v puhdistaa, siivota, pestä, pyyhkiä, korjata pois
adj **1** puhdas, siisti (myös kuv) **2** kiltti (vitsi), viaton (viihde) **3** tahraton (menneisyys) **4** (sl) aseeton
adv (voimistavana sanana:) kokonaan, täysin it'll blow your head clean off se tekee päästäsi selvää jälkeä
clean-cut /ˌklin'kʌt/ adj puhdas(linjainen)
cleaner s **1** siivooja **2** puhdistusaine **3** (mon) cleaners pesula to take someone to the cleaners tehdä jostakusta selvää jälkeä, antaa jollekulle selkään; voittaa selvästi, kyniä puhtaaksi
cleanliness /klenlinəs/ s puhtaus, siisteys cleanliness is next to godliness puhtaus on puoli ruokaa
cleanly adj /klenli/ (ihmisestä) siisti
adv /klinli/ siististi
cleanness /klinnəs/ s **1** siisteys, puhtaus **2** kiltteys, viattomuus

clean off v pestä, peseytyä, pyyhkiä, siivota, huuhdella
clean out v **1** pestä, siivota, puhdistaa (myös kuv) **2** kyniä joku puhtaaksi
cleanse /klenz/ v puhdistaa (myös kuv: synnistä)
cleanser /klenzər/ s pesuaine, (ihon)puhdistusaine
clean-shaven /ˌklinˈʃeɪvən/ adj sileäleukainen
clean slate s (kuv) puhtaat paperit
clean up v **1** pestä, peseytyä, puhdistaa **2** korjata (irtolaisia ym) talteen, puhdistaa **3** pistää rahoiksi
cleanup /klinʌp/ s **1** pesu, siistiytyminen **2** (irtolaisten ym) talteen korjaaminen, puhdistus **3** suuri rahallinen voitto
clear /klɪər/ s: he is in the clear hän on selvillä vesillä/kuivilla
v **1** (säästä) kirkastua, (pilvistä) hajaantua, (sumusta) hälvetä **2** avata (tukos), siivota, puhdistaa **3** korjata (astiat pöydästä) **4** tehdä tilaa, väistyä syrjään **5** tyhjentää (kirjelaatikko) **6** todeta syyttömäksi, puhdistaa jonkun maine **7** ylittää (aita/rima), ohittaa **8** varmistaa että sekillä on katetta
adj **1** kirkas, puhdas (myös kuv) **2** selvä (käsitys, käsky, pää) **3** vapaa, avoin, esteetön the road is clear
adv loitolla, kaukana steer clear of someone/something pysytellä kaukana jostakusta/jostakin
clearance /klɪrəns/ s **1** esim ground clearance (auton) maavara overhead clearance (ajoneuvon) suurin sallittu korkeus (alikulkuväylässä) **2** (metsän)aukeama **3** tyhjennysmyynti **4** lupa (päästä käsiksi salaiseen aineistoon/ päästä valvottuun paikkaan)
clear away v **1** korjata/viedä pois/ pöydästä **2** (säästä) kirkastua, (pilvistä) hajaantua
clear-cut adj selvä, selväpiirteinen (tapaus, kasvot)
clearing s (metsän)aukeama
clearing corporation s (tal) selvitysyhtiö
clearly adv selvästi
clear off v **1** siivota, korjata asiat pöydästä **2** häipyä, alkaa nostella
clear out v **1** tyhjentää **2** häipyä, livistää
clear up v **1** (säästä) kirkastua, (pilvistä) hajaantua **2** siivota, korjata (sotku) **3** ratkaista (arvoitus), selvittää (väärinkäsitys) **4** maksaa (velka)
cleave /kliv/ v cleft/cleaved, cleft/ cleaved **1** halkaista (kahtia kirveellä tms) **2** pitää lujasti kiinni jostakin/jostakusta, tarrautua
clef /klef/ s nuottiavain
cleft /kleft/ s halkio, halkeama, kuilu (myös kuv)
v ks cleave
clemency /klemənsi/ s **1** lempeys, armeliaisuus, armo **2** (sään) lauhkeus
clement /klemənt/ adj (sää) lauhkea
clench /klentʃ/ v puristaa (esim käsi nyrkkiin)
clergy /klərdʒi/ s papisto
clergyman /klərdʒɪmən/ s miespappi
clergywoman s naispappi
clerical /klerɪkəl/ adj **1** papillinen, papin- **2** toimisto-, konttori-
clerk /klərk/ s **1** toimistotyöntekijä **2** myymäläapulainen, myyjä
Clev. Cleveland
Cleveland /klivlənd/ **1** Englannin kreivikuntia **2** kaupunki Ohiossa Yhdysvalloissa
clever /klevər/ adj nokkela (ihminen, teko), terävä(päinen), taitava, nerokas (ihminen, ajatus, laite)
cleverly adv nokkelasti, terävästi, nerokkaasti
cleverness s nokkeluus, terävyys, nerokkuus
CLI cost of living index elinkustannusindeksi
cliché /ˌkliˈʃeɪ/ s klisee, kulunut sanonta
click /klɪk/ s naksahdus, loksahdus
v naksahtaa, loksahtaa
client /klaɪənt/ s (lakimiehen, liikkeen) asiakas
clientele /ˌklaɪənˈtel/ s asiakkaat, asiakaskunta

cliff /klɪf/ s kallionjyrkänne, (rannikolla myös) kliffi
cliff dweller s Lounais-Yhdysvallois-sa luolissa ja kallionrinteiden rakennuk-sissa asuneista esihistoriallisista intiaaniheimoista
cliff dwelling s Lounais-Yhdysvalto-jen esihistoriallisten intiaanien kallio-nrinteeseen rakentama asumus
climactic /ˌklaɪˈmæktɪk/ adj: a climactic event huipentuma, huipputapaus
climate /klaɪmət/ s **1** ilmasto **2** (kuv) ilmapiiri
climatic /ˌklaɪˈmætɪk/ adj ilmastollinen, ilmaston
climax /klaɪmæks/ s **1** huipentuma **2** orgasmi
v **1** huipentua **2** saada orgasmi
climb /klaɪm/ s kiipeäminen
v kiivetä (myös kuv), nousta (myös kyytiin)
climb down v laskeutua, nousta/kiivetä alas jostakin
climber s **1** vuorikiipeilijä **2** kiipijä, pyrkyri **3** köynnöskasvi
climb in v nousta kyytiin/sisään/jonnekin
climb the walls fr (sl) kiivetä seinille, raivostua, pillastua
clinch /klɪntʃ/ v sattaa päätökseen, ratkaista, solmia (sopimus)
clincher s ratkaiseva seikka
cling /kliŋ/ v clung, clung: tarttua, takertua, pitää lujasti kiinni jostakin (myös kuv) he clung stubbornly to his old-fashioned views hän piti jääräpäi-sesti kiinni vanhanaikaisista käsityksistään
clinic /klɪnɪk/ s klinikka, sairaala the Mayo Clinic Mayon sairaala
clinical adj **1** kliininen **2** (kuv) viileä, asiallinen, koruton
clink /kliŋk/ s kilahdus
v kilahtaa
clip /klɪp/ s **1** puristin, nipistin, (korun) klipsi paper clip paperiliitin, klemmari (ark) **2** (aseen patruuna)lipas **3** arkisto-filmi(n katkelma) **4** isku, lyönti **5** leikkaa-minen, saksiminen, keriminen
v **1** leikata, saksia, lyhentää, keritä **2** kiinnittää (puristimella), kiinnittyä **3** niellä sanojensa loput **4** lyödä, iskeä **5** hipaista, raapaista
clipboard /ˈklɪpˌbɔrd/ s (lomakkeiden yms) keräilyalusta
clipping s lehtileike
clique /klɪk klik/ s klikki, nurkkakunta
clitoris /klɪtərəs/ s klitoris, häpykieli
cloak /klouk/ s **1** viitta **2** (kuv) verho, salamyhkäisyys, turva
v (kuv) verhota, salata
cloak-and-dagger /ˌkloukənˈdægər/ adj salamyhkäinen, rikos-
cloakroom /ˈklouk,rum/ s vaatesäilö
clock /klak/ s kello
v mitata/saada ajaksi I clocked the race car at 51 seconds mittasin kilpa-auton ajaksi 51 sekuntia
clock in v aloittaa työ johonkin aikaan, tulla työhön, leimata kellokortti
clockmaker /ˈklak,meɪkər/ s kelloseppä
clock out v lopettaa työ johonkin aikaan, lähteä kotiin, leimata kellokortti
clock radio s kelloradio
clock watcher s **1** kelloon tuijottaja joka malttamattomana odottaa työpäivän päättymistä **2** joku joka odottaa hermostuneesti/innokkaasti jotakin
clockwise /ˈklak,waɪz/ adv myötäpäivään
clod /klad/ s **1** (multa- ym) möykky **2** typerys; maatiainen
clog /klag/ s puukenkä
v tukkia, tukkeutua
cloister /kloɪstər/ s **1** ristikäytävä **2** luostari
v sulkea luostariin, (kuv) siirtää (pois tieltä) eläkkeelle
cloistered adj **1** jossa on ristikäytävä **2** eristynyt, eristetty, suojaisa he lives a very cloistered life hän elää maailmalta syrjässä
clone /kloun/ s klooni
v kloonata
close /klous/ adj **1** (ajasta, tilasta) lähellä, lähi- **2** läheinen they were very close friends he olivat hyvin läheiset

ystävät **3** tiheä, tiivis (käsiala, rivi) **4** tarkka (tutkimus, keskittyminen, käännös); tarkkaavainen **5** täpärä (tulos), lähes tasaväkinen (kilpailu)
adv (ajasta, tilasta) lähellä, partaalla

close /klouz/ s loppu to bring/come to a close lopettaa, loppua, päättää, päättyä
v **1** sulkea, sulkeutua, panna/mennä kiinni please close the door sulje ovi **2** lopettaa, loppua, päättää, päättyä he closed his bank account/the meeting/the factory hän lopetti pankkitilinsä, päätti/lopetti kokouksen, sulki tehtaan the play closed Monday näytelmä poistettiin ohjelmistosta maanantaina **3** lähestyä, tulla lähemmäksi **4** pörssipäivän loppunoteerauksesta Exxon stock closed at $195 **5** solmia, viimeistellä we closed the deal at daybreak saimme kaupan solmituksi aamunkoitteessa

close call that was a close call se oli täpärällä

close-cropped /ˌklous'krapt/ adj (hiuksista) lyhyet

close-captioned /ˌklouz'kæpʃənd/ adj (kuulovammaisille) tekstitetty (televisiolähetys)

close-down /'klouzˌdaun/ s (yrityksen) sulkeminen, lopettaminen, lakkautus

close down v (yrityksestä) sulkea ovensa, lopettaa (toimintansa)

closed shop s (tehdas jossa on) ammattiyhdistyspakko

closed stance /'klouzdˌstæns/ s (golf) suljettu stanssi, asento jossa oikeakätinen pelaaja tähtää kohteesta oikealle

close in on v lähestyä jotakuta, olla jonkun jäljillä, käydä johonkuhun kiinni

close-lipped /ˌklous'lɪpt/ adj vähäpuheinen

closely /klousli/ adv **1** läheisesti, tiiviisti, lähi- they are closely related he ovat läheistä sukua toisilleen/he ovat lähisuku(la)isia **2** (kuunnella, seurata, tutkia) tarkasti, huolellisesti

close-mouthed /ˌklous'mauðd/ adj salamyhkäinen, hiljainen, tuppisuu (ark)

closeout /'klouzˌaut/ s **1** (myymälän, tietyn tavaran) loppuunmyynti **2** loppuunmyytävä tavara

closet /klazət/ s (vaate) komero
adj salainen he is a closet homosexual hän ei tunnusta avoimesti olevansa homoseksualisti

close up /klouzʌp/ v sulkea, sulkeutua, umpeutua, panna lukkoon

close-up /klousʌp/ s **1** (valokuva)-suurennos **2** lähikuva
adj lähi-, yksityiskohtainen

close with /'klousˌwɪð/v solmia sopimus jonkun kanssa, hyväksyä tarjous

closing price s (tal) päivän viimeinen hinta

closure /klouʒər/ s (tehtaan, tien, liikkeen) sulkeminen, (haavan) umpeutuminen

clot /klat/ s **1** tukko, hyytymä **2** typerys
v (verestä) hyytyä, hyydyttää, ahtauttaa (verisuonet), ahtautua

cloth /klaθ/ s **1** kangas it's made of cloth **2** liina a table cloth pöytäliina

clothe /klouð/ v vaatettaa, pukea, pukeutua (myös kuv)

clothes /klouðz klouz/ s (mon) vaatteet

clothespin /'klouzˌpɪn/ s pyykkipoika

clothing /klouðiŋ/ s **1** vaatteet **2** peite, päällys

cloud /klaud/ s **1** pilvi (myös savupilvi yms) **2** pilvi, sankka parvi
v **1** sumentaa, samentaa, peittää (näkyvistä) **2** synkistää, synkistyä (ilmeestä), saada näyttämään/tuntumaan synkältä

cloudiness s **1** (taivaan) pilvisyys **2** (nesteen) sameus

cloudless adj pilvetön

cloud over v (taivaasta) mennä pilveen, (kasvoista) synkistyä

cloud up v sumentua, sumentaa, samentaa, höyrystyä

cloudy adj **1** (taivaasta) pilvinen **2** (nesteestä) samea

clout /klaut/ s **1** isku, lyönti **2** (vaikutus)valta

clover /klouvər/ s apila

cloverleaf /'klouvər,lif/ s nelisuuntainen moottoritieristeys, neliapilaliittymä
clown /klaun/ s klovni, (sirkus)pelle (myös kuv)
v pelleillä
club /klʌb/ s **1** nuija, maila **2** (pelikortissa) risti **3** kerho, klubi
v nuijia, hakata, lyödä
club sandwich s kolmikerrosvoileipä
cluck /klʌk/ s (kanan) kotkotus
v kotkottaa
clue /klu/ s vihje, johtolanka, aavistus
clue in v kertoa jollekulle jotakin, paljastaa, perehdyttää joku johonkin
clump /klʌmp/ s joukko, rykelmä (puita, kukkia), möykky
v **1** tarpoa, tallustaa **2** koota yhteen/rykelmäksi
clumsily adv kömpelösti (myös kuv:) epähienosti, moukkamaisesti
clumsiness s kömpelyys
clumsy /klʌmzi/ adj **1** (ihminen, esine, kirjoitus, yritys) kömpelö **2** (teko, huomautus) epähieno, sopimaton, moukkamainen
clung /klʌŋ/ ks cling
cluster /klʌstər/ s ryhmä, joukko, rykelmä, terttu, nippu,
v kokoontua, kasaantua, kertyä, ruuhkautua
clutch /klʌtʃ/ s **1** ote (myös kuv), puristus **2** (auton ym) kytkin
v puristaa, tarttua, pitää lujasti kiinni
clutch at v yrittää saada kiinni/ote jostakin, hapuilla jotakin
clutch at a straw fr (yrittää) tarttua (vaikka) oljenkorteen
clutter /klʌtər/ s (seka)sotku, epäjärjestys
v lojua sikinsokin jossakin
CLV constant linear velocity eräs laserkuvalevytyyppi
CMOS complementary metal oxide semiconductor
c/o care of jonkun luona
CO Colorado
coach /koutʃ/ s **1** (umpinaiset) hevosvaunut **2** linja-auto, (UK) pitkänmatkan linja-auto **3** (lentokoneen) turistiluokka **4** (urheilu)valmentaja **5** yksityisopettaja
v valmentaa, opettaa
coagulate /kou'ægjə,leɪt/ v koaguloitua, hyytelöityä
coagulation /kou,ægjə'leɪʃən/ s koagulaatio, hyytelöityminen
coal /koəl/ s hiili
coalesce /,koə'les/ v yhdistää, yhdistyä
coalescence /,koə'lesəns/ s yhdistäminen, yhdistyminen
coalfield /'koəl,fɪəld/ s hiilikenttä
coalgas /'koəl,gæs/ s hiilikaasu
coalition /,koəə'lɪʃən/ s koalitio, liitto
coalition government s kokoomushallitus
coalmine /'kol,maɪn/ s hiilikaivos
coalminer /'kol,maɪnər/ s hiilikaivosmies
coarse /kɔrs/ adj karkea (pinta, esine, piirteet, puhe), hiomaton, kömpelö
coarsely adv karkeasti, kömpelösti
coarsen v karhentaa, karhentua, karkeuttaa, tehdä/tulla karkeaksi (myös kuv)
coast /koust/ s rannikko
v **1** laskea pulkalla/kelkalla/polkupyörällä mäkeä **2** ajaa (autoa) vapaalla **3** selvitä vähällä vaivalla, (kuv) matkustaa jonkun siivellä
coastal adj rannikko-
coast guard s rannikkovartiosto
coastline s rannikko
Coast Range /'koust,reɪndʒ/ Rannikkovuoret (Kaliforniasta Alaskaan ulottuva vuoristo)
coast-to-coast adj koko Yhdysvallat käsittävä, maanlaajuinen
coat /kout/ s **1** (päällys)takki **2** (eläimen) turkki **3** (maali- tai muu) kerros
v maalata, sivellä, päällystää, kuorruttaa
to be coated with something olla päällystetty jollakin/yltä päältä jossakin
coat hanger s vaateripustin
coating s päällyste, pinta, kerros
coat of arms s vaakuna
coat of mail s panssaripaita
coax /kouks/ v (yrittää) suostutella, taivutella, houkutella they coaxed me into signing the agreement he saivat minut allekirjoittamaan sopimuksen

coaxing s suostettelu, taivuttelu adj imarteleva, mielistelevä
cob /kab/ s **1** pieni hevonen **2** urosjoutsen **3** maissintähkä
cobalt blue /'koubalt,blu/ s, adj koboltinsininen
cobble /kabəl/ s mukulakivi v päällystää mukulakivillä
cobblestone /'kabəl,stoun/ s mukulakivi
COBOL Common Business Oriented Language eräs tietokonekieli
cobra /koubrə/ s kobra
cobweb /'kab,web/ s hämähäkinverkko
cocaine /kou,keɪn/ s kokaiini
cock /kak/ s **1** kukko **2** koiras(lintu) **3** (vesi)hana **4** (aseen) hana **5** (sl) penis v **1** virittää (ase, kameran suljin) **2** höristää (korviaan), kallistaa (päätään, hattua)
cockatoo /'kakə,tu/ s kakadu
cockerel /kakərəl/ s nuori kukko
cock-eyed /'kak,aɪd/ adj **1** kierosilmäinen **2** (sl) älytön, mieletön **3** (sl) juopunut
cockle /kakəl/ s (sydän)simpukka
cockney /kakni/ s **1** Lontoon (työläis)murre **2** syntyperäinen (työväenluokkaan kuuluva) lontoolainen
cockpit /'kak,pɪt/ s (lentokoneen) ohjaamo
cockroach /'kak,routʃ/ s torakka
cockscomb /kakskəm/ s kukonheltta
cocktail /'kak,teɪəl/ s (alkoholi-, hedelmä)cocktail
cock up v munata, tyriä, mokata (ark)
cocoa /koukou/ s **1** kaakao **2** kaakaojuoma
coconut /koukənət koukənʌt/ s kookospähkinä
cocoon /kə'kun/ s (silkkiperhosen) kotelo
C.O.D /,siou'di/ Cash On Delivery jälkivaatimuksella, postiennakolla
cod /kad/ s turska
coddle /kadəl/ v hemmotella, hellitellä (lasta, sairasta)
code /koud/ s **1** säännöt, määräykset, ohjeet **2** salakieli, koodi **3** (tietokonekielissä) koodi v koodata, kääntää salakielelle
codeine /koudin/ s kodeiini
co-ed /,kou'ed/ s naisopiskelija adj **1** (oppilaitoksesta jossa on naisia ja miehiä) yhteis- **2** naisopiskelijoiden
coeducation /kou,edʒə'keɪʃən/ s (miesten ja naisten) yhteiskoulutus
coeducational adj yhteiskoulu(tus)-
coefficient /,koə'fɪʃənt/ s (mat) kerroin
coerce /kou'ərs/ v pakottaa
coercion /kou'ərʃən/ s pakkokeinot, pakottaminen
coercive /kou'ərsɪv/ adj pakko-
coexist /,koəg'zɪst/ v elää/olla olemassa rinnakkain
coexistence /,koəg'zɪstəns/ s rinnakkaiselo
coexistent adj rinnakkainen, samanaikainen
coextensive /,koək'stensɪv/ adj samanaikainen, yhtä suuri/laaja/pitkä, samansisältöinen
coffee /kafɪ/ s kahvi
coffee break s kahvitauko
coffee maker s kahviautomaatti
coffee table book s kuvateos
coffin /kafən/ s ruumisarkku
cog /kag/ s (hammaspyörän) hammas
cogitate /'kadʒə,teɪt/ v miettiä, pohtia, harkita
cogitation /,kadʒə'teɪʃən/ s pohdinta, harkinta, (mon) mietteet, ajatukset
cognac /kounjak/ s konjakki
cognition /,kag'nɪʃən/ s kognitio
cognitive /kagnətɪv/ adj kognitiivinen
cognizance /kagnəzəns/ s tietoisuus, tieto
cognizant adj tietoinen jostakin she is not cognizant of the ramifications hän ei ymmärrä asian seurauksia
cohabit /kou'hæbɪt/ v olla avoliitossa, asua yhdessä
cohabitation /kou,hæbə'teɪʃən/ s avoliitto
cohere /ko'hɪər/ v olla yhtenäinen kokonaisuus, pysyä yhdessä/koossa (myös kuv)

coherence /koʊ'hɪərəns/ s yhtenäisyys, tiiviys, yhdessä/koossapysyminen
coherent adj **1** ymmärrettävä, järkevä **2** yhtenäinen, tiivis, aukoton
cohesion /koʊ'hiʒən/ s **1** (tieteessä) koheesio **2** yhtenäisyys, yhteenkuuluvuus, lujuus
cohesive /koʊ'hisɪv/ adj **1** (tieteessä) kohesiivinen **2** yhtenäinen, sulkeutunut (ryhmä), luja
cohort /koʊhɔrt/ s kohortti (myös kuv), sotajoukko, joukko, ryhmä
coiffure /kwa'fjʊər/ s kampaus
v kammata jonkun hiukset
coil /kɔɪəl/ s **1** vyyhti, kela **2** (sähkö)-kela **3** (ehkäisyväline) kierukka
v vyyhdetä, kelata, kiertää/kiertyä kerälle
coin /kɔɪn/ s kolikko
v **1** lyödä rahaa **2** keksiä uusi sana/ sanonta
coinage /kɔɪnədʒ/ s **1** rahan lyöminen **2** uusi sana/sanonta
coincide /,koʊən'saɪd/ v olla samassa paikassa, samaan aikaan, samanlaiset, käydä yksiin
coincidence /koʊ'ɪndədəns/ s **1** (yhteen)sattuma **2** samanaikaisuus, samanlaisuus
coincident /koʊ'ɪnsədənt/ adj samanaikainen, samassa paikassa tapatuva, samansisältöinen, yhtäläinen
coincidental /koʊ,ɪnsə'dentəl/ adj satunnainen
coincidentally adj sattumalta
coition /coʊ'ɪʃən/ s yhdyntä
coitus /koətəs/ s yhdyntä
coke /koʊk/ s **1** koksi **2** (sl) kokaiini **3** Coke® Coca-Cola®
colander /kaləndər/ s siivilä, vihanneskehikko
cold /koəld/ s **1** kylmyys, pakkanen **2** vilustuminen, kylmettyminen, nuha to catch a cold vilustua
adj **1** kylmä (myös kuv: epäystävällinen) I am cold minun on kylmä, minua paleltaa in cold blood kylmäverisesti **2** tajuton, pyörtynyt **3** (arvuuttelussa) ei lähelläkään oikeaa vastausta
adv **1** ulkoa she learned the notes cold hän opetteli muistiinpanot ulkoa **2** kylmiltään, valmistelematta **3** (voimistavana sanana) siltä istumalta, sen pitemmittä puheitta
cold blood /koəld'blʌd/ to kill someone in cold blood tappaa joku kylmäverisesti
cold-blooded adj kylmäverinen
cold comfort /,koəld'kʌmfərt/ s laiha lohtu
cold cuts s (mon) (liha)leikkeleet
cold feet to get cold feet alkaa jänistää, mennä sisu kaulaan
coldness s kylmyys (myös kuv)
cold shoulder to get/give the cold shoulder saada tyly kohtelu, kohdella tylysti
cold turkey s (huumeiden käytön) yhtäkkinen täydellinen lopetus
cold war s kylmä sota
coliseum /,kalə'siəm/ s stadion, amfiteatteri tms
collaborate /kə'læbə,reɪt/ v **1** olla/ toimia yhteistyössä **2** veljeillä vihollisen kanssa, olla kätyri
collaboration /kə,læbə'reɪʃən/ s **1** yhteistyö **2** veljeily vihollisen kanssa, kätyrinä oleminen
collaborator /kə'læbə,reɪtər/ s **1** kumppani, työtoveri **2** kätyri
collage /kə'laʒ/ s kollaasi
collapse /kə'læps/ s **1** romahdus, luhistuminen, sortuminen **2** (lääk) kollapsi; hermoromahdus **3** (kuv) epäonnistuminen, tuho, luhistuminen
v **1** romahtaa, luhistua, sortua (kasaan) **2** (lääk) luhistua, saada kollapsi; saada hermoromahdus **3** (kuv) epäonnistua, tuhoutua, luhistua, mennä myttyyn
collapsible adj (kokoon)taittuva
collar /kalər/ s **1** kaulus **2** (koiran) kaulapanta **3** (sl) pidätys, vangitseminen
v ottaa/saada kiinni, vangita, pidättää
collared peccary /,kalərd'pekəri/ s kauluspekari
colleague /kalig/ s kollega, työtoveri
collect /kə'lekt/ v **1** kerätä, kerääntyä, koota, kokoontua, kasata, kasautua **2** noutaa, hakea **3** kerätä, periä, kantaa (vero, maksu, velka)

adv vastaanottajan laskuun to call collect soittaa vastapuhelu
collect call s vastapuhelu
collected adj **1** (teokset) kootut **2** rauhallinen, hillitty
collection /kə'lekʃən/ s **1** kokoelma, joukko **2** kerääminen, kokoaminen **3** (kirkon) kolehti
collective /kə'lektɪv/ adj yhteis-, joukko-, ryhmä-, kollektiivi-, kokonais-
collective bargaining s työehtosopimusneuvottelut
collective noun s (kieliopissa) kollektiivisana, muodoltaan yksikölIinen mutta merkitykseltään useampaan kuin yhteen viittaava sana (esim herd, jury, crowd)
collector /kə'lektər/ s **1** keräilijä **2** perijä
college /kalədʒ/ s **1** college, korkeakoulu, yliopisto **2** korkeakoulun, yliopiston osa **3** ammattiopisto **4** (UK) yksityinen toisen asteen oppilaitos
college board s ylioppilaskirjoitukset
collegiate /kə'lidʒət/ adj college-, yliopisto-, opiskelija-
collide /kə'laɪd/ v **1** törmätä yhteen **2** (kuv) ottaa yhteen, riidellä
collie /kali/ s skotlanninpaimenkoira
collier /kaljər/ s **1** hiililaiva **2** hiilikaivostyöläinen
colliery s hiilikaivos
collision /kə'lɪʒən/ s yhteentörmäys (myös kuv)
collocate /'kalə,keɪt/ v (kieliopissa) esiintyä rinnakkain
collocation /,kalə'keɪʃən/ s (kieliopissa) kollokaatio, rinnakkain esiintyminen
colloq. colloquial arkikieltä
colloquial /kə'lookwiəl/ adj puhekielen, arkikielen
colloquialism /kə'lookwiə,lɪzəm/ s puhekielen, arkikielen ilmaus/sanonta
colloquially adj puhekielen, arkikielen omaisesti
collusion /kə'luʒən/ s salaliitto
Colo. Colorado
Cologne /kə'loon/ Köln
Colombia /kə'loombiə/ Kolumbia
Colombian s, adj kolumbialainen
colon /koolən/ s **1** paksusuoli **2** kaksoispiste
colonel /kərnəl/ s eversti
colonial /kə'looniəl/ s uudisasukas, siirtolainen
adj siirtomaa-
colonialism /kə'looniə,lɪzəm/ s kolonialismi
colonialist /kə'looniə,lɪst/ s kolonialismin kannattaja
colonist /kalənət/ s uudisasukas, siirtolainen
colonize /kalənaɪz/ v asuttaa, tehdä siirtokunnaksi/siirtomaaksi
colonnade /,kalə'neɪd/ s pylväikkö, kolonnadi
colony /kaləni/ s siirtokunta, siirtomaa
color /kʌlər/ s **1** väri **2** (ihon)väri, kasvojen väri that brought the color to his face se sai hänet punastumaan **3** väri(aine) **4** (kuv) väri, tunnelma local color paikallisväri **5** väritys, vääristäminen, puolueellisuus **6** lippu to show your true colors tunnustaa väriä, paljastaa todelliset ajatuksensa/todellinen luonteensa
v **1** värittää, värjätä, värjäytyä **2** (kuv) värittää (tarinaa), vääristää
Colorado /,kalə'rædoo/
Colorado Plateau /,kalə'rædoo,plæ'too/ Coloradon laakio
color bar s roturajat
color blind adj **1** värisokea **2** jolla ei ole rotuennakkoluuloja
color blindness s värisokeus
colored adj **1** värillinen (myös ihmisestä), kirjava **2** (kuv) väritetty, vääristetty
colorfast /'kʌlər,fæst/ adj värinpitävä (kangas)
colorful adj värikäs (myös kuv), kirjava (myös kuv)
colorfulness s värikkyys (myös kuv), kirjavuus (myös kuv)
coloring s **1** ihonväri **2** väriaine **3** värittäminen, maalaaminen **4** (kuv) värittäminen, vääristäminen
coloring book s (lasten) värityskirja

colorization /ˌkʌlərɪ'zeɪʃən/ s vanhojen mustavalkoelokuvien väritys tietokoneitse
colorless adj väritön (myös kuv:) harmaa, ankea
colorlessness s värittömyys (myös kuv:) harmaus, ankeus
color line s roturajat
color picture s väri(valo)kuva
color printer /ˌkʌlər'prɪntər/ s väritulostin
color scheme s väriyhdistelmä, värit
color slide s väridia
color television s väritelevisio
color temperature s värilämpötila
color transparency s väridia
colt /koult/ s varsa
Columbia /kə'lʌmbiə/ Kolumbia
Columbus /kə'lʌmbəs/ kaupunki Ohiossa
column /kaləm/ s **1** pylväs, pilari **2** (sanomalehden) palsta **3** sarake **4** jono, (perättäinen) rivi
columnist /'kaləmˌnɪst/ s kolumnisti
coma /koumə/ s **1** (komeetan) huntu, koma **2** kooma
comatose /'kouməˌtous/ adj koomassa oleva, kooma-
comb /koum/ s kampa
v **1** kammata (tukka), harjata (hevonen) **2** etsiä, haravoida (kuv) tarkkaan (for jotakin)
combat /kambæt/ s taistelu
v taistella, sotia (myös kuv)
combatant /kəm'bætənt/ s taistelija, soturi
combative /kəm'bætɪv/ adj riidanhaluinen, hyökkäävä
combination /ˌkambə'neɪʃən/ s yhdistelmä, pari
combination lock s yhdistelmälukko
combine /'kamˌbaɪn/ s liikeyhtymä, konserni
v yhdistää, yhdistyä, liittää/liittyä yhteen
combined /kəm'baɪnd/ adj yhteinen, yhdistetty, yhteis-
combine harvester /ˌkambaɪn'harvəstər/ s leikkuupuimuri
combo /kambou/ s yhdistelmä (combination): a TV/VCR combo televisio jossa on sisäänrakennettu kuvanauhuri
comb out v **1** kammata **2** tehdä puhdistus (kuv), poistaa (virheet)
comb through v etsiä, haravoida (kuv) tarkkaan
combustible /kəm'bʌstəbəl/ s palava aine
adj palava
combustion /kəm'bʌstʃən/ s palaminen, polttaminen
combustion chamber s (mäntämoottorin) palotila, (rakettimoottorin) polttokammio
combustion engine s polttomoottori
come /kʌm/ s (sl) sperma
v came, come **1** tulla, saapua, päästä jonnekin she has come a long way hän on tullut kaukaa, (kuv) hän on päässyt pitkälle we've come to an agreement olemme päässeet sopimukseen **2** tulla, olla, kuulua A comes before B A on ennen B:tä **3** tapahtua **4** lopputuloksesta: come true toteutua, käydä toteen it came off se irtosi **5** saada orgasmi he came häneltä tuli **6** infinitiivin kanssa: I did not come to think of it then se ei tullut silloin mieleenikään
come about v tapahtua, sattua, käydä
come across v **1** sattua tapaamaan, törmätä johonkuhun **2** (ark) pulittaa, maksaa **3** (ark) pitää sanansa, täyttää lupauksensa **4** olla selvä, käydä selvästi ilmi
come again fr anteeksi kuinka?
come along v **1** lähteä mukaan **2** edetä **3** tarjoutua, ilmetä
come around v **1** tulla tajuihinsa **2** muuttaa mielensä **3** käydä jossakin, vierailla, piipahtaa **4** leppyä, tyyntyä
come at v käydä/hyökätä jonkun kimppuun
come back v **1** palata jonnekin, tulla takaisin **2** palautua mieleen, muistua mieleen, muistaa **3** vastata (tietyllä tavalla)
come by v hankkia, saada käsiinsä

come clean v tunnustaa, kertoa kaikki
COMECON Council for Mutual Economic Assistance (hist) Keskinäisen taloudellisen avun neuvosto, SEV
comedian /kə'midıən/ s koomikko
comedienne /kə,midı'en/ s komedienne
come down v **1** periytyä **2** (kuv) joutua kaltevalle/luisuvalle pinnalle, mennä jossakin suhteessa alaspäin **3** (sl) tapahtua some serious shit is coming down jotain suurta on tekeillä
come down on v **1** vastustaa **2** moittia, haukkua, sättiä
come down with v sairastua johonkin
comedy /kamədi/ s komedia (myös kuv), huvinäytelmä
come forward v tarjoutua (tekemään jotakin)
come home to roost fr kostautua, koitua jonkun omaksi vahingoksi
come in for v saada osakseen
come in handy fr olla hyvään tarpeeseen, olla apua
come into v **1** saada, päästä käsiksi johonkin **2** periä
come into line v **1** järjestyä riviin **2** alistua, mukautua, sopeutua
come into your own fr päästä omilleen/kuiville
come into the world fr syntyä
come off v **1** tapahtua, sattua **2** selvitä hienosti, onnistua **3** irrota (myös kuv:) olla onnistunut, mennä hyvin
come off it fr älä viitsi(valehdella)!, lopeta!
come on v **1** tavata, kohdata sattumalta **2** alkaa **3** (huudahduksena esim) älä viitsi!, lopeta!; kiirehdi! **4** (sl) lähennellä
come your way fr kohdata, sattua jollekulle, (onni) käydä
come out v **1** (kirjasta) ilmestyä **2** paljastua, tulla ilmi **3** päättyä, loppua (tietyllä tapaa) **4** tunnustautua homoseksualistiksi come out of the closet (kuv) tulla ulos komerosta
come out in the wash fr **1** päättyä onnellisesti, käydä hyvin **2** paljastua, tulla ilmi
come out of your shell fr (kuv) tulla ulos kuorestaan
come out of the closet fr tunnustautua homoseksualistiksi, tulla ulos komerosta; myös muusta paljastamisesta
come out with v **1** kertoa, paljastaa **2** julkaista, laskea liikkeelle
come rain or shine fr satoi tai paistoi (myös kuv)
come round ks come around
come short fr jäädä vajaaksi, ei riittää; ei kelvata
comet /kamət/ s komeetta
come through v **1** selvitä jostakin **2** pitää sanansa, täyttää lupauksensa I'm not sure she will come through for me en ole varma voinko luottaa hänen apuunsa
come to v **1** virota, tulla tajuihinsa **2** (hinnasta) tehdä yhteensä
come to your senses fr tulla järkiinsä, järkiintyä
come to pass fr tapahtua, sattua, käydä
come to play fr (ark) tulla tosissaan leikkiin mukaan
come to terms fr **1** päästä sopimukseen **2** (kuv) alistua, nöyrtyä (esim kohtaloonsa)
come true his dream has come true hänen haaveensa on toteutunut
come under v kuulua johonkin ryhmään/jonkin tehtäviin/vastuulle
come up v tulla puheeksi/esiin/käsittelyyn
come upon v kohdata/tavata/löytää sattumalta
come up roses fr selvitä pelkällä säikähdyksellä
come up to v **1** lähestyä, puhutella jotakuta **2** (yl kielteisenä:) ei olla lähelläkään jotakin, ei olla läheskään samaa luokkaa kuin
come up with v pystyä antamaan, keksiä, hankkia, pulittaa
comfort /kʌmfərt/ s **1** mukavuus **2** lohtu, lohdutus
v lohduttaa

comfortable /kʌmftərbəl/ adj mukava (olo, tuoli, toimeentulo)
comfortably adv (istua, tulla toimeen) mukavasti
comfort station s mukavuuslaitos, wc
comic /kamɪk/ s **1** koomikko **2** sarjakuvalehti
adj koominen, huvittava, hauska
comical adj koominen, huvittava, hauska
comic book s sarjakuvalehti
comic relief s vapauttava/helpottava komiikka
comics s (mon) sarjakuvat
comic strip s sarjakuva
coming /kʌmiŋ/ s saapuminen, tulo
adj **1** tuleva **2** lupaava he is a coming politician
comma /kamə/ s pilkku
command /kə'mænd/ s **1** käsky, määräys **2** käskyvalta to be in command johtaa, määrätä, olla johtajana **3** valta, hallinta my command of Russian is very poor hallitsen venäjää erittäin huonosti
v **1** käskeä, määrätä **2** komentaa, johtaa (alusta, armeijaa) **3** hallita, olla käytössään he commands an enormous vocabulary hänellä on valtava sanavarasto **4** tarjota (näköala), jostakin näkee jonnekin **5** herättää (kunnioitusta) **6** vaatia (korkea hinta)
commandant /ˌkamən'dant/ s komendantti
commandeer /ˌkamən'diər/ v **1** kutsua (väkisin/pakottaa) sotilaspalvelukseen **2** ottaa (yksityisomaisuutta) armeijan käyttöön
commander /kə'mændər/ s komentaja, johtaja
commander-in-chief s (sot) ylipäällikkö
commanding adj **1** (olemus) kunnioitusta herättävä, (ääni) komenteleva, määräävä **2** (näköala) avara, laaja
commanding officer s johtava upseeri, johtaja
commandment /kə'mændmənt/ s käsky the Ten Commandments
commando /kə'mænˌdou/ s kommando(joukkojen sotilas)
commemorate /kə'meməˌreɪt/ v muistaa jotakuta edesmennyttä, juhlistaa mennyttä tapahtumaa
commemoration /kəˌmemə'reɪʃən/ s **1** muistojuhla **2** muistomerkki
commemorative /kə'memərəˌtɪv/ adj muisto-
commence /kə'mens/ v aloittaa, alkaa
commencement /kə'mensmənt/ s **1** alku **2** lukukauden päätösjuhla
commend /kə'mend/ v **1** ylistää **2** suositella **3** antaa jonkun huostaan
commendable adj kiitettävä
commensurately adj vastaavasti, samassa määrin
commensurate with /kə'mensərət/ adj jotakin vastaava
comment /kament/ s huomautus, kannanotto to make a comment on/about huomauttaa jostakin, lausua mielipiteensä jostakin
v huomauttaa, ottaa kantaa, lausua mielipiteensä
commentary /'kamənˌteri/ s **1** selitysteos tms a Bible commentary **2** (radio/ televisio)selostus
commentate /'kamənˌteɪt/ v selostaa (radiossa, televisiossa)
commentator /'kamənˌteɪtər/ s (radio/televisio)selostaja
commerce /kamərs/ s kauppa, kaupankäynti
commercial /kə'mərʃəl/ s televisiomainos
adj kaupallinen
commercialize /kə'mərʃəˌlaɪz/ v kaupallistaa
commercially adv kaupallisesti
commercial paper s (tal) luottomuoto jossa ensisijaisena luottovälineenä käytetään lyhytaikaisia velkakirjoja (promissory notes)
commercial traveler s kauppamatkustaja
commiserate /kə'mɪzəˌreɪt/ v ottaa osaa jonkun suruun to commiserate with someone in something

commiseration /kə,mɪzə'reɪʃən/ s osanotto (toisen suruun)
commision /kə'mɪʃən/ s **1** komissio, toimikunta **2** välityspalkkio, myyntipalkkio, provisio I work on commision teen työtä provisiota vastaan **3** käyttö, liikenne to put into commission, to take out of commission, to be out of commission ottaa käyttöön/liikenteeseen, poistaa käytöstä/liikenteestä, olla poissa käytöstä/liikenteestä (myös kuv) **4** (työ)tilaus, (työ)määräys **5** upseeriksi nimitys v **1** palkata joku tekemään jotakin, tilata (maalaus) **2** nimittää upseeriksi
commissioner /kə'mɪʃənər/ s **1** toimikunnan jäsen **2** police commissioner poliisipäällikkö
commit /kə'mɪt/ v **1** tehdä (rikos, virhe) he committed murder/an error hän teki murhan/virheen **2** määrätä (mielisairaalaan, vankilaan) **3** sitoutua (johonkin, to) **4** panna (paperille), painaa (mieleen)
commitment s sitoumus, lupaus, sitoutuminen to make a firm commitment luvata vakaasti, sitoutua lujasti
committee /kə'mɪti/ s komitea, toimikunta, valiokunta
commodity /kə'madə,ti/ s (kauppa)tavara, maataloustuote, (pörssissä) hyödyke
commodity exchange s (tal) hyödykepörssi
commodity market s hyödykemarkkinat
common /kamən/ s yhteisniitty to have something in common with (kuv) olla jotakin yhteistä jonkun/jonkin kanssa adj **1** yhteinen **2** yleinen, tavallinen **3** huono(laatuinen) **4** (tavoista) karkea, huono
commoner /kamənər/ s **1** tavallinen ihminen **2** (UK) aateliton ihminen
common duiker /daɪkər/ s grimminsukeltajakauris
common echidna /ə'kidnə/ s nokkasiili, myös: short-beaked echidna
common knowledge s (asia joka on) kaikkien tiedossa, yleisesti tunnettu
common law s angloamerikkalainen lakijärjestelmä, tapaoikeus
common-law wife s avovaimo
commonly adv yleisesti, usein, monesti
common man s tavallinen ihminen, keskivertoihminen
common noun s yleisnimi
common opossum /ə'pasəm/ s virginianopossumi
commonplace /'kamən,pleɪs/ s latteus, itsestään selvyys adj tavallinen, arkinen
Commons /kamənz/ s Ison-Britannian parlamentin alahuone
common sense s terve (talonpoikais)järki
commonwealth /'kamən,wealθ/ s **1** osavaltio, liittovaltio the Commonwealth of Kentucky Kentuckyn osavaltio **2** Commonwealth Brittiläinen kansainyhteisö
Commonwealth of Nations /'kæmən,wealθəv'neɪʃənz/ Kansainyhteisö, Brittiläinen kansainyhteisö
commotion /kə'moʊʃən/ s meteli, häly, sekaannus, äläkkä
communal /kə'mjunəl/ adj **1** kunnallinen, kunnan **2** yhteinen, yhteis-
communally adj yhteisesti, yhteis-
commune /kamjun/ s kommuuni
commune /kə'mjun/ v **1** käydä ehtoollisella **2** keskustella jonkun kanssa, olla yhteydessä johonkuhun
communicable /kə'mjunɪkəbəl/ adj **1** (sairaus) tarttuva **2** (ajatus) jonka voi välittää toisille
communicate /kə'mjunɪ,keɪt/ s **1** tartuttaa (tauti) **2** viestiä, olla yhteydessä **3** välittää (tunne), pukea sanoiksi **4** (huoneista) olla yhteydessä toisiinsa, olla varustettu väliovella
communication /kə,mjunɪ'keɪʃən/ s **1** (taudin) tartuttaminen, tarttuminen **2** viestintä, ajatustenvaihto **3** viesti, uutinen, sanoma **4** (tieto)liikenneyhteys **5** käytävä, väliovi
communications satellite s viestintäsatelliitti

communicative /kə'mjuːnɪkətɪv/ adj puhelias, halukas puhumaan
communion /kə'mjuːnjən/ s **1** yhteys, yhteydenpito, keskustelu **2** seurakunta **3** ehtoollinen
communiqué /kə,mjuːnɪ'keɪ/ s kommunikea, tiedonanto
communism /'kamjə,nɪzəm/ s kommunismi
communist /'kamjə,nɪst/ s kommunisti
adj kommunistinen
community /kə'mjuːnətɪ/ s **1** yhteisö, kunta **2** (suuri) yleisö, ihmiset, yhteiskunta **3** munkkikunta, nunnakunta **4** yhteys, yhteisyys, yhteisomistus
community center s kuntakeskus, monitoimitalo
community relations s (mon) (yrityksen) yhteiskuntasuhteet
commute /kə'mjuːt/ s työmatka
v **1** kulkea työhön/työstä she commutes by car hän käy työssä omalla autolla **2** lieventää tuomiota **3** vaihtaa jokin johonkin
commuter s työmatkan tekijä
adj heiluri-, lähi commuter traffic heiluriliikenne, lähiliikenne, sukkulaliikenne
Comoros /'kamə,rouz/ (mon) Komorit
compact /kampækt/ s **1** puuterirasia **2** pieni henkilöauto **3** virallinen sopimus
compact /kəm'pækt/ v (lumesta, maasta) tallata/tallautua kovaksi
adj pieni(kokoinen)
compact disc s CD-levy
companion /kəm'pænjən/ s seuralainen, ystävä
companionable adj seurallinen
companionship s seura
company /kʌmpənɪ/ s **1** seura why don't you keep him company for a while? pidä hänelle vähän aikaa seuraa **2** (liike)yritys he has a small computer company hänellä on pieni tietokonefirma **3** (sot) komppania
comparable /kampərəbəl/ adj vastaava, verrattavissa oleva
comparably adv vastaavasti, samassa määrin
comparative /kəm'perətɪv/ s (kieliopissa) komparatiivi
adj **1** vertaileva comparative linguistics vertaileva kielitiede **2** aika, melko, verraten we live in comparative comfort elämme verraten mukavasti
comparatively adv **1** vertailevasti **2** aika, melko, verraten, suhteellisen
compare /kəm'peər/ s: beyond compare kaiken vertailun yläpuolella, verraton
v **1** verrata to compare something with something **2** voida verrata these two cars don't compare well näitä kahta autoa ei voi verrata toisiinsa, nämä kaksi autoa eivät ole ollenkaan tasaveroiset
compare notes fr vaihtaa kuulumisia, vertailla kokemuksiaan
comparison /kəm'perəsən/ s **1** vertailu by/in comparison with johonkin verrattuna there is no comparison niitä ei voi verratakaan, ne eivät ole ollenkaan tasaveroiset **2** (kieliopissa) vertailu
compartment /kəm'partmənt/ s **1** lokero **2** (juna)osasto
Compass (tähdistö) Kompassi
compass /kʌmpəs/ s **1** kompassi **2** (mon) harppi a pair of compasses harppi **3** (kuv) alue, puitteet, piiri
compassion /kəm'pæʃən/ s myötätunto
compassionate /kəmpæʃənət/ adj myötätuntoinen
compatibility /kəm,pætə'bɪlətɪ/ s johonkin sopivuus, yhteensopivuus
compatible /kəm'pætəbəl/ adj johonkin sopiva, yhteensopiva, jonkin mukainen
compatibly adv yhteensopivasti
compatriot /kəm'peɪtrɪət/ s maanmies, saman maan kansalainen
compel /kəm'pel/ v pakottaa joku tekemään jotakin
compelling adj **1** (syy) pakottava **2** (vaikutus, esitys, silmät) voimakas, voimakkaasti vaikuttava
compendium /kəm'pendiəm/ s käsikirja, kompendi

compensate /'kampən,seɪt/ v korvata, hyvittää, (psyk) kompensoida
compensation /,kampən'seɪʃən/ s korvaus, hyvitys, (psyk) kompensaatio
compensatory /kəm'pensə,tɔri/ adj korvaava, (psyk) kompensoiva
compete /kəm'pit/ v kilpailla to compete with someone for something kilpailla jonkun kanssa jostakin to compete against someone kilpailla jotakuta vastaan
competence /kampətəns/ s **1** pätevyys, taidot, osaaminen **2** (lak) pätevyys **3** (kielitieteessä) kompetenssi
competency /kampətənsi/ ks competence
competent /kampətənt/ adj **1** pätevä (tekemään jotakin), osaava **2** (tiedot) riittävä **3** (lak) pätevä
competently adv pätevästi, taitavasti, osaavasti
competition /,kampə'tɪʃən/ s **1** kilpailu, kilpaileminen **2** kilpailu(tilaisuus), ottelu
competitive /kəm'petətɪv/ adj **1** (ihminen) innokas/valmis kilpailemaan **2** (hinta) kilpailukykyinen **3** (ala) jolla vallitsee kova kilpailu
competitor /kəm'petɪtər/ s kilpailija (liikealalla, ottelussa ym)
compilation /,kampə'leɪʃən/ s kokoelma
compile /kəm'paɪəl/ v koota, laatia, tehdä (sanakirja, luettelo)
compiler s **1** (sanakirjan, luettelon) tekijä **2** (tietok) kääntäjä
complacence ks complacency
complacency /kəm'pleɪsənsi/ s omahyväisyys
complacent /kəm'pleɪsənt/ adj omahyväinen, itsekylläinen, itserakas
complacently adv **1** omahyväisesti, itsekylläisesti, itserakkaasti **2** varauksettomasti, harkitsematta
complain /kəm'pleɪn/ v valittaa, esittää valitus
complaint /kəm'pleɪnt/ s **1** valitus **2** vaiva, sairaus
complaisance /kəm'pleɪsəns/ s huomaavaisuus, kohteliaisuus, ystävällisyys
complaisant /kəm'pleɪsənt/ adj huomaavainen, kohtelias, ystävällinen
complement /kampləmənt/ s **1** täydennys **2** (miehistön) täysi vahvuus **3** (kieliopissa) objekti; predikatiivi **4** (joukko-opissa) komplementti **5** komplementtiväri
v **1** täydentää **2** saada/tehdä valmiiksi
complementary /,kamplə'mentəri/ adj täydentävä, toisiaan täydentävät, (väri) komplementti-
complementary color s komplementtiväri, täydennysväri
complete /kəm'plit/ adj **1** täydellinen, täysi, ehjä, eheä, kokonainen, yhtenäinen this is a complete set tämä on täydellinen sarja, tästä ei puutu yhtään you are a complete fool sinä olet täysi typerys **2** valmis
completely adv täysin, täydellisesti, kokonaan
completion /kəm'pliʃən/ s **1** valmistuminen, valmiiksi saaminen **2** täydentäminen, täydennys **3** (opintojen) päättäminen, valmistuminen
complex /kampleks/ s **1** (rakennus/teollisuus)kompleksi **2** (psyk) kompleksi
complex /kəm'pleks/ adj mutkikas, monimutkainen
complexion /kəm'plekʃən/ s **1** ihonväri, sävy **2** (kuv) kanta, sävy, väri his political complexion hänen poliittinen kantansa
complexity /kəm'pleksəti/ s mutkikkuus, monimutkaisuus
complex number s kompleksiluku
compliance /kəm'plaɪəns/ s kuuliaisuus, tottelevaisuus, (sääntöjen) noudattaminen
compliant /kəm'plaɪənt/ adj **1** kuuliainen, tottelevainen **2** avulias
complicate /'kamplə,keɪt/ v mutkistaa (asioita)
complicated /'kamplə,keɪtəd/ adj mutkikas, monimutkainen
complication /,kamplə'keɪʃən/ s **1** mutkikkuus, monimutkaisuus **2** (lääk) komplikaatio, lisätauti
complicity /kəm'plɪsəti/ s rikostoveruus, kanssasyyllisyys

compliment /kampləmənt/ s **1** ylistys, kiitos, kehu, kohteliaisuus **2** (mon) terveiset; onnittelut
v ylistää, kiittää, kehua
complimentary /ˌkampləˈmentəri/ adj **1** ylistävä, imarteleva, kohtelias **2** ilmainen the drinks are complimentary juomat ovat ilmaisia a complimentary copy ilmainen (lehden) numero
comply with /kəmˈplaɪ/ v totella, noudattaa sääntöjä/sopimusta, suostua, myöntyä (pyyntöön, vaatimukseen)
component /kəmˈpounənt/ s osa, (erillis)komponentti, osatekijä
adj osa-, erillinen, erillis-
compose /kəmˈpouz/ v **1** säveltää (musiikkia) **2** kirjoittaa (kirje, runo) **3** (kirjapainossa) latoa **4** koota ajatuksensa, rauhoittua **5** koostaa, koostua, muodostaa, muodostua the mixture is composed of water and chemicals seos on vettä ja kemikaaleja
composed adj rauhallinen, rauhoittunut, tyyni
composer s säveltäjä
composite /kəmˈpazət/ s **1** mykerökukkainen kasvi **2** komposiittimateriaali, yhdistemateriaali
adj yhdistelmä-, (eri osista) yhdistetty
composition /ˌkampəˈzɪʃən/ s **1** koostumus, rakenne **2** (kirjeen, runon) kirjoittaminen **3** sävellys(työ) **4** aine(kirjoitus) **5** (kirjapainossa) ladonta
compositor /kəmˈpazətər/ s (kirjapainossa) latoja
compost /ˈkamˌpoust/ s komposti
composure /kəmˈpouʒər/ s mielenmaltti, rauhallisuus, tyyneys I finally regained my composure vihdoin minä rauhoituin/sain mielenmalttini takaisin
compound /ˈkamˌpaʊnd/ s **1** suljettu alue, ryhmä rakennuksia, (sota)vankilan piha, eläintarhan aitaus **2** yhdyssana **3** (kemiallinen) yhdiste
compound /kəmˈpaʊnd/ v **1** mutkistaa, sekoittaa (asioita) **2** sekoittaa (yhteen) **3** sopia (oikeusjuttu, velanmaksu)
adj yhdistelmä-, (eri osista) yhdistetty
compound interest /ˈkamˌpaʊnd/ s korkoa korolle
comprehend /ˌkamprɪˈhend/ v **1** ymmärtää, käsittää **2** sisältää, käsittää her new book comprehends both psychology and psychiatry hän käsittelee uudessa kirjassaan sekä psykologiaa että psykiatriaa
comprehensibility /ˌkamprɪhensəˈbɪləti/ s ymmärrettävyys
comprehensible /ˌkamprɪˈhensəbəl/ adj ymmärrettävä not comprehensible käsittämätön
comprehension /ˌkamprɪˈhenʃən/ s **1** käsityskyky, ymmärrys **2** mukaan lukeminen, sisältyminen, sisältäminen **3** (luetun/kuullun) ymmärtämiskoe
comprehensive /ˌkamprɪˈhensɪv/ adj laaja, kattava, perusteellinen
comprehensively adj laajasti, kattavasti, perusteellisesti
comprehensiveness s laajuus, kattavuus, perusteellisuus
comprehensive school s (UK) peruskoulu
compress /kəmˈpres/ v puristaa (kokoon), puristua, tiivistää (myös tekstiä), tiivistyä, lyhentää (kirjaa)
compress /ˈkamˌpres/ s (lääk) kompressi, harsotaitos
compressed air s paineilma
compression /kəmˈpreʃən/ s (kokoon)puristus, tiivistys, lyhentäminen
compressor /kəmˈpresər/ s kompressori
comprise /kəmˈpraɪz/ v käsittää, kattaa, koostua jostakin
compromise /ˈkamprəˌmaɪz/ s kompromissi, sovinto, ratkaisu
v **1** tinkiä jostakin, tehdä kompromissi **2** vaarantaa, panna alttiiksi **3** saattaa häpeään, tahrata (maine)
compromising adj epäilyttävä (tilanne), vahingollinen (maineelle)
compulsion /kəmˈpʌlʃən/ s **1** pakko **2** (psyk) pakkomielle, kompulsio
compulsive /kəmˈpʌlsɪv/ adj pakonomainen, pakko-, kompulsiivinen
compulsory /kəmˈpʌlsəri/ adj pakollinen

compunction /kəm'pʌŋkʃən/ s omantunnonpistot, syyllisyyden tunne
compute /kəm'pjut/ v laskea (tietokoneella tai muuten)
computer /kəm'pjutər/ s tietokone
computerize /kəm'pjutə,raɪz/ v tietokoneistaa
compy. company yritys
comrade /'kam,ræd/ s toveri (myös pol)
con /kan/ s **1** huijaus, puhallus **2** (ark) vanki
v huijata, pettää
concave /kan'keɪv/ adj kovera
conceal /kən'siəl/ v peittää, kätkeä, salata
concealment s salailu, salaaminen, kätkeminen
concede /kən'sid/ v **1** luopua jostakin, luovuttaa, antaa pois **2** myöntää (jotakin, jollekin jotakin) **3** antaa periksi, antautua
conceit /kən'sit/ s omahyväisyys, itserakkaus
conceited adj omahyväinen, itserakas
conceitedly adv omahyväisesti, itserakkaasti
conceitedness s omahyväisyys, itserakkaus
conceivable /kən'sivəbəl/ adj uskottava, kuviteltavissa oleva it is not conceivable that on mahdotonta edes kuvitella että
conceivably adv mahdollisesti
conceive /kən'siv/ v **1** tehdä/tulla raskaaksi, hedelmöityä **2** keksiä, kuvitella, suunnitella **3** ymmärtää, käsittää, mieltää
conceive of v keksiä, kuvitella
concentrate /'kansən,treɪt/ s (esim mehu)tiiviste, (kem) väkevöite, konsentraatti
v **1** keskittyä, keskittää, kohdistua, kohdistaa **2** (kem) väkevöidä
concentration /,kansən'treɪʃən/ s **1** keskittyminen, keskittymiskyky **2** (esim joukkojen) keskitys **3** (kem) tiiviste, väkevöite
concentration camp s keskitysleiri
concentric /kən'sentrɪk/ adj (ympyrä) samankeskinen
concept /kansept/ s käsitys, käsite
conception /kən'sepʃən/ s **1** käsitys, käsite in its original conception alun perin, alkuperäisessä asussaan **2** hedelmöitys, sikiäminen
conceptual /kən'sepʃuəl/ adj käsitteellinen
conceptualism /kən'sepʃuə,lɪzəm/ s konseptualismi
concern /kən'sərn/ s **1** asia it's really none of your concern se ei kuulu sinulle **2** huolenaihe, huolestuminen
v **1** koskea jotakin, liittyä johonkin, kuulua jollekulle **2** välittää, olla kiinnostunut/huolissaan jostakin
concerning prep jotakin koskien, mitä johonkin tulee, jostakin
concert /kansərt/ s **1** konsertti **2** in concert yhteistyössä, yhteisvoimin
concert /kən'sərt/ v ponnistella yhdessä, yhdistää voimat
concerted adj (yritys) yhteinen, yhteis-
concertina /,kansər'tinə/ s harmonikka
concerto /kən'tʃeərtou/ s konsertto
concession /kən'seʃən/ s myönnytys
conciliate /kən'sɪli,eɪt/ v lepyttää, saada leppymään, tyynyttää, sovittaa (kiista)
conciliation /kən,sɪli'eɪʃən/ s lepyttely, leppyminen, sovinto
conciliatory /kən'sɪliə,tɔri/ adj sovinnollinen, lepyttelevä, tyynyttelevä
concise /kən'saɪs/ adj tiivis, ytimekäs
concisely adv tiiviisti, ytimekkäästi, lyhyesti
conciseness s tiiviys, ytimekkyys
conclude /kəŋ'klud kən'klud/ v **1** lopettaa, päättää **2** päätellä, tulla johonkin johtopäätökseen
conclusion /kəŋ'kluʒən kən'kluʒən/ s **1** lopetus, päätös, loppu in conclusion lopuksi, viimeiseksi **2** johtopäätös, päätelmä
conclusive /kəŋ'klusɪv kən'klusɪv/ adj **1** vakuuttava, aukoton (todiste) **2** lopullinen (päätös)

conclusively adv **1** (osoittaa) vakuuttavasti, aukottomasti, ilman epäilyksen häivää **2** (päättää) lopullisesti
concoct /kəŋ'kakt kən'kakt/ v **1** (ruuasta) laittaa, valmistaa, kyhätä kokoon **2** keksiä omasta päästään, sepittää
concoction /kəŋ'kakʃən kən'kakʃən/ s **1** (ruuasta) pöperö **2** sepite, tuulesta temmattu juttu, tekosyy
concord /'kaŋ,kɔrd, 'kan,kɔrd/ s **1** sopusointu **2** yksimielisyys
concordance /kəŋ'kɔrdəns kən'kɔrdəns/ s **1** sopimus **2** (esim Raamatun) konkordanssi, sanahakemisto
concourse /'kaŋ,kɔrs, 'kan,kɔrs/ s **1** ihmisjoukko, väentungos **2** (asema)-halli **3** (puiston ajo/kävely)tie
concrete /kəŋ'krit/ adj konkreettinen, kouraantuntuva the concrete sense of a word sanan kirjaimellinen merkitys
concrete /'kaŋ,krit/ s betoni
concur /kəŋ'kər kən'kər/ v **1** olla samaa mieltä jostakin, suostua johonkin **2** osua samaan aikaan **3** vaikuttaa yhdessä johonkin everything concurred to make it a perfect celebration
concurrence s **1** yksimielisyys, suostumus, kannatus **2** (tapahtumien) samanaikaisuus **3** (mat) leikkauspiste
concurrent adj **1** yksimielinen **2** samanaikainen **3** yhteinen, yhteis- **4** samansisältöinen
concurrently adv samanaikaisesti
concuss /kəŋ'kʌs kən'kʌs/ v aiheuttaa aivotärähdys
concussion /kəŋ'kʌʃən kən'kʌʃən/ s aivotärähdys
condemn /kən'dem/ v **1** tuomita (jonkun teko, joku vankeuteen, myös kuv:) because he had no education he was condemned to lousy jobs hän oli koulutuksen puutteessa tuomittu tekemään hanttihommia **2** julistaa (rakennus) asuinkelvottomaksi, määrätä purettavaksi
condemnation /,kandəm'neɪʃən/ s tuomio, tuomitseminen
condemnatory /kən'demnə,tɔri/ adj tuomitseva, (arovostelu) musertava

condensation /,kandən'seɪʃən/ s **1** tiivistyminen **2** (tiivistyneen kosteuden muodostamat) vesipisarat **3** (tekstin) lyhentäminen **4** (tekstin) lyhennelmä, tiivistelmä
condense /kən'dens/ v **1** tiivistää, tiivistyä, lauhduttaa, lauhtua, nesteyttää, nesteytyä **2** lyhentää, tiivistää (tekstiä)
condenser s **1** lauhdutin **2** (sähk) kondensaattori
condescend /,kandə'send/ v **1** alentua/nöyrtyä tekemään jotakin **2** käyttäytyä ylimielisesti, kohdella jotakuta alentavasti
condescending adj **1** alentava **2** ylimielinen
condescendingly adj **1** alentavasti **2** ylimielisesti
condiment /kandəmənt/ s (ruuan) lisuke, mauste (esim suola, mausteet, ketsuppi, sinappi)
condition /kən'dɪʃən/ s **1** ehto, edellytys I'll do it on one condition teen sen yhdellä ehdolla **2** tila, kunto he is in no condition to work hän ei ole työkunnossa **3** (mon) olot, olosuhteet in Alaska, the conditions are harsh Alaskassa on kovat elinolot
v **1** opettaa, totuttaa, valmentaa, (psyk) ehdollistaa **2** määrätä, rajoittaa, asettaa ehdoksi, edellyttää
conditional /kən'dɪʃənəl/ s (kieliopissa) konditionaali
adj **1** ehdollinen, jostakin riippuvainen **2** (kieliopissa) konditionaalinen, ehto-
conditional clause s (kieliopissa) konditionaalilause, ehtolause
conditionally adv ehdollisesti, jollakin ehdolla/edellytyksellä
condolences /kən'doulənsəz/ s (mon) surunvalittelut
condo s rivi/kerrostalo-osake (condominium)
condom /kandəm/ s kondomi
condominium /,kandə'mɪniəm/ s rivi/kerrostalo-osake
condone /kən'doun/ v **1** hyväksyä, suvaita **2** olla piittaamatta jostakin
conducive to /kən'dusɪv/ adj jotakin edistävä, hyväksi jollekin

conduct /'kan,dʌkt/ s **1** käytös, käyttäytyminen **2** asioiden hoito, menettely, johto
conduct /kən'dʌkt/ v **1** käyttäytyä **2** opastaa, johdattaa **3** johtaa (yritystä), hoitaa (asioita), käydä (keskustelua, kirjeenvaihtoa) **4** johtaa orkesteria **5** johtaa sähköä/lämpöä
conduction /kən'dʌkʃən/ s (lämmön, sähkön) siirtyminen, johtuminen
conductive /kən'dʌktɪv/ adj (lämpöä, sähköä) johtava
conductor /kən'dʌktər/ s **1** orkesterinjohtaja **2** rahastaja, konduktööri **3** (tekn) johde, johdin semiconductor puolijohde
conductress /kən'dʌktrəs/ s **1** (naispuolinen) orkesterinjohtaja **2** (naispuolinen) rahastaja, konduktööri
cone /koun/ s **1** kartio ice-cream cone jäätelötötterö **2** käpy
confection /kən'fekʃən/ s konvehti, makeinen
confectioner s makeisten valmistaja/kauppias, (myös) kondiittori, sokerileipuri
confectionery /kən'fekʃə,nerɪ/ s **1** makeiskauppa, (myös) konditoria **2** makeiset, konvehdit
confederacy /kən'fedərəsi/ s **1** liitto, yhdistys **2** valtioliitto **3** Confederacy Yhdysvaltain etelävaltioiden liittokunta (1860-1865)
confederate /kənfedərət/ s **1** liittolainen (henkilö, valtio) **2** rikostoveri **3** Confederate Yhdysvaltain etelävaltioiden kannattaja, etelävaltiolainen (1860-1865)
adj **1** liitto- **2** Confederate Yhdysvaltain etelävaltioiden liittoa (1860–1865) koskeva, siihen kuuluva
Confederate States of America Yhdysvaltain etelävaltioiden liittokunta (1860–1865)
confederation /kən,fedə'reɪʃən/ s **1** liitto, yhdistys **2** valtioliitto **3** Confederation Yhdysvaltain 13 ensimmäisen osavaltion liitto
confer /kən'fər/ v neuvotella, keskustella jonkun kanssa jostakin, pohtia yhdessä
conference /kanfrəns/ s neuvottelu, konferenssi in conference kokouksessa
confer (up)on v myöntää, antaa (titteli), suoda (kunnia) jollekulle
confess /kən'fes/ v tunnustaa (tekonsa, syntinsä), myöntää
confession /kən'feʃən/ s tunnustus
confessional s rippituoli, rippi
confetti /kən'feti/ s konfetti, pienet erivärise paperinpalaset joita heitellään ilmaan juhlakulkueissa ym
confidant /,kanfə'dant/ s uskottu
confidante /,kanfə'dant/ s (naispuolinen) uskottu
confide in /kən'faɪd/ v uskoutua jollekulle, kertoa, paljastaa
confidence /kanfədəns/ s **1** itseluottamus, itsevarmuus **2** luottamus, usko johonkuhun I have no confidence in his abilities minä en usko/luota hänen kykyihinsä **3** salaisuus, luottamuksellinen tieto
confidence man s huijari
confident /kanfədənt/ adj **1** luottavainen, varma jostakin **2** itsevarma
confidential /,kanfə'denʃəl/ adj **1** luottamuksellinen **2** luotettava
confidentiality /,kanfədenʃi'æləti/ s luottamuksellisuus
confidentially adv luottamuksellisesti
confidently adv **1** luottavaisesti, varmasti **2** itsevarmasti
confine /kən'faɪn/ v **1** rajoittaa she confined her remarks to the current situation hän käsitteli ainoastaan nykytilannetta **2** sitoa he is confined to bed hän on vuoteenomana
confined adj **1** (tilasta) ahdas **2** (ilmapiiristä) ahdistava, tukahduttava
confinement s (ihmisen, eläimen) vankeus, (vuoteenomana oleminen) sairausaika
confirm /kən'fərm/ v **1** varmistaa, vahvistaa (paikkaansapitävyys, käsitystä) **2** (usk) konfirmoida
confirmation /,kanfər'meɪʃən/ s **1** vahvistus, varmistus **2** (usk) konfirmaatio
confiscate /'kanfəs,keɪt/ v takavarikoida

confiscation /ˌkanfəs'keɪʃən/ s takavarikointi
conflict /kən'flɪkt/ v olla ristiriidassa jonkin kanssa, olla jonkin vastainen
conflict /kanflɪkt/ s **1** selkkaus, yhteenotto **2** ristiriita, erimielisyys
conflicting /kanflɪktiŋ/ adj ristiriitainen
confluence /kanfluəns/ s (jokien) yhtymäkohta
conform /kən'fɔrm/ v **1** mukautua, sopeutua johonkin **2** vastata jotakin, olla jonkin mukainen
conformist /kən'fɔrməst/ s konformisti, sovinnainen ihminen
conformity /kən'fɔrməti/ s vastaavuus, sääntöjen tms mukaisuus
confound /kən'faund/ v **1** hämmästyttää, hämmentää, tyrmistyttää **2** sekoittaa, sotkea
confront /kən'frʌnt/ v **1** kohdata, joutua vastakkain jonkun kanssa **2** näyttää jollekulle jotakin, kovistella jotakuta jollakin the police confronted me with the evidence against me poliisi esitti minulle minua koskevat raskauttavat todisteet
confrontation /ˌkanfrən'teɪʃən/ s yhteenotto, selkkaus, välienselvittely
Confucius /kən'fjuʃəs/ Konfutse
confuse /kən'fjuz/ v **1** sekoittaa, hämmentää **2** sekoittaa keskenään/toisiinsa, sotkea jokin johonkin
confusion /kən'fjuʒən/ s **1** sekaannus, hämmennys, tyrmistys **2** sekasotku, epäjärjestys **3** (toisiinsa/keskenään) sekoittaminen
congeal /kən'dʒiəl/ v hyytyä, kovettua, jähmettyä
congelation /ˌkandʒə'leɪʃən/ s hyytyminen, kovettuminen, jähmettyminen
congenial /kən'dʒinjəl/ adj **1** miellyttävä (ihminen, ilmapiiri, työ) **2** hyvin (yhteen)sopiva, congenial spirit
congenital /kən'dʒenɪtəl/ adj synnynnäinen, myötäsyntyinen
congested /kən'dʒestəd/ adj ruuhkainen, ahdas, tukkeutunut
congestion /kən'dʒestʃən/ s ruuhka, liikakansoitus, ahtaus
conglomerate /kəŋ'glamərət, kən'glamərət/ s (geologiassa) konglomeraatti; (liikealalla) konglomeraatti, monialayhtymä adj seka-
conglomerate /kəŋ'glaməˌreɪt, kən'glaməˌreɪt/ v kasata, kasaantua, sekoittaa, sekoittua
conglomeration /kəŋ'glaməˌreɪʃən, kən'glaməˌreɪʃən/ s kasaantuma, sekoitus
Congo /kaŋgou/ Kongo
Congolese /ˌkaŋgə'liz/ s, adj kongolainen
congratulate /kəŋ'grætʃʊˌleɪt kən'grætʃʊˌleɪt/ v onnitella
congratulations /kəŋ'grætʃʊˌleɪʃənz, kən'grætʃʊˌleɪʃənz/ s (mon) onnittelut, (huudahduksena:) onnea!
congregate /'kaŋgrəˌgeɪt/ v kokoontua, kerääntyä
congregation /ˌkaŋgrə'geɪʃən/ s **1** väkijoukko, väenpaljous **2** (usk) seurakunta
congregational adj **1** seurakunnan, seurakunta- **2** (usk) Congregational kongregationalistinen
Congregationalism s (usk) kongregationalismi
congress /kaŋgrəs/ s **1** kongressi, kokous **2** Congress Yhdysvaltain kongressi
Congressional /kəŋ'greʃənəl/ adj (myös pienellä alkukirjaimella) Yhdysvaltain kongressia koskeva, kongressin Congressional committee kongressin valiokunta
Congressman /kaŋgrəsmən/ s (mon Congressmen) (miespuolinen) kongressiedustaja, Yhdysvaltain edustajainhuoneen (House of Representatives) jäsen
Congressmember /kaŋgrəsmembər/ s kongressiedustaja, Yhdysvaltain edustajainhuoneen (House of Representatives) jäsen
Congresswoman /'kaŋgrəsˌwʊmən/ s (mon Congresswomen) (naispuolinen) kongressiedustaja, Yhdysvaltain edus-

tajainhuoneen (House of Representatives) jäsen
congruence /kəŋ'gruəns/ s **1** yhtäläisyys **2** (geom, mat, kieliopissa) kongruenssi
congruent /kəŋ'gruənt/ adj **1** jonkin mukainen, johonkin sopiva, yhtäläinen **2** (geom, mat) kongruentti
congruous /kaŋgruəs/ adj jonkin mukainen, johonkin sopiva, yhtäläinen
conical /kanıkəl/ adj kartiomainen, kartion muotoinen
conifer /kanıfər/ s havupuu
coniferous /kə'nıfərəs/ adj havu(puu)-
conjectural adj pelkkään arvailuun perustuva
conjecture /kən'dʒekʃər/ s arvaus, arvailu, luulottelu, luulo v arvailla, luulotella, luulla, olettaa
conjugal /kandʒəgəl/ adj avioliiton, avio-
conjugate /'kandʒə,geıt/ v taivuttaa (verbi; verbistä:) taipua
conjugation /,kandʒə'geıʃən/ s (verbin) taivutus
conjunction /kən'dʒʌŋkʃən/ s **1** (kieliopissa) konjunktio **2** yhteys, yhteistyö
conjure /kandʒər/ v taikoa, tehdä taikatemppuja
conjurer /kandʒərər/ s taikuri
conjure up v taikoa/loihtia esiin (myös kuv)
Conn. Connecticut
connect /kə'nekt/ v yhdistää, yhdistyä, liittää/liittyä yhteen (myös kuv) the two companies are in no way connected yritykset eivät ole missään yhteydessä toisiinsa, ovat täysin itsenäisiä
Connecticut /kə'netıkət/
connection /kə'nekʃən/ s **1** yhteys we had a bad connection puhelinyhteys oli huono **2** suhde he has excellent connections in the business world hänellä on erinomaiset suhteet liikemaailmaan **3** (liikenteessä) jatkoyhteys, jatkolento she missed her connection hän myöhästyi jatkolennolta/junasta/linja-autosta
connective /kə'nektıv/ adj side-
connivance /kə'naıvəns/ s **1** juonittelu, vehkeily **2** piittaamattomuus, välinpitämättömyys (rikkeestä)
connive /kə'naıv/ v juonitella, vehkeillä
connoisseur /,kanə'suər/ s nautiskelija, (jonkin alan) tuntija, harrastaja
connotation /,kanə'teıʃən/ s konnotaatio, (sanan herättämät) assosiaatiot
conquer /kaŋkər/ v valloittaa, vallata
conqueror s valloittaja William the Conqueror Vilhelm Valloittaja
conquest /'kaŋ,kwest/ s valloitus, valtaus
consanguinity /,kansæŋ'gwınəti/ s verisukulaisuus, veriveljeys
conscience /kanʃəns/ s omatunto I have a clear conscience omatuntoni on puhdas I have it on my conscience se painaa omaatuntoani
conscientious /,kanʃi'enʃəs/ adj tunnontarkka, tunnollinen
conscientiously adv tunnollisesti
conscientiousness s tunnollisuus
conscientious objector s (omantunnon syistä) aseistakieltäytyjä
conscious /kanʃəs/ adj **1** tajuissaan **2** conscious of tietoinen/selvillä/perillä jostakin he was not conscious of any conflict hän ei huomannut asiassa ristiriitaa **3** tahallinen
consciously adv tietoisesti, tahallaan
consciousness /kanʃəsnəs/ s **1** tajunta she lost/regained consciousness hän menetti tajuntansa/tuli tajuihinsa **2** tietoisuus, tajunta **3** tieto jostakin, jonkin tietäminen
conscript /kanskrıpt/ s asevelvollinen
conscript /kən'skrıpt/ v kutsua asepalvelukseen
conscription /kən'skrıpʃən/ s (asepalvelukseen) kutsunta
consecrate /'kansə,kreıt/ v pyhittää, vihkiä
consecration /,kansə'kreıʃən/ s pyhittäminen, pyhitys, vihkiminen
consecutive /kən'sekjətıv/ adj **1** peräkkäinen **2** (kieliopissa) konsekutiivinen, seuraus-

consecutively adj peräkkäin, juoksevasti (numeroitu)
consensus /kən'sensəs/ s konsensus, yksimielisyys
consent /kən'sent/ s lupa, suostumus v suostua, antaa lupa johonkin
consequence /'kansə,kwens/ s **1** seuraus in/as a consequence joten, jonkin seurauksena **2** tärkeys, merkitys nothing of consequence ei mitään merkittävää
consequent /kansəkwənt/ adj jostakin/jotakin seuraava, jonkin seurauksena tapahtuva
consequential /,kansə'kwenʃəl/ adj **1** jostakin/jotakin seuraava, jonkin seurauksena tapahtuva **2** tärkeilevä, ylimielinen
consequently adj joten, jonkin seurauksena
conservation /,kansər'veɪʃən/ s **1** (esim luonnon, rakennusten) suojelu **2** (esim veden) säästäminen
conservatism /kən'sərvə,tɪzəm/ s konservatismi, vanhoillisuus
conservative /kən'sərvətɪv/ s **1** vanhoillinen ihminen **2** (politiikassa) konservatiivi
adj **1** vanhoillinen **2** (poliittisesti) konservatiivinen **3** (arvio, sijoitus) varovainen
conservatively adv vanhoillisesti, konservatiivisesti, (arvioida, sijoittaa) varovaisesti
Conservative Party Englannin konservatiivinen puolue
conservatoire /kən,sərvə'twaər/ s konservatorio
conservatory /kən'sərvə,tori/ s **1** konservatorio **2** talvipuutarha
conserve /kən'sərv/ s hillo
v **1** säästää (voimia, luonnonvaroja) **2** säilyttää ennallaan, suojella (rakennusta) **3** hillota, säilöä
consider /kən'sɪdər/ v **1** harkita, pohtia, miettiä **2** ottaa huomioon, piitata **3** pitää jonakin this is widely considered the best computer available tätä pidetään yleisesti markkinoiden parhaana tietokoneena
considerable adj huomattava, merkittävä
considerably adv huomattavasti, merkittävästi, paljon
considerate /kən'sɪderət/ adj huomaavainen, kohtelias, avulias
considerately adv huomaavaisesti, kohteliaasti, avuliaasti
consideration /kən,sɪdə'reɪʃən/ s **1** harkinta, pohdinta **2** huomio we took everything into consideration otimme kaiken huomioon in consideration of jonkin seikan valossa, jonkin seikan huomioon ottaen **3** huomaavaisuus, kohteliaisuus, avuliaisuus **4** näkökohta, (osa)tekijä the price is no consideration hinnalla ei ole väliä, hinta ei merkitse mitään
considering prep jotakin huomioon ottaen, jonkin valossa, johonkin nähden
consign /kən'saɪn/ v **1** lähettää (kauppatavaraa) **2** luovuttaa, antaa the child was consigned to his mother's care lapsi uskottiin äitinsä huostaan
consignee /kən,saɪ'ni/ s vastaanottaja
consigner /kən'saɪnər/ s lähettäjä
consignment /kən'saɪnmənt/ s (kauppatavara)lähetys
consignor /kən'saɪnər/ s lähettäjä
consistency /kən'sɪstənsi/ s **1** johdonmukaisuus **2** yhdenmukaisuus **3** (aineen) koostumus **4** (nesteen) sakeus
consistent adj johdonmukainen
consistently adj **1** johdonmukaisesti **2** yhdenmukaisesti, jonkin mukaisesti **3** kauttaaltaan
consistent with adj yhdenmukainen, jonkin mukainen
consist in v muodostua jostakin, johtua jostakin, perustua johonkin her job consists in typing and answering the phone hänen työnsä käsittää/on konekirjoitusta ja puhelimeen vastaamista
consist of /kən'sɪst/ v koostua jostakin, rakentua jostakin that soft drink consists of water, sugar, and flavoring tuo virvoitusjuoma on tehty vedestä, sokerista ja makuaineesta

consolation /ˌkansəˈleɪʃən/ s lohdutus, lohtu that's small consolation se on laiha lohtu
consolatory /kənˈsouləˌtɔri/ adj lohduttava
console /kənˈsoəl/ v lohduttaa
console /ˈkansoəl/ s **1** konsoli, käyttöpaneeli, ohjauspaneeli, kojetaulu **2** (lattialla seisova) kaappitelevisio
consolidate /kənˈsaləˌdeɪt/ v **1** lujittaa, vahvistaa **2** yhdistää, sulauttaa (yrityksiä yhteen)
consolidation /kənˌsaləˈdeɪʃən/ s **1** lujittaminen, lujittuminen, vahvistaminen, vahvistuminen **2** yhdistäminen, sulauttaminen
consommé /ˌkansəˈmeɪ/ s lihaliemi
consonant /ˈkansənənt/ s konsonantti
consonant with adj sopusoinnussa jonkin kanssa
consort /ˈkansɔrt/ s puoliso
consortium /kənˈsɔrtɪəm, kənˈsɔrʃəm/ s (tal) konsortio
consort with /kənˈsɔrt/ v **1** pitää seuraa jonkun kanssa, veljeillä jonkun kanssa he has been consorting with criminals hän on liikkunut rikollispiireissä **2** olla sopusoinnussa jonkin kanssa, sopia yhteen jonkin kanssa
conspicuous /kənˈspɪkjuəs/ adj silmiinpistävä, huomiota herättävä he was conspicuous by his absence hän loisti poissaolollaan
conspicuously adv silmiinpistävästi, huomiota herättävästi
conspiracy /kənˈspɪrəsi/ s salaliitto
conspirator /kənˈspɪrətər/ s salaliittolainen
conspire /kənˈspaɪər/ v **1** juonitella, olla salaliitossa **2** (tapahtumista, kohtalosta) kääntyä jotakuta vastaan
constable /ˈkanstəbəl/ s **1** (maaseudulla) nimismies **2** (UK) poliisimies, konstaapeli
constabulary /kənˈstæbjəˌleri/ s poliisi(voimat)
constancy s **1** (lämpötilan, tunteiden) muuttumattomuus, tasaisuus **2** (ystävän) uskollisuus
constant /ˈkanstənt/ s (mat) vakio adj **1** jatkuva, alinomainen **2** tasainen, vakio- (lämpötila) **3** uskollinen (ystävä, kannattaja), luja, määrätietoinen
constantly adv jatkuvasti, alinomaa, vähän väliä
constellation /ˌkanstəˈleɪʃən/ s **1** tähdistö, tähtikuvio **2** (kuv) kuvio, asiaintila
consternation /ˌkanstərˈneɪʃən/ s tyrmistys, pettymys, huolestuminen
constipate /ˈkanstəˌpeɪt/ v aiheuttaa ummetusta
constipated adj jolla on ummetusta, ummetuksesta kärsivä
constipation /ˌkanstəˈpeɪʃən/ s ummetus
constituency /kənˈstɪtʃuənsi/ s vaalipiiri
constituent /kənˈstɪtʃuənt/ s **1** äänestäjä, valitsija **2** osa(tekijä) adj yksittäinen, osa- the constituent parts of this machine/proposal tämän koneen/ehdotuksen osat
constitute /ˈkanstəˌtut/ v **1** muodostaa, rakentaa to be constituted of muodostua, rakentua, koostua jostakin **2** olla that constitutes treason se on maanpetos **3** perustaa (toimikunta), antaa toimivaltuudet
constitution /ˌkanstəˈtuʃən/ s **1** (valtion) perustuslaki, (järjestön) säännöt **2** (ihmisen) luonto, kunto, terveys, ruumiinrakenne **3** rakenne, koostumus
constitutional s (kunto)kävely adj **1** perustuslaillinen **2** luontainen, ruumiillinen **3** terveellinen
constitutionally adv **1** perustuslaillisesti, perustuslain mukaan/mukaisesti **2** luontaisesti, ruumiillisesti
constrain /kənˈstreɪn/ v **1** pakottaa **2** hillitä
constraint /kənˈstreɪnt/ s **1** pakko **2** rajoitus **3** itsehillintä
constrict /kənˈstrɪkt/ v **1** puristaa, painaa **2** (lihaksesta, verisuonesta) supistaa, supistua **3** rajoittaa (myös kuv), estää, hankaloittaa
constriction /kənˈstrɪkʃən/ s **1** (verisuonen, lihas)supistus **2** rajoitus, este, hankaluus

constrictor /kən'strıktər/ s **1** supistajalihas **2** (käärme) kuningasboa
construct /kanstrʌkt/ s ajatusrakennelma
construct /kən'strʌkt/ v rakentaa
construction /kən'strʌkʃən/ s **1** (laitteen, rakennuksen) rakentaminen **2** (laitteen, romaanin, lauseen) rakenne **3** rakennus, rakennelma **4** tulkinta
construction industry s rakennusteollisuus
constructive /kən'strʌktıv/ adj rakentava (arvostelu, henki)
constructively adj (arvostella) rakentavasti
constructor /kən'strʌktər/ s rakentaja, rakennusliike
consul /kansəl/ s konsuli
consular /kansələr, kansjələr/ adj konsulin
consulate /kansələt, kansjələt/ s konsulaatti
consult /kən'sʌlt/ v **1** kysyä jonkun mielipidettä, konsultoida, käydä lääkärissä, keskustella lääkärinsä kanssa, katsoa (tieto)sanakirjasta **2** keskustella, neuvotella jostakin
consultant /kən'sʌltənt/ s konsultti
consultation /,kansəl'teıʃən/ s konsultaatio, neuvottelu, keskustelu
consultative /kən'sʌltətıv/ adj neuvoa-antava
consume /kən'sum/ v **1** nauttia (ruokaa, juomaa), syödä, juoda **2** kuluttaa, kuluttaa/käyttää loppuun **3** (tulesta) tuhota, hävittää
consumed with adj (olla) täynnä jotakin, pursua jotakin to be consumed with hatred olla suunniltaan vihasta, uhkua vihaa
consumer s kuluttaja
consumer goods s (mon) kulutustavarat
consumer price index s kuluttajahintaindeksi
consummate /kansəmeıt/ v **1** panna täytäntöön/toimeen **2** (aviopuolisoista) olla ensimmäistä kertaa sukupuoliyhteydessä, sinetöidä (avioliitto) yhdynnällä
consummate /kansəmət/ adj täydellinen, ylittämätön
consummation /,kansə'meıʃən/ s **1** täytäntöönpano, toimeenpano **2** (aviopuolisoiden) ensimmäinen sukupuoliyhteys
consumption /kən'sʌmpʃən/ s **1** kulutus, kuluttaminen fuel consumption polttoaineenkulutus **2** (vanh) keuhkotuberkuloosi
consumptive /kən'sʌmptıv/ adj jolla on keuhkotuberkuloosi
contact /kən'tækt/ v ottaa yhteyttä johonkuhun, olla yhteydessä johonkuhun
contact /kantækt/ s **1** yhteys, kosketus **2** yhteyshenkilö **3** (mon) suhteet, yhteydet he has very good contacts in the business community hänellä on erinomaiset suhteet liike-elämään **4** (mon) piilolasit **5** (sähk) kosketus, kontakti
contact print s (valok) pinnakkaisvedos
contagion /kən'teıdʒən/ s **1** (sairauden) tartunta **2** tartuntatauti **3** (kuv) kulkutauti, leviäminen
contagious /kən'teıdʒəs/ adj (taudista) tarttuva (myös kuv)
contain /kən'teın/ v **1** sisältää the box contains jewels laatikossa on jalokiviä **2** hillitä (itsensä, kyyneleensä) **3** estää (esim taudin, ongelman) leviäminen, saada hallintaan
container /kən'teınər/ s **1** astia, laatikko **2** (tavarankuljetuksessa) kontti
container ship s konttilaiva
contaminate /kən'tæmə,neıt/ v saastuttaa, saastua (myös radioaktiivisesti), myrkyttää, pilaantua
contamination /kən,tæmə'neıʃən/ s saastuminen (myös radioaktiivinen), myrkyttäminen, pilaantuminen
contemplate /'kantəm,pleıt/ v tarkastella, miettiä, harkita, aikoa tehdä jotakin
contemplation /,kantəm'pleıʃən/ s tarkastelu, harkinta, pohdinta
contemplative /kən'templə,tıv/ adj mietteliäs, ajatuksissaan oleva, hiljainen, vakava (myös elämästä)

contemporary /kən'tempə,reri/ s aikalainen
adj **1** samanaikainen **2** nykyajan, nykyinen
contempt /kən'temt/ s halveksunta, väheksyntä, piittaamattomuus in contempt of something jostakin välittämättä/piittaamatta to hold something in contempt halveksua, väheksyä jotakin
contemptible /kən'temtıbəl/ adj halveksuttava, väheksyttävä
contemptuous /kən'temtʃuəs/ adj halveksiva, väheksyvä he was contemptuous of his boss hän halveksui/väheksyi pomoaan
contemptuously adv halveksivasti, halveksien
contend /kən'tend/ v väittää
contend with v taistella jonkun/jonkin kanssa/jotakuta vastaan, kilpailla, yrittää selvitä jostakin
content /kən'tent/ s tyytyväisyys
v tehdä/saada joku tyytyväiseksi she contented herself with lower pay hän tyytyi pienempään palkkaan
adj tyytyväinen
contented /kən'tentəd/ adj tyytyväinen
contentedly adv tyytyväisesti
contention /kən'tenʃən/ s **1** väite **2** kiista, riita
contentious /kən'tenʃəs/ adj **1** kiistanalainen **2** riidanhaluinen
contentment /kən'tentmənt/ s tyytyväisyys
contents /kantens/ s (mon) **1** sisältö, sisällys **2** (kirjan) sisällysluettelo table of contents sisällysluettelo
contest /kantest/ s kilpailu, ottelu
contest /kən'test/ v **1** kilpailla, taistella jostakin, olla ehdokkaana **2** kiistää, (lak) moittia (testamenttia, tuomiota)
contestant /kən'testənt/ s kilpailija, osanottaja, ehdokas
context /kantekst/ s yhteys, puitteet, asiayhteys, (kiel) lauseyhteys, konteksti
contextual /kən'tekstʃuəl/ adj asia/lauseyhteydestä ilmenevä, kontekstuaalinen
contiguous /kən'tıgjuəs/ adj **1** (sijainnista) vierekkäinen, naapuri-; lähekkäinen, lähi- **2** (ajasta) peräkkäinen
contiguous states /kən'tıgjuəs steıts/ s Yhdysvaltain 48 manner-osavaltiota (siis osavaltiot Alaskaa ja Havaijia lukuun ottamatta)
continence /kantənəns/ s **1** (sukupuolinen) pidättyväisyys **2** (lääk) pidätyskyky
continent /kantənənt/ s **1** maanosa, manner **2** Continent Euroopan manner (erotuksena Isosta-Britanniasta), Keski-Eurooppa
adj **1** maltillinen, itsensä hillitsevä, (sukupuolisesti) pidättyväinen **2** (lääk) pidätyskykyinen
continental /,kantə'nentəl/ s mannermaalainen, keskieurooppalainen
adj **1** manner- **2** mannermainen, keskieurooppalainen
continental breakfast s kahviaamiainen
Continental Divide Yhdysvaltain Kalliovuorien vedenjakaja
continental drift s mannerliikunto
continental rise s mannerrinteen jatke
continental shelf s mannerjalusta
continental slope s mannerrinne
contingency /kən'tındʒənsi/ s mahdollisuus, sattuma I am prepared for every contingency olen varautunut kaikkeen he left nothing to contingency hän ei jättänyt mitään sattuman varaan
contingent /kən'tındʒənt/ s **1** joukko-osasto **2** (ihmis)joukko, ryhmä **3** kiintiö
contingent upon adj jostakin riippuvainen, jostakin riippuen
continual /kən'tınjuəl/ adj jatkuva, alinomainen, loputon
continually adj jatkuvasti, lakkaamatta, loputtomasti
continuation /kən,tınju'eıʃən/ s jatko, jatkaminen
continue /kən'tınju/ v jatkaa, jatkua
continuing education s täydennyskoulutus
continuity /,kantə'nuəti/ s jatkuvuus

continuous /kən'tɪnjʊəs/ adj jatkuva, yhtenäinen
continuously adj jatkuvasti, keskeytyksettä
contort /kən'tɔrt/ v vääristää (kasvonsa, jonkun sanoja)
contortion /kən'tɔrʃən/ s **1** vääntely (kasvojen) vääristymä **2** (kuv) kiemurtelu, kiertely, temppuilu
contortionist /kən'tɔrʃə,nɪst/ s käärmeihminen
contour /'kan,tuər/ s **1** ääriviiva, piirre, muoto **2** (kartan) korkeuskäyrä v **1** muotoilla (esine) **2** mukauttaa (tie) maisemaan **3** piirtää (karttaan) korkeuskäyrät
contour line s (kartan) korkeuskäyrä
contraband /'kantrə,bænd/ s kieltotavara, salakuljetettu tavara
contraception /,kantrə'sepʃən/ s (raskauden) ehkäisy
contraceptive /,kantrə'septɪv/ s ehkäisyväline adj ehkäisy-
contract /'kantrækt/ s **1** sopimus **2** tilaus **3** the mob put out a contract on him mafia palkkasi murhaajan tappamaan hänet
contract /kən'trækt/ v **1** eri merkityksiä: to contract an illness sairastua to contract a debt ottaa laina/velkaa to contract a marriage solmia avioliitto, mennä naimisiin to contract an alliance solmia liitto **2** supistaa, supistua (lihas, otsa, silmäterä), lyhentää (sanaa, esim do not muotoon don't) **3** tilata (taideteos), palkata (joku tekemään jotakin)
contraction /kən'trækʃən/ s supistuminen, (lihas-, synnytys)supistus, (sanan) lyhentäminen, lyhenne(tty muoto)
contractor /'kan,træktər/ s urakoitsija
contradict /,kantrə'dɪkt/ v **1** väittää/sanoa vastaan **2** olla ristiriidassa jonkin kanssa
contradiction /,kantrə'dɪkʃən/ s ristiriita a contradiction in terms mahdottomuus, mahdoton/järjetön ajatus
contradictory /,kantrə'dɪktəri/ adj ristiriitainen (väite), riidanhaluinen (ihminen)
contralto /kən'træltoʊ/ s (mus) kontra-altto
contraption /kən'træpʃən/ s vekotin, vempain
contrarian /kən'trerɪən/ s vastarannan kiiski, toisinajattelija
contrary /'kantreri/ s vastakohta on the contrary päin vastoin, ei suinkaan adj **1** vastakkainen (suunta, näkemys), vastainen (tuuli) **2** vastahakoinen, jääräpäinen (ihminen), vikuroiva (hevonen)
contrary to adv jonkin vastainen
contrast /'kantræst/ s **1** vastakohta **2** vertailu **3** (televisio/valokuvan) kontrasti
contrast /kən'træst/ v **1** vertailla, verrata **2** olla ristiriidassa jonkin kanssa, erottua (selvästi/edukseen yms) jostakin
contravene /,kantrə'vin/ v rikkoa, loukata (lakia, tapaa)
contravention /,kantrə'venʃən/ s (lain, tavan) rikkomus, loukkaus
contribute /kən'trɪbjut/ v **1** edistää, edesauttaa, vaikuttaa osaltaan johonkin his good looks contributed to his success as an actor hyvä ulkonäkö vaikutti osaltaan hänen menestykseensä näyttelijänä **2** osallistua keräykseen, lahjoittaa jotakin **3** kirjoittaa (avustajana) lehteen
contribution /,kantrə'bjuʃən/ s **1** osuus, panos **2** lahjoitus **3** lehtikirjoitus
contributor /,kan'trɪbjutər/ s (lehden, keräyksen) avustaja, kirjoittaja, artikkelin tekijä
contributory /,kan'trɪbjutɔri/ adj myötävaikuttava, osa- contributory factor osasyy
contrivance /kən'traɪvəns/ s **1** laite, vekotin **2** keksintö, kekseliäisyys **3** juonittelu
contrive /kən'traɪv/ v **1** keksiä (suunnitelma) **2** onnistua tekemään, saada aikaan, järjestää, juonitella
contrived adj teennäinen, epäaito
control /kən'troəl/ s **1** johto, valvonta, hallinta to be in control of an office/your feelings/yourself johtaa konttoria/hallita

tunteensa/itsensä to lose control of a vehicle/of a situation/of yourself menettää ajoneuvon/tilanteen hallinta/itsehillintänsä **2** tarkastus ticket control lippujen tarkastus **3** säätö, valvonta **4** säädin, ohjain (myös kuv) tone control äänensävyn säädin
v **1** johtaa, valvoa, hallita **2** säätää, säädellä (lämpötilaa, nopeutta, kasvua)

control character s (tietok) ohjausmerkki

control group s (kokeellisen tutkimuksen) vertailuryhmä, kontrolliryhmä

controlled substance s huume, laiton aine

control panel s ohjauspaneeli, ohjauspöytä

control tower s lennonjohtotorni

controversial /'kantrə,vərʃəl/ adj erimielisyyttä aiheuttava, kiistanalainen

controversy /'kantrə,vərsi/ s kiista, riita

convalesce /,kanvə'les/ v toipua, parantua, olla toipilaana/parantumassa

convalescence /,kanvə'lesəns/ s parantuminen, toipilasaika

convalescent s toipilas
adj toipilas-, parantumassa oleva

convalescent home s toipilaskoti

convene /kən'vin/ v **1** kutsua koolle (kokoukseen) **2** kokoontua (neuvotteluun, kokoukseen)

convener s kokouksen koollekutsuja

convenience /kən'vinjəns/ s **1** (mon) mukavuudet modern conveniences nykyajan mukavuudet **2** mukavuus in your room, a telephone is provided for your convenience huoneessanne on puhelin

convenience store s elintarvikekioski

convenient /kən'vinjənt/ adj mukava, kätevä, sopiva, edullinen (sijainti)

conveniently adv mukavasti, kätevästi, sopivasti the store is conveniently located myymälä sijaitsee hyvällä paikalla

convent /kanvent/ s nunnaluostari

convention /kən'venʃən/ s **1** tapa **2** sovinnaisuus, konventio **3** konferenssi

conventional adj sovinnainen, perinteinen, tapojen mukainen

conventionally adv **1** sovinnaisesti **2** yleensä, tavan mukaan

converge /kən'vərdʒ/ v lähestyä (toisiaan)

convergence /kən'vərdʒəns/ s **1** lähestyminen **2** yhtyminen, leikkaaminen

converge on v kerääntyä, kasaantua jonnekin

conversation /,kanvər'seɪʃən/ s keskustelu, puhe and the rest is conversation ja loppu on pelkää puhetta

conversational /,kanvər'seɪʃənəl/ adj **1** tuttavallinen, rento **2** puhekielen

conversationalist /,kanvər'seɪʃənəlɪst/ s puhelias ihminen, seuraihminen, (joku joka on) hyvää juttuseuraa; keskustelija

converse /kanvərs/ s vastakohta

converse /kən'vərs/ v keskustella
adj vastakkainen

conversion /kən'verʒən/ s **1** muunto, muuttaminen, konversio **2** (usk) käännytys, kääntymys

convert /kən'vərt/ v **1** muuntaa, muuttaa, muuttua joksikin **2** (usk) käännyttää, kääntyä

convert /kanvərt/ s (usk, kuv) käännynnäinen

converter /kən'vərtər/ s muunnin, muuntaja D/A converter digitaali-analogiamuunnin

convertible /kənvərtɪbəl/ s avoauto
adj **1** joka voidaan muuntaa/muuttaa joksikin **2** vapaasti vaihdettava (valuutta)

convertible bond s (tal) vaihtovelkakirja

convex /kan'veks/ adj kupera

convey /kən'veɪ/ v **1** kuljettaa, johtaa **2** välittää (ajatus, tunne, terveiset), saada ymmärtämään jotakin

conveyance /kən'veɪəns/ s **1** kuljetus **2** kulkuneuvo

convict /kanvɪkt/ s rangaistusvanki, rikoksesta tuomittu henkilö

convict /kən'vɪkt/ v tuomita rikoksesta, todeta syylliseksi

conviction /kən'vɪkʃən/ s **1** (lak) tuomio **2** vakaumus he has the courage of his convictions hän on hyvin suoraselkäinen I am open to conviction olen valmis muuttamaan kantaani (mikäli perusteita ilmenee)
convince /kən'vɪns/ v saada joku vakuuttumaan jostakin
convinced adj vakuuttunut jostakin
convincing adj vakuuttava, uskottava
convincingly adv vakuuttavasti, uskottavasti
convivial /kən'vɪviəl/ adj **1** hyväntuulinen **2** seurallinen
convocation /,kanvə'keɪʃən/ s **1** kokoon/koolle kutsuminen **2** kokous, kokoontuminen
convoy /kanvoɪ/ s (laiva/lento)saattue v saattaa
convulse /kən'vʌls/ v ravistella (myös kuv), (lääk) kouristella
convulsion /kən'vʌlʃən/ s ravistus, mullistus, (lääk) kouristus
convulsive /kən'vʌlsɪv/ adj kouristuksenomainen, kouristus-
coo /ku/ v (kyyhkysestä) kujertaa
cook /kuk/ s kokki
v **1** valmistaa, laittaa, keittää, paistaa, leipoa (ruokaa) **2** (ruuasta) valmistua, kiehua, kypsyä, paistua **3** väärentää, sormeilla (tilejä)
cookbook /kukbuk/ s keittokirja
cookie /kuki/ s **1** keksi, pikkuleipä **2** she is a smart cookie hän on terävä ihminen, hänellä leikkaa hyvin
cookie cutter s piparkakkumuotti
Cookson /kuksən/ (Peter Panissa) Kokinpoika
cook up v sepittää, keksiä omasta päästään
cool /kuəl/ s (ilman) viileys (myös kuv:) mielenmaltti don't lose your cool älä pillastu, hillitse hilusi
v **1** jäähdyttää, jäähtyä, viilentyä **2** rauhoittua
adj **1** viileä **2** (viileän) rauhallinen **3** (viileän) välinpitämätön, kylmä(kiskoinen) **4** kylmäverinen **5** (sl) erinomainen, loistava
cool down v **1** viilentää, viilentyä, esim palautua/palauttaa ruumiinlämpö normaaliksi liikunnan jälkeen **2** rauhoittaa, rauhoittua
cool it fr rauhoitu!
coolly adv **1** rauhallisesti **2** kylmä(kiskoise)sti **3** kylmäverisesti
coolness s viileys (myös kuv)
cool off v rauhoittua, rauhoittaa, rentoutua
cool your heels fr odottaa
cool out v rentoutua, rauhoittua
coop /kup/ s (kana)koppi
cooperate /koʊ'apə,reɪt/ v olla/toimia yhteistyössä jonkun/jonkin kanssa
cooperation /koʊ,apə'reɪʃən/ s yhteistyö
cooperative /koʊ'apərətɪv/ s osuuskunta
adj **1** avulias, halukas/valmis yhteistyöhön **2** osuustoiminnallinen, osuuskunta-
coopt /koʊ'apt/ v kooptoida, valita jäseneksi nykyisten jäsenten päätöksellä
coop up v sulkea/ahtaa joku jonnekin
coordinate /koʊ'ɔrdənət/ s **1** koordinaatti **2** joku/jokin rinnakkainen
adj rinnakkainen, rinnakkais-, rinnastava
coordinate /koʊ'ɔrdə,neɪt/ v rinnastaa, järjestää, koordinoida
coordination /koʊ,ɔrdə,neɪʃən/ s rinnastus, järjestäminen, koordinaatio
coordinator s **1** järjestäjä, koordinaattori **2** (kieliopissa) rinnastuskonjunktio
coot /kut/ s nokikana old coot vanha äijänkäppärä
cop /kap/ s (sl) poliisi
cop a plea fr (sl) myöntää syyllisyytensä (lievempään rikokseen) saadakseen lievemmän rangaistuksen
cope /koʊp/ v selviytyä, tulla toimeen he couldn't cope with his problems
Copenhagen /'koʊpən,heɪgən/ Kööpenhamina
copier /kapiər/ s **1** jäljittelijä, matkija **2** (valo)kopiokone
copious /koʊpiəs/ adj runsas, ylenpalttinen

copiously adv runsaasti, ylenpalttisesti, yllin kyllin
cop out v (sl) luopua leikistä
copper /kapər/ s **1** kupari **2** (sl) poliisi
copse /kaps/ s metsikkö
copulate /'kapjə,leɪt/ v paritella
copulation /,kapjə'leɪʃən/ s parittelu
copy /kapi/ s **1** jäljennös, kopio **2** (yksittäinen) kirja, lehti
v **1** jäljentää, kopioida **2** matkia, jäljitellä
copying machine s (valo)kopiokone
copy machine s (valo)kopiokone
copyright /'kapi,raɪt/ s tekijänoikeus
coral /kɔrəl/ s koralli
cord /kɔrd/ s nuora, köysi vocal cords äänihuulet
cordial /kɔrdʒəl/ adj kohtelias
cordially adv kohteliaasti cordially yours ystävällisin terveisin
cordon /kɔrdən/ s vartioketju, vartiomiesten/poliisien/sotilaiden muodostama ketju
cordon off v eristää (alue)
corduroy /'kɔrdə,rɔɪ/ s vakosametti
CORE Congress of Racial Equality
core /kɔr/ s **1** (omenan) kota **2** (maapallon) ydin **3** (kuv) ydin, keskeisin/olennaisin sisältö
v poistaa (omenasta) kota
corer s omenapora
Corfu /kɔr'fu/ Korfu
Corinth /kɔrənθ/ Korintti
cork /kɔrk/ s **1** korkki(aine) **2** (pullon)korkki
v korkita, sulkea korkilla
corkscrew /'kɔrk,skru/ s korkkiruuvi
Corn. Cornwall
corn /kɔrn/ s **1** maissi **2** jyvä **3** (UK) vilja **4** känsä
corncob /'kɔrn,kab/ s maissintähkä
cornea /kɔrniə/ s (silmän) sarveiskalvo
corner /kɔrnər/ s **1** nurkka (myös tal) in the corner of the room huoneen nurkassa **2** kulma at/on the corner of the street kadunkulmassa
v **1** panna joku ahtaalle **2** (auto) kääntyä (mutkassa)
cornering s (tal) nurkanvaltaus
cornerstone /'kɔrnər,stoun/ s kulmakivi (myös kuv)
cornet /kɔr'net/ s (mus) kornetti
cornflakes /'kɔrn,fleɪks/ s (mon) maissihiutaleet
cornflour /'kɔrn,flauər/ s maissijauho
cornflower /'kɔrn,flauər/ s ruiskaunokki
cornhusk /'kɔrn,hʌsk/ s (maissintähkän) lehtituppi
cornice /kɔrnəs/ s (arkkit) karniisi
corniche /kɔrnɪʃ kɔr'niʃ/ s mutkainen vuoristotie lähellä meren rantaa
cornsilk /'kɔrn,sɪlk/ s (maissintähkän) tupsu
corn starch /'kɔrn,startʃ/ s maissitärkkelys
corn syrup /'kɔrn,sərəp/ s maissisiirappi
Cornwall /'kɔrnwəl/ Englannin kreivikuntia
corona /kə'rounə/ s (auringon) korona
coronary /'kɔrə,neri/ s sydäninfarkti
adj sepelvaltimo-
coronary artery s sepelvaltimo
coronary bypass s (sydämen)ohitusleikkaus
coronary thrombosis /θram'bousɪs/ s sydäninfarkti
coronation /,kɔrə'neɪʃən/ s kruunajaiset
coroner /kɔrənər/ s kuolinsyyntutkija, patologi
coronet /,kɔrə'net kɔrənət/ s (pieni) kruunu
corporal /kɔrprəl/ s korpraali
adj ruumiillinen
corporate /kɔrprət/ adj **1** osakeyhtiön, (suuren liike)yrityksen **2** yhteis-
corporation /,kɔrpə'reɪʃən/ s **1** (UK) kunta, kaupunki **2** (US) osakeyhtiö
corporeal /,kɔrpə'riəl/ adj ruumiillinen
corps /cɔr/ s (mon corps) **1** (sot) joukot Marine Corps merijalkaväki **2** armeijakunta
corpse /cɔrps/ s (kuollut) ruumis, kalmo
corpuscule /'kɔr,pʌsəl/ s verisolu red/white corpuscules punasolut/valkosolut
corral /kə'ræəl/ s karja-aitaus
v koota/sulkea (karja) aitaukseen

correct /kə'rekt/ v korjata, oikaista (virhe, puhujaa)
adj **1** oikea (vastaus) **2** (käytös) sopiva, moitteeton, korrekti that was the correct gesture se oli oikea ele
correctly adv **1** (vastata) oikein **2** (käyttäytyä) oikein, sopivasti, moitteettomasti, korrektisti
correctness /kə'rektnəs/ s **1** (vastauksen) paikkansapitävyys **2** (käytöksen) sopivuus, moitteettomuus
correlate /ˌkɔrə'leɪt/ v yhdistää, verrata, olla yhteydessä toisiinsa, korreloida
correlation /ˌkɔrə'leɪʃən/ s yhtäläisyys, yhteys, korrelaatio
correspond /ˌkɔrəs'pand/ v **1** vastata jotakin, olla samanlainen kuin **2** olla kirjeenvaihdossa
correspondence /ˌkɔrəs'pandəns/ s **1** vastaavuus, yhtäläisyys **2** kirjeenvaihto (myös merkityksessä:) kirjeet
correspondent /ˌkɔrəs'pandənt/ s **1** kirjeenvaihtotoveri **2** (sanomalehden) kirjeenvaihtaja
corridor /kɔrədər/ s käytävä
corroborate /kə'rabəˌreɪt/ v vahvistaa, tukea (käsitystä, selitystä) I corroborated her version of the story vahvistin hänen selostustaan tapahtumista
corrode /kəˌroud/ v syöpyä, ruostua
corrosion /kə'roʊʒən/ s korroosio, syöpyminen, ruostuminen
corrosive /kə'roʊsɪv/ s ruostumista/korroosiota aiheuttava aine
adj ruostumista/korroosiota aiheuttava, korrosiivinen
corrugated /'kɔrəˌgeɪtəd/ adj aalto-
corrugated paper s aaltopahvi
corrugation /ˌkɔrə'geɪʃən/ s aalto(muoto)
corrupt /kə'rʌpt/ v rappeuttaa, turmella, pilata
adj rappeutunut, turmeltunut, lahjuksia vastaanottava, rötös-
corruption /kə'rʌpʃən/ s korruptio, lahjonta, rappio, turmelus
corset /kɔrsət/ s korsetti, kureliivit
Corsica /kɔrsɪkə/ Korsika
cortege /kɔr'teʒ kɔr'taʒ/ s (hautajais)kulkue
corvette /kɔr'vet/ **1** (alus) korvetti **2** Corvette eräs merikkalainen urheiluautomalli
cosmetic /ˌkaz'metɪk/ s kauneudenhoitoaine
adj kosmeettinen, kauneudenhoito-, kauneus-
cosmetic surgery s plastiikkakirurgia
cosmic /kazmɪk/ adj **1** kosminen, maailmankaikkeutta koskeva **2** (kuv) suunnaton, valtava
cosmology /ˌkaz'malədʒi/ s kosmologia
cosmonaut /'kazməˌnat/ s kosmonautti
cosmopolitan /ˌkazmə'palətən/ s maailmankansalainen, kosmopoliitti
adj yleismaailmallinen, kosmopoliittinen
cosmos /kazməs/ s kosmos, maailmankaikkeus
cossack /kasæk/ s kasakka
cost /kast/ s **1** kustannukset **2** hinta (myös kuv) regardless of cost hintaan katsomatta, mihin hintaan hyvänsä
v cost, cost: maksaa (myös kuv), olla hintana how much did your new hat cost? paljonko uusi hattusi maksoi? the mistake cost him a pretty penny erehdys maksoi hänelle sievoisen summan
costar /'kouˌstar/ s (elok) toinen pääosan esittäjistä
v esittää toista pääosaa, olla toisessa pääosassa
Costa Rica /ˌkoustə'rikə/
Costa Rican s, adj costaricalainen
cost-effective /ˌkastɪ'fektɪv/ adj edullinen, halpa (valmistustapa tms)
costly adj kallis (tavara, hanke, maku)
cost of living s elinkustannukset
cost of living index s elinkustannusindeksi
costume /kastʃum, kastum/ s (näyttelijän) esiintymispuku bathing costume uimapuku
cosy ks cozy
cot /kat/ s **1** leirivuode, kenttävuode **2** mökki **3** (UK) lastensänky
cottage /katədʒ/ s mökki

cotton /katən/ s puuvilla
cotton (on) to v **1** mieltyä johonkuhun/johonkin, alkaa pitää jostakusta/jostakin **2** hyväksyä jotakin **3** käsittää, päästä jyvälle jostakin
couch /kautʃ/ s sohva
v ilmaista, pukea sanoiksi he couched his opinon in reserved language hän ilmaisi mielipiteensä varautunein sanankääntein
couch potato /'kautʃpə,teɪtou/ s television orja
cougar /kugər/ s puuma
cough /kaf/ s yskä; yskähdys
v yskiä
could /kud/ ks can
council /kaunsəl/ s neuvosto
councilor /kaunsələr/ s neuvoston jäsen
counsel /kaunsəl/ s **1** neuvo **2** asianajaja
v **1** neuvoa, antaa neuvoja **2** kehottaa to counsel patience kehottaa kärsivällisyyteen
counselor /kaunsələr/ s **1** neuvonantaja **2** asianajaja **3** opinto-ohjaaja **4** (lasten) leiriopas
count /kaunt/ s **1** luku(määrän laskeminen) at the last count kun viimeksi laskettiin **2** (lak) syytteen kohta, syyte **3** huomio I took no count of what the others said minä en piitannut toisten puheista **4** kreivi **5** (nyrkkeilyssä) kymmeneen lasku
v **1** laskea (sataan, hinta, äänet) **2** pitää jotakuta jonakin, lukea/laskea joku joksikin you can count yourself lucky saat kiittää onneasi
countable adj joka voidaan laskea (myös kieliopissa)
count down v laskea takaperin, tehdä lähtölaskenta
countdown /'kaunt,daun/ s lähtölaskenta
countenance /kauntənəns/ s **1** kasvot **2** tuki
v (ylät) sallia, suvaita
counter /kauntər/ s **1** tiski, myyntipöytä, kassa, lippuluukku, (pitkä keittiön) pöytä **2** pelimerkki **3** laskin(laite)
v **1** vastata (iskuun, hyökkäykseen) **2** vastustaa (määräystä) **3** kumota (päätös)
counteract /,kauntər'ækt/ v kumota (vaikutus), vaikuttaa/taistella jotakin vastaan
counteraction /,kauntər'ækʃən/ s vastavaikutus, vastatoimi
counteractive /,kauntər'æktɪv/ adj vasta-, vastustus-
counterattack /'kauntərə,tæk/ s vastahyökkäys
counterbalance /'kauntər,bæləns/ s vastapaino
counterbalance /,kauntər'bæləns/ v olla/toimia jonkin vastapainona
counterclockwise /,kauntər'klakwaɪz/ adv vastapäivään
counterculture /'kauntər,kʌltʃər/ s vaihtoehtokulttuuri
counterfeit /kauntərfət/ v väärentää
adj väärä, väärennetty
counterforce /'kauntər,fɔrs/ s vastavoima, vastustus
countermand /,kauntər'mænd/ s (käskyn) peruutus v peruuttaa/kumota käsky
countermeasure /'kauntər,meʒər/ s vastatoimi, vastatoimenpide
counteroffensive /,kauntərə'fensɪv/ s vastahyökkäys
counteroffer /'kauntər,afər/ s vastatarjous
counterpart /'kauntər,part/ s **1** vastine, joka vastaa jotakuta/jotakin **2** jäljennös, kopio **3** vastakappale
counterproductive /,kauntərprə'dʌktɪv/ adj vahingollinen getting mad would be counterproductive suuttumisesta olisi enemmän haittaa kuin hyötyä
counterrevolution /,kauntər,revə'luʃən/ s vastavallankumous
counterrevolutionary adj vastavallankumouksellinen
countersign /'kauntər,saɪn/ v varmentaa (sekki toisella) nimikirjoituksella

countersignature /ˌkaʊntər'sɪgnətʃər/ s (sekin) varmennus
counter to adv vastoin jotakin, jonkin vastaisesti
counterweight /'kaʊntər,weɪt/ s vastapaino
countess /kaʊntəs/ s kreivitär
count in v lukea/laskea mukaan
countless adj lukematon
count on v luottaa johonkuhun/johonkin, laskea jonkun/jonkin varaan
count out v **1** jättää joku pois laskuista **2** (laskea ja) jakaa jotakin jollekulle
countrified /'kʌntrə,faɪd/ adj maalaismainen
country /kʌntri/ s **1** maa **2** kansa **3** maaseutu **4** maisema **5** kantrimusiikki
country-and-western /ˌkʌntriən'westərn/ s country-and-western-musiikki, kantrimusiikki
country club s golfkerho
country cousin s (kuv) maalaisserkku
country gentleman s (mon country gentlemen) suurtilallinen, tilanomistaja
countryman /kʌntrɪmən/ s (mon countrymen) **1** maanmies **2** maalainen
country music s kantrimusiikki
country rock s kantrimusiikki jossa on rockmusiikin vaikutteita
countryside /'kʌntri,saɪd/ s maaseutu
countrywoman /'kʌntri,wʊmən/ s (mon countrywomen) **1** maanmies, saman maan (nais)kansalainen **2** maalainen
count upon ks count on
county /kaʊnti/ s (US) piirikunta, (UK) kreivikunta
coup /ku/ s **1** isku, tempaus, saavutus **2** vallankaappaus
coup d'état /ˌkudə'ta/ s vallankaappaus
coupé /kup/ s coupé(-mallinen auto)
couple /kʌpəl/ s **1** pari a married couple aviopari **2** pari, muutama, jokunen a couple of blocks from here parin korttelin päässä
v **1** yhdistää, yhdistyä (pariksi) **2** (eläimet) paritella
couplet /kʌplət/ s säepari, riimipari
coupling /kʌpliŋ/ s **1** yhdistäminen, liittäminen **2** kytkin, liitin
coupon /kjupan kupan/ s (esim tarjous)kuponki
courage /kərədʒ/ s rohkeus
courageous /kə'reɪdʒəs/ adj rohkea, urhea, peloton
courageously adv rohkeasti, urheasti, pelottomasti
courgette /kʊər'ʒet/ s (UK) courgette-kurpitsa
courier /kəriər/ s **1** kuriiri **2** (UK) matkaopas
course /kɔrs/ s **1** suunta, kurssi, kulku, kesto the illness has run its course sairaus on kestänyt aikansa/on ohi **2** aika, kesto in the course of his studies opiskellessaan, opiskeluaikanaan in due course aikanaan **3** (oppi)kurssi **4** (hoito-)ohjelma **5** ruokalaji **6** of course tottakai, tietenkin
v **1** (verestä, kyynelistä) virrata **2** metsästää
court /kɔrt/ s **1** oikeus, oikeussali his case came up in court yesterday hänen oikeusjuttunsa käsiteltiin eilen **2** hovi at court hovissa **3** kenttä basketball/handball/volleyball/tennis court koripallo/käsipallo/lentopallo/tenniskenttä
v **1** (vanh) kosiskella (myös kuv) **2** etsiä (hankaluuksia), uhmata kohtaloaan
courteous /kərtiəs/ adj kohtelias
courteously adv kohteliaasti
courtesy /kərtəsi/ s **1** kohteliaisuus **2** (by) courtesy of jonkun suosiollisella avustuksella, lainannut käyttöön se ja se adj ilmainen courtesy shuttle (hotellin asiakkaita kyyditsevä) ilmainen lentokenttäbussi tms
courtesy light s (henkilöauton) sisävalo
courtesy visit s kohteliaisuuskäynti
courthouse /kɔrthaʊs/ s oikeustalo
courtier /kɔrtɪər/ s hovimies

court-martial /ˈkɔrt,marʃəl ,kɔrtˈmarʃəl/ s sotaoikeus
v viedä/joutua sotaoikeuteen, syyttää sotaoikeudessa
courtship /kɔrtʃɪp/ s seurustelu
courtyard /kɔrtjard/ s (sisä)piha
cousin /kʌzən/ s serkku first cousin serkku second cousin pikkuserkku
cove /koʊv/ s (pieni) lahti
Coventry /ˈkʌvən,tri/
cover /kʌvər/ s **1** (laatikon, kirjan) kansi, suojus, peite **2** (kirje)kuori **3** suoja, turva, piilo under cover of darkness pimeyden turvin **4** vakuutussuoja **5** ks cover version
v **1** peittää, peittyä, kattaa the streets were covered in/with snow kadut olivat paksun lumen peitossa **2** peittää, salata (hämmästyksensä, virheensä) **3** käsitellä, kattaa, kertoa (lehdessä), uutisoida jostakin her latest book covers a lot of ground hän käsittelee uusimmassa kirjassaan monia asioita **4** levyttää tuttu musiikkikappale uudestaan (ks cover version)
coverage /kʌvərədʒ/ s **1** uutisointi, selostus (televisiossa, radiossa, lehdissä) **2** vakuutussuoja(n laajuus)
cover charge s (ravintolan tms) pääsymaksu, illalliskortti
cover for v **1** olla/toimia jonkun sijaisena **2** salata jonkun poissaolo/virhe
cover girl s (lehden) kansikuvatyttö
cover letter s saatekirje
cover story s **1** (lehden) kansikuvajuttu, (yksi) pääjuttu **2** veruke, meriselitys
covert /koʊˈvərt/ s **1** päällys, kuomu, peite **2** piilopaikka
adj vaivihkainen, salainen
covertly adv vaivihkaa, salaa
cover up v **1** peittää, salata **2** peittää kokonaan, haudata alleen
cover version s toisen esittäjän versio tutusta musiikkikappaleesta
cow /kaʊ/ s **1** lehmä **2** naaras(norsu, -virtahepo, -valas)
v pelotella, uhkailla
coward /kaʊərd/ s pelkuri
cowardice /kaʊərdəs/ s pelkuruus, arkuus
cowardly adj arka, pelokas, pelkurimainen
cowboy /kaʊbɔɪ/ s karjapaimen, cowboy
cowgirl /kaʊgərəl/ s karjapaimen (naispuolinen)
cowl /kaʊəl/ s huppu
cowlick /kaʊlɪk/ s otsakiehkura
cox /kaks/ s (kilpasoutuveneen) perämies
v pitää perää, olla perämiehenä
coxswain /kaksən/ s (kilpasoutuveneen) perämies
coy /kɔɪ/ adj (teennäisen) ujo, kaino
coyly adv (teennäisen) ujosti, kainosti
coyote /kaɪˈoʊti/ s kojootti
cozily adv kodikkaasti, mukavasti
cozy /koʊzi/ adj kodikas, mukava (huone, olo)
cozyness s kodikkuus, mukavuus
CPA certified public accountant tilintarkastaja
CPI consumer price index kuluttajahintaindeksi
CP/M Control Program for Microcomputers eräs mikrotietokoneiden käyttöjärjestelmä
CPR cardiopulmonary resuscitation sydänelvytys
Cpt. captain kapteeni
CPU central processing unit (tietokoneen) keskusyksikkö
CR carriage return (tietok) rivinvaihto
Crab (tähdistö) Krapu
crab /kræb/ s taskurapu
crack /kræk/ s **1** lohkeama, murtuma **2** läimähdys, pamahdus **3** isku, tärähdys **4** eres laimentamaton kokaiinilaji, crack
v **1** murtua, lohjeta **2** läimähtää, pamahtaa **3** (äänestä) murtua **4** ratkaista (arvoitus), purkaa (salakieli)
crack a joke fr kertoa/murjaista vitsi
crack a smile fr hymyillä, väläyttää hymy
crackbrain /ˈkræk,breɪn/ s typerys, idiootti

crack down on v (viranomaisista) koventaa otteitaan (taistelussa rikollisuutta vastaan)
cracker s **1** suolakeksi **2** sähikäinen **3** paukkukaramelli **4** maatiainen, maajussi
crackerjack /'krækər,dʒæk/ s jokapaikan höylä, tuhattaituri
crackle /krækəl/ s rätinä, ritinä v rätistä, ritistä
crackpot /krækpat/ s, adj tärähtänyt
crack up v **1** seota, tulla hulluksi **2** purskahtaa/ratketa nauruun
cradle /kreɪdəl/ s **1** kehto (myös kuv) **2** kehikko, runko
v pidellä (varovasti sylissään)
craft /kræft/ s **1** käsityö, käsityötaito, taideteollisuus **2** taito, taitavuus, osaaminen **3** oveluus, juonikkuus **4** alus, vene, laiva
craftily adv ovelasti, juonikkaasti, nokkelasti
craftiness s oveluus, juonikkuus, nokkeluus
craftsman /kræfsmən/ s käsityöläinen
craftsmanship /'kræfsmən,ʃɪp/ s käsityötaito, ammattitaito
crafty /kræfti/ adj ovela, juonikas
crag /kræg/ s kallio
craggy /krægi/ adj kallioinen, rosoinen, kulmikas
cram /kræm/ v **1** ahtaa, sulloa täyteen **2** päntätä päähänsä (läksyjä)
cramp /kræmp/ s lihaskouristus
v **1** aiheuttaa lihaskouristus **2** ahtaa, sulloa **3** estää, rajoittaa, haitata
crampon /'kræm,pan/ s (kenkään kiinnitettävä) jäärauta
cranberry /kræn,beri/ s karpalo
Crane (tähdistö) Kurki
crane /kreɪn/ s **1** kurki **2** nostokurki
v kurottautua, kurottaa (kaulaansa)
cranial /kreɪniəl/ adj kallon, kallo-
cranium /kreɪniəm/ s (mon craniums, crania) kallo
crank /kræŋk/ s **1** kampi **2** höynähtänyt/tärähtänyt ihminen
v kääntää/käynnistää ym kammella
crankshaft /'kræŋk,ʃæft/ s kampiaskeli
cranky adj **1** outo, kummallinen, löylyn lyömä (ihminen) **2** ärtyisä, äksy
crash /kræʃ/ s **1** kolari, onnettomuus, lentokoneen putoaminen, rysähdys (myös äänestä), törmäys **2** (talouden) romahdus
v **1** joutua kolariin/onnettomuuteen, (lentokoneesta) pudota, rysähtää (myös äänestä), törmätä johonkin **2** romahtaa (taloudellisesti), mennä vararikkoon **3** mennä kuokkavieraana jonnekin they crashed the party he menivät juhliin kuokkimaan **4** (sl) nukahtaa, sammua
crass /kræs/ adj törkeä, tökerö (virhe, käytös), ällistyttävä (tietämättömyys)
crate /kreɪt/ s laatikko
v pakata laatikkoon
crater /kreɪtər/ s kraatteri
Crater Lake /,kreɪtər'leɪk/ järvi ja kansallispuisto Oregonissa
cravat /krə'væt/ s **1** kravatti, solmio **2** (vanh) kaulaliina
crave /kreɪv/ v kaivata/haluta kovasti
craving s voimakas halu
crawl /kraəl/ s **1** ryömintä, matelu (myös kuv) the traffic on the freeway slowed down to a crawl moottoritien liikenne eteni enää vain ryömintävauhtia **2** krooli(uinti)
v ryömiä, madella (myös kuv)
crayfish /kreɪfɪʃ/ s rapu
crayon /'kreɪ,an kræn/ s väriliitu
v värjätä väriliiduilla
craze /kreɪz/ s villitys, hullutus
v tehdä hulluksi the woman had a crazed look in her eyes naisella oli hullun kiilto silmissään
crazily adj **1** hullusti, hullun lailla **2** uskomattoman
craziness s hulluus (myös kuv), älyttömyys
crazy adj hullu (myös kuv) I'm not crazy about the idea minä en ole erityisen innostunut ajatuksesta she is crazy about him hän on hulluna häneen
creak /krik/ s narahdus
v narahtaa
creaky adj nariseva

cream /krim/ s **1** kerma (myös kuv:) parhaimmisto, hienosto **2** voide, kreemi **3** kermanväri
v **1** kuoria kerma (myös kuv:) viedä parhaat palat **2** lisätä kermaa (kahviin, teehen) **3** (sl) tehdä selvää jälkeä jostakusta, voittaa perinpohjin
creamy adj kermainen, kermamainen, voidemainen
crease /kris/ s taite, poimu, laskos, (housun)prässit, ryppy
v taittaa, poimuttaa, laskostaa, prässätä, rypistää
create /kri'eɪt/ v **1** luoda **2** aiheuttaa (ongelmia), pitää (melua)
creation /kri'eɪʃən/ s **1** luominen **2** luomakunta
creative /kri'eɪtɪv/ adj luova, kekseliäs
creatively adv luovasti, kekseliäästi
creator s luoja, tekijä, keksijä, (ajatuksen) isä Creator Luoja
creature /kritʃər/ s eläin, ihminen
creature comforts s perusmukavuudet
credence /kridəns/ s usko, luottamus (jonkin paikkansapitävyyteen) give credence to something uskoa, luottaa johonkin
credentials /krə'denʃəlz/ s (mon) suositukset, todistukset, henkilöllisyyspaperit
credibility /ˌkredə'bɪləti/ s uskottavuus
credible /kredəbəl/ adj uskottava
credibly adv uskottavasti
credit /kredət/ s **1** usko, luottamus **2** tunnustus, arvonanto **3** (pankki)luotto **4** (pankki)saatavat
creditable /kredətəbəl/ adj kiitettävä, hyvä, oivallinen
creditably adv kiitettävästi, hyvin
credit card s luottokortti
credit line s luottoraja
creditor /kredətər/ s velkoja
credit with v laskea/lukea jonkun ansioksi/syyksi
credulity /krə'dʒuləti/ s hyväuskoisuus, herkkäuskoisuus, narrattavuus
credulous /kredʒələs/ adj hyväuskoinen, herkkäuskoinen, narrattava
creed /krid/ s **1** usko **2** uskontunnustus
creek /krik/ s puro
CREEP Committee to Reelect the President
creep /krip/ s hyypiö, retale
v crept, crept **1** ryömiä, madella, hiipiä **2** (ihosta) nostaa kananlihalle
creeper s köynnöskasvi
creeps to give someone the creeps pelästyttää, kauhistuttaa, kuvottaa, inhottaa
creepy adj pelottava, kauhistuttava
cremate /'kriˌmeɪt/ v polttaa ruumis
cremation /krɪ'meɪʃən/ s kremaatio, ruumiin polttaminen
crematorium /ˌkrimə'tɔriəm/ s (mon crematoriums, crematoria) krematorio
crematory /kriməˌtɔri/ krematorio
crème fraîche /ˌkrem'freʃ/ s ranskankerma, crème fraîche
crepe /kreɪp/ s **1** kreppi(kangas) **2** surunauha **3** ohukainen, crépe
crept /krept/ ks creep
crescendo /krə'ʃendou/ s **1** (mus) crescendo **2** (kuv) purkaus, tulva, ryöppy
crescent /kresənt/ s **1** kuunsirppi **2** kuunsirpin muotoinen esine **3** voisarvi, croissant
cress /kres/ s (kasvi) krassi
crest /krest/ s **1** (aallon, vuoren, hevosen) harja **2** (kuv) huippu **3** (kukon)helttä, (linnun) töyhtö
v **1** kiivetä (vuoren) huipulle **2** (kuv) huipentua his fame crested in the early 1990s hänen maineensa oli laajimmillaan 1990-luvun alussa
crestfallen /'krestˌfalən/ adj (täysin) lannistunut, myrtynyt, (raskaasti) pettynyt
Crete /krit/ Kreeta
cretin /kritən/ s **1** kretiini **2** (kuv) idiootti
crevasse /krə'væs/ s railo
crevice /krevəs/ s lohkeama, halkeama

crew /kru/ s **1** (laivan, lentokoneen) miehistö **2** (urheilu)joukkue **3** (työ)ryhmä, tiimi
crewcut /krukʌt/ s sänkitukka
crib /krɪb/ s **1** (US) lastensänky, häkkisänky **2** seimi **3** lunttilappu
v **1** luntata (kokeessa) **2** plagioida
cricket /krɪkət/ s **1** heinäsirkka
2 kriketti(peli)
cricketer s kriketinpelaaja
cried /kraɪd/ ks cry
crime /kraɪm/ s rikos, rikollisuus
Crimea /kraɪ'miə/ Krim
criminal /krɪmənəl/ s rikollinen
adj rikollinen, rikosoikeudellinen
criminal code s rikoslaki
criminal law s rikoslaki
criminal lawyer s rikosasianajaja
criminally adv **1** rikollisesti an institute for the criminally insane vankilamielisairaala **2** (kuv) törkesti, hävyttömästi
crimson /krɪmzən/ s, adj purppuranpunainen
cringe /krɪndʒ/ v **1** säpsähtää, vavahtaa **2** nöyristellä, (kuv) ryömiä jonkun edessä
crinkle /kriŋkəl/ s ryppy
v rypistää, rypistyä
cripple /krɪpəl/ s rampa, invalidi
v **1** rampauttaa **2** (kuv) lamauttaa, tehdä toimintakyvyttömäksi
crippling adj lamauttava, musertava
crises /kraɪsiz/ ks crisis
crisis /kraɪsəs/ s (mon crises) kriisi, murros, ratkaisun hetki, taitekohta
crisp /krɪsp/ s (UK) perunalastu
adj (ruoka) rapea, tuore, (ilma) raikas, virkistävä, (ääni) reipas, selvä, (vastaus, kirjoitustyyli) reipas, terävä, ytimekäs, (ulkonäkö) siisti, huoliteltu
crisply adv ks crisp
crispness s ks crisp
crisscross /krɪskras/ v **1** kulkea ristiin rastiin, sinne tänne **2** merkitä rastilla
adv ristiin rastiin
criteria /kraɪ'tɪərɪə/ ks criterion
criterion /kraɪ'tɪəriən/ s (mon criteria) kriteeri, tunnusmerkki, valintaperuste
critic /krɪtɪk/ s kriitikko, arvostelija
critical adj kriittinen (eri merkityksissä:) ratkaiseva, vaarallinen (hetki, tila); ankarasti arvosteleva, moittiva; arvosteluun, kritiikkiin liittyvä; kriittiseen tutkimukseen liittyvä, tarkka don't be too critical of him älä arvostele häntä liian ankarasti critical acclaim myönteiset arvostelut
critically adv **1** kriittisesti (ks critical) **2** ratkaisevan (tärkeä) **3** vakavasti (sairas)
criticism /'krɪtəˌsɪzəm/ s arvostelu, kritiikki, moite
criticize /'krɪtəˌsaɪz/ v arvostella, kritisoida, moittia, haukkua
croak /kroʊk/ s (sammakon) kurnutus, (variksen, ihmisen) rääkäisy
v (sammakko) kurnuttaa, (varis, ihminen) rääkyä
Croatia /kroʊ'eɪʃə/ Kroatia
crock /krak/ s **1** (savitavara)ruukku **2** (sl) pöty(puhe), roska(puhe)
crockery /krakəri/ s savitavara
crocodile /'krakəˌdaɪl/ s krokotiili
crocodile tears s (mon kuv) krokotiilinkyynelet she shed some crocodile tears hän vuodatti krokotiilinkyyneleitä
crocus /kroʊkəs/ s (mon crocusses) krookus
crook /krʊk/ s **1** (paimen)sauva **2** (tien)mutka **3** (ark) roisto, konna
v taipua/taivuttaa mutkalle, (tie) kääntyä
crooked /krʊkəd/ adj käyrä, kiero (myös kuv), epärehellinen
crooner /krunər/ s nyyhkylaulaja
crop /krap/ s **1** (maat) sato **2** joukko, ryhmä, kimppu
v leikata/katkaista (lyhyeksi), lyhentää
crop rotation s vuoroviljely
crop up v ilmetä, tulla esiin, nousta (ongelma)
croquet /kroʊ'keɪ/ s kroketti(peli)
cross /kras/ s **1** risti (myös kuv) to bear your cross kantaa ristinsä **2** (kaavakkeessa yms) rasti **3** risteytys, (kuv) sekasikiö
v **1** ylittää, kulkea jonkin yli/poikki they crossed the desert at night he ylittivät aavikon yöllä **2** ristiä, panna ristiin, mennä ristiin I'll keep my fingers

crossed for you minä pidän sinulle peukkua the roads cross a few miles from here tiet risteävät muutaman mailin päässä
adj pahantuulinen, vihainen, kiukkuinen
crossbow /'kras,boʊ/ s varsijousi
crossbreed /'kras,brid/ s risteytys, sekarotuinen ihminen/eläin
v risteyttää
crossbuck /'kras,bʌk/ s tasoristeyksen merkki
cross-check /,kras'tʃek/ s tarkistus
v tarkistaa
cross-country /,kras'kʌntri/ adj **1** maasto-, murtomaa- **2** maan poikki ulottuva (lento)
cross-country skiing s murtomaahiihto, maastohiihto
cross-examination /,krasəg,zæmə'neɪʃən/ s ristikuulustelu
cross-examine /,krasəg'zæmən/ v ristikuulustella
cross-eyed /'kras,aɪd/ adj kierosilmäinen
cross-fade /'kras,feɪd/ s (video) ristikuva ristikuva, siirtymä kuvasta toiseen siten että edellinen kuva häipyy samalla kun seuraava kuva tulee näkyviin
crossfire /'kras,faɪər/ s ristituli
crossing s **1** ylitys **2** risteys, ylikäytävä
crosslegged /,kras'legəd/ adj jalat ristissä
cross-purposes to be at cross-purposes ei ymmärtää toisiaan, puhua eri asiasta; toimia toisiaan vastaan
cross reference s (kirjassa) viittaus
cross-reference v varustaa viittauksilla
crossroads /'kras,roʊdz/ s (mon, verbi mon tai yksikössä) (tien)risteys
cross-section /'kras,sekʃən/ s poikkileikkaus, läpileikkaus (myös kuv)
cross swords fr ottaa yhteen (myös kuv)
crosstie /'kras,taɪ/ s ratapölkky
crosswalk /'kras,wak/ s suojatie
crossword puzzle /,kraswərd'pʌzəl/ s sanaristikko
crotch /kratʃ/ s **1** puunhaara **2** nivuset **3** (vaatteen) haaravahvike
crouch /kraʊtʃ/ s kyykky(asento), kyyristyminen
v kyyristyä, käydä kyykkyyn
croupier /,krupi'eɪ krupiər/ s pelinhoitaja
crow /kroʊ/ s **1** varis **2** rääkäisy, huudahdus
v **1** (kukko) kiekua, (varis) raakkua, rääkäistä, (ihminen) huudahtaa **2** (over) leuhkia, mahtailla, rehennellä jollakin
crowbar /'kroʊ,bar/ s sorkkarauta
crowd /kraʊd/ s **1** väkijoukko, väentungos **2** yleisö **3** suuri yleisö, enemmistö
v ahtautua, ahtaa, tunkeutua, tunkea, sulloutua, sulloa jonnekin she crowded her stuff into the bag hän sulloi tavaransa laukkuun the place was crowded with people paikka oli tupaten täynnä (väkeä)
crowded adj täpötäysi
crown /kraʊn/ s **1** kruunu **2** päälaki, (hatun) kupu
v **1** kruunata (myös kuv) **2** be crowned with peittää, olla jonkin päällä
crowning s kruunajaiset
adj joka kruunaa jonkin a crowning accomplishment kaiken kruunaava saavutus
CRT cathode-ray tube katodisädeputki; (tietokone)monitori, näyttö(laite)
crucial /kruʃəl/ adj ratkaiseva, elintärkeä
crucially adj ratkaisevan, ehdottoman
crucifix /'krusə,fɪks/ s krusifiksi
crude /krud/ s (ark) raakaöljy
adj **1** raaka, jalostamaton crude oil raakaöljy **2** karkea, hiomaton, alkeellinen, kömpelö
crudely adv karkeasti, alkeellisesti, kömpelösti
crudeness s karkeus, hiomattomuus, alkeellisuus
crudity s karkeus, hiomattomuus, alkeellisuus
cruel /kruəl/ adj julma, raaka, raakamainen

cruelly adv julmasti, raa'asti, raakamaisesti
cruelty s julmuus, raakuus, julma/raaka teko
cruet /kruɪt/ s (ruokapöydässä) etikka/öljypullo
cruise /kruz/ s risteily, (leppoisa auto)ajelu
v risteillä, ajaa (autolla) matkanopeutta/kiirehtimättä, lentää matkanopeutta cruise the loop ajaa korttelirallia
cruiser s **1** (sot) risteilijä **2** huvivene
crumb /krʌm/ s **1** (leivän)muru **2** (kuv) hitunen, hiukkanen, tippa
crumble /krʌmbəl/ v **1** murentua, murtua **2** (kuv) murtua, luhistua, (toivo) sammua
crumbly adj hauras, helposti mureneva
crumple /krʌmpəl/ v **1** rypistyä, rypistää **2** romahtaa, luhistua
crunch /krʌntʃ/ s (suun) rouskutus, (askelten) narske **2** pula an energy crunch **3** kova/vakava paikka, kuumat oltavat
v **1** rouskuttaa, rouskua, narskuttaa, narskua **2** kiristää (taloutta), panna koville
crunch numbers fr laskea/tuottaa tietokoneella suuria määriä numerotietoa
crusade /kru'seɪd/ s ristiretki (myös kuv:) taistelu jonkin puolesta/jotakin vastaan
v lähteä/osallistua ristiretkelle, olla ristiretkellä, (kuv) taistella jonkin puolesta/jotakin vastaan
crusader s ristiretkeläinen, esitaistelija
crush /krʌʃ/ s **1** väentungos, (ark) ryysis **2** ihastus he had a crush on her hän on oli ihastunut/pihkassa häneen **3** hedelmämehu (jossa on jäljellä maltoa)
v **1** musertaa, musertua, rutistaa, puristaa, jäädä puristuksiin **2** rypistää, rypistyä **3** (kuv) lannistaa, masentaa, sammuttaa (toivo) she was crushed when she heard he had died hän oli musertua suruunsa kun hän kuuli miehen kuolleen
crushing adj murskaava (tappio)
crust /krʌst/ s kuori, maankuori
v (kuori) kovettua, peittää jokin (kuorella)
crustacean /krʌs'teɪʃən/ s äyriäinen
crusty adj **1** rapea, kovettunut (kuori) **2** kärttyisä, pahantuulinen
crutch /krʌtʃ/ s **1** kainalosauva **2** (kuv) henkinen/moraalinen tuki
crux /krʌks/ s ongelman/asian ydin
cry /kraɪ/ s **1** parahdus, huudahdus, huuto, voihkaisu, ulvahdus **2** itkunpuuska
v cried, cried **1** huutaa, parahtaa, ulvoa, ulvahtaa, voihkaista, voihkia **2** itkeä
crybaby /'kraɪ,beɪbi/ s **1** itkupilli **2** ruikuttaja
cry down v vähätellä, (kuv) lyödä lyttyyn
cry off v perua sanansa/lupauksensa
cry your heart out fr itkeä hillittömästi
cry on someone's shoulder fr purkaa sydäntään jollekulle
cry out v **1** huutaa (jollekulle jotakin) **2** tehdä välttämättömäksi, sopia erinomaisesti johonkin tarkoitukseen
crypt /krɪpt/ s krypta
cryptic /krɪptɪk/ adj arvoituksellinen
crystal /krɪstəl/ s **1** kide **2** kristalli(lasi)
crystalline /krɪstələn/ adj kide-
crystallize /'krɪstə,laɪz/ v kiteytyä (myös kuv:) tiivistyä, täsmällistyä, kiteyttää
cry uncle fr (ark) antautua
cry up v ylistää, kehua, mainostaa
cry wolf fr antaa väärä hälytys
C-Span Cable Satellite Public Affairs Network
CT computer tomography (lääk) kerroskuvaus
CTRL control
cty. county piirikunta
cub /kʌb/ s **1** (eläimen) pentu **2** toimittajanalku **3** kolkkapoika
Cuba /kjubə/ Kuuba
Cuban s, adj kuubalainen
cubbyhole /'kʌbɪ,hoəl/ s **1** lokero, laatikko **2** pieni huone, soppi

cube /kjub/ s kuutio (myös mat:) kolmas potenssi
v (mat) korottaa kolmanteen potenssiin
cubic /kjubɪk/ adj kuutiomainen, kuutio-
cubic measure s tilavuusmitta
cub reporter s toimittajanalku
cub scout s kolkkapoika
cuckoo /kuku/ s käki
adj tärähtänyt
cucumber /'kju,kʌmbər/ s kurkku cool as a cucumber viileä kuin viilipytty
cud /kʌd/ s (el) märehditty ruoka
cuddle /kʌdəl/ s halailu, rutistus, (ark) halit
v **1** halata, (ark) halia, rutistaa, pitää hyvänä, hyväillä, kyhnytellä **2** käydä mukavaan (lepo)asentoon, kääriytyä kerälle, käpertyä (kainaloon)
cuddly adj söpö, halittava, hellyyttävä, hellyydenkipeä
cudgel /kʌdʒəl/ v lyödä/pamauttaa patukalla, piestä
cue /kju/ s **1** (televisio, teatteri) aloitusmerkki **2** vihje, neuvo **3** biljardikeppi, myös billiards cue
v antaa aloitusmerkki
cue ball s (biljardissa) pelipallo, lyöntipallo
cue in v **1** antaa aloitusmerkki **2** etsiä nauhalta haluttu kohta, kelata nauha haluttuun kohtaan **3** selittää/kertoa jollekulle jotakin, perehdyttää, saattaa tilanteen tasalle
cueing s (nauhurin) myötäkuuntelu pikakelauksen aikana
cuff /kʌf/ s (paidan) ranneke, kalvosin off the cuff suoralta kädeltä, valmistelematta
v läimäyttää
cuisine /kwɪ'zin/ s ruuanlaitto, ruoka Finnish cuisine suomalainen keittiö
cul-de-sac /'kʌldə,sæk/ s umpikuja
culminate in /'kʌlmə,neɪt/ v huipentua johonkin
culmination /,kʌlmə,neɪʃən/ s huipentuma, kulminaatio
culprit /kʌlprət/ s syyllinen, syypää
cult /kʌlt/ s (usk, kuv) kultti, palvonta
cultivate /'kʌltə,veɪt/ v **1** viljellä **2** sivistää, kultivoida, vaalia, kehittää
cultivated adj **1** viljelty **2** sivistynyt, kehittynyt
cultivation /,kʌltə'veɪʃən/ s **1** viljely **2** sivistäminen, kehittäminen, vaaliminen **3** sivistyneisyys
cultivator s **1** (maat) kultivaattori **2** viljelijä **3** vaalija, kehittäjä
cultural /kʌltʃərəl/ adj **1** kulttuuri- **2** viljely-
culturally adv kulttuurin kannalta/osalta
culture /kʌltʃər/ s **1** kulttuuri, sivistys **2** viljely **3** (laboratorio)viljelmä
v viljellä (maata, laboratoriossa)
cultured adj **1** sivistynyt **2** viljelty
culvert /kʌlvərt/ s viemäri, johto, putki
Cumberland /kʌmbərlənd/ Englannin lakkautettuja kreivikuntia
cumbersome /kʌmbərsəm/ adj kömpelö/hankala käsitellä
Cumbria /kʌmbriə/ Englannin kreivikuntia
cumulative /kjumjələtɪv/ adj kasaantuva, kumulatiivinen
cumulus /kjumjələs/ s (mon cumulus) cumulus, kumpupilvi
cuneiform /kju'neɪə,fɔrm 'kjunɪə,fɔrm/ s nuolenpääkirjoitus
adj nuolenpää-
cunning /kʌniŋ/ s oveluus, juonikkuus
adj ovela, juonikas
cunningly adv ovelasti, juonikkaasti
Cup (tähdistö) Malja
cup /kʌp/ s **1** kuppi, muki, malja (myös kuv) my cup runneth over maljani on ylitsevuotavainen **2** pokaali **3** (mittana) kuppi (0,22 dl)
v taivuttaa käsi kouraan/pivoon, tarttua kouralla/pivolla
cupboard /kʌbərd/ s (astia)kaappi
cup of tea s kuppi teetä it's not my cup of tea se ei ole minun heiniäni
cur /kər/ s rakki, piski
curable /kjərəbəl/ adj joka voidaan parantaa
curative /kjərətɪv/ adj parantava, parannus-

curator /kjə'reɪtər 'kjərətər/ s (museon) intendentti
curb /kərb/ s **1** (hevosen) päitset **2** (kuv) suitset, rajoitus, este **3** kadun reunakivi
v **1** hillitä (hevosta), pitää (hevonen) aisoissa **2** (kuv) hillitä, rajoittaa, jarruttaa, panna jollekulle suitset suuhun
curb bit s (hevosen) kankikuolain
curb chain s (hevosen) kankiketju
curb rein s (hevosen) kankiohjas
curb stone s kadun reunakivi
curd /kərd/ s rahka
cure /kjʊər/ s hoito(menetelmä), parannuskeino, lääke (myös kuv)
v **1** parantaa, parantua, tehdä terveeksi **2** (kuv) parantaa, auttaa joku pääsemään eroon jostakin **3** (ruokaa) kuivata, savustaa, suolata, säilöä
curfew /kərfju/ s ulkonaliikkumiskielto
curiosity /,kjəri'asəti/ s **1** uteliaisuus, tiedonjano **2** kuriositeetti, erikoinen/omituinen esine
curious /kjəriəs/ adj **1** utelias, tiedonjanoinen, (myös:) liiallisen utelias **2** outo, kumma, erikoinen, eriskummallinen
curiously adv **1** uteliaasti **2** oudosti, (eris)kummallisesti, ihmeellisesti
curiously enough adv ihmeellistä kyllä
curl /kərəl/ s (hius)kihara
v kihartaa, kihartua
curl up v kiertyä kerälle, käpertyä kokoon
curly /kərli/ adj kihara
Curly (Peter Panissa) Pörrö
currant /kərənt/ s **1** korintti **2** herukka
currency /kərənsi/ s **1** valuutta **2** yleisyys, levinneisyys to gain currency yleistyä, levitä, tulla yleiseen käyttöön
current /kərənt/ s **1** (vesi/ilma/sähkö)-virta **2** suunta(us), yleinen mielipide
adj nykyinen, tämänhetkinen, tämän päivän, ajankohtainen
currently adv nykyisin, tällä hetkellä, tänä päivänä, parhaillaan
curriculum /kə'rɪkjələm/ s (mon curriculums, curricula) opetussuunnitelma, opinto-ohjelma, koulutusohjelma
curriculum vitae /viteɪ/ s (työpaikkahakemuksessa: lyhyt) elämäkerta, ansioluettelo
curry /kəri/ s (mauste, ruoka) curry
curry favor with fr tavoitella jonkun suosiota, pyrkiä jonkun suosioon, imarrella, hännystellä, mielistellä
curse /kərs/ s **1** kirosana **2** kirous, kirot I felt I was under his curse tunsin olevani hänen kiroissaan **3** kirous, vitsaus, paha asia crime is a curse of many big cities rikollisuus on monen suuren kaupungin kirous
v **1** kirota, kiroilla, sadatella, noitua, haukkua, moittia **2** kirota he cursed us to hell hän kirosi meidät helvettiin she is cursed with a bad back hänellä on harminaan huono selkä, hän saa kärsiä huonosta selästään
cursed /kərst kərsəd/ adj kirottu, viheliäinen
cursor /kərsər/ s (atk) kohdistin, kursori
curt /kərt/ adj **1** vähäpuheinen, lyhyt, ytimekäs **2** tyly(n vähäpuheinen, lyhyt)
curtail /kər'teɪəl/ v rajoittaa, lyhentää
curtailment s rajoittaminen, lyhentäminen
curtain /kərtən/ s **1** (ikkuna)verho it's the curtains for me minä olen mennyttä **2** esirippu **3** (kuv: salamyhkäisyyden) verho
v varustaa/peittää verhoilla
curtain call s (teatt) esiinhuuto
curtain off v erottaa väliverholla
curtsy /kərtsi/ s niiaus
v niiata
curve /kərv/ s **1** mutka, kaarre **2** muoto, muodot **3** (graafisen esityksen, mat) käyrä
v kääntyä, kaartua, olla kaareva/pyöreä
curved adj kaareva, käyrä, pyöreä
cushion /kʊʃən/ s tyyny
v pehmentää, vaimentaa (iskua, myös kuv)
custard /kʌstərd/ s vanukas
custodian s (tal) arvopapereiden säilytyksestä huolehtiva yhtiö

custodian /kəs'toudiən/ s **1** (alaikäisen) holhooja **2** (rakennuksen) valvoja, vartija **3** (perinteen) vaalija
custody /kʌstədi/ s **1** holhous, huosta the child is now in the custody of his mother lapsi on nyt äitinsä huostassa **2** pidätys the police took the man in(to) custody poliisi pidätti miehen
custom /kʌstəm/ s **1** (perinteinen) tapa **2** (käyttäytymis)tapa, tottumus
custom-built /,kʌstəm'bɪlt/ adj tilaustyönä valmistettu
customer s **1** asiakas **2** (ark) ihminen, tapaus he is a tough customer hän on vaikea tapaus
customs /kʌstəmz/ s (mon, verbi yksikössä) tulli(maksu/laitos/paikka)
cut /kʌt/ s **1** viilto, haava **2** leikkaaminen, viiltäminen **3** (hintojen, menojen, määrärahojen) leikkaus, supistus, vähennys **4** (vaatteiden) leikkaus **5** (lihan) paloittelu, (lihan)pala **6** (ark) osuus, osa v cut, cut **1** leikata, leikkautua, viiltää, katkaista, silpoa, saada haava, hakata (kiveen) **2** (kuv) katkaista (sähkö, välit), keskeyttää (puhuja) **3** leikata (menoja), laskea (hintaa), lyhentää (työaikaa, tekstiä), vähentää (tuotantoa) **4** pinnata jostakin, ei mennä jonnekin **5** (viivoista, teistä) leikata, risteytyä **6** jakaa (osiin)
cut above to be a cut above average fr olla keskimääräistä parempi, olla keskitason yläpuolella
cut across v ylittää
cut a figure fr antaa tietty kuva itsestään you cut a fine figure at the party sinä olit juhlissa eduksesi
cut-and-dried /,kʌtən'draɪd/ adj selvä, mutkaton, yksinkertainen
cutback /'kʌt,bæk/ s (menojen, määrärahojen) leikkaus, supistus, vähentäminen
cut back v **1** vähentää, supistaa **2** lyhentää, leikata (lyhyemmäksi) **3** palata (elokuvassa, romaanissa) ajassa taaksepäin
cut both ways fr olla kaksipiippuinen juttu, jollakin on sekä hyvät että huonot puolensa, jostakin on sekä etua että haittaa
cut down v **1** vähentää, supistaa **2** hävittää, tuhota, kaataa (kuin heinää)
cut down to size fr nöyryyttää, ottaa joltakulta turhat luulot pois
cute /kjut/ adj **1** söpö, sievä **2** hyvä, hieno, nokkela **3** näsäviisas, nenäkäs
cuticle /kjutɪkəl/ s kynsinauha
cutie /kjuti/ s (ark naisesta, lapsesta) söpöliini
cut in v **1** keskeyttää, sanoa väliin **2** viedä toisen tanssipari kesken tanssin
cut it fr **1** pärjätä **2** täyttää tehtävänsä
cut it out fr lopettaa
cutlass /kʌtləs/ s lyhyt miekka
cutlery /kʌtləri/ s aterimet, ruokailuvälineet
cutlet /kʌtlət/ s (liha) leike, (kala) file
cut no ice fr olla yhdentekevää; jostakin ei ole mihinkään whining cuts no ice with me ruikutus ei tehoa minuun
cut off v **1** keskeyttää, sammuttaa, katkaista, lopettaa, lakata **2** leikata irti, katkaista
cut off your nose to spite your face fr tehdä kiusaa/vahinkoa itselleen
cut your own throat fr satuttaa (vain) itseään, tehdä itselleen vahinkoa
cut your teeth on Gilbert cut his teeth on sales Gilbert aloitti uransa myyntipuolella
cut out v **1** poistaa, jättää pois **2** you certainly have your work cut out for you sinulla näyttää tosiaan olevan kädet täynnä työtä
cut out for adj sopia johonkin, olla omiaan johonkin
cut short fr loppua/katketa/katkaista kesken/lyhyeen
cutter /kʌtər/ s **1** (työkalu) veitsi, leikkuri, terä wire cutter lankaleikkuri **2** (henkilö) leikkaaja, hioja **3** (mer) kutteri
cutthroat /'kʌt,θrout/ adj armoton (kilpailu), kova (ala)
cutting s **1** leikkaaminen, leikkuu **2** (kuv: hintojen, menojen, määrärahojen) alentaminen, laskeminen, leikkaaminen adj terävä, pureva (myös kuv:) piikikäs, ilkeä

cut to the chase fr mennä (suoraan) asiaan
cut up v **1** pilkkoa, paloitella, leikellä **2** silpoa, haavoittaa **3** mekastaa, riehua
CV curriculum vitae elämäkerta (työpaikkahakemuksessa tms)
cwt. hundredweight sata naulaa (45,359 kg)
cyanide /'saɪə,naɪd/ s syanidi
cyberspace /'saɪbər,speɪs/ s kyberavaruus
cycle /saɪkəl/ s **1** sykli, kierto, jakso, sarja **2** polkupyörä; moottoripyörä v ajaa polku/moottoripyörällä, pyöräillä
cyclic /sɪklɪk/ adj jaksoittainen
cyclical /sɪkləkəl/ adj jaksoittainen
cyclical unemployment s kausityöttömyys
cyclist /saɪklɪst/ s polkupyöräilijä; moottoripyöräilijä
cyclone /saɪkloun/ s sykloni, pyörremyrsky
cyclotron /'saɪklə,tran/ s syklotroni, eräs hiukkaskiihdytin
cygnet /sɪgnət/ s joutsenen poikanen
cyl. cylinder sylinteri
cylinder /sɪləndər/ s **1** sylinteri, lieriö **2** (moottorin) sylinteri
cylindrical /sə'lɪndrəkəl/ adj sylinterimäinen, lieriömäinen
cymbals /sɪmbəlz/ s (mus mon) lautaset
cynic /sɪnɪk/ s kyynikko
cynical /sɪnəkəl/ adj kyyninen
cynically adv kyynisesti
cynicism /'sɪnə,sɪzəm/ s kyynisyys
cypress /saɪprəs/ s sypressi
Cyprian /sɪpriən/ s, adj kyproslainen
Cypriot /sɪpriət/ s, adj kyproslainen
Cyprus /saɪprəs/ Kypros
cyst /sɪst/ s rakkula
cystic fibrosis /,sɪstɪkfaɪ'brousəs/ s (lääk) kystinen fibroosi
czar /zar/ s **1** tsaari **2** johtohenkilö, mahtimies, pohatta
czarina /za'rinə/ s tsaritsa, tsaarin puoliso, keisarinna
Czech /tʃek/ s **1** tšekin kieli **2** tšekki
Czechoslovakia /,tʃekəslə'vakɪə/ Tšekkoslovakia
Czechoslovakian s, adj tšekkoslovakialainen
Czech Republic s Tšekin tasavalta, Tšekki

D, d

D, d /di/ D, d
D/A digital to analog digitaali-analogia
dab /dæb/ s hiukkanen, hitunen, pikkuisen jotakin
v hipaista/sipaista/levittää pikkuisen jotakin jonnekin, pyyhkiä kevyesti jollakin
DAB /ˌdiei'bi/ Digital Audio Broadcasting
dabble /dæbəl/ v **1** loiskuttaa/pärskyttää vettä käsillä **2** tehdä jotakin huvikseen, olla harrastelija-, kokeilla onneaan jossakin
dabbler /dæblər/ s harrastelija
DAC digital to analog converter digitaali-analogiamuunnin
dachshund /daksənt/ s mäyräkoira
dad /dæd/ s isä, isi, isukki
daddy /dædɪ/ s isä, isi, isukki
daffodil /'dæfəˌdɪl/ s narsissi
Daffy Duck /ˌdæfi'dʌk/ Repe Sorsa
daft /dæft/ adj typerä, älytön, järjetön
dagger /dægər/ s tikari
daily /deɪlɪ/ s sanomalehti, päivälehti
adj päivittäinen, päivä-
adv päivittäin
daintily adv **1** sirosti, sievästi, viehättävästi **2** pikkutarkasti, turhantarkasti
daintiness s **1** sirous, sievyys **2** pikkumaisuus, nirsoilu
dainty /deɪntɪ/ adj **1** siro, sievä, viehättävä **2** herkullinen **3** pikkutarkka, turhantarkka, nirso
dairy /derɪ/ s **1** meijeri **2** maitokauppa **3** maitohuone **4** lypsykarjatila
dairy cattle s lypsykarja
dairy farm s lypsykarjatila
dairymaid /'derɪ,meɪd/ s **1** meijerityöntekijä **2** lypsäjä
dairyman /derɪmən/ s (mon dairymen) **1** meijerityöntekijä **2** lypsäjä
dairywoman /'derɪˌwʊmən/ s (mon dairywomen) **1** meijerityöntekijä **2** lypsäjä
dais /deɪəs deɪs/ s puhujakoroke, puhujalava
daisy /deɪzɪ/ s päivänkakkara
dale /deɪəl/ s (runollisesti) laakso
Dallas /dæləs/ kaupunki Texasissa
Dalmatia /dæl'meɪʃə/ Dalmatia
dam /dæm/ s pato
v padota (myös kuv:) hillitä, estää, pysäyttää
damage /dæmədʒ/ s **1** vahinko, vaurio **2** (mon) vahingonkorvaus(maksu)
v **1** vahingoittaa, vaurioittaa **2** (kuv) kolhia (itsetuntoa), vahingoittaa (mainetta)
damaging adj vahingollinen, haitallinen, turmiollinen
Damascus /də'mæskəs/ Damaskos
dame /deɪm/ s **1** nainen, rouva **2** vanha rouva **3** (sl) muija **4** (UK) eräs aatelistitteli
damn /dæm/ s I don't give a damn minä en piittaa siitä tippaakaan it's not worth a damn se ei ole minkään arvoinen, siitä ei ole mihinkään
v **1** (usk) kirota, tuomita kadotukseen **2** (kuv) haukkua, pistää lyttyyn **3** sadatella **4** damn him/the consequences piru hänet periköön, vähät minä hänestä/seurauksista, viis hänestä/seurauksista
adj kirottu, viheliäinen, pahuksen it's a damn shame se on häpeä, se on kurjaa/ikävää
adv hitto vie, pahus soikoon, hiton, pahuksen
int pahus!, hitto!
damnation /ˌdæm'neɪʃən/ s (usk) kirous, kadotus
int pahus!, hitto!

damned /dæmd/ adj **1** kirottu, viheliäinen, pahuksen **2** ihmeellinen, kummallinen **3** the damned kirotut, kadotukseen tuomitut
damnedest /dæmdəst/ adj paras to do your damnedest tehdä parhaansa/kaikkensa, panna parastaan
damned well adv varmasti, takuulla
damp /dæmp/ s kosteus
v **1** kostuttaa **2** (kuv) sammuttaa, lannistaa
adj kostea, (ilma) nihkeä
dampen /dæmpən/ v **1** kostuttaa **2** (kuv) sammuttaa, lannistaa
damper /dæmpər/ s **1** (hormin) savupelti, säätöpelti **2** ilonpilaaja put a damper on latistaa tunnelma, pilata ilo
dance /dæns/ s **1** tanssi **2** tanssit, tanssiaiset
v tanssia (myös kuv)
dance floor s tanssilattia
dance in the air fr kuolla hirsipuussa
dancer s tanssija
dance to another tune fr jollakulla tulee toinen ääni kelloon
dandelion /ˈdændəˌlaɪən/ s voikukka
dandruff /dændrəf/ s hilse
Dane /deɪn/ s tanskalainen
danger /deɪndʒər/ s vaara, uhka
dangerous adj vaarallinen
dangerously adv vaarallisen, uhkaavan
dangle /dæŋgəl/ v roikkua, heilua, heiluttaa
Danish /deɪnɪʃ/ s **1** tanskan kieli **2** viineri
adj tanskalainen
dank /dæŋk/ adj kylmänkostea
Danube /dænjub/ Tonava
dapper /dæpər/ adj huoliteltu, siisti, sliipattu (ark)
Dardanelles /ˌdardəˈneəlz/ ˌmon, ðardanellɪt
dare /deər/ v dared, dared **1** uskaltaa, rohjeta **2** yllyttää, usuttaa jotakuta tekemään jotakin **3** uhmata
apuv (kysymyksissä ja kieltolauseissa) uskaltaa, rohjeta I dare not go there en uskalla mennä sinne
daredevil /ˈderˌdevəl/ s uhkarohkea ihminen, rämäpää
adj uhkarohkea, tyhmänrohkea, rämäpäinen
daring s uskaliaisuus, rohkeus
adj uskalias, rohkea
dark /dark/ s pimeys, pimeä (myös kuv) he was totally in the dark about it hän ei tiennyt asiasta mitään
adj **1** pimeä, synkkä, kolkko **2** tumma (väri, iho) **3** (kuv) synkkä (ajatus), alakuloinen, kolkko, hirvittävä (salaisuus, uhkaus)
Dark Ages s (mon) **1** keskiaika **2** varhaiskeskiaika
Dark Continent s pimeä manner, Afrikka
darling /darliŋ/ s kulta(nen), rakas ihminen, (puhutteluna:) kultaseni, rakkaani
adj rakas
darn /darn/ s **1** parsittu paikka **2** not give a darn vähät välittää, viis veisata
v **1** parsia **2** darn him/it pahuksen mies/pahus soikoon!
adj pahuksen, viheliäinen
adv pahuksen it's a darn sight better now se on nyt koko lailla parempi
int pahus!
darned adj, adv pahuksen well, I'll be darned no johan on!, kas kummaa!
dart /dart/ s **1** tikka(nuoli) **2** ryntäys he made a dart for the door hän pinkaisi/ryntäsi/ampaisi ovelle
v ampaista, rynnätä, pinkaista to dart a glance vilkaista
darts s (mon, verbi yksikössä) tikkapeli, tikanheitto
Darwin /darwɪn/ Darwin (Australian Pohjoisterritoriossa)
Darwinism /ˈdarwəˌnɪzəm/ s darvinismi
dash /dæʃ/ s **1** ryntäys, pinkaisu he made a dash for the door hän pinkaisi/ryntäsi/ampaisi ovelle **2** loiske, loiskahdus, läiskähdys **3** hiukkanen, hyppysellinen **4** ajatusviiva, (morseaakkosissa) viiva **5** lennokkuus, into, tarmo **6** (auton) kojelauta
v **1** pinkaista, rynnätä, ampaista **2** pais-

kata, paiskautua **3** lannistaa, tehdä tyhjäksi, murskata (toiveet)
dashboard /ˈdæʃˌbɔrd/ s (auton) kojelauta
dashing adj **1** tarmokas, reipas **2** komea, tyylikäs
dash off v **1** lähteä kiireesti, häipyä **2** tehdä kiireesti, hutaista
DAT Digital Audio Tape DAT
data /deɪtə dætə/ s (mon sanasta datum, verbi mon tai yksikössä) tiedot, data, informaatio
data bank s tietopankki
database /deɪtəbeɪs dætəbeɪs/ s **1** tietokanta **2** (tietok) tietokantaohjelma
data processing s tietojenkäsittely
date /deɪt/ s **1** päivämäärä **2** (sanontoja:) out of date poissa muodista, vanhanaikainen, vanhentunut up to date ajan tasalla, tuore **3** tapaaminen, treffit **4** mies/naisseuralainen, mies/nainen/ poika/tyttö jonka kanssa joku menee ulos
v **1** päivätä, varustaa päivämäärällä **2** seurustella/mennä ulos jonkun kanssa **3** jäädä/käydä vanhanaikaiseksi
date back to v olla peräisin joltakin ajalta, olla syntynyt/saanut alkunsa johonkin aikaan
dated adj vanhanaikainen, vanhentunut, aikansa elänyt
daub /dab/ v **1** sivellä, levittää **2** töhriä, töhretää
daughter /datər/ s tytär
daughter-in-law s miniä
daunt /dant/ v lannistaa, masentaa
daunting adj lannistava, masentava
dauntless adj lannistumaton, rohkea, peloton, urhea
dawdle /dadəl/ v **1** vetelehtiä, olla joutilaana **2** löntystellä, laahustaa
dawdle away v panna hukkaan, tuhlata, vetelehtiä
dawn /dan/ s **1** aamunkoitto **2** (kuv) synty, alku
v (aamusta) valjeta
dawn on v valjeta/kirkastua jollekulle it dawned on her that she was not the only one hän oivalsi ettei hän ollut ainoa
day /deɪ/ s **1** päivä the day after tomorrow ylihuomenna in four days neljän päivän kuluttua one of these days (vielä) jonakin päivänä day after day jatkuvasti, päivittäin, joka päivä, päivä päivältä day by day päivittäin, joka päivä, päivä kerrallaan the other day äskettäin, tässä yhtenä päivänä to call it a day lopettaa (työ toistaiseksi/tältä päivältä) have a nice day hyvää päivänjatkoa! day in, day out päivästä päivään, joka päivä **2** (myös mon) aika, ajat these days nykyisin, nykyaikana, näinä päivinä in days to come tulevina aikoina, tulevaisuudessa
daybreak /ˈdeɪˌbreɪk/ s aamunkoitto
daydream /ˈdeɪˌdrim/ s valveuni, haave, haaveilu
v haaveilla, uneksia
daylight /ˈdeɪˌlaɪt/ s päivänvalo in broad daylight keskellä kirkasta päivää
daylight saving s kesäajan käyttö, kesäaika
daylight saving time s kesäaika
day school s **1** (lasten) päiväkoulu **2** (iltakoulun vastakohta) päiväkoulu
day shift s (työssä) päivävuoro
daze /deɪz/ s in a daze pyörällä päästään
v saattaa joku pyörälle päästään
dazed adj pyörällä päästään
dazzle /dæzəl/ v **1** sokaista the sun dazzled him **2** saada haukkomaan henkeään, ällistyttää
dazzling adj **1** sokaiseva(n kirkas) **2** henkeäsalpaava
dB decibel desibeli
dbl. double kaksois-
DBMS database management system (tietok) tietokannan hallintaohjelma, tietokantaohjelma
DBS direct broadcast satellite yleisradiosatelliitti, suorasatelliitti
D.C. District of Columbia Yhdysvaltain pääkaupungin Washingtonin alue, Columbian liittopiirikunta
DCC /ˌdisiˈsi/ Digital Compact Cassette
dead /ded/ s: the dead kuolleet the dead of night sydänyö
adj **1** kuollut (myös kuv:) hiljainen, autio

it's a dead place siellä ei tapahdu mitään **2** (kuv) kuuro, mykkä I am dead to the finer points of your theory en ymmärrä mitään teoriasi yksityiskohdista the line went dead puhelinyhteys katkesi **3** täydellinen, ehdoton dead silence kuolemanhiljaisuus, hiirenhiljaisuus the dead center of a circle ympyrän keskipiste **4** rättiväsynyt, lopen uupunut adv (voimistavana sanana:) **1** täsmällisesti, tarkasti you were dead on target osuit naulan kantaan **2** siihen paikkaan, siltä istumalta to stop dead

dead ahead adv suoraan edessäpäin/eteenpäin

deaden v vaimentaa, hiljentää, pehmentää, lievittää; kuolettaa, turruttaa, puuduttaa

dead end s umpikuja (myös kuv)

dead-end v päättyä umpikujaan the street dead-ends a few blocks from here katu päättyy muutaman korttelin päässä

deadhead /dedhed/ s **1** salamatkustaja **2** liputon katsoja **3** Grateful Dead -yhtyeen fani

dead heat s tasatilanne, ratkaisematon kilpailu

dead in the water to be dead in the water olla poissa kuvioista, olla unohdettu

deadline /dedlaɪn/ s määräaika, takaraja

deadlock /dedlak/ s (kuv) umpikuja the negotiations have reached a deadlock neuvottelut ovat ajautuneet umpikujaan

dead loss s joku/jokin josta ei ole mihinkään, toivoton tapaus, (asiasta) ajanhukka

deadly adj **1** tappava, hengenvaarallinen, myrkyllinen **2** veri- (vihollinen) adv kalman- deadly pale kalmankalpea

dead man's grip s (veturissa ym hätäkatkaisimesta) kuolleen miehen laite

deadpan /dedpæn/ adj, adv naama peruslukemilla

Dead Sea /ˌded'si/ Kuollutmeri

deaf /def/ adj **1** kuuro **2** (kuv) kuuro, välinpitämätön, piittaamaton

deafen v **1** tehdä kuuroksi **2** (melusta) olla korviahuumaava

deafening adj korviahuumaava/ vihlova

deaf-mute /'defˌmjut/ s kuuromykkä

deal /diəl/ s **1** kauppa, sopimus, diili (ark) to close a deal tehdä/solmia kauppa it's a deal sovittu! **2** (ark) kohtelu he gave us a raw deal hän kohteli meitä kaltoin **3** joukko, määrä a great deal of work, a good deal of trouble paljon työtä/vaivaa v dealt, dealt **1** jakaa (pelikortit) **2** (sl) välittää (huumeita)

dealer s **1** kauppias bond dealer arvopaperikauppias foreign exchange dealer valuuttakauppias **2** (korttipelissä) jakaja **3** (sl) huumeiden välittäjä

dealer s (tal) kauppias foreign exchange dealer valuuttakauppias, diileri bond dealer arvopaperikauppias

dealership /'dilərˌʃɪp/ s **1** myyntiedustus **2** kauppa, myymälä

deal in v **1** käydä kauppaa jollakin, myydä/ostaa jotakin **2** (sl) ottaa joku joukkoon mukaan

dealt /delt/ ks deal

deal with v **1** käsitellä jotakin, koskea jotakin this book deals with foreign policy tämä teos käsittelee ulkopolitiikkaa **2** selvitä jostakin, pystyä ratkaisemaan he couldn't deal with all his problems hän ei selvinnyt kaikista ongelmistaan

dean /din/ s dekaani

dear /dɪər/ s rakas, kulta(nen), (puhutteluna myös:) kultaseni, rakkaani adj **1** rakas, läheinen, hyvä (ystävä) **2** suloinen, ihastuttava **3** (kirjeen alussa:) hyvä/rakas/arvoisa **4** kallis (tavara, kauppa), korkea (hinta)

dearly adv **1** erittäin kovasti he loves her dearly **2** (maksaa) kalliisti (myös kuv)

dearth /dərθ/ s pula, puute jostakin (of)

death /deθ/ s kuolema (myös kuv:) loppu at death's door kuoleman kielissä to bore someone to death ikävystyttää joku kuoliaaksi to put something to

death surmata, lopettaa (eläin) a fight to the death taistelu elämästä ja kuolemasta, taistelu viimeiseen hengenvetoon
deathbed s kuolinvuode
death certificate s kuolintodistus
deathly adj **1** tappava (isku), kuolettava **2** kuoleman-, kalman-
death row /ˌdeθ'rou/ s (vankilassa) kuolemaantuomittujen sellit
Death Valley /ˌdeθ'væli/ Kuolemanlaakso (Kaliforniassa ja Nevadassa)
debase /dɪ'beɪs/ v halventaa, häpäistä, loukata
debasement s halventaminen, halveksunta, häpäisy, loukkaus
debatable /də'beɪtəbəl/ adj kyseenalainen, epävarma, avoin (kysymys)
debate /də'beɪt/ s väittely, kiista, neuvottelu, keskustelu
v väitellä, kiistellä, neuvotella, keskustella
debauch /dɪ'baʃ/ s orgiat, (ark) sikailu, (ark) irrottelu
v **1** turmella, rappeuttaa **2** hurjastella, irstailla, (ark) sikailla, (ark) irrotella
debauchery /dɪ'baʃəˌri/ s orgiat, (ark) sikailu, (ark) irrottelu
debilitate /dɪ'bɪləˌteɪt/ v heikentää, haitata, lamauttaa
debilitating adj heikentävä, lamauttava, haitallinen
debility /dɪ'bɪləti/ s **1** heikkous, haitta **2** sairaus, vamma
debit /debət/ s **1** (kirjanpidossa) debet, veloituspuoli **2** tiliveloitus
v **1** merkitä veloituspuolelle **2** veloittaa tililtä
debris /də'bri/ s sirpaleet, jäänteet, roskat
debt /det/ s velka
debtor /detər/ s velallinen
debut /deɪ'bju/ s ensiesiintyminen
debutante /ˌdebjə'tant/ s debytantti, tyttö joka astuu virallisesti seuraelämään
Dec. December joulukuu
decade /dekeɪd/ s vuosikymmen
decadence /dekədəns/ s rappio, turmelus, dekadenssi
decadent /dekədənt/ adj rappeutunut, turmeltunut, dekadentti
decaf /dikæf/ s kofeiiniton kahvi/tee
decaffeinated /dɪ'kæfəˌneɪtəd/ adj kofeiiniton (kahvi, tee)
decant /dɪ'kænt/ v dekantoida, kaataa viini karahviin
decanter s (viini)karahvi
decapitate /dɪ'kæpəˌteɪt/ v teloittaa, katkaista kaula
decay /dɪ'keɪ/ s **1** mätä, laho **2** (kuv) rappio, mädännäisyys, turmelus
v **1** mädäntyä, pilaantua, lahota **2** rappeutua, turmeltua, heiketä **3** (radioaktiivisesta aineesta) hajota
decease /dɪ'sis/ s kuolema
v kuolla the deceased kuollut, edesmennyt
deceit /də'sit/ s huijaus, kavaluus, juonittelu
deceive /də'siv/ v huijata, pettää (myös:) olla uskoton
deceiver s huijari, petturi
decelerate /dɪ'seləˌreɪt/ v hidastaa (nopeutta), hidastua, laskea, vähentää, vähentyä
deceleration /dɪˌselə'reɪʃən/ s (nopeuden) hidastaminen, hidastuminen, lasku, vähentäminen, väheneminen
December /dɪ'sembər/ s joulukuu
decency /disənsi/ s **1** hyvät tavat, kunnollisuus he had the decency to say he was sorry hän huomasi sentään pyytää anteeksi **2** (pukeutumisen) säädyllisyys
decent /disənt/ adj **1** hyvätapainen, (käytökseltään) moitteeton **2** (pukeutumisesta) säädyllinen, vaatteet päällä **3** (ark) mukiinmenevä
decently adv **1** hyvätapaisesti, moitteettomasti **2** säädyllisesti
deception /dɪ'sepʃən/ s petos, huijaus, harhautus
deceptive /dɪ'septɪv/ adj petollinen, harhauttava
deceptively adv petollisesti, petollisen, kavalasti, kavalan
decibel /desəbəl/ s desibeli

decide /dɪ'saɪd/ v **1** tuomita **2** ratkaista, päättää **3** tulla johonkin tulokseen, tehdä jokin johtopäätös, saada joku tekemään jotakin what they said decided him heidän sanansa saivat hänet tekemään päätöksen
decided adj **1** selvä, ratkaiseva (ero, parannus) **2** määrätietoinen, päättäväinen (ihminen) **3** vankkumaton, luja (mielipide)
decidedly adv **1** ehdottomasti, selvästi **2** päättäväisesti
decide on v päätyä johonkin, valita jokin vaihtoehto
deciduous /dɪ'sɪdʒuəs/ adj lehti-, lehtipuu-
decimal /desəməl/ s desimaaliluku adj desimaali-
decimal point s desimaalipilkku
decimate /'desə,meɪt/ v hävittää/tuhota lähes sukupuuttoon/kaikki
decipher /dɪ'saɪfər/ v tulkita, saada/ottaa selvää jostakin
decision /dɪ'sɪʒən/ s **1** tuomio **2** ratkaisu, päätös **3** päättäväisyys, määrätietoisuus
decision-maker s päätöksentekijä
decision-making s päätöksenteko
decisive /dɪ'saɪsɪv/ adj **1** ratkaiseva **2** päättäväinen, määrätietoinen
decisively adv **1** ratkaisevasti **2** päättäväisesti
deck /dek/ s **1** (laivan) kansi **2** korttipakka not play with a full deck olla ruuvi löysällä, ei olla täysjärkinen **3** dekki, nauhuri
deck out v pyntätä, sonnustautua (hienoihin vaatteisiin), koristella
declaration /,deklə'reɪʃən/ s julistus
Declaration of Independence s Yhdysvaltain itsenäisyysjulistus (4. 7. 1776)
declarative sentence /dɪ'klerətɪv/ s väitelause
declare /dɪ'kleər/ v **1** julistaa, ilmoittaa, tuoda julki **2** ilmoittaa tulliviranomaisille: do you have anything to declare? onko teillä tullattavaa?
decline /dɪ'klaɪn/ s rappio, heikentyminen, lasku, väheneminen
v **1** rappeutua, heikentyä, laskea, taantua **2** kieltäytyä, sanoa ei **3** (maasta) viettää, laskea
decode /di'koud/ v purkaa (salakielinen viesti), selvätä
decompose /,dikəm'pouz/ v **1** mädäntyä, hajota **2** hajottaa/jakaa osiinsa
decomposition /di,kampə'zɪʃən/ s **1** mätäneminen, hajoaminen **2** osiin hajottaminen/jakaminen
decompress /,dikəm'pres/ v alentaa painetta
decompression /,dikəm'preʃən/ s paineen alentaminen
decompression sickness s sukeltajantauti
décor /,deɪ'kɔr/ s **1** sisustus(tyyli) **2** koristeet, somisteet
decorate /'dekə,reɪt/ v **1** koristaa, koristella, somistaa **2** sisustaa **3** antaa jollekulle kunniamerkki, palkita
decoration /,dekə'reɪʃən/ s **1** sisustus **2** koristelu **3** koriste, somiste **4** mitali, kunniamerkki
decorative /'dekərə,tɪv/ adj koristeellinen, koriste-
decorator /'dekə,reɪtər/ s sisustaja, somistaja, sisustussuunnittelija
decoy /dikɔɪ/ s **1** houkutuslintu (myös kuv) **2** syötti (myös kuv)
decoy /də'kɔɪ/ v houkutella
decrease /dikris/ s lasku, väheneminen, taantuma
decrease /dɪ'kris/ v laskea, vähentyä, pienentyä, heiketä
decree /dɪ'kri/ s määräys, käsky, julistus, (tuomioistuimen langettama) tuomio
v määrätä, käskeä, julistaa, (tuomioistuimesta) langettaa tuomio
decrepit /də'krepət/ adj (ihminen) vanhuudenheikko, (rakennus) ränsistynyt
decry /dɪ'kraɪ/ v parjata, moittia, arvostella
dedicate /'dedə,keɪt/ v **1** omistautua jollekin asialle, paneutua johonkin antaumuksellisesti **2** vihkiä (kirkko) käyttöön **3** omistaa (kirja) jollekulle

dedication /ˌdedəˈkeɪʃən/ s **1** (asialle) omistautuminen, hartaus, antaumus **2** (kirkon) vihkiminen **3** (kirjan) omistus(kirjoitus)
deduce /dɪˈdus/ v päätellä, tehdä jokin johtopäätös, (logiikassa) dedusoida
deduct /dɪˈdʌkt/ v vähentää (summa)
deduction /dɪˈdʌkʃən/ s **1** vähennys; verovähennys; alennus **2** (logiikassa) deduktio
deductive adj (logiikassa) deduktiivinen
deed /did/ s **1** teko **2** (lak) luovutuskirja, siirtokirja, kauppakirja
deep /dip/ s the deep meri
adj **1** syvä a deep lake syvä järvi a deep shelf syvä hylly **2** leveä (nauha) **3** (ääni) matala, syvä **4** voimakas (suru), suuri (salaisuus, helpotus, kiinnostus), syvällinen (ajattelija, ajatus), vaikeaselkoinen (vertaus)
adv syvällä, syvälle deep into the future kauas tulevaisuuteen
deepen v syventää, syventyä, suurentaa, suurentua, voimistaa, voimistua
deep end s uima-altaan syvä pää to go off the deep end ryhtyä johonkin suin päin, mennä liian pitkälle
deep freeze s pakastus put in the deep freeze (kuv) panna jäihin, keskeyttää
deep-freeze v pakastaa
deeply adv **1** syvään, syvälle **2** (kuv) syvästi (kiitollinen), pahasti (loukkaantunut), erittäin (kiinnostunut)
deepness s **1** syvyys **2** leveys **3** (kuv) (ajattelun) syvällisyys, (kiinnostuksen, helpotuksen) voimakkuus, suuruus
deep-rooted adj syvään juurtunut
deep-seated adj syvään juurtunut
Deep South (Yhdysvaltain) syvä etelä
deep structure s (kielitieteessä) syvärakenne
deer /dɪər/ s hirvieläimistä fallow deer kuusipeura mule deer muulipeura red deer saksanhirvi roe deer metsäkauris rusa deer timorinhirvi sika deer japaninhirvi swamp deer barasinga tufted deer tupsuhirvi water deer vesikauris white-tailed deer valkohäntäpeura
deface /dɪˈfeɪs/ v rumentaa, tärvellä
defacement s tärvely, turmelu
defamation /ˌdefəˈmeɪʃən/ s panettelu, parjaus, mustaus
defame /dɪˈfeɪm/ v panetella, parjata, mustata (mainetta, kunniaa)
default /dɪˈfalt/ s **1** saapumatta jääminen, maksamatta jättäminen **2** pula, puute in default of jonkin puutteessa **3** (tietok) oletusarvo
v jäädä saapumatta, jättää maksamatta
defaulter s joku joka jää saapumatta/jättää maksamatta
default in v jättää maksamatta
defeat /dɪˈfit/ s tappio, häviö
v **1** voittaa, kukistaa **2** murskata (toiveet), lannistaa
defeatism /dɪˈfitɪzəm/ s tappiomieliala
defecate /ˈdefəˌkeɪt/ v ulostaa
defecation /ˌdefəˈkeɪʃən/ s ulostus
defect /difekt/ s vika, puute
defect /dɪˈfekt/ v loikata (toiseen maahan)
defection /dɪˈfekʃən/ s loikkaus (toiseen maahan)
defective /dɪˈfektɪv/ adj viallinen, epäkunnossa
defector /dɪˈfektər/ s loikkari
defend /dɪˈfend/ v puolustaa (myös kuv), suojella
defendant /dɪˈfendənt/ s (oik) vastaaja, syytetty
defender s puolustaja, (lak) puolustusasianajaja
defense /dəˈfens difens/ s puolustus (oikeudessa, pelissä), maanpuolustus
Defense Department s (Yhdysvaltain) puolustusministeriö
defenseless adj puolustuskyvytön, suojaton
defense mechanism s (psyk) puolustusmekanismi
defensible adj (väite, menettely) oikeutettu, perusteltu

defensive s: on the defensive puolustuskannalla (myös kuv) adj **1** puolustus- defensive armament puolustusaseet **2** (ihminen) defensiivinen, joka on puolustuskannalla
defensive end /dəˌfensɪv'end/ s (amerikkalaisessa jalkapallossa) linjapuolustaja, ks left defensive end, right defensive end
defensive tackle /dəˌfensɪv'tækəl/ s (amerikkalaisessa jalkapallossa) linjapuolustaja, ks left defensive tackle, right defensive tackle
defer /də'fər/ v lykätä (päätöstä)
defer to v myöntyä, alistua, antaa periksi I'll defer to your wishes alistun tahtoosi
defiance /də'faɪəns/ s uhma, tottelemattomuus in defiance of jonkin vastaisesti, jostakin piittaamatta
defiant /də'faɪənt/ adj uhmamielinen, kapinallinen, itsepäinen
deficiency /də'fɪʃənsi/ s **1** puute, puutos, vähyys a vitamin deficiency **2** vaje
deficient /də'fɪʃənt/ adj riittämätön, puutteellinen, vajavainen this food is deficient in vitamin A tässä ruuassa ei ole riittävästi A-vitamiinia
deficit /defəsɪt/ s vaje a budget/trade deficit budjettivaje, kauppataseen vaje
defile /dɪ'faɪəl/ v liata, tahrata (myös kuv:) häpäistä
defilement s likaaminen, tahraaminen (myös kuv:) häpäisy
definable /dɪ'faɪnəbəl/ adj joka voidaan määritellä, selvä, selvärajainen
define /dɪ'faɪn/ v **1** määritellä, määrittää **2** korostua, näkyä selvästi the tower was clearly defined against the sky torni näkyi selvästi taivasta vasten
definite /defənət/ adj selvä, ehdoton, yksiselitteinen, ilmeinen, varma a definite answer/improvement selvä vastaus/parannus
definite article s määräinen artikkeli (the)
definitely adv selvästi, ehdottomasti, varmasti
definition /ˈdefəˌnɪʃən/ s **1** määritelmä look up the definition of a word in the dictionary katsoa sanan määritelmä sanakirjasta **2** (tehtävien, valtuuksien) määrittely **3** (kuvan) selvyys, terävyys, (tekn) erottelukyky high-definition television teräväpiirtotelevisio
definitive /də'fɪnətɪv/ adj selvä, ehdoton, ratkaiseva, lopullinen the definitive book on the subject alan pääteos, perusteos
deflate /dɪ'fleɪt/ v **1** päästää ilmaa (renkaasta) **2** (tal) johtaa deflaatioon **3** lannistaa (into)
deflation /dɪ'fleɪʃən/ s **1** ilman päästäminen/tyhjentyminen (renkaasta) **2** (tal) deflaatio
deflect /dɪ'flekt/ v kääntää/kääntyä/ohjata/ohjautua sivuun, poikkeuttaa/poiketa suunnasta
deflection /dɪ'flekʃən/ s (sivuun) kääntäminen/kääntyminen, (suunnasta) poikkeutus/poikkeaminen
defog /di'fag/ v **1** poistaa kosteus (auton ikkunasta) **2** (kuv) selvittää, hälventää
defogger s (auton) takalasin lämmitin
deforest /di'fɔrəst/ v kaataa, hakata (metsää)
deforestation /diˌfɔrəs'teɪʃən/ s (metsän) hakkuu, kaato
deform /di'fɔrm/ v muuttaa jonkin muotoa, johtaa epämuodostumaan, epämuodostaa, rumentaa, pilata, (kuv) turmella
deformation /ˌdefər'meɪʃən/ s muodonmuutos, epämuodostuma, (kuv) turmelus
deformed adj epämuodostunut, (kuv) turmeltunut
deformity /di'fɔrməti/ s epämuodostuma
defraud /di'frad/ v huijata, petkuttaa the con artist defrauded him of all his money konna huijasi häneltä kaikki rahat
defrost /dɪ'frast/ v sulattaa (pakaste, jääkaappi)
defroster s (auton) tuulilasin puhallin
deft /deft/ adj taitava, näppärä, kätevä
deftly adv taitavasti, näppärästi, kätevästi

defunct /di'fʌŋkt/ adj kuollut, lakkautettu, kumottu, unohdettu
defuse /di'fjuz/ v **1** tehdä pommi vaarattomaksi **2** rauhoittaa (tilanne), laukaista (jännitys), poistaa (vaara)
defy /di'faɪ/ v **1** uhmata, vastustaa, ei totella **2** usuttaa (jotakuta tekemään jotakin) **3** to defy definition/description olla mahdoton määritellä/kuvata sanoin
degenerate /di'dʒenərət/ adj rappeutunut, heikentynyt, huonontunut
degenerate /di'dʒenə,reɪt/ v rappeutua, heikentyä, huonontua
degradation /,degrə'deɪʃən/ s **1** (arvon) alennus **2** (kuv) alennus, turmelus, rappio
degrade /də'greɪd/ v **1** alentaa (esim sotilasarvoa) **2** (kuv) alentaa jotakuta, tuottaa jollekulle häpeää, olla jollekulle pahaksi
degree /də'gri/ s **1** aste, vaihe, jakso **2** aste, lämpöaste, kulma-aste, kaariaste **3** (yliopisto)tutkinto
dehydrate /dɪ'haɪ,dreɪt/ v kuivattaa, poistaa vesi jostakin
dehydration /,dihaɪ'dreɪʃən/ s vedenpoisto, dehydraatio, (lääk) nestehukka
deice /di'aɪs/ v poistaa jää; estää jään muodostuminen lentokoneen siiville
deign /deɪn/ v suvaita to deign to do something suvaita tehdä jotakin
Deimos /daɪməs/ Deimos, yksi Jupiterin kuu
deity /diəti/ s **1** jumala **2** jumaluus, jumalallisuus
déjà vu /,deɪʒa'vu/ s déjà vu -tuntemus, entiselämys
deject /dɪ'dʒekt/ v masentaa, synkistää mieli
dejected adj masentunut, allapäin, synkkä
dejection /dɪ'dʒekʃən/ s masennus, synkkyys, depressio
de jure /,dɪ'dʒuri/ adj, adv lain mukaan, virallisesti
Del. Delaware
Delaware /'delə,weər/
delay /dɪ'leɪ/ s viivästys, viivytys, lykkäys, myöhästyminen
v viivyttää, lykätä myöhemmäksi, myöhästyä our flight has been delayed lentomme myöhästyy
delectable /dɪ'lektəbəl/ adj **1** herkullinen **2** miellyttävä, erinomainen, nautinnollinen
delegate /deləgət/ s valtuutettu, edustaja
delegate /'delə,geɪt/ v valtuuttaa, määrätä johonkin tehtävään; antaa jonkun tehtäväksi, jakaa tehtäviä toisille, delegoida
delegation /,delə'geɪʃən/ s **1** valtuuskunta **2** valtuuttaminen; delegointi, tehtävien jakaminen toisille
delete /də'lit/ v poistaa (tekstistä), jättää/pyyhkiä pois, yliviivata
deletion /də'liʃən/ s poisto (tekstistä)
deli /deli/ s eineskauppa
deliberate /də'lɪbəreɪt/ v pohtia, miettiä, keskustella, neuvotella
deliberate /də'lɪbərət/ adj **1** tahallinen **2** rauhallinen, harkittu, harkitseva, varovainen
deliberately adv **1** tahallisesti, tahallaan **2** rauhallisesti, varovaisesti, harkiten
deliberation /də,lɪbə'reɪʃən/ s **1** harkinta, pohdinta **2** keskustelu, neuvottelu **3** varovaisuus, rauhallisuus
delicacy /'deləkə,si/ s **1** herkku, herkkupala **2** (asian, ihmisen) arkaluonteisuus **3** hienotunteisuus **4** herkkyys, hauraus
delicate /deləkət/ adj **1** hento (ihminen), hauras (astia, luu), hieno **2** herkkä(tunteinen); hienotunteinen **3** arkaluonteinen (asia, ihminen) **4** tarkkuutta vaativa **5** (ruoka) herkullinen, (maku) hieno
delicately adv ks delicate
delicatessen /,deləkə'tesən/ s eineskauppa
delicious /də'lɪʃəs/ adj **1** herkullinen **2** ihastuttava, erinomainen
delight /dɪ'laɪt/ s ilo, ilonaihe; nautinto v ilahduttaa, tuottaa iloa/nautintoa jollekulle I'd be delighted to come tulen mielelläni
delightful adj ilahduttava, ihastuttava, hieno

delightfully adv ilahduttavasti, ihastuttavasti
delight in v nauttia jostakin
delinquency /də'liŋkwənsi/ s **1** laiminlyönti **2** rikollisuus juvenile delinquency nuorisorikollisuus **3** erääntynyt maksu/velka
delinquent /də'liŋkwənt/ s rikollinen adj **1** rikollinen **2** (lasku) erääntynyt
delirious /də'lɪəriəs/ adj **1** (lääk) houraileva, houreinen **2** haltioissaan he was delirious with joy hän oli suunniltaan ilosta
deliriously adv **1** (lääk) houraillen, houreissaan **2** haltioituneesti
delirium /də'lɪəriəm/ s **1** (lääk) sekavuustila, houretila, delirium **2** haltioituminen, suunnaton ilo, innostus
deliver /də'lɪvər/ v **1** toimittaa (tavaraa asiakkaalle); kantaa (postia) **2** (kuv) pitää lupansa how do we know you'll deliver? mistä tiedämme että teet kuten lupasit/ettet petä meitä? **3** (usk) vapahtaa, pelastaa deliver us from evil päästä meidät pahasta **4** pitää (puhe), julistaa (tuomio) **5** auttaa synnytyksessä **6** to deliver a blow lyödä, iskeä
deliverance /də'lɪvərəns/ s vapahdus, vapautus, pelastus jostakin
delivery /də'lɪvəri/ s **1** (tavaran)toimitus, (postin)kanto **2** (lapsen) synnytys **3** ulosanti, puhetapa **4** (usk) pelastus, vapahdus
delivery boy s juoksupoika
deliveryman /dəlɪvərimən/ s lähetti, jakeluauton kuljettaja
delivery process s (tal) lunastusprosessi/luovutusprosessi johdannaisinstrumenttikaupassa
delta /deltə/ s **1** joen suisto **2** (tal) option teoreettisen hinnan muutos suhteessa kohde-etuuden yksikkömuutokseen
delta wing s (lentokoneen) deltasiipi
delude /də'lud/ v harhauttaa, johtaa harhaan they deluded me into thinking that I could go with them he saivat minut uskomaan/uskottelivat minulle että pääsisin heidän mukaansa to delude yourself kuvitella liikoja
delusion /də'luʒən/ s harhaluulo, harhakuvitelma
delusions of grandeur s (mon) suuruudenhulluus
deluxe /dɪ'lʌks/ adj loisto-, ylellinen, luksus- a deluxe hotel
delve into /delv/ v **1** kaivaa (taskusta) **2** (kuv) paneutua, syventyä johonkin
Dem. Democrat demokraatti(sen puolueen jäsen)
demand /dɪ'mænd/ s **1** vaatimus **2** kysyntä
v **1** vaatia (itselleen) he demanded an answer **2** vaatia, edellyttää the job of an air-traffic controller demands great concentration lennonvalvojan työssä vaaditaan tarkkaa keskittymistä
demanding adj vaativa, tiukka
demarcate /'dimar,keɪt/ v merkitä rajaviiva
demarcation /,dimar'keɪʃən/ s rajaviivan merkintä, demarkaatio
demarcation line s rajaviiva, demarkaatiolinja
demeanor /də'minər/ s olemus, käytös
demented /də'mentəd/ adj **1** (lääk) dementiasta/tylsistymisestä kärsivä **2** (ark) hullu, tärähtänyt
dementia /də'menʃə/ s (lääk) dementia, tylsistyminen, (ark) hulluus
demigod /'demi,gad/ s puolijumala
demilitarization /dɪ,mɪlətərə'zeɪʃən/ demilitarisointi, sotavoimien vetäminen jostakin
demilitarize /dɪ'mɪlətə,raɪz/ v demilitarisoida, vetää sotavoimat jostakin
demilitarized zone s demilitarisoitu vyöhyke
democracy /də'makrəsi/ s demokratia (järjestelmä, maa), kansanvalta
democrat /deməkræt/ s **1** demokraatti **2** Democrat Yhdysvaltain demokraattisen puolueen jäsen, demokraatti
democratic /,demə'krætɪk/ adj kansanvaltainen, demokraattinen
democratically adv demokraattisesti, kansanvaltaisesti

Democratic party s (Yhdysvaltain) demokraattinen puolue
democratize /dɪ'makrə,taɪz/ v demokratisoida, kansanvaltaistaa, demokratisoitua, kansanvaltaistua
demolish /dɪ'malɪʃ/ v **1** purkaa (rakennus), kaataa, hajottaa, hävittää **2** (kuv) musertaa, lyödä lyttyyn **3** (ark) pistää poskeensa, syödä kokonaan
demolition /,demə'lɪʃən/ s (rakennuksen) purku, purkaminen
demolition derby s romuralli
demon /dimən/ s **1** demoni **2** (ark) kiusankappale; työhullu; paholainen, piru
demonic /dɪ'manɪk/ adj **1** demoninen **2** riivattu, mieletön
demonstrate /'demən,streɪt/ v **1** osoittaa, todistaa **2** osoittaa mieltään, osallistua mielenosoitukseen
demonstration /,demən'streɪʃən/ s **1** osoitus, todiste, todistus **2** havaintoesitys **3** mielenosoitus
demonstrative /dɪ'manstrətɪv/ adj **1** joka paljastaa, osoittaa tunteensa **2** havainto-, esimerkki- **3** (kieliopissa) demonstratiivinen
demonstrative pronoun s (kieliopissa) demonstratiivipronomini (this, that)
demonstrator /'demən,streɪtər/ s **1** mielenosoittaja **2** (tuote-)esittelijä, havaintoesityksen pitäjä
demoralize /dɪ'mɔrə,laɪz/ v lannistaa, nujertaa, masentaa
demote /dɪ'mout/ v alentaa (jonkun arvoa)
demotion /dɪ'mouʃən/ s (arvon)alennus
demure /dɪ'mjuər/ adj **1** hiljainen, vaatimaton **2** teennäisen kaino/ujo, kainosteleva
demurely adv **1** vaatimattomasti **2** teennäisen kainosti/ujosti
den /den/ s **1** (eläimen) pesä **2** (kuv) pesä, tyyssija **3** työhuone (kotona)
Denali /də'nali/ kansallispuisto Alaskassa (entinen Mount McKinleyn kansallispuisto)
denial /də'naɪəl/ s **1** (pyynnön) evääminen **2** (väitteen) kiistäminen, kieltäminen
denim /denəm/ s denimi(kangas)
denims /denəmz/ s (mon) denimihousut, farkut
denizen /denəzən/ s asukas
Denmark /'den,mark/ Tanska
denomination /dɪ,namə'neɪʃən/ s **1** nimi **2** (mitta-, raha)yksikkö **3** uskontokunta, lahko the Lutheran denomination luterilainen kirkko
denominational adj (usk) tunnustuksellinen, kirkollinen
denominator /dɪ'namə,neɪtər/ s (mat) nimittäjä
denote /də'nout/ v merkitä, tarkoittaa, olla merkki jostakin
denouement /,deɪnu'mou/ s (romaanin, näytelmän) loppuratkaisu
denounce /də'nauns/ v **1** tuomita, parjata, haukkua **2** sanoa irti (sopimus)
dense /dens/ adj **1** tiheä, taaja (metsä, asutus) **2** sakea (neste, sumu) **3** tyhmä, hidasjärkinen
densely adv tiheään, taajaan (asuttu)
density /densəti/ s tiheys, taajuus population density asumistiheys
dent /dent/ s kolhu, kuhmu make a dent in päästä (työn) alkuun, saada jotakin aikaan
v kolhaista, kolhia
dental /dentəl/ adj hammas-
dentist /dentəst/ s hammaslääkäri
dentistry /dentəstri/ s hammaslääketiede
denunciation /dɪ,nʌnsi'eɪʃən/ s **1** tuomio, tuomitseva suhtautuminen parjaus, parjaaminen **2** (sopimuksen) irtisanominen, purkaminen
Denver /denvər/ kaupunki Coloradossa
deny /də'naɪ/ v **1** evätä (hakemus, pyyntö) **2** kiistää (väite)
deodorant /di'oudərənt/ s deodorantti
depart /dɪ'part/ v **1** lähteä **2** poiketa he is again departing from company policy hän poikkeaa jälleen yrityksen linjasta
departed s: the departed edesmennyt adj **1** edesmennyt **2** mennyt, kadotettu, entinen

department /dɪ'partmənt/ s **1** osasto **2** (US) ministeriö the Department of Agriculture/State maatalousministeriö, ulkoministeriö **3** (yliopiston) laitos **4** (ark) that's not my department se ei kuulu minulle, se ei ole minun heiniäni
department store s tavaratalo
departure /dɪ'partʃər/ s **1** lähtö **2** poikkeama (säännöstä), (uusi) suunta, (uusi) lähtökohta
dependable adj luotettava
dependence s **1** riippuvuus, riippuvaisuus **2** luottamus
dependent s **1** jostakusta riippuvainen omainen, (alaikäinen) lapsi **2** verovähennykseen oikeutettu perheenjäsen adj riippuvainen to be dependent on something riippua jostakin, olla jonkin varassa
depend on /də'pend/ v **1** riippua, olla riippuvainen jostakin **2** luottaa johonkuhun/johonkin
depict /dɪ'pɪkt/ v kuvata, kuvailla, esittää (jonkinlaiseksi)
deplete /dɪ'plit/ v käyttää loppuun to be depleted huveta, loppua
depletion /dɪ'pliʃən/ s loppuminen, hupeneminen
deplorable adj **1** valitettava **2** paheksuttava, tuomittava
deplorably adv valitettavasti, valitettavan
deplore /dɪ'plɔr/ v **1** pahoitella, olla pahoillaan jostakin **2** paheksua, tuomita
deport /dɪ'pɔrt/ v karkottaa (maasta)
deportation /ˌdɪpɔrˌteɪʃən/ s karkotus, pakkosiirto
deportee /ˌdɪpɔrˌti/ s karkotettu ihminen, pakkosiirtolainen
depose /dɪ'pouz/ v syrjäyttää
deposit /dɪ'pazət/ s **1** talletus, tilillepano **2** käsiraha; kautio **3** kerros **4** (malmi-, öljy)esiintymä
v **1** tallettaa, panna tilille **2** maksaa käsiraha/kautio
depot /dipou/ s **1** rautatieasema **2** linja-autoasema **3** asevarasto **4** varasto(rakennus)
depravation /ˌdeprə'veɪʃən/ s turmelus; raakuus
deprave /dɪ'preɪv/ v turmella, raaistaa
depraved adj turmeltunut, raaistunut
depravity /dɪ'prævəti/ s turmelus, raakuus
depreciate /dɪ'priʃiˌeɪt/ v **1** (arvosta) laskea, halventua **2** vähätellä, väheksyä, halveksua
depreciation /dɪˌpriʃi'eɪʃən/ s **1** (arvon) lasku **2** vähättely, väheksyntä, halveksunta
depreciatory /dɪ'priʃiəˌtɔri/ adj väheksyvä, halveksuva
depredation /'deprəˌdeɪʃən/ s hävitys, ryöstö
depress /də'pres/ v **1** masentaa, lannistaa **2** painaa (alas, myös kuv)
depressant s rauhoittava aine/lääke
depressed adj **1** masentunut, alakuloinen, lannistunut **2** (talous)lamasta kärsivä **3** alentunut, laskenut, heikentynyt **4** syvennetty, upotettu (esim kädensija)
depressing adj masentava
depression /də'preʃən/ s **1** masennus, depressio **2** (taloudellinen) lama(kausi) the (Great) Depression 1930-luvun lamakausi **3** matalapaine(en alue) **4** syvennys, upotus
depressive s masentunut, depressiivinen ihminen
adj masentava, masentunut, depressiivinen
deprivation /ˌdeprə'veɪʃən/ s **1** evääminen, kieltäminen **2** (psyk) deprivaatio **3** puute; hätä
deprive /dɪ'praɪv/ v evätä joltakulta jotakin, jättää joku ilman jotakin
dept. department osasto, laitos
depth /depθ/ s syvyys (myös kuv)
depths /depθs/ s (mon, kuv) she was in the depths of despair hän oli epätoivon kourissa in his book, he sank to incredible depths hän vajosi kirjassaan uskomattoman alhaiselle tasolle it came from the depths of space se tuli syvältä/kaukaa avaruudesta
deputation /ˌdepjə'teɪʃən/ s **1** valtuuskunta **2** valtuutus

deputize /'depjə,taɪz/ v **1** valtuuttaa, määrätä sijaiseksi (esim apulaisšeriffiksi) **2** toimia jonkun sijaisena (for)
deputy /depjəti/ s **1** valtuutettu, sijainen **2** apulaisšeriffi
deputy sheriff s apulaisšeriffi
derail /dɪ'reɪəl/ v suistaa/suistua kiskoilta
derailment s kiskoilta suistuminen
derange /dɪ'reɪndʒ/ v **1** sekoittaa, sotkea **2** rikkoa, saattaa epäkuntoon **3** tehdä hulluksi
deranged adj hullu, seonnut
Derby /darbi/ **1** kaupunki Englannissa **2** hevoskilpailu, Englannissa Epsom Derby /darbi/, Yhdysvalloissa erityisesti Kentucky Derby /dərbi/
Derbys. Derbyshire
Derbyshire /darbiʃər/ Englannin kreivikuntia
deregulate /di'reɪgjə,leɪt/ v lieventää valtion valvontaa, vapauttaa tiukasta valvonnasta
deregulation /di,reɪgjə'leɪʃən/ s valtion valvonnan lieventäminen airline deregulation lentoyhtiöiden välisten kilpailuesteiden kumoaminen/hellittäminen
derelict /derəlɪkt/ s irtolainen, koditon ihminen
adj **1** hylätty, heitteille jätetty **2** joka on laiminlyönyt velvollisuutensa
dereliction /,derə'lɪkʃən/ s (velvollisuuden) laiminlyönti
derivation /,derə'veɪʃən/ s **1** alkuperä **2** (sanan, kem) johdannainen
derivative /də'rɪvətɪv/ s (sanan, kem) johdannainen
adj **1** johdannainen, jostakin johdettu **2** jäljitelty, matkittu
derivative instrument s (tal) johdannaisinstrumentti
derive /də'raɪv/ v **1** saada **2** johtaa (sanoja) the word kiosk is derived from the Persian sana kiosk on peräisin persian kielestä **3** olla peräisin jostakin
derogatory /də'ragə,tɔri/ adj halventava, häpäisevä, loukkaava
derrick /derək/ s (öljyn)poraustorni
descend /dɪ'send/ v **1** laskeutua, (ihminen/tie) astua/viettää alas jostakin **2** laskea, vähentyä, alentua
descendant /dɪ'sendənt/ s jälkeläinen
descend from v **1** olla jonkun jälkeläinen **2** be descended from olla peräisin jostakin, olla jonkun jälkeläinen
descending colon /koulən/ s (anat) laskeva paksusuoli
descend on v **1** hyökätä joukkona jonkun kimppuun **2** (ark) saapua sankoin joukoin jonnekin
descent /dɪ'sent/ s **1** laskeutuminen, alastulo, lasku **2** alamäki, (alaspäin viettävä) rinne **3** syntyperä, suku **4** hyökkäys
describe /dɪs'kraɪb/ v kuvata, kuvailla (joksikin, as)
description /dɪs'krɪpʃən/ s kuvaus, kuvailu
descriptive adj **1** kuvaava **2** deskriptiivinen, kuvaileva, esittävä
desecrate /'desə,kreɪt/ v häpäistä, häväistä
desecration /,desə'kreɪʃən/ s häpäisy, häväistys
desegregate /di'segrə,geɪt/ v lopettaa rotuerottelu jossakin
desegregation /dɪ,segrə'geɪʃən/ s rotuerottelun lakkauttaminen
desert /dezərt/ s autiomaa, erämaa
adj autiomaa-, erämaa-
desert /də'zərt/ v **1** karata armeijasta **2** hylätä, jättää joku, lähteä jostakin
deserted /də'zərtəd/ adj autio, asumaton
deserter /də'zərtər/ s sotilaskarkuri
desertification /,dezərtɪfə'keɪʃən/ s aavikoituminen
desertion /də'zərʃən/ s sotilaskarkuruus
deserts /də'zərts/ to get your just deserts fr saada ansionsa mukaan, saada ansaitsemansa rangaistus
deserve /də'zərv/ v ansaita, olla ansainnut jotakin she deserves to be humiliated hän on ansainnut nöyryytyksensä

design /də'zaın/ s **1** piirustus, suunnitelma **2** sunnittelu, muotoilu, design **3** kuvio **4** aie, suunnitelma I have no designs for tonight/on her en ole sopinut mitään täksi illaksi/en yritä lähennellä häntä
v **1** piirtää, suunnitella, muotoilla; rakentaa **2** aikoa, suunnitella, tarkoittaa the widget is designed for indoor use only vempain on tarkoitettu vain sisäkäyttöön
designate /'dezıg,neıt/ v tarkoittaa, merkitä jotakin, viitata johonkin
designate /dezıgnət/ adj tuleva, (virkaan/joksikin) valittu
designate as v määrätä, nimittää he designated his son as his successor hän nimitti poikansa seuraajakseen
designer /dı'zaınər/ s suunnittelija, muotoilija, piirtäjä
desirable /dı'zaırəbəl/ adj houkuttelevа, viehättävä, puoleensavetävä
desire /dı'zaıər/ s halu, mielihalu, kaipaus, himo, toive
v haluta, kaivata, himoita, toivoa
desirous of /dı'zaırəs/ adj haluta, kaivata, tehdä kovasti mieli
desist /dı'sıst/ v lakata, lopettaa, pidättyä (tekemästä jotakin, from)
desk /desk/ s (kirjoitus)pöytä
desk job s toimistotyö, istumatyö
desk jockey s konttorirotta
desktop /desktap/ adj (kirjoitus)pöydälle mahtuva, pöytä-
desktop computer s pöyätmikro, pöytätietokone
desktop publishing s julkaisutoiminta mikrotietokonetta käyttäen, DTP
desolate /'desə,leıt/ v **1** lannistaa **2** autioittaa
desolate /desələt/ adj **1** lohduton **2** autio
desolation /,desə'leıʃən/ s **1** lohduttomuus **2** autioituminen
despair /dəs'peər/ s epätoivo
v olla epätoivoinen, menettää toivonsa
despairing adj epätoivoinen
despairingly adv epätoivoisesti
desperado /,despə'radou/ s lainsuojaton
desperate /desprət/ adj epätoivoinen, toivoton
desperately adv epätoivoisesti, toivottomasti
desperation /,despə'reıʃən/ s epätoivo
despicable /dəs'pıkəbəl/ adj vastenmielinen, inhottava
despicably adv vastenmielisesti, inhottavasti
despise /dəs'paız/ v halveksia, väheksyä
despite /dəs'paıt/ prep jostakin huolimatta
despondency /dəs'pandənsi/ s masennus, lamaannus, toivottomuus
despondent adj lannistunut, masentunut, lamaantunut, toivoton
despondently adv lannistuneesti, masentuneesti, synkästi
despot /despət/ s despootti, itsevaltias, hirmuvaltias
despotic /dəs'patık/ adj despoottinen, itsevaltainen, mielivaltainen
despotism /'despə,tızəm/ s despotia, itsevalta, hirmuvalta
dessert /də'zərt/ s jälkiruoka
destination /,destə'neıʃən/ s määränpää, matkakohde
destine /destən/ v (passiivissa tulevaisuudesta:) she was destined never to see her parents again hän ei enää koskaan ollut näkevä vanhempiaan he is destined to become a pianist hänellä on kaikki edellytykset tulla pianistiksi
destined for adj matkalla jonnekin (myös kuv)
destiny /destəni/ s **1** kohtalo, kaitselmus, sallimus **2** (yksittäinen) kohtalo it was my destiny to end up a bum minun kohtaloni oli tulla pummiksi
destitute /'destə,tut/ adj varaton
destitute of adj ilman, vailla jotakin
destitution /,destə'tuʃən/ s varattomuus, puute, hätä

destroy /dəs'trɔɪ/ v **1** hävittää, tuhota **2** lopettaa (eläin) **3** tehdä loppu jostakin, murskata (toivo), vahingoittaa (mainetta)
destroyer s hävittäjä(alus)
destruction /dəs'trʌkʃən/ s tuho, hävitys, vahinko, vaurio (myös kuv)
destructive /dəs'trʌktɪv/ adj **1** tuhoisa (myrsky, tuli) **2** murskaava (arvostelu), tuhoisa (asenne), hajottava
detach /dɪ'tætʃ/ v irrottaa
detached adj **1** (talo, osa) erillinen, irrallinen **2** välinpitämätön, etäinen **3** puolueeton
detachment s **1** välinpitämättömyys, etäisyys **2** puolueettomuus **3** (sot) erillisosasto
detail /dɪ'teɪəl diteɪəl/ s **1** yksityiskohta **2** (sot) erillisosasto
detail /dɪ'teɪəl/ v **1** kuvata yksityiskohtaisesti/tarkasti **2** määrätä erikoistehtävään
detain /dɪ'teɪn/ v pidättää jotakuta, ei päästää menemään, viivyttää, (poliisista:) pidättää joku
detainee /dɪˌteɪ'ni/ s pidätetty henkilö
detect /də'tekt/ v huomata, havaita, selvittää (rikos), saada selville/kiinni
detection /də'tekʃən/ s selviäminen, havaitseminen, kiinni joutuminen/saaminen
detective /də'tektɪv/ s (poliisi-, yksityis)etsivä
detective agency s etsivätoimisto
detective novel s rikosromaani, dekkari
détente /deɪ'tant/ s (pol) liennytys
detention /dɪ'tenʃən/ s **1** pidätys; vankeus **2** viivästys
deter (from) /dɪ'tər/ v pidätellä/estää tekemästä jotakin
detergent /də'tərdʒənt/ s pesuaine
deteriorate /də'tɪriəˌreɪt/ v rappeutua, ränsistyä, turmeltua, heiketä
deterioration /dəˌtɪriə'reɪʃən/ s rappio, ränsistyminen, turmelus
determination /dəˌtərmə'neɪʃən/ s **1** määrätietoisuus, päättäväisyys **2** selvitys, määritys
determine /də'tərmən/ v **1** määrätä, vaikuttaa ratkaisevasti johonkin **2** varmistaa, selvittää **3** määritellä, sopia **4** päättää he determined to leave her alone hän päätti jättää naisen rauhaan **5** saada joku päättämään jotakin the news determined him to leave the country uutinen sai hänet poistumaan maasta
determined adj määrätietoinen, päättäväinen he is determined to leave the country hän on päättänyt lähteä maasta
determinedly adv määrätietoisesti, päättäväisesti, lujasti
deterrent /də'tərənt/ s pelote, uhka the nuclear deterrent ydinpelote adj pelottava
detest /dɪ'test/ v inhota, kammoksua
detestation /ˌdites'teɪʃən/ s inho, kammo
dethrone /dɪ'θroʊn/ v syöstä vallasta/valtaistuimelta, syrjäyttää
detonate /'detəˌneɪt/ v sytyttää, laukaista, räjäyttää
detonation /ˌdetə'neɪʃən/ s sytytys, räjäytys
detonator /'detəˌneɪtər/ s sytytin, räjähdysnalli
detour /ditʊər dɪ'tʊər/ s kiertotie v ohjata (liikenne) kiertotietä
detract from /dɪ'trækt/ v vähentää, heikentää (laatua, arvoa, mainetta)
detraction /dɪ'trækʃən/ s vähättely, halveksunta
detriment /detrəmənt/ s vahinko, haitta
detrimental /ˌdetrə'mentəl/ adj vahingollinen, haitallinen
Detroit /dɪ'trɔɪt/ kaupunki Michiganissa
devaluation /dɪˌvæljʊ'eɪʃən/ s **1** (valuutan) devalvaatio **2** arvon lasku
devalue /dɪ'vælju/ v **1** devalvoida (valuutta) **2** vähentää jonkin arvoa
devastate /'devəsˌteɪt/ v **1** autioittaa, hävittää maan tasalle, tuhota **2** (kuv) musertaa, nujertaa, murskata
devastating adj **1** tuhoisa, suunnaton **2** (kuv) murskaava, musertava **3** hurmaava, ihastuttava

devastation /ˌdevəsˈteɪʃən/ s tuho, hävitys
develop /dəˈveləp/ v **1** kehittää (itseään, kykyjään, ajatusta, filmi), kehittyä (myös tilanteesta) **2** hyödyntää (luonnonvaroja), rakentaa (taloja jonnekin), saneerata, laajentaa (yritystä), suunnitella (tuote) **3** käydä ilmi
developer s **1** rakennusliike, rakentaja **2** (valokuva)kehittämö
developing adj kytevä, alkava, nouseva (myrsky, ala)
developing country s kehittyvä maa, kehitysmaa
development s **1** kehitys, kehittyminen, kehittäminen, kasvu **2** tapahtuma, muutos **3** (filmin) kehitys **4** rakentaminen (uudelle alueelle), (vanhan alueen) saneeraus, (yrityksen) laajentaminen **5** (vastavalmistunut) tai uudehko asuma-alue
developmental adj (aste) kehitys-
deviant /diviənt/ s poikkeava ihminen adj poikkeava
deviate from /divieɪt/ v poiketa jostakin (totuudesta, suunnasta)
deviation /ˌdiviˈeɪʃən/ s poikkeama
device /dəˈvaɪs/ s **1** laite **2** suunnitelma, keino, juoni, temppu
devil /devəl/ s paholainen, piru (myös ihmisestä ja sadatteluna)
devilish adj, adv pirullinen, pirullisen
devilishly adv pirullisesti
devil-may-care /ˈdevəlmeɪˌkeər/ adj (asenne) välinpitämätön; hälläväliä-, uhkarohkea
devil's advocate s paholaisen asianajaja, advocatus diaboli, vastakkaisen kannan puolestapuhuja
devious /diviəs/ adj katala, kiero
devise /dəˈvaɪz/ v laatia (suunnitelma), keksiä
devoid of /dəˈvoɪd/ adj vailla, ilman jotakin
Devon. Devonshire
Devon /devən/ Englannin kreivikuntia, myös Devonshire
devote /dəˈvout/ v omistaa (aikaa, vaivaa) jollekin he is devoted to his studies hän on omistautunut opiskelulle
devoted adj uskollinen (puoliso, kannattaja), (asialleen) omistautunut, harras
devotedly adv antaumuksellisesti, uskollisesti
devotee /ˌdevəˈti/ s kannattaja, harrastaja, ihailija
devotion /dɪˈvouʃən/ s **1** uskollisuus, antaumus, omistautuminen **2** jonkin omistaminen/vihkiminen johonkin tarkoitukseen (mon, usk) hartaus
devour /dɪˈvauər/ v **1** niellä, pistää poskeensa **2** tuhota, hävittää
devout /dɪˈvaut/ adj hurskas, harras
devoutly adv hurskaasti, hartaasti
dew /du/ s kaste, kosteus
dewy /duwi/ adj kasteinen, kostea
dexterity /deksˈterəti/ s taitavuus, näppäryys, kätevyys; nokkeluus, kekseliäisyys
dexterous /desktrəs/ adj **1** taitava, näppärä, kätevä (käsistään); nokkela, kekseliäs **2** oikeakätinen
dgt. daughter tytär
DIA Defense Intelligence Agency
diabetes /ˌdaɪəˈbitəs ˌdaɪəˈbitiz/ s diabetes, sokeritauti
diabetic /ˌdaɪəˈbetɪk/ s diabeetikko, sokeritautinen adj diabeettinen, sokeritautinen, diabeetikon
diabolic /ˌdaɪəˈbalɪk/ adj pirullinen
diabolical adj pirullinen
diabolically adv pirullisesti
diagnose /ˌdaɪəgˈnous/ v tehdä taudinmääritys, määrittää tauti
diagnosis /ˌdaɪəgˈnousəs/ s (mon diagnoses) diagnoosi, taudinmääritys
diagnostic /ˌdaɪəgˈnastɪk/ adj diagnostinen
diagnostician /ˌdaɪəgnasˈtɪʃən/ s diagnostikko
diagonal /daɪˈægənəl/ s lävistäjä adj diagonaalinen, lävistäjän suuntainen, vino
diagonally adv diagonaalisesti, lävistäjän suuntaisesti, vinosti
diagram /ˈdaɪəˌgræm/ s diagrammi, kaavakuva, käyrästö

diagrammatic /ˌdaɪəgrəmætɪk/ adj kaavakuva-, käyrä-
dial /daɪəl/ s **1** (kello-, mittari)taulu **2** (puhelimen) valintalevy
v valita (numero puhelimella)
dial. dialect murre-
dialect /ˈdaɪəˌlekt/ s murre (alueelliselle, sosiaaliselle tai ammatilliselle puhujaryhmälle ominainen kieli)
dialog /ˈdaɪəˌlag/ s kaksinpuhelu, keskustelu, vuoropuhelu, dialogi
diam. diameter halkaisija
diameter /daɪˈæmətər/ s halkaisija
diametric /ˌdaɪəˈmetrɪk/ adj **1** vastakkaisella puolella oleva **2** täysin vastakkainen
diametrically /ˌdaɪəˈmetrɪkli/ adv **1** vastakkaisella puolella **2** täysin vastakkaisesti
diamond /daɪmənd/ s **1** timantti **2** vinoneliö **3** (pelikortissa) ruutu
diaphragm /ˈdaɪəˌfræm/ s **1** (anatomiassa) pallea **2** (ehkäisyväline) pessaari **3** (kameran) himmennin **4** (kaiuttimen ym) kalvo
diarist /daɪərɪst/ s päiväkirjan pitäjä; kronikoitsija
diarrhea /ˌdaɪəˈriə/ s ripuli verbal diarrhea puheripuli
diary /daɪəri/ s päiväkirja; muistio
diastole /ˌdaɪˈæstli/ s (sydänlihaksen lepovaihe) diastole
dice /daɪs/ s (mon) nopat (arkikielessä myös yhdestä nopasta) no dice (sl) ei onnistu!, ei ikinä!
v paloitella, pilkkoa (kuutioiksi)
dicey /daisi/ adj kiperä, täpärä, hankala it's a dicey situation kinkkinen tilanne
Dictaphone® /ˈdɪktəˌfoʊn/ eräs sanelukone
dictate /dɪkteɪt/ v sanella (myös kuv:) määrätä
dictation /ˌdɪkˈteɪʃən/ s **1** sanelu **2** sanelusta kirjoitettu teksti
dictation machine s sanelukone
dictator /dɪkteɪtər/ s diktaattori, itsevaltias
dictatorial /ˌdɪktəˈtɔrɪəl/ adj diktatorinen, itsevaltainen
dictatorship /ˈdɪkteɪtərˌʃɪp/ s diktatuuri, itsevalta
diction /dɪkʃən/ s **1** ääntämys, lausuntatapa **2** sanavalinta
dictionary /ˈdɪkʃəˌneri/ s sanakirja bilingual dictionary kaksikielinen sanakirja
did /dɪd/ ks do
die /daɪ/ s **1** noppa (mon dice) **2** (tekn) (valu)muotti, leimasin
v **1** kuolla (myös kuv), (sotilaasta myös) kaatua I'm dying of boredom olen kuolla ikävään, olen pitkästynyt kuollakseni **2** (moottori) sammua **3** (tapa) jäädä pois käytöstä, (muisto) unohtua **4** be dying to ei malttaa odottaa jotakin, odottaa kärsimättömänä
die away v (ääni) vaimentua, vaieta, lakata vähitellen
die-cast adj painevalettu
die casting s painevalu
die down v rauhoittua, lakata, asettua
die-hard s härkäpää, jukuripää; patavanhoillinen ihminen
adj härkäpäinen, jukuripäinen; patavanhoillinen
die hard v olla (henki) sitkeässä
die off v kuolla yksi toisensa jälkeen, kuolla kupsahdella
die out v **1** (suvusta) sammua **2** vaimentua, vaieta, lakata vähitellen
diesel /disəl dizəl/ s diesel(polttoaine/moottori)
adj diesel-
diesel engine s dieselmoottori
diesel fuel s dieselpolttoaine
diet /daɪət/ s **1** ruokavalio **2** laihdutuskuuri, dieetti she is on a diet hän laihduttaa **3** valtiopäivät
v laihduttaa, olla dieetillä
dietary /ˈdaɪəˌteri/ adj ravinto-
dietary supplement /ˌdaɪəˌteriˈsʌpləmənt/ s lisäravinne
dietetic /ˌdaɪəˈtetɪk/ adj ravinto-; laihdutus-
diff. difference ero
differ /dɪfər/ v **1** erota jostakin (from), olla erilainen kuin **2** olla eri mieltä kuin (with)

difference /dɪfrəns/ s **1** ero a big age difference suuri ikäero it makes no difference se on yhdentekevää, sillä ei ole mitään väliä **2** (summa) erotus **3** erimielisyys

different /dɪfrənt/ adj **1** erilainen, eri this is a different story tämä on kokonaan eri juttu **2** eri we went to many different places kävimme monessa eri paikassa

differentiate between /ˌdɪfəˈrenʃieɪt/ v erottaa toistaan, tehdä ero joidenkin välillä

differently adv erilainen, eri lailla

difficult /dɪfəkəlt/ adj vaikea, vaikeaselkoinen, vaikeatajuinen, hankala, vaativa he is a very difficult person hänen kanssaan on hankala/vaikea tulla toimeen Barth is a difficult writer Barth kirjoittaa vaikeatajuisesti

difficulty /ˈdɪfəˌkʌlti/ s vaikeus, hankaluus

diffidence /dɪfədəns/ s ujous, arkuus

diffident adj ujo, arka, kaino

diffidently adv ujosti, arasti, kainosti

diffuse /dɪˈfjus/ adj **1** hajautunut **2** epäselvä, monisanainen

diffuse /dɪˈfjuz/ v levittää, hajottaa

diffusion /dɪˈfjuʒən/ s levitys, leviäminen, hajotus, hajoaminen, diffuusio

dig /dɪg/ s isku, tönäisy she gave him a dig in the ribs hän tökkäisi häntä kylkiluihin **2** piikikäs/kärkevä/ilkeä huomautus **3** (arkeologinen) kaivaus
v dug, dug **1** kaivaa he dug a hole in the ground/in his pockets **2** tökkäistä, tönäistä, iskeä **3** (sl) tykätä, digata **4** (sl) tajuta dig it, man? tajuutsä?

digest /daɪˈdʒest/ v **1** (ruoka) sulaa, sulattaa **2** (kuv) sultattaa, omaksua (asia)

digest /daɪdʒest/ s tiivistelmä, yhteenveto

digestion /daɪˈdʒestʃən/ s ruuansulatus

digestive /daɪˈdʒestɪv/ adj ruuansulatus-

dig in v **1** (sot) kaivautua (asemiin) **2** ei antaa periksi, pitää kiinni mielipiteestään **3** ruveta syömään, käydä kiinni ruokaan

dig into v käydä käsiksi (työhön, ateriaan)

digit /dɪdʒət/ s **1** sormi, varvas **2** numero (0–9)

digital /dɪdʒətəl/ adj **1** sormi-, varvas- **2** digitaalinen

dignified /ˈdɪgnəˌfaɪd/ adj arvokas (ihminen, käytös, ryhti), arvossa pidetty (ihminen)

dignify /ˈdɪgnəˌfaɪ/ v **1** kunnioittaa, osoittaa kunnioitusta he dignified the occasion with his presence hän kunnioitti tilaisuutta läsnäolollaan **2** I won't dignify your question with an answer en pidä kysymystäsi vastauksen arvoisena, jätän kysymyksesi omaan arvoonsa

dignitary /ˈdɪgnəˌteri/ s arvohenkilö, merkkihenkilö

dignity /dɪgnəti/ s **1** arvokkuus **2** asema; korkea asema

dig out v **1** kaivaa (kuoppa) **2** kovertaa, kaivaa **3** kaivaa esiin, ottaa selvää jostakin

digress /dɪˈgres daɪˈgres/ v poiketa/ eksyä asiasta

digression /dɪˈgreʃən daɪˈgreʃən/ s sivuasia, poikkeama asiasta

digs /dɪgz/ s (ark) kämppä, asunto I'm gonna go to my digs real quick to change käyn äkkiä kotona vaihtamassa kuteet

dig up v **1** löytää kaivamalla, kaivaa esiin **2** löytää (tietoa)

dike /daɪk/ s **1** pato **2** oja **3** pengertie **4** (sl) lesbo
v padota, pengertää

dilapidated /dəˈlæpəˌdeɪtəd/ adj ränsistynyt, rähjäinen, nuhruinen

dilate /daɪleɪt/ v laajentaa, laajentua, suurentaa, suurentua, paisuttaa, paisua your eyes are dilated silmäteräsi ovat laajentuneet

dilation /daɪˈleɪʃən/ s laajeneminen, suureneminen, paisuminen

dilemma /dəˈlemə/ s pulmatilanne, vaikea valinta

diligence /dɪlədʒəns/ s ahkeruus, uutteruus

diligent /dɪlədʒənt/ adj ahkera, uuttera; huolellinen
diligently adj ahkerasti, uutterasti; perusteellisesti, huolellisesti
dilute /də'lut/ v laimentaa, vesittää (myös kuv)
dim /dɪm/ v himmentää, himmentyä, hämärtää, hämärtyä
adj **1** himmeä, hämärä (valo, näkö, muisto) **2** (ark) tyhmä, hidasjärkinen
dim. dimensions mitat
dime /daɪm/ s kymmenen centin kolikko they are a dime a dozen ne ovat tusinatavaraa
dimension /də'menʃən/ s **1** ulottuvuus the fourth dimension neljäs ulottuvuus **2** (myös mon) mitta, ulottuvuus **3** (mon, kuv) laajuus, ulottuvuus the dimensions of the problem ongelman laajuus
dimensional adj -ulotteinen a three-dimensional movie kolmiulotteinen elokuva
diminish /də'mɪnɪʃ/ v vähentää, vähentyä, (hinta, innostus) laskea, (mahdollisuudet) heiketä
diminished adj vähentynyt, supistunut, heikentynyt, laskenut
diminutive /dɪ'mɪnjə,tɪv/ s (kieliopissa) deminutiivi, diminutiivi (esim sanasta drop (pisara) johdettu droplet (pieni pisara))
adj hyvin pieni
dimly adv (nähdä, muistaa) hämärästi, himmeästi, (nähdä, näkyä, kuulla) heikosti
dimple /dɪmpəl/ s hymykuoppa, (leuassa) pieni kuoppa
din /dɪn/ s melu, meteli, mekastus
v meluta, mekastaa, pitää meteliä
dine /daɪn/ v syödä, aterioida, ruokailla
diner /daɪnər/ s **1** ruokailija, ravintola-asiakas **2** ravintolavaunu **3** ruokabaari (joskus junanvaunun kaltainen)
dingbat /dɪŋbæt/ s **1** typerys, mäntti **2** ladonnassa käytettävä koristemerkki (esim ✘, ❃, ➻)
dinghy /dɪŋi/ s pieni (soutu)vene
dinginess /dɪndʒɪnəs/ s sottaisuus, ränsistyneisyys
dingy /dɪndʒi/ adj sottainen, siivoton, ränsistynyt
dinner /dɪnər/ s **1** päivällinen **2** juhla-ateria
dinner jacket s smokki
dinosaur /'daɪnə,sɔr/ s dinosaurus
diocese /'daɪə,sis/ s hiippakunta
dip /dɪp/ s **1** pulahdus, lyhyt uinti **2** kuoppa, syvennys **3** (ruoka) dippikastike
v **1** kastaa/työntää johonkin **2** pulahtaa veteen, käväistä uimassa **3** pudota, (lämpötila, osakekurssi) laskea, (vene) sukeltaa
DIP dual in-line package (tietok) kaksirivikytkin
diphtheria /dɪp'θɪəriə, dɪf'θɪərɪə/ s kurkkumätä
diphthong /dɪpθaŋ dɪfθaŋ/ s diftongi (esim /ou/ sanassa home /houm/)
diploma /də'ploumə/ s diplomi, todistus, kunniakirja
diplomacy /də'ploumə,si/ s diplomatia (myös kuv:) tahdikkuus
diplomat /'dɪplə,mæt/ s diplomaatti (myös kuv)
diplomatic /,dɪplə'mætɪk/ adj diplomaattinen (myös kuv:) joustava, tahdikas
dire /daɪər/ adj **1** hirvittävä, kamala **2** kova, paha (pula)
direct /də'rekt/ v **1** suunnata, kohdistaa **2** ohjata, johtaa (työtä, yritystä) **3** ohjata, opastaa, neuvoa tie
adj **1** suora (tie, viiva, vaikutus, lento, lainaus, ihminen), välitön, suorasukainen **2** täydellinen (vastakohta)
direction /də'rekʃən/ s **1** suunta (myös kuv) **2** (yritys)johto; johtaminen **3** (elokuvan) ohjaus **4** (mon) neuvot, ohjeet can you give me directions to the school? voisitko neuvoa miten pääsen koululle?
directive /də'rektɪv/ s käsky, ohje, määräys
director /də'rektər/ s **1** (yrityksen, laitoksen) johtaja **2** (elokuva)ohjaaja
directory /də'rektəri/ s (yritys-, puhelin)luettelo

dire straits to be in dire straits olla ahtaalla, pahassa pulassa
dirt /dərt/ s **1** maa, multa; lika, pöly, kura; uloste; roska a dirt road hiekkatie **2** (kuv) ruma kieli, rumat puheet **3** to do someone dirt kohdella kaltoin, tehdä jollekulle pahaa
dirty v liata (kätensä, myös kuv), tahrata (maine)
adj **1** likainen, kurainen **2** kurja (ilma); likainen, harmaa (väri) **3** (kuv) likainen (mielikuvitus, teko, temppu), rivo (vitsi, sana, kieli)
dirty end of the stick to get the dirty end of the stick (sl) vetää lyhyempi korsi
disability /ˌdɪsəˈbɪləti/ s vamma, (työ)kyvyttömyys
disability pension s työkyvyttömyyseläke
disable /dɪsˈeɪbəl/ v **1** vammauttaa, tehdä työkyvyttömäksi **2** tuhota, lamaannuttaa, tehdä toimintakyvyttömäksi **3** tehdä/osoittaa jääviksi
disabled /dɪsˈeɪbəld/ s vammainen
adj **1** vammainen **2** jäävi
disablement s **1** vamma **2** tuhoaminen, lamauttaminen
disadvantage /ˌdɪsədˈvæntədʒ/ s haitta, huono puoli, hankaluus
disadvantaged s: the disadvantaged vähäosaiset
adj vähäosainen
disadvantageous /dɪsˌædvænˈteɪdʒəs/ adj haitallinen, epäedullinen
disagreeable adj epämiellyttävä, vastenmielinen, pahantuulinen
disagreement s **1** erimielisyys **2** riita, kina **3** erilaisuus, eroavuus, ristiriita
disagree with /ˌdɪsəˈgri/ v **1** olla eri mieltä **2** riidellä, kinata **3** poiketa toisistaan, ei olla yhtäpitävät, ei täsmätä **4** (ruoka, ilmasto) ei sopia jollekulle
disappear /ˌdɪsəˈpɪər/ v kadota, hävitä, lakata
disappearance /ˌdɪsəˈpɪrəns/ s katoaminen, häviäminen, lakkaaminen
disappearing act s katoamistemppu he did a disappearing act hän katosi jäljettömiin, häipyi yhtäkkiä
disappoint /ˌdɪsəˈpoɪnt/ v **1** tuottaa jollekulle pettymys **2** murskata, lannistaa, tehdä tyhjäksi (toive, aie)
disappointed adj pettynyt (ihminen), rauennut (toive)
disappointing adj huono, valitettava the outcome was disappointing lopputulos oli pettymys
disappointment s pettymys
disapproval s paheksunta
disapprove of /ˌdɪsəˈpruv/ v paheksua, ei hyväksyä
disarm /dɪsˈarm/ v **1** riisua aseista (myös kuv) **2** vähentää aseistusta, harjoittaa aseistariisuntaa
disarmament /dɪsˈarməmənt/ s aseistariisunta
disarray /ˌdɪsəˈreɪ/ s epäjärjestys, sekasotku
v sotkea, panna sekaisin
disaster /dɪˈzæstər/ s (luonnon)mullistus, katastrofi (myös kuv) he is a disaster (ark) hän on toivoton tapaus
disastrous /dɪˈzæstrəs/ adj katastrofaalinen (myös kuv)
disband /dɪsˈbænd/ v lakkauttaa (järjestö), lopettaa toimintansa, (ihmisjoukko, järjestö) hajaantua
disbelief /ˌdɪsbəˈlif/ s epäusko, epäily suspension of disbelief (romaanissa, elokuvassa) tarinaan eläytyminen
disbelieve /ˌdɪsbəˈliv/ v ei (voida) uskoa
disc /dɪsk/ s **1** äänilevy Compact Disc CD-levy **2** (tietokoneen muisti)levy, levyke **3** (selkänikamien) välilevy **4** levy, laatta
discard /dɪsˈkard/ v hylätä, heittää menemään
disc brake s levyjarru
discern /dɪˈsərn/ v erottaa, nähdä, huomata
discernible adj jonka voi huomata, (silmin) nähtävä, (korvin) kuultava the difference is hardly discernible eroa tuskin huomaa

discernibly adj selvästi
discharge /'dɪs,tʃardʒ/ s **1** erottaminen, vapautus, (kuorman) purku, (tehtävän) hoito **2** erite, päästö
discharge /dɪs'tʃardʒ/ v **1** erottaa (työntekijä), vapauttaa (vanki), päästää (potilas/lapset) sairaalasta/kotiin, vapauttaa (tehtävästä, velvollisuudesta) **2** erittää, erittyä, purkautua **3** laukaista (ase) **4** suorittaa, tehdä, toimittaa (tehtävänsä, velvollisuutensa) **5** purkaa (lasti)
disciple /də'saɪpəl/ s opetuslapsi (myös kuv), oppilas
disciplinarian /,dɪsəplə'neriən/ s kova kurinpitäjä
disciplinary /'dɪsəplə,neri/ adj kurinpito-
discipline /dɪsəplən/ s **1** kuri, kurinpito, kurinalaisuus, järjestys **2** rangaistus, kuritus **3** opinala, tieteen haara v **1** kurittaa, rangaista **2** opettaa, valmentaa **3** hillitä (tunteet)
disc jockey s deejii, tiskijukka
disclaim /dɪs'kleɪm/ s kieltää, kiistää (vastuu)
disclose /dɪs'klouz/ v paljastaa, tuoda julki/ilmi
disclosure /dɪs'klouʒər/ s paljastus
Discman® /diskmən/ Sonyn kannettavista CD-soittimista
disco /dɪskou/ s disko
discolor /dɪs'kʌlər/ v muuttaa jonkin väriä, pilata jonkin väri, värjääntyä, (väri) muuttua, haalistua
discoloration /dɪs,kʌlə'reɪʃən/ s **1** värjääntyminen; haalistuminen **2** (ihotai muu) läiskä, tahra
discomfort /dɪs'kʌmfərt/ s epämukavuus, kiusallisuus, vaiva
disconcert /dɪskən'sərt/ v järkyttää, saattaa pois tolaltaan
disconcerting adj järkyttävä
disconnect /,dɪskə'nekt/ v irrottaa (johto, toisistaan), katkaista (yhteys, puhelu)
disconnected adj **1** katkonainen, pätkivä **2** hajanainen, epäyhtenäinen
disconsolate /dɪs'kansələt/ adj lohduton, toivoton, synkkä
discontent /,dɪskən'tent/ s tyytymättömyys
discontented s tyytymätön
discontinue /,dɪskən'tɪnju/ v lakata, lakkauttaa (lehden tilaus, tuotteen valmistus)
discord /dɪskɔrd/ s **1** epäsopu **2** (mus ja kuv) riitasointu
discordant /dɪs'kɔrdənt/ adj epäsopuinen
discotheque /'dɪskə,tek/ s diskoteekki
discount /dɪs'kaʊnt/ v alentaa (hintaa), antaa alennusta
discount /dɪskaʊnt/ s alennus
discourage /dɪs'kərədʒ/ v **1** lannistaa **2** varoittaa, kehottaa jotakuta luopumaan jostakin ajatuksesta Mary discouraged Jim from going there alone Mary sai Jimin uskomaan ettei tämän kannattanut mennä sinne yksin **3** torjua (yritys, ylistys), estää, ei kannustaa/rohkaista
discouragement s **1** lannistus, masennus **2** varoitus, kehotus olla tekemättä jotakin **3** torjunta, estäminen
discouraging adj **1** lannistava, masentava **2** varoittava **3** torjuva, ei kannustava
discourse /dɪs'kɔrs/ v keskustella, puhua jostakin, pohtia jotakin
discourse /dɪskɔrs/ s keskustelu, pohdinta, puhe, diskurssi
discourteous /dɪs'kərtiəs/ adj epäkohtelias
discourtesy /dɪs'kərtəsi/ s epäkohteliaisuus
discover /dɪs'kʌvər/ v saada/päästä selville, havaita, löytää (uutta)
discoverer s löytäjä
discovery s löytö
discredit /dɪs'kredət/ s häpeä, huono maine/huuto v **1** lyödä lyttyyn; saattaa huonoon maineeseen/huutoon/häpeään **2** ei uskoa **3** kumota, todistaa perättömäksi
discreet /dɪs'krit/ adj hienovarainen, hienotunteinen, tahdikas
discreetly adv hienovaraisesti, hienotunteisesti, tahdikkaasti

discrepancy /dɪs'krepənsi/ s ero, ristiriita
discrete /dɪs'krit/ adj erillinen, erillisosista koostuva
discretion /dɪs'kreʃən/ s **1** hienovaraisuus, hienotunteisuus, tahdikkuus **2** valinnanvapaus: you can come and go at your (own) discretion saat tulla ja mennä aivan vapaasti/oman mielesi mukaan
discriminate /dɪs'krɪmə,neɪt/ v (osata) erottaa (toisistaan)
discriminate against v syrjiä
discriminating adj vaativa, tarkka, tarkkanäköinen, hieno (maku)
discrimination /dɪs,krɪmə'neɪʃən/ s **1** syrjintä racial discrimination rotusyrjintä, rotusorto **2** erottaminen (toisistaan) **3** tarkkanäköisyys
discus /dɪskəs/ s (urh) kiekko
discuss /dɪs'kʌs/ v keskustella, puhua, neuvotella jostakin, käsitellä
discussion /dɪskʌʃən/ s keskustelu, neuvottelu
disdain /dɪs'deɪn/ s halveksunta, väheksyntä
v halveksua, väheksyä
disdainful adj halveksiva, väheksyvä
disease /dəziz/ s sairaus
diseased adj sairas
disembark /,dɪsəm'bark/ v nousta laivasta/maihin, poistua lentokoneesta, purkaa laivasta/lentokoneesta
disembarkation /,dɪsəmbar'keɪʃən/ s laivasta/lentokoneesta poistuminen/ purkaminen
disengage /,dɪsən'geɪdʒ/ v irrottaa, irrota
disentangle /,dɪsən'tæŋgəl/ v selvittää ((ongelma)vyyhti), setviä, ratkaista
disfigure /dɪs'fɪgjər/ v rumentaa, pilata, murjoa, vääristää
disfigurement s ruhjoutuminen, vääristyminen, vääristäminen
disgrace /dɪs'greɪs/ s häpeä, häväistys
v häpäistä, saattaa häpeään, olla häpeäksi
disgraceful adj häpeällinen, surkea, törkeä
disgracefully adv häpeällisesti, surkeasti, törkeästi
disgruntled /dɪs'grʌntəld/ adj tyytymätön, katkera, kaunaa kantava, pahantuulinen, pottuuntunut (ark)
disguise /dɪs'kaɪz/ s naamio, valepuku, veruke
v naamioida, peittää, salata
disgust /dɪs'kʌst/ s kuvotus, ällötys, inho, vastenmielisyys
v kuvottaa, ällöttää, inhottaa
disgusting adj kuvottava, ällöttävä, inhottava, vastenmielinen
dish /dɪʃ/ s **1** kulho, (syvä) lautanen dish antenna lautasantenni **2** (mon) (ruoka-)astiat **3** ruokalaji **4** (sl) donna, hyvännäköinen nainen
dishearten /dɪs'hartən/ v lannistaa, masentaa
disheveled /dɪ'ʃevəld/ adj siivoton, epäsiisti, nuhruinen
dish it out fr (ark) antaa tulla tuutin täydeltä (kehuja, haukkuja)
dishonest /dɪs'anəst/ adj epärehellinen, vilpillinen
dishonesty s epärehellisyys, vilppi
dishonor /dɪs'anər/ s häpeä; loukkaus
v häpäistä; loukata
dishonorable adj **1** (teko, asia) häpeällinen **2** (ihminen) kunniaton
dish out v jakaa, jaella (ruokaa, rangaistuksia) vrt dish it out
dishwasher /'dɪʃ,waʃər/ s **1** astianpesijä, tiskaaja **2** astianpesukone
disillusion /,dɪsə'luʒən/ v saada pettymään/toiveet raukeamaan
disillusionment s pettymys, toiveiden raukeaminen
disinfect /dɪsən'fekt/ v desinfioida
disinfectant /dɪsən'fektənt/ s desinfiointiaine
disinherit /dɪsən'herət/ v tehdä perinnöttämäksi
disintegrate /dɪs'ɪntə,greɪt/ v hajottaa, hajota, pirstoa, pirstoutua
disintegration /dɪs,ɪntə'greɪʃən/ s hajoaminen, hajottaminen, pirstominen, pirstoutuminen
disinter /,dɪsən'tər/ v kaivaa (ruumis) haudasta

disinterested /dɪsˈɪntrəstəd/ adj **1** puolueeton **2** ei kiinnostunut, pitkästynyt
disinterment s haudasta kaivaminen
disjointed /dɪsˈdʒɔɪntəd/ adj katkonainen, pätkivä, epäyhtenäinen, hajanainen
disjointedly adv katkonaisesti, pätkien, epäyhtenäisesti, hajanaisesti
disk ks disc
diskette /dɪsˈket/ s (tietok) levyke, disketti
disk jockey s deejii, tiskijukka
dislike /dɪsˈlaɪk/ s vastenmielisyys, vastahakoisuus
v ei pitää jostakin
dislocate /ˈdɪsloʊ,keɪt, ˈdɪsləkeɪt/ v siirtää; panna pois sijoiltaan; (kuv) sekoittaa, panna sekaisin
dislocation /ˌdɪsləˈkeɪʃən/ s siirto, siirtyminen, muutto; sijoiltaanmeno; (kuv) myllerrys
dislodge /dɪsˈladʒ/ v **1** irrottaa **2** pakottaa perääntymään
disloyal /dɪsˈlɔɪəl/ adj epäluotettava, petollinen, epälojaali
disloyally adv epäluotettavasti, petollisesti, epälojaalisti
disloyalty s epäluotettavuus, petollisuus, epälojaalisuus
dismal /dɪzməl/ adj synkkä, surullinen, apea; surkea, täydellinen (epäonnistuminen)
dismally adj synkästi, apeasti; (epäonnistua) surkeasti
dismantle /dɪsˈmæntəl/ v purkaa, hajottaa osiin
dismay /dɪsˈmeɪ/ s tyrmistys
v tyrmistyttää, saada tyrmistymään
dismember /dɪsˈmembər/ v **1** raadella/leikellä paloiksi, silpoa **2** (kuv) hajottaa, pirstoa, lakkauttaa
dismemberment s **1** raatelu, silpominen; leikkely **2** (kuv) hajottaminen, pirstominen, lakkauttaminen
dismiss /dɪsˈmɪs/ v **1** erottaa (työntekijä) **2** päästää menemään, lopettaa (kokous) class dismissed! tunti on päättynyt! **3** vähätellä, sivuuttaa (epäolennaisena) **4** (lak) vapauttaa (syytetty), hylätä (kanne, muutoksenhakemus)
dismissal s **1** erottaminen (työstä) **2** (jonkun) päästäminen (menemään), (kokouksen) lopetus **3** vähättely, sivuuttaminen **4** (lak) (syytetyn) vapautus, (kanteen, muutoksenhakemuksen) hylkääminen Your Honor, I move for dismissal (tuomarille:) pyydän että kanne hylätään
dismissive adj vähättelevä, piittaamaton
dismount /dɪsˈmaʊnt/ v laskeutua (satulasta)
disobedience /ˌdɪsəˈbidiəns/ s tottelemattomuus
disobedient adj tottelematon
disobey /ˌdɪsəˈbeɪ/ v ei totella, rikkoa (lakia)
disorder /dɪsˈɔrdər/ s **1** epäjärjestys, sekaannus **2** levottomuus, mellakka **3** (lääk) häiriö, vaiva
v sekoittaa, sotkea, panna epäjärjestykseen
disordered adj **1** sekainen, sotkuinen, sekava, hajanainen **2** (lääk) (ruumiillisesti) sairas, (henkisesti) häiriintynyt
disorderly adj **1** sekainen, sotkuinen, sekava **2** kuriton, levoton
disorganize /dɪsˈɔrgə,naɪz/ v sekoittaa, sotkea, saattaa epäjärjestykseen
disown /dɪsˈoʊn/ v kieltää (tuntevansa, omistavansa) he disowned his heirs hän jätti perillisensä ilman perintöä
disparate /dɪspərət/ adj erilainen, ei vertailukelpoinen
disparity /dɪsˈperəti/ s erilaisuus, ero
dispassion /dɪsˈpæʃən/ s objektiivisuus, puolueettomuus, asiallisuus
dispassionate /dɪsˈpæʃənət/ adj objektiivinen, puolueeton, asiallinen
dispassionately adv objektiivisesti, puolueettomasti, asiallisesti
dispatch /dɪsˈpætʃ/ s **1** lähettäminen **2** viesti, sanoma, (lehti)uutinen **3** ripeys, nopeus
v **1** lähettää (matkaan, sähke, joukkoja) **2** hoitaa (nopeasti/ripeästi) **3** surmata, tappaa

dispel /dɪs'pel/ v hälventää (sumu, väärinkäsitys, huhu, luulo)
dispensary /dɪs'pensəri/ s **1** sairaalan lääkevarasto, (myymälän) apteekkiosasto **2** paikka jossa annetaan ilmaista/halpaa sairaanhoitoa ja lääkkeitä
dispensation /,dɪspən'seɪʃən/ s **1** jakaminen, jakelu, (lääkkeen valmistus ja) myynti **2** erivapaus
dispense /dɪs'pens/ v **1** jakaa (neuvoja, oikeutta) **2** myydä (lääkkeitä) **3** vapauttaa joku jostakin, myöntää erivapaus
dispense with v **1** jättää väliin, hypätä yli **2** hankkiutua eroon jostakin, luopua jostakin **3** vapauttaa jostakin, myöntää erivapaus jostakin
display /dɪs'pleɪ/ s **1** (tunteiden) paljastaminen, näyttäminen, (omaisuudella) komeilu, (rohkeuden) osoittaminen **2** näyttely, näytös, esitys **3** näyttö(ruutu) visual display terminal näyttöpääte v **1** näyttää (tietokoneen näytössä, kynsä), osoittaa (kiinnostusta) **2** panna nähtäväksi/näytteille, esitellä **3** komeilla, mahtailla (jollakin)
displease /dɪs'pliz/ v ärsyttää, harmittaa, suututtaa, ei olla mieleen jollekulle
displeasure /dɪs'pleʒər/ s mielipaha, ärtymys, kiukku
disposable /dɪs'pouzəbəl/ adj **1** kertakäyttöinen **2** käytettävissä oleva
disposal /dɪs'pouzəl/ s **1** jostakin eroon hankkiutuminen waste disposal jätehuolto **2** käyttö: I am at your disposal olen käytettävissäsi/palveluksessasi
dispose of /dɪs'pouz/ v heittää menemään, hankkiutua eroon jostakin
disposition /,dɪspə'zɪʃən/ s **1** mielenlaatu **2** (syytetyn/todistajan) lausunto
dispossess /,dɪspə'zes/ v **1** takavarikoida **2** luopua, hylätä **3** häätää
dispossessed adj **1** häädetty, koditon **2** juureton, irtolais- **3** (kuv) juureton, koditon
dispossession /,dɪspə'zeʃən/ s **1** takavarikointi **2** luopuminen **3** häätö
disproportionate /,dɪsprə'pɔrʃənət/ adj kohtuuton his income is disproportionate to the amount of work he does hänen tulonsa eivät ole missään suhteessa hänen työmääräänsä
disproportionately adj kohtuuttomasti, kohtuuttoman
disprove /dɪs'pruv/ v kumota, todistaa vääräksi/perättömäksi
disputable /dɪs'pjutəbəl/ adj kiistanalainen, epävarma
dispute /dɪs'pjut/ s riita, kiista v **1** kiistää, kieltää, väittää perättömäksi/vääräksi **2** kiistellä, riidellä
disqualification /dɪs,kwaləfə'keɪʃən/ s **1** poissulkeminen, evääminen **2** poissulkemisen, eväämisen syy **3** (urh) kilpailukielto, kilpailusta erottaminen, diskvalifiointi
disqualify /dɪs'kwalə,faɪ/ v **1** tehdä kelvottomaksi johonkin, sulkea pois jostakin **2** kieltää tekemästä jotakin, evätä oikeus johonkin, julistaa jääviksi **3** (urh) erottaa kilpailusta, kieltää kilpailemasta, diskvalifioida
disquiet /dɪs'kwaɪət/ s levottomuus, jännitys, ahdistus v ahdistaa, hermostuttaa, tehdä levottomaksi
disquieting adj ahdistava, hermostuttava, levottomuutta herättävä
disregard /,dɪsrə'gard/ s piittaamattomuus, välinpitämättömyys, ylenkatse v ei piitata/välittää/ottaa huomioon, halveksia
disrepair /dɪsrə'peər/ s ränsistyneisyys, epäkunto
disreputable /dɪs'repjətəbəl/ adj huonomaineinen, pahamaineinen; siivoton
disreputably adv (käyttäytyä, pukeutua) huonosti
disrepute /,dɪsrə'pjut/ s huono/paha maine
disrespect /,dɪsrəs'pekt/ s kunnioituksen puute, epäkunnioitus, halveksunta
disrespectful adj epäkunnioittava, halveksuva
disrespectfully adv epäkunnioittavasti, halveksien, halveksuvasti

disrupt /dɪs'rʌpt/ v keskeyttää, häiritä, ekoittaa, panna sekaisin
disruption /dɪs'rʌpʃən/ s keskeytys, äiriö
dissatisfaction /,dɪssætɪs'fækʃən/ s yytymättömyys
dissatisfy /dɪs'sætɪs,faɪ/ v tehdä yytymättömäksi, ei tyydyttää she was dissatisfied with the results hän ei ollut yytyväinen tuloksiin
dissect /dɪ'sekt daɪ'sekt/ v **1** tutkia leikkaamalla) eläimen ruumis, tehdä ihmisen ruumiille) ruumiinavaus, preparoida (kasvi) **2** (kuv) tutkia arkkaan
dissection /dɪ'sekʃən daɪ'sekʃən/ s (eläimen) ruumiin tutkiminen (leikkaamalla), ruumiinavaus, preparointi
disseminate /dɪs'semə,neɪt/ v levittää (tietoa)
dissemination /dɪs,semə'neɪʃən/ s (tiedon)välitys, levitys
dissension /dɪ'senʃən/ s erimielisyys, riita, kiista, levottomuus, tyytymättömyys
dissent /dɪ'sent/ s erimielisyys, (usk) eriuskoisuus
v olla eri mieltä kuin (from)
dissenter /dɪ'sentər/ s toisinajattelija, (usk) eriuskoinen
dissenting opinion s eriävä mielipide
dissertation /,dɪsər'teɪʃən/ s **1** (tieteellinen) esitelmä; kirjoitus **2** (tohtorin)väitöskirja
dissident /dɪsədənt/ s toisinajattelija, (usk) eriuskoinen
adj toisinajatteleva, hallitusta arvosteleva/vastustava
dissimilar /dɪ'sɪmələr/ adj erilainen, poikkeava
dissimilarity /dɪ,sɪmə'lerəti/ s ero, erilaisuus, poikkeavuus
dissociate /dɪ'soʊsi,eɪt/ v **1** erottaa, pitää erillään **2** to dissociate yourself from katkaista välinsä johonkin, pyrkiä eroon jostakin, luoda etäisyyttä johonkin
dissociation /dɪ,soʊsi'eɪʃən/ s erottaminen, erillään pitäminen, eroon hakeutuminen
dissolution /,dɪsə'luʃən/ s **1** sulaminen, liukeneminen **2** hajottaminen, hajautuminen, purkaminen
dissolve /dɪ'zalv/ s (elo/videokuvauksessa) häivytys
v **1** sulaa, sulattaa, liueta, liuottaa **2** purkaa (avioliitto), hajottaa (kokous, eduskunta), hajaantua **3** (elo/videokuvauksessa) häivyttää
dissolvent /dɪ'zalvənt/ s liuote
adj liuottava
dissuade /dɪs'weɪd/ v varoittaa jotakuta jostakin, (yrittää) suostutella joku luopumaan jostakin
dissuasion /dɪs'weɪʒən/ s varoittelu, suostuttelu (ks dissuade)
distance /dɪstəns/ s etäisyys, välimatka
distant /dɪstənt/ adj **1** kaukainen, etäinen he came in a distant second hän tuli toiseksi pitkän välimatkan päässä voittajasta **2** viileä, umpimielinen
distantly adv kaukaisesti, etäisesti, distantly related etäistä sukua
distaste /dɪs'teɪst/ s vastenmielisyys, vastahakoisuus
distasteful adj vastenmielinen
distastefully adv vastenmielisesti, vastenmielisen
distend /dɪs'tend/ v paisuttaa, turvottaa, laajentaa (verisuonia)
distension /dɪs'tenʃən/ s paisuminen, turvotus
distill /dɪs'tɪl/ v **1** tislata, polttaa (viinaa) **2** (kuv) tiivistää, tiivistyä, kiteyttää, kiteytyä
distillation /,dɪstə'leɪʃən/ s **1** tislaus, (viinan) poltto **2** tisle **3** (kuv) tiivistäminen, kiteytys; tiivistelmä
distiller s tislaaja, tislaamo, (viinan)polttimo/polttaja
distillery s tislaamo, (viinan)polttimo
distinct /dɪs'tɪŋkt/ adj **1** erilainen, erillinen **2** selvä **3** omaperäinen
distinction /dɪs'tɪŋkʃən/ s **1** ero, erilaisuus, (toisistaan) erottaminen **2** korkea arvo, ylhäisyys **3** erikoispiirre, ominaisuus he has the distinction of being the fastest in the group hänellä on kunnia olla ryhmän nopein **4** erinomainen

arvosana to graduate with distinction valmistua erinomaisin arvosanoin
distinctive adj **1** josta ei voi erehtyä, huomiota herättävä **2** yksilöllinen, omaperäinen, jollekulle/jollekin luonteenomainen, tyypillinen
distinctively adv ks distinctive
distinguish /dɪs'tɪŋgwɪʃ/ v **1** erottaa (toisistaan, jostakin) **2** to distinguish yourself ansioitua, kunnostautua
distinguishable adj **1** jotka voidaan erottaa toisistaan they are easily distinguishable heidät on helppo erottaa (toisistaan) **2** selvä, selvästi näkyvä, merkittävä (parannus)
distinguished adj **1** ansioitunut, arvovaltainen **2** hienostunut, kultivoitunut
distinguishing adj luonteenomainen, tunnusomainen
distort /dɪs'tɔrt/ v vääristää (myös sanoja, tosiasioita), vääristyä, värittää (kuv: totuutta)
distortion /dɪs'tɔrʃən/ s vääristäminen, vääristys, vääristymä, värittäminen (kuv), (äänentoistossa:) särö
distract /dɪs'trækt/ v häiritä (keskittymistä), viedä huomio pois jostakin (from)
distraction /dɪs'trækʃən/ s **1** häiriö, häiritsevä seikka **2** hermostuneisuus, levottomuus to drive someone to distraction (kuv) tehdä joku hulluksi **3** huvitus, viihde
distraught /dɪs'trat/ adj järkyttynyt, poissa tolaltaan
distress /dɪs'tres/ s **1** hätä, ahdistus, murhe, epätoivo **2** puute, kurjuus, köyhyys
v ahdistaa, saada hätääntymään/epätoivoiseksi
distressed adj **1** ahdistunut, hätääntynyt, epätoivoinen **2** köyhä, varaton
distressing adj valitettava, huolestuttava, pelottava
distressingly adv valitettavan, huolestuttavan, pelottavan
distress signal s hätämerkki
distribute /dɪs'trɪbjut/ v jakaa, levittää
distribution /ˌdɪstrə'bjuʃən/ s jakelu, levitys, jakauma
distributor /dɪs'trɪbjətər/ s **1** jakaja, levittäjä **2** tukkuliike, maahantuoja **3** (autossa) virranjakaja
district /dɪstrɪkt/ s **1** (hallinto)alue **2** alue the theater district Manhattanin teatterialue school district koulupiiri **3** (UK: kreivikunnan osa) piirikunta
distrust /ˌdɪs'trʌst/ s epäluottamus, epäily
v ei luottaa johonkin/johonkuhun, epäillä, suhtautua epäillen
distrustful adj epäluuloinen, epäilevä
distrustfully adv epäluuloisesti, epäilevästi
disturb /dɪs'tərb/ v häiritä, keskeyttää
disturbance s häiriö, keskeytys
disuse /dɪs'jus/ s käytön puute to fall into disuse jäädä pois käytöstä
ditch /dɪtʃ/ s oja
v heittää menemään, hylätä, luopua, karata joukon luota, katkaista välinsä johonkuhun
dither /dɪðər/ v empiä, jahkailla
ditto /dɪtou/ s (sprii)moniste
adv samoin, kuten edellä/yllä
ditty /dɪti/ s loru; laulu
divan /də'van/ s divaani, sohva
dive /daɪv/ s **1** sukellus (veteen, vedessä, myös lentokoneesta), hyppy **2** äkillinen (osakehintojen) lasku
v dived/dove, dived **1** sukeltaa (veteen, vedessä, myös lentokoneesta ja kuv), hypätä **2** työntää (käsi taskuun) **3** ampaista, pinkaista jonnekin
diver s sukeltaja
diverge /dɪ'vərdʒ/ v poiketa (toisistaan), erota
diverging adj erkaneva (viiva), poikkeava (mielipide)
diverse /dɪ'vərs/ adj erilainen, sekalainen, kirjava
diversification /dɪˌvərsəfə'keɪʃən/ s monipuolistaminen, (liiketoiminnan) laajentaminen
diversify /dɪ'vərsəˌfaɪ/ v monipuolistaa, laajentaa (harrastuksia, liiketoimintaa)
diversion /dɪ'vərʒən/ s **1** ohjaaminen

uteen tarkoitukseen the diversion of unds into charity varojen käyttö hyväntekeväisyyteen **2** ajanviete, huvitus **3** harhautus
diversionary /dɪ'vərʒə,neri/ adj harhauttava, harhautus-
diversity /dɪ'vərsəti/ s vaihtelu, moninaisuus, kirjavuus
divert /dɪ'vərt/ v **1** ohjata (keskustelu/huomio) pois jostakin, ohjata/määrätä (varoja) uuteen tarkoitukseen **2** huvittaa, viihdyttää
divide /dɪ'vaɪd/ s jakaja the Continental Divide Yhdysvaltain Kalliovuorten vedenjakaja
v jakaa (osiin, huomionsa, luku), jakautua
dividend /'dɪvə,dend/ s osinko, (kuv) korko
divine /dɪ'vaɪn/ v ennustaa (tulevaisuutta)
adj **1** jumalallinen **2** (kuv) jumalainen, taivaallinen
diviner s ennustaja
divine service s jumalanpalvelus
diving s sukellus skin diving vapaasukellus, perusvälinesukellus scuba diving urheilusukellus, laitesukellus
divining rod s taikavarpu
divinity /dɪ'vɪnəti/ s **1** jumaluus, jumalallisuus **2** jumaluusoppi, teologia
divisible /dɪ'vɪzəbəl/ adj jaollinen (jollakin by)
division /dɪ'vɪʒən/ s **1** jakaminen, jako **2** (mat) jakolasku **3** (yrityksen, viraston) osasto, (laatikon) lokero **4** tavujako **5** erimielisyys **6** (sot, urh) divisioona
divisive /dɪ'vaɪsɪv/ adj erimielisyyttä aiheuttava
divorcé /dɪ,vɔr'si/ s eronnut mies
divorce /dɪ'vɔrs/ s **1** avioero **2** (kuv) ero, pesänjako
v **1** erota, ottaa avioero **2** (kuv) erota, katkaista välinsä johonkin
divorcée /dɪ,vɔr'si/ s eronnut nainen
divulge /dɪ'vʌldʒ/ v paljastaa (salaisuus)
DIY do-it-yourself tee itse
dizzily adv **1** (kävellä) hoippuen **2** (kuv) (päätä) huimaavasti
dizziness s huimaus
dizzy /dɪzi/ adj **1** I feel dizzy minua/päätäni huimaa **2** (kuv) (päätä) huimaava **3** (sl) tyhmä, aivoton
DJ disck jockey deejii, tiskijukka
DJIA Dow-Jones Industrial Average
Djibouti /dʒɪ'buti/
Djiboutian /dʒɪ'buʃən/s, adj djiboutilainen
D. Lit. Doctor of Letters; Doctor of Literature kirjallisuuden tohtori
dly. daily päivittäin, päivisin
DMV Department of Motor Vehicles
DNA deoxyribonucleic acid DNA
do /du/ s **1** the dos and don'ts of creative writing luovan kirjoittamisen säännöt **2** (ark) kampaus
v (I/you do, (s)he does, we/you/they do, I/you don't, (s)he doesn't, we/you/they don't, I/you/(s)he/we/you/they did/didn't, I have done) **1** tehdä (merkitys tulee usein substantiivista:) he did nothing to prevent it hän ei tehnyt mitään sen estämiseksi she did the dishes hän pesi astiat/tiskasi I have done some writing minä olen kirjoittanut jonkin verran he did well hän pärjäsi hyvin I was doing 70 when the cops got me ajoin 70:tä kun poliisi pysäytti minut **2** voida: the patient is doing well potilas voi/jaksaa hyvin **3** kelvata, menetellä that will have to do sen on pakko kelvata **4** saada valmiiksi I'm done minä olen valmis
apuv **1** (kysymyslauseessa) did you do it? teitkö sinä sen? **2** (kieltolauseessa) she did not do it hän ei tehnyt sitä **3** (korostuksena) you do understand it? ymmärräthän sinä sen varmasti? **4** (liitekysymyksessä) you took it, didn't you otithan sinä sen? **5** (verbin toiston välttämiseksi) sometimes it helps and sometimes it doesn't joskus siitä on apua ja joskus ei **6** (vertailussa) I make more money than he does minä tienaan enemmän kuin hän
D.O.A. dead on arrival kuollut jo (sairaalaan) saapuessaan
do away with v **1** lakkauttaa, lopettaa **2** tappaa

do by v kohdella to do well by someone kohdella jotakuta hyvin/reilusti
docile /dasəl/ adj säyseä, sävyisä
dock /dak/ s **1** tokka, telakka wet dock satama-allas **2** laituri(paikka) **3** (oik) syytettyjen penkki
v **1** telakoida, (avaruusaluksista) telakoitua **2** lyhentää, leikata (myös kuv)
docket /dakət/ s (oikeus)juttuluettelo
doctor /daktər/ s lääkäri, tohtori (myös oppiarvona) Doctor of Medicine/Philosophy lääketieteen/filosofian tohtori
v **1** tohtoroida, hoitaa **2** peukaloida, parannella (luvattomasti), vääräntää
doctoral dissertation /daktərəl/ s tohtorinväitöskirja
doctorate /daktərət/ s tohtorin arvo
doctrinaire /ˌdaktrəˈneər/ adj ahdasmielinen, epäkäytännöllinen, kiihkoileva
doctrine /daktrən/ s oppi, doktriini
document /dakjəmənt/ s asiakirja, dokumentti
v dokumentoida, todistaa asiakirjoilla, varmentaa
documentary /ˌdakjəˈmentəri/ s dokumenttiohjelma/elokuva
adj dokumentaarinen, dokumentti-, todellisuuspohjainen
documentation /ˌdakjəmənˈteɪʃən/ s asiakirjat; (tietokoneen/ohjelman) käyttöohje ja tekniset tiedot, dokumentaatio
DOD Department of Defense Yhdysvaltain puolustusministeriö
Dodecanese /douˌdekəˈniz/ Dodekanesia
dodge /dadʒ/ s **1** väistö(liike) **2** temppu, niksi
v **1** väistää (isku, kysymys), vältellä, kierrellä **2** kiertää (lakia, määräyksiä, veroja)
Dodge /dadʒ/ amerikkalainen automerkki
dodger /dadʒər/ s tax dodger veronkiertäjä draft dodger kutsuntapinnari
doe /dou/ s vaadin, naarashirvi; naarasjänis; naaraskaniini; kuttu, naarasvuohi
DOE Department of Energy Yhdysvaltain energiaministeriö
does /dʌz/ ks do
doesn't /dʌzənt/ does not ks do
dog /dag/ s **1** koira **2** (ark) kaveri you're a lucky dog sinulla kävi hyvä tuuri, sinun kelpaa olla
v seurata jonkun kannoilla, vainota
dog-ear /ˈdagˌɪər/ s (kuv) koirankorva
dog-eared adj **1** joka on koirankorvilla **2** nuhruinen, ränsistynyt
dogged /dagəd/ adj jääräpäinen, härkäpäinen, omapäinen
doggedly adv jääräpäisesti, härkäpäisesti, omapäisesti
doggedness s jääräpäisyys, härkäpäisyys, omapäisyys
doghouse /ˈdagˌhaus/ s koirankoppi in the doghouse huonossa huudossa, häpeäpenkillä, epäsuosiossa
dog it v **1** laiskotella työssä, pinnata työstä **2** livistää, mennä sisu kaulaan
dogma /dagmə/ s dogmi, opinkappale
dogmatic /dagˈmætɪk/ adj dogmaattinen, jyrkkä, ankara, joustamaton
dogmatism /ˈdaməˌtɪzəm/ s dogmatismi; dogmaattisuus, jyrkkyys, ankaruus
do in v **1** tappaa (myös kuv:) olla vähällä tappaa I'm all done in olen rättiväsynyt **2** huijata, pettää
Dolby® /doəlbi/ analogisten kasettinauhureiden kohinanvaimennusjärjestelmä
Dolby Pro Logic® /ˌprouˈladʒik/ kuvanauhureiden ja -levysoitinten monikanavaäänijärjestelmä
Dolby Stereo® /steriou/ elokuvateattereiden monikanavaäänijärjestelmä
Dolby Surround® /səˈraund/ kuvanauhureiden ja -levysoitinten monikanavaäänijärjestelmä
doldrums to be in the doldrums /douldrəmz/ fr olla masentunut, alakuloinen, allapäin
dole /doəl/ s **1** (hyväntekeväisyys)-avustus **2** (UK) työttömyysavustus to be on the dole saada työttömyysavustusta
doleful adj apea, surullinen, alakuloinen, synkkä (ilme, näkymät)

dolefully adv apeasti, surullisesti, synkästi
dole out v jakaa (antaa)
doll /dal/ s **1** nukke **2** (ark) (hyvännäköinen) donna
dollar /dalər/ s dollari
doll up v pyntätä, pynttäytyä, sonnustaa, sonnustautua (parhaimpiinsa)
Dolomites /'dolə,maɪts/ (mon) Dolomiitit
Dolphin (tähdistö) Delfiini
dolphin /dalfən/ s delfiini
domain /doʊ'meɪn/ s **1** ala, piiri, alue **2** hallintoalue, valtakunta **3** mixing in the digital domain (äänitteen tuotannossa) digitaalinen miksaus
dome /doʊm/ s kupoli
domestic /də'mestɪk/ s kotiapulainen adj kodin, koti- domestic pleasures kodin ilot
domestic animal s kotieläin; lemmikki(eläin)
domesticate /də'mestə,keɪt/ v **1** kesyttää (eläin, myös kuv ihmisestä) **2** omaksua, sovittaa omiin oloihin (ajatus, tapa)
dominance s johtoasema, ylivalta, vallitsevuus (myös biol)
dominant /damənənt/ adj hallitseva, vallitseva (myös biol)
dominate /'damə,neɪt/ v hallita, vallita, johtaa
domineer /,damə'nɪər/ v määräillä, komennella
domineering /,damə'nɪrɪŋ/ adj määräilevä, komenteleva
Dominica /də'mɪnɪkə/
Dominican Republic Dominikaaninen tasavalta
dominion /də'mɪnjən/ s **1** valta **2** hallintoalue **3** (Ison-Britannian) dominio
dominoes /'damə,noʊz/ s (mon) domino(peli)
Donald Duck /,danəld 'dʌk/ Aku Ankka
donate /doʊneɪt/ v lahjoittaa (hyväntekeväisyyteen)
donation /doʊ'neɪʃən/ s lahjoitus (hyväntekeväisyyteen)
done /dʌn/ ks do
donkey /daŋki/ s aasi
donor /doʊnər/ s lahjoittaja a blood donor verenluovuttaja
don't /doʊnt/ do not ks do
donut s donitsi, munkkirinkilä (doughnut)
doom /dum/ s tuomio, kohtalo he met his doom last year hän kuoli viime vuonna a sense of doom kuolemanpelko v tuomita I am doomed minä olen hukassa he was doomed to failure hänet oli tuomittu epäonnistumaan
doomsday /dumzdeɪ/ s tuomiopäivä
door /dɔr/ s ovi (myös kuv:) tie the door to happiness onnen ovi
doorman /dɔrmən/ s portieeri
doormat /'dɔr,mæt/ s ovimatto to treat someone like a doormat (kuv) pyyhkiä jalkansa johonkuhun, kohdella jotakuta törkeästi
doorstep /'dɔr,step/ s kynnys
do out of v huijata joltakulta jotakin he did me out of all my money hän huijasi minulta kaikki rahani
do over v sisustaa, tehdä uudelleen
dope /doʊp/ s **1** (ark) huumeet **2** (ark) typerys, idiootti **3** (ark) uutiset, tiedot v huumata
dope pusher s huumekauppias, huumeiden välittäjä
dopey /doʊpi/ adj **1** (ark) typerä, älytön **2** (ark) tokkurainen, pöpperöinen
dormant /dɔrmənt/ adj uinuva, (eläin) talviunilla, (hanke) jäässä
dormitory /'dɔrmə,tɔri/ s **1** asuntola **2** makuusali
Dors. Dorset
Dorset /dɔrsət/ Englannin kreivikuntia, myös Dorsetshire
DOS /das/ disk operating system (tietok) (levyaseman) käyttöjärjestelmä
dosage /doʊsədʒ/ s annos, annostus, annostelu
dose /doʊs/ s annos v **1** annostella **2** antaa/ottaa lääkettä
do someone proud fr **1** olla edukseen, olla eduksi jollekulle **2** hemmotella, kohdella hyvin
do something on the spot tehdä jotakin heti/viipymättä

dossier /ˌdasiˈeɪ/ s **1** (asiapaperi)kansio to keep a dossier on someone seurata (salaa) jonkun edesottamuksia **2** (yliopistossa) nimikirja(n ote)
dot /dat/ s täplä
v täplittää (myös kuv) summer cottages dotted the landscape kesämökit täplittivät maisemaa
dotage /doutədʒ/ s seniiliys, (ark) vanhuudenhöperyys
dote on /dout/ v hemmotella, lelliä
do the trick that should do the trick sen pitäisi tepsiä
do time v (ark) istua, olla kiven sisässä
do to death fr toistaa jotakin kyllästymiseen saakka
double /dʌbəl/ s **1** kaksinkertainen määrä, tupla-annos tms **2** kaksoisolento **3** sijaisnäyttelijä
v **1** kaksinkertaistaa, kaksinkertaistua, (ark) tuplata, tuplaantua **2** esittää kaksoisroolia; toimia jonkun sijaisnäyttelijänä
adj kaksinkertainen, kaksois-, tupla-, kahden hengen (huone, vuode)
adv kaksinkertaisesti, (ark) tuplasti; kaksin kerroin
double-blind test s kaksoissokkokoe
double-check v tarkistaa, varmistaa
double-cross v huijata, pettää
double-date v mennä/olla treffeille/treffeillä neljästään
double entendre /ˌdʌbəlanˈtandər/ s kaksimielisyys; kaksimielinen sana
double feature s (elokuvateatterin) kaksoisnäytäntö
double negative s (kieliopissa) kahden kieltomuodon (puhekielinen) käyttö (esim I didn't do nothing)
double occupancy s (hotellissa, motellissa) the rooms are $40 per person, double occupancy kahden hengen huoneet maksavat 40 dollaria hengeltä
double-space v kirjoittaa koneella/tulostaa kakkosrivivälillä (rivien välissä yksi täysi tyhjä rivi)
double-spaced adj (kirjoituskoneella) kaksinkertaisella rivivälillä (kirjoitettu teksti)
double up v **1** jakaa huone, asua/nukkua samassa huoneessa (tilanpuutteen vuoksi) **2** taipua kaksin kerroin (tuskasta, naurusta)
doubly adv kaksinkertaisesti; kaksinverroin, erityisesti, varsinkin
doubt /daut/ s epäily, epäilys I have strong doubts about his sincerity epäilen kovasti hänen vilpittömyyttään no doubt he has already left hän on epäilemättä jo lähtenyt
v epäillä I doubt whether this will work out epäilen onnistuuko tämä
doubtful adj **1** epävarma **2** hämäräperäinen, kyseenalainen
doubting Thomas s epäilevä tuomas, epäilijä
doubtless adv epäilemättä
dough /dou/ s **1** taikina **2** (sl) raha
doughnut /dounət/ s donitsi, munkkirinkilä
do up v **1** kääriä paperiin **2** laittaa (tukka) **3** pukea, pyntätä **4** panna (napit) kiinni **5** väsyttää, uuvuttaa **6** pestä, siivota **7** kunnostaa, saneerata
douse /daus/ v kastaa/upottaa veteen; valaa/kaataa vettä jonkin päälle
Dove /dʌv/ (tähdistö) Kyyhky
dove /dʌv/ s **1** kyyhkynen **2** (kuv) pasifisti (vastakohta: hawk)
dovetail /ˈdʌvˌteɪəl/ s (rak) pyrstöliitos
v **1** (rak) liittää pyrstöliitoksella **2** (kuv) sovittaa/sopia yhteen
do with v kelvata, tehdä mieli, olla hyvään tarpeeseen I could do with a cup of coffee kahvi kyllä maistuisi
do without v tulla toimeen ilman (jotakin)
down /daun/ s **1** untuva **2** (tal) laskusuhdanne
v **1** kaataa (vastustaja), ampua (lentokone) alas **2** (kuv) päihittää (vastustaja) **3** juoda, kaataa kurkkuunsa
adv **1** alas to go up and down nousta ja laskea, liikkua ylösalas the temperature has gone down lämpötila on laskenut **2** (paikkakunnasta, alueesta: ei tarvitse

suomentaa) he went down to Phoenix hän meni Phoenixiin **3** pitkäkseen, maassa, maahan he knocked me down hän iski minut kumoon **4** muistiin, ylös I wrote down the address
prep alas, alhaalla, pitkin he lives down the street hän asuu (tämän) saman kadun varrella
down-and-out adj **1** rahaton, taskut tyhjänä **2** rättiväsynyt, voimaton
down East s Uusi-Englanti
adv Uudessa-Englannissa, Uuteen-Englantiin
downfall /ˈdaʊn,fal/ s **1** tuho, rappio **2** kaatosade
downhill /ˌdaʊnˈhɪl/ adv alamäkeen to go downhill laskeutua; (kuv esim liikeyritys) mennä alamäkeen, (ihminen) joutua hunningolle
down-home adj koti-, maaseutu- down-home cooking kotiruoka
Downing Street s (kuv) Ison-Britannian pääministeri ja hallitus
down payment s käsiraha
downplay /ˌdaʊnˈpleɪ/ v vähätellä (merkitystä)
downpour /ˈdaʊn,pɔr/ s kaatosade
downright /ˈdaʊn,raɪt/ adj ilmiselvä it's a downright lie se on silkkaa valhetta
adv suorastaan; erittäin
downsize /ˈdaʊn,saɪz/ v pienentää after the oil crises, American cars were downsized öljykriisien jälkeen amerikkalaiset alkoivat valmistaa pienempiä autoja companies are downsizing yritykset karsivat työntekijöitä
downspout /ˈdaʊn,spaʊt/ s (räystäskourun) syöksyputki
downstairs /ˌdaʊnˈsteərz/ adj alakerroksen, alakerran the downstairs apartment alakerran huoneisto
adv alakerrassa, alakertaan, alhaalla, alas be/come/go downstairs
down the road fr (kuv) tulevaisuudessa three years down the road kolmen vuoden päästä
down to the wire fr viime hetkeen saakka, viimeiseen saakka
downtown /ˌdaʊnˈtaʊn/ s (kaupungin) keskusta
adv keskustassa, keskustaan
downturn /ˈdaʊn,tərn/ s (tal) lasku(suhdanne), käänne huonompaan
down under s Australia
adv Australiassa, Australiaan
downward /daʊnwərd/ adj alaspäin suuntautuva (liike) a downward thrust alastyöntö
adv (tilasta) alaspäin
dowry /daʊri/ s myötäjäiset
dowse /daʊz, daʊs/ v **1** ks douse **2** etsiä (vesisuonia) taikavarvulla
do your number fr **1** esittää numeronsa, pitää esityksensä **2** jauhaa samaa asiaa, käyttäytyä tapansa mukaan
do your (own) thing fr (ark) olla/oppia olemaan oma itsensä
doz. dozen tusina
doze /doʊz/ s torkut
v torkahtaa
dozen /dʌzən/ s tusina baker's dozen kolmetoista
D. Ph. Doctor of Philosphy filosofian tohtori
DPI /ˌdipiˈai/ dots per inch pistettä tuumalle a laser printer with 600 DPI output laserkirjoitin joka tulostaa 600 pistettä tuumalle
dpt. department osasto, laitos
Dr. Doctor tri
drab /dræb/ adj (kuv) tylsä, ikävä
draft /dræft/ s **1** luonnos **2** (pankki) vekseli, asete, tratta **3** (sot) kutsunnat **4** (ilmanvirtaus) veto **5** vetäminen, veto **6** tynnyriolut
v **1** suunnitella, luonnostella **2** vetää (jotakin; myös ilmanvirtauksesta) **3** valita/kutsua sotilaspalvelukseen
draft beer s tynnyriolut
draft board s (sot) kutsuntalautakunta
draft dodger s (sot) kutsuntapinnari
drafty adj (huone ym) vetoisa, jossa vetää
drag /dræg/ s **1** naara **2** ilmanvastus **3** (ark) pitkäveteinen/tylsä asia **4** (ark) (transvestiitti)miehen käyttämät naisten vaatteet the men were in drag miehet olivat pukeutuneet naisten vaatteisiin

v **1** naarata **2** kiskoa, vetää, laahata perässään **3** pitkittää, pitkittyä, (kuv) venyttää/venyä loputtomiin
drag in v (kuv) ottaa puheeksi, tuoda esille
dragnet /'dræg,net/ s **1** (kal) laahusnuotta **2** (poliisin toimeenpanema) suuretsintä
Dragon (tähdistö) Lohikäärme
dragon /drægən/ s lohikäärme (myös kuv)
drag on v (tilaisuus) venyä/jatkua loputtomiin
dragon breath s (ark) **1** pahanhajuinen hengitys henkilö **2** jolla on pahanhajuinen hengitys
drag out v pitkittää, venyttää (keskustelua, tilaisuutta)
drag queen s (sl) transvestiitti, transsu
drag your feet fr vitkastella, jahkailla, empiä
drain /dreɪn/ s **1** viemäri, viemäriputki, tyhjennysputki to go down the drain epäonnistua; mennä hukkaan **2** rasite, taakka
v **1** kuivata, kuivattaa, laskea vesi jostakin, (vesi) virrata jonnekin **2** uuvuttaa, viedä voimat
drainage /dreɪnədʒ/ s **1** kuivaus, kuivatus, veden laskeminen/poistuminen jostakin **2** (lääk) dreenaus, drenaasi
DRAM dynamic random access memory (tietok) dynaaminen suorasaantimuisti/RAM
drama /dramə/ s **1** näytelmä, draama **2** näyttämötaide **3** (huomiota herättävä) tapahtuma
drama critic s teatterikriitikko
dramatic /drə'mætɪk/ adj **1** näytelmä-; teatteri- **2** dramaattinen, jyrkkä, yhtäkkinen; jännittävä
dramatically adv dramaattisesti, teatraalisesti
dramatics s **1** (verbi yksikössä tai mon) dramatiikka **2** (verbi mon) teatraalisuus
dramatis personae /drə,mætɪspər'souneɪ/ s (mon) näytelmän henkilöt
dramatist /dramətɪst/ s näytelmäkirjailija
dramatize /'dramə,taɪz/ v **1** dramatisoida, sovittaa näytelmäksi **2** liioitella, käyttäytyä teatraalisesti
dramedy /dramədi/ s draaman ja komedian aineksia sisältävä televisio-ohjelma (sanoista drama ja comedy)
drank /dræŋk/ ks drink
drape /dreɪp/ s (mon) verhot
v **1** verhota, peittää/varustaa verhoilla **2** drapeerata, laskostaa
drastic /dræstɪk/ adj yhtäkkinen, jyrkkä, raju to take drastic measures ryhtyä äärimmäisiin toimenpiteisiin
drastically adv yhtäkkiä, jyrkästi, rajusti
draught /dræft/ (UK) ks draft
draw /dra/ s **1** tasapeli, ratkaisematon lopputulos **2** (kuv) vetonaula
v drew, drawn **1** vetää, kiskoa **2** nostaa (vettä kaivosta) **3** piirtää **4** saada (innoitusta) **5** kerätä/saada (suuri yleisö) **6** kasvaa (korkoa)
draw ahead v ohittaa joku/jokin
draw away v **1** vetää pois jostakin **2** jättää taakseen, kasvattaa välimatkaa
drawback /'dra,bæk/ s haitta, hankaluus, huono puoli
drawbridge /'dra,brɪdʒ/ s nostosilta
draw down v kuluttaa/kulua loppuun, ehtyä
drawer /drɔr/ s (lipaston, kirjoituspöydän) laatikko
draw in v sekaantua johonkin, puuttua johonkin
drawing /draiŋ/ s piirustus (työ/taide)
drawing room s olohuone; salonki
drawl /draəl/ s hidas/leveä puhetapa
v puhua hitaasti/leveästi
drawn /dran/ ks draw
draw off v perääntyä jostakin, poistua
draw on v **1** lähestyä **2** käyttää (hyväkseen), nojautua johonkin, perustua johonkin, ammentaa (kokemuksestaan)
draw out v **1** vetää/ottaa esiin **2** saada joku puhumaan **3** pitkittää, venyttää **4** nostaa (rahaa pankista)

lraw the line somewhere fr vetää
ıja johonkin, kaikella on rajansa
lraw up v **1** laatia (laillinen asiakirja)
: (auto) pysähtyä
lread /dred/ s kauhu, pelko
pelätä
lreadful adj **1** pelottava, kauhistutta-
a **2** (ark) hirvittävä(n huono), kamala(n
ıuono)
lreadfully adv (ark) erittäin, kamalan
lream /drim/ s **1** uni (unennäkö)
: unelma, haave
dreamt/dreamed, dreamt/dreamed
nähdä unta jostakin **2** uneksia, unel-
noida, haaveilla jostakin
lreamer s uneksija
lreamily adv haaveksivasti; uneliaasti
lreamlike adj unta muistuttava,
ınenomainen
lreamt /dremt/ ks dream
lream up v keksiä, kyhätä kokoon
mielessään)
lreamy adj **1** haaveksiva, unelmiinsa
aipunut **2** unelias (ääni), rauhoittava
musiikki), pehmeä (väri) **3** ihastuttava,
ınelmien
drearily /drıræli/ adv yksitoikkoisesti,
ɔitkäveteisesti, ikävästi
dreariness s yksitoikkoisuus,
pitkäveteisyys, ikävyys
dreary /drıri/ adj yksitoikkoinen,
pitkäveteinen, ikävä
dredge /dredʒ/ s ruoppaaja
v ruopata
dredge up v (kuv) tonkia esiin, tuoda
päivänvaloon (jotakin kielteistä)
dregs /dregz/ s (mon) pohjasakka
(myös kuv)
drench /drentʃ/ v kastella läpimäräksi
dress /dres/ s **1** (naisen) puku court
dress kävelypuku maternity dress
äitiyspuku **2** vaatteet; pukeutuminen
v pukea, pukeutua to get dressed
pukeutua
dress down v **1** nuhdella, sättiä, moit-
tia **2** hakata, antaa selkään
dresser s lipasto; astiakaappi
dressing s **1** pukeutuminen, pukemi-
nen **2** (lääk) sidos **3** salaatinkastike

dressing table s peililipasto,
kampauslipasto
dress rehearsal /ˌdresrıˈhɜrsəl/ s
(näytelmän) kenraaliharjoitus
dress shirt s frakkipaita
dress suit s frakki
dress up v **1** pukeutua parhaimpiinsa/
hienosti **2** (kuv) koristella, kaunistella
drew /dru/ ks draw
dribble /drıbəl/ s **1** (vesi)tippa **2** kuola
v **1** (nesteestä) tippua, tihkua **2** (lapsi,
koira) kuolata **3** kuljettaa (koripalloa)
dried /draıd/ v ks dry
adj kuivatettu (hedelmä)
drift /drıft/ s **1** virtaus continental drift
mannerliikunto **2** kinos, kasa **3** tuuliajo
(myös kuv) **4** poikkeama (suunnasta,
arvosta)
v **1** (tuuli) kuljettaa (lunta, hiekkaa, pil-
viä) **2** poiketa (suunnasta, arvosta)
3 olla tuuliajolla (myös kuv), vaeltaa,
kiertää
drifter s irtolainen, maankiertäjä
drill /drıl/ s **1** pora, kaira **2** (sot) har-
joittelu; sulkeiset **3** (koul) harjoitus
v **1** porata **2** (sot, koul) harjoittaa,
opettaa
drill rig s (öljyn)porauslaitos,
(öljyn)poraustorni
drink /drıŋk/ s **1** juoma, juotava
2 (alkoholista) ryyppy, lasillinen **3** ryyp-
pääminen, juominen
v drank, drunk **1** juoda **2** juoda (alko-
holia), ryypätä don't drink and drive jos
juot, älä aja
drinkable adj juomakelpoinen,
juoma-
drinker s juoppo
drip /drıp/ s **1** pisara **2** (lääk) infuusio,
(ark) tiputus
v pisaroida, putoilla/tihkua pisaroina
drive /draıv/ s **1** (auto)matka, ajo it's a
short drive from here se on lyhyen ajo-
matkan päässä **2** pihatie **3** vietti **4** tar-
mo, into, veto **5** hanke, kampanja (sot
ym) **6** (auto) ohjaus left-hand drive va-
semmanpuoleinen ohjaus **7** (auto) veto
four-wheel drive nelipyöräveto **8** (golfis-
sa) aloituslyönti
v drove, driven **1** ajaa (liikkeelle, pois

jostakin) **2** ajaa (autoa) **3** ajaa/viedä autolla **4** käyttää, olla voimanlähteenä **5** tehdä joku joksikin, saattaa/ajaa johonkin tilaan that noise drives me nuts melu tekee minut hulluksi **6** panna joku koville

drive at v pyrkiä (puheissaan) johonkin, ajaa takaa jotakin

driven v ks drive
adj **1** määrätietoinen, tarmokas, yritteliäs **2** pakkomielteinen

driver s **1** ajaja, ajuri, kuljettaja **2** (golf) puuykkönen **3** (tietok) ohjain

driver education s ajo-opetus (koulussa)

driver's license s ajokortti

driver's training s ajo-opetus (koulussa)

drive someone to the wall 1 tehdä joku hulluksi **2** panna koville they drove him to the wall he panivat hänet ahtaalle/seinää vasten/lujille

drive up the wall fr tehdä joku hulluksi, saada joku kiipeämään seinille

driveway /'draɪv,weɪ/ s pihatie

driving range /'draɪviŋ,reɪndʒ/ (golfissa) (pitkien) lyöntien harjoittelualue, driving range

drizzle /drɪzəl/ s tihkusade
v sataa tihkuttaa

drone /droʊn/ s **1** (koirasmehiläinen) kuhnuri **2** surina **3** yksitoikkoinen (puhe)ääni
v **1** surista **2** puhua yksitoikkoisella äänellä

drone on v jaaritella; venyä, jatkua loputtomiin

droop /drup/ s kyyryasento
v **1** olla/seistä kyyryssä; roikkua, nuokkua **2** (kuv) herpaantua

drop /drap/ s **1** pisara, tippa **2** korkeusero, pudotus, putoaminen; hyppy **3** (teatteri) esirippu
v **1** tihkua, pisaroida **2** pudottaa, pudota **3** hiljentää/madaltaa (ääntään) **4** jättää kyydistä/jonnekin **5** (hinta, lämpötila) laskea, pudota **6** sanoa ohimennen/vahingossa, lipsahtaa, vihjaista to drop names/a hint leuhkia (tuntemillaan) nimillä/vihjaista, antaa ymmärtää **7** kirjoittaa (kortti, lyhyt kirje) **8** jättää joku/jokin pois jostakin **9** wait for the other shoe to drop odottaa epämiellyttävää seurausta **10** (golfissa) dropata, pudottaa esim kentän ulkopuolelle joutunut pallo uudelleen kentälle käsivarsi suorana olkapään korkeudelta

drop behind v jäädä jälkeen jostakusta/jostakin

drop dead fr älä luulekaan!; älä yritä!; ole hiljaa!

drop-in s yllätysvieras

droplet s (pieni) pisara

drop off v **1** nukahtaa **2** vähentyä, laskea

dropout s **1** (koulunkäynnin, kurssin) keskeyttäjä, (kilpailussa) luovuttaja **2** vaihtoehtoihminen

drop out v erota jostakin; jättää koulu(nkäynti) kesken; astua kyydistä (kuv)

drought /draʊt/ s kuivuus

drove /droʊv/ s (eläin)lauma, (ihmis)parvi/joukko
v ks drive

drown /draʊn/ v **1** hukkua, hukuttaa (myös kuv:) he drowned his sorrows in alcohol **2** peittää alleen, tulvia

drown in v (kuv) hukkua johonkin, olla korviaan myöten jossakin

drowning s hukkuminen; hukkunut

drown out v (ääni) peittää, estää kuulumasta

drowse /draʊz/ v torkkua

drowsily adv unisesti, uneliaasti

drowsy adj uninen, unenpöpperöinen, unelias

drudge /drʌdʒ/ s ahertaja, puurtaja, työmyyrä
v ahertaa, uurastaa, puurtaa

drudgery s aherrus, uurastus

drug /drʌg/ s **1** lääke **2** huume, huumausaine
v huumata

drug addict /'drʌg,ædɪkt/ s narkomaani

drug addiction /'drʌgə,dɪkʃən/ s huumeriippuvaisuus

drug czar /'drʌg'zaər/ s huumeongelman vastaista taistelua johtava

presidentin nimittämä) korkea viranmainen
drug pusher /drʌg,puʃər/ s huumekauppias, huumeiden välittäjä
drug traffic /'drʌg,træfɪk/ s huumekauppa
drum /drʌm/ s **1** (mus) rumpu **2** (öljy)tynnyri **3** (korvan) tärykalvo
v rummuttaa
drum brake s rumpujarru
drumhead /drʌm,hed/ s rumpukalvo
drummer s rumpali to march to a different drummer kulkea omia polkuaan
drum out v erottaa
drumstick /drʌm,stɪk/ s **1** rumpupalikka, rumpukapula **2** kanankoipi (ruokana)
drum up v **1** hankkia (asiakkaita), yrittää saada (kannatusta), (kuv) lyödä rumpua jostakin/jonkin puolesta **2** keksiä, kehittää
drunk /drʌŋk/ s humalainen; juoppo
v ks drink
adj juopunut, humalassa
drunken adj (ihminen) juopunut, humalassa; (tilaisuus) märkä, ryyppy-
dry /draɪ/ v dried, dried: kuivata, kuivua
adj kuiva (myös kuv) I am dry kurkkuani kuivaa, minulla on jano dry town/country paikkakunta/maa jossa alkoholin myynti(ä) on kielletty/rajoitettu
dry-clean /'draɪ,klin/ v kuivapestä, pestä kemiallisesti
dry cleaning s kuivapesu, kemiallinen pesu
dry dock /'draɪ,dak/ s allastelakka
dryer s kuivain hair dryer, clothes dryer hiustenkuivain, (pyykin)kuivauskone, kuivausrumpu
dryly adv kuivasti
dry nurse /'draɪ,nərs/ s lastenhoitaja
dry out v **1** kuivata/kuivua (täysin) **2** panna (alkoholisti)/ruveta katkaisuhoitoon
dry spell /'draɪ,spel/ s kuiva/sateeton kausi
dry up v **1** kuivata/kuivua (täysin) **2** loppua, lakata **3** (ark) vaieta, lakata puhumasta
DSP /,dies'pi/ Digital Signal Processing, digitaalinen signaalinkäsittely
DST daylight saving time kesäaika
dstspn. dessertspoon jälkiruokalusikallinen
DTP /,diti'pi/ Desktop Publishing, julkaisutoiminta mikrotietokonetta käyttäen, DTP
dual /duəl/ adj kaksois-, kaksi- a personal computer with dual floppy drives henkilökohtainen tietokone jossa on kaksi levykeasemaa
dub /dʌb/ v **1** jälkiäänittää (elokuva ym) **2** kopioida (äänite) **3** lyödä ritariksi tms **4** nimittää joksikin they dubbed him a maestro häntä alettiin kutsua maestroksi **5** sohaista, työntää
dubbing s (elokuvan ym) jälkiäänitys
dub in v lisätä äänitteeseen jotakin
dubious /dubiəs/ adj **1** epäröivä, epävarma **2** kyseenalainen, hämäräperäinen
Dublin /dʌblən/ Dublin
dub out v poistaa äänitteestä jotakin
duchess /dʌtʃəs/ s herttuatar
duchy /dʌtʃi/ s herttuakunta
duck /dʌk/ s ankka
v **1** kyyristyä (äkkiä) **2** vetää päänsä veden alle, työntää joku hetkeksi veteen
duckling s ankanpoikanen ugly duckling ruma ankanpoikanen
duct /dʌkt/ s **1** (anatomia) tiehyt, kanava **2** johdin, putki
dud /dʌd/ s **1** fiasko, pannukakku **2** (ammus) suutari
dude s (ark) kaveri, jätkä, hemmo hey, dude, what's up? moi, kuis huisii?
duds /dʌdz/ s (mon ark) vaatteet, kuteet
due /du/ s **1** (mon) (jäsen- tai muu) maksu **2** to give him his due, he did try hard täytyy myöntää että hän yritti kovasti
adj **1** erääntynyt (maksu) **2** jollekulle kuuluva; määrä tehdä jotakin when is the baby due? mikä on laskettu synnytysaika? you are due to leave here at ten sinun on määrä lähteä täältä kymmeneltä **3** asianmukainen, asiaan kuuluva with all due respect kaikella

kunnioituksella in due course/time aikanaan **4** due to ks hakusanaa adv suoraan (johonkin suuntaan) due south
duel /duəl/ s kaksintaistelu (myös kuv) v osallistua kaksintaisteluun
duelist s kaksintaistelija
duet /du'et/ s duetto
due to prep vuoksi, takia, tähden, johdosta the concert was canceled due to the rain konsertti peruutettiin sateen vuoksi
dug /dʌg/ ks dig
dugong /dugaŋ/ s (sireenieläin) dugongi
dugout /dʌgaut/ s **1** (sot) taisteluhauta, korsu **2** ruuhi, yhdestä puusta koverrettu kanootti **3** (baseball) pelaaja-aitio
duiker /daɪkər/ s sukeltaja-antilooppi common duiker grimminsukeltajakauris
duke /duk/ s herttua
dukedom /dukdəm/ s **1** herttuan arvo **2** herttuakunta
dull /dʌl/ v sumentaa (aisteja), hämärtää (muistia), tylsistyttää (terää, älyä), himmentää; vaimentaa (kipua, ääntä)
adj **1** tylsä (terä) **2** hidasälyinen **3** pitkäveteinen, tylsä, innoton **4** himmeä, haalea (väri ym), vaimea (ääni), pilvinen/harmaa (taivas)
duly /duli/ adj asianmukaisesti, kuten odottaa saattaa; ajoissa
dumb /dʌm/ adj **1** mykkä **2** (ark) tyhmä, typerä **3** (tietokone) tyhmä (vastakohta intelligent, älykäs)
dumbbell /dʌmbel/ s käsipaino
dummy /dʌmi/ s **1** vaatenukke, sovitusnukke **2** (kirjan tai muun esineen) malli **3** (ark) typerys
dump /dʌmp/ s **1** kaatopaikka **2** rähjäinen paikka (kaupunginosa, huone)
v **1** heittää menemään, kaataa/panna jonnekin **2** hylätä, jättää (poika/tyttöystävä) **3** myydä polkuhintaan, dumpata
dumping s polkumyynti, dumppaus
dumping-ground s kaatopaikka
dumpling /dʌmpliŋ/ s (ruuanlaitossa) myky, kokkare
dumpy /dʌmpi/ adj tanakka, lyhyenläntä
dunce /dʌns/ s typerys
dune /dun/ s (hiekka)dyyni
dung /dʌŋ/ s lanta
dungarees /ˌdʌŋgə'riz/ s (mon) **1** (työ)haalarit **2** farkut
dungeon /dʌndʒən/ s vankiluola
dunk /dʌŋk/ v **1** kastaa, upottaa (ihminen veteen, pulla kahviin) **2** lyödä koripallo koriin
dup. duplicate jäljennös, kopio
dupe /dup/ s (ark) **1** huijauksen uhri **2** (dian/valokuvan) kaksoiskappale
v huijata, pettää, vetää nenästä
duplicate /dupləˌkət/ s jäljennös, kopio, kaksoiskappale, moniste
adj kaksois-, jäljennös-
duplicate /'dupləˌkeɪt/ v jäljentää, kopioida, monistaa
duplication /ˌduplə'keɪʃən/ s jäljentäminen, kopiointi, monistus
duplicator s monistuskone
Dur. Durham
durable /dərəbəl/ adj kestävä, pitkäikäinen
duration /də'reɪʃən/ s (ajallinen) kesto
duress /də'res/ s pakko
Durham /dərəm/ Englannin kreivikuntia
during /dəriŋ/ prep aikana, kuluessa
dusk /dʌsk/ s iltahämärä
dusky adj **1** hämärä, pimeähkö **2** tummaihoinen; tumma (väri)
dust /dʌst/ s pöly
v pyyhkiä pölyt jostakin
Dust Bowl s Yhdysvaltain keskilännen pölymyrskyalue (1930-luvulla)
duster /dʒækət/ s **1** pölyriepu **2** siivoustakki
dust jacket s (kirjan) suojapaperi
dust mop /map/ s moppi
dust off v **1** verestää vanhat taidot; ottaa uudestaan käyttöön **2** antaa selkään, hakata
dusty adj pölyinen
Dutch /dʌtʃ/ s hollannin kieli s, adj hollantilainen
dutiful /dutəfəl/adj tunnollinen, velvollisuudentuntoinen, tottelevainen

duty /duti/ s **1** velvollisuus, tehtävä to be on/off duty olla/ei olla työvuorossa, olla/ei olla jonkun virka-aika **2** tulli
duty-free /ˌduti'fri/ adj tullivapaa, tulliton
dwarf /dwɔrf/ s kääpiö
v saada joku/jokin näyttämään pieneltä, (kuv) jättää varjoonsa my work was dwarfed by his achievements minun työni kalpeni hänen saavutustensa rinnalla
dwell /dwel/ v dwelt, dwelt: asua jossakin
dwelling s asumus
dwell on v takertua johonkin asiaan, puhua/ajatella pitkään
dwindle /dwɪndəl/ v vähentyä, heikentyä, laskea, huveta
dwt deadweight tonnage kuollut paino
dye /daɪ/ s väri(aine)
v dyed, dyed, dyeing värjätä (kangas)
dyed-in-the-wool adj (kuv) parantumaton, (joka on) henkeen ja vereen (jotakin) she's a dyed-in-the-wool Democrat hän on pesunkestävä demokraatti, hän on demokraatti henkeen ja vereen
dying ks die
dyke /daɪk/ s (sl) lesbo
dynamic /daɪ'næmɪk/ adj **1** dynaaminen dynamic range dynamiikka **2** (ihminen) energinen
dynamics /daɪ'næmɪks/ s (mon, verbi mon paitsi fysiikan merkityksessä) dynamiikka
dynamite /'daɪnəˌmaɪt/ s dynamiitti
v räjäyttää (dynamiitilla)
dynamo /'daɪnəˌmoʊ/ s dynamo
dynasty /'daɪnəsˌti/ s dynastia
dysentery /'dɪsənˌterɪ/ s punatauti
dyslexia /dɪs'leksiə/ s dysleksia, eräs lukemishäiriö
dyspepsia /dɪs'pepsiə/ s ruuansulatushäiriö
dz. dozen tusina

E, e

E, e /i/ E, e
ea. each kappaleelta, kukin
each /itʃ/ pron, adj, adv kukin each and every one of them kukin heistä I gave them a dollar each annoin kullekin heistä dollarin they hate each other he vihaavat toisiaan they each went to a different school kukin heistä kävi eri koulua
eager /igər/ adj innokas, halukas
eager beaver s työhullu, ahertaja
eagerly /igərlı/ adv innokkaasti, halukkaasti
eagerness /igərnəs/ s innokkuus, halukkuus
eagle /igəl/ s **1** kotka **2** (golfissa) eagle, lyöntitulos jossa pallo saadaan reikään kaksi lyöntiä alle par-luvun
ear /ır/ s **1** korva (myös kuv) she was all ears hän oli pelkkänä korvana I have no ear for languages minulla ei ole kielikorvaa to play by ear soittaa korvakuulolta **2** tähkä
eardrum /ırdrəm/ s tärykalvo
earflap /ırflæp/ s (päähineen) korvalappu
earl /ərəl/ s jaarli, kreivi
earldom /ərəldəm/ s **1** jaarlin/kreivin arvo **2** kreivikunta
early /ərli/ adj aikainen, varhainen from an early age nuoresta pitäen as early as jo
adv aikaisin, varhain to rise early nousta (vuoteesta) aikaisin early on (jo) varhain, varhaisessa vaiheessa
early bird s aamuvirkku
earmark /'ır,mark/ v varata/määrätä käytettäväksi johonkin tarkoitukseen
earmuff /ırmʌf/ s korvalappu
earn /ərn/ s ansaita (rahaa, kiitosta), kasvaa (korkoa) they make money the old-fashioned way, they earn it
earnest /ərnəst/ s: in earnest vakavissaan, tosissaan
adj vakava (ihminen), harras (pyyntö)
earnestly adv vakavasti, hartaasti, tosissaan
earnings /ərniŋz/ s (mon) ansiot, tulot, palkka
earphones /'ır,founz/ s (mon) korvakuulokkeet, (etenkin) nappikuulokkeet
earring /'ır,rıŋ/ s korvarengas
earth /ərθ/ s **1** Maa, maapallo **2** maa **3** maaperä **4** (sähkö) maa
v (sähkö) maadoittaa
earthen /ərθən/ adj maallinen, savinen
earthenware /'ərθən,weər/ s savitavara
earthly /ərθlı/ adj **1** maallinen **2** (kielteisessä yhteydessä:) mikään there is no earthly need for a gadget like that sellaiselle vempaimelle ei ole mitään käyttöä
earthquake /ərθ,kweık/ s maanjäristys
earthy /ərθı/ adj **1** it has an earthy smell/taste se tuoksuu/maistuu mullalta **2** karkea, hiomaton (käytös, ihminen)
ease /iz/ s **1** mukava olo to be at ease olla mukava olo, tuntea olonsa mukavaksi at ease! (sot) lepo! **2** helppous, vaivattomuus he did it with ease se sujui häneltä helposti **3** joutilaisuus to live a life of ease olla kissanpäivät
v **1** helpottaa (oloa), helpottua, lievittää (kipua), keventää (mieltä, taakkaa), keventyä **2** höllentää, löysätä (köyttä, kuria) **3** tehdä jotakin varovasti I eased my car into the narrow space ajoin autoni varovasti ahtaaseen tilaan she

eased the cork off the champagne bottle hän irrotti varovasti samppanjapullon korkin
easel /izəl/ s (taidemaalarin) maalausteline
ease off v laantua, rauhoittua, hiljentyä
ease out v erottaa (tehtävästä) vähin äänin
ease up v laantua, rauhoittua, hiljentyä
easily /izəlı/ adv **1** helposti **2** selvästi, ehdottomasti she is easily the most capable of them hän on selvästi pätevin heistä
easiness /izinıs/ s helppous
east /ist/ s **1** (ilmansuunta) itä **2** the East (itäiset maat) itä Near East Lähi-itä Middle East Lähi-itä Far East Kaukoitä adv itään there are mountains east of here
East Africa Itä-Afrikka
East-Berlin (hist) Itä-Berliini
eastbound /'ist,baund/ adj idän suuntainen, itään kulkeva/johtava
East China Sea /tʃaınə/ Itä-Kiinan meri
East Coast s (Yhdysvaltain) itärannikko
Easter /istər/ s pääsiäinen
easterly /istərli/ s itätuuli adj itäinen, itä-
eastern /istərn/ adj itäinen, itä-
Eastern block s itäryhmä, Itä-Euroopan kommunistiset maat
easterner /'istərnər/ s (Yhdysvaltain) itävaltioiden asukas
Eastern gray kangaroo /,kæŋgə'ru/ s isojättikenguru
Eastern Hemisphere s itäinen pallonpuolisko
easternmost /'istərn,moust/ adj itäisin
East German s, adj itäsakalainen
East Germany s Saksan demokraattinen tasavalta, Itä-Saksa
East Indies /,ist'ındiz/ (mon) Itä-Intia
easy /izı/ adj **1** helppo it's easy as pie se on helppoa kuin mikä, se on lasten leikkiä **2** mukava, rento, kevyt (olo, tyyli, liike) adv rennosti, rauhallisesti take it easy ota rennosti, älä jännitä/hermostu
easy chair s laiskanlinna, nojatuoli
eat /it/ v ate, eaten **1** syödä **2** (ark) kaivella, kismittää what is eating him? mikä häntä vaivaa?
eat away v kuluttaa, murentaa
eatery /itərı/ s syömäpaikka, ravintola tms
eat humble pie fr nöyrtyä, kärsiä nöyryytys, niellä katkera kalkki
eat out v syödä ulkona/ravintolassa
eat up v **1** kuluttaa loppuun **2** nauttia kovasti jostakin **3** uskoa, niellä, ottaa täydestä
eat your words fr syödä sanansa
eaves /ivz/ s (mon) räystäs
eavesdrop /'ivz,drap/ v kuunnella salaa
ebb /eb/ s **1** laskuvesi, luode ebb and flow vuoksi ja luode **2** (kuv) aallonpohja v **1** (vuorovesi) laskea **2** (kuv) laantua, kuihtua
ebony /ebəni/ s eebenpuu adj musta, eebenpuun värinen
EC European Community Euroopan yhteisö, EY
eccentric /ık'sentrık/ s omituinen/erikoinen ihminen adj **1** epäkeskinen **2** omituinen, erikoinen
eccentricity /,ek,sen'trısətı/ s **1** epäkeskisyys **2** omituisuus, erikoisuus; oikku
ecclesiastical /ı,klizı'æstıkəl/ adj kirkollinen
ECG lyh electrocardiogram sydänsähkökäyrä, EKG
echidna /ə'kıdnə/ s nokkasiili short-beaked echidna nokkasiili, myös: common echidna
echo /ekou/ s kaiku v **1** kaikua **2** (kuv) toistaa (mitä joku on sanonut)
eclipse /i'klıps/ s (auringon/kuun)-pimennys v **1** pimentää **2** (kuv) jättää varjoonsa
ecological /,ikə'ladʒıkəl/ adj ekologinen
ecology /i'kalədʒı/ s ekologia

E-COM electronic computer-originated mail sähköposti
economic /ˌikəˈnamɪk/ adj **1** taloudellinen, talouselämän, taloustieteellinen **2** säästäväinen
economical /ikəˈnamɪkəl/ adj **1** säästäväinen **2** taloudellinen, talouselämän, taloustieteellinen
economically /ikəˈnamɪkli/ adv **1** säästäväisesti **2** taloudellisesti, talouselämän kannalta, taloustieteellisesti
economics /ˌikəˈnamɪks/ s **1** (verbi yksikössä) taloustiede **2** (verbi monikossa) taloudelliset näkökohdat, taloudellisuus
economist /iˈkanəmɪst/ s taloustieteilijä, ekonomisti
economize /iˈkanəˌmaɪz/ v säästää, olla säästäväinen, käyttää säästeliäästi
economy /iˈkanəmi/ s **1** säästäväisyys **2** säästö **3** talous, talouselämä national economy kansantalous **4** (lentokoneen) turistiluokka
adj säästö-
economy class s (lentokoneen) turistiluokka
economy-size adj **1** säästökokoinen **2** pieni, pikku(auto)
ecstasy /ekstəsi/ s hurmio, ekstaasi
ecstatic /ekˈstætɪk/ adj (olla) haltioissaan, hurmiossa
ECU European Currency Unit ECU, ecu, EU-maiden yhteisvaluutta
Ecuador /ˈekwəˌdɔr/ Ecuador
Ecuadorian s, adj ecuadorilainen
eczema /ɪgˈzɪmə, ekˈzimə/ s ihottuma
eddy /edi/ s (tuuli/vesi)pyörre
v pyörtää
edge /edʒ/ s **1** (veitsen) terä to be on edge olla hermostunut **2** reuna, (tien) vieri, raja, ääri
v **1** teroittaa (veitsi) **2** reunustaa **3** hivuttaa, hivuttautua, työntää/edetä hitaasti he edged his way towards the exit hän hivuttautui ovea kohti
edgewise /ˈedʒˌwaɪz/ not to get a word in edgewise ei saada suunvuoroa
edgy /edʒi/ adj hermostunut
edible /edəbəl/ adj syötävä, syötäväksi kelpaava, ruoka-
Edinburgh /edənbərə/ Edinburgh
edit /edɪt/ v **1** julkaista (lehteä) **2** toimittaa (tekstiä) **3** koostaa, leikata (filmi)
edition /əˈdɪʃən/ s (kirjan) laitos, painos
editor /edətər/ s **1** (lehden) toimittaja, (kirjan) (kustannus)toimittaja, (filmin) leikkaaja **2** (tietok) toimitusohjelma
editorial /edəˈtɔrɪal/ s (sanomalehti) pääkirjoitus, (televisio, radio) mielipide
adj toimituksellinen, toimituksen-, mielipide-
editor-in-chief s päätoimittaja
Edmonton /edməntən/ kaupunki Kanadassa
EDP electronic data processing automaattinen/elektroninen tietojenkäsittely, ATK
EDT eastern daylight time Yhdysvaltain itärannikon kesäaika
Ed Teynte /ˌedˈteɪnt/ (Peter Panissa) Tärpätti-Ed
EDTV enhanced definition television
educate /ˈedʒəˌkeɪt/ v sivistää, valistaa, opettaa, kasvattaa, kouluttaa, koulia
educated /ˈedʒəˌkeɪtəd/ adj sivistynyt
educated guess s karkea arvio I don't know the answer but I can make an educated guess en tiedä vastausta mutta voin yrittää arvata
education /ˌedʒəˈkeɪʃən/ s **1** koulutus, kasvatus, opetus, valistus **2** kasvatustiede, pedagogiikka
educational /ˌedʒəˈkeɪʃənəl/ adj kasvatusta/koulutusta/opetusta koskeva, kasvatus-, koulutus-, opetus-
educative /ˈedʒəˌkeɪtəv/ adj kasvattava, opettavainen
educator /ˈedʒəˌkeɪtər/ s **1** opettaja, kasvattaja **2** kasvatustieteilijä, pedagogi
edutainment /ˌedʒəˈteɪnmənt/ s tietoviihde, viihteelliset (tietokoneen, television) opetusohjelmat (sanoista education, opetus, ja entertainment, viihde)
Edward /edwərd/ (kuninkaan nimenä) Edvard
EEC European Economic Community Euroopan talousyhteisö

EEG electroencephalogram elektroenkefalogrammi, aivosähkökäyrä, EEG
eel /il/ s ankerias
eerie /iri/ adj pelottava, kammottava
eerily /'irəli/ adv pelottavasti, kammottavasti
efface /ɪ'feɪs/ v pyyhkiä pois
effect /ɪ'fekt/ s **1** seuraus, vaikutus cause and effect syy ja seuraus my warning had no effect on him hän ei piitannut varoituksestani **2** voimassaolo: the law came/was put into effect last year laki tuli voimaan viime vuonna the law takes effect tomorrow laki astuu voimaan huomenna **3** in effect itse asiassa, loppujen lopuksi; voimassa **4** sisällöstä: he said something to that effect hän sanoi jotain sen suuntaista **5** (myös special effects) (elokuvan tms erikois)tehosteet
v saada aikaan, johtaa johonkin, tehdä she effected a sale/payment hän teki kaupan/maksoi maksun
effective /ɪ'fektɪve/ adj **1** tehokas, vaikuttava **2** todellinen, varsinainen **3** joka on voimassa effective immediately alkaen (nyt) heti
effectively /ɪ'fektɪvli/ adv **1** tehokkaasti, vaikuttavasti **2** todellisesti, käytännössä
effectiveness /ɪ'fektɪvnəss/ s tehokkuus, vaikutus
effeminate /ɪ'femɪnət/ adj naismainen
effervesce /,efər'ves/ v **1** kuohua, kuplia **2** (kuv) vaahdota, olla haltioissaan
effervescence /,efər'vesəns/ s **1** kuohuminen, kupliminen **2** (kuv) vaahtoaminen, haltioituneisuus
effervescent /,efər'vesənt/ adj **1** kuohuva, kupliva **2** innokas, haltioitunut
effete /ɪ'fit/ adj heikko, voimaton; turmeltunut
efficiency /ɪ'fɪʃənsi/ s **1** yksiö **2** pätevyys, taitavuus, tehokkuus
efficient /ɪ'fɪʃənt/ adj pätevä, osaava, tehokas
efficiently adv pätevästi, sujuvasti, taitavasti, tehokkaasti
effigy /'efədʒi/ s kuva the demonstrators burned the president in effigy mielenosoittajat polttivat presidentin kuvan/presidenttiä esittävän nuken
effort /'efərt/ s vaiva, ponnistelu, yritys he made no effort to help us hän ei yrittänytkään auttaa meitä
effortless /'efərtləs/ adj vaivaton, helppo, kevyt, rento
effortlessly adj vaivattomasti, helposti
effrontery /ə'frantəri/ s röyhkeys, häpeämättömyys
EFTA European Free Trade Association
e.g. for example, (lat) exempli gratia esim
egg /eg/ s **1** (kanan)muna **2** munasolu
v kannustaa, yllyttää, rohkaista
eggbeater /'eg,bitər/ s vispilä
egghead /'eghed/ s (ark) älykkö
eggplant /'eg,plænt/ s munakoiso
eggshell /'eg,ʃel/ s munan kuori
egg white /'eg,waɪt/ s (kananmunan) valkuainen
egg yolk /'eg,jouk/ s (kananmunan) keltuainen
ego /'igou/ s (psykologia) minä, ego; (ark) itsetunto he has a bloated ego hän luulee itsestään liikoja, hän on liian itsekeskeinen
egocentric /,egə'sentrɪk ,igou'sentrɪk/ adj itsekeskeinen
egotist /'egətɪst ɪɪgətɪst/ s egoisti
egotistic /,egə'tɪstɪk,igə'tɪstɪk/ adj itsekäs
egregious /ɪ'gridʒəs/ adj törkeä, räikeä
Egypt /idʒəpt/ Egypti
Egyptian s, adj egyptiläinen
EIA Energy Information Administration
eiderdown /'aɪdər,daun/ s **1** haahkanuntuva **2** untuvapeite
eight /eɪt/ s kahdeksan
eighteen /,eɪt'tin/ s kahdenksantoista
eighteenth /,eɪt'tinθ/ adj kahdeksastoista
eighth /eɪtθ/ adj kahdeksas
eightieth /'eɪtɪəθ/ adj kahdeksaskymmenes

eighty /'eɪti/ s kahdeksankymmentä

either /'iðər aɪðər/ adj, pron **1** jompikumpi, kumpi tahansa you can take either car voit ottaa kumman auton haluat **2** kumpikin there is a goal at either end of the field kentän kummassakin päässä on maali
konj (kielteisen lauseen jälkeen) -kaan/-kään she does not like mushrooms and I don't like them either hän ei pidä sienistä enkä pidä minäkään
adv joko (tai) either lead, follow or get out of the way

ejaculate /ɪ'dʒækjʊ,leɪt/ v **1** huudahtaa, sanoa yhtäkkiä **2** saada siemensyöksy

ejaculation /,ɪdʒækʊ,leɪʃən/ s **1** huudahdus, älähdys **2** siemensyöksy

eject /ɪ'dʒekt/ v **1** heittää/ajaa ulos/pois **2** syöstä ilmoille, suihkuttaa, tupruttaa

ejection /ɪ'dʒekʃən/ s ulosheitto

ejector seat s heittoistuin

eke out /ik/ v **1** to eke out a living tulla jotenkuten toimeen **2** täydentää (tulojaan), yrittää saada (varasto) riittämään

EKG electrocardiogram elektrokardiogrammi, sydänsähkökäyrä, EKG

elaborate /i'læbə,reɪt/ v täsmentää, selittää tarkemmin, käsitellä yksityiskohtaisesti

elaborate /i'læbərət/ adj mutkikas, monimutkainen, perusteellinen, yksityiskohtainen

elaborately adj mutkikkaasti, yksityiskohtaisesti, tarkasti

elaboration /i,læbə'reɪʃən/ s **1** hiominen, yksityiskohtien laadinta **2** selitys, täsmennys

eland /ilənd/ s hirviantilooppi giant eland jättiläishirviantilooppi

elapse /i'læps/ v (aika) kulua, mennä umpeen

elastic /i'læstɪk/ s kuminauha
adj joustava, elastinen

elasticity /i,læ'stɪsəti/ s joustavuus, elastisuus

elate /i'leɪt/ v saada/saattaa haltioihinsa

elated adj haltioissaan, lumoissaan

elation /i'leɪʃən/ s haltioituminen, suuri innostus, juhlatunnelma

elbow /'el,boʊ/ s kyynärpää
v ahtautua, tunkeutua, hivuttautua

elbow grase lihasvoima

elbow out v syrjäyttää joku

elbow room elintila

elder /'eldər/ s vanhempi/korkea-arvoisempi ihminen; (kirkon) luottamushenkilö
adj (komparatiivi sanasta old) vanhempi

elderly /'eldərli/ adj vanha, iäkäs the elderly vanhukset, eläkeläiset

eldest /'eldɪst/ adj (superlatiivi sanasta old) vanhin

elect /i'lekt/ v valita Bill Clinton was elected president in 1992 valittiin presidentiksi I elected not to participate päätin olla osallistumatta
adj valittu President elect vastavalittu presidentti

election /i'lekʃən/ s vaalit

election board s vaalilautakunta

election campaign s vaalikampanja

election district s vaalipiiri

elective /i'lektɪv/ adj valinta-, vaali-; valinnainen (kurssi)

elector /i'lektər/ s **1** äänestäjä, valitsija **2** valitsijamies **3** Elector (hist) vaaliruhtinas

electoral /i'lektərəl/ adj vaali-; valitsijamies-

electoral college s (presidentinvaaleissa) valitsijamieskokous

electoral vote s (presidentinvaaleissa) valitsijamiesääni, valitsijamiesäänestys

electorate /i'lektərɪt/ s äänestäjät

electric /i'lektrɪk/ adj sähkö-

electrical /i'lektrɪkəl/ adj sähkö-

electrician /,elək'trɪʃən/ s sähköasentaja

electricity /,ilek'trɪsəti/ s sähkö

electrify /i'lektrə,fai/ v sähköistää (myös kuv:) saada innostumaan

electrocardiogram /i,lektrə'kardɪə,græm/ s sydänsähkökäyrä, elektrokardiogrammi (EKG)

electrocute /i'lektrə,kjut/ v surmata (tapaturmaisesti) sähköiskulla; teloittaa (kuolemaantuomittu) sähkötuolissa
electrocution /i,lektrə'kjuʃən/ s (tapaturmainen) sähköiskuun kuoleminen; kuolemaantuomitun teloitus sähkötuolissa
electrode /i'lek,troud/ s elektrodi
electroencephalogram /i,lektrəen'sefalogræm/ s aivosähkökäyrä, elektroenkefalogrammi (EEG)
electromagnet /i,lektrə'mægnət/ s sähkömagneetti
electromechanical /i,lektrə,me'kænıkəl/ adj sähkömekaaninen
electron /i'lek,tran/ s elektroni
electron gun s (kuvaputken) elektronitykki
electronic /,iłək'tronık/ adj elektroninen
electronic mail s sähköposti
electronics /,iłək'tronıks/ s (mon, verbi yksikössä) elektroniikka
electronic tube s elektroniputki
electron microscope s elektronimikroskooppi
electrotherapy /ı,lektrə'θerəpi/ s sähköhoito
elegance /'elıgəns/ s eleganssi, tyyli, tyylikkyys
elegant /'elıgənt/ adj elegantti, tyylikäs
elegantly adv elegantisti, tyylikkäästi
element /'elemənt/ s **1** alkuaine **2** (mon) luonnonvoimat, luonto **3** elementti: to be in/out of your element olla/ei olla elementissään **4** (mon: jonkin alan) alkeet **5** osa, tekijä, seikka courage is an important element of success rohkeudella on menestymisessä merkittävä osuus there was an element of threat in his voice hänen äänessään oli mukana uhkaa **6** aines the radical element radikaalit
elemental /,elə'mentəl/ adj **1** alkeellinen, alkukantainen, koruton **2** luonnon **3** alkuaine-
elementary /,elə'mentəri/ adj **1** alkeellinen, alkeis- **2** alkeiskoulun **3** alkuaine-
elementary school s alkeiskoulu (vastaa Suomen peruskoulun alaastetta)
elephant /'eləfənt/ s norsu
elephant shrew /ʃru/ s hyppypäästäinen
elev. elevation korkeus (merenpinnasta)
elevate /'elə,veıt/ v **1** nostaa, kohottaa **2** (kuv) ylentää (mieltä)
elevation /,elə'veıʃən/ s **1** korkeus (merenpinnasta) **2** (virka)ylennys **3** (ajatusten ym) ylevyys, juhlavuus **4** (arkkitehtipiirustus) pystykuva, etukuva
elevator /'elə,veıtər/ s **1** hissi **2** (vilja)siilo; elevaattori **3** (lentokoneen) korkeusperäsin
eleven /i'levən/ s yksitoista
eleventh /i'levənθ/ adj yhdestoista
elicit /ı'lısıt/ v saada/onkia (tietoa)
eligibility /,elədʒə'bıləti/ s sopivuus, soveltuvuus
eligible /'elədʒəbəl/ adj **1** valintakelpoinen, johonkin sopiva the prisoner will be eligible for parole in three years vanki voi anoa ennenaikaista vapautusta kolmen vuoden kuluttua **2** haluttu, tavoittelemisen arvoinen
eliminate /ı'lımə,neıt/ v eliminoida, sulkea pois, jättää laskuista
elimination /ı,lımə'neıʃən/ s pois sulkeminen/jättäminen, eliminointi
elite /ə'lit/ s eliitti, parhaimmisto, kerma
elitism /ə'li,tızm/ s elitismi
elitist /ə'li,tıst/ adj elitistinen
Elizabeth /ə'lızəbəθ/ (kuningattaren nimenä) Elisabet
elk /elk/ s **1** hirvi **2** vapiti
Ellesmere Island /elzmiər/ Ellesmerensaari (Kanadassa)
ellipse /ı'lıps/ s ellipsi
elliptical /ı'lıptıkəl/ adj elliptinen
elliptical galaxy s elliptinen galaksi
elm /elm/ s jalava
Elmer Fudd /,elmər'fʌd/ (sarjakuvahahmo) Elmeri, Ellu
elongate /i'laŋ,geıt/ v pidentää, venyttää

elongation /i,laŋ'geɪʃən/ s pidennys, venytys
elope /i'loup/ v karata (rakastajansa kanssa)
elopement /i'loup,mənt/ s karkaaminen (rakastajansa kanssa)
eloquence /eləkwəns/ s kaunopuheisuus, puhetaito
eloquent /eləkwənt/ adj kaunopuheinen, osuva(sti ilmaistu)
El Paso /el'pæsou/ kaupunki Texasissa
El Salvador /el'sælvə,dɔr/
else /els/ adv **1** toinen, muu let's go somewhere else mennään muualle somebody else should do it jonkun muun pitäisi tehdä se no one else wanted it kukaan muu ei halunnut sitä isn't there anything else to eat? eikö ole mitään muuta syötävää? you're something else! sinä sitten olet ihmeellinen! who else but you kukapa muu kuin sinä **2** muutoin, muussa tapauksessa shut up now or else! tuki suusi heti tai sinun käy huonosti!
elsewhere /'els,weər/ adv muualla, toisaalla, muualle, toisaalle I wish I were elsewhere kunpa olisin jossakin muualla they came from elsewhere he tulivat jostakin muualta
elude /ɪ'lud/ v välttää, karttaa, välttyä (joutumasta kiinni)
elusive /ɪ'lusɪv/ adj jota on vaikea saada kiinni; vaikeasti määriteltävä, (kuv) josta on vaikea saada otetta, epämääräinen (vastaus)
elusively adv (vastata) välttelevästi)
emaciated /i'meɪʃɪ,eɪtəd/ adj aliravittu, kovasti laihtunut
emaciation /i'meɪʃɪ,eɪʃən/ s aliravitsemus, huomattava laihtuminen
E-mail /'i,meɪəl/ s (electronic mail) sähköposti
emanate /'emə,neɪt/ v olla peräisin jostakin, lähteä/tulla jostakin rap music emanated from the cellar kellarista kuului rapmusiikkia
emancipate /ɪ'mænsɪpeɪt/ v vapauttaa (orjat), saattaa (naiset) tasa-arvoiseksi
emancipated adj vapautunut (nainen, asenne), vapautettu (orja)
emancipation s vapautuminen, vapauttaminen, emansipaatio
embalm /em'bam/ v palsamoida (ruumis)
embankment /em'bæŋkmənt/ s (ranta)penger, maapato
embargo /,em'bagou/ s embargo; kauppasaarto v julistaa kauppasaartoon
embark /em'bak/ v nousta laivaan/lentokoneeseen tms
embarkation /,embarkeɪʃən/ s laivaan/lentokoneeseen tms nousu
embark on v aloittaa, ruveta, ryhtyä
embarrass /ɪm'berəs/ v nolostuttaa, tehdä noloksi I felt embarrassed by your behavior minä häpesin käytöstäsi
embarrassed adj nolo, kiusaantunut
embarrassing adj nolo, kiusallinen
embarrassingly adv nolon, kiusallisen
embarrassment /ɪm'berasmənt/ s nolostuminen, kiusaantuminen, häpeä, kiusallinen asia
embarrassment of riches s runsaudenpula
embassy /'embəsi/ s suurlähetystö
embellish /ɪm'belɪʃ/ v **1** koristella, kaunistaa, somistaa **2** (kuv) kaunistella, lisätä omiaan johonkin
embellishment s **1** koru, koriste **2** koristelu, somistus **3** (kuv) kaunistelu
embers /'embərz/ s (mon) hiillos
embezzle /ɪm'bezəl/ v kavaltaa
embezzlement s kavallus
embitter /ɪm'bɪtər/ v katkeroittaa, tehdä katkeraksi, synkistää (välit)
emblem /'embləm/ s tunnus, merkki
emblematic /,emblə'mætɪk/ adj tunnusomainen (jollekin, of)
embodiment /ɪm'badɪmənt/ s ruumiillistuma she is the embodiment of goodness hän on itse hyvyys, todellinen hyvyyden ruumiillistuma

embody /ım'badi/ v **1** ilmaista, pukea sanoiksi **2** ilmentää jotakin the painting embodies the artist's idea of freedom maalaus ilmentää taiteilijan vapauskäsitystä
emboss /ım'bas/ v puristaa/leimata johonkin kohokuvio
embrace /ım'breıs/ s halaus, syleily v **1** halata, syleillä jotakuta **2** (kuv) ottaa avosylin vastaan, omaksua innokkaasti
embroider /ım'broıdər/ v koruommella
embroidery s **1** koruompelimo **2** koruommel
embryo /'embrıəʊ/ s **1** sikiö **2** (kuv) alku(vaihe), itu, siemen
embryonic /,embrı'ənık/ adj **1** sikiö- **2** (kuv) alku-, alustava
emerald /'emərəld/ s smaragdi adj smaragdinvihreä
emerge /ı'mərdʒ/ v **1** saapua, tulla, nousta pintaan the sun emerged from behind the clouds aurinko tuli esiin pilvien takaa **2** syntyä, saada alkunsa **3** tulla esiin, paljastua
emergence /ı'mərdʒəns/ s paljastuminen, esiintulo, synty, alku
emergency s hätä, hätätila, hätätapaus
emergency brake s (auton) käsijarru
emergency landing s pakkolasku
emergency room s (sairaalan) (ensiapu)poliklinikka
emery /'eməri/ s smirgeli
emery board s kynsiviila
emigrant /'emıgrənt/ s maastamuuttaja, emigrantti
emigrate /'emıgreıt/ v muuttaa maasta
emigration /'emı'greıʃən/ s maastamuutto
eminence /'emınəns/ s **1** arvovalta **2** eminenssi
eminent /'emınənt/ adj arvostettu, arvovaltainen
eminently adv erittäin she is eminently suitable for the job hän sopii työhön erinomaisesti
emir /e'mıər/ s emiiri
emirate /'emıreıt/ s emiirikunta
emission /i'mıʃən/ s (lämmön, valon) säteily, luovutus, päästö; (tal) emissio, osakeanti, liikkeellelasku
emit /i'mıt/ v säteillä, luovuttaa, emittoida, laskea liikkeelle
emolument /i'məljumənt/ s palkkio, korvaus
emote /i'mout/ v ilmaista tunteitaan; tunteilla
emotion /i'mouʃən/ s tunne, mielenliikutus, emootio
emotional adj tunne-, tunteellinen, emotionaalinen, tunteikas, herkkätunteinen
emotionally adv tunteikkaasti, emotionaalisesti, herkkätunteisesti
emotionless adj tunteeton (ihminen), ilmeettömät (kasvot)
emotive /i'moutıv/ adj tunteikas, emotionaalinen
empathize /'empəθaız/ v eläytyä toisen osaan, tuntea empatiaa jotakuta kohtaan
empathy /'empəθi/ s empatia, eläytyminen
emperor /'empərər/ s keisari
emphasis /'emfəsıs/ s **1** korostus, painotus the new director put more emphasis on sales uusi johtaja pani aiempaa enemmän painoa myyntipuolelle **2** (sana)paino, korko the emphasis is on the second syllable paino on toisella tavulla
emphasize /'emfəsaız/ v **1** korostaa, painottaa, (kuv) alleviivata **2** (äännettäessä) painottaa, korostaa
emphathic /ım'f tık/ adj painokas, voimakas, korostunut, ehdoton
emphatically adv voimakkaasti, jyrkästi, ehdottomasti
empire /'empaıər/ s valtakunta, keisarikunta, imperiumi
Empire State Building /'empaıərsteıtbıldıŋ/ pilvenpiirtäjä New York Cityssä
empirical /em'pırıkəl/ adj empiirinen, kokemusperäinen
empiricism /em'pırısızəm/ s empirismi

empiricist s empiirikko, empiristi
employ /ɪm'plɔi/ s työ, palvelus: he is in the employ of an automobile manufacturer hän on erään autotehtaan palveluksessa
v **1** ottaa palvelukseen, pestata **2** käyttää we employed a new method to fix the problem
employee /ˌemplɔɪ'i/ s työntekijä
employer s työnantaja
employment s **1** työ, työpaikka **2** työhönotto **3** käyttö
employment agency s työvoimatoimisto
emporium /em'pɔrɪəm/ s tavaratalo
empower /əm'pauər/ v **1** valtuuttaa she empowered her attorney to represent her hän valtuutti asianajajan edustajakseen **2** mahdollistaa, antaa tilaisuus, mahdollisuus johonkin **3** tehdä täysivaltaiseksi, lisätä jonkun oman voiman tai omien kykyjen tuntoa, lisätä rohkeutta toimia omien ehtojen mukaisesti
empowerment /əm'pauərmənt/ s **1** valtuuttaminen, valtuutus **2** mahdollistaminen, tilaisuus/mahdollisuus johonkin **3** täysivaltaisuus, kyky vaikuttaa omaan elämään, voimantunnon kasvu
empress /'emprəs/ s keisarinna
emptiness /'emptənɪs/ s tyhjyys (myös kuv)
empty /'empti/ s tyhjä pullo, palautuspullo
v tyhjentää
adj tyhjä (myös kuv) the box is empty laatikko on tyhjä those are just empty words nuo ovat aivan tyhjiä sanoja
empty-handed adj tyhjin käsin, mitään tekemättä/tuomatta tms he returned empty-handed hän palasi tyhjin käsin
emulate /'emjuleɪt/ v **1** jäljitellä, matkia **2** (tietok) emuloida
emulation /'emju'leɪʃən/ s **1** jäljittely, matkiminen **2** (tietok) emulaatio
emulsion /i'mʌlʃən/ s emulsio
enable /ə'neɪbl/ v tehdä mahdolliseksi, mahdollistaa the money enabled him to go to college hän pystyi aloittamaan opiskelun rahojen turvin
enamel /i'næməl/ s **1** hammaskiille **2** emali
v emaloida
enchant /ɪn'tʃænt/ v **1** ihastuttaa, saada lumoihinsa **2** lumota, taikoa, loihtia
enchanting adj ihastuttava, lumoava
enchantment s ihastus, taika, taikuus, lumous
enchantress s (nais)taikuri; lumoojatar
enchilada /ˌentʃə'ladə, ˌentʃi'laða/ s **1** enchilada, meksikolaisperäinen lihalla ja kasviksilla täytetty tortillakäärö jonka päällä tarjoillaan chilikastiketta **2** the whole enchilada koko roska, kaikki **3** the big enchilada pomo
encircle /ɪn'sərkəl/ v ympäröidä
encl. enclosed, enclosure liitteenä, liitteitä
enclose /ɪn'kloʊz/ v **1** aidata **2** oheistaa, liittää (kirjeeseen) enclosed please find our brochure oheistan esitteemme
enclosure /ɪn'kloʊʒər/ s aitaus
encomium /en'koumiəm/ s (mon encomiums, encomia) ylistyspuhe
encore /'an,kɔr/ s uusinta(esitys) huudahdus (esiintyjälle) uudestaan!
encounter /ɪn'kaʊntər/ s kohtaaminen, tapaaminen
v kohdata, tavata (sattumalta)
encourage /ɪn'kərɪdʒ/ v kannustaa, rohkaista
encouragement s kannustus, rohkaisu
encouraging /ɪn'kərɪdʒɪŋ/ adj rohkaiseva, kannustava, innostava
encroach /ɪn'kroʊtʃ/ v tunkeutua (jonkun alueelle), loukata (jonkun oikeuksia), viedä (jonkun aikaa), häiritä
encroachment s (alueelle) tunkeutuminen, tungettelu, häiriö, (oikeuksien) loukkaus
encyclopedia /en,saɪklə'pidiə/ s tietosanakirja
encyclopedic adj tietosanakirja-, ensyklopedinen, laaja (sivistys)
end /end/ s **1** loppu at the end of the meeting/week kokouksen lopussa/viikon lopulla in the end lopuksi, loppujen

opuksi dad was pleased no end by the gift isä oli lahjasta erittäin mielissään **2** kärki, pää, tynkä the end of the road/stick tien/kepin pää we try to make ends meet me yritämme saada rahat riittämään, tulla toimeen the police put an end to the ruckus poliisi teki riehasta lopun **3** tarkoitus, päämäärä the end justifies the means tarkoitus pyhittää keinot to some people, money is an end in itself joillekin raha on itsetarkoitus v lopettaa, loppua, päättää, päättyä
endanger /ɪn'deɪndʒər/ v vaarantaa, saattaa vaaraan/uhanalaiseksi
endangered species /ɪn'deɪndʒərd'spiʃiz/ s uhanalainen (eläin/kasvi)laji
endear /ɪn'dɪər/ v saada joku pitämään jostakin, saada joku lämpenemään jollekin
endearing adj rakastettava, miellyttävä, herttainen
endeavour /ɪn'devər/ s yritys, ponnistelu v yrittää, ponnistella
endemic /en'demɪk/ adj kotoperäinen, paikallinen, endeeminen
ending /'endiŋ/ s (kirjan, näytelmän ym.) loppu, lopetus, (sanan) pääte
endless /'endləs/ adj loputon
endlessly adv loputtomasti, lakkaamatta, jatkuvasti
end line /'end,laɪn/ s (amerikkalaisessa jalkapallossa ym) päätyraja
endorse /ɪn'dɔrs/ v **1** kannattaa, tukea (esim vaaliehdokasta) **2** allekirjoittaa, vahvistaa nimellään (sekki, maksu ym)
endorsement s **1** kannatus, tuki **2** (sekin, kuitin) allekirjoitus, vahvistus
endow /ɪn'daʊ/ v **1** lahjoittaa, perustaa lahjoituksella **2** jollakulla on jokin lahja/kyky he is endowed with charming looks häntä on siunattu hyvällä ulkonäöllä
endowment s **1** lahjoitus **2** lahja, kyky
endurance /ɪn'dʊrəns/ s kestävyys, sinnikkyys, sitkeys, sietokyky
endure /ɪn'dʊr/ v **1** kestää, sietää I can't endure this pain any longer **2** joutua kestämään, kärsiä she had to endure a lot of hardship before she finally became successful hän joutui kokemaan kovia ennen kuin alkoi viimein menestyä
enduring adj pysyvä, säilyvä, pitkäaikainen, loputon
end zone /'en,zoʊn/ s (amerikkalaisessa jalkapallossa) maalialue
enemy /'enəmi/ s vastustaja, vihollinen
energetic /,enər'dʒetɪk/ adj **1** energinen, tarmokas, reipas, innokas **2** ponnekas, jyrkkä (vastalause), ehdoton (kielto)
energetically adv energisesti, tarmokkaasti, reippaasti
energize /,enədʒaɪz/ v **1** ladata, varata, kytkeä sähkö **2** (kuv) innostaa, sähköistää
energy /,enərdʒi/ s energia, tarmo, into
enfold /ɪn'foʊld/ v syleillä, halata
enforce /ɪn'fɔrs/ v toteuttaa, panna toimeen, valvoa (lain) noudattamista, pakottaa (tottelemaan)
enforceable adj joka voidaan toteuttaa, jonka noudattamista voidaan valvoa
enforcement s lain valvonta, (tottelemaan) pakottaminen
ENG electronic news gathering
engage /ɪn'geɪdʒ/ v **1** pestata, palkata, ottaa palvelukseen (erit esiintyvä taiteilija väliaikaisesti) **2** temmata mukaansa, olla mieleen the movie enganged their attention elokuva tempasi heidät mukaansa **3** mennä kihloihin we are not yet engaged emme ole vielä kihloissa **4** sitoutua, sitoa, lupautua (tekemään jotakin) **5** (sot) ottaa yhteen, taistella
engage in v harrastaa, harjoittaa jotakin he did not wish to engage in such activities hän ei halunnut sekaantua moisiin puuhiin
engagement s **1** tapaaminen **2** kihlaus **3** (esiintyvän taiteilijan) työ, esiintyminen **4** (sot) yhteenotto, selkkaus **5** sitoutuminen, lupaus, meno I have many social engagements this week joudun käymään tällä viikolla usein kylässä/eri tilaisuuksissa

engagement calendar s muistio, päivyri
engagement ring s kihlasormus
engine /'endʒɪn/ s **1** moottori, kone **2** veturi
engineer /,endʒɪ'niər/ s **1** teknikko, insinööri **2** veturinkuljettaja **3** (kuv) junailija, järjestäjä, toimeenpanija v **1** rakentaa, valmistaa **2** (kuv) junailla, järjestää, panna toimeen
engineering s **1** tekniikka, koneenrakennus, rakentaminen, insinöörityö **2** (kuv) junailu, järjestely, toimeenpano
English /iŋglɪʃ/ s englannin kieli adj englantilainen, englanninkielinen the English englantilaiset
English Channel /,ɪŋglɪʃ'tʃænəl/ Englannin kanaali
Englishman s (mon Englishmen) englantilainen (mies)
Englishwoman s (mon Englishwomen) englantilainen (nainen)
engrave /ɪn'greɪv/ v **1** kaivertaa **2** painua mieleen
engraving s kaiverrus; kupari/puupiirros
engross /ɪn'grous/ v temmata mukaansa she sat engrossed in her novel hän oli uppoutunut romaaniinsa
engrossing adj mukaansatempaava, kiehtova
engulf /ɪn'gʌlf/ v ympäröidä, peittää kokonaan, hukkua (myös kuv)
ENIAC Electronic Numerical Integrator and Calculator eräs varhainen tietokone (1946)
enigma /ə'nɪgmə/ s arvoitus
enigmatic adj arvoituksellinen
enjoy /ɪn'dʒoi/ v **1** nauttia, iloita **2** saada nauttia, olla she enjoys good health hänellä on hyvä terveys
enjoyable adj nautinnollinen, hauska, mukava, hyvä
enjoyably adv mukavasti
enjoyment s nautinto, ilo
enlarge /ɪn'ladʒ/ v laajentaa, laajentua, suurentaa, suurentua, kasvattaa, kasvaa
enlargement s **1** (valokuva)suurennos **2** laajennus, laajentaminen, laajentuminen
enlarge on v käsitellä yksityiskohtaisesti, puhua pitkään jostakin
enlarger s (valok) suurennuskone
enlighten /ɪn'laɪtən/ v valistaa, sivistää
enlightenment s valistus, sivistys the Enlightenment valistusaika
enlist /ɪn'lɪst/ v **1** värvätä/värväytyä (sotilaspalvelukseen) **2** hankkia he enlisted the help of a famous lawyer hän palkkasi avukseen kuuluisan asianajajan
enlistment s värväys, pestaus, pestautuminen, (avun) hankkiminen
enormity /ɪ'nɔrmə,ti/ s (rikkomuksen, teon) valtavuus, suunnattomuus, hirvittävyys
enormous /ɪ'nɔrməs/ adj valtava, suunnaton
enormously adv erittäin, valtavan, suunnattoman
enough /ɪ'nʌf/ adj, adv tarpeeksi, riittävästi, kylliksi I've had enough minä olen saanut tarpeekseni/kyllikseni do you have enough money? onko sinulla tarpeeksi/riittävästi rahaa? your answer is not good enough vastauksesi ei kelpaa/ei ole riittävä strangely enough, he was not angry kaikeksi ihmeeksi hän ei ollut vihainen
enquire /ɪŋ'kwaɪər/ v tiedustella, kysyä
enquiry /'ɪŋkwəri/ s **1** tiedustelu, kysely; kysymys **2** tutkimus, selvitys; kuulustelu
enrich /ən'rɪtʃ/ v rikastaa, rikastuttaa, lisätä johonkin jotakin
enrichment s rikastus, lisääminen
enroll /ən'roəl/ v ottaa jäseneksi, merkitä opiskelijaksi, kirjoittautua, ilmoittautua
enrollment s **1** ilmoittautuminen, (esim yliopistoon) kirjoittautuminen **2** opiskelijamäärä
en route /,an'rut ,en'rut/ adv matkalla en route to Detroit matkalla Detroitiin

ensemble /ˌan'sambəl/ s yhtye; yhteisesitys, ensemble
ensign /ensən/ s **1** lippu, kansallislippu **2** symboli, tunnus, merkki **3** (Yhdysvaltain rannikkovartiostossa) vänrikki
enslave /ən'sleɪv/ v orjuuttaa, tehdä orjaksi
enslavement s orjuutus, orjuus
ensue /ɪn'su/ v seurata, olla seurauksena
ensuing adj seuraava
ensure /en'ʃər/ v varmistaa, taata
entail /ɪn'teɪəl/ v aiheuttaa, johtaa johonkin, liittyä johonkin
entangle /ɪn'tæŋgəl/ v **1** sotkea, sotkeutua he became entangled in a web of intrigue hän sotkeutui juonittelun verkkoon **2** tyrmistyttää, hämmentää
entanglement s sotkeutuminen, (kuv) vyyhti, selkkaus, sotku
enter /entər/ v **1** astua/tulla/mennä sisään/jonnekin **2** liittyä, astua palvelukseen, ilmoittautua **3** merkitä/kirjoittaa ylös
enter into v **1** osallistua **2** paneutua, perehtyä **3** liittyä, kuulua, olla osana jotakin **4** joutua johonkin tilaan
enterprise /'entərˌpraɪz/ s **1** yritys, hanke, suunnitelma **2** aloitekyky, yritteliäisyys, rohkeus **3** liikeyritys
enterprising adj yritteliäs, aloitekykyinen, kekseliäs, rohkea
entertain /ˌentər'teɪn/ v **1** viihdyttää, huvittaa **2** pitää vieraana **3** pohtia, elätellä, hautoa mielessään (ajatusta)
entertainer s viihdetaiteilija
entertaining adj huvittava, viihteellinen
entertainment s **1** viihde, huvi **2** esitys
enthrall /en'θrɔl/ v ihastuttaa, saada lumoihinsa
enthrone /en'θroun/ v nostaa valtaistuimelle; vihkiä (kirkolliseen) virkaan
enthuse /en'θuz/ v olla haltioissaan (jostakin, over), saada haltioihinsa
enthusiasm /en'θuzɪˌæzəm/ s into, innostus
enthusiast /en'θuzɪəst/ s innokas harrastaja she is a golf enthusiast
enthusiastic /enˌθuzɪ'æstɪk/ adj innokas
enthusiastically adv innokkaasti
entice /en'taɪs/ v kiehtoa, houkutella, vetää puoleensa
enticement s houkutus, kiusaus
enticing adj houkutteleva, kiehtova, puoleensavetävä
entire /ən'taɪər/ adj **1** koko the entire family gathered in the dining room koko perhe kokoontui ruokailuhuoneeseen **2** ehjä, joka on yhtenä kappaleena
entirely adj kokonaan, täysin it was entirely my fault syy oli kokonaan minun
entirety /ən'taɪrəti/ s kokonaisuus the problem in its entirety ongelma kokonaisuudessaan
entitle /ən'taɪtəl/ v oikeuttaa, antaa oikeus johonkin you are entitled to your opinion sinulla on oikeus mielipiteeseesi
entitlement s **1** oikeutus, oikeus **2** sosiaaliturvasta, ilmaisesta terveydenhoidosta, elintarvikekupongeista ja muista valtion kansalaisille maksamista tukiaisista
entity /entəti/ s kokonaisuus, olemus
entomb /ən'tum/ v haudata
entomology /ˌentə'malədʒi/ s hyönteistiede, entomologia
entrails /entreɪəlz/ s (mon) sisälmykset (myös kuv) the entrails of a watch kellon sisälmykset
entrance /entrəns/ s **1** sisäänkäynti **2** tulo, saapuminen (huoneeseen)
entrance /ən'træns/ v lumota
entrance fee s pääsymaksu
entrancing adj hurmaava, lumoava
entrant s aloittelija, osanottaja, kokelas
entreat v anoa, pyytää hartaasti
entreatingly adv hartaasti
entreaty s harras pyyntö
entrench /ən'trentʃ/ v **1** (sot) kaivautua maahan, linnoittautua **2** (kuv) urautua, juurtua syvään
entrepreneur /ˌantrəprə'nər ˌantrəprə'nuər/ s (yksityis)yrittäjä

entrepreneurial /,antrəprə'nəriəl/ adj yrittäjä-, liike-
entropy /entrəpi/ s entropia
entrust /ən'trʌst/ v uskoa (jonkun huostaan, jollekulle työ); paljastaa (salaisuus jollekulle) they entrusted him with their fate he antoivat kohtalonsa hänen käsiinsä
entry /entri/ s **1** saapuminen, tulo **2** ovi, sisäänkäynti, portti **3** hakusana, merkintä **4** kilpailija, kilpailuun ilmoitettu esine/eläin yms
enumerate /i'numə,reɪt/ v luetella
enunciate /i'nʌnsɪ,eɪt/ v ääntää, artikuloida
enunciation /i,nʌnsɪ'eɪʃən/ s ääntäminen, artikulaatio
envelop /en'veləp/ v ympäröidä, peittää
envelope /'envə,loup, 'anvə,loup/ s kirjekuori
enviable /enviəbəl/ adj kadehdittava
enviably adv kadehdittavan, kadehdittavasti
envious /enviəs/ adj katellinen
enviously adv katseellisesti
environment /ən'vaɪərnmənt/ s ympäristö, lähistö, lähiseutu; luonto
environmental /ən,vaɪərn'mentəl/ adj ympäristön, ympäristö-, luonnon, luonto-
environmentalist /ən,vaɪərn'mentəlist/ s luonnonsuojelija
environs /ən'vaɪərnz/ s (mon) ympäristö, lähistö, seutu, alue
envisage /ən'vɪsədʒ/ v kuvitella/nähdä mielessään, odottaa
envision /ən'vɪʒən/ v odottaa, nähdä mielessään (jotakin tulevaa)
envoy /'an,voi/ s lähetti; (diplomaatti) lähettiläs
envy /envi/ s kateus; kateuden kohde to eat your heart out with envy olla vihreänä kateudesta
v kadehtia I envy you your job kadehdin sinun työtäsi
enzyme /enzaɪm/ s entsyymi
EPA Environmental Protection Agency Yhdysvaltain ympäristöministeriö
epaulette /,epə'let/ s (sotilaspuvun) olkain, epoletti
EPCOT Experimental Prototype Community of Tomorrow Disney-yhtiön teemapuisto Orlandossa Floridassa
ephemeral /ɪ'femərəl/ adj katoavainen, ohimenevä
epic /epɪk/ s **1** (runo) eepos **2** spektaakkelielokuva
adj **1** (runo) eeppinen **2** (elokuva) spektaakkeli- **3** suunnaton, valtava, mittava
epicenter /'epə,sentər/ s (maanjäristyksen) pintakeskus, episentrumi
epidemic /,epə'demɪk/ s kulkutauti, epidemia
adj epideeminen
epilepsy /'epə,lepsi/ s epilepsia
epileptic /,epə'leptɪk/ s epileptikko
adj epileptinen
epilog /'epə,lag/ s epilogi, loppusanat
Episcopalian /ɪ,pɪskə'peɪliən/ s episkopaalisen kirkon jäsen
adj episkopaalinen
episode /'epə,soud/ s **1** tapahtuma, episodi **2** (televisiosarjan ym) osa, jakso
epitaph /'epə,tæf/ s hautakirjoitus, epitafi
epithet /'epə,θet/ s liikanimi, epiteetti; pilkkanimi
epitome /ɪ'pɪtəmi/ s **1** todellinen ruumiillistuma, todellinen ilmentymä she is the epitome of beauty **2** (kirjan) lyhennelmä, tiivistelmä
epitomize /ɪ'pɪtə,maɪz/ v ilmentää, olla esimerkkinä jostakin he epitomizes courage hän on todellinen rohkeuden ruumiillistuma
epoch /epək ipak/ s aikakausi, ajanjakso
epoch-making adj käänteentekevä, mullistava, historiallinen
EPROM erasable and programmable read-only memory pyyhittävä ja ohjelmoitava lukumuisti
equal /ikwəl/ s tasaveroinen ihminen, vertainen
v olla (sama/yhtä kuin) two plus two equals four
adj **1** tasaveroinen, samanveroinen,

yhtä suuri tms **2** jonkin veroinen, jonkin tasalla oleva he is not equal to the demands of his job työ on hänelle liian vaativa
equality /ɪˈkwaləti/ s tasa-arvo; samanlaisuus
equalize /ˈikwəˌlaɪz/ v tasoittaa, tasapainoittaa
equalizer /ˈikwəˌlaɪzər/ s (tekn) taajuuskorjain
equally adv **1** yhtä you earn equally as much as she sinä ansaitset yhtä paljon kuin hän **2** tasan to divide something equally among people jakaa jokin tasan joidenkin kesken
equanimity /ˌekwəˈnɪməti/ s mielenmaltti, rauhallisuus, tyyneys
equate /iˈkweɪt/ v pitää samana kuin, pitää jonakin, verrata
equation /iˈkweɪʒən/ s (mat) yhtälö; tasapainoitus
equator /iˈkweɪtər/ s päiväntasaaja, ekvaattori
equatorial /ˌekwəˈtɔriəl/ adj päiväntasaajan, ekvaattorin
Equatorial Guinea /ˌekwəˌtɔriəlˈgɪni/ Päiväntasaajan Guinea
equestrian /iˈkwestriən/ adj ratsastus-, hevosurheilu-
equidistant /ˌikwəˈdɪstənt/ adj yhtä kaukana oleva, tasavälinen
equilibrium /ˌikwəˈlɪbriəm/ s (mon equilibriums, equilibria) tasapaino
equinox /ˈikwəˌnaks/ s päiväntasaus
equip /iˈkwɪp/ v varustaa he was not equipped to handle the job hänellä ei ollut edellytyksiä selviytyä työstä, työ oli hänelle liian vaativa
equipment s **1** varusteet, tarvikkeet, laitteisto **2** (henkiset) edellytykset
equitable /ekwətəbəl/ adj oikeudenmukainen, reilu
equitably adv oikeudenmukaisesti, reilusti
equity /ekwəti/ s **1** oikeudenmukaisuus, reiluus **2** nettoarvo, (tal) oma pääoma, (ark) osuus sweat equity hartiapankki
equiv. equivalent sama kuin, vastaava
equivalence s vastaavuus
equivalent /ɪˈkwɪvələnt/ s vastine, vastaava henkilö ym the word has no equivalent in French sanalla ei ole vastinetta ranskan kielessä
adj vastaava, yhtäläinen, sama that is equivalent to admitting guilt tuo merkitsee jo syyllisyyden myöntämistä
equivocal /ɪˈkwɪvəkəl/ adj kaksiselitteinen, epämääräinen, epäselvä
equivocate /ɪˈkwɪvəˌkeɪt/ v vältellä, vastata vältellevästi
ER emergency room
ERA Equal Rights Amendment Yhdysvaltain perustuslain sukupuolten tasa-arvoa koskeva lisäysehdotus
era /ɪrə, erə/ s aikakausi, ajanjakso
eradicate /ɪˈrædəˌkeɪt/ v (kuv) kitkeä pois, tehdä loppu jostakin
eradication /ɪˌrædəˈkeɪʃən/ s lopettaminen, pois kitkeminen
erase /ɪˈreɪs/ v pyyhkiä pois, poistaa (äänitteestä, tietokoneen muistista), jättää mielestään
eraser s pyyhekumi
erasure /ɪˈreɪʃər/ s pois pyyhkiminen, postaminen
erect /ɪˈrekt/ v pystyttää, rakentaa
adj pysty, suora stand erect! seiso suorana an erect penis erektio
erection /ɪˈrekʃən/ s **1** pystytys, rakentaminen **2** erektio
ergonomics /ˌərgəˈnamɪks/ s (mon, verbi mon tai yksikössä) ergonomia
erode /ɪˈroud/ v murentaa (myös kuv), kuluttaa, aiheuttaa eroosiota, syövyttää the setback eroded his confidence takaisku murensi hänen itseluottamustaan
erosion /ɪˈrouʒən/ s eroosio, syöpyminen, mureneminen (myös kuv), lakkaaminen
erotic /əˈratɪk/ adj eroottinen, kiihottava
erotically adv eroottisesti, kiihottavasti
eroticism /əˈratəˌsɪzəm/ s erotiikka
err /ər/ v erehtyä to err is human erehtyminen on inhimillistä

errand /erənd/ s asia, tehtävä to go on an errand käydä hoitamassa jokin asia
errant /erənt/ adj **1** syntinen, hairahtunut; harhaan johdettu **2** vaeltava, kiertävä
erratic /ə'rætɪk/ adj arvaamaton, ailahteleva, jyrkästi poikkeava
erratically adj arvaamattomasti, ailahtelevasti, epätasaisesti
erroneous /ə'rouniəs/ adj väärä, virheellinen
erroneously adv virheellisesti, (syyttää) perusteettomasti
error /erər/ s virhe to make an error erehtyä, tehdä virhe in error erehdyksessä, vahingossa we showed him the error of his ways ojensimme häntä
ersatz /ərzæts/ adj korvike-
erstwhile /'ərst,waɪəl/ adj entinen, muinainen, tähänastinen
adv ennen, muinoin, aikanaan
erudite /'erjə,daɪt/ adj oppinut, sivistynyt, lukenut
erupt /ɪ'rʌpt/ v purkautua, (kuv) räjähtää, menettää itsehillintänsä
eruption /ɪ'rʌpʃən/ s (tulivuoren-, vihan) purkaus
ESA European Space Agency Euroopan avaruusjärjestö
escalate /'eskə,leɪt/ v yltyä, kiihtyä, laajentua, levitä, kiihdyttää, laajentaa to escalate the war in Vietnam laajentaa Vietnamin sotaa
escalation /,eskə'leɪʃən/ s yltyminen, kiihtyminen, leviäminen
escalator /'eskə,leɪtər/ s liukuportaat
escapade /'eskə,peɪd/ s vallattomuus, hurjastelu, ilottelu, seikkailu
escape /ɪs'keɪp/ s **1** pako **2** (nesteen, kaasun) vuoto
v **1** karata, paeta, päästä karkuun **2** (neste, kaasu) vuotaa **3** välttyä, välttää he escaped a certain death by jumping from the train **4** ei muistaa, ei huomata the date escapes me en muista päivämäärää
escape artist s kahlekuningas
escapee /ɪs,keɪ'pi/ s karannut henkilö
escapism /ɪs'keɪpɪzəm/ s todellisuuspako, eskapismi
eschew /əs'tʃu/ v välttää, karttaa
escort /eskɔrt/ s saattaja, seuralainen; saattue, saattaja-alus
escort /əs'kɔrt/ v saattaa, olla seuralaisena, toimia saattueena
ESL English as a second language
ESOL English for students of other languages
esoteric /,esə'tɪrɪk/ adj esoteerinen, harvoille ja valituille tarkoitettu/avautuva, vaikeatajuinen
ESP extrasensory perception aistien ulkopuolinen havainnointi
esp. especially erityisesti, etenkin
especially /əs'peʃəli/ adv erityisesti, erityisen, etenkin
espionage /'espiə,naʒ/ s vakoilu
Espiscopal /ɪ'pɪskəpəl/ adj episkopaalinen
Espiscopal /ɪ,pɪskə'peɪliən/ adj episkopaalinen
Esq. esquire (esim kirjeessä) herra, rouva
esquire /eskwaɪər/ s herra, rouva (kirjeissä tms käytettävä kohtelias titteli, lyhennetään Esq.)
essay /esei/ s essee
essayist s esseisti
essence /esəns/ s olemus, ydin, keskeinen sisältö
essential /ɪ'senʃəl/ s **1** tärkeä/välttämätön väline/edellytys **2** (mon) alkeet, perusteet, ydin, keskeinen sisältö
adj olennainen, keskeinen, tärkeä, välttämätön
essentially adv olennaisesti, pohjimmaltaan
Essex /esəks/ Englannin kreivikuntia
EST eastern standard time Yhdysvaltain itärannikon talviaika
est Erhard Seminars Training
establish /əs'tæblɪʃ/ v **1** perustaa, muodostaa, laatia **2** todistaa, osoittaa, varmistaa it has been established that on ilmennyt että **3** vakiinnuttaa, saada kannatusta jollekin

established adj **1** vakiintunut, asemansa vakiinnuttanut **2** todistettu, varma, yleisesti hyväksytty
establishment s **1** perustaminen, muodostaminen **2** todistaminen, varmistaminen **3** laitos, instituutio **4** (yhteiskunnan) valtarakenne, vallanpitäjät, yläluokka; (jonkin alan) johtajat, kerma
estate /əs'teɪt/ s **1** (aatelis-)maatila **2** omaisuus **3** kuolinpesä **4** ikä, elämänvaihe he attained a man's estate hän tuli miehen ikään
estd. established perustettu
esteem /əs'tim/ s arvostus, arvonanto, kunnioitus
v arvostaa, pitää suuressa arvossa, kunnioittaa
estimable /estɪməbəl/ adj **1** kunnioitettava, kunnioituksen arvoinen **2** joka voidaan arvioida
estimate /estəmət/ s arvio
estimate /'estə,meɪt/ v arvioida
estimation /,estə'meɪʃən/ s **1** arvio, mielipide in my estimation mielestäni, nähdäkseni **2** kunnioitus, arvostus, arvonanto
Estonia /əs'tounjə/ Viro
estuary /'estʃʊ,eri/ s joensuu, estuaari
et al. (lat) et alia ja muut
et cetera /ət'setərə/ ja niin edelleen (lyh etc.)
etch /etʃ/ v etsata, syövyttää, (kuv) syöpyä (mieleen)
etching s etsaus
eternal /i'tərnəl/ adj ikuinen, iänikuinen, iankaikkinen, alituinen
eternally adv ikuisesti, lakkaamatta, herkeämättä
eternity /i'tərnəti/ s ikuisuus
ether /iθər/ s eetteri
Ethernet ® /'iθər,net/ eräs mikrotietokoneiden lähiverkko
ethical /eθɪkəl/ adj eettinen; eettisesti/moraalisesti oikea
ethics /eθɪks/ s (verbi mon tai yksikössä) etiikka; eettiset/moraaliset näkökohdat
Ethiopia /,iθɪ'oupiə/ Etiopia
Ethiopian s, adj etiopialainen
ethnic /eθnɪk/ adj etninen, kansallinen, rotu- ethnic minority etninen vähemmistö, kansallinen/rotuvähemmistö
etiquette /etəkət/ s (hyvät) tavat
ETV educational televison koulutelevisio, opetustelevisio
etymology /,etə'malədʒi/ s etymologia, sanan alkuperä
eucalyptus /,jukə'lɪptəs/ s eukalyptys
euphemism /'jufə,mɪzəm/ s eufemismi, kiertoilmaus, kaunisteleva ilmaus
euphemistic adj eufemistinen, kaunisteleva, kiertelevä
euphoria /,ju'fɔrɪə/ s euforia, hurma
euphoric /ju'fɔrɪk/ adh haltioitunut, hurmaantunut
Euphrates /jʊ'freɪtiz/ Eufrat
Eurasia /jə'reɪʒə/ Euraasia
Euratom European Atomic Energy Community Euroopan atomienergiayhteisö
Eurobond /'jəroʊ,band/ s (tal) euro-obligaatio
Eurocurrency /'jəroʊ,kərənsi/ s (tal) eurovaluutta
Euro kangaroo /'jəroʊ,kæŋgə,ru/ s wallaroo, vuorikenguru
Europa /jə'roupə/ Europa, yksi Jupiterin kuu
Europe /jərəp/ Eurooppa
European /jərəp/ *s* eurooppalainen, Euroopan asukas
adj eurooppalainen, Euroopan, Eurooppa-
European bison /baɪsən/ s visentti
European Community /kəmjunəti/ s Euroopan yhteisö
European Currency Unit s ECU, ecu, EU:n yhteisvaluutta
European option s (tal) eurooppalainen optio
European plan s (hotellissa) huoneen hinta (ilman aterioita)
European Union s Euroopan unioni
euthanasia /,juθə'neɪʒə/ s eutanasia, armomurha
evacuate /ɪ'vækjʊ,eɪt/ v **1** evakuoida **2** tyhjentää to evacuate the bowels ulostaa

evacuation /ɪˌvækjʊ'eɪʃən/ s evakuaatio
evade /ɪ'veɪd/ v välttää, karttaa, väistellä, kiertää (veroja)
evaluate /ɪ'væljʊˌeɪt/ v arvioida, (kuv) punnita
evaluation /ɪˌvæljʊ'eɪʃən/ s arviointi
evanescence /ˌevə'nesəns/ s katoavaisuus
evanescent /ˌevə'nesənt/ adj katoavainen
evangelic /ˌivæn'dʒelɪk/ adj evankelinen
evangelical adj evankelinen
evangelist /i'vændʒəlɪst/ s evankelista
evangelize /i'vændʒəˌlaɪz/ v evankelioida, julistaa evankeliumia; käännyttää
evaporate /i'væpəˌreɪt/ v höyrystyä, haihtua (myös kuv) his enthusiasm evaporated quickly hänen innostuksensa haihtui/lakkasi pian
evaporation /iˌvæpə'reɪʃən/ s höyrystyminen, haihtuminen (myös kuv:) lakkaaminen
evasion /ɪ'veɪʒən/ s välttely tax evasion veronkierto
evasive /i'veɪsɪv/ adj välttelevä
eve /iv/ s aatto
even /ivən/ v tasoittaa, tasoittua
adj **1** tasainen, suora, säännöllinen, yhtä suuri **2** tasoissa oleva now we are even nyt olemme tasoissa/sujut **3** parillinen (luku); tasa(raha)
adv jopa that's even better se on vielä parempi even now he is afraid of flying hän pelkää lentämistä vieläkin even if you went there vaikka menisitkin sinne she did not even say hello to me hän ei edes tervehtinyt minua even the chairman attended itse johtokunnan puheenjohtajakin osallistui tilaisuuteen even as we speak, millions are starving parhaillaankin miljoonat näkevät nälkää
evening /ivnɪŋ/ s ilta
evenly adv **1** tasaisesti **2** (sanoa) tyynesti
evenness s **1** tasaisuus, sileys **2** säännöllisyys, tasaisuus
even out v tasoittaa, tasoittua, oikaista, oieta; rauhoittua, asettua
event /i'vent/ s tapahtuma, tapaus, tilaisuus in any event joka tapauksessa, kuitenkin in the event of fire, break the glass tulipalon sattuessa riko lasi in the event that siinä tapauksessa että, siltä varalta että at all events joka tapauksessa, kuitenkin
eventual /i'ventʃʊəl/ adj **1** it lead to the eventual downfall of his business se johti lopulta hänen liikeyrityksensä luhistumiseen **2** mahdollinen
eventuality /iˌventʃʊ'æləti/ s mahdollisuus
eventually adv lopulta, viimein, vihdoin
ever /evər/ adv **1** aina, koskaan I am ever ready to talk olen aina valmis juttelemaan have you ever heard such rubbish? oletko koskaan kuullut moista roskapuhetta? should you ever be in the area, do visit us tule ihmeessä käymään jos satut liikkumaan meillä päin **2** lähtien, alkaen ever since his childhood lapsuudestaan lähtien **3** (voimistavana sanana:) erittäin I enjoyed it ever so much minä nautin siitä kovasti did I ever! usko huviksesi!
Everglades /'evərˌgleɪdz/ (mon) kansallispuisto Floridassa
evergreen /'evərˌgrin/ s ainavihanta kasvi
adj ainavihanta, (kuv) ikivihreä
everlasting /ˌevər'læstiŋ/ adj iankaikkinen life everlasting iankaikkinen elämä
every /evri/ adj **1** jokainen every one of us jokainen meistä **2** kaikki mahdollinen there is every chance that we'll get home today meillä on hyvät mahdollisuudet ehtiä kotiin vielä tänään **3** joka take this medicine every two hours ota tätä lääkettä kahden tunnin välein every once in a while aina silloin tällöin
everybody /'evriˌbʌdi/ pron jokainen, kaikki raw fish is not for everybody raaka kala ei ole kaikkien makuun
everyday /'evriˌdei/ adj arkipäiväinen, arkinen, arki-

everyman /'evri,mæn/ s tavallinen ihminen, kadunmies, matti meikäläinen, jokamies
every now and then fr silloin tällöin
everyone /'evri,wʌn/ ks everybody
everything /'evri,θiŋ/ pron kaikki the girl means everything to him tyttö on hänelle kaikki kaikessa
everywhere /'evri,weər/ adv kaikkialla, kaikkialle from everywhere in the country kaikkialta maasta
evict /i'vɪkt/ v häätää (asunnosta)
eviction /i'vɪkʃən/ s häätö (asunnosta)
evidence /evədəns/ s todiste, todisteaineisto in evidence näkyvillä, nähtävissä, esillä
v todistaa, ilmaista, ilmentää, osoittaa
evident adj ilmeinen, varma, selvä
evidently adv ilmeisesti, varmasti, selvästi
evil /ivəl/ s, adj paha
evocative of /i'vakətɪv/ adj joka tuo mieleen jotakin, joka muistuttaa jostakin
evoke /i'vouk/ v palauttaa mieleen, muistuttaa jostakin that song evokes fond memories laulu tuo mieleen kauniita muistoja
evolution /,evə'luʃən/ s evoluutio, kehitys(oppi)
evolutionary adj evoluutio-, kehitys-
evolutionist s evoluutioteorian kannattaja, evolutionisti
evolve /i'valv/ v kehittyä, kehittää
ex /eks/ s (ark) entinen vaimo/mies
exacerbate /ɪg'zæsər,beɪt ɪk'sæsər,beɪt/ v pahentaa, kärjistää
exacerbation /ɪg,zæsər'beɪʃən ɪk,sæsər'beɪʃən/ s pahentaminen, kärjistäminen
exact /əg'zækt/ v vaatia
adj tarkka, täsmällinen
exacting adj vaativa, tarkka, ankara
exactly adv **1** täsmällisesti, tarkasti **2** täsmälleen, tarkasti, aivan his parents were not exactly pleased when they saw his report card hänen vanhemansa olivat kaikkea muuta kuin mielissään nähtyään hänen todistuksensa exactly! aivan!
exactness s tarkkuus, täsmällisyys

exaggerate /ɪg'zædʒə,reɪt/ v liioitella, paisutella
exaggerated adj liioiteltu, paisuteltu
exaggeration /ɪg,zædʒə'reɪʃən/ s liioittelu, paisuttelu
exalt /ɪg'zalt/ v **1** ylistää **2** ylentää
exam /ɪg'zæm/ s koe, tentti
examination /ɪg,zæmɪ'neɪʃən/ s **1** koe, tentti, kuulustelu **2** (lääkärin- ym) tutkimus **3** (oikeudessa) kuulustelu
examine /ɪg'zæmən/ v **1** tutkia, tarkastaa **2** kuulustella (oikeudessa, koulussa ym)
examinee /ɪg,zæmə'ni/ s kokeeseen osallistuja, kokelas
examiner /ɪg'zæmənər/ s kuulustelija, tentaattori
example /ɪg'zæmpəl/ s esimerkki for example esimerkiksi she is an example to the rest of us hän on hyvä esimerkki meille muille
exasperate /ɪg'zæspə,reɪt/ v raivostuttaa, käydä hermoille
exasperating adj raivostuttava, ärsyttävä, turhauttava
exasperation /ɪg,zæspə'reɪʃən/ s ärtymys, raivostuminen
exc. except paitsi
excavate /'ekskə,veɪt/ v kaivaa (esim esiin raunioita)
excavation /,ekskə'veɪʃən/ s (arkeologinen ym) kaivaus
exceed /ək'sid/ v ylittää the car exceeded the speed limit auto ajoi ylinopeutta
exceedingly adv erittäin, äärimmäisen
excel /ək'sel/ v kunnostautua, loistaa, menestyä erinomaisesti
excellence /eksələns/ s erinomaisuus, loistavuus
Excellency /eksələnsi/ s ylhäisyys Your Excellency Teidän Ylhäisyytenne
excellent /eksələnt/ adj erinomainen, loistava
excellently adv erinomaisesti, loistavasti
excelsior /ək'selsɪər/ s lastuvilla
except /ək'sept/ v tehdä poikkeus jonkun/jonkin kohdalla, ei ottaa lukuun

jotakuta/jotakin
prep paitsi, lukuun ottamatta we all went there except Mary me kaikki Marya lukuun ottamatta menimme sinne I would like to do it, except for the time factor tekisin sen mielelläni jos minulla olisi aikaa
konj mutta, paitsi että they are identical except that one of them is red ne ovat muuten samanlaiset mutta toinen on punainen
excepting prep lukuun ottamatta excepting your tie, you are well dressed olet pukeutunut hyvin solmiotasi lukuun ottamatta
exception /ək'sepʃən/ s **1** poikkeus without exception poikkeuksetta to make an exception tehdä poikkeus **2** vastustus, vastalause to take exception to something ei hyväksyä, vastustaa jotakin; loukkaantua, pahastua jostakin
exceptionable adj vastustusta herättävä, ei hyväksyttävä
exceptional adj poikkeuksellinen, harvinaislaatuinen
exceptionally adv poikkeuksellisen, harvinaisen
except to v ei hyväksyä, vastustaa, esittää vastalause he strongly excepted to their methods
excerpt /eksərpt/ s lainaus, sitaatti
v lainata, siteerata
excess /ək'ses/ s liika he has money in excess hänellä on rahaa kuin roskaa this is in excess of what I already gave you tämä menee yli sen mitä jo annoin sinulle, tämä on ylimääräistä to do something to excess tehdä jotakin liiaksi, mennä liiallisuuksiin
excess /ekses ək'ses/ adj liika you have to pay extra for excess baggage sallitun painon ylittävistä matkatavaroista pitää maksaa erikseen
excess baggage s **1** ylimääräinen (painorajan ylittävä) matkatavara **2** (kuv) ylimääräinen taakka, rasite, harmi
excessive /ək'sesɪv/ adj liiallinen, kohtuuton, ylenmääräinen
exchange /əks'tʃeɪndʒ/ s **1** (tavaran, rahan ym) vaihto he gave me a book in exchange for my CD hän vaihtoi CD:ni kirjaan rate of exchange valuuttakurssi **2** pörssi **3** puhelinkeskus, vaihde
v vaihtaa they exchanged meaningful looks he katsoivat toisiaan ymmärtäväisesti, merkitsevästi at Christmas, we exchange gifts jouluna annamme toisillemme lahjoja
exchangeable adj joka voidaan vaihtaa, jonka saa vaihtaa
exchange rate s valuuttakurssi
exchange student s vaihto-oppilas
Exchequer /eks'tʃekər/ s (UK) valtiovarainministeriö
excise /eksaɪz/ s valmistevero
excitable /ɪk'saɪtəbəl/ adj helposti innostuva
excite /ɪk'saɪt/ v **1** innostaa, saada innostumaan **2** kiihottaa (seksuaalisesti), ärsyttää (hermoja) **3** herättää (kiinnostusta)
excited adj **1** innostunut, innoissaan **2** (seksuaalisesti) kiihottunut
excitedly adv innokkaasti, malttamattomasti
excitement s **1** innostus; kohu, häly in all this excitement, I forgot to tell you that... unohdin kaiken tämän hälyn keskellä kertoa sinulle että **2** (seksuaalinen) kiihotus, (hermo)ärsytys
excl. excluding ilman
exclaim /əks'kleɪm/ v huudahtaa
exclamation /ˌekskləˈmeɪʃən/ s huudahdus
exclamation point s huutomerkki (!)
exclamatory /əks'klæməˌtɔri/ adj huudahdus-
exclude /əks'klud/ v jättää/sulkea pois, ei ottaa mukaan
exclusion /əks'kluʒən/ s pois jättäminen/sulkeminen he doted on her to the exclusion of all others hän hemmotteli häntä ja laiminlöi kaikki muut
exclusive /əks'klusɪv/ adj **1** vain tietyille/jäsenille avoin the magazine got exclusive rights to her story lehti sai yksinoikeudet hänen tarinaansa mutually exclusive toisensa pois sulkevat **2** hieno, loistelias, ylellinen, kallis **3** (of) lukuun ottamatta the price is $80 ex-

clusive of taxes hinta ilman veroa on 80 dollaria
exclusively adv yksinomaan, ainoastaan
excommunicate /ˌekskəˈmjunɪˌkeɪt/ v erottaa katolisesta kirkosta ym
excommunication /ˌekskəmjunɪˈkeɪʃən/ s katolisesta kirkosta erottaminen, kirkonkirous
excrement /ekskrəmənt/ s uloste
excrete /əksˈkrit/ v erittää; ulostaa
excruciating /əksˈkruʃiˌeɪtiŋ/ adj hirvittävä, valtava, musertava
excruciatingly adv hirvittävän, valtavan
exculpate /ˈekskəlˌpeɪt/ v julistaa syyttömäksi, vapauttaa syytteestä
excursion /əksˈkərʒən/ s **1** retki, (lyhyt) matka, (tutustumis)käynti **2** (kuv) harhailu, poikkeama (asiasta)
excusable adj anteeksiannettava
excuse /əksˈkjus/ s anteeksipyyntö; veruke, selitys, tekosyy
excuse /əksˈkjuz/ v **1** antaa anteeksi excuse me (suokaa) anteeksi (mutta minun on mentävä/että keskeytän teidät/mutta voisitteko väistyä hieman) you're excused saat mennä (poistua pöydästä) **2** vapauttaa (velvoitteesta) he was excused from jury duty hänet vapautettiin valamiehen tehtävästä
execute /ˈeksəˌkjut/ v **1** toteuttaa, panna toimeen **2** teloittaa
execution /ˌeksəˈkjuʃən/ s **1** toteutus, toimeenpano **2** teloitus
executioner s teloittaja, pyöveli
executive /ɪgˈzekjətɪv/ s **1** (liike/yritys)johtaja Chief Executive Officer (CEO) toimitusjohtaja **2** hallituksen toimeenpaneva haara Chief Executive (Yhdysvaltain) presidentti
adj **1** (liike/yritys)johto-, johtotason he has executive ability hänessä on ainesta johtajaksi/hänellä on johtajan kykyjä **2** toimeenpaneva an executive committee toimeenpaneva komitea
executor /ɪgˈzekjətər/ s testamentin toimeenpanija
exemplary /əgˈzempləri/ adj esimerkillinen, esikuvallinen
exemplification /əgˌzempləfɪˈkeɪʃən/ s selvennös, esimerkki
exemplify /əgˈzempləˌfai/ v olla esimerkki jostakin, havainnollistaa jotakin
exempt /ɪgˈzempt/ v vapauttaa he was exempted from paying the annual dues hänet vapautettiin vuosimaksusta
adj vapaa, vapautettu
exemption /ɪgˈzempʃən/ s vapautus tax exemption verovapaus
exercise /ˈeksərˌsaɪz/ s **1** (taidon, kyvyn) käyttö **2** ruumiinharjoitus, voimistelu, liikunta cycling is good exercise pyöräily on hyvää liikuntaa **3** harjoitus military exercises sotaharjoitus **4** harjoite
v **1** käyttää (taitoa, kykyä) you should exercise caution sinun on syytä olla varovainen **2** voimistella, liikkua, harjoittaa ruumistaan **3** (tal) lunastaa (johdannaissopimus)
exercise bicycle s kuntopyörä
exercise price s (tal) lunastushinta
exert /ɪgˈzərt/ v käyttää you should exert some pressure on him sinun kannattaa painostaa häntä don't exert yourself too much älä rasita itseäsi liiaksi
exertion /ɪgˈzərʃən/ s **1** ponnistelu, raistus **2** (voiman, vallan) käyttö
exhale /eksheɪəl/ v hengittää ulos
exhaust /əgˈzast/ s (auton) pakoputki; pakokaasut
v **1** uuvuttaa, väsyttää **2** käyttää loppuun
exhausted adj **1** uupunut, väsynyt **2** loppunut, tyhjiin huvennut
exhausting adj uuvuttava, väsyttävä, raskas
exhaustion /əgˈzastʃən/ s uupumus, väsymys
exhaustive adj perusteellinen, tyhjentävä
exhaustively adv perusteellisesti, tyhjentävästi
exhaust pipe s (auton) pakoputki
exhibit /əgˈzɪbɪt/ s näyttelyesine (esim taulu)
v **1** asettaa näytteille, esitellä **2** osoittaa, olla the machine exhibits some serious faults koneessa on pahoja vikoja

exhibition /ˌeksəˈbɪʃən/ s **1** (taide)-näyttely **2** messut, (maailman)näyttely
exhibitionism /ˌeksəˈbɪʃənɪzəm/ s ekshibitionismi, itsensä paljastaminen
exhibitionist s ekshibitionisti, itsensä paljastaja
exhibitor /əgˈzɪbətər/ s näytteilleasettaja
exhilarate /əgˈzɪləˌreɪt/ v ilahduttaa, innostaa
exhilarating adj ilahduttava, innostava
exhilaration /əgˌzɪləˈreɪʃən/ s ilo, innostus
exhort /əgˈzɔrt/ v kehottaa, kannustaa, rohkaista
exhortation /ˌeksɔrˈteɪʃən/ s kehotus, kannustus, rohkaisu
exile /ˈegˌzaɪəl/ s maanpako v karkottaa mastaa, ajaa maanpakoon
exist /əgˈzɪst/ v **1** olla olemassa there exists another way on olemassa toinenkin keino **2** tulla toimeen, elää man cannot exist without water ihminen ei tule toimeen ilman vettä
existence /əgˈzɪstəns/ s olemassaolo it is no longer in existence sitä ei enää ole olemassa
existent adj olemassa(oleva), vallitseva
existential /ˌeksəsˈtenʃəl/ adj olemassaolon, eksistentiaalinen, olemassaoleva
existentialism /ˌeksəsˈtenʃəlɪzəm/ s eksistentialismi
existentialist /ˌeksəsˈtenʃəlɪst/ s eksistentialisti adj eksistentialistinen
existing adj olemassaoleva, vallitseva
exit /ˈeksət/ s **1** uloskäynti, ovi, portti **2** poistuminen, lähtö v poistua, lähteä
exodus /ˈeksədəs/ s **1** (suuri) muutto-(liike), maastamuutto **2** Exodus (Raam) israelilaisten muutto Egyptistä **3** Exodus (Raam) toinen Mooseksen kirja
exonerate /əgˈzanəˌreɪt/ v vapauttaa (syytöksestä)
exoneration /əgˌzanəˈreɪʃən/ s vapautus (syytteestä)
exorbitant /əgˈzɔrbɪtənt/ adj kohtuuton, liiallinen
exorcise /ˈeksərˌsaɪz/ v manata, karkottaa (pahoja henkiä)
exorcism /ˈeksərˌsɪzəm/ s manaus
exorcist /ˈeksərsɪst/ s manaaja
exosphere /ˈeksoʊˌsfɪər/ s eksosfääri
exotic /ɪgˈzatɪk/ adj eksoottinen
exp. exposure (ks hakusanaa); expires voimassaoloaika lakkaa
expand /əksˈpænd/ v laajentaa, laajentua traveling is a good way to expand your knowledge matkustaminen on hyvä tapa kartuttaa tietojaan metal expands in hot weather metalli laajenee kuumassa vedessä
expanse /əksˈpæns/ s (laaja) alue
expansion /əksˈpænʃən/ s laajeneminen, laajentaminen the expansion of metal/trade metallin laajeneminen/kaupankäynnin laajentaminen
expansive adj puhelias, hyväntuulinen
expatriate /ˌeksˈpeɪtriət/ s ulkomailla asuva, ulkomaalainen adj ulkomailla asuva expatriate Finns ulkosuomalaiset
expatriate /eksˈpeɪtriˌeɪt/ v karkottaa maasta
expect /əksˈpekt/ v **1** odottaa I don't expect them back before tomorrow en odota/usko heidän palaavan ennen huomista as expected, he was late hän oli myöhässä kuten arvata saattoi she is expecting a baby hän odottaa lasta **2** olettaa, uskoa I expect that you would like to leave immediately sinä varmaankin haluat lähteä heti **3** vaatia, odottaa I don't expect you to like me but you have to be polite sinun ei tarvitse pitää minusta mutta kohtelias sinun pitää olla
expectancy /əksˈpektənsi/ s odotus, odottaminen
expectant adj toiveikas; odottava (äiti)
expectantly adv toiveikkaasti, toiveikkaana
expectation /ˌekspekˈteɪʃən/ s **1** (innostunut/jännittynyt) odotus we waited

in expectation odotimme toiveikkaina **2** toive your parents have great expectations for you vanhempasi toivovat sinusta suuria **3** mahdollisuus, todennäköisyys

expediency /əks'pidiənsi/ s **1** suotavuus, tarkoituksenmukaisuus **2** laskelmointi

expedient /əks'pidiənt/ s keino; apu, hätäkeino, hätävara

adj **1** tarkoituksenmukainen, viisas, suositeltava **2** laskelmoitu

expedite /'ekspə,daɪt/ v nopeuttaa he tried to expedite the sale hän yritti nopeuttaa kaupan tekoa

expedition /,ekspə'dɪʃən/ s retki; tutkimusretki

expel /əks'pel/ v erottaa, karkottaa, häätää

expend /əks'pend/ v kuluttaa, käyttää

expendable /əks'pendəbəl/ adj ylimääräinen, tarpeeton

expenditure /əks'pendɪtʃər/ s **1** menot, kulut **2** käyttö, kulutus

expense /əks'pens/ s kustannus (myös kuv), kulut owning a sail boat is a big expense purjeveneen omistaminen tulee kalliiksi at the expense of health terveyden kustannuksella he is willing to go to any expense to close the deal hän on valmis vaikka mihin saadakseen kaupan tehdyksi

expense account s edustustili

expensive adj kallis

experience /əks'pɪəriəns/ s **1** kokemus she has no experience in secretarial work hänellä ei ole kokemusta sihteerin työstä I know it from bitter experience tiedän sen katkerasta kokemuksesta **2** elämys, kokemus the death of your spouse is a shattering experience puolison menetys on järkyttävä kokemus

v kokea we are experiencing some heavy turbulence lentokoneemme on joutunut voimakkaaseen ilmavirtaan he experienced joy/sorrow hän tunsi iloa/surua

experienced adj kokenut, harjaantunut are you experienced in differential calculus? onko sinulla kokemusta differentiaalilaskennasta?

experiment /əks'perəmənt/ s (tieteellinen) koe

v kokeilla

experimental /əks,perə'mentəl/ adj kokeellinen; kokeileva (teatteri ym)

experimentally adv kokeellisesti; kokeeksi

experimentation /əks,perəmən'teɪʃən/ s kokeilu

expert /ekspərt/ s asiantuntija

adj asiantunteva, asiantuntijan, taitava, taitavasti tehty

expertise /'ekspər,tiz/ s asiantuntemus

expertly adv asiantuntevasti, taitavasti

expert system s (tietok) asiantuntijajärjestelmä

expiate /'ekspi,eɪt/ v sovittaa (syntinsä, tekonsa)

expiation /,ekspi'eɪʃən/ s (syntien, tekojen) sovitus

expiration /,ekspə'reɪʃən/ s **1** (asiapaperin) vanhentuminen, (määräajan) umpeutuminen **2** uloshengitys

expiration date s (ruuan, lääkkeen) viimeinen myyntipäivä

expire /ək'spaɪər/ v **1** (asiapaperi, tuote) vanhentua, (määräaika) mennä umpeen **2** nukkua pois, kuolla **3** hengittää ulos

expiry /ekspəri/ s (määräajan) umpeutuminen, (asiapaperin) vanheneminen

explain /ək'spleɪn/ v selittää to explain yourself selittää tekonsa, keksiä selitys jollekin

explain away v keksiä selitys jollekin, selittää olemattomaksi

explanatory /ək'splænə,tɔri/ adj selittävä, selitys-

expletive /'eksplə,tɪv/ s kirosana; huudahdus; täytesana

explicable /ək'splɪkəbəl/ adj joka voidaan selittää

explicate /'eksplə,keɪt/ v selittää

explication /,eksplə'keɪʃən/ s selitys, selvennys

explicit /ək'splɪsət/ adj selvä, avoin, peittelemätön he was quite explicit about what he wanted hän sanoi suoraan mitä hän halusi
explicitly adv suoraan, avoimesti, peittelemättä I explicitly told you not to do it minähän nimenomaan kielsin sinua tekemästä sitä
explicitness s selvyys, avoimuus, peittelemättömyys
explode /ək'sploud/ v räjähtää, räjäyttää; purskahtaa (nauruun), (olla) haljeta (raivosta)
exploded diagram s räjähdyspiirustus
exploit /'ek,splɔɪt/ s sankariteko, seikkailu
exploit /ək'splɔɪt/ v **1** riistää, käyttää hyväkseen **2** hyödyntää (luonnonvaroja)
exploitation /,eksplɔɪ'teɪʃən/ s **1** riisto, hyväksikäyttö **2** (luonnonvarojen) hyödyntäminen
exploration /,eksplə'reɪʃən/ s tutkiminen, tukimus, tutkimusmatka, (kuv) tunnustelu, (kuv) luotaaminen
exploratory /ək'splɔrə,tɔri/ adj tutkiva, tunnusteleva, koe-
explore /ək'splɔr/ v **1** tutkia **2** (kuv) tunnustella (mahdollisuuksia), luodata
explorer s tutkija; tutkimusmatkailija
explosion /əks'plouʒən/ s **1** räjähdys; pamahdus **2** raivokohtaus, vihan puuska
explosive /əks'plousɪv/ adj **1** räjähdys-, räjähtävä **2** (kuv) tulenarka, räjähdysaltis
export /'eks,pɔrt/ s, adj vienti(-) import and export tuonti ja vienti
export /ək'spɔrt/ v viedä (maasta)
exportation /,ekspɔr'teɪʃən/ s (maasta) vienti
exposé /'ekspə,zei/ s (esim lehdessä julkaistu) paljastus
expose /əks'pouz/ v **1** paljastaa the short skirt exposed her thighs lyhyt hame paljasti hänen reitensä **2** altistaa, saattaa alttiiksi jollekin you should not expose burnt skin to sunlight palanutta ihoa ei saa pitää auringossa **3** valottaa (filmi)
exposed /əks'pouzd/ adj paljas, näkyvä, suojaton, altis jollekin
exposition /,ekspə'sɪʃən/ s **1** esitys, selitys the exposition of a new theory **2** näyttely, messut
exposure /əks'pouʒər/ s **1** alttius, altistaminen he died of exposure hän paleltui kuoliaaksi **2** paljastus, paljastaminen the exposure of their secret plan/of a criminal/of too much skin salaisen suunnitelman/rikollisen paljastuminen/liian vähissä pukeissa esiintyminen **3** (rakennuksen) sijainti a building with a western exposure länteen päin avautuva rakennus **4** (valokuvaus) valotus a roll of film with 24 exposures 24 kuvan filmi **5** julkisuus, esilläolo
expound /əks'paund/ v esittää, selittää
ex-president s entinen presidentti
express /əks'pres/ s **1** pikajuna, pikavuoro **2** pikalähetys to send a package by express lähettää paketti pikapostissa v **1** ilmaista; ilmentää **2** lähettää pikapostissa **3** puristaa (hedelmistä mehua)
expression /əks'preʃən/ v **1** (mielipiteen, tunteen) ilmaus **2** (kasvon)ilme **3** ilme (kuv), ilmeikkyys there was no expression in his voice **4** (kielellinen) ilmaus, sanonta
expressionism /əks'preʃə,nɪzəm/ s ekspressionismi
expressionist s ekspressionisti
expressionless adj ilmeetön
expressive adj ilmeikäs, tunteikas
expressively adv ilmeikkäästi, tunteikkaasti
expressly /əks'presli/ adv **1** (kieltää) jyrkästi, nimenomaan, varta vasten **2** tahallaan, tieten tahtoen
expulsion /əks'pʌlʃən/ s karkotus (maasta), (koulusta) erottaminen
exquisite /əks'kwɪzət/ adj erinomainen, loistava, hieno, ensiluokkainen
extend /əks'tend/ v ojentaa (käsi), ulottaa, ulottua, jatkaa, jatkua, laajentaa, laajentua, levittää, levitä

extension /əks'tenʃən/ s **1** pidentäminen, jatkaminen, laajentaminen **2** jatkoaika, lisäaika **3** (rakennuksen) laajennus **4** (puhelin) rinnakkaisliittymä; alanumero
extensive adj laaja, mittava, kattava the explosion caused extensive damage räjähdys aiheutti suurta vahinkoa
extensively adv laajasti, perusteellisesti
extent /əks'tent/ s laajuus, suuruus, mitta, määrä, pituus for the whole extent of the forest metsän täydeltä laajuudelta, koko metsässä it was useful to a certain extent siitä oli jossain määrin apua I will help you to the extent that I can minä autan sinua mahdollisuuksieni mukaan
exterior /əks'tɪrɪər/ s ulkopuoli, ulkoasu, ulkonäkö
adj ulko-, ulkoinen
exterminate /əks'tərmə,neɪt/ v tuhota, hävittää
extermination /əks,tərmə'neɪʃən/ s tuhoaminen, hävitys
exterminator /əks'tərmə,neɪtər/ s henkilö tai yritys joka harjoittaa tuholaistorjuntaa
external /əks'tərnəl/ adj ulkoinen, ulkonainen
externally adj ulkoisesti, ulkonaisesti
extinct /əks'tiŋkt/ adj sukupuuttoon kuollut (laji), sammunut (tulivuori) dinosaurs have become extinct dinosaurukset ovat kuolleet sukupuuttoon
extinction /əks'tiŋkʃən/ s **1** (tulen) sammutus **2** sukupuutto(on kuoleminen)
extinguish /əks'tiŋgwɪʃ/ v sammuttaa
extinguisher s (käsi)sammutin
extort /əks'tɔrt/ v kiristää
extortion /əks'tɔrʃən/ s kiristys; kiskonta
extortionate /əks'tɔrʃənət/ adj kohtuuton an extortionate price kiskurihinta
extortionist s kiristäjä; kiskuri
extra /ekstrə/ s **1** ylimääräinen ihminen/asia **2** statisti
adj ylimäärinen, lisä-, vara- it's a source of extra income for him hän saa siitä lisätuloja there is an extra charge for a television televisiosta veloitetaan lisämaksu you better take an extra pair of socks with you sinun kannattaa ottaa mukan varasukat
adv **1** erityisen please be extra careful with my car **2** lisä-, ylimääräinen, erikseen (maksettava) the batteries are extra paristoista veloitetaan erikseen
extract /'eks,trækt/ s **1** uute, mehu **2** ote, lainaus, sitaatti
extract /əks'trækt/ v **1** vetää irti, irrottaa, poistaa **2** uuttaa **3** (kuv) kaivaa esiin, onkia, saada selville I was unable to extract a promise from him en saanut häntä lupaamaan mitään **4** lainata, siteerata
extraction /əks'trækʃən/ s **1** irrottaminen, poisto **2** syntyperä she is of Russian extraction hän on venäläistä syntyperää/ venäläissyntyinen
extracurricular /,ekstrəkə'rɪkjələr/ adj opintojen ulkopuolinen, vapaa-ajan
extradite /'ekstrə,daɪt/ v luovuttaa (toiseen maahan)
extradition /,ekstrə'dɪʃən/ s luovutus (toiseen maahan)
extraneous /əks'treɪnɪəs/ adj **1** ulkoinen, ulkopuolinen **2** asiaan kuulumaton, epäolennainen that's extraneous to this se on sivuseikka, se ei kuulu tähän
extraordinarily adj poikkeuksellisen, harvinaisen, erittäin
extraordinary /ək'strɔrdɪ,neri/ adj poikkeuksellinen, harvinaislaatuinen
extravagant /ək'strævəgənt/ adj **1** kallis (maku), ylellinen (elämäntapa), loistelias (tilaisuus) **2** tuhlaileva **3** liioiteltu, pursuileva, komeileva, mahtaileva
extravagantly adv **1** ylellisesti, loistokkaasti; avokätisesti **2** tuhlailevasti **3** komeilevasti, mahtaillen
extravaganza /ək,strævə'gænzə/ s **1** (mus, teatteri) loistokas esitys, fantasia **2** ylenpalttisuus
extreme /ək'strim/ s ääripää he went to extremes hän meni äärimmäisyyksiin
adj äärimmäinen (myös kuv), erittäin suuri extreme happiness

äärimmäinen/suunnaton onni at the extreme end of the political spectrum poliittisen kirjon ääripäässä
extremely adv erittäin, äärimäisen
extremist s ekstremisti, äärimmäisyyksiin menijä
adj äärimmäinen
extremity /ək'streməti/ s **1** ääripää, etäisin kohta **2** äärimmäisyys **3** hätä **4** (mon) raajat
extricate /'ekstrə,keɪt/ v irrottaa, saada irti, vapauttaa
extrovert /'ekstrə,vərt/ s ekstrovertti
exuberance s eloisuus, vilkkaus, into
exuberant /ɪg'zubərənt/ adj pursuileva, eloisa, vilkas, mukaansatempaava
exude /ɪg'zud/ v tihkua, pursua (myös kuv), uhkua (myös kuv) he exudes confidence hän suorastaan uhkuu itsevarmuutta
ex-wife s entinen vaimo
eye /ai/ s **1** silmä an eye for an eye silmä silmästä to be all eyes seurata/katsoa tarkkaan Jane tried to catch Paul's eye Jane yritti saada Paulin huomaamaan hänet to give someone the eye katsella ihastellen she has an eye for clothes hänellä on silmää vaatteille she has eyes only for John hän on iskenyt silmänsä Johniin to keep an eye on someone/something pitää silmällä jotakuta/jotakin to keep an eye out for someone/something pitää varansa jonkun/jonkin suhteen, olla varuillaan to keep your eyes open/peeled pitää silmänsä auki, olla varuillaan to lay eyes on something nähdä to make eyes at someone katsella jotakuta ihastuneesti, flirttailla jonkun kanssa to open someone's eyes avata jonkun silmät, saada joku tajuamaan jotakin to see eye to eye with someone olla jonkun kanssa samaa mieltä you're a sight for sore eyes sinä olet tervetullut näky, onpa mukava nähdä sinut with an eye to jotakin silmällä pitäen **2** neulansilmä
v katsoa, tuijottaa
eyeball /'aɪ,bal/ s silmämuna
v mitata katseellaan, silmäillä
eyebrow /'ai,brau/ s kulmakarva
eyelash /'aɪ,læʃ/ s silmäripsi
eyelid /'aɪ,lɪd/ s silmäluomi
eyeopener /'aɪ,oupənər/ s jokin joka saa jonkun silmät avautumaan (kuv)
eyepiece /'aɪ,pis/ s okulaari
eyesight /'aɪ,saɪt/ s näkö(kyky)
eyesore /'aɪ,sɔr/ s häpeäpilkku, häpeätahra
eyewitness /,aɪ'wɪtnəs/ s silminnäkijä
v nähdä omin silmin

F f

F, f /ef/ F, f
FAA Federal Aviation Administration Yhdysvaltain ilmailuhallinto
fable /feɪbəl/ s **1** eläintarina, eläinsatu, faabeli **2** taru, satu (myös kuv:) perätön puhe
fabled adj **1** tarunomainen **2** keksitty, kuviteltu
fabric /fæbrɪk/ s **1** kangas **2** rakenne the fabric of society **3** rakennus
fabricate /'fæbrɪ,keɪt/ v **1** valmistaa, rakentaa **2** keksiä (omasta päästään) **3** väärentää
fabrication /,fæbrɪ'keɪʃən/ s **1** valmistus, rakentaminen **2** valhe, satu
fabulous /fæbjələs/ adj **1** tarunomainen, keksitty **2** (ark) uskomaton, loistava, upea
fabulously adv erittäin
facade /fə'sad/ s julkisivu, fasadi
face /feɪs/ s **1** kasvot he lost his face when he was caught lying hän menetti kasvonsa/maineensa kun hänet saatiin kiinni valehtelemisesta **2** (kasvon)ilme **3** (kellon) taulu **4** (kallio)seinämä **5** (kolikon, pelikortin) etupuoli **6** (rakennuksen) julkisivu **7** hävyttömyys he had the face to call me an idiot hän julkesi haukkua minua idiootiksi
v kohdata (myös kuv), katsoa johonkuhun/johonkin päin his study window faces the ocean hänen työhuoneensa ikkuna avautuu merelle you have to face the truth sinun täytyy katsoa totuutta silmiin
face down v kohdata rohkeasti
faceless adj kasvoton, tuntematon
face-lift s kasvojen nosto(leikkaus)
facet /fæsət/ s (kuv: asian) puoli, näkökohta
face the music fr vastata seurauksista/teoistaan, niittää mitä on kylvänyt
facetious /fə'siʃəs/ adj leikkisä, leikillinen
facetiously adv leikkisästi, leikillään
face up to v myöntää, tunnustaa, kohdata
face value s (tal) nimellisarvo
facial /feɪʃəl/ s kasvohoito
adj kasvo-
facile /fæsəl/ adj pinnallinen, mitäänsanomaton, helppo
facilitate /fə'sɪlə,teɪt/ v helpottaa, tehdä helpoksi/helpommaksi
facility /fə'sɪləti/ s **1** välineet, varusteet; edellytykset, mahdollisuudet; laitos, tilat **2** helppous, vaivattomuus, taitavuus
facsimile /fæk'sɪməli/ s **1** kopio, jäljennös **2** faksi, kaukokopiointi(laite)
v lähettää faksilla, faksata
fact /fækt/ s **1** tosiasia, fakta have you checked all the facts? **2** todellisuus it's part fact, part fiction siinä on tarua ja totta **3** (eri ilmauksissa) itse asiassa as a matter of fact itse asiassa, oikeastaan he is in fact coming here hän onkin tulossa tänne
faction /fækʃən/ s **1** puolueryhmä; sirpaleryhmä **2** kiista, skisma
factious /fækʃəs/ adj riidanhaluinen; pikkumainen
fact of life s **1** kylmä totuus/tosiasia **2** (mon) sukupuolivalistus
factor /fæktər/ s tekijä cost is not a factor here kustannuksilla ei ole nyt väliä
factory /fæktəri/ s tehdas
factory worker s tehdastyöläinen
factual /fækʃuəl/ adj **1** asiallinen **2** tosiasioita/faktoja koskeva

faculty /fækəlti/ s **1** kyky he is a man of great faculties hän on kyvykäs mies **2** (yliopiston) tiedekunta the faculty of mathematics matemaattinen tiedekunta **3** (tiedekunnan) opettajat, henkilökunta
fade /feɪd/ v **1** haalistaa, haalistua, häipyä (näkyvistä), lakata kuulumasta **2** unohtua, (voimat) huveta, (toivo) sammua **3** häivyttää (televisiokuva)
fade away v lakata, kadota, häipyä (näkyvistä), lakata (kuulumasta), unohtua
fade in v häivyttää (televisiokuva näkyviin)
fade out v häivyttää (televisiokuva näkyvistä)
Faeroe Islands /ferou/ (mon) Färsaaret
fag /fæg/ s (sl) homo
v väsyttää, uuvuttaa
faggot /fægət/ s (sl) hintti
fagot /fægət/ s **1** risukimppu **2** kimppu, nippu
Fahr. Fahrenheit fahrenheitastetta
Fahrenheit /'ferən,heɪt/ s fahrenheitaste
fail /feɪəl/ s: without fail aivan varmasti
v **1** epäonnistua the whole attempt failed koko yritys epäonnistui when it came my turn to speak, words failed me kun tuli minun vuoroni puhua en saanut sanaa suustani **2** ei päästä/päästää läpi (tentistä), reputtaa **3** heikentyä, rappeutua his health is failing hänen voimansa alkavat ehtyä **4** ei tehdä jotakin: I fail to see the humor in this minusta tässä ei ole mitään nauramista
failure /feɪljər/ s **1** epäonnistuminen **2** epäonnistuja, tunari, härsijä **3** laiminlyönti, tekemättä jättäminen Jane's failure to act caused him a lot of problems hänelle aiheutui paljon ongelmia siitä että Jane ei ryhtynyt toimiin
faint /feɪnt/ v pyörtyä
adj **1** haalea (väri), heikko (ääni), hämärä (muisto) I haven't the faintest minulla ei ole siitä harmainta aavistusta **2** huimaava I feel faint minua huimaa/pyörryttää
faint-hearted adj pelokas, empivä, epävarma
faintly adv hämärästi
fair /feər/ s markkinat, messut
adj **1** oikeudenmukainen, reilu **2** kohtalainen, kohtalaisen suuri/hyvä tms you have a fair chance of making it sinulla on melko hyvät mahdollisuudet **3** vaalea(tukkainen/verinen/ihoinen) **4** kaunis (ilma)
adv reilusti, rehdisti
fairground /'feər,graʊnd/ s markkinapaikka, markkinat
fair play s reilu peli
fair-weather friend /,feərweðər'frend/ s ystävä johon ei voi luottaa kovan paikan tullen
fairy /feri/ s **1** keiju, haltijatar **2** (sl) hintti
fairy tale s satu (myös kuv)
faith /feɪθ/ s usko, luottamus faith in God/someone/in someone's abilities usko Jumalaan, usko/luottamus johonkuhun/jonkun kykyihin to act in good faith toimia hyvässä uskossa
faithful adj **1** uskollinen **2** tarkka, uskollinen
faithfully adv **1** uskollisesti yours faithfully/faithfully yours (kirjeen lopussa) ystävällisin terveisin, kunnioittaen **2** tarkasti, uskollisesti
faithfulness s **1** uskollisuus, luotettavuus **2** tarkkuus, uskollisuus
faith healing s uskolla parantaminen
fake /feɪk/ s **1** väärennös, jäljennös, **2** huijari, petturi, teeskentelijä **3** (urh) hämäys, harhautus
v **1** väärentää, jäljentää **2** teeskennellä (sairasta), olla olevinaan jotakin, huijata, puijata he was not familiar with the lyrics but he tried to fake it hän ei tuntenut laulun sanoja mutta yritti silti selvitä joten kuten (urh) hämätä, harhauttaa
falcon /fælkən/ s haukka
falconry s haukkametsästys
Falkland Islands /faəlklənd/ (mon) Falklandinsaaret, Malvinassaaret
fall /fal/ s **1** pudotus, putoaminen, kaatuminen, romahdus, tuho the fall of the government hallituksen kaatuminen

the fall of the Roman empire Rooman valtakunnan tuho **2** syntiinlankeemus, lankeemus **3** valtaus, valloitus **4** vesiputous **5** lasku, väheneminen, romahdus the fall of the interest rates korkojen lasku **6** syksy **7** (vesi/lumi)sade
v fell, fallen **1** pudota, kaatua I almost fell from the roof olin vähällä pudota katolta **2** laskea the temperature fell ten degrees lämpötila laski kymmenen astetta **3** tulla vallatuksi, joutua vihollisen käsiin **4** kuolla, kaatua **5** langeta syntiin **6** (juhlapäivä) osua, olla this year, Christmas Day falls on a Monday tänä vuonna joulupäivä on maanantai **7** kuulua, olla that falls outside our jurisdiction se ei kuulu meidän toimialueellemme **8** jakautua the problem falls into well-defined categories ongelma jakautuu selvärajaisiin osiin **9** tulla joksikin, joutua johonkin tilaan: she fell asleep/ill/in a coma hän nukahti/sairastui/joutui koomaan my life has fallen to pieces elämäni on aivan pirstaleina
fallacious /fəˈleɪʃəs/ adj virheellinen, joka ei pidä paikkaansa
fallacy /fæləsi/ s harhaluulo, virhepäätelmä
fall all over yourself fr olla haltioissaan, olla suunniltaan ilosta
fall away v lakata kannattamasta jotakuta/jotakin, luopua uskosta tms
fall back v perääntyä
fall back on v turvautua johonkin, kajota johonkin
fall behind v **1** jäädä jälkeen (joukosta, työssä) **2** ei pystyä maksamaan maksuja/velkoja
fall down v **1** kaatua **2** (ark) epäonnistua, tunaroida
fallen /falən/ ks fall
fall for v **1** mennä lankaan **2** rakastua, langeta johonkuhun
fallibility /ˌfæləˈbɪləti/ s erehtyväisyys
fallible /fæləbəl/ adj erehtyväinen we are all fallible kukaan ei ole erehtymätön
fall off v vähentyä, laskea
fall on v **1** käydä käsiksi, hyökätä kimppuun **2** kuulua jollekulle, olla jonkun tehtävä **3** kohdata, ajautua johonkin
fall out v **1** riidellä, kinata, olla eri mieltä **2** tapahtua, sattua
fallout /ˈfalˌaʊt/ s **1** laskeuma radioactive fallout radioaktiivinen laskeuma **2** vaikutus, seuraus
fallow /fælou/ s, adj kesanto(-)
fallow deer s kuusipeura
fall short v **1** ei täyttää vaatimuksia, ei olla riittävä **2** ei riittää, loppua kesken
fall short fr jäädä vajaaksi, ei riittää; ei kelvata
fall through v epäonnistua, ei toteutua
fall under v kuulua jonkun tehtäviin, johonkin (ryhmään, luokkaan)
false /fals/ adj **1** väärä a false assumption/answer/alarm väärä oletus/vastaus/hälytys **2** uskoton, epäluotettava a false friend/lover epäluotettava ystävä/uskoton rakastaja **3** vale- a false bottom valepohja false teeth tekohampaat
falsehood s valhe
falsely adv väärin, virheellisesti, (syyttää) aiheettomasti
falsification /ˌfalsəfəˈkeɪʃən/ s väärennös, väärennys
falsify /ˈfalsəˌfaɪ/ v väärentää, vääristää
falter /faltər/ v kangerrella, empiä, epäröidä, hidastaa (askeleitaan)
falteringly adv kangerrellen, empien, epäröiden
fame /feɪm/ s maine, kuuluisuus Brian Wilson of Beach Boys fame Brian Wilson joka tuli kuuluisaksi yhteyessä Beach Boys
famed adj maineikas, kuuluisa
familiar /fəˈmɪljər/ adj **1** tuttu the name sounds familiar to me/I am not familiar with the name nimi kuulostaa tutulta/nimi ei ole minulle tuttu, en tunne nimeä **2** tuttavallinen, ystävällinen, arkinen the author uses a familiar style tekijä kirjoittaa arkisesti
familiarity /fəˌmɪljɪˈerɪti/ s **1** läheisyys, tuttuus **2** (asian) hallinta
familiarization /fəˌmɪljərəˈzeɪʃən/ s totuttautuminen, tutustuminen johonkin (with)

familiarize /fə'mɪljəˌraɪz/ v **1** tutustuttaa joku johonkin (with), opettaa jollekulle jotakin **2** to familiarize onself with tutustua johonkin
family /fæmli/ s **1** perhe **2** suku
family Bible s perheraamattu
family planning s perhesuunnittelu
family tree s sukupuu
famine /fæmən/ s nälänhätä
famish /fæmɪʃ/ v (ark) olla nälissään, kuolla nälkään I am famished minulla on hirvittävä nälkä
famous /feɪməs/ adj kuuluisa
fan /fæn/ s **1** tuuletin, puhallin; viuhka **2** kannattaja, ihailija, fani
v **1** (tuuli) puhaltaa, tuulettaa; leyhytellä viuhkalla **2** levittää (viuhkaksi) **3** (kuv) herättää (kiinnostus, innostus)
fanatic /fə'nætɪk/ s fanaatikko, kiihkoilija, yltiöpää
adj fanaattinen, kiihkoileva, yltiöpäinen
fanatically adv fanaattisesti, fanaattisen
fanciful /fænsəfəl/ adj mielikuvituksellinen, epätavallinen, koristeellinen
fan club s ihailijakerho
fancy /fænsi/ s **1** mielikuvitus; kuvitelma **2** mieltymys: he took a fancy to the new convertible hän ihastui uuteen avoautoon **3** mielijohde, halu, oikku I had this fancy of gorging on ice cream mieleeni juolahti/mielen teki yhtäkkiä mässäillä jäätelöllä
fanfare /'fænˌfeər/ s fanfaari (myös kuv)
fang /fæŋ/ s (eläimen) hammas, (käärmeen) myrkkyhammas
fan mail s ihailijaposti, ihailijakirjeet
fan out v **1** levittäytyä, hajautua **2** levittää (viuhkaksi)
fantastic /fæn'tæstɪk/ adj **1** mielikuvituksellinen **2** uskomaton **3** loistava, fantastinen
fantasy /fæntəsi/ s **1** mielikuvitus **2** kuvitelma **3** (mus, teatteri) fantasia
FAO Food and Agriculture Organization of the United Nations Yhdistyneiden Kansakuntien elintarvike- ja maatalousjärjestö
far /far/ adj farther/further, farthest/furthest: kaukainen, etäinen at the far end of the room huoneen perällä at the far reaches of the universe maailmankaikkeuden äärillä a far country kaukainen maa in the far future kaukaisessa tulevaisuudessa this novel is a far cry from yours tätä romaania ei voi verratakaan sinun romaaniisi
adv **1** kaukana, etäällä that city is far from here se kaupunki on kaukana täältä **2** (ajasta) myöhään, pitkään the war continued far into the next year sota jatkui pitkälle seuraavaan vuoteen **3** pitkällä, pitkälle you have come far in your career urasi on edennyt pitkälle **4** paljon they used far more money than they had thought **5** as far as sikäli kuin, mitä johonkuhun/johonkin tulee **6** by far the longest selvästi, ehdottomasti pisin **7** so far so good toistaiseksi kaikki on sujunut hyvin, toistaiseksi (meillä) ei ole mitään hätää **8** thus far toistaiseksi, tähän mennessä
far and away adv selvästi, ehdottomasti
far and wide adv kaukana, pitkät matkat; ummet ja lammet
faraway /'farəˌweɪ/ adj kaukainen, etäinen
farce /fars/ s farssi
fare /feər/ s matkalipun hinta, maksu
v selviytyä he fared well in the examination
Far East Kaukoitä
farewell /ˌfer'wel/ s jäähyväiset, hyvästit to bid farewell to something jättää jäähyväiset jollekin, lopettaa
far-fetched /ˌfar'fetʃt/ adj kaukaa haettu
far-flung /ˌfar'flʌŋ/ adj **1** täinen, syrjäinen **2** laajalle levinnyt
farm /farm/ s maatila, farmi
v viljellä maata, kasvattaa karjaa, olla maanviljelijä
farmer s maanviljelijä, farmari
farm out v jakaa, (työ myös) delegoida
far out adj (sl) epätavallinen, outo, raju, pimeä

far-reaching /ˌfar'ritʃiŋ/ adj kauaskantoinen
far-sighted /ˌfar'saɪtəd/ adj **1** pitkänäköinen **2** (kuv) kaukonäköinen, kaukokatseinen
fart /fart/ s **1** pieru **2** old fart (ihmisestä) vanha pieru, kalkkis
v pieraista
farther /farðər/ adj, adv (komparatiivi sanasta far) kaukaisempi, etäisempi, kauempana, kauemmaksi
farthest /farðəst/ adj, adv (superlatiivi sanasta far) kaukaisin, etäisin, kauimpana, kauimmaksi
fascinate /'fæsəˌneɪt/ v kiehtoa, kiinnostaa kovasti
fascinating adj kiehtova, kiinnostava
fascination /ˌfæsə'neɪʃən/ s kiinnostus, innostus; viehätys, vetovoima
fascism /fæʃɪzəm/ s fasismi
fascist /fæʃɪst/ s fasisti
adj fasistinen
fashion /fæʃən/ s **1** tapa she walks in a strange fashion hän kävelee oudosti he is a writer after a fashion hän on jonkinlainen/jonkin sortin kirjailija **2** muoti miniskirts have gone out of fashion minihameet ovat jääneet pois muodista
v muotoilla
fashionable adj muodikas, muoti-
fashionably adv muodikkaasti
fashion plate s (kuv) muotinukke
fast /fæst/ s paasto
v paastota
adj **1** (lujasti) kiinni, kiinnitetty to have fast colors olla värinpitävä a fast friend hyvä/luotettava ystävä **2** nopea (vauhti, ihminen, valokuvausfilmi) **3** (kello) edellä your watch is fast kellosi on edellä/edistää **4** he leads a fast life hänellä menee lujaa
adv **1** lujasti, tiukasti, kiinni hold fast now pidä tiukasti kiinni **2** (nukkua) sikeästi **3** nopeasti **4** he lives fast hänellä menee lujaa
fastback /fæstbæk/ s viistoperä(inen henkilöauto)
fasten /fæsən/ v kiinnittää, kiinnittyä
fastener s kiinnike, suljin
fastening s kiinnike, suljin
fast food s pikaruoka
fastidious /fæs'tɪdiəs/ adj pikkutarkka, turhantarkka, nirso; tunnollinen
fat /fæt/ s rasva
adj **1** rasvainen (ruoka) **2** lihava, paksu (ihminen) **3** paksu (kirja, nippu) **4** (taloudellisesti) kannattava; rikas
fatal /feɪtəl/ adj tappava, kuolettava; kova, vakava; kohtalokas he made a fatal error hän teki kohtalokkaan erehdyksen it dealt a fatal blow to him se aiheutti hänelle kovan takaiskun
fatalism /'feɪtəˌlɪzəm/ s fatalismi, kohtalousko
fatalistic /ˌfeɪtə'lɪstɪk/ adj fatalistinen
fatality /ˌfeɪ'tæləti/ s kuolemantapaus, kuollut there were no fatalities in the explosion räjähdyksessä ei kuollut ketään
fatally adj kuolettavasti (haavoittunut)
fate /feɪt/ s kohtalo
fated adj tuomittu your plan is fated to fail suunnitelmasi on tuomittu epäonnistumaan
fateful adj kohtalokas
father /faðər/ s **1** isä **2** (kuv) isä, perustaja, alullepanija the father of the revolution vallankumouksen isä **3** (katolisessa kirkossa) isä **4** Father Isä, Jumala
v **1** siittää he fathered a child **2** (kuv) panna alulle, aloittaa
father confessor s rippi-isä
father-in-law s (mon fathers-in-law) appi
fatherland /'faðərˌlænd/ s isänmaa
fatherly adj isällinen
fathom /fæðəm/ s (syvyysmitta) syli
v **1** mitata syvyys **2** käsittää, ymmärtää I can not fathom why you did it en ymmärrä miksi teit sen
fathomless adj pohjaton
fatigue /fə'tig/ s **1** väsymys, uupumus the plane crashed due to metal fatigue koneen putoaminen johtui metallin väsymisestä **2** (sot) työpalvelu **3** (mon: sot) työvaatteet
v väsyttää, väsyä (myös metallista), uuvuttaa, uupua

fatten /fætən/ v lihottaa, lihoa
fattening adj lihottava
fatty adj rasvainen fatty acids rasvahapot
fatuity /fə'tuəti/ s **1** typeryys, tyhmyys **2** tyhmä huomautus
fatuous /fætʃuəs/ adj typerä, tyhmä
faucet /fasət/ s (vesi)hana
fault /falt/ s **1** vika, virhe, puute to find fault with someone haukkua, moittia **2** syy it's his fault, not mine se oli hänen eikä minun vika **3** (geologinen) siirros San Andreas Fault San Andreaksen siirros (Kaliforniassa)
v moittia, arvostella
faultless adj moitteeton, virheetön
faulty adj viallinen; virheellinen
fauna /fana/ s eläimistö, fauna
favor /feɪvər/ s **1** palvelus can I ask you a favor? saanko pyytää sinulta palvelusta/apua? do me a favor, will you, and shut up! etkö voisi pitää suusi kiinni? **2** suosio to win someone's favor päästä jonkun suosioon the book found favor with yuppies kirja oli juppien mieleen to be out of favor olla epäsuosiossa the teacher treats her with favor opettaja suosii/lellii häntä **3** kannatus few people are in favor of raising taxes vain harvat kannattavat verojen korotusta
v **1** suosia, asettaa etusijalle as a teacher, you should not favor any student **2** kannattaa I favor the idea **3** suoda, myöntää she favored him with a kiss hän soi hänelle suukon **4** säästää, varoa after the accident, he has been favoring his left leg
favorable adj suotuisa, myönteinen
favorably adv suotuisasti, myönteisesti
favorite /feɪvrət/ s suosikki
adj lempi-, mieli- tacos are my favorite food tacot ovat lempiruokaani
fawn /fan/ s **1** peuran vasikka **2** beesi (väri)
v (koira) heiluttaa häntäänsä (kuv myös ihmisestä:) mielistellä
adj beesinvärinen
fax /fæks/ s faksi, telekopio
v faksata, lähettää faksi/telekopio
fax machine s telekopiolaite, faksi
FBI Federal Bureau of Investigation Yhdysvaltain liittovaltion poliisi
FCC Federal Communications Commission
fcty. factory tehdas, tehtaalla
FDA Food and Drug Administration
FDIC Federal Deposit Insurance Corporation
fear /fɪər/ s **1** pelko, ahdistus we have nothing to fear but fear itself meillä ei ole muuta pelättävää kuin itse pelko **2** mahdollisuus, pelko there is little fear of him coming back ei ole juuri pelkoa siitä että hän palaisi **3** kunnioitus, pelko to live in fear of God elää Jumalan pelossa
v pelätä
fearful adj **1** pelokas, ahdistunut **2** pelottava
fearfully adv pelokkaasti
fearless adj peloton, urhea
fearlessly adv urheasti, rohkeasti
fearsome /fɪərsəm/ adj pelottava
feasibility /ˌfizə'bɪləti/ s toteutettavuus, käytännöllisyys the feasibility of your plan is in question on epävarmaa voidaanko suunnitelmasi toteuttaa käytännössä
feasible adj **1** mahdollinen, joka voidaan toteuttaa, käyttökelpoinen it's not feasible to build two tunnels kahta tunnelia ei voida rakentaa **2** uskottava, todennäköinen
feasibly adv **1** mahdollisesti **2** uskottavasti, todennäköisesti
feast /fist/ s **1** juhla **2** juhla-ateria
v **1** juhlia **2** kestitä (vierasta) **3** to feast your eyes on something lepuuttaa silmiään jossakin
feat /fit/ s teko, saavutus it was not a little/mean feat se oli melkoinen saavutus
feather /feðər/ s sulka, höyhen they are birds of a feather he ovat samaa maata, kuin vakka ja kansi
v: to feather your nest (kuv) paikata omia taskujaan

featherweight /'feðər,weɪt/ s **1** (nyrkkeilyssä) höyhensarja **2** (kuv) pikkutekijä, mitätön ihminen
feature /fitʃər/ s **1** (kasvon/tunnus)-piirre, tunnusmerkki, ominaisuus **2** (lehti)kirjoitus, artikkeli, lukujuttu, feature **3** (kokoillan) elokuva
v **1** julkaista (lehdessä) **2** esiintyä (elokuvassa) a new Indiana Jones movie featuring Harrison Ford uusi Indiana Jones -elokuva jossa esiintyy Harrison Ford
feature film s (kokoillan) elokuva
feature-length adj kokoillan, täyspitkä (elokuva)
feature story s (lehdessä) artikkeli, lukujuttu (ei uutinen), feature
feature writer s (lehdessä) lukujuttujen kirjoittaja, toimittaja
Feb. February helmikuu
February /'febjʊ,eri 'febrʊ,eri/ s helmikuu
fed /fed/ s (sl) FBI:n agentti
v: ks feed
federal /fedrəl fedərəl/ adj liittovaltion, liitto(valtio)-
Federal Bureau of Investigation s Yhdysvaltain liittovaltion poliisi (FBI)
federal case to make a federal case out of something paisutella jotakin asiaa, ottaa liian tosissaan
federal government s (Yhdysvaltain) liittohallitus
federalism /fedrəlɪzəm/ s federalismi
federalist /fedrəlɪst fedərəlɪst/ s federalisti
federalize v alistaa/siirtää liittovaltion hallintaan
Federal Republic of Germany Saksan liittotasavalta
federate /'fedə,reɪt/ v yhdistää liittovaltioksi/federaatioksi
federation /,fedə'reɪʃən/ s liitto, liittovaltio, federaatio
fed up with adj (ark) kyllästynyt johonkin, kurkkua myöten täynnä jotakin
fee /fi/ s maksu, taksa
feeble /fibəl/ adj heikko, voimaton
feeble-minded adj **1** heikkolahjainen **2** typerä, älytön
feebly adv heikosti, voimattomasti
feed /fid/ s **1** ruokinta, syöttö, syöttäminen **2** rehu, ruoka, ateria
v fed, fed **1** ruokkia, syöttää to feed the animals/fuel to an engine ruokkia eläimet/syöttää polttoainetta moottoriin **2** syödä
feedback /fidbæk/ s palaute
feel /fɪəl/ s tuntu, tuntuma, tunnelma velvet has a soft feel sametti tuntuu pehmeältä he has a feel for languages hänellä on kielikorvaa
v felt, felt **1** tunnustella, tuntea, tuntua the new manager is still trying to feel his way around uusi johtaja ei ole vielä tottunut työhönsä I feel like a fool tunnen itseni idiootiksi **2** ajatella she feels that you treated her badly hänestä tuntuu että sinä kohtelit häntä huonosti
feeler s tuntosarvi (myös kuv) he put out feelers to find a new job hän nosti tuntosarvensa pystyyn löytääkseen uuden työpaikan, hän alkoi etsiä uutta työpaikkaa
feel for v sääliä, tuntea myötätuntoa jotakuta kohtaan
feeling s **1** tunto after sitting for hours on the plane, he had almost no feeling in his legs hänen jalkansa olivat puutuneet **2** tunne, mielipide I have the feeling that you are trying to avoid me minusta tuntuu että sinä yrität vältellä minua no hard feelings! ei se mitään, en pane sitä pahakseni
feel like fr huvittaa, haluttaa do you feel like dancing/a cup of coffee? haluatko tanssia/maistuisiko sinulle kahvi?
feel like yourself fr olla entisensä, olla oma itsensä
feel out v tunnustella (jonkun mielipidettä tms)
feel up v (sl) lääppiä (seksuaalisesti)
feel up to fr tuntea kykenevänsä johonkin, olla valmis johonkin
feet /fit/ ks foot
feign /feɪn/ v teeskennellä, tekeytyä (sairaaksi, tietämättömäksi ym)
feigned adj tekaistu

feint /feɪnt/ s harhautus
v harhauttaa
feline /filaɪn/ adj kissa-, kissamainen
fell /fel/ s nahka, talja, vuota
v ks fall
adj: in one fell swoop yhdellä iskulla, yhtä aikaa
fellow /felou/ s **1** toveri, ystävä **2** kaveri, heppu he is a fine fellow **3** (US yliopiston) stipendiaatti
adj kanssa-, -toveri fellow competitor kilpatoveri
fellowship s **1** toveruus, kaveruus **2** (US yliopiston) stipendi
fellow traveler s **1** matkatoveri **2** (poliittisen aatteen) piilokannattaja
felon /felən/ s (lak) törkeän rikoksen tekijä
felonious /fə'louniəs/ adj (lak) törkeä(n rikoksen luonteinen)
felony /feləni/ s (lak) törkeä rikos
felt /felt/ s huopa
v ks feel
fem. feminine feminiininen
female /fimeɪəl/ s **1** naaras(eläin) **2** (ark) nainen, (alat) muija, akka
adj naaras-, naispuolinen, nais- a female elephant/doctor/socket naarasnorsu/naislääkäri/naaraspistoke female company/audience naisseura/naisyleisö
feminine /femənən/ s (kieliopissa) feminiini
adj naisellinen, feminiininen; naismainen
feminism /femənɪzəm/ s feminismi, nais(asia)liike
feminist /femənɪst/ s feministi
adj feministinen
fence /fens/ s **1** aita (myös urh:) este **2** varastetun tavaran kätkijä/kauppias
v **1** aidata **2** miekkailla **3** (kuv) väistellä, vältellä
fence in v **1** aidata **2** (kuv) rajoittaa, ahdistaa, panna ahtaalle
fencer s miekkailija
fencing s miekkailu
fender s (auton, polku/moottoripyörän) lokasuoja
fend for yourself /fend/ v pitää puolensa; tulla toimeen omillaan
feral /fɪrəl/ adj villi
ferment /fərment/ s **1** (kem) fermentti, käyte **2** (kem) käyminen **3** levottomuus
ferment /fər'ment/ v **1** (kem) käydä **2** (kuv) (suunnitelma) kypsyä; kiehua, olla levotonta
fermentation /,fərmən'teɪʃən/ s **1** (kem) käyminen, fermentaatio **2** (kuv) (suunnitelman) kypsyminen; kiehuminen, levottomuus
fern /fərn/ s saniainen
ferocious /fə'rouʃəs/ adj julma, vihainen, raivokas
ferociously adv julmasti, vihaisesti, raivokkaasti
ferocity /fə'rasəti/ s julmuus, viha, raivo
ferret out /ferət/ v kaivaa/onkia esiin, ottaa/saada selville
ferric /ferɪk/ adj rauta-
Ferris wheel /ferəs/ s maailmanpyörä
ferrite /feraɪt/ s ferriitti
ferry /feri/ s lautta
v kuljettaa (lautalla, lentokoneella, autolla)
fertile /fərtəl/ adj hedelmällinen (myös kuv)
fertility /fər'tɪləti/ s hedelmällisyys (myös kuv)
fertilization /,fərtələ'zeɪʃən/ s **1** hedelmöitys **2** lannoitus
fertilizer /'fərtə,laɪzər/ s lannoite
fervent /fərvənt/ adj intohimoinen, palava (halu), horjumaton (kannattaja)
fervently adv intohimoisesti, palavasti, innokkaasti
fervor /fərvər/ s intohimo, hartaus, palava into
fester /festər/ v **1** (haava) märkiä **2** (kuv) kalvaa/jäytää (mieltä)
festival /festəvəl/ s juhla, festivaali(t) a music festival musiikkijuhla(t)
festive /festɪv/ adj juhla-
festivity /fes'tɪvəti/ s juhla, juhlallisuus; juhlatunnelma, hilpeys
fetal /fitəl/ adj sikiö- she sleeps in a fetal position hän nukkuu sikiöasennossa
fete /fet feɪt/ s juhla
v juhlia
fetid /fetəd/ adj pahanhajuinen

fetish /fetɪʃ/ s fetissi
fetishism /'fetɪ,ʃɪzəm/ s fetisismi
fetishist s fetisisti
fetter /fetər/ s kahleet (myös kuv)
v kahlehtia, panna kahleisiin (myös kuv)
fetus /fitəs/ s sikiö
feud /fjud/ s riita, kiista
v riidellä, kiistellä
feudal /fjudəl/ adj feodaali-, läänitys-
feudalism /fjudəlɪzəm/ s feodalismi, läänityslaitos
fever /fivər/ s kuume (myös kuv:) huuma, kiihtymys
feverish adj kuumeinen (myös kuv:) kiireinen, innokas
feverishly adv kuumeisesti
few /fju/ adj, pron harva, muutama, jokunen few people know it vain harvat tuntevat sen a few people know it muutama ihminen tuntee sen quite a few people know it aika moni tuntee sen too few people know it (aivan) liian harvat tuntevat sen the few who like his paintings ne harvat jotka pitävät hänen tauluistaan you can take a few voit ottaa muutaman
few and far between fr harvassa (kuin kanan hampaat), kiven alla
fewer adj, pron komparatiivi sanasta few: he tried to read it no fewer than three times hän yritti kokonaiset kolme kertaa lukea sen
fewest adj, pron superlatiivi sanasta few
ff. page 7 ff. sivulta 7 alkaen
fgn. foreign ulkomainen, tuonti-
fgt. freight rahti
FHA Federal Housing Administration
fiancé /,fɪan'seɪ/ s sulhanen
fiancée /,fɪan'seɪ/ s morsian
fiasco /fɪ'æskoʊ/ s fiasko
fib /fɪb/ s (ark) valhe, perätön juttu
v (ark) valehdella, puhua perättömiä
fiber /faɪbər/ s **1** kuitu dietary fiber ravintokuitu **2** (kuv) selkäranka moral fiber
fiberglass /'faɪbər,glæs/ s lasikuitu
fibrous /faɪbrəs/ adj kuitu-, kuitumainen
fickle /fɪkəl/ adj ailahteleva, oikukas
fiction /fɪkʃən/ s **1** kaunokirjallisuus, kertomakirjallisuus, sepitteinen kirjallisuus **2** pöty, tuulesta temmattu/keksitty juttu, satu (kuv)
fictional adj kuvitteellinen, keksitty fictional characters romaanihenkilöt
fictitious /fɪk'tɪʃəs/ adj **1** kuvitteellinen, keksitty **2** tekaistu (juttu, nimi), perätön
fiddle /fɪdəl/ s viulu to play second fiddle to someone (kuv) soittaa toista viulua
v **1** (ark) vinguttaa/soittaa viulua **2** sormeilla, sorkkia, häärätä jonkin kimpussa don't fiddle with my stereo jätä minun stereoni rauhaan **3** (kuv) halkoa hiuksia **4** korjailla (luvattomasti), pistää omaan taskuunsa
fiddler /fɪdlər/ s **1** (ark) viulunsoittaja, viulunvinguttaja **2** huijari, petturi
fidelity /fə'deləti/ s uskollisuus; (käännöksen, äänentoiston) tarkkuus
fidget /fɪdʒət/ v liikuskella hermostuneesti will you stop fidgeting with that lighter! jätä se tupakansytytin rauhaan!
fidgety /fɪdʒəti/ adj levoton, hermostunut, rauhaton
field /fiəld/ s **1** pelto **2** (jää/öljy/magneetti/näkö/jalkapallo/baseball)kenttä, taistelukenttä/tanner **3** (tutkimus/ammatti)ala **4** (toimiston vastakohtana:) kenttä they tested the computer for a year in the field tietokonetta kokeiltiin kentällä vuoden ajan **5** (urh) kenttälajit, kenttäurheilu
v **1** (baseball) ottaa (pallo) kiinni, saada koppi **2** vastata taitavasti (kysymykseen) **3** lähettää (pelaaja, ehdokas, työntekijä) kentälle
field day to have a field day olla erittäin hauskaa, nauttia kovasti
field of vision s näkökenttä
field-test v kokeilla/testata käytännössä
fieldwork /fiəldwərk/ s kenttätyö
fiend /find/ s **1** paholainen, piru (myös kuv) **2** (ark) hullu he is a football fiend hän on intohimoinen (amerikkalaisen) jalkapallon ystävä, jalkapallohullu he

works like a fiend hän paiskii töitä kuin heikkopäinen **3** (ark) nero she is a definite fiend at math hän on nero matematiikassa
fiendish adj pirullinen, julma, hirvittävä
fierce /fɪərs/ adj hurja, raju, vihainen, terävä (arvostelu)
fiercely adv hurjasti, rajusti, vihaisesti, (arvostella) terävästi
fiery /faɪəri/ adj hehkuva, tulinen (myös kuv)
fiesta /fi'estə/ s fiesta, juhla
fifteen /fɪf'tin/ s, adj viisitoista
fifteenth /fɪf'tinθ/ s, adj viidestoista
fifth /fɪfθ/ s, adj viides to take the fifth (lak) käyttää vaitiolo-oikeutta
fiftieth /fɪftɪəθ/ s, adj viideskymmenes
fifty /fɪfti/ s, adj viisikymmentä
fiftysomething /'fifti,sʌmθiŋ/ adj (iältään) viiskyt ja risat
fifty-fifty adj tasan, puoliksi
fig /fɪg/ s viikuna
fig. figure kuva, piirros
fight /faɪt/ s **1** tappelu, riita, yhteenotto, taistelu **2** sisu, taisteluhenki
v fought, fought: tapella, riidellä, ottaa yhteen, taistella the United States fought Japan in the Pacific Yhdysvallat taisteli Japania vastaan Tyynellämerellä the doctors are fighting the disease lääkärit taistelevat tautia vastaan the rescuers were fighting the fire pelastajat yrittivät saada tulipalon sammumaan
fight back v **1** torjua (hyökkäys), puolustautua **2** niellä (kyyneleet)
fighter s **1** taistelija, soturi; nyrkkeilijä **2** hävittäjä(lentokone)
fighter-bomber s hävittäjäpommikone
fighter pilot s hävittäjälentäjä
fight it out fr tapella/riidellä kyllikseen
fight off v torjua (hyökkäys, sairaus)
fight shy of fr arastella jotakin
fight with windmills fr (kuv) taistella tuulimyllyjä vastaan
fig leaf s viikunanlehti (myös kuv)
figment /fɪgmənt/ s mielikuvituksen tuote, kuvittelu that's just a figment of your imagination kunhan kuvittelet, sinä luulet vain
figurative /fɪgjərətɪv/ adj kuvaannollinen I used the word in a figurative sense käytin sanaa kuvaannollisessa merkityksessä
figuratively adv kuvaannollisesti figuratively speaking kuvaannollisesti sanoen
figure /fɪgjər/ s **1** numero, luku; summa it has a six-figure price se maksaa kuusinumeroisen luvun **2** kuvio **3** hahmo, muoto **4** henkilö, hahmo **5** figuuri, patsas
v **1** laskea (yhteen, up) **2** (ark) päätellä, arvata, uskoa, luulla he figured we'd go there alone hän arvasi/luuli että menisimme sinne yksin **3** esiintyä jossakin that theme figures centrally in the book aiheella on kirjassa keskeinen merkitys **4** it/that figures sen saattoi arvata, se olisi pitänyt arvata
figured adj kuvioitu, kuvio-
figurehead s (kuv) (pelkkä) keulakuva
figure of speech s sanonta don't worry about what he said, it's just a figure of speech älä välitä, ei hän mitään pahaa tarkoittanut
figure on v **1** luottaa johonkin, laskea jonkin varaan **2** varautua johonkin
figure out v **1** ymmärtää, tajuta, käsittää **2** laskea
figure up v (summa) tehdä yhteensä, olla
Fiji /fidʒi/ Fidži
Fijian s, adj fidžiläinen
filament /fɪləmənt/ s **1** hehkulanka **2** (auringon) filamentti
file /faɪəl/ s **1** arkistokansio **2** asiakirja **3** (tietokoneen) tiedosto **4** jono they marched out single file he marssivat ulos yhtenä jonona **5** viila
v **1** arkistoida **2** (tietok) tallentaa **3** jättää sisään (hakemus) **4** marssia jonossa **5** viilata
file card s arkistokortti, merkintäkortti
file folder s arkistokansio
filing cabinet s arkistokaappi

Filipino /ˌfɪlə'pinou/ s, adj filippiiniläinen
fill /fɪl/ v **1** täyttää, täyttyä he is filled with sadness hän on täynnä surua they have already filled the vacancy avoin työpaikka on jo täytetty **2** to fill a need olla hyvään tarpeeseen, olla kaivattu **3** paikata (hammas)
fillet /fɪ'leɪ/ s filee, seläke
v leikata fileiksi
fill in v **1** täyttää (kaavake, halkeama) **2** toimia jonkun sijaisena, tuurata **3** kertoa jollekulle jotakin, saattaa joku tilanteen tasalle
filling s **1** (ruuan) täyte **2** (hampaan) paikka
fill out v **1** täyttää (kaavake) **2** paisuttaa, paisua, pullistaa, pullistua
fill the bill fr täyttää tarkoituksensa, sopia hyvin
fill up v täyttää; tankata (auto) täyteen
filly /fɪli/ s tammavarsa
film /fɪlm/ s **1** kelmu, kalvo, kerros **2** (valokuvaus)filmi **3** elokuva, filmi
v filmata, kuvata, elokuvata
film camera s elokuvakamera
film speed s filmin herkkyys, filmin nopeus
filmy /fɪlmi/ adj **1** ohut, kalvomainen **2** hämärä
filter /fɪltər/ s suodatin
v suodattaa
filter-tip s **1** (savukkeen) suodatin **2** suodatinsavuke
filter-tipped adj suodatin- a filter-tipped cigarette suodatinsavuke
filth /fɪlθ/ s lika (myös kuv:) saasta stop spreading all that filth about your brother lakkaa puhumasta pahaa veljestäsi
filthy adj likainen (myös kuv) your hands are filthy kätesi ovat likaiset that's a filthy lie katala valhe he is a filthy liar kurja valehtelija
fin /fɪn/ s **1** (kalan, lentokoneen) evä **2** uimaräpylä
final /faɪnəl/ s **1** (yl mon) lopputentti **2** (urh) loppuottelu, finaali
adj lopullinen, loppu-, viimeinen final payment viimeinen (maksu)erä final goal lopullinen tavoite final decision lopullinen päätös/ratkaisu final word viimeinen sana
finalist s (urh) finalisti
finality /faɪ'næləti/ s (päätöksen) lopullisuus; päättäväisyys, määrätietoisuus
finalization /ˌfaɪnələ'zeɪʃən/ s viimeistely
finalize /'faɪnəˌlaɪz/ v viimeistellä, saattaa päätökseen
finally /faɪnli/ adv **1** viimein(kin) **2** lopuksi **3** lopullisesti, jyrkästi, määrätietoisesti **4** loppujen lopuksi, sentään
finance /faɪnæns/ s **1** raha-asiat, finanssit, julkinen talous **2** (mon) (raha)varat
v rahoittaa
financial /faɪ'nænʃəl/ adj finanssi-, raha- he is a financial wizard hän on melkoinen finanssihai
financially adv rahallisesti, taloudellisesti
financier /ˌfaɪnæn'sɪər/ s finanssimies
finch /fɪntʃ/ s peippo
find /faɪnd/ s löytö, löydös that blazer was a great find bleiseri oli hieno löytö/ostos
v found, found **1** löytää I can't find my other shoe **2** saada selville, selvitä jollekulle she found that not everybody can be trusted hänelle selvisi ettei kaikkiin voi luottaa **3** etsiä, ottaa selville can you please find me another pen? viitsisitkö etsiä minulle toisen kynän? **4** tuntua joltakin, pitää jonakin, olla jotakin mieltä I find it awkward to apologize to him minusta on vaikea pyytää häneltä anteeksi **5** esiintyä, todeta the jury found the defendant guilty valamiehistö totesi syytetyn syylliseksi
finder s **1** löytäjä **2** (kameran, kaukoputken) etsin
finding s (tutkimus)tulos
find out v saada selville, selvitä jollekulle
find your (own) thing fr (ark) olla/oppia olemaan oma itsensä
find your tongue fr saada puhelahjansa takaisin

fine /faɪn/ s sakko
v sakottaa, antaa sakko
adj **1** hieno (eri merkityksissä), hyvä the weather is fine sää on kaunis he did a fine job hän hoiti työnsä hienosti fine sand hieno hiekka fine watch laatukello **2** terve, vahingoittumaton I am fine, thank you minä voin hyvin/hienosti, minulla ei ole mitään hätää, (minulle kuuluu) hyvää, kiitos
adv hienosti, hyvin; hienoksi
fine arts s (mon) kaunotaiteet
finely adv hienosti, kauniisti, tarkasti, pieneksi (pilkottu)
finery /faɪnəri/ s komeus, loisto
finesse /fə'nes/ s taidokkuus, tahdikkuus, neuvokkuus
finger /fiŋgər/ s sormi to keep your fingers crossed pitää peukkua I can't put my finger on it, but I think there is something wrong here en osaa sanoa tarkasti mutta kaikki ei mielestäni ole kohdallaan
v sormeilla, hypistellä to twist someone around your little finger kiertää joku pikkusormensa ympäri, pitää täysin vallassaan
fingerprint /'fiŋgər,prɪnt/ s sormenjälki
v ottaa joltakulta sormenjäljet the police fingerprinted the suspect
fingertip /fiŋgərtɪp/ s sormenpää the name is at my fingertrips nimi on aivan kieleni päällä
finish /fɪnɪʃ/ s **1** maali **2** loppu(kiri) **3** viimeistely, työn laatu
v **1** lopettaa, loppua, päättää, päättyä, lakata **2** viimeistellä **3** tulla maaliin as usual, he finished last tapansa mukaan hän tuli maaliin viimeisenä
finished adj **1** valmis **2** loppu(nut), päättynyt **3** hienosti viimeistelty, hiottu **4** taitava **5** mennyttä you are finished in this company sinulla ei ole enää minkäänlaista tulevaisuutta tässä yrityksessä
finish off v **1** tehdä loppu jostakin, tappaa **2** kuluttaa/syödä/juoda loppuun
finish up v saada/tehdä valmiiksi
finish with v **1** saada/tehdä valmiiksi **2** saada tarpeekseen jostakusta/jostakin
finite /faɪnaɪt/ adj **1** äärellinen, rajallinen **2** (kieliopissa verbin muodosta) finiitti-, persoona-
Finland /fɪnlənd/ Suomi
Finn s suomalainen
Finnish s suomen kieli
adj suomalainen; suomenkielinen
fin whale /'fɪn,weɪəl/ s sillivalas
fir /fər/ s (jalo)kuusi
fire /faɪər/ s **1** tuli (myös kuv:) intohimo, kiihko **2** tulipalo **3** tuli(tus) between two fires kahden tulen välissä (myös kuv)
v **1** polttaa **2** tulittaa, ampua **3** käynnistää (moottori) **4** innostaa, siivittää (mielikuvitusta)
fire alarm s palohälytys
fire away v tulittaa (kysymyksillä), puhua lakkaamatta
fire brigade s (vapaa)palokunta
fire department s palolaitos
fire drill s **1** sammutusharjoitus **2** koe(palo)hälytys
fire engine s paloauto, sammutusauto
fire escape s paloportaat
fire extinguisher s (käsi)sammutin
firefighter s palomies
firefly /'faɪər,flaɪ/ s tulikärpänen
fire hose s paloletku
firelight /'faɪər,laɪt/ s takkavalkea
fireman /faɪərmən/ s (mon firemen) palomies
fireplace /'faɪər,pleɪs/ s takka
firepower /'faɪər,paʊər/ s tulivoima
fireproof /'faɪər,pruf/ adj tulenkestävä
fire sale s tulipaloale(nnusmyynti)
fire station s paloasema
firewood /'faɪər,wʊd/ s polttopuu
fireworks /'faɪər,wərks/ s (mon) ilotulitus
firm /fərm/ s yritys, firma
adj, adv luja (myös kuv) she has firm thighs hänellä on kiinteät reidet we made a firm deal teimme lujan/vakaan sopimuksen he has the firm support of the labor unions hänellä on takanaan ammattiyhdistysten luja/vankka tuki

firmly adv lujasti, vakaasti, vankasti; päättäväisesti
firmness s lujuus, vakavuus; päättäväisyys
firm up v lujittaa
firmware /'fərm,weər/ s (tietokone) laitelmisto (ROM:iin tallennettu ohjelma)
first /fərst/ s ensimmäinen at first aluksi, ensiksi
adj ensimmäinen to put first things first panna asiat tärkeysjärjestykseen, aloittaa tärkeimmästä päästä first thing (in the morning) heti alkajaisiksi, ensimmäiseksi (aamulla)
adv ensin, ensimmäiseksi, aluksi first of all ennen kaikkea, etupäässä when she first visited New Zealand hänen käydessään Uudessa-Seelannissa ensimmäistä kertaa
first aid s ensiapu
first class s ensimmäinen luokka (kulkuneuvossa, postissa)
first-class adj **1** ensimmäisen luokan (lippu, posti) **2** ensiluokkainen
first-come to serve customers on a first-come, first-serve basis palvella asiakkaita saapumisjärjestyksessä
firstcomer s aloittelija, ensikertalainen
first-day cover s (postimerkkeilyssä) ensipäivänkuori
firsthand /,fərst'hænd/ adj ensi käden (tieto)
adv suoraan she learned it firsthand from the author hän kuuli sen itse kirjailijalta/tekijältä
first lady s presidentin tms puoliso
firstly adv ensinnäkin, ensiksikin
first-rate adj ensiluokkainen, erinomainen
first-time adj ensikertalainen, uusi
first-timer s ensikertalainen
firth /fərθ/ s (Skotlannissa) (meren)lahti, vuono
Firth of Forth /,fərθəv'fɔrθ/ Forthinvuono
fiscal /fɪskəl/ adj fiskaalinen, valtion tuloja koskeva; taloudellinen, raha-
fish /fɪʃ/ s (mon fish, fishes) kala
v kalastaa; onkia
fish and chips s kala ja ranskalaiset (perunat)
fisher s kalastaja
fisherman /fɪʃərmən/ s (mon fishermen) kalastaja
Fishes (tähdistö) Kalat
fish for v (kuv) kalastella, kerjätä (esim kohteliaisuuksia)
fishhook /'fɪʃ,hʊk/ s ongenkoukku
fishing s kalastus
fishing expedition to go on a fishing expedition (kuv) kalastella/onkia tietoja, harjoittaa hakuammuntaa
fishline /'fɪʃ,laɪn/ s (ongen) siima
fishnet /'fɪʃ,net/ s kalaverkko
adj verkko- fishnet stockings verkkosukat
fish or cut bait fr ratkaista mitä aikoo tehdä, päättää, lakata jahkailemasta
fish out v **1** kaivaa/vetää esiin **2** kalastaa tyhjäksi
fish out of water fr (kuin) kala kuivalla maalla
fish story s (kuv) perätön tarina, kalajuttu
fishtail /fɪʃ,teɪəl/ v pujotella, puikkelehtia fishtail around a corner luisua sinne tänne kulmassa
fish up v kaivaa/vetää esiin
fishy adj **1** (ark) hämäräperäinen, epäilyttävä **2** (ark) tuulesta temmattu, jota on vaikea uskoa todeksi
fission /fɪʃən/ s (fysiikassa) fissio, (atomiydinten) halkeaminen
fist /fɪst/ s nyrkki
fit /fɪt/ s **1** (vaatteen) istuvuus; sopivuus it's a perfect fit se istuu/sopii täydellisesti **2** (sairaus-, raivo)kohtaus, (taudin, vihan, itkun) puuska to throw a fit saada hepulit in fits and starts pätkien, katkonaisesti
v fit/fitted, fitted sopia, sovittaa, olla sopiva, mahtua the key fits into the lock avain sopii lukkoon she fitted the key into the lock hän sovitti avainta lukkoon the price does not fit the product hinta ja tuote eivät ole sopusoinnussa
adj **1** sopiva, sovelias, asiallinen, asianmukainen fit for drinking juomakelpoinen

survival of the fittest sopivimman eloonjäänti (olemassaolon taistelussa) **2** (joka on hyvässä fyysisessä) kunnossa
fitful adj oikukas
fitfully adv oikutellen, pätkien
fitness s (fyysinen) kunto, terveys
fitness training s kuntourheilu, kuntoilu
fitter s **1** räätäli, ompelija **2** asentaja
fitting s (vaatteen) sovitus
adj sopiva
fittingly adv sopivasti
fit to be tied fr suunniltaan raivosta
five /faɪv/ s, adj viisi
five-and-dime /ˌfaɪvən'daɪm/ s halpahalli
five-and-ten /ˌfaɪvən'ten/ s halpahalli
fiver /faɪvər/ s (sl) vitonen, viiden dollarin (UK: punnan) seteli
fix /fɪks/ s **1** (ark) jama, pula I'm in a fix olen nesteessä **2** (ark) ratkaisu, korjaus a quick fix for a problem
v **1** kiinnittää he fixed the painting to the wall; his eyes fixed on her hänen katseensa kiinnittyi häneen **2** päättää, sopia, järjestää **3** korjata, oikaista, panna kuntoon they promised to fix the problem immediately he lupasivat oikaista asian heti **4** sopia, järjestää luvattomasti the match was fixed ottelun tulos oli sovittu etukäteen
fixation /fɪk'seɪʃən/ s pakkomielle
fixative /fɪksətɪv/ s kiinnite, kiinnitysaine
fixed-rate /'fɪkstˌreɪt/ adj (tal) kiinteäkorkoinen
fix someone's wagon fr (sl) kostaa, maksaa takaisin; antaa selkään, näyttää taivaan merkit jollekulle
fixture /fɪkstʃər/ s **1** (mon) varusteet, kalusteet electrical fixtures (talon) sähkövarusteet, pistorasiat yms kitchen fixtures keittiön kalusteet, vesihanat, pistorasiat yms **2** he is a fixture in the physics department (kuv) hän kuuluu fysiikan laitoksen (vakinaisiin) kalusteisiin, hän on juurtunut lähtemättömästi fysiikan laitokselle
fizz /fɪz/ s poreilu, sihinä
v poreilla, sihistä
fizzle out v (kuv) sammua (vähitellen), jostakin loppuu veto
fjord /fjɔrd/ s vuono
FL Florida
flabbergast /'flæbərˌgæst/ v ällistyttää, tyrmistyttää, saada haukkomaan henkeään
flabbergasting adj ällistyttävä, henkeäsalpaava
flabby /flæbi/ adj veltto, vetelä (myös kuv)
flag /flæg/ s lippu
v **1** liputtaa **2** lamaantua, laantua; väsähtää
flag down v viitata (taksi) pysähtymään, pysäyttää
flagpole /'flægˌpoəl/ s lipputanko
flagrant /fleɪgrənt/ adj törkeä, häpeämätön, silmiinpistävä
flagrantly adv törkeästi, häpeämättömästi, ilmiselvästi
flagship /'flægˌʃɪp/ s lippulaiva (myös kuv)
flagstaff /'flægˌstæf/ s lipputanko
flail /fleɪəl/ s varsta
v **1** puida varstalla **2** huitoa, heiluttaa (esim käsiään)
flair /fleɪər/ s vainu, taju, lahjat she has no flair for elegance hän ei osaa olla tyylikäs
flake /fleɪk/ s **1** hiutale snow/corn flake maissihiutale, lumihiutale **2** (sl) tärähtänyt (ihminen); laiska (ihminen)
v **1** (maali, iho) hilseillä, lohkeilla **2** leikata hiutaleiksi, silputa
flaky adj **1** (maali, iho) hilseilevä, lohkeileva **2** (sl) tärähtänyt, höynähtänyt; pinnallinen
flamboyant /flæm'bɔɪənt/ adj ylellinen, mahtaileva, pursuileva, pröystäilevä
flamboyantly adv ylellisesti, mahtaillen, pröystäillen
flame /fleɪm/ s **1** liekki (myös kuv:) hehku, innostus **2** ihastus, mies/naisystävä
v leimahtaa liekkiin, syttyä (myös kuv) her eyes flamed hänen silmänsä leimahtivat/säkenöivät/iskivät tulta

flamethrower /ˈfleɪm,θroʊər/ s (ase) liekinheitin
flaming adj liekehtivä, hehkuva (väri), (kuv) palava (tunne)
flamingo /fləˈmɪŋgoʊ/ s flamingo
flammable /flæməbəl/ adj tulenarka, helposti syttyvä
Flanders /flændərz/ Flanderi
flange /flændʒ/ s (vanteen) sarvi, (bajonetin ym) reunus, rengas
flank /flæŋk/ s kylki, kuve
v olla jonkin kupeessa/rinnalla
flannel /flænəl/ s flanelli
flap /flæp/ s **1** (korva- tai muu) läppä **2** (lentokoneen) laskusiiveke **3** läpsäytys **4** (ääni) läpätys, lepatus
v **1** läpättää, lepattaa **2** lyödä the birds are flapping their wings
flare /fleər/ s **1** purkauma, liekki, roihu **2** valoraketti, hätäraketti **3** (housunlahkeen, hameen) levennys
v **1** leimahtaa, hulmahtaa, roihahtaa **2** (lahkeesta, hameesta) levitä (alaspäin); (sieraimista) laajentua
flare up v leimahtaa, syttyä, leimahtaa ilmiliekkiin (myös kuv)
flash /flæʃ/ s **1** leimahdus, välähdys **2** salama **3** salamalaite **4** lyhyt uutislähetys (kesken ohjelman)
v **1** leimahtaa, välähtää, väläyttää, välkkyä he flashed her a smile hän hymyili hänelle lyhyesti, hän väläytti hänelle hymyn **2** vilahtaa, sujahtaa, viilettää
flashback /ˈflæʃ,bæk/ s (elokuvassa, romaanissa) takauma
flashlight /ˈflæʃ,laɪt/ s **1** taskulamppu **2** salamavalo(lamppu)
flashy adj huomiota herättävä, pröystäilevä
flask /flæsk/ s **1** (koe)pullo **2** taskumatti
flat /flæt/ s **1** tasanko **2** lape; kämmen **3** (mus) alennusmerkki **4** (UK) huoneisto, asunto **5** rengasrikko we had a flat on the way here autosta puhkesi rengas tänne tullessamme
adj, adv **1** litteä, tasainen, suora put your hands flat against the wall levitä kätesi seinälle/seinää vasten **2** (kuv) haalea (väri), heikko (kysyntä), väljähtänyt (juoma) **3** (mus) alennettu (nuotti); liian matala **4** kerta- they charge a flat rate he veloittavat kertamaksun **5** ehdoton, jyrkkä a flat refusal ehdoton kieltäytyminen/kielto **6** (ark) auki, rahaton he is flat broke again hän on taas peeaa
flatly adv (kieltäytyä, kieltää) ehdottomasti
flatten v tasoittaa, suoristaa, oikaista; kaataa lakoon, maan tasalle
flatten out v tasoittaa, tasoittua, muuttua tasaise(mma)ksi
flatter /flætər/ v imarrella, makeilla
flatterer s imartelija
flattering adv imarteleva
flatteringly adv imarrellen, imartelevasti
flattery s imartelu, makeilu
flaunt /flant/ v rehennellä, leuhkia jollakin
flautist /floutɪst flaʊtɪst/ s huilunsoittaja
flavor /fleɪvər/ s **1** maku (myös kuv) Baskin-Robbins ice cream comes in 31 different flavors Baskin-Robbinsilla on 31 erimakuista jäätelöä **2** mauste, aromi; sivumaku
v maustaa, antaa makua jollekin
flavoring s mauste, aromi
flavorless adj mauton
flaw /fla/ s vika, puute
flawed adj virheellinen, ontuva (kuv)
flawless adj virheetön, moitteeton
flawlessly adv virheettömästi, moitteettomasti
flax /flæks/ s pellava
flaxen adj pellava-
flea /fli/ s kirppu
fleabag /ˈfli,bæg/ s (ark) hotellin/motellin murju/rähjä
flea market s kirpputori
fleck /flek/ s täplä, tahra, läiskä
v roiskia jonnekin, kurata; täplittää
fled /fled/ ks flee
fledgling /fledʒlɪŋ/ s **1** (linnun)poikanen **2** aloittelija
adj aloitteleva, kokematon
flee /fli/ v fled, fled: paeta, karata

fleet /flit/ s **1** laivasto; laivue **2** (saman omistajan) autot, autokanta the rental agency has a fleet of 400,000 cars autonvuokraamolla on yhteensä 400 000 autoa
fleeting adj lyhytaikainen, ohimenevä, hetkellinen
flesh /fleʃ/ s **1** liha **2** (hedelmän) malto **3** (kuv) liha it's the president in flesh and blood presidentti ilmielävänä
flex /fleks/ v taivuttaa the police are flexing their muscles (kuv) poliisi uhoilee, näyttelee voimiaan
flexibility /ˌfleksəˈbɪləti/ s notkeus, joustavuus, taipuisuus
flexible /fleksəbəl/ adj notkea, joustava, taipuisa, venyvä
flexion /flekʃən/ s (kieliopissa) taivutus
flextime /ˈfleksˌtaɪm/ s liukuva työaika
flick /flɪk/ s **1** näpäytys (sormella); (piiskan) sivallus **2** (sl) filmi, (elo)kuva
v näpäyttää; sivaltaa; läimäyttää to flick a switch kääntää (nopeasti) katkaisijaa
flicker /flɪkər/ s **1** välähdys, välke **2** (kuv) kipinä, aavistus a flicker of hope toivon kipinä a flicker of a smile hymyn kare/väre
v välkkyä, (liekki) lepattaa
flier /flaɪər/ s **1** lentäjä, pilotti; lentomatkustaja **2** lehtinen, mainos **3** (ark) hyppy to take a flier hypätä
flight /flaɪt/ s **1** lento (myös kuv) flight 103 to Chicago; a flight of imagination **2** pako take flight paeta **3** portaat a flight of stairs portaat
flight deck s (lentokoneen) ohjaamo
flight engineer s (lentokoneen) toinen perämies
flight simulator s lentosimulaattori
flighty adj vilkas, oikukas, ailahteleva
flimsily /flɪmzɪli/ adv heppoisesti, huonosti, hatarasti, kehnosti
flimsy /flɪmzi/ adj heppoinen, huono(sti tehty), hatara, kehno
flinch /flɪntʃ/ v **1** säpsähtää, säikähtää **2** (kuv) perääntyä
fling /fliŋ/ s **1** heitto **2** yritys, kokeilu I took a fling at golf yritin (huvikseni) pelata golfia **3** irrottelu, ilonpito
v flung, flung: heittää, paiskata
flint /flɪnt/ s piikivi
flip /flɪp/ s **1** heitto, kääntäminen; näpäytys at the flip of a switch (kuv) nappia painamalla, heti **2** hyppy
v **1** heittää, kääntää (äänilevy ym); näpäyttää; avata (kirja) **2** hypätä **3** (sl) saada hepulit, menettää malttinsa
flippancy /flɪpənsi/ s nenäkkyys
flippant /flɪpənt/ adj nenäkäs
flirt /flərt/ s flirttailija
v **1** flirttailla, keimailla **2** (kuv) leikitellä (ajatuksella)
flirtation /flərˈteɪʃən/ s flirttailu, keimailu
flirtatious /flərˈteɪʃəs/ adj flirttaileva, keimaileva
flit /flɪt/ v pyrähtää
float /flout/ s **1** (ongen, verkon) koho **2** (lentokoneen ym) kelluke **3** pelastusliivit, kelluntaliivit, pelastusrengas **4** lautta **5** (juhlakulkueessa: koristellut) vaunut, lava
v **1** kellua; ajelehtia **2** leijua ilmassa **3** perustaa (yritys); laskea liikkeelle (laina); (valuutta:) (antaa) kellua
float around v (huhu) olla liikkeellä
floating-rate /ˈfloutiŋˌreɪt/ adj (tal) vaihtuvakorkoinen
Floating-Rate Note s (tal) vaihtuvakorkoinen velkakirja
flock /flak/ s lauma, parvi, (ihmis)joukko
v parveilla, tulla/mennä sankoin joukoin
flog /flag/ v piiskata, ruoskia
flogging s piiskaus
flood /flʌd/ s tulva (myös kuv) a flood of orders tilausten tulva the Flood vedenpaisumus
v tulvia (myös kuv) the store is flooded with customers kaupassa vilisee/kuhisee asiakkaita
floodlight /ˈflʌdˌlaɪt/ s valonheitin
floor /flɔr/ s **1** lattia **2** kerros ground floor pohjakerros, ensimmäinen kerros first/second floor (US) ensimmäinen/toinen kerros, (UK) toinen/kolmas kerros **3** pohja ocean floor merenpohja
v **1** päällystää lattia jollakin **2** iskeä lat

tialle **3** painaa (kaasu) pohjaan **4** tyrmistyttää, saada tyrmistymään
flop /flap/ s epäonnistuminen, munaus, möhläys
v **1** pudota, kaatua, läpsähtää, lopsahtaa **2** epäonnistua, mennä myttyyn
flophouse /'flap,haus/ s hotellin rähjä/murju
floppy /,flapi/ s (tietokoneen) levyke
adj veltto, vetelä
floppy disk /,flapi'dɪsk/ s (tietokoneen) levyke
floppy drive s (tietokoneen) levykeasema
floptical /flaptəkəl/ s optinen levyke (sanoista floppy jaoptical)
flora /flɔrə/ s kasvisto, floora
Florida /flɔrɪdə/
florist /flɔrɪst/ s kukkakauppias
flotilla /flə'tɪlə/ s laivue
flounder /flaundər/ s kampela
v **1** räpiköidä **2** (kuv) kompuroida, nikotella
flour /flauər/ s jauhot
flourish /flərɪʃ/ s **1** koriste, kiehkura **2** (käden, kepin) heilautus
v **1** kukoistaa (myös kuv), menestyä hyvin **2** heilauttaa
flourishing adj kukoistava (myös kuv), menestyksekäs
flout /flaut/ v rikkoa (sääntöjä), ei iitata, vähät välittää
flow /flou/ s virta(us) traffic flow kenteen virta to go with the flow (kuv) mennä joukon mukana, tehdä kuten muutkin
v virrata (myös kuv) her hair flowed over her shoulders hiukset roikkuivat hänen hallaan
flower /flauər/ s kukka (myös kuv) to be in flower kukkia, olla kukassa
v kukkia, kukoistaa (myös kuv)
flower bed s kukkapenkki
flower child s (1960-luvun) hippi, kukkaislapsi
flower girl s morsiusneito
flower people s (mon) (1960-luvun) hipit, kukkaislapset
flower pot s kukkaruukku

flowery adj **1** kukkiva, kukkien täyttämä **2** kukikas **3** (kuv) rönsyilevä, koristeellinen (tyyli)
flown /floun/ ks fly
flu /flu/ s (ark) flunssa, influenssa
fluctuate /'flʌkʃu,eɪt/ v vaihdella, olla epävakaa, ailahdella
fluctuation /,flʌkʃu'eɪʃən/ s vaihtelu, epävakaisuus, ailahtelu
fluency /fluənsi/ s sujuvuus; kielitaito his fluency in Finnish leaves much to be desired hänen suomen taidossaan on paljon parantamisen varaa
fluent /fluənt/ adj sujuva she is fluent in several languages hän puhuu sujuvasti useita kieliä
fluently adv sujuvasti
fluff /flʌf/ s nöyhtä, nukka
v pöyhentää, pöyhiä (tyyny)
fluffy adj **1** pörröinen, pehmeä, pehmoinen **2** kuohkea (ruoka) **3** (kuv) tyhmä, älytön
fluid /fluəd/ s neste
adj nestemäinen
fluid head /'fluəd,hed/ s (kamerajalustan) nestepää, kinopää
flung /flʌŋ/ ks fling
fluorescent lamp /flə'resənt/ s loistelamppu
flurry /fləri/ s **1** tuulenpuuska, lumipyry, sadekuuro **2** (kuv) (innostuksen) puuska, kova kiire
v hermostuttaa, saada joku sekaisin
flush /flʌʃ/ s tulvahdus; punastuminen; (kuv) huuma
v **1** (kasvot) punastua, saada (kasvot) punastumaan **2** huuhdella (vedellä) to flush the toilet vetää vessa
adj **1** samassa tasossa kuin, samansuuntainen kuin the table is flush with/against the wall pöytä on seinän suuntainen/kiinni seinässä **2** (kuv) jollakulla on paljon jotakin after she won the lottery, she was flush with money hänellä oli rutkasti rahaa sen jälkeen kun hän voitti arpajaiset
fluster /flʌstər/ v hermostuttaa, hämmentää, saada hermostumaan/hämilleen
flute /flut/ s huilu

flutist /flutɪst/ s huilunsoittaja

flutter /flʌtər/ v **1** räpyttää (siipiä, silmäripsiä), heiluttaa (viuhkaa), läpättää, vipattaa **2** (sydän) tykyttää

flux /flʌks/ s epävakaa tila, muutostila things are in a state of flux tilanne on epävakaa

fly /flaɪ/ s kärpänen
v flew, flown **1** lentää (myös kuv), lennättää we flew Delta me lensimme Deltalla/Deltan koneella he flew passengers in his plane hän lennätti/kuljetti koneellaan matkustajia how time flies! miten aika lentääkään! fly a kite lennättää leijaa go fly a kite! (kuv) häivy!, ala nostella! **2** paeta, karata **3** nostaa (lippu) salkoon **4** (ark) onnistua, mennä täydestä that won't fly se ei onnistu, se ei mene läpi

fly-by-night adj **1** epäluotettava, hutiloitu, hätiköity **2** hetkellinen, ohimenevä

fly casting s perhokalastus

flyer /flaɪər/ ks flier

flying colors to do something with flying colors selvitä jostakin liput liehuen

Flying Fish (tähdistö) Lentokala

flying erase head /ˌflaɪŋəˈreɪsˌhed/ s (kuvanauhurin,kameranauhurin) pyörivä poistopää

flying saucer s lentävä lautanen

fly in the face of fr uhmata, rikkoa (sääntöjä), ei piitata

fly in the ointment fr haitta, harmi, puute

FM frequency modulation taajuusmodulaatio

foal /foəl/ s varsa

foam /foʊm/ s vaahto
v vaahdota

foam rubber s vaahtokumi

foamy adj **1** vaahdon peittämä, vaahtoava **2** helposti vaahtoava

f.o.b. free on board vapaasti aluksessa

focal /foʊkəl/ adj: that was the focal point of my career se oli urani kohokohta

focal length s polttoväli

focus /foʊkəs/ s **1** polttopiste to bring a camera/something into focus tarkentaa kamera/(kuv) ottaa jokin puheeksi, kiinnittää toisten huomio johonkin the pictures were all out of focus yksikään kuvista ei ollut tarkka, kaikki kuvat oli tarkennettu väärin **2** keskipiste (myös kuv), keskus she was the focus of attention at the party
v tarkentaa (kamera ym), keskittää (myös kuv), keskittyä, (katse) kohdistua, osua you should try to focus on your job

fodder /fadər/ s rehu (myös kuv) cannon fodder tykinruoka

foe /foʊ/ s vihollinen, vastustaja

foetus /fitəs/ ks fetus

fog /fag/ s sumu
v sumentaa, sumentua; (kuv) sekoittaa, hämmentää

Foggerty /fagərti/ (Peter Panissa) Simo Sumumäki

foggy adj **1** sumuinen **2** huuruinen (ikkuna, peili) **3** (kuv) hämärä

foghorn /ˈfagˌhɔrn/ s sumutorvi

Foghorn Leghorn /ˌfaghɔrnˈleghɔrn/ Kukko Koppava

fog light s (auton) sumuvalo

foil /foɪəl/ s **1** (metalli)kelmu **2** vastakohta, täydennys **3** (miekkailussa) floretti
v tehdä tyhjäksi, estää

fold /foəld/ s taite, laskos, poimu, ryppy
v taittaa, taittua, laskostaa

folder /foldər/ s **1** arkistokansio, mappi **2** esite

folding chair s taittuva tuoli, klahvituoli

folding table s kääntölevypöytä, klahvipöytä

foliage /foliədʒ/ s (puun) lehdet, lehvistö

folk /foʊk/ s (yl mon) **1** ihmiset, väki, kansa **2** omaiset, jonkun väki my folks live in Virginia vanhempani asuvat Virginiassa

folk dance s kansantanssi

folklore /ˈfoʊkˌlɔr/ s folklore, kansankulttuuri

folklorist s folkloristi, kansankulttuurin tutkija

folk medicine s kansanlääkintä

folk music s kansanmusiikki
folk rock s folk rock
folk singer s kansanlaulaja
folk song s kansanlaulu
folksy /fouksi/ adj **1** tuttavallinen, ystävällinen; rento **2** kansanomainen, kansan-
follow /falou/ v **1** seurata, tulla/mennä perässä, kulkea jotakin reittiä follow me, please tulkaa perässäni follow a road seurata tietä **2** ymmärtää I'm sorry but I don't follow you minä putosin kärryiltä **3** noudattaa, seurata follow the rules/your heart noudattaa sääntöjä/seurata sydämensä ääntä **4** seurata, tapahtua seuraavaksi a fire followed the earthquake, the earthquake was followed by a fire maanjäristystä seurasi tulipalo **5** seurata, lukea, katsoa do you follow politics/Picket Fences? seuraatko sinä politiikkaa/tv-sarjaa Rooman šeriffi?
follower s seuraaja, kannattaja, oppilas
following s kannattajajoukko, seuraajat the politician has a large following poliitikolla on paljon kannattajia
adj seuraava the following day seuraavana päivänä among these problems are the following näihin ongelmiin kuuluvat mm. seuraavat:
follow out v noudattaa (määräyksiä), toteuttaa (käytännössä)
follow suit v noudattaa esimerkkiä
follow-through /'falou,θru/ s (golfissa, tenniksessä) saatto, lyönnin jatkaminen mailan kaariliikkeen loppuun sen osuttua palloon
follow through v **1** saattaa päätökseen, toteuttaa loppuun saakka **2** (golfissa, tenniksessä) tehdä täydellinen mailaliike, saattaa (ks edellistä hakusanaa)
follow up v **1** ryhtyä toimiin jonkin asian eteen **2** perehtyä johonkin tarkemmin, tutkia jotakin perusteellisemmin
folly /fali/ s tyhmyys, hulluus, älyttömyys
foment /fou'ment/ v lietsoa (riitaa), aiheuttaa (hankaluuksia)
fond /fand/ adj **1** to be fond of someone/something pitää jostakusta/jostakin **2** rakastava, hyvä, hellä; kaunis (muisto)
fondle /fandəl/ v hyväillä
fondly adv rakastavasti, hellästi she remembered him fondly hänellä oli hänestä kaunis muisto
fondness s mieltymys, rakkaus
font /fant/ s **1** kastemalja **2** kirjasinlaji
food /fud/ s ruoka; (eläimen) rehu here's some food for thought for you tässä on sinulle hengenravintoa, ajattelemisen aihetta
food chain s ravintoketju
food poisoning s ruokamyrkytys
food processor s (keittiön) yleiskone
food rationing s elintarvikesäännöstely
food stamp s (valtion vähävaraisille jakama) elintarvikekuponki
foodstuff /'fud,stʌf/ s elintarvike
fool /fuəl/ s typerys, hölmö; narri don't make a fool of yourself by talking too much älä nolaa itseäsi puhumalla liikaa he was nobody's fool häntä ei kukaan pystynyt narraamaan, hän ei ollut mikään eilisen teeren poika
v narrata, huijata, puita for a while there you had me fooled hetken aikaa olin vähällä uskoa sinua
fool around v **1** maleksia joutilaana/siellä täällä **2** käydä vieraissa, juosta naisissa/miehissä
foolhardy /'ful,hardi/ adj uhkarohkea, tyhmänrohkea
foolish adj typerä, älytön
foolishly adv typerästi, älyttömästi
foolishness s typeryys, älyttömyys
foolproof /ful,pruf/ adj idioottivarma
fool with v (kuv) leikkiä (jollakin/jonkun tunteilla)
foot /fut/ s (mon feet /fit/) **1** jalka (myös kuv) we went there on foot menimme sinne jalan/jalkaisin at the foot of the mountain/bed vuoren juurella/vuoteen (jalko)päässä to be under foot olla tiellä to get off on the right/wrong foot alkaa/aloittaa hyvin, lupaavasti/huonosti to get your foot in the door saada jalkansa ovenrakoon, päästä alkuun to put your best foot

forward esiintyä edukseen, antaa mahdollisimman hyvä kuva itsestään to not set foot on something ei astua jalallaankaan johonkin **2** (pituusmitta) jalka, 30,5 cm
v **1** foot it kävellä, mennä jalkaisin; kävellä keinuen **2** maksaa she offered to foot the bill hän tarjoutui maksamaan laskun
footage /fʊtədʒ/ s **1** mitta, pituus (jalkoina) **2** (elokuva)filmi(n katkelma)
foot-and-mouth disease s suu- ja sorkkatauti
football /'fʊt,bal/ s **1** (peli) amerikkalainen jalkapallo **2** (pallo) jalkapallo
foothill /'fʊt,hɪl/ s kukkula (vuoriston edustalla)
foothold /'fʊt,hold/ s jalansija (myös kuv) to gain a foothold in something saada jalansija jossakin
footnote /'fʊt,noʊt/ s alaviite; (kuv) lisäys, lisähuomautus
footprint /'fʊt,prɪnt/ s jalanjälki
footstep /'fʊt,step/ s **1** askel **2** (kuv) jälki he followed in his father's footsteps hän seurasi isänsä jälkiä
for /fɔr/ prep **1** (tarkoituksesta) varten, jollekulle, jollekin this parcel for you tämä paketti on sinulle a dictionary for students koululaissanakirja he ran for life hän juoksi henkensä edestä **2** (ajasta) ajan he has played golf for three years hän on pelannut golfia kolme vuotta **3** (kannatuksesta, sijaisuudesta) puolesta I am all for lower taxes minä kannatan ehdottomasti verojen alentamista a lawyer acts for his client asianajaja edustaa asiakastaan **4** (vastineesta) an eye for an eye silmä silmästä he was punished for what he did hän sai teostaan rangaistuksen **5** (matkan kohteesta) jonnekin they left for Brazil two days ago he lähtivät kaksi päivää sitten Brasiliaan **6** (syystä) the restaurant is famous for its desserts ravintola on kuuluisa jälkiruuistaan I did it for no reason tein sen huvikseni **7** (matkasta) they drove for forty miles before they found a gas station he ajoivat 40 mailia ennen kuin löysivät huoltoaseman **8** muita sanontoja she is tall for a girl hän on pitkä tytöksi he has a weakness for chocolate suklaa on hänen heikkoutensa he is suprisingly modest for all his money hän on hämmästyttävän vaatimaton paljoista rahoistaan huolimatta
konj sillä
forage /fɔrədʒ/ s rehu
forage for v etsiä jotakin
for all the world fr täsmälleen, tismalleen not for all the world ei mistään hinnasta
for all you're worth she tried for all she was worth (ark) hän yritti parhaansa, hän teki kaikkensa
for a song to buy/get something for a song ostaa/saada jokin erittäin halvalla/pikkurahalla
forbade /fər'beɪd/ ks forbid
forbear /fər'beər/ v forbore, forborne (ylät) pidättyä (tekemästä jotakin)
forbearance /fər'berəns/ s **1** pidättäytyminen **2** suvaitsevaisuus
forbid /fər'bɪd/ v forbad(e), forbidden **1** kieltää **2** estää, ei sallia his injury forbids him from playing tennis hän ei vammansa vuoksi voi pelata tennistä
forbidding adj ankara, uhkaava
forbore /fər'bɔr/ ks forbear
forborne /fər'bɔrn/ ks forbear
force /fɔrs/ s **1** voima (myös kuv) the police had to use force to control the crowd poliisin oli turvauduttava voimakeinoihin saadakseen väkijoukon kuriin the law is now in force laki on nyt voimassa the forces of nature luonnonvoimat he joined the work force hän siirtyi työelämään **2** (mon) asevoimat
v **1** pakottaa they forced me to come he pakottivat minut mukaansa **2** ahtaa, ahtautua, sulloa we forced the baggage into the trunk of the car me ahdoimme matkatavarat auton perään
force down someone's throat she tried to force the idea down my throat (ark) hän yritti pakottaa minut hyväksymään ehdotuksen
forceful adj voimakas, määrätietoinen, vakuuttava

forcefully adv voimakkaasti, vakuuttavasti
force majeure /ˌfɔrsmə'ʒuər/ s force majeure, ylivoimainen este
forceps /fɔrseps/ s (mon) pihdit, synnytyspihdit
forcible /fɔrsəbəl/ adj **1** voimakas, vakuuttava **2** pakko-, voimakeinoin tapahtuva
forcibly adv **1** painokkaasti, voimakkaasti **2** voimakeinoin
ford /fɔrd/ s kahluupaikka, kahlaamo
v kahlata (joen yli), ylittää (joki)
Ford /fɔrd/ amerikkalainen automerkki
fore /fɔr/ s **1** (golfissa) fore, varoitushuuto, jolla ilmoitetaan pallon lähestyvän vaarallisesti toisia pelaajia **2** to come to the fore nousta etualalle, tulla näkyviin
adj etu-
forearm /fɔrarm/ s kyynärvarsi
forebear /'fɔrˌbeər/ s (yl mon) esi-isät
forebode /ˌfɔr'boud/ v ennakoida, ennustaa, olla merkki jostakin
forecast /'fɔrˌkæst/ s ennuste weather forecast sääennuste
v forecast, forecast: ennustaa
forecourt /'fɔrˌkɔrt/ s esipiha
forefather /'fɔrˌfaðər/ s esi-isä
forefinger /'fɔrˌfiŋgər/ s etusormi
forefront /'fɔrˌfrʌnt/ in the forefront (kuv) etualalla, etunenässä
forego /ˌfɔr'gou/ v **1** edeltää jotakin **2** ks forgo
foregone conclusion /'fɔrˌgan/ s etukäteen selvä lopputulos his dismissal was a foregone conclusion jo etukäteen oli selvää että hänet erotettaisiin
forehead /'fɔrˌhed/ s otsa
foreign /fɔrən/ adj **1** ulkomainen, vierasmaalainen foreign films **2** vieras foreign matter vieras aine foreign to johonkin kuulumaton, ei tyypillinen/ominainen jollekulle
foreign affairs s (mon) ulkopolitiikka
foreign aid s ulkomaanapu, kehitysapu
foreign correspondent s ulkomaan kirjeenvaihtaja
foreigner /fɔrənər/ s ulkomaalainen
foreign exchange dealer s valuuttakauppias
foreign legion s muukalaislegioona
foreign minister s ulkoministeri (ei Yhdysvalloissa)
foreign office s ulkoministeriö (ei Yhdysvalloissa)
foreign policy s ulkopolitiikka
foreign service s ulkoasiainhallinto
foreman /fɔrmən/ s (mon foremen) **1** työnjohtaja **2** valamiehistön puheenjohtaja
foremost /'fɔrˌmoust/ adj ensimmäinen, etualalla oleva the thing that is foremost in my mind is the new law mielessäni on juuri nyt etualla uusi laki
adv: first and foremost ennen kaikkea
forename /'fɔrˌneɪm/ s etunimi
forenoon /'fɔrˌnun ˌfɔr'nun/ s aamupäivä
forensic /fər'enzɪk/ adj oikeus- forensic medicine oikeuslääketiede
foreplay /'fɔrˌpleɪ/ s esileikki (myös kuv)
forerunner /'fɔrˌrʌnər/ s edeltäjä
foresee /ˌfɔr'si/ v foresaw, foreseen: ennakoida, arvata etukäteen
foreseeable adj lähi- in the foreseeable future lähitulevaisuudessa
foreshadow /ˌfɔr'ʃædou/ v ennakoida, olla merkki jostakin (tulevasta)
foreshore /'fɔrˌʃɔr/ s ranta
foresight /'fɔrˌsaɪt/ s (kuv) kaukonäköisyys
foreskin /'fɔrˌskɪn/ s esinahka
forest /fɔrəst/ s metsä
forestall /ˌfɔr'stal/ v **1** ehtiä ennen (kilpailijaa) **2** ehkäistä, tehdä tyhjäksi
forester /fɔrəstər/ s metsänhoitaja
forest ranger s metsänvartija
forestry s metsänhoito, metsätalous
foretaste /'fɔrˌteɪst/ s esimaku
foretell /ˌfɔr'tel/ v foretold, foretold: ennustaa
forethought /'fɔrˌθat/ s harkinta, varovaisuus
forever /fə'revər/ adv ikuisesti
forever and a day fr ikuisesti
forevermore /fəˌrevər'mɔr/ adv ikuisesti

forewarn /ˌfɔr'wɔrn/ v varoittaa
forewoman /'fɔrˌwʊmən/ s (mon forewomen) **1** työnjohtaja **2** valamiehistön puheenjohtaja
foreword /fɔrwərd/ s (kirjan) esipuhe, alkusanat, alkulause
forfeit /fɔrfət/ v menettää
forgave /fər'geɪv/ ks forgive
forge /fɔrdʒ/ s **1** (sepän) paja **2** ahjo v **1** (sepästä) takoa **2** (kuv) muovata, muokata, takoa through the years, they forged a friendship vuosien mittaan heistä tuli hyvät ystävät **3** väärentää **4** edetä we forged ahead through the jungle etenimme hitaasti viidakon halki
forger s väärentäjä
forgery s väärennös; väärentäminen
forget /fər'get/ v forgot, forgotten: unohtaa
forgetful adj huonomuistinen
forgettable adj jonka unohtaa helposti a forgettable movie mitätön elokuva
forgivable /fər'gɪvəbəl/ adj anteeksiannettava, jonka voi antaa anteeksi
forgive /fər'gɪv/ v forgave, forgiven: antaa anteeksi forgive me, but aren't you Keanu Reeves? suokaa anteeksi mutta ettekö te olekin Keanu Reeves?
forgiveness s anteeksianto I beg forgiveness pyydän anteeksi
forgiving adj anteeksiantava(inen), sovinnollinen a forgiving golf club golfmaila jolla on helppo lyödä hyvin
forgo /ˌfɔr'goʊ/ v forwent, forgone: luopua jostakin
forgot /fər'gɑt/ ks forget
forgotten ks forget
fork /fɔrk/ s **1** haarukka **2** talikko; hanko **3** tienhaara; puunhaara v **1** nostaa talikolla **2** haarautua
forklift truck /'fɔrkˌlɪft/ s haarukkatrukki
fork out v (ark) pulittaa, maksaa, antaa
fork over v (ark) pulittaa, maksaa, antaa
forlorn /fər'lɔrn/ adj lohduton, onneton, hylätty
form /fɔrm/ s **1** muoto, hahmo the new rules are beginning to take form uuden säännöt alkavat muotoutua/hahmottua **2** tavat **3** kaavake, lomake you have to fill out this application form sinun pitää täyttää tämä hakemuskaavake **4** kunto, fysiikka I am in bad form olen huonossa kunnossa v muotoilla, muotoutua, muodostaa, hahmotella, hahmottua a thought formed in his head hänen päässään syntyi ajatus they form a dissenting group he muodostavat sirpaleryhmän
formal adj muodollinen, virallinen don't be so formal, mellow out älä ole niin jäykkä, ota lunkisti he writes in a formal style hän kirjoittaa ylätyylillä
formality /fɔr'mæləti/ s **1** muodollisuus **2** virallisuus, jäykkyys
formalize /'fɔrməˌlaɪz/ v virallistaa, vakiinnuttaa
formally adv virallisesti, jäykästi, kankeasti
format /'fɔrˌmæt/ s koko; rakenne the professor did not like the format of his thesis professori ei pitänyt hänen väitöskirjansa lähestymistavasta there are several different video formats on useita erilaisia videojärjestelmiä
formation /fɔr'meɪʃən/ s **1** muodostaminen **2** muodostelma
formative /fɔrmətɪv/ adj muodostava in his formative years nuoruusvuosinaan
former /fɔrmər/ adj **1** entinen **2** ensiksi mainittu
formerly adv aikaisemmin, aiemmin, ennen
form factor s koko (ja muoto) the most popular form factor in laptops sylikoneiden suosituin kokoluokka
Formica® /fɔr'maɪkə/ s eräs huonekalumuovi(pinnoite), ikilevy
formidable /fər'mɪdəbəl fɔrmədəbəl/ adv pelottava, hirvittävä, valtaisa, suunnaton
formula /fɔrmjələ/ (mon formulas, formulae /fɔrmjəli/ s kaava, (lääke)resepti what's your formula for success? mikä on sinun menestyksesi salaisuus baby formula vauvanruoka

formulate /'fɔrmjə,leɪt/ v muotoilla, pukea sanoiksi, ilmaista
formulation /,fɔrmjə'leɪʃən/ s ilmaisu, esitys, sanamuoto
for real to be for real **1** olla tosissaan, tarkoittaa täyttä totta **2** olla aito/rehellinen/luotettava **3** olla todellinen, ei olla pelkkää puhetta
forsake /fər'seɪk/ v forsook, forsaken: jättää, hylätä, luopua
for sale fr (kyltissä, lehti-ilmoituksessa ym) myytävänä
for starters fr (ark) **1** aluksi, alkajaisiksi **2** ensinnäkin, ensinnäkään
forswear /fər'sweər/ v forswore, forsworn **1** luopua jostakin **2** kieltää (paikkansapitävyys)
fort /fɔrt/ s linnoitus, linnake
forte /fɔrteɪ fɔrt/ s jokun vahva puoli mathematics is not her forte matematiikka ei kuulu hänen vahvoihin puoliinsa
forth /fɔrθ/ adv eri ilmauksissa: to set forth lähteä matkaan and so forth ja niin edelleen
forthcoming /,fɔrθ'kʌmiŋ/ adj pian alkava/ilmestyvä/esitettävä Kevin Costner stars in a forthcoming movie about lawyers esittää pääosaa asianajajista kertovassa elokuvassa joka tulee pian teattereihin no help/money was forthcoming apua ei liiennyt/rahaa ei herunut
for the present fr toistaiseksi, tällä haavaa, tässä vaiheessa
for the time being toistaiseksi
forthright /'fɔrθ,raɪt/ adj suora, peittelemätön
forthwith /,fɔrθ'wɪθ/ adj (ylät) välittömästi, viipymättä
fortieth /fɔrtiəθ/ adj neljäskymmenes
fortification /,fɔrtəfə'keɪʃən/ s **1** linnoitus **2** linnoittaminen **3** vahvistaminen, lujittaminen
fortify /'fɔrtə,faɪ/ v vahvistaa, lujittaa; linnoittaa
fortnight /'fɔrt,naɪt/ s kaksi viikkoa
FORTRAN formula translation eräs tietokonekieli
fortress /fɔrtrəs/ s linnoitus
fortunate /fɔrtʃənət/ adj onnekas that was very fortunate for us se oli meidän kannaltamme onnellinen tapahtuma
fortunately adv onneksi
fortune /fɔrtʃən/ s **1** kohtalo, sattuma, onni **2** omaisuus
fortune hunter s onnenonkija
fortuneteller /'fɔrtʃən,telər/ s ennustaja
Fort Worth /,fɔrt'wərθ/ kaupunki Texasissa
forty /fɔrti/ s, adj neljäkymmentä
fortysomething /,fɔrti,sʌmθiŋ/ adj (iältään) nelkyt ja risat
forum /fɔrəm/ s forum, foorumi, (tapahtuma)paikka, näyttämö
forward /fɔrwərd/ s (urh) (laita)hyökkääjä
v välittää eteenpäin, lähettää toiseen/uuteen osoitteeseen
adj **1** (tilasta) eteenpäin- **2** (ajasta) etukäteen tapahtuva, ennakko- **3** tungettelevainen, röyhkeä
adv **1** (tilasta) eteenpäin **2** (ajasta) eteenpäin, tulevaisuuteen, (jostakin) lähtien
forward contract s (tal) termiinisopimus
forwarding address s uusi osoite
forwardness s röyhkeys, tungettelu
forwards /fɔrwərdz/ ks forward
forward swing s (golfissa) eteenvienti
for what it's worth for what it's worth, I don't believe her jos minulta kysyt(te) niin en usko häntä
fossil /fasəl/ s fossiili (myös kuv)
foster /fastər/ v **1** edistää, tukea, kannustaa **2** kasvattaa (kasvattilapsena)
fought /fat/ ks fight
foul /faʊəl/ s (urh) virhe
v **1** saastuttaa, liata **2** sotkea (siima), sotkeutua **3** (urh) tehdä virhe, rikkoa sääntöjä
adj **1** paha (haju), pahanhajuinen, pilaantunut, saastunut **2** (kuv) kurja, inhottava **3** ruma, törkeä (puhe) **4** (urh) virheellinen, sääntöjen vastainen
foul-mouthed /,faʊl'maʊðd/ adj törkeä suustaan

foul play s **1** epäreilu peli **2** murha, veriteko
foul-smelling /ˌfaʊl'smeliŋ/ adj pahanhajuinen, löyhkäävä
foul up v (ark) munata, tunaroida
found /faʊnd/ v **1** ks find **2** perustaa the school was founded in 1799 perustettiin 1799 he founded his belief on what you said hän perusti käsityksensä sinun sanoihisi **3** sulattaa ja valaa (metallia, lasia)
founder /faʊndər/ s **1** perustaja **2** (metallin) valaja
v (laivasta) kariutua (myös kuv:) epäonnistua our plan foundered at the last minute suunnitelmamme kariutui/ raukesi viime hetkellä
foundry /faʊndri/ s valimo
fountain /faʊntən/ s **1** lähde **2** suihkukaivo **3** juomalaite (esim koulussa, työpaikalla)
four /foər/ s, adj neljä on all fours nelinkontin
four-cycle /'foərˌsaɪkəl/ adj nelitahtinen
four-horned antelope s nelisarviantilooppi
four-stroke /'foərˌstroʊk/ adj nelitahtinen
fourteen /ˌfoər'tin/ s, adj neljätoista
fourteenth /ˌfoərt'tinθ/ adj neljästoista
fourth /foərθ/ adj neljäs
fowl /faʊəl/ s **1** siipikarja; kana, hanhi, kalkkuna he is neither fish nor fowl (kuv) hän ei ole lintu eikä kala, hänestä ei ota selvää **2** linnunliha
fox /faks/ s **1** kettu **2** Fox yksi Yhdysvaltain neljästä suuresta televisioverkosta
v huijata, vetää nenästä
foyer /foɪər/ s **1** (teatterin, hotellin, kerrostalon eteis)aula **2** (yksityisasunnon) eteinen
FPO field post office kenttäpostitoimisto
fps feet per second jalkaa (30,5 cm) sekunnissa frames per second (kamerassa) ruutua sekunnissa
fqcy. frequency taajuus
fraction /frækʃən/ s **1** murto-osa **2** murtoluku
fracture /fræktʃər/ s (luun- ym) murtuma
v murtaa, lohkaista, katkaista he fractured his leg while skiing häneltä katkesi/murtui hiihtäessä jalka
fragile /frædʒəl/ adj (helposti) särkyvä; hento, herkkä Alaska is an ecologically fragile area Alaska on ekologisesti herkkää aluetta
fragility /frə'dʒɪləti/ s särkyvyys; herkkyys
fragment /frægmənt/ s pala(nen), sirpale; katkelma
fragment /fræg'ment/ v rikkoa/särkeä/ särkyä palasiksi/sirpaleiksi
fragmentary /'frægmənˌteri/ adj katkonainen, pätkittäinen
fragmentation /ˌfrægmən'teɪʃən/ s särkeminen, särkyminen
fragmented adj katkonainen, sirpaleinen, särkynyt
fragrance /freɪgrəns/ s tuoksu; hajuvesi
fragrant /freɪgrənt/ adj hyvänhajuinen, hyvältä tuoksuva
frail /freɪəl/ adj heikko, heiveröinen, helposti särkyvä, herkkä grandmother is in frail health isoäidin terveys on heikko grandmother is frail isoäiti on heiveröinen nainen
frailty /freɪəlti/ s **1** heikkous, heiveröisyys, herkkyys **2** vika, heikkous
frame /freɪm/ s **1** runko **2** hahmo, olemus he is of a slight frame hän on ruumiinrakenteeltaan heiveröinen **3** (oven, ikkunan) karmi; (taulun, valokuvan) kehys **4** frame of reference viitekehys frame of mind mielentila
v **1** kehystää **2** laatia, kehittää **3** ilmaista, pukea sanoiksi **4** sommitella (valokuva)
frame house s puutalo
framework /'freɪmˌwərk/ s (kuv) kehys, runko, puitteet
France /fræns/ Ranska
franchise /'frænˌtʃaɪz/ s **1** lupa, oikeus; äänioikeus **2** toimilupa, lisenssi, fransiisi (lupa perustaa tiettyyn paikkaan

yl maanlaajuiseen ketjuun kuuluva mutta yksityisen omistama ravintola, myymälä tms)
v myöntää/antaa lupa, oikeus, äänioikeus, toimilupa, lisenssi, fransiisi lisensoida
frank /fræŋk/ s nakki
adj rehti, aito, rehellinen
frankfurter /'fræŋk,fərtər/ s nakki
frankly adj rehellisesti; suoraan sanoen
frankness s rehellisyys, aitous, suoruus
frantic /fræntık/ adj raivostunut, kiihkeä, hätääntynyt
frantically adj raivoisaaan, kiihkeästi, hätääntyneesti
fraternal /frə'tərnəl/ adj veljellinen, veljes- fraternal twins erimunaiset kaksoset
fraternity /frə'tərnəti/ s **1** veljeys **2** veljeskunta; (yliopistossa miesten) oppilaskunta
fraternize /'frætər,naız/ v veljeillä (jonkun/vihollisen kanssa, with), kaveerata (ark)
fratricide /'frætrə,saıd/ s **1** veljenmurha **2** veljenmurhaaja
fraud /frad/ s **1** petos, huijaus **2** pettu-ri, huijari
fraudulence s petollisuus, petos, vilppi
fraudulent /fradʒələnt/ adj petollinen, kavala, vilpillinen
fraudulently adv petollisesti, vilpillisesti
fraught with /frat/ adj täynnä jotakin, erittäin the undertaking is fraught with danger hanke on erittäin vaarallinen
fray /freı/ s tappelu
v **1** (vaate) nuhraantua, kuluttaa/kulua puhki **2** (tunteet) kuumeta
frayed adj (hermot) lopussa, kuumat (tunteet)
freak /frik/ s **1** oikku, kummajainen; poikkeama **2** friikki she is a health freak hän on terveyshullu
adj outo, kummallinen, epänormaali
freak out v repiä pelihousunsa, saada hepulit
freckle /frekəl/ s pisama
freckled adj pisamainen
Fred Flintstone /,fred'flınstoun/ Retu Kivinen
free /fri/ v vapauttaa; irrottaa
adj **1** vapaa they set the prisoner free vanki päästettiin vapaaksi, vapautettiin excuse me, is this seat free? anteeksi, onko tämä paikka vapaa? **2** free from/of vapaa jostakin free of taxes veroton free from worry huoleton **3** ilmainen free tickets ilmaisliput, vapaaliput you can have it for free saat sen ilmaiseksi **4** free with avokätinen I think you're being too free with your money minusta sinä tuhlaat rahaa/käytät rahaa liian avokätisesti
freedom /fridəm/ s vapaus
freedom fighter s vapaustaistelija
freedom of speech s sananvapaus
freedom of the press s painovapaus
free enterprise s yksityisyrittäjyys
freelance /'fri,læns/ s freelance(r)
v työskennellä freelance(ri)nä
adj freelance-
freelancer s freelance(r)
freeload /'fri,loud/ v loisia, elää toisten siivellä
freeloader /'fri,loudər/ s pinnari, siivellä eläjä
Freemason /'fri,meısən/ s vapaamuurari
free share s vapaa osake
freestyle /'fri,staıəl/ s (urh) freestyle, vapaatyyli; vapaapaini; vapaauinti, krooli
freethinker /'fri,θiŋkər/ s vapaa-ajattelija
freeway /'fri,weı/ s moottoritie
freewheeling /,fri'wiliŋ/ adj (kuv) hillitön, vastuuntunnoton
freeze /friz/ s **1** pakkanen **2** (palkkojen, hintojen) jäädytys
v froze, frozen **1** jäätyä, jäädyttää **2** palella **3** (kuv) jäädyttää (hinnat, palkat, asevarustelu) **4** pakastaa; olla pakkanen **5** pakastaa, panna pakastimeen **6** pysähtyä, pysäyttää, jähmettyä he

froze in his tracks when he saw the angry dog hän jähmettyi aloilleen kun hän näki vihaisen koiran
freeze-drying s pakastekuivaus
freeze frame s (tv, video) pysäytyskuva
freezer s pakastin, pakastinkaappi, pakastearkku
freezing s nolla astetta: the temperature was below freezing lämpötila oli pakkasen puolella
adj (lämpötila: lähellä nollaa, nollassa tai sen alapuolella) jäätävä, kylmä, pakkasen puolella
freezing point s jäätymispiste
freight /freɪt/ s rahti
v rahdata, kuljettaa
freighter s rahtialus (laiva, lentokone, avaruusalus)
freight train s tavarajuna
French /frentʃ/ s ranskan kieli
s, adj ranskalainen
French fries /'frentʃ,fraɪz/ s (mon) ranskalaiset perunat
French leave /frentʃ/ to take French leave lähteä ilmoittamatta, häipyä yhtäkkiä
frenzied adj suunniltaan (kiihtymyksestä, pelosta tms)
frenzy /frenzi/ s (suunnaton) kiihko, kauhu, raivo
frequency /frikwənsi/ s taajuus, tiheys frequency of occurrene esiintymistaajuus/tiheys
frequency band s taajuuskaista
frequency modulation s taajuusmodulaatio
frequency range s taajuusvaste
frequent /,fri'kwent fri,kwənt/ v käydä jossakin, olla kanta-asiakas jossakin
frequent /'fri,kwənt/ adj yleinen, usein/tiheään esiintyvä
frequently adv usein
fresco /freskoʊ/ s fresko
fresh /freʃ/ adj **1** tuore (myös kuv:) uusi fresh vegetables tuoreet (ei säilötyt) vihannekset a fresh perspective tuore näkökulma it's nice to see a fresh face on mukava nähdä uudet kasvot he wants to make a fresh start hän haluaa aloittaa alusta **2** röyhkeä, töykeä, hävytön
adv juuri tapahtunut: to be fresh out of something jokin on juuri loppunut fresh from school, he was very inexperienced hän oli hyvin kokematon sillä hän oli astunut työelämään suoraan koulusta
fresh water s makea vesi
freshwater adj makean veden freshwater fish
fret /fret/ v **1** valittaa, harmitella, murehtia **2** kuluttaa, murentaa, kaivertaa, kalvaa
fretful adj ruikuttava, ärtyisä, pahantuulinen, levoton
FRG Federal Republic of Germany Saksan liittotasavalta, BRD
Fri. Friday perjantai
friar /fraɪər/ s munkki
friction /frɪkʃən/ s kitka (myös kuv:) erimielisyys, kiista
Friday /fraɪdi·fraɪdeɪ/ s perjantai he is my man Friday hän on oikea käteni
fridge /frɪdʒ/ s (ark) jääkaappi
fried /fraɪd/ v ks fry
adj (rasvassa) paistettu
friend /frend/ s **1** ystävä; tuttu, tuttava; auttaja **2** kveekari
friendly adj ystävällinen
friendship s ystävyys
fries /fraɪz/ s (mon) ranskalaiset (perunat)
frieze /friz/ s (arkkitehtuurissa) friisi
frigate /frɪgət/ s fregatti
fright /fraɪt/ s **1** pelko, kauhu; järkytys, pelästys, säikähdys **2** (kuv) pelottava ilmestys, linnunpelätin
frighten v pelästyttää I was very frightened pelkäsin kovasti
frightening adj pelottava, kauhistuttava
frightful adj kauhistuttava, hirvittävä
frigid /frɪdʒəd/ adj (kuv) kylmä, viileä; (seksuaalisesti) frigidi
frigidity /frə'dʒɪdəti/ s (kuv) kylmyys, viileys; (seksuaalinen) frigiditeetti
frill /frɪl/ s **1** röyhelö **2** (mon, kuv) koristeet, kiemurat

fringe /frɪndʒ/ s **1** hapsu **2** (myös kuv) reuna, ääri(laita) he is on the lunatic fringe of the cultural spectrum hän kuuluu kulttuurin kirjon hullulle äärilaidalle

fringe benefits s (mon) työsuhde-etuudet

frisk /frɪsk/ v **1** hyppiä, hyppelehtiä **2** tehdä jollekulle ruumiintarkastus, tarkastaa onko jollakulla (kätketty) ase

fritter /frɪtər/ v tuhlata, panna hukkaan

frivolity /frə'valəti/ s kevytmielisyys, turhamaisuus

frivolous /frɪvələs/ adj kevyt(mielinen), vähäpätöinen, tyhjänpäiväinen, turhamainen

frivolously adv kevytmielisesti, turhamaisesti

FRN Floating-Rate Note (tal) vaihtuvakorkoinen velkakirja

fro /frou/ to and fro edestakaisin

frock /frak/ s (naisen) puku; (papin) kaapu

frog /frag/ s **1** sammakko **2** (sl) ranskalainen **3** (vaatteessa) nyörikiinnitin

frogman /fragmən/ s sammakkomies, sukeltaja

frolic /fralɪk/ v frolicked, frolicked: ilakoida, pitää hauskaa

from /frʌm/ prep **1** (paikasta, alkuperästä) jostakin, -sta/-stä from New York to Detroit New Yorkista Detroitiin where do you hail from? mistä päin sinä olet kotoisin they took it from me by force he ottivat sen minulta väkisin who is that letter from? keneltä se kirje on? **2** (ajasta) from 1989 vuodesta 1989 lähtien from now on tästä lähtien, vastedes **3** (syystä) he died from fatigue hän kuoli väsymykseen to judge from the price, it should be an excellent camera hinnasta päätellen sen pitäisi olla erinomainen kamera **4** lähtien, alkaen from page three sivulta kolme alkaen from twenty to thirty people came sinne saapui 20–30 ihmistä **5** (vertailusta, erosta) you're different from your brother sinä olet erilainen kuin veljesi he was expelled from the school hänet erotettiin koulusta

from scratch to start from scratch aloittaa alusta bake a cake from scratch leipoa kakku kokonaan itse

from soup to nuts fr alusta loppuun

front /frʌnt/ s **1** etupuoli, etupää, edusta, (paidan) etumus, (jonon) kärki there is a car in front of the house talon edessä on auto **2** (sot) rintama **3** (kuv) keulakuva **4** (kuv) ylimielisyys he had the front to insult me hänellä oli otsaa loukata minua **5** out front (talon) edessä; edellä (kilpailijoista); (sanoa) suoraan, kakistelematta **6** up front (maksaa) etukäteen; (kuv) avoin, rehellinen
v antaa jonnekin päin the house fronts the mountains
adj etu- you can sit in the front seat etuistuimella

frontage /frʌntədʒ/ s **1** (rakennuksen) edusta **2** (rakennuksen edustalla oleva) maa, tontti

front desk s (yrityksen, hotellin) vastaanotto

frontier /,frʌn'tɪər/ s **1** raja **2** rajaseutu **3** (kuv) raja on the frontiers of human knowledge ihmistiedon rajamailla

front loader s (pesukone, kuvanauhuri ym) edestä ladattava/avattava

front month s (tal) (johdannaisinstrumenttikaupassa) aikaisempi erääntymiskuukausi

front office s pääkonttori

front runner s **1** edelläkävijä **2** johtoasemassa oleva henkilö

front-wheel drive s (autossa) etuveto

frost /frast/ s **1** pakkanen **2** huurre **3** (kuv) viileys, kylmyys (ihmisten välillä, käytöksessä)
v huurtaa, huurtua

frostbite /'frast,baɪt/ s kylmettyminen, paleltuma

frostbitten /'frast,bɪtən/ adj kylmettynyt, paleltunut

frosting s (kakun) kuorrutus

frosting on the cake s (kuv) pintakiilto, pintasilaus
frosty adj **1** pakkas- **2** huurre- **3** (kuv) kylmä, viileä (käytös)
froth /fraθ/ s vaahto
v vaahdota, kuohua
frothy adj vaahtoava, kuohuva
frown /fraʊn/ s (otsan) rypistys
v rypistää otsaansa; paheksua
frown (up)on v paheksua
froze /froʊz/ ks freeze
frozen v: ks freeze adj **1** jäätynyt (järvi ym) **2** pakaste- frozen food **3** (kuv) jäädytetty frozen assets jäädytetyt varat
frugal /frugəl/ adj **1** säästäväinen **2** koruton, vaatimaton
frugality /fru'gæləti/ s **1** säästäväisyys **2** koruttomuus, vaatimattomuus
fruit /frut/ s hedelmä (myös kuv), hedelmät
fruit fly s hedelmäkärpänen
fruitful adj hedelmällinen (myös kuv)
fruitfulness s hedelmällisyys (myös kuv)
fruition /fru'ɪʃən/ s toteutuminen to come to fruition toteutua
fruitless adj hedelmätön (myös kuv), turha
fruitlessness s hedelmättömyys (myös kuv), turhuus
fruit vegetables s (mon) hedelmävihannekset
fruity adj **1** hedelmän, hedelmän makuinen/hajuinen **2** (kuv) imelä
frustrate /'frʌs,treɪt/ v **1** tehdä tyhjäksi (aie) **2** harmittaa
frustrated adj (ihminen) harmistunut, turhautunut
frustrating adj harmittava, turhauttava
frustratingly adj harmillisen, turhauttavan
frustration /,frʌs'treɪʃən/ s **1** epäonnistuminen, (suunnitelman) kariutuminen **2** harmistuminen; (psyk) turhautuma, frustraatio
frwy. freeway moottoritie
fry /fraɪ/ s **1** (mon fry) kalanpoikaset **2** (mon fry) lapset; ihmiset small fry pikkulapset; (kuv) nappikauppiaat, mitättömät kilpailijat yms **3** (mon fries) (French) fries ranskalaiset (perunat)
v fried, fried **1** käristää/paistaa/paistua (rasvassa) **2** (sl) surmata/saada surmansa sähkötuolissa
frying pan s paistinpannu
f-stop /'ef,stap/ s (kameran) aukko
ft. feet jalkaa (30,5 cm)
FTC Federal Trade Commission
fuck /fʌk/ s **1** (sl) nussiminen, pano **2** (sl) (voimistavana ja rytmittävänä kirosanana:) who the fuck do you think you are? kuka helvetti sinä oikein luulet olevasi?
v **1** (sl) nussia, panna, naida **2** (sl) fuck you! haista paska! huudahdus (sl) paskat!, voi vittu!
fuck around v (sl) laiskotella, vetelehtiä
fucker s (sl) paskiainen, kusipää
fucking adj (sl) it's a fucking bore se on helvetin pitkäveteistä
fuck off v (sl) laiskotella, vetelehtiä fuck off! suksi suolle!
fuck up v (sl) munata, tunaroida we fucked up the whole thing koko homma meni päin persettä
fudge /fʌdʒ/ s (suklaa-, karamelli- tai muu) kastike
fuel /fjuəl/ s **1** polttoaine **2** (kuv) kannustus, innostus
v **1** käyttää (tietyllä) polttoaineella **2** tankata **3** (kuv) kannustaa, innostaa, siivittää (mielikuvitusta)
fugitive /fjudʒətɪv/ s pakolainen
adj karannut
Fujian /fu'dʒjan/ Fujian, Fukien (vanh)
fulcrum /fʌlkrəm/ s **1** (fys) tukipiste **2** tuki **3** (kuv) pääkohta, ydin
fulfill /fəl'fɪl/ v **1** täyttää (ehto, vaatimus) **2** tyydyttää, tuottaa tyydytystä, **3** (ennustus) toteutua
fulfilling adj tyydytystä tuottava
fulfillment s (suunnitelman) toteutuminen, (toiveiden) täyttyminen
full /fʌl/ s: in full kokonaan, täysin, täydellisesti
adj **1** täysi this flight is full tämä lento on täynnä he is full of himself hän on täynnä itseään I am full, thank you

kiitos, minä olen jo täynnä/kylläinen to the full täysin palkein, täysimittaisesti **2** täydellinen, täysi at full speed täyttä vauhtia **3** täyteläinen she has a full figure/full lips hänellä on täyteläiset muodot/huulet
adv **1** suoraan to hit someone full in the face iskeä jotakuta suoraan kasvoihin/keskelle kasvoja **2** täysin, erittäin you know full well that you should be studying tiedät aivan hyvin että sinun pitäisi olla lukemassa läksyjäsi **3** kokonaiset the restaurant is a full five miles from here ravintolaan on matkaa kokonaiset viisi mailia
fullback /'fʌl,bæk/ s (amerikkalaisessa jalkapallossa) keskushyökkääjä
full-blown adj (kuv) täysimittainen
full house s (pokerissa) täyskäsi
fullness s täyteys, täyteläisyys, kylläisyys
full-size adj **1** täyskokoinen **2** (vuode) 137x193 cm kokoinen
full stop s piste
full tilt at full tilt täyttä vauhtia, täysin palkein
full-time adj (työ, työntekijä) kokopäivä-
full trailer s täysperävaunu
fully adv **1** täysin **2** kokonaiset, ainakin fully one third of the respondents said no peräti kolmannes vastaajista sanoi ei
fumarole /'fjumə,rɔl/ s fumaroli
fumble /fʌmbəl/ v **1** hapuilla, haparoida **2** (jalkapallo) pudottaa
fume /fjum/ s (yl mon) höyry, (pako)kaasut
v **1** höyrytä, savuta **2** (kuv) kiehua, olla raivoissaan
fun /fʌn/ s **1** hauskuus, huvi it's fun to be on the beach uimarannalla on hauskaa **2** pilkka they made fun of his baldness he nauroivat hänen kaljuudelleen
adj hauska it's a fun place
function /fʌŋkʃən/ s **1** toiminta **2** ominaisuus, tehtävä in her function as Vice President varapresidentin ominaisuudessaan **3** tilaisuus, juhla **4** (mat) funktio
v toimia the soda machine is not functioning virvokeautomaatti ei toimi he functions as the master of ceremonies hän toimii seremoniamestarina
functional adj **1** toimiva **2** tarkoituksenmukainen **3** (lääk) toiminnallinen
functionary /'fʌŋkʃə,neri/ s toimihenkilö, virkailija
fund /fʌnd/ s **1** rahasto **2** (mon) varat, rahat **3** (kuv) (ehtymätön) lähde
v rahoittaa the project is funded by the government hankkeen rahoittaa valtio
fund s (tal) rahasto
fundamental /,fʌndə'mentəl/ s (mon) perusteet, alkeet
adj perustavan laatuinen, periaatteellinen, keskeinen
fundamentally adv periaatteessa, pohjimmaltaan
funeral /fjunrəl/ s hautajaiset it's your funeral omapahan on asiasi, sinähän siitä kärsimään joudut
funeral home s hautaustoimisto (jossa on usein myös hautauskappeli)
funeral parlor ks funeral home
funerary /'fjunə,reri/ adj hautajais-, hautaus-
funereal /fjʊ'nɪriəl/ adj **1** hautajais- **2** surullinen, synkkä
fungus /fʌŋgəs/ s (mon fungi /'fʌn,dʒaɪ, 'fʌŋ,gaɪ/) sieni
funk /fʌŋk/ s **1** masennus, apeus to be in a funk olla masentunut/maassa **2** funk(-musiikki)
funky /fʌŋki/ adj **1** haiseva, löyhkäävä **2** (jatsi) bluestyyppinen, (rokki) funk-
funnel /fʌnəl/ s **1** suppilo **2** savupiippu
v johtaa, ohjata (myös kuv:) kanavoida
funnies /fʌniz/ s (mon) sarjakuvat; (sanomalehden) sarjakuvaliite
funnily adj: funnily enough ihme kyllä
funny /fʌni/ adj **1** hauska, hassu, huvittava **2** outo, kumma I had a funny feeling when I first saw him
funny pages s (mon) (sanomalehden) sarjakuvasivut, sarjakuvaliite
fur /fər/ s (eläimen) turkki (myös vaatteesta)
furious /fjəriəs/ adj raivostunut (ihminen); raivoisa (myrsky)

furiously adv raivoisasti, raivokkaasti, rajusti
furlong /'fər,laŋ/ s kahdeksasosamaili (201 m)
furn. furnished kalustettu
furnace /fərnəs/ s lämmityskattila; masuuni, sulatusuuni (myös kuv: kuuma kuin sulatusuuni)
Furnace (tähdistö) Sulatusuuni
furnish /fərnɪʃ/ v **1** kalustaa **2** varustaa jollakin, hankkia, toimittaa jotakin jollekulle (someone with something)
furnishings /'fərnə,ʃiŋz/ s (mon) kalusteet
furniture /fərnətʃər/ s huonekalut, kalusteet
furrier /fərɪər/ s turkkuri
furrow /fərou/ s vako, uurre, ryppy
v kyntää (pelto), uurtaa, rypistää (otsaa)
furry adj karvainen; pehmoinen
further /fərðər/ v edistää, edesauttaa I hope this will further your goals toivottavasti tämä auttaa sinua pääsemään lähemmäksi tavoitteitasi
adj, adv komparatiivi sanasta far **1** (etäisyydestä, myös kuv) kaukaisempi, kauempana, kauemmaksi let's not walk any further ei kävellä yhtään kauemmaksi he did not want to discuss it any further hän ei halunnut puhua siitä pitempään/sen tarkemmin **2** lisä-, uusi we will make further inquiries if necessary jatkamme tiedusteluja tarpeen vaatiessa
furthermore /'fərðər,mɔr/ adv lisäksi, sitä paitsi
furthermost /'fərðər,moust/ adj etäisin, kaukaisin, äärimmäinen
furthest /fərðəst/ adj, adv superlatiivi sanasta far ks farther, farthest
furtive /fərtɪv/ adj vaivihkainen, salavihkainen; epäilyttävä
furtively adv vaivihkaa, salavihkaa; epäilyttävästi
furtiveness s salamyhkäisyys, salailu
fury /fjəri/ s raivo
fuse /fjuz/ s **1** sulake he blew a fuse (kuv) häneltä paloivat proput/päreet
2 sytytyslanka
v sulattaa, sulautua (yhteen) (myös kuv), yhdistyä, yhdistää
fuselage /fjusəlaʒ/ s (lentokoneen) runko
fusion /fjuʒən/ s (yhteen) sulautuminen, sulattaminen, yhdistyminen, yhdistäminen, (fys, tal) fuusio
fuss /fʌs/ s häly, kohu, (kuv) numero to create a fuss tehdä suuri numero jostakin, nostaa häly
v hermostua (suotta), tehdä suuri numero jostakin
fussy adj **1** pikkutarkka, turhantarkka; nirso **2** koristeellinen, monimutkainen
futile /fjutəl/ adj turha
futility /fju'tɪləti/ s turhuus, tarpeettomuus
future /fjutʃər/ s **1** tulevaisuus **2** (kieliopissa) futuuri **3** (tal) futuuri
future perfect s (kieliopissa) futuurin perfekti (esim will have done)
futures contract /fjutʃərz/ s (tal) futuurisopimus
futures market s futuuripörssi
futuristic /,fjutʃə'rɪstɪk/ adj tulevaisuutta koskeva, tulevaisuuden-; futuristinen, aikaansa edellä oleva
futurology /,fjutʃə'ralədʒi/ s futurologia, tulevaisuudentutkimus
Fuzzbuster®/'fʌz,bʌstər/ s tutkanpaljastin
fuzzy logic /,fʌzi'ladʒɪk/s (tietok) sumea logiikka
fwd front-wheel drive etuveto four-wheel drive neliveto
FYI for your information tiedoksi

G, g

G, g /dʒi/ G, g
Ga. Georgia
GA Georgia
gabble /gæbəl/ s **1** (puheen)pölinä,
ulina, pölötys **2** (kanan, hanhen)
:aakatus, kotkotus
1 pölistä, pölpöttää **2** (kana, hanhi)
:aakattaa, kotkottaa
gable /geɪbəl/ s (satulakattoisen
akennuksen) päätykolmio
gabled adj satulakattoinen
gadget /gædʒət/ s vempain
gadgetry s laitteet, vempaimet
Gaelic /geɪlɪk/ s gaelin kieli
adj gaelinkielinen
gag /gæg/ s **1** suukapula **2** vitsi, huuli
1 tukkia jonkun suu, panna jollekulle
suukapula **2** vitsailla, kertoa vitsejä,
heittää huulta
gage /geɪdʒ/ ks gauge
gaggle /gægəl/ s parvi, joukko
gaiety /geɪəti/ s iloisuus, hilpeys
gaily /geɪli/ adv iloisesti, hilpeästi
gain /geɪn/ s **1** hyöty, etu **2** kasvu,
isäys
1 saada, saavuttaa, hankkia the thief
gained entry to the building through a
window varas pääsi rakennukseen
ikkunasta women's lib is gaining ground
in this country naisliike valtaa alaa tässä
maassa she is just trying to gain time
(kuv) hän pelaa aikaa, hän yrittää
voittaa aikaa **2** kasvaa: to gain weight
lihoa to gain speed nopeutua, kiihtyä
3 saapua, päästä, tulla jonnekin **4** (kel-
o) edistää
gain time fr voittaa/säästää aikaa
gain (up)on v **1** saavuttaa, kuroa
välimatkaa umpeen **2** kasvattaa
välimatkaa (perässä tuleviin)

Gal. Galatians (Uuden testamentin)
Galatalaiskirje
gala /geɪlə/ s suuri juhla
galactic /gə'læktɪk/ adj galaktinen
Galapagos Islands
/gə,læpəgəs'aɪləns/ (mon)
Galapagossaaret
galaxy /gæləksi/ s galaksi
gale /geɪəl/ s myrsky, myrskytuuli
gall /gal/ s **1** sappi (myös kuv), sappi-
neste **2** (kuv) hävyttömyys he had the
gall to kick me out hänellä oli otsaa/hän
julkesi potkia minut ulos
v (kuv) sapettaa
gallant /gælənt/ adj urhea, ritarillinen,
huomaavainen
gallantly adv urheasti, ritarillisesti,
huomaavaisesti
gallantry s urheus, ritarillisuus,
huomaavaisuus
gall bladder /'gal,blædər/ s
sappirakko
galleon /gæljən/ s (laiva) kaljuuna
gallery /gæləri/ s **1** (katsomossa)
galleria, ylin parvi **2** käytävä **3** (taide)-
galleria
galley proof s palstavedos
galling adj ärsyttävä, harmittava,
sietämätön
gallon /gælən/ s gallona (US 3,8 l; UK
4,5 l)
gallop /gæləp/ s (hevosen) laukka
v laukata
gallows /gælouz/ s (mon gallowses,
gallows) hirsipuu
gallows humor s hirtehishuumori
gallstone /'gal,stoun/ s sappikivi
galore /gə'loər/ adv yllin kyllin we have
problems galore meillä on yllin kyllin
ongelmia
Gambia /gæmbiə/ Gambia

Gambian s, adj gambialainen
gamble /gæmbəl/ s riski
v **1** riskeerata, panna alttiiksi; ottaa riski, laskea jonkin varaan **2** pelata uhkapeliä, panna peliin
gamble away v panna menemään uhkapelissä
gambler s (uhka)peluri
gambling s uhkapeli
gambling house s pelikasino
game /geɪm/ s **1** peli; ottelu a game of chance onnenpeli are you interested in a game of chess? haluaisitko pelata šakkia? **2** leikki to him, life is just a game hänelle elämä on pelkkää leikkiä you're not playing his game (kuv) sinä et pelaa samojen sääntöjen mukaan kuin hän that is his little game se hänellä on mielessään **3** riista
v pelata uhkapeliä
adj **1** riista- **2** (ark) valmis, halukas I'm game! minä olen valmis (lähtemään jonnekin/tekemään jotakin ehdotettua)
gamekeeper /'geɪm,kipər/ s riistanvartija
game of chance s onnenpeli
game of skill s taitopeli
game plan s pelisuunnitelma (myös kuv:) strategia
gander /gændər/ s **1** uroshanhi **2** vilkaisu take a gander at this katsopa tätä
gang /gæŋ/ s joukko, ryhmä; jengi
gangling /gæŋgliŋ/ adj hontelo, pitkä ja laiha
gangrene /,gæŋ'grin/ s (lääk) kuolio
gangster /gæŋstər/ s gangsteri
gang up on v lyöttäytyä yhteen jotakuta vastaan, käydä yhdessä jonkun kimppuun
gangway /gæŋweɪ/ s **1** (laivan) laskuportaat **2** (istuinrivien välinen) käytävä
Ganymede /'gæni,mid/ Ganymedes, eräs Jupiterin kuu
gap /gæp/ s aukko (myös kuv), lohkeama, kolo
gape /geɪp/ s **1** aukko **2** töllötys, tuijotus
v **1** (esim suu) ammottaa **2** töllöttää, tuijottaa, katsoa suu auki
gaping adj **1** ammottava **2** töllöttävä, tuijottava
gar. garage autotalli
garage /gə'radʒ/ s **1** autotalli **2** (GB) huoltoasema
garage sale /gə'raʒ,seɪəl/ s (esim omakotitalon asukkaiden järjestämät) pihamyyjäiset
garbage /garbədʒ/ s roskat, jäte, (kuv) roska
garbage can s roskapönttö
garbage man s jätteiden kerääjä
garble /garbəl/ v sekoittaa, sotkea, sotkeutua sanoissaan
garbled adj sekava, epäselvä
garden /gardən/ s **1** kotipuutarha **2** puutarha, puisto **3** (UK) piha
gardenia /gar'dinjə/ s (kasvi) gardenia
garden-variety adj aivan tavallinen
gargle /gargəl/ v kurlata (kurkkuaan)
gargoyle /'gar,goɪəl/ s (rak) (pelottavaksi ihmis- tai eläinhahmoksi muotoiltu) vesinokka
garish /gerɪʃ/ adj räikeä
garishly adv räikeästi
garishness s räikeys
garland /garlənd/ s seppele
v seppelöidä
garlic /garlɪk/ s valkosipuli
garment /garmənt/ s vaate
garment bag s pukumatkalaukku
garnish /garnɪʃ/ s (esim ruuan) koriste (myös kuv), somiste
v koristaa, koristella (myös kuv), somistaa
garret /gerət/ s ullakko(huone)
garrison /gerəsən/ s varuskunta
v sijoittaa varuskunta jonnekin
garter /gartər/ s sukkanauha
gas /gæs/ s **1** kaasu **2** ilmavaivat he had terrible gas hänellä oli valtavia ilmavaivoja **3** bensiini **4** kaasu(poljin) **5** (sl) jyrkkä juttu
v surmata kaasumyrkytyksellä; myrkyttää (surmaamatta) kaasulla
gasbag /'gæs,bæg/ s (sl) poskisolisti
gas chamber /'gæs,tʃeɪmbər/ s kaasukammio

gash /gæʃ/ s syvä haava, viilto
v viiltää
gasket /gæskət/ s tiiviste
gaslit /'gæs,lɪt/ adj kaasulampuilla valaistu
gas mask s kaasunaamari
gasoline /'gæsə,lin/ s bensiini
gasp /gæsp/ s syvä hengenveto; säpsähdys
v huohottaa, haukkoa henkeään; säpsähtää
gas station s bensiiniasema
gassy adj **1** kaasumainen **2** (sl) puhelias
gas tank s (auton) bensiinitankki
gastric /gæstrɪk/ adj vatsa-, maha-
gastric ulcer mahahaava
gastritis /gæs'traɪtɪs/ s mahakatarri, mahalaukun tulehdus
gastrointestinal ,gæstroʊɪn'testɪnəl/ adj mahalaukkuun ja suolistoon liittyvä
gate /geɪt/ s **1** portti (myös kuv), veräjä (myös tietok) **2** pääsylipputulot; yleisömäärä
gâteau /gæ'toʊ/ (mon gâteax) s täytekakku
gate-crasher /'geɪt,kræʃər/ s kuokkavieras
gatekeeper /'geɪt,kipər/ s portinvartija
gate-leg s (pöydän) tukijalka
gate-leg table s kääntölevypöytä, klahvipöytä
gateway /geɪtweɪ/ s porttiaukko, portti (myös kuv)
gather /gæðər/ v **1** koota, kokoontua, kerätä, kerääntyä **2** kasvaa: to gather speed nopeutua, (vauhti) kiihtyä **3** päätellä, ymmärtää I gather that they are ready ymmärtääkseni he ovat valmiit
gathering s (ihmis)joukko; kokous, tilaisuus
gator /geɪtər/ s (ark) alligaattori
GATT General Agreement on Tariffs and Trade
gauche /goʊʃ/ adj (käytökseltään) kömpelö, avuton, taitamaton
gaudily adj pröystäilevästi, komeilevasti; mauttomasti, imelästi
gaudy /gadi/ adj pröystäilevä, komeileva; mauton, imelä
gauge /geɪdʒ/ s **1** mitta **2** mittari, mittalaite **3** raideleveys **4** paksuus, leveys **5** (kuv) mittapuu
v mitata (myös kuv:) punnita the boss tried to gauge the new secretary's abilities pomo yritti punnita uuden sihteerin kyvyt
gaunt /gant/ adj **1** hintelä, riutunut, luiseva **2** karu, autio
gauntlet /gantlət/ s **1** rautakäsine; käsine **2** kujanjuoksu (myös kuv) to run the gauntlet kärsiä (kujanjuoksu)
gauntness s **1** hintelyys **2** karuus, autius
gaur /gaʊər/ s gauri
gauze /gaz/ s harso; sideharso
gave /geɪv/ ks give
gay /geɪ/ s homoseksualisti
adj **1** iloinen, hilpeä **2** homoseksuaalinen
gayly /geɪli/ adv iloisesti, hilpeästi
gazelle /gə'zel/ s gaselli
G.B. Great Britain
GCA ground-controlled approach
GCL ground-controlled landing
gd. good; ground
G.D. grand duke; grand duchess; grand duchy
GDP gross domestic product bruttokansantuote, BKT
GDR German Democratic Republic (hist) Saksan demokraattinen tasavalta, DDR
gds. goods tavarat
gear /gɪər/ s **1** vaihde reverse gear peruutusvaihde the auto is in gear/out of gear auton vaihde on päällä/auton vaihde on vapaalla to switch gears (kuv) panna toinen vaihde päälle, muuttua **2** varusteet tennis gear **3** (muoti)vaatteet
gearbox /'gɪər,baks/ s vaihdelaatikko
gear down v **1** vaihtaa pienemmälle vaihteelle **2** rajoittaa, supistaa, pienentää
gearshift /'gɪər,ʃɪft/ s **1** vaihdevipu **2** vaihteisto

gear to v mukauttaa johonkin, suunnata, tähdätä
gear up v **1** vaihtaa isommalle vaihteelle **2** valmistautua, varustautua johonkin
gearwheel /'gıər,wiəl/ s hammaspyörä
geese /gis/ ks goose
gelatin /dʒelətən/ s liivate, gelatiini
gelding /geldiŋ/ s (hevonen) ruuna
gem /dʒem/ s **1** jalokivi **2** (kuv) aarre you're a gem
Gemini /dʒemənaı/ horoskoopissa Kaksoset
gemsbok /gemsbak/ s beisa
gemstone /'dʒem,stoʊn/ s jalokivi
gen. general; genitive
Gen.A.F. general of the air force ilmavoimien kenraali
gender /dʒendər/ s **1** sukupuoli **2** (kieliopissa) suku
gene /dʒin/ s geeni
genealogical /,dʒiniə'ladʒıkəl/ adj sukuperää koskeva, genealoginen
genealogist /,dʒini'alədʒıst/ s sukututkija, genealogi
genealogy /,dʒinı'alədʒi/ s **1** sukututkimus, genealogia **2** sukupuu
gene map s geenikartta
gene mapping s geenikartoitus
general /dʒenrəl/ s kenraali adj **1** yleinen, yleis- in general yleensä, tavallisesti I have a general idea of what is involved minulla on yleiskäsitys siitä mistä tässä on kyse **2** (tittelissä) pää-, yli- the secretary general of the United Nations Yhdistyneiden Kansakuntien pääsihteeri Attorney General (Yhdysvaltain) oikeusministeri
general anesthetic s yleispuudutus, nukutus
general delivery s noutoposti, poste restante
general election s (US) vaalit (ei esivaalit, primary election)
generalize /'dʒenrə,laız/ v yleistää (myös:) tehdä yleiseksi/yleisemmäksi
generally adv yleensä, yleisesti
General Motors /,dʒenrəl'moʊtərz/
general post office s (kaupungin) pääpostitoimisto
general practitioner s yleislääkäri
general public s suuri yleisö
general store s (yl maaseudulla) sekatavarakauppa
general strike s yleislakko
generate /'dʒenə,reıt/ v tuottaa; (kuv) synnyttää, herättää to generate electricity tuottaa sähköä the new car has generated tremendous interest uusi auto on herättänyt valtaisaa kiinnostusta
generation /,dʒenə'reıʃən/ s **1** tuottaminen **2** sukupolvi
generation gap s sukupolvien välinen kuilu
generator /'dʒenə,reıtər/ s generaattori
generic /dʒə'nerık/ adj **1** lajia koskeva **2** yleinen, yleis-
generosity /,dʒenə'rasıti/ s anteliaisuus, suurpiirteisyys
generous /dʒenərəs/ adj **1** antelias, suurpiirteinen **2** runsas, iso; uhkea
generously adv anteliaasti, suurpiirteisesti
genesis /dʒenəsıs/ s **1** (mon geneses) synty, alku **2** Genesis Ensimmäinen Mooseksen kirja, Genesis
gene technology s geenitekniikka
genetic /dʒə'netık/ adj geneettinen
geneticist /dʒə'netəsıst/ s perinnöllisyydentutkija, geneetikko
genetic probe /dʒə,netik'proʊb/ s geenikoetin
genetics /dʒə'netıks/ s (verbi yksikössä) perinnöllisyystiede, genetiikka
genetive /dʒenətıv/ s, adj (kieliopissa) genetiivi(-)
Geneva /dʒə'nivə/ Geneve
genial /dʒinjəl/ adj ystävällinen, miellyttävä, lämmin (myös kuv), leuto (ilmasto)
geniality /,dʒini'æləti/ s ystävällisyys, sävyisyys; (ilmaston) leutous
genially adv ystävällisesti, miellyttävästi, lämpimästi
genii /dʒini/ ks genius
genital /dʒenıtəl/ adj sukupuolielimiin liittyvä, genitaalinen

genitals s (mon) sukupuolielimet
genius /dʒinjəs/ s **1** (mon genii) (suojelus)henki **2** nerous **3** (mon geniuses) nero
genlock /'dʒenlak/ s (video) tahdistuslukitus
genocide /'dʒenə,saɪd/ s kansanmurha
gent /dʒent/ s (ark) (herras)mies
gentile /dʒentaɪl/ s, adj ei-juutalainen; kristitty
gentle /dʒentəl/ adj hellä, kevyt, varovainen, hiljainen, lievä, hyväntahtoinen
gentleman /dʒentəlmən/ s (mon gentlemen) herrasmies; (hyvä) herra; mies
gentlemanly adj herrasmiehelle sopiva/ominainen, huomaavainen, kohtelias
gentleness s ks gentle
gentlewoman /'dʒentəl,wʊmən/ s (mon gentlewomen) herrasnainen, hovinainen, hieno nainen
gently adv ks gentle
gentry /dʒentri/ s ala-aateli, gentry
genuine /dʒenjuən/ adj **1** aito **2** (kuv) varsinainen, todellinen he is a genuine idiot!
genuinely adv aidosti, tosissaan, vilpittömästi
genus /dʒinəs/ s (mon genera) (biol) laji
geog. geography; geographical
geographer /dʒɪ'agrəfər/ s maantieteen tutkija
geographical /,dʒiə'græfɪkəl/ adj maantieteellinen
geographically adv maantieteellisesti
geography /dʒɪ'agrəfi/ s **1** maantiede **2** (jonkin alueen) pinnanmuodot
geol. geology; geological
geological /,dʒiə'ladʒɪkəl/ adj geologinen
geologist /dʒɪ'alədʒɪst/ s geologi
geology /dʒɪ'alədʒi/ s geologia
geometric /,dʒiə,metrɪk/ adj geometrinen
geometrically adv geometrisesti
geometric progression s geometrinen jono
geometric ratio s geometrinen suhde
geometry /dʒɪ'amətri/ s geometria (myös:) muoto
geophysics /,dʒiə'fɪzɪks/ s (verbi yksikössä) geofysiikka
geopolitics /,dʒio'palətɪks/ s (verbi yksikössä) geopolitiikka
George /dʒɔrdʒ/ (kuninkaan nimenä) Yrjö
Georgia /dʒɔrdʒə/ s **1** (Yhdysvaltain osavaltio) Georgia **2** (Gruusia) Georgia
George Scouries /skauriz/ (Peter Panissa) Kuuraaja-George
geostationary /,dʒiə'steɪʃəneri/ adj geostationäärinen
geosynchronous /,dʒiə'sɪŋkrənəs/ adj geostationäärinen
geothermal /,dʒiə'θərməl/ adj geoterminen
ger. gerund
Ger. German; Germany
geranium /dʒə'reɪniəm/ s (kasv) kurjenpolvi
geriatric /,dʒeəri'ætrɪk/ adj geriatrinen
geriatrics /,dʒeəri'ætrɪks/ s (verbi yksikössä) geriatria
germ /dʒərm/ s **1** itu, alkio **2** taudinaiheuttaja (bakteeri, virus ym) **3** (kuv) alku
German /dʒərmən/ s saksan kieli s, adj saksalainen
German Democratic Republic (hist) Saksan demokraattinen tasavalta, DDR
germane to /dʒər'meɪn/ adj asiaankuuluva
Germany /dʒərməni/ Saksa
germinate /'dʒərmə,neɪt/ v itää (myös kuv:) orastaa
germination /,dʒərmə'neɪʃən/ s itäminen; (kuv) orastus, alku
gerontologist /,dʒerən'talədʒɪst/ s gerontologi, vanhenemisen tutkija
gerontology /,dʒerən'talədʒi/ s gerontologia, vanhenemisen tutkimus

gerund /dzjerənd/ s (kieliopissa) gerundi (substantiivina käytetty -ing -muoto, esim running (is good exercise))
gesticulate /dʒes'tɪkjə,leɪt/ v elehtiä, viittoilla (käsillään)
gesticulation /dʒes,tɪkjə'leɪʃən/ s elehdintä, viittoilu
gesture /dʒestʃər/ s ele (myös kuv) that was a nice gesture se oli kaunis ele, kauniisti tehty
get /get/ v got, got/gotten **1** saada; olla jollakulla (have got) he got two presents hän sai kaksi lahjaa I've got two dogs minulla on kaksi koiraa **2** hakea, noutaa go get the mail from the box mene hakemaan posti laatikosta he got measles hän sairastui tuhkarokkoon the teacher did not get him to grasp the concept opettaja ei saanut häntä ymmärtämään käsitettä **3** teetättää: he got a haircut, he got his hair cut hän kävi parturissa, leikkautti tukkansa **4** kuulla, ymmärtää, tajuta I told the joke twice, and he still did not get it **5** saapua, tulla jonnekin she got home late last night **6** tulla joksikin: dad got mad when I took five dollars from his pocket isä suuttui kun otin hänen taskustaan viisi dollaria it's getting harder and harder to find a job työpaikan löytäminen käy koko ajan vaikeammaksi **7** valmistautua, alkaa: you'd better get ready/started/going sinun on parasta laittautua valmiiksi/aloittaa/lähteä **8** tavoittaa, saada kiinni she did not get the doctor on the phone hän ei saanut lääkäriä puhelimeen **9** osua johonkin; tappaa the mob finally got him mafia surmasi hänet viimein **10** (ark) kismittää, kaivella the bad reviews really got me huonot arvostelut olivat minulle kova kolaus
get about v **1** (toipilaasta) olla jalkeilla **2** (huhu) levitä
get across v selittää, esittää, saada ymmärtämään
get ahead v menestyä, päästä eteenpäin
get ahead of v ohittaa (myös kuv:) päästä jonkun edelle
get along v **1** lähteä **2** tulla toimeen
get a move on fr panna töpinäksi
get a rise out of fr saada johonkuhun eloa
get around v **1** matkustella, liikkua **2** seurustella, käydä miehissä/naisissa
get at v **1** vihjailla **2** päästä käsiksi johonkin (myös kuv)
get away v karata, päästä karkuun
get away with v selvitä rangaistuksetta jostakin
get back v kostaa
get back to v ottaa uudestaan yhteyttä johonkuhun, soittaa takaisin/uudestaan
get behind v jäädä jälkeen, (maksu) myöhästyä
get by v **1** tulla toimeen, pärjätä **2** ei huomata, mennä ohi joltakulta
get by on v tulla toimeen jollakin, pärjätä jollakin
get carried away fr innostua liikaa
get down v **1** vapautua, irrotella, pitää hauskaa **2** masentaa **3** niellä, saada (kurkusta) alas
get down to v keskittyä johonkin
get down to cases fr mennä asiaan
get even fr kostaa don't get mad, get even älä suutu vaan kosta
get fresh with fr heittäytyä röyhkeäksi
get in v **1** saapua jonnekin **2** päästä sisään (myös kuv:) päästä jäseneksi **3** (kuv: syyllistyä) sekaantua/sotkeutua johonkin
get in on v päästä jyvälle jostakin; päästä apajille; osallistua
get it v **1** saada selkäänsä, saada kuulla kunniansa **2** tajuta
get off v **1** päästä/päästää pälkähästä, päästä/auttaa vapaaksi **2** nousta (lentokoneesta, junasta, satulasta)
get on v **1** edistyä **2** selvitä, pärjätä **3** tulla toimeen jonkun kanssa (with) **4** vanhentua, ikääntyä
get on the bandwagon fr liittyä joukkoon, ryhtyä jonkun/jonkin kannattajaksi
get out v tulla ilmi, paljastua
get out of v lopettaa, luopua he is thinking of getting out of the retailing hän aikoo luopua vähittäiskaupasta

Get out of here! fr **1** häivy! **2** älä
ɾritä!, älä narraa!
get over v selvitä, parantua jostakin
get over with v saada valmiiksi,
ɔäästä eroon jostakin
get religion fr **1** tulla uskoon **2** (kuv)
'ulla uuteen uskoon
get sick fr **1** sairastua **2** oksentaa
get someone's number fr päästä
selville jonkun aikeista, saada selville
mitä joku ajaa takaa
get someone wise fr (sl) kertoa
ollekulle jotakin
get something on the road fr
käynnistää, aloittaa, panna alulle
get the boot fr saada potkut, saada
kenkää
get the business fr saada kovaa
kohtelua
get the creeps fr pelästyä, puistattaa
get the hang of fr päästä jyvälle
ostakin, oppia
get the picture fr ymmärtää, tajuta
get the worst of Pauline got the
worst of his anger Pauline sai kärsiä
eniten hänen kiukustaan he got the
worst of it hän veti lyhyemmän korren
get through v **1** selvitä jostakin
2 saada joku ymmärtämään jotakin
get through to v saada joku
puhelimeen
get together fr **1** kerätä, koota;
kerääntyä, kokoontua **2** päästä yksi-
mielisyyteen/sopimukseen
get tough with fr koventaa otteitaan
onkun/jonkin suhteen
get underway v alkaa, aloittaa,
ähteä
get under your skin fr **1** (sl) käydä
onkun hermoille **2** vaikuttaa voimak-
kaasti johonkuhun, joku saa väreitä
ostakin
get up v **1** nousta (vuoteesta/ylös/sei-
somaan/ajoneuvoon/satulaan) **2** järjes-
tää, valmistella he got up a nice birthday
party for his wife hän järjesti vaimolleen
kivat syntymäpäiväjuhlat
get up as v pukeutua joksikin
get up to v **1** nousta/kiivetä jonnekin
2 hautoa mielessään, juonitella
get used to v tottua johonkin

get wise fr (sl) **1** ottaa selvää jostakin
2 ruveta nenäkkääksi
get wise to something fr (sl)
tajuta, päästä jyvälle/selville jostakin,
saada tietää
get your act together fr
ryhdistäytyä
get your second wind fr saada
(esim juostessa) hengityksensä
tasaantumaan
geyser /gaɪzər/ s kuuma lähde, geysir
GGPA graduate grade-point average
Ghana /ganə/ Ghana
Ghanaian /gəˈnaɪən/ s, adj
ghanalainen
ghastly /gæsli/ adj **1** järkyttävä, hirvit-
tävä (rikos) **2** kalmankalpea **3** (ark) hir-
vittävä, kamala, valtava
ghetto /getou/ s getto; slummi
ghetto blaster s (iso) radionauhuri
ghost /goust/ s **1** henki the Holy Ghost
Pyhä Henki to give up the ghost heittää
henkensä; pysähtyä, sammua **2** aave,
haamu **3** (kuv) kalpea aavistus jostakin
ghostly adj aavemainen
ghost story s kummitusjuttu
ghost town s aavekaupunki
ghostwrite v kirjoittaa jotakin
haamukirjoittajana/jonkun toisen nimellä
julkaistavaksi
ghostwriter /ˈgoust,raɪtər/ s
haamukirjoittaja
GHQ general headquarters
GHz gigahertz gigahertsi, miljardi
hertsiä
GI government issue
giant /dʒaɪənt/ s jättiläinen
adj jättiläismäinen, valtava, suunnaton
giant eland /ilənd/ s jättiläishirvi-
antilooppi
giantess s (naispuolinen) jättiläinen
giant forest hog s jättilismetskarju
giant panda s isopanda
gibberish /dʒɪbərɪʃ/ s siansaksa
Gibraltar /dʒəˈbraltər/
giddiness s: ks giddy
giddy /gɪdi/ adj **1** huimaava I feel a
little giddy minua huimaa/pyörryttää hie-
man **2** päätähuimaava **3** tyhjänpäiväi-
nen, pinnallinen, haihatteleva, oikullinen

gift /gɪft/ s **1** lahja Christmas gifts joululahjat **2** lahja, kyky he is a man of many gifts hän on monipuolisesti lahjakas
gift certificate s lahjakortti
gifted adj lahjakas
gift horse don't look a gift horse in the mouth (sananlasku) ei lahjahevosen suuhun katsota
gift of gab to have the gift of gab (ark) jollakulla on sana hallussaan
gift-wrap v kääriä lahjapaperiin
giftwrapping s lahjapaperi
gigantic /dʒaɪ'gæntɪk/ adj jättiläismäinen, valtava, suunnaton
giggle /gɪgəl/ s kikatus, hihitys v kikattaa, hihittää
GIGO garbage in, garbage out kun syöttää tietokoneeseen roskaa sieltä tulee roskaa ulos
gild /gɪld/ v gilded, gilded: kullata
gilding s **1** kultaus **2** lehtikulta
gill /gɪl/ s (yl mon) kidukset pale around the gills sairaan/huonon näköinen
gilt /gɪlt/ s **1** kultaaminen **2** lehtikulta **3** Gilt (tal) Ison-Britannian valtion takaama puntamääräinen obligaatio
gilt-edged adj **1** kultareunainen **2** (kuv) ensiluokkainen, paras mahdollinen
gimmick s **1** temppu **2** vempain, vekotin
gin /dʒɪn/ s gini
ginger /dʒɪndʒər/ s inkivääri
ginger ale s inkivääriiimonadi
gingerly adj varovainen adv varovaisesti
giraffe /dʒə'ræf/ s kirahvi
Giraffe (tähdistö) Kirahvi
girder /gərdər/ s kannatin(palkki)
girdle /gərdəl/ s **1** korsetti **2** vyö **3** (kuv) kahle v vyöttää
girl /gərəl/ s tyttö; tytär
girl Friday she is my girl Friday hän on oikea käteni, apulaiseni
girlfriend /'gərəl,frend/ s tyttöystävä, naisystävä
girlie /gərli/ s alaston-, porno- girlie magazines pornolehdet
girlish adj tyttömäinen
girl scout s partiotyttö
girth /gərθ/ s ympärysmitta
gist /dʒɪst/ s asian ydin forget the details, just give me the gist of it vähät yksityiskohdista, riittää kun kerrot minulle tärkeimmän
give /gɪv/ v gave, given **1** antaa the boy gave the girl an orange poika antoi tytölle appelsiinin the boss gave him three days to do the job pomo antoi hänelle kolme päivää työn tekemiseen let me give you an example minäpä annan esimerkin **2** funktioverbinä: to give a cry huutaa I gave him a good blow löin häntä oikein kunnolla **3** järjestää, pitää: he gave a concert/party **4** joustaa, antaa periksi (myös kuv) **5** synnyttää she gave him a baby girl **6** esitellä (yleisölle) **7** sanoa terveisiä: give my love to your wife (sano minulta) terveisiä vaimollesi
give-and-take /,gɪvən'teɪk/ s **1** molemminpuoliset myönnytykset, (kuv) kaupanteko, kompromissi **2** ajatustenvaihto
give and take fr **1** tehdä molemminpuolisia myönnytyksiä, tehdä kompromissi **2** vaihtaa ajatuksia
give an ear to fr kuunnella
give a tinker's damn not give a tinker's damn viis veisata, ei välittää tuon taivaallista/tippaakaan
giveaway /'gɪvə,weɪ/ s **1** the name "Pratt" was a dead giveaway nimi Pratt paljasti kaiken **2** lapsellisen helppo kysymys tms **3** ilmaistuote, lahja
give away v **1** paljastaa (salaisuus/joku), kavaltaa joku **2** (häissä) luovuttaa morsian sulhaselle **3** jakaa ilmaiseksi, antaa lahjaksi
give birth to fr synnyttää
give chase fr ajaa takaa
give color to fr tukea, vahvistaa, tehdä uskottavaksi
give credence to fr uskoa jotakin
give free rein to fr antaa jollekulle vapaat kädet

give full rein to fr antaa jollekulle vapaat kädet
give ground v perääntyä, antaa periksi
give in v **1** luopua, antaa periksi **2** antaa, luovuttaa
give it the old college try fr (ark) yrittää tosissaan, panna parastaan
give it to fr myöntää I have to give it to you, you're real smart täytyy myöntää että sinä olet melkoisen nokkela
given adj **1** tietty at a given price tiettyyn hintaan **2** olettaen given that you were not there at the time of the murder... olettaen että sinä et ollut paikalla murhan sattuessa...
given name s etunimi
given to adj altis, taipuvainen she is given to ostentatiousness hänellä on taipumusta rehentelyyn
give of v antaa aikaansa, olla käytettävissä, auttaa (myös taloudellisesti)
give off v tuoksua, haista the Mexican cheese gives off a terrible smell meksikolaisesta juustosta lähtee karnala haju
give or take fr suunnilleen that's the figure, give or take a few hundred se on oikea luku muutaman sadan tarkkuudella
give out v **1** säteillä, hehkua **2** jakaa **3** loppua, lopettaa **4** mennä rikki, pysähtyä, sammua
give over v **1** siirtää, luovuttaa jollekulle **2** luopua jostakin **3** käyttää aikaa johonkin he gave himself over to indulgence hän antautui/omistautui nautiskelulle
give pause fr tehdä mietteliääksi, saada pysähtymään
give place to fr tehdä tilaa jollekin, väistyä jonkin tieltä, syrjäytyä
give rein to fr antaa jollekulle vapaat kädet
give rise to fr johtaa johonkin, antaa aihetta johonkin, aiheuttaa jotakin, panna alulle jotakin
give someone enough rope fr antaa jonkun toimia vapaasti, antaa jollekulle vapaat kädet
give someone the slip fr livahtaa/karata jonkun käsistä
give the devil his due fr myöntää I don't much like her but I have to give the devil his due, she is a great lawyer en erityisemmin pidä hänestä mutta täytyy myöntää että hän on erinomainen asianajaja
give tongue to fr ilmaista, sanoa ääneen, pukea sanoiksi
give to understand fr antaa ymmärtää they gave me to understand that I should resign minun annettiin ymmärtää että minun tulisi erota
give up v **1** luopua, antaa periksi **2** lakata, luopua jostakin **3** omistautua, antautua jollekin
give up the ghost v heittää henkensä; pysähtyä, sammua
give voice to fr ilmaista, tuoda julki
give way fr **1** väistää, väistyä **2** (armeija) perääntyä **3** (myös kuv) sortua, luhistua, antaa periksi
give way to fr **1** tehdä tietä/tilaa jollekin, väistyä jonkun/jonkin tieltä **2** antaa periksi jollekin/jollekulle, antautua jollekin (esim tunteiden) valtaan
give your word fr luvata
Gk. Greek
glacial /gleɪʃəl/ adj **1** jääkauden aikainen/muovaama **2** (kuv) toivottoman hidas **3** (kuv) jäätävä, vihamielinen she looked at me with glacial indifference hän katsoi minua jäätävän välinpitämättömästi
glacier /gleɪʃər/ s jäätikkö
Glacier /gleɪʃər/ kansallispuisto Montanassa
glad /glæd/ adj iloinen we were glad to be back olimme iloisia päästessämme takaisin that's glad news se on iloinen uutinen
gladden v ilahduttaa, tehdä iloiseksi
glade /gleɪd/ s aukeama (metsässä)
glad hand to give someone the glad hand tervehtiä pursuavan (ja teennäisen) ystävällisesti, makeilla, hieroa (kuv) jotakuta
gladiator /ˈglædɪˌeɪtər/ s gladiaattori

gladly adv **1** iloisesti **2** mielellään
Gladstone /'glæd,stoun/ (sarjakuvahahmo) Hansu
glamor ks glamour
glamorize /'glæmə,raɪz/ v ihannoida
glamorous adj loistokas, hohdokas
glamorously adv loistokkaasti, loistavan
glamour /glæmər/ s loisto, komeus, hohto
glamour boy s kaunokainen, filmitähti tms
glamour girl s kaunotar, filmitähti tms
glance /glæns/ s vilkaisu at a glance yhdellä vilkaisulla at first glance ensi näkemältä
v vilkaista
gland /glænd/ s rauhanen
glandular /glændʒələr/ adj rauhas-
glare /gleər/ s **1** häikäisevä/räikeä/sokaiseva paiste/valo/loiste the glare of the car's headlights blinded him auton valot sokaisivat hänet **2** (vihainen) tuijotus, katse
v **1** loistaa/paistaa räikeästi **2** katsoa vihaisesti
glaring adj **1** häikäisevä, sokaiseva, räikeä (myös kuv) a glaring error räikeä virhe **2** vihaisesti tuijottava/katsova
Glasgow /glæzgou/
glasnost /'glæz,nast/ s glasnost, (Neuvostoliiton) avoimuuspolitiikka
glass /glæs/ s **1** (aine) lasi **2** (juoma)lasi; (ikkuna)lasi; (suurennus)lasi **3** (mon) (silmä)lasit
glassblower /'glæs,bloər/ s lasinpuhaltaja
glassblowing /glæsbloiŋ/ s lasinpuhallus
glasshouse /'glæs,haus/ s (UK) kasvihuone
glass jaw /,glæs'dʒa/ s (nyrkkeilijän) lasileuka
glassware /'glæs,weər/ s lasitavara
glassworks /'glæs,wərks/ s (verbi yl yksikössä) lasitehdas
glassy adj **1** lasinen, lasimainen **2** lasittunut (katse)
glaucoma /gla'koumə/ s viherkaihi
glaze /gleɪz/ s **1** (savitavaran pinnalla) lasitus, lasite **2** (ruuanlaitossa) kuorrutus
v **1** lasittaa (savitavaraa) **2** (ruuanlaitossa) kuorruttaa **3** (silmät, katse) lasittua
gleam /glim/ s kiilto, kimallus, pilke (myös kuv) with a gleam in his eye pilke silmäkulmassa
v kiiltää, kimaltaa, säkenöidä
gleaming adj kimalteleva, pilkehtivä, säkenöivä
glean /glin/ v saada selville, huomata, nähdä I could glean from his eyes that he was worried näin hänen silmistään että hän oli huolissaan
glee /gli/ s ilo malicious glee vahingonilo
gleeful adj iloinen; vahingoniloinen
gleefully adj iloisesti; vahingoniloisesti
glen /glen/ s (pieni) laakso
glib /glɪb/ adj lipevä, liukas, ovela she did not like him, his manner was too glib hän ei pitänyt miehestä koska tämä käyttäytyi liian lipevästi
glibly adv lipevästi, liukkaasti, ovelasti
glibness s lipevyys, liukkaus, oveluus
glide /glaɪd/ s **1** liukuminen **2** liukulento **3** liitolento, purjelento
v **1** liukua **2** leijua **3** liitää, lentää purjekoneella
glider /glaɪdər/ **1** purjekone **2** purjelentäjä **3** riippuliidin (myös hang glider) **4** riippuliitäjä **5** pussiliito-orava
gliding s purjelento
glimmer /glɪmər/ s kajastus, loiste, pilke (myös kuv) a glimmer of hope toivon pilke
v kajastaa, loistaa, pilkahtaa
glimpse /glɪmps/ s vilkaisu
v nähdä väläykseltä
glint /glɪnt/ s kimallus, pilke
v kimaltaa, säkenöidä, tuikkia
glisten /glɪsən/ v kimaltaa, kimallella, säkenöidä
glitter /glɪtər/ s kimallus, säkenöinti
v kimaltaa, säkenöidä, tuikkia all that glitters is not gold ei kaikki ole kultaa mikä kiiltää

glittering adj **1** kimalteleva, säkenöivä, tuikkiva **2** loistokas, korea; houkutteleva
glittery adj kimalteleva, säkenöivä
gloat /glout/ v hekumoida jollakin, nauttia suuresti jostakin he gloated over my failure hän oli vahingoniloinen minun epäonnistumisestani
gloating s omahyväisyys, itsetyytyväisyys; vahingonilo
adj omahyväinen; vahingoniloinen
global /gloubəl/ adj maailmanlaajuinen
globally adv maailmanlaajuisesti
globe /gloub/ s **1** maapallo **2** (muoto) pallo **3** karttapallo
gloom /glum/ s hämäryys, pimeys, synkkyys (myös kuv)
gloomily adj (kuv) synkästi
gloominess s hämäryys, pimeys, synkkyys (myös kuv)
gloomy adj hämärä, pimeä, synkkä (myös kuv)
glorification /,glɔrəfɪ'keɪʃən/ s ihannointi, ylistys
glorified /'glɔrə,faɪd/ adj the resort is nothing but a glorified hotel lomanviettopaikka on pelkkä hieno hotelli
glorify /'glɔrə,faɪ/ v ihannoida, ylistää
glorious /glɔriəs/ adj **1** maineikas, ansioitunut **2** erinomainen, loistava, ensiluokkainen
glory /glɔri/ s **1** maine, kunnia **2** ylistys **3** loisto, komeus **4** autuus to go to your glory kuolla
glory in v iloita, nauttia, olla ylpeä jostakin
Glos. Gloucestershire
gloss /glas/ s **1** kiilto; (kuv) pintakiilto **2** selitys, huomautus
glossary /glasəri/ s sanaluettelo, sanasto
gloss over v vähätellä, yrittää salata jotakin
glossy adj kiiltävä(pintainen)
Gloucestershire /glastərʃər/ Englannin kreivikuntia
glove /glʌv/ s käsine, sormikas, hansikas
glove compartment s (auton) hansikaslokero
gloved adj he did it with gloved hands hän teki sen käsineet kädessä
glow /glou/ s hehku, kajaste, loiste, valo
v hehkua, kajastaa, loistaa; (kuv) pursua
glowing adj **1** hehkuva **2** (kuv) ylistävä, ylenpalttinen
glowingly adv (kuv) ylistäen, ylenpalttisesti
glucose /'glu,kous/ s glukoosi
glue /glu/ s liima
v liimata; (passiivissa kuv) liimautua her eyes were glued to the other table where the movie star was sitting hän tuijotti herkeämättä toiseen pöytään jossa filmitähti istui
glum /glʌm/ adj apea, alakuloinen, masentunut, synkkä
glumly adv apeasti, alakuloisesti
glut /glʌt/ s (tavaran) ylitarjonta, tulva
v olla ylitarjontaa jostakin, tulvia markkinoilla
glutton /glʌtən/ s ahmatti (myös eläin)
gluttonous adj kyltymätön
gluttony s (ruualla ja juomalla) mässäily, porsastelu
glyceride /glɪsəraɪd/ s (rasvayhdiste) glyseridi
glyceride /glɪsərɔl/ s (rasvan osa) glyseroli
GM General Motors
G.M. general manager
GMT Greenwich Mean Time Greenwichin aika
gnarl /narəl/ s (puussa) pahka
v vääristää, vääntää kieroon
gnarled /narəld/ adj pahkainen (puu)
gnarly /naərli/ adj (nuorten sl) makee
gnash /næʃ/ v kiristellä (hampaitaan)
gnat /næt/ s (yl) hyttynen
gnaw /na/ v kalvaa (myös kuv), nakertaa, pureskella the dog is happily gnawing at a bone koira kalvaa tyytyväisenä luuta
gnawing adj (kuv) kalvava, kiduttava
gnome /noum/ s **1** maahinen, peikko **2** finanssinero, (suur)pankkiiri, pankkimies
GNP gross national product bruttokansantuote

gnu /nu/ s gnu brindled gnu juovagnu white-tailed gnu valkohäntägnu
go /goʊ/ v went, gone **1** mennä, lähteä we went home menimme/lähdimme kotiin we went there by bus menimme sinne linja-autolla you went too far sinä menit liian pitkälle I have to go minun täytyy lähteä the children should go to bed lasten pitäisi mennä nukkumaan how did your test go? miten koe meni? **2** käydä: do you still go to school? vieläkö sinä käyt koulua? **3** tulla joksikin he's gone crazy hän on tullut hulluksi **4** kuulua jonnekin/johonkin that goes with the territory se kuuluu työn arkeen the red ones go into that box punaiset kuuluvat tuohon laatikkoon **5** anything goes kaikki on sallittua **6** go to show osoittaa that only goes to show that he is a genius se on vain merkki siitä että hän on nero **7** (ark) sanoa and he goes, "What do you think?" ja sitten hän sanoi... **8** (ark) käydä vessassa Mommy, I gotta go! äiti, minulla on vessahätä **9** is this for here or to go? (pikaravintolassa:) syöttekö täällä vai otatteko ruoan mukaanne?
apuv (futuurina:) aikoa I am going to do it aion tehdä sen it is going to rain pian sataa
adj valmis all systems go kaikki on valmista
go about v tehdä (työtään), hoitaa (tehtäviään)
goad into /goʊd/ v kannustaa, yllyttää jotakuta tekemään jotakin
go after v tavoitella jotakin, pyrkiä johonkin
go against v (kuv) sotia jotakin vastaan, olla jonkin vastainen
go ahead v ole hyvä vain go ahead if you want to leave sen kuin lähdet vain
go-ahead /'goə,hed/ s (kuv) vihreä valo, lupa aloittaa they finally got the go-ahead to launch the rocket he saivat viimein luvan laukaista raketin
goal /goəl/ s **1** tavoite, päämäärä **2** (kilpailun) maali (eri merk) **3** (amerikkalaisessa jalkapallossa) potkumaali
goalie /goəli/ s maalivahti
goalkeeper /'goəl,kipər/ s maalivahti
goal line /'goəl,laɪn/ s (amerikkalaisessa jalkapallossa) maalilinja
go all the way fr (sl) **1** tehdä jotakin täysin palkein/täysillä, astua viimeinenkin askel **2** maata jonkun kanssa
go along v **1** lähteä/tulla mukaan **2** suostua johonkin
goal post /'goəl,poʊst/ s (amerikkalaisessa jalkapallossa) maalipylväs
go around v **1** riittää (kaikille) **2** kiertää, olla liikkeellä
go around with v liikuskella jonkun seurassa
go at v käydä käsiksi johonkin (myös kuv:) paneutua
goat /goʊt/ v **1** vuohi **2** (kuv) pukki
goatee /goʊ'ti/ s pukinparta
go away empty-handed fr jäädä tyhjin käsin
go bad fr pilaantua
go bananas fr saada hepulit; tulla hulluksi
gobble /gabəl/ v ahmia, pistää poskeensa
gobble up v (kuv) ahnehtia, niellä, pistää poskeensa
go-between s välittäjä, sovittelija, lähetti
Gobi Desert /,goubi'dezərt/ Gobin aavikko
goblin /gablən/ s peikko
go by v **1** päästää (tilaisuus) käsistään **2** noudattaa (neuvoa)
go cold turkey fr **1** lopettaa esim huumeen käyttö kerralla, panna kerrasta poikki **2** ryhtyä kylmiltään johonkin
God /gad/ s **1** Jumala **2** god jumala (myös kuv) man is trying to play god by tampering with genes ihminen leikkii jumalaa sorkkimalla geenejä
God-awful adj (ark) hirvittävä, kamala
godchild /'gad,tʃaɪəld/ s kummilapsi
goddamn /,gad'dæm/ s, adj, interj (ark) hitto, helvetti he is a goddamn fool hän on täysi idiootti
goddamned adj (ark) pahuksenmoinen, hitonmoinen, kirottu
goddamnit /,gad'dæmɪt/ interj (ark) hitto soikoon!
goddammit ks goddamnit

goddaughter /ˈgad,datər/ s kummityttö
godfather /ˈgad,faðər/ s kummisetä
godforsaken /,gadfərˈseɪkən/ adj Jumalan hylkäämä, (kuv) syrjäinen he lives in some godforsaken place hän asuu jossakin Jumalan selän takana
godless adj jumalaton, ateistinen
godlike adj jumalallinen
godliness s hurskaus, jumalanpelko cleanliness is next to godliness puhtaus on puoli ruokaa
godly adj **1** hurskas **2** jumalallinen, Jumalan
godmother /ˈgad,mʌðər/ s kummitäti
go down v **1** laskea, laskeutua, vähetä **2** (sl) tapahtua
go down fighting fr taistella henkeen ja vereen/viimeiseen saakka (myös kuv)
go down on v (sl) oraaliseksistä: ottaa suuhun, imeä, nuolla
go down the tube fr (ark) mennä läskiksi, mennä pöntöstä alas
godsend /ˈgad,send/ s suuri apu, siunaus, luojan lykky
godson /ˈgad,sʌn/ s kummipoika
Godspeed /ˈgad,spid/ s hyvä onni, menestys I wish you Godspeed toivotan sinulle menestystä
gofer /goufər/ s (sl) juoksupoika
go for v **1** yrittää saada, tavoitella **2** valita
go for it fr yrittää tosissaan, panna parastaan, tarttua tilaisuuteen
goggle /gagəl/ v tuijottaa, mulkoilla; (silmät) pullistua kuopistaan
goggles /gagəlz/ s (mon) (suoja)lasit; uimalasit
go haywire fr mennä rikki, hajota, ruveta reistailemaan
go in for v innostua/pitää jostakin, harrastaa jotakin
going /gouiŋ/ s **1** lähtö, meno **2** vauhti, nopeus, tahti
adj **1** käypä the going price for strawberries mansikoiden käypä hinta **2** menestyvä, menestyksekäs
go into v **1** paneutua johonkin, keskustella jostakin **2** ruveta opiskelemaan
go into effect fr astua voimaan
goitered gazelle /,goɪtərdgəˈzel/ s kuhertajagaselli
go-kart /ˈgo,kart/ s mikroauto
gold /gold/ s **1** kulta **2** kullan väri
adj **1** kultainen gold watch kultakello **2** kullanvärinen
goldbrick /ˈgold,brɪk/ s (sl) pinnari
v pinnata
golden adj **1** kultainen (myös kuv) **2** kullanvärinen
golden age s kulta-aika the golden age of big band music
Golden Arches s (mon) McDonald'sin pikaravintoloiden keltainen M-tunnus, kultaiset kaaret
golden calf s (Raam ja kuv) kultainen vasikka
Golden Horn Kultainen sarvi
golden oldie /,goldənˈouldi/ s (popmusiikissa) vanha hitti
goldenrod /ˈgoldən,rad/ s kultapiisku
golden rule s kultainen sääntö
golden section s (taiteessa) kultainen leikkaus
gold fever s kultakuume
goldfish /ˈgold,fɪʃ/ s kultakala
goldilocks /ˈgoldɪ,laks/ s (verbi yksikössä, mon goldilocks) kultakutri
gold leaf s lehtikulta
gold mine s kultakaivos (myös kuv) a gold mine of information tiedon kultakaivos
goldsmith /ˈgoldsmɪθ/ s kultaseppä
gold standard s (tal) kultakanta
golf /galf/ s golf
v pelata golfia
golf bag s (golf)mailareppu
golf ball s golfpallo
golf cart s **1** (sähkökäyttöinen) golfvaunu **2** (käsin vedettävät) golfkärryt
golf club s **1** golfmaila **2** golfseura
golf course s golfkenttä
golfer s golfin pelaaja
golf links s (mon) golfkenttä
golf pro /ˈgalf,prou/ s golfpro, opetusta antava ammattilainen
golf widow /ˈgalf,wɪdou/ s golfleski

gondola /gandələ gan'doulə/ s **1** gondoli **2** (ilmalaivan) matkustamo, (kuumailmapallon) kori
gondolier /,gandə'lıər/ s gondolieeri
gone /gan/ ks go
gong /gaŋ/ s (mus) gongi
good /gud/ s **1** hyvä a brisk walk will do you good reipas kävely tekee sinulle hyvää **2** hyöty: what good is a remote without batteries? mitä kaukosäätimellä tekee jos siinä ei ole paristoja? **3** for good pysyvästi, lopullisesti
adj better, best **1** hyvä the plumber did a good job putkiasentaja teki työnsä hyvin **2** hauska we had a good time meillä oli hauskaa **3** hyväntahtoinen, hyväsydäminen the good Samaritan laupias samarialainen **4** no good mitätön he is no good as a painter hänestä ei ole taidemaalariksi **5** as good as kuin it's as good as new se on uuden veroinen
good-bye /,gud'baı, gə'baı/ s jäähyväiset
interj hyvästi, näkemiin
good day interj (käytetään tavattaessa ja erottaessa) hyvää päivää; hyvää päivänjatkoa
good deal s **1** a good deal of work paljon työtä **2** hyvä kauppa, sopimus I made a good deal with the salesman
good evening interj hyvää iltaa
good for adj **1** he is good for the loan hän maksaa kyllä lainan takaisin **2** vastata jotakin **3** kestää those shoes are good for another year ne kengät saavat kelvata vielä vuoden **4** olla voimassa the pass is good for daytime shows only vapaalipulla pääsee vain päivänäytäntöihin
good-for-nothing s kelvoton ihminen, vätys
adj mitätön, kelvoton
Good for you! fr Hienoa (sinun kannaltasi)!, Kyllähän sinun kelpaa!, Kateeksi käy!
Good Friday s pitkäperjantai
good-humored adj hyväntuulinen
goodies /gudiz/ s (mon) namut, herkut, herkkupalat (myös kuv) you can find all sorts of goodies in an electronics store elektroniikkakaupasta löytyy kaikenlaista jännää
good-looking adj hyvännäköinen
good morning interj hyvää huomenta
goodness s **1** hyvyys **2** laatu
interj hyvä tavaton!
good news s (verbi yl yksikössä) hyvä uutinen he is good news hyvä että hän tulee/on mukana yms, hänen mukanaolonsa yms enteilee hyvää
good night interj hyvää yötä
goods /gudz/ s (mon) kauppatavara; tavarat, omaisuus to deliver the goods (kuv) pitää sanansa, olla luotettava
good-sized adj hyvänkokoinen, iso
goodwill /,gud'wıl/ s **1** hyväntahtoisuus **2** goodwill (yrityksen ym nauttima arvonanto)
goody-goody /,gudi'gudi/ s hurskastelija, (ällöttävä) pulmunen
adj hurskasteleva, ällöttävä
go off v **1** räjähtää, laueta **2** sujua, mennä **3** lähteä (yhtäkkiä), häipyä **4** kuolla
go off the deep end fr innostua/rakastua silmittömästi, ei pysyä housuissaan
Goofy /gufi/ Hessu
go on v **1** tapahtua **2** jatkaa **3** pölistä, jaaritella, puhua minkä jaksaa **4** käyttäytyä tietyllä tapaa
go on a binge fr syödä hillittömästi, porsastella; törsätä rahaa
go on strike fr ruveta lakkoon
go on the stage fr ruveta näyttelijäksi, siirtyä teatterialalle
goose /gus/ s (mon geese) hanhi my goose is cooked minä olen nesteessä/kiipelissä
gooseberry /'gus,beri/ s karviainen, karviaismarja
goose bumps s (kuv mon) kananliha, puistatus
goose flesh s (kuv) kananliha, puistatus
go out v **1** sammua **2** käydä ulkona, tavata ihmisiä
go out of fashion fr jäädä pois muodista

go out of your way fr tehdä kaikkensa, yrittää parhaansa, nähdä kovasti vaivaa
go over v **1** käydä läpi, tarkastaa **2** saada tietynlainen vastaanotto my suggestions did not go over very well with the audience ehdotukseni eivät olleet yleisön mieleen
go over the wall fr (sl) karata vankilasta, paeta
GOP Grand Old Party Yhdysvaltain republikaaninen puolue
go places fr (ark) menestyä, päästä pitkälle
goral /goərəl/ s (eläin) goraali
gore /gɔr/ s **1** (ylät) hurme, veri **2** väkivalta
v pistää, puhkaista
gorge /gɔrdʒ/ s **1** rotko, kuru; pieni kanjoni **2** kurkku
gorgeous /gɔrdʒəs/ adj komea, upea, mahtava, loistava
gorgeously adv ks gorgeous
gorilla /gə'rɪlə/ s gorilla
gory /gɔri/ adj **1** verinen **2** ikävä, kurja
gosh /gaʃ/ interj no voi että!, voi ei!, voi hurja!
goshawk /'gas,hak/ s kanahaukka
gosling /gazliŋ/ s hanhenpoikanen
gospel /gaspəl/ s evankeliumi (myös kuv) the Gospel according to Matthew Matteuksen evankeliumi
gospel music s gospelmusiikki
gospel truth s totinen totuus that's the gospel truth se on totista totta
gossip /gasɪp/ s **1** juoru, juoruaminen **2** juoruaja
gossip column s (lehden) juorupalsta
go steady fr (ark) seurustella vakinaisesti
got /gat/ ks get have got ks have
gotcha /gatʃə/ sama kuin got you **1** ymmärrän mitä tarkoitat **2** ähäkutti!
go the route fr pitää pintansa, tehdä/kestää jotakin loppuun saakka
go through v **1** kokea, joutua käymään läpi **2** tutkia, käydä läpi **3** mennä läpi, tulla hyväksytyksi **4** tuhlata, törsätä, käyttää loppuun
go through the roof fr **1** nousta/kasvaa/kallistua valtavasti **2** pillastua, raivostua, menettää malttinsa
go through with v kestää/saattaa loppuun/päätökseen
go together v **1** kuulua yhteen; sopia yhteen **2** seurustella, olla yhdessä
go to press fr (sanomalehti ym) mennä painoon
go to the wall fr **1** hävitä (kilpailu), saada selkäänsä **2** tehdä konkurssi, mennä vararikkoon **3** tehdä kaikkensa, tehdä mitä vain
gouge /gaʊdʒ/ s kourutaltta
v **1** kaivaa, kaivertaa, kovertaa **2** kaivaa esiin/irti **3** huijata, huiputtaa
goulash /gulaʃ/ s gulassi
go under v **1** (laivasta) upota **2** epäonnistua, kariutua **3** esiintyä jollakin nimellä, olla tunnettu jonakin
go under fr **1** (laiva) upota **2** (yritys) tehdä vararikko, mennä konkurssiin
go up v **1** kasvaa, lisääntyä **2** unohtaa vuorosanansa
gourmand /gɔr,mand/ s syöppö, ahmatti
gourmandize /'gɔrmən,daɪz/ v herkutella, syöpötellä
gourmet /gɔr'meɪ/ s herkuttelija, herkkusuu
gov. government; governmental valtio; valtion
govern /gʌvərn/ v **1** hallita (myös kuv) to govern a country hallita maata price governed his choice of a new car hinta ratkaisi millaisen uuden auton hän osti **2** hillitä she was unable to govern her temper hän ei kyennyt hillitsemään itseään
governess /gʌvərnəs/ s kotiopettajatar
government /gʌvərnmənt/ s **1** hallitus, hallitseminen **2** hallitusmuoto **3** hallitus, valtioneuvosto **4** valtio he is a government employee hän on valtion palveluksessa
governmental /,gʌvərn'mentəl/ adj valtion; hallituksen
governor /gʌvərnər/ s **1** kuvernööri **2** johtaja **3** (UK, ark puhuttelu) pomo yes, governor selvä, pomo

governorship /ˈgʌvərnərˌʃɪp/ s kuvernöörin virka
go west fr (ark) kuolla
go whole hog fr ei (turhia) säästellä/nuukailla let's go whole hog and buy a car which is loaded mitä tässä turhia nuukailemaan, ostetaan auto jossa on kaikki mahdolliset lisävarusteet
go with v **1** sopia johonkin/yhteen jonkin kanssa **2** seurustella jonkun kanssa
go without v jäädä/olla ilman jotakin, luopua jostakin
go without saying fr olla sanomattakin/itsestään selvää
gown /gaʊn/ s **1** aamutakki **2** (naisten ilta)puku **3** tuomarinviitta, papinkaapu yms
GP general practice; general practitioner; grand prix
GPA grade-point average (arvosanojen) keskiarvo
GPO general post office pääpostitoimisto Government Printing Office (Yhdysvaltain) valtion painatuskeskus
GPS /ˌdʒiˌpiˈes/ Global Positioning System
grab /græb/ s ote: the thief made a grab at the woman's bag varas yritti tarttua naisen käsilaukkuun the company is up for grabs firma on kaupan
v **1** tarttua, ottaa kiinni jostakin **2** hakea/ottaa kiireesti/ohimennen **3** anastaa, vallata, ottaa luvattomasti
grace /greɪs/ s **1** armo **2** suosio to fall from grace joutua epäsuosioon to be in someone's good/bad graces olla jonkun suosiossa/epäsuosiossa **3** lykkäys, lisäaika **4** suloisuus, sulo; hyvät tavat to do something with good/bad grace tehdä jotakin hyvillä mielin, halukkaasti/vastahakoisesti she had the grace to help us hän auttoi meitä armeliaasti/ystävällisesti **5** ruokarukous
graceful adj suloinen, viehättävä, miellyttävä, kaunis
gracefully adv suloisesti, viehättävästi, miellyttävästi, kauniisti
graceless adj töykeä, hiomaton (käytös), töksähtelevä
grace period s lykkäys, lisäaika, armonaika
gracious /greɪʃəs/ adj **1** armelias **2** suopea, hyväntahtoinen **3** hienostunut, tyylikäs, ylellinen, komea
graciously adv ks gracious
graciousness s **1** armeliaisuus **2** suopeus, hyväntahtoisuus, myötämielisyys **3** ylellisyys, hienostuneisuus
grade /greɪd/ s **1** taso to make the grade selvitä jostakin, onnistua **2** (koulu)luokka; luokka(taso) **3** (koulussa) arvosana, numero **4** laatuluokka grade A eggs A-luokan kananmunat to be up to grade täyttää laatuvaatimukset, kelvata **5** kaltevuus there is a slight grade in the road here tie kallistuu tässä hieman
v **1** luokitella, lajitella **2** kallistua, viettää, nousta **3** arvostella/korjata koetuloksia **4** tasoittaa (tietä)
grade crossing s tasoristeys
grade point s (numerona ilmaistu) arvosana
grade point average s keskiarvo
grade school s alakoulu (peruskoulun ala-aste)
grade-schooler s alakoululainen
gradient /greɪdɪənt/ s kallistuma, kaltevuus, (tien) nousu/lasku
gradual /grædʒʊəl/ adj **1** asteittainen, vähitellen tapahtuva **2** loiva (rinne)
gradually adv **1** vähitellen, hiljakseen **2** (viettää/nousta) loivasti
graduate /grædʒʊət/ s (yliopistosta ym) valmistunut (henkilö) high-school graduate ylioppilas
adj jatko-opintoihin liittyvä graduate student jatko-opiskelija
graduate /ˈgrædʒʊˌeɪt/ v **1** valmistua (oppilaitoksesta) to graduate from high school tulla ylioppilaaksi our college graduated one hundred students this year collegestamme valmistui tänä vuonna sata opiskelijaa **2** porrastaa, jakaa asteisiin **3** muuttua vähitellen joksikin

graduated adj **1** asteittainen, porrastettu graduated income tax porrastettu tulovero **2** asteikolla varustettu, asteisiin jaettu
graduate school s yliopisto/laitos jossa on mahdollisuus jatko-opintoihin
graduation /ˌgrædʒʊ'eɪʃən/ s **1** (oppilaitoksesta) valmistuminen **2** (oppilaitoksen) valmistumisjuhla high school graduation ylioppilasjuhla **3** porrastus
graffiti /grə'fiti/ s (mon sanasta graffito) graffiti, seinäkirjoitukset
graft /græft/ s (lääk) siirrännäinen; (kasv) oksas, jalostusoksa
v **1** siirtää (elin); oksastaa **2** liittää, siirtää, yhdistää (on) johonkin
grain /greɪn/ s **1** jyvä (myös kuv) there is not a gain of truth in his story hänen tarinassaan ei ole totuuden häivääkään **2** vilja **3** (puun) syy, (kankaan sidoksen) suunta to go with/against the grain (kuv) tehdä jotakin myötäkarvaan/vastakarvaan **4** (valok) rae
grain elevator s viljasiilo
grainfield /'greɪn,fɪəld/ s viljapelto
grain of salt to take something with a grain of salt suhtautua johonkin varauksellisesti, ei ottaa jotakin täydestä
grainy adj **1** syinen **2** (valok) rakeinen
gram /græm/ s gramma
gram. grammar, grammatical
grammar /græmər/ s kielioppi (myös kirja)
grammar school s (US) peruskoulu; (UK) lukio
grammatical /grə'mætɪkəl/ adj kieliopillinen, kielioppi-
grammatically adv kieliopillisesti
gramme ks gram
gramophone /'græmə,foun/ s (vanh) levysoitin; gramofoni
granary /greɪnəri/ s viljavarasto
grand /grænd/ s **1** flyygeli **2** (ark) tonni, tuhat taalaa
adj **1** mahtava, komea, loistelias, majesteetillinen, vaikuttava **2** pää-, suuri **3** erinomainen, loistava
Grand Canyon /ˌgræn'kænjən/ kanjoni ja kansallispuisto Arizonassa
grandchild /'græn,tʃaɪəld/ s (mon grandchildren) lapsenlapsi
granddaddy /'græn,dædi/ s (mon granddaddies) (ark) **1** isoisä, ukki, vaari **2** the grandddaddy of all sports cars kaikkien urheiluautojen kantamuoto, äiti (ark)
granddaughter /'græn,datər/ s pojantytär, tyttärentytär, lapsenlapsi
grandeur /grændʒər/ s loisto, komeus
grandfather /'græn,faðər/ s isoisä
grandfather clock s kaappikello
grand finale s finaali, loppunäytös
grandiose /ˌgrændi'ous/ adj **1** komea, vaikuttava **2** suurisuuntainen, mahtipontinen
grand larceny s törkeä varkaus
grandly adv komeasti, juhlallisesti, majesteetillisesti
grandma /græma/ s (ark) isoäiti
grandmother /'græn,mʌðər/ s isoäiti
grand old man s grand old man, jonkin alan vanha ja tunnettu edustaja
Grand Old Party s Yhdysvaltain republikaaninen puolue
grand opening s (myymälän ym) avajaiset
grandpa /græmpa/ s (ark) isoisä
grandparents /'græn,perəns/ s (mon) isovanhemmat
grand piano s flyygeli
grandson /'græn,sʌn/ s pojanpoika, tyttärenpoika, lapsenlapsi
grandstand /'græn,stænd/ s pääkatsomo
Grand Teton /ˌgræn'titan/ kansallispuisto Wyomingissa
Grand Tetons /ˌgræn'titanz/ vuoristo Wyomingissa
grand theft s törkeä varkaus
grand total s kokonaissumma, loppusumma
granite /grænət/ s graniitti
grant /grænt/ s stipendi, avustus
v **1** myöntää, antaa he was granted permission to start a new project hän sai luvan uuteen hankkeeseen **2** myöntää, tunnustaa your new computer is fast, I'll grant you that täytyy myöntää että uusi tietokoneesi on nopea

granular /grænjələr/ adj rae-, rakeinen
granulated sugar s hieno sokeri, kidesokeri
granule /grænjʊəl/ s jyvänen
grape /greɪp/ s viinirypäle
grapefruit /'greɪpˌfrut/ s greippi
grapevine /'greɪpˌvaɪn/ s **1** viiniköynnös **2** huhupuhe I heard it on/through the grapevine kuulin sen huhupuheena
graph /græf/ s kaavio, diagrammi, käyrä
graphic adj **1** graafinen **2** kouraantuntuva, havainnollinen
graphic artist s graafikko
graphic arts s (mon) grafiikka, graafinen taide
graphics s (verbi yl mon) grafiikka computer graphics tietokonegrafiikka
graphite /græfaɪt/ s grafiitti
graphologist s grafologi, käsialan tutkija
graphology /græ'falədʒi/ s grafologia, käsialan tutkimus
grapnel /græpnəl/ s (mer) naara
grapple with /græpəl/ v taistella, kamppailla jonkin asian kimpussa
grasp /græsp/ s ote (myös kuv:) käsitys the boy has a good grasp of basic algebra poika on hyvin perillä algebran perusteista
v tarttua, saada kiinni jostakin, saada ote jostakin (myös kuv:) käsittää he failed to grasp the fundamental idea hän ei ymmärtänyt perusajatusta
grass /græs/ s **1** heinä(kasvi), ruoho to let grass grow under your feet jahkailla, vitkastella **2** nurmikko **3** laidun to go to grass jäädä eläkkeelle **4** (sl) ruoho, marihuana
grasscutter /'græsˌkʌtər/ s ruohonleikkuri, ruohonleikkuukone
grasshopper /'græsˌhapər/ s heinäsirkka
grass roots /ˌgræs'ruts/ s (verbi yksikössä tai mon) **1** tavalliset ihmiset **2** maaseutu **3** maalaiset **4** (kuv) juuret, alkuperä
grass-roots adj ruohonjuuritason, kansan syvistä riveistä lähtevä

grate /greɪt/ s **1** arina **2** ritilä **3** takka
v **1** raastaa (myös kuv: hermoja), jurppia, risoa **2** raapia **3** narista
G-rated adj (elokuvasta) sallittu lapsille
grateful /greɪtfəl/ adj kiitollinen
gratefully adj kiitollisesti, kiitollisen
grater s raastin
gratification /ˌgrætəfɪ'keɪʃən/ s **1** (tarpeiden) tyydytys **2** tyytyväisyys, tyydytys, mielihyvä
gratify /'grætəˌfaɪ/ v **1** tyydyttää (tarpeet) **2** ilahduttaa, tuottaa mielihyvää/tyydytystä
gratifying adj ilahduttava
gratifyingly adv ilahduttavasti, ilahduttavan
grating adj raapiva, nariseva, (hermoja) raastava
gratis /grætɪs/ adj, adv ilmainen, ilmaiseksi
gratitude /'grætɪˌtud/ s kiitollisuus
gratuitous /grə'tuətəs/ adj tarpeeton, turha, aiheeton
gratuitously adv tarpeettomasti, turhaan, aiheettomasti, syyttömästi
gratuity /grə'tuəti/ s **1** (ylät) juomaraha **2** bonus
grave /greɪv/ s hauta
adj vakava (ihminen, ajatus, sairaus)
gravedigger /'greɪvˌdɪgər/ s haudankaivaja
gravel /grævəl/ s sora
graven image /ˌgreɪvən'ɪmədʒ/ s epäjumala, jumalankuva
graverobber /'greɪvˌrabər/ s haudanryöstäjä
gravestone /'greɪvˌstoʊn/ s hautakivi
graveyard /'greɪvˌjard/ s hautausmaa
graveyard shift s yövuoro
gravitate to /'grævəˌteɪt/ v hakeutua jonnekin/jonkun seuraan, tuntea vetoa jonnekin
gravitation /ˌgrævə'teɪʃən/ s **1** painovoima, gravitaatio **2** (kuv) virtaus, hakeutuminen, siirtyminen jonnekin
gravitational adj gravitaatio-
gravity /grævəti/ s **1** painovoima, paino the law of gravity painovoimalaki **2** vakavuus do you comprehend the

gravity of the situation? ymmärrätkö tilanteen vakavuuden?
gravy /greɪvi/ s kastike
gravy boat s kastikeastia
gravy train to get on the gravy train päästä paikkaamaan omia taskujaan, päästä rikastumaan
gray /greɪ/ s, adj harmaa, (myös kuv:) loton, ikävä in the gray area between fact and fiction totuuden ja sepitteen välisellä harmaalla alueella
gray market s (tal) harmaat markkinat; harmaatuontitavaroiden markkinat
gray matter s **1** (aivojen) harmaa aine **2** (kuv) harmaat aivosolut, äly
Gray Panther s eläkeläisten eturyhmän jäsen
gray power s järjestäytyneiden eläkeläisten vaikutusvalta
gray whale s harmaavalas
graze /greɪz/ s naarmu, raapaisu
v **1** naarmuttaa, naarmuuntua, raapaista **2** laiduntaa; olla laitumella
grease /gris/ s rasva
v rasvata, voidella (myös kuv:) lahjoa he had to grease the maitre d's palm to get a table hän joutui lahjomaan hovimestarin saadakseen pöydän
grease monkey s (ark) mekaanikko
greasy adj rasvainen
greasy spoon s (sl) halpa kuppila
great /greɪt/ s **1** iso, suuri (myös kuv) she is in great pain hänellä on kovia kipuja a great many people came paikalle saapui paljon ihmisiä the great painters of the 17th century 1600-luvun suuret taidemaalarit **2** suurenmoinen, erinomainen, hieno you did a great job teit työn hienosti **3** great at/on hyvä jossakin; innoissaan jostakin, halukas tekemään jotakin **4** (yhdyssanoissa) iso- great-grandmother isoäidin äiti
Great Australian Bight /baɪt/ Iso Australianlahti
Great Barrier Reef /ˌgreɪtˌberɪər'rif/ Iso Valliriutta (Australiassa)
Great Britain Iso-Britannia
Great Depression s 1930-luvun lamakausi
Greater Antilles /æn'tɪliz/ Isot-Antillit
greater glider /glaɪdər/ s jättiliito-orava
Greater Khingan Range /kiŋən/ Iso-Hingan (vuoristo Kiinassa)
Great Lakes /ˌgreɪt'leɪks/ (Yhdysvaltain ja Kanadan väliset) Isotjärvet (ks hakusanoja Lake Erie, Lake Huron, Lake Michigan, Lake Ontario, Lake Superior)
greatly adv suuresti
greatness s suuruus (myös kuv)
Great Salt Lake /'greɪtˌsalt'leɪk/ Iso Suolajärvi (Utahissa)
Great Sandy Desert Iso Hiekka-aavikko (Australiassa)
Great Smoky Mountains kansallispuisto Pohjois-Carolinassa ja Tennesseessä
Great Slave Lake Iso Orjajärvi, Great Slave Lake (Kanadassa)
Great Victoria Desert Iso Victorian aavikko (Australiassa)
Great Wall of China /ˌgreɪtˌwaləv'tʃaɪnə/ Kiinan muuri
great with child fr raskaana
Grecian /griʃən/ s, adj (antiikin) kreikkalainen
Greco-Roman /ˌgrekoʊ'roʊmən ˌgrikoʊ'roʊmən/ s kreikkalais-roomalainen paini
adj kreikkalais-roomalainen
Greece /gris/ Kreikka
greed /grid/ s ahneus
greedily adv ahneesti, kyltymättä
greedy adj ahne, kyltymätön, nälkäinen, janoinen (myös kuv)
Greek /grik/ s kreikan kieli
s, adj kreikkalainen it's Greek to me se on minulle hepreaa, en ymmärrä siitä mitään
green /grin/ s **1** vihreä väri **2** (golfissa) viheriö, griini, lyhyeksi leikattu ruohoalue reiän ympärillä
adj vihreä (myös kuv:) kokematon he was green with envy hän oli vihreänä kateudesta
greenback /'grinˌbæk/ s seteli
green card s **1** vihreä kortti, oleskeluviisumi **2** vihreä kortti, kansainvälinen ajoneuvovakuutustodistus

green fingers s (UK kuv) vihreä peukalo, (henkilö) viherpeukalo
greengrocer /'grin,grousər/ s (UK) hedelmä- ja vihanneskauppias
greengrocery /'grin,groʊʃri/ s (UK) hedelmä- ja vihanneskauppa
greenhouse /'grin,haʊs/ s kasvihuone
greenhouse effect s kasvihuoneilmiö
Greenland /grinlənd/ Grönlanti
Greenlander /grinləndər/ s grönlantilainen
Greenlandic /,grin'lændɪk/ adj grönlantilainen
Greenland Sea Grönlanninmeri
green light s vihreä valo (myös kuv) he was given the green light on the proposal hänen ehdotukselleen näytettiin vihreää valoa
greet /grit/ v tervehtiä, ottaa vastaan
greeting s tervehdys; vastaanotto; (mon) terveiset
gregarious /grə'gerɪəs/ adj (eläin) lauma-; seurallinen (ihminen)
gremlin /gremlən/ s peikko, mörkö
Grenada /grə'neɪdə/ Grenada
grenade /grə'neɪd/ s kranaatti
Grenadian s, adj grenadalainen
grew /gru/ ks grow
Grévy's zebra /,greviz'zibrə/ s grévynseepra
grey ks gray
greyhound /'greɪ,haʊnd/ s vinttikoira
grid /grɪd/ s **1** (grill- tai muu) ritilä **2** (kartan) ruudukko **3** (sähk) hila **4** (amerikkalaisessa jalkapallossa) kenttä
gridiron /grɪdaɪərn/ s **1** (amerikkalaisessa jalkapallossa) kenttä **2** (grilli- tai muu) ritilä
grief /grif/ s suru to come to grief kärsiä vahinkoa; satuttaa itsensä; epäonnistua
grief-stricken /'grif,strɪkən/ adj surun eurtama
grieve /griv/ v **1** surra **2** tuottaa surua jollekin
grievous /grivəs/ adj vakava, paha, kova, iso
grievously adv vakavasti, pahasti, kovasti
grill /grɪl/ s grilli
v **1** grillata **2** ristikuulustella, hiostaa
grille /grɪl/ s **1** ikkunaristikko **2** (auton) jäähdyttäjän säleikkö
grillroom /'grɪl,rum/ s grilli(ravintola)
grim /grɪm/ adj **1** tuima, ankara, synkkä **2** sisukas
grimace /grɪməs/ s irvistys
v irvistää
grime /graɪm/ s lika; noki
grimly adv **1** tuimasti, ankaralla äänellä, synkästi **2** hammasta purren, hampaat irvessä, sisukkaasti
grimy adj likainen; nokinen
grin /grɪn/ s virnistys
v virnistää
grind /graɪnd/ s raadanta it's Monday and I'll have to go back to the daily grind on maanantai ja minun pitää taas ruveta raatamaan
v ground, ground **1** musertaa, hienontaa, jauhaa **2** hioa (linssiä) **3** osua kirskuen johonkin; kirskua **4** kiristää (hampaitaan) **5** (sl) pänniä, jurppia, sapettaa
grinder s lihamylly; kahvimylly; veitsenteroitin
grindstone /'graɪn,stoʊn/ s hioinkivi to keep your nose to the grindstone ahertaa, uurastaa
grind to a halt fr pysähtyä (jarrut kirskuen)
gringo /griŋgoʊ/ s (meksikonespanjasta) jenkki
grip /grɪp/ s **1** kädensija, kahva **2** ote (myös kuv) you have a good grip sinulla on hyvä ote (mailasta tms) she is losing her grip (kuv) hänen taitonsa alkavat ruostua, hän ei enää ole entisensä come to grips with (kuv) saada ote jostakin, päästä sinuiksi jonkin kanssa
v tarttua, ottaa kiinni jostakin
gripe /graɪp/ s valitus
v **1** (ark) nalkuttaa, narista **2** kouristaa (vatsasta) **3** tarttua, kahmaista, kouraista **4** (ark) ärsyttää, käydä hermoille
gripping adj mukaansatempaava
grisly /grɪzli/ adj kammottava, raaka

grit /grɪt/ s **1** pöly, hieno hiekka **2** sisu
v narista; hiertää yhteen
grits s (verbi yksikössä tai mon) maissisuurimot
gritty adj **1** pölyinen, hiekkainen **2** sisukas
grit your teeth fr kiristää hampaitaan, jännittää, olla hermostunut
groan /groʊn/ s voihkaisu, ähkäisy
v voihkaista, ähkäistä
grocer /groʊsər/ s elintarvikekauppias
groceries /groʊʃriz, groʊsriz/ s (mon) elintarvikkeet
grocery /groʊʃri groʊsri/ s elintarvikekauppa, valintamyymälä
grocery store s elintarvikekauppa, valintamyymälä
groggy /gragi/ adj pöppöröinen, uninen, raihnainen, veltto
groin /grɔɪn/ s nivuset
groom /grum/ s **1** sulhanen **2** tallipoika
v **1** sukia, harjata (hevosta) **2** siistiytyä, laittautua hienoksi **3** valmistaa jotakuta johonkin he is being groomed for the job häntä valmennetaan tehtävään
groove /gruv/ s ura (myös kuv:) to get into the groove päästä mukaan fiilikseen, musiikin tahtiin, homman rytmiin
v **1** kaivertaa ura johonkin **2** (sl) tykätä, nauttia
grope /groʊp/ v hapuilla, tunnustella, hipelöidä (naista)
gropingly adj hapuillen
gross /groʊs/ s krossi, 12 tusinaa, 144
v ansaita, tuottaa (bruttona) last year, the company grossed 500 million viime vuonna yrityksen bruttotulot olivat 500 miljoonaa
adj **1** brutto- **2** paksu, lihava **3** karkea (kieli, tavat) **4** kyltymätön (syöppö) **5** raaka, hirvittävä, törkeä, räikeä **6** (sl) kuvottava, ällöttävä
Gross Domestic Product /ˌgroʊsˌdəˌmestɪk'pradəkt/ s bruttokansantuote, BKT
grossly adv **1** (käyttäytyä) karkeasti, kuin sika **2** hirvittävän, hirvittävästi, törkeän, törkeästi you have grossly underestimated the cost olet pahasti aliarvioinut kustannukset
Gross National Income /ˌgroʊsˌnæʃənəl'inkʌm/ s bruttokansantulo, BKTL
Gross National Product /ˌgroʊsˌnæʃənəl'pradəkt/ s bruttokansantulo, BKTL (vrt Gross Domestic Product, bruttokansantuote)
gross score /ˌgroʊs'skoər/ (golf) bruttotulos, lyöntien kokonaismäärä josta ei ole vähennetty tasoituista
grotesque /groʊ'tesk/ adj grotestki, irvokas, kummallinen
grotesquely adv irvokkaasti, kummallisesti
grotto /gratoʊ/ s (mon grottos, grottoes) luola
ground /graʊnd/ s **1** maa; maanpinta **2** kenttä, aukio **3** (mon) (metsästys- ym) alue; maa, tontti **4** peruste, syy on what grounds did he say no? millä perusteella hän sanoi ei? **5** (sähk) maa
v **1** ajaa (laiva) karille **2** poistaa (lentokone) liikenteestä the FAA (Federal Aviation Agency) has grounded all old 727's FAA on määrännyt kaikki vanhat 727:t (väliaikaiseen) lentokieltoon **3** määrätä lapsi kotiarestiin **4** (sähk) maadoittaa, maattaa **5** ks grind
ground floor s pohjakerros, ensimmäinen kerros to get in on the ground floor päästä mukaan homman alussa, olla alusta alkaen mukana
groundless adj perusteeton, aiheeton
groundlessly adv perusteettomasti, perusteettoman, aiheettomasti
ground rule s perussääntö
ground water s pohjavesi
groundwork /'graʊndˌwərk/ s valmistelut to lay the groundwork for something luoda perusta jollekin
group s ryhmä
v ryhmittää, ryhmitellä
group genitive s (kieliopissa) genetiivin 's-tunnuksen lisääminen sanaryhmän perään, esim the man across the street's dog kadun toisella puolen asuvan miehen koira
grouse /graʊs/ s **1** metsäkana **2** valitus
v valittaa
grove /groʊv/ s lehto, metsikkö

grovel /grʌvəl/ v **1** nöyristellä, kumarrella **2** (koira) maata lattialla/maassa
groveling adj nöyristelevä
grow /groʊ/ v grew, grown **1** kasvaa, kasvattaa he wants to grow a beard hän aikoo kasvattaa parran the sales have not grown as expected myynti ei ole kasvanut odotetusti **2** tulla joksikin she has grown fat/old hän on lihonut/vanhentunut
growing pains s (mon) kasvukivut, alkuvaikeudet
grow into v **1** (vaate) olla (pian) sopiva jollekulle **2** tottua johonkin, oppia suoriutumaan jostakin
growl /graʊəl/ s (eläimen) murina, (ihmisen) murahdus, (ukkosen) jylinä
v murista, murahtaa, jylistä
grown /groʊn/ v ks grow
adj täysikasvuinen, aikuinen you're a grown man now olet jo iso mies
grown-up s aikuinen
grow on v tottua johonkin atonal music grows on you atonaalinen musiikki vaatii totuttelua
grow out of v **1** (vaate) jäädä pieneksi **2** saada alkunsa, lähteä liikkeelle, syntyä jostakin
growth /groʊθ/ s **1** kasvu **2** kasvusto **3** (parran)sänki **4** (lääk) kasvain
grow up v **1** kasvaa isoksi Oh, grow up! Älä viitsi (olla niin lapsellinen)! **2** syntyä, saada alkunsa
grub /grʌb/ s **1** toukka **2** (ark) sapuska
v kaivaa maata; penkoa, etsiä
grubby adj sottainen, likainen
grudge /grʌdʒ/ s kauna to bear/hold a grudge kantaa kaunaa
v kadehtia, paheksua, antaa vastahakoisesti she grudged her good looks hän kadehti hänen kauneuttaan
grudging adj vastahakoinen
grudgingly adv vastahakoisesti
grueling /gruliŋ/ adj raskas, väsyttävä, uuvuttava
gruesome /grusəm/ adj kammottava, hirvittävä, raaka
gruff /grʌf/ adj **1** käheä (ääni) **2** töykeä, tympeä, karkea (käytös)
gruffly adv töykeästi, tympeästi
grumble /grʌmbəl/ s valitus
v **1** valittaa **2** jylistä
grump /grʌmp/ s narisija, alituinen valittaja
v narista, valittaa
grumpily adv pahantuulisesti
grumpiness s happamuus, pahantuulisuus
grumpy adj hapan, pahantuulinen
grunt /grʌnt/ s **1** (sian) röhkäisy, (ihmisen) ähkäisy **2** (sl) jalkaväen sotilas
v röhkäistä, ähkäistä
gr. wt. gross weight
GSA General Services Administration
GT grand touring
Gt.Br. Great Britain Iso-Britannia
guacamole /ˌgwakə'moʊli/ s guacamole, meksikolaisperäinen avokadokastike jossa on mm. tomaattia ja sipulia
Guam /gwam/ Guam
guanaco /gwanəkoʊ/ s (eläin) guanako
Guangzhou /gwaŋ'dʒoʊ/ Kanton, Guangzhou
guarantee /ˌgerən'ti/ s takuu, varmuus, tae
v taata, mennä takuuseen
guaranteed adj taattu, varma
guarantor /gerəntər/ s takaaja, takuun myöntäjä
guaranty s takuu, takaus
v taata
guard /gard/ s **1** vartija **2** vartio, vartiosto **3** vartio, vartiointi to catch someone off guard yllättää joku, joku ei osaa varoa jotakin to be on guard olla varuillaan, valppaana **4** suoja; suojain, suojalaite
v vartioida; suojella
guardian /gardiən/ s **1** suojelija, valvoja, vartija **2** (lak) holhooja
guardian angel s suojelusenkeli
guardianship /'gardiənˌʃɪp/ s holhous; vastuu, huosta
guard of honor s kunniakaarti
guardsman /gardzmən/ s **1** (mon guardsmen) vartija **2** (Yhdysvaltain) kansalliskaartin jäsen

Guatemala /ˌgwatəˈmalə/ Guatemala
Guatemala City (kaupunki) Guatemala
Guatemalan s, adj guatemalalainen
guerilla ks guerrilla
guerrilla /gəˈrɪlə/ s sissi
guerrilla warfare s sissisota
guess /ges/ s arvaus
v arvata
guesstimate /gestəmət/ s karkea arvio
guesstimate /gestəmeɪt/ v arvioida karkeasti
guesswork /ˈges,wərk/ s arvailu
guest /gest/ s vieras; hotellivieras
guest host s (tv) vieraileva juontaja
guesthouse /ˈgest,haus/ s **1** vierasrakennus **2** (UK) täysihoitola
guest of honor s kunniavieras
guest room s vierashuone
guest worker s vierastyöläinen
GUI /ˌdʒiju'aɪ/ Graphical User Interface (tietokoneessa) graafinen käyttöliittymä
guidance /gaɪdəns/ s opastus, ohjaus under the guidance of jonkun opastuksella
guide /gaɪd/ s **1** opas; opaskirja **2** ohjain(kisko yms)
v opastaa
guidebook /ˈgaɪd,buk/ s opas(kirja)
guided missile s ohjus
guide dog s opaskoira
guideline /ˈgaɪd,laɪn/ s (kuv) suuntaviiva, pääperiaate
guidepost /ˈgaɪd,poust/ s suuntaviitta, tienviitta (myös kuv)
guild /gɪld/ s kilta
guile /gaɪəl/ s oveluus, kavaluus, luihuus, petos
guileful adj ovela, kavala, luihu
guileless adj viaton, vilpitön, rehellinen
guillotine /ˈgɪlə,tin/ s **1** giljotiini **2** (paperi- ym) leikkuri
v **1** surmata giljotiinilla **2** leikata (esim paperi-) leikkurilla
guilt /gɪlt/ s syyllisyys the prosecution proved his guilt beyond a reasonable doubt syyttäjä todisti hänen syyllisyytensä riittävän varmasti ever since her divorce, she has been plagued by guilt syyllisyyden tunteet ovat piinanneet häntä siitä lähtien kun hän otti avioeron
guiltily adv (myöntää jotakin) syyllisyytensä tiedostaen; (käyttäytyä) epäilyttävästi
guiltless adj syytön, viaton
guilty /gɪlti/ adj **1** syyllinen the jury found the accused not guilty valamiehistö totesi syytetyn syyttömäksi **2** rikollinen (aie) **3** huono (omatunto)
Guinea /gɪni/ Guinea
Guinea-Bissau /ˌgɪnibɪˈsou/
Guinean /gɪniən/ s, adj guinealainen
guinea pig /ˈgɪni,pɪg/ s **1** marsu **2** (kuv) koekaniini
guitar /gɪˈtaər/ s kitara
guitarist s kitaristi
gulf /gʌlf/ s **1** lahti **2** kanjoni, rotko, kuilu (myös kuv)
Gulf of Bothnia /ˌgʌlfəvˈbaθniə/ Pohjanlahti
Gulf of California /ˌgʌlfəv,kæləˈfɔrnjə/ Kalifornianlahti (Meksikossa)
Gulf of Finland /ˌgʌlfəvˈfɪnlənd/ Suomenlahti
Gulf of Mexico /ˌgʌlfəvˈmeksɪkou/ Meksikonlahti
Gulf of Tonkin /ˌgʌləvˈtaŋkən/ Tonkininlahti
Gulf Stream /ˈgʌlf,strim/ s Golfvirta
gull /gʌl/ s lokki
gullet /gʌlət/ s kurkku, ruokatorvi
gullible /gʌləbəl/ adj hyväuskoinen, helposti narrattava
gulp /gʌlp/ s nielaisu, kulaus
v niellä, juoda
gum /gʌm/ s **1** ien to beat your gums soittaa poskea **2** kumi **3** purukumi
v liimata
gum up the works fr (sl) sotkea/tehdä tyhjäksi suunnitelma, pilata asia
gun /gʌn/ s **1** tykki **2** (tuli)ase to jump the gun ottaa varaslähtö (myös kuv) **3** (sl) (ammatti)tappaja, (villissä lännessä) revolverisankari **4** paint gun maaliruisku

v **1** ampua, tappaa **2** huudattaa (moottoria)
gun down v ampua, tappaa
gunfight /'gʌn,faɪt/ s kaksintaistelu (tuliasein); tulitaistelu
gunfighter s revolverisankari
gunfire /'gʌn,faɪər/ s tulitus
gun for v **1** tavoitella, yrittää saada **2** etsiä (tappaakseen)
gunpowder /'gʌn,paudər/ s ruuti
gunshot /'gʌn,ʃat/ s laukaus
gunslinger /'gʌn,sliŋər/ s revolverisankari
gunsmith /'gʌn,smɪθ/ s aseseppä
gurgle /gərgəl/ s (veden) solina
v solista
gush /gʌʃ/ s **1** roiske, roiskahdus, purkaus **2** (ark) vuodatus
v **1** roiskua, roiskuttaa, purskahtaa, syöstä esiin, vuodattaa (kyyneliä) blood gushed from the wound haavasta roiskui valtoimenaan verta **2** (kuv) vuodattaa (mielipiteitään, tunteitaan), ihastella ääneen
gust /gʌst/ s **1** tuulenpuuska **2** (kuv) puuska, purkaus
gusty adj puuskainen, myrsky-
gut /gʌt/ s **1** suoli, maha **2** (mon) sisälmykset (myös kuv) **3** voimistavana sanana arkisissa ilmauksissa: I feel it in my gut that he is lying tunnen mahanpohjassani että hän valehtelee I hate his guts minä en voi sietää häntä **4** (mon) sisu you don't have the guts to tell him what you think of him sinä et uskalla sanoa hänelle mitä ajattelet hänestä
v perata (kala), ottaa (eläimestä) sisälmykset ulos

gutless adj pelkurimainen
gutter /gʌtər/ s **1** katuoja (myös kuv:) rappio **2** räystäskouru
guy /gaɪ/ s **1** köysi, naru; telttanaru **2** (ark) kaveri, heppu, tyyppi you guys te (miehistä ja/tai naisista)
Guyana /gi'anə/ Guyana
Guyanese /,giə'niz/ s, adj guyanalainen
guzzle /gʌzəl/ v juoda valtavasti
gym /dʒɪm/ s **1** kuntosali, urheilusali, voimistelusali **2** (koulussa) liikunta
gymnasium /,dʒɪm,neɪziəm/ s (mon gymnasiums, gymnasia) **1** kuntosali, urheilusali, voimistelusali **2** (klassinen) lukio
gymnast /dʒɪmnəst/ s voimistelija
gymnastic /dʒɪm'næstɪk/ adj voimistelu-
gymnastics s (verbi yksikössä tai mon) voimistelu (myös kuv)
gynecological /,gaɪnəkə'ladʒɪkəl/ adj gynekologinen
gynecologist /,gaɪnə'kalədʒɪst/ s gynekologi, naistentautien erikoislääkäri
gynecology /,gaɪnə'kalədʒi/ s gynekologia, naistentautioppi
Gypsy /dʒɪpsi/ s **1** romaani/romani, mustalainen **2** mustalaisten kieli
adj romaani-/romani-, mustalais-
gyrate /dʒaɪreɪt/ v pyöriä, kiertää, kiertää ympyrää
gyration /dʒaɪ'reɪʃən/ s pyörintä, pyöriminen, kiertoliike
gyroscope /'dʒaɪrə,skoup/ s gyroskooppi

H, h

H, h /eɪtʃ/ H, h
4-H head, heart, hands, and health neljä-H(-kerho) (harjaannus, harkinta, hyvyys, hyvinvointi)
habit /hæbət/ s **1** tapa, tottumus he has a drug habit hän on riippuvainen huumeista **2** puku, (munkin) kaapu
habitable adj asuinkelpoinen
habitat /'hæbə,tæt/ s **1** (kasvin) kasvupaikka, (eläimen) elinalue, (kasvin, eläimen) esiintymisalue **2** asuinpaikka, kotipaikka
habitation /,hæbə'teɪʃən/ s **1** asutus **2** asumus
habitual /hə'bɪtʃuəl/ adj **1** totunnainen, tavanmukainen, tavanomainen **2** parantumaton she is a habitual liar hän on parantumaton valehtelija
habitually adv jatkuvasti, aina
habituate /hə'bɪtʃʊ,eɪt/ v totuttaa to habituate yourself to something totuttautua johonkin
hack /hæk/ s **1** isku, viilto **2** roskakirjailija; toritaiteilija; törkytoimittaja **3** (toimittaja, kirjailija) raataja, rivimies **4** (kuv) tuuliviiri
v **1** hakata, silpoa, paloitella **2** (sl) selvitä jostakin
hack it fr (sl) pärjätä, selvitä he couldn't hack it so they fired him hän ei selvinnyt työstään joten hän sai potkut
hackneyed /'hæk,nid/ adj kulunut
hacksaw /hæksa/ s metallisaha
had /hæd/ ks have
had better/best fr olisi parasta, kannattaisi you'd better check the oil in your car sinun on syytä tarkistaa autosi öljyt
haddock /hædək/ s (el) kolja
Hadrian's Wall /,heɪdrənz'wal/ Hadrianuksen muuri (Skotlannissa)
hag /hæg/ s noita (myös kuv)
haggard /hægərd/ adj riutunut, nääntynyt, raihnainen
haggle /hægəl/ v tinkiä; kinata, kiistellä
hail /heɪəl/ s **1** rakeet **2** (kuv) sade a hail of insults herjausten ryöppy
v **1** sataa rakeita **2** (kuv) sataa **3** juhlia **4** huutaa **5** vilkuttaa; viitata pysähtymään
hail down v **1** sataa (myös kuv) **2** viitata pysähtymään, pysäyttää
hail from v olla kotoisin jostakin Larry hails from Texas
hailing distance s **1** kuulomatka, huutoetäisyys, huutomatka **2** a better life is within hailing distance (kuv) parempi elämä on lähellä, käden ulottuvilla
hailstorm /'heɪəl,stɔrm/ s raemyrsky
hair /her/ s **1** karva; hius; harjas the bullet missed him by a hair's breadth luoti oli aivan vähällä osua häneen, osuma oli hiuskarvan varassa let's not split hairs ei ruveta halkomaan hiuksia **2** hiukset, tukka to let your hair down (kuv) rentoutua, vapautua; puhua suoraan, olla avoin **3** (eläimen) turkki, (sian) harjakset
hairbrush /'her,brʌʃ/ s hiusharja
haircut /'her,kʌt/ s hiustenleikkuu
hairdo /herdu/ s kampaus
hairdresser /'her,dresər/ s parturi, kampaaja
hair dryer s hiustenkuivain
hairless /herləs/ adj kalju
hairline /'her,laɪn/ s hiusraja he has a receding hairline hän on alkanut kaljuuntua otsalta
hair of the dog that bit you fr krapularyyppy
hairpiece /'her,pis/ s hiuslisäke, tupee
hairpin /'her,pɪn/ s hiusneula

hair-raiser /'herˌreɪzər/ s kauhujuttu
hair-raising adj pelottava, joka nostattaa hiukset pystyyn
hair shirt s karvapaita (myös kuv:) itsekidutus
hairsplitting /'herˌsplɪtɪŋ/ s hiusten halkominen
adj saivarteleva
hair stylist s hiusmuotoilija, kampaaja
hairy adj **1** karvainen **2** (kuv, ark) pelottava, joka nostattaa hiukset pystyyn **3** (kuv, ark) vaikea, visainen
Haiti /heɪti/
Haitian /heɪʃən/ s, adj haitilainen
Haleakala /ˌhaleˌaka'la/ kansallispuisto Havaijilla
half /hæf/ s (mon halves) **1** puolet, puolikas he gave me half of his money hän antoi minulle puolet rahoistaan during the first half of the 15th century 1400-luvun alkupuoliskolla **2** (urh) puoliaika
adj puolikas add half a cup of tap water lisää puoli kuppia vesijohtovettä
adv puoliksi the glass is half full lasi on puoliksi täynnä
half again as many/much fr puolet enemmän (kuin, as)
half-and-half adj, adv puoliksi, tasan, puolet kumpaakin
half-assed /ˌhæf'æst/ adj (sl) hutiloitu, hätiköity; osaamaton
halfback /'hæfˌbæk/ s (amerikkalaisessa jalkapallossa) keskushyökkääjä, ks left halfback, right halfback
half-baked /ˌhæf'beɪkt/ adj (kuv) keskeneräinen, hätiköity, huonosti valmisteltu
half-blooded /ˌhæf'blʌdəd/ adj puoliverinen
half brother s velipuoli
half-cocked /ˌhæf'cakt/ adj (aseesta) puolivireessä to go off half-cocked (kuv) hätiköidä, tehdä jotakin liian aikaisin
half-life /'hæfˌlaɪf/ s (fys) puoliintumisaika
half-mast /ˌhæf'mæst/ s puolitanko
v nostaa (lippu) puolitankoon
half-moon /'hæfˌmun/ s puolikuu
half note s puolinuotti
half sister s sisarpuoli
half size s puolikoko (esim 12 1/2, 13 1/2)
half-staff /ˌhæf'stæf/ s puolitanko
v nostaa (lippu) puolitankoon
halftime /'hæfˌtaɪm/ s (urh) puoliaika
half-truth /ˌhæf'truθ/ s puolittainen totuus
halfway /ˌhæf'weɪ/ adj, adv puolimatkan, puolimatkassa to meet halfway suostua kompromissiin
halfway house /'hæfweɪˌhaus/ s puolimatkan krouvi (myös kuv:) puoliväli
half-witted /ˌhæf'wɪtəd/ adj vajaamielinen; älytön, typerä
halibut /hæləbət/ s ruijanpallas
Halifax /'hæləˌfæks/
halitosis /ˌhælə'tousɪs/ s pahanhajuinen hengitys
hall /hal/ s **1** käytävä **2** eteinen, aula **3** sali, halli **4** (kampuksella) rakennus
hallmark /'halˌmark/ s **1** (jalometallin) tarkastusleima **2** tunnusmerkki
hallo /hə'lou/ interj haloo
Halloween /ˌhælə'win, ˌhalə'win/ s pyhäinmiestenpäivä
hallucinate /hə'lusəˌneɪt/ v hallusinoida
hallucination /həˌlusə'neɪʃən/ s hallusinaatio
hallucinogenic /həˌlusənə'dʒenɪk/ s hallusinogeeni
halo /heɪlou/ s **1** sädekehä (myös kuv) **2** (auringon ym) halo, kehä, haloilmiö
halt /halt/ s **1** pysähdys, pysäytys, keskeytys to call a halt to something pysäyttää, keskeyttää; tehdä loppu jostakin **2** pysäkki
v **1** pysäyttää, pysähtyä **2** empiä, epäröidä
interj seis!
halting adj empivä, epävarma
haltingly adv empien, epävarmasti, epäröiden
halve /hæv/ v puolittaa, puolittua, vähentää puoleen
halves ks half

ham /hæm/ s **1** kinkku **2** polvitaive **3** (mon) reiden takaosa; reisi ja pakara **4** radioamatööri **5** liioitteleva näyttelijä
v näytellä liioitellen

Hamburg /hæmbərg/ Hampuri

hamburger /ˈhæm͵bərgər/ s **1** jauheliha I'll make hamburger out of you if you don't shut up minä teen sinusta hakkelusta ellet ole hiljaa **2** hampurilaispihvi **3** hampurilainen

hamburger joint s hampurilaisravintola, pikaravintola

Hamilton /hæməltən/

hamlet /hæmlət/ s pieni kylä

hammer /hæmər/ s **1** vasara to be under the hammer olla huutokaupattavana, vasaran alla **2** moukari (myös urh)
v **1** vasaroida, takoa, moukaroida, lyödä **2** takoa päähän, päntätä; hioa, parannella

hammer and sickle fr sirppi ja vasara (Neuvostoliiton tunnus)

hammer and tongs fr (kuv) kynsin hampain

hammer throw s (urh) moukarinheitto

hamper /hæmpər/ s (pyykki- tai muu) kori
v rajoittaa, kahlehtia, haitata

Hampshire /hæmpʃər/ Englannin kreivikuntia

hamster /hæmstər/ s hamsteri

hand /hænd/ s **1** käsi (myös kuv) at first hand ensi kädeltä, aluksi by hand käsin change hands vaihtaa omistajaa the matter is in your hands now asian on nyt sinun käsissäsi/vastuulla I have my hands full with the party minulla on kädet täynnä työtä juhlien vuoksi he had the list close at hand hänellä oli luettelo käden ulottuvilla to lay your hands on someone/something saada käsiinsä jotakin, päästä käsiksi johonkuhun/johonkin he did not lift a hand to help his brother hän ei liikauttanut eväänsäkään auttaakseen veljeään **2** (kellon) viisari **3** puoli on the left hand vasemmalla on one hand – on the other hand toisaalta – toisaalta **4** suosionosoitukset, kättentaputukset, aplodit ladies and gentlemen, give a big hand to Mr. B.B. King arvoisa yleisö, toivottakaa tervetulleeksi Mr. B.B. King **5** apu could you give me a hand with these boxes? auttaisitko minua kantamaan nämä laatikot? **6** käsiala **7** apulainen, työntekijä, työläinen
v **1** ojentaa, antaa **2** auttaa

hand and foot fr (palvella jotakuta) orjallisesti

hand and glove fr to be hand and glove olla samaa pataa, veljeillä jonkun kanssa

handbag /ˈhæn͵bæg/ s käsilaukku

handbasket /ˈhæn͵bæskət/ to go to hell in a handbasket (kuv) mennä kovaa vauhtia alamäkeen, joutua hunningolle

handbk. handbook

handbook /ˈhæn͵bʊk/ s käsikirja

hand brake /ˈhæn͵breɪk/ s käsijarru

hand-carry /ˈhæn͵keri/ v kuljettaa henkilökohtaisesti

handclasp /ˈhæn͵klæsp ˈhæŋ͵klæsp/ s kättely

handcuff /ˈhæn͵kʌf ˈhæŋ͵kʌf/ s käsirauta
v panna käsirautoihin

hand down v **1** ilmoittaa (oikeuden päätös) **2** testamentata; periä

handful /hænfəl/ s **1** kourallinen (myös kuv) **2** (ark kuv) my mother-in-law is a handful anopissani on kestämistä

hand grenade /ˈhængrə͵neɪd ˈhæŋgrə͵neɪd/ s käsikranaatti

handgun /ˈhænd͵gʌn/ s käsiase

hand-held /ˈhænd͵held/ adj kädessä pidettävä, käsi- hand-held calculator taskulaskin

handholding s **1** kädestä pitely **2** (kuv) apu, vakuuttelu, lohduttelu

handicap /ˈhændɪ͵kæp/ s **1** vamma **2** haitta, huono puoli **3** (urh) tasoitus **4** (urh) tasoituskilpailu
v **1** haitata; saattaa huonoon/huonompaan asemaan **2** (urh) tasoittaa (kilpailijat)

handicapped s: the handicapped vammaiset
adj **1** vammainen **2** (kilpailijasta) joka on huonossa/huonommassa asemassa

handicraft /'hændɪ,kræft/ s **1** käsityötaito **2** käsityö, puutyö, askartelu **3** käsityötuotteet
handicraftsman s (mon handicraftsmen) käsityöläinen
handily adv **1** taitavasti, näppärästi, kätevästi **2** helposti
hand in fr jättää (hakemus ym) sisään
hand in hand fr käsi kädessä (myös kuv)
hand it to someone fr myöntää I have to hand it to you, you're a good player täytyy myöntää että olet hyvä pelaamaan
handiwork /'hændɪ,wərk/ s **1** käsityö **2** käsityötuotteet **3** (kuv) käsiala
handkerchief /'hæŋkər,tʃɪf/ s nenäliina
handle /hændəl/ s **1** kädensija fly off the handle (kuv) räjähtää, menettää malttinsa get a handle on something (kuv) päästä jyvälle jostakin **2** (kuv) lähtökohta, välikappale **3** (sl) nimi **4** (ark) keino (saavuttaa jotakin)
v **1** käsitellä, sormeilla, tunnustella handle with care käsittele varovasti! **2** hoitaa let her handle that **3** (kuv) käsitellä you handled him well sinä osasit käsitellä häntä hyvin
handlebar /'hændəl,bar/ s ohjaustanko
handlebar moustache s pitkät viikset
handling s **1** käsittely **2** (auton) ajo-ominaisuudet
handmade /,hæn'meɪd/ adj käsin tehty
handmaid /'hæn,meɪd/ s **1** palvelijatar **2** sivuseikka (verrattuna johonkin, to)
hand-me-down /'hænmi,daʊn/ s (ison veljen tai siskon) vanha vaate; vanha/käytetty huonekalu yms
hand mower /,hæn'moʊər/ s työnnettävä ruohonleikkuri
hand on v testamentata; periä
handout /'hæn,daʊt/ s **1** avustus **2** lehdistötiedote **3** esite, lehtinen, moniste
hand out v jakaa
hand over v luovuttaa, antaa
hand over fist fr nopeasti, (ansaita, kääriä rahaa) minkä ehtii
handrail /'hæn,dreɪəl/ s kaide
handsaw /'hæn,sa/ s käsisaha
hands down fr helposti, vaikka kädet taskussa; selvästi
handset /'hæn,set/ s (puhelimen) luuri
handshake /'hæn,ʃeɪk/ s kättely (myös tietok)
hands-off /,hæn'zaf/ adj **1** puuttumaton hands-off policy puuttumattomuuspolitiikka **2** luotaantyötävä
handsome /hænsəm/ adj **1** komea, tyylikäs **2** runsas **3** kohtelias, reilu, (myönteisesti:) imarteleva
handsomely adv komeasti, tyylikkäästi; onnistuneesti; reilusti they paid him handsomely hänelle maksettiin hyvin
hands-on /'hæn,zan/ adj **1** käytännön, omakohtainen **2** käsikäyttöinen, käsivälitteinen (puhelinkeskus), ei-automaattinen
handstand /'hæn,stænd/ s käsinseisonta
hand's turn he didn't do a hand's turn hän ei liikauttanut eväänsäkään, hän ei pannut tikkua ristiin
hand-wash /'hæn,dwaʃ/ v pestä käsin
handwriting /'hænd,raɪtɪŋ/ s käsiala
handwriting on the wall fr (kuv) myrskyn enteet, vaaran merkit
handy /hændi/ adj **1** kätevä, monipuolinen (ihminen, laite), taitava (ihminen) come in handy jostakin on paljon apua, jokin on hyvään tarpeeseen **2** käsillä, käden ulottuvilla
hang /hæŋ/ s juju to get the hang of something päästä jyvälle jostakin, tajuta
v hung, hung **1** roikkua, panna roikkumaan, riippua, ripustaa **2** (sl) pyyhkiä, mennä: how's it hanging, guys? miten menee?
hang v hanged, hanged: hirttää; kuolla hirsipuussa
hang a left/right fr (sl) kääntyä vasemmalle/oikealle
hangar /hæŋər/ s lentokonehalli
hang around v (ark) maleksia, vetelehtiä (jossakin/jonkun seurassa)

hang back v empiä, epäröidä, jäädä paikalleen
hanger /hæŋər/ s **1** vaateripustin **2** (takin, pyyheliinan) ripustin
hanger-on /ˌhæŋər'an/ s kärkkyjä, norkoilija
hang glider s riippuliidin
hang in the balance fr olla vaakalaudalla
hangman /hæŋmən/ s (mon hangmen) pyöveli, hirttäjä
hang on v **1** pitää kiinni **2** purra hammasta, kestää **3** odottaa, ei lähteä, ei katkaista puhelua hang on, I'll be right back odotahan, minä tulen heti takaisin
hang out v **1** (ark) maleksia, vetelehtiä jossakin **2** odottaa (hetki)
hang out with v (ark) pitää seuraa jonkun kanssa; seurustella
hangover /'hæŋˌoʊvər/ s krapula
hang over v jättää pöydälle/ratkaisematta
hangup s (sl) kompleksi, ongelma, pakkomielle
hang up v **1** katkaista puhelu **2** viivyttää, hidastaa, pysäyttää
hang your head fr hävetä
hanker after/for /hæŋkər/ v kaivata kovasti jotakin
hankering s kaipaus, kaipuu
hanky /hæŋki/ s (ark) nenäliina
hanky-panky /ˌhæŋki'pæŋki/ s **1** hämärät puuhat **2** syrjähypyt
haphazard /ˌhæf'hæzərd ˌhæp'hæzərd/ adj huolimaton, hujan hajan, miten sattuu
haphazardly adj huolimattomasti, hujan hajan, miten sattuu
happen /hæpən/ s sattua, tapahtua accidents don't just happen onnettomuuksia ei satu noin vain, onnettomuuksiin on aina jokin syy I happened to meet him at the club törmäsin häneen kerholla, satuin tapaamaan hänet kerholla
happening s **1** tapahtuma, tapaus, juttu **2** tilaisuus
happen on v tavata/löytää sattumalta, jonkun eteen osuu jotakin
happenstance /'hæpənˌstæns/ s sattuma
happily adv **1** onnellisesti, iloisesti, hilpeästi, hyväntuulisesti **2** onneksi **3** osuvasti, sattuvasti (sanottu)
happiness s **1** onni, tyytyväisyys, ilo, hilpeys, hyväntuulisuus **2** (sanojen) osuvuus, sattuvuus
happy /hæpi/ adj **1** onnellinen, iloinen, hilpeä, hyväntuulinen **2** osuva, sattuva (ilmaus, sana)
happy-go-lucky /ˌhæpigoʊ'lʌki/ adj huoleton
harangue /hə'ræŋ/ s (nuhde)saarna (kuv)
v pitää saarna (kuv) jollekulle
harass /hə'ræs herəs/ v kiusata, tehdä kiusaa, vaivata, piinata, ahdistella
harassment s (tahallinen) kiusanteko, ahdistelu
harbinger /harbındʒər/ s airut (myös kuv) the release of the first hostages was a harbinger of hope ensimmäisten panttivankien vapautus sai toivon heräämään
harbor /harbər/ s **1** satama **2** (kuv) levähdyspaikka, turvapaikka
v **1** antaa turvapaikka jollekulle he was shot because he had harbored a fugitive hänet ammuttiin koska hän oli piilotellut karkulaista **2** hautoa/elätellä mielessään
hard /hard/ adj **1** kova (myös kuv) a hard nut to crack kova pähkinä purtavaksi hard facts kylmä totuus the police gave him a hard time poliisit pistivät hänet koville these are hard times elämme kovia/vaikeita aikoja **2** vaikea, raskas it's a hard job se on vaikea/raskas työ she is hard to please hänelle on vaikea olla mieliksi the girl is playing hard to get tyttö härnää poikia
adv kovasti, kovaa work hard, play hard raskas työ, raskaat huvit it is raining hard sataa kovasti
hard-and-fast /ˌhardən'fæst/ adj ehdoton, järkkymätön
hard-ass /'hardˌæs/ s (sl) nipottaja
hardball to play hardball olla armoton
hardboard /'hardˌbɔrd/ s (kova puulevy) kovalevy

hard-boiled /ˌhard'bɔɪəld/ adj kovaksikeitetty (myös kuv rikoskirjallisuudesta), kovaotteinen, siekailematon
hard by adv lähellä jotakin
hard cash /ˌhard'kæʃ/ s käteinen (raha)
hard copy /ˌhard'kapi/ s (tietok) paperituloste, teksti/printti
hard-core /ˌhard'kɔr/ adj kova (porno)
hardcover /'hardˌkʌvər/ s kovakantinen kirja
adj kovakantinen
hard disk /'hardˌdɪsk/ s (tietokoneen) kovalevy, umpilevy
harden /hardən/ v kovettaa, kovettua (myös kuv:) paaduttaa, paatua
hardened adj kovettunut; kova, paatunut, säälimätön
hard-handed /ˌhard'hændəd/ adj kovaotteinen
hard hat /'hardˌhæt/ s **1** suojakypärä, suojapäähine **2** rakennustyöntekijä
hardheaded /ˌhard'hedəd/ adj **1** härkäpäinen, jääräpäinen **2** ovela, tarkkasilmäinen
hardily adv karaistuneesti, sinnikkäästi, sitkeästi
hardiness s **1** karaistuneisuus, sinnikkyys, sitkeys **2** rohkeus, pelottomuus
hard labor /ˌhard'leɪbər/ s pakkotyö
hardly adv tuskin, ei juuri hardly ever tuskin koskaan you can hardly blame him häntä ei juuri voi syyttää but I hardly touched it! mutta enhän minä juuri koskenutkaan siihen
hard-of-hearing /ˌhardəv'hɪərɪŋ/ adj huonokuuloinen, kuulovammainen
hard-on /'hardˌan/ s (sl) erektio
hard put to fr jokin on vaikeaa he was hard put to explain why he was late hänellä oli vaikeuksia selittää miksi hän oli myöhästynyt
hard row to hoe fr visainen tehtävä, vaikea asia
hardship /'hardˌʃɪp/ s **1** hätä, puute **2** vastoinkäyminen
hard time /ˌhard'taɪm/ s **1** vaikeat ajat to give someone a hard time pistää joku koville **2** to do hard time olla pakkotyössä (hard labor), istua kakku (ark), lusia (ark)
hardware /'hardˌweər/ s **1** rautatavara **2** laitteet, koneet **3** (tietokone)laitteet **4** aseet, aseistus
hardworking /ˌhard'wərkɪŋ/ adj ahkera, työteliäs
hardy /hardi/ adj **1** karaistunut, luja, vahva, sitkeä **2** raskas, vaativa **3** rohkea, urhea
hare /heər/ s jänis
harebrained /'herˌbreɪnd/ adj tärähtänyt, älytön
hark /hark/ v kuunnella
hark back to v palata johonkin asiaan; olla peräisin joltakin ajalta
harm /harm/ s loukkaantuminen, vahinko to do harm to someone/something satuttaa jotakuta/aiheuttaa vahinkoa jollekin I came to no harm in the fall minulle ei käynyt kaatuessani mitenkään
v satuttaa, vahingoittaa, loukata (myös kuv)
harmful adj vahingollinen, haitallinen
harmless adj **1** vaaraton **2** viaton
harmlessly adv viattomasti, kaikessa viattomuudessaan
harmonic /har'manɪk/
harmonica /har'manɪkə/ s huuliharppu
harmonics s **1** (verbi yksikössä) (mus) sointuoppi, harmoniikka **2** (verbi mon) (mus) yläsävelet
harmonious /har'moʊniəs/ adj eheä, sopusointuinen, sopusuhtainen
harmoniously adv eheästi, sopusointuisesti, sopusuhtaisesti
harmonium /har'moʊniəm/ s harmoni
harmonize /'harməˌnaɪz/ v **1** (mus) soinnuttaa **2** sovittaa/sopia yhteen, saattaa sopusointuun
harmony /harməni/ s **1** (mus) harmonia **2** sopusointu, yhteisymmärrys
harness /harnəs/ s valjaat (myös kuv)
v valjastaa (myös kuv)
harp /harp/ s harppu
Harp (tähdistö) Lyyra
harpist s harpunsoittaja
harp on v jankuttaa, (jaksaa) jauhaa

harpoon /har'pun/ s harppuuna
v osua/surmata/kalastaa harppuunalla
harpsichord /'harpsə,kɔrd/ s cembalo
harrow /heroʊ/ s äes
v **1** äestää **2** (kuv) käydä hermoille, risoa
harrowing adj tuskallinen, hermoille käyvä
harrumph /hə'rʌmf/ v selvittää kurkkuaan
harsh /harʃ/ adj **1** karkea, rosoinen **2** karski **3** karvas (maku) **4** ankara, kova (äänensävy, olot)
harshly adv ks harsh
hartebeest /'hartə,bist/ s punalehmäantilooppi
harvest /harvəst/ s sato; sadonkorjuu, elonkorjuu
v kojata sato
harvester s niittäjä, elonkorjaaja combine harvester leikkuupuimuri
has /hæz/ ks have
hash /hæʃ/ s **1** liha- ja vihanneshakkelus **2** hakkelus, sotku **3** (sl) hasis
v paloitella, silputa, hienontaa
hash browns /'hæʃ,braʊnz/ s (mon) ruskistettu, muhennettu (ja muotoiltu) tai paloiteltu peruna
hashish /hə'ʃiʃ/ s hasis
hash mark /'hæʃ,mark/ s #-merkki
hash over v ottaa uudelleen puheeksi, muistella
hasn't /hæzənt/ has not
hasp /hæsp/ s säppi
haste /heɪst/ s kiire make haste kiirehtiä
hasten /heɪsən/ v kiirehtiä and I hasten to add that no workers will be laid off ja haluan lisätä heti perään että yhtään työntekijää ei eroteta
hastily adv kiireisesti, hätäisesti
hasty /heɪsti/ adj kiireinen, hätäinen
hat /hæt/ s hattu
hatch /hætʃ/ s luukku down the hatch! terveydeksi batten down the hatches pitää varansa, varautua vaikeuksiin
v **1** kuoriutua (munasta) **2** (kuv) hautoa, valmistella
hatchback /'hætʃ,bæk/ s viistoperä(inen henkilöauto)
hatchet /hætʃət/ s kirves to bury the hatchet haudata sotakirves
hatchway /'hætʃ,weɪ/ s (laivassa) luukku
hate /heɪt/ s viha
v **1** vihata; inhota **2** harmittaa, olla pahoillaan jostakin I hate to admit it but I like it täytyy myöntää että pidän siitä
hateful adj **1** vastenmielinen, inhottava **2** vihaa uhkuva
hatefully adv ks hateful
hatemonger /'heɪt,mʌŋgər 'heɪt,maŋgər/ s vihanlietsoja
hatred /heɪtrəd/ s viha; inho
haughtily adv koppavasti, pöyhkeästi, ylimielisesti
haughtiness s koppavuus, pöyhkeys, ylimielisyys
haughty /hati/ adj koppava, pöyhkeä, ylimielinen
haul /haəl/ s **1** veto **2** rahti **3** matka in the long haul pitemmän päälle it's a long haul se on pitkä matka for the short haul lyhyen aikaa; lyhyen matkaa
v **1** vetää, hinata, kuljettaa **2** mennä jonnekin
haul down v laskea (lippu)
hauler s **1** kuljetusliike **2** kuljettaja **3** kuorma-auto, rekka-auto
haul off v poistua, lähteä
haunch /hantʃ/ s (ihmisen) lonkka, lanne, lantio, (eläimen) takamus
haunt /hant/ s lymypaikka, kantapaikka
v **1** kummitella this house is haunted talossa kummittelee **2** (kuv) vainota, kummitella jonkun mielessä **3** käydä usein jossakin, olla jonkun lymypaikka a tea room haunted by the literary circles kirjallisuuspiirien suosima teehuone
Havana /hə'vænə/ Havanna
have /hæv/ v I/you have, he/she has, we/you/they have; imperfekti: had; perfekti: I/you have had jne; pluskvamperfekti: I/you had had jne; kielteiset muodot voidaan lyhentää: have not = haven't, has not = hasn't, had not = hadn't **1** olla jollakulla (eri merkityksiä; käytetään myös muotoa: have got): the president has two airplanes presidentillä

on kakси lentokonetta I have no idea minulla ei ole aavistustakaan **2** funktioverbinä: to have a fight tapella, riidellä to have lunch with someone lounastaa jonkun kanssa **3** juoda, syödä do have a cookie ota ihmeessä pikkuleipä **4** sallia, suvaita, sietää she wouldn't have any of it hän ei sietänyt sitä alkuunkaan I've had it! olen saanut tarpeekseni **5** I have been had minua on puijattu/petetty **6** pyytää, käskeä, kutsua we had them over for dinner the other night kutsuimme heidät syömään tässä eräänä iltana **7** teettää jotakin the boss had him rewrite it pomo pani hänet kirjoittamaan sen uudestaan you should have you head examined sinulla on ruuvi löysällä

have a good time we had a good time meillä oli hauskaa

have a shit fit (ark) aada paskahalvaus, pillastua

have a temperature the child is having a temperature lapsella on kuumetta

have a thick skin fr (kuv) olla paksunahkainen

have a thin skin fr (kuv) olla herkkä arvostelulle/loukkaantumaan

have a way with fr hallita, osata jokin, tulla hyvin toimeen jonkun kanssa to have a way with words olla sana hallussaan

have a word with can I have a word with you? voinko puhua kanssasi hetken?, minulla olisi sinulle asiaa

have got v olla jollakulla, ks have

have it coming fr ansaita saamansa rangaistus you've had it coming for a long time, buddy sinä olet kerjännyt selkääsi jo pitkään

have it in for fr kantaa kaunaa jollekulle

have it out fr puhua asiat selväksi

haven /heɪvən/ s **1** satama **2** turvapaikka

have-nots /'hæv,nats/ s (mon) köyhät the haves and have-nots rikkaat ja köyhät

have no use for I have no use for idle talk minulla ei ole aikaa pulinoihin; minä en siedä pulinoita

have no words for I have no words for how sorry I am sanat eivät riitä kuvaamaan miten pahoillani olen, olen vilpittömästi pahoillani, pyydän kovasti anteeksi

haven't /hævənt/ have not

have on v **1** olla jotakin päällään **2** what do you have on for Thursday evening? mitä olet sopinut torstai-illaksi? mitä aiot tehdä torstai-iltana?

haves /hævz/ s (mon) rikkaat the haves and have-nots rikkaat ja köyhät

have someone's number fr olla selvillä jonkun aikeista, tietää mitä joku ajaa takaa

have something up your sleeve fr olla jotakin hihassa/mielessä

have a shot at fr yrittää, kokeilla (onneaan)

have your way with fr maata jonkun kanssa (puoliväkisin)

havoc /hævək/ s suuri vahinko to wreak havoc with aiheuttaa suurta vahinkoa/hallaa jollekin

Hawaii /hə'waɪ,i/ Havaiji

Hawaiian Islands /hə,waɪən'aɪlənz/ (mon) Havaijisaaret

hawk /hak/ s haukka (myös kuv:) militaristi

hay /heɪ/ s heinä

hay fever /,heɪ'fivər/ s heinänuha

haystack /'heɪ,stæk/ s heinäsuova

haywire /'heɪ,waɪər/ s sekasorto, myllerrys to go haywire joutua sekasorron valtaan, mennä sekaisin

hazard /hæzərd/ s vaara, riski at hazard vaarassa, vaakalaudalla by hazard sattumalta
v **1** vaarantaa, riskeerata, panna alttiiksi **2** uskaltautua tekemään jotakin to hazard a guess (rohjeta) arvata

hazardous /hæzərdəs/ adj vaarallinen, uskalias

hazardous waste s ongelmajäte

haze /heɪz/ s utu, usva; hämärä (myös kuv) he is still in a haze hän on edelleen päästään pyörällä
v (sot) simputtaa

hazel /'heɪzəl/ s pähkinäpuu, pähkinäpensas
s, adj pähkinänruskea
hazelnut /'heɪzəl,nʌt/ s hasselpähkinä
hazily adv (näkyä, muistaa) hämärästi
haziness s **1** utuisuus, usvaisuus **2** epämääräisyys, epäselvyys, hämäryys
hazy /'heɪzi/ adj utuinen, usvainen, hämärä (myös kuv)
HBM Her/His Britannic Majesty
H-bomb /'eɪtʃ,bam/ s vetypommi
HC House of Commons (Ison-Britannian parlamentin) alahuone
HDL high-density lipoprotein HDL-lipoproteiini
hdqrs. headquarters päämaja; pääkonttori
HDTV high-definition television teräväpiirtotelevisio
he /hi/ s koiras, uros; mies, poika
pron (maskuliininen; ihmisestä) hän; (eläimestä) se
head /hed/ s **1** pää (myös kuv) success has gone into his head menestys on noussut hänellä päähän he has a good head for languages hänellä on hyvä kielipää at the head of the table pöydän päässä head of cabbage kaalinpää three heads of cattle kolme nautaa head of family perheen pää read/write head (esim levykeaseman) luku/kirjoituspää **2** kärki, huipentuma the situation is finally coming to a head tilanne alkaa viimeinkin kärjistyä **3** johtaja he is the head of the English department hän on englannin laitoksen esimies
v **1** johtaa, olla jonkin kärjessä who heads the committee? kuka johtaa toimikuntaa? **2** mennä, suunnata he headed toward the exit hän käveli ovelle
adj pää- (myös kuv:) johtava, tärkein he is the head coach hän on päävalmentaja
headache /'hed,eɪk/ s päänsärky (myös kuv:) murhe
head and shoulders adv paljon, selvästi she is head and shoulders above the others hän on aivan eri luokkaa kuin toiset
headboard /'hed,bɔrd/ s (vuoteen) päätylevy
head count /'hed,kaunt/ s (ihmismäärän) laskeminen, luku
headdress /'hed,dres/ s **1** päähine **2** kampaus
header s **1** (ark) kaatuminen, sukellus, lento **2** (tietok) (juokseva) yläotsikko
headfirst /,hed'fɜrst/ adv päistikkaa, pää edellä
headgear /'hed,gɪər/ s päähine(et)
headhunt /'hed,hʌnt/ s pääkallonmetsästys(retki); (kuv) värväys
v (kuv) etsiä/värvätä uusia kykyjä
headhunter s pääkallonmetsästäjä corporate headhunters liikeyritysten värvääjät, kykyjenetsijät
heading s **1** pää, kärki **2** otsikko **3** suunta
headlight /'hed,laɪt/ s (auton) valonheitin, ajovalo
headline /'hed,laɪn/ s (sanomalehti/uutis)otsikko; pääotsikko
v **1** valita/kirjoittaa (pää)otsikoksi **2** mainostaa **3** olla pääesiintyjä/vetonaula
head linesman /,hed'laɪnsmən/ s (amerikkalaisessa jalkapallossa) linjatuomari
headlong /'hed,laŋ/ adj suin päin, päistikkaa
headmaster /'hed,mæstər/ s (UK) (mies)rehtori
headmistress /'hed,mɪstrəs/ s (UK) (nais)rehtori
head of state s (mon heads of state) valtionpäämies
head-on adj, adv suoraan head-on collision nokkakolari
head over heels adv suin päin, päistikkaa, pää kolmantena jalkana head over heels in love silmittömästi rakastunut
headphones /'hed,founz/ s (mon) (korva)kuulokkeet
headpiece /'hed,pis/ s päähine

headquarters /ˈhed,kwɔrtərz/ s (mon) päämaja
head rest /ˈhed,rest/ s (istuimen) niskatuki
headset /ˈhed,set/ s (korva)kuulokkeet
headshrinker /ˈhed,ʃriŋkər/ s (sl) kallonkutistaja, psykiatri
heads or tails fr kruunu vai klaava
headstand /ˈhed,stænd/ s päälläseisonta
head start /,hedˈstart/ s etumatka: let's give Jerry a head start annetaan Jerrylle etumatkaa
headstone /ˈhed,stoun/ s hautakivi
headstrong /ˈhed,straŋ/ adj härkäpäinen, omapäinen
heads up interj varo!
head to head adv rinta rinnan
headwaiter /ˈhed,weitər/ s hovimestari
headway /ˈhed,wei/ s eteneminen, edistyminen to make headway edistyä, edetä
headword /ˈhed,wərd/ s hakusana
heady /hedi/ adj **1** (nopeasti) päihdyttävä, huumaava **2** (kuv) innostava, huumaava **3** äkkipikainen, ajattelematon
heal /hiəl/ v parantaa, parantua
healer /hilər/ s **1** parantaja **2** lääke, rohto
healing s parantuminen adj parantava
health /helθ/ s terveys
healthcare /ˈhelθ,keər/ s terveydenhoito
health club /ˈhelθ,klʌb/ s kuntokerho, kuntosali
health food /ˈhelθ,fud/ s terveysruoka
healthful adj **1** terveellinen **2** terve
health insurance /ˈhelθin,ʃərəns/ s sairausvakuutus
health professional /ˈhelθprə,feʃənəl/ s terveydenhoitoalan työntekijä
healthy adj **1** terve **2** terveellinen **3** (ark) mojova, rutka, runsas
heap /hip/ s kasa, pino v kasata, kasautua, pinota
hear /hiər/ v heard, heard **1** kuulla I can't hear you en kuule (mitä sanot) **2** kuunnella **3** kuulustella
Hear! Hear! interj hyvä!, totta puhut!
hearing s **1** kuulo **2** kuulustelu
hearing aid /ˈhiriŋ,eid/ s kuulolaite
hearing-impaired /,hiriŋimˈpeərd/ s (the) kuulovammaiset adj kuulovammainen
hearken /harkən/ v (ylät) kuunnella
hear of v (yl kielteisenä) ei tulla kuuloonkaan dad would not hear of me buying a car isän mielestä ei tullut kuuloonkaan että minä ostaisin auton
hearsay /ˈhiər,sei/ s kuulopuhe, huhu(puhe)
hearse /hərs/ s ruumisauto, ruumisvaunut
heart /hart/ s **1** sydän (myös kuv) his heart stopped beating hänen sydämensä pysähtyi in my heart I knew her to be right sydämessäni/sisimmässäni tiesin hänen olevan oikeassa she did not have the heart to say no hän ei hennonut kieltäytyä the heart of the matter is that... asian ydin on että... in the heart of Houston Houstonin sydämessä/keskustassa to know/learn something by heart osata/oppia jotakin ulkoa **2** (pelikortissa) hertta
heartache /ˈhart,eik/ s sydänsuru
heart and soul adv sydämensä pohjasta, vilpittömästi
heart attack /ˈhartə,tæk/ s sydänkohtaus
heartbeat /ˈhart,bit/ s sydämen syke I'd do it again in a heartbeat en epäröisi hetkeäkään tehdä sitä uudestaan
heartbreak /ˈhart,breik/ s suru; sydänsuru
heartbreaker s surun aihe; sydäntensärkijä
heartbreaking adj surullinen; sydäntä särkevä
heartbroken /ˈhart,broukən/ adj surun murtama; jonka sydän on särkynyt
heartburn /ˈhart,bʌrn/ s **1** närästys **2** (kuv) kateus

heart disease /'hartdə,ziz/ s sydänsairaus
hearten /hartən/ v rohkaista, kannustaa
heartfelt /'hart,felt/ adj vilpitön
hearth /harθ/ s **1** arina **2** (kuv) oma koti, kotiliesi
hear things fr kuulla omiaan, jollakulla on harha-aistimuksia
heartily adj **1** sydämellisesti; vilpittömästi, sydämensä pohjasta **2** hyvällä ruokahalulla
heartland /'hart,lænd/ s ydinalue, tärkein alue, sydänmaa
heat /hit/ s **1** lämpö **2** kuumuus **3** helle **4** kuume **5** (kuv) tuoksina, kiihko, tunnekuohu in the heat of battle taistelun tuoksinassa **6** (sl) painostus the cops put on the heat poliisi painoi päälle **7** (sl) poliisi
v lämmittää, lämmetä, kuumentaa, kuumentua (myös kuv)
heated adj (kuv) kiihkeä, tulinen
heater s lämmitin, lämmityslaite
heat exchanger /'hitəks,tʃeɪndʒər/ s lämmönvaihdin
heathen /hiðən/ s pakana
heathenism s pakanuus
heather /heðər/ s kanerva
heatstroke /'hit,strook/ s lämpöhalvaus
heat up v lämmittää, lämmetä; kiristyä
heat wave s helleaalto; lämpöaalto
heave /hiv/ v heaved/hove, heaved/hove **1** nousta, nostaa; velloa **2** heittää **3** huohottaa **4** oksentaa
heaven /hevən/ s (kristillisessä merkityksessä) taivas to go to heaven päästä/mennä taivaaseen
heavenly adj taivaallinen (myös kuv); taivaan
heavenly body s taivaankappale
heavens s (mon, sama kuin sky) taivas
interj taivas!
heavily adv raskaasti (myös kuv)
heaviness s raskaus, painavuus
heavy /hevi/ adj **1** raskas (myös kuv), painava the box is heavy laatikko on raskas the author writes in a heavy style kirjailijalla on raskas tyyli **2** kova (sade, isku, arvostelu), syvällinen (ajattelija) heavy smoker ketjupolttaja
heavy-duty /,hevi'duti/ adj **1** kestävä, tehokas, teho-, erikois- **2** (kuv) kovan luokan, tosi
heavy-handed /,hevi'hændəd/ adj **1** kovaotteinen **2** kömpelö
heavy metal /,hevi'metəl/ s **1** raskasmetalli **2** heavy metal (-musiikki)
heavyset /,hevi'set/ adj tanakka, iso(luinen)
heavyweight /'hevi,weɪt/ s **1** raskaansarjan nyrkkeilijä **2** (kuv) raskaansarjan henkilö, yritys tms, suuryritys ym
heavy with child fr raskaana
Heb. Hebrews (Uuden testamentin) Heprealaiskirje
Hebrew /hibru/ s **1** heprealainen, juutalainen, israelilainen **2** heprean kieli
adj heprealainen, hepreankielinen
Hebrides /hebrədiz/ (mon) Hebridit
heck /hek/ interj pahus!, hitto! Bud is one heck of a man Bud on piru mieheksi/loistokaveri
heckle /hekəl/ v häiritä/keskeyttää välihuudoilla
heckler s häiritsijä, häirikkö
heckling s välihuudot
hectare /hektər/ s hehtaari
hectic /hektɪk/ adj kiireinen, kuumeinen
he'd /hid/ he had, he would
hedge /hedʒ/ s **1** pensasaita **2** (kuv) suoja(muuri)
v **1** aidata **2** (kuv) vältellä, väistellä
hedgehog /'hedʒ,hag/ s siili
hedging /hedʒiŋ/ s (tal) suojautuminen (kurssiriskiltä)
hedonism /'hidə,nɪzəm/ s hedonismi
hedonist /'hidə,nɪst/ s hedonisti
heed /hid/ s huomio to take heed of something ottaa jotakin huomioon
v ottaa huomioon/onkeensa
heedless adj välinpitämätön, ajattelematon
heedlessly adv välinpitämättömästi, ajattelemattomasti
heel /hiəl/ s **1** kantapää the boss let him cool his heels for a while pomo

antoi tahallaan hänen odottaa hetken aikaa **2** (kengän) korko to be down at the heels olla kulunut/nuhruinen/ränsistynyt **3** (laivan) kallistuma
v kallistua, kallistaa (laivaa)
heft /heft/ s paino (myös kuv:) merkitys
v **1** nostaa **2** punnita kädessään/käsissään, yrittää arvioida jonkin paino
hefty adj vahva, raskas, painava, kova (työ), paksu, sievoinen (summa)
HEH Her/His Exalted Highness
heifer /hefər/ s hieho
height /haıt/ s **1** korkeus **2** (ihmisen) pituus he is six feet in height hän on 183 cm pitkä **3** (mon) korkea paikka, kukkula, korkeus, korkeudet **4** (kuv) huippu, huipentuma his behavior was the height of rudeness hänen käytöksensä oli todella töykeää
heighten v **1** korottaa, nostaa korkeammalle **2** korostaa, korostua, lisätä, lisääntyä, kasvattaa, kasvaa, voimistaa, voimistua
heir /eər/ s perijä, perillinen
heiress /erəs/ s perijätär, perillinen
heirloom /ˈerˌlum/ s perhekalleus
held /held/ ks hold
helical scan /helikəl/ s (videotekniikassa) viistopyyhkäisy
helicopter /ˈheləˌkaptər/ s helikopteri
helium /hiliəm/ s helium
hell /hel/ s helvetti (myös kuv ja lievänä kirosanana) all hell broke loose seurasi täydellinen sekasorto the Corvette is one hell of a car Corvette on hitonmoinen auto there will be hell to pay when the boss finds out what happened meille tulee tupen rapinat kun pomolle selviää mitä on sattunut the dog from hell koira josta on tolkuttomasti harmia tms
interj hitto!
he'll /hiəl/ he will, he shall
hellish adj helvetillinen, hirvittävä
hello /helou/ interj haloo!; hei!
hell-raiser /ˈhelˌreızər/ s (ark) rähinöitsijä
helluva /heləvə/ hell of a hitonmoinen, pahuksenmoinen

helm /heəlm/ s peräsin, ruori he is at the helm of his father's company now hän on nyt isänsä yrityksen peräsimessä/johdossa
helmet /helmət/ s kypärä
helmsman s (mon helmsmen) perämies
help /help/ s **1** apu **2** apulainen
v auttaa he couldn't help himself, he just did it hän ei pystynyt hillitsemään itseään I can't help but wonder if he is sane en voi olla kysymättä onko hän täysijärkinen
interj apua!
helper s auttaja, avustaja
helpful adj avulias; hyödyllinen it was very helpful of you to come (minulle) oli paljon apua siitä kun tulit
helpfully adv avuliaasti
helpfulness s avuliaisuus
helping s **1** auttaminen, apu **2** (ruoka-) annos he took a second helping hän santsasi
helpless adj avuton
helplessly adv avuttomasti
helplessness s avuttomuus
help out v auttaa
help yourself to v ottaa (ruokaa pöydästä); ottaa luvatta
hem /hem/ s (vaatteen) päärme
v päärmätä, varustaa päärmeellä
he-man /ˈhiˌmæn/ s macho-mies, karju
hem in v saartaa, piirittää
hemisphere /ˈheməsˌfıər/ s pallonpuolisko, puolipallo
hemline /ˈhemˌlaın/ s **1** päärme **2** hameenhelma(n korkeus)
hemorrage /hemərədʒ/ s verenvuoto
hemorrhoids /ˈheməˌroıdz/ s (mon) peräpukamat
hemp /hemp/ s hamppu
hen /hen/ s kana (myös kanalinnun naaraasta ja kuv naisesta)
hence /hens/ adv **1** siksi, sen vuoksi **2** päästä, kuluttua six week hence **3** siitä (johdettuna), siis
henceforth /hensfɔrθ/ adv vastedes, tästä lähin
henchman /hentʃmən/ s kätyri

Henery Hawk /ˌhenəri'hak/ (sarjakuvahahmo) Hekku Haukka
henhouse /'henˌhaus/ s kanala
Henry /henri/ (kuninkaan nimenä) Henrik
her /hər/ pron (feminiininen, pronominista she) hän, hänet, häntä, hänelle, hänen, -nsa/-nsä
herald /herəld/ s airut (myös kuv), sanansaattaja
v ennakoida, ilmoittaa jostakin tulevasta, mainostaa
heraldry s heraldiikka, vaakunaoppi
herb /ərb/ s yrtti
herbal /ərbəl/ adj yrtti-
herbalism s kasvilääkintä, herbalismi
herbalist /ərbəlɪst/ s kasviparantaja, herbalisti
Hercules /hərkjəliz/ (tähdistö) Herkules
herd /hərd/ s (karja-, eläin-, ihmis)lauma, (väki)joukko
v paimentaa (karjaa), (karjasta) kokoontua yhteen; ohjata jonnekin she herded the guests into the parlor hän ohjasi vieraat olohuoneeseen
herdsman /hərdzmən/ s (mon herdsmen) paimen
Herdsman (tähdistö) Karhunvartija
here /hɪər/ adv tässä, täällä, tänne I am here olen täällä please come here tule tänne from here to there täältä sinne here you are Ole hyvä! here we are at last tässä sitä viimein ollaan
hereabouts /'hɪrəˌbauts/ adv näillä tienoin, näillä main, näillä paikkeilla
hereafter /ˌhɪ'ræftər/ s tuonpuoleinen in the hereafter tuonpuoleisessa, kuolemantakaisessa elämässä
adv tämän jälkeen, vastedes
here and now s, adv tässä ja nyt
here and there adv siellä täällä, sinne tänne
hereby /'hɪərˌbaɪ/ adv täten
hereditarily adv perinnöllisesti
hereditary /hə'redɪˌteəri/ adj perinnöllinen, periytyvä, synnynnäinen
heredity /hə'redɪti/ s **1** perinnöllisyys **2** perimä
Heref./Worcs. Hereford and Worcester
Hereford and Worcester /hərfərd wustər/ Englannin kreivikuntia
Herefordshire /hərfərdʃər/ Englannin lakkautettuja kreivikuntia
here goes fr (käytetään esim ennen uskaliasta yritystä) täältä tulee
here's /hɪərz/ here is
heresy /herəsi/ s harhaoppi, kerettiläisyys
heretic /herətɪk/ s kerettiläinen, luopio
adj harhaoppinen
heretical /hə'retɪkəl/ adj harhaoppinen, kerettiläinen
herewith /ˌhɪər'wɪθ/ adv täten
heritage /herətədʒ/ s perinne, perintö
hermetic /hər'metɪk/ adj ilmanpitävä, hermeettinen
hermetically adv ilmanpitävästi, hermeettisesti hermetically sealed ilmanpitävästi suljettu
hermit /hərmət/ s erakko
hermitage /hərmətədʒ/ s **1** erakkola, erakkomaja **2** Hermitage (Pietarin) Eremitaasi
hernia /hərniə/ s tyrä
herniated disk /'hərniˌeɪtəd/ s (diskusprolapsi) (selkänikamien) välilevyn siirtymä
hero /hɪrou/ s **1** sankari **2** iso, pitkulainen kerrosvoileipä
heroic /hə'rouɪk/ adj sankarillinen, rohkea, uskalias, herooinen
heroics s (mon) **1** sankariteot, uroteot **2** mahtailu, rehentely, isottelu
heroin /heroən/ s heroiini
heroin addict s heroinisti
heroine /heroən/ s sankaritar
heroism /'hɪərouˌɪzəm/ s **1** sankariteko, rohkea teko **2** sankarillisuus, rohkeus
heron /herən/ s haikara
hero sandwich /ˌhɪrou'sænwɪtʃ/ s iso kerrosvoileipä
hero worship /'hɪrouˌwərʃɪp/ s sankarinpalvonta; liiallinen ihannointi
herpes /hərpiz/ s herpes
herring /heriŋ/ s silli

herringbone /'heriŋ,boun/ s kalanruotokuvio
adj kalanruotokuvioinen
hers /hɜrz/ pron (feminiininen, pronominista she) hänen
herself /hər'self/ pron (feminiininen) hän (itse), (häntä) itseään
herstory /'hɜrstəri/ s (seksismin välttämiseksi sanasta history luotu sana) historia (naisten näkökulmasta esitettynä) (sanan history alku ei etymologisesti liity miessukupuoleen vaikka his onkin maskuliininen possessiivipronomini)
Hertfordshire /hɑrtfərdʃər/ Englannin kreivikuntia
Herts. Hertfordshire
he's /hiz/ he is, he has
he/she yhdistetty pronominimuoto jota käytetään (ainoastaan kirjoitetussa tekstissä) kun tarkoitetaan jompaakumpaa sukupuolta hän
hesitancy s epäröinti, epävarmuus; viivyttely
hesitant /hezətənt/ adj empivä, epäröivä, epävarma
hesitantly adv empien, epäröiden, epävarmasti
hesitate /'hezə,teɪt/ v empiä, epäröidä if you have any questions, don't hesitate to call me soita ihmeessä minulle jos sinulla on kysyttävää
hesitation /,hezə'teɪʃən/ s epäröinti, epävarmuus
hetero /hetərou/ s, adj (ark) hetero
heterogeneity /,hetərədʒə'neɪəti/ s heterogeenisyys
heterogeneous /,hetərə'dʒiniəs, ,hetə'raʒənəs/ adj heterogeeninen
heterosexism s homojen sorto, homofobia
heterosexual /,hetərə'sekʃuəl/ s heteroseksualisti
adj heteroseksuaalinen
heterosexuality /,hetərə,sekʃu'æləti/ s heteroseksuaalisuus
HEW Department of Health, Education, and Welfare Yhdysvaltain terveys-, opetus- ja sosiaaliministeriö
hexagon /'heksə,gan/ s kuusikulmio
hey-day /heɪdeɪ/ s kukoistuskausi

HF high frequency
HGH human growth hormone
hgt. height korkeus, pituus
hgwy. highway
H.H. Her/His Highness; His Holyness
HI Hawaii Havaiji
hibernate /'haɪbər,neɪt/ v talvehtia, olla talviunessa
hibernation /,haɪbər'neɪʃən/ s talviuni
hiccup /hɪkəp/ s **1** (myös mon) hikka, nikka **2** (kuv) ohimenevä häiriö
v hikotella, nikotella (myös kuv:) pätkiä
hick /hɪk/ s jurtti, maalainen
hid /hɪd/ ks hide
hidden ks hide
hidden agenda /ə'dʒendə/ s takaajatus he has a hidden agenda hän ajaa (salaa) takaa jotakin
hide /haɪd/ s (eläimen) nahka, turkki, (kuv ihmisen) nahka if you don't shut up, I'll have your hide minä nyljen sinut elävältä ellet ole hiljaa they found neither hide nor hair of the fugitive he eivät löytäneet karanneesta merkkiäkään
v hid, hidden **1** piiloutua, mennä piiloon, piilottaa **2** peittyä, peittää
hide-and-seek /,haɪdən'sik/ s piilosleikki to play hide-and-seek olla piilosilla, leikkiä piilosta
hideaway /'haɪdə,weɪ/ s (kesämokki yms) piilopaikka, pakopaikka
hideous /hɪdiəs/ adj hirvittävä, kammottava, järkyttävä
hideously adv hirvittävän, hirvittävästi
hide out v piiloutua, mennä piiloon, piileskellä
hideout /haɪdaut/ s piilopaikka, pakopaikka
hierarchic /,haɪər'arkɪk/ adj hierarkkinen
hierarchical /,haɪər'arkɪkəl/ adj hierarkkinen
hierarchically adv hierarkkisesti
hierarchy /'haɪər,arki/ s hierarkia
hieroglyph /'haɪərə,glɪf/ s hieroglyfi (myös kuv:) harakanvarvas
hieroglyphic /,haɪərə'glɪfɪk/ adj **1** hieroglyfi- **2** vaikeaselkoinen

hifi /haɪfaɪ/ s **1** hifi **2** hifilaite
adj hifi-
high /haɪ/ s **1** (sää) korkeapaine **2** ennätys(taso)
adj **1** korkea (myös ääni ja kuv) high ideals korkeat ihanteet high price korkea hinta **2** (ark) humalassa, pilvessä
adv korkealla, korkealle he aims high (kuv) hän tähtää korkealle
high and mighty s maan mahtavat
adj koppava, pöyhkeä
high beams /'haɪ,bimz/ s (mon) (auton) pitkät valot
high blood pressure /haɪ'blʌd,preʃər/ s korkea/kohonnut verenpaine
highbrow /'haɪ,braʊ/ s älykkö
adj älymystön, älykkö- highbrow literature laatukirjallisuus
high-definition television /,haɪdefə'nɪʃən/ s teräväpiirtotelevisio
high-density lipoprotein s HDL-lipoproteiini
high-end /'haɪ'end/ adj yläpään, kallein ja paras high-end audio raskas hifi
higher education /,haɪəredʒə'keɪʃən/ s akateeminen koulutus, korkeakouluopetus
high fidelity /,haɪfə'deləti/ s valiolaatuinen äänentoisto, hifi
high-five /,haɪ'faɪv/ to lay down high-fives tervehtiä lyömällä oikeat kämmenet pään yläpuolella vastakkain
highflying /,haɪ'flaɪɪŋ/ adj **1** korkealla lentävä **2** (kuv) korkealentoinen, lennokas
high-grade /,haɪ'greɪd/ adj ensiluokkainen, erinomainen
high ground s (kuv) etulyöntiasema, asema jossa henkilö on toiseen nähden niskan päällä
high-handed /,haɪ'hændəd/ adj ylimielinen
high hat /'haɪ,hæt/ s silinterihattu
high horse s (kuva) ylimielisyys get off your high horse lakkaa olemasta ylimielinen
high jump s (urh) korkeushyppy
highland /haɪlənd/ s (myös mon) ylänkö
high-level /,haɪ'levəl/ adj korkean tason, korkeatasoinen
high-level language s (tietok) korkean tason (ohjelmointi)kieli
highlight /'haɪ,laɪt/ s kohokohta; painopiste
v **1** korostaa, painottaa, tuoda erityisesti esille **2** merkitä korostekynällä tms
highlighter /'haɪ,laɪtər/ s korostekynä
highly adj **1** erittäin the movie is highly enjoyable elokuva on hyvin hauska **2** korkeasti (palkattu) **3** ylistäen remember to always speak highly of your superiors muista aina ylistää esimiehiäsi
high-minded /,haɪ,maɪndəd/ adj ylevä
highness /haɪnəs/ s **1** korkeus **2** (tittelinä) Your Highness Teidän Korkeutenne
high noon /,haɪ'nun/ s **1** keskipäivä **2** huipentuma **3** (ark) yhteenotto, kriisi
high on adj **1** innostunut jostakin **2** huumeessa, pilvessä
high-pressure /,haɪ'preʃər/ adj korkeapaine-
high relief /,haɪrə'lif/ s korkea reliefi
high-resolution /'haɪ,rezə'luʃən/ adj (tietok, tv, valok) tarkkuus-, suuren erottelukyvyn high-resolution graphics tarkkuusgrafiikka
high-rise /'haɪ,raɪz/ s korkea rakennus
adj korkea, monikerroksinen
high school /'haɪ,skuəl/ s lukio
high schooler s lukiolainen
high-speed /,haɪ'spid/ adj nopea
high-spirited /,haɪ'spɪrətəd/ adj innokas, eloisa, vilkas
high-strung /,haɪ'strʌŋ/ adj kireä, pingottunut
hightail /'haɪ,teɪəl/ v (ark) häipyä, lähteä nostelemaan
hightail it v (ark) kiiruhtaa
high-tech /,haɪ'tek/ adj huipputekniikan, huipputekninen
high technology /,haɪtek'nalədʒi/ s huipputekniikka
high-tension /,haɪ'tenʃən/ adj suurjännite-
high tide /,haɪ'taɪd/ s nousuvesi, vuoksi

high-voltage /ˌhaɪ'voltədʒ/ adj **1** suurjännite- **2** (ark kuv) väsymätön; suuren luokan

highway /'haɪˌweɪ/ s päätie, maantie

hijack /'haɪˌdʒæk/ s (lentokone- tai muu) kaappaus
v kaapata (esim lentokone)

hijacker s (lentokone- tai muu) kaappaaja

hike /haɪk/ s **1** vaellus, kävely/patikkaretki (luonnossa) take a hike, mister ala nostella!, häivy! **2** nousu, kasvu there was a hike in the consumer price index kuluttajahintaindeksi nousi
v **1** vaeltaa, tehdä kävelyretki **2** kiskaista ylös (up) **3** korottaa, nostaa (hintaa)

hilarious /hə'lerɪəs/ adj hauska, hassu, huvittava; iloinen, hilpeä

hilariously adv hauskasti; hilpeästi

hilarity /hə'lerəti/ s hauskuus; hilpeys, ilonpito

hill /hɪl/ s mäki, kukkula, vuori to be over the hill olla nähnyt parhaat päivänsä

hillbilly /'hɪlˌbɪli/ s jurtti, maalainen
adj maalais-

hillbilly music s **1** hillbillymusiikki **2** countrymusiikki, kantrimusiikki

hill of beans not worth a hill of beans ei minkään/penninkään arvoinen

hillside /'hɪlˌsaɪd/ s (mäen) rinne

hilltop /'hɪlˌtap/ s (kukkulan) laki

hilly /hɪli/ adj mäkinen, kumpuileva

hilt /hɪlt/ s (tikarin, miekan ym) kädensija, kahva to do something to the hilt (kuv) ottaa jostakin kaikki irti, tehdä jotakin viimeiseen saakka

him /hɪm/ pron (maskuliininen, pronominista he) hän, hänet, häntä, hänelle

HIM Her/His Imperial Majesty

Himalayas /ˌhɪmə'leɪəz/ ˛mon˛ Himalaja

himself /hɪm'self/ pron (maskuliininen, pronominista he) hän (itse), (häntä) itseään

hind /haɪnd/ adj taka-, perä-

hinder /haɪndər/ v **1** hidastaa, viivyttää **2** estää

hindmost /'haɪnˌmoust/ adj takimmaisin, viimeinen

hindquarters /'haɪnˌkwɔrtərz/ s (mon) (eläimen) perä

hindrance /hɪndrəns/ s este, haitta

hindsight /'haɪnˌsaɪt/ s jälkiviisaus

hinge /hɪndʒ/ s sarana, nivel

hinge on v (kuv) riippua jostakin, olla jonkin varassa

hint /hɪnt/ s vihjaus, vihje
v vihjata

hint at v vihjata jostakin/johonkin suuntaan, antaa ymmärtää

hint! hint! interj ymmärräthän yskän?

hip /hɪp/ s lonkka, lanne

hip hop /'hɪpˌhap/ s eräänlaisesta rapmusiikista, hip-hop
v tanssia tällaisen musiikin tahdissa
adj hip-hopparikulttuuriin liittyvä tai kuuluva

hip hopper /'hɪpˌhapər/ s hip-hoppari, rapmusiikkia, breikkausta ja graffitien piirtämistä harrastavan nuorison alakulttuurin jäsen

hippo /hɪpou/ s (mon hippos) (ark) virtahepo (hippopotamus)

hip pocket /ˌhɪp'pakət/ s takatasku

hippopotamus /ˌhɪpə'patəməs/ (mon hippopotamuses, hippopotami) s virtahepo

hire /haɪər/ s palkkaus, vuokraus, palkka, vuokra for hire vuokrattavana
v palkata, pestata palvelukseen, vuokrata (käyttöönsä)

hired gun /ˌhaɪərd'gʌn/ s **1** palkkamurhaaja **2** henkivartija **3** (ulkopuolinen) ongelmanratkoja, saneeraaja

hire on as v pestautua johonkin työhön

hire out v antaa vuokralle/palvelukseen

hire purchase /'haɪərˌpərtʃəs/ s (UK) osamaksu

hirsute /hərsut hər'sut/ adj karvainen, parrakas

his /hɪz/ pron (maskuliininen, pronominista he) hänen

Hispanic /hɪs'pænɪk/ s latino, latinalaisamerikkalaista syntyperää oleva Yhdysvalloissa asuva henkilö
adj latino-, latinalaisamerikkalainen
hiss /hɪs/ s **1** sihinä **2** vihellys (esiintyjälle)
v **1** sihistä **2** viheltää (esiintyjälle)
historian /hɪs'tɔriən/ s historian tutkija/tuntija, historioitsija
historic adj **1** historiallinen, kuuluisa, merkittävä, maineikas **2** ks historical
historical adj **1** historiallinen, historiaa koskeva, autenttinen **2** ks historic
historically adv historiallisesti ks historical
historical present s (kieliopissa) historiallinen preesens (preesensin käyttö menneestä kerrottaessa)
historical volatility /,valə'tɪləti/ s (tal) historiallinen (kohde-etuuden) vaihtelevuus/volatiliteetti
historicism /hɪs'tɔrə,sɪzəm/ s historismi
history /hɪstəri/ s **1** historia; historian tutkimus **2** (sairaus)historia **3** tausta, menneisyys
hit /hɪt/ s **1** törmäys, osuma **2** isku, lyönti **3** täysosuma, menestys; hitti **4** (sl) murha
v hit, hit **1** törmätä, osua johonkin **2** lyödä, iskeä **3** (sl) tappaa, murhata **4** pyytää he hit me for a smoke hän lainasi minulta tupakan **5** saavuttaa (tietty taso, nopeus tms) we had just hit 75 when the cops stopped us aloimme juuri ajaa 75:tä kun poliisit pysäyttivät meidät
hit-and-miss adj summittainen, sattuman kaupalla tehty/tapahtuva
hit-and-run adj (liikenneonnettomuus) jossa kuljettaja pakenee paikalta
hitch /hɪtʃ/ s **1** nykäys, kiskaisu **2** solmu clove hitch siansorkka(solmu) **3** (kuv) mutka (matkassa), ongelma **4** kyyti
v **1** nykäistä, kiskaista (up) **2** sitoa, solmia, kiinnittää **3** tarttua **4** (ark) ks hitchhike
hitchhike /'hɪtʃ,haɪk/ s peukalokyyti
v matkustaa peukalokyydillä
hitchhiker s peukalokyytiläinen
hitch your wagon to a star fr tavoitella tähtiä, pyrkiä tähtiin/pitkälle
hither and thither /,hɪðərən'ðɪðər/ adv siellä täällä, sinne tänne
hitherto /'hɪðər,tu/ adv tähän saakka
hit it off fr tulla toimeen, synkata
hit off v matkia, jäljitellä, parodioida
hit out v (kuv) hyökätä jonkin kimppuun/jotakin vastaan
hit parade /'hɪtpə,reɪd/ s (hitti)lista
hit the books fr (sl) ruveta lukemaan/pänttäämään
hit the bottle fr (sl) ryypätä
hit the roof fr pillastua, raivostua, menettää malttinsa
hit the skids fr (ark) joutua rappiolle/hunningolle/deekikselle
hit the spot fr (ark) olla hyvään tarpeeseen, tehdä terää
HIV /,eɪtʃaɪ'vi/ s HI-virus, joka joissakin tapauksissa johtaa immuunikatoon eli aidsiin (sanoista human immunodeficiency virus) he tested HIV-positive hänellä todettiin HIV-tartunta
hive /haɪv/ s mehiläispesä (myös kuv:) muurahaispesä the place is a beehive of activity paikassa kuhisee kuin mehiläispesässä/muurahaispesässä
H.J. here lies tässä lepää
HJR House joint resolution
HLA human leukocyte antigen
HM Her/His Majesty
HMG Her/His Majesty's Government
HMS Her/His Majesty's Service/Ship
H.O. head office, home office pääkonttori
hoagie /hougi/ ks hoagy
hoagy /hougi/ s pitkä kerrosvoileipä
hoard /hɔrd/ s varasto, kätkö
v hamstrata
hoarse /hɔrs/ adj käheä
hoarsely adv käheästi, käheällä äänellä
hoarsen /hɔrsən/ v tehdä käheäksi
hoarseness s käheys
hoax /houks/ s huijaus, humpuukijuttu
v huijata, vetää nenästä
Hobart /houbart/
hobble /habəl/ v ontua (myös kuv)

hobby /habi/ s harrastus
hobbyhorse /ˈhabihɔrs/ s keppihevonen (myös kuv)
hockey /haki/ s **1** maahockey (field hockey) **2** jääkiekko (ice hockey)
hoe /hoʊ/ s kuokka; hara v kuokkia
hog /hag/ s sika (myös kuv) to go the whole hog ei suotta nuukailla to live high on the hog elää leveästi/mukavasti v ahnehtia itselleen, kahmia itselleen
hoggish adj sikamainen (myös kuv)
hogshead /hagzəd/ s tynnyri
hogwash /ˈhag,waʃ/ s **1** sianruoka **2** roska, roina **3** roskapuke, pöty, hölynpöly
hoist /hoɪst/ v **1** nostaa (lippu salkoon, purje) **2** ryypätä, kumota kurkkuunsa
hold /hoəld/ s **1** ote to get hold of someone/something saada joku kiinni/puhelimeen, saada kiinni jostakin **2** kädensija **3** tuki **4** varaus to be on hold olla (väliaikaisesti) pöydällä/jäissä to put someone on hold antaa jonkun odottaa puhelimessa (linjan vapautumista) **5** (lasti)ruuma
v held, held **1** pitää kädessään, pidellä, tarttua **2** pitää, pidätellä, pysyä I should stop, I am holding you minun pitää lopettaa jotta pääset lähtemään to hold still olla liikkumatta he did not hold to his promise hän ei pitänyt lupaustaan the mayor was held responsible for what had happened kaupunginjohtaja pantiin vastuuseen sattuneesta **3** kestää do you think the rope will hold? luuletko että köysi kestää? **4** pitää paikkansa, olla voimassa **5** jättää pois ruuasta hold the mustard, please ilman sinappia, kiitos
hold against v syyttää jotakuta jostakin
hold all the aces fr olla kortit käsissään
hold at bay fr hillitä, pitää kurissa
hold back v **1** pidätellä **2** pitää itsellään/omana tietonaan **3** ei tehdä jotakin
hold down v **1** vähentää, hiljentää **2** jatkaa jotakin/jossakin työssä
holder s **1** pidike **2** haltija
hold forth v paasata
hold in v hillitä joku/itsensä
hold in check fr hillitä, pitää kurissa
hold no brief for fr ei pitää jostakin
hold off v **1** pitää loitolla, torjua, välttyä joltakin, ei sairastua **2** lykätä, siirtää myöhemmäksi
hold on v **1** pitää (lujasti) kiinni **2** jatkaa, jatkua **3** pysähtyä, odottaa
hold out v **1** ojentaa, antaa **2** riittää **3** pitää pintansa, jatkaa vastarintaa **4** salata, ei paljastaa
hold out for fr odottaa jotakin
hold over v **1** jatkua, jatkaa (esim elokuvan esittämistä) **2** lykätä, siirtää myöhemmäksi
holdover /holdoʊvər/ s jäänne (menneeltä ajalta)
hold the fort fr olla isäntänä/emäntänä jossakin
hold the purse strings fr pidellä rahakukkaron nyörejä käsissään, päättää raha-asioista
hold the stage fr jatkaa (näytelmän yms) esittämistä, pitää ohjelmistossa; olla huomion keskipisteenä
hold true fr pitää paikkansa
hold up v **1** pitää jonakin (esimerkillisenä, pilkkanaan) **2** ryöstää **3** viivästyä, viivyttää, pysäyttää, pysähtyä **4** selvitä jostakin, kestää jotakin
holdup /holdəp/ s **1** ryöstö **2** viivytys, viivästys, viipymä **3** kiskonta
hold up your end of the bargain fr hoitaa oma osuutensa
hold up your head fr näyttää naamaansa jossakin, ei hävetä
hold water fr olla vedenpitävä (myös kuv:) aukoton, varma your argument doesn't hold water perustelusi ontuu
hold your breath fr **1** pidätellä henkeään **2** odottaa kärsimättömänä
hold your ground fr pitää pintansa
hold your horses fr hillitä itsensä/halunsa
hold your own v **1** (osata) pitää pintansa **2** olla entisellään
hold your peace fr hillitä itsensä

hold your tongue fr pitää suunsa, olla hiljaa
hole /hoəl/ s **1** reikä **2** (eläimen) pesä, kolo **3** (kuv) aukko
v puhkaista reikä johonkin, puhjeta
hole in one s **1** (golfissa) hole in one (pallon saaminen reikään ensimmäisellä lyönnillä) **2** täysosuma, onnistuminen ensi yrityksellä
hole out v (golfissa) putata pallo reikään viheriöltä
hole up v ryömiä koloonsa, piiloutua jonnekin
holiday /ˈhalə,deɪ/ s **1** (virallinen) juhlapäivä **2** vapaapäivä **3** (UK) loma **4** vapautus, lykkäys
Holland /halənd/ Hollanti
holler /halər/ s huuto give me a holler when you need help huuda kun tarvitset apua
v huutaa
hollow /halou/ adj **1** ontto (myös kuv:) turha, joutava **2** kovera **3** (ääni) ontto, kumea, vaimea **4** nälkäinen
hollow out v kovertaa ontoksi
holly /hali/ s (kasv) orjanlaakeri
Hollywood /ˈhalɪ,wod/
holocaust /ˈhoulə,kast/ s **1** (tulipalo)-katastrofi **2** polttouhri **3** Holocaust juutalaisten joukkomurha toisessa maailmansodassa **4** joukkomurha
hologram /ˈhoulə,græm/ s hologrammi
holograph /ˈhoulə,græf/ s holografi
holographic /,houləˈgræfɪk/ adj holografinen
holography /həˈlagrəfi/ s holografia
holster /holstər/ s pistoolikotelo
holy /houli/ s pyhä paikka
adj pyhä
Holy Bible /,houliˈbaɪbəl/ s Pyhä Raamattu
Holy Ghost /,houliˈgoust/ s Pyhä Henki
Holy of Holies s kaikkein pyhin
Holy Sacrament s pyhä ehtoollinen
Holy Sea Pyhä istuin, Vatikaanivaltio, Vatikaani
Holy Spirit /,houliˈspɪrɪt/ s Pyhä Henki
Holy Writ /,houliˈrɪt/ s Raamattu
homage /hamədʒ/ s kunnianosoitus
home /houm/ s **1** koti to be at home olla kotona; olla tavattavissa; olla kuin kotonaan; hallita hyvin jokin asia **2** eläimen pesä **3** kotipaikka, kotiseutu, kotimaa **4** kotikenttä to play at home pelata kotikentällä
adj koti- home cooking kotiruoka
adv kotona, kotiin he went home; he wasn't (at) home
home address /,houməˈdres/ s kotiosoite
home base /,houmˈbeɪs/ s (baseballissa) kotipesä
homebody /ˈhoum,bʌdi/ s (kuv) kotikissa
homebound /ˈhoum,baund/ adj **1** joka on matkalla kotiin **2** joka ei voi lähteä (sairauden vuoksi) kotoaan, vuoteen oma
homeboy /ˈhoum,boɪ/ s (oman) nuorisojengin jäsen; kaveri
homecoming /ˈhoum,kʌmiŋ/ s **1** kotiintulo, kotiinpaluu **2** (oppilaitoksen vanhojen opiskelijoiden) vuosijuhla
home free /,houmˈfri/ adj olla loppusuoralla; olla lähes varmaa
homeless s: the homeless kodittomat
adj koditon
homelessness s kodittomuus
homely /houmli/ adj **1** ruma **2** koruton, tavallinen, koti-
homemade /,houmˈmeɪd/ adj kotitekoinen
homemaker /ˈhoum,meɪkər/ s perheenäiti, kotiäiti, koti-isä
home office /,houmˈafɪs/ s **1** pääkonttori **2** (etätyöntekijän) kotikonttori
3 Home Office (UK) sisäasiainministeriö
homeopathist /,houmɪˈapəθɪst/ s homeopaatti
homeopathy /,houmɪˈapəθi/ s homeopatia
homeowner /ˈhoum,ounər/ s asunnonomistaja, omakotitalon omistaja
home plate /,houmˈpleɪt/ s (baseball) kotilauta, kotipesä
home rule /,houmˈruəl/ s paikallistason itsehallinto

homestead /'hoom,sted/ s (erityisesti valtion kansalaisille ja siirtolaisille vuoden 1862 Homestead Actilla Yhdysvaltain länsiosasta ilmaiseksi antama 160 eekkerin) maatila
homesteader s maatilan omistaja (ks homestead)
homestretch /,hoom'stretʃ/ s **1** maalisuora **2** (kuv) loppusuora
home study /'hoom,stʌdi/ s kirjekurssi
home theater /,hoom'θiətər/ s kotiteatteri (suurkuvatelevision ja stereolaitteiston kokonaisuus)
homeward /hoomwərd/ adv kotiin päin, kotia kohti
homework /hoomwərk/ s **1** läksyt, kotitehtävät **2** (palkallinen) kotityö **3** valmistautuminen, perehtyminen the manager hadn't done his homework johtaja ei ollut perehtynyt aiheeseen riittävästi
homeworker /'hoom,wərkər/ s kotona työtä tekevä henkilö, etätyöntekijä
homey /hoomi/ s kaveri, jengin jäsen (sanasta homeboy)
adj kodikas
homicidal /,hamə'saɪdəl/ adj **1** tappo-, murha- **2** murhanhimoinen
homicide /'hamə,saɪd/ s **1** tappo, murha **2** tappaja, murhaaja
homing device /'hoomiŋdə,vaɪs/ s suuntalaite
homing instinct /'hoomiŋ,ɪnstiŋkt/ adj suuntavaisto
homing pigeon /'hoomiŋ,pɪdʒən/ s kirjekyyhkynen
hominy grits /'haməni,grɪts/ s (mon) maissiryynit
homo /hoomoo/ s (mon homos) (sl) homo
homogeneity /,hoomədʒə'neɪəti/ s homogeenisyys
homogeneous /,hoomə'dʒiniəs/ adj homogeeninen
homogenize /hə'madʒə,naɪz/ v homogeenistaa, tehdä homogeeniseksi
homograph /'hamə,græf 'hoomə,græf/ s homografi
homonym /'hamə,nɪm/ s homonyymi
homophobe /'hoomə,foob/ s homoseksualistien ja homoseksuaalisuuden pelkääjä
homophobia /,hoomə'foobiə/ s homoseksualistien ja homoseksuaalisuuden pelko
homophobic /,hoomə'foobɪk/ adj joka pelkää homoseksualisteja ja homoseksuaalisuutta
homophone /'hamə,foon 'hoomə,foon/ s homofoni
homosexual /,hoomə'sekʃuəl/ s homoseksualisti
adj homoseksuaalinen
homosexuality /,hoomə,sekʃu'æləti/ s homoseksuaalisuus
hon. honorable; honorary
Honduran /han'dərən/ s, adj hondurasilainen
Honduras /han'dərəs/
honest /anəst/ adj rehellinen, kunniallinen, rehellisesti ansaittu
honestly adv rehellisesti, kunniallisesti
honest-to-goodness /,anəstə'gudnəs/ adj rehti, aito, oikein kunnon
honesty /anəsti/ s rehellisyys, kunniallisuus
honey /hʌni/ s **1** hunaja **2** kultu, hani
honeybee /'hʌni,bi/ s mehiläinen
honeybunch /'hʌni,bʌntʃ/ s hunajapupu
Honey Bunny /'hʌni,bʌni/ sarjakuvahahmo Ruusa
honeycomb /'hʌni,koom/ s hunajakenno
v olla läpeensä täynnä jotakin
honeymoon /'hʌni,mun/ s **1** kuherruskuukausi **2** (lehdistön ja kongressin Yhdysvaltain presidentille tämän virkakauden alussa myöntämä) totuttautumiskausi, armonaika
v viettää kuherruskuukausi jossakin
Hong Kong /'haŋ,kaŋ/ Hongkong
honk /haŋk/ s (auton äänitorven) törähdys
v soittaa (auton ääni)torvea
Honolulu /,hanə'lulu/ kaupunki Havaijissa

honor /anər/ s **1** kunnia in honor of jonkun/jonkin kunniaksi **2** (mon) kunnianosoitus, kunniamerkki **3** (tuomarin, kaupunginjohtajan kunnia)titteli **4** (mon: yliopistossa erikoisalan opintomenestyksestä myönnettävä) kunniamaininta **5** to do the honors toimia isäntänä/emäntänä juhlapöydässä
v **1** kunnioittaa, kohdella kunnioittavasti; kunnoittaa jollakin **2** hyväksyä, ottaa vastaan we honor American Express meillä voitte maksaa American Express -luottokortilla
honorable /anərəbəl/ adj **1** kunniallinen **2** kunnianarvoisa **3** (US) tittelinä: the Honorable Judge M. Smith presiding istuntoa johtaa tuomari M. Smith **4** (UK) tittelinä: the Honorable member should reconsider arvoisan kansanedustajan on syytä miettiä asiaa uudelleen
honorable discharge s vapautus armeijasta moitteettomin paperein
honorable mention s kunniamaininta (kilpailussa)
honorably adv kunniallisesti; kunnioittaen
honorary /'anəˌreri/ adj kunnia- honorary member/post/doctor kunniajäsen/kunniavirka/kunniatohtori
hood /hʊd/ s **1** huppu; naamio **2** (US) (auton) konepelti **3** (sl) roisto, konna
v peittää (päänsä) hupulla; naamioida
hooded adj **1** jonka pää on hupun peitossa hooded eyes paksujen kulmakarvojen peittämät silmät **2** hupullinen
hoof /hʊf/ s (mon hooves) kavio
hoofbeat /'hʊfˌbit/ s kavionkapse
hook /hʊk/ s **1** koukku (myös nyrkkeilyssä:) koukkulyönti **2** (golfissa) hukki, pallon kaartuminen ilmassa oikealta vasemmalle (oikeakätisellä pelaajalla)
v **1** kiinnittää/sulkea koukulla **2** saada koukkuun; (kuv) saada lankaan **3** koukistaa (tarttuakseen) he hooked his arms around the branch and tried not to fall
hooked on she is hooked on Beethoven hän on hulluna Beethoveniin
hook, line and sinker Jim swallowed the story hook, line and sinker Jim otti jutun täydestä
hook up v **1** kiinnittää/sulkea koukuilla **2** yhdistää do you know how to hook up your stereo? osaatko yhdistää stereolaitteesi toisiinsa?
hooligan /hulɪgən/ s huligaani, rellestäjä, metelöitsijä
hoop /hup/ s (esim tynnyrin tai voimistelu)vanne
v vannehtia, varustaaa vanteilla
hoorah /hə'ra/ ks hurrah
hooray /hə'reɪ/ ks hurrah
hoot /hut/ s **1** (pöllön) huhuilu, huuto **2** buuaus, viheltäminen (esiintyjälle ym) **3** (kuv) I don't give a hoot about what you think minä viis veisaan siitä mitä sinä ajattelet
v **1** buuata, viheltää (esiintyjälle ym) **2** (pöllö) huhuilla, huutaa
hooves /hʊvz/ ks hoof
hop /hap/ s **1** (kasv) humala **2** hyppy **3** lyhyt (lento)matka **4** (ark) tanssit, tanssikemut
v **1** hypätä, hyppiä **2** piipahtaa, käväistä **3** matkustaa paikasta toiseen they went bar-hopping he lähtivät kiertämään kapakoita
hope /hoʊp/ s toivo he has no/little hope of finding his lost wallet hänellä ei ole toivoakaan/on hyvin vähän toivoa löytää hukkaamansa lompakko she is looking for a book and the library is her last hope hän etsii erästä kirjaa ja kirjasto on hänen viimeinen toivonsa
v toivoa
HOPE Health Opportunity for People Everywhere
hope against hope fr toivoa kaikesta huolimatta että
hopeful adj **1** toiveikas **2** lupaava
hopefully adv **1** toiveikkaasti **2** toivottavasti
hopeless adj toivoton, lohduton, epätoivoinen
hopelessly adv toivottomasti, toivottoman
hopelessness s toivottomuus, epätoivoisuus

horde /hɔrd/ s lauma, parvi, joukko
horizon /hə'raɪzən/ s taivaanranta, horisontti
horizontal /ˌhɔrə'zantəl/ adj vaakasuora
horizontally adv vaakasuorassa, vaakasuoraan
hormonal /hɔr'mounəl/ adj hormoni-
hormone /hɔrmoun/ s hormoni
horn /hɔrn/ s **1** sarvi **2** (mus) torvi; (auton ääni)torvi to blow your own horn kehua itseään, olla täynnä itseään
hornet /hɔrnət/ s herhiläinen
horny /hɔrni/ adj **1** sarvimainen **2** känsäinen (iho) **3** (ark) kiimainen
horoscope /'hɔrəˌskoup/ s horoskooppi
horrendous /hə'rendəs/ adj hirvittävä, kauhistuttava
horrendously adv hirvittävästi, hirvittävän
horrible /hɔrəbəl/ adj hirvittävä, kauhistuttava, pelottava, kamala
horribly adj hirvittävästi, hirvittävän
horrid /hɔrəd/ adj hirvittävä, pelottava
horridly adv hirvittävästi, hirvittävän
horrify /'hɔrəˌfaɪ/ v hirvittää, kauhistuttaa, pelottaa
horrifying adj hirvittävä, kauhistuttava
horrifyingly adv hirvittävästi, hirvittävän
horror /hɔrər/ s kauhu, järkytys; inho they all trembled in horror he vapisivat kauhusta what a horror! onpa kamala asia!
horror story /'hɔrərˌstɔri/ s kauhukertomus, kauhuelokuva
horror-stricken /'hɔrərˌstrɪkən/ adj kauhistunut, joka on kauhun vallassa
horror-struck /'hɔrərˌstrʌk/ adj kauhistunut, joka on kauhun vallassa
hors d'oeuvre /ɔr'dɔrv/ s (mon hors d'oeuvre, hors d'oeuvres) alkuruoka
horse /hɔrs/ s hevonen (myös voimistelussa) to come/get something straight from the horse's mouth olla peräisin/kuulla jotakin suoraan alkuperäislähteestä, luotettavasta lähteestä Larry, you're beating a dead horse Larry, se asia on jo puhuttu selväksi/ratkaistu
horse around fr (sl) pelleillä, rellastaa, mekastaa, hevostella, harrastaa hevosenleikkiä
horseback /'hɔrsˌbæk/ s hevosen selkä on horseback ratsain, hevosella adj summittainen, puolihuolimaton adv ratsain, hevosella
horse latitudes /'lætəˌtudz/ (mon) hepoasteet (tuulettomat valtamerialueet, noin 30° pohjoista ja eteläistä leveyttä)
horseless carriage /ˌhɔrsləs'kerədʒ/ s (hist) auto, voimavaunu
horse of another color fr kokonaan toinen asia/juttu
horse opera /'hɔrsˌaprə/ s (tv, radio) lännensarja
horseplay /'hɔrsˌpleɪ/ s hevosenleikki, rellastus, mekastus
horsepower /'hɔrsˌpauər/ s hevosvoima
horseshoe /'hɔrˌʃu/ s hevosenkenkä
horticulture /'hɔrtəˌkʌlʃər/ s puutarhanhoito
horticulturist /ˌhɔrtə'kʌlʃərɪst/ s puutarhuri
hose /houz/ s **1** letku **2** sukka, sukat, sukkahousut
v kastella (letkulla), pestä (vedellä)
hosiery /houʒəri/ s sukat
hosp. hospital sairaala
hospice /haspəs/ s **1** hospitsi **2** (terminaalisairaiden) hoitokoti
hospitable /həs'pɪtəbəl/ adj vieraanvarainen; lämmin, ystävällinen
hospitable to adj vastaanottavainen, valmis kuuntelemaan/hyväksymään jotakin, avoin jollekin
hospital /haspətəl/ s sairaala
hospitality /ˌhaspə'tæləti/ s vieraanvaraisuus
hospitalization /ˌhaspətələ'zeɪʃən/ s sairaalaan siirto
hospitalize /'haspətəˌlaɪz/ v viedä/siirtää sairaalaan
host /houst/ s **1** isäntä, emäntä **2** isäntäkasvi, isäntäeläin **3** (tv, radio ym) juontaja, seremoniamestari
v **1** isännöidä, emännöidä Calgary

hosted the 1988 Winter Olympics Calgary toimi vuoden 1988 talviolympialaisten isäntänä **2** juontaa (tv- tai radio-ohjelma ym), toimia seremoniamestarina

hostage /hastədʒ/ s panttivanki

hostel /hastəl/ s asuntola youth hostel retkeilymaja, hostelli

hostess /houstəs/ s **1** emäntä **2** (tv, radio ym) (nais)juontaja, seremoniamestari **3** lentoemäntä, messuemäntä, ravintolanemäntä yms
v emännöidä, toimia emäntänä

hostile /hastəl/ adj vihamielinen the company was hostile to our proposal yritys suhtautui ehdotukseemme vastahakoisesti

hostility /has'tɪləti/ s vihamielisyys, vastahakoisuus

hot /hat/ s: Tom has the hots for Jane Tom on pihkassa Janeen
adj **1** kuuma; lämmin two hot meals a day kaksi lämmintä ateriaa päivässä **2** (maku) tulinen, voimakkaasti maustettu Mexican food is often hot meksikolainen ruoka on usein tulista **3** (luonne) tulinen, kiivas **4** (ark) innokas **5** (sl) kiimainen **6** (ark kuv) kuuma, varastettu **7** to be hot on the trail of someone olla aivan jonkun kannoilla, olla jonkun kintereillä in hot pursuit jonkun kintereillä

hot and bothered fr (ark) olla innoissaan, käydä kuumana

hot cake /'hat,keɪk/ s ohukainen the book is selling like hot cakes kirja menee (kaupaksi) kuin kuumille kiville

hot dog /'hat,dag/ s **1** nakkimakkara **2** hot dog

hotel /hoʊ'tel/ s hotelli

hotelier /oʊ,tel'jeɪ ,hoʊtələr/ s hotellinomistaja, hotellinjohtaja

hot line /'hat,laɪn/ s kuuma linja

hotly adv kiivaasti

hot pants /'hat,pæns/ s **1** (mon) mikrohousut **2** (sl) (seksuaalinen) himo

hot pepper /,hat'pepər/ s paprika

hot potato /,hatpə'teɪtoʊ/ s kuuma peruna

hot rod /'hat,rad/ s hot rod (-auto)

hot seat /'hat,sit/ to be in the hot seat olla kuumilla kivillä, olla pahassa jamassa

hot shoe /'hat,ʃu/ s (valokuvauskoneen) salamakenkä

hot spring /'hat,sprɪŋ/ s kuuma lähde

hot-tempered /,hat'tempərd/ adj tulinen (kuv), äkkipikainen

hot tub /'hat,tʌb/ s poreallas

hot under the collar fr kimpaantunut, tulistunut

hot war /'hat,wɔr/ s avoin sota, kuuma sota

hot-water bag /,hat'watər,bæg/ s lämpöpullo

hound /haʊnd/ s **1** ajokoira; vainukoira **2** (ark) koira
v **1** ajaa takaa; vainuta **2** kiusata, piinata, häiritä

hour /aʊər/ s **1** tunti **2** aika, hetki what is the hour? paljonko kello on? **3** (mon) työaika, vastaanottoaika, aukioloaika what are your hours? mihin asti myymälänne on auki?

hourglass /'aʊər,glæs/ s tiimalasi

hour hand /aʊər,hænd/ s tuntiviisari

hourlong /'aʊər,laŋ/ adj tunnin mittainen

hourly adj, adv tunnin välein, tasatunnein (tapahtuva), tunti-

house /haʊs/ s **1** talo, asunto, koti **2** huone the House of Representatives edustajainhuone **3** suku, huone (vanh) **4** (kuv) talo the drinks are on the house talo tarjoaa ryypyt **5** yleisö, katsojat to play to a full house esiintyä täydelle salille to bring down the house saada yleisö haltioihinsa, saada yleisö ratkeamaan naurusta

house /haʊz/ v **1** majoittaa **2** olla jossakin

house arrest /'haʊsə,rest/ s kotiaresti

housebroken /'haʊs,broʊkən/ adj (eläin) siisti(ksi oppinut)

house call /'haʊs,kal/ s (lääkärin tms) kotikäynti

houseclean /'haʊs,klin/ v siivota (asunto, koti)

housecoat /'haʊs,koʊt/ s kotitakki

house detective /'haosdɪˌtektɪv/ s myymäläetsivä, hotellietsivä yms
housefly /'haʊsˌflaɪ/ s (mon houseflies) kotikärpänen
houseful s kodin täysi
houseguest /'haʊsˌgest/ s yövieras
household /'haʊsˌhoʊld/ s (koti)talous, perhe, ruokakunta
adj **1** koti- **2** tavallinen, yleinen
householder s **1** talonomistaja **2** perheenpää
household word s tunnettu sana/nimi/sanonta, sananparsi
housekeeper /'haʊsˌkipər/ s taloudenhoitaja
housemaid /'haʊsˌmeɪd/ s kotiapulainen
housemate /'haʊsˌmeɪt/ s **1** asuintoveri, kämppäaveri (ark) **2** avopuoliso
house of cards s (kuv) korttitalo
House of Commons s (parlamentin) alahuone
house of ill repute s bordelli, porttola
House of Lords s (Ison-Britannian parlamentin) ylähuone
House of Representatives s (kongressin) edustajainhuone
house organ /ˌhaʊsˌɔrgən/ s henkilökuntalehti
houseplant /'haʊsˌplænt/ s huonekasvi
house-sit /'haʊsˌsɪt/ v asua talossa/asunnossa omistajan poissaollessa (esim murtovarkaiden karkottamiseksi)
Houses of Parliament s (mon) (Ison-Britannian) parlamenttitalo (Lontoossa)
housewarming /'haʊsˌwɔrmɪŋ/ s tupaantuliaiset
housewife /'haʊsˌwaɪf/ s (mon housewives) kotirouva
housework /'haʊswərk/ s kodin työt, taloudenhoito
houseworker s kotiapulainen
housing /'haʊzɪŋ/ s **1** asunto **2** majoitus, asumaan sijoittaminen **3** suojus, kupu, vaippa
housing development s (saman rakennusyhtiön rakentama) asuinalue
housing project s kunnallisasumus
housing starts s (mon) (tiettynä aikana aloitettujen) uusien asuinrakennushankkeiden määrä
Houston /hjustən/ kaupunki Texasissa
hove /hoʊv/ ks heave
hovel /hʌvəl/ s **1** mökki, maja **2** murju
hover /hʌvər/ v **1** leijua (ilmassa), pysyä paikallaan (ilmassa) **2** norkoilla jossakin **3** empiä, olla jonkin partaalla to hover between life and death horjua/häilyä elämän ja kuoleman välillä
hovercraft /'hʌvərˌkræft/ s (mon hovercraft) (UK) ilmatyynyalus
how /haʊ/ adv miten, kuinka how did he do it? miten hän sen teki? how much did he want for it? paljonko hän siitä pyysi? how many times have I told you not to do it? kuinka monesti minä olen jo kieltänyt sinua!
how about adv entä: how about a movie? (entä) haluaisitko mennä elokuviin?
how come? fr (ark) miksi?
how do you do fr hyvää päivää
howdy /haʊdi/ interj terve!
however /ˌhaʊ'evər/ adv kuitenkin, silti, sen sijaan
howitzer /haʊətsər/ s haupitsi
howl /haʊəl/ s (suden ym) ulvahdus, (tuulen) ulvonta, huuto
v (susi, tuuli ym) ulvoa, huutaa
howling s ulvahdus, ulvonta, huuto
adj **1** ulvova (tuuli), huutava **2** (ark) valtaisa
how so? fr miksi?, mistä se johtuu?
how the wind blows fr (kuv) mistä tuuli puhaltaa
Hoyle /hoɪəl/ according to Hoyle sääntöjen mukaan, kirjaimellisesti, oikein
hp horsepower hevosvoima
H.P. Houses of Parliament (Ison-Britannian) parlamenttitalo (Lontoossa)
HRA Health Resources Administration
HRH Her/His Royal Highness
HRSA Health Resources and Services Administration
H.S. high school
ht. height korkeus; pituus

Huang Hai /'hwaŋ'haɪ/ Keltainenmeri, Huang Hai
Huang He /'hwaŋ'hi/ Keltainenjoki, Huangjoki, Huang He
hub /hʌb/ s **1** (pyörän) napa **2** (liikenteen) solmukohta
hubbub /hʌbʌb/ s **1** puheensorina, kohina **2** myllerrys, sekasorto
hubcap /'hʌb,kæp/ s (auton) pölykapseli
hubris /hjubrɪs hubrɪs/ s ylimielisyys, röyhkeys, julkeus
huckleberry /'hʌkəl,beri/ s mustikka
huckster /hʌkstər/ s kaupustelija, helppoheikki (myös kuv)
HUD Department of Housing and Urban Development
huddle /hʌdəl/ s **1** kasa, rykelmä, joukko **2** neuvottelu, keskustelu, kokous
v **1** kasata/kasaantua yhteen **2** neuvotella, keskustella, pohtia
Hudson Bay /hʌdsən/ Hudsoninlahti
hue /hju/ s **1** väri, värisävy, vivahde **2** ihonväri
hue and cry fr vastalause(iden myrsky)
huff /hʌf/ s murjotus, loukkaantuminen, pahantuulisuus
v loukata jotakuta
hug /hʌg/ s halaus give me a hug! rutista/halaa minua!
v halata
huge /hjudʒ/ adj valtava, suunnaton, suunnattoman suuri
hugely adv valtavasti, suunnattomasti, suunnattoman
hulk /hʌlk/ s köntys, kömpelys
hulking adj kömpelö, raskas, valtaisa, valtavan iso
hull /hʌl/ s (laivan) runko
hullo /həloʊ/ interj hei!; terve!; haloo?
hum /hʌm/ s **1** surina **2** hyräily **3** kiire, tuoksina, vauhti
v **1** surista **2** hyräillä **3** the office is humming with activity toimistossa on erittäin kiireistä
human /hjumən/ s ihminen
adj inhimillinen, ihmis- the human race ihmisrotu what he did was not human hänen tekonsa oli epäinhimillinen
human being s ihminen
humane /hju'meɪn/ adj inhimillinen, humaani
human engineering s ergonomia
humane society s eläinsuojeluyhdistys
human-interest story s elävästä elämästä kertova (ja samastumismahdollisuuden tarjoava) sanomalehtikirjoitus/televisio-ohjelma ym
humanism /'hjumə,nɪzəm/ s humanismi
humanist s humanisti
humanistic adj humanistinen
humanitarian /hju,mænə'teərɪən/ s hyväntekijä, ihmisystävä
adj humanitaarinen, hyväntekeväisyys-
humanity /hju'mænəti/ s **1** ihmiskunta **2** inhimillisyys
humanize /'hjumə,naɪz/ v inhimillistää, inhimillistyä
humankind /,humən'kaɪnd/ s ihmiskunta
humanly adv inhimillisesti he did everything that was humanly possible to help me hän teki kaikkensa auttaakseen minua
human nature /,hjumən'neɪtʃər/ s ihmisluonto, ihmisluonne
humanoid /'hjumə,nɔɪd/ s humanoidi, ihmisen kaltainen olio
human resources s (yrityksen) henkilöstö; työvoima; ihmiset
human resources department s (yrityksen) henkilöstöosasto
human rights /'hjumən,raɪts/ s (mon) ihmisoikeudet
Humbershire /hʌmbərʃər/ Englannin kreivikuntia
humble /hʌmbəl/ v nöyryyttää
adj **1** nöyrä, vaatimaton **2** vähäinen, alhainen a man of humble origin alhaissyntyinen mies
humbleness s nöyryys, vaatimattomuus
humble pie /,hʌmbəl'paɪ/ to eat humble pie joutua nöyrtymään, niellä ylpeytensä/katkera kalkki
humbly adv nöyrästi, vaatimattomasti

humbug /hʌmbʌg/ s humpuuki
humdrum /hʌmdrʌm/ adj tylsä, pitkäveteinen, harmaa, arkinen
humerus /hjumərəs jumərəs/ s (mon humeri) olkaluu
humid /hjumɪd/ adj kostea
humidifier /hju'mɪdəˌfaɪər/ s ilmankostutin
humidify s kostuttaa
humidity /hju'mɪdəti/ s (ilman)kosteus
humiliate /hju'mɪliˌeɪt/ v nöyryyttää, häpäistä
humiliating adj nöyryyttävä, häpeällinen
humiliation /hjuˌmɪli'eɪʃən/ s nöyryytys, häpäisy
humility /hju'mɪləti/ s nöyryys, vaatimattomuus
HUMINT human intelligence ihmisten suorittama vakoilu
hummingbird /'hʌmiŋˌbərd/ s kolibri
humor /hjumər/ s **1** huumori **2** huumorintaju **3** huvittavuus, hauskuus **4** (mon) oikut, myötä- ja vastoinkäymiset the humors of fortune kohtalon oikut **5** mieliala to be in a good/bad humor olla hyvällä/pahalla päällä she is out of humor today hän on tänään pahalla päällä
humorist /hjumərɪst/ s humoristi
humorless adj huumorintajuton; ikävä, pitkäveteinen, tylsä
humorous /hjumərəs/ adj humoristinen, hauska, huvittava; huumorintajuinen
hump /hʌmp/ s **1** kyttyrä, kyhmy **2** kukkula, mäki
v köyristää (selkänsä)
humpback /'hʌmpˌbæk/ s kyttyräselkä
humpback whale s ryhävalas
hunch /hʌntʃ/ s **1** vainu, aavistus **2** kyttyrä, kyhmy
v **1** köyristää **2** seisoa/istua kyyryssä
hunchback /'hʌntʃˌbæk/ s kyttyräselkä
hundred /hʌndrəd/ s, adj sata the figure was in the low hundreds määrä oli muutama sata
hundredfold /'hʌndrədˌfould/ adj satakertainen
hundred-percenter /ˌhʌndrədpər'sentər/ s isänmaanystävä; yltiöisänmaallinen ihminen
hundredth /hʌndrətθ/ s, adj sadasosa
hundredweight /'hʌndrədˌweɪt/ s sentneri (US: 45,4 kg; UK: 50,8 kg)
hung /hʌŋ/ ks hang he is well-hung (sl miehestä) hänellä on isot munat
Hungarian /hʌŋ'gerɪən/ s unkarin kieli s, adj unkarilainen
Hungary /hʌŋgəri/ Unkari
hunger /hʌŋgər/ s nälkä (myös kuv) v olla nälkä (myös kuv) people are hungering for a sequel to the movie yleisö kaipaa kovasti elokuvalle jatkoosaa
hunger strike /'hʌŋgərˌstraɪk/ s nälkälakko
hunger-strike v mennä nälkälakkoon, olla nälkälakossa
hung over /ˌhʌŋ'ouvər/ adj krapulassa
hungry /hʌŋgri/ adj **1** nälkäinen **2** (ark) hanakka, ahne, aggressiivinen
hunk /hʌŋk/ s **1** pala, möhkäle **2** (sl) adonis **3** (sl) läski **4** (sl) hongankolistaja
hunker (down) /hʌŋkər/ v **1** kyykistyä, kyykistellä **2** (ark) kumartua, köyristyä **3** (ark) piileksiä jossakin
hunt /hʌnt/ s **1** metsästys **2** etsintä, takaa-ajo **3** metsästysseurue, metsästäjät
v **1** metsästää **2** etsiä, ajaa takaa
hunt down v ajaa takaa, etsiä
hunter s **1** metsästäjä **2** etsijä fortune hunter onnenonkija **3** metsästyskoira
hunt for v etsiä
hunting s, adj metsästys(-)
Hunting Dogs (tähdistö) Ajokoirat
Huntingdonshire /hʌntiŋdənʃər/ Englannin lakkautettuja kreivikuntia
hunting horn s (mus) metsästystorvi
hunt up v etsiä, kaivaa esiin
hurdle /hərdəl/ s **1** (urh) este, aita **2** (mon, urh) estejuoksu, aitajuoksu **3** (kuv) este, ongelma
v **1** hypätä (esteen) yli **2** selvitä esteestä/ongelmasta
hurl /hərəl/ s (voimakas) heitto
v **1** singota, heittää **2** (sl) yrjötä

hurly-burly /ˌhərli'bərli/ s sekamelska, mylläkkä
hurrah /hə'ra/ s hurraa-huuto last/final hurrah viimeinen loiston hetki, joutsenlaulu
v hurrata
interj hurraa!
hurricane /'hərəˌkeɪn/ s hurrikaani, pyörremyrsky
hurried /hərid/ adj kiireinen, hätäinen
hurriedly adv kiireesti, hätäisesti, äkkiä
hurry /həri/ s kiire
v kiirehtiä, pitää kiirettä; viedä/tuoda kiireesti; käskeä kiirehtimään
hurry up v kiirehtiä, käskeä kiirehtimään
hurt /hərt/ s **1** vamma **2** loukkaus
v hurt, hurt **1** satuttaa, loukata (myös henkisesti) **2** sattua, tehdä kipeää **3** vahingoittaa, aiheuttaa vahinkoa, olla pahaksi/haitaksi a cup of coffee wouldn't hurt me kahvi ei olisi pahitteeksi
adj loukkaantunut (myös henkisesti)
hurtful adj vahingollinen, haitallinen, loukkaava
hurtfully adj (sanoa jotakin) loukkaantuneesti
hurtle /hərtəl/ v **1** kiirehtiä, viilettää **2** romahtaa, pudota
husband /hʌzbənd/ s (avio)mies, puoliso
husbandry /hʌsbəndri/ s **1** maatalous, maanviljely, karjanhoito **2** säästeliäisyys, nuukuus **3** taloudenhoito
hush /hʌʃ/ s hiljaisuus
v vaieta, vaientaa, saada vaikenemaan
interj hys!, ole hiljaa!
hush money s vaikenemisesta maksettava lahjus
husk /hʌsk/ s akana, kuori
v kuoria
huskily adj käheästi, karkealla äänellä
husky s husky, siperianpystykorva
adj **1** karhea, käheä (ääni) **2** iso, vantterä (ihminen)
hustle /hʌsəl/ s **1** tungos, ruuhka **2** kiire, säpinä **3** (sl) huijaus, petos
v **1** tunkeutua, ahtautua **2** hutiloida, tehdä kiireesti; kiirehtiä **3** työntää, passittaa **4** (yrittää) pakottaa/saada joku tekemään jotakin, jallittaa (ark) asiakkaita, etsiä asiakkaita, olla kova liikemies **5** (sl) etsiä asiakkaita, olla katutyttö/katupoika
hustler /hʌslər/ s **1** jallittelija, juonittelija, pyrkyri **2** huijari **3** (sl) katutyttö, katupoika
hut /hʌt/ s mökki, maja
hutch /hʌtʃ/ s **1** koppi, häkki, aitaus **2** kaappi, lipasto **3** mökki, maja
hwy. highway
hyacinth /'haɪəˌsɪnθ/ s hyasintti
hydrant /haɪdrənt/ s vesiposti
hydraulic /haɪ'dralɪk/ adj hydraulinen
hydraulics s (verbi yksikössä) hydrauliikka
hydroelectric /ˌhaɪdroʊə'lektrɪk/ adj vesivoimalla sähkövoimaa tuottava, hydroelektrinen
hydrofoil /'haɪdrəˌfoɪəl/ s **1** kantosiipi **2** kantosiipialus
hydrogen /haɪdrədʒən/ s vety
hydrogen bomb s vetypommi
hyena /haɪ'inə/ s hyeena
hygiene /haɪdʒin/ s hygienia
hygienic /haɪ'dʒenɪk/ adj hygieeninen
hygienically adj hygieenisesti
hygrograph /'haɪgrəˌgræf/ s piirtävä kosketusmittari
hymen /haɪmən/ s (anat) immenkalvo
hymn /hɪm/ s hymni, virsi
hyper /haɪpər/ s **1** ylikierroksilla käyvä ihminen **2** helppoheikki, mainostaja, tiedottaja
adj **1** joka käy ylikierroksilla **2** to be hyper about something olla läpeensä täynnä jotakin, ei osata muusta puhuakaan kuin
hyperbole /haɪ'pərbəˌli/ s **1** liioittelu, paisuttelu **2** (mat) hyperbeli
hyperbolic /ˌhaɪpər'balɪk/ adj **1** liioiteltu, liioitteleva, paisuteltu, paisutteleva **2** (mat) hyperbolinen
hyphen /haɪfən/ s tavuviiva
v yhdistää tavuviivalla
hyphenate /'haɪfəˌneɪt/ v yhdistää tavuviivalla
hypnosis /hɪp'noʊsɪs/ s (mon hypnoses) hypnoosi

hypnotherapy /ˌhɪpnoʊˈθerəpi/ s hypnoterapia
hypnotic /hɪpˈnatɪk/ s unilääke adj **1** hypnoottinen **2** nukuttava
hypnotism /ˈhɪpnəˌtɪzəm/ s **1** hypnotismi **2** hypnoosi
hypnotist /hɪpnətɪst/ s hypnotisoida
hypnotize /ˈhɪpnəˌtaɪz/ s hypnotisoida
hypo /haɪpoʊ/ s (mon hypos) (ark) (lääke)ruisku
hypochondria /ˌhaɪpəˈkandriə/ s luulosairaus
hypochondriac /ˌhaɪpəˈkandriæk/ s, adj luulosairas
hypocrisy /həˈpakrəˌsi/ s tekopyhyys
hypocrite /hɪpəkrət/ s tekopyhä ihminen
hypocritical /ˌhɪpəˈkrɪtɪkəl/ adj tekopyhä
hypodermic /ˌhaɪpəˈdərmɪk/ s **1** ihonalainen lääke/ruiske **2** (lääke)ruisku adj ihonalainen
hypodermic syringe /ˌhaɪpəˈdərmɪksəˈrɪndʒ/ s lääkeruisku
hypodermis /ˌhaɪpəˈdərmɪs/ s (anat) ihonalaiskudos
hypotenuse /haɪˈpatəˌnus/ hypotenuusa
hypothalamus /ˌhaɪpəˈθæləməs/ s (mon hypothalami) hypotalamus
hypothesis /haɪˈpaθəsɪs/ s (mon hypotheses) oletus, hypoteesi
hypothetical /ˌhaɪpəˈθetɪkəl/ adj oletettu, hypoteettinen
hysterectomy /ˌhɪstəˈrektəmi/ s kohdun poisto
hysteria /hɪsˈterɪə/ s hysteria
hysterical /hɪsˈterɪkəl/ adj hysteerinen; hillitön
hysterically adv hysteerisesti; hillittömästi
hysterics /hɪsˈterɪks/ s (mon) hysteriakohtaus, hysteria

I, i

I, i /aɪ/ I, i
I /aɪ/ pron minä
Ia. Iowa
IA Iowa
IATA International Air Transport Association Kansainvälinen ilmakuljetusliitto
IBM intercontinental ballistic missile mannertenvälinen ballistinen ohjus International Business Machines IBM
IC integrated circuit integroitu piiri
ICA International Communication Agency
ICBM intercontinental ballistic missile mannertenvälinen ballistinen ohjus
ICC Interstate Commerce Commission
ice /aɪs/ s **1** jää to put something on ice lykätä jotakin tuonnemmaksi, panna (toistaiseksi) pöydälle you are on thin ice sinä liikut liian syvillä vesillä, hankkeesi on heikolla pohjalla **2** (UK) jäätelö **3** (leivonnaisen) kuorrutus
v **1** jäätyä **2** jäähdyttää; pakastaa **3** kuorruttaa (leivonnainen)
ICE International Cultural Exchange
ice age /'aɪs,eɪdʒ/ s jääkausi
iceberg /'aɪs,bərg/ s jäävuori
icebox /'aɪs,baks/ s **1** kylmälaukku **2** (vanh) jääkaappi
icebreaker /'aɪs,breɪkər/ s **1** jäänmurtaja **2** jännityksen laukaiseva huomautus, vitsi tms
ice cream /'aɪs,krim/ s jäätelö
ice-cream cone /'aɪs,krim,koun/ s jäätelötötterö
iced /aɪst/ adj **1** jäätynyt, jäinen **2** jää- iced tea jäätee **3** kuorrutettu (leivonnainen)
ice dancing /'aɪs,dænsiŋ/ s jäätanssi
ice floe /'aɪs,flou/ s jäälohkare, jäälautta
ice hockey /'aɪs,haki/ s jääkiekko
icehouse /aɪshaus/ s jäävarasto
Iceland /aɪslənd/ Islanti
Icelander /aɪsləndər/ s islantilainen
Icelandic /aɪs'lændɪk/ s islannin kieli adj islantilainen
ice rink /'aɪs,riŋk/ s luistelurata
ice skate /'aɪs,skeɪt/ s luistin
ice-skate v luistella
ice skater s luistelija
icicle /aɪsɪkəl/ s jääpuikko
icily /aɪsəli/ adj (kuv) kylmästi, viileästi, jäätävästi
icon /'aɪ,kan/ s **1** ikoni, pyhäinkuva **2** ikoni, symboli, kuvamerkki **3** (kuva) perikuva, keulakuva
iconoclast /aɪ'kanə,klæst/ s ikoninsärkijä, kapinallinen
ICRC International Committee of the Red Cross Punaisen Ristin kansainvälinen komitea
ICU intensive care unit (sairaalan) tehoosasto
icy /aɪsi/ adj **1** jäätynyt, jäinen **2** kylmä, jäätävä (myös kuv)
id /ɪd/ s (psykoanalyysissä) se, id
I'd /aɪd/ I had, I would
id. idem sama
ID Idaho; identification
IDA International Development Association Kansainvälinen kehittämisjärjestö
Idaho /'aɪdə,hou/
idea /aɪ'diə/ s **1** ajatus, päähänpisto, idea he had a brilliant idea hän sai neronleimauksen, hänellä sytytti **2** tarkoitus, ajatus, aie he came here with the idea of buying a house hän tuli tänne ostamaan taloa **3** tieto, käsitys, aavistus I have no idea minulla ei ole harmainta aavistusta **4** mielipide, käsitys is that is

your idea of a good novel? tuotako sinä pidät hyvänä romaanina? **5** aate
ideal /aidiəl/ s ihanne he is is a man of modest ideals hänellä on vaatimattomat ihanteet
adj ihanteellinen
idealism /aɪ'diəlɪzəm/ s idealismi; haaveilu
idealist /aɪ'diələst/ s idealisti; haaveilija
idealistic adj ihanteellinen, haaveellinen
idealization /aɪ,diələ'zeɪʃən/ s ihannointi
idealize /aɪ'diə,laɪz/ v ihannoida, ihanteellistaa
ideally adv ihanteellisesti, ihannetapauksessa
idea man s ideoija
identical /aɪ'dentəkəl/ adj identtinen, (aivan) sama, yhtäpitävä identical twins identtiset kaksoset
identically adj identtisesti, (aivan) samoin, yhtäpitävästi
identification /aɪ,dentəfə'keɪʃən/ s **1** tunnistaminen, henkilöllisyyden varmistus **2** henkilöllisyystodistus **3** samastus, samastaminen **4** suhteet he has no identification with terrorists hän ei ole missään tekemisissä terroristien kanssa
identification card s henkilöllisyystodistus
identification tag s (sotilaan) tuntolevy
identify /aɪ'dentəfaɪ/ v tunnistaa (samaksi); paljastaa (joku joksikin)
identify with v samastua johonkuhun/johonkin, yhdistää johonkuhun/johonkin, liittää mielessään johonkin, olla tekemisissä jonkun/jonkin kanssa
identity /aɪ'dentəti/ s **1** henkilöllisyys, identiteetti **2** yhtäläisyys, identtisyys, samuus
identity card s henkilöllisyystodistus
identity crisis s (mon identity crises) identiteettikriisi
ideological /,ɪdiə'ladʒəkəl ,aɪdɪə'ladʒəkəl/ adj ideologinen, aatteellinen
ideologist /ɪdi'alədʒɪst aɪdɪ'alədʒɪst/ s ideologi
ideologue /'ɪdiə,lag/ s ideologi
ideology /ɪdɪ'alədʒi aɪdɪ'alədʒi/ s ideologia, aate
idiocy /ɪdiəsi/ s älyttömyys, tyhmyys, typeryys
idiom /ɪdiəm/ s **1** (kielessä) idiomi, fraasi, (vakiintunut) sanonta **2** kieli, murre
idiomatic /,ɪdiə'mætɪk/ adj idiomaattinen an idiomatic expression idiomaattinen ilmaus, idiomi
idiosyncracy /,ɪdiə'siŋkrəsi/ s erityispiirre, oikku; omaperäisyys, omalaatuisuus
idiosyncratic /,ɪdiəsiŋ'krætɪk/ adj omaperäinen, omalaatuinen
idiot /ɪdiət/ s idiootti, älykääpiö
idiot box s (sl) televisio
idiotic /ɪdi'atɪk/ adj idioottimainen, älytön, järjetön
idiotically adv idioottimaisesti, älyttömästi, tärähtäneesti
idiot-proof adj idioottivarma
idiot savant /ɪdiət sə'vant/ s (mon idiot savants) oppinut idiootti
idle /aɪdəl/ v **1** vetelehtiä, laiskotella **2** maleksia, löntystellä **3** (moottori) käydä joutokäyntiä
adj **1** toimeton **2** työtön **3** laiska, veltto **4** turha, tyhjä (lupaus), perusteeton
idly adv ks idle
idol /aɪdəl/ s epäjumala; ihanne, idoli
idolater /aɪ'dalətər/ s epäjumalan palvoja; ihailija; innokas harrastaja
idolatress /aɪ'dalətrəs/ s (naispuolinen) epäjumalan palvoja; ihailija; innokas harrastaja
idolatry /aɪ'dalətri/ s epäjumalan palvonta; ihannointi
idolize /'aɪdə,laɪz/ v palvoa (esim epäjumalana)
idyll /aɪdəl/ s idylli
IDTV improved definition television
idyllic /aɪ'dɪlɪk/ adj idyllinen
i.e. id est se on
if /ɪf/ s jos this thing is a big if tämä juttu on hyvin epävarma
konj **1** jos you can go if you wish saat

lähteä jos haluat **2** kunpa if only you could come kunpa vain pääsisit tulemaan **3** josko, -ko/-kö ask her if she wants to go kysy haluaako hän lähteä **4** joskin, vaikkakin he is okay if a little quiet hän on ihan mukava ihminen joskin vähän hiljainen **5** as if ikään kuin
iffy /ɪfi/ adj epävarma
IFO identified flying object tunnistettu lentävä esine
if push comes to shove fr kovan paikan tullen
ifs, ands, or buts no ifs, ands, or buts ehdottomasti
if worst comes to worst fr jos oikein huonosti käy, pahimmassa tapauksessa
igloo /ɪglu/ s (mon igloos) iglu
ignite /ɪg'naɪt/ v syttyä, sytyttää
ignition /ɪg'nɪʃən/ s **1** syttyminen, sytyttäminen **2** (polttomoottorin) sytytys(järjestelmä) Mary put the key in the ignition Mary pani avaimen virtalukkoon
ignoble /ɪg'noubəl/ adj alhainen, häpeällinen
ignominious /ɪg,namənəs/ adj häpeällinen
ignominy /ɪg,naməni/ s häpeä, halveksunta
ignoramus /,ɪgnə'reɪməs/ s (mon ignoramuses) joku joka ei tiedä mistään mitään
ignorance /ɪgnərəns/ s tietämättömyys, tiedon puute
ignorant adj tietämätön (yleisesti tai tietystä asiasta) he was ignorant of their plan hän ei ollut perillä/tiennyt heidän suunnitelmastaan
ignorantly adv tietämättömästi; kömpelösti, osaamattomasti
ignore /ɪg'nɔr/ v ei välittää/piitata jostakin; laiminlyödä
i.h.p. indicated horse power
IL Illinois
ILA International Law Association Kansainvälinen lakimiesyhdistys
I'll /aɪəl/ I will, I shall
ill /ɪl/ s **1** paha, vahinko Lee often speaks ill of his boss Lee haukkuu usein pomoaan tämän selän takana **2** sairaus, vaiva the many ills of modern society nyky-yhteiskunnan monet ongelmat adj worse, worst **1** sairas **2** huono, paha ill will pahantahtoisuus you have ill manners sinulla on huonot/pahat tavat adv huonosti, pahasti I can ill afford to say no minulla ei juuri ole varaa kieltäytyä
ill. illustration kuva
Ill. Illinois
ill-advised /,ɪləd'vaɪzd/ adj harkitsematon, epäviisas
ill at ease fr olla epämukava olo, tuntea olonsa epämukavaksi
ill-bred /,ɪl'bred/ adj huonosti kasvatettu, pahatapainen
ill-conceived /,ɪlkən'sivd/ adj huonosti suunniteltu, harkitsematon
illegal /ɪ'ligəl/ adj laiton, kielletty
illegal alien s luvaton siirtolainen
illegality /,ɪli'gæləti/ s laittomuus
illegalize /ɪ'ligə,laɪz/ v kieltää (lailla)
illegible /ɪ'ledʒəbəl/ adj josta ei saa (mitään) selvää, jota ei pysty lukemaan
illegitimate /,ɪlə'dʒɪtəmət/ adj **1** avioton, avioliiton ulkopuolinen an illegitimate child **2** laiton, luvaton, kielletty
ill-equipped /,ɪli'kwɪpt/ adj **1** huonosti varustettu **2** huonosti valmentautunut; johonkin sopimaton I felt ill-equipped to handle the crisis minusta tuntui ettei minulla ollut edellytyksiä selvittää kriisiä
ill-fated /ɪl'feɪtəd/ adj tuhoon tuomittu, joka on tuomittu epäonnistumaan
ill-favored /ɪl'feɪvərd/ adj ruma; vastenmielinen
ill-fitted /ɪl'fɪtəd/ adj johonkin sopimaton
ill-gotten /ɪl'gatən/ adj epärehellisesti saatu
illicit /ɪ'lɪsɪt/ adj laiton, kielletty
illicitly adv laittomasti
ill-informed /,ɪlɪn'fɔrmd/ adj jota ei ole valistettu riittävästi
Illinois /,ɪlə'nɔɪ/
illiteracy /ɪl'lɪtərəsi/ s lukutaidottomuus
illiterate /ɪl'lɪtərət/ s, adj lukutaidoton

ill-mannered /ɪl'mænərd/ adj pahatapainen, epäkohtelias, töykeä
ill-natured /ɪl'neɪtʃərd/ adj pahansisuinen, hankala
illness /ɪlnəs/ s sairaus
illogical /ɪl'ladʒɪkəl/ adj epälooginen
ill-suited /ɪl'sutəd/ adj sopimaton
illuminate /ɪ'lumə,neɪt/ v valaista (myös kuv:) kirkastaa, selvittää
illuminating adj valaiseva (myös kuv:) selventävä
illumination /ɪ,lumə'neɪʃən/ s valaistus (myös kuv:) selvennys
illuminative adj valaiseva (myös kuv:) selventävä
illus. illustration kuva illustrated kuvitettu illustrator kuvittaja
illusion /ɪ'luʒən/ s illuusio
illusionist /ɪ'luʒənəst/ s taikuri
illusory /ɪ'luzəri/ adj illusorinen: harhaanjohtava, näennäinen; todentuntuinen
illustrate /'ɪləs,treɪt/ v **1** kuvittaa **2** havainnollistaa, selittää esimerkein
illustration /,ɪləs'treɪʃən/ s **1** kuva; kuvitus **2** esimerkki
illustrational adv **1** kuvitukseen liittyvä, kuvitus- **2** havainnollistava, havainto-
illustrator s **1** kuvittaja **2** havainnollistaja, selittäjä
illustrious /ɪ'lʌstrɪəs/ adj maineikas, kuuluisa; loistokas
ILO International Labor Organization Kasainvälinen työjärjestö
ILS instrument landing system
I'm /aɪm/ I am
IM intermodulation distortion intermodulaatiosärö
image /ɪmədʒ/ s **1** kuva **2** mielikuva **3** image, vallitseva käsitys **4** kielikuva
imagery /ɪmədʒri/ s **1** mielikuvat **2** kielikuvat **3** kuvakieli
image tube s kuvaputki
imaginable /ə'mædʒənəbəl/ adj joka on kuviteltavissa, mahdollinen
imaginary /ə'mædʒə,neri/ adj kuvitteellinen
imagination /ə,mædʒə,neɪʃən/ s mielikuvitus
imaginative /ə'mædʒənətɪv/ adj mielikuvituksellinen, kuvitteellinen; kekseliäs
imagine /ə'mædʒən/ v **1** kuvitella **2** luulla, olettaa
imbalance /ɪm'bæləns/ s tasapainottomuus
imbecile /ɪmbəsəl/ s **1** (psyk) imbessiili **2** (ark) älykääpiö, idiootti
IMF International Monetary Fund Kansainvälinen valuuttarahasto
imitate /'ɪmə,teɪt/ v matkia, jäljitellä, imitoida, ottaa mallia jostakusta/jostakin
imitation /,ɪmə'teɪʃən/ s jäljittely; jäljennös, jäljitelmä; väärennös
imitative /'ɪmə,teɪtɪv/ adj jäljittelevä, mukaileva, jotakin matkiva
imitator s imitaattori
immaculate /ɪ'mækjələt/ adj puhdas, viaton, virheetön
Immaculate Conception s (usk) synnitön sikiäminen
immaculately adj puhtaasti, viattomasti, virheettömästi
immaterial /,ɪmmə'tɪəriəl/ adj **1** merkityksetön **2** aineeton, immateriaalinen
immature /,ɪmmə'tʃər, ,ɪmmə'tʊər/ adj epäkypsä
immaturely adv epäkypsästi
immaturity /,ɪmmə'tʃərəti, ,ɪmmə'tərəti/ s epäkypsyys
immeasurable /ɪm'meʒərəbəl/ adj mittaamaton, suunnaton, pohjaton
immeasurably adj mittaamattoman, suunnattomasti, suunnattoman
immediacy /ɪ'midiəsi/ s **1** välittömyys, suoruus **2** kiireisyys
immediate /ɪ'midiət/ adj välitön, suora the immediate family has been notified of the death lähiomaisille on ilmoitettu kuolemantapauksesta we took immediate action ryhdyimme heti toimiin
immediately adv heti, välittömästi, suoraan
immemorial /,ɪmmə'mɔriəl/ from time immemorial ikimuistoisista ajoista saakka
immense /ɪ'mens/ adj suunnaton, valtava, mieletön

immensely adv suunnattomasti, suunnattoman, valtavasti, valtavan
immensity /ɪ'mensəti/ s valtava koko, suuruus
immerse /ɪ'mɜrs/ v **1** upottaa, kastaa **2** paneutua, uppoutua johonkin he is immersed in a thriller hän on syventynyt trilleriin
immersion /ɪ'mɜrʒən/ s **1** upotus, kastaminen **2** paneutuminen, uppoutuminen, syventyminen **3** (usk) upotuskaste
immigrant /ɪməgrənt/ s siirtolainen, maahanmuuttaja
adj siirtolais-, maahanmuutto- immigrant workers siirtotyöläiset
immigrate /'ɪmə,greɪt/ v lähteä siirtolaiseksi, muuttaa toiseen maahan millions of Europeans immigrated to America miljoonia eurooppalaisia tuli siirtolaisina Amerikkaan
immigration /,ɪmə'greɪʃən/ s maahanmuutto, siirtolaisuus
imminence /ɪmənəns/ s: he was bothered by the imminence of the elections häntä vaivasi se että vaalit olivat lähellä
imminent /ɪmənənt/ adj pian odotettavissa oleva: a crisis is imminent pian alkanee kriisi
immobile /ɪ'moʊbəl/ adj liikkumaton, lamaantunut, paikallaan oleva, joka ei pääse liikkumaan with his car stolen, he was completely immobile hän ei päässyt lainkaan liikkumaan koska hänen autonsa oli varastettu
immobility /,ɪmoʊ'bɪləti/ s liikkumattomuus, paikallaan olo
immobilize /ɪ'moʊbə,laɪz/ v lamaannuttaa; estää liikkumasta/lähtemästä
immoderate /ɪ'madərət/ adj kohtuuton, hillitön, suunnaton
immoderately adv ks immoderate
immoderation /ɪ,madə'reɪʃən/ s kohtuuttomuus, hillittömyys
immodest /ɪ'madəst/ adj häpeämätön, töykeä, hävytön; kohtuuton
immoral /ɪ'mɔrəl/ adj moraaliton, epämoraalinen, siveetön
immorality /,ɪmə'ræləti/ s moraalittomuus, epämoraalisuus, siveettömyys
immortal /ɪm'mɔrtəl/ adj kuolematon, iankaikkinen
immortality /,ɪmmɔr'tæləti/ s kuolemattomuus, iankaikkisuus
immortalize /ɪm'mɔrtə,laɪz/ v ikuistaa, tehdä kuolemattomaksi
immovable feast s arkipyhä
immune /ɪm'mjun/ adj **1** (lääk ja kuv) immuuni, vastustuskykyinen **2** suojassa, turvassa joltakin
immunity /ɪm'mjunəti/ s **1** (lääk ja kuv) immuniteetti, vastustuskyky **2** (diplomaattinen) koskemattomuus **3** suoja/turva joltakin, suojassa/turvassa olo
immunize /'ɪmjə,naɪz/ v immunisoida, tehdä vastustuskykyiseksi, suojata joltakin, jotakin vastaan
immutability /ɪm,mjutə'bɪləti/ s muuttumattomuus, pysyvyys
immutable /ɪm'mjutəbəl/ adj muuttumaton, pysyvä
imp /ɪmp/ s vuorenpeikko
impact /ɪmpækt/ s **1** isku, (yhteen)törmäys, osuminen **2** vaikutus
impact /ɪm'pækt/ v **1** ahtaa, sulloa, pakata tiukasti/tiiviisti **2** osua, törmätä johonkin **3** vaikuttaa johonkin
impacted adj ahdas, täpötäysi, sullottu, täyteen ahdettu
impair /ɪm'peər/ v haitata, vahingoittaa, huonontaa
impairment s vamma, haitta, vahinko
impala /ɪm'pælə/ s impala(-antilooppi)
impale /ɪm'peɪəl/ v keihästää, seivästää, varrastaa
impartial /ɪm'parʃəl/ adj puolueeton, oikeudenmukainen
impartiality /ɪm,parʃi'æləti/ s puolueettomuus, oikeudenmukaisuus
impartially adv puolueettomasti, oikeudenmukaisesti
impassable /ɪm'pæsəbəl/ adj kulkukelvoton, josta ei voi kulkea/pääse läpi
impasse /ɪmpæs/ s umpikuja (myös kuv)
impassioned /ɪm'pæʃənd/ adj tunteikas, kiihkeä, intohimoinen an impassioned plea for mercy voimakas vetoomus armon puolesta

impassive /ɪm'pæsɪv/ adj **1** välinpitämätön, kylmä **2** rauhallinen, tyyni
impatience /ɪm'peɪʃəns/ s kärsimättömyys
impatient /ɪm'peɪʃənt/ adj kärsimätön
impatiently adv kärsimättömästi
impeach /ɪm'pitʃ/ v **1** syyttää, asettaa syytteeseen (virkavirheestä) **2** epäillä, esittää epäilyjä jostakin
impeachable adj joka voidaan asettaa syytteeseen virkavirheestä
impeachment s **1** syyte (virkavirheestä) **2** epäily
impeccable /ɪm'pekəbəl/ adj moitteeton, nuhteeton
impeccably adv moitteettomasti, nuhteettomasti
impecunious /,ɪmpə'kjuniəs/ adj rahaton, varaton
impede /ɪm'pid/ v estää, haitata
impediment /ɪm'pedəmənt/ s **1** este, haitta **2** häiriö, vamma
impenetrability /ɪm,penətrə'bɪləti/ s **1** läpitunkemattomuus **2** käsittämättömyys
impenetrable /ɪm'penətrəbəl/ adj **1** läpitunkematon; (linnoitus) valloittamaton, jota ei voi valloittaa **2** käsittämätön, arvoituksellinen
imperative /ɪm'perətɪv/ s (kieliopissa) imperatiivi
adj **1** määräilevä, komenteleva, käskevä **2** pakottava (tarve) it is imperative that you go sinun on ehdottomasti mentävä **3** (kieliopissa) imperatiivi-
imperfect /ɪm'pərfəkt/ s (kieliopissa) imperfekti
adj **1** viallinen, puutteellinen, epätäydellinen **2** vajaa (määrä) **3** (kieliopissa) imperfekti-
imperfection /,ɪmpər'fekʃən/ s vika, puute
imperfectly adv ks imperfect
imperial /ɪm'pɪəriəl/ adj **1** imperiumin, keisarillinen, keisarin **2** ylimielinen, komenteleva, määräilevä
imperialism /ɪm'pɪriə,lɪzəm/ s imperialismi
imperialist s imperialisti
adj imperialistinen
imperialistic adj imperialistinen
imperially adj komentelevasti, määräilevästi, ylimielisesti
impersonal /ɪm'pərsənəl/ adj ei henkilökohtainen, ei yksilöllinen, mitäänsanomaton, tavallinen, persoonaton (myös kieliopissa)
impersonate /ɪm'pərsə,neɪt/ v **1** esiintyä jonakin, teeskennellä olevansa **2** matkia, imitoida jotakuta
impersonation /ɪm,pərsə'neɪʃən/ s **1** (jonakin toisena) esiintyminen **2** matkiminen, imitointi, imitaatio
impersonator s **1** huijari (joka teeskentelee olevansa joku muu) **2** imitaattori
impertinence s **1** hävyttömyys, röyhkeys, tungettelu **2** asiaankuulumattomuus, mitättömyys
impertinent /ɪm'pərtənənt/ adj **1** hävytön, röyhkeä, tungetteleva **2** asiaan kuulumaton, mitätön don't bother me with all these impertinent facts älä vaivaa minua sivuseikoilla
impervious /ɪm'pərviəs/ adj **1** läpäisemätön the fabric is impervious to water kangas pitää vettä **2** jostakin piittaamaton, joka ei välitä jostakin she seems impervious to persuasion näyttää siltä ettei häntä saa muuttamaan mieltään
impetuosity /ɪm,petʃʊ'asəti/ s hätiköinti, harkitsemattomuus, äkkipikaisuus
impetuous /ɪm'petʃʊəs/ adj **1** hätiköity, harkitsematon, äkkipikainen **2** raju, myrsky-
impetuously adv ks impetuous
impetuousness ks impetuosity
impetus /ɪmpətəs/ s yllyke, kannustin; ponsi, voima
impingement s **1** vaikutus **2** rajoittaminen, loukkaaminen **3** osuminen
impinge on /ɪm'pɪndʒ/ v **1** vaikuttaa johonkin, koskea jotakin **2** rajoittaa/ loukata (oikeuksia) **3** osua johonkin
impish /ɪmpɪʃ/ adj juonikas, ovela, veitikkamainen
impishly adv ks impish

implant /ˈɪm,plænt/ s (lääk) istute, implantaatti
implant /ɪmˈplænt/ v **1** juurtua **2** (lääk) istuttaa, implantoida
implantation /,ɪmplænˈteɪʃən/ s **1** juurtuminen **2** (lääk) istutus, implantointi
implement /ɪmpləmənt/ s **1** väline, työkalu **2** (kuv) välikappale
v toteuttaa, panna täytäntöön, saattaa voimaan
implementation /,ɪmpləmənˈteɪʃən/ s toteutus, täytäntöönpano
implicate /ˈɪmplə,keɪt/ v sotkea joku johonkin he was implicated in the scandal hän oli sekaantunut skandaaliin
implication /,ɪmpləˈkeɪʃən/ s **1** merkitys, vaikutus **2** vihjaus, sisältö, implikaatio **3** sekaantuminen, osallisuus johonkin
implicit /ɪmˈplɪsət/ adj epäsuora, johonkin sisältyvä, implisiittinen there was an implicit threat in his voice hänen äänessään oli mukana uhkaa
implicitly adj epäsuorasti, implisiittisesti
implied /ɪmˈplaɪd/ adj epäsuora, vihjattu, implisiittinen
implied volatility /,valəˈtɪləti/ s (tal) implisiittinen/laskennallinen volatiliteetti
implode /ɪmˈploud/ v räjähtää (sisään päin)
implore /ɪmˈplɔr/ v anoa hartaasti, rukoilla
imploring adj hartaasti anova
imply /ɪmˈplaɪ/ v **1** vihjata, ilmaista peitetysti/epäsuorasti, antaa ymmärtää, implikoida **2** viitata johonkin **3** merkitä
impolite /,ɪmpəˈlaɪt/ adj epäkohtelias
impolitely adv epäkohteliaasti
impoliteness s epäkohteliaisuus
impolitic /ɪmˈpalətɪk/ adj epäviisas, harkitsematon
import /ɪmpɔrt/ s **1** (maahan)tuonti **2** merkitys, sisältö what was the import of his outburst? mitä hän tarkoitti kiukun purkauksellaan?
import /ɪmˈpɔrt/ v **1** tuoda maahan **2** merkitä, tarkoittaa

importance /ɪmˈpɔrtəns/ s tärkeys, merkitys a woman of importance vaikutusvaltainen nainen
important adj tärkeä
importantly adv **1** ratkaisevasti **2** tärkeilevästi
impose /ɪmˈpouz/ v **1** määrätä, langettaa **2** tungetella, häiritä, olla vaivaksi
imposing adj vaikuttava he is an imposing figure hän on vaikuttava ilmestys
imposition /,ɪmpəˈzɪʃən/ s **1** määräys, määrääminen **2** tungettelu, häiriö, vaiva I know this is an imposition but could you lend me twenty dollars? anteeksi että joudun olemaan vaivaksi mutta voisitko lainata 20 dollaria?
impossibility /ɪm,pasəˈbɪləti/ s mahdottomuus
impossible /ɪmˈpasəbəl/ s mahdottomuus, liika
adj mahdoton
impossibly adv mahdottoman
impostor /ɪmˈpastər/ s huijari, petturi
impotence /ɪmpətəns/ s **1** heikkous, voimattomuus **2** (lääk) impotenssi
impotent /ɪmpətənt/ adj **1** heikko, voimaton the government is totally impotent to handle the crisis hallitus on täysin voimaton ratkaisemaan kriisin **2** (lääk) impotentti
impotently adv avuttomasti, heikosti he watched impotently as the thieves took his car hän seurasi avuttomana sivusta kun varkaat veivät hänen autonsa
impound /ɪmˈpaund/ v takavarikoida
impoverish /ɪmˈpavərɪʃ/ v köyhdyttää
impoverished adj köyhä, köyhtynyt
impracticable /ɪmˈpræktɪkəbəl/ adj epäkäytännöllinen, vaikea/mahdoton toteuttaa the plan is impracticable
impractical /ɪmˈpræktɪkəl/ adj epäkäytännöllinen, vaikea/mahdoton toteuttaa
impregnable /ɪmˈpregnəbəl/ adj järkkymätön; kumoamaton, vastaansanomaton (väite); (linnoitus) valloittamaton, jota ei voi valloittaa

impregnate /ɪm'preg,neɪt/ v **1** hedelmöittää, tehdä raskaaksi **2** kyllästää; täyttää jollakin
impregnation /,ɪmpreg'neɪʃən/ s **1** hedelmöitys **2** kyllästäminen; täyttäminen
impress /ɪm'pres/ v **1** painaa **2** tehdä vaikutus johonkuhun, vaikuttaa joltakin **3** painaa mieleen, tähdentää jotakin jollekulle
impression /ɪm'preʃən/ s **1** painauma, jälki **2** (kirjan) painos **3** vaikutelma
impressionable /ɪm'preʃənəbəl/ adj vaikutuksille altis, herkkä
impressionism /ɪm'preʃə,nɪzəm/ s impressionismi
impressionist s impressionisti
impressionistic adj impressionistinen
impressive adj vaikuttava
imprint /ɪmprɪnt/ s **1** painauma, jälki **2** (kirjassa) kustantajan tunnus/logo **3** kustantajan kirjasarja
imprint /ɪm'prɪnt/ v painaa, painautua, painua (myös kuv), jättää jälkensä johonkin the memory of those days was imprinted on his mind päivät olivat jääneet pysyvästi hänen mieleensä
imprison /ɪm'prɪzən/ v sulkea vankilaan
imprisonment s vankilaan sulkeminen, vankeus
improbability /ɪm,prabə'bɪləti/ s epätodennäköisyys
improbable /ɪm'prabəbəl/ adj epätodennäköinen, uskomaton
improbably adv epätodennäköisen, uskomattoman she looked improbably tall in the darkness hän näytti pimeässä luonnottoman pitkältä
impromptu /ɪm'pramp,tu/ adj, adv valmistelematon, valmistelematta, ex tempore, kiireesti kokoon kyhätty
improper /ɪm'prapər/ adj sopimaton; säädytön; väärä; epärehellinen
improperly adv ks improper
improve /ɪm'pruv/ v parantaa, parantua, kohentaa, kohentua
improvement s parannus, kohennus
improvisation /ɪm,pravə'zeɪʃən/ s improvisointi
improvise /'ɪmprə,vaɪz/ v improvisoida
improvised adj improvisoitu, valmistelematon, tuulesta temmattu
impudence /ɪmpjədəns/ s röyhkeys, häikäilemättömyys, hävyttömyys, julkeus
impudent /ɪmpjədənt/ adj röyhkeä, häikäilemätön, hävytön, julkea
impudently adv röyhkeästi, häikäilemättömästi, hävyttömästi, julkeasti
impulse /'ɪm,pʌls/ s **1** (tekn, tiede) impulssi, pulssi, sykäys; hermoimpulssi **2** yllyke, heräte, alkusysäys
impulsive /ɪm'pʌlsɪv/ adj äkillinen, hetken mielijohteesta tapahtuva/toimiva, impulsiivinen, spontaani
impulsively adv äkillisesti, hetken mielijohteesta, impulsiivisesti
impulsiveness s äkillisyys, impulsiivisuus
impunity /ɪm'pjunəti/ with impunity rangaistuksetta
impure /ɪm'pjər/ adj epäpuhdas, likainen, saastainen (ajatus)
impurity /ɪm'pjərəti/ s epäpuhtaus, likaisuus, saastaisuus
in /ɪn/ prep **1** (paikasta) -ssa/-ssä he is in Boston hän on Bostonissa he arrived in Boston today hän saapui Bostoniin tänään **2** (ajasta) in 1990 vuonna 1990 in February helmikuussa in the evening illalla in two days kahden päivän kuluttua in thirty minutes puolen tunnin päästä; puolessa tunnissa **3** (ammatista) he is in computers hän on tietokonealalla **4** (tavasta, keinosta) he did the job in a hurry hän teki työn kiireesti in a way it is sad tavallaan se on ikävää the minister held his speech in Finnish ministeri piti puheensa suomeksi **5** (pukeutumisesta) she was in her Sunday best hän oli pyhätamineissaan **6** määrästä: nine movie stars in ten yhdeksän filmitähteä kymmenestä one student in three joka kolmas oppilas/opiskelija
adv **1** (paikasta) do come in tule ih-

meessä sisään he was not in hän ei ollut kotona/työpaikalla **2** pelivuorossa **3** (hedelmistä ym) olla jonkin aika the strawberries are not yet in vielä ei ole mansikka-aika
in. inch tuuma
IN Indiana
inability /ˌɪnəˈbɪləti/ s kyvyttömyys, osaamattomuus
inaccessible /ˌɪnəkˈsesəbəl/ adj luoksepääsemätön, syrjäinen (paikka); suljettu, lukittu; (henkilö) jota ei saa/voi saada kiinni/puhelimeen the information on the date was inaccesible päivämäärää ei saatu selville
inaccuracy /ɪnˈækjərəsi/ s epätarkkuus, virheellisyys
inaccurate /ɪnˈækjərət/ adj epätarkka, virheellinen
inaccurately adv epätarkasti, virheellisesti
inaction /ɪnˈækʃən/ s toimettomuus
inactive /ɪnˈæktɪv/ adj toimeton, joutilas, passiivinen
inactivity /ˌɪnækˈtɪvəti/ s toimettomuus, passiivisuus, inaktiviteetti
inadequacy /ɪnˈædəkwəsi/ s riittämättömyys, puutteellisuus
inadequate /ɪnˈædəkwət/ adj riittämätön, puutteellinen, epätäydellinen, sopimaton
inadequately adv riittämättömästi, puutteellisesti, epätäydellisesti
inadmissibility /ˌɪnədˌmɪsəˈbɪləti/ s kelvottomuus
inadmissible /ˌɪnədˈmɪsəbəl/ adj kelvoton, jota ei hyväksytä that's inadmissible evidence se ei kelpaa todisteeksi
inadvertence s huomaamattomuus; vahinko
inadvertent /ˌɪnədˈvərtənt/ adj tahaton, vahingossa tapahtuva
inadvertently adv tahattomasti, vahingossa, epähuomiossa
in a family way fr raskaana
inalienable /ɪnˈeɪliənəbəl/ adj luovuttamaton (oikeus)
in a manner of speaking fr tavallaan, eräässä mielessä
inane /ɪˈneɪn/ adj älytön, typerä, tyhmä
inanely adv älyttömästi, typerästi, tyhmästi
inanimate /ɪˈnænɪmət/ adj eloton, kuollut
inanity /ɪˈnænəti/ s älyttömyys, typeryys, tyhmyys
inapplicable /ɪnˈæplɪkəbəl/ adj joka ei koske jotakin, asiaankuulumaton
inappropriate /ˌɪnəˈproupriət/ adj sopimaton, asiaton
inappropriately adv sopimattomasti, asiattomasti
inappropriateness s sopimattomuus, asiattomuus
inapt /ɪnˈæpt/ adj osaamaton, taitamaton, kömpelö, sopimaton (huomautus)
inaptitude /ɪˈnæptɪˌtud/ s osaamattomuus, taitamattomuus, soveltumattomuus, sopimattomuus
inarticulate /ˌɪnarˈtɪkjələt/ adj huonosti/epäselvästi ilmaistu, kankea, kömpelö
inartistic /ˌɪnarˈtɪstɪk/ adj epätaiteellinen, ei taiteellinen
inasmuch as /ˌɪnəzˈmʌtʃəz/ adv koska; sikäli kuin
in a spot to be in a (bad) spot olla pinteessä, olla tukalassa tilanteessa
inattention /ˌɪnəˈtenʃən/ s tarkkaavaisuuden puute; huolimattomuus
inattentive /ˌɪnəˈtentɪv/ adj tarkkaamaton; huolimaton
inattentively adv tarkkaamattomasti; huolimattomasti
inaudibility /ɪnˌadəˈbɪləti/ s kuulumattomuus
inaudible adj (korvin) kuulumaton
inaudibly adv (korvin) kuulumattomasti
inaugural /ɪˈnagərəl/ s **1** (presidentin) virkaanastujaispuhe **2** virkaanastujaiset adj virkaanastujais-
inauguration /ɪˌnagəˈreɪʃən/ s virkaanastujaiset
in a way fr tavallaan, jossain/eräässä mielessä
in a word fr sanalla/suoraan sanoen
inboard /ˈɪnˌbərd/ adj sisälaita-

inborn /'ɪn,bɔrn/ adj synnynnäinen, myötäsyntyinen
inbound line /,ɪnbaʊnd'laɪn/ s (amerikkalaisessa jalkapallossa) sisäsivuraja
inbred /'ɪn,bred/ adj **1** synnynnäinen **2** the family is very inbred suvussa on paljon sisäisiä avioliittoja
inbreeding /'ɪn,bridɪŋ/ s umpisiitos, lähisukulaisten väliset avioliitot
inc. including; incorporated
incalculable /ɪn'kælkjələbəl/ adj mittaamaton, suunnaton the accident caused incalculable damage to the nuclear power plant onnettomuus aiheutti ydinvoimalalle suunnatonta vahinkoa
incapable /ɪn'keɪpəbəl/ adj kykenemätön, kyvytön the new credit card is supposed to be incapable of forgery uutta luottokorttia ei kuulemma voi väärentää
incapacitate /ɪŋkə'pæsəteɪt/ v lamaannuttaa, tehdä toimintakyvyttömäksi
incapacity /,ɪŋkə'pæsəti/ s lamaannus, kyvyttömyys
incarcerate /ɪŋ'karsə,reɪt/ v sulkea vankilaan
incarceration /ɪŋ,karsə'reɪʃən/ s vankilaan sulkeminen, vankeus
incarnate /ɪŋ'karneɪt/ v ruumiillistaa, tehdä ruumiilliseksi she incarnates charity hän on todellinen lähimmäisenrakkauden henkilöitymä/ruumiillistuma
incarnate /ɪŋ'karnət/ adj (usk) lihaksi/ihmiseksi tullut; (kuv) itse he is the devil incarnate hän on itse piru
incarnation /,ɪŋkar'neɪʃən/ s (usk) inkarnaatio, lihaksi tuleminen; (kuv) ruumiillistuma, henkilöitymä
incendiary /ɪn'sendɪ,eri/ s **1** palopommi **2** tuhopolttaja **3** (kuv) yllyttäjä, levottomuuksien lietsoja
adj **1** palo- **2** yllyttävä, yllytys-, levottomuutta lietsova
incense /ɪnsens/ s suitsuke
incense /ɪn'sens/ v raivostuttaa, saada suuttumaan
incensed adv raivostunut, tulistunut
incentive /ɪn'sentɪv/ s yllyke, kannustin
inception /ɪn'sepʃən/ s alku
incessant /ɪn'sesənt/ adj loputon, jatkuva, alinomainen
incessantly adv lakkaamatta, loputtomasti, alinomaa
incest /ɪnsest/ s insesti
incestuous /ɪn'sestʃʊəs/ adj insesti-, sukurutsainen
inch /ɪntʃ/ s tuuma (2,54 cm) (myös kuv) we were inches away from falling into the canyon oli hiuskarvan varassa että emme pudonneet kanjoniin
v hivuttautua (eteenpäin/ylöspäin)
inch by inch fr tuuma tuumalta, vähä vähältä, vähitellen
incidence /ɪnsədəns/ s yleisyys, esiintyvyys what is the incidence of heart disease in Finland? mikä on sydäntaudin esiintyvyys Suomessa?
incident /ɪnsədənt/ s tapahtuma; selkkaus, välikohtaus
incidental /,ɪnsə'dentəl/ adj **1** satunnainen, sattumalta tapahtuva, satunnais- **2** ohimennen sanottu, sivu-
incidentally adv **1** muuten incidentally, how was your vacation? miten muuten lomasi sujui? **2** ohimennen, sivumennen
incidentals s (mon) satunnaiskulut, satunnaismenot
incidental to adj johonkin liittyvä/kuuluva
incinerate /ɪn'sɪnə,reɪt/ v polttaa; polttohaudata
incineration /ɪn,sɪnə'reɪʃən/ s polttaminen; polttohautaus
incinerator s jätteidenpolttouuni; krematorion uuni
incipience s alku
incipient /ɪn'sɪpiənt/ adj alkava, alkuvaiheessa/aluillaan oleva
incise /ɪn'saɪz/ v leikata, viiltää
incision /ɪn'sɪʒən/ s viilto, (lääk) aukaisu, puhkaisu, insisio
incisive /ɪn'saɪsɪv/ adj (kuv) pureva, terävä, kärkevä
incisively adv (kuv) purevasti, terävästi, kärkevästi
incisiveness s (kuv) purevuus, terävyys, kärkevyys

incisor /ɪn'saɪzər/ s etuhammas
incite /ɪn'saɪt/ v yllyttää, lietsoa (vihaa)
incitement s **1** yllytys, (vihan) lietsonta **2** yllyke, kannustin
incl. including
inclination /ˌɪnklə'neɪʃən/ s **1** kaltevuus, (rinteen) nousu/lasku **2** taipumus
incline /ɪn'klaɪn/ v **1** kallistaa (päätä), kallistua **2** olla taipumusta johonkin, olla taipuvainen tekemään jotakin he inclines to extreme pronouncements hänellä on tapana esittää jyrkkiä väitteitä
inclined adj **1** kalteva, vino **2** taipuvainen tekemään jotakin he is inclined to extreme pronouncements hänellä on taipumusta esittää jyrkkiä väitteitä
include /ɪŋ'klud/ v sisällyttää, ottaa/lukea mukaan to be included sisältyä, kuulua johonkin
including adj mukaan lukien, jonkin sisältäen/käsittäen the total comes to $ 87 including tax lasku on veroineen 87 dollaria
inclusion /ɪŋ'kluʒən/ s sisällyttäminen, mukaan ottaminen/lukeminen
inclusive adj jonkin sisältävä, mukaan ottaen/lukien inclusive price kokonaishinta inclusive of tax veroineen from page 7 to 17 inclusive sivulta 7 sivun 17 loppuun
inclusively adv mukaan ottaen/lukien to page 17 inclusively sivun 17 loppuun
incognito /ˌɪŋkag'nitoʊ/ adv (esim matkustaa) tuntemattomana, henkilöllisyytensä salaten
incoherence s sekavuus, hajanaisuus, epäselvyys, epäyhtenäisyys
incoherent /ˌɪŋkoʊ'hɪərənt/ adj sekava, hajanainen, epäselvä, epäyhtenäinen
incoherently adv sekavasti, hajanaisesti, epäselvästi, epäyhtenäisesti
incombustible /ˌɪŋkəm'bʌstəbəl/ adj palamaton
income /ɪŋkʌm/ s tulot the family lives beyond their income perhe elää yli varojensa
income tax s tulovero
incoming adj **1** saapuva, tuleva incoming mail saapuva posti **2** uusi incoming students uudet oppilaat/opiskelijat
incomparable /ɪŋ'kampərəbəl/ adj verraton, aivan omaa luokkaansa
incompatibility /ˌɪŋkəmpætə'bɪləti/ s erilaisuus; (tietok) yhteensopimattomuus
incompatible /ˌɪŋkəm'pætəbəl/ adj joka/jotka eivät sovi yhteen, (tietok) yhteensopimaton
incompetence /ɪŋ'kampətəns/ s epäpätevyys, soveltumattomuus
incompetent adj epäpätevä, kelvoton, osaamaton, sopimaton johonkin
incompetently adv osaamattomasti, huonosti
incomplete /ˌɪŋkəm'plit/ adj epätäydellinen, puutteellinen, vajaa, vajavainen
incompletely adv epätäydellisesti, puutteellisesti, vajavaisesti
incompleteness s epätäydellisyys, puutteellisuus, vajavaisuus
incomprehensible /ɪŋˌkampri'hensəbəl/ adj käsittämätön, josta ei saa selvää, epäselvä (puhe)
incomprehensibly adj käsittämättömästi, (puhua) epäselvästi
incomprehension /ɪŋˌkamprɪ'henʃən/ s ymmärryksen puute
inconceivable /ˌɪŋkən'sivəbəl/ adj käsittämätön, uskomaton, mahdoton kuvitella
inconclusive /ˌɪŋkən'klusɪv/ adj tulokseton, epämääräinen, joka ei johda selvään lopputulokseen, ei vakuuttava/yksiselitteinen
inconclusively adv tuloksetta, epämääräisesti
incongruity /ˌɪŋkəŋ'gruəti/ s (yhteen)sopimattomuus, asiattomuus, ristiriitaisuus
incongruous /ɪŋ'kaŋgruəs/ adj yhteen sopimaton, asiaton, ristiriitainen
inconsiderate /ˌɪŋkən'sɪdərət/ adj **1** tahditon, piittaamaton, töykeä **2** harkitsematon, hätiköity
inconsiderately adv ks inconsiderate
inconsistent /ɪŋkən'sɪstənt/ adj epäyhtenäinen, epätasainen

inconsistently adv **1** epätasaisesti, epäyhtenäisesti **2** ristiriitaisesti, jonkin (with) vastaisesti
inconsistent with adj joka on ristiriidassa jonkin kanssa, joka sotii jotakin vastaan your claim is inconsistent with the evidence väitteesi ei pidä yhtä todisteiden kanssa
inconsolable /iŋkan'soulәbәl, iŋ'kansәlәbәl/ adj lohduton
inconspicuosly adv huomaamatta, huomaamattomasti
inconspicuous /ˌiŋkәn'spɪkjuәs/ adj huomaamaton
incontinence s **1** hillittömyys, estottomuus **2** (lääk) pidätyskyvyttömyys
incontinent /iŋ'kantәnәnt/ adj **1** hillitön, estoton **2** (lääk) pidätyskyvytön
inconvenience /ˌiŋkәn'vinjәns/ s epämukavuus, hankaluus, vaiva v vaivata, aiheuttaa vaivaa
inconvenient adj epämukava, hankala
inconveniently adv epämukavasti, hankalasti
incorporate /iŋ'kɔrpәˌreɪt/ v **1** yhdistää, sisällyttää **2** rekisteröidä (osakeyhtiö)
incorporated adj **1** rekisteröity (osakeyhtiö) (lyh Inc.) **2** yhdistetty
incorporation /iŋˌkɔrpә'reɪʃәn/ s **1** (osakeyhtiön) rekisteröinti **2** yhdistäminen, kokoaminen
incorrect /ˌiŋkә'rekt/ adj väärä, virheellinen, ei oikea
incorrectly adj väärin, virheellisesti he incorrectly identified the perpetrator as Mr. Gould hän luuli/väitti Mr. Gouldia syylliseksi
incorrectness s virheellisyys
incorrigible /iŋ'kɔrәdʒәbәl/ adj (ihmisestä) parantumaton
increase /iŋkris/ s lisäys, kasvu, nousu
increase /iŋ'kris/ v lisätä, lisääntyä, kasvattaa, kasvaa, nousta, nostaa
increasing adj lisääntyvä, kasvava
increasingly adv lisääntyvässä/kasvavassa määrin increasingly, people are buying cars with automatic transmission yhä useammat ostavat auton jossa on automaattivaihteisto
incredible /iŋ'kredәbәl/ adj uskomaton, sanoinkuvaamaton
incredibly adv uskomattoman incredibly, he survived the explosion kuin ihmeen kautta hän selvisi räjähdyksestä hengissä
incredulity /ˌiŋkrә'dʒulәti/ s epäluulo, epäusko
incredulous /iŋ'kredʒәlәs/ adj epäluuloinen, epäuskoinen
increment /iŋkrәmәnt/ s kasvu, lisäys, nousu
incriminate /iŋ'krɪmәˌneɪt/ v osoittaa/todistaa syylliseksi
incriminating adj raskauttava
incubate /'iŋkjәˌbeɪt/ v hautoa, hautua (myös kuv)
incubation /ˌiŋkjә'beɪʃәn/ s haudonta
incubator s **1** hautomakone **2** keskoskaappi, inkubaattori
incumbent /iŋ'kʌmbәnt/ s viranhaltija; istuva presidentti adj istuva, virassa oleva
incumbent (up)on it is incumbent upon someone to do something jonkun velvollisuus on tehdä jotakin
incur /iŋ'kәr/ v tehdä/ottaa velkaa
incurable /iŋ'kjәrәbәl/ adj parantumaton (myös kuv:) he is an incurable cheat hän on parantumaton huijari
incurably adv parantumattomasti
incursion /iŋ'kәrˌәn/ s tunkeutuminen, tungettelu, häiriö
ind. independent; industrial
Ind. Indian; Indiana
indebted /ɪn'detәd/ adj joka on velassa/velkaa; (kuv) joka on kiitollisuudenvelassa jollekulle
indebtedness s velallisuus; (kuv) kiitollisuudenvelka
indecency s säädyttömyys, siveettömyys
indecent /ɪn'disәnt/ adj säädytön, siveetön
indecently adj säädyttömästi, säädyttömän, siveettömästi

indecision /ˌɪndəˈsɪʒən/ s epäröinti, jahkailu, empiminen
indecisive /ˌɪndəˈsaɪsɪv/ adj **1** epäröivä, empivä **2** tulokseton, hedelmätön
indeed /ɪnˈdiːd/ adv todella, todellakin, tosin, itse asiassa indeed, Manhattan is one of the top tourist attractions in the East Manhattan on todellakin itärannikon johtavia matkailukeskuksia if indeed it rains, we'll cancel the picnic peruutamme retken jos tosiaan alkaa sataa
in deep water our company is in deep water yrityksemme on vaikeuksissa
indefensible /ˌɪndəˈfensəbəl/ adj **1** anteeksiantamaton **2** kestämätön (käsitys, väite)
indefinite /ɪnˈdefənət/ adj epämääräinen, (kieliopissa myös) indefinittinen, tarkemmin määrittelemätön, epätarkka, epämääräinen
indefinite article s epämääräinen artikkeli (a, an)
indefinitely adv ks indefinite
indefinite pronoun s indefinittipronomini (any, some)
indelible /ɪnˈdeləbəl/ adj lähtemätön (myös kuv), unohtumaton (muisto)
indelibly adv lähtemättömästi (myös kuv:) unohtumattomasti
indemnify /ɪnˈdemnəˌfaɪ/ v **1** vakuuttaa, suojata **2** korvata, maksaa vahingonkorvausta
indemnity /ɪnˈdemnəti/ s **1** vakuutus, vakuutusturva, suoja **2** korvata, maksaa vahingonkorvausta
indent /ɪndent, ɪnˈdent/ s (kirjoitusrivin) sisennys
indent /ɪnˈdent/ v sisentää (kirjoitusrivi)
indentation /ˌɪndenˈteɪʃən/ s (kirjoitusrivin) sisennys
independence s itsenäisyys, riippumattomuus
Independence Day s (US: 4.7.) itsenäisyyspäivä
independent /ˌɪndəˈpendənt/ adj itsenäinen, riippumaton
independently adv itsenäisesti the two scientists discovered the element independently tiedemiehet löysivät alkuaineen toisistaan tietämättä
indescribable /ˌɪndəsˈkraɪbəbəl/ adj sanoinkuvaamaton
indescribably adv sanoinkuvaamattomasti, sanoinkuvaamattoman
indestructible /ˌɪndəsˈtrʌktəbəl/ adj särkymätön
indeterminate /ˌɪndəˈtərmənət/ adj epämääräinen, tarkemmin määrittelemätön
indeterminately adv epämääräisen pitkään ym
indetermination /ˌɪndətərməˈneɪʃən/ s epäröinti, empiminen
index /ɪndeks/ s (mon indexes, indices) **1** hakemisto; lähdeluettelo; kortisto **2** (katolisen kirkon) kiellettyjen kirjojen luettelo **3** etusormi **4** osoitin **5** ylä/alaindeksi **6** indeksi, tunnusluku the cost of living index elinkustannusindeksi
index card s merkintäkortti, arkistokortti
index finger s etusormi
India /ɪndiə/ Intia
Indian /ɪndiən/ s, adj intialainen
Indiana /ˌɪndiˈænə/
Indianapolis /ˌɪndiəˈnæpələs/ kaupunki Indianan osavaltiossa
Indian muntjac /mʌntdʒæk/ s muntjakki
Indian Ocean Intian valtameri
Indian rhinoceros /raɪˈnasərəs/ s intiansarvikuono
indicate /ˈɪndəˌkeɪt/ v osoittaa (sormella), viitata, näyttää, olla merkki jostakin, kertoa this gauge indicates air speed tämä mittari näyttää lentonopeuden her reticence indicates that she does not like the idea hänen vähäpuheisuutensa on merkki siitä että ajatus ei ole hänelle mieleen
indication /ˌɪndəˈkeɪʃən/ s osoitus, merkki jostakin
indicative /ɪnˈdɪkətɪv/ s (kieliopissa) indikatiivi
indicative of adj joka kertoo jostakin, joka on merkki jostakin
indicator s **1** mittari **2** (mittarin) osoitin, neula

indices /'ɪndəˌsiz/ ks index
indict /ɪn'daɪt/ v syyttää, nostaa syyte jotakuta vastaan
indictable /ɪn'daɪtəbəl/ adj (rike) josta voidaan nostaa syyte, (henkilö) jota vastaan voidaan nostaa syyte
indictment /ɪn'daɪtmənt/ s syyte, syytös
indifference /ɪn'dɪfərəns/ s välinpitämättömyys
indifferent adj **1** välinpitämätön **2** keskinkertainen, ei erityisen hyvä
indifferently adv **1** välinpitämättömästi **2** ei erityisen hyvin
indigenous /ɪn'dɪdʒənəs/ adj **1** (kasvi, eläin) kotoperäinen; (kansa) alkuperäis- **2** synnynnäinen, myötäsyntyinen
indigestion /ˌɪndə'dʒestʃən/ s ruuansulatusvaivat that kind of talk gives me indigestion tuollaiset puheet ärsyttävät/kuvottavat minua
indignant /ɪn'dɪgnənt/ adj suuttunut, tulistunut
indignantly adv suuttuneesti, vihaisesti
indignation /ˌɪndɪg'neɪʃən/ s suuttumus, tulisuus
indignity /ɪn'dɪgnəti/ s nöyryytys, häpeä
indigo /'ɪndəˌgoʊ/ s indigo adj indigonsininen
indirect /ˌɪndə'rekt/ adj epäsuora, välillinen
indirect discourse s epäsuora esitys
indirectly adv epäsuorasti, välillisesti
indiscernible /ˌɪndə'sɜrnəbəl/ adj huomaamaton
indiscipline /ɪn'dɪsəplən/ s kurittomuus
indiscreet /ˌɪndɪs'krit/ adj tahditon, epähieno
indiscreetly adv tahdittomasti, epähienosti
indiscriminate /ˌɪndəs'krɪmənət/ adj harkitsematon, umpimähkäinen, sokea (kuv), arvostelukyvytön
indiscriminately adv harkitsemattomasti, umpimähkään, sokeasti
indiscriminating /ˌɪndəs'krɪməˌneɪtɪŋ/ adj harkitsematon, umpimähkäinen, sokea (kuv), arvostelukyvytön
indispensable /ˌɪndəs'pensəbəl/ adj korvaamaton, välttämätön
indisposed /ˌɪndəs'poʊzd/ adj **1** huonovointinen **2** haluton (tekemään jotakin)
indisposition /ɪnˌdɪspə'zɪʃən/ s **1** huonovointisuus **2** haluttomuus
indisputable /ˌɪndəs'pjutəbəl/ adj kiistaton, eittämätön, ehdoton
indisputably adv kiistattomasti, ehdottomasti, selvästi, varmasti
indistinct /ˌɪndəs'tɪŋkt/ adj epäselvä, epämääräinen
indistinctly adv epäselvästi, (erottua, näkyä, kuulua) huonosti
indistinguishable /ˌɪndəs'tɪŋgwɪʃəbəl/ adj **1** jota ei voi erottaa jostakusta/jostakin these two paintings are indistinguishable näitä maalauksia ei pysty erottamaan toisistaan **2** joka ei näy, huomaamaton
individual /ˌɪndə'vɪdʒʊəl/ s yksilö, yksittäinen ihminen adj yksittäinen, erillinen, yksittäis-, erillis-
individualism /ˌɪndə'vɪdʒʊəˌlɪzəm/ s individualismi
individualist s individualisti
individuality /ˌɪndəˌvɪdʒʊ'æləti/ s yksilöllisyys
individualize /ˌɪndə'vɪdʒʊəˌlaɪz/ v yksilöllistää
individually adv yksitellen, (kukin) erikseen
Indochina /ˌɪndoʊ'tʃaɪnə/ Indokiina
Indochinese /ˌɪndoʊtʃaɪ'niz/ s, adj indokiinalainen
indoctrinate /ɪn'daktrəˌneɪt/ v indoktrinoida, iskostaa mieleen (tietty maailmankatsomus ym)
indoctrination /ɪnˌdaktrə'neɪʃən/ s indoktrinaatio, maailmankatsomuksen ym iskostus jonkun mieleen
indolence /ɪndələns/ s laiskuus
indolent /ɪndələnt/ adj laiska
Indonesia /ˌɪndə'niʒə/ Indonesia

Indonesian /ˌɪndəˈniʒən/ s, adj indonesialainen
indoor /ˈɪnˌdɔr/ adj sisä-
indoors /ɪnˈdɔrz/ adv sisällä, sisälle
induce /ɪnˈdus/ v **1** suostutella/saada joku tekemään jotakin **2** saada aikaan, aiheuttaa **3** indusoida, päätellä
induce s **1** suostuttelu **2** kannustin, yllyke **3** aiheuttaminen, aikaansaaminen
induct /ɪnˈdʌkt/ v **1** vihkiä virkaan **2** vihkiä/perehdyttää joku johonkin; ottaa joku mukaan johonkin **3** kutsua/ottaa sotilaspalvelukseen
induction /ɪnˈdʌkʃən/ s **1** aiheuttaminen, aikaansaaminen **2** virkaan vihkiminen **3** (sot) kutsunta **4** (filosofia, matematiikka, sähkööppi, magnetismi) induktio
inductive adj **1** induktiivinen (eri merk) **2** inductive to jotakin aiheuttava, johonkin johtava
indulge /ɪnˈdʌldʒ/ v **1** hemmotella jotakuta/itseään, nautiskella jostakin **2** antaa periksi, suostua **3** myöntää lykkäystä/lisäaikaa
indulge in v nautiskella jostakin, hemmotella itseään jollakin, herkutella jollakin
indulgence /ɪnˈdʌldʒəns/ s **1** myönnytys, suostuminen, lupa **2** lisäaika, lykkäys **3** periksi antaminen, hemmottelu, nautiskelu, herkuttelu (myös liiallinen) **4** nautinto, herkku, ilo
indulgent adj periksi antava, hemmotteleva
industrial /ɪnˈdʌstriəl/ adj teollisuus-, teollinen
industrialism s teollistuminen, industrialismi
industrialist s teollisuusmies
industrialization /ɪnˌdʌstriələˈzeɪʃən/ s teollistaminen
industrialize /ɪnˈdʌstriəˌlaɪz/ v teollistaa
industrious /ɪnˈdʌstriəs/ adj ahkera, uuttera
industriously adv ahkerasti, uutterasti
industry /ˈɪndəstrɪ/ s **1** teollisuus **2** ala **3** ahkeruus
inebriate /ɪnˈibriət/ s juoppo adj päihtynyt
inebriate /ɪnˈibriˌeɪt/ v päihdyttää (myös kuv:) huumata
inebriated adj päihtynyt (myös kuv)
inedible /ɪnˈedəbəl/ adj syötäväksi kelpaamaton, ei syötävä
ineffective /ˌɪnəˈfektɪv/ adj **1** tehoton **2** pystymätön, osaamaton, voimaton
ineffectively adv tehottomasti
ineffectiveness s tehottomuus
ineffectual /ˌɪnəˈfekʃuəl/ adj **1** tehoton **2** hedelmätön, turha **3** pystymätön, osaamaton, voimaton
ineffectuality /ɪnəˌfekʃuˈæləti/ s **1** tehottomuus **2** hedelmättömyys, turhuus
ineffectually adv turhaan, hedelmättömästi
inefficacious /ɪnˌefɪˈkeɪʃəs/ adj tehoton
inefficacy /ɪnˈefɪkəsi/ s tehottomuus
inefficient /ˌɪnəˈfɪʃənt/ adj **1** tehoton; tuhlaileva **2** pystymätön, osaamaton
ineligibility /ɪnˌelədʒəˈbɪləti/ s soveltumattomuus, kelpaamattomuus
ineligible /ɪnˈelədʒəbəl/ adj ei valintakelpoinen, ei oikeutettu johonkin, soveltumaton, kelpaamaton
inept /ɪnˈept/ adj osaamaton, taitamaton, kömpelö, hiomaton, sopimaton
ineptitude /ɪnˈeptəˌtud/ s **1** taitamattomuus, kömpelyys, hiomattomuus, sopimattomuus **2** kömmähdys
ineptly adv ks inept
ineptness ks ineptitude
inequality /ˌɪnəˈkwaləti/ s eriarvoisuus, ero, erilaisuus
inequitable /ɪnˈekwɪtəbəl/ adj epäoikeudenmukainen
inequity /ɪnˈekwəti/ s epäoikeudenmukaisuus
inert /ɪnˈərt/ adj **1** liikkumaton **2** veltto, vetelä, laiska **3** (kem) reaktiokyvytön, inertti
inertia /ɪnˈərʃə/ s **1** velttous, laiskuus **2** (fys) inertia

inescapable /ˌɪnəsˈkeɪpəbəl/ adj väistämätön, vääjäämätön we came to the inescapable conclusion that... tulimme pakostakin siihen lopputulokseen että...
inevitability /ɪnˌevɪtəˈbɪləti/ s väistämättömyys, vääjäämättömyys
inevitable /ɪnˈevɪtəbəl/ adj väistämätön, vääjäämätön
inevitably adj väistämättä, vääjäämättä
inexact /ˌɪnəgˈzækt/ adj epätarkka
inexcusable /ˌɪnəkˈskjuzəbəl/ adj anteeksiantamaton
inexorable /ɪnˈeksərəbəl/ adj armoton, taipumaton, säälimätön; väistämätön, vääjäämätön
inexorably adv armottomasti, säälimättömästi; väistämättä, vääjäämättä
inexpensive /ˌɪnəkˈspensɪv/ adj halpa
inexpensively adv halvasti; vaatimattomasti
inexperience /ˌɪnəkˈspɪriəns/ s kokemattomuus
inexpert /ɪnˈekspərt/ adj amatöörimäinen, osaamaton, taitamaton
inexpertly adv ks inexpert
inexplicable /ˌɪnəkˈsplɪkəbəl/ adj selittämätön, käsittämätön
inexplicably adv käsittämättömästi
inf. infinitive infinitiivi
infallibility /ɪnˌfæləˈbɪləti/ s erehtymättömyys
infallible /ɪnˈfæləbəl/ adj erehtymätön
infallibly adv erehtymättömästi
infamous /ˈɪnfəməs/ adv **1** pahamaineinen **2** halpamainen, raukkamainen, katala
infamy /ˈɪnfəmi/ s **1** paha maine, huono maine, häpeä **2** paha teko
infancy /ˈɪnfənsi/ s **1** varhaislapsuus **2** (kuv) alkuvaihe to be in its infancy olla lasten kengissä
infant /ˈɪnfənt/ s vauva, pikkulapsi
infanticide /ɪnˈfæntəˌsaɪd/ s lapsenmurha
infantile /ˈɪnfənˌtaɪəl/ adj **1** lapsellinen **2** (lääk) lapsi-
infantry /ˈɪnfəntri/ s (sot) jalkaväki
infantryman /ˈɪnfəntrimən/ s jalkaväen sotilas
infatuate /ɪnˈfætʃʊˌeɪt/ to be infatuated with olla hullaantunut johonkuhun/johonkin
infatuation /ɪnˌfætʃʊˈeɪʃən/ s **1** hullaantuminen, ihastuminen **2** ihastus
infect /ɪnˈfekt/ v **1** tartuttaa (myös kuv) **2** saastuttaa, pilata
infection /ɪnˈfekʃən/ s **1** tartunta **2** saastuminen, pilaantuminen
infectious /ɪnˈfekʃəs/ adj tarttuva (myös kuv) his laughter was infectious hänen naurunsa tarttui muihinkin
infer /ɪnˈfər/ v päätellä he inferred from her curtness that she did not like him hän päätteli naisen vähäpuheisuudesta ettei tämä pitänyt hänestä
inference /ˈɪnfərəns/ s päätelmä, johtopäätös
inferior /ɪnˈfɪriər/ s jotakuta alempiarvoinen henkilö he treats his colleagues as his inferiors hän pitää työtovereitaan itseään huonompina adj **1** huonompi kuin **2** arvoltaan alempi kuin
inferiority /ɪnˌfɪriˈɔrəti/ s **1** huonommuus **2** alempi arvo
inferiority complex s alemmuuskompleksi
infernal /ɪnˈfərnəl/ adj helvetin, helvetillinen (myös kuv:) hirvittävä, kamala
inferno /ɪnˈfərnoʊ/ s (mon infernos) **1** helvetti (myös kuv) **2** tulipalo, roihu, liekkimeri
infertile /ɪnˈfərtəl/ adj hedelmätön
infertility /ˌɪnfərˈtɪləti/ s hedelmättömyys
infest /ɪnˈfest/ v: the house is infested with rats talossa suorastaan vilisee rottia
infidel /ˈɪnfəˌdel/ s, adj (usk) uskoton, joka ei usko Jumalaan; toisuskoinen
infidelity /ˌɪnfəˈdeləti/ s **1** uskottomuus, aviorikos **2** (usk) uskottomuus
infighting /ˈɪnˌfaɪtɪŋ/ s **1** (nyrkkeilyssä) lähiottelu **2** (kuv) (yrityksen) sisäinen taistelu/kamppailu

infiltrate /ˈɪnfəlˌtreɪt/ v **1** soluttaa, soluttautua, ujuttaa (myös kuv) **2** suodattaa, suodattua
infiltration /ˌɪnfəlˈtreɪʃən/ s **1** solutus, ujuttaminen **2** suodatus, suodattuminen
infinite /ɪnfənət/ adj ääretön
infinitely adj äärettömästi, äärettömän
infinitesimal /ˌɪnfənəˈtesəməl/ adj äärettömän pieni
infinitive /ɪnˈfɪnətɪv/ s, adj (kielioppi) infinitiivi
infinity /ɪnˈfɪnəti/ s äärettömyys, (mat, valok) ääretön
infirm /ɪnˈfərm/ adj (vanhuuden)heikko
infirmary /ɪnˈfərməri/ s sairashuone, sairaala
infirmity /ɪnˈfərməti/ s (vanhuuden)heikkous
inflame /ɪnˈfleɪm/ v **1** (lääk) tulehduttaa to be inflamed olla tulehtunut **2** tulistuttaa, raivostuttaa, suututtaa jotakuta
inflammable /ɪnˈflæməbəl/ adj tulenarka (myös kuv), helposti syttyvä
inflammation /ˌɪnfləˈmeɪʃən/ s **1** (lääk) tulehdus) **2** (kiukun, vihan) purkaus
inflammatory /ɪnˈflæməˌtɔri/ adj yllyttävä, yllytys-, kiihotus-
inflammatory bowel disease /ɪnˌflæmətɔriˈbaʊəldəˈziz/ s (lääk) tulehdukselliset suolistosairaudet
inflatable /ɪnˈfleɪtəbəl/ s kumivene adj ilmatäytteinen
inflate /ɪnˈfleɪt/ v **1** pumpata täyteen, puhaltaa täyteen, täyttyä **2** (tal) nostaa hintoja, aiheuttaa inflaatiota **3** (kuv) paisuttaa recent success inflated his ego viimeaikainen menestys paisutti hänen itsetuntoaan
inflation /ɪnˈfleɪʃən/ s **1** täyteen pumppaaminen/puhaltaminen, täyttyminen **2** (tal) inflaatio
inflationary /ɪnˈfleɪʃəˌneri/ adj (tal) inflaatiota aiheuttava, inflaatio-
inflection /ɪnˈflekʃən/ s **1** (kieliopissa) taivutus **2** äänensävy, ääni
inflexibility /ɪnˌfleksəˈbɪləti/ s jäykkyys, taipumattomuus (myös kuv), joustamattomuus (myös kuv)
inflexible /ɪnˈfleksəbəl/ adj jäykkä, taipumaton (myös kuv), joustamaton (myös kuv)
inflexion /ɪnˈflekʃən/ ks inflection
inflict /ɪnˈflɪkt/ v aiheuttaa (vahinkoa, kärsimystä), langettaa (rangaistus), sälyttää Jim inflicted a blow on Tom Jim löi Tomia
infliction /ɪnˈflɪkʃən/ s **1** aiheuttaminen, langettaminen, sälyttäminen **2** piina, vaiva, kiusa, harmi
in-flight /ˈɪnˌflaɪt/ adj lennon aikainen in-flight movie
inflow /ˈɪnˌfloʊ/ s **1** tulovirtaus **2** (kuv) tulva an inflow of immigrants siirtolaistulva
influence /ɪnfluəns/ s vaikutus, vaikutusvalta you are a bad influence on your brother sinä olet veljellesi huono esimerkki under the influence (lak) alkoholin vaikutuksen alainen/alaisena v vaikuttaa johonkin the new law does not influence our decision uusi laki ei vaikuta päätökseemme
influential /ˌɪnfluˈenʃəl/ adj vaikutusvaltainen (ihminen); (voimakkaasti) vaikuttava (seikka)
influenza /ˌɪnfluˈenzə/ s influenssa
influx /ˈɪnˌflʌks/ s **1** tulovirtaus **2** (kuv) tulva
info /ɪnfoʊ/ ks information
in for to be in for jollakulla on edessään jotakin you are in for a tough time sinulla on edessä kovat ajat
infomercial /ˈɪnfoʊˌmərʃəl/ s valistava televisiomainos (jossa ei suoranaisesti kaupitella tiettyä tuotetta vaan kohennetaan yrityskuvaa tms) (sanoista information ja commercial)
inform /ɪnˈfɔrm/ v **1** ilmoittaa, kertoa, tiedottaa please inform me about any changes ilmoita minulle mahdollisista muutoksista **2** to inform yourself of ottaa selvää jostakin **3** olla täynnä jotakin, kyllästää (kuv) a melancholy mood informs his novels hänen romaaneissaan vallitsee melankolinen tunnelma

informal /ɪn'fɔrməl/ adj epävirallinen; arkinen, arkipäiväinen, arki-, rento, vapautunut
informality /ˌɪnfər'mæləti/ s epävirallisuus; arkisuus, rentous
informally adv epävirallisesti; arkisesti, rennosti
information /ˌɪnfər'meɪʃən/ s tieto, informaatio that's a valuable piece of information se on arvokas tieto
information retrieval s tiedonhaku
information superhighway s laajakaistainen tietoverkko (virallisesti National Information Infrastructure)
informative /ɪn'fɔrmətɪv/ adj valaiseva, opettavainen, informatiivinen
informed /ɪn'fɔrmd/ adj joka on asioista hyvin perillä
informer /ɪn'fɔrmər/ s ilmiantaja, kavaltaja
infotainment /ˌɪnfou'teɪnmənt/ s asiaviihde, viihteellisesti esitetty asia(ohjelma) (sanoista information ja entertainment)
infrared /ˌɪnfrə'red/ s infrapunainen adj infrapuna-
infrasound /ˌɪnfrə'saund/ s, adj infraääni(-)
infrastructure /'ɪnfrəˌstrʌkʃər/ s infrastuktuuri
infrequent /ɪn'frikwənt/ adj harvinainen
infrequently adv (vain) harvoin
infringement s rikkomus, (oikeuksien) loukkaus
infringe (on) /ɪn'frɪndʒ/ v rikkoa (lakia), loukata (oikeuksia)
infuriate /ɪn'fjəriˌeɪt/ v raivostuttaa, saada raivostumaan
infuriating adj raivostuttava, suututtava
infuriatingly adv raivostuttavasti, raivostuttavan
infuse /ɪn'fjuz/ v **1** imeytyä, hautua, hauduttaa **2** antaa the news infused them with enthusiasm uutinen sai heidät (jälleen) innostumaan
infusion /ɪn'fjuʒən/ s **1** tee **2** (lääk) infuusio
ingenious /ɪn'dʒinjəs/ adj nerokas, kekseliäs
ingeniously adv nerokkaasti, nerokkaan
ingenuity /ˌɪndʒə'nuəti/ s nerokkuus, kekseliäisyys
ingenuous /ɪn'dʒenjuəs/ adj **1** vilpitön, aito, rehellinen **2** naiivi, viaton
ingenuously adv **1** vilpittömästi, aidosti, rehellisesti **2** naiivisti, viattomasti
ingenuousness s **1** avoimuus, vilpittömyys **2** naiivius, viattomuus
in good time fr **1** hyvissä ajoin, ennen määräaikaa **2** ajoissa, oikeaan aikaan
ingot /ɪŋgət/ s (metalli)harkko
ingrained /ˌɪŋ'greɪnd/ adj syvään juurtunut/iskostunut
ingrate /ɪŋgreɪt/ s kiittämätön ihminen
ingratitude /ɪŋ'grætɪˌtud/ s kiittämättömyys
ingredient /ɪŋ'gridiənt/ s valmistusaine, (kuv) osatekijä
inhabit /ɪn'hæbət/ v asua jossakin, elää jossakin
inhalator /'ɪnəˌleɪtər/ s lääkesumutin, inhalaattori
inhale /ɪn'heɪəl/ v vetää henkeä, hengittää sisään, (tupakoidessa) vetää henkoset
inherent /ɪn'herənt/ adj ominainen, luontainen
inherently adj luonnostaan
inherit /ɪn'herət/ v periä (myös kuv)
inheritance /ɪn'herətəns/ s perintö (myös kuv)
inherited adj perinnöllinen (ominaisuus, sairaus)
inhibit /ɪn'hɪbət/ v estää, ehkäistä, jarruttaa
inhibition /ˌɪnə'bɪʃən/ s esto, este
inhospitable /ɪn'haspɪtəbəl/ adj ei vieraanvarainen, epävieraanvarainen; epäsuotuisa
inhospitably adv ei vieraanvaraisesti, epävieraanvaraisesti
inhospitality /ɪnˌhaspə'tæləti/ s vieraanvaraisuuden puute, epäystävällisyys; epäsuotuisuus

in hot water to be in hot water olla pulassa/nesteessä
inhuman /ɪn'hjuːmən/ adj ei inhimillinen; epäinhimillinen
inhumane /ˌɪnhjʊ'meɪn/ adj epäinhimillinen, ihmisarvolle sopimaton
inhumanity /ˌɪnhjʊ'mænəti/ s epäinhimillisyys
inimical /ɪ'nɪmɪkəl/ adj vihamielinen jollekin (to)
initial /ɪ'nɪʃəl/ s alkukirjain, (mon) nimikirjaimet
v merkitä nimikirjaimensa johonkin (allekirjoitukseksi)
adj alku-, ensimmäinen-
initially adv aluksi, alussa
initiate /ɪ'nɪʃiˌeɪt/ v **1** panna alulle **2** johdattaa/opastaa joku jollekin alalle, vihkiä joku johonkin **3** ottaa jäseneksi
initiative /ɪ'nɪʃətɪv/ s aloite; aloitekyky; (pol) kansanaloite the new salesman lacks initiative uudella myyntimiehellä ei ole aloitekykyä to act on your own initiative toimia omasta aloitteesta/oma-aloitteisesti to take the initiative tehdä aloite, aloittaa
inject /ɪn'dʒekt/ v **1** suihkuttaa, ruiskuttaa; (lääk) antaa ruiskeena **2** (kuv) esittää (huomautus), keskeyttää, sanoa kesken kaiken **3** (kuv) tuoda she injected new enthusiasm into the class hän sai luokan jälleen piristymään
injection /ɪn'dʒekʃən/ s suihkutus, ruiskutus; (lääk) ruiske fuel injection polttoaineensuihkutus
injunction /ɪn'dʒʌŋkʃən/ s (lak) määräys/kielto
injure /ɪndʒər/ v loukata (myös kuv) ten people were injured in the accident onnettomuudessa loukkaantui kymmenen ihmistä
injurious /ɪn'dʒəriəs/ adj vahingollinen, haitallinen smoking is injurious to your health tupakointi on epäterveellistä
injury /ɪndʒəri/ s vamma, loukkaantuminen, (kuv) loukkaus
injustice /ɪn'dʒʌstəs/ s vääryys, epäoikeudenmukaisuus
ink /ɪŋk/ s muste
v tahrata musteella, töhriä musteeseen
inkblot test /'ɪŋkˌblat/ s (psyk) musteläiskätesti
ink jet printer s mustesuihkukirjoitin
inkling /ɪŋklɪŋ/ s (harmaa) aavistus, (pieni) vihje he didn't give me an inkling of what he had in mind hän ei edes vihjannut siitä mitä hänellä oli mielessä
inkwell /'ɪŋkˌwel/ s mustepullo
inland /ɪnlənd/ s sisämaa adj, adv sisämaan, sisämaassa, sisämaahan
in-law /'ɪnˌlaː/ s appi, anoppi, (mon) appivanhemmat, vaimon/miehen sukulaiset
inlet /ɪnlət/ s lahti
in-line skates /skeɪts/ s (mon) jonopyöräiset rullaluistimet, joissa pyörät ovat jonossa eivätkä rinnakkain
in-line skating s rullaluistelu jonopyöräisillä luistimilla
inn /ɪn/ s majatalo
innards /ɪnərdz/ s (mon) sisukset, sisälmykset (kuv)
innate /ɪ'neɪt/ adj synnynnäinen, myötäsyntyinen
inner /ɪnər/ adj sisäinen, sisä-
Inner Mongolia /maŋ'goʊliə/ Sisä-Mongolia, Nei Monggol
innermost /'ɪnərˌmoʊst/ adj sisin her innermost thoughts hänen sisimmät ajatuksensa
inning /ɪnɪŋ/ s (baseball) pelivuoro
innocence s viattomuus, syyttömyys
innocent /ɪnəsənt/ adj viaton, syytön
innocently adv viattomasti
innocuous /ɪn'nakjuəs/ adj vaaraton, harmiton
innovate /'ɪnəˌveɪt/ v ottaa käyttöön (jotakin uutta), uudistaa, keksiä
in no time to do something in no time tehdä jotakin hetkessä/tuossa tuokiossa/alta aikayksikön (ark)
innovation /ˌɪnə'veɪʃən/ s uudistus, innovaatio, keksintö
innovative /'ɪnəˌveɪtɪv/ adj uudistusmielinen, kekseliäs
innovator /'ɪnəˌveɪtər/ s uudistaja
innuendo /ˌɪnjə'wendoʊ/ s vihjailu
innumerable /ɪ'numərəbəl/ adj lukematon
inoculate /ɪ'nakjəˌleɪt/ v rokottaa

inoculation /ɪˌnakjəˈleɪʃən/ s rokotus
inoffensive /ˌɪnəˈfensɪv/ adj harmiton, viaton (huomautus)
in olden times fr ennen vanhaan
in one word fr sanalla/suoraan sanoen
inoperative /ɪnˈapərətɪv/ adj **1** joka ei ole toiminnassa/käytössä **2** tehoton, josta ei ole apua **3** (laki, määräys) joka ei ole voimassa
inopportune /ɪnˌapərˈtun/ adj sopimaton (aika, huomautus)
inopportunely adv sopimattomaan/huonoon aikaan
in order fr **1** aiheellinen, paikallaan **2** kunnossa, järjestyksessä, valmiina
in order that fr jotta you must go in order that you won't be late sinun on syytä lähteä jotta et myöhästy
in order to fr jotta he left early in order to beat the rush-hour traffic hän lähti aikaisin ehtiäkseen ennen ruuhkaa
inordinate /ɪnˈɔrdənət/ adj kohtuuton; suunnaton
inordinately adv kohtuuttomasti, kohtuuttoman; suunnattoman
inorganic /ˌɪnɔrˈgænɪk/ adj epäorgaaninen
in other words fr toisin sanoen
in place fr **1** paikallaan to run in place juosta paikallaan **2** valmiina, paikallaan
in point a case in point hyvä esimerkki
input /ˈɪnˌput/ s **1** syöte, syötös; (energian, ajan) käyttö **2** kanta, mielipide, ehdotus, idea
v **1** (tietok) syöttää **2** ehdottaa/esittää jotakin, osallistua keskusteluun
input/output s (tietok) syöttö ja tulostus, otto ja anto, siirräntä
inquest /ˈɪŋkwest/ s kuolemansyyn selvitys
inquire /ɪŋˈkwaɪər/ v tiedustella, kysyä
inquire after v tiedustella jonkun vointia, kysyä mitä jollekulle kuuluu
inquire into v tutkia jotakin
inquiry /ɪŋkwəri/ s **1** tiedustelu, kysely; kysymys **2** tutkimus, selvitys; kuulustelu
inquisition /ˌɪŋkwəˈzɪʃən/ s **1** (hist) inkvisitio **2** tutkimus, selvitys; kuulustelu
inquisitive /ɪŋˈkwɪzətɪv/ adj **1** utelias, tiedonjanoinen **2** liian utelias, joka urkkii (toisten asioita)
in reference to fr jotakin koskien
in regard to fr jotakuta/jotakin koskien
in relation to something fr jotakin koskien, johonkin liittyen
inroad /ˈɪnˌroud/ s **1** hyökkäys **2** to make inroads on kajota johonkin, puuttua johonkin, loukata (oikeuksia)
INS Immigration and Naturalization Service
ins and outs /ˌɪnzəˈnauts/ (mon) to know the ins and outs of something tuntea jokin asia läpikotaisin/kuin omat taskunsa
insane /ɪnˈseɪn/ adj mielenvikainen, tärähtänyt, hullu
insanity /ɪnˈsænəti/ s mielenhäiriö, hulluus
inscribe /ɪnˈskraɪb/ v **1** omistaa (kirja, valokuva jollekulle) **2** kaivertaa
inscription /ɪnˈskrɪpʃən/ s **1** omistus(kirjoitus) **2** kaiverrus
insect /ɪnsekt/ s hyönteinen
insecticide /ɪnˈsektəˌsaɪd/ s hyönteismyrkky
insecure /ˌɪnsəˈkjər, ˌɪnsəˈkjuər/ adj epävarma, turvaton (olo), ei luja (kiinnitys)
insecurely adv ei lujasti (kiinnitetty)
insecurity /ˌɪnsəˈkjərəti/ s epävarmuus, turvattomuus
insensibility /ɪnˌsensəˈbɪləti/ s **1** herkkyyden puute, tunnottomuus **2** (kuv) arvostuskyvyn puute, kyvyttömyys nauttia jostakin/ymmärtää jotakin
insensible /ɪnˈsensəbəl/ adj **1** ei herkkä jollekin, tunnoton; tajuton **2** joka ei tiedosta/huomaa jotakin, joka ei osaa arvostaa jotakin
insensitive /ɪnˈsensətɪv/ adj **1** ei herkkä jollekin, tunnoton **2** (kuv) tunteeton, välinpitämätön **3** joka ei tiedosta/huomaa jotakin, joka ei osaa arvostaa jotakin
insensitivity /ɪnˌsensəˈtɪvəti/ s **1** herkkyyden puute, tunnottomuus **2** (kuv) tunteettomuus, välinpitämättö-

myys **3** arvostuskyvyn puute, kyvyttömyys nauttia jostakin/ymmärtää jotakin
inseparable /ɪn'sepərəbəl/ adj erottamaton
inseparably adv erottamattomasti
insert /ɪnsərt/ s liite, lisäys
insert /ɪn'sərt/ v työntää/pistää/panna/lisätä väliin/jonnekin you can insert a new line between these two lines voit lisätä näiden rivien väliin uuden rivin insert the cartridge in slot A aseta kasetti aukkoon A
insertion /ɪn'sərʃən/ s **1** lisääminen, asettaminen **2** liite, lisäys
inset /ɪnset/ s **1** liite **2** (kuvan ym sisällä oleva) pienempi kuva
inset /ɪn'set/ v inset, inset: lisätä väliin, liittää johonkin
inshore /'ɪn,ʃɔr/ adj, adv rannikko-, rannikon läheisyydessä
in short order fr pian, nopeasti, kiireesti
inside /ɪnsaɪd/ s sisäpuoli
inside /ɪn'saɪd/ adj sisä- that's inside information se on sisäpiirin tietoa adv sisäpuolella, sisäpuolelle, sisällä, sisälle look pal, if you're not inside, you're outside kuulehan kaveri, sinä olet joko meidän puolellamme tai meitä vastaan
prep sisällä (myös ajasta) inside the box laatikossa
inside linebacker /,ɪnsaɪd'laɪnbækər/ s (amerikkalaisessa jalkapallossa) sisempi tukimies
inside of prep (ark) sisällä, kuluessa the plumber should be here inside of an hour putkiasentajan pitäisi saapua tunnin sisällä
inside out adv **1** väärinpäin, nurinpäin **2** to know something inside out tuntea jokin läpikotaisin/kuin omat taskunsa, osata jotakin perusteellisesti
insider /ɪn'saɪdər/ s sisäpiirin työntekijä ym, lähipiiriin kuuluva henkilö, asiaan vihkiytynyt henkilö, jonkun lähin avustaja
insider /ɪn'saɪdər/ s (tal) sisäpiiriläinen
insidious /ɪn'sɪdiəs/ adj salakavala, katala
insight /'ɪn,saɪt/ s oivallus, oivalluskyky, ymmärrys, käsitys
in sight to be in sight olla näkyvissä
insignificance /,ɪnsɪg'nɪfɪkəns/ s mitättömyys, merkityksettömyys
insignificant /,ɪnsɪg'nɪfɪkənt/ adj mitätön, merkityksetön, tyhjänpäiväinen
insincere /,ɪnsɪn'sɪər/ adj vilpillinen, ei vilpitön, teennäinen, kaksinaamainen
insincerely adv ks insincere
insincerity /,ɪnsɪn'serəti/ s vilpillisyys, teennäisyys, kaksinaamaisuus
insinuate /ɪn'sɪnjʊ,eɪt/ v vihjata, vihjailla she insinuated that the man was lying nainen antoi ymmärtää että mies valehteli
insinuating adj vihjaileva
insinuation /ɪn,sɪnjʊ'eɪʃən/ s vihjailu, vihjaus
insipid /ɪn'sɪpəd/ adj typerä, tyhjänpäiväinen, mitäänsanomaton, sisällyksetön
insipidity /,ɪnsə'pɪdəti/ s typeryys, tyhjänpäiväisyys
insist /ɪn'sɪst/ v vaatia if you insist jos kerran vaatimalla vaadit
insistence /ɪn'sɪstəns/ s peräänantamattomuus; väite; vaatimus
insistent adj peräänantamaton, sinnikäs
insistently adv sinnikkäästi, väsymättömästi, herpaantumatta
insist on v pitää kiinni jostakin, ei tinkiä jostakin, vaatia ehdottomasti jotakin
insofar as /,ɪnsə'far ,ɪnsoʊ'far/ adv sikäli kuin
insole /'ɪn,soəl/ s **1** (jalkineen) sisäpohja **2** (jalkineen) irtopohjallinen
insolence /ɪnsələns/ s hävyttömyys, röyhkeys, nenäkkyys Phoebe had the insolence to call him a jerk Phoebella oli otsaa haukkua häntä idiootiksi
insolent /ɪnsələnt/ adj hävytön, röyhkeä, nenäkäs
insolently adv hävyttömästi, röyhkeästi, nenäkkäästi
insolubility /ɪn,saljə'bɪləti/ s **1** (aineen) liukenemattomuus **2** (ongelman) ratkaisemattomuus

insoluble /ɪn'saljəbəl/ adj **1** liukenematon (aine) **2** ratkaisematon (ongelma)
insolvency /ɪn'salvənsi/ s maksukyvyttömyys, rahattomuus
insolvent /ɪn'salvənt/ adj maksukyvytön, rahaton
in so many words he told me to resign, though not in so many words hän käski minun erota joskaan hän ei ilmaissut sitä noin suorasti
insomnia /ɪn'samniə/ s unettomuus
insomniac /ɪn'samni,æk/ s joku joka kärsii unettomuudesta
in spades fr (ark) **1** erittäin, täysi **2** suoraan, siekailematta
inspect /ɪn'spekt/ v tarkastaa
inspection /ɪn'spekʃən/ s tarkastus
inspector s tarkastaja; (poliisi) komisario
inspiration /,ɪnspə'reɪʃən/ s **1** innoitus, ponsi; luomisvire, inspiraatio **2** oivallus
inspire /ɪn'spaɪər/ v innoittaa, innostaa, kannustaa, täyttää (kuv) joku jollakin
inspired adj nerokas, kekseliäs; innoittunut
instability /,ɪnstə'bɪləti/ s horjuvuus, epävakaisuus, ailahtelu
instal /ɪn'stal/ v **1** asentaa paikoilleen **2** asettaa virkaan **3** to install yourself asettua taloksi (esim uuteen työpaikkaan)
installation /,ɪnstə'leɪʃən/ s **1** laitteet, koneet **2** asennus **3** virkaan asetus
installment s **1** osamaksuerä **2** (jatkokertomuksen yms) osa, jakso
installment plan s osamaksu
instance /ɪnstəns/ s **1** esimerkki for instance esimerkiksi **2** at the instance of jonkun kehotuksesta
instant /ɪnstənt/ s hetki
adj välitön, heti tapahtuva/seuraava ym; pakottava (tarve); pika- instant camera/coffee pikakamera/pikakahvi
instantaneous /,ɪnstən'teɪnɪəs/ adj välitön, heti tapahtuva/seuraava ym
instantaneously adv heti, välittömästi
instantly adv heti, välittömästi
instant replay s (tv) toisto; (kuv) tapahtumien toistuminen
instead /ɪn'sted/ adv sen/jonkun sijaan, asemesta the director could not come so he sent his assistant instead johtaja ei päässyt tulemaan joten hän lähetti apulaisensa
instead of prep sen sijaan/asemesta että, jonkun sijaan/asemesta instead of tacos, we'll have hamburgers for dinner syömme päivälliseksi tacojen asemesta hampurilaisia
instep /'ɪn,step/ s (anat) jalkapöytä
in step to be in step **1** marssia tahdissa **2** (kuv) olla (esim ajan) tasalla
instigate /'ɪnstə,geɪt/ v lietsoa (kapinaa), yllyttää (riitaan), panna alulle (uudistuksia)
instigation /,ɪnstə'geɪʃən/ s lietsonta, yllytys, alullepano, käynnistys
instigator s yllyttäjä, (vihan) lietsoja, alullepanija, käynnistäjä
instill /ɪn'stɪl/ v opettaa jollekulle jotakin, iskostaa jotakin jonkun mieleen
instinct /ɪnstɪŋkt/ s **1** vaisto **2** lahja, taipumus
instinctive /ɪn'stɪŋktɪv/ adj **1** vaistomainen, vaistonvarainen **2** luontainen, myötäsyntyinen, synnynnäinen
instinctively adv vaistomaisesti
institute /'ɪnstə,tut/ s **1** laitos, instituutti **2** laitosrakennus
v **1** perustaa **2** aloittaa, käynnistää, panna toimeen/alulle, saattaa voimaan, ottaa käyttöön
institution /,ɪnstə'tuʃən/ s **1** laitos, instituutti **2** laitosrakennus **3** instituutio, tapa, vakiintunut käytäntö Mr. Grove has become an institution in the firm Mr. Grovesta on tullut yrityksessä oma instituutionsa **4** (lain) voimaan saattaminen **5** (papin) vihkiminen virkaan
institutional adj laitos-
institutionalize /,ɪnstə'tuʃənəlaɪz/ v **1** määrätä laitoshoitoon **2** vakiinnuttaa
instruct /ɪn'strʌkt/ v **1** opettaa **2** neuvoa, käskeä, määrätä

instruction /ɪn'strʌkʃən/ s **1** opetus, koulutus **2** neuvo, käsky, määräys, ohje, (mon) käyttöohjeet, valmistusohjeet **3** (tietok) käsky

instructor /ɪn'strʌktər/ s **1** opettaja, kouluttaja **2** (yliop) lehtori

instructress /ɪn'strʌktrəs/ s (nais)-opettaja, kouluttaja

instrument /ɪnstrəmənt/ s **1** väline **2** mittari, mittalaite **3** välikappale (myös ihmisestä) **4** soitin, instrumentti

instrumental /ˌɪnstrə'mentəl/ adj **1** hyödyllinen, josta on apua knowledge of Russian was instrumental to his success venäjän taito edesauttoi hänen menestymistään **2** (mus) instrumentaalinen

instrumentalist /ˌɪnstrə'mentələst/ s (mus) instrumentalisti

instrument panel s (auton) kojelauta; (lentokoneen) mittaritaulu

insubordinate /ˌɪnsə'bɔrdənət/ adj tottelematon, omapäinen, itsepäinen

insubordination /ˌɪnsəbɔrdə'neɪʃən/ s tottelemattomuus, omapäisyys, itsepäisyys

insufferable /ɪn'sʌfərəbəl/ adj sietämätön

insufficiency /ˌɪnsə'fɪʃənsi/ s riittämättömyys, vajavuus, puute

insufficient /ˌɪnsə'fɪʃənt/ adj riittämätön, vajavainen, puutteellinen

insufficiently adv riittämättömästi, riittämättömän

insular /ɪnsələr ɪnsjələr/ adj **1** saari-, eristynyt **2** ahdasmielinen, rajoittunut, suvaitsematon

insularity /ˌɪnsə'lerəti/ s **1** eristyneisyys, saariasema **2** ahdasmielisyys, rajoittuneisuus, suvaitsemattomuus

insulate /'ɪnsəˌleɪt/ v eristää

insulating adj eriste-

insulation /ˌɪnsə'leɪʃən/ s **1** eriste **2** (kuv) eristäminen, suojaaminen

insulator s eriste

insult /ɪnsʌlt/ s loukkaus to add insult to injury pahentaa asiaa entisestään

insult /ɪn'sʌlt/ v loukata don't insult his intelligence älä aliarvioi hänen älykkyyttään

insulting adj loukkaava

insultingly adv loukkaavasti

insuperable /ɪn'supərəbəl/ adj voittamaton (vaikeus), ylitsepääsemätön (este)

insupportable /ˌɪnsə'pɔrtəbəl/ adj sietämätön

insurance /ɪn'ʃərəns/ s vakuutus

insurance company s vakuutusyhtiö

insurance policy s vakuutus(sopimus) after the fire, he took out a home insurance policy hän otti tulipalon jälkeen kotivakuutuksen

insurant /ɪn'ʃərənt/ s vakuutuksen ottaja, vakuutettu

insure /ɪnʃər/ v vakuuttaa (ottaa/antaa vakuutus; vannoa), taata

insured /ɪn'ʃərd/ s vakuutuksen ottaja, vakuutettu

insurer /ɪn'ʃərər/ s vakuutuksen antaja

insurgency /ɪn'sərdʒənsi/ s kapina, kansannousu

insurgent /ɪn'sərdʒənt/ s, adj kapinallinen

insurmountable /ˌɪnsər'mauntəbəl/ adj ylitsepääsemätön, voittamaton

insurrection /ˌɪnsə'rekʃən/ s kapina, kansannousu

int. intelligence; international; intransitive

intact /ɪn'tækt/ adj ehjä, vahingoittumaton, entisensä

intake /'ɪnˌteɪk/ s **1** (putki) nielu, imu **2** kulutus **3** (opiskelija)kiintiö, sisäänotto

intake valve s imuventtiili

in tandem to do something in tandem tehdä jotakin peräkkäin

integer /ɪntədʒər/ s kokonaisluku

integral /ɪntəgrəl/ s (mat) integraali adj **1** (mat) integraali- **2** olennainen (osa), keskeinen **3** eheä, yhtenäinen

integrate /'ɪntəˌgreɪt/ v **1** yhdistää **2** avata (esim koulu) rotu- tai muille vähemmistöille, lopettaa rotuerottelu jossakin, (erityisesti) avata myös mustille

integrated adj **1** yhdistetty, yhtenäinen, eri osista koostuva **2** jossa rotu- tai muiden vähemmistöjen erottelu on lakkautettu, (erityisesti) myös mustille avoin

integrated circuit s integroitu piiri
integration /ˌɪntəˈgreɪʃən/ s **1** yhdistäminen **2** (koulun ym) avaaminen rotutai muille vähemmistöille, rotuerottelun lopettaminen
integrity /ɪnˈtegrəti/ s **1** oikeudenmukaisuus, hyveellisyys, rehellisyys **2** eheys, yhtenäisyys
intellect /ɪntəlekt/ s äly, älykkyys, järki
intellectual /ˌɪntəˈlekʃʊəl/ s intellektuelli, älykkö
adj älyllinen; älykäs I am not his intellectual equal en ole älyllisesti samaa luokkaa kuin hän
intellectually adv älyllisesti
intelligence /ɪnˈteləd ʒəns/ s **1** äly, älykkyys, järki artifical intelligence tekoäly **2** tiedot **3** tiedustelu, vakoilu **4** tiedustelupalvelu
intelligence agency s tiedustelupalvelu
intelligence officer s (sot) tiedustelu-upseeri
intelligence quotient /kwoʊʃənt/ s älykkyysosamäärä
intelligence test s älykkyystesti
intelligent adj älykäs (myös tietok)
intelligently adv älykkäästi
intelligible /ɪnˈtelədʒəbəl/ adj ymmärrettävä, josta saa selvää
Intelsat International Telecommunications Satellite
intend /ɪnˈtend/ v aikoa, haluta
intense /ɪnˈtens/ adj **1** voimakas, ponteva, suuri, intensiivinen **2** vakava, totinen **3** tunteikas **4** syvä, voimakas (väri)
intensely adv ks intense
intensify /ɪnˈtensəˌfaɪ/ v voimistaa, voimistua, kasvaa, yltyä
intensity /ɪnˈtensəti/ s voimakkuus, voima, teho
intensive /ɪnˈtensɪv/ adj **1** ankara, hellittämätön, intensiivinen **2** (lääk) teho- **3** (maatalous) voimaperäinen **4** (yhdyssanan jälkiosana:) car manufacture is a capital intensive business autoteollisuus on pääomavaltainen ala
intensive care s (lääk) tehohoito
intensive care unit s (sairaalan) teho-osasto
intent /ɪnˈtent/ s aikomus, aie, suunnitelma
adj läpitunkeva (katse)
intention /ɪnˈtenʃən/ s aikomus, aie, suunnitelma intentions (mon) aikeet; avioliittoaikeet
intentional adj tahallinen
intentionally adv tahallaan, tieten tahtoen
intent on adj keskittynyt johonkin
inter /ɪnˈtər/ v haudata
interact /ˌɪntərˈækt/ v vaikuttaa toisiinsa, olla vuorovaikutuksessa/vuorovaikutussuhteessa
interaction /ˌɪntərˈækʃən/ s vuorovaikutus
intercept /ˌɪntərˈsept/ v pysäyttää, torjua; siepata the enemy agent's message was intecepted by the CIA vihollisvakoojan viesti joutui CIA:n käsiin
interception /ˌɪntərˈsepʃən/ s pysäytys, sieppaus
interceptor s (sot) torjuntahävittäjä
interchange /ˈɪntərˌtʃeɪndʒ/ s **1** keskustelu, vuoropuhelu **2** (varsinkin moottoriteiden) risteys
interchange v /ˌɪntərˈtʃeɪndʒ/ vaihtaa (jotakin johonkin; kahden esineen paikkaa; ajatuksia), vaihtua
interchangeable /ˌɪntərˈtʃeɪndʒəbəl/ adj (keskenään) vaihdettava a camera with interchangeable lenses kamera jossa on vaihto-objektiiveja
intercollegiate /ˌɪntərkəˈlidʒət/ adj collegeiden välinen
intercontinental /ˌɪntərkantəˈnentəl/ adj mannertenvälinen
intercourse /ˈɪntərˌkɔrs/ s **1** vuorovaikutus **2** ajatustenvaihto **3** sukupuoliyhteys, yhdyntä
interest /ɪntrəst/ s **1** kiinnostus, mielenkiinto **2** harrastus, kiinnostuksen kohde **3** merkitys it is a matter of global interest asia on yleismaailmallinen **4** korko he took a mortgage with 9 percent interest hän otti asuntolainan 9 prosentin korolla **5** osuus, osa **6** etu he got involved in the interest of the firm hän

puuttui asiaan firman edun nimissä

interested /ɪntrəstəd 'ɪntəˌrestəd/ adj **1** kiinnostunut jostakin **2** puolueellinen, omaa etuaan ajava/ajatteleva **3** jolla on osuutta johonkin the interested parties asianosaiset

interest group s eturyhmä

interesting adj mielenkiintoinen, kiintoisa, kiinnostava

interface /'ɪntərˌfeɪs/ s **1** rajapinta, yhtymäkohta (myös kuv) **2** välittäjä **3** vuorovaikutus, viestintä **4** (tietok ym) liitin; liittymä serial/parallell interface sarja/rinnakkaisliitäntä man/machine interface käyttäjän ja koneen välinen liittymä, käyttöliittymä graphical user interface (GUI) graafinen käyttöliittymä
v liittää, liittyä johonkin, yhdistää, yhdistyä johonkin (with)

interfere /ˌɪntər'fɪər/ v **1** häiritä jotakin (with) **2** puuttua johonkin (in, with)

interference /ˌɪntər'fɪrəns/ s **1** häirintä, häiriö **2** johonkin puuttuminen

interim /ɪntərəm/ in the interim sillä välin, sillä aikaa

interior /ɪn'tɪrɪər/ s **1** sisusta, sisus **2** (auton, asunnon) sisätilat **3** sisämaa, sisäosat **4** sisäasiat Department of the Interior (US) sisäasiainministeriö
adj sisä-, sisämaan, sisäinen

interior decorator s sisustusarkkitehti, sisustaja

interior designer s sisustusarkkitehti, sisustaja

interject /ˌɪntər'dʒekt/ v sanoa väliin/ kesken kaiken, keskeyttää sanomalla

interjection /ˌɪntər'dʒekʃən/ s **1** keskeytys, välihuomautus **2** (kieliopissa) huudahdussana, interjektio

interlock /ˌɪntər'lak/ v lukita/lukkiutua yhteen, kiinnittää/kiinnittyä lujasti toisiinsa

interlude /'ɪntərˌlud/ s **1** (teatt) (keskiaikainen) farssi **2** (teatt) välinäytös **3** väliaika, tauko **4** jakso, kausi **5** (mus) välisoitto

intermediary /ˌɪntər'midieri/ s välittäjä, sovittelija
adj **1** väli-, keski- **2** välittävä, välitys-, sovittelu-

intermediate /ˌɪntər'midiət/ adj väli-, keski- intermediate range missile keskimatkan ohjus intermediate students keskiasteen opiskelija

intermediate school s keskikoulu, peruskoulun yläaste

interment /ɪn'tərmənt/ s hautaus

intermission /ˌɪntər'mɪʃən/ s väliaika

intermittent /ˌɪntər'mɪtənt/ adj ajoittainen, katkonainen, pätkivä

intermittently adv ajoittain, katkonaisesti, pätkien tehdä jotakin

in terms of fr koskien in terms of money, she got little hän ei saanut juuri lainkaan rahaa

intern /ɪntərn/ s (sairaalan) apulaislääkäri
v sulkea leiriin/vankilaan, internoida

internal /ɪn'tərnəl/ adj sisäinen

internal combustion engine s polttomoottori

internalize /ɪn'tərnəˌlaɪz/ v sisäistää

internally adv sisäisesti

Internal Revenue Service s (US) veroviranomainen

international /ˌɪntər'næʃənəl/ adj kansainvälinen

internationalize /ˌɪntər'næʃənəlaɪz/ v kansainvälistyä, laajeta/laajentaa kansainväliseksi

internegative /'ɪntərˌnegətɪv/ s (valok) välinegatiivi

internist /ɪntərnɪst/ s sisätautilääkäri, sisätautien erikoislääkäri

internment /ɪn'tərnmənt/ s leiriin/vankilaan sulkeminen, internointi

internment camp s internointileiri

interoffice /ˌɪntər'afəs/ adj yrityksen sisäinen

interpersonal /ˌɪntər'pərsənəl/ adj ihmissuhde-

interplanetary space /ˌɪntər'plænəteri/ s planeettainvälinen avaruus

Interpol International Criminal Police Organization

interpose /ˌɪntər'pouz/ v **1** panna/ mennä väliin **2** keskeyttää, sanoa väliin jotakin

interpret /ɪn'tərprət/ v **1** tulkata, olla tulkkina **2** tulkita
interpretation /ɪn,tərprə'teɪʃən/ s tulkinta Freud's interpretation of dreams Freudin harjoittama unien tulkinta what is your interpretation of his behavior? miten sinä tulkitset hänen käytöksensä? a liberal interpretation of a composition sävellyksen vapaa tulkinta
interpreter /ɪn'tərprətər/ s tulkki (myös tietok ja:) tulkitsija, selittäjä
interpretive /ɪn'tərprətɪv/ adj **1** tulkitseva, selittävä **2** tulkinnallinen **3** esittävä (taide)
interracial /,ɪntər'reɪʃəl/ adj rotujen välinen
interregnum /,ɪntər'reɪgnəm/ s **1** interregnum **2** (kuv) tauko, hengähdystauko
interrelated /,ɪntərə'leɪtəd/ adj toisiinsa liittyvä
interrogate /ɪn'terə,geɪt/ v kuulustella
interrogation /ɪn,terə'geɪʃən/ s kuulustelu
interrogation mark s kysymysmerkki
interrogation point s kysymysmerkki
interrogative /,ɪntə'ragətɪv/ adj **1** kysyvä **2** (kieliopissa) interrogatiivi-, kysymys-
interrogative pronoun s (kieliopissa) interrogatiivipronomini, esim who?, what?
interrogator /ɪn'terə,geɪtər/ s kuulustelija
interrogatory /,ɪntə'ragətɔri/ s, adj kysymys(-)
interrupt /,ɪntə'rʌpt/ s keskeytys v keskeyttää, katkaista, häiritä we interrupt this program to bring you a news update keskeytämme ohjelman lyhyellä uutisella
interruption /,ɪntə'rʌpʃən/ s keskeytys, katko, häiriö
intersect /,ɪntər'sekt/ v leikata, mennä ristiin, risteytyä the roads intersect two miles from here tiet risteävät kahden mailin päässä
intersection /'ɪntər,sekʃən/ s **1** risteys **2** leikkauspiste
intersperse /,ɪntər'spərs/ v ripotella, levittää sinne tänne the book is interspersed with case histories kirjassa on siellä täällä tapauskertomuksia
interstate /'ɪntər,steɪt/ s (US) valtatie adj osavaltioiden välinen
interstellar /,ɪntər'stelər/ adj tähtien välinen
interstice /ɪntərstəs/ s aukko, kolo
interval /ɪntərvəl/ s **1** väli, välimatka, etäisyys; aikaväli at intervals aika ajoin, silloin tällöin; tietyin välimatkoin **2** tauko, väliaika **3** (mus) intervalli
intervene /,ɪntər'vin/ v **1** sekaantua, puuttua johonkin **2** tapahtua/olla välillä, osua johonkin väliin they had big plans but then the war intervened heillä oli suuria suunnitelmia mutta sitten sota tuli väliin in the intervening years välivuosina
intervention /,ɪntər'venʃən/ s sekaantuminen, puuttuminen johonkin (esim toisen maan asioihin)
intervertebral disk /,ɪntər'vərtəbrəl/ s selkänikamien välilevy
interview /'ɪntər,vju/ s haastattelu job interview työpaikkahaastattelu v haastatella; käydä haastattelussa
interviewee /,ɪntərvjʊ'i/ s haastateltava
interviewer /'ɪntər,vjʊər/ s haastattelija
intestinal /ɪn'testənəl/ adj suolen, suoli-
intestine /ɪn'testən/ s (yl mon) suoli small/large intestine ohutsuoli/paksusuoli
in the line of duty fr työssään, työtä tehdessään, työaikana
in the long run fr pitkällä aikavälillä, pitemmän päälle
in-the-money-option /,inðə'mʌni,apʃən/ s (tal) plusoptio
in the red to be in the red (ark) olla miinuksen puolella the company has been in the red for years yritys on tuottanut tappiota vuosikausia

in the round fr kokonaisuutena
in the running to be in the running olla mukana kilpailussa; olla ehdokkaana (vaaleissa); sijoittua kärkeen, päästä kärkisijoille
in the short run fr lyhyellä aikavälillä, alkuvaiheessa
in the soup to be in the soup (ark) olla nesteessä/pulassa
in the teeth of something fr (olla) jonkin kourissa/hampaissa
in the wake of fr **1** vanavedessä he followed in the wake of his father hän seurasi isäänsä/isänsä perässä/kannoilla/vanavedessä **2** johdosta, vuoksi, jälkeen in the wake of the disaster, all flights were canceled kaikki lennot peruutettiin katastrofin jälkeen
in the way to be in the way olla jonkun tiellä/esteenä, estää jotakuta tekemästä jotakin
in the wind big changes are in the wind (kuv) luvassa on suuria muutoksia
in the world fr **1** never in the world ei ikinä/kuuna päivänä **2** where in the world is Tupelo? missä ihmeessä/maailmankolkassa Tupelo on?
intimacy /ɪntəməsi/ s **1** läheisyys, tuttavuus **2** (asian)tuntemus she has an impressive intimacy with international law hänellä on vaikuttavat tiedot kansainvälisestä oikeudesta **3** kodikkuus; turva, lämpö in the intimacy of her apartment omassa turvallisessa asunnossaan **4** intiimi ele **5** sukupuoliyhteys
intimate /ɪntəmət/ adj **1** läheinen, lämmin, tuttavallinen **2** yksityinen, intiimi **3** kodikas, intiimi **4** joka on hyvin perillä jostakin, jolla on asiantuntemusta jostakin he has intimate knowledge of the security arrangements hän tuntee hyvin turvajärjestelyt
intimate /'ɪntə,meɪt/ v vihjata, vihjaista, antaa ymmärtää että
intimation /,ɪntə'meɪʃən/ s vihjaus, vihjailu, vihje
in time fr **1** ajoissa **2** aikanaan, tulevaisuudessa **3** (oikeassa) tahdissa
intimidate /ɪn'tɪmə,deɪt/ v pelotella, uhkailla the police intimidated the dissidents into staying at home poliisi sai pelottelemalla toisinajattelijat pysymään kotonaan
intimidation /ɪn,tɪmə'deɪʃən/ s pelottelu, uhkailu
intl. international kansainvälinen
into /ɪntu/ prep johonkin Harry jumped into the pool Harry hyppäsi uima-altaaseen the war continued into the next century sota jatkui seuraavalle vuosisadalle the plane crashed into the mountain lentokone törmäsi vuoreen the boss said to put it into writing pomo käski kirjoittaa/pistää sen paperille Janet is into body building Janet on innostunut kehonrakennuksesta
in token of fr muistoksi/merkiksi/osoituksena jostakin
intolerable /ɪn'talərəbəl/ adj sietämätön
intolerance /ɪn'talərəns/ s **1** suvaitsemattomuus, ahdasmielisyys **2** (lääk) allergia, intoleranssi
intonation /,ɪntə'neɪʃən/ s (puhutun kielen) intonaatio, sävelkulku
in toto latinasta kokonaisuutena, kaikkiaan, kokonaan
in tow fr **1** hinauksessa, hinattavana **2** Mr. Frazer had his wife in tow Mr. Frazerilla oli vaimo mukanaan the guru had a group of disciples in tow gurulla oli mukanaan/vanavedessään joukko oppilaita/opetuslapsia
intoxicant /ɪn'taksəkənt/ s päihde
intoxicate /ɪn'taksə,keɪt/ v päihdyttää (myös kuv:) huumata
intoxicated adj päihtynyt she was intoxicated with happiness hän oli pakahtua onnesta
intoxication /ɪn,taksə'keɪʃən/ s päihtymys, (kuv) huuma
intr. intransitive intransitiivinen
intransigence s tinkimättömyys, jääräpäisyys
intransigent /ɪn'trænsədʒənt/ adj tinkimätön, periäänantamaton, jääräpäinen

intransitive /ɪn'trænsətɪv/ adj (kieliopissa) intransitiivinen, joka ei voi saada objektia intransitive verb intransitiiviverbi (jota käytetään ilman objektia)
intrauterine device s (ehkäisyväline) kierukka
intrepid /ɪn'trepəd/ adj peloton, rohkea
intrepidity /ˌɪntrə'pɪdəti/ s pelottomuus, rohkeus
intrepidly adv pelottomasti, rohkeasti
intricacy /ɪntrəkəsi/ s **1** mutkikkuus, monimutkaisuus **2** yksityiskohta, hienous
intricate /ɪntrəkət/ adj mutkikas, monimutkainen
intricately adv mutkikkaasti, monimutkaisesti
intrigue /ɪn'trig/ s juoni, juonittelu, vehkeily
v **1** juonitella, vehkeillä **2** kiehtoa, kutkuttaa jotakuta
intriguer s juonittelija, vehkeilijä
intriguing adj kiehtova, kutkuttava, kiintoisa
intriguingly adv kiehtovasti, kiintoisasti
intrinsic /ɪn'trɪnsɪk/ adj sisäinen, luontainen, todellinen the vase has no intrinsic value maljakolla ei ole sinänsä mitään arvoa, maljakolla on vain käyttöarvoa
intrinsically adv sinänsä
intrinsic value s (tal) perusarvo, reaaliarvo
introduce /ˌɪntrə'dus/ v **1** esitellä let me introduce you to the guests minäpä esittelen sinut vieraille she introduced him to Oriental cuisine hän tutustutti hänet itämaisiin ruokiin the company has just introduced its fall lineup yritys esitteli vastikään syysmallistonsa **2** ottaa käyttöön, esittää Dr. Miller introduced a new treatment for cancer tri Miller otti käyttöön uuden syövänhoitomenetelmän **3** tuoda his presence introduced an element of excitement to the meeting hänen läsnäolonsa toi kokoukseen tiettyä innostusta
introduction /ˌɪntrə'dʌkʃən/ s **1** esittely **2** käyttöönotto **3** (kirjan, sävellyksen) johdanto **4** (alkeisteos:) johdatus an introduction into sociolinguistics johdatus sosiolingvistiikkaan
introductory /ˌɪntrə'dʌktəri/ adj johdanto-, alustus-, alustava-, alku- an introductory chapter johdantoluku
introvert /'ɪntrəˌvərt/ s (psyk) introvertti, (ark) eristäytyjä, syrjään vetäytyjä, sisäänpäin kääntynyt ihminen
introvert /ˌɪntrə'vərt/ v eristäytyä, vetäytyä syrjään/omiin oloihinsa
intrude /ɪn'trud/ v tunkeutua, puuttua, sekaantua, häiritä
intrusion /ɪn'truʒən/ s tunkeutuminen, puuttuminen, sakaantuminen, häiriö
intrusive /ɪn'trusɪv/ adj tungetteleva, häiritsevä
in truth fr todellisuudessa, oikeastaan, totta puhuen
intuit /ɪn'tuət/ v oivaltaa, ymmärtää intuitiivisesti
intuition /ˌɪntʊ'ɪʃən/ s intuitio, oivallus
intuitive /ɪn'tuətɪv/ adj intuitiivinen, oivallettu
intuitively adv intuitiivisesti, oivaltaen intuitively, I knew what to do tiesin vaistomaisesti mitä tehdä
in tune the piano is in tune piano on (oikeassa) vireessä
in turn fr vuorollaan, vuorostaan, ajallaan
in two she cut the loaf in two hän leikkasi leivän kahtia
inundate /'ɪnənˌdeɪt/ v hukuttaa (myös kuv), tulvia (myös kuv) the movie star was inundated with fan mail filmitähti oli hukkua ihailijapostiin
inundation /ˌɪnən'deɪʃən/ s tulva (myös kuv)
inure /ɪn'jʊər ɪ'nʊər/ v totuttaa, karaista to become inured to something tottua johonkin, karaistua
invade /ɪn'veɪd/ v **1** hyökätä, valloittaa **2** (kuv) häiritä (jonkun rauhaa), loukata (oikeuksia)
invader s hyökkääjä, valloittaja
invalid /ɪnvəlɪd/ s **1** potilas, sairas **2** vammainen, invalidi

adj **1** sairas(-), potilas- **2** vammainen, vammaisten, invalidi(-)
invalid /ɪn'væləd/ adj mitätön, pätemätön, joka ei pidä paikkaansa
invalidate /ɪn'vælə,deɪt/ v **1** kumota (väite) **2** mitätöidä (sopimus)
invalidation /ɪn,vælə'deɪʃən/ s **1** (väitteen) kumoaminen **2** (sopimuksen) mitätöinti
invaluable /ɪn'væljəbəl/ adj korvaamaton
invariable /ɪn'veriəbəl/ adj muuttumaton, vakio-
invariably adv aina, poikkeuksetta
invasion /ɪn'veɪʒən/ s **1** hyökkäys, valloitus **2** (kuv) (rauhan) häirintä, (oikeuksien) loukkaus that constitutes an invasion of privacy se on kotirauhan häirintää
invective /ɪn'vektɪv/ s sadattelu, haukkuminen
inveigle /ɪn'veɪgəl/ v houkutella, viekoitella joku tekemään jotakin (someone into doing something)
invent /ɪn'vent/ v **1** keksiä Bell invented the telephone Bell keksi puhelimen **2** sepittää, keksiä omasta päästään he invented a half-baked excuse hän keksi jonkinlaisen verukkeen
invention /ɪn'venʃən/ s **1** keksiminen **2** keksintö **3** kekseliäisyys **4** sepite, hätävalhe
inventive /ɪn'ventɪv/ adj kekseliäs
inventor /ɪn'ventər/ s keksijä
inventory /'ɪnven,tɔri/ s inventaario, tavaraluettelo
v inventoida, tehdä inventaario
inversion /ɪn'vərʒən/ s **1** kääntäminen **2** (kieliopissa) inversio, käänteinen sanajärjestys
invert /ɪn'vərt/ v kääntää ylösalaisin, vaihtaa joidenkin paikkaa, kääntää
invertebrate /ɪn'vərtəbrət/ s, adj selkärangaton
inverted comma s (UK) lainausmerkki (")
invest /ɪn'vest/ v **1** (tal) sijoittaa **2** omistaa, panna (aikaa, rahaa) the teacher invested a lot of effort in helping her students opettaja näki paljon vaivaa auttaakseen oppilaitaan **3** antaa, myöntää the position of editor-in-chief is invested with great responsibilities päätoimittajan työhön liittyy paljon vastuuta
investigate /ɪn'vestə,geɪt/ v tutkia, selvittää the police are still investigating poliisi jatkaa edelleen tutkimuksia
investigation /ɪn,vestə'geɪʃən/ s tutkimus, selvitys
investigative /ɪn'vestɪgətɪv/ adj tutkiva, tutkimus
investigator /ɪn'vestə,geɪtər/ s tutkija private investigator yksityisetsivä
investiture /ɪn'vestətʃər/ s virkaanasettajaiset, investituura
investment /ɪn'vestmənt/ s sijoitus
investor /ɪn'vestər/ s sijoittaja
in view fr **1** näkyvillä, näkyvissä there were several clouds in view näkyvillä oli useita pilviä **2** esillä, mietittävänä, harkittavana, pohdittavana
in view of fr jotakin silmällä pitäen, jonkin huomioon ottaen, jonkin valossa
invigilate /ɪn'vɪdʒə,leɪt/ v valvoa, pitää silmällä, (UK) valvoa tenttiä
invigilation /ɪn,vɪdʒə'leɪʃən/ s valvonta, silmälläpito, (UK) tentinvalvonta
invigilator /ɪn'vɪdʒə,leɪtər/ s (UK) tentin valvoja
invigorate /ɪn'vɪgə,reɪt/ v virkistää, piristää, vahvistaa
invincible /ɪn'vɪnsəbəl/ adj voittamaton (vaikeus myös:) ylitsepääsemätön
inviolable /ɪn'vaɪələbəl/ adj loukkaamaton, (kuv) pyhä
inviolate /ɪn'vaɪələt/ adj loukkaamaton, koskematon
invisibility /ɪn,vɪzə'bɪləti/ s näkymättömyys
invisible /ɪn'vɪzəbəl/ adj näkymätön
invisibly adj näkymättömästi
invitation /,ɪnvə'teɪʃən/ s kutsu; ehdotus
invite /ɪn'vaɪt/ v kutsua (kylään, tekemään jotakin), tarjota, pyytää to invite criticism suorastaan yllyttää toisia arvosteluun
invite /ɪnvaɪt/ s (ark) (kylään)kutsu
inviting adj houkutteleva

in vitro /ɪn'vitrou/ in vitro, koeputkessa
invocation /,ɪnvə'keɪʃən/ s loitsu, manaus
invoice /ɪnvoɪs/ s lasku
v laskuttaa the company invoiced the client for the order yritys laskutti asiakasta tilauksesta
invoke /ɪn'vouk/ v vedota johonkuhun tai johonkin he invoked the law
involuntary /ɪn'valən,teri/ adj tahaton, vaistomainen (ele), vastentahtoinen (teko) I became an involuntary listener kuulin vahingossa mitä he puhuivat
involve /ɪn'valv/ v **1** sotkea, sekoittaa, ottaa joku mukaan johonkin he became involved in a bribery case hän sekaantui lahjusskandaaliin don't get involved älä puutu juttuun! he is involved with another woman hänellä on suhde erään toisen naisen kanssa **2** kuulua johonkin setting up a company involves a lot of expenses yrityksen perustamiseen liittyy paljon menoja
involved adj **1** mutkikas, monimutkainen **2** sekaantunut johonkin he is involved in a tax scam hän on mukana verohuijauksessa **3** to get involved puuttua, sekaantua johonkin
involvement s osallisuus, osallistuminen, paneutuminen johonkin, yhteydet johonkuhun
invulnerability /ɪn,vʌlnərə'bɪləti/ s haavoittumattomuus, vankkumattomuus
invulnerable /ɪn'vʌlnərəbəl/ adj haavoittumaton, turvallinen, vankkumaton (asema), valloittamaton (linnoitus)
inward /ɪnwərd/ adj sisäinen, sisään päin suuntautuva
adv sisään päin
inwardly adv sisäisesti, sisimmässään
inwards /ɪnwərdz/ adv sisään päin
in with to be in with olla hyvissä väleissä jonkun kanssa
in your own right fr sellaisenaan, sinänsä
in your tracks he stopped in his tracks (ark) hän pysähtyä äkkiä, hän säpsähti/säikähti
I/O input/output otto ja anto, syöttö ja tulostus
Io /aɪou iou/ Io, yksi Jupiterin kuu
IOC International Olympic Committee Kansainvälinen olympiakomitea
iodine /'aɪə,daɪn/ s jodi
IOM interoffice memo
ion /aɪan/ s ioni
ionize /'aɪə,naɪz/ v ionisoida
ionosphere /aɪ'anəs,fɪər/ s ionosfääri
iota /aɪ'outə/ not one iota ei tippaakaan, ei tipan tippaa
IOU /,aɪou'ju/ I owe you velkakirja
I.O.W. Isle of Wight Wightsaari
Iowa /aɪəwə/ Yhdysvaltain keskilännen osavaltioita
IPA International Phonetic Alphabet kansainvälinen tarkekirjoitus
ips inches per second tuumaa sekunnissa
IQ /,aɪ'kju/ intelligence quotient älykkyysosamäärä, ÄO
IRA individual retirement account
I.R.A. Irish Republican Army Irlannin tasavaltalaisarmeija
Iran /ɪ'ræn ɪ'ran/ Iran
Iranian /ə'reɪniən ə'raniən/ s, adj iranilainen
Iraq /ɪ'ræk ɪ'rak/ Irak
Iraqi s, adj irakilainen
irate /aɪ'reɪt/ adj raivostunut, tulistunut
irately adv raivostuneesti, raivoissaan
IRBM intermediate range ballistic missile keskimatkan ballistinen ohjus
IRC International Red Cross Kansainvälinen Punainen Risti
Ire. Ireland
Ireland /aɪərlənd/ Irlanti
iridescent /,ɪrə'desənt/ adj kirjava, monenkirjava
iris /aɪrɪs/ s (silmän) värikalvo, iiris
Irish s, adj irlantilainen
irk /ərk/ v ärsyttää, harmittaa, vaivata
irksome /ərksəm/ adj ärsyttävä, harmittava, harmillinen
iron /aɪərn/ s **1** rauta you'd better strike while the iron is hot sinun kannattaa takoa kun rauta on kuumaa to pump iron nostella puntteja, bodata (ark) **2** silitysrauta **3** (golf) rautamaila

v silittää (vaatteita)
ironclad /'aɪərn,klæd/ adj (kuv) raudanluja, vedenpitävä, aukoton he has an ironclad alibi for the evening of the murder hänellä on murhaillaksi varma alibi
iron curtain s rautaesirippu
ironic /aɪ'ranɪk/ adj ironinen, ivallinen
ironical adj ironinen, ivallinen
ironing board /'aɪərniŋ,bɔrd/ s silityslauta
ironmonger /'aɪərn,mʌŋgər/ s (UK) rautakauppias
ironmongery s (UK) rautakauppa
iron out v **1** silittää (vaatteita, ryppyjä) **2** selvittää, ratkaista (ongelmat)
ironpumper /'aɪərn,pʌmpər/ s (ark) painonnostaja, bodaaja
ironworker s metallityöläinen
ironworks /'aɪərn,wərks/ s (verbi yksikössä tai mon) rautaruukki
irony /aɪərni/ s ironia, (epäsuora) iva
irr. irregular epäsäännöllinen
irrational /ɪ'ræʃənəl/ adj järjenvastainen, järjetön, aiheeton, perusteeton (pelko)
irrationality /ɪ,ræʃə'næləti/ s järjettömyys, aiheettomuus
irrationally adv järjettömästi, aiheettomasti, aiheetta
irreconcilable /ɪ,rekən'saɪləbəl/ adj leppymätön (viha, vihamies), sovittamaton (ristiriita)
irregular /ɪ'regjələr/ adj epäsäännöllinen, epätasainen, epäyhtenäinen, epätavallinen, poikkeuksellinen, erikoinen, sääntöjen vastainen
irregularity /ɪ,regjə'lerəti/ s epäsäännöllisyys, epätasaisuus, epäyhtenäisyys, epätavallisuus, poikkeuksellisuus, erikoisuus, sääntöjen vastaisuus
irregularly adv epäsäännöllisesti, epätasaisesti, epäyhtenäisesti, epätavallisesti, erikoisesti, poikkeuksellisesti, sääntöjen vastaisesti
irrelevance /ɪ'reləvəns/ s epäolennaisuus, mitättömyys, merkityksettömyys
irrelevancy ks irrelevance
irrelevant /ɪ'reləvənt/ adj epäolennainen, asiaan kuulumaton
irreparable /ɪ'repərəbəl/ adj korvaamaton (vahinko)
irreplaceable /,ɪrə'pleɪsəbəl/ adj korvaamattoman arvokas, korvaamaton
irresistible /,ɪrɪ'zɪstəbəl/ adj **1** vastustamaton (houkutus, kiusaus) **2** ihastuttava; herkullinen; houkutteleva
irrespective of /,ɪrə'spektɪv/ adj jostakin huolimatta, johonkin katsomatta
irresponsibility /,ɪrə,spansə'bɪləti/ s vastuuntunnottomuus, anteeksiantamattomuus
irresponsible /,ɪrə'spansɪbəl/ adj vastuuntunnoton (ihminen), anteeksiantamaton (teko)
irreverence s hävyttömyys, kunnioituksen puute
irreverent /ɪ'revərənt/ adj hävytön, epäkunnioittava, epähieno
irrevocable /ɪ'revəkəbəl/ adj peruuttamaton, lopullinen
irrevocably adv peruuttamattomasti, lopullisesti
irrigate /'ɪrə,geɪt/ v kastella (maata)
irrigation /,ɪrə'geɪʃən/ s (maan) kastelu
irritability /,ɪrətə'bɪləti/ s ärtymys, äkäisyys, kärttyisyys
irritable /ɪrətəbəl/ adj ärtyisä, äkäinen, kärttyisä, (lääk) herkästi ärtyvä
irritably adv ärtyneesti, äkäisesti, kärttyisästi
irritant /ɪrətənt/ s **1** harmi, kiusa **2** (lääk) kiihote, kiihotusaine
irritate /'ɪrə,teɪt/ v ärsyttää (myös lääk), harmittaa, kiusata
irritating adj ärsyttävä, harmittava, kiusallinen
irritatingly adv ärsyttävästi, kiusallisesti
IRS Internal Revenue Service
is /ɪz/ ks be
ISBN International Standard Book Number
ISDN integrated-services digital network digitaalinen monipalveluverkko
Islam /ɪzlam/ s **1** islam, muhamettilaisuus **2** muhamettilaiset
Islamic /ɪz'lamɪk/ adj islamilainen, muhamettilainen

island /aılənd/ s saari (myös kuv)
islander s saarelainen, saaren asukas
isle /aıəl/ s (pieni) saari
Isle of Man /ˌaıələv'mæn/ Man(saari)
Isle of Wight /ˌaıələv'waıt/ Wightsaari
Isle Royale /ˌaıəlroı'æəl/ kansallispuisto Michiganissa
islet /aılət/ s (pieni) saari
isn't /ızənt/ is not
ISO International Standards Organization Kansainvälinen standardoimisjärjestö
isobar /'aısəˌbar/ s (ilmatieteessä) isobaari
isolate /'aısəˌleıt/ v eristää he has isolated himself from the world hän on eristäytynyt ulkomaailmasta
isolated adj **1** syrjäinen, eristyksissä elävä/oleva **2** (tapaus, esimerkki) yksittäinen, yksittäis-
isolation /ˌaısə'leıʃən/ s eristäminen, eristäytyminen, eristyneisyys, eristys
isolationism /ˌaısə'leıʃənızəm/ s eristäytymispolitiikka, isolationismi
isolationist s eristäytymispolitiikan kannattaja
isosceles /aı'sasəˌliz/ adj (kolmio) tasakylkinen
Isr. Israel; Israeli
Israel /ızriəl/ Israel
Israeli /ız'reıli/ s, adj israelilainen
ISSN International Standard Serial Number
issue /ıʃu/ s **1** asia, kysymys, kiista, ongelma that is not at/the issue here siitä ei ole kysymys they are at issue over the langauge of the contract he kiistelevät sopimuksen sanamuodosta, he ovat eri mieltä sopimuksen sanamuodosta to take issue olla eri mieltä **2** liikkeellelasku, anti, emissio **3** antaminen, myöntäminen, jakaminen date of issue (esim passin, viisumin) myöntämispäivä **4** (lak) jälkeläiset to die without issue kuolla lapsettomana
v **1** myöntää, antaa (passi, viisumi) the judge issued a search warrant tuomari myönsi etsintäluvan **2** laskea liikkeelle (rahaa, osakkeita), julkaista (kirja, lehti) **3** (savu) tupruta, (neste) vuotaa, tihkua
isthmus /ısməs/ s kannas
Isthmus of Panama /ˌısməsəv'pænəma/ Panaman kannas
It. Italian; Italy
it /ıt/ pron **1** se, sen, sitä where's the book? Jim took it missä kirja on? Jim otti sen he put it there hän pani sen tuonne he did not read it hän ei lukenut sitä **2** muodollisena subjektina it is raining (ulkona) sataa it is nice to see you on hauska tavata sinut **3** korostettaessa it was him who did it hän sen teki **4** ihmisestä who is it? kuka siellä?, kuka soittaa?
ital. italics kursiivi
Italian s italian kieli
s, adj italialainen
italic /ı'tælık/ adj kursiivi-, ks italics
italicize /ı'tæləˌsaız/ v kursivoida
italics s (mon) kursiivi this is in italics tämä on ladottu kursiivilla
Italy /ıtəli/ Italia
itch /ıtʃ/ s **1** kutina **2** kaipaus, kaipuu, halu she has an itch for excitement hän kaipaa elämäänsä vaihtelua
v **1** kutista **2** haluta/kaivata kovasti, ei malttaa odottaa jotakin
itchy adj kutiseva I'm itchy all over minua kutittaa joka paikasta
it'd /ıtəd/ it would, it had
item /aıtəm/ s **1** kohta, merkintä, kappale **2** uutinen: news item
itemization /ˌaıtəmə'zeıʃən/ s erittely, yksityiskohtainen luettelo/selvitys
itemize /'aıtəˌmaız/ v eritellä, luetella/merkitä yksitellen/kukin erikseen
iterate /'ıtəˌreıt/ v toistaa, kerrata
iteration /ˌıtə'reıʃən/ s toisto, kertaus
itinerant /aı'tınərənt/ adj kiertävä
itinerary /aı'tınəˌreri/ s matkasuunnitelma; (matka)reitti
it'll /ıtəl/ it will
it never rains but it pours fr vahinko/hyvä onni ei tule yksin
ITO International Trade Organization Kansainvälinen kauppajärjestö
it's /ıts/ it is, it has
its /ıts/ pron (it-pronominin omistusmuoto) sen, -nsa/-nsä

itself /ɪt'self/ pron **1** (it-pronominen refleksiivimuoto) itse, itseään the door opened itself/by itself ovi avautui itsestään **2** korostuksena: inflation/that in itself is not serious inflaatio/se ei sinänsä ole vakava asia
ITU International Telecommunications Union Kansainvälinen pikatiedotusliitto
ITV Independent Television
IUD intrauterine device (ehkäisyväline) kierukka
IV intravenous suonensisäinen intravenously suonensisäisesti
I've /aɪv/ I have
ivory /aɪvri/ s norsunluu
adj **1** norsunluinen **2** norsunluun värinen
Ivory Coast /ˌaɪvri'koust/ Norsunluurannikko
ivy /aɪvi/ s (kasvi) muratti
Ivy League s Yhysvaltain koillisosan eliittiyliopistot (Harvard, Princeton, Yale ym)
Iwo Jima /ˌiwə'dʒimə/ Iwo Jima

J, j

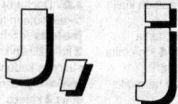

J, j /dʒeɪ/ J, j
jab /dʒæb/ s pisto, sohaisu, tökkäys (kepillä, neulalla)
v pistää, sohaista, tökätä (kepillä, neulalla)
jabber s pölinä; solkkaus
v pölistä, puhua kuin papupata; solkata
jack /dʒæk/ s **1** nosturi (myös auton, ark:) tunkki **2** (korttipelissä) sotilas **3** (sähkölaitteissa) jakki (johon esim korvakuulokkeet liitetään) **4** Jack (ark) kaveri, heppu
v nostaa nosturilla
jackal /dʒækəl/ s sakaali
jackass /dʒækæs/ s **1** aasiori **2** (kuv) aasi, idiootti, pölkkypää
jacket /dʒækət/ s **1** (pikku)takki life jacket pelastusliivit **2** (kirjan) suojapaperi, (äänilevyn) kansi, (kirje)kuori **3** (keitetyn perunan) kuori
jack-in-the-box /'dʒækənðə,baks/ s (rasiasta kantta avattaessa ponnahtava) vieteriukko
jackknife /'dʒæk,naɪf/ s (iso) taskuveitsi, linkkuveitsi
v taittaa/taittua kaksinkerroin
jack-of-all-trades /,dʒækəval'treɪdz/ s (mon jacks-of-all-trades) jokapaikan höylä, tuhattaituri
jack off v (sl) runkata, vetää käteen
jack-o'-lantern /'dʒækə,læntərn/ s kurpitsalyhty (pyhäinmiestenpäivänä (Halloween) käytettävä ontoksi koverrettu kurpitsa jonka kylkeen on veistetty irvokas naama ja jonka sisällä on kynttilä)
jackpot /'dʒæk,pat/ s päävoitto, koko potti to hit the jackpot voittaa päävoitto; onnistua jossakin, menestyä loistavasti
Jacksonville /'dʒæksən,vɪl/ kaupunki Floridassa
jack up v **1** nostaa nosturilla **2** korottaa, lisätä (hintoja) **3** rohkaista, kannustaa jotakuta
jade /dʒeɪd/ s **1** jade, eräs korumineraali **2** (hevonen) kaakki, luuska
jaded /dʒeɪdəd/ adj **1** kyltynyt, sammunut **2** loppuunkulunut, loppuunväsynyt
jagged /dʒægəd/ adj rosoinen, lovettu, pyälletty
jaguar /dʒægwar/ s jaguaari
jail /dʒeɪəl/ s putka; vankila
v panna putkaan; vangita
jailbird /'dʒeɪəl,bərd/ s vanki
jailbreak /'dʒeɪəl,breɪk/ s pako (vankilasta)
jailer s vanginvartija; vankilanjohtaja
jailhouse /'dʒeɪəl,haʊs/ s vankila
jam /dʒæm/ s **1** marmeladi, hillo **2** ruuhka, tungos traffic jam liikenneruuhka **3** (ark) tukala tilanne she's in a jam hän on pinteessä/pulassa
v jammed, jammed **1** sulloa, ahtaa, tunkea jotakin jonnekin **2** tukkia (liikenne ym) the streets were jammed with traffic kadut olivat aivan tukossa **3** juuttua kiinni his gun jammed hänen aseensa ei lauennut **4** I jammed my hand in the door käteni jäi oven väliin
Jamaica /dʒə'meɪkə/ Jamaika
Jamaican s, adj jamaikalainen
James /dʒeɪmz/ (kuninkaan nimenä) Jaakko
Jan. January tammikuu
jangle /dʒæŋgəl/ s (metallin) kilinä, kolina
v **1** (metalliesineistä) kilistä, kilistää, kolista, kolistella **2** raastaa (hermoja), käydä hermoille
janitor /dʒænətər/ s talonmies
January /'dʒænjə,weri/ s tammikuu
Japan /dʒə'pæn/ Japani

Japanese /ˌdʒæpəˈniz/ s japanin kieli s, adj japanilainen
jar /dʒar/ s **1** ruukku, purkki, astia **2** tärähdys, tärinä **3** järkytys **4** kina, riita **5** kolina, rätinä, raastava ääni
v **1** raastaa (hermoja), käydä hermoille **2** täristä **3** kolista, rätistä
jargon /dʒargən/ s ammattisanasto, ammattikieli
jarring adj (hermoja, korvia) raastava, räikeä (väri)
jaundice /dʒandəs/ s keltatauti
jaundiced adj **1** keltatautinen **2** (kuv) kateellinen, katkeroitunut, kyyninen
jaunt /dʒant/ s (lyhyt huvi)matka, pyrähdys
v lähteä käymään jossakin, käväistä, pyrähtää
jauntily adv hilpeästi, iloisesti, reippaasti
jaunty adj **1** (ihminen) hilpeä, iloinen, reipas **2** (vaatteet, hattu) tyylikäs, muodikas; rempseä
Java /dʒavə/ Jaava
Javan rhinoceros /ˌdʒavənraɪˈnasərəs/ s jaavansarvikuono
javelin /dʒævlən/ s **1** keihäs **2** keihäänheitto
javelin throw s (urh) keihäänheitto
jaw /dʒa/ s **1** leuka, leukaluu **2** (mon) kita (myös kuv), suu (myös kuv) he was saved from the jaws of death hän pelastui kuoleman kidasta/kynsistä
jawbone /ˈdʒaˌboun/ s leukaluu
jawbreaker /ˈdʒaˌbreɪkər/ s sanahirviö
jay /dʒeɪ/ s närhi
jaybird /ˈdʒeɪˌbərd/ s närhi
jaywalker /ˈdʒeɪˌwakər/ s jalankulkija joka esim kävelee punaista valoa päin
jazz /dʒæz/ s jazz, jatsi
jazz band s jazzorkesteri, jatsiorkesteri
jazz up v piristää jotakin, tuoda eloa johonkin, panna vauhtia johonkin
jazzy adj **1** jatsahtava, jazzia/jatsia muistuttava **2** (ark) eloisa, vilkas, pirteä **3** (ark) korea, värikäs, räikeä
JCS Joint Chiefs of Staff
J.D. Doctor of Jurisprudence/Law oikeustieteen tohtori
jealous /dʒeləs/ adj **1** mustasukkainen **2** kateellinen I'm jealous of your success kadehdin menestystäsi
jealousy /dʒeləsi/ s **1** mustasukkaisuus **2** kateus
jeans /dʒinz/ s (mon) farkut
Jeep® /dʒip/ s (tavaramerkki, kirjoitetaan kuitenkin usein jeep) jeeppi
jeer /dʒɪər/ s pilkka, iva, pilkkahuuto
v pitää pilkkanaan, tehdä pilaa jostakusta/jostakin
Jell-O® /dʒelou/ s (makea) hyytelö
jelly /dʒeli/ s **1** marmeladi, hillo **2** (UK) hyytelö
Jentink's duiker /ˌdʒentiŋksˈdaɪkər/ s jentinkinsukeltaja-antilooppi
jeopardize /ˈdʒepərˌdaɪz/ v vaarantaa, panna vaaralle alttiiksi, riskeerata
jeopardy /dʒepərdi/ s vaara
Jericho /dʒerɪkou/ Jeriko
jerk /dʒərk/ s **1** riuhtaisu, nykäisy, kiskaisu **2** (sl) idiootti, tonttu; paskiainen
v riuhtaista, nykäistä, kiskaista
jerk off v (sl) runkata, vetää käteen
jerky /dʒərki/ s kuivattu liha beef jerky kuivaliha(patukka)
adj **1** nykivä, pätkivä, katkonainen **2** (sl) idioottimainen, älytön, typerä
jersey /dʒərzi/ s neulepaita, villapaita
Jerusalem /dʒəˈrusələm/ Jerusalem
jest /dʒest/ s leikinlasku, leikki I just said it in jest minä sanoin sen leikilläni, en minä sillä mitään tarkoittanut
v laskea leikkiä, vitsailla
jester s (hist) narri (myös kuv:) leikinlaskija, vitsailija
jet /dʒet/ s **1** suihke, suihku **2** suutin **3** suihkumoottori **4** suihkukone
v **1** suihkuttaa, ruiskuttaa **2** lentää/lennättää (suihkukoneella)
jet engine s suihkumoottori
jet lag s aikaerovásymys
jet plane s suihku(lento)kone
jet set s jet set, suihkuseurapiirit
jettison /dʒetəsən/ v **1** heittää yli laidan, heittää lentokoneesta **2** (kuv) hylätä, luopua jostakin, heittää menemään

jetty /dʒeti/ s aallonmurtaja; laituri
Jew /dʒu/ s juutalainen
jewel /dʒuəl/ s **1** jalokivi **2** (kuv) aarre
jeweler /dʒulər/ s jalokivikauppias, kultaseppä
jewelry /dʒulri/ s korut
Jewish /dʒuɪʃ/ adj juutalainen
jiffy /dʒɪfi/ in a jiffy hetkessä, tuossa tuokiossa
jig /dʒɪg/ v **1** tanssia **2** heiluttaa ylösalas/edestakaisin
jigsaw /'dʒɪg,sa/ s lehtisaha
jigsaw puzzle s palapeli
jilt /dʒɪlt/ v antaa rukkaset (rakastetulle), hylätä
Jim Crow /,dʒɪm'kroʊ/ s **1** rotusyrjintä, rotuerottelu **2** (halventavasti:) musta
jingle /dʒɪŋgəl/ s **1** (metalliesineiden) kilinä, helinä **2** mainosmelodia
v (metalliesineistä) kilistä, kilistää, helistä, helistää
jingo /dʒɪŋgoʊ/ s kansalliskiihkoilija, kiihkoisänmaallinen
jingoism /'dʒɪŋgoʊ,ɪzəm/ s kansalliskiihkoilu
jinx /dʒɪŋks/ s huono onni
v pilata, tehdä tyhjäksi
job /dʒab/ s **1** työ, tehtävä, homma; velvollisuus it's your job to clean the rooms sinun kuuluu siivota huoneet I'm proud of you, you did a good job olen ylpeä sinusta, hoidit asian hienosti, teit työsi hyvin **2** työpaikka, työ he lost his job last week hänet erotettiin viime viikolla
job-hunt v etsiä työtä/työpaikkaa
job-hunter s työnhakija
jobless /dʒabləs/ adj työtön the jobless työttömät
joblessness s työttömyys
job market s työvoimamarkkinat
jockey /dʒaki/ s **1** jockey, ammattikilparatsastaja disc jockey deejii, tiskijukka **2** (ark) kuljettaja, kuski
v **1** ratsastaa (kilpahevosella) **2** (ark) ohjata, kuskata **3** hivuttaa, hivuttautua, saada jokin mahtumaan jonnekin he jockeyed himself into high office hän keplotteli itsensä korkeaan virkaan to jockey someone into doing something houkutella/huijata joku johonkin/tekemään jotakin
jog /dʒag/ s **1** töntö, tönäisy; kiskaisu, nykäisy **2** hölkkä
v **1** työntää, tönäistä; kiskaista, nykäistä **2** hölkätä, juosta, käydä lenkillä
joggle /dʒagəl/ v liikuttaa/vääntää (pienin liikkein) edestakaisin, heiluttaa (hieman)
jog/shuttle dial /,dʒag'ʃʌtəl,daɪəl/ s hakukiekko (esim kuvanauhurissa)
Johannesburg /dʒoʊ'hænəs,bərg/ Johannesburg
Johnny Plank /,dʒani'plæŋk/ (Peter Panissa) Lauri Laukku
join /dʒoɪn/ v liittää, liittyä, yhdistää, yhdistyä he joined the army hän meni armeijaan/armeijan palvelukseen go ahead, I'll join you later mene sinä edeltä, minä tulen myöhemmin perässä we all join in wishing you a pleasant trip me kaikki toivotamme sinulle hyvää matkaa
joiner s puuseppä, kirvesmies
joinery /dʒoɪnəri/ s puusepäntyöt, puutyöt
join forces with fr lyöttäytyä yhteen jonkun kanssa, ruveta yhteistyöhön jonkun kanssa
joint /dʒoɪnt/ s **1** nivel to be out of joint olla (pois) sijoiltaan; sopimaton **2** liitos, (putki)yhde **3** (sl) marihuanasavuke **4** (sl) kapakka, murju it's a classy joint se on tosi upea paikka
adj yhteinen, yhteis-, yhteisvoimin tapahtuva joint venture yhteisyritys, yhteishanke
jointly adv yhdessä, yhteisvoimin
joist /dʒoɪst/ s kannatinparru, kannatinpalkki, kannatin
joke /dʒoʊk/ s **1** vitsi, pila **2** jokin joka on mitätön his new invention is a joke hänen uusi keksintönsä on yhtä tyhjän kanssa
v vitsailla, pilailla
joker s **1** vitsailija, vitsien kertoja **2** (pelikortti) jokeri
jokingly adj pilan päiten, vitsaillen
jolly /dʒali/ adj iloinen, onnellinen, hyväntuulinen

adv (UK) oikein, aika, melkoisen that's jolly good hienoa
Jolly Roger s merirosvolippu
jolt /dʒolt/ s **1** nykäisy, töytäisy, tönäisy **2** (kuv) järkytys
v **1** heitellä, ravistella, nykäistä, riuhtaista **2** (kuv) järkyttää
Jordan /dʒɔrdən/ (joki) Jordan, (valtio) Jordania
Jordanian /dʒɔr'deɪniən/ s, adj jordanialainen
jostle /dʒasəl/ s tungos, ruuhka, ryysis (ark)
v tungeksia, tunkeutua, töniä, työntää
jot down /dʒat/ v kirjoittaa muistiin
journal /dʒərnəl/ s **1** päiväkirja **2** sanomalehti **3** (ammatti)lehti
journalese /ˌdʒərnə'liz/ s (kielteisesti:) sanomalehtikieli
journalism /dʒərnəlɪzəm/ s journalismi, lehtityö
journalist /dʒərnəlɪst/ s toimittaja, lehtimies, lehtinainen, journalisti
journalistic /ˌdʒərnə'lɪstɪk/ adj journalistinen, lehtityön, lehtityö-
journey /dʒərni/ s matka
v matkustaa, matkata
jovial /dʒoʊviəl/ adj hyväntuulinen, leppoisa, joviaali
joviality /ˌdʒoʊvi'æləti/ s hyväntuulisuus, leppoisuus, joviaalisuus
jowl /dʒaʊl/ s **1** alaleuka **2** poski **3** kaksoisleuka
joy /dʒɔɪ/ s ilo
joyful adj iloinen
joyfully adv iloisesti
joyless adj iloton, surullinen, apea, synkkä
joylessly adv ilottomasti, surullisesti, apeasti, synkästi
joyous /dʒɔɪəs/ adj iloinen
joyously adv iloisesti
joyride /'dʒɔɪˌraɪd/ s **1** huviajelu (vars varastetulla autolla) **2** hetken hurma
joystick /'dʒɔɪˌstɪk/ s **1** (ark) lentokoneen ohjaussauva **2** (tietok) peliohjain, joystick
Ju. June kesäkuu
jubilant /dʒubələnt/ adj ikionnellinen, riemukas
jubilation /ˌdʒubə'leɪʃən/ s juhla, juhlinta
jubilee /ˌdʒubə'li/ s **1** (vuosi)juhla, vuosipäivä silver jubilee hopeahääpäivä, 25-vuotisjuhla golden jubilee kultahääpäivä, 50-vuotisjuhla diamond jubilee timanttihääpäivä, 60/70-vuotisjuhla **2** 50-vuotisjuhla, 50-vuotispäivä
Judaea /ˌdʒu'deɪə/ Juudea
judge /dʒʌdʒ/ s **1** tuomari (oikeudessa, kilpailussa) **2** tuntija he is not a good judge of character hän on huono ihmistuntija
v **1** tuomita the defendant was judged guilty syytetty todettiin syylliseksi, syytetty tuomittiin **2** päätellä, olettaa, arvioida, otaksua judging from his clothes, he must be rich hän on vaatteista päätellen rikas
judgment /dʒʌdʒmənt/ s **1** tuomio, tuomitseminen **2** arvostelukyky your decision shows poor judgment päätöksesi on merkki arvostelukyvyn puutteesta an error of judgment arviointivirhe, virhearviointi **3** mielipide, näkemys, katsomus
judgmental /dʒʌdʒ'mentəl/ adj tuomitseva, syyttävä
Judgment Day s tuomiopäivä
judicial /dʒu'dɪʃəl/ adj oikeudellinen, oikeus-
judicial separation s (lak) asumusero
judiciary /dʒu'dɪʃieri/ s **1** (valtionhallinnossa) tuomiovalta **2** oikeuslaitos **3** tuomarit, tuomaristo
judicious /dʒu'dɪʃəs/ adj harkittu, viisas, varovainen, avarakatseinen
judiciously adv ks judicious
judo /dʒudoʊ/ s judo
judoka /'dʒudoʊˌka ˌdʒudoʊ'ka/ s judoka
jug /dʒʌg/ s **1** kannu, astia, ruukku **2** (mon, sl) rinnat, melonit
juggernaut /'dʒʌgərˌnat/ s tuho, hävitys the juggernaut of war sodan Moolokin kita
juggle /dʒʌgəl/ v **1** temppuilla (palloilla) **2** huijata, juonitella, parannella (luvattomasti esim tilejä)

juggler /dʒʌglər/ s jonglööri, temppuilija
juice /dʒus/ s **1** mehu (myös kuv) **2** (sl) sähkö; bensa
juiciness s mehukkuus, mehevyys (myös kuv)
juicy /dʒusi/ adj mehukas, mehevä (myös kuv)
jukebox /'dʒuk,baks/ s levyautomaatti
Jul. July heinäkuu
July /dʒə'laɪ/ s heinäkuu
jumbo /dʒʌmboʊ/ s **1** mammutti (kuv) **2** (laajarunkolentokone, erityisesti Boeing 747) jumbo jet
adj mammuttimainen, valtava, suurikokoinen
jumbo jet s (laajarunkolentokone, erityisesti Boeing 747) jumbo jet
jump /dʒʌmp/ s **1** hyppy **2** (hintojen, lämpötilan) äkillinen) nousu **3** säpsähdys, säikähdys you gave me a jump when you entered the room without knocking säikähdin kun tulit sisään koputtamatta
v **1** hypätä, ponnahtaa **2** (hinta, lämpötila) nousta äkkiä **3** säpsähtää, säikähtää
jump all over someone fr antaa jonkun kuulla kunniansa, haukkua joku pystyyn
jump at v tarttua innokkaasti tilaisuuteen
jump bail fr jättää saapumatta oikeuteen (ja menettää takausmaksu (bail))
jump cut s (video- ja elokuvauksessa) hyppyleikkaus
jump down someone's throat fr (ark) ruveta haukkumaan jotakuta
jumper s **1** hyppääjä **2** (naisten hihaton) puku, liivihame **3** (UK) neulepusero **4** (sähkölaitteissa) hyppylanka, hyppyliitin
jump into something with both feet fr syöksyä/ryhtyä johonkin suin päin, hätiköidä
jump on v moittia, haukkua
jump-start s auton käynnistys kaapelilla
v käynnistää auto kaapelilla
jump the gun fr ottaa varaslähtö
jumpy adj **1** säikky, hermostunut, levoton **2** nykivä, pätkivä, katkonainen
jun. junior nuorempi
Jun. June kesäkuu
junction /dʒʌŋkʃən/ s **1** (rautatie-, maantie)risteys **2** liitin, liitos
juncture /dʒʌnkʃər/ **1** vaihe at this juncture nyt, tässä vaiheessa, tässä tilanteessa **2** ratkaisuvaihe
June /dʒun/ s kesäkuu
jungle /dʒʌŋgəl/ s viidakko it's a jungle out there (kuv) ulkomaailma on täysi hullunmylly
junior /dʒunjər/ s **1** nuorempi henkilö **2** alempiarvoinen työntekijä ym. **3** viimeistä edellisen luokan/vuoden opiskelija
adj **1** nuorempi William Bates, Jr. William Bates nuorempi, William Bates Jr. **2** (kuv) nuorempi, alempiarvoinen he is a junior assistant hän nuorempi avustaja **3** viimeistä edellisen opintovuoden
junior college s college jossa annetaan vain yhden tai kahden vuoden mittaista opetusta
junior high school s (vastaa Suomessa) peruskoulun yläaste(tta)
junk /dʒʌnk/ s **1** roina, romu, roska **2** džonkki
junk food s kioskiruoka, roskaruoka
junkie /dʒʌnki/ s (ark) narkomaani she is a coffee junkie hän on kahvinarkomaani, hän on tullut riippuvaiseksi kahvista
junta /huntə/ s juntta
Jupiter /dʒupətər/ Jupiter
jurisdiction /,dʒərəz'dɪkʃən/ s **1** tuomiovalta **2** määräysvalta, valta I am sorry but that is not your jurisdiction olen pahoillani mutta se ei ole sinun vallassasi
jurisprudence /,dʒərəs'prudəns/ s **1** oikeustiede **2** laki, lait
jurist /dʒərɪst/ s lakimies, lainoppinut, juristi
Jur.M. Master of Jurisprudence oikeustieteen kandidaatti
juror /dʒərər/ s valamies

jury /dʒəri/ s **1** (lak) valamiehistö **2** arvostelulautakunta, (kilpailun) tuomaristo, jury
just /dʒʌst/ adj oikeudenmukainen, (rangaistus myös:) ansaittu
adv **1** juuri (äsken, nyt) I was just going to call you aioin juuri soittaa sinulle
2 juuri, nimenomaan that is just what he meant juuri sitä hän tarkoitti **3** juuri (ja juuri), nipin napin, niukasti you just missed the bus bussi ehti juuri lähteä
4 pelkästään, pelkkä, vain, ainoastaan he is just an ordinary guy hän on ihan tavallinen ihminen **5** kerrassaan that record is just fantastic tuo levy on kerta kaikkiaan loistava
justice /dʒʌstəs/ s **1** oikeudenmukaisuus **2** oikeus, laki **3** oikeutus, peruste you complained with justice valituksesi oli oikeutettu **4** tuomari
justice of the peace s rauhantuomari
justifiable /ˈdʒʌstəˌfaɪəbəl/ adj oikeutettu
justifiably adv oikeutetusti
justification /ˌdʒʌstəfɪˈkeɪʃən/ s **1** peruste, perustelu, oikeutus, puolustus **2** (tekstin asettelussa vasen/oikea) suora
justify /ˈdʒʌstəˌfaɪ/ v **1** puolustautua, perustella tekonsa **2** tehdä oikeutetuksi your behavior was not justified käytöksesi ei ollut oikeutettua **3** suoristaa (teksti)
jute /dʒut/ s juutti
jut out /dʒʌt/ v työntyä jonnekin, pistää esiin
juvenile /ˈdʒuvəˌnaɪəl/ s nuori, nuorukainen
adj nuorten, nuoriso-, nuoruusiän juvenile books nuortenkirjat
juvenile delinquency /dəˈlɪŋkwənsi/ s nuorisorikollisuus
juvenile delinquent /dəˈlɪŋkwənt/ s nuorisorikollinen
juvenile-onset diabetes s nuoruusiän diabetes
juxtapose /ˌdʒʌkstəˈpouz/ v rinnastaa, asettaa rinnakkain
juxtaposition /ˌdʒʌkstəpəˈzɪʃən/ s rinnastus

K, k

K, k /keɪ/ K, k
kabob /kə'bab/ s (ruoka) kebab
kaleidoscope /kə'laɪdə,skoʊp/ s kaleidoskooppi
kaleidoscopic /kə,laɪdə'skapɪk/ adj monenkirjava, sekalainen, värikäs
Kampuchea /,kampʊ'tʃeɪə/ (vanh) Kamputsea
Kampuchean s, adj (vanh) kamputsealainen
Kan. Kansas
kangaroo /,kæŋgə'ru/ s kenguru
Kans. Kansas
Kansas /kænzəs/ Yhdysvaltain keskilännen osavaltioita
Kansas City /,kænzəs'sɪti/ kaupunki Missourin osavaltiossa
karaoke /,kara'oʊkeɪ, ,kerɪ'oʊki/ s karaoke
karat /kerət/ s karaatti
karate /kə'rati/ s karate
karateka /kə'rate,ka/ s karateka
Karelia /kə'reɪliə/ Karjala
Karelian Isthmus /kə,reɪlɪən'ɪsməs/ Karjalan kannas
karma /karmə/ s karma, kohtalo
kayak /kaɪæk/ s kajakki whitewater kayak koskikajakki, puljauskajakki v meloa/kulkea kajakilla
Kazakhstan /,kazak'stan/ Kazakstan
KB kilobyte kilotavu
K.C. Kansas City
kebab /kə'bab/ s (ruoka) kebab
keel /kiəl/ s emäpuu, köli to be on an even keel (kuv) olla tasapainossa
keel over v **1** (laiva) kaatua **2** (ihminen) kellahtaa kumoon, pyörtyä
keen /kin/ adj **1** innokas, halukas **2** tarkka, terävä (äly, aisti), voimakas (kipu, halu), suuri (nautinto)
keenly adv **1** innokkaasti, halukkaasti **2** voimakkaasti, syvästi
keenness s into, innokkuus, halu, halukkuus
keep /kip/ s **1** elanto, elatus **2** to play for keeps pelata/olla tosissaan
v kept, kept **1** pitää where do you keep the keys? missä pidät/säilytät avaimia? we don't keep that model in stock me emme pidä sitä mallia varastossa, meillä ei ole sitä mallia varastossa keep the change pitäkää vaihtorahat keep the engine running anna moottorin käydä, pidä moottori käynnissä she keeps her apartment clean hän pitää asuntonsa siistinä to keep a promise pitää lupauksensa **2** pidätellä, viivytellä I'm sorry, I'm keeping you anteeksi, nyt minä pidättelen sinua suotta what's keeping you from joining the army? mikä sinua muka estää menemästä armeijaan? **3** pysyä/pysytellä jossakin/jonkinlaisena, seurata (tietä) slower traffic keep right (liikennemerkkinä) hitaiden ajoneuvojen tulee käyttää oikeaa kaistaa to keep calm pysyä rauhallisena, säilyttää malttinsa try to keep away from sugary foods yritä olla syömättä sokerisia ruokia **4** jatkaa to keep doing something; to keep on doing something jatkaa jonkin tekemistä **5** (ruoka) säilyä **6** voida, jaksaa **7** that will keep se saa odottaa, se voi jäädä myöhemmäksi
keep an eye on fr pitää silmällä jotakuta/jotakin, seurata
keep at v jatkaa sinnikkäästi, ei antaa periksi
keep back v **1** pitää/pysyä loitolla jostakin **2** salata, ei paljastaa, pitää omana tietonaan
keep books fr pitää kirjaa (yrityksen menoista)

keep down v **1** puhua hiljaa **2** pitää (hinnat) alhaisina
keeper s **1** vartija I am not my brother's keeper en ole veljeni vartija **2** valvoja, huoltaja
keeping s **1** hoiva, huosta **2** (määräyksen) noudattaminen **3** in keeping with something jonkin mukaisesti/mukainen
keep on v jatkaa just keep on reading jatka lukemista, lue eteenpäin
keepsake /ˈkipˌseɪk/ s muistoesine; matkamuisto
keep step fr pysyä (samassa) tahdissa (myös kuv:) pysyä (esim ajan, tilanteen) tasalla
keep the wolf from the door he's just trying to keep the wolf from the door hän yrittää vain ansaita jotakin hengenpitimiksi, hän ei halua joutua puille paljaille
keep time fr ottaa aikaa
keep to yourself v **1** pysytellä omissa oloissaan **2** pitää omana tietonaan, salata
keep track of fr seurata jotakin, pitää silmällä jotakin, pysytellä ajan tasalla
keep under wraps fr (ark) pitää salassa/salata
keep up v **1** pysyä vauhdissa/menossa ym mukana **2** pitää hyvässä kunnossa, pitää hyvää huolta jostakin
keep up the good work! fr jatka(kaa) samaan malliin!
keep up with v pysytellä ajan/tapahtumien tasalla
keep up with the Joneses fr pärjätä (ark) elintasokilpailussa
keep your head above water some of us have trouble keeping our heads above water toisilla meistä on vaikeuksia saada rahat riittämään/tulla toimeen
keep your place fr tietää (oikea) paikkansa, olla ihmisiksi, käyttäytyä asemansa mukaisesti
keep your shirt on fr (ark) hillitä itsensä, ei hermostua, ei pillastua
keep your wits about you fr pysyä valppaana/terävänä
keep your word fr pitää lupauksensa/sanansa
keg /keɪg/ s pieni tynnyri
Kelvin /ˈkelvən/ adj Kelvinin lämpötila-asteikkoon kuuluva, sen mukainen 300 degrees Kelvin 300 K, 300 kelviniä
kennel /kenəl/ s **1** koirankoppi **2** (yl mon) koiratarha
v panna/viedä koiratarhaan we kenneled our dog when we went on vacation veimme koiramme loman ajaksi tarhaan
Kent /kent/ Englannin kreivikuntia
Kentucky /kənˈtʌki/
Kenya /kenjə kinjə/ Kenia
Kenyan s, adj kenialainen
kept /kept/ ks keep
kernel /kɜrnəl/ s (esim pähkinän) ydin (myös kuv)
ketchup /ketʃəp/ s ketsuppi
kettle /ketəl/ s kattila, pata
kettledrum /ˈketəlˌdrʌm/ s patarumpu
kettle of fish you've gotten yourself into a fine kettle of fish johan sinä olet kauniin sopan keittänyt!
key /ki/ s **1** avain (myös kuv:) ratkaisu, vastaus hard work is the key to his success ahkeruus on hänen menestyksensä salaisuus **2** (mus) sävellaji songs in the key of life lauluja elämän sävellajissa **3** (kirjoituskoneen) näppäin, (pianon) kosketin **4** matala saari, riutta, luoto Florida Keys
adj avain-, keskeinen-
keyboard /ˈkiˌbɔrd/ s **1** (soittimen) koskettimisto, sormio **2** kosketinsoitin **3** (kirjoitus/tietokoneen) näppäimistö
key card s avainkortti (jolla avataan lukko)
keyed up over adj (olla) hermostunut jostakin, jännittää jotakin
keyhole /ˈkiˌhoəl/ s avaimenreikä
keynote /ˈkiˌnoʊt/ s perussävel (myös kuv:) perustunnelma, perussävy, johtoajatus
keynote address s pääesitelmä, juhlaesitelmä/puhe
keystone /ˈkiˌstoʊn/ s peruskivi (myös kuv)

Key West /ki'west/ s saari ja kaupunki Floridan eteläkärjessä
keyword /'ki,wərd/ s avainsana
khaki /kæki/ s **1** khaki(kangas) **2** khakivaate (esim sotilasunivormu) **3** kellertävänruskea väri
adj **1** khaki(kangas)- **2** kellertävänruskea
kHz kilohertz kilohertsi
kick /kɪk/ s potku (myös kuv:) voima, yty
v **1** potkaista, potkia **2** (sl) lopettaa huumeen käyttö, päästä eroon huumeesta Tom kicked the habit Tom pääsi eroon huumeesta
kick about v kuljeksia siellä täällä
kick against the pricks fr kapinoida turhaan, lyödä päätään seinään
kick around v **1** kohdella jotakuta tylysti/kaltoin **2** pohtia, miettiä **3** lorvailla, maleksia, hortoilla
kick ass v (sl) **1** ei kaihtaa keinoja, ryhtyä koviin otteisiin **2** (voittaa) löylyttää, piestä
kickback s (lahjus)provisio
kick butt and take names fr (ark) antaa toisten kuulla kunniansa
kick in v **1** pulittaa/maksaa osansa **2** ruveta toimimaan
kick in the teeth fr takaisku
kickoff s **1** (urh) alkupotku **2** (kuv) alku, käynnistys
kick on v käynnistää
kick out v **1** potkia joku pellolle, antaa jollekulle kenkää **2** sammua, lakata toimimasta
kick the bucket fr potkaista tyhjää, heittää henkensä/veivinsä
kick up v aloittaa, panna alulle, saada aikaan
kick up a fuss fr nostaa häly/äläkkä
kid /kɪd/ s **1** kili **2** vuohennahka **3** (ark) lapsi, pentu when we were kids meidän lapsuudessamme, kun me olimme pieniä **4** (ark) kaveri, heppu he's a nice kid hän on ihan mukava kaveri
v narrata who do you think you are kidding? ketä sinä oikein luulet narraavasi?, mitä ihmettä sinä oikein puhut?
kid brother s pikkuveli
kid gloves to handle someone with kid gloves varoa loukkaamasta jotakuta, olla hellä jotakuta kohtaan
kidnap /kɪdnæp/ v siepata, ryöstää (ihminen), kidnapata
kidnaper s sieppaaja, ihmisryöstäjä, kidnappaaja
kidnapper ks kidnaper
kidnapping s sieppaus, ihmisryöstö, kidnappaus
kidney /kɪdni/ s munuainen, munuaiset
kidney stone s munuaiskivi
kid stuff that's kid stuff **1** se on tarkoitettu lapsille **2** se on lasten leikkiä, se on helppo nakki
kielbasa /kɪəl'basə/ s (voimakkaasti maustettu) puolalaismakkara
Kiev /kɪ'ev/ Kiova
kill /kɪl/ s tappo he wanted to be in on the kill (kuv) hän halusi olla paikalla ratkaisevalla hetkellä/H-hetkellä
v **1** tappaa (myös kuv:) tehdä loppu jostakin she was killed in a car accident hän sai surmansa autokolarissa to kill two birds with one stone tappaa kaksi kärpästä yhdellä iskulla the new taxes killed all stock speculation uudet verot saivat osakekeinottelun loppumaan the suspense is killing me minä olen pakahtua jännityksestä **2** kaataa the director killed the proposal johtaja kaatoi esityksen the editor killed the story päätoimittaja päätti olla julkaisematta juttua **3** sammuttaa he killed the headlights hän sammutti auton valot
killer s **1** tappaja, murhaaja **2** (sl) Springsteen's new record is a killer Springsteenin uusi levy on rautaa
killer bee s tappajamehiläinen
killer cell s tappajasolu
killer whale s miekkavalas, tappajavalas
killing s **1** tappaminen **2** (metsästys)saalis **3** he made a killing in the stock market hän pisti (hetkessä) rahoiksi osakekaupoilla
kill-joy /'kɪl,dʒɔɪ/ s ilonpilaaja
kill off v tappaa kaikki, tappaa sukupuuttoon

kill time fr tappaa/kuluttaa aikaa
kiln /kıl/ s polttouuni
kilo /kıloʊ/ s kilo
kilobyte /'kılə,baıt/ s kilotavu
kilogram /'kılə,græm/ s kilogramma
kilometer /kə'lamətər/ s kilometri
kilowatt /'kılə,wat/ s kilowatti
kilowatt-hour s kilowattitunti
kilt /kıəlt/ s kiltti, skottilaishame
kimono /kə'moʊnoʊ/ s (mon kimonos) kimono
kin /kın/ s perhe, suku, sukulaiset, omaiset next of kin lähin omainen, lähiomainen, lähiomaiset
kind /kaınd/ s laji, laatu, luokka, tyyppi there are two kinds of people ihmisiä on kahdenlaisia this fabric is the same kind as the other tämä kangas on samanlaista kuin tuo toinen these two pens are of a kind nämä kynät ovat samanlaiset **2** a kind of eräänlainen: they came in a kind of station wagon he tulivat jonkinlaisella farmariautolla it's kind of hard to describe what it was like on vaikea sanoa tarkkaan millainen se oli it was kind of strange to go back to my childhood home oli tavallaan outoa palata lapsuudenkotiini **3** to pay in kind maksaa luonnontuotteina; (kuv) maksaa/antaa takaisin samalla mitalla
adj hyväntahtoinen, hyvä, ystävällinen, lempeä, mukava it was very kind of you to come oli oikein mukavaa kun tulit
kindergarten /'kındər,gartən/ s lastentarha
kindergartner s **1** lastentarhassa käyvä lapsi **2** lastentarhanopettaja
kindle /kındəl/ v sytyttää, syttyä (myös kuv), palaa
kindly /kaındli/ adj hyväntahtoinen, ystävällinen, ystävällinen, lempeä, mukava
adv hyväntahtoisesti, ystävällisesti, lempeästi kindly refrain from smoking while you're in my office ole hyvä äläkä tupakoi minun työhuoneessani he did not take kindly to my suggestion hän suhtautui ehdotukseeni nuivasti
kindness s **1** ystävällisyys, hyväntahtoisuus, hyvyys, lempeys she said it out of kindness hän sanoi sen hyvän hyvyyttään **2** armelias teko
kindred /kındrəd/ s sukulaiset, suku, omaiset
adj sukulais- we are kindred souls olemme sukulaissieluja
kinesis /kə'nisıs/ s (fysiologiassa) kineesi
kinesthesia /'kınəs,θiʒə/ s kinestesia, lihasaisti, liikunta-aisti
kinetic /kə'netık/ adj kineettinen, liike-
king /kiŋ/ s kuningas (myös šakissa ja kuv)
kingdom /kiŋdəm/ s **1** kuningaskunta **2** animal kingdom eläinkunta vegetable kingdom kasvikunta
kingdom come s **1** tuonpuoleinen, tuleva elämä **2** till kingdom come (ark) hamaan tulevaisuuteen, ties kuinka pitkään/kauan
Kings Canyon /,kiŋz'kænjən/ kansallispuisto Kaliforniassa
king's English s (erityisesti britti)englannin kirjakieli
king-size adj **1** isokokoinen, suuri, suur-, jättiläis- **2** (vuodekoko) 193–198 cm x 203–213 cm **3** (savuke) erikoispitkä, king size
kinky /kiŋki/ adj **1** (tukka) kähärä, käkkärä **2** (ihmisestä: sukupuolisesti) poikkeava, outo
kiosk /kıask/ s **1** kioski, myyntikoju **2** mainospylväs **3** (UK) puhelinkioski
kiss /kıs/ s suudelma (myös kuv), suukko
v suudella
kiss ass v (sl) hännystellä, mielistellä
kiss of death s (kuv) kuolinisku
kiss off v (sl) **1** ei välittää jostakin, viitata kintaalla jollekin **2** luopua jostakin
kit /kıt/ s **1** varusteet, välineet, tarpeet **2** sarja, välineistö, välineet **3** rakennussarja
kit and caboodle /,kıtənkə'budəl/ the whole kit and caboodle kimpsut ja kampsut, koko konkkaronkka
kitchen /kıtʃən/ s keittiö (myös ruuanlaitto, ruoka:) Finnish kitchen suomalainen keittiö

kitchenette /ˌkɪtʃən'et/ s keittokomero
kitchen sink (kuv) the burglars took everything except the kitchen sink murtovarkaat veivät kaiken paitsi tuhkat uunista
kite /kaɪt/ s leija
kith and kin /ˌkɪθən'kɪn/ fr sukulaiset, verisukulaiset, tuttavat
kitten /kɪtən/ s kissanpentu, kissanpoikanen
kiva /kivə/ s (pueblointiaanien maanalainen) pyhä huone
kiwi /kiwi/ s **1** (lintu) kiivi **2** (hedelmä) kiwi, kiivi
KJV King James Version vuoden 1611 raamatunkäännös, Kuningas Jaakon Raamattu
KKK Klu Klux Klan
Klan /klæn/ s Ku Klux Klan
Klansman /klænzmən/ s Ku Klux Klanin jäsen
Kleenex /klineks/ s (tavaramerkki) paperinenäliina
kleptomania /ˌkleptou'meɪniə/ s kleptomania, varastamishimo
kleptomaniac /ˌkleptou'meɪniæk/ s kleptomaani
knack /næk/ s **1** taito, lahjat he has a knack for languages hänellä on kielipäätä **2** niksi, juju
knackwurst /'nakˌwərst/ s (voimakkaasti maustettu nakki)makkara
knapsack /'næpˌsæk/ s (selkä)reppu
knead /nid/ v **1** vaivata (taikinaa) **2** hieroa (lihaksia)
knee /ni/ s polvi at the end of the war, Germany was on its knees sodan lopussa Saksa oli polvillaan on bended knees polvillaan to cut someone off at the knees nöyryyttää joku
kneecap /'niˌkæp/ s polvilumpio
knee-deep adj polven syvyinen, (olla) polvia myöten (jossakin) Harry is knee-deep in trouble (kuv) Harry on pahassa pulassa
knee-high adj polvenkorkuinen
knee jerk s polviheijaste, patellaarirefleksi
knee-jerk adj (ark) ajattelematon, joka tekee mitä käsketään
kneel /niəl/ s polvistuminen
v knelt/kneeled, knelt/kneeled: polvistua
knee pants s (mon) polvihousut (kuv:) lapsuus
knee-socks s (mon) polvisukat
knell /nel/ s kellojen soitto (erityisesti) kuolinkellojen soitto
v soittaa (kuolin)kelloja
knelt /nelt/ ks kneel
knew /nu/ ks know
Knickerbocker s **1** hollantilaisperäinen newyorkilainen **2** newyorkilainen
knickerbockers /'nɪkərˌbakərz/ s (mon) polvihousut
knickers /nɪkərz/ s (mon) **1** polvihousut **2** (UK) naisten alushousut
knickknack /'nɪkˌnæk/ s pikkurihkama
knife /naɪf/ s (mon knives) veitsi to be under the knife olla leikkauksessa
v puukottaa, pistää/leikata veitsellä
knife edge s (veitsen, vaa'an) terä to be on a knife's edge (kuv) olla veitsenterällä
knight /naɪt/ s **1** ritari (myös kuv) **2** (UK) aatelismies (Sir)
knight-errant /ˌnaɪt'erənt/ s vaeltava ritari
knighthood /'naɪtˌhʊd/ s aatelisarvo, aateluus to confer kinghthood upon someone aateloida joku
knightly adj ritarillinen, jalo, aatelismiehen
knit /nɪt/ v knit/knitted, knit/knitted **1** neuloa, kutoa **2** rypistää he knitted his brow hän rypisti otsaansa **3** lähentää toisiinsa (together), yhdistää
knitwear /'nɪtˌweər/ s neulevaatteet, neuleet
knives /naɪvz/ ks knife
knob /nab/ s nuppi, (oven) kahva
knock /nak/ s **1** koputus **2** isku, lyönti **3** moite, haukkumiset, morkkaus
v **1** koputtaa to knock on wood (kuv) koputtaa puuta **2** iskeä, lyödä he knocked the man flat on the floor hän iski miehen nurin **3** (ark) haukkua, moittia, morkata, lyödä lyttyyn

knock down v **1** purkaa, hajottaa **2** alentaa, laskea (hintaa)
knock off v lopettaa (työ ym)
knock out v **1** (nyrkkeilyssä) tyrmätä, (laajemmin:) iskeä/viedä joltakulta taju kankaalle **2** väsyttää, uuvuttaa **3** suoltaa (tekstiä), väsätä (nopeasti) **4** särkeä, rikkoa, katkaista (sähkö)
knockout s **1** tyrmäys **2** (ark) joku tai jokin joka on aivan omaa luokkaansa she is a real knockout hän on tosi hyvän näköinen
knock over v **1** kaataa (kumoon) **2** järkyttyä, tyrmistyä
knock someone for a loop fr saada joku ällistymään/haukkomaan henkeään
knock the socks off something knocks the socks off someone jokin vie joltakulta jalat alta, jokin saa jonkun ällistymään/hämmästymään perinpohjaisesti
knock the tar out of someone fr (ark) antaa jollekulle perusteellinen selkäsauna
knock up v **1** väsyttää, uuvuttaa **2** kolhia, rikkoa **3** (sl) tehdä raskaaksi
knockwurst /'nak,wərst/ s (voimakkaasti maustettu nakki)makkara
knot /nat/ s **1** solmu to tie the knot (kuv) mennä naimisiin **2** solmu, (1,852 km/h) meripeninkulma/h
knotty /nati/ adj solmuinen; oksainen (puu); mutkikas, visainen (ongelma)
know /noʊ/ s: to be in the know olla perillä asioista, olla ajan tasalla v knew, known **1** tietää he does not know the first thing about computers hän ei tiedä tietokoneista yhtään mitään **2** osata do you know Russian? osaatko/ puhutko venäjää? **3** tuntea she knows New England very well hän tuntee Uuden-Englannin erittäin hyvin do 1you know him? tunnetko hänet? **4** (osata) erottaa he doesn't know right from left hän ei osaa erottaa vasenta ja oikeaa
knowable adj joka voidaan tietää
know all men by these presents fr (lak) täten ilmoitan/ilmoitamme
know by sight fr tuntea joku ulkonäöltä
knowhow /noʊhaʊ/ s taitotieto, osaaminen
knowing adj (katse, ilme) oivaltava, ymmärtävä, tietäväinen
knowingly adj **1** tahallaan, tietoisesti, tieten tahtoen **2** (hymyillä) ymmärtävästi, tietäväisesti
know-it-all /'noʊɪt,al/ s rikkiviisas, näsäviisas, (ironisesti) kaikkitietävä
knowledge /nalədʒ/ s **1** tieto, tietämys factual knowledge faktatiedot to the best of my knowledge minun tietääkseni **2** taito, osaaminen a knowledge of French is necessary for the job työssä vaaditaan ranskan taitoa
knowledgeable /nalədʒəbəl/ adj sivistynyt, hyvin perillä jostakin, tietäväinen he is not knowledgeable about the change hän ei tiedä muutoksesta
known /noʊn/ v ks know adj tunnettu, yleisesti tunnettu/tunnustettu
know the ropes fr osata asiat, hallita homma
know where the shoe pinches fr tietää mistä kenkä puristaa
know your place fr tietää (oikea) paikkansa, olla ihmisiksi, käyttäytyä asemansa mukaisesti
knuckle /nʌkəl/ s rystynen
knuckle down v ahertaa, panna hihat heilumaan
knuckle under v antaa periksi, luopua leikistä
knurl /nərəl/ s pyällys, roso v pyältää, rosoistaa, tehdä rosoiseksi
knurled adj pyälletty, rosoinen
knäckebröd /kə'nekə,brərd/ s näkkileipä
KO knockout tyrmäys
koala /kə'walə/ s koala, pussikarhu
Kodak /koudæk/ s (tavaramerkki) Kodak-kamera
Kola /koʊlə/ Kuola
Kola Peninsula Kuolan niemimaa
kolkhoz /kɔlk'houz/ s kolhoosi
kopeck /koupek/ s kopeekka
Koran /kəræn/ s Koraani

Korea /kə'riə/ Korea
Korean s korean kieli
s, adj korealainen
kosher /koʊʃər/ adj **1** (juutalaisuudessa) košer, puhdas **2** (ark) aito, asianmukainen, kunnollinen, kunnon it's not kosher siinä on jotakin mätää/hämärää
kowtow /kaʊtaʊ/ s hännystely, mielistely, nöyristely
v **1** hännystellä, nöyristellä, mielistellä **2** kumartua ja koskettaa otsalla maata kunnioituksen, nöyrtymisen ym osoitukseksi
kph kilometers per hour kilometriä tunnissa, km/h
Kraut /kraʊt/ s (sl, halventavasti) sakemanni he drives a Kraut car hänellä on saksalainen auto
krona /kroʊnə/ s (mon kronor) (Ruotsin) kruunu
KS Kansas
kudos /kudoʊz/ s ylistys, kehut, kunnia
Kurile Islands /kʊ'rɪəl/ Kuriilit
Ku Klux Klan /ˌkuklʌks'klæn/ s Ku Klux Klan
kWh kilowatt-hour kilowattitunti
Ky. Kentucky
KY Kentucky
kyphosis /kɪ'foʊsɪs/ s kyttyräselkä, kyfoosi
Kyrgystan /'kɪərgɪzˌtan/ Kirgisia

L, l

L, l /eəl/ L, l
La. Louisiana
LA Louisiana
L.A. Los Angeles
lab /læb/ s (lyh sanasta laboratory) laboratorio, labra
label /leɪbəl/ s **1** etiketti, (nimi- tai muu) lappu **2** lyhenne, nimike, leima (kuv) v **1** varustaa etiketillä/nimilapulla tms **2** nimittää jotakuta joksikin, leimata joku joksikin he was labeled a racist hänet leimattiin rasistiksi
labor /leɪbər/ s **1** työ; tehtävä **2** työvoima, työväestö, työväenluokka **3** uurastus, raadanta **4** (synnytys)poltot v **1** tehtä työtä, työskennellä **2** uurastaa, raataa, ahertaa **3** jauhaa (samaa asiaa)
laboratory /'læbrə,tɔri/ s laboratorio
labor camp s työleiri
Labor Day s (Yhdysvalloissa) työn päivä
laborer s työmies, työläinen, työntekijä
labor for v nähdä vaivaa/tehdä työtä jonkin eteen
labor-intensive adj työvoimavaltainen
laborious /lə'bɔriəs/ adj työläs, vaivalloinen, raskas (myös tekstistä)
labor movement s työväenliike
labor of love s asianharrastus it was a labor of love hän teki sen asianharrastuksesta
labor pains s (mon) synnytystuskat (myös kuv)
laborsaving /'leɪbər,seɪviŋ/ adj työtä helpottava/säästävä
labor under v kärsiä/joutua kärsimään jostakin he labors under a misconception hän saa kärsiä siitä että hän on käsittänyt asian väärin
labor union s ammattiyhdistys
Labour Party s (Ison-Britannian) työväenpuolue
Labrador /'læbrə,dɔr/ Labrador
Labrador retriever /,læbrədɔrrə'trivər/ s (koira) labradorinnoutaja
labyrinth /læbərənθ/ s labyrintti (myös kuv:) sokkelo, vyyhti
labyrinthine /,læbə'rɪnθin/ adj sokkeloinen
lace /leɪs/ s **1** pitsi **2** (kengän)nauha v **1** sitoa (kengännauhat) **2** sekoittaa juomaan jotakin he laced his tea with whisky hän vahvisti teetään viskillä
lace into v haukkua, sättiä, morkata
lacerate /'læsə,reɪt/ v silpoa, repiä (myös kuv) the shards lacerated her arm lasinsirut tekivät hänen käsiinsä syviä haavoja
laceration /,læsə'reɪʃən/ s haava (myös kuv)
lace up v sitoa (kengännauhat)
lachrymal /lækrəməl/ adj kyynel-
lack /læk/ s puute lack of time ajan puute, aikapula for lack of a better word, I'll call it obsolete sanon sitä paremman sanan puutteessa vanhentuneeksi v ei olla he lacks initiative hänellä ei ole aloitekykyä I find her proposal lacking minusta hänen ehdotuksessaan on parantamisen/toivomisen varaa
lackadaisical /,lækə'deɪzɪkəl/ adj haluton, innoton; laiska
lackey /læki/ s miespalvelija, lakeija (myös kuv:) nöyristelijä
lacquer /lækər/ s lakka v lakata
lacrimal duct s kyynelkanava
lacrimal gland s kyynelrauhanen

lacrosse /lə'kras/ s haavipallo, lacrosse
lactate /lækteɪt/ v erittää maitoa
lactation /læk'teɪʃən/ s **1** maidoneritys **2** imetys, imettämisaika
lactose /læktous/ s maitosokeri, laktoosi
lacy /leɪsi/ adj pitsimäinen, pitsi-
lad /læd/ s **1** poika, nuorukainen **2** (ark) kaveri, heppu
ladder /lædər/ s **1** tikkaat, tikapuut **2** (kuv) portaat social ladder yhteiskunnallinen hierarkia
laden with /leɪdən/ adj kuormattu jollakin, (kuv) jonkin raskauttama, täynnä jotakin
ladies' room /leɪdiz/ s naistenhuone, naisten wc
ladle /leɪdəl/ s kauha
v kauhoa, kauhata, ammentaa
lady /leɪdi/ s (mon ladies) **1** nainen **2** hieno nainen **3** (UK) aatelisnainen, lady
ladybug /'leɪdi,bʌg/ s leppäkerttu
lady-in-waiting /,leɪdiɪn'weɪtɪŋ/ s (mon ladies-in-waiting) **1** hovinainen **2** (ark) odottava/raskaana oleva nainen
lady-killer /'leɪdi,kɪlər/ s naistenmies, hurmuri
ladylike /'leɪdi,laɪk/ adj hienostunut, hieno, arvokas
lag /læg/ s viipymä, viivästys, aikaero
v **1** jäädä jälkeen **2** eristää, vuorata
lag behind v jäädä jälkeen, olla jäljessä
lager /lagər/ s vaalea olut
lagoon /lə'gun/ s laguuni
laid /leɪd/ ks lay
laid-back /,leɪd'bæk/ adj (sl) rento, rauhallinen, letkeä
lain /leɪn/ ks lie
lair /leər/ s **1** (eläimen) pesä **2** piilopaikka, lymypaikka
laity /leɪəti/ s **1** seurakunta, maallikot **2** (ei asiantuntijat) maallikot
lake /leɪk/ s järvi
Lake Baikal /,leɪk'baɪkal/ Baikal(järvi)
Lake District /'leɪk,dɪstrəkt/ (Ison-Britannian) Järviseutu
Lake Erie /,leɪk'ɪəri/ Eriejärvi
Lake Huron /,leɪk'hjəran/ Huronjärvi
Lake Ladoga /,leɪklə'dougə/ Laatokka
Lake Mead /,leɪk'mid/ Meadjärvi
Lake Michigan /,leɪk'mɪʃəgən/ Michiganjärvi
Lake Okeechobee /,leɪkouki'tʃoubi/ Okeechobeejärvi
Lake Onega /,leɪkou'neɪgə/ Ääninen
Lake Ontario /,leɪkan'teriou/ Ontariojärvi
Lake Powell /,leɪk'pauəl/ Powelljärvi
Lake Superior /,leɪksə'pɪərɪər/ Yläjärvi
lamb /læm/ s **1** karitsa **2** lampaanliha, lammas **3** (kuv) enkeli **4** (kuv) (lauhkea kuin) lammas
lame /leɪm/ adj **1** vammainen, halvaantunut, ontuva **2** valju, laimea, vaisu
lame duck s **1** viranhaltija (esim presidentti) joka odottaa virkakautensa päättymistä sen jälkeen kun hänen seuraajansa on valittu **2** toivoton tapaus, joku josta ei ole mihinkään
lamely adj (vastata, hymyillä) valjusti, vaisusti
lameness s **1** vamma, vammaisuus, halvaus, halvaantuneisuus **2** valjuus, laimeus, innottomuus
lament /lə'ment/ s valitus, surkuttelu
v valittaa, surra, surkutella
lamentable /lə'mentəbəl/ adj valitettava, ikävä
lamentably adv valitettavasti
lamentation /,læmən'teɪʃən/ s **1** valitus, surkuttelu **2** itkuvirsi, valitusvirsi
laminate /læməneɪt/ v laminoida
laminated /læməneɪtəd/ adj laminoitu, kerros-
lamp /læmp/ s lamppu, valonheitin, valo
lampoon /læm'pun/ s satiiri, pilkkakirjoitus, pilkka, iva
v pilkata, pitää pilkkanaan, tehdä pilaa jostakin
lamppost /'læmp,poust/ s (katu)valopylväs
lampshade /'læmp,ʃeɪd/ s lampunvarjostin

LAN local area network (tietok) paikallisverkko, lähiverkko
Lancashire /læŋkəʃər/ Englannin kreivikuntia
lance /læns/ s peitsi
v avata/viiltää auki/leikata lansetilla
lancet /lænsət/ s lansetti, (kirurgin) suikulaveitsi
land /lænd/ s **1** maa to sight land saada maata näkyviin to buy land ostaa maata/ tontti **2** maaseutu we are thinking of moving back to the land olemme ajatelleet muuttaa takaisin maalle
v **1** nousta/laskea maihin (laivasta) **2** (lentokone) laskeutua the cat landed on all fours kissa putosi jaloilleen **3** (ark) saada he landed a good job in Chicago hän sai Chicagosta hyvän työpaikan **4** that move will land him in prison hän päätyy vielä vankilaan tuon teon vuoksi
land bridge s maakannas, maasilta
landed adj maata omistava, maalanded property maaomaisuus
landfill /'lænd,fɪəl/ s kaatopaikka
landing s **1** maihinnousu (laivasta) **2** (lentokoneen) laskeutuminen **3** (laiva)-laituri **4** porrastasanne
landing gear s (lentokoneen) laskuteline
landlady /'lænd,leɪdi/ s vuokraemäntä, vuokranantaja
landlocked country /'lænd,lakt/ s sisämaavaltio
landlord /'lænd,lɔrd/ s vuokraisäntä, vuokranantaja
landlubber /'lænd,lʌbər/ s maakrapu
landmark /'lænd,mark/ s **1** maamerkki **2** muistomerkki, nähtävyys **3** (kuv) virstanpylväs
land-office business to do a land-office business olla kiireistä/vilkasta, kauppa käy kuin siimaa
land of milk and honey s yltäkylläisyyden maa/seutu, luvattu maa
land of the living to come back to the land of the living palata elävien kirjoihin
Land of the Midnight Sun s keskiyön auringon maa (Suomen, Ruotsin ja Norjan Lappi)
Land of the Rising Sun s nousevan auringon maa, Japani
land on your feet fr pudota jaloilleen; (kuv) selvitä ehjin nahoin
landowner /'lænd,ounər/ s maanomistaja
landscape /'lænd,skeɪp/ s **1** seutu, maisema **2** maisemamaalaus, maisemataulu, maisemataide
v maisemoida
landscape architecture s maisema-arkkitehtuuri
landscaper s maisemoija; maisema-arkkitehti
landscaping s maisemointi
landscapist s maisemamaalari
landslide /'lænd,slaɪd/ s **1** maanvieremä **2** (kuv) äänivyöry; murskaava vaalivoitto
lane /leɪn/ s **1** kuja, (kapea/kylä)tie bike lane pyörätie **2** (maantien) kaista two-lane highway kaksikaistainen maantie
language /læŋgwədʒ/ s **1** (puhuttu, kirjoitettu ym) kieli artificial language keinotekoinen kieli computer language tietokonekieli the language of bees mehiläisten kieli watch your language! katso mitä puhut! **2** sanamuoto the language of the bill did not please the president presidentti ei pitänyt lakiehdotuksen sanamuodosta
language course s kielikurssi
language laboratory s kielistudio
language learning s kielenoppiminen
language planning s kielensuunnittelu
language teacher s kieltenopettaja
languid /læŋgwɪd/ adj veltto, vetämätön, voimaton
languish /læŋgwɪʃ/ v riutua, kuihtua (myös kuv)
lank /læŋk/ adj (tukka) suora, (ihminen) hintelä, (ruoho) liian pitkä
lanky adj luiseva; hintelä
lantern /læntərn/ s lyhty
lantern-jawed adj leveäleukainen
Lao-tse /,lau'tseɪ/ Laotse
Lao-tzu /,lau'tsu/ Laotse

lap /læp/ s **1** syli come sit in my lap käy istumaan syliini to live in the lap of luxury elää ylellisesti/yltäkylläisyydessä **2** kierros
v **1** kääriä, kääriytyä, kiertää, kiertyä (jonkin ympärille) **2** ohittaa kierroksella (toinen kilpailija) **3** litkiä (nestettä) **4** (aallot) lyödä jotakin vasten
lap belt s kaksipisteturvavyö
LAPD Los Angeles Police Department
lap dog s sylikoira
lapel /lə'peəl/ s (takin) lieve
Laplander /'læp,lændər/ s saamelainen, lappalainen
Lapp /læp/ s **1** saamelainen, lappalainen **2** saamen kieli, saame
Lappish /læpɪʃ/ s, adj saamelainen, lappalainen
lapse /læps/ s **1** erehdys, virhe, kömmähdys, hairahdus, harha-askel (kuv) **2** viivästys, viipymä, tauko, katkos memory lapse muistikatkos
v **1** sortua johonkin, hairahtaa johonkin (into) **2** raueta, umpeutua, lakata, loppua **3** vaipua johonkin tilaan he lapsed into silence hän vaikeni
lapsus /læpsəs/ s virhe, kömmähdys, lapsus
laptop s sylitietokone
lap up v **1** litkiä **2** (kuv) nauttia jostakin, ahmia jotakin, paistatella jossakin
larceny /larsəni/ s varkaus
lard /lard/ s (sian)ihra, silava
lardass /'lard,æs/ s (sl) ihraperse, läski
larder s ruokakomero, ruokavarasto
large /lardʒ/ s to be at large olla vapaalla jalalla the population at large väestö kokonaisuudessaan, suuri yleisö he was appointed ambassador-at-large hänet nimitettiin erikoislähettilääksi
adj iso, suuri (myös kuv) in large measure suuressa määrin, suurelta osin on a large scale suuressa mitassa/määrin, suurimittaisesti
adv: his disappointment was writ large on his face pettymys suorastaan paistoi hänen kasvoiltaan
largely adj pääasiassa, suurimmaksi osaksi, suurimmalta osin
largeness s **1** suuruus, mittavuus **2** anteliaisuus, avokätisyys
large order that's a large order se on paljon pyydetty
larger-than-lifeadj äärimmäisen vaikuttava
large-scale integration s (elektroniikassa) suuren luokan integrointi
largess /lar'dʒes/ s **1** anteliaisuus **2** paljot lahjat
lariat /lerɪət/ s lasso
lark /lark/ s **1** leivonen **2** hauskuus, ilonpito **3** lastenleikki, helppo juttu
larva /larvə/ s (mon larvae) toukka
laryngitis /,lerən'dʒaɪtɪs/ s kurkunpään tulehdus
larynx /lerəŋks/ s kurkunpää
lascivious /lə'sɪviəs/ adj irstas, rivo, rietas
laser /leɪzər/ s laser
Laserdisc® /'leɪzər,dɪsk/ s Laserdisc-kuvalevy is it available on Laserdisc? saako sen (elokuvan tms) kuvalevyllä?
laser printer s laserkirjoitin
lash /læʃ/ s **1** ruoska **2** sivallus **3** (kuv) terävyys, piikikkyys, purevuus
v **1** ruoskia, sivaltaa, piiskata (myös kuv) **2** (kuv) lyödä lyttyyn, pistää matalaksi
lash on v kannustaa, yllyttää
lash out v **1** riuhtoa, rimpuilla, käydä jonkun kimppuun **2** (kuv) hyökätä jotakin vastaan, tuomita ankarin sanoin
lass /læs/ s **1** tyttö **2** tyttöystävä
Lassen Volcanic /,læsənval'kænɪk/ kansallispuisto Kaliforniassa
lasso /læ'su/ s (mon lassos, lassoes) lasso
v lassoed, lassoing: ottaa kiinni lassolla
last /læst/ s viimeinen the last of the great artisans viimeinen vanhan ajan käsityöläinen I hope we've seen the last of it toivottavasti se loppui siihen at last viimein at long last vihdoin viimein she gets paid the last of the month hänen palkkansa maksetaan kuukauden viimeisenä päivänä
v kestää how long will the strike last? kaunko lakko kestää? these batteries last longer nämä paristot kestävät pitempään

adj **1** viimeinen this is your last chance tämä on viimeinen tilaisuutesi **2** viime we did not have time for a vacation last year viime vuonna meillä ei ollut aikaa lähteä lomalle/pitää lomaa
adv viimeisenä, viimeiseksi, lopuksi
last but not least fr hyväksi lopuksi
lasting adj kestävä, pitkäaikainen, pysyvä
last-minute adj viime hetken
last straw s (kuv) viimeinen pisara
Last Supper s viimeinen ehtoollinen
last word s viimeinen sana (myös kuv)
latch /lætʃ/ s salpa, säppi, telki
v teljetä, lukita
latchkey child /ˈlætʃkiˌtʃaɪld/ s avainlapsi
latch onto v **1** saada käsiinsä **2** ymmärtää, käsittää
late /leɪt/ adj, adv **1** myöhäinen, myöhään it is late, let's go home on jo myöhä, lähdetään kotiin at this late hour näin myöhään many lawyers work late monet asianajajat tekevät työtä myöhään iltaan **2** myöhässä, myöhästynyt the teacher is never late opettaja ei myöhästy koskaan, opettaja ei ole koskaan myöhässä **3** entinen the late principal entinen rehtori **4** edesmennyt the late Winston Churchill **5** of late viime aikoina
latecomer /ˈleɪtˌkʌmər/ s **1** myöhästyjä **2** (kuv) uusi tulokas
lately adv viime aikoina
late-night adj myöhäisillan
latent /leɪtənt/adj piilevä
lateral /lætərəl/adj sivusuuntainen, sivu-, lateraalinen
lath /læð/ s rima, lista
lathe /leɪð/ s sorvi
v sorvata
lather /læðər/ s **1** saippuavaahto, partavaahto **2** (hevosesta) vaahto to be in lather over something olla suunnattomasti mielissään jostakin, olla suunniltaan raivosta jonkin takia, olla suu vaahdossa jostakin
Latin /lætən/ s **1** (hist) latinalainen; roomalainen **2** romaaninen **3** latinalaisamerikkalainen **4** roomalaiskatolinen **5** latina, latinan kieli
adj **1** latinalainen (ks substantiivin merkityksiä) **2** latinankielinen
Latino /ləˈtinoʊ/ s latinalaisamerikkalainen, latino
Latin America /ˌlætənəˈmerɪkə/ Latinalainen Amerikka
latitude /ˈlætəˌtud/ s **1** (maantieteessä) leveys **2** (kuv) vapaus, pelivara
latrine /ləˈtrin/ s käymälä
latter /lætər/ adj **1** viimeksi mainittu former – latter edellinen – jälkimmäinen **2** viimeinen, jälkimmäinen during the latter part of the decade vuosikymmenen loppupuolella
Latter-day Saint s myöhempien aikojen pyhä, mormoni
latterly adv **1** viime aikoina **2** myöhemmin, viime aikoinaan
lattice /lætəs/ s **1** ristikko, säleikkö **2** (fysiikassa) hila
Latvia /latvɪə, lætvɪə/ Latvia
laugh /læf/ s **1** nauru to have the last laugh (kuv) nauraa viimeisenä **2** naurun aihe, jokin joka on naurettava the new law is a laugh uusi laki on täysin tehoton/mitätön
v nauraa
laughable /læfəbəl/ adj naurettava
laughably adv naurettavasti, naurettavan
laugh at v nauraa jollekulle/jollekin, pitää jotakuta/jotakin pilkkanaan $ 3,000 is nothing to be laughed at 3000 dollaria ei ole mikään pikkusumma
laughingstock /ˈlæfɪŋˌstak/ to make yourself the laughingstock of someone tehdä itsensä naurunalaiseksi jonkun silmissä
laugh in your sleeve at something fr nauraa partaansa
laugh off v kuitata pelkällä olankohautuksella, ei ottaa vakavasti
laugh out of court fr pitää pilkkanaan, nauraa jollekin
laugh out of the other side of your mouth fr jonkun hymy hyytyy, jollakulla tulee toinen ääni kelloon
laughter /læftər/ s nauru

laugh up your sleeve fr nauraa partaansa
launch /lantʃ/ s **1** (laivan) vesillelasku **2** (raketin) laukaisu **3** aloitus, käynnistys, (yrityksen) perustaminen, (tuotteen) lanseeraus
v **1** laskea (laiva, pelastusvene) vesille **2** laukaista (raketti) **3** aloittaa, käynnistää, perustaa (yritys), lanseerata (tuote), tuoda (tuote) markkinoille
launch into v (kuv) puhjeta, herjetä (puhumaan)
launch pad s (ohjuksen, raketin) laukaisualusta
launder /landər/ v pestä (pyykkiä) (myös kuv:) pestä rahaa
launderette /ˌlandəˈret/ s itsepalvelupesula
Laundromat® /ˈlandrəˌmæt/ s itsepalvelupesula
laundry /landri/ s **1** (lika- tai puhdas) pyykki **2** pesula **3** pesuhuone, pyykkihuone
laundry list s (kuv) pitkä lista (esim vaatimuksia)
laureate /lɔriət/ s palkinnonsaaja Nobel laureate nobelisti poet laureate poëta laureatus, hovirunoilija
laurel /lɔrəl/ s **1** laakeripuu **2** (mon) maine, kunnia to rest on your laurels levätä laakereillaan **3** laakeriseppele
lava /lavə/ s laava
lavatory /ˈlævəˌtɔri/ s wc
lavish /lævɪʃ/ adj avokätinen, antelias, tuhlaileva, ylellinen
lavishly adv avokätisesti, anteliaasti, tuhlaillen, ylellisesti
lavish of adj joka ei säästele jotakin when meeting the children, she was lavish of time hän käytti runsaasti aikaa lasten kanssa olemiseen
lavish on v: to lavish gifts/praise on someone hukuttaa joku lahjoihin, ylistää jotakuta maasta taivaaseen
law /la/ s **1** laki (yksittäinen ja laki kokonaisuudessa) to become law tulla voimaan Harrison wants to study law Harrison haluaa lukea/opiskella lakia the angry man wanted to take the law into his own hands mies halusi suutuksissaan harjoittaa oman käden oikeutta **2** poliisi and then the law arrived ja sitten poliisi saapui paikalle
law-abiding adj lainkuuliainen
law and order s lainvalvonta, yleinen järjestys
lawbreaker /ˈlaˌbreɪkər/ s lainrikkoja, rikollinen
lawful adj laillinen she is his lawful wife nainen on hänen laillinen aviopuolisonsa
lawless adj **1** laiton **2** (kuv) hillitön
lawmaker /ˈlaˌmeɪkər/ s lainsäätäjä
lawn /lan/ s nurmikko, ruohikko
lawnmower /ˈlanˌmoʊər/ s ruohonleikkuri, ruohonleikkuukone
law of averages s (ark) tilastollinen todennäköisyys
law of diminishing returns s vähenevän tuoton laki
Law of Moses s Mooseksen laki
law of the jungle s (kuv) viidakon laki, armoton peli
lawsuit /ˈlaˌsut/ s kanne, oikeusjuttu
lawyer /lɔɪjər/ s asianajaja
lawyerly adj asianajajan, asianajajamainen
lax /læks/ adj löysä (myös kuv), leväperäinen, lepsu, rento, välinpitämätön
laxative /læksətɪv/ s ulostuslääke
laxity /læksəti/ s rentous, löysyys, leväperäisyys, välinpitämättömyys
lay /leɪ/ v laid, laid (verbiä lay käytetään toisinaan yleiskielen sääntöjen vastaisesti verbin lie asemesta) **1** panna, asettaa lay this book on the table pane tämä kirja pöydälle I didn't lay hands on the cookies minä en koskenutkaan pikkuleipiin he tried to lay the blame on his staff hän yritti sälyttää syyn alaistensa niskoille **2** valaa, laskea, luoda to lay the foundation for a house/expansion laskea talon perusta, luoda pohja (liiketoiminnan) laajentamiselle **3** munia to lay eggs **4** haudata **5** to lay the table kattaa pöytä **6** to lay a bet lyödä vetoa **7** to get laid (sl rakastelusta) saada **8** ks lie
adj maallikko-

lay aside v **1** luopua jostakin, hylätä jokin **2** panna talteen, säästää myöhemmäksi
lay away v **1** haudata **2** panna talteen, säästää myöhemmäksi **3** varata (tavara) asiakkaalle
lay back v (sl) rentoutua, ottaa rennosti
lay bare v paljastaa the whole scam was laid bare by the newspaper sanomalehti paljasti koko rötöksen
lay by v panna talteen, säästää myöhemmäksi
lay down v luopua, antaa periksi
layer /leɪər/ s kerros, kerrostuma
lay for v vaania, väijyä jotakuta
lay in v varastoida, panna talteen
laying on of hands s kättenpäällepaneminen
lay into v käydä käsiksi johonkuhun/johonkin, hyökätä jotakuta/jotakin vastaan
lay it on the line fr **1** pulittaa, maksaa **2** paljastaa, kertoa
lay it on thick v imarrella kohtuuttomasti
layman /leɪmən/ s **1** maallikko, seurakuntalainen **2** (ei asiantuntija) maallikko
lay off v **1** erottaa, lomauttaa **2** lopettaa, lakata **3** jättää rauhaan, antaa olla
layoff /leɪaf/ s lomautus (työstä); irtisanominen
lay off on v sälyttää (syy) jonkun niskaan
lay of the land to get the lay of the land saada tuntuma asiaan
lay on v **1** levittää jotakin johonkin, peittää/päällystää jollakin **2** käydä kimppuun, käydä käsiksi johonkuhun
lay on the line fr panna jotakin peliin/alttiiksi, riskeerata
lay open v avata, paljastaa the reporter laid the scandal wide open toimittaja paljasti koko skandaalin
lay out v **1** levittää **2** suunnitella **3** kuluttaa/käyttää (rahaa), pulittaa **4** haukkua, morkata
lay over v **1** lykätä myöhemmäksi **2** yöpyä/pysähtyä matkalla
layperson /'leɪ,pərsən/ s **1** maallikko, seurakuntalainen **2** (ei asiantuntija) maallikko
lay store by fr arvostaa jotakin, pitää jotakin suuressa arvossa, uskoa johonkin
lay to rest fr heittää/jättää mielestään, antaa olla
lay up v **1** telakoida, siirtää laiva telakalle **2** panna talteen, säästää myöhemmäksi
laze /leɪz/ v laiskotella, vetelehtiä
lazily adv laiskasti, veltosti, hitaasti, raukeasti
laziness s laiskuus, velttous, hitaus, raukeus, saamattomuus
lazy /leɪzɪ·/ adj laiska, veltto, hidas, raukea
lb pound naula, pauna (454 g)
LBO leveraged buyout
LCD liquid crystal display nestekidenäyttö
L.C.J. lord chief justice
LDC less developed country
LDL low-density lipoprotein LDL-lipoproteiini
ldry. laundry pesula
lead /led/ s **1** lyijy **2** (luotain) luoti
lead /lid/ s **1** johtoasema **2** etumatka we have a three-day lead on the pursuers olemme takaa-ajajista kolme päivämatkaa edellä **3** talutushihna **4** vihje, vihjaus **5** esimerkki she followed the lead of the other girls hän noudatti toisten tyttöjen esimerkkiä **6** (lehtikirjoituksen) ingressi, johdanto **7** (näytelmän) päätähti, vetonaula
v led, led **1** johtaa, johdattaa, viedä this road leads to Toledo tämä tie vie Toledoon he lead the group into the lecture hall hän vei/johdatti/opasti ryhmän luentosaliin I'll lead, you guys follow minä menen edeltä, tulkaa te perässä all this nonsense will lead us nowhere tällä hölynpölyllä emme pääse puusta pitkään **2** elää she leads a life of plenty hän elää yltäkylläistä elämää/yltäkylläisesti/yltäkylläisyydessä
leaded /ledəd/ adj lyijypitoinen (polttoaine)

leader s johtaja, esimies, opas, alansa ykkönen
leadership /lidərʃɪp/ s **1** johto, johtaminen, johtajuus **2** johtajan kyvyt
lead-free /ˌled'fri/ adj lyijytön lead-free fuel lyijytön polttoaine (myös unleaded, nonleaded)
leading /lidiŋ/ adj **1** johtava, ensimmäinen, kärki- **2** tärkein, pää-, johtava
leading edge s **1** (lentokoneen siiven) etureuna, johtoreuna **2** (kuv) eturintama, eturivi the company is on the leading edge of composites yritys kuuluu yhdistemateriaalien valmistajien kärkeen/huippuihin
leading question s johdatteleva kysymys
lead off v aloittaa, näyttää esimerkkiä
lead on v puijata, huijata, johdattaa harhaan
lead pencil /ˌled'pensəl/ s lyijykynä
lead poisoning /'led,pɔɪzəniŋ/ s lyijymyrkytys (myös kuv:) the crook died of lead poisoning konna ammuttiin/kuoli lyijymyrkytykseen
lead tetraethyl /ˌledtetrə'eθəl/ s tetraetyylilyijy
lead the way v **1** mennä edeltä, näyttää tietä **2** (kuv) olla tiennäyttäjänä, näyttää tietä/esimerkkiä
lead up to v (kuv) ajaa takaa jotakin, olla mielessään jotakin
leaf /lif/ s mon leaves **1** (puun) lehti **2** sivu, liuska, lehti after the accident, Gary decided to turn over a new leaf onnettomuuden jälkeen Gary päätti aloittaa uuden elämän to take a leaf out of someone's book matkia/jäljitellä jotakuta, ottaa esimerkkiä jostakusta
leaflet s esite, mainos, lehtinen
leaf through v selailla (kirjaa, lehteä)
leaf vegetables s (mon) lehtivihannekset
league /lig/ s **1** liitto he is in league with the mob hän veljeilee mafian kanssa **2** (urh) sarja, liiga I am not in the same league with you (kuv) minä painin aivan eri sarjassa kuin sinä, meistä ei voi puhua samana päivänäkään
League of Nations s Kansainliitto
leak /lik/ s **1** vuoto (myös kuv), reikä there is a leak in the roof katto vuotaa there has been a news leak uutinen on vuotanut yleiseen tietoisuuteen tms **2** to take a leak (sl) käydä kusella
v vuotaa, vuodattaa (myös kuv) the engine leaks oil moottorista vuotaa öljyä
leakage /likədʒ/ s vuoto (myös kuv)
leak out v vuotaa, vuodattaa the disgruntled worker leaked the story out to the press katkeroitunut työntekijä vuodatti/paljasti jutun lehdistölle
leaky adj vuotava, epätiivis
lean /lin/ v leaned/lent, leaned/lent **1** nojata, panna nojaamaan don't lean out the window älä kurkottele ikkunasta he leaned his bike against the wall hän pani pyöränsä seinää vasten **2** kallistua, nojata politically, the country leans towards the right maa kallistuu poliittisesti oikealle
adj hoikka, laiha (myös kuv), (kasvot) kapeat, kaidat we have some lean years ahead of us meillä on edessä laihoja vuosia
lean back v nojautua taaksepäin
leaning s taipumus
Leaning Tower of Pisa s Pisan kalteva torni
lean on v **1** luottaa johonkuhun/johonkin **2** painostaa **3** haukkua, moittia
lean over backwards to do something fr tehdä kaikkensa jonkin eteen, nähdä kovasti vaivaa jonkin eteen
lean-to /'lin,tu/ s (rakennuksen kylkeen rakennettu) vaja, kylkiäinen
leap /lip/ s hyppy this is a giant leap for mankind tämä on ihmiskunnalle suuri harppaus
v leaped/leapt, leaped/leapt **1** hypätä **2** (kuv) hypätä, hypähtää my heart leaped at the sound of the gun sydämeni hypähti kun kuulin aseen laukeavan don't leap to conclusions älä tee hätiköityjä johtopäätöksiä to leap at a chance tarttua (oikopäätä) tilaisuuteen
leap day s karkauspäivä
leapfrog /'lip,frag/ s pukkihyppy
v **1** hypätä pukkihyppyjä **2** (kuv) nousta/nostaa kovaa vauhtia leapfrogging

inflation/prices hillittömästi kasvava inflaatio/nousevat hinnat
leap year s karkausvuosi
learn /lərn/ v learned/learnt, learned/learnt **1** oppia, opetella Pam is learning Japanese/to drive Pam opettelee japania/ajamaan **2** saada tietää, kuulla I have just learned that there president has been shot sain juuri kuulla että presidenttiä on ammuttu
learn by heart v opetella jotakin ulkoa
learned /lərnəd, lərnıd/ adj **1** oppinut he is a learned man **2** tieteellinen learned journal tieteellinen julkaisu/lehti
learned /lərnd/ adj opittu
learner s opiskelija, oppilas, harjoittelija, opettelija
learning s **1** oppiminen **2** oppineisuus
learning disability /ˌdısə'bıləti/ s oppimisvaikeus, oppimishäiriö
learning-disabled /dıs'eıbəld/ adj jolla on oppimisvaikeuksia, esim lukuhäiriöinen, kirjoitushäiriöinen
learnt ks learn
learn the ropes fr oppia (uusi) työ, päästä jyvälle jostakin
lease /lis/ s **1** vuokrasopimus **2** vuokramaa, vuokratalo tms **3** vuokra **4** he got a new lease on life häneen tuli uutta eloa/puhtia, hän sai aloittaa uuden elämän
v vuokrata (joltakulta/jollekulle), liisata
leaseholder /'lis,holdər/ s vuokranottaja, vuokraaja, liisaaja
leash /liʃ/ s **1** (koiran) talutushihna dogs must be kept on leash koiria on talutettava **2** (kuv) talutusnuora, kahleet
v (kuv) valjastaa (johonkin käyttöön)
least /list/ sanan little superlatiivi s: that't the least you can do for me se on vähintä mitä voit tehdä hyväkseni at (the) least ainakin, vähintään not in the least ei suinkaan, ei lainkaan, ei ollenkaan
adj, adv vähiten this one's the least expensive tämä on halvin with the least effort mahdollisimman vähällä vaivalla
leather /leðər/ s nahka
leathery adj nahkaa muistuttava leathery smell nahan haju
leave /liv/ s **1** lupa you have my leave to go home minä annan sinulle luvan mennä kotiin **2** loma, virkavapaus **3** jäähyväiset, hyvästit to take your leave hyvästellä, sanoa näkemiin he took leave of his senses hän menetti järkensä
v left, left **1** lähteä when does our plane leave? milloin koneemme lähtee? **2** jättää he left the book on the desk hän jätti kirjan pöydälle leave her alone anna hänen olla, jätä hänet rauhaan **3** to have something left olla jotakin jäljellä Bob has only three dollars left **4** jättää jotakin jonkun vastuulle I don't want to leave anything to chance en halua jättää mitään sattuman varaan
leaves ks leaf
leave well enough alone fr antaa jonkin/jonkun olla, jättää joku rauhaan
lecture /lektʃər/ s **1** esitelmä, luento **2** (kuv) saarna, läksytys
v **1** esitelmöidä, luennoida **2** (kuv) saarnata, läksyttää
lecturer s **1** esitelmöijä, luennoitsija **2** (korkeakoulun) lehtori
lectureship s lehtoraatti, lehtorin virka
led /led/ ks lead
LED light-emitting diode valodiodi, LED
lederhosen /'leıdər,houzən/ s (mon) lyhyet nahkahousut
ledge /ledʒ/ s **1** reuna, reunus window ledge ikkunalauta (ikkunan sisä- tai ulkopuolella) **2** (kallion)kieleke
ledger /ledʒər/ s (kirjanpidossa) pääkirja
lee /li/ s **1** (mer) suojan puoli, alahanka; tuulensuoja **2** suoja, suojapaikka, turva
adj suojanpuoleinen
leech /litʃ/ s **1** (veri)juotikas, (ark) iilimato **2** (kuv) verenimijä
Leeds /lidz/
leek /lik/ s purjo
leer /lıər/ s vihjaileva katse
v katsoa jotakuta vihjailevasti

left /left/ s **1** vasen (puoli) **2** (pol) vasemmisto
v ks leave
adj **1** vasen, vasemmanpuoleinen **2** (pol) vasemmistolainen
adv vasemmalla, vasemmalle, vasempaan päin
left brain s vasen aivopuolisko
left defensive end /ˌleftdəˌfensɪv'end/ s (amerikkalaisessa jalkapallossa) vasen ulompi linjapuolustaja
left defensive tackle /ˌleftdəˌfensɪv'tækəl/ s (amerikkalaisessa jalkapallossa) vasen sisempi linjapuolustaja
left guard /ˌleft'gaərd/ s (amerikkalaisessa jalkapallossa) vasen sisempi linjamies
left halfback /ˌleft'hæfbæk/ s (amerikkalaisessa jalkapallossa) vasen keskushyökkääjä
left-hand adj vasemmanpuoleinen, vasemmalle the car made a left-hand turn auto kääntyi vasemmalle
left-handed /ˌleft'hændəd/ adj **1** vasenkätinen left-handed refrigerator vasenkätinen jääkaappi (joka aukeaa vasemmalle) **2** epäaito, ei vilpitön he gave me a left-handed compliment en tiedä antoiko hän minulle risuja vai ruusuja **3** kömpelö, hankala, vaikea, nurinkurinen
leftie /lefti/ s (ark) vasenkätinen, vasuri
leftism s vasemmistolaisuus
leftist /leftɪst/ s, adj vasemmistolainen
leftovers /'leftˌoʊvərz/ s (mon) (ruuan ym) tähteet
left safety s (amerikkalaisessa jalkapallossa) vasen takapuolustaja
left tackle /ˌleft'tækəl/ s (amerikkalaisessa jalkapallossa) vasen ulompi linjamies
left wing s vasemmisto, vasemmistosiipi
left-winger s vasemmistolainen
lefty s (ark) **1** vasenkätinen, vasuri (ark) **2** vasemmistolainen

leg /leɪg/ s **1** alaraaja, jalka (myös huonekalun) to stretch your legs jaloitella to pull someone's leg tehdä pilaa jostakusta; narrata, huijata jotakuta **2** (housun) lahje
legacy /legəsi/ s perintö (myös kuv)
legal /ligəl/ adj **1** laillinen, lain mukainen **2** laki-, oikeus-, asianajajan legal aid oikeusapu he decided to take legal action against his employer hän päätti nostaa kanteen työnantajaansa vastaan she has a legal mind hän ajattelee kuin asianajaja
legality /li'gæləti/ s laillisuus
legalization /ˌligəlɪ'zeɪʃən/ s laillistaminen
legalize /'ligəˌlaɪz/ v laillistaa
legally adv laillisesti, lain mukaan/mukaisesti
legal pad s (keltainen) lehtiö (22 x 36 cm)
legal-size /'ligəlˌsaɪz/ adj eräs paperikoko (22 x 36 cm)
legal tender s laillinen maksuväline, (ark) selvä raha
legate /legət/ s lähettiläs, legaatti
legation /li'geɪʃən/ s lähetystö
legend /ledʒənd/ s **1** legenda, tarusto, taru (myös kuv:) sepite **2** (vaakunan ym) teksti, kirjoitus **3** kartan merkkien selitykset
legendary /'ledʒənˌderi/ adj **1** tarunomainen, legendaarinen **2** kuuluisa
legerdemain /ˌledʒərdə'meɪn/ s **1** silmänkääntötemppu, temppu **2** huijaus, petos
legibility /ˌledʒə'bɪləti/ s luettavuus
legible /ledʒəbəl/ adj josta saa selvän, jota pystyy lukemaan your handwriting is barely legible käsialastasi on lähes mahdotonta saada selvää
legibly adv (kirjoitettu, ladottu) niin että jostakin saa selvää
legion /lidʒən/ s **1** legioona **2** leegio, suuri joukko
adj monilukuinen because we are legion sillä meitä on paljon
legionary /'lidʒəˌneri/ s legioonalainen

legislate /ˈledʒəs,leɪt/ v **1** säätää laki/lakeja **2** määrätä, määräillä, ohjata, ohjailla are you trying to legislate my feelings? yritätkö sinä sanoa miltä minusta pitäisi tuntua?
legislation /,ledʒəsˈleɪʃən/ s **1** lainsäädäntö **2** laki, lait
legislative /ˈledʒəs,leɪtɪv/ adj lainsäädännöllinen, lakiasäätävä
legislator /ˈledʒəs,leɪtər/ s lainsäätäjä
legislature /ˈledʒəs,leɪtʃər/ s lakiasäätävä elin
leg it fr (ark) kävellä nopeasti, juosta, kiirehtiä
legitimacy /ləˈdʒɪtəməsi/ s laillisuus are you sure of the legitimacy of his request? oletko varma että hänen pyyntönsä on oikeutettu?
legitimate /ləˈdʒɪtəmət/ adj **1** laillinen, lain mukainen; oikeutettu **2** (lapsi) aviollinen, avioliitossa syntynyt
legitimate /ləˈdʒɪtə,meɪt/ v **1** laillistaa, osoittaa/myöntää lailliseksi **2** osoittaa oikeutetuksi, perustella, oikeuttaa
legitimately adv laillisesti, lain mukaisesti; oikeutetusti
Leicester /lestər/
Leicestershire /lestəʃər/ Englannin kreivikuntia
Leics. Leicestershire
leisure /liʒər/ s **1** vapaus (työnteosta ym) Victorian gentlemen led a life of leisure viktoriaanisen ajan herrasmiehet eivät käyneet työssä you can do the job at your leisure voit tehdä työn silloin kun sinulle sopii/kaikessa rauhassa **2** vapaa-aika
leisured adj **1** the leisured class yläluokka **2** kiireetön, rauhallinen, rento
leisurely adj kiireetön, rauhallinen, rento
lemming /lemiŋ/ s sopuli
lemon /lemən/ s **1** sitruuna **2** (ark) joku tai jokin josta ei ole mihinkään that car is a lemon tuo on varsinainen maanantaiauto
lemonade /,leməˈneɪd/ s sitruuna- tai muu hedelmämehu
lend /lend/ v lent, lent **1** lainata jotakin jollekulle the bank lent him $400,000 pankki lainasi hänelle 400 000 dollaria **2** antaa the new furniture lends an air of refinement to the room uudet huonekalut saavat huoneen vaikuttamaan hienostuneelta, antavat huoneelle hienostuneen leiman **3** lend itself to sopia/soveltua johonkin tarkoitukseen this theory does not lend itself to the description of neutrinos tämä teoria ei sovellu neutriinojen kuvaukseen
lending library s lainakirjasto
lend-lease /ˈlend.lis/ s lainaus- ja vuokrajärjestelmä jolla Yhdysvallat toimitti liittolaisilleen sotakalustoa toisessa maailmansodassa
length /leŋθ/ s **1** pituus (ajasta myös:) kesto she went to great lengths to prove she was innocent hän teki kaikkensa todistaakseen syyttömyytensä **2** pätkä a length of rope/pipe köyden/putken pätkä, köysi, putki
lengthen v pidentää, pidentyä
lengthways /leŋθweɪz/ adv pitkittäin
lengthwise /leŋθwaɪz/ adv pitkittäin
lengthy adj **1** pitkä **2** pitkäveteinen
lenience s lempeys
leniency /linjənsi/ s lempeys
lenient /linjənt/ adj lempeä
Leningrad /ˈlenɪn,græd/ Leningrad
Leninism /ˈlenə,nɪzəm/ s leninismi
Leninist s leninisti
lens /lenz/ s **1** linssi **2** objektiivi
Lent /lent/ s paastonaika
lentil /lentəl/ s linssi, kylvövirvilän siemen
Leo /liou/ horoskoopissa Leijona
leopard /lepərd/ s leopardi
leopardess /lepərdəs/ s naarasleopardi
leper /lepər/ s **1** spitaalinen **2** hylkiö
leprosy /leprəsi/ s spitaali, lepra
lesbian /lezbiən/ s, adj lesbo, homoseksuaalinen nainen, lesbo(-)
lese majesty /,lizˈmædʒəsti/ s **1** maanpetos **2** majesteettirikos (myös kuv)
lesion /liʒən/ s vamma, haava, (lääk) leesio
Lesotho /leˈsuto/

less /les/ s, adj, adv (sanan little komparatiivi) vähemmän less of one and more of the other vähemmän toista ja enemmän toista less and less yhä vähemmän, yhä harvemmin this car is less fast than the other tämä auto ei ole yhtä nopea kuin tuo toinen he didn't like her, much less love her hän ei pitänyt hänestä eikä varsinkaan rakastanut häntä
prep miinus twenty less eleven equals nine

lessee /le'si/ s vuokralainen

lessen /lesən/ v vähentää, vähentyä

lessening s lasku, vähentyminen

lesser adj (komparatiivi sanasta little) pienempi, vähempi the lesser evil pienempi paha

Lesser Antilles /æn'tɪliz/ (mon) Pienet-Antillit

Lesser Khingan Ranges /kiŋən/ Pieni-Hingan (vuoristo Kiinassa)

lesser mouse deer s jaavankääpiökauris

lesson /lesən/ s **1** (oppi)tunti **2** (kuv) läksy, opetus I hope you have now learned your lesson toivottavasti olet nyt ottanut opiksesi

lessor /lesər/ s vuokranantaja

less than adv vähemmän kuin, alle there were less than a hundred people there paikalla oli alle sata ihmistä

lest /lest/ konj jotta ei take notes lest you forget what you have to do tee muistiinpanoja jotta et unohda mitä sinun pitää tehdä I stayed at home lest I miss her phone call jäin kotiin voidakseni vastata hänen soittoonsa

let /let/ v let, let **1** antaa, sallia let me carry your bag annahan kun kannan laukkusi let me know as soon as you've made up your mind kerro minulle heti kun olet päättänyt asiasta let her go anna hänen mennä, päästä hänet menemään let go of her päästä irti hänestä, päästä hänet irti **2** kehotuksena, ehdotuksena ym: let us/let's not worry ei murehdita, älkäämme murehtiko let's see katsotaanpa, mietitäänpä asiaa let there be light tulkoon valkeus! **3** vuokrata, antaa vuokralle

let alone fr jostakin puhumattakaan

let be v antaa olla, jättää rauhaan, ei puuttua

let down v **1** pettää, jättää pulaan; tuottaa pettymys jollekulle **2** hellittää, löysätä tahtia

letdown s **1** lasku, väheneminen **2** pettymys **3** masennus

let go v **1** hellittää ote, päästää irti **2** vapauttaa, päästää vapaaksi/menemään **3** unohtaa, jättää mielestään **4** irrotella, pitää hauskaa, ottaa ilo irti elämästä

let go with v päästää suustaan/ilmoille

lethal /liθəl/ adj tappava, kuolettava

lethally adv tappavasti, kuolettavasti

lethargic /lə'θardʒɪk/ adj **1** vetämätön, veltto, hidas **2** (lääk) horroksinen, letarginen

lethargy /leθərdʒi/ s **1** vetämättömyys, velttous, hitaus **2** (lääk) letargia

let in v päästää sisään

let in on v päästää joku vihille jostakin, paljastaa jollekulle jotakin

let on v **1** antaa ymmärtää, vihjata **2** paljastaa

let out v **1** päästää suustaan/ilmoille he let out a belch hän röyhtäisi **2** paljastaa **3** suurentaa (vaatetta)

let pass fr ei välittää, ei piitata he let her snide remark pass hän ei piitannut naisen piikittelystä

let's /lets/ lyh let us

let slide fr ei piitata/välittää jostakin, antaa jonkin asian olla

letter /letər/ s **1** kirjain he follows the rules to the letter hän noudattaa sääntöjä kirjaimellisesti **2** kirje **3** (mon) kirjallisuus he is a man of letters hän on kirjailija; hän on kirjallisuuden ystävä

letter bomb s kirjepommi

letter box s (UK) postilaatikko (julkinen postitusta varten tai asuntokohtainen postin jakamista varten)

letterboxed /'letər,bakst/ adj (kuvanauhasta tai kuvalevystä) laajakuva- (jossa on tavallisessa televisiossa katsottaessa musta palkki kuvan ylä- ja alapuolella)

letter drop s (oven) postiluukku
letterhead /ˈletər,hed/ s **1** firman tms nimi/logo kirjepaperissa **2** firman tms nimellä/logolla varustettu kirjepaperi he wrote to them on his company's letterhead hän kirjoitti heille firman paperilla
lettering s kirjaimet, kaunokirjoitus
letter-quality adj (tietok) kirjelaatua tulostava letter-quality printer laatukirjoitin
lettuce /letəs/ s (ruoka)salaatti
let up v **1** hellittää, laskea, vähentyä **2** lopettaa, keskeyttää
let up on v hellittää, päästää helpommalla
leukemia /luˈkimiə/ s leukemia, verisyöpä
leukemic /luˈkimɪk/ adj leukeeminen, verisyöpää sairastava, verisyöpään liittyvä
Levant /ləˈvænt/ Levantti
level /levəl/ s **1** taso this summer, the water level is low vesi on tänä vuonna alhaalla she studies physics on an advanced level hän on jo pitkällä fysiikan opinnoisaan **2** vesivaaka
v **1** tasoittaa, siloittaa he is trying to level the way for new legislation hän yrittää valmistaa tietä uusille laeille, hän yrittää pohjustaa uusia lakeja **2** kaataa the bombs leveled the city pommit hävittivät kaupungin maan tasalle **3** tähdätä (aseella)
level best to do your level best tehdä/yrittää parhaansa, panna parastaan
leveler s tasoittaja, tasaaja death, the great leveler kuolema joka tasoittaa ihmisten väliset erot
levelheaded /,levəlˈhedəd/ adj maltillinen, järkevä, harkittu
level off v tasoittaa, tasoittua, vakautua
level with v kertoa (koko) totuus, paljastaa level with me, I want to know the truth
lever /levər/ s **1** vipu **2** (kuv) keino
v vivuta, kangeta, kammeta
leverage /levrədʒ/ s **1** vipuvoima **2** vaikutusvalta, valta, suhteet I have no leverage with the board minulla ei ole mahdollisuuksia vaikuttaa johtokuntaan/johtokunnan päätöksiin
leviathan /ləˈvaɪəθən/ s **1** merihirviö Leviathan (Raamatussa) Leviatan **2** (kuv) jättiläinen, mammutti
levitate /ˈlevə,teɪt/ v leijua ilmassa, nostaa ilmaan, levitoida
levitation /,levəˈteɪʃən/ s levitaatio, ilmassa leijuminen
levity /levəti/ s kevytmielisyys, epäasiallisuus
levy /levi/ s **1** vero **2** veronkanto **3** (armeijaan) kutsunta
v **1** kantaa, kerätä (veroa) **2** kutsua (armeijaan) **3** takavarikoida
lewd /lud/ adj irstas, rivo, himokas, vihjaileva (katse) stop being lewd ole siivosti!
lewdly adv ks lewd
lewdness s irtaus, rivous
lexical /leksəkəl/ adj sanaston, sanasto-
lexicographer /,leksəˈkagrəfər/ s sanakirjojen tekijä/toimittaja, leksikografi
lexicography /,leksəˈkagrəfi/ s sanakirjojen teko/toimitus, leksikografia
lexicon /ˈleksɪ,kan/ s **1** sanasto, sanakirja **2** sanasto, sanavarasto
lexis /leksɪs/ s (kielitieteessä) (kielen) sanasto, sanavarasto
liability /,laɪəˈbɪlɪti/ s **1** velka **2** (kuv) taakka, haitta, huono puoli **3** (laillinen) vastuu
liability insurance s vastuuvakuutus
liable /laɪəbəl/ adj joka on (laillisesti) vastuussa
liable to adj jollekin altis; jolla on taipumusta johonkin you are liable to get shot if you go there sinut saatetaan hyvinkin ampua jos menet sinne
liaison /liˈeɪzan/ s **1** yhteys, yhteydenpito, yhteistyö **2** yhdyshenkilö
liar /laɪər/ s valehtelija
lib /lɪb/ s vapautus women's/gay lib naisten/homoseksualistien vapautus/tasa-arvo

libel /laɪbəl/ s herjaus (painetussa sanassa), herjauskirjoitus
v herjata (painetussa sanassa)
libeler /laɪbələr/ s (kirjoittamalla) herjaaja
libelous /laɪbələs/ adj (kirjoitus) herjaava
liberal /lɪbrəl/ s, adj **1** vapaamielinen, suvaitsevainen **2** Liberal liberaali, (Ison-Britannian) liberaalisen puolueen jäsen/ kannattaja **3** vapaa liberal translation vapaa käännös **4** avokätinen, antelias
liberalism s vapaamielisyys, suvaitsevaisuus, liberalismi
liberalization /ˌlɪbrəlɪ'zeɪʃən/ s vapautus, vapauttaminen, liberalisointi
liberalize /'lɪbrəˌlaɪz/ v **1** tehdä vapaamielisemmäksi, liberalisoida **2** vapauttaa säännöstelystä/valvonnasta, lieventää säännöstelyä/valvontaa, liberalisoida
liberally adj **1** vapaamielisesti, suvaitsevaisesti **2** vapaasti **3** avokätisesti, anteliaasti, runsaasti spead this ointment liberally on your skin levitä voidetta runsaasti ihollesi
Liberal Party s (Ison-Britannian) liberaalinen puolue
liberate /'lɪbəˌreɪt/ v **1** vapauttaa **2** päästää ilmoille (esim kaasua), vapautua
liberation /ˌlɪbə'reɪʃən/ s vapautus, vapauttaminen, vapautuminen women's/ gay liberation naisten/homoseksualistien tasa-arvo
liberator /'lɪbəˌreɪtər/ s vapauttaja
Liberia /laɪ'bɪriə/ Liberia
Liberian s, adj liberialainen
libertine /'lɪbərˌtin/ s elostelija, irstailija
liberty /lɪbərti/ s vapaus I am not at liberty to say how much the new wing cost en voi kertoa paljonko uusi siipirakennus tuli maksamaan to take the liberty of doing something tehdä jotakin omavaltaisesti to take liberties with someone/something sallia itselleen vapauksia jonkun suhteen/jossakin asiassa, käsitellä/kohdella jotakin/jotakuta hyvin vapaasti
LIBOR London Interbank Offered Rate (tal) Lontoon eurovaluuttamarkkinoiden keskimääräinen korkonoteeraus eurodollaritalletuksille
Libra /librə/ horoskoopissa Vaaka
librarian /laɪ'breriən/ s kirjastonhoitaja
library /laɪbreri/ s kirjasto Phoebe has an extensive video library Phoebella on laaja videokirjasto/videokasettikokoelma
library card s kirjastokortti
library science s kirjastotiede
Libya /lɪbɪə/
Libyan s, adj libyalainen
lic. licence; licenced
Lic. Licentiate
lice /laɪs/ ks louse
licence ks license
licence plate s rekisterikilpi
licencing s lisensointi, lisenssin myöntäminen
license /laɪsəns/ s **1** lupa, oikeus driver licence; driver's licence ajokortti **2** lisenssi **3** vapaus poetic licence runoilijan vapaus
v **1** myöntää/antaa lupa/oikeus **2** lisensoida, myöntää lisenssi
licensee /ˌlaɪsən'si/ s luvanhaltija, edustaja
lick /lɪk/ s nuolaisu
v **1** nuolla, nuolaista **2** (ark) hakata, antaa selkään
lick and a promise fr hutaisu
lick ass fr (sl) nuolla jonkun persettä, hännystellä, mielistellä
licking to give someone a licking antaa jollekulle selkään
lick into shape fr saada kuntoon, saada rullaamaan
lick your chops fr odottaa jotakin vesi kielellä
lick your wounds fr nuolla haavojaan
licorice /lɪkrɪʃ/ s lakritsi
lid /lɪd/ s **1** kansi to blow the lid off something paljastaa rötös to blow your lid menettää malttinsa, pillastua **2** silmäluomi eyelid
lie /laɪ/ s valhe
v lied, lied: valehdella to lie through your

teeth lasketella palturia, valehdella minkä ehtii, niin että korvat heiluvat
lie /laɪ/ s **1** sijainti, asema, paikka **2** (eläimen) pesä
v lay, lain: verbi lie korvautuu arkikielessä toisinaan sanalla lay **1** maata, olla to lie in bed maata vuoteessa the keys lie on the desk avaimet ovat pöydällä **2** sijaita, olla the house lies in a valley talo on laaksossa big problems lay before us edessämme oli isoja ongelmia
lie by v keskeyttää (hetkeksi), pitää tauko
Liechtenstein /ˈlɪktən,staɪn/
Liechtensteiner s liechtensteinilainen
lie down v käydä pitkäkseen
lie down on the job fr laiskotella työssään
lie in state fr (ruumis) olla nähtävänä
lie in wait fr väijyä, vaania
lie low fr pysytellä piilossa, pitää matalaa profiilia
lie on v riippua jostakin, olla jonkin varassa
lie over v lykätä myöhemmäksi, saada odottaa
lieu /lu/ in lieu of jonkin asemesta, jonkin sijasta
lie upon v riippua jostakin, olla jonkin varassa
lieutenant /luˈtenənt/ s luutnantti
lieutenant governor s varakuvernööri
lie with v kuulua jonkun tehtäviin, olla jonkun vastuulla
life /laɪf/ s **1** elämä life and death elämä ja kuolema the murderer was sentenced to life murhaaja tuomittiin elinkautiseen vankeusrangaistukseen the kids were full of life lapset suorastaan pursuivat elinvoimaa **2** henki he took his own life hän teki itsemurhan
life-and-death /,laɪfənˈdeθ/ adj elintärkeä, ratkaiseva, vakava this is a life-and-death battle/decision tämä on taistelua elämästä ja kuolemasta/tämä on elintärkeä kysymys
lifeblood /ˈlaɪf,blʌd/ s **1** veri **2** (kuva) elinhermo, elinehto
life boat s pelastusvene
life expectancy /,laɪfəksˈpektənsi/ s odotettavissa oleva elinikä
life force /ˈlaɪf,fɔrs/ s elämänvoima
lifeguard /ˈlaɪf,gard/ s hengenpelastaja
life insurance /ˈlaɪfɪn,ʃərəns/ s henkivakuutus
life jacket /ˈlaɪf,dʒækət/ s pelastusliivit
lifeless adj **1** eloton, kuollut **2** (kuv) kuollut, pitkäveteinen, tylsä
lifeline /ˈlaɪf,laɪn/ s **1** pelastusköysi **2** (kuv) elinhermo, elinehto, pelastus
lifelong /ˈlaɪf,laŋ/ adj elinikäinen
life of Riley fr (kuv) kissanpäivät
life-or-death /,laɪfərˈdeθ/ adj elintärkeä, ratkaiseva, vakava this is a life-or-death battle/decision tämä on taistelua elämästä ja kuolemasta/tämä on elintärkeä kysymys
life preserver s pelastusliivit
lifer /laɪfər/ s (sl) **1** elinkautinen (vanki) **2** vakinainen työntekijä tms
life raft s pelastuslautta
lifesaver /ˈlaɪf,seɪvər/ s **1** pelastaja, hengenpelastaja **2** (kuv) pelastus
life sentence s elinkautinen tuomio/vankeusrangaistus
life-size /ˈlaɪf,saɪz/ adj luonnollisen kokoinen
life span /ˈlaɪf,spæn/ s elämänkaari; odotettavissa oleva elinikä
lifestyle /ˈlaɪf,staɪəl/ s elämäntapa
life-threatening /,laɪfˈθretənɪŋ/ adj hengenvaarallinen
lifetime /ˈlaɪf,taɪm/ s elinikä, elinaika adj elinikäinen, elinaikainen, elinkautinen
lifework /,laɪfˈwərk/ s elämäntyö
LIFO last in, first out
lift /lɪft/ s **1** nosto (myös:) painonnosto **2** piristys the news gave her a lift uutinen piristi hänen mieltään **3** kyyti can you give me a lift? otatko minut kyytiin? **4** (UK) hissi ski lift hiihtohissi
v **1** nostaa lift your right hand, please nosta oikeaa kättäsi **2** (kuv) kohottaa, piristää the news lifted her spirits uutinen kohotti hänen mieltään, uutinen

piristi häntä **3** (ark) varastaa, kähveltää, kääntää **4** lopettaa, lakkauttaa the ban on Japanese imports has been lifted japanilaisten tavaroiden tuontikielto on kumottu
lift bridge s nostosilta
liftoff s **1** (lentokoneen, raketin) ilmaan nousu **2** (kuv) aloitus, käynnistys
lift up v nostaa, kohottaa
ligament /lɪgəmənt/ s nivelside
light /laɪt/ s **1** valo the speed of light valon nopeus to get up at first light nousta aamunkoitteessa to bring something to light paljastaa, saattaa jotakin päivänvaloon **2** lamppu traffic lights liikennevalot **3** tuli could you give me a light? onko sinulla tulta?
v lit/lighted, lit/lighted **1** valaista **2** sytyttää, syttyä **3** (lintu) laskeutua (oksalle); (ihminen) laskeutua (satulasta, ajoneuvosta)
adj **1** kevyt (myös kuv) light entertainment kevyt viihde **2** vähäinen, (rangaistus) lievä, (tehtävä) helppo to make light of something vähätellä jotakin
light bulb /ˈlaɪtˌbʌlb/ s hehkulamppu
light-duty /ˌlaɪtˈduti/ adj (ajoneuvo ym) kevyt, kevyeen käyttöön tarkoitettu
light-emitting diode s hohtodiodi, LED
lighten v **1** valaista, kirkastaa, kirkastua **2** (kuv) ilostua, piristyä, (kasvot) kirkastua, keventää, keventyä, helpottaa, helpottua
light-fingered /ˌlaɪtˈfiŋgərd/ adj (kuv) pitkäkyntinen
light-footed /ˌlaɪtˈfʊtəd/ adj nopsajalkainen
lightheaded /ˌlaɪtˈhedəd/ adj **1** jota huimaa/pyörryttää **2** pinnallinen; ajattelematon
lighthearted /ˌlaɪtˈhartəd/ adj huoleton, iloinen, hilpeä
lighthouse /ˈlaɪtˌhaʊs/ s majakka
lighting s **1** sytytys, sytyttäminen **2** valaistus
lightly adv **1** kevyesti (myös kuv:) helposti, vähällä **2** vähätellen, vähättelevästi, kevytmielisesti
light-minded /ˌlaɪtˈmaɪndəd/ adj kevytmielinen
lightness s **1** keveys (myös kuv) the unbearable lightness of being olemisen sietämätön keveys **2** helppous **3** vakavuuden puute, välinpitämättömyys
lightning /laɪtniŋ/ s salama flash of lightning salamanisku
lightning rod s **1** ukkosenjohdatin **2** (kuv) syntipukki
light on something v huomata/hoksata/löytää jotakin
light pen s (tietok) valokynä
light up v sytyttää, syttyä, kirkastaa, kirkastua the explosion lit up the sky räjähdys sai taivaan kirkastumaan
lightweight /ˈlaɪtˌweɪt/ s **1** kevyen sarjan nyrkkeilijä **2** mitätön ihminen don't worry about Max, he is a lightweight Maxia ei kannata pelätä
adj kevyt (myös kuv)
light-year /ˈlaɪtˌyɪər/ s **1** valovuosi **2** (kuv, mon) we are light-years ahead of the competition olemme valovuosia kilpailijoista edellä, meillä on selvä etumatka kilpailijoihin
likable /laɪkəbəl/ adj mukava, miellyttävä
like /laɪk/ v **1** pitää jostakusta/jostakin do you like apples? pidätkö omenista? how do you like your new VCR? mitä pidät uudesta kuvanauhuristasi? well, how do you like that! kaikkea sitä kuulee! **2** haluta do as you like tee kuten haluat I would like to go now haluaisin lähteä
adj, adv, prep kuin, kaltainen, samanlainen it looks like rain näyttää siltä että alkaa sataa and the like ja muuta vastaavaa she spends money like crazy hän törsää minkä ehtii
konj kuten like he said, we have to go kuten hän sanoi meidän on lähdettävä
likeable adj mukava, miellyttävä
like a shot fr kuin raketti, äkkiä
like a trooper fr kuin sotilas, kovasti, minkä ehtii
like father, like son fr mitä isä edellä sitä poika perässä

likelihood /'laɪkli,hʊd/ s todennäköisyys what is the likelihood of us getting caught? miten todennäköistä on että me joudumme kiinni?
likely adj **1** todennäköinen **2** uskottava **3** sopiva that's a likely place for camping tuohon on hyvä leiriytyä
likeness s **1** samankaltaisuus **2** kuva God created man in His likeness Jumala loi ihmisen omaksi kuvakseen
liken to v verrata jotakuta/jotakin johonkuhun/johonkin
likes and dislikes s (mon) maku, mieltymykset
likewise /'laɪk,waɪz/ adv samoin, samalla tavoin
liking s mieltymys to have/take a liking to someone/something pitää/alkaa pitää/oppia pitämään jostakin
lilac /laɪlək/ s syreeni
adj liila, vaalean sinipunainen
Li'l Davy /,lɪəl'deɪvi/ (sarjakuvahahmo) Pikku Davy, Davy Crockett
Lilliputian /,lɪlə'pjuʃən/ s, adj lilliputti(-), kääpiö(-)
lilt /lɪlt/ s iloinen/reipas rytmi to speak with a lilt puhua hieman laulaen
v laulaa/soittaa/puhua reippaasti/reippaan rytmikkäästi
lily /lɪli/ s lilja
lily-white /'lɪli,waɪt/ adj **1** vitivalkoinen **2** (kuv) viaton, puhdas kuin pulmunen
limb /lɪm/ s **1** raaja upper/lower limbs yläraajat, alaraajat **2** (puun) oksa to be out on a limb olla heikoilla, olla (taloudellisesti tai muuten) heikolla pohjalla
limber /lɪmbər/ adj notkea
limber up v verrytellä, notkistaa, notkistella
limbic system /lɪmbɪk/ s (aivojen) limbinen järjestelmä
limbo /lɪmboʊ/ s **1** limbus, esihelvetti **2** unhola **3** välivaihe, siirtymäkausi
lime /laɪm/ s **1** kalkki **2** lehmus **3** limetti
v kalkita, lannoittaa kalkilla
limelight /'laɪm,laɪt/ s parrasvalot (myös kuv), ramppivalot (myös kuv), (kuv) julkisuuden valokeila
limerick /lɪmrɪk/ s limerikki, viisisäkeinen komparuno
limestone /'laɪm,stoʊn/ s kalkkikivi
limey /laɪmi/ s (sl) britti
adj (sl) brittiläinen
limit /lɪmət/ s raja, yläraja, rajoitus speed limit nopeusrajoitus life in Alaska tests the limits of human endurance elämä Alaskassa panee ihmisen sietokyvyn koetteille this is the limit! tämä on kyllä kaiken huippu!, tämä on jo paksua!
v rajata, rajoittaa, rajoittua the doctor told him to limit his salt intake lääkäri käski häntä vähentämään suolan käyttöä
limitation /,lɪmə'teɪʃən/ s rajoitus, raja
limited adj **1** rajallinen; ahdas, pieni, vaatimaton my time is limited, so let's begin immediatley aloitetaan heti sillä minulla on vain vähän aikaa **2** (juna tms) pika- **3** (UK) osakeyhtiö-
limited-liability company s (UK) osakeyhtiö
limitless adj rajaton, ääretön
limousine /'lɪmə,zin/ s limusiini (yleensä kuljettajan ohjaama iso henkilöauto)
limp /lɪmp/ s ontuminen the car accident left me with a limp olen ontunut autokolarista lähtien
v ontua, nilkuttaa
adj veltto (myös kuv:) vetämätön, voimaton, (kirjan kannet:) pehmeät, taipuisat
linchpin /'lɪntʃ,pɪn/ s **1** (akselin) sokka **2** (kuv) perusta, A ja O
Lincoln /liŋkən/ amerikkalainen automerkki
Lincs. Lincolnshire
linden /lɪndən/ s lehmus
line /laɪn/ s **1** köysi **2** viiva, linja, jana, rajaviiva, ääriviiva, (mon) suuntaviivat he wanted to do it along the same lines he did the first one hän halusi noudattaa samoja suuntaviivoja kuin ensimmäisessä työssä **3** (US) jono to wait in line jonottaa **4** liikenneyhteys, linja; puhelinyhteys hold the line! älä katkaise

puhelua!, odota! **5** suvun haara, linja **6** (kirjan ym) rivi to drop someone a line kirjoittaa jollekulle kirje, antaa kuulua itsestään **7** menettely, suunta it's hard to follow her line of reasoning hänen ajatuksenjuoksuaan on vaikea ymmärtää **8** (sot) taistelulinja **9** liikeala what is your line of business? millä (liike)alalla sinä toimit? our line of products meidän tuotelinjamme/tuotteemme
v **1** viivoittaa **2** vuorata; peittää

lineage /lɪnɪədʒ/ s syntyperä; suku

linear /lɪnɪər/ adj **1** suoraviivainen, lineaarinen **2** (mitta) pituus-

linebacker /ˈlaɪn,bækər/ s (amerikkalaisessa jalkapallossa) tukimies, ks inside linebacker, middle linebacker, outside linebacker

line judge /ˈlaɪn,jʌdʒ/ s (amerikkalaisessa jalkapallossa) kenttätuomari

lineman /laɪnmən/ s (mon linemen) (amerikkalaisessa jalkapallossa) linjamies

linen /lɪnən/ s **1** pellava to wash your dirty linen in public riidellä yksityisasioista muiden kuullen **2** liinavaatteet

line of credit /,laɪnəvˈkredɪt/ s luottoraja

line of scrimmage /,laɪnəˈskrɪmədʒ/ s (amerikkalaisessa jalkapallossa) aloitusryhmitys

line out v **1** hahmotella, luonnostella **2** esittää, toteuttaa

liner /laɪnər/ s **1** matkustajalentokone; matkustajalaiva **2** äänilevyn kansi, kannet **3** vuori, vuoraus **4** (silmien)rajausväri lipliner huulten rajauskynä

linesman /laɪnzmən/ s (mon linesmen) linjatuomari

line up v **1** järjestää/järjestyä/käydä riviin **2** hankkia (kannattajia, esiintyjä)

lineup /laɪnʌp/ s **1** rivi police lineup rivi henkilöitä joiden joukosta silminnäkijää pyydetään tunnistamaan syyllinen **2** (urh) pelaajaluettelo **3** tarjonta, valikoima the spring lineup of television programming kevään televisiosarjat

line your own pockets fr paikkailla omia taskujaan, pistää rahaa (luvatta) omaan taskuunsa

linger /lɪŋgər/ v **1** viipyä jossakin, viivytellä **2** pysyä hengissä, olla vielä elossa

linger away/out v vetelehtiä, laiskotella, viettää laiskotellen

lingerie /,lanʒəˈreɪ/ s naisten alusvaatteet

lingering adj **1** (sairaus) pitkällinen **2** hidas, pitkäveteinen **3** (epäilys) viimeinen, hienoinen

linger on v **1** puhua pitkään jostakin **2** lepuuttaa silmiään jossakin

lingo /lɪŋgoʊ/ s **1** (jonkin ammatti- tai muun ryhmän) erikoiskieli **2** (vieras) kieli

lingua franca /,lɪŋgwəˈfræŋkə/ s yhteiskieli, lingua franca

linguist /lɪŋgwəst/ s kielitieteilijä, kielentutkija, lingvisti

linguistic adj **1** kielellinen, kieli- **2** kielitieteellinen, lingvistinen

linguistically adv **1** kielellisesti **2** kielitieteellisesti

linguistics /lɪŋˈgwɪstɪks/ s (verbi yksikössä) kielitiede, lingvistiikka

liniment /lɪnəmənt/ s (lääke)voide

lining /laɪnɪŋ/ s vuori, vuoraus

link /lɪŋk/ s **1** (ketjun) lenkki (myös kuv) missing link puuttuva rengas **2** kalvosinnappi **3** liikenneyhteys **4** tiedonsiirtoyhteys, linkki **5** yhteys what is the link between these two diseases? miten nämä kaksi sairautta liittyvät toisiinsa?
v yhdistää, yhdistyä, liittää/liittyä johonkin/yhteen

links s (mon) golfkenttä

link up v yhdistää, yhdistyä, liittää/liittyä johonkin/yhteen

linoleum /ləˈnoʊlɪəm/ s korkkimatto

linseed /ˈlɪn,sid/ s pellavansiemen

linseed oil s pellavaöljy

lint /lɪnt/ s nöyhtä, nukka

lion /laɪən/ s **1** leijona (myös kuv) **2** (kuv) leijona, kuuluisuus, keikari literary lion kirjailijamaailman leijona

lioness /laɪənəs/ s naarasleijona

lionet /ˈlaɪə,net/ s leijonanpentu

lionheart /ˈlaɪən,hart/ s rohkea/urhea ihminen

lionhearted /ˈlaɪən,hartəd/ adj rohkea, urhea Richard the Lion-Hearted Rikhard Leijonamieli, Rikhard I
lionize /ˈlaɪə,naɪz/ v palvoa, ihailla
lion's share /ˈlaɪnz,ʃeər/ s leijonanosa, suurin osa, parhaat palat
lip /lɪp/ s **1** huuli to keep a stiff upper lip purra hammasta; ei paljastaa tunteitaan to smack your lips over something odottaa vesi kielellä jotakin **2** (astian) nokka **3** reuna, reunus
liposuction /ˈlɪpə,sʌkʃən, ˈlaɪpoʊ,sʌkʃən/ s rasvaimu
lipreading /ˈlɪp,ridɪŋ/ s huuliltalukeminen
lip service to pay lip service to someone/something muka totella/noudattaa ym jotakuta/jotakin, olla tottelevinaan/noudattavinaan ym jotakin
lipstick /ˈlɪp,stɪk/ s huulipuna
liquefy /ˈlɪkwə,faɪ/ v nesteytyä, nesteyttää
liqueur /lɪˈkɔr lɪˈkjʊər/ s likööri
liquid /lɪkwəd/ s **1** neste **2** (fonetiikassa) likvida (äänteet /r/ ja /l/)
adj **1** nestemäinen, neste- **2** (tal) likvidi, käteinen, helposti rahaksi muutettava
liquidate /ˈlɪkwə,deɪt/ v **1** (tal) likvidoida, maksaa (velka), muuttaa rahaksi **2** tappaa, teloittaa, likvidoida
liquidation /,lɪkwəˈdeɪʃən/ s **1** (tal) likvidaatio, likvidointi **2** tappaminen, teloitus, likvidointi
liquor /lɪkər/ s viina, (väkevä) alkoholi
liquorice /lɪkrɪʃ/ s lakritsi
liquorice allsorts s (mon) (UK) englantilaiset lakritsikonvehdit
lisp /lɪsp/ s s-vika
v: she lisps hänellä on s-vika
list /lɪst/ s **1** luettelo, lista **2** (laivan) kallistuma
v **1** luetella, merkitä luetteloon/listaan **2** (laivasta) kallistua, olla kallistunut
listed adj (tal) julkisesti noteerattu
listen /lɪsən/ v kuunnella
listener /lɪsnər/ s kuuntelija
listen in v **1** kuunnella (radiolähetystä) **2** salakuunnella, kuunnella salaa
listening post s **1** (sot) (sala)kuunteluasema **2** (kuv) tuntosarvet the CIA has listening posts all over the Middle East CIA on työntänyt tuntosarvensa kaikkialle Lähi-itään
listless /lɪstləs/ adj haluton, innoton, veltto, välinpitämätön, voimaton
listlessly adv ks listless
listlessness s haluttomuus, velttous, välinpitämättömyys
list price s ohje(vähittäis)hinta, listahinta
lit /lɪt/ ks light
lit. literal; literally; literary; literature
litany /lɪtəni/ s **1** (rukous) litania **2** (kuv) litania
Lit.D. Doctor of Letters/Literature kirjallisuuden tohtori
liter /litər/ s litra
literacy /lɪtərəsi/ s **1** lukutaito, luku- ja kirjoitustaito **2** oppineisuus **3** computer literacy taito käyttää tietokonetta
literal /lɪtərəl/ adj **1** kirjoitus- **2** kirjaimellinen, sanatarkka **3** tarkka, luotettava, paikkansa pitävä **4** varsinainen, todellinen, oikea **5** (ihminen) tosikkomainen
literally adv **1** kirjaimellisesti, sanatarkasti **2** (kuv) kirjaimellisesti, todella, nimen omaan
literal-minded /,lɪtərəlˈmaɪndəd/ adj tosikkomainen she is awfully literal-minded hän on hirvittävä tosikko
literary /ˈlɪtə,reri/ adj kirjallisuus-, kirjailija- literary circles kirjailijapiirit he is a literary man hän on kirjallisuuden tutkija/harrastaja
literate /lɪtərət/ adj **1** lukutaitoinen, luku- ja kirjoitustaitoinen **2** oppinut, sivistynyt, kouluja käynyt
literati /,lɪtəˈrati/ s (mon) kirjallisuuden harrastajat; oppineet, älymystö
literature /lɪtərətʃər/ s **1** kirjallisuus **2** esitteet, aineisto, mainosmateriaali we will be happy to send you some literature on our software lähetämme mielellämme lisätietoja ohjelmistamme
lithe /laɪð/ adj notkea, taipuisa, norja
lithium /lɪθiəm/ s litium
lithographer s kivenpiirtäjä, litografi
lithographic /,lɪθəˈgræfɪk/ adj kivipaino-, litografinen

lithography /lɪ'θagrəfi/ s kivipaino
Lithuania /ˌlɪθʊ'eɪniə/ Liettua
litigate /'lɪtəˌgeɪt/ v käräjöidä
litigation /ˌlɪtə'geɪʃən/ s käräjöinti
litigious /lɪ'tɪdʒəs/ adj käräjöimishaluinen
litigiousness s käräjöimishalu
litmus /lɪtməs/ s lakmus
litmus paper s lakmuspaperi
Litt. B. Bachelor of Letters/Literature kirjallisuuden kandidaatti (alin tutkinto)
Litt. D. Doctor of Letters/Literature kirjallisuuden tohtori
litter /lɪtər/ s **1** roska, roskat, jäte **2** (eläimen) pesue, poikue **3** paarit v **1** roskata, heittää roskia maahan tms **2** levittää/heittää/heitellä jotakin sinne tänne **3** (eläin) synnyttää
litterbag /'lɪtərˌbæg/ s roskapussi, jätepussi
litterbug /'lɪtərˌbʌg/ s roskaaja; joku joka heittää roskia maahan tms
littering s roskaaminen
little /lɪtəl/ s, adj (smaller, smallest), adv (less, least) pieni, lyhyt, vähäinen; vähän, vain vähän, pikkuisen; pieni määrä when he was little kun hän on oli pieni, hänen lapsuudessaan my little sister pikkusiskoni just a little bit aivan vähän, pikkuisen a little while pieni/lyhyt hetki, hetkinen he gave me a little money hän antoi minulle vähän rahaa he gave me little money hän antoi minulle vain/hyvin vähän rahaa in little pienoiskokoinen, pienoiskoossa, pienois- a little knowledge is a dangerous thing luulo ei ole tiedon väärti to make little of something vähätellä jotakin
little by little adv vähä vähältä, vähitellen
little finger s pikkusormi
little man s tavallinen ihminen, kadunmies, keskivertokansalainen
littleness s pienuus, vähäisyys
little people s **1** tavalliset ihmiset **2** lapset, pikkuväki **3** kääpiöt **4** (saduissa ym) pikkuväki
little toe s pikkuvarvas
liturgy /lɪtərdʒi/ s liturgia
livable /lɪvəbəl/ adj **1** asuinkelpoinen **2** siedettävä, elämisen arvoinen
livable-in adj asuinkelpoinen
livable-with adj siedettävä
live /lɪv/ v **1** elää to live and die elää ja kuolla to live beyond your means elää yli varojensa and they lived happily ever after ja he elivät onnellisina elämänsä loppuun asti he lives a life of denial hän elää kieltäymyksessä she lived to be 100 hän eli satavuotiaaksi **2** asua jossakin they live in the suburbs he asuvat esikaupungissa
live /laɪv/ adj **1** elävä (myös kuv) live music elävä musiikki **2** eloisa, vilkas **3** (radio- tai televisiolähetys) suora, (äänite, tallenne) konsertti-, live- adv (lähettää radio- tai televisiolähetys) suorana, (äänittää, tallentaa ääninauhalle tms) konsertissa
live-action /'laɪvˌækʃən/ adj **1** (elokuva) animaatio-, piirretty, piirros- **2** (ark) suora (radio- tai televisiolähetys)
live by your wits fr pitää puolensa, olla nokkela
live high off/on the hog fr elää leveästi
live-in /'lɪvˌɪn/ s **1** isäntäväen luona asuva palvelija tms **2** avopuoliso, avopari adj **1** (palvelija) joka asuu isäntäväen luona **2** (avoliiton osapuolesta) avo-
live in v (palvelija tms) asua isäntäväen talossa
livelihood /'laɪvliˌhʊd/ s toimeentulo, elatus, elanto
liveliness /laɪvlinəs/ s eloisuus, vilkkaus
livelong /'lɪv'laŋ/ adj koko do I have to sit here for the livelong day? pitääkö minun istua tässä koko pitkän päivän?
lively /laɪvli/ adj eloisa, vilkas, (äly) terävä, nokkela, (vauhti) reipas
liven up /laɪvən/ v piristää, piristyä, tuoda (uutta) eloa johonkin
live off v elää jollakin/jonkun kustannuksella/siivellä
live on v **1** elää jollakin he lives on vegetables hän syö pelkästään vihanneksia **2** tulla toimeen I can't live on

$160 a week en tule toimeen 160 dollarilla viikossa
live out v (palvelija tms) ei asua isäntäväen talossa
liver /lɪvər/ s maksa
Liverpool /lɪvərpuəl/
livery /lɪvəri/ s livree, palvelijan puku
lives /laɪvz/ ks life
livestock /'laɪv,stak/ s karja
live together fr asua yhdessä, olla avoliitossa
live up to v täyttää vaatimukset, vastata odotuksia
live with v **1** asua yhdessä jonkun kanssa, olla avoliitossa **2** sietää jotakin, selvitä jostakin, tulla toimeen jostakin huolimatta
livid /lɪvəd/ adj **1** sinertävä; joka on mustelmilla **2** suunniltaan raivosta
living s **1** the living elävät ihmiset **2** elatus, elanto, toimeentulo
adj elävä there was not a living soul there siellä ei ollut ristin sielua
living death s (kuv) todellinen/täysi/elävä helvetti
living room s olohuone
lizard /lɪzərd/ s sisilisko; lisko
Lizard (tähdistö) Sisilisko
llama /lamə/ s laama
load /loud/ s **1** kuorma, lasti **2** kuormitus **3** (kuv) taakka, rasitus she is struggling under the heavy load of responsibility vastuun raskas taakka painaa häntä **4** (ark) iso kasa he has loads of CDs hänellä on kasapäin CD-levyjä **5** (aseen) panos
v **1** kuormata, lastata **2** kuormittaa **3** ladata (ase, kamera)
load down v **1** kuormata (täyteen) **2** (kuv) rasittaa, sälyttää jotakin jonkun niskaan/harteille
load down with v **1** (kuv) hukuttaa joku johonkin **2** (kuv) luhistua taakkansa tms alle
load into v nousta ajoneuvoon
load the dice fr saattaa joku epäedulliseen asemaan, olla jollekulle vahingoksi, joutua kärsimään jostakin
loaf /louf/ s (mon loaves) leipä a loaf of bread leipä
v maleksia, vetelehtiä no loafing! asiaton oleskelu kielletty
loaf away v panna hukkaan
loafer s maleksija, vetelehtijä; asiaton oleskelija
loan /loun/ s laina the bank gave her a loan hän sai pankista lainan can I take your calculator on loan? saanko lainata laskintasi?
v lainata jollekulle, antaa lainaksi; myöntää laina
loan shark /'loun,ʃark/ s (ark) koronkiskuri
loanword /'loun,wərd/ s lainasana in English, sauna is a loanword englannin kielessä sauna on lainasana
loath /louθ/ to be loath to do something olla haluton tekemään jotakin, ei suostua johonkin
loathe /louð/ v inhota, halveksia
loathful /louðfəl/ adj inhottava, vastenmielinen
loathsome /louðsəm/ adj inhottava, vastenmielinen, kuvottava
loaves /louvz/ ks loaf
lobby /labi/ s **1** aula, eteinen **2** (poliittinen) eturyhmä
v ajaa (edustajainhuoneessa tms) jotakin asiaa, puolustaa jonkin eturyhmän etuja the NRA is lobbying against gun control National Rifle Association yrittää estää edustajainhuonetta tiukentamasta yksityisaseiden valvontaa
lobbyist s (poliittisen) eturyhmän edustaja, lobbyisti
lobe /loub/ s **1** korvan nipukka **2** keuhkojen lohko
lobster /labstər/ s hummeri
local /loukəl/ s **1** paikallisjuna, paikallislinja-auto, paikallislehti, paikallisosasto **2** (us mon) paikallisväestö, paikkakuntalaiset
adj paikallinen, paikallis-, paikkakuntalocal transportation paikallisliikenne local anesthesia paikallispuudutus
local area network s (tietok) paikallisverkko, lähiverkko
local color s (kuv) paikallisväri
local-content adj kotimaisuusastetta koskeva, kotimaisuusaste-

locale /loʊ'kæəl/ s **1** paikka, asuinsija **2** (elokuvan, kirjan) tapahtumapaikka
local government s **1** paikallishallinto **2** kaupunginhallitus, kunnanhallitus tms
locality /loʊ'kæləti/ s **1** paikka, alue **2** paikallisuus
localization /ˌloʊkələ'zeɪʃən/ s paikannus, paikantaminen, paikallistaminen
localize /'loʊkəˌlaɪz/ v paikantaa, paikallistaa
locate /loʊkeɪt/ v **1** sijoittaa their home is located near the ocean heidän talonsa on lähellä merta **2** löytää, paikantaa
location /loʊ'keɪʃən/ s **1** paikka, sijanti, asema **2** sijoittaminen, rakentaminen **3** löytäminen, paikantaminen, paikannus **4** (elokuvan) kuvauspaikka (studion ulkopuolella) the movie was filmed entirely on location filmi kuvattiin kokonaan studion ulkopuolella
loch /lak/ s (Skotlannissa) järvi
Loch Ness /lak'nes/ Loch Ness
Loch Ness monster /ˌlaknes'manstər/ s Loch Nessin hirviö
lock /lak/ s **1** (oven, aseen) lukko to be under lock and key olla hyvässä turvassa/tallessa, olla lukkojen takana **2** (hius)kihara **3** (mon) kutrit, kiharat, hiukset, tukka **4** (kanavan) sulku
v lukita, panna lukkoon, lukkiutua, mennä lukkoon
locker s lukollinen kaappi, laatikko; (esim rautatieasemalla maksullinen) säilytyslokero
locker room /'lakərˌrum/ s (urheilijoiden) pukuhuone
locker-room adj (kuv) miehinen, miesten keskeinen, härski
locket /lakət/ s medaljonki, riipus
lock horns with fr ottaa yhteen jonkun kanssa
lock in v lyödä lukkoon
lock on v saada tähtäimeen, seurata (tutkalla yms)
lock out v ei päästää sisään/jonnekin, sulkea jokin paikka joltakulta
locksmith /'lakˌsmɪθ/ s lukkoseppä
lock, stock, and barrel fr kaikkineen päivineen, koko konkkaronkka, kimpsuineen kampsuineen
lock up v **1** lukita ovet **2** teljetä vankilaan
locomotion /ˌloʊkə'moʊʃən/ s liike (paikasta toiseen)
locomotive /ˌloʊkə'moʊtɪv/ s (junan) veturi
adj **1** liike- **2** veturi-
locomotive engineer s veturinkuljettaja
locus /loʊkəs/ s (mon loci, loca) (yleiskielessä) paikka, keskus
locust /loʊkəst/ s heinäsirkka
lodge /ladʒ/ s **1** mökki, maja, kesämökki **2** piharakennus **3** hotelli motor lodge motelli **4** (järjestön) paikallisosasto
v **1** yöpyä, asua (tilapäisesti) jossakin, majoittua, majoittaa **2** asua vuokralla jossakin, ottaa vuokralaiseksi **3** juuttua, jäädä (kiinni) jonnekin
lodgepole pine /ˌladʒˌpoəl'paɪn/ s kontortamänty
lodger /ladʒər/ s vuokralainen
lodging s **1** majoitus **2** (mon) vuokrahuone(et)
lodging house s täysihoitola
loft /laft/ s **1** ullakko, ullakkohuoneisto **2** (heinä)yliset **3** golfmailan lavan nostokulma **4** golfpallon lentokorkeus
loftily adv ks lofty
lofty /lafti/ adj **1** korkea **2** korkea-arvoinen **3** ylevä, korkealentoinen **4** ylimielinen, koppava
log /lag/ s **1** tukki, (kaadettu) puunrunko; halko **2** (laivan) loki **3** (laivan) lokikirja; (lentokoneen) lentopäiväkirja
v **1** kaataa (metsää), halkoa, pilkkoa (puita) **2** merkitä lokikirjaan; merkitä muistiin, kirjata **3** kulkea, matkustaa, lentää tietty matka/aika
logarithm /'lagˌrɪðəm/ s logaritmi
logarithmic /ˌlag'rɪðmɪk/ adj logaritminen, logaritmi-
logbook /'lagˌbʊk/ s (laivan) lokikirja; (lentokoneen) lentopäiväkirja

loggerheads /'lagər,hedz/ to be at loggerheads with someone olla tukkanuottasilla/riidoissa jonkun kanssa
logic /ladʒɪk/ s **1** logiikka **2** loogisuus, järki, ajattelu he was unable to follow her logic hän ei ymmärtänyt hänen ajatuksenjuoksuaan there is no logic in what you're saying puhut täysin epäjohdonmukaisesti
logical adj **1** looginen **2** järkevä, johdonmukainen, selkeä
logically adj **1** loogisesti **2** järkevästi, johdonmukaisesti, asiallisesti
logician /la'dʒɪʃən/ s loogikko
log in v **1** merkitä ylös, kirjata **2** (tietok) avata yhteys esim suurtietokoneeseen
logistical adj kuljetus-, järjestely-, logistinen
logistics /la'dʒɪstɪks/ s (verbi yksikössä tai mon) **1** (sotaväen ja -kaluston) kuljetus, logistiikka **2** järjestely, logistiikka
logjam /'lag,dʒæm/ s **1** tukkisuma **2** (kuv) ruuhka, tulva
log off v (tietok) katkaista yhteys esim suurtietokoneeseen, lopettaa esim suurtietokoneen käyttö
loincloth /'lɔɪn,klaθ/ s lannevaate
loins /lɔɪnz/ s (mon) **1** lanteet **2** (kuv) kupeet to gird up your loins (kuv) vyöttää kupeensa, valmistautua johonkin
loiter /lɔɪtər/ v maleksia, lorvailla no loitering! asiaton oleskelu kielletty
loiter away v panna hukkaan
loiterer s maleksia, lorvailija; asiaton oleskelija
loll /laəl/ v **1** lojua, löhötä **2** roikkua, roikuttaa his head was lolling against his chest hänen päänsä roikkui velttona rintaa vasten
lollipop /'lali,pap/ s tikkukaramelli
London /lʌndən/ Lontoo
London Interbank Offered Rate s (tal) Lontoon eurovaluuttamarkkinoiden keskimääräinen korkonoteeraus eurodollaritalletuksille (lyh LIBOR)
lone /loun/ adj **1** yksinäinen lone rider yksinäinen ratsastaja **2** ainoa
lonelily adv yksinäisesti, (ypö)yksin
loneliness s yksinäisyys (ks lonely)
lonely /lounli/ adj **1** (olo) yksinäinen, joka on ypöyksin **2** (paikka) yksinäinen, autio, syrjäinen
lonesome /lounsəm/ adj **1** (olo) yksinäinen, joka on ypöyksin **2** (paikka) yksinäinen, autio, syrjäinen
long /laŋ/ s, adj, adv **1** pitkä (etäisyys, aika), pitkään, kauan it's a long story se on pitkä juttu I can't wait that long en voi odottaa niin pitkään she took a long look at his car hän katsoi hänen autoaan pitkään/oikein kunnolla as long as kunhan; koska; niin kauan kuin it happened as long ago as 1899 se tapahtui jo vuonna 1899 before long pian, ennen pitkää so long as he lived in Canada sinä aikana jonka hän asui Kanadassa, niin kauan kuin hän asui Kanadassa **2** adj (tal) termiä long käytetään sijoittajasta tai vastaavasta joka omistaa arvopapereita
long and short of it fr asian ydin
Long Beach /'laŋ,bitʃ/ kaupunki Kaliforniassa
long-beaked echidna /ə'kɪdnə/ s kärsänokkasiili
longbow /'laŋ,bou/ s käsijousi
long-distance /,laŋ'dɪstəns/ adj **1** (puhelu) kauko- **2** (juoksija) pitkän matkan
long division /,laŋdə'vɪʒən/ s jakolasku paperilla
longevity /lan,dʒevəti/ s pitkäikäisyys
long face /,laŋ'feɪs/ s hapan ilme when he heard the news, Fred pulled a long face uutisen kuultuaan Fredin naama venähti pitkäksi
long haul /,laŋ'haəl/ s pitkä matka in the long haul pitkällä aikavälillä, pitemmän päälle
longing s kaipaus, kaipuu adj kaihoisa, kaipaava
long in the tooth fr iäkäs, vanha
longitude /'landʒə,tud/ s pituus, pituusaste
longitudinal /,landʒə'tudənəl/ adj pituus-, pituussuuntainen, pitkittäinen
long johns /'laŋ,dʒanz/ s (ark mon) pitkät alushousut/kalsarit
long jump /'laŋ,dʒʌmp/ s (urh) pituushyppy
long jumper s (urh) pituushyppääjä

long-lasting /ˌlaŋ'læstiŋ/ adj pitkäaikainen, pitkäkestoinen, pitkään vaikuttava, pitkävaikutteinen

long-lived /ˌlaŋ'lɪvd/ adj pitkäikäinen

long-playing /ˌlaŋ'pleɪiŋ/ adj pitkäsoitto- long-playing record LP

long-range /ˌlaŋ'reɪndʒ/ adj **1** pitkän aikavälin, pitkäaikainen **2** (ohjus) pitkänmatkan

long row to hoe fr visainen tehtävä, vaikea asia

long run /'laŋˌrʌn/ in the long run pitkällä aikavälillä, pitemmän päälle

longshore /'laŋˌʃɔr/ adj ranta-, satama-

longshoreman /ˌlaŋ'ʃɔrmən/ s (mon longshoremen) satamatyöläinen

longshorewoman /ˌlaŋ'ʃɔrˌwʊmən/ s (mon longshorewomen) (naispuolinen) satamatyöläinen

long shot /'laŋˌʃat/ s iso riski not by a long shot ei lähimainkaan, ei sinne päinkään

long-sighted /'laŋˌsaɪtəd/ adj **1** pitkänäköinen **2** (kuv) kaukonäköinen

longsome /laŋsəm/ adj pitkäveteinen, pitkäpiimäinen

longstanding /ˌlaŋ'stændiŋ/ adj pitkäaikainen, pitkällinen, pitkä

long-suffering /ˌlaŋ'sʌfəriŋ/ adj pitkämielinen, kärsivällinen

long term /'laŋˌtərm/ in the long term pitkällä aikavälillä, pitemmän päälle

long-term adj pitkän aikaväline, pitkäaikainen, pitkäaikais-

long-term memory s pitkäkestoinen muisti, säilömuisti, kestomuisti

longtime /'laŋˌtaɪm/ adj pitkäaikainen Bob and I are longtime friends Bob ja minä olemme vanhoja tuttuja

long time no see fr eipä ole nähtykään/tavattukaan pitkään aikaan

long-winded /ˌlaŋ'wɪndəd/ adj pitkäveteinen, pitkäpiimäinen, joka puhuu (liian) pitkään, (puhe) (liian) pitkä

longwise /'laŋˌwaɪz/ adj, adv pitkittäin(en)

look /lʊk/ s **1** katse, vilkaisu will you take a quick look at these figures? vilkaisepa näitä numeroita **2** ilme, ulkonäkö **3** (mon) ulkonäkö at least you have the looks ainakin sinä olet hyvän näköinen
v **1** katsoa, vilkaista to look in the mirror katsoa peiliin look at yourself! katso nyt itseäsi! **2** näyttää joltakin it looks like rain näyttää siltä että kohta alkaa sataa **3** etsiä, käydä läpi

look after v huolehtia, pitää huoli jostakin

look-alike /'lʊkəˌlaɪk/ s **1** kaksoisolento there's a Dolly Parton look-alike contest at the community center monitoimitalolla on kilpailu jossa etsitään Dolly Partonin näköisiä naisia **2** jäljitelmä he purchased a cheap IBM look-alike hän osti halvan IBM-kloonin (mikrotietokoneen)

look back v muistella menneitä

look daggers at someone fr katsoa jotakuta murhaavasti

look down on v väheksyä/halveksua jotakuta, kohdella jotakuta ylimielisesti

look down your nose at someone/something fr katsoa jotakuta/jotakin nenänvartta pitkin, halveksua, väheksyä, kohdella ylimielisesti

looker s (ark) hyvännäköinen nainen/mies

look for v **1** etsiä jotakuta/jotakin **2** odottaa

look forward to v odottaa looking forward to your prompt reply (kirjeen lopussa) jään odottamaan pikaista vastaustanne

look into v ottaa selvää jostakin, tutkia

look on v pitää jotakuta/jotakin jonakin

look out v varoa

lookout /'lʊkˌaʊt/ to be on the lookout for etsiä jotakin, yrittää löytää jotakin

look out for v varoa jotakuta/jotakin; huolehtia jostakin to look out for your health pitää huolta terveydestään, vaalia terveyttään

look out for number one fr ajaa omaa etuaan, pitää puolensa

look-see /'lʊkˌsi/ s (ark) vilkaisu come and have a look-see vilkaisepa tätä

look up v **1** nostaa katseensa, katsoa ylöspäin **2** näyttää paremmalta/hyvältä/

lupaavalta **3** etsiä/katsoa (tietosanakirjasta, sanakirjasta) **4** käydä katsomassa jotakuta, piipahtaa jonkun luona

look upon v pitää jotakuta/jotakin jonakin

look up to v ihailla, kunnoittaa, pitää suuressa arvossa

loom /lum/ s kangaspuut
v **1** näkyä (hämärästi) (myös kuv) those fears loom large in his mind ne pelot kummittelevat hänen mielessään **2** seisoa (uhkaavan näköisenä)

loon /lun/ s **1** kuikka **2** hullu, tärähtänyt ihminen

loony bin /ˈluni͵bɪn/ s (ark) hullujenhuone, pöpilä

loop /lup/ s **1** silmukka, lenkki to throw someone for a loop saada joku ällistymään/haukkomaan henkeään **2** (ehkäisyväline) kierukka
v tehdä silmukka, kiertää/kiertyä silmukalle; kiemurrella, luikerrella

loophole /ˈlup͵hɔl/ s **1** ampuma-aukko; tirkistysreikä; tuuletusaukko **2** (kuv) porsaanreikä

loose /lus/ s vapaus: to be on the loose olla vapaalla jalalla; irrotella, ottaa ilo irti elämästä
v **1** vapauttaa **2** irrottaa **3** löysätä, höllätä
adj, adv **1** irtonainen, irronnut, löystynyt, löysä, löyhä, höllä to come loose irrota **2** notkea, irtonainen **3** vapaa to break loose karata; riuhtaista itsensä irti; irrota to turn loose vapauttaa, päästää vapaaksi to let loose vapauttaa, vapautua; antaa periksi, ei kestää **4** löysä, (moraali, kuri, järjestys), höllä, kevytmielinen, kevytkenkäinen **5** kulku- a loose dog kulkukoira **6** käyttämätön, ylimääräinen loose change pikkuraha

loose end s (kuv) keskeneräinen asia to be at loose ends (kuv) olla tuuliajolla, ei saada otetta elämästä/mistään

loose-fitting adj (vaate) löysä, (liian) iso

loose-jointed adj notkea, norja, vetreä

loose-leaf binder s irtolehtikansio

loosely adv rennosti, vapaasti, kevyesti, ajattelemattomasti, harkitsemattomasti, kevytmielisesti, kevytkenkäisesti (ks loose)

loosen /lusən/ v irrottaa, hellittää, löysätä, höllätä

loosen the purse strings fr löysätä rahakukkaron nyörejä

loose-tongued /͵lusˈtʌŋd/ adj juoruileva

loot /lut/ s (sota-, ryöstö)saalis
v ryövätä, ryöstää, kähveltää

lop /lap/ v **1** karsia (oksia) **2** katkaista (raaja ym) **3** jättää jotakin pois jostakin, lyhentää **4** roikkua, roikuttaa, riippua, riiputtaa

lopsided /ˈlap͵saɪdəd/ adj **1** vino **2** (kuv) epäsuhtainen, nurinkurinen

lord /lɔrd/ s **1** Lord Herra **2** hallitsija, valtias, isäntä, herra **3** (UK) lordi (myös erinäisissä puhutteluissa)

lord it over someone fr kohdella jotakuta ylimielisesti, komennella, määräillä

lordship s (UK) your lordship lordin ja tuomarin puhuttelunimitys

Lord's Prayer s isämeidänrukous

Lord's Supper s ehtoollinen, Herran ateria

Lorraine /ləˈreɪn/ Lothringen

lorry /lɔri/ s (UK) kuorma-auto

Los Angeleno /las͵ændʒəˈlinoʊ/ s Los Angelesin asukas

Los Angeles /lasˈændʒələs/ kaupunki Kaliforniassa

lose /luz/ v lost, lost **1** menettää, kadottaa, hukata he lost his job/life/balance/mind hän menetti työpaikkansa/henkensä/tasapainonsa/järkensä Mary lost her purse Mary hukkasi käsilaukkunsa **2** hävitä (ottelu, oikeudenkäynti, taistelu) the team lost both games joukkue hävisi kummankin ottelun **3** karistaa kannoiltaan, jättää jälkeensä **4** to lose yourself somewhere eksyä jonnekin

lose face fr menettää kasvonsa, saada hävetä silmät päästään

lose out v hävitä, joutua tappiolle

loser /luzər/ s (ark) toivoton tapaus his new novel is a loser hänen uusi romaaninsa on surkea
lose sight of fr **1** kadottaa näkyvistä **2** (kuv) unohtaa
lose track fr ei seurata jotakin, unohtaa, menettää kosketus johonkin
lose your shirt fr (ark) joutua puille paljaille, tehdä vararikko
lose your tongue fr menettää puhelahjansa
loss /las/ s **1** menetys she grieved over the loss of her husband hän suri miehensä kuolemaa **2** tappio the company is operating at a loss yritys toimii tappiolla, yritys tuottaa tappiota **3** I am at a loss for words en tiedä mitä sanoa, en osaa pukea ajatuksiani sanoiksi
lost /last/ v: ks lose
adj **1** hukkunut, hukassa, menetetty; edesmennyt, kuollut the purse is lost käsilaukku on hukassa/hukkunut I am lost olen hukassa/pulassa **2** get lost! häivy!, ala nostella!
lost cause s tuhoon tuomittu hanke/ajatus/aate
lot /lat/ s **1** arpa they chose their leader by a lot he valitsivat johtajan arpomalla **2** kohtalo, osa ja arpa to cast in your lot with someone lyöttäytyä yhteen jonkun kanssa, ryhtyä jonkun kumppaniksi **3** tontti, maa; elokuvastudion alue back lot elokuvastudion ulkokuvausalue parking lot pysäköintialue **4** joukko, ryhmä; erä a lot of something paljon jotakin lots of money paljon rahaa the whole lot koko joukko, kaikki **5** tyyppi they are a bad lot he ovat vaarallista sakkia
v jakaa jollekulle/osiin
lotion /louʃən/ s (käsi-, kasvo)voide
lottery /latəri/ s arpajaiset; arvonta
lotto /latou/ s lotto to play lotto lotota
lotus /loutəs/ s (kasvi) lootus
loud /laud/ adj **1** (ääni, huuto) kova, voimakas, kovaääninen **2** (väri) räikeä **3** (käytös, ihminen) remuava, suurisuinen
adv (sanoa jotakin) ääneen
loudly adv ks loud
loudmouth /'laud,mauθ/ s suurisuinen ihminen, suunsoittaja
loudness s äänenvoimakkuus loudness switch (stereolaitteessa) fysiologinen korjain, loudness-kytkin
loudspeaker /'laud,spikər/ s kaiutin
Louisiana /lu,wizi'ænə/ Louisiana
lounge /laundʒ/ s **1** nojatuoli, sohva **2** (hotellin) aula, oleskeluhuone, (lentokentän ym) odotussali
v loikoilla, laiskotella, vetelehtiä
lounge chair /'laundʒ,tʃeər/ s nojatuoli, sohva
lounger s **1** loikoilija, laiskottelija **2** nojatuoli, sohva **3** (ark) kylpytakki, sisätakki
loupe /lup/ s luuppi, luppi, eräänlainen suurennuslasi
louse /laus/ s (mon lice) täi
lousy /lauzi/ adj (ark) surkea, kurja, viheliäinen we had a lousy time at their place meillä oli kurjaa heidän luonaan
lousy with to be lousy with something (sl) jollakulla on jotakin kuin roskaa/yllin kyllin
lout /laut/ s moukka
louver /luvər/ s **1** sälekaihdin **2** (esim auton jäähdyttimen) säleikkö
lovable /lʌvəbəl/ adj rakastettava, ihana, ihastuttava
love /lʌv/ s **1** rakkaus (eri merkityksissä, myös:) lähimmäisenrakkaus to make love rakastella for the love of decency, please shut up ole nyt ihmeessä siivosti there was no love lost between the brothers veljekset eivät voineet sietää toisiaan **2** kulta, rakas Mary was his first love Mary oli hänen ensimmäinen ihastuksensa **3** (tennis) nolla (pistettä)
v rakastaa (eri merkityksissä) she loves Gothic novels hän rakastaa goottilaisia romaaneita, hän pitää kovasti goottilaisista romaaneista
love affair s **1** (rakkaus)suhde **2** (kuv) ihastus, innostus, harrastus
loveless adj rakkaudeton
love life s rakkauselämä how's your love life?
lovelorn /'lʌv,lɔrn/ adj lemmenkipeä

lovely adj ihana, ihastuttava; kaunis; hauska
lovemaking /ˈlʌvˌmeɪkiŋ/ s rakastelu
love potion /ˈlʌvˌpoʊʃən/ s lemmenjuoma, afrodisiakumi
lover /lʌvər/ s **1** rakastaja they say that the boss and his secretary are lovers väitetään että pomolla ja hänen sihteerillään on suhde **2** harrastaja, ystävä she's a music-lover hän on musiikin ystävä
lovers' lane /ˌlʌvərzˈleɪn/ s kuherruskuja
lovesick /ˈlʌvˌsɪk/ adj lemmenkipeä
loving adj rakastava, rakastunut, hellä, lempeä
lovingly adv rakastuneesti; hellästi, kauniisti
low /loʊ/ s **1** matalapaine **2** pohjalukema inflation has reached a new low inflaatio on laskenut ennätyksellisen alas
adj **1** matala **2** hiljainen (ääni) **3** (kuv) matala, alhainen, halpamainen, vähäinen, pieni the interest rate is low korko on pieni that was a low blow se oli alhainen/katala temppu these pastries are low in calories näissä leivonnaisissa on vähän kaloreita **4** heikko, voimaton I feel low today minulla on tänään heikko olo
adv **1** alhaalla, alas to lie low piiloutua, pysytellä piilossa; pitää matalaa profiilia to bow low kumartaa syvään **2** vähissä, lopussa the gas is running low bensa alkaa loppua **3** halvalla buy low and sell high, that's my advice neuvon ostamaan halpaan ja myymään kalliiseen hintaan
v (lehmä) ammua
lowbrow /ˈloʊˌbraʊ/ s sivistymätön ihminen
adj **1** sivistymätön **2** roska(kulttuuri)-
low-budget /ˌloʊˈbʌdʒət/ adj halvasti tehty, pienellä rahalla tehty
low-cal /ˌloʊˈkæəl/ adj (ark) vähäkalorinen
low-cost /ˌloʊˈkast/ adj halpa
low country s alanko, alava maa
low-density lipoprotein s LDL-lipoproteiini
lowdown /ˈloʊˌdaʊn/ s kylmä totuus, pelkät tosiasiat
adj alhainen, halpamainen
lower /loʊər/ v laskea, alentaa, alentua, vähentää, vähentyä, hiljentää, hiljentyä she refused to lower herself to answering the accusation hän ei pitänyt syytöstä edes vastauksen arvoisena
adj, adv (komparatiivi sanasta low, ks tätä) alempi, alempana, matalampi, ala-
Lower 48 s Yhdysvaltain 48 manner-osavaltiota (siis osavaltiot Alaskaa ja Havaijia lukuun ottamatta)
lowercase /ˌloʊərˈkeɪs/ adj pienaakkosilla ladottu
lower class /ˌloʊərˈklæs/ s alaluokka
lower-class adj alaluokan
Lower Michigan /ˌloʊərˈmɪʃəgən/ Ala-Michigan
lowermost /ˈloʊərˌmoʊst/ adj alin
Lower Peninsula /ˌloʊərpəˌnɪnsələ/ ks Lower Michigan
low-key /ˌloʊˈki/ adj hillitty
v hillitä, jarruttaa
lowly /loʊli/ adj **1** vaatimaton **2** alhainen, vähäpätöinen **3** nöyrä
low-lying /ˌloʊˈlaɪiŋ/ adj alava
low-priced /ˌloʊˈpraɪst/ adj edullinen, halpa
low profile /ˌloʊˈproʊfaɪəl/ to keep a low profile pitää matalaa profiilia, pysytellä taka-alalla/piilossa
low relief /ˌloʊrəˈlif/ s matala reliefi
lowrider /ˈloʊˌraɪdər/ s sarjamallista muunneltu erityisen matala henkilöauto tai pick-up
low technology /ˌloʊtekˈnalədʒi/ s perustekniikka
low tide /ˌloʊˈtaɪd/ s **1** laskuvesi **2** matalavesi **3** (kuv) pohjalukema(t), aallonpohja
low water s matalavesi
loyal /lɔɪjəl/ adj uskollinen, luotettava, rehti
loyalist s lojalisti (erityisesti Pohjois-Amerikan vapaussodan aikainen)
loyally adv uskollisesti, luotettavasti, rehdisti
loyalty /lɔɪjəlti/ s **1** uskollisuus, luotettavuus, rehtiys **2** kannatus

lozenge /lazəndʒ/ s (kurkku)pastilli
LPGA Ladies Professional Golf Association
LSD lysergic acid diethylamide lysergidi, LSD
Lt. lieutenant
Ltd. limited
Lt.Gov. lieutenant governor
lubricant /lubrəkənt/ s voiteluaine, rasva, öljy
lubricate /ˈlubrəˌkeɪt/ v **1** voidella, rasvata, öljytä **2** (kuv) voidella, saada asiat luistamaan, lahjoa
lubrication /ˌlubrəˈkeɪʃən/ s voitelu (myös kuv)
lucid /lusəd/ adj **1** selvä, havainnollinen **2** selväjärkinen; joka on tajuissaan **3** kirkas **4** läpinäkyvä
lucidity /luˈsɪdəti/ s selvyys, havainnollisuus
lucidly adv ks lucid
luck /lʌk/ s onni Susan had no luck in finding an apartment Susan ei onnistunut löytämään vuokra-asuntoa good luck! onnea yrityksellesi
luckily adv onneksi
luck into v saada sattumalta, onnistua saamaan
luckless adj huono-onninen, onneton, epäonnistunut
luck of the draw s pelionni
luck out v jollakulla käy hyvä tuuri, onni potkaisee jotakuta
lucky adj onnekas, onnellinen, onnenyou were lucky sinua onnisti, sinulla kävi hyvä tuuri only a lucky few are admitted to that school siihen kouluun pääsevät vain harvat ja valitut
lucky charm s amuletti, talismaani
lucrative /lukrətɪv/ adj (taloudellisesti) kannattava, tuottoisa
ludicrous /ludəkrəs/ adj naurettava, älytön, järjetön
ludicrously adv naurettavan, naurettavasti, älyttömän
lug /lʌg/ v raahata mukanaan, kiskoa perässään
luggage /lʌgədʒ/ s matkatavarat, matkalaukut
lugubrious /ləˈgubriəs/ adj (naurettavan) melankolinen, synkkä, surkuhupaisa
lukewarm /ˌlukˈwaərm/ adj **1** (vesi) haalea **2** (kuv) innoton, vaisu his suggestion got a lukewarm response hänen ehdotuksensa otettiin vastaan välinpitämättömästi
lull /lʌl/ s **1** tauko, tyven **2** (taloudellinen) lama
v **1** rauhoittaa, rauhoittua **2** tuudittaa uneen/luulemaan jotakin
lullaby /ˈlʌləˌbaɪ/ s kehtolaulu, tuutulaulu
lumbago /lʌmˈbeɪgou/ s noidannuoli
lumbar /lʌmbaər/ adj lanne-, lantio-
lumber /lʌmbər/ s sahatavara, puutavara
v **1** kaataa metsää **2** lyllertää, kulkea vaivalloisesti/raskaasti
lumberjack /ˈlʌmbərˌdʒæk/ s metsuri
lumbermill /ˈlʌmbərˌmɪl/ s saha(laitos)
lumberyard /ˈlʌmbərˌjard/ s lautatarha
Lumholtz's tree kangaroo /lʌmhoəltsəz/ s lumholtzinpuukengur
luminosity /ˌluməˈnasəti/ s **1** kirkkaus **2** älykkyys, nerokkuus
luminous /lumɪnəs/ adj **1** hohtava, loistava, kirkas **2** valaistu; kirkkaasti valaistu **3** älykäs, nerokas
lump /lʌmp/ s **1** möykky, paakku, kimpale **2** kuhmu, paukama **3** kasa, pino **4** sokeripala **5** (ark) kömpelys, köntys
v **1** paakkuuntua **2** niputtaa, panna/kerätä yhteen (kasaan)
adj **1** pala- lump sugar palasokeri **2** kerta- lump sum könttäsumma (ark)
lump in your throat the problem is a lump in his throat ongelma kuroo hänen kurkkuaan, ongelma vaivaa häntä
lump of sugar s sokeripala
lumpy adj **1** paakkuinen **2** kömpelö
lunacy /lunəsi/ s hulluus
lunar /lunər/ adj Kuun, kuu- lunar orbit Kuuta kiertävä rata
lunar eclipse s kuunpimennys

lunar module /ˈlunər,madʒəl/ s (avaruusaluksen) kuumoduli
lunar rover /ˈlunər,roʊvər/ s (avaruusaluksen) kuuauto
lunatic /lunətɪk/ s, adj hullu
lunch /lʌntʃ/ s **1** lounas he is out to lunch (sl kuv) hän on aivan muissa maailmoissa **2** välipala
lunch break /ˈlʌntʃ,breɪk/ s ruokatunti
lunch counter /ˈlʌntʃ,kaʊntər/ s **1** (ruokakaupan ym) lounastiski (josta saa valmista ruokaa mukaan) **2** ruokabaari
luncheon /lʌntʃən/ s (juhla)päivällinen
luncheonette /,lʌntʃəˈnet/ s ruokabaari
lung /lʌŋ/ s keuhko to shout at the top of your lungs huutaa kuin syötävä, huutaa suoraa huutoa
lunge /lʌndʒ/ s sohaisu
v **1** sohaista jollakin **2** hoippua, syöksyä, heittäytyä eteenpäin
lurch /lərtʃ/ s **1** kallistus **2** nytkähdys, rojahdus **3** to leave someone in the lurch jättää joku pulaan
v **1** kallistua **2** hoippua, nytkähtää, rojahtaa
lure /luər/ s syötti, houkutin, houkutus
v houkutella
lurid /lərəd/ adj **1** (väri) räikeä, räikeän värinen **2** (kuv) räikeä, sensaatiohakuinen, mauton, härski, kauhu-
luridly adv **1** räikeästi, räikeissä väreissä **2** (kuv) räikeästi, sensaatiohakuisesti, mauttomasti, härskisti
lurk /lərk/ v (myös kuv) vaania, piileksiä, piillä
luscious /lʌʃəs/ adj **1** (myös kuv) herkullinen, mehevä, mehukas **2** seksikäs
lusciously adv (myös kuv) herkullisesti, mehevästi, mehukkaasti
lusciousness s **1** (myös kuv) herkullisuus, mehevyys, mehukkuus **2** seksikkyys
lush /lʌʃ/ s (sl) juoppo
adj rehevä, reheväkasvuinen, mehevä
lust /lʌst/ s himo he has an immense lust for power hänellä on suunnaton vallanhimo
v himoita
lust after/for v himoita jotakin
luster /lʌstər/ s **1** kimallus, hohde, kiilto, loisto **2** (kuv) maine, loisto
lustful adj himokas
lustily adv **1** reippaasti, pirteästi, voimakkaasti **2** (syödä) hyvällä ruokahalulla **3** (huutaa) täyttä kurkkua
lustrous /lʌstrəs/ adj **1** kimalteleva, hohtava, kiiltävä, loistava **2** (kuv) maineikas, loistava, loistokas
lusty adj **1** reipas, pirteä, elinvoimainen, vahva **2** (ateria) runsas, (ruokahalu) hyvä **3** innokas **4** himokas
lute /lut/ s luuttu
Luxembourg /ˈlʌksəm,bərg/ Luxemburg
Luxembourgian s, adj luxemburgilainen
luxuriance /lʌgˈʒəriəns/ s rehevyys, runsaus
luxuriant /lʌgˈʒəriənt/ adj **1** rehevä; hedelmällinen **2** runsas, ylenpalttinen **3** (kuv) rehevä, rönsyilevä
luxuriate in /lʌgˈʒərieɪt/ v **1** (kasvi) kukoistaa jossakin **2** (ihminen) nauttia (täysin siemauksin) jostakin
luxurious /lʌgˈʒərɪəs/ adj **1** ylellinen, hieno, luksus- she has luxurious tastes hänellä on kallis maku **2** runsas, ylenpalttinen, (kuv) rehevä, (kuv) rönsyilevä
luxury /lʌkʃəri/ s **1** ylellisyys, loisto **2** (yksittäinen) luksus you have the luxury of much free time olet siinä onnellisessa asemassa että sinulla on paljon vapaa-aikaa
lye /laɪ/ s lipeä
lying /laɪɪŋ/ s valehtelu
lynch /lɪntʃ/ v lynkata
lynching s lynkkaus
lynch law s lynkkausoikeus
lynchpin ks linchpin
lynx /liŋks/ s ilves
Lynx /liŋks/ (tähdistö) Ilves
lyre /laɪər/ s lyyra

lyric /lɪrɪk/ s **1** lyyrinen runo, lauluruno, tunnelmaruno **2** (mon) laulun sanat
adj lyyrinen
lyrical /lɪrɪkəl/ adj lyyrinen
lyrically adv lyyrisesti
lyricism /'lirə,sɪzəm/ s lyyrisyys, lyriikka
lyricist s lyyrikko
lyrism /lɪərɪzəm/ s lyyrisyys, lyriikka
lysergic acid diethylamide /laɪ,sərdʒɪk,æsɪddaɪ'eθələ,maɪd/ s lysergiinihapon dietyyliamidi, lysergidi, LSD

M, m

M, m /em/ M, m
ma /ma/ s (ark) äiti
MA Massachusetts
M.A. Master of Arts filosofian kandidaatti, FK
ma'am /mæm/ s (puhuttelusanana) rouva
mac /mæk/ s **1** (puhuttelusanana) kaveri, heppu **2** (ark) sadetakki **3** eräs omenalajike (McIntosh) **4** Mac eräs tietokonemerkki (Apple Macintosh®)
macabre /mə'kabər/ adj kaamea, kammottava, kuolemaan viittaava, makaaberi
macadam /mə'kædəm/ s (tienpäällyste) makadaami
macaroni /ˌmækə'rouni/ s makaroni
mace /meɪs/ s **1** nuija **2** virkasauva **3** (mauste) muskotti **4** Mace™ (mellakoiden torjunnassa ja itsepuolustuksessa käytettävä) kyynelkaasu
Macedonia /ˌmæsə'dounɪə/ Makedonia
machete /mə'ʃeti/ s viidakkoveitsi, machete
Machiavellian /ˌmækiə'veliən/ s machiavellisti
adj machiavellilainen, machiavellistinen
machine /mə'ʃin/ s **1** kone, laite vending machine kolikkoautomaatti **2** (kuv) koneisto the Republican machine republikaanien puoluekoneisto
v valmistaa/työstää koneella
machine gun s konekivääri
machine language s (tietok) konekieli
machinelike /mə'ʃinˌlaɪk/ adj konemainen, mekaaninen
machine pistol s konepistooli
machinery /mə'ʃinəri/ s koneet, koneisto (myös kuv), mekanismi
machine shop s konepaja, konehalli
machine-wash /məˌʃin'waʃ/ v pestä koneessa
machinist /mə'ʃinɪst/ s **1** koneenkäyttäjä **2** asentaja, koneenrakentaja
macintosh s sadetakki
mackerel /mækrəl/ s makrilli
mackintosh /'mækənˌtaʃ/ s sadetakki
macro /mækrou/ s **1** makro-objektiivi **2** (tietok) makro, tietokoneohjelman toistuvasti käytetyn käskysarjan esitys lyhennetyssä muodossa
macrocosm /'mækrəˌkazəm/ s makrokosmos, maailmankaikkeus
macroeconomic adj makrotaloustieteellinen
macroeconomics /ˌmækrouˌikə'namɪks/ s (verbi yksikössä) makrotaloustiede
mad /mæd/ adj **1** hullu, mielenvikainen to go mad tulla hulluksi **2** hullu, älytön, mieletön she's mad about designer clothes hän on hulluna hienoihin muotivaatteisiin **3** (ark) raivostunut, tulistunut, vihainen he works like mad to make more money hän tekee töitä hullun lailla ansaitakseen enemmän
Madagascan s, adj madagaskarilainen
Madagascar /ˌmædə'gæskər/ Madagaskar
madam /mædəm/ s **1** (kohtelias puhuttelusana) rouva **2** (talon) emäntä **3** porttolan emäntä
madame /mædəm, mə'dæm mə'dam/ s (kohtelias puhuttelusana) madame, rouva
mad as a hatter fr täysi hullu, löylyn lyömä
madden v raivostuttaa
maddening adj raivostuttava

maddeningly adv raivostuttavasti, raivostuttavan
madding crowd far from the madding crowd kaukana maailman hyrskyistä
made /meɪd/ ks make
madhouse /'mæd,haʊs/ s **1** mielisairaala **2** (kuv) hullujenhuone
madly adv (kuv) hullun lailla, kuin hullu to work madly huhkia kuin viimeistä päivää Dan is madly in love with Betsy Dan on rakastunut Betsyyn korviaan myöten
Madonna /mə'danə/ s **1** Neitsyt Maria **2** Neitsyt Marian kuva
madrigal /mædrɪgəl/ s madrigaali
maelstrom /meɪəlstrəm/ s pyörre (myös kuv)
magazine /'mægə,zin/ s **1** aikakauslehti **2** (aseen) lipas
magenta /mə'dʒentə/ s, adj magenta, violetinpunainen (väri)
maggot /mægət/ s toukka
maggoty adj jossa on matoja
magic /mædʒɪk/ s taikuus, taika, magia adj taianomainen, taika-, maaginen, ihmeellinen
magical adj taianomainen, maaginen, ihmeellinen
magically adv taianomaisesti, maagisesti, ihmeellisesti
magician /mə'dʒɪʃən/ s taikuri
Magic Marker™ s eräänlainen huopakynä
magic square s taikaneliö
magic wand s taikasauva
magistrate /'mædʒəs,treɪt/ s rauhantuomari; poliisituomioistuimen tuomari
magistrate's court s alioikeus; poliisituomioistuin
maglev /'mæg,lev/ magnetic levitation magneettinen levitaatio maglev train magneettijuna (joka leijuu hieman kiskon yläpuolella)
magnanimity /,mægnə'nɪməti/ s kärsivällisyys, pitkämielisyys
magnanimous /mæg'nænɪməs/ adj anteeksiantavainen, kärsivällinen, jalo
magnanimously adv anteeksiantavasti, kärsivällisesti, jalosti
magnate /mægneɪt mægnət/ s pohatta
magnesium /mæg'niziəm/ s magnesium
magnet /mægnət/ s magneetti
magnetic /mæg'netɪk/ adj magneettinen (myös kuv:) puoleensavetävä
magnetic field s magneettikenttä
magnetic levitation s magneettinen levitaatio
magnetic pole s magneettinapa
magnetic tape s magneettinauha (ääninauha, kuvanauha)
magnetism /'mægnə,tɪzəm/ s **1** magnetismi animal magnetism animaalinen magnetismi, hypnoosi **2** (kuv) vetovoima
magnetize /'mægnə,taɪz/ v **1** magnetoida, magnetisoida **2** (kuv) lumota, saada lumoihinsa
magneto /mæg'nitoʊ/ s magneetto
magnification /,mægnɪfə'keɪʃən/ s suurennos
magnificence /mæg'nɪfɪsəns/ s **1** loistavuus, erinomaisuus **2** loisto, komeus
magnificent /mæg'nɪfəsənt/ adj **1** loistava, erinomainen, suurenmoinen **2** komea, loistokas
magnificently adv ks magnificent
magnifier s suurennuslasi
magnify /'mægnɪ,faɪ/ v **1** suurentaa **2** paisuttaa, liioitella
magnifying glass s suurennuslasi
magnitude /'mægnɪ,tud/ s **1** suuruus, voimakkuus what was the magnitude of the earthquake? kuinka voimakas maanjäristys oli? order of magnitude suuruusluokka **2** merkitys, tärkeys
magnolia /mæg'noʊliə/ s (kasvi) magnolia
magnum opus /,mægnəm'oʊpəs/ s pääteos
magpie /'mæg,paɪ/ s harakka
mahogany /mə'hagəni/ s mahonki adj mahonkinen, mahonki-; mahongin värinen
maid /meɪd/ s **1** palvelijatar, palvelustyttö, sisäkkö, (hotellin) siivooja **2** tyttö **3** (vanh) impi, neitsyt
maiden /meɪdən/ s tyttö; neitsyt
maiden flight s neitsytlento, ensilento

maiden name s entinen nimi, tyttönimi (vanh)
mail /meɪəl/ s **1** rengaspanssari **2** posti(lähetys) **3** (myös mon) posti(laitos)
v postittaa, lähettää postissa, viedä postiin/postilaatikkoon would you please mail this letter for me? veistitkö tämän kirjeen puolestani postiin/postilaatikkoon?
mailbag /'meɪəl,bæg/ s postisäkki
mailbox /'meɪəl,bɑks/ s postilaatikko (yleinen, yksityinen, elektroninen)
mail carrier s postinkantaja
mailer s **1** postittaja **2** kirjekuori, vastauskuori, palautuskuori tms processing mailer filmin kehityspussi **3** ristiside, mainos
mailman /'meɪəl,mæn/ s (mon mailmen) postinkantaja
mail order s postimyynti
mail-order v tilata postitse
adj postimyynti-
mail-order house s postimyyntiliike
maim /meɪm/ v silpoa (myös kuv)
main /meɪn/ s **1** (myös mon) päävesijohto, pääviemäri, pääsähköjohto tms connect the stereo to the mains kytke stereot pistorasiaan **2** in the main enimmäkseen, suurimmaksi osaksi
adj pää-, tärkein my main interest in this is financial olen kiinnostunut tästä lähinnä taloudellisesti
main clause s (kieliopissa) päälause
Maine /meɪn/ osavaltio Uudessa-Englannissa
mainframe /'meɪn,freɪm/ s suurtietokone
mainland /meɪnlənd/ s manner
mainly adv lähinnä, enimmäkseen, pääasiassa
mainstream /'meɪn,strim/ s (kuv) valtavirtaus, valtasuuntaus
adj valtavirtaukseen kuuluva, enemmistö- he is a mainstream writer hän kirjoittaa suurelle yleisölle mainstream jazz valtavirtausta edustava jatsi
main street s **1** pääkatu **2** Main Street pikkukaupungin arvot/elämä
maintain /,meɪn'teɪn/ v **1** pitää yllä (järjestystä), valvoa (lain noudattamista) **2** elättää **3** väittää; puolustaa **4** huoltaa, pitää kunnossa (konetta ym)
maintenance /meɪntənəns/ s **1** (järjestyksen, kurin) ylläpito, (lain) valvonta **2** elatus, elättäminen **3** huolto, kunnossapito
maize /meɪz/ s (UK) maissi
majestic /mə'dʒestɪk/ adj majesteetillinen, mahtava, vaikuttava
majestically adv majesteetillisesti, mahtavasti, vaikuttavasti
majesty /mædʒəsti/ s **1** majesteetillisuus, arvokkuus **2** (puhuttelusanana) majesteetti Your Majesty Teidän Majesteettinne
major /meɪdʒər/ s **1** (sot) majuri **2** (yliopistossa) pääaine **3** täysi-ikäinen (ihminen) **4** (mus) duuri
adj **1** tärkeä, tärkein, pää-, enemmistö, suurin that was a major announcement se oli tärkeä ilmoitus the major reason is money pääsyy/tärkein syy on raha **2** (mus) duuri-
major in v lukea/opiskella pääaineenaan Sally is majoring in archeology Sallyn pääaine on arkeologia
majority /mə'dʒɔrəti/ s **1** enemmistö **2** täysi-ikäisyys
make /meɪk/ s **1** (tuote)merkki **2** to be on the make olla pyrkyri/uraputkessa; olla kasvussa/nousussa
v made, made **1** tehdä (suomalaisen vastineen määrää usein objekti:) to make bread leipoa to make a dress ommella leninki to make a speech pitää puhe to make laws säätää lakeja to make sure varmistaa, pitää huoli jostakin what difference does it make? mitä väliä sillä on? do whatever makes you happy tee kuten haluat two and three makes five kaksi plus kolme on viisi what makes you say that? miksi sinä niin sanoit? **2** päästä jonnekin, ehtiä jonnekin, selviytyä jostakin he almost did not make it to the meeting hän oli vähällä myöhästyä kokouksesta the accident made it to the evening news onnettomuudesta kerrottiin iltauutisissa
make a good thing of fr (ark) käyttää hyväkseen, ottaa jostakin kaikki irti

make time fr (yrittää) kuroa aikaero umpeen, kiirehtiä
make a play for fr yrittää saada itselleen
make a point of fr ottaa asiakseen, pitää tärkeänä
make a show of something fr teeskennellä, tehdä jostakin iso numero
make as if/though v olla tekevinään jotakin, teeskennellä tekevänsä jotakin
make a spectacle out of yourself fr nolata itsensä
make believe fr kuvitella olevansa jotakin
make-believe s kuvittelu
adj kuvitteellinen, mielikuvitus-
make Brownie points with fr pyrkiä jonkun suosioon, kerätä pinnoja, mielistellä, hännystellä
make-do s korvike
adj korvike-, tilapäinen
make do v tulla toimeen jollakin/ilman jotakin, pärjätä jollakin/ilman jotakin
make for v **1** mennä/lähteä jonnekin, lähestyä jotakin **2** edistää, parantaa, edesauttaa
make good fr **1** korvata **2** pitää sanansa, täyttää lupauksensa **3** menestyä
make it fr **1** ehtiä jonnekin **2** menestyä
make little of fr vähätellä jotakin
make of v ajatella, olla mieltä what do you make of this mess? mitä tuumit tästä sotkusta?
make off v karata
make off with v varastaa
make yourself scarce fr (ark kuv) häipyä, lähteä livohkaan/nostelemaan, tehdä katoamistemppu
make out v **1** saada selvää jostakin **2** menestyä, pärjätä
make points with fr pyrkiä jonkun suosioon, tavoitella jonkun suosiota, mielistellä, hännystellä
Maker /meɪkər/ to meet your Maker kuolla
make ready fr laittaa valmiiksi, valmistaa
make sail fr lähteä purjehtimaan/matkaan
makeshift /'meɪk,ʃɪft/ s korvike
adj korvike-, tilapäinen
make short work of fr tehdä · jostakin selvää jälkeä, (syödä) pistellä äkkiä poskeensa
make someone see stars fr (kuv) saada joku näkemään tähtiä, iskeä joku tajuttomaksi
make time fr kiirehtiä
make tracks fr (ark) livahtaa, lähteä kiireesti, häipyä
make up v **1** to be made up of something koostua jostakin **2** koota, koostaa, kyhätä kokoon **3** keksiä omasta päästään try to make up a believable excuse yritä keksiä uskottava veruke/selitys **4** korvata **5** sijata (vuode), siivota (huone) **6** sopia välinsä/riita **7** meikata, ehostaa
makeup /meɪkʌp/ s **1** meikki, meikkaus, ehostus **2** (joukkueen ym) kokoonpano, koostumus, rakenne **3** psyyke, mielenlaatu
make up for v korvata
make up to v (ark) mielistellä, hännystellä, pyrkiä jonkun suosioon
make use of to make use of something käyttää jotakin (hyväkseen)
make water fr **1** (alus) vuotaa **2** virtsata
make way fr tehdä tilaa jollekulle (myös kuv), väistyä jonkun tieltä (myös kuv)
make your way fr **1** edetä, kulkea, mennä jonnekin **2** päästä pitkälle, menestyä
making s **1** tekeminen (ks make), teko this is history in the making tämä on elävää historiaa **2** (mon) (tykö)tarpeet; edellytykset
maladjusted /,mælə'dʒʌstəd/ adj sopeutumaton, huonosti (ympäristöönsä) sopeutunut
maladjustment s sopeutumattomuus
maladroit /'mælə,drɔɪt/ adj kömpelö, taitamaton
malady /mælədi/ s tauti, sairaus (myös kuv) the many maladies of modern society nyky-yhteiskunnan monet ongelmat

malaproprism /mæləprapɪzəm/ s kielellinen kömmähdys, sopimaton sanonta
malaria /mə'lerɪə/ s malaria
Malawi /mə'lawi/
Malawian s, adj malawilainen
Malayan tapir /mə,leɪən'teɪpər/ s intiantapiiri
Malaysia /mə'leɪʒə/ Malesia
Malaysian s, adj malesialainen
Maldives /'mal,daɪvz/ (mon) Malediivit
male /meɪəl/ s koiras, uros
adj koiras-, uros-, miespuolinen, mies-, miehen male nurse (mies)sairaanhoitaja
male bonding s miesten kaveruus
male chauvinism /ʃoʊvənɪzəm/ s (miesten) sovinismi (naisia kohtaan)
male chauvinist pig /ʃoʊvənɪst/ s sovinistisika
malefactor /'mælə,fæktər/ s **1** rikollinen **2** pahantekijä
malevolence /mə'levələns/ s pahansuopuus, paha tahto, ilkeys
malformation /,mælfɔr'meɪʃən/ s epämuodostuma
malfunction /mæl'fʌŋkʃən/ s toimintahäiriö, vika
v ei toimia (kunnolla), reistailla, jossakin on/esiintyy toimintahäiriöitä
Mali /mali/ Mali
Malian /maliən/ s, adj malilainen
malice /mæləs/ s ilkeys, paha tahto, pahansuopuus
malicious /mə'lɪʃəs/ adj **1** ilkeä, pahansuopa **2** (lak) tahallinen
maliciously adv ks malicious
malign /mə'laɪn/ v panetella, parjata
malignancy s **1** pahuus, ilkeys **2** pahanlaatuinen kasvain
malignant /mə'lɪgnənt/ adj **1** panetteleva, parjaava, pahansuopa **2** (kasvain) pahanlaatuinen
mall s (katettu) ostoskeskus (jossa on myös ravintoloita, elokuvateattereita ym)
mallard /mælərd/ s sinisorsa, heinäsorsa
malleable /mæliəbəl/ adj **1** pehmeä **2** (kuv) vaikutuksille altis the director's mind is still malleable johtajan ajatukset eivät vielä ole luutuneet, johtaja ei ole vielä kangistunut kaavoihinsa
mallet /mælət/ s (puu)nuija
malnutrition /,mælnʊ'trɪʃən/ s aliravitsemus
malpractice /mæl'præktɪs/ s (lääkärin tekemä) hoitovirhe this doctor had a malpractice suit slapped on him tämä lääkäri on haastettu oikeuteen hoitovirheestä
malt /maəlt/ s **1** mallas **2** mallasjuoma **3** mallaspirtelö
v mallastaa
Malta /maltə/ Malta
malted milk /,maltəd'mɪəlk/ s mallaspirtelö (mallasta, maitoa ja yleensä jäätelöä)
Maltese /mal'tiz/ s, adj maltalainen
Malthusian /mæl'θuʒən/ s Malthusin oppien kannattaja
adj Malthusin oppien mukainen, malthusilainen
Malthusianism s malthusianismi
maltreat /mæl'trit/ v pahoinpidellä, kohdella kaltoin/väärin/huonosti
maltreatment s pahoinpitely, huono kohtelu
mama /mamə/ s (ark) äiti
mammal /mæməl/ s nisäkäs
mammalian /mə'meɪlɪən/ adj nisäkäs-, nisäkkäiden
mammoth /mæməθ/ s mammutti
adj mammuttimainen, mammutti-, jättimäinen, valtava, suunnaton
Mammoth Cave /,mæməθ'keɪv/ kansallispuisto Kentuckyssa
man /mæən/ s (mon men) **1** mies (myös kuv) **2** (vanh) ihminen when man first set foot on the Moon kun ihminen astui ensi kerran Kuun kamaralle to a man jokainen, joka ainoa, viimeistä miestä myöten to be your own man olla oma herransa, olla itsenäinen **3** the Man (sl) pomo she's still locked into respect for the Man hän kunnioittaa vielä sokeasti miestään
v miehittää when will the permanently manned spaced station be built? milloin pysyvästi miehitetty avaruusasema rakennetaan?
Man. Manitoba

man about town s seurapiirileijona, playboy
manacle /mænəkəl/ s **1** käsirauta **2** (mon, kuv) kahleet
v **1** panna käsirautoihin **2** (kuv) kahlehtia, rajoittaa
manage /mænədʒ/ v **1** johtaa, hallita (yritystä), hoittaa (asioita, asiat) **2** hallita (jotakuta), pitää kurissa **3** selvitä jostakin, pärjätä I don't need any help, I can manage en tarvitse apua, selviän hyvin yksinkin **4** onnistua tekemään jotakin she managed to get in without a ticket hänen onnistui päästä sisään ilman lippua
manageable /mænədʒəbəl/ adj **1** joka on hallittavissa, jonka pystyy hallitsemaan **2** kohtuullinen
management /mænədʒmənt/ s **1** (yrityksen) johtaminen, hallinta **2** johtajat, johto middle management keskijohto the fast food joint over there is under new management tuon pikaruokapaikan omistaja on vaihtunut
management-buy-out s (tal) yrityksen johdon tai henkilöstön suorittama kyseisen yrityksen tai sen osan tai toimintojen osto
manager /mænədʒər/ s **1** johtaja, esimies, päällikkö **2** manageri
manageress /mænədʒrəs/ s (naispuolinen) johtaja
managerial /ˌmænəˈdʒɪəriəl/ adj johtajan managerial duties johtotehtävät, johtajan tehtävät managerial class johtajaluokka
manatee /mænəti/ s manaatti Amazonian manatee kynnetönmanaatti
Manchester /mæntʃəstər/ kaupungki Englannissa
man-child /ˈmæn,tʃaɪəld/ s (mon menchildren) poikalapsi
mandarin /mændərɪn mændrən/ s **1** (hist) mandariini, kiinalainen virkamies **2** (kasvi, hedelmä) mandariini
mandate /ˈmæn,deɪt/ s **1** (äänestäjien antamat) valtuudet **2** käsky, määräys **3** mandaatti, huoltohallintoalue
v **1** valtuuttaa, antaa valtuudet johonkin **2** vaatia; määrätä
mandatory /ˈmændə,tɔri/ adj pakollinen; välttämätön
mandible /mændəbəl/ s **1** alaleuka **2** (hyönteisen) yläleuka
mandolin /ˌmændəˈlɪn mændələn/ s mandoliini
mandrill /mændrəl/ s (eläin) mandrilli
mane /meɪn/ s (hevosen, leijonan) harja
man-eater /ˈmæn,itər/ s **1** ihmissyöjäeläin **2** ihmissyöjä, kannibaali **3** (sl naisesta) miestennielijä
maneuver /məˈnuvər/ s **1** (sot) joukkojen siirto **2** (mon) sotaharjoitus **3** (kuv) liike, taktikointi, juonittelu
v **1** (sot) siirtää joukkoja **2** hivuttaa, hivuttautua he carefully maneuvered his Cadillac into the small garage hän ajoi Cadillacinsa varovasti ahtaaseen autotalliin **3** (kuv) ohjailla, junailla, järjestellä, manipuloida
man Friday s apulainen, oikea käsi
manful /mænfəl/ adj miehekäs, rohkea, urhea
manger /meɪndʒər/ s seimi
mangle /mæŋgəl/ s mankeli
v **1** mankeloida **2** repiä, silpoa (myös kuv:) pilata
mango /mæŋgoʊ/ s (mon mangos, mangoes) (kasvi, hedelmä; eläin) mango
mangrove /ˈmæŋgroʊv/ s mangrove(kasvillisuus)
manhandle /ˈmæn,hændəl/ v **1** kohdella kovakouraisesti; paiskata **2** nostaa (käsivoimin)
Manhattan /mænˈhætən/ Manhattan
Manhattanite /mænˈhætə,naɪt/ s Manhattanin asukas, manhattanilainen
manhole /ˈmæn,hoəl/ s miesluukku, tarkastusluukku
manhood /ˈmæn,hud/ s miehuus
man-hour /ˈmæn,aʊər/ s (mies)työtunti
manhunt /ˈmæn,hʌnt/ s **1** takaa-ajo, etsintä **2** (kuv) metsästys, etsintä
mania /meɪniə/ s **1** (psyk) mania, maaninen tila **2** (kuv) kiihko, kiihkoilu, vimma
maniac /meɪniæk/ s **1** (psyk) maanikko **2** (kuv) kiihkoilija, hullu

maniacal /mə'naɪəkəl/ adj **1** (psyk) maaninen **2** (kuv) hullu, kiihkomielinen
manic-depressive /ˌmænɪkdə'presɪv/ s, adj maanis-depressiivinen (ihminen)
manic-depressive disorder s maanis-depressiivisyys
manicure /'mænəˌkjər, 'mænəˌkjʊər/ s kynsienhoito
manicurist s kynsienhoitaja
manifest /'mænəˌfest/ s lastiluettelo; matkustajaluettelo
v **1** ilmaista, tuoda ilmi some opposition has manifested itself lately viime aikoina on ilmennyt vastustusta **2** todistaa
adj ilmeinen, ilmiselvä, selvä
Manifest Destiny s USA:ssa 1800-luvulla vallinnut käsitys, että kohtalo on ilmiselvästi määrännyt Yhdysvalloille koko maanosan Atlantista Tyynellemerelle
manifesto /ˌmænə'festoʊ/ s (mon manifestoes) manifesti, julistus have you read the Communist Manifesto by Marx and Engels? oletko lukenut Marxin ja Engelsin Kommunistisen manifestin?
manifold /'mænəˌfoəld/ s intake manifold imuputki exhaust manifold poistoputki, pakoputki
adj moninainen, monipuolinen, monimutkainen
manikin /mænəkən/ s **1** kääpiö **2** ks mannequin **3** (anatomiassa) mallinukke
man in the moon s kuu-ukko
man in the street s kadunmies, tavallinen ihminen, keskivertokansalainen
manipulate /mə'nɪpjʊˌleɪt/ v **1** manipuloida, ohjailla, muokata, käyttää (taitavasti/häikäilemättömästi) hyväkseen **2** ohjata, käsitellä he had trouble manipulating the controls of the machine hän ei tahtonut osata käsitellä koneen ohjaimia **3** väärentää, muuttaa omine lupineen, parannella
manipulation /məˌnɪpjʊ'leɪʃən/ s **1** manipulointi, ohjailu, muokkaus, (taitava/häikäilemätön) hyväksikäyttö **2** ohjaaminen, käyttö
manipulative /mə'nɪpjələtɪv/ adj joka käyttää toisia häikäilemättömästi/taitavasti hyväkseen
manipulator /mə'nɪpjʊˌleɪtər/ s **1** manipuloija, taitava/häikäilemätön ihmisten käsittelijä **2** kaukokäsittelylaite
Manitoba /ˌmænɪ'toʊbə/
mankind /ˌmæn'kaɪnd/ s ihmiskunta
manlike adj **1** inhimillinen, ihmisen kaltainen **2** miehekäs, miehinen
manliness /mænlinəs/ s miehekkyys
manly adj miehekäs, miehinen
man-made /ˌmæn'meɪd/ adj keinotekoinen, keino-, teko-
mannequin /mænəkən/ s **1** (näyteikkunassa) mallinukke **2** (räätälin) sovitusnukke **3** mannekiini
manner /mænər/ s **1** tapa, keino, tyyli **2** käytös, esiintyminen; (mon) tavat where are your manners? oletko unohtanut hyvät tavat? **3** laji he met all manner of people while in Mexico hän tapasi Meksikossa kaikenkarvaista väkeä
mannerism /'mænəˌrɪzəm/ s **1** oikku, erikoisuus, erikoinen tapa **2** teeskentely, teennäisyys **3** Mannerism (taidesuuntaus) manierismi
mannerless adj huonotapainen, pahatapainen
mannish /mænɪʃ/ adj (nainen) miesmäinen
manoeuvre /mə'nuvər/ ks maneuver
man of few words Ed is a man of few words Ed on harvasanainen, Ed ei ole puhelias
man of his word he's a man of his word häneen voi luottaa, hänen sanansa pitää
man of many words Pete is a man of many words Pete on puhelias
manor /mænər/ s (herras)kartano
manor house s kartano(rakennus)
man power /'mænˌpaʊər/ s ihmisvoima, ihmistyövoima
manservant /'mænˌsərvənt/ s (mon menservants) (mies)palvelija
mansion /mænʃən/ s **1** (suuri/komea) talo **2** kartano(rakennus)
mantel /'mæntəl/ s takan reunus
mantelpiece /'mæntəlˌpis/ s takan reunus

mantelshelf /ˈmæntəl,ʃelf/ s takan reunus

mantle /mæntəl/ s **1** vaippa, peite **2** (Maan) vaippa **3** takan reunus (mantel)
v peittää

man-to-man /,mæntəˈmæən/ adj (keskustelu) suora, avoin

mantra /mantrə/ s mantra

manual /mænjuəl/ s käsikirja, käyttöohje
adj **1** käsikäyttöinen, käsi-, ei sähköinen, ei automaattinen this car has a manual transmission tässä autossa on käsivälitteinen vaihteisto **2** ruumiillinen manual labor ruumiillinen työ

manually adv käsin, käsivoimin

manuf. manufacturing valmistus

manufacture /,mænjəˈfækʃər/ s valmistus
v valmistaa, tuottaa

manumission /,mænjəˈmɪʃən/ s (orjan) vapautus, vapauttaminen

manumit /,mænjəˈmɪt/ v vapauttaa

manure /məˈnuər/ s lanta
v lannoittaa

manuscript /ˈmænjə,skrɪpt/ s käsikirjoitus

many /meni/ s koko joukko, paljon a great many people paljon ihmisiä
adj paljon many miles monta mailia how many? montako? many a man has thought so moni on luullut niin

many a time fr monesti, monta kertaa

manyfold /ˈmeni,foəld/ adv moninkertaisesti

manysided /,meniˈsaɪdəd/ adj **1** monisivuinen, monitahoinen **2** monimutkainen, monitahoinen **3** monipuolinen

Maoism /maʊɪzəm/ s maolaisuus

Maoist /maʊɪst/ s, adj maolainen

Mao Tse-tung /,maʊ,tseˈtʊŋ/ (vanh) Mao Tse-tung, Mao Zedong

Mao Zedong /,maʊzeˈdaŋ/ Mao Tse-tung, Mao Zedong

map /mæp/ s kartta genetic map geenikartta to put something on the map tehdä jokin kuuluisaksi, nostaa jokin maailmankartalle
v kartoittaa

map out v suunnitella

mar /mar/ v pilata; rumentaa

Mar. March maaliskuu

marathon /ˈmerə,θan/ s maraton

marathoner s maratonjuoksija

maraud /məˈrad/ v ryövätä, ryöstää, rosvota

marauder s ryöväri, ryöstäjä, rosvo

marauding adj (paikasta toiseen liikkuva ja) ryöväilevä, rosvoileva

marble /marbəl/ s **1** marmori **2** marmorikuula
adj **1** marmorinen **2** kirjava

March /martʃ/ s maaliskuu

march s **1** marssi **2** (kuv) kulku, eteneminen
v marssia, marssittaa

marching orders s **1** (sot) marssikäsky **2** (kuv) aloituskäsky, aloitusmääräys **3** (kuv) eropaperit, lähtöpassit

marchioness /marʃənəs/ s markiisitar

Mardi Gras /ˈmardi,gra/ s **1** laskiaistiistai **2** karnevaalit, karnevaaliaika

mare /meər/ s tamma

margarine /mardʒərən/ s margariini

margarita /,margəˈritə/ s tequila-cocktail

margin /mardʒən/ s **1** (tekstin vierellä) marginaali, tyhjä reuna **2** reunuseste how do you set the margins on this typewriter? miten tämän kirjoituskoneen reunusesteet asetetaan? **3** pelivara, vara there is no margin for error here tässä ei ole varaa virheisiin **4** (tal) voitto profit margin voitto, kate

marginal adj **1** reuna- marginal note reunahuomautus **2** niukka, vähäinen the change was marginal muutos oli lähes olematon

marginally adv niukasti, vähän, hieman

mariachi /,meriˈatʃi/ s mariachimusiikki, perinteinen meksikolaismusiikki
adj mariachi- they had a mariachi band at the party juhlissa soitti mariachiorkesteri

Mariana Islands /,merɪˈænə/ (mon) Mariaanit

marihuana /,merəˈwanə/ s marihuana

marijuana /ˌmerə'wanə/ s marihuana
marina /mə'rinə/ s (huvivene)satama
marinade /'merəˌneɪd/ s (ruuanlaitossa) marinadi
v marinoida
marinate /'merəˌneɪt/ v marinoida
marine /mə'rin/ s merijalkaväen sotilas tell it to the marines! puhu pukille!, älä valehtele!
adj **1** meren, meri- **2** merenkulku-
Marine Corps /mə'rinˌkɔr/ s (verbi yksikössä) (Yhdysvaltain) merijalkaväki
marionette /ˌmeriə'net/ s sätkynukke, marionetti
marital /merətəl/ adj avioliiton, aviomarital strife aviopuolisoiden väliset erimielisyydet
marital therapy s avioliittoterapia
maritime /'merəˌtaɪm/ adj **1** merenkulku- **2** meri- **3** rannikko-
mark /mark/ s **1** jälki, tahra, läiskä, naarmu **2** merkki, rasti question mark kysymysmerkki **3** (kuv) merkki, osoitus jostakin **4** arvosana **5** taso when interest rates hit the 15 percent mark kun korkotaso nousi 15 prosenttiin **6** maali to be wide of the mark mennä pahasti pieleen/vikaan
v **1** jokin on leimallista/ominaista jollekin his life was marked by success hän sai kokea paljon menestystä **2** merkitä X marks the spot juuri tässä, tässä näin **3** arvostella (koe/tenttipapereita) **4** huomata
mark down v alentaa tuotteiden hintoja
markdown s (hinnan) alennus
marker s **1** merkki **2** (kilpailussa) kirjuri **3** huopakynä, tussi
marker DNA /ˌmarkərˌdien'eɪ/ s markkeri-DNA
market /markət/ s **1** tori, markkinat **2** (tal) markkinat; markkina-alue stock market pörssi; osakemarkkinat
v markkinoida, tuoda markkinoille the new digital watches market well uudet digitaalirannekellot menevät hyvin kaupaksi
marketable adj markkinointikelpoinen; jota pystytään myymään; joka menee kaupaksi I don't think your idea is marketable en usko että ajatuksesi saa kannatusta
marketing s markkinointi
market maker s (tal) markkinatakaaja
marketplace /markətˌpleɪs/ s **1** tori(aukio) **2** (tal) markkinat
market research s markkinatutkimus
market share s markkinaosuus
marksman /marksmən/ s (mon marksmen) tarkka-ampuja
mark time fr odottaa, polkea paikallaan, viivytellä, keskeyttää toistaiseksi
mark up v **1** nostaa hintaa **2** lisätä tukkuhintaan jälleenmyyjän kulut ja voitto **3** töhriä, tehdä merkintöjä johonkin **4** tehdä (hyödyllisiä) merkintöjä johonkin
markup s **1** (tukkuhintaan lisättävät) jälleenmyyjän kulut ja voitto **2** hinnannousu
marmalade /'marməˌleɪd/ s marmeladi, marmelaati
marmot /marmət/ s **1** murmeli **2** preeriakoira
maroon /mə'run/ v **1** jättää autiolle saarelle **2** eristää (ulkomaailmasta) **3** jättää pulaan
adj punaruskea, kastanjanruskea
marquee /mar'ki/ s katos (elokuva)teatterin edessä, ulko-oven päällä)
marquis /mar'ki/ s markiisi
marquise /mar'kiz/ s markiisitar
marriage /merɪdʒ/ s **1** avioliitto **2** vihkitilaisuus **3** yhdistelmä, liitto
marriageable /merədʒəbəl/ adj naimakelpoinen; naimaikäinen
marriage of convenience s järkiavioliitto
married /merid/ **1** joka on naimisissa, avioliiton **2** avio- married couple aviopari
marrow /merou/ s **1** lyydin **2** (kuv) ydin
marry /meri/ v **1** naida, naittaa, mennä naimisiin to get married mennä naimisiin **2** vihkiä
Mars /maərz/ Mars
marsh /marʃ/ s suo, marskimaa

marshal /marʃəl/ s **1** marsalkka **2** šeriffi
v järjestää, panna järjestykseen; esittää selvästi/selvässä järjestyksessä
Marshall Islands /marʃəl/ (mon) Marshallinsaaret
marsh gas s suokaasu
marshland /marʃlənd ˌmarʃˌlænd/ s marskimaa
marshmallow /'marʃˌmeloʊ/ s eräänlainen pehmeä makeinen
marsupial /mar'supiəl/ s pussieläin
martial /marʃəl/ adj sotaisa, sotilaallinen court martial sotaoikeus
martial arts s (mon) (itämaiset) itsepuolustustaidot
martial law s **1** sotalaki **2** sotatila
Martian /marʃən/ s, adj marsilainen
martin /martən/ s pääskynen
martini /mar'tini/ s martini
martyr /martər/ s marttyyri
v surmata marttyyrinä
martyrdom /martərdəm/ s **1** marttyyrius **2** marttyyrikuolema
marvel /marvəl/ s ihme
marvel at v ihmetellä jotakin
marvelous /marvələs/ adj ihmeellinen, uskomaton
marvelously adv ihmeellisesti, ihmeellisen, uskomattoman
Marxism /marksɪzəm/ s marxilaisuus, marxismi
Marxist /marksɪst/ s, adj marxilainen
Mary /meri/ (kuningattaren nimenä) Maria
Maryland /merələnd/
marzipan /'marzəˌpæn/ s marsipaani
mascara /mæs'kerə/ s ripsiväri, maskara
mascot /mæskat/ s maskotti
masculine /mæskjələn/ s (kieliopissa) maskuliini
adj maskuliininen, miesten, miehekäs, mies-, miesmäinen
masculinity /ˌmæskjə'lɪnəti/ s miehekkyys, maskuliinisuus
mash /mæʃ/ v survoa, musertaa, soseuttaa
MASH mobile army surgical hospital
mashed potatoes /ˌmæʃpə'teɪtouz/ s (mon) perunamuhennos
mask /mæsk/ s naamio; naamari
v **1** naamioida, naamioitua **2** peittää (myös kuv:) salata she wanted to mask her intentions hän halusi salata aikeensa
masochism /'mæsəˌkɪzəm/ s masokismi
masochist /mæsəkəst/ s masokisti
masochistic /ˌmæsə'kɪstɪk/ adj masokistinen
mason /meɪsən/ s **1** muurari **2** Mason vapaamuurari
Masonic /mə'sanɪk/ adj vapaamuurari-Masonic lodge vapaamuurariloosi (paikallisosasto)
masonry /meɪsənri/ s **1** muuri **2** muurarin työ **3** Masonry vaapaamuurarius, vapaamuurariliike
masquerade /ˌmæskə'reɪd/ s **1** naamiaiset **2** (kuv) teeskentely, pelkkä teatteri
masquerade as v naamioitua joksikin; esiintyä jonakin, tekeytyä joksikin, olla olevinaan jotakin
mass /mæs/ s **1** (katolinen) messu **2** (fys) massa **3** suuri joukko, iso määrä you made a mass of mistakes sinä teit kasapäin virheitä the masses ihmismassat, kansan syvät rivit in the mass kokonaisuutena, yleensä, suurin osa
v kerätä, kerääntyä, kasata, kasaantua
Mass. Massachusetts
Massachusetts /ˌmæsə'tʃusəts/
massacre /mæsəkər/ s **1** verilöyly, joukkoteurastus **2** (kuv, urh) löylytys
v **1** murhata joukoittain, järjestää verilöyly **2** (kuv, urh) löylyttää
massage /mə'saʒ/ s hieronta
v hieroa
massage parlor s **1** hieromalaitos **2** hieromalaitokseksi naamioitu ilotalo
masseur /mə'sər, mə'suər/ s hieroja
masseuse /mə'suz, mə'sus/ s (naispuolinen) hieroja
mass hysteria /ˌmæshɪs'terɪə/ s joukkohysteria
massive /mæsɪv/ adj järeä, raskas, suuri, suurimittainen, laaja, massiivinen

massively adv järeästi, raskaasti
massiveness s järeys, raskaus, suuruus, laajuus, massiivisuus
mass medium /ˌmæsˈmidiəm/ s (mon mass media) joukkoviestin
mass meeting s joukkokokous, mielenosoitus
mass movement s joukkoliike, kansanliike
mass murderer s joukkomurhaaja
mass noun s (kieliopissa) ainesana (jolla ei ole monikkoa ja jonka edellä ei käytetä epämääräistä artikkelia; esim air, sand)
mass number s massaluku
mass-produce /ˌmæsprəˈdus/ v valmistaa (suurina) sarjoina
mass production s sarjatuontanto
mass psychology s massapsykologia
mass transit s joukkoliikenne
mast /mæst/ s (laivan, radioaseman ym) masto
mastectomy /mæsˈtektəmi/ s (lääk) rinnan poisto, mastektomia
master /mæstər/ s **1** isäntä **2** Master (Jeesus) Mestari **3** mestari (eri merk) **4** alkuperäiskappale **5** (esim filosofian) kandidaatti, maisteri
v hallita, osata
master bedroom s iso makuuhuone, päämakuuhuone
masterful adj **1** määräilevä, komenteleva **2** mestarillinen, taitava, verraton
master key s yleisavain
masterly adj mestarillinen, taitava, verraton
adv mestarillisesti, taitavasti, verrattomasti
mastermind /ˈmæstərˌmaɪnd/ s järjestäjä, junailija, aivot
v järjestää, junailla jokin (vaikea) asia
Master of Arts s filosofian kandidaatti, maisteri
master of ceremonies s seremoniamestari; (televisiossa ym) juontaja
Master of Science s luonnontieteiden kandidaatti
masterpiece /ˈmæstərˌpis/ s mestariteos
master plan s yleissuunnitelma, puitesuunnitelma
master's degree s kandidaatin tutkinto
masterstroke /ˈmæstərˌstrouk/ s mestarityö, mestarillinen suoritus/teko/saavutus
masterwork /ˈmæstərˌwərk/ s mestariteos
mastery /mæstəri/ s **1** osaaminen, taito, hallinta her mastery of Spanish is remarkable hän hallitsee espanjan kielen hienosti **2** ylivoimaisuus; voitto
mastodon /ˈmæstəˌdan/ s mastodontti
masturbate /ˈmæstərˌbeɪt/ v tehdä itsetyydytystä, masturboida
masturbation /ˌmæstərˈbeɪʃən/ s itsetyydytys, masturbaatio, onania
masturbatory /ˈmæstərbəˌtɔri/ adj itsetyydytys-
mat /mæt/ s **1** (pieni) matto **2** (pöydällä) katealunen, alusliina **3** (urh) matto to go on the mat ruveta riitelemään jostakin, pistää jollekulle kampoihin
v sotkea, sotkeutua, takkuuntua
adj himmeä, kiilloton, mattapintainen
matador /ˈmætəˌdɔr/ s (härkätaistelija) matadori
match /mætʃ/ s **1** tulitikku **2** samanlainen, sopiva: she was looking for a match for her blue skirt hän etsi siniseen hameeseensa sopivaa puseroa tms **3** vertainen he met his match hän kohtasi vertaisensa (vastustajan) **4** (urh) ottelu tennis match tennisottelu Mary and John had a shouting match Mary ja John haukkuivat toisiaan kilpaa **5** avioliitto; aviopari Carolyn's a good match for him Carolyn sopii hyvin hänen vaimokseen
v **1** sopia/sovittaa yhteen, sopia/sovittaa johonkin, sopia yhteen jonkin kanssa these colors/figures do not match nämä värit eivät sovi yhteen, nämä numerot eivät pidä yhtä **2** olla jonkin veroinen this novel does not match Bellow's earlier ones tämä romaani ei ole Bellowin aiempien romaanien luokkaa
matchbox /ˈmætʃˌbaks/ s tulitikkulaatikko

matchless adj verraton
matchmaker /'mætʃ,meɪkər/ s (hist) naittaja
mate /meɪt/ s **1** puoliso, (avio)mies, (avio)vaimo **2** (eläimistä) pari, koiras, uros, naaras **3** pari, toinen (kahdesta parillisesta esineestä) where's the mate of this glove? missä tämän käsineen pari on? **4** (ark puhutteluna) kaveri **5** (šakissa) matti
v **1** parittaa, paritella, astuttaa **2** muodostaa pari; mennä naimisiin **3** yhdistää
material /mə'tɪriəl/ s **1** aine, aines, aineisto, raaka-aine, materiaali **2** kangas
adj **1** aineellinen; ruumiillinen material damage ainevahinko, ainevahingot
2 tärkeä, keskeinen Mrs. Vaughn is a material witness Mrs. Vaughn on olennaisen tärkeä todistaja
materialism /mə'tɪriə,lɪzəm/ s materialismi
materialist /mə'tɪriəlɪst/ s materialisti
materialistic /mə,tɪriə'lɪstɪk/ adj materialistinen
materialize /mə'tɪriə,laɪz/ v **1** toteutua, toteuttaa he promised money but it never materialized hän lupasi antaa rahaa mutta se jäi tulematta he materialized his goal hän toteutti tavoitteensa **2** (aave ym) ilmestyä
materially adv ratkaisevasti, olennaisesti these programs are materially different nämä ohjelmat ovat tyystin erilaiset
maternal /mə'tərnəl/ adj äidillinen, äidin, äidin suvun maternal instincts äidin vaistot my maternal grandfather äitini isä
maternity /mə'tərnəti/ s, adj äitiys(-) maternity dress äitiysmekko
maternity leave s äitiysloma
maternity ward s (sairaalan) synnytysosasto
math /mæθ/ mathematics matematiikka, matikka (ark)
mathematical /mæθ'mætɪkəl/ adj **1** matemaattinen **2** tarkka, täsmällinen, ehdoton
mathematically adv matemaattisesti
mathematician /,mæθəmə'tɪʃən/ s matemaatikko
mathematics /,mæθ'mætɪks/ s (verbi yksikössä tai mon) matematiikka I don't understand the mathematics of it en ymmärrä sitä matemaattisesti, en ymmärrä miten se lasketaan
maths s (verbi yksikössä tai mon) (UK) matematiikka, matikka
matinee /,mætə'neɪ/ s matinea, (ilta)päivänäytäntö
matlock /'mæt,lak/ s eräänlainen kuokka
matriarch /'meɪtrɪark/ s matriarkka
matriculate /mə'trɪkjə,leɪt/ v ottaa/mennä yliopistoon (opiskelijaksi)
matriculation examination /mə,trɪkjə'leɪʃən/ s (Suomen) ylioppilastutkinto
matrimonial /,mætrə'mounɪəl/ adj avioliitto-, avio-, vihki-
matrimony /'mætrə,mouni/ s avioliitto
matrix /meɪtrɪks/ s mon matrixes, matrices **1** (kuv) kehto, alku **2** muotti, matriisi **3** (tiede, tekniikka) matriisi
matron /meɪtrən/ s **1** rouvashenkilö, (melkoinen) emäntä, vanharouva
2 (vankilan, sairaalan ym) emäntä
3 (naisvankilan) vartija
matronly adj rouvamainen (ks matron 1)
Matt. Matthew Matteuksen evankeliumi
matte /mæt/ s himmeä pinta
v tehdä (pinta) himmeäksi
adj himmeä, kiilloton, mattapintainen
matter /mætər/ s **1** aine gray matter (aivojen) harmaa aine **2** asia, kysymys this is an important matter tämä on tärkeää, tämä on tärkeä asia it's a matter of life and death (kuv) se on elintärkeä kysymys as a matter of fact itse asiassa for that matter sitä paitsi you'll never get there in time, no matter how fast you drive et ikinä ehdi ajoissa perille vaikka ajaisit kuinka lujaa **3** printed matter painotuote **4** hätä, ongelma what is the matter with you? mikä sinua vaivaa?, mikä sinulla on hätänä? **5** (kirjan, keskustelun ym) sisältö

v olla väliä it doesn't matter ei se mitään
matter of course it was a matter of course se oli itsestään selvää, sen olisi voinut arvata
matter-of-course adj itsestään selvä
matter of fact s tosiasia as a matter of fact itse asiassa
matter-of-fact /ˌmætərə'fækt/ adj asiallinen; kuiva
mattress /mætrəs/ s patja
mature /mæ'tuər mə'tʃər/ v **1** varttua, kasvaa, kypsyä, kypsyttää **2** (tal) erääntyä
adj **1** kypsä **2** (tal) erääntynyt
maturely adv kypsästi
maturity /mə'turıti mə'tʃərəti/ s **1** kypsyys **2** valmius to bring something to maturity saattaa jotakin valmiiksi **3** (tal) erääntyminen; erääntymishetki, erääntymispäivämäärä
maudlin /madlən/ adj tunteileva, (liika)tunteellinen, sentimentaalinen
maul /maəl/ v riepotella, pidellä pahoin
Mauritania /ˌmɔrı'teınjə/
Mauritanian s, adj mauritanialainen
Mauritian s, adj mauritiuslainen
Mauritius /mo'rıʃəs/
mausoleum /ˌmazə'liəm/ s (mon mausoleums, mausolea) hautarakennus, mausoleumi
mauve /moʊv/ adj vaalean sinipunainen
maverick /mævrık/ s **1** merkitsemätön nauta, erityisesti karannut vasikka **2** (kuv) itsenäinen sielu, yksinäinen susi he's a maverick hän kulkee omia polkujaan
maw /ma/ s **1** kita (myös kuv) **2** (eläimen) maha
maxim /mæksəm/ s elämänohje, mietelause
maximal /mæksəməl/ adj suurin, enimmäis-, huippu-, maksimi-, maksimaalinen
maximize /'mæksəˌmaız/ v maksimoida, enimmäistää
maximum /mæksəməm/ s (mon maximums, maxima) enimmäismäärä, huippuarvo, maksimi
adj enimmäis-, huippu-, maksimi- the maximum number of passenges on this plane is 20 tähän koneeseen mahtuu enintään 20 matkustajaa
Maxwell's duiker /daıkər/ s kääpiöfilantomba
may /meı/ apuv might, might **1** mahdollisuudesta: she may/might be at home hän saattaa olla kotona, hän voi olla kotona you may be right saatat olla oikeassa, voit olla oikeassa **2** luvasta: may I go now? saanko lähteä?, voinko lähteä? **3** toivomuksesta: may you two be happy olkaa te onnellisia
May s toukokuu
Maya /maıjə/ s maya
Mayan s, adj maya(-)
maybe /meıbi/ adv ehkä
May Day /meıdeı/ s vappu
Mayday s (kansainvälinen radiopuhelinhätähuuto) mayday
mayn't may not
mayo s (ark) majoneesi
mayonnaise /'meıəˌneız 'mæˌneız/ s majoneesi
mayor /meıər/ s kaupunginjohtaja, pormestari
mayoral /meıərəl/ adj kaupunginjohtajan, pormestarin
mayoress /meıərəs/ s **1** (naispuolinen) kaupunginjohtaja, pormestari **2** kaupunginjohtajan puoliso, pormestarinna (vanh)
maze /meız/ s **1** labyrintti, sokkelo **2** (kuv) sokkelot
M.B.A. Master of Business Administration
MBD minimal brain dysfunction
MBO management-buyout (tal) yrityksen johdon tai henkilöstön suorittama kyseisen yrityksen tai sen osan tai toimintojen osto
McIntosh /'mækənˌtaʃ/ s eräs omenalajike
Md. Maryland
M.D. Doctor of Medicine lääketieteen tohtori
MD /em'di/ **1** Maryland **2** Mini Disc®
me /mi/ pronominin I objektimuoto minut, minua, minulle; (korostetusti:) minä she gave me an apple hän antoi

minulle omenan Who is it? - It's me Kuka siellä on? - Minä

Me. Maine

ME Maine

meadow /medou/ s niitty

meager /migər/ adj vähäinen, vaivainen, niukka, mitätön, pieni

meagerly adv vähän, niukasti

meagerness s vähäisyys, niukkuus, mitättömyys, pienuus

meal /mıəl/ s **1** ateria do you eat three meals a day? syötkö sinä kolmesti päivässä? **2** jauho(t)

meal ticket s **1** lounasseteli **2** (ark) elättäjä **3** (ark) (taito ym joka on jonkun) toimeentulon perusta good looks are a model's meal ticket mannekiinin toimeentulo perustuu hyvän ulkonäköön

mealy /mili/ adj jauhoinen, jauhomainen

mean /min/ s **1** (mon) keino we have to find a means of getting him out of prison meidän on keksittävä miten saamme hänet vapaaksi vankilasta by all means tottakai, (totta) ihmeessä by any means (ei) lainkaan, (ei) millään muotoa by no means ei suinkaan, ei lainkaan **2** (mon) varat to live beyond your means elää yli varojensa **3** keskiarvo
v meant, meant **1** tarkoittaa, merkitä what do you mean by that? mitä sinä sillä tarkoitat? he means business hän on tosissaan, hän tarkoittaa täyttä totta what does pinnacle mean? mitä sana pinnacle tarkoittaa/merkitsee? this means that you will have to do the job alone tämä merkitsee sitä että sinun on tehtävä työ yksin **2** aikoa she meant to say it out loud hän aikoi sanoa sen ääneen
adj **1** halpamainen, ilkeä, piikikäs, alhainen, katala **2** pihi, kitsas, itara **3** huono, kehno, kurja, viheliäinen it was no mean feat to build that bridge sillan rakentaminen ei ollut mikään pikkujuttu **4** keskimääräinen, keski-

meander /mi'ændər/ v **1** (esim joki) kiemurrella, mutkitella **2** poiketa asiasta, (keskustelu) harhailla

meanders s (mon) kiemurtelu, mutkittelu, kiemurat, mutkat

meaning /miniŋ/ s merkitys life has no longer any meaning elämä tuntuu nykyisin merkityksettömältä what is the meaning of this word? mitä tämä sana tarkoittaa?
adj (katse) merkitsevä

meaningful adj merkityksellinen, merkitsevä, mielekäs

meaningful relationship s (kumpaakin osapuolta tyydyttävä) mielekäs parisuhde

meaningless adj merkityksetön, mitätön, mieletön

meanly adv halpamaisesti, ilkeästi, piikikkäästi, katalasti

meanness s halpamaisuus, ilkeys, piikikkyys, kataluus

meant /ment/ ks mean

meantime /'min,taım/ in the meantime sillä välin, välillä

meanwhile /'min,waıəl/ adv **1** sillä välin, välillä **2** sillä aikaa

measles /mizəlz/ s (mon) tuhkarokko German measles vihurirokko

measly /mizli/ adj (ark) mitätön, viheliäinen, kurja

measurable /meʒərəbəl/ adj joka voidaan mitata

measurably adv selvästi product A is measurably better than product B

measure /meʒər/ s **1** mitta(yksikkö) **2** mitta(-astia, -nauha ym) **3** mitta, määrä for good measure (kaiken) lisäksi, varmuuden vuoksi, kaupantekiäisiksi in some measure jossain määrin to be beyond measure olla mittaamaton/suunnaton **4** (kuv) mitta, mittapuu money is a measure of success raha on yksi menestyksen mitta **5** toimenpide to take measures against crime ryhtyä toimiin rikollisuutta vastaan **6** (mus) tahti
v mitata; olla tietyn mittainen the box measures 33 inches in length laatikko on 84 sentin mittainen

measured adj **1** mitattu **2** säännöllinen **3** maltillinen, harkittu

measureless adj mittaamaton, suunnaton

measurement s **1** mittaus **2** mitta, pituus, paino tms
measure up v täyttää vaatimukset, olla jonkin veroinen
meat /mit/ s **1** (syötävä) liha **2** (hedelmän) malto **3** (kuv) (asian) ydin it's all meat se on täyttä asiaa
meat and potatoes s (ark, kuv) perusta, perusasiat
meat-and-potatoes adj (ark, kuv) perus-
meatloaf /'mit,louf/ s lihamureke
meaty adj **1** lihainen **2** (kuv) mehevä, herkullinen
Mecca /mekə/ Mekka
mechanic /mə'kænık/ s mekaanikko, korjaaja, asentaja
mechanical /mə'kænıkəl/ adj mekaaninen (myös kuv), konemainen, koneellinen
mechanical engineer s koneenrakennusinsinööri
mechanical engineering s koneenrakennus
mechanically adv mekaanisesti (myös kuv), konemaisesti, koneellisesti, koneella
mechanics s **1** (verbi yksikössä) mekaniikka **2** (verbi mon) koneisto (myös kuv), mekanismi (myös kuv) can you explain the mechanics of the deal? osaatko selittää miten kauppa käytännössä hoidetaan?
mechanism /'mekə,nızəm/ s koneisto (myös kuv), mekanismi (myös kuv)
mechanization /,mekənə'zeıʃən/ s koneistus, koneellistaminen
mechanize /'mekə,naız/ v koneistaa, koneellistaa
M.Ed. Master of Education kasvatustieteen kandidaatti
medal /medəl/ s mitali
medalist /medəlıst/ s mitalisijalle päässyt urheilija, (miehestä) mitalimies
medallion /mə'dæljən/ s medaljonki
meddle /medəl/ v puuttua johonkin, sekaantua johonkin
meddler /medlər/ s tungettelija, tunkeilija, toisten asioihin puuttuja
meddlesome /medəlsəm/ adj tungetteleva, tunkeileva
media /midiə/ s (mon) viestimet adj viestintä-, viestin-
media event s uutistapahtuma
mediate /'midi,eıt/ v toimia välittäjänä, välittää, sovittaa, sovitella, neuvotella
mediation /,midi'eıʃən/ s sovittelu
mediator s välittäjä, sovittelija
medic /medık/ s **1** (sot) lääkintämies **2** lääkäri **3** lääketieteen opiskelija
medical /medıkəl/ s lääkärintarkastus adj lääketieteellinen, lääkärin, lääkärihe quit his job for medical reasons hän erosi terveyssyistä he is a medical doctor hän on lääketieteen tohtori
medical examiner s kuolinsyyn tutkija; patologi
medically adv lääketieteellisesti
medicament /medıkəmənt/ s lääke
medicate /'medı,keıt/ v lääkitä, antaa lääkettä, hoitaa lääkkeillä
medicated adj lääke-
medication /,medı'keıʃən/ s lääkitys; lääkkeet
medicinal /mə'dısənəl/ adj **1** parantava, parannus- **2** (maku) lääkkeen, karvas
medicinally adv (käyttää jotakin) lääkkeenä, lääkkeeksi
medicine /medəsən/ s **1** lääketiede **2** lääkärinhoito **3** lääke to give someone a dose of his/her own medicine (kuv) maksaa jollekulle takaisin samalla mitalla
medicine man s poppamies
medieval /mə'divəl/ adj keskiaikainen (myös kuv:) vanhanaikainen, takapajuinen
mediocre /,midi'oukər/ adj keskinkertainen
mediocrity /,midi'akrəti/ s keskinkertaisuus
meditate /'medə,teıt/ v **1** mietiskellä **2** miettiä, pohtia **3** hautoa (mielessään), suunnitella
meditation /,medə'teıʃən/ s mietiskely

Mediterranean /ˌmedɪtə'reɪniən/
1 Välimeri **2** Välimeren maat/alue
adj Välimeren
Mediterranean Sea Välimeri
medium /midɪəm/ s (mon mediums, media) **1** väline, keino **2** viestin the media viestimet **3** (fys) väliaine **4** puoliväli, keskiväli, keskitie to strike a happy medium between two things löytää kultainen keskitie **5** (spiritistisessä istunnossa ym) meedio
adj keski- a man of medium weight keskipainoinen mies
medium rare adj (ruuanlaitossa) puolikypsä
medium-sized adj keskikokoinen
medley /medli/ s **1** sekoitus **2** (mus) (sävelmä)ketju
medulla oblongata /məˌduləˌablaŋ'gatə/ s (mon medulla oblongatas, medullae oblongatae) (lääk) ydinjatkos, ydinjatke
meek /mik/ adj **1** nöyrä **2** nöyristelevä
meekly adv **1** nöyrästi **2** nöyristellen, nöyristelevästi
meerschaum /mɪərʃəm/ s meripihka
meet /mit/ s **1** metsästys(tilaisuus) **2** urheilukilpailu
v met, met **1** tavata, kohdata I met him in the hallway tapasin hänet käytävässä meet you in the lobby at seven tavataan aulassa seitsemältä I don't believe we have met emme tunne toisiamme, emme ole tavanneet toisiamme aiemmin **2** tulla/mennä vastaan to meet the bus mennä (jotakuta) linja-autopysäkille vastaan **3** kokoontua the board will meet in a week johtokunta kokoontuu viikon kuluttua
meet halfway fr tulla jotakuta puolitiehen vastaan
meeting s **1** tapaaminen **2** kokous, istunto he is in a meeting hän on kokouksessa/palaverissa **3** (teiden) risteys; (jokien) yhtymäkohta
meet with v **1** neuvotella jonkun kanssa, tavata, olla tapaaminen/neuvottelu jonkun kanssa **2** kohdata they met with unexpected difficulties he kohtasivat odottamattomia vaikeuksia
megabucks /'megəˌbʌks/ s (mon, ark) suunnaton summa
megalomania /ˌmegələ'meɪniə/ s suuruudenhulluus
megalomaniac /ˌmegələ'meɪniæk/ s suuruudenhullu
megaphone /'megəˌfoʊn/ s puhetorvi, megafoni
melancholiac /ˌmelən'kaliæk/ s melankolikko
melancholic /ˌmelən'kalɪk/ adj synkkämielinen, synkkä, apea, melankolinen
melancholy /'melənˌkali/ s synkkämielisyys, synkkyys, apeus, melankolia
adj synkkämielinen, synkkä, apea, melankolinen
Melbourne /melbərn/
mellow /meloʊ/ v **1** kypsyä, kypsyttää **2** (väri ym) pehmentyä, pehmentää
adj **1** kypsä **2** (väri ym) pehmeä **3** rento, letkeä
mellowness s **1** kypsyys **2** pehmeys
mellow out v (sl) renoutua, rentouttaa
melodic /mə'ladɪk/ adj melodinen
melodious /mə'loʊdiəs/ adj melodinen; sointuva
melodrama /'meləˌdramə/ s melodraama (myös kuv)
melodramatic /ˌmelədrə'mætɪk/ adj melodramaattinen (myös kuv:) teatraalinen, liioiteltu
melody /melədi/ s sävelmä, melodia
melon /melən/ s meloni watermelon vesimeloni, arbuusi
melt /melt/ v melted, melted/molten: sulaa, sulattaa snow melts indoors lumi sulaa sisällä
melt away v (kuv) haihtua (kuin tuhka tuuleen), loppua
meltdown /'meltˌdaʊn/ s (ydinreaktorin) sulaminen
melting point s sulamispiste
melting pot s sulatusuuni (myös kuv)
melt into v muuttua/vaihtua joksikin
member /membər/ s **1** jäsen (myös kuv) **2** kongressin, edustajainhuoneen, parlamentin tms jäsen **3** penis
membership /'membərˌʃɪp/ s **1** jäsenyys **2** jäsenistö, jäsenkunta

membership dues s (mon) jäsenmaksu
membrane /'mem,breɪn/ s kalvo, kelmu
membranous /mem'breɪnəs/ adj kalvomainen, kalvo-
memento /mə'mentoʊ/ s (mon mementos, mementoes) muistoesine
memo /memoʊ/ memodandum muistio
memoirs /'mem,warz/ s (mon) omaelämäkerta, muistelmat
memorable /memərəbəl/ adj unohtumaton, ikimuistoinen
memorably adv unohtumattomasti
memorandum /,memə'rændəm/ s (mon memoranda) muistio
memorial /mə'mɔriəl/ s muistomerkki adj muisto-
memorize /'memə,raɪz/ v opetella/oppia ulkoa
memory /meməri/ s **1** muisti if memory serves jos oikein muistan, muistaakseni to commit something to memory painaa jotakin mieleensä, opetalla jotakin ulkoa computer memory tietokoneen muisti **2** muisto these days, the Great Depression is only a memory nykyisin 30-luvun lamakausi on pelkkä muisto
memory bank s (tietok) muistilohko
memory lane to walk down memory lane muistella menneitä
memory mapping s (tietok) muisti-kartoitus
memory trace s muistijälki
Memphis /memfəs/ kaupunki Tennesseessä
men /men/ ks man
menace /menəs/ s uhka, vaara v uhata
menacing adj uhkaava
menacingly adv uhkaavasti
ménage à trois /mə,naʒ,a'twa/ s kolmiodraama, kolmiosuhde
menagerie /mə'nædʒəri/ s pieni kiertävä eläinnäyttely, menageria
mend /mend/ s **1** paikattu kohta, paikka **2** to be on the mend olla paranemaan päin, olla paranemassa v **1** korjata, paikata, parsia **2** parantua
mendable /mendəbəl/ adj joka voidaan paikata, korjata
mendacious /men'deɪʃəs/ adj **1** joka valehtelee helposti, valheellinen **2** (väite ym) valheellinen, epätosi
mendaciously adv valheellisesti
mendacity /men'dæsəti/ s **1** valehtelu **2** (väitteen ym) valheellisuus, perättömyys
menfolk /'men,foʊk/ s (mon) miehet, miesväki
menial /miniəl/ adj **1** vähäpätöinen, toisarvoinen menial work **2** nöyristelevä
menopause /'menə,paz/ s vaihdevuodet
men's movement s miesliike
menstrual /menstrəl/ adj kuukautis-
menstruate /menstreɪt/ v jollakulla on kuukautiset, (lääk) menstruioida
menstruation /men,streɪʃən/ s kuukautiset
mental /mentəl/ s (ark) mielenvikainen adj **1** henkinen, psyykkinen **2** (sairaus) mieli-, psyykkinen
mental age s älykkyysikä
mental arithmetic s päässälasku I had to do some mental arithmetic to figure that out (kuv) minä sain vaivata hieman päätäni ennen kuin tajusin sen
mental disease s mielisairaus
mental disorder s mielisairaus
mental health s mielenterveys
mental hospital s mielisairaala
mental illness s mielisairaus
mentality /men'tæləti/ s **1** älykkyys **2** mielenlaatu
mentally adj **1** henkisesti, psyykkisesti **2** päässä(än)
menthol /menθal/ s mentoli
mentholated /'menθə,leɪtəd/ adj mentoli-
mention /menʃən/ s maininta honorable mention kunniamaininta to make mention of someone/something mainita joku/jokin v mainita not to mention jostakin puhumattakaan don't mention it! ei kestä (kiittää)!
menu /menju/ s **1** ruokalista **2** (tietok) valikko, menu

meow /miaʊ/ v (kissa) maukua, naukua
interj miau!
mercantile /ˈmərkən,taɪəl/ adj **1** kauppa- **2** (tal) merkantilistinen
mercantilism /mərkəntəlɪzəm/ s (tal) merkantilismi
mercenary /ˈmərsə,neri/ s palkkasoturi
adj rahanahne
merchandise /ˈmərtʃən,daɪs/ s kauppatavara
merchant /mərtʃənt/ s kauppias
adj kauppa-
merchant marine s kauppalaivasto
merciful /mərsɪfəl/ adj armelias
mercifully /mərsɪfli/ adv **1** armeliaasti **2** onneksi
merciless /mərsələs/ adj armoton
mercilessly adv armottomasti, armotta
mercurial /mərˈkjəriəl/ adj (kuv) ailahteleva, epävakainen, oikukas
mercury /mərkjəri/ s elohopea
Mercury /mərkjəri/ **1** Merkurius **2** amerikkalainen automerkki
mercy /mərsi/ s armo, sääli Lord, have mercy on my soul Herra, armahda sieluani to be at the mercy of someone/something olla jonkun armoilla
mercy killing s armomurha, eutanasia
merde /meərd/ interj (ranskasta) hitto!, paskat!
mere /mɪər/ adj pelkkä, vain Mr. Donnelly is a mere figurehead Mr. Donnelly on pelkkä keulakuva in mere seconds muutamassa sekunnissa
merely /mɪərli/ adv ainoastaan, vain
meretricious /,merəˈtrɪʃəs/ adj **1** korea, komeileva **2** petollinen, valheellinen
merge /mərdʒ/ v sulautua, yhdistyä, yhdistää, liittää/liittyä yhteen the car merged into the traffic auto sulautui muun liikenteen mukaan
merger s (tal) yritysfuusio
meridian /məˈrɪdiən/ s **1** pituuspiiri, meridiaani **2** (kuv) huippu, huipentuma
meringue /məˈræŋ/ s marenki
merino /məˈrinoʊ/ s (mon merinos) merinolammas
merit /merət/ s ansio, saavutus, etu, hyvä puoli
v ansaita I think this matter merits closer scrutiny minusta tähän asiaan kannattaa perehtyä tarkemmin
meritocracy /,merəˈtakrəsi/ s meritokratia
mermaid /ˈmər,meɪd/ s merenneito
merrily adv iloisesti, hilpeästi
merry /meri/ adj iloinen, hilpeä, hauska Merry Christmas hyvää joulua!
merry-go-round /ˈmerigoʊ,raʊnd/ s karuselli
merrymaking /ˈmeri,meɪkɪŋ/ s hauskanpito, ilonpito
mesa /meɪsə/ s pöytävuori
Mesabi Range /mə,sabiˈreɪndʒ/ Mesabivuoristo (Minnesotassa)
Mesa Verde /,meɪsəˈvərdi/ kansallispuisto Coloradossa, anasazi-intiaanien kallioasumuksia
mesh /meʃ/ s **1** (myös mon) verkko **2** verkon silmä
v **1** kietoa/kietoutua/jäädä verkkoon, kalastaa verkolla **2** sopia/sovittaa yhteen (myös kuv) the gears do not mesh properly hammaspyörät eivät sovi kunnolla yhteen
mesosphere /ˈmesə,sfɪər/ s mesosfääri
mess /mes/ s **1** sotku, sekasotku Bobby, your room is in a mess/your room is a mess huoneesi on kamalassa siivossa **2** pula to get into a mess joutua pulaan/pinteeseen **3** ruokala, ruokailuhuone, (laivan) messi
mess about v (ark) lorvailla, vetelehtiä, laiskotella
message /mesədʒ/ s viesti, sanoma, ilmoitus would you like to leave a message? (puhelimessa) haluasitteko jättää viestin/soittopyynnön? do you get the message? tajuatko?, meneekö kaaliin?
mess around ks mess about
mess around with v (ark) **1** liikkua huonossa seurassa, pitää huonoa seuraa **2** lääppiä, lähennellä don't mess

around with other men's wives jätä toisten miesten vaimot rauhaan
messenger /mesəndʒər/ s lähetti
mess hall s ruokala, ruokailuhuone
Messiah /mə'saɪə/ s Messias
Messianic /ˌmesi'ænɪk/ adj messiaaninen
mess in v sekaantua johonkin, puuttua johonkin
Messrs. messieurs herrat
mess up v **1** sotkea, liata **2** pilata, tehdä tyhjäksi **3** hakata, piestä, antaa selkään
mess with v sekaantua johonkin, puuttua johonkin
messy /mesi/ adj sottainen, siivoton, likainen, sotkuinen (myös kuv)
metabolic /ˌmetə'balɪk/ adj aineenvaihdunta-
metabolism /mə'tæbəlɪzəm/ s aineenvaihdunta
metal /metəl/ s metalli
metalanguage /'metəˌlæŋgwədʒ/ s metakieli (kieli jolla puhutaan kielestä)
metal detector s metalli-ilmaisin, metallinpaljastin
metallic /mə'tælɪk/ adj metallinen, metalli-
metallurgic /ˌmetə'lərdʒɪk/ adj metallurginen
metallurgical /ˌmetə'lərdʒɪkəl/ adj metallurginen
metallurgist /'metəˌlərdʒɪst/ s metallurgi
metallurgy /'metəˌlərdʒi/ s metallurgia
metal oxide semiconductor /ˌmetəlˌaksaɪd'semikənˌdʌktər/ s MOS-piiri
metal tape s metallinauha (ääninauha)
metamorphose /ˌmetə'mɔrfouz/ v muuttaa muotoaan, muuttaa/muuttua joksiksin
metamorphosis /ˌmetə'mɔrfəsɪs/ s (mon metamorphoses) **1** muodonmuutos, metamorfoosi **2** (kuv) muodonmuutos, (täydellinen) muutos
metaphor /'metəˌfɔr/ s vertaus, kielikuva, metafora
metaphorical /ˌmetə'fɔrɪkəl/ adj vertauskuvallinen, metaforinen
metaphorically adv vertauskuvallisesti, metaforisesti
meteor /mitiər/ s meteori
meteoric /ˌmiti'ɔrɪk/ adj **1** meteori- **2** (kuv) nopea, tähdenlennon omainen
meteorite /'mitiəˌraɪt/ s meteoriitti
meteoroid /'mitiəˌrɔɪd/ s meteoroidi
meteorological /ˌmitiərə'ladʒɪkəl/ adj ilmatieteellinen, ilmatieteen, meteorologinen
meteorological satellite s sääsatelliitti
meteorologist /ˌmitiəˌralədʒɪst/ s ilmatieteilijä, meteorologi
meteorology /ˌmitiə'ralədʒi/ s ilmatiede, meteorologia
mete out /mit/ v määrätä, jaella, antaa to mete out punishment rangaista, jaella rangaistuksia
meter /mitər/ s **1** metri **2** mittari parking meter pysäköintimittari **3** (mus) tahti **4** runomitta
v **1** mitata (mittarilla) **2** leimata/ varustaa postimaksuleimalla
metered mail s postimaksuleimalla varustettu posti
meter maid s lappuliisa
methane /meθeɪn/ s metaani
method /meθəd/ s menetelmä, menettely, metodi there is method in his madness hänen puuhassaan on järkeä (vaikkei siltä näytä) method of payment maksutapa
methodical /mə'θadɪkəl/ adj järjestelmällinen; perusteellinen, tarkka
methodically /mə'θadɪkli/ adv järjestelmällisesti; perusteellisesti, tarkasti
Methodist /meθədəst/ s, adj metodisti(-)
methodology /ˌmeθə'dalədʒi/ s menetelmä, menetelmät
meticulous /mə'tɪkjələs/ adj tunnontarkka, pikkutarkka, tarkka, huolellinen
meticulously adv pikkutarkasti, tarkasti, huolellisesti
métier /meɪ'tjeɪ/ s ammatti, ala

metric /metrɪk/ adj metri-
metrical /metrɪkəl/ adj **1** runomitallinen **2** metri-
metrication /ˌmetrəˈkeɪʃən/ s metrijärjestelmään siirtyminen
metric system s metrijärjestelmä
metrification /ˌmetrɪfəˈkeɪʃən/ s metrijärjestelmään siirtyminen
metronome /ˈmetrəˌnoum/ s (mus) metronomi, tahtimittari
metropolis /məˈtrapələs/ s **1** suurkaupunki **2** (maan, alueen, alan) pääkaupunki
metropolitan /ˌmetrəˈpalɪtən/ adj suurkaupungin, suurkaupunki- in the Dallas metropolitan area Suur-Dallasissa, Dallasin suurkaupunkialueella
mettle /metəl/ s rohkeus, urheus, sinnikkyys he's a man of mettle hän on sisukas mies to put someone on his/her mettle rohkaista/kannustaa jotakuta (tekemään jotakin)
mettlesome /metəlsəm/ adj rohkea, urhea, sinnikäs, sisukas
Mexican s, adj meksikolainen
Mexico /ˈmeksɪˌkou/ Meksiko
Mexico City /ˌmeksikouˈsɪti/ México (Meksikon pääkaupunki)
mfg. manufacturing valmistus
mfr. manufacturing; manufacturer valmistus; valmistaja
MG machine gun konekivääri
mgmt. management
mgr. manager
MI Michigan
Miami /maɪˈæmi/ kaupunki Floridassa
Mic. Michigan
mice /maɪs/ ks mouse
Michigan /mɪʃəgən/
Mickey Dees (sl) McDonald's(in pikaravintola)
Mickey Mouse /ˌmɪkiˈmaus/ Mikki Hiiri
micro /maɪkrou/ s **1** mikroaaltouuni **2** mikro, mikrotietokone
microbe /maɪkroub/ s pieneliö, mikrobi
microbiological /ˌmaɪkrəˌbaɪəˈladʒɪkəl/ adj mikrobiologian, mikrobiologinen
microbiologist /ˌmaɪkrəbaɪˈalədʒɪst/ s mikrobiologi
microbiology /ˌmaɪkrəbaɪˈalədʒi/ s mikrobiologia
microchip /ˈmaɪkrəˌtʃɪp/ s mikrosiru
microcircuit /ˈmaɪkrəˌsərkət/ s mikropiiri, integroitu piiri
microcomputer /ˌmaɪkrəkəmˈpjutər/ s mikrotietokone
microcosm /ˈmaɪkrəˌkazəm/ s mikrokosmos
microcosmic /ˌmaɪkrəˈkazmɪk/ adj mikrokosminen
microeconomic adj mikrotaloustieteellinen
microeconomics /ˌmaɪkrouˌikəˈnamɪks/ s (verbi yksikössä) mikrotaloustiede
microelectronics /ˌmaɪkroəlekˈtranɪks/ s (verbi yksikössä) mikroelektroniikka
microfiche /ˈmaɪkrəˌfiʃ/ s mikrokortti
microfilm /ˈmaɪkrəˌfɪəlm/ s mikrofilmi v mikrofilmata
micron /maɪkran/ s mikrometri
Micronesia /ˌmaɪkrəˈniʒə/ Mikronesia
microorganism /ˌmaɪkrəˈɔrgənɪzəm/ s mikro-organismi
microphone /ˈmaɪkrəˌfoun/ s mikrofoni
microprocessor /ˌmaɪkrəˈprasesər/ s mikrosuoritin, mikroprosessori
microscope /ˈmaɪkrəˌskoup/ s mikroskooppi
microscopic /ˌmaɪkrəˈskapɪk/ adj erittäin pieni
microscopy /maɪˈkraskəpi/ s mikroskopia
microwave /ˈmaɪkrəˌweɪv/ s **1** mikroaalto **2** mikroaaltouuni v lämmittää mikroaaltouunissa
microwave oven s mikroaaltouuni
mid /mɪd/ adj keski-, puolivälissä in the mid seventies 70-luvun puolivälissä; (lämpötila) 75 (fahrenheit)asteen paikkeilla
midafternoon /mɪdˌæftərˈnun/ s iltapäivän puoliväli adj iltapäivän puolivälissä oleva/tapahtuva

midair /ˌmɪd'eər/ s ilma the plane exploded in midair kone räjähti ilmassa/ lennossa
midday /ˌmɪd'deɪ/ s keskipäivä, puolipäivä, kello kaksitoista
adj keskipäivän, kello kahdentoista
middle /mɪdəl/ s keskusta, keskiväli, keskikohta, keskiosa, puoliväli in the middle of the road/night keskellä tietä/ yötä I couldn't get him on the phone, he was in the middle of something en saanut häntä puhelimeen koska hänellä oli juuri jokin asia kesken
adj keski-
middle age /ˌmɪdəl'eɪdʒ/ s keski-ikä
middle-aged adj keski-ikäinen
Middle Ages /'mɪdəlˌeɪdʒəs/ s (mon) keskiaika
Middle America 1 Yhdysvaltain keskiluokka **2** Yhdysvaltain Keskilänsi **3** Väli-Amerikka
middle-born s, adj (kolmesta lapsesta) keskimmäinen
middle class /ˌmɪdəl'klæs/ s keskiluokka
middle ear s välikorva
Middle East Lähi-itä
Middle English s keskienglanti (jota puhuttiin noin 1100-1400)
middle ground s (kuv) keskitie, puolitie, kompromissi
middle linebacker /ˌmɪdəl'laɪnbækər/ s (amerikkalaisessa jalkapallossa) keskustukimies
middle management /ˌmɪdəl'mænədʒmənt/ s (yrityksen) keskijohto
middle name s toinen etunimi honesty is my middle name minä olen läpeeni rehellinen
middle-of-the-road /ˌmɪdəlәðə'rood/ adj (kuv) keskitien
Middlesex /mɪdəlseks/ Englannin kreivikuntia
middle school s keskikoulu, (Suomessa lähinnä) peruskoulun yläaste
Middle West (Yhdysvalloissa) Keskilänsi (karkeasti Kalliovuorten ja Alleghenyvuorten välinen alue)
Middx. Middlesex
Mideast /mɪd'ist/ s Lähi-itä
midget /mɪdʒət/ s kääpiö (myös kuv) adj kääpiö-
Midlands /mɪdlənz/ (mon) Midland (Englannln keskiosa)
midlife crisis /ˌmɪdlaɪf'kraɪsɪs/ s (mon midlife crises) keski-iän kriisi
midnight /mɪdnaɪt/ s keskiyö
midpoint /'mɪdˌpoɪnt/ s keskiväli, puoliväli
midriff /midrif/ s **1** vyötärö, vatsa(nseutu) **2** pallea
midsummer /mɪd'sʌmər/ s **1** keskikesä **2** juhannus; kesäpäivänseisaus
midterm /'mɪdˌtərm/ s **1** lukukauden puoliväli **2** lukukauden puolivälissä pidetty tentti
midway /mɪdweɪ/ s puolitie, puoliväli, puolimatka
adj, adv puolivälissä, puolimatkassa
Midway Islands /mɪdweɪ/ (mon) Midwaysaaret
midweek /mɪd'wik/ s viikon puoliväli adj viikon puolivälissä tapahtuva/oleva, keskellä viikkoa tapahtuva/oleva
Midwest /mɪd'west/ (Yhdysvalloissa) Keskilänsi (karkeasti Kalliovuorten ja Alleghenyvuorten välinen alue etelävaltioita lukuun ottamatta)
midwife /'mɪdˌwaɪf/ s (mon midwives) kätilö
midwinter /mɪd'wɪntər/ s keskitalvi
midyear /mɪd'jɪər/ s (luku)vuoden puoliväli
mien /min/ s olemus, ilme
miffed /mɪft/ adj ärtynyt, pahantuulinen, myrtynyt
might /maɪt/ s mahti, valta, voima
v ks may
mightily adj kovasti, paljon, selvästi
mightn't /maɪtənt/ might not
mighty adj mahtava, vaikuttava, valtava
adv (ark) erittäin he was mighty glad we came hän oli tosi iloinen että tulimme
migraine /'maɪˌgreɪn/ s migreeni
migrant /maɪgrənt/ s **1** muuttolintu **2** siirtolainen, irtolainen, siirtotyöläinen, vierastyöläinen

adj **1** (eläin) muutto-, vaeltava **2** (ihminen) vaeltava, siirtolais-, irtolais-, vieras-

migrate /'maɪ,greɪt/ v **1** (eläin) muuttaa, vaeltaa **2** (ihminen) vaeltaa, elää irtolaisena; muuttaa maasta/jonnekin asumaan

migration /maɪ'greɪʃən/ s **1** (eläinten) muutto, vaellus **2** (ihmisen) irtolaisuus; maastamuutto

migratory /'maɪgrə,tɔri/ adj **1** (eläin) muutto-, vaeltava, vaellus- **2** (ihminen) vaeltava, siirtolais-, irtolais-, vieras-

mike /maɪk/ s (ark) mikrofoni, mikki

mild /maɪəld/ adj (sää) leuto, lauhkea, (maku) mieto, (tauti, rangaistus) lievä, (ääni) lempeä

mildew /'mɪl,du/ s home
v homehtua

mildewy adj homehtunut, homeinen

mildly adv lievästi (ks mild) I was mildly surprised yllätyin hieman

mildness s lauhkeus, mietous, lievyys (ks mild)

mile /maɪəl/ s maili (1609 m) international nautical mile meripeninkulma (1852 m)

mileage /maɪlədʒ/ s **1** matka (maileina), mailimäärä a rental car with unlimited mileage vuokra-auto jonka hintaan sisältyy rajoittamaton ajokilometrimäärä **2** polttoaineenkulutus the new Chevy gets good mileage uusi Chevy kuluttaa vähän **3** mailikorvaus (kilometrikorvaus) **4** (kuv) hyöty I hope to get a lot of mileage out of the contract toivon saavani sopimuksesta paljon irti

milestone /'maɪəl,stoun/ s **1** mailipylväs (kilometripylväs) **2** (kuv) virstanpylväs

milieu /mɪl'ju/ s ympäristö, tapahtumapaikka, miljöö

militant /mɪlətənt/ s **1** sotaisa/aggressiivinen/taistelunhaluinen henkilö **2** sotija, soturi, sotilas, sotaa käyvä henkilö
adj **1** sotaisa, aggressiivinen, taistelunhaluinen **2** sotiva, sotaa käyvä

militarism s militarismi

militarist s militaristi
adj militaristinen

military /'mɪlə,teri/ s: the military sotilaat, armeija, sotavoimat
adj sotilas-, sotilaallinen, armeijan

military academy s **1** eräänlainen sisäoppilaitos **2** sotakorkeakoulu

military government s sotilashallitus

military police s sotapoliisi

military school s **1** eräänlainen sisäoppilaitos **2** sotakorkeakoulu

militia /mə'lɪʃə/ s miliisi

milk /mɪlk/ s maito you're crying over spilled milk turha sinun on enää murehtia, tehtyä ei saa tekemättömäksi, ei se itkemällä parane
v lypsää (myös kuv:) huijata

milk cow s lypsylehmä (myös kuv)

milking machine s lypsykone

milkshake /'mɪlk,ʃeɪk/ s (maito)pirtelö

milk tooth s maitohammas

milky adj maitoinen; (lehmä) runsaslypsyinen; valkoinen

Milky Way (galaksi) Linnunrata

mill /mɪl/ s **1** tehdas sawmill saha(laitos) **2** mylly (rakennus ja kone) coffee mill kahvimylly you look like you've been through the mill sinä olet kovia kokeneen näköinen **3** (kuv) tehdas that college is a degree mill se college tehtailee tutkintoja minkä ehtii
v jauhaa

millennium /mə'leniəm/ s (mon millenniums, millennia) **1** tuhatvuotiskausi **2** tuhatvuotinen valtakunta **3** onnela, kultala

miller /mɪlər/ s mylläri

millet /mɪlət/ s (kasvi) hirssi

milliard /mɪljard/ s, adj (UK) miljardi

millimeter /'mɪlə,mitər/ s millimetri

milliner /mɪlənər/ s naisten hattujen valmistaja/myyjä

millinery s **1** naisten hatut **2** kauppa jossa myydään naisten hattuja

million /mɪljən/ s, adj miljoona

millionaire /,mɪljə'neər/ s miljonääri

millionairess /,mɪljə'nerəs/ s (naispuolinen) miljonääri

millionth /mɪljənθ/ s, adj **1** miljoonas **2** miljoonasosa

millipede /'mɪlə,pid/ s tuhatjalkainen

millstone /'mɪl,stoun/ s myllynkivi
millstone around your neck fr (kuv) myllynkivi kaulassa, raskas taakka
Milwaukee /mɪl'waki/ kaupunki Wisconsinissa
mime /maɪm/ s **1** pantomiimi **2** miimikko
v matkia, jäljitellä, esittää pantomiimia
mimeograph /'mɪmiə,græf/ s **1** monistuskone **2** moniste
v monistaa
mimic /mɪmɪk/ s matkija, jäljittelijä, miimikko
v **1** matkia, jäljitellä, imitoida **2** muistuttaa kovasti jotakin, olla jäljitelmä jostakin
minaret /ˌmɪnə'ret/ s minareetti
mince /mɪns/ v **1** paloitella, pienentää, hienontaa, silputa **2** pehmentää, säästellä sanojaan not to mince words suoraan sanoen
mincemeat /'mɪns,mit/ s (omenoista, rusinoista, mahdollisesti lihasta ym valmistettu) piirakkatäyte to make mincemeat of someone (kuv) tehdä jostakusta hakkelusta
mind /maɪnd/ s **1** psyyke, mieli, sielu, äly, järki, ajatukset the conscious mind tietoisuus try to bear/keep that in mind yritä pitää se mielessä it's all in the mind se on pelkkää kuvittelua have you lost your mind? hulluko sinä olet? I had a half/good mind to buy that house olin vähällä ostaa sen talon, mieleni teki ostaa se talo to give someone a piece of your mind sanoa jollekulle suorat sanat, antaa jonkun kuulla kunniansa try to make up your mind, we haven't got all day yritä jo päättää, meillä ei ole loputtomasti aikaa **2** mieli, mielipide why did she change her mind? miksi hän muutti mielensä? he's of a mind to call it quits hän aikoo/haluaisi lopettaa
v **1** varoa, olla varovainen, pitää varansa mind your step varovasti!, katso mihin astut! **2** pitää huolta jostakin, huolehtia grandma is minding the children mummo pitää silmällä lapsia mind your own business pidä huoli omista asioistasi **3** välittää, panna pahakseen, olla jotakin sitä vastaan että would you mind shutting up? voisitko pitää suusi kiinni? **4** never mind ei se mitään; älä siitä välitä never mind Mr. Roscoe älä Mr. Roscoesta välitä
mind-reader /'maɪnd,ridər/ s ajatustenlukija
mind-altering /'maɪnd,altərɪŋ/ adj (huume ym) aistiharhoja synnyttävä, hallusinogeeninen
mind-bending /'maɪnd,bendɪŋ/ adj (sl) ällistyttävä, tyrmistyttävä, raju
mind-blowing /'maɪnd,blouɪŋ/ adj (sl) ällistyttävä, tyrmistyttävä, raju
mind-boggling /'maɪnd,baglɪŋ/ adj (sl) **1** visainen, vaikea **2** ällistyttävä, tyrmistyttävä, raju
mindful of to be mindful of something pitää huoli jostakin, ottaa jotakin huomioon
mindless adj **1** mieletön, älytön, järjetön **2** mindless of something joka ei välitä/piittaa jostakin, jostakin huolimatta/välittämättä
mindset /'maɪnd,set/ s **1** asenne, asennoituminen theirs is a totally different mindset from our own he näkevät asiat aivan eri lailla kuin me **2** aie, aikomus
mind's eye /ˌmaɪn'zaɪ/ in your mind's eye mielessään, sielunsa silmillä
mind the store fr isännöidä/emännöidä jossakin, pitää taloa/firmaa pystyssä
mine /maɪn/ s **1** kaivos **2** miina **3** (kuv) kultakaivos that man is a mine of anecdotes about the American west mies on ehtymätön lännentarinoiden lähde
v **1** louhia/kaivaa (malmia) **2** miinoittaa
mine /maɪn/ pronominin I possessiivimuoto minun that car is mine tuo on minun autoni
minefield /'maɪn,fɪəld/ s miinakenttä (myös kuv)
miner s kaivostyöläinen
mineral /mɪnərəl/ s kivennäinen, mineraali, kaivannainen
adj kivennäis-, mineraali
mineralogical /ˌmɪnərə'ladʒɪkəl/ adj kivennäistieteellinen, mineraloginen

mineralogist /ˌmɪnəˈralədʒɪst/ s kivennäistieteilijä, mineralogi
mineralogy /ˌmɪnəˈralədʒi/ s kivennäistiede, mineralogia
mineral water s **1** kivennäisvesi **2** (UK myös) virvoitusjuoma
mingle /miŋgəl/ v **1** sekoittaa, sekoittua johonkin (with) **2** pitää seuraa jonkun kanssa, seurustella, jutella go ahead and mingle menehän jututtamaan ihmisiä/vieraita
mini /mɪni/ s minitietokone; minihame ym
adj mini- mini-, pieni, lyhyt tms
miniature /mɪnətʃər, mɪniətʃər/ s **1** pienoismalli, pienoiskoko ym in miniature pienoiskoossa **2** pienoismaalaus, miniatyyri
adj pienois-, pienoiskokoinen
miniaturize /ˈmɪnətʃəˌraɪz/ v (elektroniikassa) miniatyrisoida, miniatyyristää, valmistaa pienessä koossa, pienentää
minimal /mɪnəməl/ adj mahdollisimman pieni, erittäin pieni/vähäinen, minimaalinen
minimally adv mahdollisimman vähän, erittäin vähän, vain aavistuksen verran
minimize /ˈmɪnəˌmaɪz/ v supistaa mahdollisimman pieneksi, minimoida
minimum /mɪnɪməm/ s vähimmäismäärä, vähimmäisarvo, alin arvo, pohjalukema, minimi
adj vähimmäis-, alin, minimi- minimum speed on the freeway is 40 moottoritiellä on ajettava vähintään 40 mailia tunnissa
mining s kaivostoiminta, kaivostyö
minion /mɪnjən/ s mielistelijä, hännystelijä, nöyrä palvelija
miniseries /ˈmɪniˌsɪriz/ s (mon miniseries) lyhyt televisiosarja his first novel will be made into a miniseries hänen esikoisromaanistaan tehdään lyhyt televisiosarja
miniskirt /ˈmɪniˌskərt/ s minihame
minister /mɪnəstər/ s **1** ministeri **2** pappi, pastori
v toimia pappina
ministerial /ˌmɪnəsˈtɪriəl/ adj **1** papin **2** ministerin
minister to v huolehtia jostakin
minister without portfolio s salkuton ministeri
ministry /mɪnəstri/ s **1** papin tehtävät, papin virka John wants to enter the ministry John haluaa ruveta papiksi **2** papisto **3** ministeriö **4** ministerit **5** ministerikausi, ministerin virkakausi
mink /miŋk/ s minkki
mink coat s minkkiturkki
minke whale s lahtivalas
Minn. Minnesota
Minneapolis /ˌmɪnɪˈæpəlɪs/ kaupunki Minnesotassa
Minnesota /ˌmɪnəˈsoʊtə/ Yhdysvaltain osavaltioita
minor /maɪnər/ s **1** alaikäinen **2** (yliopistossa) sivuaine **3** (mus) molli
adj vähäinen, pieni, pienempi, mitätön that's a minor problem se ei ole iso ongelma that's the minor of the two problems se on ongelmista pienempi
minor in v lukea/opiskella sivuaineena jotakin
minority /məˈnɔrəti/ s vähemmistö (äänestyksessä, yhteiskunnassa) ethnic and religious minorities rotu- ja uskonnolliset vähemmistöt
minority group s (rotu-, uskonnollinen, kieli- tms) vähemmistö(ryhmä)
minstrel /mɪnstrəl/ s **1** (keskiaikainen kiertävä laulaja) minstreli **2** laulaja, muusikko
minstrel show s kiertävä laulu-, tanssi- ja komediashow
mint /mɪnt/ s **1** rahapaja, setelipaino US Mint Yhdysvaltain seteli- ja kolikkopaino(t) **2** (kasvi) minttu
v lyödä rahaa now that he has a new company, he is minting money hän käärii rahaa minkä ehtii nyt kun hänellä on uusi firma
mint condition to be in mint condition olla kuin uusi, (uusi:) olla tuliterä
minuet /ˌmɪnjuˈet/ s (mus) menuetti
minus /maɪnəs/ s **1** miinusmerkki **2** lasku, tappio
prep **1** miinus **2** ilman here comes Mr. Albertson minus the wife tässä tulee

herra Albertson ilman vaimoa I'll have a cheeseburger minus the onions haluan juustohampurilaisen ilman sipulia
minus sign s miinusmerkki
minute /mɪnət/ s **1** minuutti (ajasta, kulmasta, kaaresta) I'll be back in a minute tulen heti takaisin up to the minute ajanmukainen, ajan tasalla, uudenaikainen, moderni **2** (mon) pöytäkirja
minute /maɪ'nut/ adj **1** erittäin pieni, häviävän pieni **2** mitätön, merkityksetön **3** pikkutarkka, erittäin tarkka
minute hand s minuuttiviisari
minutely /maɪ'nutli/ adv **1** erittäin vähän, hyvin vähän **2** pikkutarkasti, erittäin tarkasti
minutiae /mə'nuʃieɪ/ s (mon) yksityiskohdat, pikkuseikat
MIPS million instructions per second miljoona(a) laskutoimitusta sekunnissa
miracle /mɪrəkəl/ s ihme the new medicine works miracles uusi lääke saa ihmeitä aikaan
miracle drug s ihmelääke
miracle mile s katu jonka varrella on kalliita muotiliikkeitä ym
miraculous /mə'rækjələs/ adj ihmeellinen, uskomaton
miraculously adv ihmeellisesti, kuin ihmeen kautta
mirage /mə'raʒ/ s kangastus (myös kuv)
mire /maɪər/ s **1** suo **2** muta, lieju
v **1** juuttua/saada juuttumaan suohon/mutaan **2** (kuv) hukkua we were mired in difficulties olimme pahassa pulassa
mirror /mɪrər/ s peili, kuvastin (myös kuv)
v **1** kuvastaa to be mirrored in something kuvastua/näkyä jostakin **2** vastata, olla sama kuin
mirror image s peilikuva
mirth /mərθ/ s ilo, riemu, hilpeys
mirthful adj iloinen, riemuisa, hilpeä
mirthless adj iloton
mirthlessly adv ilottomasti
misadventure /,mɪsəd'ventʃər/ s vastoinkäyminen, vahinko, tapaturma
misanthrope /'mɪsən,θroʊp/ s ihmisvihaaja
misanthropic /,mɪsən'θrapɪk/ adj ihmisiä vihaava
misanthropy /mə'sænθrəpi/ s ihmisviha
misapprehend /mɪs,æpri'hend/ v käsittää väärin
misapprehension /mɪs,æpri'henʃən/ s väärinkäsitys
misappropriate /,mɪsə'proʊprɪ,eɪt/ v anastaa, kavaltaa
misappropriation /,mɪsə,proʊpri'eɪʃən/ s anastus, kavallus
misbehave /,mɪsbə'heɪv/ v käyttäytyä huonosti, ei olla siivosti
misbehavior /,mɪsbə'heɪvjər/ s huono käytös, huonot tavat, kurittomuus
misbelief /,mɪsbə'lif/ s **1** väärä luulo, väärä käsitys **2** (usk) harhaoppi
misc. miscellaneous muut(a), sekalaiset, sekalaisia
miscalculate /mɪs'kælkjə,leɪt/ v laskea väärin, arvioida väärin
miscalculation /mɪs,kælkjə'leɪʃən/ s laskuvirhe, virhearvio, arviointivirhe
miscarriage /'mɪs,kerədʒ/ s **1** keskenmeno **2** miscarriage of justice (oik) tuomiovirhe
miscarry /mɪs'keri/ v **1** saada keskenmeno **2** (kuv) epäonnistua
miscellaneous /,mɪsə'leɪniəs/ adj sekalainen, kirjava, moninainen
miscellany /'mɪsə,leɪni/ s **1** sekalainen/kirjava kokoelma **2** antologia
mischief /mɪstʃəf/ s **1** (leikkisä tai ilkeä) kujeilu, kiusa, kiusanteko **2** vahinko
mischievous /mɪstʃəvəs mɪs'tʃiviəs/ adj **1** kujeileva, veitikkamainen **2** ilkeä, pahansuopa, vahingollinen
mischievously adv **1** kujeillen, veitikkamaisesti **2** ilkeästi, piikikkäästi
misconceive /,mɪskən'siv/ v ymmärtää/käsittää väärin
misconception /,mɪskən'sepʃən/ s väärinkäsitys, virheellinen/väärä käsitys
misconduct /mɪs'kandʌkt/ s **1** huono/sopimaton käytös, kurittomuus **2** väärä/virheellinen menettely, väärinkäytös

misconduct /ˌmɪskən'dʌkt/ v hoitaa/menetellä väärin/virheellisesti, syyllistyä väärinkäytökseen to misconduct yourself käyttäytyä huonosti/sopimattomasti
misconstrue /ˌmɪskən'stru/ v käsittää/ymmärtää/tulkita väärin
miscreant /mɪskriənt/ s, adj rikollinen
misdeed /mɪsdid/ s rikkomus, paha teko, virhe
misdemeanor /ˌmɪsdə'minər/ s (laki ja yl) rikkomus, paha teko
miser /maɪzər/ s kitupiikki, kitsastelija, saituri
miserable /mɪzərəbəl/ adj kurja, onneton, kärsivä; surkea, mitätön, surkuteltava
miserably adv kurjasti, onnettomasti, (elää) kurjissa oloissa, (kärsiä) kovasti, (epäonnistua) surkeasti
miserly adj pihi, nuuka
misery /mɪzəri/ s **1** kurjuus, puute **2** piina, tuska, kärsimys
misfire /mɪs'faɪər/ v **1** (ase) ei laueta, (raketti) ei syttyä **2** raueta, epäonnistua
misfit /mɪsfɪt/ s sopeutumaton ihminen, yksinäinen susi
misfortune /mɪs'fɔrtʃən/ s huono onni, kova kohtalo; vastoinkäyminen, takaisku, onnettomuus, katastrofi
misgivings /mɪs'gɪviŋz/ s (mon) epäily(t), epävarmuus, epäröinti to have misgivings about something ei olla varma jostakin
misguided /mɪs'gaɪdəd/ adj virheellinen, tyhmä, (yritys) asiaton, väärä, perusteeton
mishap /mɪshæp/ s vastoinkäyminen, takaisku, vahinko
misjudge /mɪs'dʒʌdʒ/ v arvioida väärin, tulkita väärin, erehtyä
mislay /mɪs'leɪ/ v mislaid, mislaid: hukata
mislead /mɪs'lid/ v misled, misled: johtaa harhaan, olla harhaanjohtava, hämätä
mismanage /mɪs'mænədʒ/ v hoitaa/johtaa huonosti/epärehellisesti
mismanagement s huono/leväperäinen/epärehellinen taloudenhoito/asiain hoito
misnomer /'mɪsˌnoʊmər/ s huono/väärä/harhaanjohtava nimi/sana
misogynist /mə'sadʒənɪst/ s naistenvihaaja
misogyny /mə'sadʒəni/ s naisviha
misrepresent /mɪsˌreprɪ'zent/ v antaa väärä/virheellinen kuva jostakin, vääristää totuutta/sanoja
misrepresentation /ˌmɪsreprizən'teɪʃən/ s virheellinen kuva jostakin, totuuden/sanojen vääristys
miss /mɪs/ s **1** Miss neiti **2** Miss missi Miss Finland Miss Suomi **3** (puhuttelusanana) neiti, tarjoilija **4** (mon) naistenvaatteiden keskikoko **5** laukaus/lyönti ym joka ei osu that was a near miss se oli vähällä mennä ohi, se meni läheltä **6** epäonnistuminen
v **1** ei osua (maaliin) **2** jättää väliin, ei tehdä jotakin, myöhästyä jostakin, ei ehtiä/nähdä jotakin, missata (ark) did you see Rambo III? – No, I missed it näitkö Rambo III:n? – En, se jäi minulta näkemättä to miss class ei saapua tunnille, olla pois tunnilta my heart missed a beat sydämeni jätti lyönnin väliin, (kuv) minä säikähdin pahanpäiväisesti, sydämeni nousi kurkkuun he missed the big chance häneltä meni hyvä tilaisuus sivu suun **3** kaivata, olla ikävä jotakuta/jotakin
Miss. Mississippi
missile /mɪsəl/ s ohjus guided missile ohjus
missing adj kadonnut three people are still missing kolme ihmistä on edelleen kadoksissa
missing link s puuttuva rengas
mission /mɪʃən/ s **1** tehtävä **2** kutsumus **3** (sot) komennus **4** lähetystö, valtuuskunta **5** (lähettilään, lähetystön) matka **6** (usk) lähetystyö **7** (usk) lähetysasema **8** (kirkon ym) yömaja
missionary /mɪʃəneri/ s **1** lähetyssaarnaaja **2** lähettiläs, valtuutettu
missionary position s (rakastelussa) lähetyssaarnaaja-asento
Mississippi /ˌmɪsə'sɪpi/ s **1** eräs Yhdysvaltain osavaltio **2** Mississippijoki

Missouri /mɪ'zɔri/ Yhdysvaltain osavaltioita
miss out on v päästää jotakin sivu suun
misspell /mɪs'spel/ v kirjoittaa väärin
misspelling s (oikein)kirjoitusvirhe
misspent /mɪs'spent/ adj tuhlattu in my misspent youth tuhlatussa nuoruudessani
misstep /mɪs'step/ s virhe, kömmähdys, erehdys; harha-askel, hairahdus
mist /mɪst/ s **1** utu; usva, sumu **2** (kuv) hämärä, verho, sumu
v sumentua, sumentaa, sumuttaa (kasveja)
mistake /mə'steɪk/ s virhe to make a big mistake erehtyä pahasti, tehdä iso virhe
v mistook, mistaken **1** käsittää/ymmärtää/tulkita väärin you are mistaken sinä olet väärässä **2** luulla jotakuta joksikin he mistook you for his wife mies sekoitti sinut vaimoonsa
mistaken adj väärä, virheellinen it was a case of mistaken identity kyse oli henkilöllisyyden sekaantumisesta he was under the mistaken impression that... hän oletti perusteettomasti että..., hän luuli että...
mistakenly adv väärin, vahingossa, erehdyksessä
mister /mɪstər/ s **1** Mister (erisnimen edellä) herra Mr. Howe Mr. Howe, herra Howe, Howe **2** (ark) (puhuteltaessa ilman erisnimeä, joskus töykeä) Hey, mister, you've got to wait in line hei äijä, jonossa ei saa etuilla **3** Mister (luonnehdittaessa puheena olevaa henkilöä:) Mr. Right ihanneaviomies, se oikea aviomies Harry wants to be Mr. Clean Harry haluaa leikkiä pulmusta
mistletoe /'mɪsəl,toʊ/ s misteli
mistook /mɪs'tʊk/ ks mistake
mistress /mɪstrəs/ s **1** johtajatar, emäntä **2** (koiran) emäntä **3** rakastajatar, rakastettu **4** (kuv) valtiatar
mistrial /'mɪs,traɪəl/ s oikeudenkäynnin raukeaminen (virheeseen tai koska valamiehistö ei ole yksimielinen)
mistrust /mɪs'trʌst/ s epäluottamus, epäily, luottamuksen puute
v ei luottaa johonkuhun/johonkin
mistrustful adj epäluuloinen he is mistrustful of you/your motives hän ei luota sinuun, hän ei ole varma siitä mitä sinulla on mielessä
misty adj **1** utuinen; usvainen, sumuinen **2** (kuv) hämärä, sumea
misty-eyed /'mɪsti,aɪd/ adj **1** joka on kyynelten partaalla, jonka silmät ovat kosteat **2** tunteileva, sentimentaalinen
misunderstand /mɪs,ʌndər'stænd/ v misunderstood, misunderstood: käsittää/ymmärtää/tulkita väärin
misundestanding s **1** väärinkäsitys **2** erimielisyys, kiista
misuse /mɪs'juz/ s väärinkäyttö, virheellinen käyttö
v käyttää väärin, väärinkäyttää
MIT Massachusetts Institute of Technology
mite /maɪt/ s **1** punkki **2** ropo **3** hiukkanen, hitunen
adv pikkuisen, hieman
miter /maɪtər/ s (piispan päähine) hiippa, mitra
mitigate /'mɪtə,geɪt/ v lievittää, helpottaa, lieventää
mitigating circumstances s (mon) lieventävät asianhaarat
mitigation /,mɪtə'geɪʃən/ s lievitys, helpotus, lievennys
mitt /mɪt/ s **1** (baseball)räpylä **2** lapanen
mitten /mɪtən/ s lapanen
mix /mɪks/ s sekoitus
v **1** sekoittaa (myös kuv), sekoittua could you please mix the drinks? voisitko sinä sekoittaa/laittaa ryypyt? I always mix Jane and Joan minä sekoitan aina Janen ja Joanin toisiinsa **2** sopia yhteen, tulla toimeen keskenään politics and literature don't mix politiikka ja kirjallisuus eivät sovi yhteen **3** (juhlassa yms) seurustella, jutella
mixed adj **1** sekalainen, kirjava **2** (miesten ja naisten) seka-, yhteis-
mixed bag s (ark kuv) sillisalaatti

mixed blessing s kaksipiippuinen juttu
mixed economy s sekatalous
mixed feelings to have mixed feelings about something suhtautua johonkin sekavin tuntein
mixed marriage s seka-avioliitto
mixed metaphor s riitelevä kielikuva that's a mixed metaphor nyt sinä yhdistät kielikuvia
mixer s **1** (ihminen) sekoittaja **2** (laite) sekoitin **3** seuraihminen
mixture /mɪkstʃər/ s sekoitus, yhdistelmä
mix up v **1** sekoittaa toisiinsa **2** sekoittaa, panna sekaisin
MLA Modern Language Association
mm-hm interj kyllä
MMPI Minnesota Multiphasic Personality Inventory
mnemonic /nə'manɪk/ s muistikas
MO Missouri
moan /moun/ s voihkaisu, voihkina, ähkäisy
v voihkaista, voihkia, vaikeroida, ähkäistä, ähkiä
moat /mout/ s vallihauta, vesihauta
mob /mab/ s **1** (mellakoiva) väkijoukko **2** rikosliiga, (erit) huumeliiga **3** the Mob mafia
mobile /moubəl/ s (liikkuva veistos) mobile
adj liikkuva, liikuteltava, siirrettävä
mobile home /,moubəl'houm/ s pienehkö, siirrettävä asuintalo (vrt motor home)
mobile library s kirjastoauto
mobile phone s matkapuhelin
mobility /mou'bɪləti/ s liikkuvuus
mobilization /,moubəlɪ'zeɪʃən/ s **1** liikekannallepano **2** (kuv) käyttöönotto (ks mobilize 2)
mobilize /'moubə,laɪz/ v **1** määrätä/ panna liikekannalle **2** (kuv) ottaa käyttöön the company mobilized all its power to increase market share yritys pyrki kaikin voimin lisäämään markkinaosuuttaan
moccasin /makəsən/ s (intiaanin jalkine) mokkasiini
mock /mak/ v pilkata, pitää pilkkanaan, tehdä pilaa jostakusta/jostakin
mockery /makəri/ s **1** pilkka, pilanteko **2** pilan kohde **3** (kuv) irvikuva, täydellinen vastakohta the trial was a mockery of justice oikeudenkäynti soti vastoin kaikkia oikeudenmukaisuuden periaatteita
mockingbird /'makiŋ,bərd/ s matkijalintu
modal auxiliary /,moudəlag'zɪləri/ s (kieliopissa) modaalinen apuverbi (esim can, may, will, shall, must)
mode /moud/ s **1** tapa, keino, muoto mode of transportation liikenneväline mode of conduct käytös, käyttäytyminen **2** muoti
model /madəl/ s **1** malli, esikuva **2** (auto- ym) malli model year (autojen) mallivuosi **3** malliesimerkki she is the model of a mother hän on esimerkillinen äiti **4** valokuvamalli, taiteilijan malli ym **5** pienoismalli
v **1** toimia valokuvamallina tms she models for an ad agency hän on valokuvamallina erään mainostoimiston palveluksessa **2** muotoilla, muovata, tehdä malli
model on v käyttää mallina/esikuvana, ottaa esimerkkiä jostakusta/jostakin to be modeled on something noudattaa jonkin esimerkkiä, olla jonkin esimerkin/ esikuvan mukainen, jäljitellä jotakin
moderate /madərət/ s (poliittisesti ym) maltillinen
adj maltillinen, hillitty, kohtuullinen
moderate /'madə,reɪt/ v **1** hillitä, lievittää, lieventyä, leudontaa, leudontua, lauhtua **2** (keskustelua tms) juontaa, johtaa
moderation /,madə'reɪʃən/ s maltillisuus, kohtuullisuus to drink in moderation juoda kohtuullisesti
moderators (keskustelun tms) juontaja
modern /madərn/ adj nykyaikainen, uudenaikainen, moderni
Modern English s nykyenglanti (noin 1475 alkaen)

modernism /madərnɪzəm/ s modernismi
modernist s modernisti
modernity /mə'dərnəti/ s nykyaikaisuus, uudenaikaisuus, ajanmukaisuus
modernization /ˌmadərnə'zeɪʃən/ s uudenaikaistaminen, modernisointi
modernize /'madərˌnaɪz/ v nykyaikaistaa, uudenaikaistaa, ajanmukaistaa, modernisoida
modest /madəst/ adj **1** vaatimaton **2** siveä **3** vähäinen, niukka, pieni, vaatimaton
modestly adv: ks modest
modesty /madəsti/ s **1** vaatimattomuus **2** siveys **3** pienuus, niukkuus
modicum /madɪkəm/ s hiven, pikkuisen
modification /ˌmadəfɪ'keɪʃən/ s muutos
modifier /'madəˌfaɪər/ s (kieliopissa) määrite, määräys
modify /madəfaɪ/ v **1** muuttaa (osittain), muuntaa **2** lieventää the opposition has modified its position oppositio on tinkinyt kannastaan **3** (kieliopissa) määrittää
modular /madʒələr/ adj itsenäisistä osista muodostuva, moduulirakenteinen
module /madʒəl madʒuəl/ s moduuli, (itsenäinen) osa lunar module kuumoduli
mogul /moʊgəl/ s **1** Mogul moguli **2** pohatta, pomo movie mogul elokuvastudion johtaja **3** (laskettelurinteen) kumpare
mohair /'moʊˌheər/ s angoravilla, mohair
Mohammedan /mə'hæmədən/ s, adj islamilainen, muhamettilainen
moist /moɪst/ adj kostea
moisten /moɪsən/ v kostuttaa, kostua
moisture /moɪstʃər/ s kosteus
moisturizer /'moɪstʃəˌraɪzər/ s kosteusvoide
Mojave Desert /moʊˌhavi ˈdezərt/ Mojaven aavikko (Kaliforniassa)
molar /moʊlər/ s poskihammas
mold /moəld/ s **1** muotti (myös kuv) **2** (kuv) luonteenlaatu **3** home **4** (ruoka)multa
v **1** muovata (myös kuv), muotoilla **2** homehtua
molder /moldər/ v rapistua, ränsistyä, mädäntyä, pilaantua
Moldova /mol'doʊvə/ Moldova
mole /moəl/ s **1** luomi, syntymämerkki **2** myyrä **3** aallonmurtaja **4** (kem) mooli
molecular /mə'lekjələr/ adj molekyyli-
molecular biology s molekyylibiologia
molecular genetics s (verbi yksikössä) molekyyligenetiikka
molecular weight s molekyylipaino
molecule /'maləˌkjuəl/ s molekyyli
molehill /'molˌhɪl/ to make a mountain out of a molehill tehdä kärpäsestä härkänen
molest /mə'lest/ v **1** vaivata, häiritä, kiusata **2** lähennellä, pahoinpidellä sukupuolisesti
molestation /ˌmaləs'teɪʃən/ s **1** vaivaaminen, häiritseminen, kiusanteko **2** sukupuolinen pahoinpitely
mollusk /maləsk/ s (eläin) nilviäinen
molt /molt/ s (linnun) sulkasato, (matelijan) nahanluonti
v (linnusta) olla sulkasato, (matelijasta) luoda nahkansa
molten /moltən/ adj (ks myös melt) (metallista) sula
moment /moʊmənt/ s **1** hetki, silmänräpäys just a moment, I'll be right with you hetkinen vain, tulen aivan heti not a moment too soon ei yhtään/hetkeäkään liian aikaisin **2** (fys) momentti **3** merkitys, tärkeys
momentarily /ˌmoʊmən'terəli/ adj **1** hetkeksi, hetken aikaa **2** aivan pian, heti
momentary /'moʊmənˌteri/ adj **1** lyhyt, nopea, pikainen **2** alati uhkaava
momentous /moʊ'mentəs/ adj merkittävä, tärkeä, ikimuistoinen at this momentous occasion tällä suurella hetkellä
momentousness s merkitys, tärkeys

momentum /moʊ'mentəm/ s voima, vauhti, (kuv) puhti
Monacan /manəkən/ s, adj monacolainen
Monaco /'manə,koʊ/
monarch /manark/ s monarkki, hallitsija
monarchic /mə'narkɪk/ adj monarkkinen
monarchical adj monarkkinen
monarchist s monarkisti
monarchy /manarki/ s **1** monarkia, kuningaskunta tms **2** monarkia, yksinvalta
monastery /'manəs,teri/ s (munkki)luostari
monastic /mə'næstɪk/ adj luostarin, luostari
Monday /mʌndi, 'mʌnd,eɪ/ s maanantai
Monegasque /,manə'gæsk/ s, adj monacolainen (ks myös Monacan)
monetary /'manə,teri/ adj raha-, rahallinen, valuutta-
money /mʌni/ s raha moneys, monies rahasumma(t) to make good money ansaita hyvin your answer was right on the money vastauksesi osui naulan kantaan I think you're pouring money down the drain minusta sinä panet rahasi hukkaan to put your money where the mouth is näyttää sanansa toteen, siirtyä sanoista tekoihin let's see the color of your money näytähän että sinulla todella on rahaa! Gary has money to burn Garylla on rahaa kuin roskaa
moneyed /mʌnid/ adj rahakas, rikas
money machine s pankkiautomaatti
moneymaker /'mʌni,meɪkər/ s hyvä rahanlähde, kannattava yritys, myyntimenestys
moneymaking s rahanteko adj tuottava, tuottoisa, kannattava
money market s (tal) rahamarkkinat
money order s postiosoitus, maksuosoitus
money's worth to get your money's worth saada koko rahan edestä, saada rahoilleen vastinetta
money talks fr rahalla saa
Mongolia /maŋ'golɪə/ Mongolia
Mongolian /maŋ,goulɪən/s, adj mongolialainen
Mongolian gazelle /maŋ,gouliəngə'zeəl/ s mongoliangaselli
mongrel /maŋgrəl/ s sekarotuinen koira, rakki, piski adj sekarotuinen
monitor /manɪtər/ s **1** tukioppilas **2** tenttivalvoja, koevalvoja **3** (televisio-, tietokone)monitori v valvoa, tarkkailla, seurata
monk /mʌŋk/ s munkki
monkey /mʌŋki/ s **1** apina **2** (kuv) apinoija **3** (kuv lapsesta) (pikku) vintiö **4** to make a monkey out of someone saattaa joku naurunalaiseksi, pitää jotakuta pilkkanaan v apinoida, matkia
monkey around/with fr (ark) reuhata, peuhata; sorkkia
monkey wrench s jakoavain to throw a monkey wrench in the works sabotoida, pistää kapuloita rattaisiin
mono /manoʊ/ adj mono(foninen)
monochrome /'manə,kroʊm/ adj **1** yksivärinen **2** mustavalkoinen
monocle /manəkəl/ s monokkeli
monogamist /mə'nagəmɪst/ s yksiavioinen ihminen/eläin
monogamous /mə'nagəməs/ adj yksiavioinen
monogamy /mə'nagəmi/ s yksiavioisuus
monogram /'manə,græm/ s monogrammi, nimikirjainsommitelma
monograph /'manə,græf/ s erikoistutkielma
monolingual /,manə'lɪŋgwəl/ s, adj yksikielinen
monolith /'manə,lɪθ/ s monoliitti
monolithic /,manə'lɪθɪk/ adj **1** yhdestä kivilohkareesta tehty, monoliitti- **2** (kuv) järkkymätön, yhtenäinen
monologue /'manə,lag/ s yksinpuhelu
monomania /,manə'meɪniə/ s monomania, liiallinen yhteen asiaan keskittyminen
monoplane /'manə,pleɪn/ s (lentokone) yksitaso

monopolize /mə'napə,laɪz/ v monopolisoida, (kuv) vallata/viedä kaikki he monopolized the conversation hän oli koko ajan äänessä
monopoly /mə'napəli/ s monopoli, yksinoikeus
monorail /'manə,reɪəl/ s yksiraiteinen rautatie
monosyllabic /,manəsɪ'læbɪk/ adj **1** yksitavuinen **2** (sanavarasto) suppea **3** (vastaus) lyhyt, juro, yksikantainen
monosyllable /'manə,sɪləbəl/ s yksitavuinen sana to speak in monosyllables puhua yksikantaan/jurosti
monotheism /'manəθi,ɪzəm/ s monoteismi, yksijumalaisuus
monotheistic /,manəθi'ɪstɪk/ adj monoteistinen, yksijumalainen
monotone /'manə,toun/ s yksitoikkoinen/väritön ääni
monotonous /mə'natənəs/ adj yksitoikkoinen, pitkäveteinen, tylsä, (ääni) väritön
monotonously adv yksitoikkoisesti, pitkäveteisesti, tylsästi, (puhua) värittömästi
monotony /mə'natəni/ s yksitoikkoisuus, pitkäveteisyys, tylsyys, (äänen) värittömyys
monounsaturated /,manouən'sætʃəreɪtəd/ adj (rasva) monotyydyttämätön
Monroe Doctrine /mən,rou'daktrən/ s Monroen oppi
monsoon /man'sun/ s monsuuni
monster /manstər/ s hirviö
monstrosity /man'strasəti/ s **1** hirviö **2** hirvittävyys
monstrous /manstrəs/ adj **1** hirvittävä, kamala, järkyttävä, luonnoton, suhdaton **2** suunnattoman suuri, valtava
monstrously adv ks monstrous
Mont. Montana
Montana /man'tænə/ Yhdysvaltain osavaltioita
month /mʌnθ/ s kuukausi
monthly s **1** kerran kuukaudessa ilmestyvä lehti **2** (ark, myös mon) kuukautiset
adj kuukausi- monthly salary kuukausipalkka monthly magazine kerran kuukaudessa ilmestyvä lehti
adv kuukausittain, kerran kuukaudessa
Montreal /,mantri'aəl/ kaupunki Kanadassa
monument /manjəmənt/ s muistomerkki, monumentti are skyscrapers monuments to human folly? ovatko pilvenpiirtäjät osoitus ihmisen turhamaisuudesta?
monumental /,manjə'mentəl/ adj **1** jykevä, vaikuttava, suunnaton, monumentaalinen **2** merkittävä, historiallinen
moo /mu/ v (lehmä) ammua
interj ammuu!
mood /mud/ s **1** mieliala, tunnelma he's in a foul mood hän on pahalla päällä/tuulella I'm not in the mood to go dancing minua ei huvita lähteä tanssimaan **2** paha tuuli, pahantuulisuus **3** (kieliopissa) tapaluokka, modus
mood-altering adj (lääke, huume) mielialaan vaikuttava, piristävä tai rauhoittava
moodily adv ks mood
moodiness s **1** synkkyys, apeus **2** pahantuulisuus, paha tuuli **3** oikullisuus
mood music s tunnelmamusiikki, hämymusiikki
moody adj **1** synkkä, apea **2** pahantuulinen **3** oikukas
moon /mun/ s kuu full moon täysikuu how many moons does Saturn have? montako kuuta Saturnuksella on? once in a blue moon joskus harvoin
v **1** vetelehtiä, lorvia **2** surkutella, ruikuttaa
moonlight /'mun,laɪt/ s kuutamo
v käydä (päätyön lisäksi) toisessa työssä, tehdä (ylimääräisiä) iltatöitä
moonlit /munlɪt/ adj kuutamoinen it was a moonlit night oli kuutamoyö
moonscape /'mun,skeɪp/ s kuumaisema
moonstruck /'mun,strʌk/ adj **1** tärähtänyt **2** (romanttisen) haaveileva
moonwalk /'mun,wak/ s kuukävely
moor /muər/ s (kanervaa kasvava) nummi
v kiinnittää (vene, laiva laituriin)

Moor /muər/ s mauri
moose /mus/ s (mon moose) hirvi
mop /map/ s **1** moppi **2** hiuskuontalo **3** hapan ilme
v **1** pyyhkiä/siivota mopilla **2** nyrpistää naamaansa, näyttää happamalta
moped /mouped/ s mopo, mopedi
moral /mɔrəl/ s **1** opetus **2** (mon) moraali
adj moraalinen, moraali-
morale /mə'ræəl/ s moraali, henkinen ryhti the morale of the troops is low joukkojen taistelutahto on vähissä
moralism /'mɔrə,lɪzəm/ s moralismi
moralist s moralisti, siveyden vartija
morality /mə'ræləti/ s **1** moraalisuus, siveellisyys **2** moraliteetti(näytelmä)
morality play s moraliteetti(näytelmä)
moralize /'mɔrə,laɪz/ v moralisoida
morally adj moraalisesti
moral majority s kristityt fundamentalistit poliittisena voimana (termin käyttäjien mielestä enemmistönä)
morass /mə'ræs/ s suo (myös kuv)
morbid /mɔrbəd/ adj (lääk ja kuv) sairas, sairaalloinen he has a morbid sense of humor hänellä on sairas huumorintaju
morbidity /mɔr'bɪdəti/ s **1** sairaalloisuus, kuvottavuus **2** (lääk) tautisuus, morbiditeetti
morbidly adv (kuv) sairaasti, sairaalloisesti, sairaalloisen
mordant /mɔrdənt/ adj pureva, piikikäs, pisteliäs
more /mɔr/ s, adj, adv, prep (komparatiivi sanasta much) enemmän, vielä, lisää this cheese is more expensive than that one tämä juusto on kalliimpaa kuin tuo much more paljon enemmän no more ei enää two more days vielä kaksi päivää give me more anna enemmän/lisää that's more than enough siinä on enemmän kuin tarpeeksi, se riittää oikein hyvin once more vielä kerran not any more ei enää and what is more, she was arrested ja kaiken lisäksi hänet pidätettiin
more and more fr yhä enemmän
more or less fr enemmän tai vähemmän, kutakuinkin, melko
moreover /mo'rouvər/ adv lisäksi, sitä paitsi
mores /mɔreɪz/ s (mon) tavat, tottumukset
morgue /mɔrg/ s ruumishuone
morning /mɔrniŋ/ s, adj aamu(-) Morning! Huomenta!
morning paper s aamulehti
morning sickness s (raskausajan) aamupahoinvointi
Moroccan /mə'rakən/s, adj marokkolainen
Morocco /mə'rakou/ Marokko
moron /mɔran/ s (lääk vanh) debiili, (ark) idiootti
moronic /mə'ranɪk/ adj (lääk vanh) debiili, (ark) idioottimainen
morose /mə'rous/ adj synkkä, juro, apea
morpheme /'mɔr,fim/ s (kielitieteessä) morfeemi (kielen pienin merkityksellinen yksikkö)
morphine /mɔrfin/ s morfiini
morphing /mɔrfiŋ/ tietokoneella suoritettava kuvan metamorfoosi
morphology /mɔr'falədʒi/ s morfologia, muoto-oppi
Morse s morseaakkoset
adj morsetus-
Morse alphabet s morseaakkoset
Morse code /,mɔrs'koud/ s morseaakkoset
morsel /mɔrsəl/ s (ruuan) muru
mortal /mɔrtəl/ s kuolevainen us mere mortals me tavalliset kuolevaiset
adj **1** kuolevainen; maallinen **2** tappava, hengenvaarallinen **3** hirvittävä, valtava he was in a mortal hurry hänellä oli hirvittävä kiire
mortal enemy s verivihollinen, periviholIinen
mortality /mɔr'tæləti/ s **1** kuolevaisuus **2** kuolleisuus mortality rate kuolleisuus
mortally adv **1** (haavoittua) kuolettavasti, hengenvaarallisesti **2** (kuv) (loukkaantua) verisesti **3** (pelätä, pelästyä) hirvittävästi, valtavasti

mortar /mɔrtər/ s **1** laasti **2** huhmare **3** (ase) (hist) mörssäri, (nyk) kranaatinheitin
v rapata, laastita
mortarboard /'mɔrtər,bɔrd/ s **1** muurauslasta **2** akateemisissa juhlatilaisuuksissa käytettävä päähine jonka yläosan muodostaa tupsullinen neliskulmainen levy
mortgage /mɔrgədʒ/ s **1** hypoteekki **2** hypoteekkilaina, asuntolaina
v **1** kiinnittää **2** (kuv) panna pantiksi
mortification /,mɔrtəfɪ'keɪʃən/ s **1** häpeä **2** (ruumiin) kidutus, (lihallisten halujen) sammutus
mortify /'mɔrtə,faɪ/ v **1** saattaa häpeään I was mortified to hear that olin kuolla häpeään kun kuulin siitä **2** (usk) kurittaa, kiduttaa (ruumistaan), tappaa (lihalliset halunsa)
mortuary /'mɔrtʃʊ,eri/ s ruumishuone
MOS metal-oxide semiconductor
mosaic /moʊ'zeɪk/ s, adj mosaiikki(-)
Mosaic /moʊ'zeɪk/ adj Mooseksen
Mosaic Law s Mooseksen laki
Moscow /'mas,kaʊ/ Moskova
MOSFET metal-oxide semiconductor field-effect transistor
mosque /mask/ s moskeija
mosquito /mə'skitoʊ/ s hyttynen, moskiitto
moss /mas/ s sammal
mossy adj sammaleinen, sammalpeitteinen
most /moʊst/ s, adj, adv, pron (superlatiivi sanasta many) eniten, enin, suurin osa you have the most apples sinulla on eniten omenia most people don't care useimmat ihmiset eivät välitä, useimmille se on aivan sama most of the apples suurin osa omenista try to make the most of the opportunity yritä ottaa tilaisuudesta kaikki irti most likely todennäköisimmin, erittäin todennäköisesti
most-favored-nation clause s (kansainvälisessä kaupankäynnissä) suosituimmuuslauseke
mostly adv enimmäkseen, suurimmaksi osaksi, lähinnä, pääasiassa, etupäässä
most of all adv ennen kaikkea
motel /moʊ'tel/ s motelli
moth /maθ/ s **1** yöperhonen **2** koi, (erityisesti) turkiskoi
moth-eaten adj **1** koinsyömä **2** vanhanaikainen, aikansa elänyt
mother /mʌðər/ s **1** äiti **2** (eläinten) emo
v **1** synnyttää **2** hoivata
mother country s isänmaa, kotimaa
mother earth s maaemo
motherfucker /,mʌðər'fʌkər/ s (sl) kusipää, vittumainen tyyppi/homma, paska vehje
mother hen s (kuv) kanaemo
motherhood /'mʌðər,hʊd/ s äitiys
mother-in-law /'mʌðərɪn,la/ s (mon mothers-in-law) anoppi
motherland /'mʌðər,lænd/ s isänmaa, kotimaa
mother language s äidinkieli
motherly adj äidillinen
mother-naked adj apposen alaston
Mother's Day s äitienpäivä
mother tongue s äidinkieli
mothy adj koinsyömä
motif /moʊ'tif/ s (romaanin, taideteoksen) aihe
motion /moʊʃən/ s **1** liike to set something in motion käynnistää/aloittaa jokin to go through the motions tehdä jotakin innottomasti, käydä läpi pakolliset kuviot **2** ehdotus, esitys **3** ele, (kädellä) viittaus
v viitata he motioned the guest to sit hän viittasi kädellään vierasta istumaan
motionless adj liikkumaton
motion picture s elokuva
motion sickness s matkapahoinvointi
motivate /'moʊtə,veɪt/ v motivoida
motivation /,moʊtə'veɪʃən/ s motivaatio
motive /moʊtɪv/ s **1** motiivi, vaikutin **2** (romaanin, taideteoksen) aihe
v motivoida
adj (voima) liike-
motley /matli/ s narrin puku
adj kirjava, monenkirjava, sekalainen

motor /moutər/ s **1** moottori **2** (kuv) alkuunpanija, käynnistäjä he's the motor of the whole deal
v ajaa/matkustaa autolla, (UK) kuljettaa/viedä autolla
adj **1** moottorikäyttöinen, moottori- **2** motorinen, liike-
motorbike /ˈmoutər,baɪk/ s moottoripyörä
v moottoripyöräillä, ajaa moottoripyörällä
motorboat /ˈmoutər,bout/ s moottorivene
v ajaa/matkustaa moottoriveneellä
motorcade /ˈmoutər,keɪd/ s autokulkue President Kennedy was shot in a motorcade presidentti Kennedy ammuttiin autokulkueessa
motorcycle /ˈmoutər,saɪkəl/ s moottoripyörä
v moottoripyöräillä, ajaa moottoripyörällä
motorcyclist s moottoripyöräilijä
motordrome /ˈmoutər,droum/ s (auto)kilparata
motored adj -moottorinen
motor home /ˈmoutər,houm/ s matkailuauto
motoring s (vapaa-ajan) autoilu
motorist s (yksityis)autoilija
motorize /ˈmoutə,raɪz/ v **1** varustaa moottorilla **2** autoistaa
motor lodge s motelli
motor-mouth /ˈmoutər,mauθ/ s (sl) poskisolisti, suunsoittaja, joku jonka suu käy kuin papupata
motorsports /ˈmoutər,spɔrts/ s (mon) moottoriurheilu
motor vehicle /,moutərˈviɪkəl/ s moottoriajoneuvo
motorway /ˈmoutər,weɪ/ s (UK) moottoritie
motto /matou/ s motto, tunnuslause
mouflon /muflan/ s mufloni
mound /maund/ s **1** kukkula, maan kohouma **2** kasa, pino
mount /maunt/ s **1** vuori **2** ratsu **3** kanta, kiinnitin **4** valokuvakehys; diakehys
v **1** nousta; nousta (ratsun) selkään **2** asentaa, kiinnittää paikalleen **3** käynnistää, aloittaa the enemy mounted an attack vihollinen hyökkäsi **4** kehystää (dia ym)
mountain /mauntən/ s vuori (myös kuv) to make a mountain out of a molehill tehdä kärpäsestä härkänen
mountain climber s vuorikiipeilijä
mountain climbing s vuorikiipeily
mountaineer /,mauntəˈnɪər/ s **1** vuoristolainen, vuoriston asukas **2** vuorikiipeilijä
v kiipeillä vuorilla, harrastaa vuorikiipeilyä
mountain goat s lumivuohi
mountainous /mauntənəs/ adj vuoristoinen, vuorinen
mountain range s vuoristo, vuoriketju
mountain reedbuck /ˈrid,bʌk/ s vuoriruokoantilooppi
mountain sickness s vuoristotauti
mountainside /ˈmauntən,saɪd/ s vuorenrinne, vuorenkylki
Mountain tapir /teɪpər/ s vuoritapiiri
mountainy /mauntəni/ adj **1** vuoristoinen, vuorinen **2** vuoristo-, vuoristoelämän
Mountain zebra /zibrə/ s vuoriseepra
mounted adj ratsastava, ratsu- mounted police ratsupoliisi
Mount Everest s Everest
Mountie /maunti/ s (ark) Kanadan ratsupoliisi
Mount of Olives /,mauntəvˈalɪvz/ Öljymäki
Mount Rainier /,mauntreɪˈnɪər/ Vuori ja kansallispuisto Washingtonin osavaltiossa
Mounty s (ark) Kanadan ratsupoliisi
mourn /mɔrn/ v surra (kuolemaa ym)
mourner s surija
mournful adj **1** sureva, surullinen **2** synkkä, apea
mourning s **1** suru, sureminen **2** suruaika **3** surupuku, suruvaatteet, mustat vaatteet to be in mourning olla suruvaatteissa; surra jotakuta (for someone)
mouse /maus/ s (mon mice) hiiri

mouse bandicoot /bændə,kut/ s hiiripussimäyrä
mouse deer s kääpiökauris larger mouse deer isokääpiökauris lesser mouse deer jaavankääpiökauris spotted mouse deer intiankääpiökauris
mousetrap /'maʊs,træp/ s **1** hiirenloukku **2** (kuv) ansa, loukku **3** to build a better mousetrap (kuv) keksiä parempi ratkaisu, suunnitella parempi laite
mousse /mus/ s (jälkiruoka) vaahto chocolate mousse suklaavaahto
moustache /mʌstæʃ/ s viikset
mousy /maʊsi/ adj **1** ujo, arka **2** hiirenharmaa **3** mitäänsanomaton, tylsä
mouth /maʊθ/ s suu (myös kuv) the man has five mouths to feed miehellä on viisi suuta ruokittavana to run off at the mouth puhua kuin papupata
mouth /maʊð/ v lausua, sanoa
mouth-breather /'maʊθ,briðər/ s (kuv) älykääpiö, ääliö, taliaivo
mouthful s **1** suupala; suun täysi you said a mouthful sinä osuit naulan kantaan **2** sanahirviö, sana ym joka on vaikea ääntää
mouthpiece /'maʊθ,pis/ s **1** (soittimen ym) suukappale **2** (kuv) äänitorvi, puolestapuhuja
mouth-to-mouth resuscitation /,maʊðtə,maʊðri,sʌsə'teiʃən/ s puhalluselvytys
movable /muvəbəl/ adj liikkuva, liikuteltava
movable feast s pyhä joka osuu eri vuosina eri päivälle (vrt immovable feast)
movables s (mon) irtaimisto
move /muv/ s **1** (kuv) siirto, askel, veto, teko, toimi selling the house was a smart move talon myynti oli viisas temppu **2** liike to be on the move olla liikkeessä **3** muutto
v **1** siirtää, siirtyä, liikuttaa, liikkua let's move this sofa to another room siirretäänpä tämä sohva toiseen huoneeseen he didn't move a muscle to help us hän ei liikauttanut eväänsäkään auttaakseen meitä **2** muuttaa (asuinpaikkaa ym) the Wallers moved to Tucson Wallerit muuttivat Tucsoniin **3** (kuv) liikuttaa I was moved by his speech hänen puheensa sai minut liikuttumaan
move in v muuttaa jonnekin (asuntoon, toimistoon), asettua/käydä taloksi
move in on v siirtyä jollekin (uudelle) alueelle; tunkeutua jonkun toisen apajille
moveless adj liikkumaton
movement s **1** liike (eri merkityksissä) did you notice the movement of the branches? huomasitko oksien liikahtavan? a new political movement uusi poliittinen liike **2** (kellon) koneisto **3** (mus) (sävellyksen) osa
move on v **1** lähestyä **2** jatkaa matkaa, ei pysähtyä
move out v muuttaa pois jostakin
move over v siirtyä, tehdä tilaa
mover s **1** muuttomies, (mon) muuttoliike **2** (kuv) isokenkäinen, (poliittinen) vaikuttaja, (politiikassa ja liikealalla) iso tekijä
movers and shakers s (ark mon) isokenkäiset
move up v yletä, edetä (esim uralla)
movie /muvi/ s elokuva want to go to the movies? haluatko mennä elokuviin?
moviegoing /'muvi,goʊiŋ/ s elokuvissa käynti
adj elokuva- the moviegoing public elokuvayleisö, elokuvissa kävijät
movie house s elokuvateatteri
movieland /'muvi,lænd/ s **1** elokuva-ala, elokuvateollisuus **2** (Kalifornian) Hollywood
moviemaker /'muvi,meɪkər/ s elokuvien tekijä
moving adj **1** liikkuva, liikuteltava **2** (kuv) liikuttava **3** liikkeellepaneva the moving force behind this operation tämän hankkeen käynnistäjä/alullepanija
mow /moʊ/ v mowed, mowed/mown: leikata (nurmikko)
mow down v **1** teurastaa (ihmisiä) **2** piestä (vastustaja)
mower /moʊər/ s ruohonleikkuri, ruohonleikkuukone

Mozambique /ˌmoʊzæmˈbik/ Mosambik
MP military police sotapoliisi
M.P. Member of Parliament parlamenttiedustaja
MPB missing persons bureau
mpg miles per gallon
Mr. mister herra
Mrs. mistress rouva
MS Mississippi
Ms. miss; mistress käytetään sekä neidistä että rouvasta
M.S. Master of Science (luonnontieteissä) filosofian kandidaatti, FK
M.Sc. Master of Science (luonnontieteissä) filosofian kandidaatti, FK
MT Montana
MTBF mean time between failures keskimääräinen vikaväli
MTS /ˌemtiˈes/ Multichannel TV Sound, moniääni(televisio)
much /mʌtʃ/ s, adj, adv (more, most) paljon too much liikaa, liian paljon how much kuinka paljon not much vähän it's much too complicated se on aivan liian mutkikas so much for that se siitä don't make too much of that älä siitä välitä, älä pane sitä pahaksesi thank you very much kiitos paljon!
much as konj vaikka much as I would like to come, I just can't haluaisin kyllä kovasti tulla mutta en millään pääse
muck /mʌk/ s **1** lanta **2** kura, lika v **1** lannoittaa **2** sotkea, kurata
muckrake /ˈmʌkˌreɪk/ v etsiä/pyrkiä paljastamaan rötöksiä
muckraker s rötöksiä paljasteleva lehtimies tms
mucky adj kurainen, likainen
mucous /mjukəs/ adj limainen, lima-
mucous membrane s limakalvo
mucus /mjukəs/ s lima
mud /mʌd/ s loka (myös kuv), kura, rapa, muta
muddle /mʌdəl/ v (kuv) sotkea, hämmentää
muddlehead s sekopää
muddleheaded /ˈmʌdəlˌhedəd/ adj sekava, sekopäinen
muddle through v (yrittää) selvitä jotenkuten
muddy adj **1** kurainen, rapainen **2** samea, sumea **3** sekava, epäselvä; sekopäinen
mud guard s **1** roiskeläppä **2** lokasuoja
mudslinging /ˈmʌdˌsliŋiŋ/ s (kuv) mustamaalaus, panettelu
mud-wrestling s mutapaini
muff /mʌf/ s **1** käsipuuhka earmuff korvalappu **2** (sl) naisen häpykarvat, mirri
muff-burger s cunnilingus
muff-diver s cunnilinguksen harjoittaja
muffle /mʌfəl/ v vaimentaa (ääntä)
muffler /mʌflər/ s **1** kaulaliina **2** (auton) äänenvaimennin
muffle up v kääriä lämpimiin vaatteisiin tms
mug /mʌg/ s **1** muki, kuppi **2** (sl) pärstä, naama, naamataulu
mug shot s poliisikuva(sarja edestä, sivulta ja takaa)
Muhammad /məˈhaməd/ s (profeetta) Muhammed
Muhammadan /məˈhamədən/ s, adj islamilainen, muhamettilainen
mulberry /mʌlberi/ s **1** silkkiäispuu, mulperipuu **2** silkkiäispuun/ mulperipuun marja
mule /mjuəl/ s **1** muuli **2** (ark) härkäpäinen ihminen, jukuripää
mule deer /ˈmjuəlˌdɪər/ s muulipeura
mulish /mjulɪʃ/ adj härkäpäinen, jukuripäinen, omapäinen
mull /mʌl/ v tehdä/laittaa glögiä
mull over v (kuv) jauhaa, märehtiä, miettiä jotakin
multicolor /ˌmʌltɪˈkʌlər/ adj monivärinen
multifarious /ˌmʌltɪˈferiəs/ adj moninainen, moni-ilmeinen, monipuolinen
multilateral /ˌmʌltəˈlætərəl/ adj monenkeskinen

multilingual /ˌmʌltɪˈlɪŋgwəl/ adj monikielinen
multimedia /ˌmʌltiˈmidiə, ˌmʌltaɪˈmidiə/ s, adj multimedia
multinational /ˌmʌltɪˈnæʃənəl/ s monikansallinen yritys
adj monikansallinen
multinorm /ˈmʌltɪˌnɔrm/ adj moninormi- multinorm television set moninormitelevisio(vastaanotin)
multiple /mʌltɪpəl/ s kerrannainen
adj moninkertainen
multiple listing s asunnon tms tarjoaminen myyntiin useamman kuin yhden kiinteistönvälittäjän kautta
multiple sclerosis /skləˈroʊsɪs/ s MS-tauti, multippeli skleroosi
multiplication /ˌmʌltəplɪˈkeɪʃən/ s **1** (mat) kertolasku **2** moninkertaistaminen, moninkertaistuminen, lisääminen, lisääntyminen (myös ihmisten, eläinten)
multiply /ˈmʌltɪˌplaɪ/ v **1** (mat) kertoa **2** moninkertaistaa, moninkertaistua, lisätä, lisääntyä (myös ihmisistä, eläimistä)
multitude /ˈmʌltɪˌtud/ s suuri joukko the multitudes kansa, suuri yleisö
multivolume /ˌmʌltɪˈvaljum/ adj moniosainen
mum /mʌm/ adj hiljainen, joka ei sano mitään
mumble /mʌmbəl/ v mumista, mutista
mummify /ˈmʌməˌfaɪ/ v **1** muumioida, palsamoida **2** muumioitua, muuttua muumioksi; kuihtua
mummy /mʌmi/ s muumio
mummy bag s muumiomallinen makuupussi
mumps /mʌmps/ s (verbi yksikössä) sikotauti
mum's the word fr älä hiisku tästä sanaakaan; hiljaisuus on valttia
munch /mʌntʃ/ v rouskuttaa he was munching on a Mars bar hän mutusteli Mars-patukkaa
mundane /mʌnˈdeɪn/ adj **1** maallinen **2** arkinen, tavallinen, tylsä, mielikuvitukseton
mundanely adv ks mundane
mundaneness s **1** maallisuus **2** arkisuus, arkipäiväisyys, mielikuvituksettomuus, tylsyys
mundanity /mʌnˈdænəti/ s **1** maallisuus **2** arkisuus, arkipäiväisyys, mielikuvituksettomuus, tylsyys **3** arkiasia; latteus
Munich /mjunɪk/ München
municipal /mjʊˈnɪsəpəl/ adj kunnan, kaupungin, kunnanvaltuuston
municipal court s kunnanoikeus
municipality /mjʊˌnɪsəˈpæləti/ s **1** (kaupunki)kunta **2** kunnanvaltuusto
munitions /mjʊˈnɪʃənz/ s (mon) aseet ja ampumatarvikkeet
muntjac /mʌntdʒæk/ s muntjakki Indian muntjac muntjakki Reeve's muntjac kiinanmuntjakki
mural /mjərəl/ s seinämaalaus
adj seinä-
murder /mərdər/ s murha to get away with murder selvitä rangaistuksetta vaikka mistä, päästä aina pälkähästä to scream bloody murder huutaa kuin palosireeni; nostaa hirveä äläkkä/häly the exam was murder tentti oli tappava/hirvittävä
v murhata
murderer s murhaaja
murderess s (naispuolinen) murhaaja
murderous /mərdərəs/ adj **1** murha- **2** murhanhimoinen, verenhimoinen **3** hirvittävä, tappava
murder will out fr salaisuus paljastuu aikanaan, mikään ei pysy salassa ikuisesti
murk /mərk/ s pimeys, synkkyys
murkily adv **1** synkästi **2** hämärästi
murky adj **1** pimeä, synkkä (myös kuv) **2** epäselvä, epämääräinen, hämärä
murmur /mərmər/ s **1** (puheen) mumina, supina **2** (veden, tuulen) suhina, kohina
v **1** (ihmiset) mumista, supista, kuiskutella **2** (vesi, tuuli, puut) suhista, kohista, kahista
Murphy's law /ˈmərfiz,la/ Murphyn laki everything that can go wrong, will kaikki mikä voi mennä pieleen myös menee pieleen

muscle /mʌsəl/ s **1** lihas he didn't move a muscle to help us hän ei liikauttanut eväänsäkään auttaakseen meitä **2** (kuv) voima, potku there is no muscle in his speech hänen puheestaan puuttuu tuli
v ahtautua/tunkeutua jonnekin
muscle sense s lihasaisti
muscular /mʌskjələr/ adj **1** lihas- muscular strength lihasvoima **2** lihaksikas
muscular dystrophy /dɪstrəfi/ s lihasdystrofia, lihassurkastuma
museum /mju'ziəm/ s museo
mushroom /'mʌʃ,rum/ s sieni
v **1** sienestää, kerätä sieniä **2** levitä/kasvaa nopeasti video shops are mushrooming all over the country eri puolille maata nousee videovuokraamoita kuin sieniä sateella
music /mjuzɪk/ s **1** musiikki (myös kuv) **2** nuotit to face the music vastata seurauksista/teoistaan
musical /mjuzɪkəl/ s musikaali
adj **1** musiikki- musical instruments soittimet **2** (ihminen) musikaalinen **3** melodinen
musically /mjuzɪkli/ adv **1** musiikillisesti **2** melodisesti
music box s soittorasia
musician /mjʊ'zɪʃən/ s muusikko
musicological /,mjuzɪkə'ladʒɪkəl/ adj musiikkitieteen, musiikkitieteellinen
musicologist /,mjuzɪ'kalədʒɪst/ s musiikkitieteilijä
musicology /,mjuzɪ'kalədʒi/ s musiikkitiede
music stand s nuottiteline
music video /'mjuzɪk,vɪdiou/ s musiikkivideo
musk deer /mʌsk/ s myskihirvi
musket /mʌskət/ s musketti
musketeer /,mʌskə'tiər/ s muskettimies, muskettisoturi, musketööri
musk ox s myskihärkä
musky rat kangaroo s myskikenguru
Muslim /mʌzləm/ s, adj islamilainen, muhamettilainen
muslin /mʌslən/ s (kangas) musliini
mussel /mʌsəl/ s simpukka
must /mʌst/ s pakko, välttämättömyys: in this job, typing skills are a must tässä työssä on osattava kirjoittaa koneella
apuv täytyä, (kielteisessä lauseessa) ei saada he must eat hänen täytyy syödä he must not eat hän ei saa syödä you must visit us some day sinun täytyy joskus tulla kylään he must have seen you hänen on täytynyt nähdä sinut, hän varmaankin näki sinut
mustache /mʌstæʃ/ s viikset
mustached adj viiksekäs; jolla on viikset
mustang /'mʌs,tæŋ/ s mustangi, preeriahevonen
Mustang /'mʌs,tæŋ/ amerikkalainen automalli
mustard /mʌstərd/ s sinappi
muster /mʌstər/ s (sotilaiden, miehistön) nimenhuuto, tarkastus to pass muster täyttää vaatimukset, kelvata
v tarkastaa (joukot, miehistö), koota nimenhuutoon
muster in v ottaa armeijaan
muster out v vapauttaa armeijasta
muster up v koota, kerätä he mustered up courage to ask for a raise hän rohkaisi mielensä pyytääkseen palkankorotusta
mustiness s tunkkaisuus
musty adj **1** homeinen, homehtunut; ummehtunut, tunkkainen **2** (kuv) homeinen, homehtunut, vanhentunut, aikansa elänyt
mutability /,mjutə'bɪləti/ s **1** vaihtelevuus, vaihtelu **2** ailahtelu
mutable /mjutəbəl/ adj **1** muuttuva, vaihteleva **2** oikukas
mutagen /mjutədʒən/ s mutageeni, mutaation aiheuttaja
mutant /mjutənt/ s mutantti
adj mutaatio-
mutate /'mju,teɪt/ v muuttaa, muuttua, aiheuttaa mutaatio
mutation /mjʊ'teɪʃən/ s **1** mutaatio **2** muutos
mute /mjut/ s, adj mykkä
v vaimentaa/hiljentää (ääntä), hillitä (väriä)

muted adj hiljainen, vaimea, hillitty
mutilate /'mjutə,leɪt/ v silpoa, typistää
mutilation /,mjutə'leɪʃən/ s silpominen, typistäminen
mutineer /,mjutə'nɪər/ s kapinallinen, kapinoitsija
mutinous /mjutənəs/ adj kapinallinen
mutiny /mjutəni/ s kapina v kapinoida, nousta kapinaan
mutt /mʌt/ s (sl) rakki, piski
mutter /mʌtər/ s **1** mumina, mutina **2** mutina, valitus, napina, nurina v **1** mumista, mutista **2** mutista vastaan, valittaa, napista, nurista
mutton /mʌtən/ s lampaanliha, lammas
mutual /mjutʃuəl/ adj **1** molemminpuolinen, keskinäinen **2** yhteinen we have many mutual interests meillä on paljon yhteisiä etuja
mutually adv ks mutual the two things are mutually exclusive nämä asiat sulkevat toisensa pois, nämä asiat eivät sovi yhteen
muzzle /mʌzəl/ s **1** (eläimen) kuono **2** (koiran) kuonokoppa **3** suutin, suukappale, nokka, (aseen) suu v **1** panna (koiralle) kuonokoppa **2** (kuv) vaientaa
my /maɪ/ pronominin I possessiivimuoto minun, -ni my wife vaimoni
Myanmar /'mjan,maər/ Myanmar (ent Burma)
myopia /maɪ'oupiə/ s **1** likinäköisyys **2** (kuv) lyhytnäköisyys **3** (kuv) suvaitsemattomuus
myopic /maɪ'apɪk/ adj **1** likinäköinen **2** (kuv) lyhytnäköinen **3** (kuv) suvaitsematon
myriad /mɪriəd/ s suunnaton määrä adj lukematon
myrrh /mər/ s mirha, mirhami
myself /maɪ'self/ pronominin I refleksiivinen ja korostettu muoto minä, minä itse I wanted to hang myself mieleni teki hirttäytyä/hirttää itseni I did it myself tein sen itse/yksin I am not myself today en ole tänään oma itseni we went both there, my wife and myself me menimme sinne kumpikin, vaimoni ja minä
mysterious /mɪs'tɪriəs/ adj arvoituksellinen, salaperäinen, salamyhkäinen
mysteriously adv arvoituksellisesti, salaperäisesti, salamyhkäisesti mysteriously, she was not happy about it jostakin ihmeen syystä se ei ollut hänelle mieleen
mystery /mɪstəri/ s **1** arvoitus, salaisuus **2** rikosromaani, rikoselokuva
mystery writer s rikoskirjailija
mystic /mɪstɪk/ s mystikko adj mystinen
mysticism /'mɪstə,sɪzəm/ s mystisismi
mystify /'mɪstə,faɪ/ v hämmentää, tyrmistyttää, saattaa ymmälleen I was mystified by her disappearance hänen katoamisensa sai minut ymmälleni
mystique /mɪs'tik/ s (jotakuta tai jotakin ympäröivä) salaperäisyyden verho
myth /mɪθ/ s **1** myytti, jumalaistaru **2** myytti, taru, (pelkkä) satu
mythical /mɪθɪkəl/ adj **1** tarunomainen, myyttinen **2** kuvitteellinen, keksitty, mielikuvitus-, sepitteinen
mythological /,mɪθə'ladʒɪkəl/ adj **1** mytologinen, mytologian **2** kuvitteellinen, keksitty, mielikuvitus-, sepitteinen
mythologist /mɪ'θalədʒɪst/ s mytologi
mythology /mɪ'θalədʒi/ s **1** mytologia, myytit, jumalaistarusto **2** mytologia, myyttien tutkimus

N, n

N, n /en/ N, n
N/A no account, not available ei tiedossa not applicable (esim lomakkeessa) ei koske kyseistä asiaa
NAACP National Association for the Advancement of Colored People
nab /næb/ v (ark) napata, ottaa kiinni
NAB National Association of Broadcasters
nadir /neɪdər/ s **1** (tähtitieteessä) nadiiri **2** aallonpohja (kuv)
nag /næg/ s **1** kaakki, koni **2** nalkuttaja v piinata, vaivata, kiusata, kalvaa, nalkuttaa
nag at v nalkuttaa jollekulle
nagger s nalkuttaja
nail /neɪəl/ s **1** kynsi **2** naula you hit the nail on the head osuit naulan kantaan v **1** naulata **2** (kuv) naulita **3** (ark, kuv) napata, ottaa/saada kiinni
nail-biting /ˈneɪəlˌbaɪtiŋ/ s **1** kynsien pureskelu **2** (ark, kuv) hermostuneisuus, jännitys, pelko adj (ark, kuv) hermostuttava, pelottava
nail down v (kuv) lyödä lukkoon
nailhead /ˈneɪəlˌhed/ s naulan kanta
nail polish s kynsilakka
nail scissors s (mon) kynsisakset
naive /naɪˈiv/ adj **1** naiivi, lapsellinen, hyväuskoinen, herkkäuskoinen **2** (taiteessa) naivistinen
naiveté /naɪˌivəˈteɪ/ s naiivius, lapsellisuus, hyväuskoisuus, herkkäuskoisuus
naked /neɪkəd/ adj **1** alaston, paljas **2** (kuv) alaston, paljas, peittelemätön, kaunistelematon
naked eye with the naked eye paljaalla silmällä
nakedly adv ks naked
nakedness s alastomuus (myös kuv)
naked of adj -ton/-tön trees naked of leaves lehdettömät puut, alastomat puut
Nam /næm/ s (ark) Vietnam when he was in Nam kun hän oli Vietnamissa/ Vietnamin sodassa
name /neɪm/ s nimi (myös kuv:) maine, iso nimi she made herself a name in retailing hän ansioitui vähittäiskaupan alalla he doesn't have a penny to his name hän on pennitön, hän on rutiköyhä to call names nimitellä, haukkua, sättiä v **1** nimetä, antaa nimi **2** nimittää, kutsua joksikin **3** mainita, ilmoittaa, sanoa without naming any names nimiä mainitsematta you name it! sano sinä! **4** nimittää tehtävään/virkaan
name-brand /ˈneɪmˌbrænd/ adj merkkituote-, merkki-
name-calling /ˈneɪmˌcaliŋ/ s nimittely, haukkuminen, sättiminen
nameless adj **1** nimetön, jolla ei ole nimeä **2** outo, tuntematon, nimetön **3** sanoinkuvaamaton
namelessly adv nimettömästi
namely /neɪmli/ adv nimittäin, siis
name of the game fr (ark) pelin henki
namesake /ˈneɪmˌseɪk/ s kaima
Nan Hai /ˈnanˈhaɪ/ Etelä-Kiinan meri, Nan Hai
Nanjing /nanˈdʒiŋ/ Nanjing, Nanking (vanh)
nanny /næni/ s (UK) lastenhoitaja
nanny goat s kuttu, naarasvuohi
nanometer /næˈnamətər/ s nanometri, metrin miljardisosa
nanosecond /ˈnænəˌsekənd/ s nanosekunti, sekunnin miljardisosa
nap /næp/ s nokoset, nokkaunet, torkut v ottaa nokoset/nokkaunet, torkahtaa (lyhyesti)
napalm /ˈneɪˌpaəlm/ s napalm

nape of the neck /neɪp/ s niska
napkin /næpkɪn/ s lautasliina
nappy /næpi/ s (UK) vauvanvaippa
narcissism /ˈnarsəˌsɪzəm/ s narsismi
narcissist /ˈnarsəˌsɪst/ s narsisti
narcissus /narˈsɪsəs/ s (mon narcissuses, narcissi) narsissi
narcolepsy /ˈnarkəˌlepsi/ s (lääk) pakkonukahtelu, narkolepsia
narcosis /narˈkousɪs/ s narkoosi
narcotic /narˈkatɪk/ s, adj huume(-) (myös kuv)
narrate /næreɪt/ v **1** kertoa, kuvata **2** lukea (selostus esim dokumenttiohjelmaan)
narration /næˈreɪʃən/ s **1** kertomus, kuvaus **2** kerronta
narrative /nærətɪv/ s **1** kertomus, kuvaus **2** kerronta
adj kertova, kertoma- narrative skill kertojan taito/taidot narrative poem kertomaruno he's a writer of narrative hän on kertomakirjailija
narratively adv ks narrative
narrator /næreɪtər/ s **1** kertoja, kuvaaja, kuvailija **2** (esim dokumenttiohjelman selostuksen) lukija
narrow /nærou/ s **1** kapeikko, ahdas kohta **2** (mon) salmi
adj **1** kapea; ahdas **2** (kuv) ahdasmielinen, rajoittunut, kapea-alainen **3** (kuv) täpärä
v kaventaa, kaventua
narrow down v rajoittaa, supistaa the police have narrowed down the number of suspects to three poliisi on supistanut epäiltyjen määrän kolmeen
narrow-minded /ˌnerouˈmaɪndəd/ adj ahdasmielinen, ennakkoluuloinen, suvaitsematon
narrow-mindedly adv ahdasmielisesti, ennakkoluuloisesti, suvaitsemattomasti
narrow-mindedness s ahdasmielisyys, ennakkoluuloisuus, suvaitsemattomuus
NAS National Academy of Sciences; naval air station
NASA National Aeronautics and Space Administration, Yhdysvaltain avaruushallitus, NASA, Nasa
nasal /neɪzəl/ s nasaaliäänne, nenä-äänne
adj nenä-, nasaalinen /m/ and /n/ are nasal sounds /m/ ja /n/ ovat nasaaliäänteitä
NASCAR National Association of Stock Cat Auto Racing
nascent /næsənt neɪsənt/ adj aluillaan oleva, nuori
Nashville /næʃvəl/ kaupunki Tennesseessä
nastily adv **1** (ihmisestä) ilkeästi, keljusti, piikikkäästi **2** kurjasti, ikävästi, inhottavasti, (satuttaa itsensä) pahasti
nastiness s **1** ilkeys, halpamaisuus **2** vastenmielisyys, kurjuus
nasty /næsti/ adj **1** (ihminen) ilkeä, kelju, piikikäs, paha **2** vastenmielinen, kurja, ikävä, inhottava, paha nasty wound paha haava
natal /neɪtəl/ adj syntymä-, synnyin-, synnytys-
natality /neɪˈtæləti/ s syntyvyys
national /næʃənəl/ s kansalainen are you a US national? oletteko te Yhdysvaltain kansalainen?
adj kansallinen, maan, koko maata koskeva, kansallis- on a national level koko maan tasolla, maanlaajuisesti
National Guard s kansalliskaarti
National Guardsman s (mon National Guardsmen) kansalliskaartin jäsen
national holiday s kansallinen juhlapäivä
national income s kansantulo
nationalism /ˈnæʃənəˌlɪzəm/ s kansallismielisyys, kansalliskiihko, nationalismi
nationalist s kansallismielinen, kansalliskiihkoilija, nationalisti
adj kansallismielinen, kansalliskiihkoinen, nationalistinen
nationality /ˌnæʃəˈnæləti/ s (ihmisen, aluksen) kansalaisuus
nationalize /ˈnæʃənəˌlaɪz/ v **1** kansallistaa **2** myöntää kansalaisuus jollekulle; ottaa asuinmaan kansalaisuus **3** levittää koko maan tietoisuuteen

national library s kansalliskirjasto
nationally adv kansallisesti, valtakunnallisesti, maanlaajuisesti, koko maassa
national monument s kansallinen muistomerkki
national park s kansallispuisto
National Socialism s kansallissosialismi
National Socialist s kansallissosialisti
nationhood /ˈneɪʃən,hʊd/ s kansallinen itsenäisyys
nation-state /ˈneɪʃən,steɪt/ s kansallisvaltio
nationwide /,neɪʃənˈwaɪd/ adj maanlaajuinen
native /ˈneɪtɪv/ s **1** alkuperäisasukas, paikallinen asukas **2** syntyperäinen asukas she's a native of Miami hän on kotoisin Miamista
adj (kieli) äidin-, (maa) koti-, synnyin-, (asukas) alkuperäis-, (taito) synnynnäinen-, (tapa) paikallinen, (tuote) kotimainen
native tongue s äidinkieli
nativity /nəˈtɪvəti/ s **1** syntymä **2** Nativity Kristuksen syntymä **3** Nativity Kristuksen syntymän juhla, joulu **4** Nativity Kristuksen syntymää esittävä maalaus
natl. national
NATO North Atlantic Treaty Organization Pohjois-Atlantin puolustusliitto (sopimusjärjestö), NATO, Nato
natural /ˈnætʃərəl/ s **1** he is a natural for this job hän on omiaan tähän työhön, hänet on kuin luotu tähän työhön
2 (mus) valkoinen kosketin **3** (mus) palautusmerkki
adj **1** luonnollinen, luonnon **2** luontainen, synnynnäinen **3** luonnollinen, aito she is very natural hän on aivan oma itsensä
natural history s luonnonhistoria
naturalism /ˈnætʃərəlɪzəm/ s (kirjallisuudessa, taiteessa) naturalismi
naturalist s **1** luonnontieteilijä, (erityisesti) eläintieteilijä, kasvitieteilijä **2** (kirjailija, taiteilija) naturalisti
naturalization /,nætʃrələˈzeɪʃən/ s **1** kansalaisoikeuksien myöntäminen/saaminen **2** kotiuttaminen, omaksuminen, lainaaminen (ks naturalize 2)
naturalize /ˈnætʃrə,laɪz/ v **1** myöntää/saada kansalaisoikeudet **2** kotiuttaa, omaksua toisesta kielestä/kulttuurista ja mukauttaa omaan kieleen/kulttuuriin, lainata
naturally /ˈnætʃrəli/ adv **1** luonnollisesti (ks natural) **2** luonnostaan, luontaisesti, synnynnäisesti **3** luonnollisesti, tietenkin
natural person s (laki) luonnollinen henkilö
natural resources s (mon) luonnonvarat
natural science s luonnontiede
natural selection s luonnonvalinta
nature /ˈneɪtʃər/ s **1** luonto the wonders of nature luonnonihmeet the park is still in a state of nature puisto on edelleen luonnontilassa **2** (ihmisen) luonto; luonne, luonteenlaatu are Finns stubborn by nature? ovatko suomalaiset syntyjään/luonteeltaan jääräpäisiä?
3 luonne this matter is totally different in nature asia on luonteeltaan aivan toinen
naturist /ˈneɪtʃərɪst/ s **1** luonnonystävä **2** nudisti
naughtily adv tuhmasti, tottelemattomasti
naughtiness s tottelemattomuus, kurittomuus
naughty /ˈnati/ adj tuhma, tottelematon
Nauru /naˈuru/
Nauruan s, adj naurulainen
nausea /ˈnaziə/ s kuvotus, pahoinvointi
nauseate /ˈnazi,eɪt/ v kuvottaa (myös kuv), saada voimaan pahoin (myös kuv)
nauseating adj (myös kuv) kuvottava, ällöttävä, oksettava
nauseous /ˈnaziəs naʃəs/ adj **1** pahoinvoiva **2** (myös kuv) kuvottava, ällöttävä, oksettava
nautical /ˈnatɪkəl/ adj merenkulku-, meri-
nautical mile s meripeninkulma international nautical mile kansainvälinen meripeninkulma (1852 m)
naval /ˈneɪvəl/ adj **1** sotalaivasto-, laivasto- naval power merivalta **2** laivasto, laiva-

naval mine s merimiina
nave /neɪv/ s (kirkon) keskilaiva
navel /neɪvəl/ s napa
navigability /ˌnævɪgəˈbɪləti/ s (reitin, laivan) purjehduskelpoisuus, (laivan myös) merikelpoisuus
navigable /nævɪgəbəl/ adj (reitti, laiva) purjehduskelpoinen, (laiva myös) purjehduskuntoinen, merikelpoinen
navigate /ˈnævɪˌgeɪt/ v **1** suunnistaa, ohjata (laivaa, lentokonetta) **2** purjehtia, kulkea (laivalla, lentokoneella) **3** päästä kulkemaan jostakin he tried to navigate through the crowd hän yritti puikkelehtia väkijoukon lomitse
navigation /ˌnævɪˈgeɪʃən/ s **1** (matka) purjehdus; lento **2** purjehdustaito, suunnistustaito
navigator /ˈnævɪˌgeɪtər/ s **1** purjehtija **2** (laivan) suunnistaja, lentosuunnistaja
navy /neɪvi/ s **1** sotalaivasto; merivoimat **2** laivastonsininen, tummansininen
navy blue s laivastonsininen, tummansininen
nay /neɪ/ s ei, ei-ääni, kielteinen vastaus
adv (ja) jopa
naysayer /ˈneɪˌseɪər/ s pessimisti; vastarannan kiiski
Nazareth /næzərəθ/ Nasaret
N.B. New Brunswick
NBA National Basketball Association; National Boxing Association
NBC National Broadcasting Company, yksi Yhdysvaltain neljästä suuresta televisioverkosta
NBS National Bureau of Standards
NC North Carolina Pohjois-Carolina
NCO noncommissioned officer
ND North Dakota Pohjois-Dakota
NE Nebraska Nebraska New England Uusi-Englanti
near /nɪər/ v lähestyä (myös kuv) the project is nearing its end hanke lähestyy loppuaan, hanke on loppumaisillaan
adj, adv, prep **1** (ajasta ja tilasta) lähellä, lähelle near the lake järven lähellä in the near future lähitulevaisuudessa come near tule lähemmäksi! Christmas is drawing near joulu lähestyy, joulu on jo ovella **2** läheinen she's a near friend **3** täpärä that was a near miss se oli vähällä mennä ohi
nearly adv lähes, melkein not nearly ei sinne päinkään, ei lähimainkaan
nearness s läheisyys
neat /nit/ adj **1** siisti **2** sievä, nätti (ark) **3** (sl) upea, hieno, mahtava
neatly adv **1** siististi **2** sievästi, nätisti (ark) **3** osuvasti, onnistuneesti
neatness s **1** siisteys **2** sievä ulkonäkö **3** osuvuus
Neb. Nebraska
Nebraska /nəˈbræskə/
nebulous /nebjələs/ adj (kuv) hämärä, sumea
necessarily /ˌnesəˈserəli/ adv välttämättä that's not necessarily true se ei välttämättä pidä paikkaansa
necessary /ˈnesəˌseri/ s: the necessary kaikki tarpeellinen
adj **1** välttämätön, tarpeellinen **2** väistämätön
necessitate /nəˈsesəˌteɪt/ v tehdä tarpeelliseksi, edellyttää
necessity /nəˈsesəti/ s **1** välttämättömyys, tarpeellisuus by/of necessity (olosuhteiden) pakosta **2** pakottava tarve, pakko **3** köyhyys, puute
neck /nek/ s **1** kaula (myös kuv) to be up to your neck in something olla uppoutunut johonkin korviaan myöten to stick your neck out for someone uskaltautua auttamaan jotakuta the boss is again breathing down her neck pomo hoputtaa häntä taas, pomo on taas hänen kimpussaan after he blundered, Vernon got it in the neck munauksen tehtyään Vernon sai kuulla kunniansa **2** kaulus
v kaulailla, halata jotakuta/toisiaan
neck and neck fr rinta rinnan, rinnakkain
necklace /nekləs/ s kaulaketju, kaulakoru
neck of the woods in some neck of the woods jossakin Jumalan selän takana, jossakin ihmeen kuusessa (alat)
necktie /ˈnekˌtaɪ/ s solmio

nectar /nektər/ s **1** nektari, jumalten juoma **2** mesi
nee /neɪ/ adj entiseltä nimeltään, omaa sukua Mrs. Fox, nee (myös née) Wolf
need /nid/ s **1** tarve if need be tarpeen tullen, tarvittaessa **2** hätä a friend in need is a friend indeed hädässä ystävä tutaan **3** puute, köyhyys
v **1** tarvita you need a better knife sinä tarvitset paremman veitsen, sinun pitää saada parempi veitsi **2** pitää, tarvita need I go on? tarvitseeko minun vielä/ enää jatkaa? you need not go on sinun ei tarvitse jatkaa **3** kaivata, tarvita, ansaita this room needs cleaning tämä huone pitäisi siivota
neediness s puute, köyhyys, varattomuus
needle /nidəl/ s neula it's like looking for a needle in a haystack on kuin etsisi neulaa heinäsuovasta
v **1** neuloa **2** (ark) piikitellä, kiusata **3** (ark) suostutella (joku tekemään jotakin)
needless adj tarpeeton needless to say, you acted like a jerk sanomattakin on selvää että sinä käyttäydyit todella törpösti
needlessly adj tarpeettomasti
needlework /'nidəl,wərk/ s käsityö
needy s: the needy köyhät, varattomat
adj köyhä, varaton
negate /nə'geɪt/ v **1** kieltää (väite) **2** tehdä tyhjäksi, kumota
negation /nə'geɪʃən/ s **1** (väitteen ym) kielto, kieltäminen **2** vastakohta
negative /negətɪv/ s **1** kielteinen vastaus he answered in the negative hän vastasi kieltävästi **2** (kieliopissa) kielteinen muoto **3** (valok) negatiivi **4** haitta, huono puoli, miinus
adj kielteinen, negatiivinen
negatively adv kielteisesti
negativity /,negə'tɪvəti/ s kielteisyys, kielteinen asenne
neglect /nɪ'glekt/ s laiminlyönti
v **1** lyödä laimin, laiminlyödä **2** ei välittää/piitata jostakusta/jostakin **3** unohtaa she neglected to tell me when the meeting will be held hän unohti kertoa milloin kokous pidetään
neglectful adj välinpitämätön, huolimaton she has been neglectful of her duties hän on lyönyt tehtävänsä laimin
negligee /'negləˌʒeɪ/ s (yl läpikuultava) aamutakki
negligence /negləd͡ʒəns/ s **1** huolimattomuus, välinpitämättömyys **2** laiminlyönti
negligent /negləd͡ʒənt/ adj välinpitämätön, huolimaton
negligently adv välinpitämättömästi, huolimattomasti
negligible /negləd͡ʒəbəl/ adj mitätön, merkityksetön, vähäpätöinen
negotiable /nə'goʊʃəbəl/ adj **1** avoin, josta voidaan neuvotella **2** (tal) joka voidaan myydä/siirtää
negotiate /nə'goʊʃi,eɪt/ v **1** neuvotella; saada aikaan neuvottelemalla, järjestää **2** selvitä/ajaa jostakin, kiertää, ylittää (este) the terrain was hard to negotiate even with four-wheel drive maastossa oli vaikea ajaa nelipyörävedosta huolimatta
negotiation /nə,goʊʃi'eɪʃən/ s **1** neuvottelu the negotiations are still under way neuvottelut ovat edelleen käynnissä **2** (esteen) ylitys, kiertäminen, jostakin selviäminen/ ajaminen
negotiator /nə'goʊʃi,eɪtər/ s neuvottelija
Negro /nigroʊ/ s, adj (mon Negroes) musta(-), neekeri(-)
neighbor /neɪbər/ s **1** naapuri **2** lähimmäinen thy neighbor's wife lähimmäisesi vaimo
neighborhood /'neɪbər,hʊd/ s **1** lähistö, lähiseutu, naapuristo **2** naapurit, naapuristo **3** (kuv) seutu the building cost in the neighborhood of 100 million rakennus maksoi satakunta miljoonaa dollaria
neighboring adj lähi-, lähiseudun-, naapuri-
neighborly adj ystävällinen; tuttavallinen
neither /niðər naɪðər/ adj, adv, pron, konj ei kumpikaan, eikä: neither you nor

I et sinä enkä minä he does not want it and neither do I hän ei halua sitä enkä halua minäkään neither answer is correct kumpikaan vastaus ei ole oikea
nemesis /neməsɪs/ s (mon nemeses) (kuv) kohtalo, tuho, voittamaton este the driving test proved to be her nemesis insinööriajo koitui hänen kohtalokseen
neoclassic /ˌnioʊ'klæsɪk/ adj uusklassinen
neoclassicism /ˌnioʊ'klæsəsɪzəm/ s uusklassisismi
neocolonialism /ˌnioʊkə'loʊniəlɪzəm/ s uuskolonialismi
neocortex /ˌnioʊ'kɔrteks/ s aivokuori
neofascism /ˌnioʊ'fæʃɪzəm/ s uusfasismi
Neolithic /ˌnɪə'lɪθɪk/ adj neoliittinen, uudemman kivikauden
neologism /nɪ'alədʒɪzəm/ s uudissana, uudismuodoste
neologize /nɪ'alədʒaɪz/ v muodostaa uusia sanoja
neon /nian/ s **1** (kaasu) neon **2** neon-valo
adj neon-
neo-Nazi /ˌniə'natsi/ s uusnatsi
neo-Nazism /ˌniə'natsiɪzəm/ s uusnatsismi
neon light s neonvalo
neophyte /'niəˌfaɪt/ s (kuv) aloittelija, amatööri
neorealism /ˌnioʊ'riəlɪzəm/ s uusrealismi
neoromanticism /ˌnioʊroʊ'mæntəsɪzəm/ s uusromantiikka
Nepal /nə'paəl/ Nepal
Nepalese /ˌnepə'liz/ s, adj nepalilainen
nephew /nefju/ s veljenpoika, sisarenpoika
nepotism /'nepəˌtɪzəm/ s (sukulaisten suosinta virantäytössä) nepotismi
Neptune /neptun/ Neptunus
nerd /nərd/ s (sl) nynny computer nerd bitti-idiootti
nerve /nərv/ s **1** hermo sometimes you get on my nerves joskus sinä käyt hermoilleni **2** (mon) hermostuneisuus, hepulit, hermopaine **3** (kuv) rohkeus he finally got up enough nerve to ask her out lopulta hän rohkeni pyytää naista ulos I did not have the nerve to fire her en tohtinut/raskinut antaa hänelle potkuja **4** röyhkeys he had the nerve to call me a liar hänellä oli otsaa haukkua minua valehtelijaksi! I did not have the nerve to give him the finger en kehdannut näyttää hänelle keskisormea of all the nerve! ettäs kehtaat!, kaikkea sitä kuulee!
v rohkaista (itseään), kannustaa (itseään), antaa/kerätä rohkeutta
nerveless adj **1** tyyni, rauhallinen **2** hervoton **3** vetämätön, voimaton, innoton
nerve-racking adj hermoja raastava, hermoille käyvä
nervosity /nər'vasəti/ s hermostuneisuus
nervous /nərvəs/ adj **1** hermostunut **2** hermo-, hermojen, hermoston
nervous breakdown s hermoromahdus
nervousness s hermostuneisuus
nervous system s hermosto
nervy adj **1** röyhkeä, hävytön **2** urhea, rohkea **3** hermostunut
NES Nintendo Entertainment System
nest /nest/ s **1** linnunpesä to leave the nest (kuv) lähteä pesästä **2** sisäkkäin sopiva laatikkosarja/pöytäsarja ym nest of tables sarjapöytä
v **1** (lintu) pesiä **2** panna sisäkkäin
nest egg s pesämuna (myös kuv)
nesting table s sarjapöytä
nestle /nesəl/ v käydä mukavaan asentoon jonnekin their house is nestled among hills heidän talonsa on kukkuloiden lomassa
nestling /nesliŋ/ s **1** linnunpoikanen (joka ei vielä osaa lentää) **2** (kuv) pikkulapsi, lapsi
net /net/ s verkko (myös kuv) the nets (myös) Yhdysvaltain suurista valtakunnallisista televisioyhtiöistä (networks)
v **1** peittää/suojata verkolla **2** kalastaa verkolla, saada verkkoon (myös kuv) **3** (urh) lyödä pallo verkkoon **4** ansaita/tuottaa nettona, voittaa, netota (ark)

adj netto- net price nettohinta net result lopputulos
Neth. Netherlands Alankomaat
Netherlander s alankomaalainen
Netherlandian adj alankomaalainen
Netherlands /neðərləndz/ (mon) Alankomaat
Netherlands Antilles /ˌneðərləndzæn'tɪliz/ (mon) Alankomaiden Antillit
net national product s nettokansantuote
net score s (golf) nettotulos, lyöntien kokonaismäärä josta on vähennetty pelaajan tasoitus
nettle /netəl/ s nokkonen
v (kuv) kismittää, harmittaa, ärsyttää, (pilkka) sattua
nettlesome adj **1** kiusallinen, harmillinen, ärsyttävä **2** ärtyisä, kiukkuinen
network /'netˌwərk/ s **1** verkosto **2** (Yhdysvaltain maanlaajuinen) radioverkko, televisioverkko (ABC, NBC, CBS, Fox)
networking s (samankaltaisessa asemassa olevien ihmisten keskeinen) tukijärjestelmä
neural /nərəl/ adj hermo-, hermoston
neuralgia /nə'raldʒə/ s (lääk) hermosärky, neuralgia
neurasthenia /nərəs'θinjə/ s heikkohermoisuus, neurastenia
neurologist /nə'ralədʒɪst/ s neurologi, hermolääkäri
neurology /nə'ralədʒi/ s neurologia, hermotautioppi
neuron /nəran/ s hermosolu, neuroni
neuropsychiatry /ˌnərousaɪ'kaɪətri/ s neuropsykiatria, hermo- ja mielitautioppi
neurosis /nə'rousɪs/ s (mon neuroses) neuroosi
neurosurgeon /'nərouˌsərdʒən/ s hermokirurgi Hank is no neurosurgeon Hank ei ole mikään ruudinkeksijä/Einstein
neurosurgery /ˌnərou'sərdʒəri/ s hermokirurgia
neurotic /nə'ratɪk/ s neurootikko
adj neuroottinen
neuter /nutər/ s (kieliopissa) neutri
v steriloida
adj **1** (kieliopissa) neutri-, suvuton **2** (biol) suvuton
neutral /nutrəl/ s **1** puolueeton henkilö/maa **2** (autossa ym) vapaa (vaihde)
adj **1** puolueeton **2** mitäänsanomaton, väritön **3** (biol) suvuton
neutralism /'nutrəˌlɪzəm/ s puolueettomuus
neutralization /ˌnutrəlɪ'zeɪʃən/ s **1** puolueettomaksi tekeminen **2** kumoaminen **3** (sot) vaientaminen, tuhoaminen **4** (kem) neutralointi, neutraloituminen
neutralize /'nutrəˌlaɪz/ v **1** tehdä puolueettomaksi **2** kumota, tehdä tyhjäksi **3** (sot) vaientaa, hävittää, tuhota **4** (kem) neutraloida, neutraloitua
neutral zone s (jääkiekossa) puolueeton alue
neutron /nutran/ s neutroni
neutron bomb s neutronipommi
neutron star s neutronitähti
Nev. Nevada
Nevada /nə'vædə/
never /nevər/ adv **1** ei koskaan he never goes to church hän ei käy koskaan/milloinkaan kirkossa never say never vannomatta paras **2** voimistavana sanana: never mind ei se mitään!, vähät siitä! Pamela never said a word about it to anyone Pamela ei kertonut/maininnut siitä kenellekään
never in the world fr ei ikinä/kuuna päivänä
Neverland /'nevərˌlænd/ (Peter Panin) Mikä-Mikä-Maa
nevermore /ˌnevər'mɔr/ adv ei enää koskaan
never-never land /ˌnevər'nevərˌlænd/ s **1** haavemaailma, mielikuvitusmaailma **2** syrjäseutu
nevertheless /ˌnevərðə'les/ adv silti, siitä huolimatta, kuitenkin
new /nu/ adj uusi she is new to the job hän ei vielä osaa työtä, työ on hänelle vielä uutta
adv (yhdyssanoissa) vasta- new-mown grass vastaleikattu ruoho

new age /'nu,eidʒ/ s kokonaisvaltaista, länsimaista arvomaailmaa vieroksuvaa elämänfilosofiaa tarkoittava sateenvarjokäsite, new age
Newark /nuwərk/ s kaupunki New Jerseyssä
new ball game it's a whole new ball game tilanne on tyystin erilainen, kuviot ovat kokonaan uudet
newborn /'nu,bɔrn/ s vastasyntynyt adj **1** vastasyntynyt **2** uudesti syntynyt newborn faith uusi usko
New Brunswick /,nu'brʌnz,wɪk/
Newcastle to carry coals to Newcastle (kuva) mennä merta edemmäs kalaan
Newcastle-upon-Tyne /'nukæsələ,pan'taɪn/ kaupunki Englannissa, Australiassa ja Kanadassa
newcomer /'nukʌmər/ s uusi tulokas
new covenant s (kristinuskossa) uusi liitto
New Criticism s (kirjallisuustieteessä) uuskritiikki
New Deal s Yhdysvaltain presidentin Franklin D. Rooseveltin 1930-luvun lamakaudella käynnistämä taloudellinen ja yhteiskunnallinen elvytysohjelma, New Deal
New England s Uusi-Englanti
New Englander s Uuden-Englannin asukas
New English s nykyenglanti (noin 1475 alkaen)
newfangled /'nu,fæŋgəld/ adj uudenaikainen, uudenlainen newfangled optimism uusi optimismi
Newfoundland /nufəndlənd/
New Hampshire /,nu'hæmpʃər/
newish adj uudehko
New Jersey /,nu'dʒərzi/
newly adv **1** vastikään, äskettäin **2** uudestaan, uudelleen
newlywed /'nuli,wed/ s vastanainut, vastavihitty
new math s uusi matematiikka
New Mexico /,nu'meksɪ,kou/
new moon s uusi kuu
newness s uutuus
New Orleans /nu'wɔrlənz/ kaupunki Louisianassa
news /nuz/ s (verbi yl yksikössä) **1** uutinen, uutiset a piece of news uutinen we still have no news of Paul emme ole vieläkään kuulleet Paulista mitään I have some good news minulla on hyviä uutisia that's news to me sitä en ole kuullutkaan, se on minulle uutta **2** uutislähetys, uutiset
news agency s **1** uutistoimisto **2** sanomalehtikioski, sanomalehtimyymälä
newsbreak /'nuz,breɪk/ s (radio, televisio) lyhyt uutislähetys
newsmagazine /'nuz,mægə,zin/ s (yl viikoittain ilmestyvä) uutislehti
New South Wales Uusi Etelä-Wales (Australiassa)
newspaper /'nuz,peɪpər/ s sanomalehti
newspaperman /'nuz,peɪpərmən/ s (mon newspapermen) (sanoma)lehtimies, toimittaja; julkaisija
newspaperwoman /'nuz,peɪpər,wumən/ s (mon newspaperwomen) (sanoma)lehtinainen, toimittaja; julkaisija
newsperson /'nuz,pərsən/ s journalisti, toimittaja
news service s uutistoimisto
newsstand /'nuz,stænd/ s lehtikioski
newsweekly /'nuz,wikli/ s (viikoittain ilmestyvä) uutislehti
newsworthiness s uutisarvo
newsworthy /'nuz,wərði/ adj uutisarvoinen
New Testament /nu'testəmənt/ s Uusi testamentti
new wave /,nu'weɪv/ s (elokuvataiteessa, rockmusiikissa) uusi aalto, punkista kehittynyt popmusiikin uusi aalto
New Year /nu'jɪər/ s uudenvuodenpäivä
New Year's Day s uudenvuodenpäivä
New Year's Eve s uudenvuodenaatto
New York /nu'jɔrk/
New York City /,nujɔrk'sɪti/

New Yorker /nu'jɔrkər/ s New Yorkin asukas, newyorkilainen
New Zealand /ˌnu'zilənd/ Uusi-Seelanti
New Zealander s uusiseelantilainen
next /nekst/ s seuraava who's next? kuka on seuraava(na vuorossa)?
adj seuraava, lähin, viereinen we went there the next day menimme sinne seuraavana päivänä
adv seuraavaksi, seuraavan kerran what should we do next? mitä meidän pitäisi tehdä seuraavaksi?
next-door adj naapuri- we are next-door neighbors olemme naapureita
adv ks next door
next door /neks'dɔr/ adv naapurissa, naapuritalossa he went next door hän meni käymään naapurissa
next door to fr **1** jonkun naapurissa we live next door to the Shatners olemme Shatnereiden naapureita **2** partaalla, lähellä Sally is next door to craziness Sally on vähällä tulla hulluksi
next of kin s lähin omainen
next to adv **1** vieressä, rinnalla **2** lähes, miltei **3** johonkin verrattuna, jonkin rinnalla
NFL National Football League
NH New Hampshire
NHL National Hockey League
NHRA National Hot Rod Association
NHTSA National Highway Traffic Safety Administration
N.I. Northern Ireland Pohjois-Irlanti
Niagara Falls /naɪˌægrə'falz/ s (mon) Niagaran putoukset
nib /nɪb/ s **1** kynän terä **2** terä, kärki
nibble /nɪbəl/ s **1** muru, palanen **2** (kalan) näykkäisy, nykäisy (ongesta)
v **1** nakertaa; mutustaa, pupeltaa **2** (kala) näykkiä, nykäistä (onkea)
nibble at v **1** näykkiä, syödä ilman ruokahalua **2** (kuv) nakertaa, syödä vähitellen
nibble away at v (kuv) nakertaa, syödä vähitellen
Nibs /nɪbz/ (Peter Panissa) Piikki
Nicaragua /ˌnɪkə'ragwə/
Nicaraguan s, adj nicaragualainen
nice /naɪs/ adj **1** mukava, miellyttävä, ystävällinen, kiva, hauska try to be nice to her yritä kohdella häntä ystävällisesti it was nice to see you oli mukava/kiva (ark) tavata have a nice day hyvää päivän jatkoa! **2** taitava, osaava **3** kunnollinen, kunnon he has nice manners hänellä on hyvät tavat she's a nice girl hän on kunnon tyttö **4** siisti, tarkka **5** nirso, pikkutarkka, vaativa **6** (ero) vähäinen, hieno
nice and adv mukavan, tarpeeksi, riittävän it's a nice and quiet neighborhood seutu on mukavan hiljainen
nicely adv **1** mukavasti, miellyttävästi everything went nicely kaikki sujui hyvin the suitcase fits nicely under the seat matkalaukku sopii kätevästi istuimen alle **2** tarkasti, huolellisesti
niceness s **1** miellyttävyys, ystävällisyys **2** kunnollisuus **3** taitavuus, osaavuus **4** nirsoilu, pikkutarkkuus
nicety /naɪsəti/ s hienous, pikkuseikka, yksityiskohta the niceties of life elämän mukavuudet
niche /nɪtʃ/ s **1** syvennys **2** (kuv) paikka market niche markkinarako
nick /nɪk/ s **1** lovi, ura **2** lohkeama, särö, murtuma **3** viilto, haava **4** in the nick of time viime tingassa, viime hetkellä
v **1** loveta, kaivertaa ura johonkin **2** satuttaa; kolhia **3** viiltää pieni haava
nickel /nɪkəl/ s **1** nikkeli **2** viiden centin kolikko
nickel-and-dime /ˌnɪkələn'daɪm/ adj pikku-, mitätön, vähäpätöinen nickle-and-dime store pikkukauppa he's done some nickle-and-dime business lately hän on käynyt viime aikoina vähän nappikauppaa (kuv)
nickname /'nɪkˌneɪm/ s lempinimi; haukkumanimi
v antaa lempinimeksi/haukkumanimeksi, sanoa/kutsua/haukkua joksikin
Nicosia /ˌnɪkə'siə/ Nikosia
nicotine /'nɪkəˌtin/ s nikotiini
nicotinism /'nɪkətiˌnɪzəm/ s nikotiinimyrkytys
niece /nis/ s veljentytär, sisarentytär

Niger /naɪdʒər/
Nigeria /naɪ'dʒɪriə/ Nigeria
Nigerian s, adj nigerialainen
night /naɪt/ s yö (myös kuv); ilta (myös kuv) last night viime yönä; eilen illalla late last night myöhään eilen illalla Monday night maanantai-iltana
night and day adv yötä päivää, lakkaamatta, jatkuvasti
nightcap /'naɪt,kæp/ s yömyssy (myös ryypystä)
nightclothes /'naɪt,klouðz/ s (mon) yövaatteet
nightclub /'naɪt,klʌb/ s yökerho
nightfall /'naɪt,faəl/ s iltahämärä
nightgown /'naɪt,gaun/ s (naisten, lasten) yöpaita
night hawk s (ark, kuv) yökyöpeli
nightingale /'naɪtən,geɪəl/ s satakieli
night-light /'naɪt,laɪt/ s yölamppu, yövalo
nightly adj jokaöinen, jokailtainen adv joka yö, joka ilta
nightmare /'naɪt,meər/ s painajaisuni, painajainen (myös kuv)
nightmarish adj painajaismainen
night owl s (ark, kuv) yökyöpeli
night person s iltaihminen
night school s iltakoulu
night shift s yövuoro
night stand s yöpöytä
night table s yöpöytä
nighttime /'naɪt,taɪm/ s, adj yö(-)
nightwalker /'naɪt,wakər/ s (prostituoitu) yöperhonen
night watch s yövartio
night watchman s (mon night watchmen) yövartija
nil /nɪl/ s nolla adj olematon
Nile /naɪəl/ Niili
nimble /nɪmbəl/ adj **1** notkea, nokkela, ketterä, norja, vetreä **2** (henkisesti) nokkela, vetreä, älykäs, valpas
nimbly adv ks nimble
nimbus /nɪmbəs/ s (mon nimbi, nimbuses) (kuv) sädekehä
nine /naɪn/ s, adj yhdeksän
nineteen /naɪn'tin/ s, adj yhdeksäntoista
nineteenth /naɪn'tinθ/ s, adj yhdeksästoista
ninetieth /naɪntiəθ/ s, adj yhdeksäskymmenes
nine-to-five /,naɪntə'faɪv/ adj päivä-; toimisto-, konttori- she has a nine-to-five job hän käy päivätyössä, hän tekee toimistötyötä
nine-to-fiver s tavallinen palkkatyöläinen, (yl) toimistotyöntekijä, konttorityöntekijä, (halv) konttorirotta
ninety /naɪnti/ s, adj yhdeksänkymmentä
ninth /naɪnθ/ s, adj yhdeksäs
NIOSH National Institute of Occupational Safety and Health
nip /nɪp/ s **1** nipistys; puraisu, näykkäisy there's a nip in the air today ilma on tänään purevan kylmä **2** (kuv) piikikäs/pureva huomautus, piikki **3** palanen, murunen, suupala **4** naukku, pikkuryyppy
v nipistää; näykkäistä, puraista
nip in the bud fr lopettaa/tyrehdyttää heti alkuunsa
nip off v katkaista, irrottaa
nipple /nɪpəl/ s **1** nänni **2** (pullon tai irrallinen) tutti
nippy /nɪpi/ adj **1** purevan viileä/kylmä **2** (maku) terävä, voimakas
nirvana /nər'vænə nər'vanə/ s (kuv) nirvana, autuus
nitpick /nɪtpɪk/ v saivarella, nirsoilla, olla turhan tarkka; olla pikkumainen
nitpicker s saivartelija, pedantti
nitpicking s saivartelu
nitrogen /'naɪtrədʒən/ s typpi
nitroglycerin /,naɪtrou'glɪsərən/ s nitroglyseroli, nitroglyseriini
nitwit /nɪtwɪt/ s typerys, idiootti, pölkkypää
NJ New Jersey
NM New Mexico
NMOS N-channel metal oxide semiconductor
NMR nuclear magnetic resonance ydinmagneettinen resonanssi
NNE north-northeast
NNW north-northwest

no /noʊ/ s **1** kielteinen vastaus and I won't take no for an answer äläkä yritäkään panna vastaan; sinun on pakko suostua **2** ei-ääni
adj ei mikään, ei kukaan no man has ever done that before kukaan ei ole vielä tehnyt sitä there is no telling if she'll come on mahdotonta tietää tuleeko hän Gary is no brain surgeon Gary ei ole mikään ruudinkeksijä/Einstein it's no use trying to open it sitä on turha yrittää avata, sitä ei kannata avata no loitering asiaton oleskelu kielletty by no means ei suinkaan
adv ei I said no to their offer en hyväksynyt heidän tarjoustaan no more ei enää this one's no better than the other tämä ei ole sen parempi kuin tuo toinen
no. north; number
Noah /noə/ s Nooa
Noah's Ark s Nooan arkki
Nobelist /noʊ'belɪst/ s nobelisti
Nobel Prize /noʊ,bel'praɪz/ s Nobelin palkinto
nobility /noʊ'bɪləti/ s **1** aateli, aatelisto **2** aateluus **3** jalous
noble /noʊbəl/ adj **1** aatelinen **2** jalo, ylevä **3** vaikuttava, komea, ylevä
nobleman s aatelinen, aatelismies
noble-minded adj jalo, jalomielinen, ylevä
nobly adv **1** ylhäisesti nobly born ylhäissyntyinen **2** ylevästi, jalosti **3** rohkeasti, urheasti **4** komeasti
nobody /noʊbʌdi noʊbədi/ s mitätön/tuntematon henkilö he is a nobody in artistic circles hän ei ole minkäänlainen nimi taiteilijapiireissä
pron ei kukaan nobody cares about it kukaan ei välitä siitä nobody else cares about it kukaan muu ei välitä siitä nobody else but you vain sinä, ei kukaan muu kuin sinä
nobody's fool to be nobody's fool ei olla kenenkään narrattavissa; osata pitää puolensa
nocturnal /nak'tərnəl/ adj yöllinen, öinen, yö- nocturnal animals yöeläimet nocturnal visit yöllinen/öinen retki/käynti
nod /nad/ s nyökkäys he gave me a nod hän nyökkäsi minulle the board gave us a nod (kuv) johtokunta näytti meille vihreää valoa
v nyökätä (päätään); (pää) nuokkua
nodding acquaintance s **1** to have (only) a nodding acquaintance with something osata jotakin vain jotenkuten/huonosti **2** etäinen tuttu; joku jonka joku tuntee näöltä
nod off v nukahtaa, torkahtaa (istualleen)
no-fault divorce s (avioerosta) sopuero
no great shakes to be no great shakes jossakin ei ole kehumista/hurraamista
no-iron /noʊ'aɪərn/ adj (vaate) siliävä, jota ei tarvitse silittää
noise /nɔɪz/ s **1** melu, meteli, hälinä **2** ääni **3** (äänentoistossa) kohina
noiseless adj äänetön, hiljainen
noiselessly adv äänettömästi, hiljaa
noisily adv meluisasti, äänekkäästi, kovaäänisesti
noisome /nɔɪsəm/ adj **1** (haju) löyhkäävä, kuvottava **2** myrkyllinen, vahingollinen
noisy adj meluisa, äänekäs, kovaääninen
nomad /noʊmæd/ s **1** paimentolainen **2** maankiertäjä, irtolainen
nomadic /noʊ'mædɪk/ adj **1** paimentolais- **2** irtolais-
no man's land /'noʊmænz,lænd/ s ei kenenkään maa
nominal /namənəl/ adj nimellinen a nominal sum of money nimellinen rahasumma nominal value nimellisarvo the nominal ruler of the country maan nimellinen/näennäinen hallitsija
nominal amount s (tal) nimellisarvo
nominally adv nimellisesti
nominate /'namə,neɪt/ v **1** nimittää (virkaan tms) **2** nimetä virkaan tms, ehdottaa nimitettäväksi
nomination /,namə'neɪʃən/ s nimitys, virkanimitys, nimittäminen
nominative /namɪnətɪv/ s (kieliopissa) nominatiivi

nominee /ˌnamə'ni/ s ehdokas
nonagenerian /ˌnanədʒə'neriən/ s, adj yhdeksänkymmentävuotias
nonaggression /ˌnanə'greʃən/ s hyökkäämättömyys nonaggression pact hyökkäämättömyyssopimus
nonaligned /ˌnanə'laɪnd/ s, adj (ihminen, maa) sitoutumaton
nonalignment /ˌnanə'laɪnmənt/ s sitoutumattomuus
nonbeliever /ˌnanbə'livər/ s ei-uskovainen, epäuskoinen, epäilijä; joka ei usko johonkin (Jumalaan, ajatukseen ym)
nonce /nans/ for the nonce tilapäisesti, toistaiseksi
nonce word s tilapäissana
nonchalance /ˌnantʃə'lans/ s välinpitämättömyys, viileys, tyyneys
nonchalant /ˌnantʃə'lant/ adj välinpitämätön, viileä, tyyni
non-Christian /nan'krɪstʃən/ s ei-kristitty
adj ei-kristillinen
noncommissioned officer /ˌnankə'mɪʃənd/ s (sot) aliupseeri
noncommittal /ˌnankə'mɪtəl/ adj epämääräinen, välttelevä, varovainen
non-Communist /nan'kamjənɪst/ s ei-kommunisti
adj ei-kommunistinen
noncompliance /ˌnankəm'plaɪəns/ s sopimuksen rikkominen, säännöistä poikkeaminen
noncompliant adj sopimusta rikkova, säännöistä poikkeava
non compos mentis /nanˌkampəs'mentɪs/ adj, adv (lak) syyntakeeton, syyntakeettomasti
nonconformist /ˌnankən'fɔrmɪst/ s **1** (kirkkohistoriassa) nonkonformisti **2** (yl) toisinajattelija, nonkonformisti
nonconformity /ˌnankən'fɔrməti/ s **1** tavoista, säännöistä tms poikkeaminen **2** poikkeama
nondegradable /ˌnandə'greɪdəbəl/ s (luonnossa) hajoamaton jäte/aine
adj hajoamaton
nondescript /ˌnandəs'krɪpt/ adj huomaamaton, vähäpätöinen, tavallinen, (väri, maku) epämääräinen
nondrinker /nan'driŋkər/ s raitis ihminen
none /nʌn/ pron ei kukaan, ei yksikään, ei mikään none of us wants to eat now kukaan meistä ei halua syödä nyt do you have any ideas? – none onko sinulla ehdotuksia? – ei (yhtään) it's none of you business se ei kuulu sinulle
adv ei yhtään he arrived none too soon hän ei saapunut yhtään liian aikaisin, hän saapui viime tingassa
nonentity /nan'entəti/ s tuntematon suure: that writer is a nonentity on the West Coast kirjailija on länsirannikolla täysin/lähes tuntematon
nonesuch /'nʌnˌsʌtʃ/ s verraton (ihminen, esine); joka on vertaansa vailla
nonetheless /ˌnʌnðə'les/ adv silti, siitä huolimatta, kuitenkin
non-Euclidean /ˌnanju'klɪdiən/ adj epäeuklidinen
nonfat /'nanˌfæt/ adj rasvaton
nonfiction /nan'fɪkʃən/ s tietokirjallisuus, ei-sepitteinen kirjallisuus
nonfictional /nanfɪkʃənəl/ adj asiakirjallisuuden, asia-, ei-sepitteinen
nongrammatical /ˌnangrə'mætɪkəl/ adj epäkieliopillinen
nonhero /nan'hɪroʊ/ s antisankari
nonhuman /nan'hjumən/ adj **1** ei-inhimillinen **2** tunteeton, kylmä, epäinhimillinen
nonjudgmental /ˌnandʒʌdʒ'mentəl/ adj ei tuomitseva, suvaitsevainen
no-no /noʊnoʊ/ s (ark) kielletty asia
nonpartisan /nan'partɪsən/ adj **1** puolueeton **2** puolueisiin kuulumaton, sitoutumaton
nonpayment /nan'peɪmənt/ s laskun maksamatta jättäminen
nonperishable /nan'perɪʃəbəl/ adj (ruoka) pilaantumaton
nonplus /nan'plʌs/ v ällistyttää, tyrmistyttää
nonprofit /nan'prafɪt/ adj ei-kaupallinen, (joskus:) hyväntekeväisyys-

nonrecurring /ˌnanrɪˈkəriŋ/ adj (menoerä) kertaluontoinen, ei uusiutuva
nonresident /nanˈrezɪdənt/ s vieraspaikkakuntalainen, ulkopaikkakuntalainen, ei vakinainen asukas
adj vieraspaikkakuntalainen, ulkopaikkakuntalainen
nonsense /ˈnan,sens/ s **1** hölynpöly, roskapuhe **2** tyhjänpäiväisyydet, älyttömyydet **3** hävyttömyys **4** älyttömyys
nonsensical /nanˈsensɪkəl/ adj älytön, järjetön, tyhjänpäiväinen
nonsensically adv järjettömästi, älyttömästi, vailla mitään järkeä
non sequitur /nanˈsekwɪtər/ s epälooginen päätelmä; asiasta poikkeava huomautus
nonsexist /nanˈseksɪst/ adj sukupuolisesti tasa-arvoinen; joka ei syrji naisia; joka ei pidä yllä sukupuolten eriarvoisuutta
nonstandard /nanˈstændərd/ adj yleiskielestä/kirjakielestä poikkeava
nonstop /nanˈstap/ s välilaskuton lento
adj **1** (lento) välilaskuton, (linja-autovuoro) pika- **2** yhtäjaksoinen, jatkuva
adv **1** (lentää) välilaskutta, (ajaa) pysähtymättä **2** yhtäjakoisesti, tauotta, jatkuvasti
nonunion /ˌnanˈjunjən/ adj (työntekijä) järjestäytymätön, (yritys) jonka työntekijät eivät ole järjestäytyneet
nonunion shop s yritys jonka työntekijät eivät ole järjestäytyneet (ammatillisesti)
nonuser /nanˈjuzər/ s raitis ihminen; joku joka ei käytä huumeita
nonwhite /nan,waɪt/ s, adj eivalkoihoinen
nonworking /nanˈwərkiŋ/ adj **1** joka ei käy työssä (kodin ulkopuolella) nonworking mothers kotiäidit **2** vapaa-ajan
noodle /nudəl/ s nauhamakaroni
nook /nuk/ s nurkka we searched every nook and corner me etsimme joka paikasta, pengoimme joka nurkan
noon /nun/ s keskipäivä, kello kaksitoista
noonday /ˈnun,deɪ/ s keskipäivä
adj keskipäivän
no one /ˈnoʊ,wʌn/ pron ei kukaan
noontide /ˈnun,taɪd/ s **1** keskipäivä **2** (kuv) huipentuma, huippu, kohokohta
nor /nɔr/ konj eikä neither you nor I et sinä enkä minä she does not know it and neither do I hän ei tiedä sitä enkä tiedä minäkään
NORAD North American Air Defense Command
Nordic /nɔrdɪk/ s pohjoismaalainen
adj pohjoismaalainen, pohjoismainen
Norf. Norfolk
norm /nɔrm/ s normi, sääntö, ohje, malli
normal /nɔrməl/ s normaali, normaaliarvo, keskiarvo the temperature has been above/below normal lämpötila on ollut tavallista/keskimääräistä/normaalia korkeampi/alempi
adj normaali, tavallinen
normalcy /nɔrməlsi/ s normaalius to return back to normalcy palautua entiselleen, normaalistua
normality /nɔrˈmæləti/ s normaalius
normalize /ˈnɔrmə,laɪz/ v normaalistaa, normalisoida, normaalistua, normalisoitua, palauttaa/palautua entiselleen/normaaliksi
normally adv normaalisti, tavallisesti, yleensä
Norman s **1** normanni **2** normandialainen
adj **1** normannien, normanni- **2** normandialainen, Normandian
Norse /nɔrs/ s **1** normanni, viikinki **2** muinaisnorja(n kieli)
adj muinaisnorjalainen
Norseman /nɔrsmən/ s (mon Norsemen) normanni, viikinki
north /nɔrθ/ s **1** (ilmansuunta) pohjoinen **2** (alue) pohjoinen, pohjoisseutu **3** North Yhdysvaltain (sisällissodan) pohjoisvaltiot
adj pohjoinen, pohjois-
adv pohjoisessa, pohjoiseen
North America Pohjois-Amerikka
Northants. Northamptonshire
North Carolina /ˌnɔrθ,kerəˈlaɪnə/ Pohjois-Carolina

North Cascades /kæs'keɪdz/ kansallispuisto Washingtonin osavaltiossa
North Dakota /,nɔrθdə'koʊtə/ Pohjois-Dakota
northeast /nɔrθ'ist/ s koillinen
adj koillinen, koillis-
adv koillisessa, koilliseen
Northeast s Yhdysvaltain koillisosa, koilliset osavaltiot
northeasterly /nɔrθ'istərli/ adj, adv koillisessa, koilliseen, koillisesta, koillis-
Northeasterner /nɔrθ'istərnər/ s Yhdysvaltain koillisosan asukas
Northeast Passage /,nɔrθist'pæsədʒ/ Koillisväylä
northerly /nɔrðərli/ s pohjoistuuli
adj pohjoinen, pohjois-
northern /nɔrðərn/ adj pohjoinen, pohjois-
Northern Crown (tähdistö) Pohjan kruunu
northern hemisphere s pohjoinen pallonpuolisko
Northern Ireland /,nɔrðərn'aɪərlənd/ Pohjois-Irlanti
northernmost /'nɔrðərn,moʊst/ adj pohjoisin
Northern Territory Pohjois-Territorio (Australiassa)
North Korea Pohjois-Korea, Korean demokraattinen kansantasavalta
North Korean s, adj pohjoiskorealainen
Northman /nɔrθmən/ s (mon Northmen) normanni, viikinki
North Pole /nɔrθ'poəl/ s pohjoisnapa
North Sea /,nɔrθ'si/ Pohjanmeri
northward /nɔrθwərd/ adj pohjoinen, pohjoissuuntainen
adv pohjoiseen
northwardly ks northward
northwards ks northward
northwest /nɔrθ'west/ s luode
adj luoteinen, luoteis-
adv luoteessa, luoteeseen
Northwest s Yhdysvaltain luoteisosa, luoteiset osavaltiot
northwesterly /nɔrθ'westərli/ adj, adv luoteessa, luoteesta, luoteeseen, luoteis-
Northwesterner /nɔrθ'westərnər/ s Yhdysvaltain luoteisosan asukas
Northwest Passage /,nɔrθwest'pæsədʒ/ Luoteisväylä
Northwest Territories (Kanadan) Luoteisterritoriot
Norway /'nɔr,weɪ/ Norja
Norwegian s norjan kieli
s, adj norjalainen
nose /noʊz/ s **1** nenä don't stick your nose in other people's business älä pistä nenääsi toisten asioihin to follow your nose kulkea suoraan eteenpäin; noudattaa vaistojaan to keep your nose clean olla ihmisiksi; pysytellä kaidalla tiellä **2** hajuaisti **3** (lentokoneen) nokka, (laivan) keula
v haistaa
nosebleed /'noʊz,blid/ s nenän verenvuoto
nose candy s (sl) kokaiini
nose drops s (mon) nenätipat
nose job s (ark) nenäleikkaus, nenän kauneusleikkaus
nose out v **1** päihittää, voittaa (täpärästi) **2** nuuskia/saada selville
no-show /,noʊ'ʃoʊ/ s no-show, koneeseen saapumatta jäänyt lentomatkustaja
no skin off your back/nose/teeth that's no skin off my back (sl) minä en piittaa siitä, se ei minua lotkauta
nostalgia /nəs'taldʒə/ s nostalgia, kaipuu, kaiho, koti-ikävä
nostalgic /nəs'taldʒɪk/ adj nostalginen, kaihoisa
nostril /nastrəl/ s sierain
no sweat /,noʊ'swet/ fr helppo nakki, se on lastenleikkiä
no-sweat adj (ark) helppo, letkeä
nosy /noʊzi/ adj liian utelias, tungetteleva
not /nat/ adv ei the box is not empty laatikko ei ole tyhjä not any longer ei enää it's not at all expensive se ei ole alkuunkaan kallis he is clever, is he not? eikö hän olekin nokkela?
notable /noʊtəbəl/ s kuuluisuus
adj **1** huomionarvoinen, merkittävä **2** kuuluisa

notably adv erityisen; erityisesti, etenkin
notarize /'noutə,raız/ v vahvistaa notaarilla
notary /noutəri/ s notaari
notary public s (mon notaries public) julkinen notaari
notation /nou'teıʃən/ s **1** merkintätapa, merkintäjärjestelmä, notaatio musical notation nuottikirjoitus **2** muistiinpano
not by a long shot fr (kuv) ei lähimainkaan, ei sinne päinkään, ei alkuunkaan
not by a long sight fr ei lähimainkaan, ei sinne päinkään
not care a tinker's damn fr viis veisata, ei välittää tuon taivaallista/tippaakaan
notch /natʃ/ s lovi, pykälä this one's a notch better than the others tämä on muita pykälän/astetta parempi
v loveta, tehdä lovi/pykälä johonkin
note /nout/ s **1** huomautus footnote alaviite, alahuomautus **2** muistiinpano **3** huomio to take note of something huomata jotakin, panna jotakin merkille; ottaa jotakin huomioon **4** (mus) nuotti **5** sävy, vivahde do I detect a note of sarcasm in your voice? et kai sinä ole nyt hieman ivallinen?
v huomata, panna merkille; ottaa huomioon
notebook /'nout,buk/ s **1** muistivihko, vihko, lehtiö **2** (tietokone) muistikirjamikro
noted /noutəd/ adj merkittävä, huomattava, tunnettu
notepad /'nout,pæd/ s muistilehtiö, lehtiö
noteworthy /'nout,wərði/ adj huomionarvoinen, huomattava, merkittävä
not give a shit fr viis veisata, ei välittää she doesn't give a shit about what you think hänelle on yksi ja sama mitä mieltä sinä olet
not give a tinker's damn fr viis veisata, ei välittää tuon taivaallista/tippaakaan
nothing /nʌθiŋ/ s **1** nolla **2** vätys, mitätön/kelvoton ihminen/esine, joku tai jokin josta ei ole mihinkään
s, adv, pron **1** ei mitään he gave nothing to me hän ei antanut minulle mitään it means nothing sillä ei ole mitään merkitystä, se ei merkitse mitään nothing could be further from the truth väite on täysin perätön he does nothing but work hän tekee lakkaamatta työtä she made nothing of it hän ei ollut siitä millänsäkään, hän ei pannut sitä pahakseen she could make nothing of it hän ei ymmärtänyt siitä mitään, hän ei tullut siitä hullua hurskaammaksi it was an accident, nothing more, nothing less se oli pelkkä vahinko, siinä kaikki **2** to get something for nothing saada jotakin ilmaiseksi **3** in nothing flat alta aikayksikön, heti paikalla
nothing but that's nothing but a lie se on silkkaa valhetta there was nothing but junk there siellä ei ollut kuin roinaa
nothing less than it's nothing less than great se on kerta kaikkiaan loistava that was nothing less than a barb se oli selvää piikittelyä
nothingness s **1** tyhjyys; äänettömyys; olemattomuus **2** mitättömyys, merkityksettömyys, tyhjyys
nothing short of your letter was nothing short of depressing kirjeesi oli kerrassaan masentavaa luettavaa
notice /noutəs/ s **1** ilmoitus, tiedotus, varoitus, julistus **2** irtisanominen, irtisanoituminen he gave notice hän sanoi itsensä irti **3** huomio to take notice of something huomata jotakin, panna jotakin merkille **4** kritiikki, arvostelu
v huomata, panna merkille
noticeable adj huomattava, jonka voi huomata, näkyvä, tuntuva, selvä the increase was hardly noticeable kasvua/nousua tuskin huomasi
noticeably adv huomattavasti, näkyvästi, tuntuvasti, selvästi
notification /,noutıfı'keıʃən/ s (virallinen) ilmoitus
notify /'noutı,faı/ v ilmoittaa jollekulle jotakin

not in so many words he told me to resign, though not in so many words hän käski minun erota joskaan hän ei ilmaissut sitä noin suorasti
notion /nouʃən/ s **1** käsitys, yleiskäsitys **2** käsitys, mielipide **3** halu, päähänpisto, päähänpinttymä
notoriety /ˌnoutə'raɪəti/ s pahamaineisuus, paha/huono maine
notorious /nə'tɔriəs/ adj **1** pahamaineinen **2** kuuluisa jostakin (for)
Nottingham /natiŋhəm/
Notts. Nottinghamshire
notwithstanding /ˌnatwɪθ'stændiŋ/ prep, konj (jostakin) huolimatta adv kuitenkin
not worth a tinker's damn fr ei minkään/penninkään arvoinen
not worth a whoop fr (ark) arvoton, mitätön, yhtä tyhjän kanssa
no two ways about it there's no two ways about it asia on (harvinaisen) selvä, sehän on selvä, siitä ei ole epäilystäkään
nougat /nugət/ s nugaa
nought /nat/ s nolla
noun /naʊn/ s (kieliopissa) substantiivi
nourish /nərɪʃ/ v **1** ravita, ruokkia (myös kuv) **2** elätellä toivoa jostakin, haaveilla jostakin
nourishment s ravinto
nouveau riche /nuˌvou'riʃ/ s (ranskasta, mon nouveaux riches) äkkirikastunut (ihminen)
Nov. November marraskuu
Nova Scotia /ˌnouvə'skouʃə/
novel /navəl/ s romaani adj uusi, uudenlainen that's a novel idea se onkin tuore ajatus
novelist /navəlɪst/ s romaanikirjailija
novella /nə'velə/ s novella, pitkä novelli, pienoisromaani
novelty /navəlti/ s **1** uutuudenviehätys **2** uutuus, uusi asia/tavara **3** (kauppatavarana) pikkurihkama; lahjatavara
November /no'vembər/ s marraskuu
novice /navəs/ s **1** noviisi, munkkikokelas, nunnakokelas **2** aloittelija, uusi tulokas, vasta-alkaja
now /naʊ/ adv nyt it's now or never nyt tai ei koskaan I met Wendy just now tapasin Wendyn (juuri) äsken let's leave it for now jätetään se toistaiseksi, annetaan sen toistaiseksi olla up until now tähän saakka, tähän asti, tähän mennessä konj now that you know what it's like, do you want to continue? haluatko vielä jatkaa kun tiedät millaista se on?
NOW National Organization for Women
nowadays /'nauəˌdeɪz/ adv nykyisin, nykyään
no way fr (ark) ei ikinä!, ei missään nimessä!
nowhere /'nouˌweər/ adv ei missään, ei mihinkään she was nowhere to be seen häntä ei näkynyt missään you're going nowhere, buster sinä et kuule luiki mihinkään Larry is getting nowhere in his work Larry ei pääse työssään eteenpäin/puusta pitkään
noxious /nakʃəs/ adj vahingollinen
nozzle /nazəl/ s suutin, nukka
NPR National Public Radio
NRA National Rifle Association
NRC National Research Council
NREM nonrapid-eyemovement
NS Nova Scotia
NSA National Security Agency; National Ski Association
NSC National Security Council
NSF National Science Foundation
N.S.W. New South Wales
NT New Testament; Northern Territory; Northwest Territories
NTGA National Tournament Golf Association
nth /enθ/ to the nth degree äärimmäisen, erittäin
NTSC National Television System Committee; eräs väritelevisiojärjestelmä(n määritellyt komitea)
nuance /nuans/ s vivahde, vivahdus, nyanssi
nuclear /nuclɪər/ adj ydin-
nuclear deterrent s ydinpelote
nuclear energy s ydinenergia
nuclear family s ydinperhe

nuclear fission s fissio, atomiytimen halkeaminen
nuclear fuel s ydinpolttoaine
nuclear fusion s fuusio, yhtymisreaktio
nuclear magnetic resonance s ydinmagneettinen resonanssi
nuclear physics s ydinfysiikka
nuclear power s ydinvoima
nuclear power plant s ydinvoimala
nuclear radiation s ydinsäteily
nuclear reaction s ydinreaktio
nuclear reactor s ydinreaktori
nuclear war s ydinsota
nuclear warhead s ydinkärki
nuclear waste s ydinjäte
nuclei /nukliaɪ/ ks nucleus
nucleic acid /nu,kliɪk'æsɪd/ s (biol) nukleiinihappo
nucleoid /'nukli,ɔɪd/ s (biol) nukleoidi
nucleus /nukliəs/ s (mon nuclei) **1** (atomin) ydin (myös kuv) **2** (biol) tuma
nude /nud/ s **1** (taideteos) alastonkuva **2** in the nude alasti, vaatteita **3** ruskeanharmaa väri
adj **1** alaston, paljas **2** ruskeanharmaa
nudge /nʌdʒ/ s **1** tönäisy, sysäys **2** piinaaja; nalkuttaja
v **1** tönäistä, sysäistä, sysätä **2** piinata, vaivata **3** nalkuttaa
nudism /nudɪzəm/ s nudismi
nudist /nudɪst/ s, adj nudisti(-)
nudity /nudɪti/ s alastomuus
nugget /nʌgət/ s **1** kimpale, möykky, paakku **2** kultakimpale **3** broileripala
nuisance /nusəns/ s kiusankappale, kiusa, harmi, riesa
nuke /nuk/ s (ark) **1** ydinpommi **2** ydinvoimala
v (ark) **1** hävittää ydinaseilla, pommittaa ydinaseilla nuke 'em back to the Stone Age pommittaa heidän maansa takaisin kivikauteen **2** kuumentaa mikroaaltouunissa could you nuke this for about 30 seconds, it's cold? voisitko lämmittää tätä mikrossa kolmisenkymmentä sekuntia, koska se on kylmä?
null and void /,nʌlən'vɔɪd/ fr (lak) mitätön, pätemätön, kelpaamaton
Nullarbor Plain /nəl'arbər/ Nullarborin tasanko (Australiassa)
nullify /'nʌlə,faɪ/ v mitätöidä (sopimus)
numb /nʌm/ adj **1** puutunut, tunnoton **2** (kuv) tunteeton, välinpitämätön **3** (kuv) lamaantunut to be numb with grief olla kauhun lamaannuttama, olla lamaantunut kauhusta
v **1** puuduttaa, tehdä tunnottomaksi **2** (kuv) lamaannuttaa
number /nʌmbər/ s **1** numero (eri merk:) luku, puhelinnumero, lehden numero, talon numero **2** määrä, lukumäärä a number of people have asked me to resign muutama henkilö on pyytänyt minua eroamaan **3** esitys, numero **4** (kieliopillinen) luku
v **1** numeroida **2** laskea your days in this company are numbered sinun päiväsi tässä firmassa ovat luetut **3** lukea/lukeutua johonkin kuuluvaksi I don't number him among my friends en lue häntä ystäviini, en pidä häntä ystävänäni **4** olla the audience numbered several hundred yleisöä oli useita satoja
number one s **1** minä (itse) **2** ykkönen, paras
numbly adv ks numb
numbness s **1** tunnottomuus **2** (kuv) tunteettomuus, välinpitämättömyys, kovasydämisyys
numeral /numərəl/ s lukusana
numerate /'numə,reɪt/ adj laskutaitoinen
numerical /nu'merɪkəl/ adj numeerinen, numero-
numerically /nu'merɪkli/ adv numeerisesti, numeroin
numero uno /,numərou'unou/ s **1** minä **2** ykkönen, paras
numerous /numərəs/ adj lukuisa, runsaslukuinen there are numerous reasons why you should sell your car on monta syytä miksi sinun kannattaa myydä autosi a numerous audience suuri kuulijakunta
nun /nʌn/ s nunna
nuptial /nʌpʃəl/ adj hää-
nuptials /nʌpʃəlz/ s (mon) häät

nurse /nɜrs/ s **1** sairaanhoitaja(tar) male nurse (mies)sairaanhoitaja **2** lastenhoitaja **3** imettäjä
v **1** hoivata, hoitaa **2** yrittää parantua jostakin he's nursing the flu hän yrittää parantua flunssasta **3** imettää (lasta); (lapsi) imeä rintaa **4** hautoa mielessään to nurse a grudge kantaa kaunaa **5** säästellä ryyppyään he sat there nursing his drink
nursemaid /ˈnɜrs,meɪd/ s lastenhoitaja
nursery /nɜrʃri nɜrsri/ s **1** lastenhuone (myös sairaalan synnytysosastolla) **2** lastentarha, päiväkoti **3** taimitarha **4** (kuv) kasvualusta
nursery bottle s tuttipullo
nursery rhyme s lastenloru
nursery school s lastentarha
nursing home s vanhainkoti; sairaskoti
nurture /nɜrtʃər/ s kasvatus; koulutus; opetus nature or nurture? perimä vai ympäristö?
v **1** huolehtia jostakusta, elättää jotakuta **2** tukea (nuorta taiteilijaa tms)
nut /nʌt/ s **1** pähkinä that problem is a tough nut to crack ongelma on kova pähkinä purtavaksi **2** mutteri nut and bolt ruuvi ja mutteri **3** (sl) pää **4** (sl) innokas harrastaja he's a hifi nut hän on hifihullu **5** (sl, mon) kivekset, munat
nutcracker /ˈnʌt,krækər/ s pähkinänsärkijä, pähkinäsakset
nutmeg /ˈnʌt,meɪg/ s muskotti
NutraSweet® /ˈnutrə,swit/ aspartaamin (eräs keinotekoinen makeute) kauppanimi
nutrient /nutriənt/ s ravinne, ravintoaine
adj ravitseva
nutrition /nuˈtrɪʃən/ s **1** ravitsemus **2** ravitsemustiede **3** ravinto, ravinne
nutritionist s ravitsemusterapeutti
nutritious /nutrɪʃəs/ adj ravitseva
nuts adj (sl) **1** hullu, tärähtänyt **2** nuts about something/someone olla hulluna johonkin/johonkuhun
nuts and bolts s (kuv) jonkin asian perusteet, asian ydin
nutshell /ˈnʌt,ʃel/ s **1** pähkinänkuori **2** in a nutshell (kuv) pähkinänkuoressa, lyhyesti
nutty adj (sl) **1** hullu, tärähtänyt **2** nutty about something hulluna johonkin
nuzzle /nʌzəl/ s halaus, helliminen
v **1** kaivautua maahan tms **2** kaivaa kärsällään/kuonollaan maasta **3** painautua/käpertyä hellästi/pehmeästi jotakuta/jotakin vasten
NV Nevada
NWT Northwest Territories
NY New York
NYC New York City
NYFE New York Futures Exchange
nylon /naɪlan/ s nailon
nymph /nɪmf/ s nymfi
nymphomania /,nɪmfoʊˈmeɪniə/ s nymfomania
nymphomaniac /,nɪmfoʊˈmeɪnɪæk/ s nymfomaani
adj nymfomaaninen
NYPD New York Police Department
NYSE /enwaɪesi/ New York Stock Exchange
nyala /njalə/ s (eläin) njala mountain nyala vuorinjala
N.Z. New Zealand Uusi-Seelanti

O, o

O, o /oʊ/ O, o
o /oʊ/ s nolla
oak /oʊk/ s tammi
Oakland /oʊklənd/ kaupunki Kaliforniassa
oar /ɔr/ s airo to put in your oars sekaantua/puuttua johonkin v soutaa
oarlock /'ɔr,lak/ s hankain
oarsman /ɔrzmən/ s (mon oarsmen) (kilpa)soutaja
OAS Organization of American States Amerikan valtioiden järjestö
oasis /oʊ'eɪsəs/ s (mon oases) keidas (myös kuv)
oat /oʊt/ s **1** kaura **2** (mon) kauraryynit
oath /oʊθ/ s **1** vala to make/take an oath vannoa vala **2** kirosana, kirous
oatmeal /'oʊt,miəl/ s **1** kauraryynit, kaurahiutaleet **2** kaurapuuro
OAU Organization of African Unity Afrikan yhtenäisyysjärjestö
o/b outboard
obedience /oʊ'bidiəns/ s **1** tottelevaisuus, kuuliaisuus **2** (kuriin) alistuminen
obedient /oʊ'bidiənt/ adj tottelevainen, kuuliainen, uskollinen, kiltti
obediently adv tottelevaisesti, kuuliaisesti, uskollisesti, kiltisti
obeisance /oʊ'beɪsəns/ s **1** kumarrus; niiaus **2** kunnioitus; kunnianosoitus
obelisk /'oʊbəlɪsk/ s obeliski
obese /oʊ'bis/ adj (erittäin) lihava
obeseness s lihavuus
obesity /oʊ'bisəti/ s lihavuus
obey /oʊ'beɪ/ v totella
obituary /oʊ'bɪtʃʊ,eri/ s muistokirjoitus, kuolinilmoitus
obj. objective
object /abdʒəkt/ s **1** esine, kohde that obscure object of desire tuo intohimon hämärä kohde **2** päämäärä, tavoite the object of this exercise tämän harjoituksen tavoite **3** este money is no object rahalla/hinnalla ei ole väliä **4** (kieliopissa) objekti
object /əb'dʒekt/ v vastustaa jotakin, olla jotakin vastaan, ei hyväksyä he objected to her language hän ei hyväksynyt naisen kielenkäyttöä
objection /əb'dʒekʃən/ s **1** vastaväite, vastalause **2** inho, vastenmielisyys, vastahakoisuus
objectionable adv loukkaava, häiritsevä, pahennusta herättävä, vastenmielinen I find your behavior objectionable en voi hyväksyä käytöstäsi
objectionably adv ks objectionable
objective /əb'dʒektɪv/ s tavoite, päämäärä, kohde adj objektiivinen, asiallinen, puolueeton
objectively adv objektiivisesti, asiallisesti, puolueettomasti
objectivity /,abdʒek'tɪvəti/ s puolueettomuus, asiallisuus, objektiivisuus
obligation /,ablɪ'geɪʃən/ s velvollisuus, sitoumus, (lak) velvoite you're under no obligation to buy that gadget sinun ei suinkaan tarvitse ostaa sitä vempainta
obligatory /ə'blɪgə,tɔri/ adj pakollinen, sitova
oblige /ə'blaɪdʒ/ v **1** velvoittaa tekemään jotakin **2** saattaa kiitollisuudenvelkaan I'm much obliged for your help olen hyvin kiitollinen avustasi **3** tehdä jollekulle mieliksi
obliging adj avulias, ystävällinen

oblique /ə'blik, oʊ'blik/ adj **1** vino, viisto **2** epäsuora, vihjaileva, kiero, karsas, epäsuopea

obliquely adv **1** vinosti, viistosti **2** epäsuorasti, vihjaillen, kierosti, (katsoa) kieroon, karsaasti, epäsuopeasti

obliqueness s **1** kaltevuus **2** kierous

obliterate /ə'blɪtə,reɪt/ v **1** pyyhkiä pois **2** hävittää, tuhota

obliteration /ə,blɪtə'reɪʃən/ s **1** pois pyyhkiminen **2** hävitys, hävittäminen, tuho, tuhoaminen

oblivion /ə'blɪviən/ s unhola, unohdus many rock groups have fallen into oblivion moni rockyhtye on jäänyt unholaan/unohdettu kokonaan

oblivious /ə'blɪviəs/ to be oblivious of/to something ei huomata jotakin, ei piitata jostakin, ei ottaa jotakin huomioon

obliviously adv välinpitämättömästi, jostakin piittaamatta

obliviousness s välinpitämättömyys, piittaamattomuus

oblong /'ab,laŋ/ s suorakaide adj suorakaiteen muotoinen

obnoxious /əb'nakʃəs/ adj loukkaava, häiritsevä, vastenmielinen, tympeä

oboe /oʊboʊ/ s oboe

oboist /oʊboʊɪst/ s oboisti

obscene /əb'sin/ adj rivo, rietas, irstas, siveetön, ruokoton, paksu (ark kuv)

obscenely adv ks obscene

obscenity /əb'senəti/ s rivous, riettaus, irstaus, siveettömyys, ruokottomuus that movie has a lot of obscenity siinä elokuvassa kiroillaan paljon

obscure /əb'skjʊər əb'skjər/ adj **1** hämärä, epäselvä, sumea **2** tuntematon, nimetön
v **1** peittää (näkyvistä) that building obscures the ocean from our view tuo rakennus peittää meren näkyvistä **2** sekoittaa, sotkea, hämmentää, hämärtää

obscurely adv hämärästi, epäselvästi, sumeasti

obscurity /əb'skjərəti/ s **1** pimeys, hämäryys, synkkyys **2** (ajatusten, esityksen) epäselvyys, sekavuus, hämäryys **3** to live in obscurity elää syrjässä/hiljaisuudessa to rescue someone from obscurity pelastaa joku unohduksista/unholasta

observance /əb'zərvəns/ s **1** lainkuuliaisuus, lain/määräysten **2** uskonnollisten tapojen noudattaminen, sunnuntain/sapatin pyhittäminen

observant /əb'zərvənt/ adj **1** valpas, tarkkaavainen **2** lainkuuliainen, jotakin noudattava

observantly adv valppaasti, valppaana, tarkkaavaisesti

observation /,absər'veɪʃən/ s **1** tarkkailu, seuranta, valvonta to keep someone under observation tarkkailla jotakuta, pitää jotakuta silmällä **2** säätöjen noudattaminen, sunnuntain/sapatin pyhittäminen **3** huomautus, huomio

observation car s (junassa) näköalavaunu

observatory /əb'zərvə,tɔri/ s observatorio

observe /əb'zərv/ v **1** tarkkailla, seurata, valvoa, katsella **2** huomata, panna merkille **3** noudattaa (sääntöjä, lakia) **4** pyhittää (sunnuntai, sapatti) **5** juhlia (syntymäpäivää, juhlapäivää) **6** huomauttaa, sanoa

observer s tarkkailija, valvoja, seuraaja I went to the conference as an observer, not a participant menin kokoukseen tarkkailijana enkä varsinaisena osanottajana

obsess /əb'ses/ v **1** riivata to be obsessed by/with something olla jonkin riivaama; (kuv) olla hulluna johonkin, olla täynnä jotakin **2** (ark) puhua/ajatella pakkomielteisesti jostakin/jotakin will you stop obsessing over it! lakkaa hössöttämästä

obsession /əb'seʃən/ s pakkomielle, pakkoajatus, obsessio politics has become an obsession with him politiikasta on tullut hänelle pakkomielle

obsessive /əb'sesɪv/ s obsessiivinen ihminen
adj pakonomainen, pakko-, obsessiivinen; kohtuuton, liiallinen

obsessively adv pakonomaisesti, kuin riivattu, kohtuuttomasti, liiallisesti
obsolescence /ˌabsəˈlesəns/ s (vanhanaikaiseksi jääminen) vanheneminen
obsolescent /ˌabsəˈlesənt/ adj joka on vanhenemassa; joka on jäämässä vanhnaikaiseksi
obsolete /ˌabsəˈlit/ v syrjäyttää, tehdä tarpeettomaksi; tehdä vanhanaikaiseksi adj vanhentunut, vanhanaikainen
obstacle /abstəkəl/ s este (myös kuv), vastoinkäyminen
obstacle course s **1** (sotilaiden valmennuksessa käytettävä) esterata **2** (ark, kuv) kivinen polku, kärsimysten tie
obstacle race s (urh) estejuoksu
obstetrical /əbˈstetrɪkəl/ adj **1** synnytys- **2** synnytysopin, synnytysopillinen
obstetrician /ˌabstəˈtrɪʃən/ s synnytyslääkäri
obstetrics /əbˈstetrɪks/ s (verbi yksikössä) synnytysoppi
obstinacy /abstənəsi/ s **1** jääräpäisyys, härkäpäisyys, omapäisyys **2** sinnikkyys, sitkeys
obstinate /abstənət/ adj **1** jääräpäinen, härkäpäinen, omapäinen **2** sinnikäs, sitkeä, hellittämätön
obstinately adv ks obstinate
obstruct /əbˈstrʌkt/ v **1** tukkia, sulkea **2** keskeyttää, pysähdyttää, estää **3** peittää näkyvistä **4** (pol) jarruttaa (parlamentin toimintaa tms)
obstruction /əbˈstrʌkʃən/ s **1** tukkeuma, este, kulkueste; näköeste; kulkueste; keskeytys this is obstruction of justice tämä on oikeuden toiminnan häirintää **2** (pol) jarrutus
obtain /əbˈteɪn/ v hankkia, saada
obtainable adj joka on saatavissa
obtuse /abˈtus/ adj tylsä (myös kuv:) tyhmä, (kulma ym) tylppä
obtuseness s tyhmyys; tylsyys, tylppyys
obvious /abviəs/ adj ilmeinen, ilmeisel-vä, silmin nähtävä, itsestään selvä, läpinäkyvä (kuv)
obviously adv selvästi, selvästikin, ilmiselvästi, silminnähtävästi, läpinäkyvästi (kuv) obviously, you're wrong on selvää että olet väärässä, olet selvästikin väärässä
obviousness s ilmeisyys, selvyys; läpinäkyvyys (kuv)
occasion /əˈkeɪʒən/ s **1** hetki, kerta on several occasions useita kertoja, usein **2** juhla, tilaisuus on the occasion of your 70th birthday, we congratulate you warmly onnittelemme sinua lämpimästi 70-vuotispäiväsi johdosta **3** tilaisuus this is a suitable occasion to take a vacation nyt on sopiva hetki pitää loma to rise to the occasion nousta tilanteen tasalle, selvitä jostakin **4** syy; tarve you had no occasion to lie sinulla ei ollut syytä/tarvetta valehdella
v antaa aihetta johonkin, tehdä tarpeelliseksi/aiheelliseksi
occasional /əˈkeɪʒənəl/ adj **1** satunnainen, silloin tällöin tapahtuva/esiintyvä **2** tilapäinen, ylimääräinen **3** tiettyä tilaisuutta varten tehty, varta vasten tehty
occasionally /əˈkeɪʒnəli/ adv silloin tällöin, toisinaan very occasionally hyvin harvoin
Occident /aksɪdənt/ s länsimaat
occupant /akjəpənt/ s (talon) asukas, (auton) matkustaja, (viran) haltija
occupation /ˌakjəˈpeɪʃən/ s **1** ammatti **2** virkakausi **3** puuha, tekeminen **4** (sot) miehitys
occupational adj **1** ammatti-; ammatinvalinta **2** miehitys-
occupational disease s ammattitauti
occupational hazard s ammatiriski
occupier /ˈakjəˌpaɪər/ s (talon) asukas, (viran) haltija
occupy /ˈakjəˌpaɪ/ v **1** viettää/kuluttaa aikaa, järjestää tekemistä itselleen/jollekulle I can't come to the phone now, I'm occupied en voi tulla nyt puhelimeen, minulla on muuta tekemistä Larry, please keep the kids occupied until we leave Larry, yritä keksiä lapsille jotakin tekemistä siihen saakka kunnes läh-

demme **2** olla jollakin paikalla, olla jossakin virassa, asua jossakin talossa/ huoneessa, istua jollakin paikalla **3** (sot) miehittää

occur /ə'kər/ v **1** tapahtua **2** (tauti, malmi ym) esiintyä, olla, jotakin tavataan jossakin **3** tulla mieleen, pälkähtää päähän it occurred to him that he had not eaten all day hän muisti yhtäkkiä ettei hän ollut syönyt koko päivänä

occurrence /ə'kərəns/ s **1** tapahtuma **2** (taudin, malmin ym) esiintyminen

ocean /oʊʃən/ s **1** valtameri **2** (kuv) meri, valtava joukko/määrä

oceanfront /'oʊʃən,frʌnt/ s, adj merenranta(-)

oceangoing /'oʊʃən,goʊiŋ/ adj valtameri-, avomeri-, meri-

Oceania /,oʊʃi'ænjə/ s Oseania

oceanic /,oʊʃɪ'ænɪk/ adj **1** valtameren, meren, meri- **2** (kuv) valtaisa, suunnaton

oceanographer /,oʊʃə'nagrəfər/ s merentutkija

oceanography /,oʊʃə'nagrəfi/ s merentutkimus

o'clock /ə'klak/ adv kello: at eleven o'clock kello yksitoista; (suunnasta) kello yhdessätoista

OCR /,oʊsi'ar/ optical character reader/recognition optinen lukija/luku

octagon /'aktə,gan/ s kahdeksankulmio

octagonal /ak'tægənəl/ adj kahdeksankulmainen

octane /aktein/ s oktaani

octane rating s oktaaniluku

Octant /aktənt/ (tähdistö) Oktantti

octave /aktəv/ s oktaavi

October /ak'toʊbər/ s lokakuu

octogenarian /,aktədʒə'neriən/ s, adj kahdeksankymmentävuotias

octopus /aktəpəs/ s (mon octopuses, octopi) mustekala

ocular /akjələr/ s okulaari adj silmä-, näkö-

OD /oʊ'di/ s (overdose) yliannos; yliannostus v ottaa/antaa yliannos

odd /ad/ adj **1** outo, erikoinen, eriskummallinen, kummallinen omituinen **2** (luku) pariton **3** ylimääräinen, pariton **4** satunnainen, tilapäinen I've been doing some odd jobs lately olen viime aikoina tehnyt vähän sitä sun tätä **5** (lukusanan jäljessä) noin the tv set cost some five hundred-odd dollars televisio maksoi viitisensataa dollaria

oddball /'ad,bal/ s (ark) outo lintu, outo ilmestys, harvinaisuus, tärähtänyt adj erikoinen, omalaatuinen, tärähtänyt

oddity /adəti/ s **1** outous, omituisuus, erikoisuus **2** outo lintu, outo ilmestys, erikoisuus, harvinaisuus

odd-lot /'ad,lat/ s (tal) tavanomaista kaupankäyntierää (esim pörssierää) pienempi kauppaerä

oddly adv oudosti, oudon, erikoisesti, omituisesti, omituisen it's an oddly interesting movie se on oudolla tavalla mielenkiintoinen elokuva

oddment /admənt/ s pariton kappale, ylimääräinen kappale

odds /adz/ s (mon) **1** todennäköisyys, mahdollisuudet the odds are against you winning sinulla on huonot voiton mahdollisuudet **2** ero, ylivoima, etumatka we fought against heavy odds taistelimme voimakkaasta vastarinnasta huolimatta **3** riita, erimielisyys Betty is at odds with Susan over the money Betty on Susanin kanssa eri mieltä rahasta a Chevrolet is by all odds a better car than a Ford, Neil said Neil sanoi että Chevrolet on joka suhteessa parempi auto kuin Ford

odds and ends /,adzən'enz/ s (mon) pikkurihkama, rihkama

ode /oʊd/ s oodi

odor /oʊdər/ s haju, tuoksu; hyvä tuoksu; paha haju

odorful adj haiseva, tuoksuva

odorless adj hajuton

odyssey /adəsi/ s seikkailut, harharetket, odysseia

OECD Organization for Economic Cooperation and Development Taloudellinen yhteistyö- ja kehittämisjärjestö

OED Oxford English Dictionary
OEM original equipment manufacturer
of /ʌv/ prep **1** omistuksesta, kuulumisesta: a picture of Joan Joanin (Joania esittävä) kuva a picture of Joan's Joanin omistama tai ottama kuva one of us yksi meistä **2** suunnasta: north of here täältä pohjoiseen **3** laadusta, lajista: a box of chocolates suklaarasia a house of three rooms kolmen huoneen talo the Republic of Finland Suomen tasavalta **4** materiaalista: a house of brick tiilitalo **5** syystä: he died of thirst hän kuoli janoon he was cured of cancer hän parani syövästä **6** verbin yhteydessä: he did not think of it se ei tullut hänen mieleensä
of a size these two are of a size nämä ovat samankokoiset
off /af/ adj **1** väärässä you're badly off on those figures numerotietosi ovat pahasti väärässä **2** runsaudesta, puutteesta: to be well off olla varakas/rahoissaan he's badly off for time hänellä on pulaa ajasta **3** peruutettu the meeting is off kokous on peruutettu **4** huono, kehno, surkea this is one of my off days tämä on yksi minun huonoja päiviäni **5** epätodennäköinen I called her on the off chance that she might be at home soitin hänelle siltä varalta että hän sattuisi olemaan kotona **6** hiljainen these are off-season prices nämä ovat hiljaisen kauden hintoja **7** etäinen, kaukaisempi (puoli); (ajoneuvon) oikea (puoli) the off side of the building rakennuksen toinen puoli **8** (osakehinnoista) laskenut, alempi **9** sammutettu turn the stereo off sammuta stereot, katkaise stereoista virta
adv **1** pois, irti to come off irrota take your glasses off riisu silmälasisi the plane got off ground lentokone nousi ilmaan **2** (ajasta ja tilasta) päässä it was a long time off se tapahtui kauan sitten they live a few miles off he asuvat muutaman mailin päässä **3** lähtemisestä: off we go! nyt lähdetään! **4** syrjässä, sivussa jostakin take the dirt road off the highway käänny päätieltä hiekkatielle **5** erosta: sales are twenty percent off myynti on laskenut 20 prosenttia
prep **1** pois, irti the dealer gave me three hundred dollars off the list price myyjä antoi minulle listahinnasta kolmesataa dollaria alennusta to come off balance menettää tasapainonsa **2** erosta, etäisyydestä his house is a mile off the highway hänen talonsa on mailin päässä päätieltä sales are way off target myynti on pahasti jäljessä ennusteista **3** elatuksesta the farmer lives off the fat of the land maanviljelijä elää kokonaan oman maansa tuotolla
offal /afəl/ s **1** (teuraseläimen) sisälmykset **2** jäte
off and on /ˌafən'an/ adv silloin tällöin, satunnaisesti
off on a tangent to go off on a tangent poiketa asiasta
off the top of your head fr ulkomuistista, ulkoa, suoralta kädeltä, apteekin hyllyltä
offbeat /ˌaf'bit/ adj epätavallinen, omaperäinen, erikoinen
offbrand /ˌaf'brænd/ s tuntematon tuotenimi
adj (tuote) nimetön, tuntematon
offender s lainrikkoja, rikollinen
offending /ə'fendiŋ/ adj loukkaava
offense /afens ə'fens/ s **1** rikos, rikkomus, rike **2** loukkaus an offense against common decency loukkaus hyviä tapoja vastaan to give offense loukata jotakuta **3** (sot, urh) hyökkäys
offensive /ə'fensɪv/ s (sot, urh) hyökkäys to take the offensive hyökätä
adj **1** loukkaava, vastenmielinen an offensive smell paha haju **2** hyökkäävä, hyökkäys-
offensiveness s loukkaavuus, vastenmielisyys
offer /afər/ s **1** tarjous make me an offer tee tarjous an offer of assistance avuntarjous **2** (tal) myyntikurssi, myyntinoteeraus
v **1** tarjota, tarjoutua, (palkkio) luvata she offered to help hän tarjoutui auttamaan, hän lupasi auttaa **2** esittää, ehdottaa, antaa (neuvo) **3** uhrata (jumalalle tms)
offering s uhri, uhrilahja, kolehti

offering memorandum /ˌmemə'rændəm/ s (mon offering memorandums, offering memoranda) (tal) luottoesite
of few words Frances is a woman of few words Frances on harvasanainen, Frances ei ole puhelias
offhand /ˌaf'hænd/ adj valmistelematon, puolihuolimaton, (vastaus myös) nopea
adv valmistelematta, suoralta kädeltä, (vastata) nopeasti
official /ə'fɪʃəl/ s virkamies, virkailija
adj virallinen
office /afɪs/ s **1** toimisto, konttori; työhuone, virkahuone **2** virka
office automation s toimistoautomaatio
office holder s virkamies, viranhaltija
office hours s **1** aukioloaika **2** (toimistotyöntekijän) työaika
officer s **1** (sot) upseeri **2** poliisi **3** virkamies, virkailija
office seeker s viranhakija; ehdokas
officialese /əˌfɪʃə'liz/ s virastokieli, virkakieli, kapulakieli
officially adv virallisesti
officious /ə'fɪʃəs/ adj virkaintoinen; tungetteleva
officiously adv virkaintoisesti; tungettelevasti
officiousness s virkainto; tungettelu, tungettelevaisuus
offing /afɪŋ/ to be in the offing olla näköpiirissä
off-line /ˌaf'laɪn/ adj, adv (tietok) itsenäinen, itsenäisesti, off-line
off-peak /ˌaf'pik/ adj sesonkiajan ulkopuolinen
offprint /'afˌprɪnt/ s (lehtikirjoituksen) eripainos
off-road /ˌaf'roud/ adj maasto-
off-season /ˌaf'sizən/ s hiljainen kausi, sesongin ulkopuolinen kausi
adj hiljaisen kauden, sesonkiajan ulkopuolinen
offset /'afˌset/ s **1** vastapaino, korvaus, tasoitus **2** alku, alkuvaihe **3** offsetpaino
offset /ˌaf'set/ v **1** kumota, korvata, tasoittaa, olla vastapainona jollekin **2** verrata
offset printing s offsetpaino
offshoot /'afˌʃut/ s **1** verso **2** (kuv) that idea was an offshoot of our last discussion tuo ajatus versoi viime keskustelustamme
offshore /ˌaf'ʃɔr/ adj **1** rannikko-; meri- **2** ulkomainen, ulkomaan
adv **1** rannikolla, rannikolle; meressä, mereen **2** ulkomailla, ulkomaille
offspring /'afˌsprɪŋ/ s **1** jälkeläinen, lapsi, (eläimen) poikanen **2** (kuv) tuote the idea was an offspring of a fertile imagination ajatus versoi vilkkaasta mielikuvituksesta, ajatus oli vilkkaan mielikuvituksen tuote
off the reel fr **1** lakkaamatta, taukoamatta, keskeytyksettä **2** heti, välittömästi
off the track I think you're off the track now minusta sinä olet nyt eksynyt asiasta
off the wagon he's off the wagon (sl) hän on ratkennut ryyppäämään
off the wall fr (sl) **1** kohtuuton, pöyristyttävä **2** outo, kumma, omituinen
off with off with those stupid jokes lopeta nuo tyhmät vitsit! off with you häivy siitä! off with your clothes riisuudu!
of many words Alice is a woman of many words Alice on puhelias
of no use fr **1** the widget is of no use to us vempaimesta ei ole meille mitään hyötyä **2** it's no use telling him about it, he's not going to help us siitä ei kannata kertoa hänelle, hän ei kuitenkaan auta meitä
often /afən/ adv usein she goes there often; she often goes there hän käy siellä usein she goes there every so often hän käy siellä silloin tällöin
ogre /ougər/ s **1** (saduissa ym) ihmissyöjä, hirviö **2** (kuv) hirviö, peto, sortaja
OH Ohio
ohc overhead camshaft kannen yläpuolinen nokka-akseli
Ohio /o'haɪou/

OHMS On Her/His Majesty's Service Hänen Majesteettinsa palveluksessa
oil /oɪəl/ s **1** öljy to pour oil on water tyynnyttää kiihtymystä, valaa öljyä aalloille **2** (maalaustaiteessa) öljyväri **3** (maalaustaiteessa) öljyvärityö **4** (ark) imartelu, makeilu
v **1** öljytä, rasvata **2** lahjoa
oil crisis s (mon oil crises) öljykriisi
oil field s öljykenttä
oil rig s öljynporaustorni, öljynporauslaitos
oil spill s öljyvuoto (veteen), öljyvahinko (veteen)
oil tanker s öljysäiliöalus, öljylaiva
oil well s öljylähde
oily adj öljyinen, rasvainen
oink /oiŋk/ v (sika) röhkiä
interj röh!
ointment /ɔɪntmənt/ s voide
OIT Office of International Trade
OK /oukeɪ oʊ'keɪ/ s lupa, hyväksyntä the president gave his OK to the sending of troops presidentti antoi luvan lähettää joukkoja
v antaa lupa, hyväksyä
adj, adv hyvä, hyvin, sopiva, sopivasti, riittävä, riittävästi you're doing OK, don't worry älä suotta murehdi, sinä pärjäät ihan hyvin that's OK ei se mitään; se on ihan hyvä
interj selvä!, hyvä on!, okei!
OK Oklahoma
okapi /ou'kapi/ s okapi
okay /oʊ'keɪ/ v antaa lupa, hyväksyä the boss okayed the plan pomo hyväksyi suunnitelman
Okla. Oklahoma
Oklahoma /,ouklə'houmə/
Oklahoma City kaupunki Oklahoman osavaltiossa
old /oəld/ s **1** the old vanhukset, vanhat (ihmiset) **2** tietyn ikäisestä ihmisestä, eläimestä many six-year-olds can read moni kuusivuotias osaa lukea **3** menneet ajat, entisajat in days of old ennen vanhaan
adj (older, oldest tai elder, eldest) vanha he's old; he's an old man hän on vanha (mies) he's 90 years old hän on 90-vuotias how old are you? kuinka vanha olet? in the good old days vanhaan hyvään aikaan old people vanhukset, vanhat (ihmiset)
old Adam s vanha aatami
old country s (Amerikkaan muuttaneen) kotimaa
old covenant s (kristinuskossa) vanha liitto
olden /oldən/ adj (ylät) in olden days ennen muinoin, ennen vanhaan
Old English s muinaisenglanti, anglosaksi (700-1150)
older adj (komparatiivi sanasta old) vanhempi
oldest adj (superlatiivi sanasta old) vanhin
old-fashioned /'oʊld'fæʃənd/ adj vanhanaikainen, vanhentunut
old-fashionedly adv vanhanaikaisesti
old guard s (kuv) vanha kaarti, vanhoilliset piirit
old hand s (kuv) vanha tekijä
old hat adj vanhanaikainen that's old hat se on vanha vitsi
old maid s **1** vanhapiika **2** sievistelijä; saivartelija
old man s (mon old men) (ark) isäukko, isä
Oldsmobile /'oldzmoʊ,biəl/ amerikkalainen automerkki
Old Testament s Vanha testamentti
oldtimer /'ol,taɪmər/ s (ark) vanhus, ikämies
Olduvai Gorge /'oʊldʊ,vaɪ'gɔrdʒ/ Olduvain rotko (Tansaniassa)
olive /alɪv/ s oliivi
adj oliivinvihreä
olive branch s **1** öljypuun oksa **2** (kuv) rauhantarjous
Olympic /ə'lɪmpɪk/ kansallispuisto Washingtonin osavaltiossa
Olympic /ə'lɪmpɪk/ adj olympialais-, olympia-
Olympic Games /ə,lɪmpɪk'geɪmz/ s (mon) olympialaiset
Olympics /ə'lɪmpɪks/ s (mon) olympialaiset

Omaha /'oumə,ha/ kaupunki Nebraskassa
Oman /ouman/
Omani /ou'mani/ s, adj omanilainen
OMB Office of Management and Budget
omelet /amlət/ s munakas
omelette /amlət/ s munakas
omen /oumən/ s enne bird of ill omen pahan ilman lintu
ominous /amınəs/ adj **1** uhkaava, uhkaavan näköinen, pahaenteinen, pahaenteisen näköinen **2** enteellinen
ominously adv ks ominous
omission /ou'mıʃən/ s **1** laiminlyönti, tekemättä jättäminen, unohtaminen **2** poisto, pois jättäminen, mainitsematta jättäminen **3** poistettu kohta, poisto
omit /ou'mıt/ v **1** lyödä laimin, laiminlyödä, unohtaa **2** poistaa, jättää pois, ei mainita
omnipotence /am'nıpətəns/ s kaikkivaltius, kaikkivoipuus
omnipotent /am'nıpətənt/ s, adj kaikkivaltias, kaikkivoipa the Omnipotent Kaikkivaltias, Jumala
omnipresent /,amnı'prezənt/ adj kaikkialla läsnä oleva; jota on kaikkialla
omniscience /am'nıʃəns/ s kaikkitietävyys
omniscient /am'nıʃənt/ adj kaikkitietävä the Omniscient Kaikkitietävä, Jumala
omnivore /,amnı'vɔr/ s kaikkiruokainen eläin (myös kuv esim lukijasta jolle kelpaa kaikki luettava)
omnivorous /am'nıvərəs/ adj kaikkiruokainen (myös kuv)
on /an/ adj **1** käynnissä, päällä: the lights are on valot ovat päällä, valot palavat there's a war on sota on käynnissä, (kuv) käynnissä on täysi sota **2** (esiintymis)vuorossa you're on next sinä olet seuraava(na vuorossa)
adv **1** paikallaan, paikalleen, kiinni, päällä, päälle **2** (ajasta, tilasta) alkaen, eteenpäin from now on tästä lähtien **3** jatkamisesta to keep on doing something jatkaa jotakin move on! liikettä!, jatka matkaa!
prep **1** paikasta: the book is on the table kirja on pöydällä I put the book on the table panin kirjan pöydälle he has a hat on his head hänellä on hattu päässään the painting is hanging on the wall taulu roikkuu seinällä on the right/left oikealla/vasemmalla we have a cottage on the lake meillä on mökki järven rannalla it was on tv last night siitä kerrottiin eilen illalla televisiossa **2** ajasta: on Tuesday tiistaina on time ajoissa, ajallaan on his arrival hänen saapuessaan **3** jäsenyydestä: to serve on a committee toimia valiokunnassa **4** aiheesta: a book on gardening puutarhakirja **5** tarjoamisesta: the drinks are on the house talo tarjoaa ryypyt **6** keinosta: to live on your savings elää säästöillään the machine runs on diesel kone käy dieselillä **7** kohteesta: he is working on a dissertation hän tekee väitöskirjaa **8** tilasta: he set the car on fire hän sytytti auton tuleen the workers went on strike työläiset ryhtyivät lakkoon
on and off /,anən'af/ adv silloin tällöin, satunnaisesti
on a roll to be on a roll **1** olla peli-onnea, menestyä (uhka)pelissä **2** menestyä hyvin, olla kova meno päällä
once /wʌns/ adv **1** (yhden) kerran you can do it once saat tehdä sen yhden kerran once a day kerran päivässä all at once yhtäkkiä; yhtä aikaa at once heti; yhtä aikaa **2** kerran (menneisyydessä), ennen he was once a famous professor hän oli aikanaan kuuluisa professori
once and again fr monesti, vaikka kuinka monta kertaa
once and for all fr kerralla, lopullisesti
once in a while fr silloin tällöin, joskus harvoin
once or twice fr kerrain tai pari, pari kertaa
once upon a time fr (sadun alussa) olipa kerran
oncoming /'an,kʌmiŋ/ adj (liikenne) vastaan tuleva, (ajankohta) lähestyvä, (aikakausi, sukupolvi) tuleva
one /wʌn/ s ykkönen, yksi
adj **1** yksi one book **2** eräs, joku one day you'll be sorry for joskus sinä vielä kadut

sitä one Mr. Smith muuan Mr. Smith **3** ainoa his one hope is to find a good lawyer hänen ainoa toivonsa on löytää hyvä asianajaja **4** yhteinen, yhtenäinen the grouped acted as one ryhmä toimi yhtenäisesti/yhtenä rintamana
pron **1** substantiivin korvikkeena: which one do you want? – the blue one kumman haluat? – sinisen one of them yksi heistä **2** passiivisesti; voidaan joskus kääntää sanalla minä one is always pleased when one's (harvinainen amerikanenglannissa, mutta ei brittienglannissa)/your relatives come to visit on aina mukavaa kun sukulaiset tulevat käymään

one and all fr kaikki, joka iikka (ark)

one another they don't like one another he eivät pidä toisistaan

one-armed bandit s (ark) peliautomaatti

one by one fr yksitellen, yksi kerrallaan, peräkkäin

one for the road fr (viimeinen)ryyppy ennen matkaa, ennen lähtöä

oneself /wʌn'self/ pron itseään, itse one is never sure of oneself in these situations tällaisessa tilanteessa ei voi koskaan olla varma itsestään to be oneself olla oma itsensä

ongoing /'an,gouiŋ/ adj (edelleen) jatkuva, keskeytymätön

onion /ʌnjən/ s sipuli Fred knows his onions Fred osaa asiansa, Fred tietää mitä hän tekee/mistä hän puhuu

on-line /,an'laın/ adj, adv (tietok) yhteydessä keskusyksikköön, keskusyksikön valvonnassa, on-line

onlooker /'an,lukər/ s sivustakatsoja

only /ounli/ adj ainoa are you an only child? oletko sinä ainoa lapsi?
adv vain; vasta she's only three hän on vain/vasta kolmen vanha if only kunpa vain not only is he rich but he is also talented hän on sekä rikas että lahjakas, hän on paitsi rikas myös lahjakas it'll only cost you ten dollars se ei maksa kuin kymmenen dollaria
konj mutta she wanted to buy it, only she did not have the money hän halusi ostaa sen mutta hänellä ei ollut varaa siihen

only too she was only too happy to go hän lähti erittäin mielellään, hän malttoi tuskin odottaa että pääsi lähtemään

on order fr tilauksessa, tilattu (mutta ei saapunut)

on purpose adv tahallaan, tieten tahtoen

onset /'an,set/ s **1** alku, alkaminen, (sairauden) puhkeaminen **2** hyökkäys

onshore /'an,ʃɔr/ adj **1** mereltä puhaltava **2** rannikko-, ranta-
adv rannalla, rannalle, maissa, maihin

on sight fr ensi näkemältä

onslaught /'an,slat/ s (raju) hyökkäys (myös kuv)

Ont. Ontario

Ontario /an'teriou/ Ontario

on the order of fr **1** luokka the price was on the order of 100 million hinta oli sadan miljoonan dollarin luokkaa **2** kaltainen something on the order of that one jotakin tuon kaltaista

on the right side of the tracks hyvässä kaupunginosassa/hyvissä oloissa

on the road fr **1** to be on the road olla tien päällä, olla matkalla; olla kiertueella **2** to get something on the road käynnistää, aloittaa, panna alulle

on the rocks fr **1** (ryypystä) jäiden kanssa **2** to be on the rocks olla vaikeuksissa, olla kariutumassa **3** to be on the rocks olla puilla paljailla, olla rahaton

on the run to be on the run olla (jatkuvasti) menossa/liikkeessä; olla pakosalla I'll grab a bite on the run panen matkalla jotakin suuhuni

on the shady side of Morgan is on the shady side of fifty Morgan on viidenkymmenen huonommalla puolella (yli viidenkymmenen)

on the skids to be on the skids olla menossa rappiolle, olla alamäessä

on the spot be on the spot olla pinteessä/kiusallisessa tilanteessa to do something on the spot tehdä jotakin heti/viipymättä

on the squares fr **1** suora, suorassa kulmassa **2** (ark kuv) rehellinen, vilpitön

on the take to be on the take ottaa ahjuksia
on the track of to be on the track of someone/something olla jonkun/jonkin äljillä
on the turn the century on the turn vuosisadan vaihde, vuosisadan vaihtuminen
on time fr **1** to be on time olla/tulla ajoissa **2** to buy on time ostaa osamaksulla
on the up and up to be on the up and up (ark) olla rehellinen
on the wagon to be on the wagon (sl) olla kuivana, ei juoda (alkoholia)
on the whole fr kokonaisuutena, kaiken kaikkiaan, yleisesti ottaen
on the wing to be on the wing olla lennossa/ilmassa; olla liikkeellä
on to to be on to something olla perillä/vihillä jostakin
onto /'an,tu antə/ prep **1** paikasta: he got onto the horse hän nousi ratsun selkään **2** (kuv) I am onto your schemes minä olen jyvällä juonistasi, minä tiedän mitä sinä ajat takaa
ontological /,antə'ladʒɪkəl/ adj ontologinen
ontology /an'talədʒi/ s ontologia
on top to stay on top pysyä kärjessä, säilyttää johtoasema, menestyä
on top of fr **1** jonkin päällä/päälle **2** jonkin lisäksi **3** (heti) jonkin perään **4** to be on top of the situation hallita tilanne, olla homma hanskassa (ark)
on top of the world to be on top of the world menestyä; olla haltioissaan, olla ikionnellinen she felt/was on top of the world hän oli haltioissaan/hän menestyi loistavasti
onus /anəs/ s (mon onuses) velvollisuus, taakka
on view to be on view olla nähtävänä/näytteillä/esillä
onward /anwərd/ adj etenevä the onward course of things asioiden/tilanteen kehitys
adv eteenpäin, (ajasta) lähtien
onwards ks onward
on your own time to do something on your own time tehdä jotakin omalla ajallaan (ei työaikana)
on your toes to be on your toes olla varpaillaan/varpaisillaan/varovainen
ooze /uz/ s **1** tihkuminen **2** tihkunut aine, mönjä
v tihkua (myös kuv:) tihkua julkisuuteen, pursua
opacity /ou'pæsəti/ s **1** läpinäkymättömyys; himmeys, sumeus, sameus **2** vaikeaselkoisuus, hämäryys, epäselvyys **3** tyhmyys, tylsyys
opal /oupəl/ s opaali
adj opaalinvärinen
opaque /ou'peɪk/ adj **1** läpinäkymätön, ei läpinäkyvä; himmeä, sumea, samea **2** vaikeaselkoinen, vaikeatajuinen, hämärä **3** tyhmä, tylsä
op.cit. opere citato; opus citatum edellä mainitussa teoksessa
OPEC Organization of Petroleum Exporting Countries
open /oupən/ s in the open ulkona, ulkoilmassa the whole thing is now in the open koko juttu on nyt paljastunut
v avata (myös kuv), avautua to open a box avata laatikko to open a show avata näyttely she wanted to open her heart to him hän halusi avata/paljastaa miehelle sydämensä I can't get it to open en saa sitä auki the box office opens at seven teatterin kassa avataan seitsemältä the door opens to a patio ovi avautuu patiolle, ovesta pääsee patiolle
adj **1** avoin (myös kuv), avoinna, auki the door is open ovi on auki the record store is still open levykauppa on vielä avoinna/auki the exhibition is open to the public näyttely on avoinna yleisölle the matter is still open asia on vielä auki/ratkaisematta **2** valmis ottamaan vastaan jotakin he says he is open to suggestions hän sanoi olevansa valmis kuulemaan ehdotuksia **3** ulko- in the open air ulkona, ulkoilmassa
open air s ulkoilma
open-air adj ulkoilma-, ulko-
open-and-shut adj ilmiselvä it's an open-and-shut case tapaus on ilmiselvä
open book s (kuv) avoin kirja

open-door day s avoimien ovien päivä
open-door policy s avoimien ovien politiikka
opener s avaaja, avain can opener tölkinavain
openers for openers alkajaisiksi
open-heart surgery s avosydänkirurgia
open house s **1** kutsut joihin voi saapua milloin haluaa **2** avoimien ovien päivä
opening s **1** avaaminen **2** aukko **3** alku, aloitus **4** avajaiset **5** vapaa työpaikka, työtilaisuus **6** tilaisuus, mahdollisuus adj alku-, aloitus-
opening night s ensi-ilta
open interest s (tal) avoin vastuu
open-minded adj ennakkoluuloton, vastaanottavainen
open outcry /'aʊt,kraɪ/ s (tal) eräiden pörssien käyttämä kaupankäyntitapa joka perustuu huutamalla ja käsimerkein annettaviin osto- ja myyntinoteerauksiin
open stance s (golf) avoin stanssi, asento jossa oikeakätinen pelaaja tähtää kohteesta vasemmalle
open up v avata, avautua
opera /aprə/ s ooppera
operate /'apə,reɪt/ v **1** toimia the recorder operates on batteries nauhuri toimii paristoilla the company operates in many countries yritys toimii/käy kauppaa monissa maissa **2** käyttää do you know how to operate this machine? osaatko käyttää tätä laitetta? **3** (lääk) leikata
operatic /,apə'rætɪk/ adj ooppera-
operating environment s (tietokoneen) käyttöympäristö
operating room s (lääk) leikkaussali
operating system s (tietokoneen) käyttöjärjestelmä
operating table s (lääk) leikkauspöytä
operating theater s (lääk) leikkaussali jossa on katsomo
operation /,apə'reɪʃən/ s **1** toiminta the machine is in/out of operation kone on toiminnassa/epäkunnossa **2** käyttö **3** hanke, toimi, toimenpide **4** (lääk) leikkaus **5** (sot) sotatoimi
operational /,apə'reɪʃənəl/ adj toimiva the machine is not yet operational kone ei ole vielä toiminnassa
operative /apərətɪv/ s **1** koneenkäyttäjä **2** etsivä **3** salainen agentti adj **1** tehokas, vaikuttava, toimiva **2** joka on voimassa the law will soon become operative laki astuu pian voimaan **3** (lääk) leikkaus-
operative word s avainsana, keskeinen sana
operator /'apə,reɪtər/ s **1** (puhelinliikenteessä) keskus **2** koneenkäyttäjä **3** (linja-auton) kuljettaja **4** (tietokoneen) operaattori
operetta /,apə'retə/ s operetti
opinion /ə'pɪnjən/ s **1** mielipide **2** käsitys she has a high opinon of herself hänellä on suuret käsitykset itsestään **3** (lääkärin) lausunto I want to hear a second opinion haluan lausunnon toiseltakin lääkäriltä
opinionated /ə'pɪnjə,neɪtəd/ adj (liian) itsevarma, omahyväinen, itseriittoinen, omapäinen
opium /oʊpiəm/ s oopiumi
opossum /ə'pasəm/ s pussirotista (Didelphidae) Virginia opossum virginianopossumi, myös: common opossum
opponent /ə'poʊnənt/ s vastustaja
opportune /,apər'tun/ adj (hetki) otollinen, (huomautus) osuva, sattuva, (teko) oikea, sopiva
opportunely adv ks opportune
opportunism /,apər'tunɪzəm/ s opportunismi
opportunist /,apər'tunɪst/ s opportunisti
opportunistic /,apərtʊ'nɪstɪk/ adj opportunistinen
opportunity /,apər'tunəti/ s tilaisuus, mahdollisuus company X is an equal opportunity employer yritys X noudattaa rotuvähemmistöjen työhönotosta annettuja suosituksia
oppose /ə'poʊz/ v **1** vastustaa, ei hyväksyä **2** asettua vastaehdokkaaksi

opposed adj **1** vastaan to be opposed to something vastustaa jotakin **2** as opposed to johonkin verrattuna, toisin kuin jokin
opposite /apəzət/ s vastakohta opposites attract erilaiset ihmiset tuntevat vetoa toisiinsa what is the opposite of hot? mikä on sanan hot vastakohta? no, I'm not tired, quite the opposite en suinkaan ole väsynyt, päinvastoin
adj vastakkainen at the opposite end of the room huoneen toisessa päässä the opposite sex vastakkainen sukupuoli
adv vastapäätä, vastakkaisella puolella, viereisellä sivulla
prep vastapäätä Mrs. Smythe was seated opposite Mr. Hawk at the table Smythe istui pöydässä Hawkia vastapäätä
opposition /ˌapə'zɪʃən/ s **1** vastustus, vastarinta **2** (pol) oppositio
oppositionist s vastustaja; opposition jäsen
oppress /ə'pres/ v **1** sortaa **2** ahdistaa, painaa mieltä
oppression /ə'preʃən/ s **1** sorto;
oppressiveness s **1** sorto **2** tukahduttavuus, raskaus, ahdistavuus
oppressor /ə'presər/ s sortaja
opt for /apt/ v valita jokin
optic /aptɪk/ adj silmä-, näkö-
optical /aptɪkəl/ adj **1** optinen **2** silmä-, näkö-
optical character reader s optinen lukija
optical disk s kuvalevy
optical illusion /ˌaptɪkəlɪ'luʒən/ s näköharha
optician /ap'tɪʃən/ s optikko
optic nerve s näköhermo
optics s (verbi yksikössä) optiikka, valo-oppi
optimism /'aptəˌmɪzəm/ s optimismi, toiveikkuus, elämänmyönteisyys, luottavaisuus
optimist /aptəmɪst/ s optimisti
optimistic /ˌaptə'mɪstɪk/ adj optimistinen, toiveikas, elämänmyönteinen, luottavainen
optimistical ks optimistic
optimistically adv optimistisesti, toiveikkaasti, elämänmyönteisesti, luottavaisesti
optimize /'aptəˌmaɪz/ v optimoida
optimum /aptəməm/ s (mon optimums, optima) optimi, ihannearvo, ihannemäärä
adj optimaalinen, paras mahdollinen
option /apʃən/ s **1** valinnan mahdollisuus, valinta **2** (tal) optio
optional /apʃənəl/ adj vapaaehtoinen, ylimääräinen a sunroof is optional equipment on this car kattoluukku on tässä autossa lisävaruste/maksaa lisähintaa
options exchange s (tal) optiopörssi
opt out v luopua, hylätä, erota
opulence /oupjələns/ s **1** rikkaus **2** ylellisyys, mahtavuus, koreus **3** runsaus
opulent /oupjələnt/ adj **1** rikas **2** mahtava, ylellinen **3** runsas
opus /oupəs/ s (mon opuses, opera) teos, sävellys, opus
or /ɔr/ konj **1** tai, (kysymyslauseessa) vai, (kielteisessä lauseessa) eikä do you want to stay or leave? haluatko jäädä tänne vai lähteä? she does not want to eat or drink hän ei halua syödä eikä juoda **2** eli the clavicle, or collarbone, is located here clavicula eli solisluu sijaitsee tässä
OR Oregon; operating room
oracle /ɔrəkəl/ s **1** ennustus, ennuste **2** ennustaja, oraakkeli
oral /ɔrəl/ s (ark) suullinen tentti/koe
adj **1** suullinen **2** suun, suu- **3** (lääke) sisäisesti nautittava
orange /ɔrəndʒ/ s appelsiini
adj oranssi, oranssinvärinen
orangutan /ə'ræŋəˌtæn/ s orangutangi, oranki
oration /o'reɪʃən/ s juhlapuhe, puhe
orator /ɔrətər/ s oraattori, kaunopuhuja, juhlapuhuja, puhuja
orb /ɔrb/ s **1** pallo **2** silmämuna, silmä **3** taivaankappale **4** (hallitsijan tunnus) valtakunnan omena

orbit /ɔrbət/ s **1** kiertorata to go into orbit nousta/siirtyä kiertoradalle; (kuv) innostua valtavasti, ei tahtoa pysyä housuissaan **2** elämänpiiri, ympyrät (kuv)
v (satelliitti ym) kiertää
orbital /ɔrbətəl/ adj kiertoradan, kiertorata-
orbiter /ɔrbətər/ s avaruussukkulan varsinainen sukkulaosa; avaruusluotain
orchard /ɔrtʃərd/ s hedelmätarha
orchestra /ɔrkəstrə/ s orkesteri
orchestral /ɔr'kestrəl/ adj orkesteri-, orkestraalinen
orchestrate /'ɔrkəs,treɪt/ v **1** säveltää/sovittaa/soitintaa (musiikkia) orkesterille **2** järjestää, junailla (kuv), kyhätä kokoon
orchestration /,ɔrkəs'treɪʃən/ s **1** orkestrointi **2** järjestely, junailu (kuv)
orchid /ɔrkɪd/ s orkidea
ordain /ɔr'deɪn/ v **1** vihkiä papiksi **2** säätää, määrätä (lailla)
ordeal /ɔr'diəl/ s **1** koettelemus **2** (hist) jumalantuomio
order /ɔrdər/ s **1** (peräkkäinen) järjestys in alphabetical order aakkosittain, aakkosjärjestyksessä in descending order of merit parhaimmasta huonoimpaan **2** (oikea) järjestys let me put this room in order first odota kun järjestän ensin tämän huoneen **3** kuri, järjestys **4** kunto the elevator is out of order hissi on epäkunnossa **5** käsky, määräys this is an order! tämä on käsky! doctor's orders lääkärin määräyksestä **6** tilaus can I take your order? (ravintolassa) oletteko valmis tilaamaan? **7** (historiallisessa arkkitehtuurissa) pylväsjärjestelmä **8** yhteiskuntaluokka
v **1** määrätä, käskeä **2** järjestää **3** tilata
order s (tal) toimeksianto
orderly /ɔrdərli/ s **1** sotilaspalvelija **2** sairaala-apulainen
adj **1** siisti he is very orderly hän on järjestyksen ihminen **2** kurinalainen, rauhallinen
ordinal /ɔrdənəl/ s järjestysluku
adj järjestys-
ordinarily /,ɔrdə'nerəli/ adv **1** tavallisesti, yleensä **2** vaatimattomasti, tavallisesti
ordinary /'ɔrdə,neri/ s keskinkertaisuus to be above the ordinary olla tavanomaista parempi out of the ordinary poikkeuksellinen, harvinainen; poikkeuksellisen hyvä, harvinaisen hyvä
adj **1** tavallinen **2** keskinkertainen **3** tavanomainen, totunnainen
ore /ɔr/ s malmi
Ore. Oregon
Oreg. Oregon
oregano /ə'regə,noʊ/ s (mauste) oregano
Oregon /ɔrɪgən/
organ /ɔrgən/ s **1** elin **2** penis **3** äänenkannattaja **4** urut **5** (kuv) välikappale
organic /ɔr'gænɪk/ adj orgaaninen (eri merkityksissä), eloperäinen, elollinen; elimellinen; biodynaaminen; erottamaton
organically adv orgaanisesti (ks organic)
organic chemistry s orgaaninen kemia
organism /'ɔrgə,nɪzəm/ s **1** organismi, eliö, elimistö **2** organismi, kokonaisuus
organization /,ɔrgənɪ'zeɪʃən/ s **1** järjestely, suunnittelu, organisointi **2** järjestö; (liike)yritys, organisaatio **3** järjestys, jako, rakenne
organize /'ɔrgə,naɪz/ v **1** järjestää, järjestäytyä, suunnitella, organisoida **2** järjestäytyä ammattiyhdistykseen; yrittää saada järjestäytymään
organized adj **1** järjestelmällinen **2** (ammattiyhdistykseen) järjestäytynyt
organized crime s järjestäytynyt rikollisuus
organizer s järjestäjä, järjestelijä, suunnittelija, organisoija, organisaattori
orgasm /ɔrgæzəm/ s orgasmi
orgy /ɔrdʒi/ s orgiat
oribi /ɔrəbi/ s oribi
Orient /ɔriənt/ s itämaat, orientti
orient /ɔrient/ v **1** suunnata, suuntautua **2** suunnistaa **3** perehdyttää joku johonkin; perehtyä johonkin

Oriental /ˌɔri'entəl/ s itämaalainen
adj itämaalainen, itämainen
orientate /'ɔriənˌteɪt/ v ks orient
orientation /ˌɔriən'teɪʃən/ s **1** suuntaaminen, suuntaus **2** perehdytys; perehtyminen tutustuminen
orienteering /ˌɔriən'tɪəriŋ/ s (urh) suunnistus
orifice /ɔrəfəs/ s aukko
origin /ɔrədʒən/ s alkuperä, syntyperä, alkulähde (myös kuv)
original /ə'rɪdʒənəl/ s alkuperäiskappale
adj **1** alkuperäinen, alkuperäis- **2** omaperäinen, itsenäinen, tuore
originality /əˌrɪdʒə'næləti/ s omaperäisyys, itsenäisyys, kekseliäisyys, tuoreus
originally adv **1** alun perin, alkujaan **2** omaperäisesti
original sin s perisynti
originate /'ə'rɪdʒəˌneɪt/ v **1** saada alkunsa, olla peräisin jostakin the rumors originated in this office huhut lähtivät liikkeelle tästä toimistosta that VCR originates from South Korea tuo kuvanauhuri on peräisin Pohjois-Koreasta **2** panna alulle, ottaa käyttöön
originator s alullepanija, ajatuksen isä, keksijä
Orion /ə'raɪən/ (tähdistö) Orion
Ork. Orkney
Orkney Islands /ˌɔrkni'aɪlənz/ (mon) Orkneysaaret
ornament /ɔrnəmənt/ s **1** koriste, koru, koriste-esine **2** koristekuvio, koristelu
v koristella
ornamental /ˌɔrnə'mentəl/ adj koristeellinen, koriste-
ornate /ɔr'neɪt/ adj (liian) koristeellinen, pramea, hienosteleva, mahtipontinen
ornately adv ks ornate
ornateness s (liika) koristeellisuus, prameus, mahtipontisuus
ornithological /ˌɔrnɪθə'ladʒɪkəl/ adj lintutieteellinen
ornithologist /ˌɔrnɪ'θalədʒɪst/ s lintujen tutkija, ornitologi
ornithology /ˌɔrnɪ'θalədʒi/ s lintutiede
orphan /ɔrfən/ s, adj orpo(-)
v jättää orvoksi
orphanage /ɔrfənədʒ/ s orpokoti
orthodontics /ˌɔrθə'dantɪks/ s (verbi yksikössä) ortodontia, hampaiden oikominen
orthodox /'ɔrθəˌdaks/ adj **1** oikeaoppinen, puhdasoppinen, ortodoksinen **2** Orthodox ortodoksinen, kreikkalaiskatolinen; ortodoksijuutalainen **3** perinteinen, sovinnainen, totunnainen
Orthodox Church s ortodoksinen kirkko, kreikkalaiskatolinen kirkko
Orthodox Jew s ortodoksijuutalainen
orthodox sleep s ortodoksinen uni
orthodoxy /'ɔrθəˌdaksi/ s oikeaoppisuus, puhdasoppisuus, ortodoksia
orthographic /ˌɔrθə'græfɪk/ adj oikeinkirjoituksen, oikeinkirjoitus-
orthography /ɔr'θagrəfi/ s oikeinkirjoitus
orthopedic /ˌɔrθə'pidɪk/ adj ortopedinen
orthopedics s (verbi yksikössä) (tuki- ja liikuntaelinten lääkärinhoito) ortopedia
orthopedist /ˌɔrθə'pidɪst/ s (tuki- ja liikuntaelinten erikoislääkäri) ortopedi
oryx /ɔrəks/ s beisa
oscillate /'asəˌleɪt/ v **1** heilua **2** värähdellä **3** (kuv) ailahdella; empiä
oscillation /ˌasə'leɪʃən/ s **1** heilunta **2** värähtely **3** (kuv) ailahtelu; empiminen, epäröinti
oscillator s oskillaattori, värähtelijä
oscilloscope /ə'sɪləˌskoup/ s oskilloskooppi
OSHA Occupational Safety and Health Administration
Oslo /aslou/
OSS Office of Strategic Services
ostensible /əs'tensɪbəl/ adj näennäinen
ostensibly adv muka, näennäisesti
ostentation /ˌastən'teɪʃən/ s mahtailu, rehentely, komeilu
ostentatious /ˌastən'teɪʃəs/ adj mahtaileva, rehentelevä, komeileva, leuhka
osteoporosis /ˌastioupə'rousəs/ s (lääk) luukato, osteoporoosi

ostracism /'astrə,sɪzəm/ s **1** (sosiaalinen) hylkääminen **2** maasta karkotus
ostracize /'astrə,saɪz/ v **1** katkaista välinsä johonkuhun, hylätä joku **2** karkottaa, ajaa maanpakoon
ostrich /astrɪtʃ/ s strutsi
OTA Office of Technology Assessment
OTC over-the-counter
other /ʌðər/ adj toinen, muu he met many other runners hän tapasi paljon muita juoksijoita every other joka toinen the other day äskettäin on the other hand toisaalta
adv toinen, muu somehow or other jotekin, tavalla tai toisella
pron toinen, muu others toiset, muut someone/something or other joku/jokin
other than adv paitsi he said nothing other than that he would come back later hän sanoi vain että hän tulisi myöhemmin takaisin
otherwise /'ʌðər,waɪz/ adv **1** toisenlainen, erilainen do you believe otherwise? onko sinulla erilainen käsitys asiasta? **2** muilta osin otherwise, the result was satisfactory muutoin tulos oli tyydyttävä
konj muuten, muutoin we have to act soon, otherwise it will be too late meidän on toimittava nopeasti ennen kuin on myöhäistä
otherwordly /,ʌðər'wərəldli/ adj (ihminen) joka on muissa maailmoissa, (asenne) todellisuudellle vieras; epäkäytännöllinen
Ottawa /atəwə/ kaupunki Kanadassa
otter /atər/ s saukko
ought /at/ apuv **1** (velvollisuus, suositus) pitää, pitäisi, kuulua, kuuluisi everybody ought to help their neighbors kaikkien pitäisi auttaa lähimmäisiään you ought to read that novel sinun pitäisi lukea se romaani **2** (todennäkäisyydestä) pitäisi he ought to be at home by now hänen pitäisi jo olla kotona
oughtn't /atənt/ ought not
ounce /aʊns/ s unssi (28,349 g) an ounce of prevention is better than a pound of cure parempi virsta väärää kuin vaaksa vaaraa
our /aʊər/ pron meidän our car meidän automme
ours /aʊərz arz/ pron meidän that car is ours tuo on meidän automme
ourself /aʊər'self ar'self/ pron oma itse
ourselves /aʊər'selvz ar'selvz/ pron (me) itse: we did it ourselves teimme sen itse we did ourselves a big favor teimme itsellemme suuren palveluksen, autoimme itseämme suuresti we are ourselves in a lot of trouble me olemme itsekin pahassa pulassa after a while, we were almost ourselves again vähän ajan päästä olimme taas melkein oma itsemme
oust /aʊst/ v syrjäyttää (virasta); ajaa pois jostakin; häätää; kitkeä pois jostakin
out /aʊt/ adv ks myös out of **1** ulkona, ulkopuolella, ulos she went out hän meni ulos, hän lähti käymään jossakin (esim toimiston ulkopuolella) she went out with Tom hän meni ulos/treffeille Tomin kanssa **2** poissa, he is out of town hän on matkoilla, hän ei ole kaupungissa the machine is out of order kone ei ole kunnossa, kone on epäkunnossa **3** lopussa, loppuun, tyhjä, tyhjäksi he dried his clothes out hän kuivasi vaatteensa we are out of milk maito on päässyt loppumaan he ran out of gas häneltä loppui (autosta) bensa to blow out a candle puhaltaa kynttilä sammuksiin **4** ilmestymisestä: when will your new book be out? milloin uusi kirjasi julkaistaan/ilmestyy? **5** tiedossa, paljastunut the news was out before we could do anything about it uutinen paljastui ennen kuin ehdimme tehdä mitään asian eteen out with it! kakista ulos vain! she said it all out hän kertoi/paljasti kaiken **6** tavoitteesta: the mob is out to get you mafia etsii sinua she is out for fun hän aikoo pitää hauskaa, hän on tullut pitämään hauskaa **7** ääneen, selvästi to speak out puhua selvästi to say something out loud sanoa jotakin ääneen/kuuluvasti **8** sammunut, sammutettu, ei päällä the lights/fire are out valot on sammutettu,

tulipalo on sammutettu/sammunut
prep ulos, pois jostakin the man jumped out the window mies hyppäsi ikkunasta
out and away adv selvästi, ehdottomasti
out-and-out /ˌautən'aut/ adj täysi, silkka, pelkkä
outback /ˌaut'bæk/ s (Australian) syrjäseudut, takamaat
outboard motor /'autˌbɔrd/ s perämoottori
outbreak /'autˌbreɪk/ s (sodan, taudin) puhkeaminen, (sodan) syttyminen, (vihan, kiukun) puuska, (raivo)kohtaus
outbuilding /'autˌbɪldiŋ/ s ulkorakennus
outburst /'autˌbərst/ s (ilon, vihan) puuska, (raivo)kohtaus
outcast /'autˌkæst/ s hylkiö
adj hylätty
outclass /ˌaut'klæs/ v jättää joku/jokin varjoonsa Cecil outclassed the competition kilpailijat kalpenivat Cecilin rinnalla, Cecil jätti kilpailijat varjoonsa
outcome /'autˌkʌm/ s lopputulos, seuraus
outcrop /'autˌkrap/ s (kuv) puhkeaminen, puuska
outcry /'autˌkraɪ/ s vastalauseiden aalto, yleinen närkästys/suuttumus the president's announcement caused a public outcry presidentin antama ilmoitus johti yleiseen vastalauseiden aaltoon
outdated /ˌaut'deɪtəd/ adj vanhentunut, vanhanaikainen
outdid /ˌaut'dɪd/ ks outdo
outdistance /ˌaut'dɪstəns/ v jättää joku jälkeensä
outdo /ˌaut'du/ v outdid, outdone: (kuv) ylittää, olla parempi kuin I outdid myself in the chess game ylitin itseni šakkiottelussa
outdoor /'autˌdɔr/ adj ulko-, ulkoilma-
outdoors /ˌaut'dɔrz/ s (verbi yksikössä) ulkoilma, luonto as big as all outdoors iso kuin mikä, valtava
adv ulkona, ulkoilmassa, luonnossa
outer /autər/ adj ulompi, ulko-
outermost /'autərˌmoust/ adj uloin, ulommainen
outer space /ˌautər'speɪs/ s ulkoavaruus
outfield /'autˌfiəld/ s (baseball) ulkokenttä; ulkokenttäpelaajat
outfielder s (baseball) ulkokenttäpelaaja
outfit /'autˌfɪt/ s **1** (retkeily- ym) varusteet, varustus, välineet, tarpeet **2** (yhtenäinen) puku, asu **3** (työ)ryhmä, joukko **4** liikeyritys
v varustaa (retkeilijä ym)
outflank /ˌaut'flæŋk/ v **1** saartaa (vihollinen) sivustasta **2** (kuv) yllättää he outflanked the opposition hän ohitti vastustajansa
out for to be out for something etsiä/tavoitella/haluta (hanakasti) jotakin
outgoing /ˌaut'gouiŋ/ adj **1** (juna, lentokone, posti) lähtevä **2** joka on eroamassa/vetäytymässä syrjään (virasta ym) **3** seurallinen, ulospäin suuntautunut
outgrow /ˌaut'grou/ v outgrew, outgrown **1** Davie has outgrown those pants nuo housut ovat jääneet Davielle pieniksi **2** päästä eroon jostakin he finally outgrew his selfishness hän pääsi viimein eroon itsekkyydestään
outgrowth /'autˌgrouθ/ s seuraus; sivuvaikutus
outguess /ˌaut'ges/ v arvata/hoksata (etukäteen) jonkun aikeet, olla nokkelampi kuin
outhouse /'autˌhaus/ s ulkohuone
outing /autiŋ/ s (virkistys)retki
outlandish /ˌaut'lændɪʃ/ adj **1** outo, kumma, räikeä, huomiota herättävä **2** syrjäinen, kaukainen
outlandishly adv ks outlandish
outlaw /'autˌla/ s lainsuojaton
v **1** kieltää **2** julistaa lainsuojattomaksi
outlay /'autˌleɪ/ s (rahasta) meno(t), kulu(t)
v käyttää, kuluttaa (rahaa)
outlet /autlət/ s **1** aukko, kanava, poistoputki, laskuputki **2** (kuv) ilmaisun/toiminnan mahdollisuus/kanava, varoventtiili **3** tehtaanmyymälä

outline /'aʊt,laɪn/ s **1** ääriviivat **2** (kuv) ääriviivat, yleisesitys, pääpiirteet, perusteet, yhteenveto, suuntaviivat, (yleis)suunnitelma
v **1** hahmotella, piirtää ääriviivat **2** (kuv) hahmotella, luonnehtia, kuvailla pääpiirteissään, esitellä (alustavasti)
outlive /,aʊt'lɪv/ v **1** elää kauemmin kuin women usually outlive their husbands naiset elävät yleensä pitempään kuin miehensä **2** selvitä jostakin, kestää jotakin
outlook /'aʊt,lʊk/ s **1** näkymä, maisema **2** tulevaisuudennäkymät, tulevaisuudenkuva **3** (elämän)asenne; näkökulma
outlying /'aʊt,laɪŋ/ adj **1** syrjäinen, kaukainen **2** ulkopuolinen, rajan takainen
outmaneuver /,aʊtmə'nuvər/ v puijata jotakuta, yllättää, ohittaa
outnumber /,aʊt'nʌmbər/ v olla enemmän kuin
out of prep **1** jonkin ulkopuolella, poissa jostakin the director is out of the country right now johtaja on juuri nyt ulkomailla the man jumped out of the window mies hyppäsi ikkunasta **2** alkuperästä, materiaalista: this car is made out of fiberglass tämä auto on valmistettu lasikuidusta your stories are out of this world sinun juttusi ovat uskomattomia/poskettomia three people out of five prefer this soap kolme ihmistä viidestä pitää tätä saippuaa parhaana **3** ilman: we're out of milk maito on päässyt loppumaan you're out of luck sinua ei onnistanut, sinä et onnistunut **4** syystä: he did it out of malice hän teki sen ilkeyttään/kiusallaan
out-of-date /,aʊtəv'deɪt/ adj vanhentunut, vanhanaikainen
out of it fr **1** tajuton, sammunut; (ajatuksista) sumeat **2** to feel out of it tuntea itsensä ulkopuoliseksi **3** poissa pelistä
out of line to be out of line **1** ei olla ojennuksessa/suorassa **2** käytännön/tapojen vastainen, poikkeava **3** olla sopimaton you're way out of line, mister nyt menitte kyllä liian pitkälle
out of order fr **1** epäkunnossa **2** sopimaton
out of place fr **1** väärällä paikalla **2** (kuv) sopimaton, tahditon, epähieno
out-of-pocket /,aʊtəv'pakət/ adj **1** käteis- out-of-pocket expenses käteismenot **2** varaton, rahaton
out-of-print /,aʊtəv'prɪnt/ adj (kirjasta) jonka painos on loppunut
out of sight /,aʊtə'saɪt/ fr **1** näkymättömissä, poissa näkyvistä **2** (ark) suunnaton, kohtuuton **3** (ark) hieno, upea, fantastinen
out of sight, out of mind fr mitä ei näe, sitä ei muista
out of spirits to be out of spirits olla mieli maassa
out of square fr **1** vino **2** erilainen kuin (with)
out of step to be out of step **1** ei marssia tahdissa **2** ei olla (esim ajan) tasalla
out-of-the-money-option s (tal) miinusoptio
out of the running to be out of the running ei osallistua kilpailuun, ei kilpailla; ei sijoittua kärkeen, ei päästä kärkisijoille
out-of-the-way /,aʊtəvðə'weɪ/ adj **1** syrjäinen **2** harvinainen fr **1** joka on poissa tieltä **2** syrjäinen, kaukainen **3** sopimaton, aiheeton, tahditon **4** harvinainen, poikkeuksellinen, uskomaton
out of time to be out of time with olla eri tahdissa kuin
out of tune the piano is out of tune piano on epävireessä
out of turn fr **1** epäjärjestyksessä **2** to speak out of turn ei odottaa puheenvuoroaan, avata suunsa väärällä hetkellä
out of whack fr (ark) **1** vinossa **2** epäkunnossa/rikki
out of work to be out of work olla työtön
outpace /,aʊt'peɪs/ v jättää jälkeensä, ohittaa
outpatient /'aʊt,peɪʃən/ s avopotilas

outpost /'aʊt,pəʊst/ s etuvartioasema (myös kuv); etuvartio (myös kuv) the place is an outpost of Western civilization paikka on (varsinainen) länsimaisen sivistyksen etuvartioasema
output /'aʊt,pʊt/ s **1** tuotanto **2** (tietok) tuloste input and output (tiedon)siirto, syöttö ja tulostus, otto ja anto
v **1** tuottaa, valmistaaa **2** (tietok) tulostaa
outrage /'aʊt,reɪdʒ/ s **1** raakuus, julmuus, törkeä teko; häpeällinen teko, rikkomus, loukkaus what he did was an outrage against good manners hänen tekonsa loukkasi hyviä tapoja **2** suuttumus, närkästys
v suututtaa, närkästyttää, loukata, rikkoa jotakin vastaan
outrageous /,aʊt'reɪdʒəs/ adj **1** raaka, raakamainen, julma **2** törkeä, röyhkeä, hävytön, loukkaava
outrageously adv törkeästi, röyhkeästi, hävyttömästi
outright /'aʊt,raɪt/ adj täysi, silkka, selvä, suoranainen that's an ouright lie tuo on silkkaa valhetta
adv **1** suoraan, avoimesti **2** heti, välittömästi **3** (ostaa, maksaa) kerralla (maksaa heti koko hinta)
outsell /,aʊt'sel/ v (outsold, outsold) mennä paremmin kaupaksi kuin; myydä enemmän kuin
outset /'aʊt,set/ s alku at the outset (heti) alussa, (heti) aluksi from the outset alusta alkaen, alusta pitäen, jo alun perin
outshine /,aʊt'ʃaɪn/ v outshone/outshined, outshone/outshined: jättää joku/jokin varjoonsa this detergent outshines its competition kilpailevat tuotteet kalpenevat tämän pesuaineen rinnalla
outside /,aʊt'saɪd/ s **1** ulkopuoli it's black on the inside and white on the outside se on sisältä musta ja ulkoa valkoinen **2** at the outside korkeintaan, enintäään
adj **1** ulkoinen, ulkopuolinen, ulko- **2** ääri- give me an outside figure kerro mitä se korkeintaan maksaa, anna hinnalle yläraja **3** epätodennäköinen, erittäin pieni outside chance häviävän pieni mahdollisuus
adv ulkona, ulos, ulkopuolella, ulkopuolelle
prep **1** ulkopuolella, ulkopuolelle **2** paitsi, lukuun ottamatta
outside linebacker s (amerikkalaisessa jalkapallossa) ulompi tukimies
outsider s sivullinen, ulkopuolinen
outsized /'aʊt,saɪzd/ adj tavallista suurempi/raskaampi, valtava, suunnaton, (vaate) iso(kokoinen)
outskirts /'aʊt,skərts/ s (mon) laitamat on the outskirts of the town kaupungin laitamilla
outspoken /,aʊt'spoʊkən/ adj suora, suorasukainen, avoin; varaukseton
outstanding /,aʊt'stændɪŋ/ adj **1** erinomainen, loistava, poikkeuksellinen, harvinaisen hyvä **2** erääntynyt, maksamaton **3** (työ) keskeneräinen, tekemätön
outstandingly adv ks outstanding
outstrip /,aʊt'strɪp/ v jättää varjoonsa/jälkeensä, peitota, ohittaa, ylittää
outward /aʊtwərd/ adj **1** ulkoinen, ulkonainen **2** ulospäin suuntautuva, (matka) meno-
adv ulospäin, ulos
outwardly adv ulkonaisesti, ulospäin, ulkopuolelta
outwards adv ulospäin, ulos
outweigh /,aʊt'weɪ/ v **1** painaa enemmän kuin **2** (kuv) merkitä enemmän kuin, korvata the advantages of the new system far outweigh its disadvantages uudessa järjestelmässä on paljon enemmän etuja kuin haittoja
outwit /,aʊt'wɪt/ v puijata, vetää nenästä, arvata/hoksata (etukäteen) jonkun aikeet, olla ovelampi kuin
ova /oʊvə/ ks ovum
oval /oʊvəl/ s oikio, ovaali
adj soikea
ovary /oʊvəri/ s munasarja
ovation /oʊ'veɪʃən/ s myrskyisät suosionosoitukset
oven /ʌvən/ s uuni
over /oʊvər/ adv **1** tänne, tuonne, tuolla puolen, tuolle puolelle, tällä puolen,

tälle puolen, yli we swam over to the other side uimme joen yli move over teehän tilaa!, siirry! come over some day pistäydy joskus meillä **2** all over kaikkialla, joka paikassa the dog was wet all over koira oli yltä päältä märkä, koira oli läpimärkä **3** ympäri he turned the record over hän vaihtoi levyn puolta, hän käänsi levyn **4** loppu, ohi it's all over now se on nyt ohi, se on nyt mennyttä **5** uudestaan over and over yhä uudestaan **6** yli children aged five and over vähintään viisivuotiaat lapset, viisivuotiaat ja sitä vanhemmat lapset **7** luona can I stay over? voinko jäädä teille yöksi?

prep **1** päällä, päälle, yllä, ylle, yli, ylitse, yläpuolella, yläpuolelle the lamp is over the table lamppu on pöydän päällä/yläpuolella over my dead body! vain minun kuolleen ruumiini yli!, ei ikinä! **2** all over kaikkialla, kaikkialle there were toys all over the living room leluja lojui pitkin olohuonetta all over the world kaikkialla maailmassa, eri puolilla maailmaa **3** (ajasta) aikana, ajaksi over the years vuosien mittaan **4** kautta: he heard it over the phone/radio hän kuuli sen puhelimitse/radiosta **5** aiheesta: they bickered over the price he kinasivat hinnasta **6** (kuv) yli the limo is over twenty feet long limousine on yli kuuden metrin mittainen the weight is over the limit paino ylittää sallitun rajan **7** ääressä Kate fell asleep over her work Kate nukahti työnsä ääreen why don't we talk about it over dinner puhutaan siitä päivällisellä

overall /ˌouvər'al/ adj kokonais-; yleinen

adv kaiken kaikkiaan, kokonaisuutena ottaen

overalls /'ouvərˌalz/ s (mon) haalarit, suojapuku

over and above fr lisäksi, enemmän kuin this is over and above what I need tässä on enemmän kuin minä tarvitsen

overbalance /ˌouvər'bæləns/ v **1** kaataa; kaatua, menettää tasapainonsa **2** korvata, hyvittää, merkitä enemmän kuin

overbearing /ˌouvər'beriŋ/ adj **1** määräilevä, komenteleva; kopea, julkea **2** ensiarvoinen, ensiarvoisen tärkeä

overboard /'ouvərˌbɔrd/ adv yli laidan to go overboard (kuv) mennä liiallisuuksiin, mennä liian pitkälle, liioitella

overcast /'ouvərˌkæst/ adj pilvinen

overcharge /ˌouvər'tʃaərdʒ/ v **1** veloittaa (asiakkaalta) liikaa **2** kuormata liian raskaasti; kuormittaa liikaa

overcoat /'ouvərˌkout/ s päällystakki

overcome /ˌouvər'kʌm/ v overcame, overcame **1** kukistaa, voittaa, päihittää **2** (kuv) vallata, musertaa she was overcome with grief hän oli surun murtama **3** päästä eroon jostakin, voittaa (pelko), saada (kiukkunsa) kuriin

overdo /ˌouvərˌdu/ v overdid, overdone: liioitella, paisutella, mennä liiallisuuksiin

overdose /'ouvərˌdous/ s yliannos; yliannostus

v ottaa/antaa yliannos

overdraft /'ouvərˌdræft/ s (sekkitilin) ylitys

overdraw /ˌouvər'dra/ v (overdrew, overdrawn) ylittää (sekkitili, määräraha)

overdue /ˌouvər'du/ adj myöhästynyt, myöhässä, (maksu myös) erääntynyt new legislation has long been overdue uutta lakia on saatu odottaa jo pitkään, uusi laki on pahasti myöhässä

overexpose /ˌouvərəks'pouz/ v **1** ottaa liikaa aurinkoa **2** (valo- ja videokuvauksessa) ylivalottaa **3** esittää/ mainostaa tms liian usein (niin että yleisö kyllästyy)

overexposure /ˌouvəreks'pouʒər/ s **1** liika auringonotto **2** (valo- ja videokuvauksessa) ylivalotus **3** (tuotteen, julkkiksen) kuluminen liian julkisuuden/ mainonnan tms vuoksi

overflow /'ouvərˌflou/ s **1** tulva **2** ylimäärä, liika

overflow /ˌouvər'flou/ v overflowed, overflown **1** tulvia, peittää/peittyä veden alle **2** (astia) vuotaa yli **3** (kuv) tulvia, pursua, levitä

overgeneralize /ˌoʊvər'dʒenərəˌlaɪz/ v yleistää/yksinkertaistaa liiaksi, tehdä liikoja yleistyksiä
overgrow /ˌoʊvər'groʊ/ v overgrew, overgrown **1** (kasvi) peittää alleen, rehottaa **2** kasvaa liian isoksi/nopeasti
overhang /'oʊvərˌhæŋ/ s ulkonema
v overhung, overhung **1** riippua/olla jonkin yläpuolella, ulottua jonkin ylle **2** synkistää tunnelmaa, painaa mieliä, uhata, heittää varjonsa jonkin ylle
overhaul /'oʊvərˌhaəl/ s huolto, korjaus, parannustyö, uusiminen, uudistus
v huoltaa, korjata, uudistaa, uusia
overhead /'oʊvərˌhed/ s kiinteät kustannukset
adv **1** yläpuolella, yllä, ylitse, taivaalla **2** (myös kuv) pää edellä, suin päin, päistikkaa
overhead camshaft s kannen yläpuolinen nokka-akseli
overhead projector s piirtoheitin
overhear /ˌoʊvər'hɪər/ v overheard, overheard: sattua kuulemaan, kuulla sattumalta (puhujan tietämättä)
overjoyed /ˌoʊvər'dʒoɪd/ adj haltioissaan, ikionnellinen
overkill /'oʊvərˌkɪl/ s (yl) liika, liioittelu, liiallisuus
overland /oʊvərlənd/ adv maitse
overlap /'oʊvərˌlæp/ s päällekkäisyys (myös kuv), samanaikaisuus
overlap /ˌoʊvər'læp/ v mennä päällekkäin/limittäin (myös kuv), mennä ristiin, leikata (myös kuv), osua samaan aikaan, olla osittain samat, nivoutua toisiinsa/yhteen
overload /'oʊvərˌloʊd/ s ylipaino, liikapaino; ylikuormitus, liikakuormitus
overload /ˌoʊvər'loʊd/ v kuormata liiaksi; kuormittaa liikaa
overlook /ˌoʊvər'lʊk/ v **1** the patio overlooks the valley patiolta on/avautuu näköala laaksoon **2** ei huomata **3** ei välittää, katsoa läpi sormien
overnight /ˌoʊvər'naɪt 'oʊvərˌnaɪt/ adj yö- overnight letter pikakirje (joka on perillä seuraavana (työ)päivänä)
adv yön yli, koko yön can I stay overnight? voinko jäädä teille yöksi?
overpass /'oʊvərˌpæs/ s (ylittävä liikenneväylä) ylikäytävä, risteyssilta
overpower /ˌoʊvər'paʊər/ v **1** nujertaa the police overpowered the villain poliisit nujersivat rikollisen **2** (kuv) musertaa, nujertaa the whisky quickly overpowered her viski nujersi hänet nopeasti he was overpowered by his problems hän musertui ongelmiinsa
overpowering adj vakuuttava, musertava, pistävä, viiltävä, läpitunkeva, vastustamaton
overprice /ˌoʊvər'praɪs/ v vaatia liian kova hinta jostakin that microwave oven is way overpriced tuo mikroaaltouuni on pahasti ylihinnoitettu
overrate /ˌoʊvər'reɪt/ v yliarvioida; yliarvostaa that actress is much overrated tuo näyttelijä(tär) on selvästi yliarvostettu
overreach /ˌoʊvər'ritʃ/ v ulottua jonkin yli; kurkottaa liian kauas to overreach yourself (kuv) kurkottaa liian korkealle, kurkottaa kuuseen, yrittää liikoja
override /ˌoʊvər'raɪd/ v overrode, overridden **1** ei välittää/piitata jostakin, ei ottaa huomioon jotakin **2** kumota, hylätä, ohittaa the chairman overrode my decision johtokunnan puheenjohtaja kumosi päätökseni you can override the automatic functions automaattitoiminnot voi ohittaa/kytkeä pois päältä
overriding adj ensisijainen, tärkein
overrule /ˌoʊvər'ruəl/ v kumota, hylätä
overrun /ˌoʊvər'rʌn/ s **1** (kustannusten, aikarajan) ylitys **2** lisäkustannus **3** ylijäämä, liika
v overran, overrun **1** vallata (myös kuv), tulvia (myös kuv), peittää alleen the company was overrun with orders yritys oli hukkua tilausten tulvaan **2** ylittää (määräraha, aikaraja)
overseas /ˌoʊvər'siz/ adj, adv merentakainen, ulkomainen, ulkomaan-, ulkomailla
oversee /ˌoʊvər'si/ v oversaw, overseen: johtaa, valvoa
overseer /'oʊvərˌsɪər/ s työnjohtaja, johtaja, valvoja, päällikkö

overshadow /ˌouvərˈʃædou/ v **1** varjostaa, peittää varjoonsa **2** (kuv) jättää varjoonsa, jättää jälkeensä **3** synkistää, heittää varjonsa jonkin ylle
overshoot /ˌouvərˈʃut/ v overshot, overshot **1** ampua/mennä yli (maalin) **2** mennä ohi/yli jostakin, ohittaa/ylittää jokin
oversight /ˈouvərˌsaɪt/ s erehdys by oversight epähuomiossa, vahingossa, erehdyksessä
overstep /ˌouvərˈstep/ v ylittää (valtuudet)
overt /ouˈvərt/ adj avoin, ilmeinen, ilmiselvä
over-the-counter /ˌouvərðəˈkauntər/ adj (lääke jota saa ilman lääkemääräystä) käsikauppa-
over the top to go over the top (kuv) ylittää tavoite
overthrow /ˌouvərˈθrou/ v overthrew, overthrown **1** syrjäyttää, syöstä vallasta, kaataa **2** kaataa (kumoon)
overtime /ˈouvərˌtaɪm/ s, adj ylityö(-) adv: to work overtime tehdä ylityötä/ylitöitä
overture /ouvərtʃər/ s **1** (mus) alkusoitto **2** aloite, aloitus, tarjous, lähestymisyritys, lähentely-yritys a peace overture rauhanaloite
overwhelm /ˌouvərˈweəlm/ v **1** nujertaa, kukistaa **2** tyrmistyttää, mykistää to be overwhelmed by grief musertua suruunsa
overwhelm with v (kuv) hukuttaa joku johonkin
overwrought /ˌouvərˈrat/ adj **1** ärtynyt, kireä, pingottunut, liiaksi kiihottunut, liian innostunut, tasapainoton **2** liioiteltu, paisuteltu, yliampuva
ovum /ouvəm/ s (mon ova) munasolu
owe /ou/ v **1** olla velkaa jollekulle/jollekin **2** olla kiitollisuudenvelassa jollekulle I owe you one olen sinulle vastapalveluksen velkaa **3** saada kiittää jotakuta/jotakin jostakin I owe my success to good luck menestykseni on hyvän onnen ansiota
owing to /ouɪŋ/ prep vuoksi, takia, tähden, johdosta
owl /auəl/ s pöllö
own /oun/ s fraaseja: to come into your own päästä oikeuksiinsa to do something on your own tehdä jotakin yksin/omin avuin you're on your own now nyt olet oman apusi/itsesi varassa to get your own back kostaa to hold your own pitää puolensa
v **1** omistaa we don't own the house we live in me emme omista taloa jossa asumme you don't own me, she said sinä et omista minua, hän sanoi
2 myöntää, tunnustaa
adj, pron oma this is my own home tämä on minun (oma) kotini do you have a room of your own? onko sinulla oma huone?
owner s omistaja
ownership /ˈounərˌʃɪp/ s omistus, omistusoikeus, omistussuhde
own up to v tunnustaa, myöntää (tekonsa)
ox /aks/ s (mon oxen) härkä
oxbow lake /aksbou/ s juolua (joenmutkasta muodostunut lampi, joka syntyy joen oikaistessa uomaansa)
Oxbridge /ˈaksˌbrɪdʒ/ s, adj Oxfordin ja/tai Cambridgen yliopisto(n)
Oxon. Oxford
Oxon. Oxfordshire
oxtail /ˈaksˌteɪəl/ s häränhäntä
oxygen /aksədʒən/ s happi
oxymoron /ˌaksiˈmɔran/ s (kaksi vastakkaista käsitettä sisältävä sanonta) oksymoron
oyster /ɔɪstər/ s osteri
oz. ounce unssi (28 g)
ozone /ouzoun/ s otsoni

P, p

P, p /pi/ P, p
Pa. Pennsylvania
PA Pennsylvania; public address
P/A power of attorney valtakirja
PABX private automatic branch exchange puhelinvaihde
PAC political action committee
pace /peɪs/ s **1** askel **2** vauhti, tahti at a rapid pace nopeasti, nopeassa tahdissa to set the pace (kuv) määrätä tahti
v mittailla askelillaan, astella edestakaisin he was impatiently pacing the floor hän käveli kärsimättömänä edestakaisin
pacemaker /ˈpeɪsˌmeɪkər/ s sydämentahdistin
pacific /pəˈsɪfɪk/ s Pacific **1** Tyynimeri **2** Tyynenmeren alue, Tyynenmeren alueen maat
adj **1** rauhaa rakastava **2** rauhan **3** rauhallinen **4** Pacific Tyynenmeren
pacification /ˌpæsɪfɪˈkeɪʃən/ s rauhoittaminen, tyynnyttäminen
Pacific Ocean Tyynimeri
Pacific Plate /pəˌsɪfɪkˈpleɪt/ (geologiassa) Tyynenmeren laatta
pacifier s tutti
pacifism /ˈpæsəˌfɪzəm/ s rauhanaate, pasifismi
pacifist /pæsəfəst/ s pasifisti
adj pasifistinen
pacifistic adj pasifistinen
pacify /ˈpæsəˌfaɪ/ v **1** rauhoittaa, tyynnyttää **2** kukistaa, tukahduttaa (sotilaallisesti)
pack /pæk/ s **1** nyytti **2** selkäreppu **3** pakkaus six-pack kuusi tölkkiä olutta/virvoitusjuomaa **4** joukko, lauma, ryhmä a pack of thieves varas/rosvojoukko **5** korttipakka **6** ahtojääröykkiö
v **1** pakata, paketoida; kääriä nyyttiin **2** ahtautua/ahtaa jonnekin, sulloutua/sulloa jonnekin, pakkautua the place was packed paikka oli tupaten täynnä **3** kuormata (eläin) **4** to pack a gun kantaa asetta, olla aseistettu
package /pækədʒ/ s paketti (myös kuoresta:) laatikko
v **1** pakata, paketoida **2** (kuv) yhdistää, koota
package deal s pakettitarjous, nipputarjous
package tour s pakettimatka
packaging s **1** paketointi **2** pakkaus
pack away v **1** passittaa/lähettää jonnekin **2** lähteä kiireesti, häipyä, livistää
packed adj **1** täpötäysi, tupaten täysi **2** pakkautunut **3** action-packed joka on täynnä toimintaa, vauhdikas
packet /pækət/ s **1** paketti **2** nippu
packhorse /ˈpækˌhɔrs/ s kuormahevonen
pack ice s ahtojää
pack in v luopua jostakin, luovuttaa, jättää kesken
packing s pakkaaminen
pack it in fr luovuttaa, jättää kesken, antaa periksi
pack off v **1** passittaa/lähettää jonnekin **2** lähteä kiireesti, häipyä, livistää
pack up v luopua jostakin, luovuttaa, jättää kesken
pact /pækt/ s valtiosopimus, sopimus Warsaw Pact Varsovan liitto
pad /pæd/ s **1** pehmuste, toppaus **2** (urheilijan) suojus **3** (vaatteen) kovike, toppaus **4** lehtiö **5** (eläimen) käpälä; (käpälän) antura **6** brake pad (auton) jarrupala **7** launch pad (raketin) laukaisualusta **8** (sl) kämppä; punkka
v **1** pehmustaa, topata **2** pitkittää, paisutella **3** lisätä (laskuun) ylimääräistä
padding s pehmuste, toppaus

paddle /pædəl/ s mela
v **1** meloa **2** räpiköidä (matalassa vedessä)
paddleboat s siipiratalaiva
paddle steamer s siipiratashöyrylaiva
paddle wheel s siipiratas
paddock /pædək/ s hevoshaka, haka
paddy /pædi/ s **1** riisipelto **2** leikkaamaton tai kuorimaton riisi
paddy field s riisipelto
padlock /ˈpæd,lak/ s munalukko
v lukita (munalukolla), panna lukkoon
pagan /peɪgən/ s, adj ei-kristitty; ei-juutalainen; ei-islamilainen; pakana(llinen)
page /peɪdʒ/ s **1** sivu **2** (kuv) vaihe, aika, kausi **3** lähetti, juoksupoika **4** (hist) hovipoika, paaši
v kutsua (paikalle/kaukohakulaitteella)
pageant /pædʒənt/ s **1** historiallinen kulkue **2** beauty pageant kauneuskilpailu, missikilpailu
pager /peɪdʒər/ s kaukohakulaite, piippari (ark)
pagoda /pəˈgoudə/ s pagodi
paid /peɪd/ ks pay
pail /peɪəl/ s sanko
pain /peɪn/ s **1** kipu, särky **2** (henkinen) tuska, kärsimys **3** (mon) vaivannäkö, vaiva we took great pains to make you feel at home näimme paljon vaivaa jotta tuntisit olosi kotoisaksi **4** on/under pain of death kuolemanrangaistuksen uhalla **5** (ark) kiusankappale, harmi
v **1** särkeä, aiheuttaa kipua **2** (kuv) satuttaa, tuottaa tuskaa it pains me to say this but you're fired minun on ikävä kertoa tämä uutinen mutta olet saanut potkut
painful adj (myös kuv) kivulias, tuskallinen, kipeä
pain in the ass s (sl) paskamainen/vittumainen tyyppi/juttu
pain in the neck s kiusankappale, harmi
painkiller /ˈpeɪn,kɪlər/ s särkylääke
painless adj kivuton (myös kuv)
painstaking /ˈpeɪnz,teɪkiŋ/ adj perusteellinen, huolellinen, tarkka
painstakingly adv perusteellisesti, huolellisesti, tarkasti
paint /peɪnt/ s maali
v maalata he painted the house/a picture of the house hän maalasi talon/talon (kuvan) he painted a pretty picture of the house (kuv) hän antoi talosta kauniin kuvan, hän kuvaili taloa kauniiksi
paintbrush /ˈpeɪnt,brʌʃ/ s (maali)sivellin
painter s **1** maalari **2** (taide)maalari
painting s **1** maalaus, taulu **2** (taide)maalaus, maalaaminen **3** maalaustaide
paint the town red fr ottaa ilo irti elämästä, juhlia rajusti
pair /peər/ s pari: a pair of old buddies vanhat kaverukset a pair of shoes kenkäpari a pair of earrings korvakorut a pair of scissors sakset a pair of jeans farkut
v **1** jakaa/jakautua pareihin, muodostaa pari **2** (eläimiä) parittaa
pair off v jakautua pareiksi, muodostaa pari
pair skating s pariluistelu
pajamas /pəˈdʒæməz/ s (mon) yöpuku
Pakistan /ˈpækɪs,tæn/
Pakistani /,pækɪsˈtæni/ s, adj pakistanilainen
pal /pæəl/ s (ark) kaveri, kamu, ystävä
palatable /pəˈlætəbəl/ adj maukas (myös kuv:) herkullinen, houkutteleva, otollinen
palate /pælət/ s **1** kitalaki, suulaki **2** makuaisti **3** (kuv) maku: that kind of music does not appeal to my palate tuollainen musiikki ei ole minun makuuni/mieleeni
palatial /pəˈleɪʃəl/ adj palatsimainen, ylellinen, pramea
pale /peɪəl/ s paalu to be beyond the pale mennä liian pitkälle, olla liian erilainen/erikoinen, olla mahdoton
v kalveta (myös kuv) his Corvette pales in comparison with your Ferrari hänen Corvettensa kalpenee sinun Ferrarisi rinnalla
adj kalpea, kelmeä, kalvakka
paleness s kalpeus, kalvakkuus
Palestine /ˈpæləs,taɪn/ Palestiina

Palestinian s, adj palestiinalainen
palette /pælət/ s paletti
palimony /pælɪˌmouni/ s elatusapu (avopuolisolle)
palisade /ˌpælə'seɪd/ s **1** paaluaita, paalutus **2** (mon) pystysuora rantatörmä
v paaluttaa
pall /paəl/ s **1** (ruumisarkun päälle levitettävä) paariliina **2** ruumisarkku **3** (kuv) verho, vaippa
v kyllästyttää, pitkästyttää, muuttua pitkäveteiseksi Barth is a fine writer but after a while his books begin to pall Barth on hyvä kirjailija mutta hetken päästä hänen kirjansa alkavat kyllästyttää
pallbearer /'palˌberər/ s (ruumisarkun) kantaja
palliate /'pæliˌeɪt/ v **1** lievittää, lieventää **2** kaunistella
palliative /pæliətɪv/ s lievite, lievittävä lääke/aine/asia(nhaara)
adj **1** lievittävä **2** kaunisteleva
pallid /pæləd/ adj kalpea, kalvakka
pallor /pælər/ s kalpeus, kalvakkuus
palm /paəlm/ s **1** (kasvi) palmu **2** kämmen he knows this business like the palm of his hand hän tuntee tämän alan läpikotaisin/kuin omat taskunsa to grease someone's palm lahjoa joku to oil someone's palm lahjoa joku
v **1** piilottaa/kätkeä hihaansa **2** kähveltää **3** pitää kädessään
palmist /palmɪst/ s kädestäennustaja
palmistry /pamɘstri/ s kädestäennustaminen
palm off v huijata myymällä kalliilla hinnalla jotakin arvotonta he bought a lemon and now he is trying to palm it off on me hän osti auton joka on täysi romu ja nyt hän yrittää panna vahingon kiertämään myymällä sen minulle
palpitate /'pælpəˌteɪt/ v **1** (sydän) tykyttää **2** vapista, täristä, väristä
palpitation /ˌpælpə'teɪʃən / s **1** (sydämen)tykytys **2** vapina, tärinä, värinä
Pamirs /pa'mɪərz/ (mon) Pamir (vuoristo)
Pampas deer /pæmpəs/ s pampahirvi
pamper /pæmpər/ v hemmotella, lelliä
pamphlet /pæmflət/ s pamfletti
pan /pæn/ s **1** pannu frying pan paistinpannu **2** (kullan huuhdonnassa) vaskooli **3** (elo- ja videokuvauksessa) panoraamakuva
v **1** (ark) lyödä lyttyyn (arvostelussa) **2** huuhtoa (kultaa ym) **3** (elo- ja videokuvauksessa) panoroida
panache /pə'næʃ/ s **1** (päähineen) sulkatöyhtö **2** vauhdikkuus, lennokkuus, into
Panama /'pænəˌma/ Panama
Panama Canal /ˌpænəmakə'næəl/ Panaman kanava
Panama Canal Zone Panaman kanavavyöhyke
Panama City Panamá
Panama hat /ˌpænəmə'hæt/ s panamahattu
Panaman s, adj panamalainen
Pan-American /ˌpænə'merɪkən/ adj panamerikkalainen
pancake /'pænˌkeɪk, 'pæŋˌkeɪk/ s **1** räiskäle, ohukainen, ohut pannukakku **2** (lentokoneen) mahalasku
pancake landing s (lentokoneen) mahalasku
pancreas /pæŋkriəs/ s haima
pancreatic /ˌpæŋkri'ætɪk/ adj haiman, haima-
panda /pændə/ s panda
pandemonium /ˌpændə'mouniəm/ s kaaos, sekasorto, mylläkkä, meteli
pander to /pændər/ v ruokkia jotakin, vedota johonkin lowbrow literature panders to vulgar tastes roskakirjallisuus vetoaa alhaiseen makuun
pane /peɪn/ s lasi(ruutu) window pane ikkunalasi
panegyric /ˌpænə'dʒɪərɪk/ s ylistyspuhe
panel /pænəl/ s **1** paneeli, lautavuoraus **2** paneeli, taulu instrument panel kojelauta, mittaristo, mittaritaulu **3** paneeli-(keskustelun osanottajat)
panel discussion s paneelikeskustelu
paneling s paneelit, panelointi
pan-European /pænjərə'piən/ adj paneurooppalainen

pang /pæŋ/ s pisto sydämessä, omantunnontuska
panhandle /'pæn,hændəl/ s **1** pannun kädensija/kahva **2** (alue) nipukka the Texas panhandle Texasin Panhandle, "käsivarsi"
v kerjätä (kadulla)
panic /pænɪk/ s paniikki, pakokauhu
v joutua paniikkiin/pakokauhun valtaan; hätääntyä
panicky /pænɪki/ adj kauhistunut, hätääntynyt
panic-stricken /'pænɪk,strɪkən/ adj kauhistunut, hätääntynyt
panorama /,pænə'ræmə/ s panoraama
panoramic /,pænə'ræmɪk/ adj (näkymä) yleis-, laaja-, panoraama-
pan out v (ark) onnistua, kantaa hedelmää
pant /pænt/ v läähättää, huohottaa
panther /pænθər/ s pantteri
panties /pæntiz/ s (ark, mon) (naisten) pikkuhousut
pantihose /'pænti,houz/ s sukkahousut
pantomime /'pæntə,maɪm/ s pantomiimi, elenäytelmä
pantry /pæntri/ s ruokakomero
pants /pænts/ s (mon) **1** housut **2** (UK) miesten alushousut
pantyhose /'pænti,houz/ s sukkahousut
papa /papə/ s isi
papacy /peɪpəsi/ s paavius, paavin virka
papal /peɪpəl/ adj paavin
paper /peɪpər/ s **1** paperi your plan looks good on paper suunnitelmasi näyttää hyvältä paperilla/teoriassa **2** (sanoma)lehti **3** (mon) henkilöllisyyspaperit **4** (tal sl) arvopaperi
v **1** tapetoida **2** levittää/kylvää jonnekin (painettuja) mainoksia
paperback /'peɪpər,bæk/ s taskukirja
paper clip s paperiliitin
paperless office s paperiton toimisto
paper money s paperiraha
paprika /pæp'rikə/ s paprika
Papuan s, adj papualainen
Papua New Guinea /pæpjoə papuə/ Papua-Uusi-Guinea
papyrus /pə'paɪrəs/ s (mon papyruses, papyri) **1** papyruskaisla **2** papyrus
par /paər/ s **1** (tal) nimellisarvo **2** samanarvoisuus, yhdenvertaisuus, normaalitaso to be above/below par olla tavallista parempi/huonompi to be on par with something olla jonkin veroinen/tasoinen to be up to par kelvata, olla riittävä; voida hyvin **3** (golf) par, lyöntimäärä jolla hyvätasoisen pelaajan oletetaan selviytyvän tietystä reiästä tai kentästä ja joka ilmentää reiän tai kentän vaikeusastetta
para. paragraph
parable /pærəbəl/ s vertaus
parabola /pə'ræbələ/ s (geometriassa) paraabeli
paraboloid /pə'ræbə,loɪd/ s paraboloidi
parachute /'pærə,ʃut/ s laskuvarjo
v hypätä laskuvarjolla; laskea joukkoja laskuvarjolla jonnekin
parachutist /'pærə,ʃutɪst/ s laskuvarjohyppääjä
parade /pæ,reɪd/ s paraati
v **1** marssia (paraatina); marssittaa, kävelyttää edestakaisin **2** leuhkia, komeilla jollakin **3** olla olevinaan jotakin, naamioitua joksikin
paradigm /'pærə,daɪm/ s **1** (kieliopissa) paradigma, (sanan) taivutuskaava **2** malli, malliesimerkki, ihanne, esikuva
paradise /'pærə,daɪs/ s paratiisi (myös kuv)
paradisiacal /,pærədə'saɪəkəl/ adj paratiisillinen, paratiisimainen
paradisiacally adv paratiisillisesti, paratiisimaisesti
paradox /'pærə,daks/ s paradoksi
paradoxical /,pærə'daksɪkəl/ adj paradoksaalinen
paradoxically /,pærə'daksɪkli/ adv paradoksaalisesti
paradoxical sleep s paradoksaalinen uni
paraffin /perəfɪn/ s parafiini
paragon /'perə,gan/ s malliesimerkki, ihanne, esikuva

paragraph /'perə,græf/ s (tekstissä) kappale
v jakaa (teksti) kappaleisiin
Paraguay /'perə,gweɪ ,para'gwaɪ/
Paraguayan s, adj paraguaylainen
parakeet /'perə,kit/ s (pieni) papukaija
paralegal /,perə'ligəl/ s asianajajan apulainen
parallactic /,perə'læktɪk/ adj parallaksi-
parallax /'perə,læks/ s parallaksi
parallel /'perə,lel/ s **1** (geom) paralleeli **2** leveysaste **3** vastine, rinnakkaistapaus, rinnakkaisilmiö, rinnakkaismuoto to be without parallel olla vertaansa vailla, olla ainoa laatuaan, olla ainutlaatuinen
v **1** seurata jotakin, kulkea jonkin suuntaisesti **2** muistuttaa jotakin, olla verrattavissa johonkin
parallel bars s (urh mon) nojapuut
parallelogram /,perə'lelə,græm/ s suunnikas
paralysis /pə'ræləsɪs/ s (mon paralyses) **1** halvaus **2** (kuv) lamaannus
paralytic /,perə'lɪtɪk/ s halvautunut (ihminen)
adj halvautunut, halvaus-
paralyze /'perə,laɪz/ v **1** to be paralyzed halvautua **2** (kuv) lamaannuttaa she was completely paralyzed when she failed to get a job hän oli täysin lamassa kun ei löytänyt työtä paralyzed with fear kauhun lamaannuttama
paramedic /,perə'medɪk/ s ensiaputyöntekijä have the paramedics arrived? (myös:) joko ambulanssi on tullut?
parameter /pə'ræmətər/ s **1** parametri **2** (yl mon) puitteet, rajat
paramilitary /,perə'mɪləteri/ adj puolisotilaallinen
paramount /'perə,maunt/ adj tärkein, pää-, erittäin tärkeä
paranoia /,perə'noɪə/ s vainoharhaisuus, paranoia
paranoid /'perə,noɪd/ vainoharhainen (ihminen), paranooikko
adj vainoharha-, paranoidi
parapet /perəpət/ s **1** (linnoituksen) rintavarustus **2** (parvekkeen ym) kaide
paraphernalia /,perəfə'neɪlɪə/ s (mon) varusteet, tarvikkeet; tykötarpeet, pikkurihkama
paraphrase /'perə,freɪz/ s (tekstin selvennys) parafraasi
v tehdä parafraasi jostakin, selventää let me paraphrase that odotahan kun sanon sen omin sanoin/selvemmin
parapsychological /,perə,saɪkə'ladʒɪkəl/ adj parapsykologinen
parapsychologist /,perəsaɪ'kalədʒɪst/ s parapsykologi
parapsychology /,perəsaɪ'kalədʒi/ s parapsykologia
parasite /'perə,saɪt/ s loinen (myös kuv)
parasitic /,perə'sɪtɪk/ adj lois-
parasol /'perə,saəl/ s aurinkovarjo, päivänvarjo
paratrooper /'perə,trupər/ s laskuvarjojääkäri
paratroops /'perə,trups/ s (mon) laskuvarjojoukot
parcel /parsəl/ s **1** paketti to be part and parcel of something olla (olennainen) osa jotakin **2** tontti, palsta
v paketoida, pakata
parcel out v jakaa
parch /paərtʃ/ v kuivata rutikuivaksi, korventaa
parchment s **1** pergamentti **2** pergamenttipaperi
parchment paper s pergamenttipaperi
pardon /pardən/ s **1** armahdus **2** anteeksipyyntö pardon! anteeksi! I beg your pardon! (pyydän) anteeksi!
v **1** armahtaa **2** antaa anteeksi pardon me for asking but aren't you Mrs. Streep? anteeksi että häiritsen mutta ettekö te olekin Mrs. Streep?
parent /perənt/ s **1** isä, äiti, toinen vanhemmista, (mon) vanhemmat **2** (kuv) edeltäjä, edelläkävijä
parentage /perəntədʒ/ s **1** syntyperä **2** isyys, äitiys

parental /pə'rentəl/ adj vanhempien parental responsibilities vanhempien velvollisuudet/vastuu
parenthesis /pə'renθəsɪs/ s (mon parentheses) sulkeet, sulkumerkit ( ) let me mention in parenthesis that... sivumennen sanoen
parenthesize /pə'renθə,saɪz/ v merkitä sulkeisiin/sulkumerkkeihin
parenthood /'perənt,hʊd/ s isyys, äitiys
parenting s (lasten) kasvatus
par for the course that's par for the course sen olisi voinut arvata, se olisi pitänyt arvata
pari-mutuel /,peri'mjutʃʊəl/ s (raviveikkaus) totalisaattori
Paris /pærɪs/ Pariisi
parish /pærɪʃ/ s **1** seurakunta **2** (Louisianan osavaltiossa) piirikunta
parishioner /pə'rɪʃənər/ s seurakuntalainen
parish register s kirkonkirjat
Parisian /pə'rɪʒən/ s, adj pariisilainen
Parisienne /pə,risi'en/ s pariisitar
park /park/ s **1** puisto amusement park huvipuisto national park kansallispuisto theme park teemapuisto **2** stadion **3** pysäköintialue car park pysäköintialue **4** (automaattivaihteiston) pysäköintiasento
v **1** pysäköidä (ajoneuvo) **2** (ark) asettua jonnekin, panna jotakin jonnekin Harry parked himself into the easy chair Harry oikaisi itsensä laiskanlinnaan **3** (ark) sijoittaa (varmana pidettyyn osakkeeseen tms)
parka /parkə/ s anorakki
parking lot /parkiŋ/ s pysäköintialue
parking meter s pysäköintimittari
parkinsonism /'parkɪnsə,nɪzəm/ s (lääk) parkinsonismi
Parkinson's disease /'parkɪnsənzdə,ziz/ s Parkinsonin tauti
parlance /parləns/ s (erikois)kieli, kielenkäyttö
parliament /parləmənt/ s parlamentti
parliamentary /,parlə'mentəri/ adj parlamentaarinen, parlamentti-
parlor /parlər/ s **1** (vanh) olohuone **2** beauty parlor kauneushoitola funeral parlor hautaustoimisto ice cream parlor jäätelöbaari
parlor car s (junassa) salonkivaunu
parmesan /parməsən/ s parmesanjuusto
parochial /pə'roʊkiəl/ adj **1** seurakunnan, seurakunta- **2** ahdasmielinen, rajoittunut
parochialism /pə'roʊkiə,lɪzəm/ s ahdasmielisyys, rajoittuneisuus, nurkkakuntalaisuus
parochial school s roomalaiskatolinen tai muu tunnustuksellinen koulu
parodic /pə'radɪk/ adj parodinen, ivaileva
parody /perədi/ s parodia
v parodioida
parole /pə'roʊl/ s ehdonalainen vapaus; ehdonalaisuusaika to be on parole olla ehdonalaisessa vapaudessa
v päästää ehdonalaiseen vapauteen
parolee /pə,roʊ'li/ s ehdonalaiseen vapauteen päästetty henkilö
parquet /par'keɪ/ v parketti
v päällystää parketilla
parrot /perət/ s papukaija
v toistaa/matkia (toisen sanoja) kuin papukaija, apinoida
parry /peri/ s väistöliike, väistö (myös kuv)
v väistää (myös kuv), torjua
parsley /parsli/ s persilja
parson /parsən/ s pappi, pastori
parsonage /parsənədʒ/ s pappila
part /part/ s **1** osa spare part varaosa part of the reason is that he has no money osasyynä on se ettei hänellä ole rahaa to be part and parcel of something olla (olennainen) osa jotakin in part osittain in good part suureksi osaksi; (kuv) loukkaantumatta for the most part enimmäkseen, suurimmalta osin **2** rooli, osa, osuus he plays an important part in our plans hänellä on tärkeä osa suunnitelmissamme you look the part sinä sovit hyvin osaasi **3** osuus, osa, puoli I have no part in it minulla ei ole siihen osaa eikä arpaa for my part

omalta osaltani, omasta puolestani we congratulate you on the part of the whole staff onnittelemme sinua koko henkilökunnan puolesta/nimissä Sam took Wendy's part in the debate Sam piti väittelyssä Wendyn puolta
v **1** jakaa, jakautua; katkaista, katketa; irrottaa, irrota **2** kammata (hiukset) jakaukselle he parts his hair in the middle hän jakaa hiuksensa keskeltä
partake in /par'teɪk/ v partook, partaken: osallistua johonkin
partake of v partook, partaken **1** nauttia (ateria) **2** nauttia/iloita yhdessä jostakin **3** jossain on jotakin, jossain ilmenee jokin ominaisuus/piirre
part company fr erota, lähteä kumpikin/kukin omille teilleen; olla eri mieltä here's where we part company (kuv) tässä tiemme eroavat; tästä olemme eri mieltä
partial /parʃəl/ adj **1** osittainen, osa- **2** puolueellinen
partiality /,parʃi'æləti/ s **1** puolueellisuus **2** mieltymys johonkin (to, for)
partially adv **1** puolueellisesti **2** osittain, osaksi you're partially responsible for this sinä olet osittain vastuussa/osavastuussa tästä
partial to to be partial to someone/something pitää kovasti jostakusta/jostakin, joku/jokin on jollekulle kovasti mieleen
participant /par'tɪsəpənt/ s osanottaja, osallistuja
participate /par'tɪsə,peɪt/ v osallistua, ottaa osaa johonkin (in), olla osallinen
participation /par,tɪsə'peɪʃən/ s osanotto, osallistuminen; osuus
participator s **1** osanottaja, osallistuja **2** osakas, osallinen
participle /'partə,sɪpəl/ s (kieliopissa) partisiippi present participle partisiipin preesens (hanging); past participle partisiipin perfekti (hanged)
particle /partɪkəl/ s **1** hiukkanen, jyvä, jyvänen **2** (fys) alkeishiukkanen **3** (kieliopissa) partikkeli, apusana
particle accelerator s hiukkaskiihdytin
particle physics s (verbi yksikössä) alkeishiukkasfysiikka, hitufysiikka
particular /par'tɪkjələr/ s (mon) yksityiskohdat in particular erityisesti, etenkin that one in particular is nice etenkin tuo on kiva
adj **1** juuri tämä: in this particular case juuri tässä tapauksessa, nimen omaan tässä tapauksessa **2** erityinen: we took particular care not to break the glass olimme erityisen varovaisia jottei lasi särkynyt **3** nirso, pikkutarkka, pikkumainen why do you have to be so particular about everything? miksi sinun pitää nirsoilla kaikessa?
particularize /par'tɪkjələ,raɪz/ v selittää tms yksityiskohtaisesti; mainita erityisesti, tähdentää
particularly adv erityisesti, erityisen, etenkin, ennen kaikkea she was particularly pleased to see you hän oli erityisen mielissään nähdessään sinut not particularly en/et/ei erityisemmin
partisan /partɪzən/ s **1** puoluepukari **2** partisaani, sissi
adj **1** puolueellinen, puolue- partisan politics puoluepolitiikka **2** sissi-
partition /par'tɪʃən/ s **1** jakaminen **2** väliseinä **3** tila, komero, koppi, karsina **4** soppi
v jakaa (osiin); erottaa väliseinällä
partition off v erottaa väliseinällä, jakaa (huone) osiin
partner /partnər/ s toveri; liikekumppani, yhtiötoveri; rikostoveri; tanssipari; pelitoveri, ottelutoveri
partnership s **1** toveruus **2** yhtiötoveruus **3** yhtiö
part of speech s (kieliopissa) sanaluokka
partook /par'tʊk/ ks partake
partridge /partrɪdʒ/ s peltopyy
part-time /,part'taɪm/ adj osa-aikainen, osa-aika-
part with v luopua jostakin
party /parti/ s **1** puolue **2** osapuoli, asianosainen (myös lak:) riitapuoli **3** ryhmä, seurue **4** juhla(t), kemut
v juhlia, bailata (ark)

party line s **1** puoluelinja **2** yhteinen puhelinliittymä
party liner s puoluelinjan kannattaja
party politics s (verbi yksikössä tai mon) puoluepolitiikka
pass /pæs/ s **1** sola **2** (kulku)väylä **3** (kulku)lupa, lupapaperit **4** vapaalippu no passes for this engagement ei vapaalippuja **5** (ark) lähentely-yritys Tom made a pass at the girl Tom yritti lähennellä tyttöä **6** vaihe, tilanne we've come to a difficult pass olemme vaikeassa tilanteessa
v **1** kulkea jostakin; kulkea ohi jostakin, ohittaa **2** mennä ohi, lakata **3** (aika) kulua; kuluttaa (aikaa) **4** jättää väliin, hypätä yli **5** hyväksyä (lakiehdotus), mennä läpi; läpäistä (tentti), päästä läpi (tentistä) **6** kuolla **7** ylittää **8** ojentaa would you please pass the sugar? saisinko sokerin?, antaisitko sokerikon? **9** pujottaa
passable /pæsəbəl/ adj **1** kulkukelpoinen **2** riittävä, kohtalainen to be passable kelvata joten kuten
passably adv kohtalaisesti, joten kuten
passage /pæsədʒ/ s **1** (laiva)matka **2** ylitys, kauttakulkumatka **3** (kautta)kulkulupa **4** (ajan) kulku, kuluminen with the passage of time ajan mittaan **5** siirtymävaihe, siirtyminen **6** käytävä **7** (teksti)katkelma, kohta
passageway /'pæsədʒ,weɪ/ s käytävä
pass along v maksattaa asiakkaalla, lisätä hintaan
pass away v nukkua pois, menehtyä, aika jättää jostakusta
passé /pæ'seɪ/ adj (ranskasta) vanhentunut, vanhanaikainen
passenger /pæsəndʒər/ s matkustaja
passerby /'pæsər,baɪ/ s (mon passersby) ohikulkija
pass for v käydä jostakin, kelvata
passing to mention something in passing mainita jotakin ohimennen
passing lane s (maantien) ohituskaista
passion /pæʃən/ s **1** kiihko, intohimo, into, tulisuus **2** kiihkeä/intohimoinen rakkaus **3** (usk) Kristuksen kärsimyshistoria
passionate /pæʃənət/ adj **1** kiihkeä, intohimoinen, tulinen, voimakas **2** kiihkeän/intohimoisen aistillinen/seksuaalinen
passionately adv ks passionate
passionless adj kylmä, tunteeton, viileä
passion play s kärsimysnäytelmä
passive /pæsɪv/ s (kieliopissa) passiivi adj passiivinen, toimeton, välinpitämätön, innoton, alistuvainen
passively adv passiivisesti (ks passive)
passiveness s passiivisuus
passive resistance s passiivinen vastarinta
passive smoking s passiivinen tupakointi
passive voice s (kieliopissa) passiivi
passivism /'pæsɪ,vɪzəm/ s passiivisuus
passivity /pæ'sɪvəti/ s passiivisuus
passkey /'pæs,ki/ s **1** yleisavain **2** tiirikka
pass muster fr täyttää vaatimukset, kelvata
pass off v **1** mennä ohi, lakata, loppua **2** käydä jostakin, mennä täydestä **3** sujua, mennä
pass off as v tekeytyä joksikin, esiintyä jonakin
pass off on v narrata joku ostamaan jotakin arvotonta my brother bought a lemon and now he is trying to pass it off on me veljeni osti auton joka on täysi romu ja nyt hän yrittää panna vahingon kiertämään myymällä sen minulle
pass on v **1** menehtyä, aika jättää jostakusta, kuolla **2** antaa/ojentaa eteenpäin, panna kiertämään myymällä sen minulle
pass out v **1** pyörtyä, menettää tajuntansa **2** nukkua pois, menehtyä, kuolla
pass over v ohittaa, hypätä yli, jättää väliin
Passover /'pæs,oʊvər/ s passah, juutalaisten pääsiäinen
passport /'pæs,pɔrt/ s **1** passi **2** (kuv) avain a passport to fame menestyksen avain

pass up v päästää (tilaisuus) sivu suun, ei käyttää (tilaisuutta) hyväkseen
password /'pæswɜrd/ s tunnussana
past /pæst/ s **1** menneisyys in the past menneisyydessä, aiemmin, ennen **2** (kieliopissa) imperfekti
adj **1** mennyt, entinen **2** viime in the past few days viime päivinä **3** (kieliopissa) imperfekti- past participle partisiipin perfekti past perfect pluskvamperfekti
adv ohi, ohitse
prep **1** (tilasta) ohi; takana he drove past the house hän ajoi talon ohitse **2** (ajasta) yli it's half past one kello on puoli kaksi **3** (määrästä) yli **4** (kuv) she is past caring hän ei enää välitä/jaksa välittää
pasta /pastə/ s pasta
past continuous /kən'tɪnjuəs/ s (kieliopissa) kestomuodon imperfekti (he was reading)
paste /peɪst/ s **1** liisteri **2** voitaikina **3** tahna
v liisteröidä, liimata
pastel /pæs'tel/ s **1** pastelliväri **2** pastelliliitu **3** pastellimaalaus, väriliitumaalaus
adj pastellinvärinen
pasteurize /'pæstʃə,raɪz/ v pastöroida
pastime /'pæs,taɪm/ s ajanviete; harrastus
past master s mestari, asiantuntija
pastor /pæstər/ s pappi, pastori
pastoral /pæs'tɔrəl/ adj **1** paimen- **2** papin **3** laidun- **4** idyllinen, maaseudun, maalais-
past participle s (kieliopissa) partisiipin perfekti (hanging)
past perfect s (kieliopissa) pluskvamperfekti (he had done)
past progressive /prə'gresɪv/ s (kieliopissa) kestomuodon imperfekti (he was reading)
pastry /peɪstri/ s torttu pastries leivonnaiset, konditoriatuotteet
pasture /pæstʃər/ s laidunmaa, laidun to put someone to pasture siirtää joku eläkkeelle
v laiduntaa (karjaa)
pasty /peɪsti/ s (UK) (makea tai suolainen) piiras
adj liisterimäinen; tahnamainen
pat /pæt/ s **1** taputus **2** nokare
v taputtaa
adj **1** oivallinen, osuva **2** (kuv) liukas, lipevä **3** sujuva
adv **1** oivallisesti, osuvasti **2** täydellisesti to have something down pat osata jotakin täydellisesti
patch /pætʃ/ s **1** (kankaan pala) tilkku; paikka **2** silmälappu **3** läiskä, tahra **4** tontti, palsta **5** (maapala) tilkku cabbage patch kaalimaa, kaalitarha
v **1** paikata **2** ommella tilkkutäkki **3** yhdistää (puhelimitse)
patch through v yhdistää (puhelimitse)
patch up v **1** paikata, korjata (väliaikaisesti) **2** sopia välinsä
pâté /pæ'teɪ/ s (ranskasta) pasteija
patent /pætənt/ s patentti
v patentoida
adj **1** patentoitu **2** patentti- **3** ilmeinen, ilmiselvä that's a patent lie se on silkkaa valhetta
patentee /,pætən'ti/ s patentin haltija
patent leather s kiiltonahka
patently adv ilmiselvästi, selvästi
Patent Office s patenttivirasto, (Suomessa:) Patentti- ja rekisterihallitus
patentor /pætəntər/ s patentin myöntäjä (virasto)
patent right s patenttioikeus
paternal /pə'tɜrnəl/ adj **1** isän puoleinen my paternal grandmother isäni äiti **2** isällinen
paternally adv ks paternal
paternity /pə'tɜrnəti/ s isyys
paternity leave s isyysloma
path /pæθ/ s **1** polku bicycle path pyörätie **2** reitti **3** (kuv) tie
pathetic /pə'θetɪk/ adj säälittävä, surkea, surkuteltava, kurja, viheliäinen
pathetically adv ks pathetic
pathfinder /'pæθ,faɪndər/ s **1** opas, tiennäyttäjä; tiedustelija **2** (kuv) edelläkävijä, uranuurtaja, tienraivaaja, esitaistelija
pathless adj tietön

pathogen /pæθədʒən/ s patogeeni, taudinaiheuttaja
pathogenic /ˌpæθə'dʒenɪk/ adj patogeeninen, tautia aiheuttava
pathological /ˌpæθə'ladʒɪkəl/ adj **1** patologinen, tautiopillinen **2** patologinen, sairaalloinen he is a pathological liar hän valehtelee minkä ehtii
pathologist /pæ'θalədʒɪst/ s patologi
pathology /pæ'θalədʒi/ s patologia, tautioppi
pathos /pæθas peɪθous/ s sääli, myötätunto; säälin/myötätunnon herättäminen
pathway /'pæθˌweɪ/ s polku
patience /peɪʃəns/ s **1** kärsivällisyys **2** (UK) pasianssi
patient /peɪʃənt/ s potilas
adj kärsivällinen
patiently adv kärsivällisesti
patio /pætiou/ s patio
pat on the back s ylitys, pienet kehut, kehumiset
v ylistää, kehua
patriarch /'peɪtriˌark/ s partriarkka (usk ja yl)
patriarchal /ˌpeɪtri'arkəl/ adj patriarkaalinen, isänvaltainen
patriarchy /'peɪtriˌarki/ s isänvalta
patrician /pə'trɪʃən/ s ylimys, aristokraatti
adj ylimyksellinen, aristokraattinen
patricide /'pætrɪˌsaɪd/ s **1** isänmurha **2** isänmurhaaja
patriot /peɪtriət/ s isänmaallinen ihminen, isänmaanystävä
patriotic /ˌpeɪtri'atɪk/ adj isänmaallinen
patriotism /'peɪtriəˌtɪzəm/ s isänmaallisuus, isänmaanrakkaus
patrol /pə'trol/ s (sotilas-, poliisi tai muu) partio
v partioida
patrol car s poliisiauto
patrolman /pə'trolmən/ s (mon patrolmen) **1** poliisi **2** partiomies
patron /peɪtrən/ s **1** (kanta-)asiakas, (vakio)asiakas, (hotellin vakio)vieras **2** (taiteen, taiteilijan) suosija, mesenaatti
patronize /'peɪtrəˌnaɪz/ v **1** asioida/ käydä säännöllisesti jossakin **2** kohdella ylimielisesti/nöyryyttävästi
patronizing adj ylimielinen, alentava, nöyryyttävä
patron saint s suojeluspyhimys
patronymic /ˌpætrə'nɪmɪk/ s patronyymi
patter /pætər/ s **1** (sateen) ropina **2** (askelten) sipsutus **3** lipevä puhe, hölötys, pälpätys
v **1** (sade) ropista **2** (ihminen) sipsuttaa **3** hölöttää, pälpättää
pattern /pætərn/ s **1** (koriste)kuvio **2** malli, kaava **3** esikuva, malli **4** tapa **5** säännönmukaisuus, toistuvuus I don't see any pattern in these cases minusta näillä tapauksilla ei ole mitään yhteistä (piirrettä)
v kuvioida, muotoilla
pattern on v ottaa esimerkkiä jostakin, tehdä jotakin jonkin esikuvan mukaan
paunch /pantʃ/ s (iso) maha
paunchy adj isomahainen
pauper /papər/ s köyhä, kerjäläinen
pause /paz/ s tauko to give pause tehdä mietteliääksi, saada pysähtymään
v pitää tauko, keskeyttää, keskeytyä
pave /peɪv/ v kivetä (katu, tie), päällystää (katu, tie)
pavement /peɪvmənt/ s (UK, Itä-USA) jalkakäytävä
pave the way for fr (kuv) tasoittaa tietä jollekulle/jollekin
pave the way to fr valmistaa tietä jollekulle/jollekin, pohjustaa jotakin
pavillion /pə'vɪljən/ s **1** paviljonki, huvimaja **2** (ulkoilma)konserttilava **3** näyttelyrakennus
paw /pa/ s käpälä (myös kuv)
v **1** (eläimestä) raapia (käpälillään) **2** (ihmisestä, ark) käpälöidä, lääppiä, hypistellä, sorkkia
pawn /pan/ s **1** (šakissa) sotilas **2** pantti **3** panttivanki
v **1** pantata **2** (kuv) panna pantiksi
pawnbroker /'panˌbroukər/ s panttilainaaja
pawnbroking s panttilainaus
pawnshop /'panˌʃap/ s panttilainaamo
pawn ticket s panttikuitti, panttilippu

pay /peɪ/ s palkka
v paid, paid **1** maksaa (myös) one day, you'll have to pay for what you did joskus saat vielä maksaa teostasi **2** kannattaa crime doesn't pay rikos ei kannata **3** to pay a visit/call käydä/vierailla jossakin/jonkun luona (on)
payable /peɪəbəl/ adj joka voidaan/täytyy maksaa
pay as you go fr maksaa käteisellä
pay-as-you-go s käteiskauppa
pay back v maksaa takaisin (myös kuv:) kostaa
pay cable s maksullinen kaapelitelevisio
paycheck /'peɪ,tʃek/ s **1** palkkasekki **2** palkka
payday /'peɪ,deɪ/ s palkkapäivä
pay dirt to hit pay dirt **1** pistää rahoiksi **2** onnistua, tehdä läpimurto
pay down v **1** maksaa käsirahana **2** kuolettaa
PAYE pay as you earn
payee /peɪ'i/ s maksun saaja
payer /peɪər/ s maksaja
pay for v maksaa jostakin (myös kuv)
payload /'peɪ,loud/ s **1** hyötykuorma **2** matkustajamäärä
payment /peɪmənt/ s maksu
pay off v **1** maksaa pois, maksaa loput **2** lahjoa
pay off a score fr maksaa (vanhat) kalavelkansa
pay out v **1** maksaa **2** löysätä (köyttä)
pay up v **1** maksaa pois, maksaa loput **2** maksaa (pakon alla)
pay your way fr **1** maksaa oma osuutensa **2** maksaa itsensä takaisin; tuottaa voittoa
PBS lyh Public Broadcasting Service, Yhdysvaltain ei-kaupallinen televisioyhtiö
PBX private branch exchange puhelinvaihde
PCB polychlorinated biphenyl polykloorattu bifenyyli, PCB
pce. piece kappale
pcl. parcel paketti
PCM pulse code modulation pulssikoodimodulaatio, PCM
PDA Personal Digital Assistant
PE physical education; Prince Edward Island
pea /pi/ s herne
peace /pis/ s **1** rauha (eri merkityksissä, myös:) yleinen rauha to hold/keep your peace hillitä itsensä, olla hiljaa to keep the peace pitää yllä järjestystä to make your peace with someone sopia välinsä jonkun kanssa, solmia rauha jonkun kanssa to make peace tehdä rauha, laskea aseet **2** Peace rauhansopimus, rauha
peace dividend /'pis,dɪvədend/ s kylmän ja kuuman sodan päättymisestä johtuva säästö julkisissa menoissa
peace dove s rauhankyyhky
peaceful adj **1** rauhaa rakastava, rauhanhaluinen **2** rauhallinen
peaceful coexistence s rauhanomainen rinnakkaiselo
peacefully adv rauhallisesti
peacefulness s **1** rauhanhalu **2** rauhallisuus
peacekeeper /'pis,kipər/ s rauhanturvaaja
peace offensive s rauhanaloite
peace offering s **1** rauhantarjous **2** (Raamatussa) yhteysuhri
peace pipe s rauhanpiippu
peacetime /'pis,taɪm/ s rauhanaika
adj rauhanajan
peach /pitʃ/ s persikka
peacock /'pi,kak/ s riikinkukko
Peacock (tähdistö) Riikinkukko
peak /pik/ s **1** (vuoren) huippu, laki **2** kärki **3** (kuv) huippu, huipentuma, lakipiste **4** (lakin) lippa **5** widow's peak leskenlovi
v olla parhaimmillaan/suurimmillaan, saavuttaa huippunsa, huipentua J.D. Salinger peaked at a relatively young age J.D. Salinger saavutti luomistyönsä huipun verraten nuorena
adj huippu-
peal /piəl/ s **1** kellojen kumahtelu/kajahdus/soitto **2** kellopeli **3** (naurun) rämäkkä, kajotus, (ukkosen, tykkien) jylinä
v (kellot) soida; (ukkonen, tykit) jylistä

peanut /pinət/ s **1** maapähkinä **2** (mon, ark) pikkuraha, pikkusumma, mitätön summa

pear /peər/ s päärynä

pearl /pərəl/ s **1** helmi to cast pearls before swine heittää helmiä sioille/sikojen eteen, panna hukkaan **2** pisara
adj helmenharmaa; helmenvalkoinen

Pearl Harbor s Havaijisaarten satama jonne Japani hyökkäsi yllättäen 7.12.1941

pearly /pərli/ adj helmenvalkoinen; helmenharmaa

peasant /pezənt/ s **1** (köyhä) pienviljelijä Southeast Asian peasants Kaakkois-Aasian talonpojat **2** (halventavasti) moukka

peat /pit/ s turve

peat bog s turvesuo

peaty adj turpeinen

pebble /pebəl/ s pieni (veden sileäksi kuluttama) kivi

pebbly adj jossa on pieniä (veden sileäksi kuluttamia) kiviä

peccary /pekəri/ s pekari

peck /pek/ s nopea suukko
v (lintu) nokkaista, nokata, nokkia

peck at v **1** näykkiä (ruokaansa) **2** näykkiä jotakuta, nälviä jotakuta, nalkuttaa jollekulle

pecking order s nokkimisjärjestys (myös kuv)

peculiar /pə'kjuljər/ adj **1** omituinen, outo, erikoinen, kummallinen, harvinainen **2** ominainen giraffes are peculiar to Africa kirahveja esiintyy/on vain Afrikassa

peculiarity /pə,kjuli'ærəti/ s omituisuus, erikoisuus, erikoispiirre, oikku

peculiarly adv omituisesti, omituisen, harvinaisen

pedagog s kasvattaja, opettaja, pedagogi

pedagogic /,pedə'gadʒɪk/ adj kasvatuksellinen, kasvatustieteellinen, pedagoginen

pedagogical adj ks pedagogic

pedagogically adv kasvatuksellisesti, kasvatustieteellisesti, pedagogisesti

pedagogics /,pedə'gadʒɪks/ s (verbi yksikössä) kasvatustiede, pedagogiikka

pedagogue /'pedə,gag/ s kasvattaja, opettaja, pedagogi

pedagogy /'pedə,gadʒi/ s **1** kasvatus, opetus, kasvatustaito **2** kasvatustiede

pedal /pedəl/ s **1** (polkupyörän) poljin **2** (pianon, rummun) pedaali, poljin, (urkujen) jalkio
v polkea (pyörää, urkuja)

pedant /pedənt/ s saivartelija, pedantti

pedantic /pə'dæntɪk/ adj turhantarkka, saivarteleva

pedantry /pedəntri/ s saivartelu

peddle /pedəl/ v kaupustella, kaupitella

peddler /pedlər/ s kaupustelija

pedestal /pedəstəl/ s jalusta to put someone on a pedestal (kuv) nostaa joku jalustalle, ylistää/palvoa jotakuta

pedestrian /pə'destriən/ s jalankulkija
adj **1** jalankulku- **2** (kuv) mielikuvituksetton, tylsä, innoton, osaamaton

pedestrianism /pə'destriə,nɪzəm/ s (kuv) mielikuvituksettomuus, tylsyys, innottomuus, osaamattomuus

pediatric /,pidi'ætrɪk/ adj lastentauti-, pediatrinen

pediatrician /,pidiə'trɪʃən/ s lastenlääkäri, pediatri

pediatrics /,pidi'ætrɪks/ s (verbi yksikössä) lastentautioppi, pediatria

pedigree /'pedə,gri/ s sukupuu, sukuluettelo; syntyperä; ylhäinen syntyperä

pedlar /pedlər/ s kaupustelija

pedler /pedlər/ s kaupustelija

peek /pik/ s vilkaisu, kurkistus
v vilkaista, kurkistaa, tirkistää

peel /piəl/ s (hedelmän, kasviksen) kuori
v kuoria these oranges peel easily näitä appelsiineja on helppo kuoria, näiden appelsiinien kuoret irtoavat helposti

peeled to keep your eyes peeled pitää silmänsä auki, olla valppaana, seurata tarkasti

peel off v **1** kuoria **2** riisua **3** poiketa (maantieltä)

peep /pip/ s **1** kurkistus, vilkaisu, tirkistys **2** piipitys **3** (kuv) valitus, narina, inahdus

v **1** kurkistaa, kurkistella, vilkaista, tirkistää, tirkistellä **2** piipittää **3** valittaa, narista, inistä
peephole /'pip,hoəl/ s ovisilmä; tirkistysreikä, tirkistysaukko
Peeping Tom s tirkistelijä, voyeuristi
peer /pɪər/ s **1** (UK) pääri **2** aatelinen **3** vertainen you will be judged by a jury of your peers joudutte vertaistenne tuomittavaksi
v tuijottaa silmiään siristäen, yrittää nähdä
peerage /pirədʒ/ s **1** aatelisarvo, päärin arvo **2** aateli, aateliset **3** aateliskalenteri
peeress /pirəs/ s aatelisnainen
peer group s vertaisryhmä
peerless adj verraton, joka on vertaansa vailla
peerlessly adv verrattomasti
peg /peg/ s **1** tappi **2** (kuv) pykälä, porras we took him down a peg me otimme häneltä turhat luulot pois
v **1** kiinnittää tapeilla/piikeillä **2** jäädyttää (hinnat/palkat)
Pegasus /pegəsəs/ s **1** (mon Pegasi) pegasos, runoratsu **2** (tähdistö) Pegasos
Pekingese /,pikə'niz/ s kiinanpalatsikoira
pelican /pelɪkən/ s pelikaani
pellet /pelət/ s **1** pilleri **2** (paperi- tai muu) pallo **3** hauli **4** oksennuspallo
pelt /pelt/ s **1** (eläimen) turkki **2** in your pelt alasti, ilkosillaan **3** at full pelt täyttä häkää/vauhtia, nasta laudassa
v pommittaa (kivillä, kysymyksillä ym), viskoa, piiskata, (sade) vihmoa, ryöpyttää
pelvic /pelvɪk/ adj lantion, lantio
pelvis /pelvəs/ s (mon pelvises, pelves) lantio
pen /pen/ s **1** kynä **2** (mustekynän) terä **3** (eläinten) aitaus, karsina **4** leikkikehä
v **1** kynäillä, kirjoittaa, piirtää **2** sulkea (eläimet) aitaukseen
PEN International Association of Poets, Playwrights, Editors, Essayists, and Novelists
penal /pinəl/ adj rangaistus-
penal code s rikoslaki
penalize /'pinə,laɪz/ v rangaista, tuomita
penalty /penəlti/ s **1** rangaistus; sakko **2** (urh) rangaistusheitto, rangaistuspotku
penalty area s (jalkapallossa) rangaistusalue
penalty kick s rangaistuspotku
penalty shot s (jääkiekossa) rangaistuslaukaus
penance /penəns/ s **1** (usk) katumus **2** (usk) katumusharjoitus **3** rangaistus
pence /pens/ ks penny
pencil /pensəl/ s **1** lyijykynä **2** kynä **3** (ehostuksessa) rajauskynä
v kirjoittaa/piirtää kynällä
pendant /pendənt/ s riipus
pendent s riipus
adj **1** riippuva **2** ratkaisematon, keskeneräinen
pending adj **1** keskeneräinen, ratkaisematon **2** pian tapahtuva; uhkaava
prep **1** saakka, kunnes **2** aikana
pendulum /pendʒələm/ s heiluri
penetrate /'penə,treɪt/ v **1** tunkeutua (syvälle) jonnekin, läpäistä jokin, mennä läpi jostakin; (sot) murtaa (vihollisen linjat) the company is trying to penetrate the European market yritys yrittää päästä Euroopan markkinoille **2** ymmärtää, ratkaista
penetrating adj **1** (katse, ääni) läpitunkeva, pureva **2** (huomio) tarkka, terävä
penetratingly adv **1** läpitunkevasti, purevasti **2** tarkasti, terävästi
penetration /,penə'treɪʃən/ s **1** jonkin läpi/jonnekin tunkeutuminen; (sodassa) läpimurto **2** terävänäköisyys, tarkkanäköisyys, oivalluskyky **3** uuden markkina-alueen valtaus, markkinaosuus our market penetration in Sweden is unsatisfacory markkinaosuutemme Ruotsissa ei ole tyydyttävä
penguin /peŋgwɪn/ s pingviini
penicillin /,penə'sɪlən/ s penisilliini
penile /pinəl/ adj peniksen

peninsula /pə'nɪnsələ, pə'nɪnsjələ/ s niemimaa

peninsular /pə'nɪnsələr, pə'nɪnsjələr/ adj niemi-, niemimaa-

penis /pinəs/ s (mon penises, penes) penis

penitence /penɪtəns/ s katumus

penitent /penɪtənt/ adj katuja, katuvainen
adj katuva, katuvainen

penitentiary /ˌpenɪ'tenʃəri/ s rangaistuslaitos
adj vankeus-, vankila-, rangaistus

penknife /'pen,naɪf/ s (mon penknives) kynäveitsi

penlight /'pen,laɪt/ s pieni taskulamppu

Penna. Pennsylvania

pennant /penənt/ s viiri

penniless /penələs/ adj pennitön, varaton

Pennines /penaɪnz/ (mon) Penniinit

Pennsylvania /ˌpensəl'veɪnjə/

penny /peni/ s (mon pennies, kohdissa 2 ja 3 pence puhuttaessa hinnasta, esim sixpence, muutoin pennies) **1** cent, dollarin sadasosa **2** (UK) penny, punnan sadasosa **3** (UK) (ennen vuoden 1971 rahanuudistusta) penny, shillingin kahdestoistaosa **4** fraaseja to cost a pretty penny maksaa sievoinen summa, maksaa pitkä penni to turn an honest penny elättää itsensä rehellisesti, ansaita palkkansa rehellisesti a penny saved is a penny earned ei ne pienet tulot vaan ne pienet menot

penny wise and pound foolish fr säästää tulitikkuja ja juoda samppanjaa, säästää väärästä päästä

penological /ˌpinə'ladʒɪkəl/ adj penologinen, rangaistusopillinen

penology /pi'nalədʒi/ s penologia, rangaistusoppi

pen pal /'pen,pæl/ s kirjetoveri, kirjeenvaihtotoveri

pension /penʃən/ s **1** eläke **2** (ei USA:ssa) täysihoitola; pieni hotelli

pensionable adj (työ) joka oikeuttaa eläkkeeseen pensionable age eläkeikä

pensioner /penʃənər/ s eläkeläinen

pension fund s eläkerahasto, eläkekassa

pension off v siirtää/panna eläkkeelle

pension plan s eläketurva

pension/retirement plan s eläketurva

pensive /pensɪv/ adj mietteliäs, vakava, hiljainen

pensively adv mietteliäästi, vakavasti, hiljaa, hiljaisesti

pentagon /'pentə,gan/ s viisikulmio

pentagonal /pen'tægənəl/ adj viisikulmainen

pentaprism /'pentə,prɪzəm/ s pentaprisma

pentathlete /pen'tæθ,lit/ s viisiottelija

pentathlon /pen'tæθ,lan/ s viisiottelu

Pentecost /'pentə,kast/ s **1** (kristityillä) helluntai **2** (juutalaisilla) helluntai, viikkojuhla

Pentecostal /ˌpentə'kastəl/ s, adj helluntailainen

penthouse /'pent,haus/ s (kerrostalon) ylimmän kerroksen asunto; ullakkohuoneisto

penultimate /pe'nʌltɪmət/ s, adj toiseksi viimeinen, viimeistä edellinen

penumbra /pə'nʌmbrə/ s (mon penumbras, penumbrae) puolivarjo

people /pipəl/ s **1** ihmiset; väki, kansa there were a lot of people there siellä oli paljon väkeä/kansaa people don't like the Vice President varapresidentistä ei pidetä, varapresidentti ei ole pidetty **2** väestö, asukkaat how many people live in this city? kuinka monta asukasta tässä kaupungissa on? **3** kansa People's Republic of China Kiinan kansantasavalta the common people tavalliset ihmiset, kansa
v kansoittaa, asuttaa

People's Democratic Republic of Yemen (hist) Jemenin demokraattinen kansantasavalta, Etelä-Jemen

pep /pep/ s into, pirteys, vauhti, potku

Pepe Le Pew /ˌpepilə'pju/ (sarjakuvahahmo) Hippi Haisunäätä

pepper /pepər/ s **1** pippuri **2** paprika **3** cayennenpippuri
v **1** pippuroida, maustaa pippurilla **2** pommittaa (kivillä, kysymyksillä ym)
pepper-and-salt adj (tukka) harmahtava; jossa on mustaa ja valkoista
pepper mill s pippurimylly
peppermint /ˈpepər,mɪnt/ s piparminttu
pepperoni /,pepəˈrouni/ s pepperoni(makkara)
pep talk s rohkaisupuhe, kannustuspuhe, palopuhe
pep up v piristää, panna vauhtia johonkuhun/johonkin
per /pər/ prep **1** kultakin, kappaleelta, per: $100 per year sata dollaria vuodessa, sata dollaria per vuosi **2** välityksellä, kautta per fax faxilla **3** mukaan, mukaisesti per instructions ohjeiden/määräysten mukaan as per mukaan, mukaisesti
perambulator /pəˈræmbjə,leɪtər/ s (UK) lastenvaunut
per annum /pərˈænəm/ adv (latinasta) vuodessa, vuosittain, vuotta kohden
per capita /pərˈkæpɪtə/ adj, adv asukasta kohden
perceivable adj havaittava; jonka voi havaita/huomata
perceive /pərˈsiv/ v **1** havaita, aistia, nähdä, tuntea, huomata **2** oivaltaa, todeta, nähdä (kuv), panna merkille
percent /pərˈsent/ s prosentti
adj prosentin, prosentti-
percentage /pərˈsentədʒ/ s prosenttiosuus, prosentti, osuus, osa
percentile /pərˈsentaɪəl/ s (tilastoissa) persentiili, sadannespiste, prosenttipiste
percept /pərsept/ s havainto, aistimus
perceptible /pərˈseptɪbəl/ adj havaittava; huomattava, selvä
perceptibly adv havaittavasti, näkyvästi; selvästi
perception /pərˈsepʃən/ s **1** havaitseminen **2** havainto, aistimus **3** oivalluskyky, tarkkanäköisyys artistic perception taiteilijan oivalluskyky **4** käsitys she had no clear perception of what had happened hänellä ei ollut tapahtuneesta/tapahtumista selvää mielikuvaa/käsitystä
perceptive /pərˈseptɪv/ adj **1** tarkkanäköinen, terävänäköinen, älykäs, syvällinen **2** havainto-, aistimus-
perch /pərtʃ/ s **1** ahven **2** (kanan yöpuu) orsi; oksa (tai muu paikka jolla lintu lepää)
v laskeutua/laskea orrelle/oksalle he was perched precariously on the back of the chair hän istui tuolin selällä sen näköisenä että saattaisi kaatua minä hetkenä hyvänsä
percolate /ˈpərkə,leɪt/ v **1** uuttaa, uuttua, suodattaa, suodattua **2** valmistaa/laittaa kahvia perkolaattorissa **3** (kuv) vilkastua, johonkin tulee eloa; (kiinnostuksesta) herätä; pursuta jotakin (with)
percolator s perkolaattori, eräänlainen kahvinkeitin
percussion /pərˈkʌʃən/ s **1** (lääk) koputtelu, koputtelututkimus **2** (mus) lyömäsoittimet
percussionist s lyömäsoitinten soittaja, perkussionisti, rumpali
per diem /pərˈdiəm/ s päiväraha
adv päivässä
Père David's deer /,peərˈdeɪvədz,dɪər/ s davidinhirvi
perennial /pəˈreniəl/ s monivuotinen kasvi
adj **1** (kasvi) monivuotinen **2** ikuinen, alituinen, jatkuva our perennial favorite ikuinen suosikkimme, jatkuva ykkösemme
perf. perfect perfekti
perfect /pərfəkt/ s (kieliopissa) perfekti
adj **1** täydellinen, virheetön, moitteeton **2** voimistavana sanana: we are perfect strangers olemme ventovieraita toisillemme you're a perfect fool sinä olet täysi torvi **3** (mus) absoluuttinen she has perfect pitch hänellä on absoluuttinen (sävel)korva **4** (kieliopissa) perfekti-
perfect /pərˈfekt/ v viimeistellä, kehittää, parantaa, (kuv) hioa
perfect continuous /kənˈtɪnjuəs/ s (kieliopissa) kestomuodon perfekti tai pluskvamperfekti (he has/had been reading)

perfection /pər'fekʃən/ s täydellisyys, virheettömyys, moitteettomuus he has achieved perfection as a painter hän on edennyt taidemaalarina täydellisyyden asteelle
perfectionism /pər'fekʃənɪzəm/ s perfektionismi, täydellisyyden tavoittelu
perfectionist /pər'fekʃənɪst/ s perfektionisti, täydellisyyden tavoittelija adj perfektionistinen, täydellisyyttä tavoitteleva
perfectly adv **1** täydellisesti, virheettömästi, moitteettomasti **2** täysin he made it perfectly clear that he was not going to pay hän teki täysin selväksi ettei hän aikonut maksaa
perfect pitch /pɪtʃ/ s absoluuttinen sävelkorva
perfect progressive /prə'gresɪv/ s (kieliopissa) kestomuodon perfekti tai pluskvamperfekti (he has/had been reading)
perfect tense s (kieliopissa) perfekti (he has done)
perfidious /pər'fɪdiəs/ adj petollinen, epäluotettava, vilpillinen, uskoton
perfidiously adv petollisesti, epäluotettavasti, vilpillisesti, uskottomasti
perfidy /pərfədi/ s **1** petollisuus, vilpillisyys, uskottomuus **2** petollinen/vilpillinen/uskoton teko
perforate /'pərfə,reɪt/ v rei'ittää, lävistää
perforation /,pərfə'reɪʃən/ s rei'itys
perforce /pər,fɔrs/ adv (ylät) pakosta(kin), välttämättä
perform /pər,fɔrm/ v **1** esiintyä; esittää (osaa, musiikkia), soittaa **2** suorittaa, tehdä, hoitaa **3** suoriutua, menestyä, pärjätä (ark) Albert doesn't perform well under pressure Albert ei tahdo kestää painetta
performance /pər'fɔrməns/ s **1** (teatteri-, musiikki)esitys, näytäntö **2** (näyttelijän, muusikon) (osa)suoritus; (tehtävän, velvollisuuksien) suorittaminen, hoito, toteutus **3** suorituskyky
performer s esiintyjä, esiintyvä taiteilija
perfume /pərfjum/ s **1** hajuvesi, hajuste, parfyymi **2** hyvä tuoksu
perfume /pər'fjum/ v hajustaa, tehdä hyvänhajuiseksi
perhaps /pər'hæps/ adv ehkä, kenties
peril /perəl/ s vaara v vaarantaa, riskeerata, panna alttiiksi
perilous /perələs/ adj vaarallinen; uhkarohkea
perimeter /pə'rɪmətər/ s **1** (mat) kehä, piiri **2** raja; raja-alue, ääri, reuna; äärialue at the perimeter of human knowledge ihmistiedon äärialueilla/rajoilla
period /pɪriəd/ s **1** kausi, jakso, vaihe, ajanjakso **2** piste (.) **3** (taidokkasti rakennettu virke) periodi **4** (mus) lauseke **5** kuukautiset
adj (jonkin) aikakauden, ajan
periodic /,pɪri'adɪk/ adj **1** jaksoittainen, ajoittainen **2** säännöllinen **3** (fys, mat) jaksollinen
periodical /,pɪri'adɪkəl/ s aikakauslehti
adj **1** aikakauslehti-, lehti- periodical magazine aikakauslehti **2** ks periodic
periodically adv ks periodic
periodic system s jaksollinen järjestelmä
peripheral /pə'rɪfərəl/ adj **1** reuna-, ääri- **2** pinnallinen, epäolennainen, sivu-
periphery /pə'rɪfəri/ s **1** raja; raja-alue, ääri, reuna, (kaupungin) laitamat, (yhteiskunnan) varjopuoli **2** (kuv) pinta we are still discussing the periphery of the problem emme ole vieläkään paneutuneet ongelman ytimeen/pintaa syvemmälle
periscope /'perɪ,skoup/ s periskooppi
perish /perɪʃ/ v **1** menehtyä, saada surmansa, kuolla **2** päättyä, lakata, kadota **3** tuhoutua **4** (ruoka) pilaantua
perishable s, adj (helposti) pilaantuva (ruoka)
perish the thought fr pois se minusta!, kamala ajatus!
periwinkle /,perɪ'wiŋkəl/ s **1** (eläin) kotilo, (erityisesti) rantakotilo, litorinakotilo **2** (kasvi) talvio
perjure /pərdʒər/ v vannoa väärä vala
perjury /pərdʒəri/ s väärä vala

perk /pərk/ v ark **1** (kahvi) uutua, suodattua, valmistua **2** piristyä, innostua; pursuta jotakin (with)
perk out v **1** somistaa, kaunistaa, piristää **2** kohottaa/nostaa äkkiä
perks s (ark mon) luontoisedut, työsuhde-edut
perk up v **1** piristyä **2** somistaa, kaunistaa, piristää **3** kohottaa/nostaa äkkiä
perm /pərm/ s (ark) permanentti, kestokiharat
v laittaa/ottaa permanentti
permanence /pərmənəns/ s pysyvyys, jatkuvuus, kestävyys
permanent s permanentti, kestokiharat
adj pysyvä, jatkuva, kestävä, vakinainen
permanently adv pysyvästi, jatkuvasti, kestävästi,vakinaisesti
permanent wave s permanentti, kestokiharat
permeate /'pərmi,eɪt/ v tunkeutua jonnekin/kaikkialle, täyttää, kyllästää disillusionment permeated the country pettymys valtasi (koko) maan
permissible /pər'mɪsəbəl/ adj sallittu
permissive /pər'mɪsɪv/ adj suvaitsevainen, avarakatseinen; löyhä, holtiton, leväperäinen
permissiveness s suvaitsevaisuus; holtittomuus
permit /pərmɪt/ s lupa
permit /pər'mɪt/ v sallia, luvata, antaa/myöntää lupa, suvaita
permit of v (ylät) the letter permits of no other interpretation kirjettä ei voi tulkita muulla tavoin
pernicious /pər'nɪʃəs/ adj **1** vahingollinen, haitallinen **2** (lääk) pahanlaatuinen, pernisiöösi
pernicious anemia s (lääk) pernisiöösi anemia
perpendicular /,pərpən,dɪkjələr/ s pystysuora (viiva)
adj pystysuora, pysty, joka on pystyssä
perpetual /pər'petʃuəl/ adj ikuinen, jatkuva, alituinen, loputon
perpetual calendar s ikuinen kalenteri
perpetually adv jatkuvasti, alinomaa, loputtomasti
perpetuate /pər'petʃʊ,eɪt/ v ikuistaa, säilyttää; jatkaa, pitää hengissä (kuv) the use of sexist language helps perpetuate stereotypes sukupuolisesti/naisia syrjivän kielen käyttö pitää yllä kaavoittuneita käsityksiä
perpetuation /pər,petʃʊ'eɪʃən/ s ikuistaminen, säilyttäminen; jatkaminen, hengissä pitäminen (kuv)
perplex /pər'pleks/ v tyrmistyttää, ällistyttää, hämmästyttää
perplexed /pər'plekst/ adj **1** tyrmistynyt, ällistynyt, hämmästynyt **2** mutkikas, monimutkainen, hankala, visainen
perplexedly /pər'pleksədli/ adv ks perplexed
perplexity /pər'pleksɪti/ s tyrmistys, ällistys, hämmästys
per se /pər'seɪ/ adv (latinasta) sinänsä, sellaisenaan, itsessään
persecute /'pərsə,kjut/ v vainota
persecution /,pərsə'kjuʃən/ s vaino(t)
persecutor s vainooja
Perseus /pərsiəs/ (tähdistö) Perseus
perseverance /,pərsə'vɪrəns/ s sinnikkyys, sitkeys, sisukkuus, sisu
persevere /,pərsə'vɪər/ v ei antaa periksi, jatkaa sinnikkäästi, purra hammasta
persist /pər'sɪst/ v jatkua, pysyä elossa/hengissä (kuv)
persistence /pər'sɪstəns/ s sinnikkyys, sitkeys, sisukkuus, itsepintaisuus; (sairauden, huonon sään) jatkuminen
persistent /pər'sɪstənt/ adj sinnikäs, sitkeä, sisukas, itsepintainen, jatkuva, hellittämätön, (varoitus) toistuva
persistently adv ks persistent
persist in v jatkaa sinnikkäästi jotakin, ei antaa periksi jossakin
person /pərsən/ s ihminen, henkilö, henki the van seats seven persons vaniin mahtuu seitsemän ihmistä/henkeä/matkustajaa in person henkilökohtaisesti natural person (lak) luonnollinen henkilö to be your own person (saada) olla oma itsensä I have no money on my person minulla ei ole mukana rahaa

personable adj hauskan näköinen
personal /pərsənəl/ adj **1** henkilökohtainen **2** (kieliopissa) persoona-
personality /ˌpərsəˈnæləti/ s **1** luonne, persoonallisuus **2** kuuluisuus, julkkis (ark)
personality cult s henkilöpalvonta
personality disorder s luonnehäiriö
personalize /ˈpərsənəˌlaɪz/ v **1** varustaa nimikirjaimilla tms he has a personalized Cadillac hänellä on yksilöllisesti koristeltu Cadillac **2** ottaa henkilökohtaisesti
personally adv henkilökohtaisesti personally, I don't believe it minä en kyllä usko sitä
personal pronoun s (kieliopissa) persoonapronomini
persona non grata /pərˌsounəˌnan gratə/ s (mon personae non gratae) (latinasta) epämieluinen henkilö, ei toivottu henkilö
personification /pərˌsanəfɪˈkeɪʃən/ s **1** henkilöinti, olennointi, elollistaminen, personointi **2** (jonkin todellinen) ilmentymä, henkilöitymä
personify /pərˈsanəˌfaɪ/ v **1** henkilöidä, olennoida, elollistaa, personoida **2** ilmentää she is vanity personified hän on todellinen turhamaisuuden henkilöitymä
personnel /ˌpərsəˈnel/ s **1** henkilökunta **2** miehistö **3** (yrityksen) henkilöstöosasto
personnel department s (yrityksen) henkilöstöosasto
person-to-person person-to-person call (käsivälitteinen) henkilöpuhelu (josta laskutetaan vain jos haluttu henkilö saadaan puhelimeen)
adv: to call person-to-person soittaa henkilöpuhelu
perspective /pərˈspektɪv/ s **1** perspektiivi **2** (kuv) näkökulma, näkökanta, perspektiivi
perspiration /ˌpərspəˈreɪʃən/ s **1** hikoilu **2** hiki
perspire /pərˈspaɪər/ v hikoilla
persuade /pərˈsweɪd/ v **1** suostutella, taivutella (joku tekemään jotakin) **2** saada joku vakuuttuneeksi jostakin I am persuaded of his innocence olen vakuuttunut siitä että hän on syytön
persuasion /pərˈsweɪʒən/ s **1** suostuttelu, taivuttelu **2** suostuttelutaito **3** vakaumus, usko; uskomus, käsitys Mr. Goldberg is of socialist persuasion Mr. Goldbergin näkemykset nojaavat vasemmalle
persuasive /pərˈsweɪsɪv/ adj vakuuttava, uskottava; taitava suostuttelemaan
persuasively adv vakuuttavasti, uskottavasti; (suostutella) taitavasti professor Arid persuasively argues that... professori Kuiva perustelee hyvin väitettään jonka mukaan...
persuasiveness s **1** suostuttelutaito **2** (väitteen) vakuuttavuus, uskottavuus
pert /pərt/ adj **1** hävytön, häpeämätön, julkea, röyhkeä; napakka **2** tyylikäs, muodikas, hieno **3** eloisa, pirteä, reipas, pirtsakka (ark)
pertain to /pərˈteɪn/ v kuulua johonkin, koskea jotakin, liittyä johonkin
Perth /pərθ/
pertinent /pərtənənt/ adj asiaankuuluva, asianmukainen, johonkin kuuluva
pertly adv **1** hävyttömästi, häpeämättömästi, julkeasti, röyhkeästi; napakasti **2** tyylikkäästi, muodikkaasti, hienosti **3** eloisasti, pirteästi, reippaasti
pertness s **1** hävyttömyys, julkeus, röyhkeys **2** tyylikkyys, muodikkuus **3** eloisuus, pirteys, reippaus
perturb /pərˈtərb/ v **1** tehdä/saada levottomaksi **2** sekoittaa, sotkea, hämmentää (kuv)
Peru /pəˈru/ Peru
perusal /pəˈruzəl/ s **1** lukeminen he left the books here for my perusal hän jätti kirjat minun luettavakseni **2** tutkistelu, tarkastelu
peruse /pəˈruz/ v lukea/tutkia tarkasti; lukea
Peruvian /pəˈruviən/ s, adj perulainen
pervade /pərˈveɪd/ v tunkeutua jonnekin/kaikkialle, täyttää, kyllästää
pervasive /pərˈveɪsɪv/ adj (haju) läpitunkeva, pistävä; laajalle/kaikkialle levinnyt
pervasively adv kaikkialla, kaikkialle

pervasiveness s yleisyys, voimakkuus
perverse /pər'vərs/ adj **1** omapäinen, jääräpäinen, tottelematon **2** perverssi, luonnoton, (sukupuolisesti) poikkeava
perversity /pər'vərsıti/ s perversio, luonnottomuus, (sukupuolinen) poikkeavuus
pervert /pərvərt/ s perverssi, sukupuolisesti poikkeava ihminen
pervert /pər'vərt/ v **1** turmella, pilata, rappeuttaa **2** vääristää
perverted adj perverssi, luonnoton, (sukupuolisesti) poikkeava
pessimism /'pesə,mızəm/ s pessimismi, synkkyys
pessimist /pesəmıst/ s pessimisti
pessimistic /,pesə'mıstık/ adj pessimistinen, synkkä, masentunut, toivoton
pessimistically adv pessimistisesti, synkästi, masentuneesti, toivottomasti
pest /pest/ s **1** vitsaus; rutto **2** syöpäläinen **3** (kuv) kiusankappale
pester v kiusata, häiritä, vaivata
pesticide /'pestə,saıd/ s kasvinsuojeluaine
pet /pet/ s **1** lemmikkieläin **2** lemmikki, suosikki
v silittää, hyväillä (myös seksuaalisesti)
adj lempi-, mieli-, lemmikki-, suosikki-
PET positron-emission tomography
petal /petəl/ s (kasvin) terälehti
peter out /pitər/ v **1** loppua (vähitellen) **2** väsähtää, sammua
petite /pə'tit/ s pieni koko; pieni(kokoinen) naisten vaate
adj pieni(kokoinen)
petition /pə'tıʃən/ s (kansalais)adressi, anomus, hakemus, pyyntö
v jättää (kansalais)adressi jollekulle, anoa, vedota johonkuhun, pyytää
petrified adj **1** kivettynyt petrified forest kivettynyt metsä **2** kauhun lamaannuttama
Petrified Forest /,petrə,faıd'forəst/ kansallispuisto Arizonassa
petrify /'petrə,faı/ v **1** kivettää, kivettyä, muuttua/muuttaa kiveksi **2** (kuv) saada jähmettymään/kangistumaan kauhusta
petrol /petrəl/ s (UK) bensiini
petroleum /pə'troliəm/ s raakaöljy, maaöljy, öljy
petticoat /'petı,kout/ s alushame
pettiness s **1** mitättömyys, vähäpätöisyys, merkityksettömyys **2** pikkumaisuus
petting s petting, seksuaalinen hyväily
petty /peti/ adj **1** mitätön, vähäpätöinen, vähäinen, merkityksetön **2** pikkumainen
petulance s ärtyisyys, kiukkuisuus; oikullisuus
petulant /petʃələnt/ adj ärtyisä, ärtynyt, kiukkuinen; oikukas, oikullinen
petulantly adv ks petulant
pew /pju/ s kirkonpenkki
pewter /pjutər/ s tina
PFC private first class
PG parental guidance (elokuvasta) sallittu lapsille, mutta vanhemman henkilön läsnäoloa suositellaan
PG-13 (elokuvasta) sallittu lapsille, mutta suositellaan että alle 13-vuotiaat katsovat elokuvan vanhemman henkilön seurassa
PGA Professional Golfers' Association
phallic /fælık/ adj fallinen
phallus /fæləs/ s fallos, penis
phantom /fæntəm/ s haamu, aave
adj kuvitteellinen, aave-, vale-
Pharaoh /ferou/ s faarao
Pharisee /'færəsı/ s fariseus pharisee (kuv) fariseus, tekopyhä/ulkokultainen ihminen
pharmaceutical /,farmə'sutıkəl/ s lääke
adj farmaseuttinen
pharmaceutics /,farmə'sutıks/ s (verbi yksikössä) farmasia
pharmacist /farməsıst/ s farmaseutti; apteekkari
pharmacological /,farməkə'ladʒıkəl/ adj farmakologinen
pharmacology /,farmə'kalədʒi/ s farmakologia
pharmacopoeia /,farməkə'piə/ s farmakopea, lääkeluettelo
pharmacy /farməsi/ s **1** farmasia **2** apteekki

pharyngeal /ˌferən'dʒiəl/ adj nielun, nielu-
pharyngitis /ˌferən'dʒaɪtɪs/ s nielutulehdus
pharynx /færiŋks/ s (mon pharynges, pharynxes) nielu
phase /feɪz/ s vaihe, faasi v vaiheistaa, tahdistaa, synkronoida
phase down v vähentää vähitellen/asteittain
phase in v ottaa vähitellen käyttöön
phase out v poistaa vähitellen käytöstä, lakata (vähitellen) valmistamasta, lopettaa/loppua vähitellen
Ph.D. Doctor of Philosophy filosofian tohtori
pheasant /fezənt/ s fasaani
phenomena /fə'namənə/ ks phenomenon
phenomenal /fə'namənəl/ adj ilmiömäinen, sanoinkuvaamaton, uskomaton, satumainen
phenomenally adv ilmiömäisesti, ilmiömäisen, uskomattomasti, uskomattoman
phenomenon /fə'namənən/ s (mon phenomena) ilmiö
Phila. Philadelphia
Philadelphia /ˌfɪlə'delfiə/ kaupunki Pennsylvaniassa
philatelist /fə'lætəlɪst/ s filatelisti, postimerkkeilijä
philately /fə'lætəˌli/ s filatelia, postimerkkeily
philharmonic /ˌfɪlhar'manɪk/ adj filharmoninen
Philippine /'fɪləˌpin/ adj filippiiniläinen
Philippines /'fɪləˌpinz/ (mon) Filippiinit
Philistine /'fɪlɪstin/ s rahvaanomainen/hienostumaton/kulttuuriton ihminen adj rahvaanomainen, hienostumaton, kulttuuriton
philological /ˌfɪlə'ladʒɪkəl/ adj filologinen
philologically adv filologisesti
philologist /fə'lalədʒɪst/ s filologi, kielentutkija
philology /fə'lalədʒi/ s filologia, kielentutkimus
philosopher /fə'lasəˌfər/ s filosofi
philosophical /ˌfɪlə'safɪkəl/ adj filosofinen
philosophically adv filosofisesti
philosophize /fə'lasəˌfaɪz/ v pohtia (näennäisen syvällisesti), järkeillä, filosofoida
philosophy /fə'lasəˌfi/ s filosofia
philosophy of life s elämänfilosofia, elämänkatsomus
phlegm /flem/ s lima
phlegmatic /fleg'mætɪk/ adj flegmaattinen, hidasluonteinen, apaattinen, vetämätön, innoton; viileä, välinpitämätön
phlegmy /flemi/ adj limainen
phobia /foʊbiə/ s (sairaalloinen) pelko, kammo, fobia
Phobos /foʊbəs/ Fobos, yksi Jupiterin kuu
phoenix /finɪks/ s feeniks(-lintu)
Phoenix /finɪks/ **1** (tähdistö) Feeniks **2** kaupunki Arizonassa
phone /foʊn/ s puhelin v soittaa (puhelimella)
phone book s puhelinluettelo
phone booth s puhelinkioski, puhelinkoppi
phoneme /'foʊˌnim/ s foneemi
phonemic /fə'nimɪk/ adj fonemaattinen
phonemics s (verbi yksikössä) fonemiikka
phonetic /fə'netɪk/ adj foneettinen
phonetic alphabet s foneettinen tarkekirjoitus
phonetics s (verbi yksikössä) fonetiikka
phoney ks phony
phonograph /'foʊnəˌgræf/ s fonografi
phonological /ˌfanə'ladʒɪkəl/ adj fonologinen
phonology /fə'nalədʒi/ s fonologia
phony /foʊni/ s **1** väärennös **2** huiputtaja, huijari **3** teeskentelijä, tärkeilijä adj **1** väärennetty, väärä **2** tekaistu, valheellinen, perätön **3** vilpillinen, epärehellinen, kiero, kavala **4** teennäinen, tärkeilevä; joka on olevinaan jotakin
phosphorus /fasfərəs/ s fosfori
photo /foʊtoʊ/ s (valo)kuva

Photo CD® /ˌfoutousiˈdi/ s **1** Photo CD -järjestelmä **2** edellisen mukainen CD-levy (jolle on tallennettu valokuvia televisiosta tai tietokoneessa katsottavaksi)
photocomposition /ˌfoutouˌkampəˈziʃən/ s valoladonta
photocopier s (valo)kopiokone
photocopy /ˈfoutəˌkapi/ s valokopio v valokopioida
photogenic /ˌfoutəˈdʒenɪk/ adj valokuvauksellinen, valokuvauksellisen kaunis
photograph /ˈfoutəˌgræf/ s valokuva, v valokuvata she photographs well hän onnistuu aina (valo)kuvissa, hän on (valo)kuvissa edukseen
photographer /fəˈtagrəfər/ s valokuvaaja
photographic /ˌfoutəˈgræfɪk/ adj **1** valokuvauksen, valokuvaus-, valokuva- **2** äärimmäisen tarkka/realistinen, valokuvamainen
photographical ks photographic
photographically adv ks photographic
photographic memory s valokuvamuisti, eideettinen muisti
photography /fəˈtagrəfi/ s valokuvaus
photon /foutan/ s fotoni
photo op /ˈfoutouˌap/ photo opportunity
photo opportunity /ˈfoutouˌapərˈtunəti/ s lehtikuvaajille järjestetty tilaisuus julkkiksen kuvaamiseksi
photosphere /ˈfoutəsˌfɪər/ s fotosfääri
photosynthesis /ˌfoutouˈsɪnθəsɪs/ s yhteyttäminen, fotosynteesi
phrasal verb /freɪzəl/ s preposition tai muun partikkelin kanssa käytettävä verbi (give in, give up)
phrase /freɪz/ s **1** (englannin kieliopissa) lauseenjäsen, lauseen osa (jossa ei ole persoonamuotoa), lauseke **2** ilmaus, sanonta, fraasi
v pukea sanoiksi, ilmaista, muotoilla
phraseology /freɪˈzalədʒi, ˌfreɪzˈalədʒi/ s ilmaisut, sananvalinta bureaucratic phraseology virkakieli
physical /fɪzɪkəl/ s lääkärintarkastus adj **1** ruumiillinen, fyysinen he's a very physical guy hän on aina taputtelemassa ihmisiä **2** (fysiikassa) fysikaalinen **3** aineellinen
physical education s (kouluaine) liikunta, liikuntakasvatus
physical examination s lääkärintarkastus
physically /fɪzɪkli/ adv ruumiillisesti, fyysisesti
physical therapy s fysikaalinen hoito, fysioterapia
physician /fəˈzɪʃən/ s lääkäri
physicist /fɪzəsɪst/ s fyysikko
physics /fɪzɪks/ s (verbi yksikössä) fysiikka
physiognomy /ˌfɪziˈagnəmi/ s kasvot, kasvonpiirteet, fysiognomia
physiological /ˌfɪziəˈladʒɪkəl/ adj fysiologinen
physiologically adv fysiologisesti
physiologist /ˌfɪziˈalədʒɪst/ s fysiologi
physiology /ˌfɪziˈalədʒi/ s fysiologia
physiotherapist /ˌfɪzɪəˈθerəpɪst/ s fysioterapeutti
physique /fəˈzik/ s fysiikka, ruumiinrakenne
pianist /piənɪst/ s pianisti
piano /piˈænou/ s (mon pianos) piano
piano player s pianonsoittaja, pianisti
piano tuner s pianonvirittäjä
piccolo /pɪkəlou/ s (mon piccolos) pikkolo, pikkuhuilu
pick /pɪk/ s **1** hakku **2** (mus) näppäin, plektron **3** valinta take you pick valitse omasi!
v **1** valita, poimia (joukosta), etsiä to pick a fight haastaa riitaa **2** hakata/kaivaa (hakulla ym), nyppiä, nokkia, poimia, kaivaa (nenäänsä) **3** varastaa, tyhjentää (esim jonkun taskut) **4** tiirikoida (lukko auki)
pick a fight fr haastaa riitaa
pick and choose fr nirsoilla, valita tarkkaan

pick apart v haukkua pystyyn/pataluhaksi, lyödä lyttyyn
pick at v **1** moittia, sättiä, nalkuttaa **2** näykkiä (ruokaansa)
picket /pɪkət/ s **1** aidan lauta; tappi, piikki **2** lakkovahti **3** mielenosoittaja v **1** aidata, aidoittaa **2** sulkea aitaukseen, vangita **3** sijoittaa lakkovahteja/mielenosoittajia jonnekin **4** olla lakkovahtina **5** osoittaa mieltään
picket line s lakkovahtien rivi, (rivissä seisovat) lakkovahdit
pick holes in fr (kuv) lyödä lyttyyn, kumota
pickle /pɪkəl/ s **1** suolakurkku tms **2** suola- ja etikkaliemi **3** to be in a pickle olla pinteessä, olla pahassa pulassa v säilöä (suola- ja etikkaliemessä)
pick off v **1** nykäistä/kiskaista irti **2** ampua alas, pudottaa
pick on v **1** kiusata, härnätä **2** valita, poimia
pick out v **1** valita **2** huomata, erottaa, nähdä **3** ymmärtää, oivaltaa, käsittää **4** poimia, kerätä
pick over v tutkia (kauppatavaraa), hypistellä käsissään
pickpocket /ˈpɪk,pakət/ s taskuvaras v varastaa, tyhjentää (esim jonkun taskut)
pick to pieces fr (kuv) lyödä lyttyyn, kumota
pick up v **1** nostaa ylös/maasta; hakea; korjata talteen, kerätä kokoon **2** oppia **3** jatkaa he picked up where he had left off hän jatkoi siitä mihin oli lopettanut **4** ottaa kyytiin, tarjota kyyti jollekulle **5** to pick up speed lisätä vauhtia; kiihtyä **6** ostaa where did you pick up that sweatshirt? mistä sinä tuon collegen löysit? **7** saada kuuluviin (radiolla) **8** (kaupankäynti) vilkastua, kasvaa, lisääntyä **9** (taudista) saada, tarttua johonkuhun **10** (ark) iskeä (mies, nainen)
pick up on v **1** huomata, panna merkille **2** pitää silmällä jotakuta/jotakin
pick up the tab fr maksaa lasku/viulut, tarjota
pickup truck /pɪkʌp/ s pickup, avolavapakettiauto
pick your steps fr astua/astella varovasti (jonkin yli)
picnic /pɪknɪk/ s piknikki, piknik v mennä piknikille, olla piknikillä
pictorial /pɪkˈtɔriəl/ **1** kuvalehti **2** (lehdessä) kuvajuttu, kuvareportaasi adj **1** kuvitettu, kuva- **2** kuvataiteellinen, kuvataiteen, kuva-
picture /pɪktʃər/ s **1** kuva (myös kuv) let's take some pictures otetaan muutama valokuva there'a a picture of grandfather on the wall seinällä on isoisän (muoto)kuva MacKenzie is as pretty as a picture MacKenzie on kuvankaunis **2** mielikuva, muistikuva, käsitys **3** elokuva want to go to the pictures? haluatko lähteä elokuviin? **4** jonkin ruumiillistuma Mr. Gekko was the picture of greed Mr. Gekko oli todellinen rahanahneuden ruumiillistuma he's the picture of tastelessness hän on itse mauttomuus she's the picture of her mother hän on ilmetty äitinsä v **1** kuvata, maalata, esittää **2** kuvailla, kuvata, kuvitella he could not picture himself as a professor hän ei uskonut että hänestä olisi professoriksi
picture book s kuvakirja
picture-book adj idyllinen, ihanne- a picture-book life somewhere in the South Seas haave-elämä jossakin Etelämerellä
picturesque /,pɪktʃə,resk/ adj **1** maalauksellinen, pittoreski **2** (kieli) rehevä, mehevä, (kuvaus) elävä, todentuntuinen
picture tube s kuvaputki, katodisädeputki
picture window s maisemaikkuna
pidgin /pɪdʒən/ s pidginkieli
pidgin English s pidginenglanti
pie /paɪ/ s (makea tai suolainen) piiras, piirakka to eat humble pie niellä katkera pala/kalkki that's easy as pie se on lasten leikkiä, se on helppoa kuin mikä
piece /pis/ s **1** pala, palanen, osa, kappale, sirpale that's a nice piece of work sinä teit työsi hienosti, se oli hyvin tehty a piece of furniture huonekalu to go to pieces särkyä, mennä säpäleiksi; (kuv) musertua, luhistua these two vases are of a piece nämä maljakot

sopivat yhteen it is time for you to speak your piece sinun on aika puhua suusi puhtaaksi/sanoa sanottavasi/kertoa mitä sinulla on sydämelläsi **2** pelinappula, šakkinappula **3** lehtikirjoitus, artikkeli; novelli **4** (ark) ase **5** kolikko **6** taideteos, taulu; veistos; sävellys **7** amuletti, maskotti

pièce de résistance /pɪ,esdə,reɪzɪs'tans/ s ranskasta, (mon pièces de résistance) **1** pääruoka(laji) **2** pääohjelmanumero, pääartikkeli tms, herkkupala (kuv)

piecemeal /'pis,miəl/ adv vähitellen, vähin erin, vähän kerrallaan

piece of cake it's a piece of cake se on lasten leikkiä, se on helppoa kuin mikä, se on helppo nakki

piece of the action fr osuus jostakin can't you guys give me a piece of the action? ettekö te voi päästää minua osingolle/apajille?

piece out v koota, kasata, kyhätä kokoon

piece together v koota, kasata, kyhätä kokoon I am trying to piece together what is left of my life yritän saada elämäni rippeet jonkinlaiseen järjestykseen

pie chart s piirakkakuvio

pie in the sky fr pelkkä lupaus; onni ja autuus

pier /pɪər/ s laituri

pierce /pɪərs/ v lävistää, läpäistä, puhkaista (reikä/aukko)

piercing adj **1** korviavihlova, korviasärkevä **2** pureva(n kylmä) **3** läpitunkeva, tutkiva (katse)

piercingly adv ks piercing

piety /paɪəti/ s hurskaus

piezoelectricity /paɪ,izoʊəlek'trɪsəti/ s pietsosähkö

pig /pɪg/ s **1** sika (myös kuv) **2** sianliha, sika **3** (valu)harkko
v valaa harkoiksi

pigeon /pɪdʒən/ s kyyhkynen, pulu

pigeonhole /'pɪdʒən,hoəl/ s **1** (kirjoituspöydän tms) lokero **2** (kyyhkyslakan tms) lokero
v **1** (kuv) luokitella, jaotella, karsinoida **2** (kuv) panna pöydälle, jättää toistaiseksi, lykätä myöhemmäksi

piggy s porsas

piggyback /'pɪgi,bæk/ s asuntovaunu (jota vedetään pickupilla)
v kantaa reppuselässä (tästä johdettuna): kuljettaa mukanaan/kyydissä, kuljettaa kenguruliikenteessä (auton perävaunuja junassa), kuljettaa/kulkea jonkin siivellä, liittää jonkin, käyttää hyväkseen jotakin
adv reppuselässä

pig in a poke to buy a pig in a poke ostaa sika säkissä

piglet /pɪglət/ s porsas

pigment /pɪgmənt/ s väriaine, pigmentti
v värjätä; värjäytyä

pig out v sikailla, mässäillä

pig-out s (sl) mässäily, sikailu

pigpen /'pɪg,pen/ s sikolätti (myös kuv)

pigskin /'pɪg,skɪn/ s **1** siannahka **2** (ark) (amerikkalainen) jalkapallo

pigsty /pɪg'staɪ/ s sikolätti (myös kuv)

pigtail /'pɪg,teɪəl/ s saparo, palmikko

pike /paɪk/ s **1** hauki **2** keihäs, peitsi; piikki, terä, kärki **3** maksullinen moottoritie; tiemaksu; maksuportti he's the best president to come down the pike in a long time hän on paras presidentti pitkään aikaan
v keihästää, seivästää

pile /paɪəl/ s **1** pino, kasa **2** (kuv) paljon, kasapäin **3** paalu, pylväs, seiväs **4** nukka **5** (mon) peräpukamat
v pinota, pinoutua, kasata, kasaantua

pile off v astua/marssia ulos jostakin

pile up v kerätä, kerääntyä, kasata, kasaantua, pinota, pinoutua, ruuhkautua; hamstrata

pileup s **1** ketjukolari **2** työ- tai muu ruuhka

pilfer /pɪlfər/ v kähveltää, pihistää

pilferer s varas

pilgrim /pɪlgrəm/ s pyhiinvaeltaja

pilgrimage /pɪlgrəmədʒ/ s pyhiinvaellus

Pilgrim Fathers s (mon hist) pyhiinvaeltajaisät (jotka perustivat Massachusettsiin siirtokunnan vuonna 1620)

pill /pɪl/ s pilleri, tabletti the pill e-pilleri bitter pill (to swallow) katkera pala/kalkki
pillage /pɪlɪdʒ/ s ryöstö, rosvous v ryöstää, rosvota
pillar /pɪlər/ s pylväs, pilari she's not exactly a pillar of the community hän ei ole mikään mallikansalainen to go from pillar to post kulkea sinne tänne, kulkea paikasta paikkaan
pillbox /'pɪl,baks/ s pillerirasia (myös hattu)
pillion /pɪljən/ s (moottoripyörän) takasatula
adv: to ride pillion matkustaa (moottoripyörän) kyydissä
pillory /pɪləri/ s häpeäpaalu, kaakinpuu
v **1** panna häpeäpaaluun **2** (kuv) pitää jotakuta pilkkanaan, tehdä pilaa jostakusta, pilkata jotakuta, saattaa joku häpeään
pillow /pɪlou/ s tyyny
pillowcase /'pɪlou,keɪs/ s tyynyliina
pillow talk s (aviopuolisoiden väliset) kahdenkeskiset puheet, yksityisasiat
pilot /paɪlət/ s **1** luotsi **2** lentäjä, lentokoneen ohjaaja, pilotti **3** (retki)opas
v **1** luotsata **2** ohjata lentokonetta **3** opastaa
pilot lamp s merkkivalo, merkkilamppu
pimp /pɪmp/ s parittaja, sutenööri
pimple /pɪmpəl/ s finni
pimply adj finninen, finnien peittämä
pin /pɪn/ s **1** neula, nuppineula (myös:) hiusneula, koristeneula, solmioneula **2** (keilailussa) keila **3** pyykkipoika **4** tappi, pultti, lyhyt akseli
v kiinnittää neulalla
PIN personal identification number
pinafore /'pɪnə,fɔr/ s **1** (lasten) esiliina **2** (naisten) esiliina-asu **3** (UK) (aikuisten) esiliina
pinball /'pɪn,baəl/ s (peli) flipperi
pinball machine s flipperikone
pincers /pɪnsərz/ s (verbi yleensä mon) kärkipihdit a pair of pincers kärkipidit
pinch /pɪntʃ/ s **1** nipistys **2** hyppysellinen **3** (kuv) (omantunnon) pisto to feel the pinch of poverty tuntea köyhyys nahoissaan
v **1** nipistää **2** (kenkä ym) puristaa **3** työntää, painaa, ahtaa **4** vääristää, vääntää (kasvot) **5** piinata, kiusata, vaivata, (nälkä myös) kurnia vatsassa **6** joutua (taloudellisesti) koville, säästää, nuukailla, elää/joutua elämään nuukasti
pinch pennies fr venyttää markka soikeaksi
pin down v patistaa jotakuta pitämään lupauksensa/ilmoittamaan lopullinen kantansa
pine /paɪn/ s mänty
pineal gland /pɪniəl paɪniəl paɪ'niəl/ s käpylisäke
pineapple /'paɪn,æpəl/ s ananas
pine away v riutua, kuihtua
pine cone s männynkäpy
pine for v kaivata, ikävöidä
pine needle s männynneulanen
ping-pong /'pɪŋ,paŋ/ v hyppiä/pomppia/poukkoilla/juosta/juoksuttaa edestakaisin
pinion /pɪnjən/ s hammaspyörä, käyttöratas rack-and-pinion steering hammastanko-ohjaus
pink /pɪŋk/ s **1** neilikka **2** pinkki, vaaleanpunainen (väri)
adj pinkki, vaaleanpunainen
pinkie /pɪŋki/ s (ark) pikkusormi
pink-slip /'pɪŋk,slɪp/ s: to get a pink-slip saada potkut
v (ark) antaa potkut, erottaa, lomauttaa
pinnacle /pɪnəkəl/ s (vuoren) huippu (myös kuv:) she's at the pinnacle of her fame hän on maineensa huipulla
pin on v sälyttää jotakin jonkun niskaan/harteille, lykätä syy jonkun vastuulle
pinpoint /'pɪn,poɪnt/ s neulan kärki
v paikantaa/löytää/sanoa tarkasti
pins and needles to be on pins and needles olla kuin tulisilla hiilillä, olla kuin kissa pistoksissa
pinstriped /'pɪn,straɪpt/ adj **1** (kangas, puku) liituraita- **2** (kuv) pinstriped attitudes tyypilliset johtotason/johtajatason näkemykset

pinstripe suit s liituraitapuku
pint /paɪnt/ s pint, noin puoli litraa (0,473 l)
pint-size /ˈpaɪntˌsaɪz/ adj (ark) pieni, piskuinen
pinup /ˈpɪnˌʌp/ s **1** alastonkuva, nudekuva **2** nude (ark), alastonkuvan nainen/mies
pioneer /ˌpaɪəˈnɪər/ s **1** uudisraivaaja **2** (kuv) uranuurtaja, edelläkävijä, esitaistelija **3** (sot) pioneeri
v **1** avata (uudis)asutukselle, asuttaa ensimmäisenä **2** käyttää tms ensimmäisenä, aloittaa, käynnistää
pioneering adj uraauurtava
pious /paɪəs/ adj **1** hurskas **2** tekopyhä, hurskasteleva
piously adv **1** hurskaasti **2** tekopyhästi, hurskastelevasti
pip /pɪp/ s **1** (hedelmän) siemen **2** (kortin, pelimerkin) silmä **3** (tutkan pyöröpyyhkäisylaitteen) valotäplä **4** (tal) yksi sadasosaprosentti arvopaperin nimellisarvosta
v piipitää
PIP picture-in-picture kuva kuvassa (-toiminne)
pipe /paɪp/ s **1** putki, johto (ark myös:) keuhkoputki **2** (tupakoijan) piippu put that in your pipe and smoke it näin on marjat; ei auta itku markkinoilla **3** pilli, huilu, klarinetti, oboe **4** (mon, ark) (laulu)ääni **5** (yl mon) säkkipilli
v **1** soittaa pillillä, huilulla tms **2** piipitää, puhua/sanoa piipittäen/kimeällä äänellä **3** johtaa (putkilla)
pipe down v (sl) olla hilj(emp)aa, panna suunsa kiinni
pipeline /ˈpaɪpˌlaɪn/ s **1** öljyjohto **2** (kuv) kanava, väylä, (yksityinen) tietolähde the lobbyist has a direct pipeline to the senator's office eturyhmän edustajalla on sisäpiirin lähde senaattorin henkilökunnassa to be in the pipeline (kuv) olla valmisteilla/tekeillä/odotettavissa/putkessa (ark)
v **1** siirtää öljyputkea pitkin **2** (kuv) välittää, siirtää, syöttää (tietoa ym)
piper /paɪpər/ s huilunsoittaja, säkkipillinsoittaja to pay the piper vastata seurauksista; maksaa viulut
pipette /paɪˈpet/ s tiputin, pipetti
pipe up v **1** alkaa soittaa/laulaa **2** korottaa ääntään/äänensä **3** (nopeus) kasvaa, (tuuli) voimistua
pipe up with v sanoa jotakin piipittäen/kimeällä äänellä, korottaa äänensä ja sanoa jotakin
piquant /pɪkwənt/ adj **1** (maku) (miellyttävän) kirpeä **2** virkistävä, piristävä, innostava; kiintoisa, kiehtova
pique /pik/ v **1** loukata, harmittaa, ärsyttää **2** (kuv) kutkuttaa, herättää (uteliaisuus)
piqué /piˈkeɪ/ s (kangas) pikee
piracy /paɪrəsi/ s **1** merirosvous **2** (äänilevyjen, ääninauhojen, kuvanauhojen, tietokoneohjelmien ym tallenteiden tai painotuotteiden) luvaton jäljentäminen (myyntiä varten), piraattikopiointi
piranha /pəˈranə/ s (mon piranhas, piranha) piraija
pirate /paɪrət/ s **1** merirosvo **2** piraatti (ks piracy 2)
v jäljentää (tallenteita, kirjoja) luvatta (myyntiä varten)
pirouette /ˌpɪrəˈwet/ s piruetti, pyörähdys
v tehdä piruetti, pyörähtää
Pisces /paɪsiz/ horoskoopissa Kalat
piss /pɪs/ s (sl) kusi to take a piss kusta
v (sl) kusta
piss off v (sl) **1** ottaa kupoliin, pänniä, vituttaa **2** (käskynä) häivy!, ala kalppia!
pistachio /pɪsˈtæʃioʊ/ s (mon pistachios) vihermanteli, pistaasi
pistol /pɪstəl/ s pistooli
piston /pɪstən/ s mäntä
pit /pɪt/ s **1** kuoppa **2** kaivos; kaivoskuilu **3** alamaailma, helvetti **4** (mon, sl) pohjanoteeraus his last novel was the pits hänen uusin romaaninsa oli varsinainen pohjanoteeraus **5** syvennys, (CD-levyssä myös:) pitti orchestra pit orkesterisyvennys **6** (lasin) kupla, (maalipinnan) virhe, (iho)arpi **7** (mon, ark) kainalot to be up to your pits in something (kuv) olla hukkua johonkin, olla jossakin kainaloitaan myöten **8** (autokilpailussa) varikko

v **1** kuopittaa, tehdä kuoppia johonkin **2** täplittää, arpeuttaa, olla täplillä/arvilla
pita bread /pitə/ s pitaleipä
pit against v asettaa vastakkain to pit one team against another panna joukkueet pelaamaan vastakkain
pit bull terrier s bullterrieri
pitch /pɪtʃ/ s **1** heitto, (baseballissa) syöttö **2** (golfissa) pitchi, korkea lyönti jolla lähestytään viheriötä **3** taktiikka sales pitch (tuotteen innokas) mainostus to make a pitch for something mainostaa/kehua/ylistää jotakin **4** huippu, huipentuma, taso, aste **5** äänenkorkeus she has absolute pitch hänellä on absoluuttinen (sävel)korva falling/rising pitch (fonetiikassa) laskeva/nouseva intonaatio **6** nousu, lasku, (kaltevuus)kulma **7** piki
v **1** heittää, (baseballissa) syöttää she's in there pitching (kuv) hän yrittää kovasti, hän tekee parhaansa **2** hangota (heinää ym) **3** pystyttää (teltta yms) **4** virittää (soitin), antaa ääni **5** asettaa, panna (tietylle tasolle) don't pitch your aspirations/hopes too high älä toivo liikoja **6** kaatua, pudota (satulasta) **7** kehua, mainostaa, kaupitella **8** (laiva) keinua pituussuunnassa **9** pietä
pitch a curve ball fr **1** syöttää jollekulle kierteinen pallo **2** (kuv) lyödä joku ällikällä, yllättää joku, saada joku hämmästymään
pitch-black /ˌpɪtʃ'blæk/ adj pikimusta
pitcher /pɪtʃər/ s **1** kannu **2** syöttäjä **3** (golf) rautaseitsemän, pitcher
pitchfork /'pɪtʃˌfɔrk/ s (heinä)hanko, talikko
pitch in v (ark) **1** panna hihat heilumaan **2** osallistua keräykseen tms
pitch in and help fr ruveta auttamaan
pitching wedge /'pɪtʃɪŋˌwedʒ/ s (golf) rautamaila jolla lyödään korkeita ja tarkkoja lyöntejä (pitch) viheriölle
pitch into v (ark) **1** panna hihat heilumaan **2** käydä kiinni johonkuhun **3** haukkua jotakuta, sättiä
pitch on v valita (umpimähkään)
piteous /pɪtiəs/ adj säälittävä
piteously adv säälittävästi, säälittävän
pitfall /'pɪtˌfaəl/ s ansa (myös kuv:) vaara
pitiful /pɪtəfəl/ adj **1** säälittävä **2** surkea, kurja, viheliäinen
pitifully adv ks pitiful
pitiless /pɪtələs/ adj säälimätön, armoton, kova, ankara
pitilessly adv ks pitiless
pit stop s **1** (autokilpailussa) varikkokäynti **2** (ark) pysähdys (automatkalla) **3** (ark) pysähdyspaikka (matkan varrella)
Pittsburgh /'pɪtsˌbərg/ kaupunki Pennsylvaniassa
pituitary /pə'tuːˌteri/ s aivolisäke adj aivolisäkkeen
pituitary gland s aivolisäke
pity /pɪti/ s sääli what a pity! sääli!, vahinko! to have/take pity sääliä; armahtaa
v sääliä jotakuta, käydä sääliksi
pitying adj säälivä
pivot /pɪvət/ s **1** kiertävä/pyörivä tappi, laakeritappi **2** (kuv) kiintopiste, keskipiste, tukipiste
v kiertyä/pyöriä (tapin tms varassa)
pivotal /pɪvətəl/ adj (kuv) keskeinen, ratkaiseva, ydin-
pivotally adv ks pivotal
pizza /pitsə/ s pitsa, pizza
pkg. package
pkwy. parkway
pl. plural monikko
placard /plækərd/ s (mielenosoittajien tai muu) (pahvi)juliste
v levittää julisteita jonnekin
placate /pleɪkeɪt/ v lepyttää, rauhoittaa, tyynnyttää
place /pleɪs/ s **1** paikka, kohta; seutu, alue there were people all over the place paikka oli tupaten täynnä väkeä I lost my place hukkasin kirjasta kohdan (jota olin lukemassa) to be between a rock and a hard place olla kahden tulen välissä; olla puun ja kuoren välissä in the first place ensinnäkin, ensinnäkään to run in place juosta paikallaan to be in place olla valmiina/valmista **2** koti, talo, mökki they have a little place in Vermont

heillä on mökki Vermontissa your place or mine? mennäänkö meille vai teille? at my place meillä, minun kotonani **3** aukio **4** (kilpailussa) sija she won first place hän tuli ensimmäiseksi **5** (työ)paikka, (yhteiskunnallinen yms) asema in his place, I wouldn't do it en tekisi sitä jos olisin hän(en asemassaan) **6** in place of sijasta, asemesta **7** to be out of place olla väärällä paikalla; (kuv) sopimaton, tahditon, epähieno **8** to take place tapahtua, järjestää
v **1** panna, asettaa, sijoittaa she placed the book on the table hän laski kirjan pöydälle **2** (urh ym) sijoittua she placed third hän tuli kolmanneksi **3** antaa to place an order tilata, tehdä tilaus **4** nimittää (tehtävään), löytää jollekulle työpaikka
placebo /plə'sibou/ s (mon placebos, placeboes) näennäislääke, plasebo
place mat s (ruokapöydässä) kateliina, katealunen, tabletti
placename /'pleɪs,neɪm/ s paikannimi
placenta /plə'sentə/ s (mon placentas, placentae) istukka
place the blame on fr sälyttää/lykätä syy jonkun niskaan/harteille
placid /plæsɪd/ adj rauhallinen, tyyni
placidity /plə'sɪdəti/ s rauha, rauhallisuus, tyyneys
placidly adv rauhallisesti, tyynesti
plagiarism /'pleɪdʒə,rɪzəm/ s **1** plagiointi **2** plagiaatti
plagiarist /pleɪdʒərɪst/ s plagioija
plagiarize /'pleɪdʒə,raɪz/ v plagioida
plague /pleɪg/ s **1** kulkutauti **2** rutto to avoid something like the plague (kuv) karttaa jotakin kuin ruttoa **3** (Raamatussa ja yl) vitsaus
v kiusata, vaivata, piinata
plague with v kiusata, vaivata, piinata, täyttää jollakin
plaid /plæd/ s **1** ruudullinen kangas **2** (skotlantilaisen kansallispuvun) villasaali, pleedi
plain /pleɪn/ s tasanko Great Plains Suuret tasangot, Kalliovuorten itäpuolinen preerialaakio Yhdysvalloissa ja Kanadassa
adj **1** selvä, näkyvä, ilmeinen, ilmiselvä she stood in plain sight of everybody hän seisoi kaikkien nähtävillä let me make it plain to you that... haluan tehdä sinulle selväksi että... **2** suora, suorasukainen, avoin the plain truth suora/puhdas/vilpitön totuus **3** yksinkertainen, koruton, vaatimaton, tavallinen; tavallisen/mitäänsanomattoman näköinen she is quite plain; she has a plain face **4** pelkkä, paljas; suoranainen, ilmiselvä that's a plain lie se on silkkaa valhetta
adv yksinkertaisesti; suorastaan, kerrassaan, kerta kaikkiaan
plain-clothes /'pleɪn,klouðz/ adj (poliisi) siviilipukuinen
plainclothesman /,pleɪn'klouðzmən/ s (mon plainclothesmen) siviilipukuinen poliisi
plainly adv **1** selvästi **2** avoimesti, suoraan **3** koruttomasti, vaatimattomasti, yksinkertaisesti
plain sailing s (kuv) tasainen meno; helppo homma
Plains zebra /,pleɪnz'zibrə/ s aroseepra
plaintiff /pleɪntɪf/ s (lak) kantaja
plaintive /pleɪntɪv/ adj surullinen, apea, valittava
plaintively adv surullisesti, apeasti, valittaen
plait /pleɪt/ s punos; (hius)palmikko
v punoa; palmikoida
plan /plæn/ s **1** suunnitelma, aikomus, aie **2** kaavio, kaaviokuva; pohjapiirros; (kaupungin) kartta; asemakaava
v **1** suunnitella, aikoa **2** piirtää, suunnitella (esim rakennus)
plane /pleɪn/ s **1** taso; taso **2** höylä **3** lentokone **4** (lentokoneen) taso, siipi, (kantosiipialuksen) kantosiiveke
v **1** liitää (ilmassa); liukua veden pinnalla **2** (ark) lentää, matkustaa lentokoneella **3** höylätä
planet /plænət/ s planeetta you're from a different planet (kuv) sinä olet aivan muista maailmoista/toiselta planeetalta
planetarium /,plænə'teriəm/ s (mon planetariums, planetaria) planetaario

planetary /ˈplænə,teri/ adj **1** (tähtitieteessä) planetaarinen **2** (mekaniikassa) planeetta-
planetary nebula s planetaarinen sumu
planetary precession s planeettapresessio
planet gear s planeettapyörä(t)
planetoid /ˈplænə,tɔɪd/ s planetoidi, pikkuplaneetta
planetology /ˈplænə,taləʤɪ/ s planetologia, planeettain tutkimus
plank /plæŋk/ s lauta, lankku
planking s **1** laudoitus, laudoittaminen **2** laudoitus, lautalattia tms
plankton /plæŋktən/ s plankton, keijusto
plan on v varautua johonkin, odottaa jotakin, suunnitella jotakin
plant /plænt/ s **1** kasvi **2** tehdas **3** koneisto, laitteisto, laitteet **4** rakennukset **5** (sl) ansa, syötti, täky; soluttautuja, vakooja
v **1** istuttaa; kylvää **2** iskostaa mieleen, opettaa Dad planted a sense of duty in me isä herätti minussa vastuuntunnon **3** piilottaa (pommi) jonnekin; antaa (suukko) **4** panna/asettaa/asettua johonkin I planted my foot in the door työnsin jalkani oven rakoon **5** (vilpistä:) syöttää (juttu lehdelle); panna salaa (todisteaineistoa) jonnekin the cops planted coke in his apartment to be able to arrest him kytät panivat hänen asuntoonsa kokaiinia voidakseen pidättää hänet
plantation /plænˈteɪʃən/ s plantaasi
plant kingdom s kasvikunta
plaque /plæk/ s **1** laatta, kyltti **2** (lääk) plakki, täplä, (hammaslääk) plakki
plasm /plæzəm/ ks plasma
plasma /plæzmə/ s plasma (lääk myös:) verineste
plasma cell s plasmasolu
plasma physics s (verbi yksikössä) plasmafysiikka
plasmid /plæzmɪd/ s plasmidi
plaster /plæstər/ s **1** rappaus, laasti **2** kipsi; kipsiside
v **1** rapata **2** valaa kipsiin; panna (raaja) kipsiin **3** peittää jokin jollakin **4** (ark) löylyttää, piestä; hakata, antaa selkään; pommittaa/hävittää maan tasalle
plasterboard /ˈplæstər,bɔrd/ s kipsilevy
plaster cast s kipsiveistos
plastered adj (sl) päissään, kännissä
plaster of Paris /,plæstərəˈperɪs/ s kipsi
plastic /plæstɪk/ s **1** (us mon) muovi(t) **2** luottokortti; muoviraha the shop doesn't take plastics kaupassa ei voi maksaa muovirahalla/luottokortilla **3** muoviräjähde
adj **1** muovinen, muovi- **2** muovailtava, muovautuva, taipuisa **3** kuvanveisto-, plastinen
plastic art s kuvanveistotaide
plastic explosive s muoviräjähde
plasticity /plæsˈtɪsəti/ s muovattavuus, muovautuvuus
plastics s (mon) muovit
adj muovi-, muovialan
plastic surgeon s plastiikkakirurgi
plastic surgery s plastiikkakirurgia
plastic wrap s kutistekalvo
plastique /plæsˈtik/ s muoviräjähde
plate /pleɪt/ s **1** lautanen (myös ruoka-annoksesta) **2** kulta- ja/tai hopea-astiat ja ruokailuvälineet **3** kolehtilautanen, kolehtiastia **4** levy, laatta licence plate rekisterikilpi **5** panssari; haarniska **6** (baseballissa) kotipesä **7** (kirjassa) kuva
v **1** hopeoida, kullata (metallia) **2** laatoittaa, päällystää metallilaatoilla
plateau /plæˈtoʊ/ s (mon plateaus, plateaux) **1** ylätasanko, (tasainen) ylänkö **2** (kuv) suvanto, seesteinen/ tasainen/hiljainen vaihe/kausi
platform /ˈplæt,fɔrm/ s **1** asemalaituri **2** puhujakoroke **3** (kuv) (puolue)ohjelma, periaatteet, periaateohjelma, ohjelmapuhe, ohjelmajulistus **4** (merellä käytettävä öljyn)poraustasanne
plating s kulta/hopeapinnoite, kultaus, hopeointi
platinum /plætənəm/ s platina
platinum blonde s nainen jolla on (värjätty) (hopean)valkoinen tukka

platitude /'plætɪ,tud/ s latteus, lattea sanonta, tyhjänpäiväisyys
platitudinous /,plætɪ'tudənəs/ adj lattea, tyhjänpäiväinen
Platonic /plə'tanɪk/ adj **1** platonilainen, Platonin oppien mukainen **2** platonic platoninen, puhtaasti henkinen, intohimoton
platonic love s platoninen/puhtaasti henkinen rakkaus
platoon /plə'tun/ s **1** (sot) joukkue **2** ryhmä, joukko
platypus /plætəpəs/ s vesinokkaeläin
plausibility /,plazə'bɪləti/ s uskottavuus, vakuuttavuus, todennäköisyys
plausible /plazəbəl/ adj uskottava, vakuuttava, todennäköinen
plausibly adv uskottavasti, vakuuttavasti, todennäköisesti
play /pleɪ/ s **1** leikki to bring into play tuoda esille, ottaa puheeksi/mukaan **2** (urheilussa ym) peli to make a play for (ark) yrittää saada itselleen, yrittää vallata, yrittää iskeä **3** näytelmä **4** välys, liikkumavara, pelivara (ark) v **1** leikkiä **2** pelata he plays split end hän on/pelaa laitahyökkääjänä **3** näytellä/esittää jotakuta; esittää jotakin the movie will soon be playing at a theater near you elokuva tulee pian (lähi)teatteireihin
playact /'pleɪ,ækt/ v näytellä, teeskennellä, olla olevinaan jotakin
play along v **1** puhaltaa samaan hiileen, tehdä kuten muutkin/toivotaan **2** olla puhaltavinaan samaan hiileen
play around v **1** pelleillä, leikkiä, mekastaa **2** sorkkia, sormeilla, hypistellä jotakin (with) **3** käydä/juosta miehissä/naisissa; olla uskoton
play at v teeskennellä, olla olevinaan jokin/kiinnostunut jostakin
play back v toistaa/soittaa (äsken tehty ääni- tai kuva)tallenne
play ball fr **1** pelata (pallopeliä) **2** puhaltaa samaan hiileen, ei hangoitella vastaan
play both ends against the middle fr usuttaa (omaksi edukseen) riitapuolet toistensa kimppuun
playboy /'pleɪ,bɔɪ/ s playboy
play by ear fr **1** soittaa korvakuulolta **2** (kuv) tehdä jotakin sen mukaan miltä tuntuu, ei suunnitella etukäteen, improvisoida, käyttää hoksottimiaan
play-by-play /,pleɪbaɪ'pleɪ/ adj (radio- tai televisiolähetys) suora
play cat and mouse with fr leikkiä kissaa ja hiirtä jonkun kanssa
play down v vähätellä he was constanttly playing down the importance of good manners hän vähätteli jatkuvasti hyvien tapojen merkitystä
played out adj loppuunväsynyt, lopen uupunut, aivan rätti
player s **1** pelaaja **2** (uhka)pelaaja, peluri **3** näyttelijä **4** soittaja muusikko **5** soitin CD player CD-soitin
play fair fr pelata reilua peliä
play fast and loose with fr käyttää hyväkseen, kohdella häikäilemättömästi
play footsie /fʊtsi/ fr pitää teerenpeliä/jalkapeliä jonkun kanssa; vehkeillä
play for keeps fr (kuv) olla tosissaan
play for time fr (kuv) pelata aikaa, viivytellä, vitkastella
playful /pleɪfəl/ adj leikkisä
playfully adv leikkisästi
playground /'pleɪ,graʊnd/ s leikkikenttä (myös kuv:) temmellyskenttä
play hard to get fr kainostella, kursailla
play havoc with /hævək/ fr jollakin on vakavat seuraukset jonkun kannalta, aiheuttaa suurta vahinkoa jollekulle/ jollekin
play hooky /hʊki/ fr pinnata (koulusta, työstä)
playhouse /'pleɪ,haʊs/ s **1** teatteri **2** leikkimökki
playing card s pelikortti
play into the hands of fr tietämättään auttaa vastustajaansa tms
play it by ear fr käyttää hoksottimiaan, yrittää selviytyä tilanteesta, improvisoida
play it close to the vest he played it close to the vest (ark) hän oli varovainen, hän ei ottanut turhia riskejä

play-off /'pleɪ,af/ s **1** (urh) jatkoaika (tasapelin ratkaisemiseksi) **2** loppuottelu, mestaruusottelu

play on v käyttää hyväkseen jotakin, laskea jonkin varaan

play on words fr saivarrella; leikkiä sanoilla, leikkiä sanaleikkejä

play out v **1** lopettaa; käyttää loppuun **2** löysätä, höllätä (köyttä)

play politics fr **1** osallistua politiikkaan, politikoida **2** ajaa (häikäilemättömästi) omaa etuaan

play possum /pasəm/ fr **1** tekeytyä kuolleeksi, teeskennellä kuollutta/nukkuvansa **2** teeskennellä viatonta

play second fiddle fr (kuv) soittaa toista viulua, jäädä jonkun varjoon

play the devil with fr panna täysin sekaisin, sotkea perinpohjaisesti

play the game fr pelata reilua peliä, noudattaa pelisääntöjä

play the market fr (ark) keinotella osakkeilla tms

play to the gallery fr (näyttelijä) kosiskella yleisöä

play up v mainostaa kovasti, tuoda kovasti esille

play up to v (ark) imarrella, makeilla, mielistellä

play with a full deck she isn't playing with a full deck hänellä eivät ole molemmat airot vedessä, hän ei ole täysijärkinen

play with fire fr (kuv) leikkiä tulella

play with yourself v (ark) tehdä itsetyydytystä

playwright /'pleɪ,raɪt/ s näytelmäkirjailija

playwriting s näytelmien kirjoittaminen

plaza /plazə/ s **1** aukio **2** ostoskeskus shopping plaza ostoskeskus

plea /pli/ s **1** vetoomus, anomus, pyyntö **2** veruke, syy, peruste **3** (lak) vastaus, puolustus to cop a plea (sl) myöntää syyllisyytensä (pienempään rikokseen) saadakseen lievemmän rangaistuksen

plea bargaining s (lak) menettely jossa syytetty myöntää jo ennen oikeudenkäyntiä syyllisyytensä pienempään rikokseen kuin mistä häntä syytetään, jotta hän saa lievemmän rangaistuksen

plead /plid/ v pleaded/pled, pleaded/pled **1** anoa, pyytää, vedota johonkuhun **2** (lak) vastata how do you plead? – I plead not guilty miten vastaatte kanteeseen? – vastaan että olen syytön

pleasant /plezənt/ adj miellyttävä, mukava, (yllätys, uutinen) iloinen

pleasantly adv miellyttävästi, mukavasti, (yllättyä) iloisesti

pleasantness s ystävällisyys, kohteliaisuus

pleasantry /plezəntri/ s **1** kohteliaisuus **2** leikinlasku

please /pliz/ v **1** miellyttää jotakuta, olla mieleen jollekulle **2** haluta, huvittaa you may do as you please voit tehdä kuten itse haluat if you please jos suvaitset (ylät), jos sinulle sopii adv ole hyvä, olkaa hyvä please take your crazy dog with you voisitko viedä hullun koirasi mennessäsi? excuse me, please anteeksi (mutta voisitteko ystävällisesti väistyä?); suokaa anteeksi (mutta minun on poistuttava pöydästä tms)

pleased adj mielissään, tyytyväinen, onnellinen, iloinen I am pleased to inform you that you have won a million dollars miellyttävänä velvollisuutenani on ilmoittaa teille että olette voittanut miljoona dollaria

pleasing adj miellyttävä, mukava

pleasurable /pleʒərəbəl/ adj miellyttävä, mukava, hauska

pleasure /pleʒər/ s **1** ilo, tyytyväisyys, nautinto to derive pleasure from something saada iloa jostakin, jokin tuottaa jollekulle iloa, nauttia jostakin with pleasure mielihyvin, mielelläni it was a pleasure to meet your parents oli hauska tavata vanhempasi the pleasures of flesh lihalliset nautinnot, aistinautinnot **2** huvi business and pleasure don't mix työ ja huvi eivät sovi yhteen **3** halu what is your pleasure? mitä saisi olla?, mistä sinä pitäisit?

pleat /plit/ s laskos
v laskostaa
plectrum /plektrəm/ s (mon plectrums, plectra) (mus) näppäin, plektron
pledge /pledʒ/ s **1** lupaus, vakuutus, vala **2** pantti
v **1** vannoa, luvata **2** vannottaa, vaatia vannomaan he pledged us not to tell anyone hän kielsi meitä kertomasta asiasta kenellekään **3** pantata **4** kohottaa/juoda malja jonkun kunniaksi
Pledge of Allegiance /ə'lidʒəns/ s (US) uskollisuudenvala (isänmaalle)
plentiful /plentɪfəl/ adj runsas
plentifully adv runsaasti
plenty /plenti/ s **1** runsaus, yltäkylläisyys in times of plenty yltäkylläisyyden hetkinä, yltäkylläisinä aikoina **2** plenty of paljon we have plenty of money/potatoes meillä on runsaasti/paljon rahaa/perunoita
pliability /ˌplaɪə'bɪləti/ s **1** taipuisuus, notkeus **2** herkkyys
pliable /plaɪəbəl/ adj **1** taipuisa, notkea, norja **2** herkkä, vaikutuksille altis
pliers /plaɪərz/ s (mon) pihdit
plight /plaɪt/ s hätä, ahdinko, kurjuus
plinth /plɪnθ/ s (pylvään aluslaatta) plintti
PLO Palestine Liberation Organization Palestiinan vapautusjärjestö
plod /plad/ v **1** laahustaa, puurtaa, lyllertää **2** ahertaa, puurtaa, raataa **3** (kuv) polkea paikallaan, laahustaa
plot /plat/ s **1** (maa)palsta, tontti **2** (salainen) suunnitelma, juoni **3** (kirjan, elokuvan ym) juoni
v **1** palstoittaa (maata) **2** suunnitella (salaa), juonia, vehkeillä **3** keksiä/suunnitella (kirjan ym) juoni King's novels are artfully plotted Kingin romaaneissa on taitavasti rakennettu juoni **4** suunnitella (laivan, lentokoneen) reitti, tehdä reittisuunnitelma **5** piirtää, esittää graafisesti
plotter s piirturi
plough /plau/ ks plow
plow /plau/ s aura snowplow lumiaura
v **1** kyntää (myös laivasta: kyntää merta) **2** aurata
plow into v **1** sijoittaa/pumpata (rahaa) johonkin **2** törmätä johonkin, rysähtää johonkin
plow through v **1** tunkeutua (esim väkijoukon) lävitse **2** käydä/lukea (vaivalloisesti) läpi, puurtaa jonkin kimpussa
ploy /plɔɪ/ s juoni, temppu, kepulikonsti, taktiikka
pluck /plʌk/ s **1** nykäisy, kiskaisu **2** rohkeus, sisu
v **1** kyniä (kana), poimia (hedelmiä), nyppiä **2** nykäistä, kiskaista, vetäistä **3** näppäillä (soitinta)
pluck up v (kuv) rohkaista mielensä
plucky adj rohkea, urhea, sisukas
plug /plʌg/ s **1** tulppa to pull the plug on something (ark) lakkauttaa, lopettaa, keskeyttää **2** sytytystulppa spark plug sytytystulppa **3** (sähkö) pistoke **4** piilomainos
plug up v **1** tukkia (vuoto, reikä) **2** (piilo)mainostaa
plum /plʌm/ s **1** luumu **2** (ark, kuv) paras pala, namu
adj (ark) unelma- a plum job unelmahomma
plumage /plumədʒ/ s (linnun) höyhenpeite, höyhenet, sulat
plumb /plʌm/ s (luotain) luoti to be out of plumb; to be off plumb olla vinossa/kalleellaan
v **1** luodata, mitata syvyys **2** (kuv) luodata, tutkailla, tutkia
adj pystysuora, suora
adv pystysuorassa, suorassa
plumber /plʌmər/ s putkiasentaja
plumbing /plʌmiŋ/ s putkisto, putket there's something wrong with my plumbing (kuv) minulla on sisuskaluissa jotakin vialla
plumb line s luotilanka
plume /plum/ s **1** töyhtö **2** savupilvi
plummet /plʌmət/ s (luotain) luoti
v pudota (myös kuv:) laskea/vähentyä jyrkästi in the last quarter, sales plummeted myynti romahti viimeisellä (vuosi)neljänneksellä
plump /plʌmp/ adj pyylevä, pyöreä
plunder /plʌndər/ v ryöstää, rosvota; anastaa

plunge /plʌndʒ/ **1** survaisu, sohaisu **2** hyppy, pulahdus to take the plunge rohkaista mielensä; ottaa riski; astua ratkaiseva askel
v survaista, sohaista, syöstä; syöksyä, rynnätä, hypätä the president wanted to plunge the country into war presidentti halusi syöstä maan sotaan
pluperfect /plu'pərfəkt/ s (kieliopissa) pluskvamperfekti (he had done)
plural /plərəl/ s monikko
adj monikollinen, monikko-
plus /plʌs/ s **1** lisä, kasvu **2** etu, plussa computer literacy is a big plus for you sinulle on paljon etua siitä että osaat käyttää tietokonetta **3** plusmerkki
adj **1** positiivinen **2** ylimääräinen
konj **1** (mat) plus **2** ja, sekä
plush /plʌʃ/ s plyysi(kangas)
adj ylellinen
Pluto /plutoʊ/ Pluto
plutonium /plu'toʊniəm/ s plutonium
ply /plaɪ/ s **1** kerros **2** (auton renkaan) kudos
v **1** tehdä; käyttää; ahertaa; harjoittaa (ammattia) I'm just plying (at) my trade kunhan teen työtäni **2** kyntää merta, kulkea (säännöllisesti jotakin reittiä) **3** piinata/vaivata jotakuta jollain, hukuttaa joku johonkin
Plymouth /plɪməθ/ **1** useita kaupunkeja **3** amerikkalainen automerkki
p.m. /pi'em/ post meridiem puolen päivän jälkeen the movie begins at 3 p.m. elokuva alkaa kello 15 at 12 p.m. kello 24 in the p.m. iltapäivällä
pneumatic /nu'mætɪk/ adj pneumaattinen, paineilma-, ilma-
pneumatically adv pneumaattisesti, paineilmalla, ilmalla
P.O. post office postitoimisto
poach /poʊtʃ/ v **1** hauduttaa, keittää **2** pyydystää salaa
poached egg /ˌpoʊtʃt'eg/ s (ruuanlaitossa) kuorittu haudutettu muna
poacher s salametsästäjä
P.O.B. post office box postilokero
pock /pak/ s rokkonäppylä
pocket /pakət/ s **1** tasku to line your pockets (kuv) paikkailla taskujaan, rikastua (vilpillisesti) **2** (kuv) pesäke, saareke pocket of resistance vastarintapesäke
v panna/pistää taskuunsa (myös kuv:) kähveltää, varastaa
pocketable /pakətəbəl/ adj taskuun mahtuva, taskukokoinen
pocket billiards s (verbi yksikössä) poolbiljardi, pool
pocketbook /'pakətˌbʊk/ s **1** käsilaukku **2** taskukirja **3** (kuv) kukkaro, varat **4** (UK) lompakko
pocket calculator s taskulaskin
pocketknife /'pakətˌnaɪf/ s taskuveitsi
pocket money s käteinen, taskuraha
pockmark /'pakˌmark/ s **1** rokonarpi **2** naarmu, arpi
P.O.D. pay on delivery jälkivaatimuksella, postiennakolla
pod /pad/ s **1** (hernekasvin) palko **2** (lentokoneen moottorin) suojus
podgy /padʒi/ adj (lyhyt ja) tanakka, pyylevä
podium /poʊdiəm/ s (mon podiums, podia) **1** puhujakoroke **2** orkesterinjohtajan koroke
poem /poəm/ s runo
poet /poət/ s runoilija
poetic /poʊ'etɪk/ adj runollinen; runoilijan
poetical adj runollinen; runoilijan
poetically adv runollisesti
poetic licence s runoilijan vapaus
poet laureate /ˌpoʊət'lɔrɪət/ s (mon poets laureate) poëta laureatus, hovirunoilija
poetry /poətri/ /p/ s runous
pogo stick /'poʊgoʊˌstɪk/ s kengurukeppi
pogrom /poʊ'gram/ s pogromi, (erityisesti juutalaisten) joukkomurha(t)
poignancy /pɔɪnjənsi/ s voimakkuus, liikuttavuus, kaihoisuus; terävyys, pistävyys
poignant /pɔɪnjənt/ adj voimakas, vaikuttava, liikuttava, kaihoisa; terävä, pistävä
poignantly adv ks poignant
poinsettia /pɔɪn'setə/ s joulutähti

point /pɔɪnt/ s **1** piste; pilkku: the interest rate is 5.3 percent korko on 5,3 prosenttia **2** terä, kärki **3** kohta, vaihe we agree on all points olemme samaa mieltä kaikesta/kaikista kohdista at this point in time nyt, tässä vaiheessa he has passed the point of no return (kuv) hän ei voi enää perääntyä she is on the point of death hän on kuoleman partaalla **4** (urh ym) piste **5** asian ydin get to the point, will you? menehän jo asiaan is there a point to all this? onko tällä kaikella jokin tarkoitus?; ajatko sinä takaa jotakin? make your point sano sanottavasi, sano mitä sinulla on mielessäsi, mene asiaan there is no point in telling him that sitä ei kannata kertoa hänelle, on turha kertoa sitä hänelle
v suunnata, tähdätä (aseella), osoittaa (sormella), näyttää jonnekin päin/tietä, viitata johonkin asiaan/suuntaan
point-blank /ˌpɔɪntˌblæŋk/ adv **1** (ampua) lähietäisyydeltä, läheltä **2** (sanoa) suoraan, sumeilematta
pointed adj **1** terävä(kärkinen), suippo **2** (kuv) terävä, kärkevä, pureva
pointer s **1** (koira) pointteri **2** osoitin, neula, viisari **3** karttakeppi **4** vihje, neuvo can I give you a few pointers? saanko antaa muutaman neuvon?, saanko vähän neuvoa?
pointless adj turha it's pointless to try ei kannata yrittää
pointlessly adv turhaan
point of fact in point of fact itse asiassa
point out v **1** osoittaa (esim sormella) **2** tuoda esiin, ottaa esille, huomauttaa jostakin
poise /pɔɪz/ s **1** ryhti **2** mielenmaltti, rauhallisuus, itsevarmuus, tasapaino (kuv) **3** tasapaino
v **1** pitää koholla/valmiina (iskuun, heittoon) **2** tasapainottaa, pitää tasapainossa
poised /pɔɪzd/ adj **1** rauhallinen, tasapainoinen she was very poised hän hillitsi itsensä hyvin, hän oli hyvin rauhallinen **2** joka leijuu/pysyy tasapainossa jossakin **3** joka on jonkin partaalla, joka on valmiina johonkin we are poised on the brink of war olemme sodan partaalla
poison /pɔɪzən/ s myrkky
v **1** myrkyttää (myös kuv) **2** myrkyttää kuoliaaksi, murhata/surmata myrkyllä
poison dogwood /ˈdag,wʊd/ s myrkkysumakkeja
poisoning s myrkytys
poison ivy s myrkkysumakkeja
poison oak s myrkkysumakkeja
poisonous /pɔɪzənəs/ adj myrkyllinen
poisonously adv myrkyllisesti
poison sumac /sumæk/ s myrkkysumakkeja
poke /poʊk/ s tönäisy, tökkäisy
v **1** tönäistä, tökkäistä **2** (sl) naida, panna
poke fun at fr pitää pilkkanaan jotakuta/jotakin, laskea leikkiä jonkun kustannuksella
poke out v pistää/työntyä esiin jostakin
poker /poʊkər/ s **1** hiilihanko **2** pokeri
poker face s pokerinaama
poke your nose into fr työntää nenänsä toisten asioihin
Poland /poʊlənd/ Puola
polar /poʊlər/ adj **1** napaseudun, napaseutujen, napa- **2** (magnettiseen napaan liittyvä) napa- **3** vastakkainen
polar bear /ˈpoʊlər,beər/ s jääkarhu
polarity /pəˈlerəti/ s **1** (fys) napaisuus, polariteetti **2** vastakkaisuus
polarization /ˌpoʊlərəˈzeɪʃən/ s polarisaatio
polarize /ˈpoʊlə,raɪz/ v polarisoida, polaroida
polarizer s polarisaattori; (valok) polarisaatiosuodin
polar lights s (mon) revontulet
Pole /poʊl/ s puolalainen
pole /poʊl/ s **1** pylväs, tanko, masto, seiväs fishing pole ongenvapa **2** (tieteessä, tekniikassa) napa **3** (kuv) ääripää
polecat /ˈpol,kæt/ s **1** (Euroopassa) hilleri, lahokas **2** (US) haisunäätä
poles apart to be poles apart olla aivan eri maata, olla tyystin erilaiset; olla aivan eri mieltä

Pole Star (tähdistö) Pohjantähti
pole vault /'pol,vaəlt/ s (urh) seiväshyppy
pole-vault v (urh) hypätä seipäällä
pole-vaulter s (urh) seiväshyppääjä
police /pə'lis/ s poliisi, poliisivoimat, poliisit
v valvoa
police court s (US) poliisituomioistuin
police force s poliisivoimat
policeman /pə'lismən/ s (mon policemen) poliisimies, poliisi
policeperson /pə'lis,pərsən/ s poliisi
police station s poliisiasema, poliisilaitos
policewoman /pə'lis,wumən/ s (mon policewomen) naispoliisi, poliisi
policy /paləsi/ s **1** periaate, linja, suuntaviivat, menettely it's company policy not to talk about future products yrityksemme periaatteena on olla puhumatta tulevista tuotteista **2** politiikka: foreign policy ulkopolitiikka **3** vakuutuskirja
policyholder /'paləsi,holdər/ s vakuutuksenottaja
policymaker /'paləsi,meɪkər/ s (valtionhallinnon) päätöksentekijä
polio /pouliou/ s polio, lapsihalvaus
poliomyelitis /,poulioumaɪ'laɪtɪs/ s poliomyeliitti, polio, lapsihalvaus
Polish s puolan kieli
adj puolalainen
polish /palɪʃ/ s **1** kiilloke, vaha **2** kiilto **3** hiottu käytös, sulavuus, tyylikkyys
v **1** kiillottaa **2** (kuv) hioa, viimeistellä
polished adj **1** kiillotettu **2** (käytös) hiottu, (ihminen) tyylikäs, sulava(käytöksinen)
polish off fr **1** pistää poskeensa, ahmia **2** (kuv) tehdä jostakusta selvää jälkeä
polish up fr (kuv) hioa, parantaa
polite /pə'laɪt/ adj **1** kohtelias **2** hieno polite society hienot piirit, hienot ihmiset, hienosto
politely adj kohteliaasti
politeness s kohteliaisuus
politic /palətɪk/ adj viisas, ovela, neuvokas, varovainen
political /pə'lɪtɪkəl/ adj poliittinen
political asylym s poliittinen turvapaikka
political economy s kansantaloustiede
politically /pə,lɪtɪkli/ adv poliittisesti
politically correct /pə,lɪtɪklikə'rekt/ adj ajan henkeen sopiva
political refugee s poliittinen pakolainen
political science s valtiotiede
politician /,palə'tɪʃən/ s poliitikko
politicization /pə,lɪtəsɪ'zeɪʃən/ s politisointi
politicize /pə'lɪtə,saɪz/ v politisoida, sekoittaa johonkin politiikkaa
politick /palətɪk/ v **1** politikoida **2** luovia/junailla/saada aikaan politikoimalla
politicking s politikointi
politicly adv viisaasti, ovelasti, neuvokkaasti, varovaisesti, varovasti
politico /pə'lɪtɪ,kou/ s (mon politicos) poliitikko
politics /palətɪks/ s (verbi yksikössä tai mon) politiikka play politics osallistua politiikkaan, politikoida; ajaa (häikäilemättömästi) omaa etuaan
polity /pouləti/ s **1** hallinto **2** valtiomuoto, hallitusmuoto
polka /poukə/ s polkka
polka dot /'poukə,dat/ s (kankaassa) täplä
poll /poəl/ s **1** mielipidetiedustelu **2** äänestys **3** (yl mon) äänestyspaikka, vaaliuurnat **4** äänimäärä **5** vaalitulos
v **1** tiedustella/luodata mielipiteitä **2** äänestää **3** saada ääniä **4** laskea äänet
pollen /palən/ s siitepöly
pollinate /'palə,neɪt/ v (biol) pölyttää
pollination /,palə'neɪʃən/ s (biol) pölytys
pollute /pə'lut/ v saastuttaa
polluted adj saastunut
pollution /pə'luʃən/ s saaste
polo /poulou/ s **1** poolo **2** poolopaita
polo shirt s poolopaita
poltergeist /'poltər,gaɪst/ s poltergeist
polyethylene /,palɪ'eθə,lin/ s polyetyleeni, polyeteeni

polygamist /pə'lɪgəmɪst/ s moniavioinen ihminen
polygamous /pə'lɪgəməs/ adj moniavioinen
polygamy /pə'lɪgəmi/ s moniavioisuus, polygamia
polygon /'pali,gan/ s monikulmio
polytechnic /,pali'teknɪk/ s polytekninen oppilaitos; teknillinen korkeakoulu
adj polytekninen, polyteknillinen
polytheism /'paliθi,ɪzəm/ s monijumalaisuus, polyteismi
polytheist s monijumalaisuuden kannattaja, polyteisti
polytheistic /,palɪθi'ɪstɪk/ adj monijumalainen, polyteistinen
polyunsaturated fats /,palɪʌn'sætʃə,reitəd/ s (mon) monityydyttymättömät rasvat (rasvahapot)
pomegranate /'pamə,grænət/ s granaattiomena
pommel /paməl/ s **1** (satula)nuppi **2** (miekan) ponsi
pomp /pamp/ s loisto, komeus; pröystäily, mahtailu
Pompeii /pam'peɪ/ Pompeiji
pomposity /pam'pasəti/ s mahtailu, tärkeily, komeilu, pröystäily
pompous /pampəs/ adj mahtaileva, tärkeilevä, leuhka, paisutteleva
pompousness s mahtaily, tärkeily, komeilu, pröystäily
poncho /pantʃou/ s (viitta) poncho
pond /pand/ s lampi
ponder /pandər/ v miettiä, pohtia, harkita
ponderosa pine /,pandə'rousə/ s ponderosamänty
ponderous /pandərəs/ adj **1** raskas, painava **2** (kuv) raskas, tylsä, työläs (luettava)
ponderously adv ks ponderous
Pontiac /'panti,æk/ amerikkalainen automerkki
pontoon /pan'tun/ s ponttoni, kelluke
pontoon bridge s ponttonisilta, kellukesilta
pony /pouni/ s poni
poodle /pudəl/ s villakoira
pool /puəl/ s **1** lampi, lammikko **2** (joen) suvanto **3** (vesi)lätäkkö **4** (uima-)allas **5** poolbiljardi, pool **6** (yhteinen) kassa/rahasto/varasto tms **7** ks carpool **8** (tal) rengas, pooli **9** (mon, UK) veikkaus
v **1** koota/kerätä/kerääntyä lammikkoon/lätäkköön **2** koota, yhdistää (rahat, voimavarat tms)
poor /puər/ s the poor köyhät the rich and the poor rikkaat ja köyhät
adj **1** köyhä to be poor in something jossakin on vain vähän jotakin **2** huono she's in poor health hänen terveytensä on huono you're a poor loser olet huono häviämään, et kestä hävitä **3** säälittävä, poloinen, parka poor me, I have to get up at six voi minua ressukkaa, joudun nousemaan kuudelta
poorly adj sairas, huonovointinen
adv huonosti
poorness s **1** köyhyys **2** huonous, kehnous, puutteellisuus, riittämättömyys
pop /pap/ s **1** poksahdus, pamahdus **2** (ark) virvoitusjuoma **3** ryyppy **4** (sl) kappale the drinks are two dollars a pop ryypyt maksavat kaksi dollaria kappaleelta **5** (ark) isä **6** popmusiikki, pop **7** poptaide
v **1** poksahtaa, pamahtaa **2** laukaista, avata, poksauttaa auki he popped the cork of the champagne bottle hän avasi samppanjapullon korkin he popped his cork hän sekosi/tuli hulluksi; hän raivostui silmittömästi/menetti itsehillintänsä **3** tupsahtaa/ilmestyä yllättäen jonnekin **4** (silmät) pullistua (kuopistaan)
adj pop- pop singer poplaulaja
POP /,piou'pi/ picture outside picture (toisen (pienen) kuvan esittäminen televisiossa pääkuvan ulkopuolella)
pop art s poptaide
pop concert s popkonsertti
popcorn /'pap,kɔrn/ s popcorn, paukkumaissi
Pope /poup/ s paavi
popgun /'pap,gʌn/ s hernepyssy
pop in v pistäytyä jossakin, käväistä jossakin pop in anytime you want tule käymään milloin vain haluat

poplar /paplər/ s poppeli
pop music s popmusiikki
pop off v (ark) **1** kuolla kupsahtaa **2** lähteä livohkaan/nostelemaan, häipyä, liueta **3** murjaista vitsi, heittää herja
pop psychology s populaaripsykologia, maallikkopsykologia
poppy /papi/ s unikko
pop the question fr kosia
popular /papjələr/ adj **1** suosittu, pidetty **2** yleistajuinen, kansantajuinen, helppotajuinen, kevyt **3** yleinen, koko kansan popular suffrage yleinen äänioikeus popular misconception yleinen väärinkäsitys
popular culture s populaarikulttuuri
popular front s kansanrintama
popularity /,papjə'lerəti/ s suosio
popularization /,papjələrə'zeɪʃən/ s **1** kansantajuistaminen, populaaristus, popularisointi **2** suosioon saattaminen, tunnetuksi tekeminen, yleiseen käyttöön ottaminen
popularize /'papjələ,raɪz/ v **1** yleistajuistaa, kansantajuistaa, pulaaristaa, popularisoida **2** tehdä suosituksi; saattaa yleiseen suosioon, ottaa yleiseen käyttöön, tehdä tunnetuksi
popularly adv **1** yleistajuisesti, kansantajuisesti **2** suuren yleisön maun mukaisesti **3** yleisesti he is popularly believed to have died in a plane crash yleensä uskotaan että hän kuoli lento-onnettomuudessa
populate /'papjə,leɪt/ v **1** asua jossakin **2** asuttaa, kansoittaa
population /,papjə'leɪʃən/ s väestö; asukasluku
populous /papjələs/ adj **1** taajaan/tiheään asuttu **2** jossa on tungosta/paljon väkeä
pop up v ilmetä, ilmestyä, tupsahtaa esiin, putkahtaa esiin
porcelain /pɔrslən/ s, adj posliini(-)
porch /pɔrtʃ/ s **1** kuisti **2** kuistikko, veranta, vilpola
porcupine /'pɔrkjə,paɪn/ s piikkisika
pore /pɔr/ s huokonen
v lukea/tutkia tarkasti
pork /pɔrk/ s sianliha
porker s **1** syöttösika **2** (sl, kuv) läski, ihramaha
porn /pɔrn/ s, adj (ark) porno(-)
pornographic /,pɔrnə'græfɪk/ adj pornografinen
pornographically adv pornografisesti
pornography /pɔr'nagrəfi/ s pornografia
porosity /pə'rasəti/ s huokoisuus
porous /pɔrəs/ adj huokoinen
porously adv huokoisesti
porpoise /pɔrpəs/ s (mon porpoise, porpoises) pyöriäinen
porridge /pɔrɪdʒ/ s (kaura)puuro
port /pɔrt/ s **1** satama **2** satamakaupunki **3** (laivan, lentokoneen) vasen puoli, (laivan myös) paapuuri **4** (laivan ym) ikkuna; aukko, luukku **5** (tietok) portti, liitäntä **6** portviini
portability /,pɔrtə'bɪləti/ s **1** kannettavuus **2** (tietokoneohjelman yms) siirrettävyys (järjestelmien välillä)
portable /pɔrtəbəl/ s kannettava televisiovastaanotin/tietokone/kirjoituskone tms
adj **1** kannettava **2** (tietokoneohjelmasta yms) (järjestelmien välillä) siirrettävä
porter /pɔrtər/ s **1** (matkatavaroiden) kantaja **2** ovenvartija, portinvartija **3** (makuuvaunussa) vaunupalvelija **4** (tehtaassa ym) talonmies
portfolio /pɔrt'fouliou/ s **1** (tal) (useita arvopapereita sisältävä arvopaperi)salkku **2** (asiakirja)salkku stock portfolio osakesalkku
porthole /'pɔrt,hoəl/ s (laivan pyöreä) ikkuna
portion /pɔrʃən/ s **1** osuus, osa **2** (ruoka-)annos
portion out v jakaa
Portland /pɔrtlənd/ kaupunki Oregonissa; kaupunki Mainessa
Portland cement /,pɔrtləndsə'ment/ s portlandsementti
portly adj pyylevä, lihava
portrait /pɔrtrət/ s **1** (maalaus, valokuva) muotokuva, henkilökuva **2** (kirjallisuudessa ym) kuvaus, kuva, henkilökuvaus, henkilökuva

portraiture /pɔrtrətʃər/ s muotokuvamaalaus
portray /pər'treɪ/ v **1** maalata/veistää jonkun muotokuva **2** (kirjoittamalla ym) kuvata, kuvailla **3** (näytellä) esittää
portrayal /pər'treɪəl/ s **1** muotokuvamaalaus **2** kuvaus, kuvailu
Portsmouth /pɔrtsməθ/
Portugal /pɔrtʃəgəl/ Portugali
Portuguese s portugalin kieli
s, adj portugalilainen
Portuguese man-of-war /,pɔrtʃə,giz,mænəv'wɔr/ s (eläin) portugalinsotalaiva
POS point-of-sale myyntipiste
pose /pouz/ s **1** asento, ryhti **2** asenne **3** (valokuvaajalle ym) poseeraus
v **1** olla olevinaan jokin/jotakin, tekeytyä joksikin, teeskennellä jotakin, teeskennellä **2** poseerata (valokuvaajalle ym) **3** tuoda esiin, merkitä, olla his lack of money poses a serious problem hänen rahapulansa/rahattomuutensa on vakava ongelma
poser s **1** poseeraaja **2** visainen/vaikea ongelma
poseur /pou'zər/ s teeskentelijä
posh /paʃ/ adj ylellinen, loistokas, komea, pramea
posit /pazət/ v esittää, väittää; olettaa
position /pə'zɪʃən/ s **1** paikka, sijainti, asema **2** (kuv) asema, tilanne people in her position hänen asemassaan olevat ihmiset he said he was not in a position to help you hän sanoi ettei hän kykene auttamaan sinua/ettei hänellä ole mahdollisuuksia auttaa sinua **3** asenne **4** ryhti; asento
v asettaa, sijoittaa, panna, laittaa
positive /pazətɪv/ s (valokuvauksessa, kieliopissa ym) positiivi
adj **1** (mat ym) positiivinen, plus- **2** (vastaus, elämänasenne) myönteinen, (asenne myös) rakentava **3** (täysin) varma, ehdoton are you sure? – yes, I'm positive oletko varma? – kyllä, olen aivan varma **4** (ark) todellinen, varsinainen, oikea
positively adv, interj **1** ehdottomasti, varmasti, jyrkästi positively no smoking tupakointi ehdottomasti kielletty **2** kerrassaan, suorastaan, kerta kaikkiaan
positiveness s **1** myönteisyys, myönteinen/rakentava asenne **2** varmuus, jyrkkyys, ehdottomuus, vakuuttavuus
positivism /'pazɪtə,vɪzəm/ s positivismi
positivist /'pazɪtəvɪst/ s positivisti
adj positivistinen
positivistic /,pazɪtə'vɪstɪk/ adj positivistinen
positivistically adv positivistisesti
positivity /,pazə'tɪvəti/ s myönteisyys, elämänmyönteisyys, myönteinen elämänasenne
positron /'pazɪ,tran/ s positroni
poss. possessive possessiivi-
possess /pə'zes/ v **1** omistaa, jollakulla on jotakin **2** osata, hallita (kieli) **3** hillitä itsensä, säilyttää malttinsa, pysyä tyynenä
possessed adj **1** riivattu he worked like a man possessed hän paiski töitä kuin hullu she thinks she's possessed by/of the devil hän uskoo olevansa paholaisen riivaama **2** tyyni, rauhallinen **3** to be possessed of something omistaa jotakin, jollakulla on jotakin
possession /pə'zeʃən/ s **1** omistaminen to take possession of ottaa haltuunsa **2** (mon) omaisuus, tavarat **3** (mon) alusmaat
possessive /pə'zesɪv/ adj **1** omistushaluinen, ahne, itsekäs, mustasukkainen **2** (kieliopissa) possessiivi-, omistusta ilmaiseva
possessively adv omistushaluisesti, ahneesti, itsekkäästi, mustasukkaisesti
possessiveness s omistushalu, ahneus, itsekkyys, mustasukkaisuus
possessive pronoun s (kieliopissa) possessiivipronomini
possess of v selvittää jollekulle jotakin, kertoa
possibility /,pasə'bɪləti/ s mahdollisuus the idea has possibilities idea vaikuttaa lupaavalta
possible /pasəbəl/ adj mahdollinen

possibly /pasəbli/ adv **1** mahdollisesti, ehkä, kenties **2** ikinä, mitenkään, koskaan I can't possibly do it by Tuedsay en mitenkään saa sitä valmiiksi tiistaihin mennessä

possum /pasəm/ s (virginian)pussirotta, opossumi to play possom tekeytyä kuoliaaksi, teeskennellä kuollutta/nukkuvansa; teeskennellä viatonta, olla olevinaan syytön

post /poust/ s **1** pylväs doorpost ovenpieli **2** työpaikka, paikka **3** asemapaikka, vartiopaikka **4** sotilasasema **5** (UK) posti (lähetys, postitoimisto)
v **1** kiinnittää/panna ilmoitus jonnekin **2** luvata ilmoituksella **3** sijoittaa/määrätä/nimittää johonkin virkaan/tehtävään **4** maksaa (takuu jotta syytetty pääsee vapaaksi oikeudenkäyntiin saakka) **5** (UK) postittaa, lähettää postitse

postage /poustədʒ/ s postimaksu

postage meter s postimaksukone

postage stamp s postimerkki

postage-stamp adj (ark) pienen pieni

postal card s (valmiilla postimerkillä varustettu) postikortti

postal code s (UK, Kanada) postinumero

postal savings bank s (vanh) postisäästöpankki

postbellum /,poust'beləm/ adj sodan (erityisesti Yhdysvaltain sisällissodan) jälkeinen

postbox /'poust,baks/ s (UK) (yleinen) postilaatikko

postcard /'poust,kaərd/ s postikortti
adj postikorttimainen postcard scenery maisema kuin postikortista

postcode /'poust,koud/ s (UK) postinumero

postdate /,poust'deɪt/ v **1** merkitä (kirjeeseen tms) todellista myöhempi päivämäärä, päivätä myöhemmäksi **2** seurata (ajassa), tapahtua myöhemmin kuin, tapahtua jonkin jälkeen

posted to keep someone posted on something pitää joku ajan/tilanteen tasalla

poster s juliste, posteri

poste restante /,poustrəs'tant/ s (ranskasta) noutoposti

posterior /pas'tɪrɪər/ s takamus, takapuoli
adj **1** (tilassa) taempi, taka- **2** (ajassa) jälkeinen, myöhäisempi

posterity /pas'terəti/ s jälkipolvet, jälkimaailma; jälkeläiset to save something for posterity säästää jotakin tuleville sukupolville

postfeminist /,poust'femənɪst/ s postfeministi
adj postfeministinen

postgraduate /,poust'grædʒuət/ s jatko-opiskelija
adj jatko-opiskelu-, jatko-

posthaste /,poust'heɪst/ adv kiireen vilkkaa, mahdollisimman nopeasti

posthumous /pastʃəməs/ adj postuumi, kuoleman jälkeinen, (teos) tekijän kuoleman jälkeen julkaistu, (lapsi) isän kuoleman jälkeen syntynyt

posthumously adv ks posthumous

post-Impressionism /,poustɪm'preʃənɪzəm/ s (taiteessa) jälki-impressionismi, uusimpressionismi

postindustrial /,poustɪn'dʌstrɪəl/ adj jälkiteollinen

postman /poustmən/ s (mon postmen) postinkantaja

postmark /'poust,maərk/ s postileima

postmaster /'poust,mæstər/ s postitoimiston johtaja

postmaster general s (mon postmasters general) postilaitoksen johtaja

post meridiem /,poustmə'rɪdɪəm/ ks p.m.

postmodernism /,poust'madərnɪzəm/ s postmodernismi

postmodernist /,poust'madərnɪst/ s, adj postmodernisti(nen)

postmortem /,poust'mɔrtəm/ s **1** ruumiinavaus **2** (kuv) jälkipuinti
adj **1** kuoleman jälkeinen **2** ruumiinavaus- **3** jälkikäteen tapahtuva, jonkin jälkeinen

post office s postitoimisto, posti

postoperative /,poust'aperətɪv/ adj (lääk) leikkauksen jälkeinen

postpaid /ˌpoust'peɪd/ adj jonka postimaksu on maksettu
postpartum /ˌpoustˌpartəm/ adj synnytyksen jälkeinen
postpone /ˌpoust'poun/ v lykätä, siirtää (myöhemmäksi)
postponement s (myöhemmäksi) lykkääminen, lykkäys, siirtäminen
postposition /ˌpoustpə'zɪʃən/ s (kieliopissa) postpositio, jälkisana; esim adjektiivin sijoittaminen pääsanansa jälkeen: court martial sotaoikeus
postprandial /ˌpoust'prændiəl/ adj aterian jälkeinen, postprandiaalinen
postscript /ˌpoust'skrɪpt/ s jälkikirjoitus
postulate /pastʃələt/ s oletus, olettamus, edellytys
postulate /'pastʃəˌleɪt/ v **1** pyytää, vaatia, edellyttää **2** olettaa, otaksua, pitää itsestään selvänä
posture /pastʃər/ s **1** ryhti, asento **2** asenne
v **1** sijoittaa, asettaa **2** ottaa/omaksua jonkin kanta/asenne **3** olla olevinaan (jotakin), teeskennellä
postvocalic /ˌpoustvoʊ'kælɪk/ adj vokaalin jälkeinen
postwar /'poustˌwɔr/ adj sodan jälkeinen, sodan jälkeisen ajan
pot /pat/ s **1** astia: kulho; kannu; pannu; kukkaruukku, potti, yöastia **2** (ruoka) -pata, -pannu **3** (sl) iso maha, pötsi **4** (sl) marihuana **5** (sl) iso/koko potti, sievoinen summa
v **1** panna astiaan, valmistaa astiassa, panna (kasvi) ruukkuun **2** (sl) kääriä (rahaa), netota
potable /patəbəl/ adj juomakelpoinen
potash /patæʃ/ s potaska, kaliumkarbonaatti
potassium /pə'tæsiəm/ s kalium
potato /pə'teɪtoʊ/ s (mon potatoes) peruna white potato peruna sweet potato bataatti hot potato (kuv) kuuma peruna
potato chip s perunalastu
potato crisp s (UK) perunalastu
potbellied adj isomahainen, möhömahainen
potbelly /'patˌbeli/ s iso maha, pötsi, möhömaha
Potemkin village /pə'temkɪn/ s Potemkinin kulissit
potency /poutənsi/ s **1** valta, voima **2** vahvuus, voimakkuus, väkevyys **3** (sukupuolinen) potenssi
potent /poutənt/ adj väkevä, vahva, voimakas, (peruste) vakuuttava, (hallitsija myös) mahtava
potentate /pə'tenˌteɪt/ s hallitsija, ruhtinas; mahtimies, suurliikemies
potential /pə'tenʃəl/ s **1** mahdollisuudet she has leadership potential hänessä on johtajan ainesta the manuscript has potential käsikirjoitus vaikuttaa lupaavalta **2** (kieliopissa, mat, fys) potentiaali **3** (sähkö)jännite
adj **1** mahdollinen, potentiaalinen he's a potential client hänestä voimme saada asiakkaan **2** (kieliopissa) potentiaalinen, potentiaali-
potentially adv mahdollisesti
potently adv ks potent
pothead /'patˌhed/ s (sl) marihuanan käyttäjä, ruohonarkkari
pothole /'patˌhoəl/ s kuoppa (kadun päällysteessä)
potluck /'patˌlʌk/ s nyyttikestit, nyyttikutsut to take potluck ottaa mitä tarjolla on
potluck dinner s nyyttikestit, nyyttikutsut
pot of gold s (kuv) unelmien täyttymys, toiveiden toteutuminen
potted adj (kasvi) ruukku-
pottery /patəri/ s savitavara, keramiikka
pouch /paʊtʃ/ s pussi, massi, säkki, postisäkki diplomatic pouch diplomaattiposti
v **1** pussittaa, säkittää, panna pussiin/massiin/säkkiin **2** pullottaa
poultice /poltɪs/ s (kansanlääkinnässä) haude
poultry /poltri/ s siipikarja

pounce /pauns/ s hyppy, syöksähdys, syöksy
v hypätä, syöksyä (kimppuun)
pound /paund/ s **1** naula (454 g), noin puoli kiloa **2** (raha) punta pound sterling Englannin punta **3** isku, lyönti, jyske **4** häkki, selli; tarha (jonne rankkuri kerää kulkukoiria ym); paikka jonne esim luvattomasti pysäköidyt autot hinataan
v **1** takoa, hakata, iskeä, lyödä, jyskyttää **2** talsia
pound a beat fr (poliisista) partioida, kulkea (edestakaisin) reittiään
pound out v **1** takoa/nuijia/vasaroida sileäksi, tasoittaa **2** laatia, tehdä, saada valmiiksi **3** takoa (pianoa, pianolla), naputtaa (kirjoituskonetta, kirjoituskoneella)
pound sign s punnan merkki (£)
pound the pavement fr etsiä työpaikkaa, juosta paikasta paikkaan etsimässä työtä
pour /pɔr/ v kaataa, valaa, vuodattaa, juoksuttaa; vuotaa, valua, juosta it was pouring by the time we got home siinä vaiheessa kun tulimme kotiin satoi kaatamalla the government is pouring money into the project valtio rahoittaa hanketta erittäin avokätisesti
pouring rain s kaatosade
pour money down the drain fr panna rahaa/rahansa hukkaan
pour oil on troubled water fr valaa öljyä aalloille, (yrittää) rauhoittaa tilanne
pour out v tyhjentää, kaataa tyhjäksi, kaataa
pour out your heart fr purkaa sydämensä jollekulle, uskoutua, paljastaa kaikki/murheensa
pout /paut/ s **1** she looked at me with a pout hän katsoi minua suu/huulet mutrussa/mutrussa suin **2** (kuv) murjotus, mökötys
v **1** mutristaa huuliaan/suutaan **2** sanoa huulet/suu mutrussa **3** (kuv) murjottaa, jöröttää, mököttää
poverty /pavərti/ s köyhyys; puute, niukkuus, vähyys
poverty line s köyhyysraja
poverty-stricken /'pavərti,strɪkən/ adj köyhä, varaton
POW prisoner of war sotavanki
powder /paudər/ s **1** jauhe, pulveri to take a powder häippäistä, livistää **2** puuteri **3** ruuti **4** puuterilumi
v **1** jauhaa hienoksi/pulveriksi, hienontaa **2** ripotella **3** puuteroida
powder keg s ruutitynnyri (myös kuv)
powder snow s puuterilumi
power /pauər/ s **1** voima; teho; energia electrical power sähkövoima, sähköenergia the power of persuasion suostuttelun voima **2** valta, valtuus it is not within your power to make changes to the agreement sinulla ei ole valtuuksia muuttaa sopimusta **3** valtatekijä, vallanpitäjä, valta **4** (mat) potenssi **5** (mikroskoopin) suurennus, suurennuskyky
v **1** käyttää, olla jonkin käyttövoimana this machine is powered by batteries tämä laite on paristokäyttöinen **2** innostaa, kannustaa, antaa voimaa jollekulle
power-assist adj tehostettu, moottorikäyttöinen, sähkökäyttöinen tms, sähkö-
power base s kannattajakunta; hyvät lähtökohdat (kuv)
PowerBook® /'pauər,buk/ Applen sylimikro(tietokone)
power breakfast s (lähinnä) työaamiainen
power behind the throne s (kuv) todellinen vallanpitäjä, harmaa eminenssi
power down v sammuttaa (tietokone)
powered adj -käyttöinen
powerful adj **1** vaikutusvaltainen, mahtava **2** tehokas, voimakas, vahva, luja **3** (kuv) vaikuttava, vakuuttava, tehokas, voimakas, vahva
powerfully adv ks powerful
powerhouse /'pauər,haus/ s **1** voimala, voimalaitos **2** (kuv) tehopakkaus, voimanpesä
powerless adj voimaton we were powerless to prevent the crisis emme kyenneet estämään kriisiä

powerlessly adv voimattomasti he looked powerlessly on as the feds ransacked his apartment hän katseli avuttomana sivusta kun liittovaltion agentit tutkivat hänen asuntonsa läpikotaisin
powerlessness s voimattomuus
power lunch s (lähinnä) työlounas
power of attorney s valtakirja
power pack s verkkolaite
power politics s (verbi yksikössä tai mon) **1** valtapolitiikka **2** (kansainvälinen) voimapolitiikka
power saw s sähkökäyttöinen saha: sirkkeli, pistosaha tms
power station s (sähkö)voimala, voimalaitos
power steering s (autossa) ohjaustehostin, tehostettu ohjaus
powers that be fr (todelliset) vallanpitäjät, maan mahtavat
power structure s valtarakenne
power supply s voimanlähde
power tool s sähkötyökalu
power up v käynnistää (tietokone)
powwow /ˈpaʊˌwaʊ/ s (ark) neuvottelu
v (ark) neuvotella
pp. pages sivut
P.P.S. post postscriptum ylimääräinen jälkikirjoitus
PR public relations suhdetoiminta
practicability /ˌpræktɪkəˈbɪləti/ s käyttökelpoisuus, toimivuus, käytännöllisyys
practicable /ˈpræktɪkəbəl/ adj käyttökelpoinen, toimiva, käytännöllinen
practicably adv käyttökelpoisesti, toimivasti, käytännöllisesti
practical /ˈpræktɪkəl/ adj käytännöllinen she has a practical mind hän on käytännön ihminen
practicality /ˌpræktɪˈkæləti/ s **1** käytännöllisyys, käytännön läheisyys, toimivuus, käyttökelpoisuus **2** käytännöllinen/toimiva yksityiskohta
practical joke s kepponen, temppu, kolttonen, metku
practical joker s veijari, vitsailija, kelmi
practically /ˈpræktɪkli/ adv **1** käytännöllisesti **2** käytännöllisesti katsoen, käytännössä, oikeastaan, lähes, likimain, kutakuinkin
practice /ˈpræktɪs/ s **1** tapa, tottumus, käytäntö, käytänne **2** (teorian vastakohta) käytäntö, käyttö, toiminta in actual practice käytännössä, todellisuudessa to put something into practice ottaa jotakin käyttöön, soveltaa jotakin käytäntöön **3** harjoitus, harjoittelu, harjaannus, valmennus that runner is badly out of practice tuo juoksija on kovasti harjoituksen puutteessa/huonossa kunnossa **4** (lääkärin, asianajajan) toiminta; (lääkärin) vastaanotto, (asianajajan) toimisto, asianajotoimisto
v **1** harjoittaa, harrastaa **2** harjoitella, valmentaa, opettaa
practiced adj **1** taitava, taidokas, harjaantunut **2** opittu, opeteltu
practice teacher s opetusharjoittelija
practice what you preach /ˈpræktɪs/ fr ryhtyä sanoista tekoihin, antaa tekojen puhua
practise ks practice
practitioner /prækˈtɪʃənər/ s ammatinharjoittaja, praktikko general practitioner yleislääkäri
pragmatic /prægˈmætɪk/ adj käytännöllinen, pragmaattinen
pragmatical adj käytännöllinen, pragmaattinen
pragmatically adv käytännöllisesti, pargmaattisesti
pragmatism /ˈprægməˌtɪzəm/ s **1** käytännöllisyys, pragmaattisuus **2** (filosofia) pragmatismi
pragmatist /ˈprægmətɪst/ s **1** käytännöllinen ihminen, pragmaatikko **2** pragmatismin kannattaja, pragmatisti
adj **1** käytännöllinen, pragmaattinen **2** pragmatismin mukainen, pragmatisti
Prague /prag/ Praha
prairie /ˈpreri/ s preeria
prairie dog s preeriakoira
prairie schooner s eräänlaiset katetut vankkurit
prairie wolf s (mon prairie wolves) preeriasusi, kojootti

praise /preɪz/ s ylistys, kehuminen, kehumiset
v ylistää, kehua
praise to the skies /preɪz/ fr ylistää jotakuta/jotakin maasta taivaaseen
praiseworthiness s kiitettävyys, erinomaisuus
praiseworthy /ˈpreɪz,wərði/ adj kiitettävä, kiitoksen arvoinen, erinomainen
pram /præm/ s (UK) lastenvaunut
prance /præns/ v hypätä, hyppiä (ilosta), kulkea ilosta hyppien
prank /præŋk/ s kepponen, temppu, kolttonen, metku, ilkityö
prankster /præŋkstər/ s veijari, kelmi, vitsailija, lurjus
prawn /pran/ s katkarapu
pray /preɪ/ v rukoilla
prayer /preɪər/ s rukous, rukoilu
PRC People's Republic of China Kiinan kansantasavalta
preach /pritʃ/ v saarnata (myös kuv)
preacher /pritʃər/ s **1** saarnaaja **2** (kuv) moraalisaarnaaja tms
preadolescence /ˌpriædəˈlesəns/ s varhaisnuoruus
preadolescent s, adj varhaisnuori
preamble /priæmbəl/ s johdanto, esipuhe, alkusanat without preamble (sen) pitemmittä puheitta
preamp /priæmp/ s (ark) esivahvistin
preamplifier /priˈæmplə,faɪər/ s esivahvistin
precaution /priˈkaʃən/ s **1** varovaisuus **2** varotoimi
precautionary /priˈkaʃə,neri/ adj (toimenpide) varo-, varoittava
precautious /priˈkaʃəs/ adj varovainen
precede /priˈsid/ v **1** edeltää, tapahtua/olla ennen jotakin; olla tärkeämpi kuin jokin, olla etusijalla **2** aloittaa jokin jollakin, tehdä ensin jotakin
precedence /presədəns/ s etusija to give precedence to someone/something asettaa joku/jokin etusijalle
precedent /presədənt/ s ennakkotapaus
precedent /prəˈsidənt/ adj edeltävä, aikaisempi
preceding adj edellinen, edeltävä, aikaisempi
precept /priˈsept/ s **1** käsky, määräys, ohje **2** periaate
pre-Christian /priˈkrɪstʃən/ adj esikristillinen
precinct /prisiŋkt/ s **1** piiri, hallintopiiri, poliisipiiri, vaalipiiri **2** (mon kaupungin) lähistö, ympäristö **3** (mon) raja(t)
precious /preʃəs/ adj **1** arvokas, kallisarvoinen precious stones jalokivet **2** rakas, kallisarvoinen **3** sievistelevä, teennäinen
adv erittäin precious few people came sinne tuli hyvin vähän väkeä
precious metal s jalometalli
precious stone s jalokivi
precipice /presəpəs/ s **1** jyrkänne **2** (kuv) kynnys to be on the precipice of something olla jonkin partaalla
precipitant /prəˈsɪpətənt/ adj **1** joka tapahtuu päistikkää/suoraa päätä after a precipitant fall down the stairs, she lost consciousness hän menetti tajuntansa pudottuaan päistikkaa/pää edellä portaita alas **2** hätiköity, harkitsematon, äkkipikainen, malttamaton
precipitate /prəˈsɪpə,teɪt/ v **1** heittää, singota, rynnätä, syöstä, syöksyä **2** (kuv) saada aikaan, syöstä (jokin kriisiin) **3** sataa
precipitate /prəˈsɪpətət/ adj **1** joka tapahtuu päistikkää/suoraa päätä after a precipitate fall down the stairs, she lost consciousness hän menetti tajuntansa pudottuaan päistikkaa/pää edellä portaita alas **2** hätiköity, harkitsematon, äkkipikainen, malttamaton he made a precipitate decision hän teki hätiköidyn ratkaisun
precipitation /prə,sɪpəˈteɪʃən/ s **1** heittäminen, heitto **2** (kuv) syökseminen, kiirehtiminen **3** sade, sademäärä
précis /ˈpreɪsi/ s (mon précis /ˈpreɪsiz/) tiivistelmä, yhteenveto
precise /prɪˈsaɪs/ adj **1** tarkka, täsmällinen **2** nimenomainen at the precise time juuri sillä hetkellä

precisely adv tarkasti, täsmällisesti, täsmälleen that's precisely what I'm saying juuri sitä minä tarkoitan
preciseness s tarkkuus, täsmällisyys
precision /prɪ'sɪʒən/ s tarkkuus
precocious /prɪ'koʊʃəs/ adj varhaiskypsä
precociously adv ennenaikaisesti, varhain, varhaiskypsästi
precocity /prɪ'kasəti/ s varhaiskypsyys
preconceive /,prikən'siv/ v muodostaa (mahdollisesti puolueellinen) ennakkokäsitys
preconceived adj (mielipide) etukäteen muodostettu; ennakkoluuloinen
preconception /,prikən'sepʃən/ s ennakkokäsitys; ennakkoluulo
predator /predətər/ s **1** petoeläin, petolintu **2** (kuv) saaliinhimoinen ihminen
predatory /'predə,tɔri/ adj **1** (eläin) peto- **2** (kuv) ryöstö-, saaliinhimoinen he had on a predatory look hänen silmistään paistoi pedon kiilto
predecessor /'predə,sesər/ s edeltäjä
predestination /pri,destə'neɪʃən/ s ennaltamääräys, predestinaatio; kohtalo
predestine /pri'destən/ v määrätä ennalta/etukäteen johonkin I was predestined to fail olin jo etukäteen tuomittu epäonnistumaan
predestined /pri'destənd/ adj ennalta määrätty
predetermination /,pridə,tərmə'neɪʃən/ s etukäteen päättäminen, ennalta tehty valinta, ennaltamääräys, predestinaatio
predetermine /,pridə'tərmən/ v **1** päättää/määrätä etukäteen **2** määrätä, ohjata
predicament /prɪ'dɪkəmənt/ s pulma, hätä, pulmatilanne, vaikea tilanne
predicate /'predə,keɪt/ s (kieliopissa) predikaatti
predicative /predɪkətɪv/ adj (kieliopissa) predikatiivinen, predikaatti-
predict /prɪ'dɪkt/ v ennustaa; ennakoida, olla merkki jostakin tulevasta
predictable /prɪ'dɪktəbəl/ adj (ennalta) arvattava; joka on helppo arvata (etukäteen), yllätyksetön, mielikuvitukseton
predictably adv kuten arvata saattaa/saattoi, ennalta arvattavasti, yllätyksettömästi
prediction /prɪ'dɪkʃən/ s ennustus
predispose /,pridɪs'poʊz/ v altistaa, herkistää jollekin, kallistaa joku johonkin käsitykseen
predisposition /pri,dɪspə'zɪʃən/ s alttius, herkkyys, taipumus
predominant /pri'damɪnənt/ adj hallitseva, vallitseva, tärkein, voimakkain
predominantly adv etupäässä, pääasiassa, enimmäkseen
predominate /prɪ'damɪ,neɪt/ v hallita, vallita, olla tärkein, olla etualalla, olla eniten esillä, muodostaa enemmistö
preeminent /pri'emɪnənt/ adj ylivoimainen, johtava, verraton, vertaansa vailla
preeminently adv **1** erinomaisesti, loistavasti **2** etupäässä, pääasiassa, enimmäkseen
preempt /pri'empt/ v **1** omia itselleen, varata omakseen **2** (televisio-ohjelmasta) korvata, tulla jonkin tilalle the progam was preempted because the newscast ran longer than usual ohjelma jätettiin näyttämättä koska uutiset kestivät tavallista pitempään
preen /prin/ v **1** (lintu) sukia sulkiaan, (kissa ym) nuolla turkkiaan **2** (ihminen) koristautua, pyntätä itseään **3** (kuv) ylpeillä jollakin (on)
preexist /pri,əg'zɪst/ v olla olemassa etukäteen/ennen jotakin
preface /prefəs/ s **1** esipuhe, alkusanat, (puheen) aloitus **2** (kuv) alkusoitto v aloittaa (kirja, puhe) jollakin
prefect /prifekt/ s prefekti
prefer /prə'fər/ v pitää enemmän jostakin, olla jollekulle enemmän mieleen kuin which do you prefer, apples or oranges? pidätkö enemmän omenista vai appelsiineista? I preferred not to comment katsoin viisaimmaksi vaieta

preferable /prefərəbəl/ adj parempi (vaihtoehto) kuin (to)
preferably adv mieluummin, mieluiten please give me some pictures, preferably color slides antaisitko minulle muutaman kuvan, mieluiten väridioja
preference /prefrəns/ s **1** mieltymys, suosio, etusija in order of preference järjestyksessä mieluisimmasta alkaen **2** valinta what is your preference? minkä valitset/haluat?
preferential /ˌprefəˈrenʃəl/ adj (kohtelu) erikois-
preferred share s (tal) etuoikeutettu osake
prefix /prifɪks/ s (kieliopissa) etuliite
prefix /prɪˈfɪks/ v (kieliopissa) varustaa etuliitteellä, lisätä etuliite
pregnancy /pregnənsi/ s raskaus, raskausaika
pregnant /pregnənt/ adj **1** joka on raskaana, odottava **2** tärkeä, merkittävä
pregnant in adj joka on täynnä jotakin his mind was pregnant in crazy schemes hänen päässään vilisi lennokkaita suunnitelmia
pregnant with adj joka on täynnä jotakin the atmosphere at the meeting was pregnant with tension kokouksen ilmapiiri oli jännityksen sähköistämä
prehensile tail /ˌpriˈhensəl/ s tarttumahäntä
prehistoric /ˌprihɪsˈtɔrɪk/ adj esihistoriallinen
prehistorical adj esihistoriallinen
prehistorically adv esihistoriallisesti
prehistory /priˈhɪstəri/ s esihistoria
prejudge /priˈdʒʌdʒ/ v ratkaista/tuomita (jo) etukäteen
prejudice /predʒədɪs/ s **1** ennakkoluulo, kielteinen ennakkokäsitys racial prejudice rotuennakkoluulot **2** suvaitsemattomuus, ennakkoluulot **3** vahinko to the prejudice of someone/something jonkin vahingoksi
v kallistaa joku johonkin käsitykseen, saada joku uskomaan jotakin, saada joku vakuuttuneeksi jostakin
prejudiced adj ennakkoluuloinen
prejudicial /ˌpredʒəˈdɪʃəl/ adj haitallinen, vahingollinen
preliminary /prəˈlɪməˌneri/ s valmisteleva koe/tentti, preliminääri; (urh) alkuottelu, alkuerä
adj alustava, alku-, valmisteleva
prelude /ˈpreɪˌlud/ s alkusoitto (myös kuv)
premarital /priˈmerətəl/ adj esiaviollinen
premature /ˌpriməṭʃər/ adj ennenaikainen, hätiköity, (synnytys) ennenaikainen premature baby keskonen
prematurely adv ks premature
premeditate /priˈmedɪˌteɪt/ v harkita, suunnitella (etukäteen)
premeditated adj harkittu, (ennalta) suunniteltu
premeditation /priˌmedɪˈteɪʃən/ s aikomus, aie, tarkoitus, harkinta, suunnittelu
premier /priˈmɪər/ s pääministeri
adj ensimmäinen, tärkein, johtava, pää-
premiere /priˈmɪər/ s ensi-ilta
v saada ensi-iltansa, tulla teatteriin/teattereihin
premise /preməs/ s **1** (logiikassa) premissi **2** edellytys, peruste **3** (mon) alue students may not leave the premises oppilaat eivät saa postua koulun alueelta
premiss /preməs/ s (logiikassa) premissi
premium /primiəm/ s **1** bonus, lisäpalkkio **2** vakuutusmaksu **3** (tal) preemio **4** to buy at a premium ostaa kalliilla hinnalla, maksaa ylihintaa to be at a premium jostakin on pulaa/kovasti kysyntää
adj **1** ensiluokkainen, erinomainen **2** (hinta) korkea, yli-
premolar /prɪˈmoulər/ s välihammas
adj välihammas-, väli-
premonition /ˌpreməˈnɪʃən/ s paha (ennakko)aavistus
prenatal /priˈneɪtəl/ adj synnytystä edeltävä; neuvola-
preoccupation /priˌakjəˈpeɪʃən/ s **1** johonkin uppoutuminen/syventyminen **2** tärkein harrastus/kiinnostuksen kohde

preoccupied /pri'akjə,paɪd/ adj (ajatuksiinsa tms) uppoutunut
preoccupy /pri'akjə,paɪ/ v viedä/vaatia osakseen jonkun kaikki mielenkiinto/huomio
preowned /pri'oʊnd/ adj käytetty we have a wide selection of preowned Jaguars meillä on laaja valikoima käytettyjä Jaguareja
preparation /,prepə'reɪʃən/ s **1** valmistelu, valmistautuminen **2** valmiste, lääke
preparatory /'prepərə,tɔri/ adj valmisteleva, alustava, alku-
preparatory school s **1** (US) yksityinen tai kirkollinen collegeen valmistava toisen asteen koulu **2** (UK) yksityinen (public schooliin valmistava) ensimmäisen asteen koulu
preparatory to adj ennen jotakin preparatory to throwing the ball, you move your arm back ennen pallon heittämistä käsi siirtyy taaksepäin
prepare /prə'peər/ v laittaa valmiiksi, valmistaa, valmistautua, varustaa, varustautua
prepared adj **1** valmistautunut, valmis, varustautunut (johonkin) **2** (ruoka) valmis-
preparedness s valmius (johonkin), varustautuminen, halukkuus
prepay /pripeɪ/ v maksaa etukäteen
preposition /,prepə'zɪʃən/ s (kieliopissa) prepositio
prepositional adj (kieliopissa) prepositionaali-
prepositional phrase s (kieliopissa) preposition ja sen pääsanan muodostama lauseenjäsen
prepositional verb s (kieliopissa) preposition kanssa käytettävä verbi
preposterous /prɪ'pastərəs/ adj kohtuuton, suhdaton, paksu, järjetön their demands are preposterous heidän vaatimuksensa ovat poskettomia
preposterously adv ks preposterous
prep school ks preparatory school
prerogative /prə'ragətɪv/ s etuoikeus, oikeus did Mr. Nixon exercise the presidential prerogative to get rid of him? käyttikö Mr. Nixon presidentin valtuuksia päästäkseen hänestä eroon?
Presb. Presbyterian presbyteeri, presbyteerinen
Presbyterian /,prezbə'tɪriən/ s presbyteriaani, presbyteerisen kirkon jäsen
adj presbyteerinen
prescribe /prɪ'skraɪb/ v **1** määrätä **2** (lääkäristä) määrätä (lääkettä/hoitoa potilaalle)
prescription /prə'skrɪpʃən/ s **1** määräys **2** lääkemääräys, resepti to fill out a prescription (farmaseutista) valmistaa lääke, täyttää lääkemääräys
prescriptive /prə'skrɪptɪv/ adj määräävä, määräilevä, kieltävä, (sanakirja, kielioppi) normatiivinen
prescriptive grammar s normatiivinen kielioppi
presence /prezəns/ s **1** läsnäolo in his presence hänen läsnäollessaan, hänen seurassaan **2** olemus she is a very powerful presence hänen olemuksensa on hyvin vaikuttava, hän on hyvin vaikuttava ilmestys **3** (näkymätön yliluonnollinen) olento a presence from outer space avaruusolento **4** (sotilaallinen, taloudellinen) voima, asema, vaikutus
presence of mind s mielenmaltti although the whole house was burning, she had the presence of mind to turn off the gas range hän säilytti malttinsa ja sammutti kaasuhellan vaikka koko talo oli jo liekeissä
present /prezənt/ s **1** nykyhetki at present, for the present toistaiseksi, tällä haavaa, tässä vaiheessa tällä hetkellä, nyt **2** (kieliopissa) preesens **3** (mon, lak) tämä asiapaperi, nämä asiapaperit know all men by these presents täten ilmoitan/ilmoitamme **4** lahja
adj **1** läsnäoleva present company excepted huomautukseni ei toki koske läsnäolijoita **2** tämänhetkinen, nykyinen at the present moment nyt, tällä hetkellä **3** jota on jossakin dissatisfaction present in the crew is bound to surface at some point miehistössä kytevä tyytymättömyys puhkeaa varmasti vielä esiin **4** (kieliopissa) preesens-

present /prɪ'zent/ v **1** antaa jollekulle lahjaksi jotakin (with) **2** ojentaa, antaa, esittää she presented numerous arguments in favor of the plan hän esitti monta perustetta suunnitelman puolesta **3** tarjoutua an interesting opportunity has presented itself on tarjoutunut kiintoisa tilaisuus/mahdollisuus **4** esitellä jotakin, joku jollekulle

presentable /prɪ'zentəbəl/ adj edustava, siisti, siivo, säädyllinen, pukeutunut

presentably adv edustavasti, siististi, siivosti, säädyllisesti

presentation /,prizən'teɪʃən/ s **1** (lahjan) ojentaminen, (palkintojen) jako **2** lahja **3** esitys, näytäntö **4** esittäminen, esittely, esitys **5** esiintyminen **6** (lääk) tarjonta, sikiön asento synnytyksessä

present continuous /kən'tɪnjuəs/ s (kieliopissa) kestomuodon preesens (he is reading)

presentiment /prɪ'sentəmənt/ s ennakkoaavistus, aavistus, tuntu

presently adv **1** pian, kohta, (aivan) heti **2** tällä hetkellä, nykyisin, nyt

present participle s (kieliopissa) partisiipin preeseens (hanging)

present perfect s (kieliopissa) perfekti (he has done)

present progressive s (kieliopissa) kestomuodon preesens (he is reading)

present value s (tal) nykyarvo

preservation /,prezər'veɪʃən/ s **1** säilytys, suojelu, varjelu, säästäminen, kunnossapito **2** säilöntä, hilloaminen

preservative /prə'zɜrvətɪv/ s säilöntäaine
adj säilöntä-

preserve /prə'zɜrv/ **1** hillo **2** luonnonsäästiö; rauhoitusalue
v **1** säilyttää, suojella, varjella, säästää, pitää kunnossa **2** säilöä, hillota

pre-shrunk /'pri,ʃrʌŋk/ adj (vaate) (pesemällä) kutistettu

preside /prə'zaɪd/ v toimia puheenjohtajana, johtaa (esim kokousta)

president /prezɪdənt/ s **1** (politiikassa) presidentti **2** (yrityksessä) johtokunnan puheenjohtaja **3** (collegessa) rehtori

presidential /,prezɪ'denʃəl/ adj (politiikassa) presidentin presidential primary presidentin valitsijamiesten vaalit

presidio /prə'sidiou/ s (mon presidios) (linnoitettu) varuskunta

presidium /prə'sidiəm/ s (mon presidiums, presidia) (entisessä Neuvostoliitossa) puhemiehistö

press /pres/ s **1** paine, painaminen, puristus **2** puristin(kone) **3** painokone **4** sanomalehtipaino, kirjapaino, painotalo **5** (sanoma)lehdistö the press has arrived lehdistö on/toimittajat ovat paikalla **6** joukkotiedotusvälineet **7** toimittajat **8** lehtikirjoittelu: the event got good/bad press tapahtumasta kirjoitettiin (lehdissä) myönteiseen/kielteiseen sävyyn **9** (housujen ym) prässi, taite, laskos
v **1** painaa, puristaa; rutistaa; tunkea, ahtaa press this button to stop the tape nauha pysähtyy tätä painiketta painamalla **2** painostaa, ahdistaa, kovistella, patistaa **3** silittää, prässätä **4** (painonnostossa) punnertaa

press agent s lehdistösihteeri

press charges v nosta kanne/syyte

press conference s lehdistötilaisuus, lehdistökonferenssi

press corps /'pres,cɔr/ s (verbi yksikössä) (tiettyä aihepiiriä seuraavat) toimittajat, lehdistö the White House press corps Valkoisen talon (tapahtumia seuraavat) toimittajat

pressing adj pakottava, kiireinen, (tarve myös) kova

press release s lehdistötiedote

press to the wall fr panna joku koville/seinää vasten

pressure /preʃər/ s **1** paine **2** (kuv) paine, paineet, painostus

pressure cabin s (lentokoneen) paineistettu ohjaamo/matkustamo

pressure group s painostusryhmä, eturyhmä

pressure point s **1** (ihon painoärsytyksille herkkä kohta) painopiste, painepiste **2** puristuskohta (jota painamalla verenvuoto voidaan tyrehdyttää) **3** (kuv)

heikko kohta, akilleen kantapää
pressurize /'preʃə,raɪz/ v paineistaa
pressurized cabin s (lentokoneen) paineistettu ohjaamo/matkustamo
press your luck fr koetella onneaan, uhmata kohtaloaan, ottaa riski
prestige /pres'tiʒ/ s arvovalta, vaikutusvalta, maine, prestiisi
prestigious /pres'tɪdʒəs/ adj arvovaltainen, vaikutusvaltainen, maineikas, kuuluisa, tunnettu, hieno
presumable adj luultava, todennäköinen
presumably /prɪ'zuməbli/ adv luultavasti, oletettavasti, todennäköisesti
presume /prɪ'zum/ v **1** olettaa, otaksua **2** uskaltautua tekemään jotakin, rohjeta, kehdata I wouldn't presume to call him Joe en mitenkään julkeaisi sinutella häntä/sanoa häntä Joeksi
presumption /prɪ'zʌmpʃən/ s **1** oletus, olettamus, otaksuminen **2** julkeus, röyhkeys, hävyttömyys
presumption of innocence v syytetyn olettaminen syyttömäksi (kunnes toisin todistetaan)
presuppose /,prisə'pouz/ v olettaa, otaksua; edellyttää, vaatia
presupposition /,prisʌpə'zɪʃən/ s oletus; edellytys
pretend /prɪ'tend/ v teeskennellä jotakin, tekeytyä joksikin, (myös lapsista) leikkiä jotakin
pretended adj teennäinen, teeskennelty, olematon, kuviteltu, keksitty
pretend to v **1** väittää/teeskennellä olevansa/omaavansa jotakin **2** vaatia itselleen jotakin
pretense /prɪ'tens/ s **1** teeskentely, teennäisyys **2** veruke
pretension /prɪ'tenʃən/ s **1** teeskentely, teennäisyys, tärkeily **2** jonkin tavoittelu, vaatimus **3** (us mon) väite her pretensions to greater wisdom were not taken seriously by anyone kukaan ei ottanut todesta hänen väitettään että hän oli muita viisaampi
pretentious /prɪ'tenʃəs/ adj tärkeilevä, mahtaileva, pröystäilevä, mahtipontinen, teeskentelevä, teennäinen
pretentiously adv ks pretentious
pretentiousness s tärkeily, mahtailu, pröystäily, mahtipontisuus, teeskentely, teennäisyys
pretext /pritekst/ s veruke, tekosyy under the pretext of jollakin verukkeella, johonkin vedoten
prettily adv sievästi, nätisti, kauniisti, kiltisti
prettiness s sievä/nätti ulkonäkö, hyvät tavat
pretty /prɪti/ adj **1** sievä, nätti, kaunis, kiltti she's as pretty as a picture hän on kuvankaunis **2** (summa) sievoinen it cost me a pretty penny sain pulittaa siitä pitkän pennin that's a pretty state of affairs se onkin melkoinen sotku
adv aika, melko the movie was pretty good elokuva oli aika hyvä it was pretty much the same as before kaikki/siellä oli kutakuinkin samanlaista kuin viimeksi to be sitting pretty jonkun kelpaa olla, jollakulla on hyvät oltavat, jollakulla on pullat hyvin uunissa
pretzel /pretsəl/ s (suolainen määrämuotoinen) rinkeli, rinkilä
prevail /prɪ'veɪəl/ v **1** vallita, hallita, olla vallitsevassa/hallitsevassa asemassa **2** kukistaa, voittaa, päästä
prevailing adj vallitseva, pääasiallinen, ensisijainen the prevailing view on that matter is that.. yleinen käsitys siitä asiasta on että...
prevail on ks prevail upon
prevail over v kukistaa, voittaa, päästä niskan päälle
prevail upon v pyytää joltakulta jotakin, suostutella
prevalence /prevələns/ s yleisyys, vallitsevuus, suosio
prevaricate /prɪ'verə,keɪt/ v esittää verukkeita, johtaa harhaan, vetkutella, valehdella
prevent /prɪ'vent/ v estää, ehkäistä, välttää, torjua the government took steps to prevent a crisis hallitus ryhtyi toimiin kriisin estämiseksi
preventable /prɪ'ventəbəl/ adj joka voidaan estää/välttää/torjua

prevention /prɪ'venʃən/ s estäminen, ehkäisy, torjunta, välttäminen, varotoimenpide an ounce of prevention is worth a pound of cure parempi virsta väärää kuin vaaksa vaaraa fire prevention palontorjunta
preventive /prɪ'ventɪv/ s **1** ehkäisevä lääke **2** varotoimi
adj ehkäisevä preventive measures varotoimet
preview /'pri,vju/ s **1** (elokuvan ym) ennakkonäytös **2** (elokuvateatterin tulevaa ohjelmistoa esittelevä) mainosfilmi **3** (kuv) esimaku
v näyttää/katsoa etukäteen, järjestää ennakkonäytös
previous /priviəs/ adj **1** edellinen, edeltävä, aikaisempi, aiempi **2** (ark) ennenaikainen, hätiköity
previously adv aiemmin, aikaisemmin, ennen
previous to prep ennen jotakin
prevue /'pri,vju/ ks preview
prewar /,pri'wɔr/ adj sotaa edeltävä, ennen sotaa tapahtunut
pre-washed /'pri,waʃt/ adj (vaate) esipesty
prey /preɪ/ s **1** saaliseläin, saalis **2** (petoksen, taudin ym) uhri, kohde
prey on v **1** saalistaa (myös kuv) **2** käyttää hyväkseen
prey on v **1** (eläin) saalistaa jotakin, syödä jotakin **2** (ihminen) ryöstää, ryövätä, rosvota, saalistaa **3** (kuv) piinata, vaivata, ahdistaa
price /praɪs/ s **1** hinta (myös kuv) at any price mihin hintaan hyvänsä he got her to marry him, but at a price hän sai naisen suostumaan avioliittoon mutta joutui maksamaan siitä kalliisti to be beyond/without price olla suunnattoman/sanoinkuvaamattoman arvokas/kallis **2** palkkio there's a price on the terrorist's head terroristin kiinnisaajalle on luvattu palkkio
v hinnoitella, määrätä jonkin hinta these VCRs are attractively priced nämä kuvanauhurit ovat (hinnaltaan) edullisia
price control s hintavalvonta
price cutting s hinnan alentaminen, alennus
price fixing s hintasäännöstely
price index s hintaindeksi
priceless adj korvaamattoman arvokas, korvaamaton
price tag s **1** hintalappu **2** hinta (myös kuv) those victories came at a high price tag noista voitoista saatiin maksaa kova hinta
pricey /praɪsi/ adj hinnakas, kallis
prick /prɪk/ s **1** reikä, puhkaisu **2** pisto (myös kuv), nipistys **3** (sl) kulli, kyrpä **4** (sl) paskiainen **5** to kick against the pricks kapinoida turhaan, lyödä päätään seinään
v **1** puhkaista **2** pistää (myös kuv), nipistää **3** höristää (korviaan) **4** kannustaa (myös kuv)
prickle /prɪkəl/ s **1** piikki **2** pisto
v pistää, pistellä
prickly /prɪkli/ adj **1** piikikäs **2** pistelevä **3** (kuv) visainen (ongelma)
prick up your ears fr höristää korviaan (myös kuv)
pride /praɪd/ s (myönteinen tai kielteinen) ylpeys the Porsche is his pride Porsche on hänen suuri ylpeytensä/ylpeilyn aiheensa
pride and joy s ylpeys, ylpeilyn aihe
pride on v ylpeillä jollakin, olla ylpeä jostakin, ylpistellä
priest /prist/ s (katolinen) pappi
priesthood /'prist,hud/ s **1** papin virka, pappeus **2** papit, pappiskunta, papisto
prim /prɪm/ adj sievistelevä, jäykkä, virallinen
primarily /praɪ'merəli/ adv etupäässä, pääasiassa, lähinnä
primary /'praɪ,meri/ s **1** (US) esivaalit **2** pääväri
adj tärkein, olennaisin, keskeisin, pää-
primary color s pääväri
primary election s (US) esivaalit
primary market s (tal) ensisijaismarkkinat
primary school s **1** (4–6 alinta luokkaa, Suomessa lähinnä) peruskoulu, peruskoulun ala-aste **2** (3–4 alinta

koululuokkaa) alakoulu
primate /'praɪ,meɪt/ s **1** (usk) priimas **2** kädellinen
prime /praɪm/ s kukoistus he is past his prime hän on jo nähnyt parhaat päivänsä he died in the prime of youth hän kuoli nuoruutensa kukoistuksessa in the prime of life elämänsä terässä, parhaina päivinään
v **1** valmistaa, valmistautua **2** ladata (ase)
adj **1** tärkein, pää- **2** ensiluokkainen, paras
prime minister s pääministeri
prime mover s alullepanija, käynnistäjä, primus motor
primer /praɪmər/ s **1** nalli **2** pohjamaali
primer /prɪmər/ s **1** aapinen **2** alkeisteos
prime rate s alhaisin liikepankin myöntämä korko, päiväluottokorko
primeval /praɪ'mivəl/ adj muinainen, ammoinen, ikivanha
primitive /prɪmətɪv/ adj alkeellinen, alkukantainen, kehittymätön, karkea, vanhanaikainen, primitiivinen
primitively adv ks primitive
primly adv sievistelevästi, jäykästi, virallisesti
primrose /'prɪm,roʊz/ s esikko evening primrose helokki
adj vaalean keltainen
prince /prɪns/ s prinssi
Prince Edward Island Prinssi Edwardin saari
princely adj ruhtinaallinen (myös kuv)
princess /prɪnsəs/ s prinsessa
principal /prɪnsəpəl/ s **1** rehtori **2** (tal) pääoma; velka(pääoma)
adj tärkein, pääasiallinen, pää-
principality /,prɪnsə'pæləti/ s ruhtinaskunta
principally /prɪnsəpli/ adv pääasiassa, pääasiallisesti, etupäässä, lähinnä
principle /prɪnsəpəl/ s periaate on principle periaatteen vuoksi/tähden, periaatteesta in principle periaatteessa, alustavasti, teoriassa
principled adj (ihminen) periaatteen high-principled jolla on korkeat periaatteet/ihanteet low-principled periaatteeton, jolla ei (juuri) ole periaatteita
print /prɪnt/ s **1** (painettu) teksti read the small print before you sign lue pieni präntti (ark) ennen kuin allekirjoitat **2** to be in print (kirjasta) olla saatavana to be out of print olla painos loppunut **3** (valokuvauksessa) paperikuva, vedos contact print pinnakkaisvedos **4** (elokuvan positiivinen) esityskopio **5** jälki, painallus fingerprints sormenjäljet
v **1** painaa (esim kirja) **2** julkaista **3** painautua, painua (myös kuv) that incident is indelibly printed in my memory tapahtuma on painunut pysyvästi mieleeni **4** tekstata **5** (valok) tehdä paperikuviksi, ottaa vedos, vedostaa
printable adj **1** painokelpoinen **2** julkaisukelpoinen
printed matter s painotuote
printer s **1** kirjanpainaja **2** (tietokoneen) tulostin, kirjoitin
printer's error s ladontavirhe
printhead /'prɪnt,hed/ s (tietokonetulostimen) tulostuspää, kirjoituspää
printing s **1** (kirjan yms) painaminen, painotyö **2** painos **3** tekstaus
printing ink s painomuste
printing paper s valokuvauspaperi, valokuvapaperi
printing press s painokone
print journalism s (sanoma- ja aikakaus)lehtityö
printout /'prɪnt,aʊt/ s (tietokonekirjoittimen) (paperi)tuloste, printti
printwheel /'prɪnt,wiəl/ s (kiekkokirjoittimen) kiekko, kirjoituspää
prior /praɪər/ adj aikaisempi without prior knowledge asiasta etukäteen mitään tietämättä
priority /praɪ'ɔrəti/ s **1** etusija to give priority to antaa jollekin etusija **2** tärkeä asia it was my first priority to get out of the burning house ensimmäiseksi halusin päästä ulos palavasta talosta you've got your priorities all wrong sinulla on arvot aivan väärässä järjestyksessä
prior to prep ennen jotakin
prism /prɪzəm/ s prisma, särmiö

prismatic /prɪz'mætɪk/ adj prismaattinen, särmiö-
prism finder s (valokuvauskoneen) prismaetsin
prison /prɪzən/ s vankila the judge sent him to prison for five years tuomari langetti hänelle viiden vuoden vankeusrangaistuksen
prisoner s vanki (myös kuv)
pristine /prɪstin/ adj koskematon, neitseellinen, virheetön, moitteeton
privacy /praɪvəsi/ s oma rauha, yksityisasiat in the privacy of your home omassa kodissa, kodin rauhassa, perhepiirissä
private /praɪvət/ s **1** (sot) alokas; sotamies; korpraali **2** (mon) sukupuolielimet **3** could I talk to you in private? voisimmeko jutella kahden kesken?
adj **1** yksityinen, henkilökohtainen, oma, luottamuksellinen do you have a private office? onko sinulla oma työhuone? private citizen yksityishenkilö private correspondence henkilökohtainen posti **2** eristäytyvä, syrjään vetäytyvä, sulkeutunut; syrjäinen
private detective s yksityisetsivä
private enterprise s yksityisyrittäjyys
private investigator s yksityisetsivä
privately adv yksityisesti, henkilökohtaisesti, kahden kesken tms
private parts s (mon) sukupuolielimet
private placement s (tal) suunnattu anti
private practice s yksityisvastaanotto
private school s yksityiskoulu
private secretary s oma sihteeri, yksityissihteeri
privation /praɪ'veɪʃən/ s puute, pula, köyhyys the privations of college life opiskelijaelämän vaikeudet/vastoinkäymiset
privatize /'praɪvə,taɪz/ v siirtää yksityisomistukseen, yksityistää
privilege /prɪvlɪdʒ/ s erioikeus, erivapaus, etuoikeus
v myöntää jollekulle erioikeus/erivapaus/etuoikeus to privilege someone from something vapauttaa joku jostakin
privileged adj etuoikeutettu
prize /praɪz/ s palkkio, palkinto
v pitää suuressa arvossa, arvostaa suuresti/paljon
adj **1** palkittu, palkinnon voittanut **2** palkinto-
prized adj arvostettu; haluttu much prized suuresti arvostettu; kovasti haluttu
prizefight /'praɪz,faɪt/ s ammattinyrkkeilyottelu
prizefighter s ammattinyrkkeilijä
prizewinner /'praɪz,wɪnər/ s palkinnonsaaja, palkittu henkilö/tuote yms, voittaja
pro /proʊ/ s **1** (ark) ammattilainen the pros urheilun ammattilaisliiga(t) **2** (jaaäänen antaja) kannattaja the pros have it jaa-äänet voittavat
adj ammattilais-
adv (äänestyksessä ym) jotakin kannattava
probability /,prabə'bɪləti/ s todennäköisyys in all probability kaiken todennäköisyyden mukaan yes, it is a probability aivan, se on mahdollista/todennäköistä
probable /prabəbəl/ adj todennäköinen
probably /prabəbli/ adv todennäköisesti
probation /proʊ'beɪʃən/ s **1** (lak) ehdonalainen vapaus **2** (uudessa työssä) koeaika
probe /proʊb/ s **1** luotain **2** (esim rötöksen) tutkimus, selvitys
v **1** luodata, tutkia luotaimella **2** tutkia, selvittää, tutkistella, luodata (kuv)
probing /proʊbiŋ/ s tutkimus, luotaus (myös kuv)
adj tutkiva, tunnusteleva, utelias
problem /prabləm/ s **1** ongelma, pulma, vaikeus, hankaluus I think you have an attitude problem minun mielestäni sinulla on väärä asenne **2** (koulu)tehtävä

problematic /,prablə'mætɪk/ adj ongelmallinen, pulmallinen
problematical adj ongelmallinen, pulmallinen
procedure /prə'sidʒər/ s menettely, menettelytapa
proceed /prə'sid/ v **1** edetä, kulkea, liikkua **2** jatkaa do proceed ole hyvä ja jatka he is not proceeding at all hän(en työnsä) ei etene lainkaan **3** menetellä, toimia
proceedings /prə'sidiŋz/ s mon **1** tapahtumat **2** pöytäkirja; toimintakertomus **3** (lak) oikeudenkäynti **4** (lak) kanne to take/institute proceedings against someone nostaa kanne jotakuta vastaan
proceeds /proʊsidz/ s (kerätyt) varat, tulot
process /prases/ s **1** tapahtuma, tapahtumasarja, menetelmä, prosessi **2** (lak) oikeudenkäynti, prosessi
v **1** käsitellä, hoitaa, valmistaa your application will be processed in three weeks hakemuksenne käsitellään kolmessa viikossa **2** jalostaa (maataloustuote) **3** nostaa kanne jotakuta vastaan **4** (valok) kehittää (filmi)
processed cheese s (valmiiksi viipaloitu) sulatejuusto
procession /prə'seʃən/ s kulkue
proclaim /prə'kleɪm/ v **1** julistaa, julistautua **2** mainostaa, toitottaa
proclamation /,praklə'meɪʃən/ s julistus
proclivity /prə'klɪvəti/ s alttius, taipumus, heikkous
procrastinate /prə'kræstə,neɪt/ v viivytellä, jahkailla, empiä, vitkastella, lykätä myöhemmäksi
procrastinator s jahkailija, vitkastelija
procreate /'proʊkri,eɪt/ v **1** lisääntyä, siittää, synnyttää **2** tuottaa, luoda, synnyttää (kuv)
procreation /,proʊkri'eɪʃən/ s lisääntyminen
procreative /'proʊkri,eɪtɪv/ adj lisääntymis- the procreative act yhdyntä, parittelu
procure /prə'kjʊər/ v **1** hankkia, saada **2** hankkia prostituoitu; välittää prostituoituja, toimia parittajana
prod /prad/ s **1** tönäisy, tökkäisy, kannustus **2** (kuv) kannustus, yllyke
v **1** tönäistä, tökkäistä; kannustaa **2** (kuv) kannustaa, yllyttää, innostaa
prodigal /pradɪgəl/ adj tuhlaavainen, tuhlaileva
prodigal son s (Raamatusta) tuhlaajapoika
prodigious /prə'dɪdʒəs/ adj **1** valtava, suunnaton **2** hämmästyttävä, ihmeellinen, loistava, erinomainen
prodigiously adv ks prodigious
prodigy /pradɪdʒi/ s **1** ihmelapsi **2** ihme
produce /pradus/ s maataloustuotteet, (erityisesti) hedelmät ja vihannekset
produce /prə'dus/ v **1** tuottaa, valmistaa, tehdä the factory produces passenger cars tehtaassa valmistetaan henkilöautoja who produced the movie? kuka oli filmin tuottaja? **2** esittää he produced his driver's licence when the police officer asked for it hän näytti ajokorttiaan kun poliisi pyysi
producer s tuottaja, valmistaja
product /pradʌkt/ s **1** tuote we won't be shipping product until the first of the month emme toimita tavaraa ennen kuun ensimmäistä päivää **2** hengentuote that was a product of his imagination se oli hänen mielikuvituksensa tuotetta you're a product of the sixties sinä olet 60-luvun lapsi **3** (mat) tulo
production /prə'dʌkʃən/ s **1** tuotanto, valmistus **2** (ark, kuv) iso numero: to make a big production out of something nostaa kova häly jostakin
productive /prə'dʌktɪv/ adj tuottava, tuottoisa, kannattava, (ihminen) tuottelias this meeting was not very productive tämä kokous ei ollut järin antoisa
productivity /,pradək'tɪvəti/ s tuottavuus, tuottoisuus, kannattavuus, (ihmisen) tuotteliaisuus
Prof. professor professori

profane /prə'feɪn/ adj **1** maallinen, pakanallinen, epäpyhä **2** (Jumalaa) pilkkaava, herjaava, epäkunnoittava profane language kiroilu
profanity /prə'fænəti/ s **1** kunnioituksen puute, pilkkaavuus, pilkka **2** kiroilu; kirosana
profess /prə'fes/ v **1** (uskosta) tunnustaa, tunnustautua **2** väittää; myöntää she professed to a certain reluctance to go there hän myönsi olevansa hieman haluton menemään sinne he professes ignorance hän väittää ettei hän tiedä asiasta mitään, (myös:) hän teeskentelee viatonta
professional /prə'feʃənəl/ s ammattilainen
adj ammattimainen, ammatillinen, ammatti-, asiantunteva, pätevä, osaava professional pride ammatti-ihmisen ylpeys you did a professional job teit pätevää/asiantuntevaa työtä
professionalism /prə'feʃənə,lɪzəm/ s ammatimaisuus
professionally adv ammatillisesti, ammattimaisesti, asiantuntevasti, pätevästi, osaavasti
professor /prə'fesər/ s professori associate professor apulaisprofessori assistant professor lehtori, apulaisprofessori
professorial /,prafə'sɔriəl/ adj **1** professorin **2** professorimainen
professorship /prə'fesər,ʃɪp/ s professuuri
proffer /prafər/ v tarjota (juotavaa yms); esittää (anteeksipyyntö, kiitos)
proficiency /prə'fɪʃənsi/ s pätevyys, osaaminen, taito his proficiency in Portuguese is limited hänen portugalin taitonsa on heikohko
proficient /prə'fɪʃənt/ adj pätevä, osaava, taitava
proficiently adv pätevästi, osaavasti, taitavasti
profile /'prou,faɪəl/ s profiili, sivukuva, ääriviivat, poikkileikkaus, kuvaus, hahmotelma to keep a low profile pitää matalaa profiilia, pysytellä piilossa/takaalalla
v kuvata (sivulta), kuvailla, luonnehtia
profit /prafət/ s **1** (tal) voitto **2** hyöty, etu
v hyödyttää, olla jollekulle/jollekin hyödyksi
profitability /,prafətə'bɪləti/ s **1** kannattavuus, tuottoisuus, tuotto **2** hyödyllisyys, edullisuus, otollisuus
profitable /prafətəbəl/ adj **1** kannattava, tuottoisa **2** hyödyllinen, edullinen, otollinen, suotuisa
profitably adv ks profitable
profit from v **1** jollekulle on hyötyä jostakin **2** käyttää hyväkseen jotakin
profound /prə'faund/ adj syvä, syvällinen, syvämietteinen, (suru) voimakas
profoundly adv syvästi, erittäin, täysin
profundity /prə'fʌndəti/ s **1** syvällisyys, syvämietteisyys **2** syvällinen huomautus/toteamus **3** syvänne
profuse /prə'fjus/ adj runsas, ylenpalttinen, ylitsevuotava, tuhlaileva
profusely adv ks profuse
profusion /prə'fjuʒən/ s **1** runsaus, ylenpalttisuus, yltäkylläisyys **2** tuhlaavaisuus, tuhlaus
prognosis /,prag'nousɪs/ s (mon prognoses) ennuste
prognosticate /prag'nastɪ,keɪt/ v ennustaa; enteillä
program /'prou,græm/ s ohjelma (eri merkityksissä), (radiossa, televisiossa myös) lähetys
v ohjelmoida
programmable /,prou'græməbəl/ adj ohjelmoitava programmable remote ohjelmoitava/oppiva kauko-ohjain
programme ks program
programmer s (tietokone)ohjelmoija
programming s **1** ohjelmointi **2** (radion, television) ohjelmat; lähetysajat; ohjelmien ja lähetysaikojen valinta
programming language s (tietokoneiden) ohjelmointikieli
program music s ohjelmamusiikki
progress /pragrəs/ s **1** edistys don't stand in the way of progress älä ole edistyksen esteenä **2** eteneminen, kulku

3 edistyminen, eteneminen we are not making progress työmme ei edisty **4** to be in progress olla käynnissä/meneillään

progress /prə'gres/ v edetä, mennä/kulkea eteenpäin, edistyä, kehittyä the work is progressing slowly työ etenee/edistyy hitaasti she is progressing hänen työnsä on paranemaan päin; hän on paranemaan päin

progression /prə'greʃən/ s **1** eteneminen, kulku **2** edistyminen, eteneminen, kehittyminen **3** (asteittainen) siirtyminen,kehittyminen, sarja (myös mat)

progressive /prə'gresɪv/ s edistyksellinen ihminen
adj **1** kasvava, lisääntyvä, yltyvä, voimistuva, laajeneva **2** edistyksellinen

progressively adv yhä enemmän, kasvavassa määrin the situation is getting progressively worse tilanne pahenee koko ajan

prohibit /prə'hɪbət/ v kieltää

prohibition /,proʊə'bɪʃən/ s **1** kielto **2** Prohibition kieltolaki (Yhdysvalloissa 1920–1933)

prohibitionist /,proʊə'bɪʃənɪst/ s kieltolain kannattaja

prohibitive /prə'hɪbətɪv/ adj **1** kieltävä, kielto- **2** (hinta yms) pilviä hipova, kohtuuton

project /pradʒekt/ s hanke, suunnitelma, yritys, projekti

project /prə'dʒekt/ v **1** suunnitella, aikoa **2** ulottua/ulottaa jonkin ylle/päälle **3** heijastaa (kuva), projisoida **4** projisoida, piirtää/suorittaa projektio **5** laukaista, ampua

projectile /prə'dʒek,taɪəl/ s ammus, luoti

projection /prə'dʒekʃən/ s **1** ulkonema, kieleke **2** (kuvan) heijastus, projisointi **3** (geom, psyk) projektio

projection television s projektoritelevisio, televisioprojektori

projector s projektori

proletarian /,proulə'teriən/ s proletaari
adj proletaarinen, köyhälistön, työväenluokan

proletariat /,proulə'teriət/ s köyhälistö, työväenluokka, proletariaatti

proliferate /prə'lɪfə,reɪt/ v lisääntyä, yleistyä, levitä nopeasti; rehottaa (myös kuv)

proliferation /prə,lɪfə'reɪʃən/ s nopea lisääntyminen, yleistyminen, leviäminen, yleisyys

prolific /prə'lɪfɪk/ adj **1** hedelmällinen **2** tuottelias

prolog /proulag/ ks prologue

prologue /proulag/ s **1** prologi, esinäytös **2** (kuv) alkusoitto
v aloittaa/alkaa jollakin

prolong /prə'laŋ/ v pitkittää, jatkaa, pidentää

prolongation /,proulaŋ'geɪʃən/ s pidennys, pidentäminen, jatkaminen, jatkoaika, jatke

PROM programmable read-only memory ohjelmoitava lukumuisti

promenade /,pramə'neɪd/ s **1** (huvi)kävely **2** kävelytie, kävelykatu
v **1** käydä kävelyllä, viedä kävelylle **2** esitellä, marssittaa kaikkien/jonkun editse

prominence /pramənəns/ s **1** ulkonevuus **2** ulkonema **3** silmiinpistävyys **4** (auringon) protuberanssi

prominent /pramənənt/ adj **1** ulkoneva, eteen työntyvä, esiin pistävä she has a very prominent nose **2** näkyvä, huomiota herättävä, silmiinpistävä **3** johtava, tärkeä, merkittävä, vaikutusvaltainen **4** tunnettu, kuuluisa

prominently adv ks prominent

promiscuity /,pramәs'kjuәti/ s siveettömyys, säädyttömyys, riettaus

promiscuous /prə'mɪskjuəs/ adj siveetön, säädytön, epäsiveellinen, rietas

promiscuously adv siveettömästi, säädyttömästi, epäsiveellisesti, riettaasti

promiscuousness s siveettömyys, säädyttömyys, riettaus

promise /praməs/ s lupaus (myös kuv:) toivo can you keep your promise? pystytkö pitämään lupauksesi/sanasi? she shows promise as a pianist hän vaikuttaa lupaavalta pianistilta
v luvata

promise the moon to fr luvata jollekulle maat ja taivaat
promising adj lupaava
promisingly adv lupaavasti the concert began promisingly konsertti alkoi lupaavasti
promissory note /'pramə,sɔri,nout/ s vekseli
promontory /'pramən,tɔri/ s niemeke
promote /prə'mout/ v **1** edistää, edesauttaa, auttaa **2** ylentää **3** siirtää seuraavalle luokalle **4** mainostaa (tuotetta)
promoter s (konsertin, kilpailun) sponsori, tukija; järjestäjä
promotion /prə'mouʃən/ s **1** (virka- tai muu) ylennys **2** mainoskampanja; mainos
prompt /prampt/ s **1** (teatterissa) kuiskaus **2** kannustus, yllyke, kehotus; muistutus **3** (tietok) kehote, heräte
v **1** kannustaa, kehottaa, yllyttää, patistaa **2** saada aikaan **3** (tunteita, muistoja) herättää **4** (teatterissa) kuiskata (vuorosanoja)
adj nopea I will be looking forward to your prompt reply (kirjeessä) jään odottamaan pikaista vastaustanne
prompter s (teatterissa) kuiskaaja
promptly adv nopeasti
promptness s nopeus, pikaisuus
pronation /prou'neɪʃən/ s (raajan) sisäänkierto
prone /proun/ adj joka on päinmakuulla
prone to adj jolla on taipumusta johonkin, joka on altis jollekin
prong /praŋ/ s (haarukan, hangon ym) piikki; koukku
v pistää; puhkaista
pronghorn /praŋhɔrn/ s hanka-antilooppi
pronoun /'prou,naun/ s pronomini
pronounce /prə'nauns/ v **1** ääntää the "e" in "house" is not pronounced kirjain "e" sanassa "house" ei äänny **2** julistaa, ilmoittaa I pronounce you man and wife julistan teidät vihityiksi
pronounced adj selvä, ilmeinen, näkyvä, voimakas
pronto /prantou/ adv (ark) nopeasti, äkkiä, kiireesti
pronunciation /prə,nʌnsi'eɪʃən/ s ääntämys, ääntäminen; ääntämisohje
proof /pruf/ s **1** todiste **2** to put something to proof panna jokin koetteille the proof is in the pudding luulo ei ole tiedon väärti **3** alkoholipitoisuus 100 proof alkoholipitoisuus (yleensä) 50 % **4** (kirjapainossa) (korjaus-, oikaisu)-vedos **5** (valok) vedos
-proof adj (yhdyssanan jälkiosana) -kestävä bearproof karhunkestävä bulletproof luodinkestävä waterproof vedenpitävä, vesitiivis 100 proof whisky 50-prosenttista viskiä
proof-of-purchase s ostotodistus (jolla tuotteen voi vaihtaa, palauttaa tms)
proofread /'pruf,rid/ v oikaisulukea, tehdä korjausluku, korjata vedokset tms
proofreader s oikaisulukija, korjauslukija
prop /prap/ s **1** tuki (myös kuv) **2** potkuri **3** (teatterissa) lavasteet
v **1** tukea, pitää pystyssä **2** laskea nojaamaan jotakin vasten she propped her bike against the wall hän pani pyöränsä seinää vasten
propaganda /,prapə'gændə/ s propaganda
propagandist s propagandan tekijä/levittäjä, propagandisti
adj propaganda-
propagandize /,prapə'gæn,daɪz/ v levittää (propagandaa jonnekin)
propagate /'prapə,geɪt/ v **1** lisääntyä, jatkaa sukua **2** (ääni, ajatus) levitä, levittää
propagation /,prapə'geɪʃən/ s **1** lisääntyminen, suvunjatkaminen **2** leviäminen, levitys
propane /proupeɪn/ s propaani
propel /prə'pel/ v **1** liikuttaa, kuljettaa **2** (kuv) kannustaa, innostaa
propellant /prə'pelənt/ s **1** polttoaine **2** (sumuttimessa) ponnekaasu
propeller /prə'pelər/ s potkuri
propensity /prə'pensəti/ s taipumus, alttius

proper /prapər/ adj **1** oikea, sopiva, asiallinen, asianmukainen you are not wearing proper clothes et ole pukeutunut tilanteen vaatimalla tavalla **2** varsinainen, todellinen linguistics proper varsinainen kielitiede **3** siivo, asiallinen, kunnollinen; sievistelevä **4** ominainen jollekin (to)
properly adv **1** oikeastaan, todellisuudessa, varsinaisesti **2** sopivasti, asiallisesti, siististi **3** oikeutetusti
proper noun s erisnimi
property /prapərti/ s **1** omaisuus **2** omistus, omistaminen **3** maapalsta, tontti **4** kiinteistö **5** ominaisuus **6** (teatterissa, elokuvastudiossa) lavaste **7** (elokuva-alalla) käsikirjoitus, näyttelijä tms (kaupalliselta kannalta)
property tax s omaisuusvero; kiinteistövero
propfan /'prap,fæn/ s puhallinpotkuri
prophecy /prafəsi/ s ennustus, profetia
prophesy /'prafə,saɪ/ v ennustaa, profetoida
prophet /prafət/ s profeetta (myös kuv) ennustaja, uranuurtaja, lipunkantaja, puhemies; opettaja, johtaja
prophylactic /,proufə'læktɪk/ s **1** (lääk) ehkäisevä/torjuva lääke/toimenpide **2** kondomi
prophylaxis /,proufə'læksɪs/ s (lääk) ehkäisy, torjunta
propinquity /prə'piŋkwɪti/ s läheisyys (tilassa, ajassa ja kuv)
propitiate /prə'pɪʃi,eɪt/ v lepyttää, tyynnyttää
propjet /'prap,dʒet/ s potkuriturbiinikone
proportion /prə'pɔrʃən/ s **1** suhde to be in/out of proportion olla oikeassa/väärässä suhteessa; olla kohtuullinen/kohtuuton in proportion to suhteessa johonkin, jonkin mukaisesti **2** osuus, osa a good proportion of the students study physics suuri osa oppilaista lukee fysiikkaa **3** (mon) mitat, mittasuhteet
v suhteuttaa, mitoittaa she has a well-proportioned body hänellä on sopusuhtainen/hyvännäköinen vartalo
proportional adj suhteellinen proportional to suhteessa johonkin (to)
proportionally adv suhteellisesti
proportionate /prə'pɔrʃənət/ adj suhteellinen
proportionately adv suhteellisesti
proposal /prə'pouzəl/ s **1** ehdotus, esitys, tarjous **2** kosinta
propose /prə'pouz/ v **1** ehdottaa, esittää, suositella **2** kosia
proposition /,prapə'zɪʃən/ s **1** ehdotus, esitys, tarjous **2** asia, kysymys **3** (logiikassa) propositio **4** siveetön ehdotus
v **1** ehdottaa, esittää **2** tehdä siveetön ehdotus
proprietary /prə'praɪə,teri/ adj **1** omistava, omistus-, omistushaluinen **2** patentoitu, oma the computer uses two proprietary chips tietokoneessa käytetään kahta valmistajan itsensä kehittämää sirua
proprietor /prə'praɪətər/ s omistaja
propriety /prə'praɪəti/ s **1** säntillisyys, moitteettomuus, hyvät tavat, hyvien tapojen noudattaminen **2** oikeudenmukaisuus
propulsion /prə'pəlʃən/ s liikevoima the submarine moves under its own propulsion sukellusvene liikkuu/kulkee omalla voimallaan
pro rata /,prou'reɪtə/ adv suhteellisesti
prosaic /pro'zeɪɪk/ adj **1** arkinen, tavallinen, proosallinen; mielikuvitukseton, tylsä, mitäänsanomaton **2** proosa-
prosaically adv arkisesti, tavallisesti; mielikuvituksettomasti, mitäänsanomattomasti
prosaist /prou'zeɪɪst/ s prosaisti, proosakirjailija
proscribe /prou'skraɪb/ v **1** karkottaa, julistaa lainsuojattomaksi **2** kieltää; tuomita
proscription /prou'skrɪpʃən/ s kieltäminen, kielto, tuomitseminen
prose /prouz/ s proosa
prosecute /'prasə,kjut/ v (lak) asettaa syytteeseen, syyttää (oikeudessa), toimia syyttäjänä (oikeudessa)

prosecuting attorney s (lak) yleinen syyttäjä
prosecution /ˌprasə'kjuʃən/ s **1** (lak) syyte, syyttäminen **2** (lak) syyttäjäpuoli
prosecutor /'prasəˌkjutər/ s (lak) yleinen syyttäjä
proselytize /'prasələˌtaɪz/ v (yrittää) käännyttää
prospect /praspekt/ s **1** (us mon) mahdollisuudet, (tulevaisuuden) näkymät **2** mahdollinen asiakas, ehdokas **3** näkymä, näköala
v etsiä/kaivaa/huuhtoa kultaa tms
prospective /prə'spektɪv/ adj **1** tuleva **2** mahdollinen, odotettavissa oleva prospective buyer mahdollinen/kiinnostunut ostaja
prospector /praspektər/ s kullan- tms kaivaja, kullanhuuhtoja
prospectus /prə'spektəs/ s (mon prospectuses) **1** esite **2** luotto(tieto)esite
prosper /praspər/ v menestyä, voida hyvin, kukoistaa, vaurastua
prosperity /pras'perəti/ s vauraus, hyvinvointi, rikkaus
prosperous /praspərəs/ adj vauras, hyvinvoiva, kukoistava, menestyvä
prostate gland /prasteɪt/ s eturauhanen
prosthesis /pras'θisɪs/ s (mon prostheses) proteesi
prosthetic /prəs'θetɪk/ adj proteettinen, proteesi-, teko-
prostitute /'prastɪˌtut/ s prostituoitu
v **1** prostituoida, saattaa/ruveta prostituoiduksi, myydä, myydä itseään **2** (kuv) myydä he prostituted his talent by writing dime novels hän pani lahjansa hukkaan kirjoittamalla roskaromaaneita
prostitution /ˌprastɪ'tuʃən/ s prostituutio, itsensä myyminen, myyminen (myös kuv)
prostrate /prastreɪt/ v **1** käydä päinmakuulle **2** heittäytyä/kumartua nöyrästi maahan **3** musertaa, uuvuttaa, väsyttää loppuun
adj **1** joka on päinmakuulla **2** nöyrästi kumartunut, jonkun jalkojen ääreen kumartunut **3** (kuv) murtunut, lyöty

Prot. Protestant protestantti, protestanttinen
protagonist /prə'tægənɪst/ s (romaanin yms) päähenkilö
protect /prə'tekt/ v suojella, suojautua, varjella, turvata
protection /prə'tekʃən/ s suoja, suojelu, suojelus, varjelu, turva
protectionism s (tal) protektionismi
protectionist s, adj (tal) protektionisti(nen)
protective adj suojeleva, suojaava, suojelus, suoja- her parents are overly protective of her hänen vanhempansa huolehtivat hänestä liikaa
protectively adv suojelevasti the tent was protectively disguised teltta oli naamioitu (jottei se näkynyt)
protector s suojelija, puolustaja
protectorate /prə'tektərət/ s suojelualue, protektoraatti
protein /proutin/ s valkuainen, valkuaisaine, proteiini
protest /proutest/ s vastalause, protesti
protest /prə'test/ v **1** vastustaa, esittää vastalause, panna vastaan, protestoida **2** väittää, vakuuttaa she keeps protesting her innocence hän vakuuttaa yhä olevansa syytön
Protestant /pratəstənt/ s protestantti
adj protestanttinen
Protestantism /'pratəstənˌtɪzəm/ s protestanttisuus, protestantismi
protestation /ˌproutəs'teɪʃən/ s **1** vakuuttelu, vakuutus, väite **2** vastalause, protesti
protester s vastustaja, vastalauseen esittäjä
protégé /'proutəˌʒeɪ/ s suojatti
protégée /'proutəˌʒeɪ/ s (naispuolinen) suojatti
protocol /'proutəˌkaəl/ s **1** protokolla, diplomaattinen etiketti **2** pöytäkirja
proton /proutan/ s protoni
prototype /'proutəˌtaɪp/ s **1** malli, prototyyppi **2** täydellinen/tyypillinen esimerkki jostakin, jonkin malliesimerkki
prototypical /ˌproutə'tɪpɪkəl/ adj esimerkillinen, tyypillinen

protozoan /ˌproutəˈzoən/ s (mon protozoans, protozoa) alkueläin adj alkueläinten, alkueläin-

protract /prəˈtrækt/ v **1** pitkittää, venyttää **2** kurottaa, ojentaa

protraction /prəˈtrækʃən/ s pitkittyminen, pitkittäminen

protractor s astelevy

protrude /prəˈtrud/ v pistää esiin, työntyä/työntää esiin, pullistua, pullistaa

protrusion /prəˈtruʒən/ s pullistuma, uloke, kieleke

protuberance /prəˈtubərəns/ s **1** esiin työntyminen, pullistuminen **2** pullistuma, kohouma, uloke

proud /praud/ adj (myönteisesti tai kielteisesti) ylpeä

proudly adv ylpeästi

prov. proverb sananlasku

Prov. Proverbs (Vanhan testamentin) Sananlaskut

prove /pruv/ v proved, proved/proven: todistaa, osoittaa, osoittautua; osoittaa todeksi

proverb /ˈpraˌvərb/ s sananlasku

proverbial /prəˈvərbiəl/ adj **1** sananlaskumainen, sananlasku- **2** kuuluisa, maankuulu

provide /prəˈvaɪd/ v **1** hankkia, antaa käyttöön, varustaa, tarjota, antaa I'll provide the beer and you bring the chips minä tuon oluen ja sinä perunalastut the trees provide at least some shade puut tarjoavat edes jonkinlaisen varjon **2** pitää huoli jostakusta, huolehtia, elättää **3** sopia, määrätä, vaatia (sopimuksessa tms), sisältyä (sopimukseen tms)

provide against v varautua johonkin

provided that konj edellyttäen että, siinä tapauksessa että, mikäli, jos

provide for v **1** elättää joku, pitää huoli jostakusta **2** varautua johonkin **3** (laki, sopimus) sisältää, määrätä the new law provides stiff penalties for smoking on flights of less than six hours' duration uusi laki määrää ankaran rangaistuksen tupakoinnista alle kuuden tunnin pituisilla lennoilla

providence /ˈpravədəns/ s (myös Providence) kaitselmus

providential /ˌpravəˈdenʃəl/ adj onnellinen, onnekas, otollinen

providentially adv onnellisesti

provider s elättäjä

providing that konj edellyttäen että, siinä tapauksessa että, mikäli, jos

province /ˈpravɪns/ s **1** maakunta (Kanadassa) provinssi **2** (mon) maaseutu

provincial /prəˈvɪnʃəl/ adj **1** maakunta- **2** maaseutu-, maalais-, pikkukaupungin

provincialism /prəˈvɪnʃəˌlɪzəm/ s **1** maalaismaisuus, nurkkakuntalaisuus, rajoittuneisuus, tietämättömyys **2** (kielessä) murteellisuus **3** maakuntahenkisyys

provision /prəˈvɪʒən/ s **1** varustaminen, varustautuminen, huolto, muonitus, huolehtiminen, huolenpito **2** varasto, (mon) muona, eväät **3** varaus, ehto, sopimus
v varustaa, muonittaa, huoltaa

provisional adj väliaikainen, väliaikais- the provisional wing of the IRA IRA:n (Irlannin tasavaltalaisarmeijan) väliaikaissiipi

provisionally adv väliaikaisesti, toistaiseksi

proviso /prəˈvaɪˌzou/ s (mon provisos, provisoes) (sopimuksen tms) varaus, ehto, ehtolauseke

provisory /prəˈvaɪzəri/ adj **1** ehto-, varaus- **2** väliaikainen

provocation /ˌpravəˈkeɪʃən/ s yllytys, kiihotus, provokaatio

provocative /prəˈvakətɪv/ adj yllyttävä, kiihottava, (tahallaan) ärsyttävä, provosoiva

provocatively adv yllyttäen, yllyttävästi, kiihottaen, (tahallaan) ärsyttäen, provosoiden

provoke /prəˈvouk/ v yllyttää, usuttaa, kiihottaa, (sääliä) herättää, kannustaa, haastaa (riitaa), ajaa (riitaan), (tahallaan) ärsyttää, provosoida

prow /prau/ s (laivan, veneen) keula, (lentokoneen) nokka

prowl /praʊəl/ s etsintä to be on the prowl koluta, etsiä jotakuta/jotakin v koluta (löytääkseen jotakin), etsiä
prowl car s poliisiauto
proximity /prak'sɪməti/ s läheisyys
proxy /praksi/ s **1** valtakirja **2** edustaja he was represented in court by proxy hän osallistui oikeudenkäyntiin valtuutettunsa edustamana
prude /prud/ s kainostelija, sievistelijä
prudence /prudəns/ s harkinta, varovaisuus
prudent /prudənt/ adj harkitseva, varovainen, (teko) viisas, harkittu
prudently adv varovaisesti, viisaasti, harkitusti
prudery /prudəri/ s kainostelu, sievistely, ujostelu
prudish /prudɪʃ/ adj (turhan) kaino, häveliäs, ujo, sievistelevä
prudishness s kainostelu, häveliäisyys, ujous, sievistely
prune /prun/ s (kuivattu) luumu v **1** karsia (oksia), typistää, leikata **2** (kuv) karsia, kitkeä, typistää
Prussia /prʌʃə/ Preussi
Prussian /prʌʃən/ s, adj preussilainen
pry /praɪ/ v **1** udella, nuuskia, kurkistella, penkoa (toisen asioita) **2** avata (väkisin), vääntää auki, (vaivoin) irottaa, saada irti (myös kuv:) kaivaa esiin (salaisuus tms)
prying adj utelias
Przewalski's horse /pʃə'vaəlskiz, ʃə'vaəlskiz/ s przewalskinhevonen
P.S. postscriptum jälkikirjoitus
psalm /sam/ s psalmi the Psalms (Vanhan testamentin) Psalmit, Psalmien kirja
pseudonym /'sudə,nɪm/ s salanimi, kirjailijanimi
pseudonymous /su'danəməs/ adj salanimellä/kirjailijanimellä esiintyvä/kirjoittava
pseudonymously adv (esiintyä, kirjoittaa) salanimellä, kirjailijanimellä
psi pounds per square inch
PSI Pollution Standard Index
PST Pacific Standard Time
pstg. postage postimaksu
psyche /saɪki/ s psyyke, sielu, sielunelämä
psychedelic /,saɪkə'delɪk/ adj psykedeelinen, tajuntaa laajentava, huumaava, hypnoottinen
psychiatric /,saɪki'ætrɪk/ adj psykiatrinen
psychiatrical adj psykiatrinen
psychiatrically adv psykiatrisesti
psychiatrist /saɪ'kaɪətrɪst/ s psykiatri
psychiatry /saɪ'kaɪətri/ s psykiatria
psychic /saɪkɪk/ s meedio adj **1** psyykkinen, sielullinen, henkinen **2** yliaistillinen
psychical adj ks psychic
psychically adv ks psychic
psycho /saɪkoʊ/ s (mon psychos) (sl) psykopaatti
psychoactive /,saɪko'æktɪv/ adj psykoaktiivinen
psychoanalysis /,saɪkoə'næləsɪs/ s psykoanalyysi
psychoanalyst /,saɪko'ænəlɪst/ s psykoanalyytikko
psychoanalytic /,saɪko,ænə'lɪtɪk/ adj psykoanalyyttinen
psychoanalytical adj psykoanalyyttinen
psychoanalytically adv psykoanalyyttisesti
psychoanalyze /,saɪko'ænə,laɪz/ v psykoanalysoida
psychogenic /,saɪkə'dʒenɪk/ adj psykogeeninen
psycholinguistics /,saɪkəlɪŋ'gwɪstɪks/ s (verbi yksikössä) psykolingvistiikka
psychologic adj psykologinen
psychological /,saɪkə'ladʒɪkəl/ adj **1** psykologinen **2** psyykkinen, sielullinen, henkinen
psychologically adv psykologisesti
psychologist /saɪ'kalədʒɪst/ s psykologi
psychology /saɪ'kalədʒi/ s psykologia
psychomotor /,saɪkə'moʊtər/ adj psykomotorinen
psychopath /'saɪkə,pæθ/ s psykopaatti, luonnevikainen

psychopathic /ˌsaɪkə'pæθɪk/ adj psykopaattinen, luonnevikainen
psychosexual /ˌsaɪkə'sekʃuəl/ adj psykoseksuaalinen
psychosis /saɪ'koʊsɪs/ s (mon psychoses) psykoosi
psychosocial /ˌsaɪkə'soʊʃəl/ adj psykososiaalinen, psyykkis-sosiaalinen
psychosomatic /ˌsaɪkəsə'mætɪk/ adj psykosomaattinen
psychotherapeutic /ˌsaɪkəˌθerə'pjutɪk/ adj psykoterapeuttinen
psychotherapist /ˌsaɪkə'θerəpɪst/ s psykoterapeutti
psychotherapy /ˌsaɪkə'θerəpi/ s psykoterapia
psychotic /saɪ'katɪk/ s psykootikko, mielisairas
adj psykoottinen, mielisairas
psychotropic /ˌsaɪkə'trapɪk/ s psykotrooppinen/psykoaktiivinen lääke/aine
adj psykotrooppinen, psykoaktiivinen
p.t. past tense imperfekti
PTA parent-teacher association
Pte. private alokas
pterodactyl /ˌterə'dæktəl/ s pterodactylus, eräs lentolisko
PTO Patent and Trademark Office
PTT post, telegraph, telephone
pub /pʌb/ s pub, pubi, oluttupa, kapakka
pubertal /pjubərtəl/ adj murrosiän, puberteetin
puberty /pjubərti/ s murrosikä, puberteetti
pubic /pjubɪk/ adj häpy- pubic hair häpykarvat
pubis /pjubɪs/ s (mon pubes) häpyluu
public /pʌblɪk/ s **1** (suuri) yleisö: the movie-going public elokuvayleisö, elokuvissa kävijät the public at large suuri yleisö **2** in public julkisesti, julkisuudessa, julkisella paikalla
adj julkinen, julkisuuden, yleinen, yhteinen, kansan- the national parks are public property kansallispuistot ovat (kansan) yhteistä omaisuutta to go/ make public paljastaa, saattaa/tuoda julkisuuteen **3** to go public (tal) laskea liikkeelle yleisöanti
public affairs s (mon) julkiset asiat
publication /ˌpʌblɪ'keɪʃən/ s **1** (toiminta) julkaiseminen, julkaisu, kustantaminen, kustannus **2** (tuote) julkaisu, (erityisesti:) aikakauslehti, lehti
public enemy s yhteiskunnan vihollinen
public eye to be in the public eye olla julkisuuden valokiilassa
publicist /pʌbləsɪst/ s tiedottaja, lehdistösihteeri
publicity /pʌb'lɪsəti/ s **1** tiedotus(toiminta), suhdetoiminta **2** yleinen huomio, julkisuus, mainostus the company's new computers got a lot of publicity yrityksen uudet tietokoneet saivat osakseen paljon julkisuutta
publicize /'pʌbləˌsaɪz/ v mainostaa, tehdä tunnetuksi, ilmoittaa
public library s lainakirjasto
publicly adv julkisesti, julkisuudessa
public opinion s yleinen mielipide
public offering (tal) yleisöanti
public prosecutor s yleinen syyttäjä
public relations s (mon) suhdetoiminta
public school s **1** (US) kunnallinen koulu **2** (UK) yksityiskoulu
public service s **1** kunnallispalvelu, julkinen palvelu **2** kunnan/valtion palvelus he's in public service hän on kunnan/valtion palveluksessa **3** ilmaispalvelu, yleisöpalvelu
public transportation s julkinen liikenne
public utility s kunnallispalvelu, julkinen palvelu (vesi, sähkö, kaasu ym)
publish /pʌblɪʃ/ v julkaista, kustantaa
publisher s julkaisija, kustantaja
publishing s kustannustoiminta, kustannusala she wants to go into publishing hän haluaa töihin kustannusalalle
publishing house s kustannusliike, kustantamo
puck /pʌk/ s kiekko, jääkiekko
pucker up /pʌkər/ v mutristaa, panna/vetää/mennä mutruun
pudding /pudiŋ/ s vanukas
puddle /pʌdəl/ s lätäkkö

pudu /pudu/ s pudu
puerile /pjəraıəl/ adj lapsellinen
Puerto Rico /ˌpwertə'rikoʊ/
puff /pʌf/ s **1** pöllähdys, puhahdus, tuprahdus, puuska, puuskaus **2** (tupakoinnissa) haiku **3** (leivos) tuulihattu **4** (läpinäkyvä) kehuskelu, piilomainonta, puffi (sl)
v **1** pöllähtää, puhahtaa, tuprahtaa **2** (tupakoijasta) vetää/vetäistä/pölläytellä/tuprutella haikuja **3** kehuskella, mainostaa vaivihkaa, puffata (sl)
puffy adj turvonnut, pöhöttynyt, pullistunut
pug /pʌg/ s **1** (koira) mopsi **2** nykerö, nykerönenä
pugilism /'pjudʒəˌlızəm/ s nyrkkeily
pugilist /pjudʒəlıst/ s nyrkkeilijä
pugilistic /ˌpjudʒə'lıstık/ adj nyrkkeily-
pugnacious /pʌg'neıʃəs/ adj tappelunhaluinen, riidanhaluinen, uhmaava, hyökkäävä
pug nose s nykerönenä, nykerö
puke /pjuk/ s (sl) yrjö, oksennus
v (sl) yrjötä, oksentaa
pull /pʊl/ s **1** veto, nykäisy, kiskaisu **2** henkäisy, hengenveto; siemaus, ryyppy; (tupakoinnissa) haiku **3** (ark) vaikutusvalta, suhteet I have no pull with the mayor minulla ei ole suhteita kaupunginjohtajaan **4** (ark) vetovoima
v **1** vetää, vetäistä, kiskoa, kiskaista, nykiä, nykäistä, repiä, repäistä **2** tehdä (jotakin vilpillistä) he pulled a trick on us hän veti meitä höplästä
pull a boner fr (sl) tyriä, tunaroida, möhliä
pull ahead v ohittaa, päästä/mennä jonkun/jonkin (of) edelle
pull apart v arvostella ankarasti/yksityiskohtaisesti, eritellä, tutkia tarkkaan
pull at v kiskoa, nyhtää she kept pulling at her hair hän nyhti hiuksia päästään
pull away v **1** perääntyä, vetäytyä jostakin **2** lähteä (liikkeelle) **3** irtautua, irtaantua, päästä irti/vapaaksi
pull down v **1** vetää alas **2** purkaa (rakennus) **3** (ark) tienata, ansaita
pullet /pələt/ s nuori kana
pulley /pʊli/ s **1** väkipyörä **2** talja, väkipyörästö
pull for v kannattaa, kannustaa
pull in v **1** saapua (esim asemalle) **2** kiristää **3** (poliisi) pidättää
pullman kitchen /pəlmən/ s baarikeittiö
pull no punches fr ei säästellä vastustajaansa; (kuv) ei säästellä sanoja
pull off v onnistua jossakin, saada tehdyksi how did you pull that off? miten (ihmeessä) sinä sen (tempun) teit?
pull on v uhata jotakuta aseella then the mugger pulled a gun on me sitten ryöstäjä veti esiin aseen ja uhkasi sillä minua
pull out v **1** lähteä (liikkeelle) **2** luopua, vetäytyä, sanoutua irti jostakin
pull over v ajaa/pysähtyä tien sivuun
pullover /pəloʊvər/ s pujopaita, pujoliivi
pull rank on fr komennella, määräillä (korkeampaan asemaansa vedoten)
pull someone's leg fr narrata jotakuta, vetää jotakin nenästä/höplästä
pull strings fr käyttää hyväksi suhteitaan
pull the rug out from fr (kuv) lyödä jalat jonkun alta
pull through v selvitä jostakin (esim sairaudesta)
pull up v pysäyttää (auto tms), pysähtyä
pull up stakes fr vaihtaa maisemaa, siirtyä muualle
pull wires fr käyttää hyväksi suhteitaan
pull wool over someone's eyes they tried to pull the wool over his eyes he yrittivät hämätä/pettää häntä
pull yourself together v ryhdistäytyä
pull your weight fr tehdä/hoitaa (oma) osuutensa
pulmonary /'pəlməˌneri/ adj keuhko-
pulp /pəlp/ s **1** (hedelmän) malto **2** (eläimen) liha **3** (hampaan) ydin

4 selluloosa, paperimassa **5** massa **6** roskalehti, roskaromaani
v jauhaa, hienontaa, murskata massaksi
pulp canal s (hampaan) juurikanava
pulpit /pəlpət/ s **1** saarnastuoli **2** the pulpit papisto, kirkonmiehet
pulsar /pəlsər/ s pulsari
pulsate /pəlseɪt/ v sykkiä (myös kuv), (sydän myös) lyödä, tykyttää
pulsation /pəl'seɪʃən/ s sykintä, syke, tykytys, lyönti, pulssi
pulse /pəls/ s syke, pulssi, tykytys, sykäys
v sykkiä (sydän myös) lyödä
pulse dialing s (puhelimessa) impulssivalinta
pulverize /'pəlvə,raɪz/ v **1** hienontaa, jauhaa hienoksi **2** (kuv) hävittää maan tasalle
puma /pjumə/ s puuma
pump /pʌmp/ s pumppu
v pumpata (myös kuv)
pumpernickel /'pʌmpər,nɪkəl/ s kuorrutettu kahvileipä
pumpkin /pʌmpkɪn/ s kurpitsa
pun /pʌn/ s sanaleikki (leikki sanojen merkityksillä, äänneasultaan samoilla mutta merkitykseltään erilaisilla sanoilla)
v leikkiä sanoilla/sanojen merkityksillä
punch /pʌntʃ/ s **1** isku, tälli to pull no punches, not pull any punches ei säästellä vastustajaansa; (kuv) ei säästellä sanoja **2** (kuv) voima, potku to roll with the punches väistellä iskuja; (kuv) selvitä vaikeuksista huolimatta, pitää puolensa, pärjätä
v iskeä, täräyttää, pamauttaa, antaa tälli
punch away v (ark) puurtaa, pakertaa
punch card s reikäkortti
punch in v leimata kellokortti, saapua työpaikalle
punch out v leimata kellokortti, lähteä työstä/kotiin
punch up v hakea (tietokoneen, päätteen) näyttöön
punctilious /pʌŋk'tɪliəs/ adj pikkutarkka, (turhan)tarkka, säntillinen, huolellinen, täsmällinen, tunnollinen
punctual /pʌŋkʃuəl/ adj täsmällinen you are very punctual sinä et koskaan myöhästy
punctually adv (tarkalleen) ajoissa
punctuate /'pʌŋktʃu,eɪt/ v **1** laittaa välimerkit **2** keskeyttää the concert was punctuated by frequent coughs from the audience konsertin aikana yleisö yski vähän väliä **3** korostaa, painottaa, tähdentää
punctuation /,pʌŋktʃu'eɪʃən/ s välimerkit; välimerkkien käyttö; välimerkkien lisääminen
punctuation mark s välimerkki
puncture /pʌŋkʃər/ s puhkaisu, puhkaiseminen, puhkeaminen, (erityisesti) rengasrikko
v puhkaista, puhjeta; rei'ittää, tehdä reikä/reikiä johonkin
pundit /pʌndɪt/ s **1** tietäjä, oppinut, asiantuntija **2** kommentaattori
pungency /pʌndʒənsi/ s **1** (hajun, maun) pistävyys **2** (kuv) purevuus, iva, ivallisuus, piikikkyys
pungent /pʌndʒənt/ adj **1** (haju, maku) pistävä **2** (kuv) pureva, ivallinen, piikikäs, terävä
pungently adv ks pungent
Punic Wars /pjunɪk/ s (mon) puunilaissodat
punish /pʌnɪʃ/ v **1** rangaista **2** (kuv) kurittaa, panna koetteille/koville
punishable adj rangaistava
punishing adj ankara, kova, raju
punishment /pʌnɪʃmənt/ s **1** rangaistus **2** (kuv) koettelemus I can take the punishment kyllä minä siitä selviän
punitive /pjunɪtɪv/ adj rangaistus-
punk /pʌŋk/ s **1** (sl) retale, sälli, (nuori) konna **2** punk **3** punkrock **4** punkkari
adj **1** (ark) surkea, kurja, viheliäinen **2** punk-
punker s punkkari
punk rock s punkrock
punky adj **1** (sl) sällimäinen, huligaani- **2** punk-, punkrock-
punt /pʌnt/ s **1** tasapohjainen ruuhi **2** (jalkapallossa: ilmasta) potku
v **1** sauvoa (venettä) **2** kulkea/mennä jonnekin ruuhella **3** (kuv) huovata, viivy-

tellä, vetkutella **4** (jalkapallossa) potkaista (pallo) ilmasta **5** (sl) lyödä vetoa (raveissa)
puny /pjuni/ adj **1** pieni, heikko, vähäinen **2** vähäpätöinen, mitätön
pup /pʌp/ s (koiran)pentu, penikka v penikoida, synnyttää penikoita
pupil /pjupəl/ s **1** silmäterä, mustuainen, pupilli **2** (nuori tai yksityis)oppilas
puppet /pʌpət/ s nukke (myös kuv:) sätkynukke
puppeteer /ˌpʌpəˈtɪər/ s nukketeatterin esittäjä
puppet show s nukketeatteri
puppy /pʌpi/ s (koiran)pentu
puppy love s nuori rakkaus, (nuorten) ihastuminen
purchase /pərtʃəs/ s **1** osto, ostaminen, kauppa, hankinta **2** ostos **3** ote v ostaa, hankkia
purchaser s ostaja
purchase tax s (UK) myyntivero
purchasing agent s **1** sisäänostaja **2** välittäjä
purchasing power s ostovoima
pure /pjʊər pjər/ adj puhdas (myös kuv:) tahraton, viaton; pelkkä, silkka pure gold puhdas kulta do you have a pure conscience? onko omatuntosi puhdas? that's pure nonsense se on silkkaa pötyä it was pure chance that I met her oli puhdas sattuma että tapasin hänet, tapasin hänet aivan sattumalta
purebred /ˈpjʊərˌbred ˈpjərˌbred/ s puhdasverinen hevonen adj puhdasverinen
purely adv puhtaasti (myös kuv)
purgative /pərgətɪv/ s ulostuslääke adj **1** (lääk) ulostus- **2** puhdistava
purgatory /ˈpərgəˌtɔri/ s kiirastuli (myös kuv)
purge /pərdʒ/ s **1** (poliittinen) puhdistus, puhdistukset **2** ulostuslääke v **1** puhdistaa **2** (kuv) puhdistaa, syrjäyttää, erottaa **3** ulostaa, tyhjentää suoli
purification /ˌpjərəfɪˈkeɪʃən/ s (myös kuv) puhdistus, puhdistaminen, puhdistautuminen
purify /ˈpjərɪˌfaɪ/ v (myös kuv) puhdistaa, puhdistua
purism /pjərɪzəm/ s purismi
purist /pjərɪst/ s puristi a purist does not want autofocus in his camera puristi ei kaipaa kameraansa automaattitarkennusta
puristic /pjəˈrɪstɪk/ adj puristinen
Puritan /pjərɪtən/ s, adj (usk) puritaani(-) puritan (kuv) puritaani(-)
puritanical /ˌpjərɪˈtænɪkəl/ adj puritaaninen, ankara; koruton, askeettinen
puritanically adv ks puritanical
Puritanism /ˈpjərɪtəˌnɪzəm/ s puritanismi, puritaanisuus
puritanism puritaanisuus, ankaruus; koruttomuus, askeesi, askeettisuus
purity /pjərəti/ s puhtaus (myös kuv:) tahrattomuus, viattomuus
purloin /pərlɔɪn/ v kähveltää, pihistää, varastaa
purple /pərpəl/ s purppura adj purppuranvärinen
purport /pərpɔrt/ s **1** sisältö **2** tarkoitus
purport /pərˈpɔrt/ v väittää olevansa jotakin, olla olevinaan jotakin, vihjata, antaa ymmärtää the man at the door purports to be from the IRS ovella seisova mies väittää olevansa verovirastosta
purported /pərˈpɔrtəd/ adj jonka väitetään olevan olemassa/jotakin, väitetty the purported murderer murhaajaksi väitetty henkilö
purportedly adv muka, kuten väitetään
purpose /pərpəs/ s **1** tarkoitus, aikomus, aie, päämäärä it was their purpose to overthrow the government he aikoivat kaataa hallituksen to do something on purpose tehdä jotakin tahallaan/tieten tahtoen **2** tehtävä, tarkoitus what is the purpose of this button? mihin tätä nappia tarvitaan? **3** päättäväisyys, määrätietoisuus, tahto he has no sense of purpose hänessä ei ole määrätietoisuutta, hän on päämäärätön
purposeful adj määrätietoinen, päättäväinen
purposefully adv määrätietoisesti, päättäväisesti

purposeless adj **1** päämäärätön **2** turha, tyhjänpäiväinen
purposely adv tahallaan, tieten tahtoen
purr /pər/ s surina, hurina, kehräävä ääni
v kehrätä (myös kuv), surista, huriста
purse /pərs/ s **1** käsilaukku **2** kukkaro **3** (kuv) rahat, varat **4** (kuv) palkinto(rahat)
v mutristaa, panna/vetää (huulet, suu) mutruun/mutrulle
purser /pərsər/ s purseri
purse strings s (mon kuv) rahakukkaron nyörit: to hold the purse strings pidellä rahakukkaron nyörejä käsissään, päättää raha-asioista to loosen/tighten the purse strings löysätä/kiristää rahakukkaron nyörejä
pursuant to /pər'suənt/ adv jonkin mukaisesti
prep jonkin jälkeen
pursue /pər'su/ v **1** ajaa takaa, (kuv) vainota **2** jatkaa **3** tavoitella jotakin, pyrkiä johonkin she pursues high ideals hänen tavoitteensa ovat korkealla **4** noudattaa to pursue instructions/a plan noudattaa ohjeita/suunnitelmaa **5** harjoittaa (ammattia) to pursue your studies opiskella
pursuer s takaa-ajaja, seuraaja
pursuit /pər'sut/ s **1** takaa-ajo, etsintä (myös kuv) the pursuit of happiness onnen tavoittelu **2** ammatti, harrastus, puuha
pus /pʌs/ s (lääk) märkä
push /pʊʃ/ s **1** työntö; tönäisy give me a push, will you? työnnä vähän! **2** ponnistus, yritys **3** (sotilaallinen, mainos)-kampanja, (sotilaallinen) hyökkäys **4** when push comes to shove kovan paikan tullen, tosi tilanteessa
v **1** työntää, työntyä; tönäistä, tökkäistä; tunkea, tunkeutua **2** painostaa, patistaa, kannustaa **3** tyrkyttää, tuputtaa
push around v kohdella kaltoin; komennella
pushbutton phone /'pʊʃ,bʌtən/ s näppäinpuhelin
pushcart /'pʊʃ,kart/ s työntökärryt
push off v (ark) lähteä; jatkaa matkaa
push on v jatkaa (sinnikkäästi), ei antaa periksi
pushover /'pʊʃ,oʊvər/ s (ark) **1** helppo homma/nakki **2** vätys, vaaraton vastustaja
push to the wall they pushed him to the wall he panivat hänet ahtaalle/seinää vasten/lujille
push-up /'pʊʃ,ʌp/ s etunojapunnerrus
push up daisies fr olla kuollut ja kuopattu, kasvaa koiranputkea
push your luck fr koetella onneaan, uhmata kohtaloaan
pusillanimity /,pjusələ,nɪməti/ s arkuus, pelokkuus, pelkuruus
pusillanimous /,pjusə'lænɪməs/ adj arka, pelokas, pelkurimainen
pussy /pʊsi/ s **1** (ark) kisu **2** (sl) vittu, pillu **3** (sl) seksi
pussycat /'pʊsi,kæt/ s **1** kissimirri **2** (kuv) lammas, vaaraton tapaus
pustule /pʌstʃʊəl/ s (lääk) märkärakkula, pustula
put /pʊt/ v put, put **1** panna, laittaa, asettaa she put the book on the table hän pani/laski kirjan pöydälle they put their children in a private school he panivat lapsensa yksityiskouluun **2** ilmaista, pukea sanoiksi I don't quite know how to put this but you're fired en tiedä miten tämän sanoisin mutta minun on annettava sinulle potkut **3** saattaa (johonkin tilanteeseen) you have put me in a difficult position olet saattanut minut vaikeaan tilanteeseen that puts you in my debt sen vuoksi jäät minulle kiitollisuudenvelkaan **4** kirjoittaa, piirtää, raapustaa put your name here pane/kirjoita nimesi tähän **5** kääntää (jollekin kielelle) **6** to stay put pysyä aloillaan, ei liikkua **7** arvioida I put the price at six figures arvioin hinnan liikkuvan sadoissa tuhansissa **8** esittää (kysymys)
put across v **1** esittää, selittää **2** esiintyä (hyvin), olla edukseen **3** saada hyväksytyksi

put all your eggs in one basket fr panna kaikki yhden kortin varaan
put an end to fr tehdä loppu jostakin, lopettaa, saada loppumaan
put a stop to fr tehdä loppu jostakin, lopettaa, saada loppumaan
putative /pjutətɪv/ adj luuloteltu, jonakin pidetty
put at someone's disposal fr antaa käyttöön
put away v **1** panna paikalleen **2** säästää, panna talteen **3** hylätä jotakin, luopua jostakin **4** haudata **5** lähettää/panna vankilaan/laitoshoitoon **6** tappaa, ottaa hengiltä
put by v säästää, panna talteen
put down v **1** vähätellä, väheksyä **2** tukahduttaa, kukistaa, vaientaa **3** kirjoittaa muistiin/ylös **4** lopettaa (eläin)
put down as v pitää jotakuta jonakin, luulla jotakuta joksikin
put down for v luvata tehdä jotakin she put me down for the beer hän käski minun tuoda (juhliin) olutta
put forth v **1** esittää, ehdottaa **2** julkistaa, tuoda julkisuuteen, julkaista **3** tehdä (parhaansa) **4** lähteä (matkaan)
put forward v **1** esittää, ehdottaa **2** ehdottaa virkaan/tehtävään, asettaa ehdokkaaksi
put in a good word for Kevin put in a good word for me with the manager Kevin kehui/suositteli minua johtajalle
put in for v anoa, hakea, jättää sisään anomus/hakemus
put into words fr pukea sanoiksi, ilmaista
put in your two cents worth fr kertoa mielipiteensä
put off v **1** tympäistä, inhottaa, ällöttää I'm put off by her behavior hänen käytöksensä ärsyttää minua **2** lähteä (matkaan) **3** lykätä (myöhemmäksi), siirtää **4** käännyttää takaisin, hankkiutua eroon jostakusta **5** työntää (vene) vesille
put on v **1** pukea ylleen **2** teeskennellä, olla olevinaan jotakin **3** narrata, huijata, vetää nenästä/höplästä
put on airs fr tärkeillä, mahtailla, ylvästellä
put on a pedestal fr nostaa jalustalle, palvoa
put yourself out v nähdä kovasti vaivaa, vaivata itseään
put on hold fr **1** panna odottamaan (puhelimessa) **2** jättää pöydälle, panna jäihin, lykätä myöhemmäksi
put on the line fr panna jotakin peliin/alttiiksi, riskeerata
put on weight fr lihoa
put option s (tal) myyntioptio
put out v **1** sammuttaa (tulipalo) **2** viedä/päästää (esim koira) ulos **3** olla vaivaksi jollekulle, aiheuttaa jollekulle vaivaa **4** julkaista
put over on v huijata, käyttää jotakuta hyväkseen
putrefaction /ˌpjutrəˈfækʃən/ s mädäntyminen, mätäneminen, pilaantuminen, eltaantuminen
putrefy /ˈpjutrəˌfaɪ/ v mädäntyä, pilaantua, eltaantua
putrid /pjutrɪd/ adj mädäntynyt, pilaantunut, eltaantunut
put someone wise fr (sl) kertoa jollekulle jotakin
putt /pʌt/ s (golf) putti, pallon lyöminen puttausmailalla maata pitkin viheriöllä v (golf) putata, lyödä palloa viheriöllä kevyesti puttausmailalla
put teeth into fr terästää jotakin, lisätä jonkin tehokkuutta
putter /pʌtər/ s **1** (golf) puttaaja **2** (golf) puttausmaila v puuhata, häärätä
putter away v panna hukkaan, vetelehtiä, ei tehdä mitään
put the arm on fr painostaa, patistaa jotakuta johonkin, tiukata
put the cart before the horse fr valjastaa kärryt hevosen eteen, aloittaa väärästä päästä
put the finger on fr **1** syyttää jotakuta **2** sanoa tarkkaan I can't put my finger on it but I think it's the overtime

en ole varma mistä se johtuu mutta luulen että syy on ylitöissä
put the screws on fr painostaa, kiristää
put the skids under someone/ something fr koitua jonkun/jonkin kohtaloksi/turmioksi, tehdä loppu jostakin
put the touch on someone fr (ark) yrittää lainata rahaa joltakulta
put through v **1** saattaa päätökseen, tehdä valmiiksi **2** toteuttaa **3** yhdistää (puhelu) **4** joutua käymään läpi jotakin she has been put through a lot of misery hän on joutunut kärsimään kovasti
put through its paces fr näyttää/kokeilla mihin joku/jokin pystyy
putting green s (golf) viheriö
put to it fr olla vaikeuksia (jonkin asian kanssa), jossakin on kova työ/vaiva; olla rahapulassa
put to rest fr heittää/jättää mielestään, antaa olla
put to shame fr **1** tuottaa häpeää jollekulle **2** jättää joku varjoonsa, joku/ jokin kalpenee jonkun/jonkin rinnalla
put to sleep fr **1** nukuttaa **2** lopettaa (eläin)
put to use she put the money to good use hän otti rahasta kaiken irti
put two and two together the guy can't put two and two together hän ei hoksaa mistä tässä on kyse
putty /pʌti/ s kitti
put under wraps fr (ark) pitää salassa/salata
put up v **1** pystyttää, rakentaa **2** säilöä **3** majoittaa, tarjota yösija **4** maksaa, pulittaa **5** to put up a fight ruveta tappelemaan; (kuv) panna vastaan **6** esittää, ehdottaa **7** asettaa ehdokkaaksi
put upon to feel put upon tuntea itsensä petetyksi
put up to v yllyttää, usuttaa (tekemään jotakin)
put up with v sietää jotakuta/jotakin
put wise to fr kertoa/paljastaa jollekulle jotakin
put your shoulder to the wheel fr panna hihat heilumaan, (kääriä hihansa/sylkäistä käsiinsä ja) ruveta töihin
put your teeth on edge fr **1** vihloa hampaita; tuntua inhottavalta **2** ärsyttää, inhottaa, kuvottaa
puzzle /pʌzəl/ s **1** arvoitus **2** palapeli **3** sanaristikko
v **1** hämmästyttää, ällistyttää, tyrmistyttää **2** vaivata, kismittää, kaivella
puzzlement s **1** hämmästys, ällistys **2** arvoitus, mysteeri
puzzler s (täydellinen) arvoitus, mysteeri
PVC polyvinyl chloride polyvinyylikloridi, PVC
pvt. private yksityinen
PX post exchange; private exchange
pygmy /pɪgmi/ s **1** Pygmy kääpiö, pygmi **2** kääpiö, pienikokoinen ihminen/ eläin/esine **3** (kuv) kärpässarjalainen adj kääpiö- (myös kuv)
pygmy antelope /ˌpɪgmi'æntəloup/ s pikkuantilooppi
pygmy hippopotamus /ˌhɪpə'patəməs/ s kääpiövirtahepo
pygmy hog /hag/ s kääpiösika
a quick right whale s kääpiövalas
pyjamas /pə'dʒæməz, pə'daməz/ s (UK mon) yöpuku (US: pajamas)
pylon /paɪlan/ s **1** merkkipylväs, merkkipaalu **2** (egyptiläisessä temppelissä) pyloni **3** (sähkönsiirtojohtoja kannattava) pylväs
Pyongyang /ˌpjaŋ'jæŋ/ Pjongjang (Pohjois-Korean pääkaupunki)
pyramid /pɪrəmɪd/ s (arkkitehtuurissa, geometrissa) pyramidi
pyramidal /pə'ræmədəl/ adj pydamidin muotoinen, pyramidi-
pyre /paɪər/ s polttorovio
Pyrenees /'pɪrəˌniz/ (mon) Pyreneet
python /paɪθən/ s pytonkäärme

Q, q

Q, q /kjuː/ Q, q
Q-A question and answer
Q. and A. question and answer
Qatar /kə'taər katar/
Qatari s, adj qatarilainen
Q.E.D. quod erat demonstrandum mikä oli todistettava, m.o.t.
Qld. Queensland
quack /kwæk/ s **1** (ankan, sorsan) kaakatus **2** puoskari **3** huijari
v (ankka, sorsa) kaakattaa
quackery /kwækəriː/ s puoskarointi
quad /kwaːd/ s (ark) ks quadrangle, quadrant, quadraphonic, quadruplets
quadrangle /'kwad,ræːŋgəl/ s **1** nelikulmio; neliö **2** (vars kampuksen) aukio
quadrant /kwaːdrənt/ s (ympyrän, kuun) neljännes, (geom myös) kvadrantti
quadraphonic /,kwaːdrə'faːnɪk/ adj nelikanavainen
quadraphony /kwaː'drafəniː/ s nelikanavainen ääni
quadruped /'kwaːdrə,ped/ s nelijalkainen (eläin)
quadruple /kwa'druːpəl/ s nelinkertainen määrä
v nelinkertaistaa, nelinkertaistua
adj neljä-, neli-; nelinkertainen
quadruplets /kwa'druːpləts/ s (mon) neloset
quagmire /'kwæːg,maɪər/ s **1** suo **2** pulmatilanne, ahdinko, kiipeli
quail /kweɪəl/ s **1** (Euroopassa) viiriäinen **2** (Amerikassa) virginianpyy, bobwhite
v lannistua, pelästyä, vapista pelosta, mennä sisu kaulaan
quaint /kweɪnt/ adj **1** maalauksellinen, viehkeä, tunnelmallinen, viehättävän vanhanaikainen, idyllinen **2** (viehättävän) erikoinen, omaperäinen, hauska
quaintly adv ks quaint
quaintness s **1** maalauksellisuus, viehkeys, tunnelmallisuus, idyllisyys **2** (viehättävä) erikoisuus, omaperäisyys
quake /kweɪk/ s maanjäristys
v väristä, vapista, täristä
quakeproof /'kweɪk,pruːf/ adj maanjäritykseen kestävä
Quaker /kweɪkər/ s kveekari
qualification /,kwaːlɪfə'keɪʃən/ s **1** pätevyys **2** vaatimus, edellytys **3** rajoitus, varaus, ehto he wanted to make some qualifications to his earlier promise hän halusi täsmentää aiemmin antamaansa lupausta
qualified adj **1** pätevä, kykenevä, sopiva **2** varauksellinen, ehdollinen he answered with a qualified "yes" hän näytti keltaista valoa
qualifier s (kieliopissa) **1** määrite **2** astetta ilmaiseva adverbi (esim very, almost)
qualify /'kwaːlə,faɪ/ v **1** olla pätevä johonkin, täyttää vaatimukset, kelvata; tehdä päteväksi johonkin; hankkia pätevyys johonkin, pätevöityä being the son of the boss does not qualify you for the job se että olet pomon poika ei tee sinua päteväksi työhön **2** (urh) selviytyä jatkoon **3** rajoittaa, esittää varauksia/ehtoja, täsmentää **4** lieventää, pehmentää **5** (kieliopissa) määrittää
qualitative /'kwaːlɪ,teɪtɪv/ adj laadullinen, laatu-
qualitatively adv laadullisesti
quality /kwaːlətiː/ s **1** laatu; laatuluokka **2** ominaisuus, piirre **3** luonne, olemus, ilme (kuv) **4** (äänen) väri, (värin) sävy
adj laatu-

quality control s laadunvalvonta
qualm /kwa:m/ s epäilys, tunnonvaivat I have no qualms about telling him what I think of him minua ei yhtään ujostuta sanoa hänelle mitä hänestä ajattelen
quandary /kwa:ndəri:/ s pulmatilanne, vaikea valinta we were in a quandary about whether to stay or go emme osanneet päättää jäädäkö vai lähteä
quanta /kwa:ntə/ ks quantum
quantitative /'kwa:ntɪ,teɪtɪv/ adj määrällinen, määrä-
quantitatively adv määrällisesti
quantity /kwa:ntəti:/ s **1** määrä in quantity suurina määrinä, paljon **2** (mat, fys) suure
quantum /kwa:ntəm/ s (mon quanta) **1** (fys) kvantti **2** määrä
quantum jump ks quantum leap
quantum leap s **1** kvanttihyppy **2** (kuv) (suuri) edistysaskel
quantum mechanics s (verbi yksikössä) kvanttimekaniikka
quantum theory s kvanttiteoria
quarantine /'kwɔrən,ti:n/ s karanteeni, (pakko)eristys
v määrätä/panna karanteeniin, eristää
quark /kwaərk/ s (fys) kvarkki
quarrel /kwɔrəl/ s riita, kiista, kina, erimielisyys
v riidellä, kiistellä, kinata
quarrelsome /kwɔrəlsəm/ adj riidanhaluinen, riitaisa, toraisa
quarrel with to have nothing to quarrel about with something jollakulla ei ole mitään valittamista jonkin suhteen
quarry /kwɔri:/ s **1** saaliseläin **2** (kuv) tavoite, päämäärä, kohde **3** louhos, kaivos **4** (kuv) kultakaivos, ehtymätön lähde
v louhia
quart /kwɔrt/ s quart (neljännesgallona, US 0,946 l, UK 1,136 l)
quarter /kwɔrtər/ s **1** neljännes **2** neljännesdollari, 25 centiä **3** neljännestunti, varttitunti it's a quarter of five kello on neljännestä vaille viisi **4** neljännesvuosi our fourth-quarter profits are up tulomme ovat nousseet viimeisellä vuosineljänneksellä **5** (yliopistossa) lukukausi **6** (urh) pelineljännes **7** (mon) majoitus, majapaikka **8** kaupunginosa, kortteli **9** taho, ilmansuunta, suunta
v **1** jakaa neljään osaan **2** majoittaa, majoittua **3** sijoittaa (sotilaita)
quarterback /'kwɔrtər,bæk/ s (amerikkalaisessa jalkapallossa) pelinrakentaja
quarterly s neljännesvuosittain/ neljästi vuodessa ilmestyvä julkaisu
adj neljännesvuosittainen
adv neljännesvuosittain, neljästi vuodessa
quartet /kwɔr'tet/ s kvartetti
quartz /kwɔrts/ s kvartsi
quasar /'kweɪ,zaər/ s kvasaari
quash /kwaʃ/ v **1** kukistaa, tukahduttaa, tehdä loppu jostakin **2** kumota
quasi- /kwa:zɪ kweɪzaɪ/ (yhdyssanan alkuosana) näennäinen, näennäis-, muka-
quasi-historical /,kwa:zɪhɪs'tɔrɪkəl/ adj näennäishistoriallinen
quasi-scientific /,kwa:zɪ,saɪən'tɪfɪk/ adj näennäistieteellinen
quaver /kweɪvər/ s **1** värinä **2** (UK) kahdeksasosanuotti
v **1** väristä, vapista, tutista, hytistä **2** sanoa värisevällä äänellä
quay /ki:/ s laituri
Que. Quebec
queasy /kwi:zi:/ adj **1** pahoinvoiva; helposti pahoinvoiva I feel queasy minua vähän oksettaa **2** vaivaantunut, ahdistunut **3** turhia kainosteleva
Quebec /kə'bek kwə'bek/ **1** kaupunki Kanadassa **2** yksi Kanadan provinsseista
queen /kwi:n/ s **1** kuningatar (myös šakissa, korttipelissä) **2** mehiläiskuningatar **3** homo drag queen tranvestiitti
Queen Elizabeth Islands (mon) Kuningatar Elisabetin saaret (Kanadassa)
queenly adj kuningattaren, kuningattarelle sopiva; kuninkaallinen
queen's English s (erityisesti britti)-englannin kirjakieli
queen-size adj **1** (vuodekoko) 152 cm

x 203 cm **2** (naisten vaatteista kaunistellen) isojen tyttöjen
Queensland /kwiːnzlənd/ Australian osavaltioita
queer /kwɪər/ s (sl) homo, hintti
adj **1** outo, kumma, omituinen, eriskummallinen **2** hämärä, epäilyttävä **3** (vointi) huono **4** (sl) homo-, hintti-
quell /kwel/ v kukistaa, tukahduttaa, vaientaa
quench /kwentʃ/ v sammuttaa (tulipalo, jano), tyydyttää (himo, halu), tukahduttaa, kukistaa (kapina)
query /kwɪərɪ/ s **1** kysymys **2** tiedustelu, selvitys **3** epäilys, varaus **4** kysymysmerkki (?)
v kysyä, tiedustella, udella
quest /kwest/ s etsintä
quest after/for v etsiä
question /kwestʃən/ s kysymys a question of time ajan kysymys to beg the question ohittaa kysymys, ei vastata kysymykseen, mennä asioiden edelle to be beyond question olla ilman muuta selvää, jostakin ei ole epäilystäkään to call something into question asettaa/saattaa/panna jotakin kyseenalaiseksi to be out of the question ei tulla kysymykseenkään the man in question kyseinen mies
v **1** kysellä, kuulustella **2** epäillä, ihmetellä; asettaa kyseenalaiseksi
questionable adj kyseenalainen, epävarma, epäilyttävä, hämärä
questionably adv ks questionable
questioning s tutkimus, tiedustelu, selvitys
adj **1** kysyvä, kyselevä **2** utelias, tiedonjanoinen
question mark s kysymysmerkki (?)
questionnaire /ˌkwestʃəˈneər/ s kyselylomake, kyselykaavake
queue /kjuː/ s **1** jono **2** palmikko
v jonottaa
quibble /kwɪbəl/ s **1** vitkastelu; hämäys; hiusten halkominen **2** kina, erimielisyys
v **1** vitkastella; hämätä; halkoa hiuksia **2** kinata
quick /kwɪk/ s **1** the quick and the dead (vanh) elävät ja kuolleet **2** (kynsien alainen) arka liha **3** (kuv) arka paikka to cut to the quick loukata jotakuta verisesti
adj **1** nopea, kiireinen, pikainen, lyhyt take a quick look at this vilkaisepa tätä she gave me a quick kiss hän suuteli minua lyhyesti **2** nopeaälyinen, nokkela, terävä, valpas **3** äkkipikainen
adv nopeasti, äkkiä
quicken v **1** nopeuttaa, nopeutua, kiihdyttää, kiihtyä **2** vilkastuttaa, vilkastua **3** elvyttää **4** (sikiö) alkaa potkia; (odottava äiti) alkaa tuntea sikiön potkut
quickly adv nopeasti, äkkiä, kiireesti, lyhyesti
quick release s pikalukitsin a camera tripod with a quick release jalusta johon kamera kiinnitetään pikalukitsimella
quicksand /ˈkwɪkˌsæːnd/ s lentohiekka
quicksilver /ˈkwɪkˌsɪlvər/ s elohopea
quick-witted /ˌkwɪkˈwɪtəd/ adj nopeaälyinen, nokkela, terävä, valpas
quid /kwɪd/ s (UK ark) punta
quiet /kwaɪət/ s hiljaisuus could we have some quiet, please? ettekö te voisi olla hiljaa?
v hiljentää, vaientaa, saada vaikenemaan
adj hiljainen, rauhallinen, (käytös, väri, pukeutuminen) hillitty I haven't had a quiet moment since I arrived en ole saanut hetken rauhaa sen jälkeen kun tulin
quieten v (UK) **1** hiljentää, vaientaa, saada vaikenemaan **2** rauhoittaa, tyynnyttää, (luulo) hälventää
quill /kwɪl/ s **1** (siipi-, pyrstö)sulka **2** (sulan ruodon pää) kynä **3** sulkakynä **4** (siilin, piikkisian) piikki
quilt /kwɪlt/ s sängynpeite
quinine /kwaɪnaɪn/ s (lääke) kiniini
quintet /kwɪnˈtet/ s kvintetti
quintette /kwɪnˈtet/ s kvintetti
quintuplets /kwɪnˈtuːpləts/ s (mon) viitoset
quip /kwɪp/ s letkaus, letkautus
v letkauttaa

quit /kwɪt/ v **1** lopettaa, lakata, luopua quit complaning and start to work lakkaa valittamasta ja rupea töihin **2** lähteä, poistua **3** erota (työstään)
quite /kwaɪt/ adv **1** aika, melko it's quite cold in here täällä on melko viileää quite a few people came sinne tuli aika paljon väkeä she's quite an artist hän on melkoinen taiteilija **2** täysin, aivan he is quite unknown in this country hän on täysin tuntematon tässä maassa that's quite another story se on kokonaan toinen juttu it's quite allright ei se mitään
quits /kwɪts/ to call it quits lopettaa (toistaiseksi)
quiver /kwɪvər/ s **1** (nuolia varten) viini **2** värinä, vapina, tutina, puistatus
v väristä, vapista, tutista, puistattaa
quiz /kwɪz/ s **1** (koulussa) koe, piikit (ark) **2** tietokilpailu
v tentata, pitää koe/piikit, kuulustella
quizmaster /'kwɪz,mæstər/ s tietokilpailun pitäjä/juontaja
quizzical /kwɪzɪkəl/ adj **1** kysyvä, kyselevä, utelias **2** huvittava, naurettava, outo, kummallinen
quokka /kwoʊkə/ s quokka, lyhythäntäkenguru
Quonset hut® /'kwaːnsət,hʌt/ s (puolisylinterin muotoinen aaltopelti)-parakki
quota /kwoʊtə/ s **1** osuus **2** kiintiö
quotable /kwoʊtəbəl/ adj jota voi/tekee mieli siteerata/lainata
quotation /kwoʊ'teɪʃən/ s **1** sitaatti, lainaus **2** (kurssin tms) noteeraus **3** hintailmoitus, hinta
quotation s (tal) noteeraus
quotation marks s (mon) lainausmerkit
quote /kwoʊt/ s **1** sitaatti, lainaus **2** hintailmoitus, hinta the quotes I got from two travel agents don't jibe kahdesta eri matkatoimistosta saamani hinnat eivät täsmää
v **1** siteerata, lainata, toistaa (jonkun sanoja) he says that the gadget was quote unusable unquote when he got it hänen mukaansa vekotin oli "käyttökelvoton" kun hän otti sen vastaan **2** ilmoittaa hinta
quote unquote fr niin sanottu, muka
quotient /kwoʊʃənt/ s osamäärä intelligence quotient älykkyysosamäärä
QWERTY /kwərtiː/ adj (tietokoneen näppäimistöstä jossa näppäimet on järjestetty siten kuin kirjoituskoneissa eli niin että kirjaimet q, w, e, r, t ja y ovat ylimmän kirjainrivin vasemmassa päässä) qwerty-

R, r

R, r /aər/ R, r
R & B rhythm and blues
R.A. Royal Academy
RAAF Royal Australian Air Force
rabbi /ræbaɪ/ s (mon rabbis) rabbi
rabbit /ræbət/ s **1** kaniini, kani (ark) to pull a rabbit out of the hat keksiä äkkiä jotakin/jokin ratkaisu **2** jänis
rabbit food s (ark) salaatti yms (laihdutus)ruoka
rabble /ræbəl/ s meluisa väkijoukko the rabble rahvas
rabble-rouse v yllyttää, kiihota, villitä (kansaa)
rabble-rouser /'ræbəl,raʊzər/ s kansanyllyttäjä, kansankiihottaja, kansanvillitsijä
rabble-rousing s kansan yllytys, kiihotus, villitseminen
rabid /ræbəd/ adj **1** vesikauhuinen, raivotautinen **2** raivoisa, hillitön, silmitön **3** kiihkomielinen, kiihko-
rabies /reɪbiz/ s vesikauhu, raivotauti, rabies
RAC Royal Automobile Club
raccoon /ræ'kun/ s pesukarhu, supi
race /reɪs/ s **1** (nopeus)kilpailu, kilpa-ajo(t), kilpajuoksu ym arms race kilpavarustelu the races ratsastuskilpailu; ravit; (vintti)koirakilpailut **2** (kuv) kilpajuoksu the race to find a cure for AIDS kilpajuoksu aidslääkkeen löytämiseksi **3** (ajan nopea) kulku **4** rotu; (joskus:) heimo the human race ihmisrotu the Slavic races slaavilaiset heimot
v **1** kilpailla, osallistua/ilmoittaa (nopeus)kilpailuun **2** kiitää, viilettää, kiiruhtaa
race against time fr kiirehtiä, pitää kiirettä
racecar /'reɪs,kar/ s kilpa-auto
racehorse /'reɪs,hɔrs/ s kilpahevonen
racer /reɪsər/ s **1** kilpailija **2** kilpa-auto; kilpapyörä; kilpavene; kilpasoutuvene; kilpahevonen tms **3** pikaluistin
race riot s rotumellakka
racetrack /'reɪs,træk/ s kilparata
race-walk v kävellä kilpaa, osallistua kilpakävelyyn
race walking s kilpakävely
rachis /reɪkəs/ s (puun lehden, linnunsulan) ruoti
racial /reɪʃəl/ adj rodullinen, rotu-
racially adv rodullisesti
racial minority s rotuvähemmistö
racial prejudice s rotuennakkoluulo
racing car s kilpa-auto
racing skate s pikaluistin
racism /reɪsɪzəm/ s rotusyrjintä, rotusorto, rotuviha, rasismi
racist /reɪsɪst/ s rasisti
adj rasistinen
rack /ræk/ s **1** teline, hylly **2** (tekniikassa) hammastanko **3** (poolbiljardissa) kolmio; pallojen alkuasetelma **4** kidutuspenkki **5** kidutus, piina, ahdistus
v **1** kiduttaa (kuv), piinata, ahdistaa, rasittaa to rack your brain ajatella päänsä puhki/ympäri **2** kiduttaa piinapenkissä
rack and pinion s hammastanko
rack-and-pinion steering /,rækən'pɪnjən/ s hammastanko-ohjaus
racket /rækət/ s **1** (tennis-, pöytätennis- ym) maila **2** eräänlainen lumikenkä, karpponen **3** (peli) racquetball **4** meteli, metakka, mökä **5** gangstereiden toiminta, järjetäytynyt rikollisuus
v mekastaa, meluta
racketeer /,rækə'tɪər/ s gangsteri, (kiristystä, salakuljetusta tms harjoittava ryhmään kuuluva rikollinen)

v toimia gangsterina (harjoittaa osana ryhmää/ryhmänä kiristystä, salakuljetusta tms)
racketeering s gangsterien toiminta, (järjestäytynyt kiristys, salakuljetus ym) rikollisuus
racquet /rækət/ s **1** (peli) racquetball **2** (tennis-, pöytätennis-, squash- ym) maila **3** eräänalainen lumikenkä, karpponen
racquetball /'rækət,baəl/ s (peli) racquetball
racy /reɪsi/ adj **1** uskalias, rohkea **2** eloisa, vilkas, pirteä
rad /ræd/ adj (nuorten sl) makee (sanasta radical)
radar /reɪdar/ s tutka
radar astronomy s tutkatähtitiede
radial /reɪdiəl/ s vyörengas
adj säteittäinen, säteen suuntainen
radial engine s tähtimoottori
radial keratotomy /,kerə'tatəmi/ s (silmäleikkaus) radiaalikeratotomia
radial tire s vyörengas
radiance /reɪdiəns/ s **1** kirkkaus, loisto **2** (kuv) iloisuus, lämpimyys
radiant /reɪdiənt/ adj **1** kirkas, (valo) voimakas **2** (kuv) säteilevä, iloinen, lämmin
radiantly adv **1** kirkkaasti, (loistaa) voimakkaasti **2** (kuv) säteillen, iloisesti, lämpimästi
radiate /'reɪdi,eɪt/ v säteillä (myös kuv); hohtaa, hehkua, loistaa
radiate with v säteillä jotakin, olla täynnä jotakin
radiation /,reɪdi'eɪʃən/ s säteily
radiation therapy s sädehoito
radiator /reɪdieɪtər/ s **1** (lämpö)patteri **2** (auton) jäähdytin
radiator grille s (auton) jäähdyttimen säleikkö
radical /rædɪkəl/ s radikaali (myös kem, mat)
adj **1** jyrkkä, äkillinen, perusteellinen, syvällinen **2** (poliittisesti) radikaali
radicalism /'rædɪkə,lɪzəm/ s radikalismi
radical left s äärivasemmisto
radically /rædɪkli/ adv erittäin, voimakkaasti, jyrkästi, äkillisesti, perusteellisesti, läpikotaisin these two are radically different nämä kaksi ovat täysin erilaiset
radical right s äärioikeisto
radii /'reɪdi,aɪ/ ks radius
radio /reɪdioʊ/ s (mon radios) radio; radiovastaanotin
v lähettää radiossa/radiolla, radioida
radioactive /,reɪdio'æktɪv/ adj radioaktiivinen
radioactive dating s radioaktiivinen iänmääritys
radioactive decay s radioaktiivinen hajoaminen
radioactively adv radioaktiivisesti
radioactive waste s radioaktiivinen jäte
radioactivity /,reɪdioæk'tɪvəti/ s radioaktiivisuus
radio astronomy s radiotähtitiede, radioastronomia
radio beacon s radiomajakka
radio compass s radiokompassi
radio frequency s radiotaajuus
radiograph /'reɪdiə,græf/ s radiogrammi; röntgenkuva
radiography /,reɪdi'agrəfi/ s radiografia; röntgenkuvaus
radioisotope /,reɪdioʊ'aɪsə,toʊp/ s radioisotooppi
radio shack s (ark) (laivan) radiohuone
radiosonde /'reɪdio,sand/ s radioluotain, radiosondi
radiotelephone /,reɪdioʊ'telə,foʊn/ s radiopuhelin
v soittaa radiopuhelimella
radio telescope s radioteleskooppi
radiotherapy /,reɪdioʊ'θerəpi/ s sädehoito
radio wave s radioaalto
radio window s (tähtitieteessä) radioikkuna
radish /rædɪʃ/ s retiisi
radium /reɪdiəm/ s radium
radius /reɪdiəs/ s (mon radiuses, radii) **1** säde, (geom myös) radius **2** värttinäluu

radon /reɪdan/ s radon
RAF Royal Air Force
raffle /ræfəl/ s arpajaiset, arvonta
v arpoa, olla palkintona arpajaisissa, antaa/panna palkinnoksi arpajaisiin
raft /ræft/ s lautta
v kuljettaa/kulkea/laskea jokea lautalla
rafter s **1** (vesikatossa) ruode **2** (huvi)lauttailija
rafting s (kumi)lauttailu we went rafting in the Grand Canyon kävimme lauttaretkellä Grand Canyonissa
rag /ræg/ s **1** rätti, riepu you can't go to school in those rags et voi mennä kouluun noissa ryysyissä/lumpuissa to go from rags to riches nousta tyhjätaskusta miljonääriksi to chew the rag rupatella, jutella (joutavia) **2** (ark) roskalehti
v haukkua, sättiä, moittia
ragamuffin /'rægə,mʌfən/ s ryysyläinen
rag doll s räsynukke
rage /reɪdʒ/ s raivo, raivonpuuska, kiihko, vimma hi-top sneakers are all the rage korkeavartiset lenkkarit ovat viimeistä huutoa/uusin villitys
v (myrsky, taistelu, ihminen) raivota
ragged /rægəd/ adj (ihminen, vaate) ryysyinen, (vaate) repaleinen, (tukka, eläimen turkki) takkuinen, (pinta, terä, haava) rosoinen, (kuv) huono, hutiloitu, osaamaton
ragged edge to be on the ragged edge (of something) olla jonkin partaalla, olla veitsen terällä
raggedy /rægədi/ adj ryysyinen, repaleinen
raglan sleeve /ræglən/ s olkahiha
ragtag /'ræg,tæg/ adj **1** ryysyinen, repaleinen **2** monenkirjava, kirjava, kaikenkarvainen
ragtime /'ræg,taɪm/ s (mus) ragtime
ragtop /'ræg,tap/ s (ark) rättikatto, rättikattoinen avoauto
raid /reɪd/ s **1** hyökkäys **2** ratsia **3** (tal) valtaus
v **1** hyökätä jonnekin **2** tehdä ratsia jonnekin **3** (tal) vallata (yritys)
raider /reɪdər/ s **1** hyökkääjä **2** (tal) (yrityksen) valtaaja
rail /reɪəl/ s **1** (rata)kisko **2** rautatie to travel by train matkustaa junalla **3** kaide
rail at/against v haukkua, moittia, sättiä, sadatella
railroad /'reɪəl,roud/ s rautatie
v **1** kuljettaa junalla **2** (ark) tuomita (syytetty) heppoisin/tekaistuin perustein **3** (ark) hyväksyttää (lakiehdotus) kiireen vilkkaa (ennen kuin sitä ehditään vastustaa)
railway /'reɪəl,weɪ/ s **1** (UK) rautatie **2** (US) kevyt/lyhyt rautatie
rain /reɪn/ s sade rains sadekausi
v **1** sataa **2** heittää, pudottaa, sirotella to rain blows on someone takoa jotakuta nyrkeillään **3** (kuv) vuotaa, vuodattaa he rained thanks on us hän kiitti meitä ylitsevuotavasti
rainbow /'reɪn,bou/ s sateenkaari
rainbow trout s kirjolohi
rain buckets fr sataa kaatamalla, sataa kuin aisaa
rain cats and dogs fr sataa kaatamalla, sataa kuin aisaa
rain check /'reɪn,tʃek/ s uusi lippu (tilaisuuteen joka esim sateen vuoksi siirtyy myöhemmäksi); lappu joka oikeuttaa ostamaan loppuunmyydyn alennustuotteen myöhemmin samaan hintaan to give/take a rain check (kuv) siirtää toiseen kertaan, yrittää joskus uudestaan
rainfall /'reɪn,faəl/ s **1** sade **2** sademäärä
rain forest s sademetsä
rain gauge /geɪdʒ/ s sademittari
rain on v (sl) valittaa, vuodattaa/purkaa tunteitaan/murheitaan jollekulle
rain or shine adv satoi tai paistoi; kävi niin tai näin (myös kuv)
rain out fr peruuntua/siirtyä myöhemmäksi (sateen vuoksi)
rainspout /'reɪn,spaut/ s (räystäskourun) syöksyputki
rainy day to save something for the rainy day säästää jotakin pahan päivän varalle
raise /reɪz/ s (hintojen) nousu; (palkan)korotus
v **1** kohottaa, kohota, korottaa, nostaa,

nousta, nousta/nosta pystyyn, nousta seisomaan don't raise your voice älä korota ääntäsi **2** rakentaa, pystyttää **3** (kuv) nostaa (häly, äläkkä), nousta (vastarintaan) to raise a protest protestoida, panna vastaan, nousta vastarintaan **4** kasvattaa (lapsia, karjaa, viljaa), viljellä **5** (kuv) kohottaa, nostaa (mielialaa) the good news raised our spirits iloinen uutinen piristi meitä **6** koota (armeija), kerätä (rahaa)

raise the roof fr nostaa äläkkä/häly, tehdä iso numero jostakin

raisin /reɪzən/ s rusina

raison d'être /ˌreɪzoʊnˈdeɪtrə/ s (ranskasta) olemassaolon oikeutus/peruste, henki ja elämä football is his raison d'être amerikkalainen jalkapallo on hänelle kaikki kaikessa

rake /reɪk/ s harava
v **1** haravoida **2** kohentaa (kekäleitä hiilihangolla) **3** raapaista, naarmuttaa **4** etsiä läpikotaisin, kammata, haravoida

rake in v (ark) kääriä rutkasti rahaa, tienata hyvin the company is raking in profits yritys tekee voittoa minkä ehtii

rake up v (kuv) herättää henkiin, kaivaa esiin (jotakin kielteistä)

rakish /reɪkɪʃ/ adj **1** rempseä, railakas, rohkea **2** (laiva, vene) virtaviivainen, sulavalinjainen, nopean näköinen

rally /ræli/ s **1** joukkokokous **2** (sotajoukkojen) järjestäytyminen, kokoaminen **3** (terveyden) paraneminen, toipuminen **4** ralli(kilpailu) **5** (tal hintojen nousu tasaisen tai laskevan kurssikehityksen jälkeen
v **1** koota, kokoontua (yhteen), kutsua koolle **2** kutsua/tulla avuksi **3** keskittää/säästää voimansa johonkin, keskittyä, valmistautua **4** järjestää, koota (sotajoukot) **5** toipua, parantua, elpyä **6** osallistua rallikilpailuun

rallye /ræli/ s ralli(kilpailu)

ralph /rælf/ v (sl) yrjötä

ram /ræm/ s **1** pässi **2** (hist) muurinmurtaja, muurinsärkijä
v **1** survaista, iskeä, sohaista, syöstä **2** törmätä, iskeytyä johonkin/jotakin vasten Gary rammed the opponent Gary paiskautui vastustajaansa päin **3** (kuv) ajaa/jyrätä (esim lakiehdotus) voimalla läpi

RAM random access memory suorasaantimuisti, käyttömuisti, luku-kirjoitusmuisti, RAM

Ram (tähdistö) Oinas

ramada /rəˈmadə/ s (uimarannan usein olkikattoinen) rantakoju

ramble /ræmbəl/ s (ajankuluksi tehty) kävely
v **1** maleksia, kävellä, kierrellä (jossakin huvikseen) **2** kiemurrella, mutkitella

ramble on v paasata (pitkään), puhua kuin papupata, puhua/kirjoittaa monisanaisesti/ummet ja lammet, (puhe, kirjoitus) rönsyillä

rambler /ræmblər/ s **1** maleksija **2** eräänlainen yksikerroksinen omakotitalo **3** köynnösruusu

rambling adj **1** (puhe, kirjoitus) monisanainen, rönsyilevä **2** (rakennus) laaja, valtava, lonkeroinen **3** (kasvi) köynnös-; rönsyilevä

rambunctious /ræmˈbʌŋkʃəs/ adj (lapsi, juhlahumu) riehakas, riehaantunut, vallaton

ram down someone's throat she tried to ram the idea down my throat (ark) hän yritti pakottaa minut hyväksymään ehdotuksen

ramification /ˌræməfɪˈkeɪʃən/ s **1** haara **2** (kuv) seuraus, vaikutus

ramify /ˈræməˌfaɪ/ v haarautua, jakautua osiin, rönsyillä (myös kuv)

ramp /ræmp/ s **1** luiska, ramppi **2** (lentokentällä: lentokoneen siirrettävät) matkustajaportaat

rampage /ˈræmˌpeɪdʒ/ s raivo, raivonpuuska to go on a rampage (myrsky, ihminen) raivota, riehua
v raivota, riehua

rampant /ræmpənt/ adj raivoisa, hillitön, rehottava, (huhu) joka on kaikkien huulilla, (eläin) joka seisoo takajaloillaan

rampart /ˈræmˌpart/ s **1** (linnoituksen) valli **2** (kuv) suojamuuri

ramrod /ˈræmˌrad/ s (aseen) latauspuikko he's stiff as a ramrod hän on kuin seipään niellyt

ramshackle /ˈræm,ʃækəl/ adj ränsistynyt, rapistunut, purkukypsä
ranch /ræntʃ/ s karjatila, maatila, ranch mink ranch minkkitarha
rancher s karjatilan/maatilan/ranchin omistaja/työntekijä
ranch house s **1** karjatilan/maatilan/ranchin päärakennus **2** eräänlainen yksikerroksinen omakotitalo
rancid /rænsɪd/ adj **1** härski, eltaantunut, (haju myös) kuvottava, ällöttävä **2** (kuv) kuvottava, ällöttävä, härski
rancor /ræŋkər/ s ilkeys, pahansuopuus, pahuus, katkeruus
rancorous /ræŋkərəs/ adj ilkeä, pahansuopa, katkera, katkeroitunut
random /rændəm/ s: at random umpimähkään, mielivaltaisesti
adj satunnainen, sattumanvarainen, umpimähkäinen, mielivaltainen
random access s (kuva- tai CD-levyllä) suora (kappale)haku
random-access adj (tietok) suorasaanti-
random error s satunnaisvirhe
randomize /ˈrændə,maɪz/ v satunnaistaa, järjestää/panna satunnaiseen järjestykseen, valita satunnaisesti
random number s satunnaisluku
random sample s satunnaisotos, satunnaisnäyte
range /reɪndʒ/ s **1** luokka, (ylä- ja alarajan) väli, (tilastossa) vaihteluväli there are no other models in this price range samassa hintaluokassa ei ole muita malleja **2** etäisyys, kantomatka within shooting range ampumaetäisyydellä **3** rivi, jono, sarja **4** valikoima we have a wide range of models to choose from meillä voitte valita laajasta mallistosta/mallivalikoimasta **5** kenttä, alue **6** ampumarata, (tykistön tms) harjoitusalue, koeammunta-alue **7** vuoristo Aleutian Range Aleuttien vuoristo **8** liesi, hella (ark) **9** laidunmaa
v **1** ulottua (jostakin johonkin), vaihdella (jollakin välillä), olla temperatures here range from ten to twenty-five degrees in the summer lämpötila vaihtelee täällä kesälsin 10:n ja 25 asteen välillä the topics discussed range over a wide area keskustelussa kosketellaan laajaa aluetta **2** järjestää, järjestyä (riviin, jonoon) **3** vaeltaa, samota **4** etsiä, käydä läpi **5** laiduntaa (karjaa jossakin)
rangeland /ˈreɪndʒ,lænd/ s laidunmaa
ranger s **1** metsänvartija **2** (Texasissa) (osavaltion) poliisi
rank /ræŋk/ s **1** (sotilas)arvo, (virka-) asema; korkea arvo/asema; sija to pull rank on someone komennella, määräillä (korkeampaan asemaansa vedoten) **2** (yhteiskunta- tai muu) luokka **3** rivi, jono, järjestys to break ranks poistua rivistä tms; (kuv) olla eri mieltä, ei suostua johonkin **4** (mon) rivimiehet (myös kuv)
v **1** järjestää/järjestyä (riviin/jonoon) **2** lukea/lukeutua johonkin ryhmään Toyota ranks among the largest car manufacturers in the world Toyota kuuluu maailman suurimpiin autotehtaisiin **3** olla korkeampiarvoinen kuin; olla arvoltaan korkein/ylin
adj **1** rehevä, rehottava **2** pahanhajuinen, löyhkäävä **3** täysi, täydellinen, pelkkä he is a rank dilettante hän on pelkkä amatööri **4** kuvottava, inhottava, vastenmielinen
rank and file s rivimiehet (myös kuv)
ranking (keskinäinen) järjestys, sijoittuminen
adj **1** korkea-arvoisempi, korkea-arvoinen **2** johtava, arvostettu, maineikas
rankle /ræŋkəl/ v kaivella, kismittää, harmittaa, sapettaa, vaivata
ransack /ˈræn,sæk/ v **1** penkoa (läpi), kääntää (etsiessään) ylösalaisin **2** ryöstää, ryövätä, rosvota
ransom /rænsəm/ s **1** lunnaat **2** vapautus, vapauttaminen
v maksaa lunnaat
rant /rænt/ s kiivailu, kiihkoilu, kiivas puhe
v kiivailla, puhua kiihkoisasti, vaahdota, raivota
rap /ræp/ s **1** (kevyt isku) näpäytys, näpäys, koputus **2** (ääni) napsahdus, koputus **3** not a rap ei tipan tippaa, ei

tippaakaan/vähääkään **4** (sl) syyllisyys; rangaistus to beat the rap selvitä rangaistuksetta; päästä pälkähästä, ei joutua nalkkiin/kiinni to take the rap ottaa syy niskoilleen **5** (sl) vastaanotto **6** rapmusiikki
v **1** koputtaa, naputtaa **2** karjua, karjaista **3** puhua/laulaa rapmusiikin säestyksellä **4** (sl) haukkua, pistää/lyödä lyttyyn
rapacious /rəˈpeɪʃəs/ adj ahne
rape /reɪp/ s **1** raiskaus **2** (kasvi) rehurapsi
v raiskata
rapid /ræpəd/ adj nopea
rapidity /rəˈpɪdəti/ s nopeus, äkkinäisyys
rapidly adv nopeasti
rapids /ræpədz/ s (mon) koski
rapier /reɪpɪər/ s (miekka) floretti
rapier wit s terävyys, nokkeluus, veitsenterävä äly
rapt /ræpt/ adj lumoutunut, ihastunut, (johonkin) uppoutunut, syventynyt, (kiinnostus) herpaantumaton
rapture /ræptʃər/ s ihastus, lumous, innostus
rapturous /ræptʃərəs/ adj ihastunut, lumoutunut, innostunut
rare /reər/ adj **1** harvinainen, harva, jota on harvassa **2** (ilma) ohut **3** (liharuoka) puoliraaka, vain vähän paistettu
rare-earth element s harvinainen maametalli
rarefied adj hieno, hienostunut, (seura) valikoitu, (maku) harvinainen
rarefy /ˈrerəˌfaɪ/ v ohentaa, ohentua
rarity /rerəti/ s harvinaisuus good manners are a rarity these days hyvät tavat ovat nykyisin harvinaisuus/harvinainen asia
rascal /ræskəl/ s **1** roisto, konna **2** kelmi, vintiö
rascally adv hävytön, häpeämätön; kuriton, tottelematon
rase /reɪz/ v purkaa, hajottaa (rakennus) (yl raze)
rash /ræʃ/ s ihottuma
adj hätäinen, ajattelematon, hätiköity, ennenaikainen
rashly adv hätäisesti, ajattelemattomasti, hätiköiden, hätiköidysti, ennenaikaisesti
rasp /ræsp/ s **1** (karkea viila) raspi **2** rahina, rohina he speaks with a rasp hänen äänensä rahisee/kähisee
v **1** viilata, hioa (raspilla) **2** rahista, rohista, kähistä
raspberry /ræzberi/ s vadelma
rasping s rahina, rohina
adj rahiseva, rohiseva, kähisevä
raster /ræstər/ s rasteri
rat /ræt/ s **1** rotta (myös kuv) to smell a rat haistaa palaneen käryä **2** (sl) vasikka, ilmiantaja
v **1** (sl) vasikoida, antaa ilmi **2** (sl) jättää ystävänsä/kolleganssa pulaan (vaikealla hetkellä)
ratchet /rætʃət/ s **1** (rattaan) säppi **2** säppipyörä, räikkäpyörä **3** (kuv) nousu; lasku
v to ratchet up nostaa, nousta to ratchet down laskea
ratchet wheel s säppipyörä, räikkäpyörä
rate /reɪt/ s **1** suhde, tahti, nopeus, vauhti, taajuus the rate of progress is accelerating edistyksen tahti kiihtyy at this rate of speed tällä nopeudella at any rate joka tapauksessa; ainakin, sentään **2** hinta, maksu, kurssi, taksa rate of interest korko(kanta) rate of exchange vaihtokurssi, valuuttakurssi what are your rates? paljonko liput, huoneet yms maksavat?
v **1** luokitella, luokittaa this movie is rated R tämä elokuva on sallittu alle 17-vuotiaille vain vanhemman henkilön seurassa **2** arvioida hinta/arvo **3** arvostella, korjata (koepaperi) **4** sijoittua (korkealle), pärjätä Steinbeck no longer rates high with highbrows Steinbeck ei enää ole älykköjen suosiossa
rather /ræðər/ adv **1** aika, melko, verraten it's a rather sad story se on aika ikävä tarina **2** mieluummin I'd rather be dead than wear that jacket kuolen ennemmin kuin panen tuon takin päälleni **3** pikemmin(kin), tarkemmin sanoen, vaan it's not great; rather, it's

pretty awful se ei ole erinomainen vaan suoraan sanoen kamala
rathole /'ræt,hoəl/ s (kuv) murju, mörskä his office is nothing but a small rathole hänen työhuoneensa on pelkkä ahdas karsina/soppi
rating s **1** luokitus, luokittelu **2** (mon) (television) katsojatilastot, (radion) kuuntelijatilastot **3** (tal) luottokelpoisuusarviointi
ratio /reɪʃoʊ/ s (mon ratios) suhde the ratio of cars to people autojen määrä suhteessa asukaslukuun
ration /ræʃən/ s **1** osuus, kiintiö, (ruoka-)annos **2** (mon) muona, eväät
v säännöstellä
rational /ræʃənəl/ adj **1** järjellinen rational beings älylliset olennot **2** järkevä, älykäs, viisas; asiallinen, maltillinen that was a rational decision se oli viisas ratkaisu/päätös let's try to be rational for a change yritetäänpä vaihteeksi unohtaa tunteet/olla asiallisia
rationale /,ræʃə'næəl/ s perustelu, peruste, selitys what was your rationale for quitting your job? miksi (ihmeessä) sinä erosit?
rationalism /'ræʃənə,lɪzəm/ s rationalismi, järkeisusko
rationalist /ræʃənəlɪst/ s rationalisti
rationality /,ræʃə'næləti/ s **1** järjellisyys, älyllisyys **2** järkevyys, viisaus; asiallisuus, maltti
rationalization /,ræʃənələ'zeɪʃən/ s **1** (tekojen) selittely, perustelu **2** järkeistäminen
rationalize /'ræʃənə,laɪz/ v **1** selitellä, selittää (parhain päin), perustella (tekojaan) **2** järkeistää
ration out v jakaa
rat race s (ark) oravanpyörä (kuv), kiireinen elämänrytmi, työelämän/elintasokilpailun hullunmylly
rattle /rætəl/ **1** kolina; helinä **2** (lapsen) helistin **3** (kalkkarokäärmeen) kalistin
v **1** ravistaa, ravistella, heilua **2** (äänestä) kolista, kalista; helistä **3** kulkea hyppelehtien/pomppien we rattled along in his old Buick koikkelehdimme eteenpäin hänen vanhalla Buickillaan **4** paasata, pölistä, hölöttää, puhua ummet ja lammet, luetella (kuin apteekin hyllyltä) **5** häiritä, ärsyttää
rattler s **1** kalkkarokäärme **2** hölöttäjä
rattlesnake /'rætəl,sneɪk/ s kalkkarokäärme
raucous /rakəs/ adj **1** (nauru, ääni) rämäkkä **2** (tilaisuus) riehakas, meluisa
raunchy /rantʃi/ adj (ark) rivo, härski, likainen, irstas
ravage /rævədʒ/ s tuho, hävitys the ravages of war sodan vahingot/tuhot/hävitys the ravages of time ajan hammas
v tuhota, hävittää; (kuv) raastaa, repiä
rave /reɪv/ s (silmitön) ihastus, ylistys
v **1** houria, raivota **2** vaahdota, paasata, ylistää jotakin (about) maasta taivaaseen **3** (myrsky) raivota, tehdä tuhoaan
adj ylistävä the movie opened to rave reviews elokuva tuli teattereihin ylistävien arvostelujen saattelemana
ravenous /rævənəs/ adj erittäin nälkäinen, jolla on sudennälkä they are ravenous for some fun heidän tekee kovasti mieli pitää hauskaa
ravenously adv nälkäisesti
ravine /rə'vin/ s rotko, kuru, onkalo
raving adj **1** houraileva, raivoava **2** sanoinkuvaamaton, uskomaton
adv raivoisan raving mad raivohullu, pähkähullu, seinähullu
ravish /rævɪʃ/ v **1** lumota, saada ihastumaan **2** raiskata
ravishing adj lumoava, ihastuttava, kuvankaunis
ravishingly adv lumoavasti, lumoavan, ihastuttavasti, ihastuttavan
raw /ra/ s in the raw (ark) alasti, ilkosillaan, kelteisillään
adj **1** raaka **2** (kuv) armoton, raaka **3** (kuv) kokematon **4** laimentamaton
raw material s raaka-aine; aineisto, materiaali
ray /reɪ/ s säde
v säteillä
rayon /reɪan/ s (kuitu) raion
raze /reɪz/ v purkaa, hajottaa (rakennus)

razor /reɪzər/ s partaveitsi; partakone
RBG red, green and blue
RC Red Cross; Roman Catholic
RCAF Royal Canadian Air Force
RCMP Royal Canadian Mounted Police
RCN Royal Canadian Navy
rd. road
RDA recommended daily/dietary allowance suositeltu ravintoaineiden päiväsaanti (meilläkin yleisesti käytetty ravintoaineiden saantisuositus)
R-DAT rotary-head digital audio tape (recorder)
reach /ritʃ/ s **1** to make a reach for yrittää tarttua johonkin, hapuilla jotakin **2** kantama, ulottuvuus to be within/out of reach olla jonkun ulottuvilla/ulottumattomissa (myös kuv)
v **1** kurkottaa, kurkottua, ojentaa, ojentua, ylettää, ylettyä, ulottua she could not reach the cookie jar on the upper shelf hän ei ulottunut piparkakkupurkkiin joka oli ylimmällä hyllyllä **2** saapua, tulla jonnekin **3** saavuttaa have you reached your goal? oletko päässyt tavoitteeseesi? GM stock has reached an all-time high GM:n osakkeiden arvo on noussut ennätystasolle **4** saada puhelimeen/kiinni I am sorry but Mr. Olmos can't be reached now Mr. Olmos ei valitettavasti voi nyt tulla puhelimeen
reachable adj (henkilö) tavoitettavissa, (tavoite) mahdollinen
react /ri'ækt/ v reagoida, vastata
reaction /ri'ækʃən/ s reaktio, vastaus, vaikutus
reactionary /ri'ækʃə,neri/ s, adj taantumuksellinen
reactivate /ri'æktɪ,veɪt/ v käynnistää/käynnistyä uudelleen, palauttaa voimaan, reaktivoida
reactor /ri'æktər/ s reaktori nuclear reactor ydinreaktori
read /rid/ v read, read **1** lukea **2** tulkita, lukea, ennustaa **3** kuulostaa, olla luettavissa/tulkittavissa tietyllä tavalla the contract reads in two different ways sopimus voidaan tulkita kahdella tavalla **4** katsoa/tarkistaa mittarin tms lukema; (mittari tms) näyttää jotakin lukemaa
read /red/ adj lukenut, oppinut
readable /ridəbəl/ adj **1** josta saa selvän **2** lukemisen arvoinen
read between the lines fr (kuv) lukea rivien välistä, huomata
readdress /,riə'dres/ v kirjoittaa uusi osoite johonkin
reader /ridər/ s **1** lukija **2** (koulussa) lukukirja **3** kokoelmateos **4** kustannustoimittaja **5** (UK) yliopiston lehtori
readership /'ridər,ʃɪp/ s lukijat, lukijakunta
read for v (näyttelijä) käydä esiintymiskokeessa
readily /redəli/ adv **1** helposti **2** halukkaasti
readiness /redinəs/ s **1** valmius the troops are in a state of readiness joukot ovat valmiina/valmiustilassa **2** helppous **3** halukkuus
reading s **1** (tapahtuma) lukeminen **2** (kirja tms) lukeminen, luettava **3** lukeneisuus, sivistys **4** tulkinta **5** (mittarin tms) lukema **6** lausuntailta, luentatilaisuus
read into v pistää omiaan johonkin I think you're reading too much into what she said minusta sinä tulkitset hänen sanojaan liian optimistisesti/jyrkästi tms
readjust v säätää, sovittaa (uudelleen)
readjustment /,riə'dʒʌstmənt/ s (uusi) säätö, sovitus
read lips v lukea huulilta read my lips! (sl) etkö sinä jo tajua?, pitääkö se vääntää rautalangasta ?
read out v lukea ääneen
readout /'ri,daʊt/ s (mittarin) lukema
read out of v erottaa (jäsen julkisesti)
read the riot act fr **1** antaa jonkun kuulla kunniansa, sättiä **2** varoittaa jotakuta
read up on v ottaa selvää jostakin (lukemalla), perehtyä johonkin aiheeseen tarkemmin (lukemalla)

ready /redi/ adj **1** valmis you coffee is ready kahvisi on valmis we are ready to go olemme valmiit lähtemään to make ready laittaa valmiiksi, valmistaa **2** halukas, valmis are you ready to help? haluatko auttaa? **3** nopea, terävä (kuv), kärkäs, hanakka she has a ready tongue hän on terävä sanoissaan don't be so ready to find fault with others älä moiti toisia niin kärkkäästi **4** joka on heti saatavilla/käytettävissä I happen to have some ready cash on me minulla sattuu olemaan mukana käteistä rahaa v laittaa valmiiksi, valmistaa

Ready! Set! Go! fr Paikoillenne, valmiit, nyt!

real /riəl/ s **1** (filosofiassa) the Real todellisuus **2** are you for real? oletko tosissasi? I don't think he is for real en usko että häneen voi luottaa
adj **1** todellinen, aito it's real gold se on aitoa kultaa **2** varsinainen, todellinen he's a real asshole hän on täysi paska **3** kiinteä: real property kiinteä omaisuus
adv (ark) todella you did real fine selvisit tosi hienosti

real estate /'rilə,steɪt/ s kiinteistö(t), kiinteä omaisuus

realism /riəlɪzəm/ s realismi

realist /riəlɪst/ s realisti
adj realistinen

realistic /,riə'lɪstɪk/ adj realistinen, järkevä, asiallinen, kohtuullinen let's be realistic about this ollaanpa nyt tässä asiassa realisteja

realistically adv realistisesti, järkevästi, asiallisesti, kohtuullisesti how much profit can we realistically expect? paljonko voittoa meidän on kohtuullista odottaa?

reality /ri'æləti/ s **1** todellisuus in reality he is a pretty nice guy todellisuudessa on ihan mukava ihminen **2** realiteetti, tosiseikka

realization /,riələ'zeɪʃən/ s **1** oivallus, ymmärtäminen **2** toteutus, toteuttaminen, toteutuminen **3** rahaksi muuttaminen, realisaatio

realize /'riə,laɪz/ v **1** huomata, ymmärtää, oivaltaa, tajuta **2** toteuttaa he has realized his ambitions hän on toteuttanut haaveensa **3** muuttaa käteiseksi, realisoida; tuottaa (rahana)

really /rɪli/ adv **1** todellisesti, oikeastaan he is not American, he is really Canadian hän ei ole amerikkalainen vaan todellisuudessa kanadalainen **2** todella, todellakin it is really nice to be here on oikein hienoa olla täällä

realm /reəlm/ s **1** kuningaskunta **2** (kuv) alue, piiri it's out of my realm se ei ole minun heinäni/alaani

real number s reaaliluku

real property s kiinteä omaisuus, kiinteistö(t)

realtor /riəltər/ s kiinteistönvälittäjä

realty /riəlti/ s kiinteistö(t), kiinteä omaisuus

real wages /,riəl'weɪdʒəz/ s (mon) reaalipalkka

real world /,riəl'wərəld/ s todellisuus, käytäntö, todellinen elämä, kylmä maailma welcome to the real world! tällaista on elämä!

reap /rip/ v **1** niittää; korjata sato **2** (kuv) ansaita, kääriä (voittoa) you reap what you have sown mitä ihminen kylvää, sitä hän myös niittää

reappear /,riə'pɪər/ v ilmestyä uudelleen näkyviin/paikalle, palata, tulla takaisin the symptoms have reappeared oireet ovat uusiutuneet

rear /rɪər/ s **1** takaosa at the rear of the house talon takana to bring up the rear olla viimeinen, pitää perää, olla hännänhuippuna **2** (linja-auton) takaosa, (henkilöauton) takapenkki **3** takamus
v **1** kasvattaa (lapsi, karjaa), viljellä (viljaa) **2** rakentaa, pystyttää **3** nostaa, kohottaa racism is again rearing its ugly head rotuviha nostaa jälleen päätään
adj taka-, perä

rearamament /ri'armənənt/ s uudelleenvarustelu

rear end /,rɪər'end/ s **1** peräpää, takapää **2** (ark) takapuoli

rearm /ri'arm/ v **1** varustaa uudestaan; määrätä uudelleen aseisiin **2** varustaa uusilla aseilla

rear projection s (televisiossa ym) taustaprojisointi
rearview mirror /ˌrɪərvjuˈmɪrər/ s (auton) taustapeili
rear-wheel drive /ˌrɪərwɪəlˈdraɪv/ s takapyöräveto, takaveto
reason /rizən/ s **1** syy, peruste by reason of jostakin syystä, jonkin vuoksi, jollakin perusteella with reason hyvällä syyllä, hyvästä syystä, aiheellisesti **2** järki, äly **3** mielenterveys, järki to bring someone to reason saada joku järkiinsä, saada joku muuttamaan mieltään to stand to reason olla selvää; käydä järkeen, jossakin on järkeä **4** kohtuus to be within reason olla kohtuullista, olla kohtuuden rajoissa
v **1** järkeillä, päätellä **2** suositella, kehottaa, esittää
reasonable /rizənəbəl/ adj **1** järkevä **2** kohtuullinen; kohtuullisen hintainen
reasonably adv **1** järkevästi **2** kohtuullisesti, kohtuullisen, aika, melko that's what you can reasonably expect siihen sinun on hyvä varautua
reasoned adj harkittu, perusteltu, loppuun asti ajateltu/mietitty
reasoning s **1** looginen ajattelu, järkeily **2** perustelu
reassurance /ˌriəˈʃərəns/ s **1** rohkaisu, lohtu **2** vahvistus, vakuuttelu
reassure /ˌriəˈʃər/ v **1** rohkaista, lohduttaa, tyynnyttää, rauhoittaa **2** vakuuttaa, vahvistaa let me reassure you that we are not going to dump you vakuutan sinulle että me emme aio hankkiutua sinusta eroon
reassuring adj rohkaiseva, rauhoittava
reassuringly adv rohkaisevasti, rauhoittavasti
rebate /ribeɪt/ s alennus
rebel /rebəl/ s kapinallinen, kapinoitsija
rebel /rɪˈbel/ v kapinoida (myös kuv:) vastustaa, panna vastaan
rebellion /rəˈbeljən/ s kapina
rebellious /rəˈbeljəs/ adj kapinallinen; tottelematon, uppiniskainen
rebirth /riˈbərθ/ s **1** uudelleensyntyminen **2** henkiin herääminen, uusi nousu the rebirth of Nazism natsismi uusi nousu
rebound /ribaʊnd/ s (koripallossa) levypallo
rebound /riˈbaʊnd/ v **1** kimmota, ponnahtaa/heittää takaisin **2** (kuv) toipua; kostautua
rebuff /riˈbʌf/ s tyly kielteinen vastaus v torjua, evätä, kieltää (tylysti)
rebuke /riˈbjuk/ s nuhtelu, nuhteet, moitteet, torut, torumiset
v nuhdella, torua, moittia
recall /riˈkaəl/ s **1** muisti **2** takaisin kutsuminen
v **1** muistaa, palauttaa mieleen **2** kutsua takaisin Chrysler has recalled all 1995 LeBarons Chrysler on kutsunut kaikki vuoden 1995 malliset LeBaronit korjattaviksi
recant /riˈkænt/ v perua puheensa, pyörtää sanansa, muuttaa kantaansa
recapitulate /ˌrikəˈpɪtʃəˌleɪt/ v toistaa, kerrata, tehdä yhteenveto
recapitulation /ˌrikəˌpɪtʃəˈleɪʃən/ s toisto, kertaus, yhteenveto
recede /rəˈsid/ v perääntyä, loitontua, vähentyä, supistua, laskea cash payments have receded in importance käteismaksujen merkitys on vähentynyt
receipt /rəˈsit/ s **1** (lähetyksen tms) vastaanotto, saapuminen **2** kuitti **3** (mon) tulot **4** resepti
receivables /rəˈsivəbəlz/ s (mon) (yrityksen) saatavat
receive /rəˈsiv/ v **1** saada **2** ottaa vastaan to receive a guest/an offer/a radio station ottaa vastaan vieras/tarjous/saada radioasema kuuluviin Mrs. Smythe-Hines will now receive Mrs. Smythe-Hines ottaa teidät (vieraan) nyt vastaan
Received Pronunciation s (britti)englannin yleiskielen ääntämys
Received Standard s (britti)englannin yleiskieli
receiver s **1** vastaanottaja **2** (radio-, televisio) vastaanotin; viritinvahvistin **3** (puhelimen) luuri
recent /risənt/ adj äskettäinen, uusi he's a recent arrival hän on uusi tulokas

recently adv äskettäin, äsken
receptacle /rɪ'septəkəl/ s astia, kotelo, teline
reception /rɪ'sepʃən/ s **1** vastaanotto to be met with a warm reception saada lämmin vastaanotto **2** (juhla) vastaanotto(tilaisuus); tervetuliaisjuhla **3** (radio-, televisiolähetteen) vastaanotto
reception desk s (yrityksen, hotellin) vastaanotto
receptionist /rɪ'sepʃənɪst/ s (yrityksen, hotellin) vastaanottoapulainen
reception room s (lääkärin tms) vastaanotto(huone)
receptive /rɪ'septɪv/ adj vastaanottavainen, halukas kuuntelemaan she was not receptive to my suggestions hän ei lämmennyt ehdotuksilleni
recess /rises/ s **1** tauko, (koulussa) välitunti **2** syvennys, alkovi **3** (mon) uumenet
recess /rɪ'ses/ v **1** pitää tauko **2** syventää
recession /rɪ'seʃən/ s (tal) taantuma
recharge /ri'tʃaərdʒ/ v ladata (uudestaan)
rechargeable adj joka voidaan ladata uudelleen, uudelleen ladattava
recharger s latauslaite
recheck /ri'tʃek/ v tarkistaa uudelleen
recipe /resəpi/ s resepti, lääkemääräys; ruuan valmistusohje there is no recipe for happiness ei ole olemassa onnellisuuden patenttilääkettä
recipient /rɪ'sɪpiənt/ s vastaanottaja; palkinnonsaaja
reciprocal /rə'sɪprəkəl/ adj vastavuoroinen, molemminpuolinen
reciprocally adv vastavuoroisesti, molemminpuolisesti
reciprocate /rə'sɪprə,keɪt/ v vastata (ehdotukseen, hymyyn), tehdä vastapalvelus; kostaa, maksaa takaisin (kuv)
reciprocating engine s mäntäkone, mäntämoottori
recital /ri'saɪtəl/ s **1** konsertti; (runon) lausunta(esitys) **2** selotus, kuvaus; selonteko, luettelo
recitation /,resə'teɪʃən/ s (runon) lausunta(esitys)
recite /rɪ'saɪt/ v **1** lausua (runo) **2** toistaa (ulkomuistista) **3** selostaa, kuvata, kertoa **4** luetella
reckless /rekləs/ adj uhkarohkea, tyhmänrohkea, päätön, hillitön
recklessly adv ks reckless
recklessness s uhkarohkeus, päättömyys, hillittömyys
reckon /rekən/ v **1** laskea **2** lukea/laskea johonkin kuuluvaksi he is reckoned to be one of the best physicists in the country häntä pidetään yhtenä maan johtavista fyysikoista **3** ajatella, uskoa, luulla he'll be here by noon, I reckon eiköhän hän ilmesty paikalle puoleen päivään mennessä
reckoning day of reckoning tilinteon hetki
reckon with v **1** ottaa huomioon, ottaa laskuihin mukaan, varautua johonkin **2** (yrittää) ratkaista (ongelmat), (yrittää) selviytyä jostakin
reclaim /ri'kleɪm/ v **1** vaatia takaisin itselleen **2** noutaa, hakea (matkatavarat tms) passengers can reclaim their baggage on the lower level matkatavarat luovutetaan matkustajille alakerrassa **3** ottaa (maata) käyttöön, ryhtyä viljelemään
reclamation /,reklə'meɪʃən/ s (maan) käyttöönotto
recline /rɪ'klaɪn/ v kallistaa/kallistua taaksepäin he reclined on the sofa hän kävi sohvalle pitkäkseen the front seats of his car recline hänen autonsa etuistuimissa on kallistuvat selkänojat
recliner s nojatuoli, lepotuoli, laiskanlinna
reclining adj kallistuva, kallistettava
recluse /reklus/ s erakko
recognition /,rekəg'nɪʃən/ s **1** tunnistaminen, tunteminen **2** oivaltaminen, ymmärtäminen **3** tunnustaminen, myöntäminen, hyväksyminen **4** tunnustus, arvostus
recognizable /'rekəg,naɪzəbəl/ adj jonka voi tunnistaa joksikin after the accident, his face was hardly recognizable onnettomuuden jälkeen hänen kasvojaan oli vaikea tunnistaa

recognizably adv (melko) selvästi, silmin nähden
recognize /ˈrekəg͵naɪz/ v **1** tunnistaa, tuntea I almost did not recognize you en ollut tuntea sinua he recognized her voice hän tunnisti naisen äänen/äänestä **2** oivaltaa, ymmärtää, käsittää, tajuta **3** tunnustaa, myöntää, hyväksyä (oikeaksi, todeksi) **4** ilmaista tunnustuksensa/arvostuksensa, antaa tunnustus
recognized adj tunnustettu, arvostettu
recoil /rikoɪəl/ s (aseen) rekyyli, potkaisu
recoil /rɪˈkoɪəl/ v **1** säpsähtää, säikähtää, pelästyä **2** (ase) potkaista **3** (kuv) (teko) kostautua
recollect /͵rekəˈlekt/ v muistaa
recollection /͵rekəˈlekʃən/ s muisto I have no recollection of that event en muista sellaista tapahtumaa
recommend /͵rekəˈmend/ v suositella
recommendation /͵rekəmənˈdeɪʃən/ s suositus
recommended daily allowance /əˈlaʊəns/ ks RDA
recommended dietary allowance /daɪəteri/ ks RDA
recompense /ˈrekəm͵pens/ s korvaus, hyvitys, palkkio
v korvata, hyvittää, palkita
reconcile /ˈrekən͵saɪəl/ v **1** sovittaa välit/riita, tehdä sovinto to become reconciled sopia välinsä **2** sovittaa yhteen **3** to reconcile yourself to something alistua johonkin, hyväksyä jotakin
reconciliation /͵rekənsɪlɪˈeɪʃən/ s **1** sovinto, rauha, (riidan) sopiminen **2** (mielipiteiden ym) yhteen sovittaminen
reconfirmation /ri͵kanfərˈmeɪʃən/ s (esim lentopaikkavarauksen) vahvistus
reconnaissance /rɪˈkanəsəns/ s (sot) tiedustelu
reconnaissance satellite s (sot) tiedustelusatelliitti
reconnoiter /͵rikəˈnoɪtər, ͵rekəˈnoɪtər/ v **1** (sot) tiedustella **2** tehdä maanmittauksia
record /rekərd/ s **1** asiakirja; pöytäkirja; luettelo this is strictly off the record sanon tämän täysin epävirallisesti/kahden kesken to go on record ilmoittaa julkisesti **2** rikosrekisteri he has a record a mile long hänellä on kontollaan pitkä liuta rikoksia **3** tausta, menneisyys, historia it is the longest-running Broadway show on record se on kaikkien aikojen pisimmin esitetty Broadway-show **4** äänilevy; äänitys **5** (urh) ennätys
record /rɪˈkərd/ v **1** merkitä/kirjoittaa jotakin muistiin; pitää pöytäkirjaa; luetteloida **2** nauhoittaa, äänittää **3** (mittari tms) näyttää (jotakin arvoa), osoittaa extremely low temperatures were recorded in Alaska yesterday Alaskassa mitattiin eilen poikkeuksellisen kylmiä lämpötiloja
record album s LP, äänilevy
recorder /rɪˈkərdər/ s **1** kirjuri **2** nauhuri, nauhoitin tape recorder nauhuri **3** nokkahuilu **4** piirturi
recording s nauhoitus, äänitys
recording artist s (levyttävä) muusikko
recording studio s äänitysstudio
record player s levysoitin
recount /rɪˈkaʊnt/ v kertoa, kuvata
recoup /rɪˈkup/ v **1** saada/hankkia (raha) takaisin we will recoup our investment in three years saamme sijoittamamme summan takaisin kolmessa vuodessa **2** korvata, hyvittää
recover /rɪˈkʌvər/ v **1** toipua, elpyä, tulla jälleen tajuihinsa has he recovered consciousness? onko hän tullut tajuihinsa? she quickly recovered from the shock hän toipui järkytyksestä nopeasti **2** saada/hankkia takaisin
re-cover /͵riˈkʌvər/ v peittää/päällystää uudestaan
recovery /rɪˈkʌvəri/ s **1** toipuminen, elpyminen, tervehtyminen **2** takaisin saaminen/hankkiminen
recreate /͵rikriˈeɪt/ v herättää (uudelleen) henkiin, elvyttää
recreation /͵rekriˈeɪʃən/ s virkistys, rentoutuminen, vapaa-aika, (vapaa-ajan) harrastus
recreational adj vapaa-ajan
recreational vehicle s matkailuauto

recreation room s oleskeluhuone
recruit /rɪ'krut/ s alokas; uusi jäsen/työntekijä/tulokas
v värvätä (sotilaita, työntekijöitä palvelukseen)
recruitment s (sotilaiden, jäsenten) värväys, (jäsenten) kalastus (kuv)
rectal /rektəl/ adj peräsuolen, peräsuoli-
rectangle /'rek,tæŋgəl/ s suorakaide, suorakulmio
rectangular /rek'tæŋgjələr/ adj suorakulmion muotoinen, suorakulmainen
rectify /'rektə,faɪ/ v oikaista, korjata (virhe, vääryys)
rectitude /'rektɪ,tud/ s oikeudenmukaisuus
rector /rektər/ s **1** (usk) pappi **2** (yliopiston, collegen) rehtori
rectory /rektəri/ s pappila
rectum /rektəm/ s (mon rectums, recta) peräsuoli
recuperate /rɪ'kupə,reɪt/ v toipua, parantua, olla toipilaana
recuperation /rɪ,kupə'reɪʃən/ s toipuminen, parantuminen, tervehtyminen
recuperative /rɪ'kupərətɪv/ adj parantava, tervehdyttävä, hyvää tekevä, hoito-
recur /rɪ'kər/ v uusiutua, tapahtua uudestaan, toistua, palata (uudestaan) mieleen
recurrence s uusiutuminen, toistuminen
recurrent adj toistuva, uusiutuva; usein ilmenevä, yleinen
recurring adj toistuva, uusiutuva; usein ilmenevä, yleinen
recyclable /rɪ'saɪkləbəl/ adj joka voidaan kierrättää/käyttää uudestaan
recycle /rɪ'saɪkəl/ v kierrättää (jätteitä), käyttää uudestaan
recycling s (jätteiden) kierrätys
red /red/ s **1** punainen (väri) to see red nähdä punaista **2** (ark) vasemmistolainen, punainen **3** (ark) miinuksen puoli the company has been in the red for years yritys on tuottanut tappiota vuosikausia
adj punainen (myös poliittisesti) to paint the town red ottaa ilo irti elämästä, pitää hauskaa, rellestää
red alert s yleishälytys
red blood cell s punasolu
red brocket /brakət/ s isopiikkohirvi
red carpet to get the red carpet treatment saada ruhtinaallinen/hyvä kohtelu to roll out the red carpet ottaa joku avosylin vastaan, olla mielissään jonkun saapumisesta
red cent not worth a red cent ei penninkään arvoinen, ei minkään arvoinen, yhtä tyhjän kanssa
redden v punastua, muuttua/muuttaa punaiseksi
reddish adj punertava, punakka
redecorate /rɪ'dekə,reɪt/ v uusia (asunnon ym) sisustus, vaihtaa tapetit
redeem /rɪ'dim/ v **1** lunastaa (myös lupaus) **2** maksaa (velka) **3** korvata (vika, puute) **4** (usk) vapahtaa
Redeemer /rɪ'dimər/ s (Jeesus) Vapahtaja
red deer s saksanhirvi
redemption /rɪ'dempʃən/ s **1** lunastaminen, lunastus **2** (velan) maksaminen **3** pelastus good manners were his redemption hyvät tavat olivat hänen pelastuksensa **4** (usk) vapahdus, vapautus
redhead /'red,hed/ s punapää
red herring s (kuv) harhautus(yritys), hämäys
Red Indian s (halv) intiaani
red kangaroo s punajättikenguru
red light s punainen (liikenne)valo (myös kuv:) kielto
red-light district s ilotalokortteli, punalyhtykortteli
redolent /redələnt/ adj **1** hyvänhajuinen, hyvältä tuoksuva **2** redolent of joka haisee/tuoksuu joltakin **3** redolent of joka muistuttaa jotakin
red panda /pændə/ s kultapanda
redress /rɪ'dres/ s (vääryyden) oikaisu, korjaus; korvaus, hyvitys
v **1** oikaista, korjata (vääryys); korvata, hyvittää **2** palauttaa tasapainoon, oikaista
Red River /,red'rɪvər/

Red Sea /ˌred'si/ Punainenmeri
red tape s (ark kuv) paperisota, byrokratia
reduce /rɪ'dus/ v **1** vähentää, supistaa, pienentää, laskea, alentaa to reduce speed hidasta/hiljentää vauhtia, ajaa hiljempää to reduce prices alentaa/laskea hintoja **2** saattaa johonkin tilaan: the terrible news reduced me to silence ikävä uutinen sai minut vaikenemaan
reduction /rɪ'dʌkʃən/ s **1** väheneminen, vähennys, lasku a reduction of prices/taxes hintojen/verojen lasku ladies and gentlemen, we have just exprienced a reduction in the number of wings hyvät matkustajat, koneestamme on juuri hävinnyt toinen siipi he gave me a reduction of ten percent hän antoi minulle kymmenen prosentin alennuksen **2** supistaminen, tiivistys, alentaminen, aleneminen his reduction to indigence hänen täydellinen köyhtymisensä **3** (jäljennöksestä) pienennös
redundancy /rɪ'dʌndənsi/ s **1** tarpeettomuus **2** liikasanaisuus, monisanaisuus
redundant /rɪ'dʌndənt/ adj **1** tarpeeton, ylimääräinen **2** (tyyli) liikasanainen
reduplicate /rɪ'duplɪˌkeɪt/ v **1** toistaa **2** jäljentää
reduplication /rɪˌduplɪ'keɪʃən/ s **1** toisto **2** jäljennös
reedbuck /ridbʌk/ s ruokoantilooppi
reed /rid/ s **1** ruoko **2** (ruokolehtisoittimen) ruokolehti, (urkujen) kieli **3** ruokolehtisoitin
reed instrument s ruokolehtisoitin
reef /rif/ s (hiekka-, kallio- tai koralli)riutta
reefer s (sl) marihuanasavuke
reek /rik/ s **1** löyhkä, lemu **2** höyry, savu
v **1** löyhkätä, lemuta, haista **2** höyrytä, savuta
reel /rɪəl/ s kela off the reel lakkaamatta, taukoamatta, keskeytyksettä; heti, välittömästi
v kelata, (kalastuksessa) kelastaa
reel off v lasketella (juttua)
reel-to-reel adj (nauhuri ym) avokela-, kela-
reenter /ri'entər/ v palata jonnekin/jonkin pariin after his illness, the senator reentered public life senaattori palasi sairautensa jälkeen julkisuuteen the spacecraft reentered atmosphere avaruusalus palasi Maan ilmakehään
reentry /ri'entri/ s jonnekin palaaminen; (avaruusaluksen) saapuminen (takaisin) ilmakehään
Reeve's muntjac /ˌrivz'mʌntdʒæk/ s kiinanmuntjakki
reexamine /ˌriəg'zæmən/ v **1** tutkia uudelleen **2** (laki) kuulustella (todistajaa) uudelleen
refectory /rɪ'fektəri/ s (opiskelija- ym) ruokala
refer /rɪ'fər/ v **1** viitata johonkin (to) **2** ohjata/siirtää (asian jonkun käsiteltäväksi), opastaa (jokun jonkun luo)
referee /ˌrefə'ri/ s (urh) tuomari: (jääkiekossa) erotuomari, (vesipallossa) pelituomari, (amerikkalaisessa jalkapallossa, judossa) päätuomari
v (urh ja kuv) toimia/olla tuomarina
reference /refrəns/ s **1** viittaus, viite, vihjaus, maininta in/with reference to something jotakin koskien **2** (työ)todistus, suositus
v varustaa (kirja tms) viitteillä/viittauksilla
reference book s hakuteos
referendum /ˌrefə'rendəm/ s (mon referendums, referenda) kansanäänestys
referral /rɪ'fərəl/ s **1** viittaus, viite **2** johnkun puheille ohjattu henkilö, esim lähetteen saanut potilas
refill /rifɪl/ s toinen kahvikupponen (samaan hintaan)
refill /rɪ'fɪl/ v täyttää (uudestaan)
refine /rɪ'faɪn/ v **1** jalostaa, puhdistaa, raffinoida **2** kehittää, kohentaa, parantaa (tapoja, taitoa)
refined adj **1** jalostettu, puhdistettu, raffinoitu **2** (käytös, maku) hienostunut, hieno
refinement s **1** jalostus, puhdistus, raffinointi **2** hienostuneisuus, sivistyneisyys **3** parannus
refinery /rɪ'faɪnəri/ s jalostamo

reflect /rɪ'flekt/ v **1** heijastaa, kuvastaa her picture was reflected in the window hänen kuvansa peilautui ikkunasta **2** harkita, pohtia, miettiä
reflecting telescope s peilikaukoputki
reflection /rɪ'flekʃən/ s **1** heijastus, kuva, peilautuminen, peilikuva **2** harkinta, pohdinta; mietelmä
reflective /rɪ'flektɪv/ adj **1** heijastava **2** ajattelu- **3** mietteliäs, hiljainen, vakava
reflector /rɪ'flektər/ s **1** heijastin **2** peilikaukoputki
reflex /rifleks/ s refleksi, heijaste
reflex camera /rifleks/ s peiliheijastuskamera single-lens reflex camera yksisilmäinen peiliheijastuskamera
reflexion ks reflection
reflexive adj (kieliopissa) refleksiivi-, refleksiivinen
reflexive pronoun s (kieliopissa) refleksiivipronomini
reflexive verb s (kieliopissa) refleksiiviverbi
reforest /rɪ'fɔrəst/ v istuttaa uutta metsää jonnekin, metsittää (uudestaan)
reforestation /ˌrifɔrəs'teɪʃən/ s metsitys, metsän istutus
reform /rɪ'fɔrm/ s uudistus, parannus v uudistaa, parantaa; tehdä parannus, parantaa tapansa
re-form v muodostaa/koota/järjestää uudelleen
reformation /ˌrefər'meɪʃən/ s **1** uudistaminen, uudistus, parannus **2** Reformation uskonpuhdistus
reformatory /rə'fɔrməˌtɔri/ s koulukoti
reformer s **1** uudistaja, uudistusmielinen ihminen **2** Reformer uskonpuhdistaja
reformist s **1** uudistaja, uudistusmielinen ihminen **2** reformoidun kirkon jäsen, reformoitu adj uudistusmielinen, uudistuksellinen
reform school s koulukoti
refracting telescope /rɪ'fræktiŋ/ s linssikaukoputki
refraction /rɪ'frækʃən/ s refraktio, valon taittuminen
refrain /rɪ'freɪn/ s kertosäe v ei tehdä jotakin (from), hillitä itsensä, pidättäytyä jostakin
refresh /rɪ'freʃ/ v virkistää, piristää, vahvistaa, voimistaa
refreshing adj virkistävä, piristävä
refreshingly adv virkistävästi, virkistävän
refreshment s **1** virvoke **2** virkistys, elvytys, piristys
refrigerate /rɪ'frɪdʒəˌreɪt/ v jäähdyttää, pitää/säilyttää kylmässä
refrigeration /rɪˌfrɪdʒə'reɪʃən/ s jäähdytys, kylmässä säilytys
refrigerator /rɪ'frɪdʒəˌreɪtər/ s jääkaappi
refrigerator-freezer s jääkaappipakastin, yhdistelmäkaappi
refuel /rɪ'fjuəl/ v tankata, ostaa/ottaa (lisää) polttoainetta
refuelling s tankkaus, polttoainetäydennys
refuge /refjudʒ/ s pakopaikka, suoja(paikka), turva(paikka)
refugee /'refjəˌdʒi/ s pakolainen
refund /rifʌnd/ s takaisinmaksu, korvaus, hyvitys no refunds (myymälässä: ostettuja) tavaroita ei voi palauttaa
refund /rɪ'fʌnd/ v antaa (esim ostoksesta) rahat takaisin, maksaa takaisin, korvata (kulut)
refundable /rɪ'fʌndəbəl/ adj (rahasta) joka maksetaan takaisin, joka hyvitetään/korvataan
refurbish /rɪ'fərbɪʃ/ v sisustaa uudestaan, remontoida, kohentaa jonkin ilmettä
refusal /rɪ'fjuzəl/ s kieltäytyminen, hylkääminen, kielteinen vastaus
refuse /refjuz/ s jäte, jätteet, roskat
refuse /rɪ'fjuz/ v kieltäytyä, ei suostua, ei myöntää, vastata kieltävästi he was refused entry to the factory häntä ei päästetty tehtaaseen
refutable /rɪ'fjutəbəl/ adj joka voidaan kumota, joka voidaan osoittaa vääräksi
refutation /ˌrefjə'teɪʃən/ s (väitteen) kumoaminen, vääräksi/perättömäksi osoittaminen

refute /rɪ'fjut/ v kumota, osoittaa vääräksi/perättömäksi
regain /rɪ'geɪn/ v saada takaisin has she regained consciousness? onko hän tullut/palannut tajuihinsa? he has regained all the weight he lost when dieting hän on lihonut laihdutuskuurin jälkeen entiselleen
regal /rigəl/ adj kuninkaallinen (myös kuv) ylellinen, ruhtinaallinen
regalia /rə'geɪliə rə'geɪljə/ s (mon) **1** kruununkalleudet; arvonmerkit in full regalia (kuv) kaikessa loistossaan, koko komeudessaan **2** kruununoikeudet
regally adv kuninkaallisesti (myös kuv) ylellisesti, ruhtinaallisesti
regard /rə'gard/ s **1** katse **2** in/with regard to something jotakin koskien **3** (mon) terveiset give them my regards sano heille terveisiä minulta
v **1** katsoa **2** suhtautua johonkuhun/johonkin tietyllä tapaa, pitää jotakuta/jotakin jonakin he was regarded as something of a charlatan häntä pidettiin huijarina **3** as regards jotakin koskien, mitä johonkin tulee
regarding prep jotakuta/jotakin koskien regarding her divorce, the movie star said nothing filmitähti ei puhunut lainkaan avioerostaan
regardless adv silti, jostakin/kaikesta huolimatta, joka tapauksessa
regardless of adj jostakin piittaamatta/huolimatta/välittämättä
regatta /rɪ'gatə/ s purjehduskilpailu, soutukilpailu, regatta
regency /ridʒənsi/ s sijaishallitus
regenerate /rɪ'dʒenəreɪt/ v elvyttää, elpyä, uudistaa, uudistua, uudentua, eheyttää, eheytyä
regeneration /rɪ,dʒenə'reɪʃən/ s elvytys, elpyminen, uudistaminen, uudistuminen
regent /ridʒənt/ s **1** sijaishallitsija, regentti **2** hallitsija
reggae /regeɪ/ s reggae(musiikki)
regime /rə'ʒim/ s **1** hallitusmuoto, valtiomuoto, järjestelmä **2** hallitus, maan johto
regimen /redʒəmən/ s (lääk) kuuri, hoito
regiment /redʒəmənt/ s (sot) rykmentti
v **1** kohdella ankarasti, pitää kovassa kurissa **2** jakaa ryhmiin/(sot) rykmentteihin
regimentals /,redʒɪ'mentəlz/ s (mon) rykmentin univormu
regimentation /,redʒɪmən'teɪʃən/ s ankara kuri(npito), sotilaallisen tiukka järjestys, tiukka säännöstely
Regina /rə'dʒaɪnə/ kaupunki Kanadassa
region /ridʒən/ s **1** alue, seutu, (kuv) ala **2** (mon) ulottuvuudet
regional adj alueellinen, paikallinen, paikallis-
regionally adv alueellisesti, paikallisesti
register /redʒəstər/ s **1** rekisteri, luettelo parish register kirkonkirjat **2** cash register kassakone **3** (soittimen) äänikerta; (ihmisen, soittimen) ääniala **4** (jonkin erikoisalan tai tietyissä tilanteissa käytetty) kieli
v **1** kirjata, merkitä kirjoihin/muistiin, luetteloida, rekisteröidä **2** ilmoittautua; ottaa ilmoittautuminen vastaan **3** kirjata (postilähetys) **4** (mittari tms) näyttää (jotakin lukemaa) **5** kasvonilmeestä: joy registered on her face hänen kasvonsa kirkastuivat ilosta
registered mail s kirjattu posti(lähetys)
registered nurse s (valtion järjestämän tutkinnon läpäissyt) sairaanhoitaja
register ton s rekisteritonni
registrar /'redʒɪs,trar/ s kirjaaja, reistraattori
registration /,redʒɪs'treɪʃən/ s **1** kirjaaminen, rekisteröinti, kirjoihin/luetteloon merkitseminen, ilmoittautuminen **2** rekisteriote
registry /redʒɪstri/ s **1** kirjaamo **2** kirjaaminen, rekisteröinti
regret /rɪ'gret/ s **1** katumus, paha mieli, pahoittelu to have regrets katua **2** (mon) kohtelias (kutsusta) kieltäy-

tyminen
v katua, pahoitella, surra, valittaa
regretful adj pahoitteleva, joka on pahoillaan
regretfully adv pahoittelevasti
regrettable adj valitettava, ikävä
regrettably adv valitettavasti, ikävä kyllä, ikävästi
regroup /rɪ'grup/ v ryhmittyä, ryhmittää, järjestää, järjestyä uudelleen
regular /'regjələr/ s **1** kanta-asiakas **2** ammattisotilas
adj **1** säännöllinen, tasasuhtainen at regular intervals tasaisin välein **2** tavallinen, normaali **3** vakinainen, vakio-, kanta- **4** (ark) varsinainen, melkoinen he's a regular idiot hän on varsinainen idiootti **5** (kokous) sääntömääräinen **6** (kieliopissa: taivutukseltaan) säännöllinen **7** (sot) vakinainen, ammatti-
regularity /,regjə'lerəti/ s säännöllisyys (ks regular)
regularize /'regjələ,raɪz/ v **1** säännöstellä **2** normalisoida, rauhoittaa (tilanne)
regularly adv **1** säännöllisesti, tasaisesti, tasaisin välein **2** yleensä, tavallisesti
regulate /'regjə,leɪt/ v säätää, ohjata; puuttua johonkin
regulation /,regjə'leɪʃən/ s **1** säätäminen, säätö, säännöstely **2** määräys, ohje
adj sääntöjen määräämä
regurgitate /rɪ'gərdʒə,teɪt/ v **1** märehtiä; oksentaa **2** syöksyä, syöstä takaisin, pärskyttää, pärskyä takaisin **3** (kuv) märehtiä, jauhaa, toistaa
regurgitation /rɪ,gərdʒə'teɪʃən/ s märehtiminen; oksentaminen
rehabilitate /,riə'bɪlə,teɪt/ v **1** kuntouttaa, kuntoutua **2** palauttaa (esim vankeuden jälkeen) yhteiskunnan jäseneksi **3** elvyttää (liikeyritys); korjata kuntoon **4** antaa jollekulle entinen arvo/entiset oikeudet takaisin
rehabilitation /,riə,bɪlə'teɪʃən/ s **1** kuntoutus **2** yhteiskuntaan palautuminen/palauttaminen **3** arvon/oikeuksien palautus
rehash /ri'hæʃ/ v käyttää (vanhaa aineistoa) uudestaan
rehearsal /rə'hərsəl/ s **1** (näytelmän, musiikkiesityksen) harjoitus, harjoitukset **2** harjoittelu, harjoitteleminen **3** luetteleminen, hokeminen
rehearse /rɪ'hərs/ v **1** harjoitella (näytelmää, musiikkiesitystä) **2** luetella, hokea
reign /reɪn/ s **1** hallituskausi **2** (kuninkaan) valta
v hallita; vallita
reimburse /,riəm'bərs/ v korvata, hyvittää, maksaa takaisin
reimbursement s korvaus, hyvitys
reimpose /,riɪm'pouz/ v määrätä uudestaan voimaan, alistaa uudelleen valtaansa/tahtoonsa
rein /reɪn/ s **1** (us mon) ohjakset **2** (kuv) ohjakset, suitset, valta to give free rein to someone antaa jollekulle vapaat kädet
reincarnate /,riɪn'karneɪt/ v muuttaa uudelleen lihaksi to be reincarnated syntyä uudestaan
reincarnate /,riɪn,karnət/ adj jälleensyntynyt, uudestisyntynyt
reincarnation /,riɪnkar'neɪʃən/ s jälleensyntyminen, uudestisyntyminen, reinkarnaatio
reindeer /'reɪn,dɪər/ s (mon reindeer) poro
reinforce /,riɪn'fɔrs/ v **1** vahvistaa lujittaa, tukea, kannattaa; lisätä, kasvattaa **2** (psykologiassa) vahvistaa
reinforcement /,riɪn'fɔrsmənt/ s **1** vahvistaminen, lujittaminen, tuki, kannatus **2** (mon) vahvistukset, lisäjoukot **3** (psykologiassa) vahvistaminen
reinstate /,riɪn'steɪt/ v palauttaa entiseen asemaansa/virkaansa, palauttaa/saattaa uudelleen voimaan
reinstatement s aseman/oikeuksien palautus, uudelleen voimaan saattaminen
reinsurance /,riɪn'ʃərəns/ s jälleenvakuutus
reinsure /,riɪn'ʃər/ v jälleenvakuuttaa

reissue /riˈɪʃu/ s uusi painos/laitos v julkaista uudelleen, laskea uudelleen liikkeelle
reiterate /riˈɪtəˌreɪt/ v toistaa
reiteration /riˌɪtəˈreɪʃən/ s toisto
reject /ridʒekt/ s hylätty (kappale, tuote ym)
reject /rəˈdʒekt/ v **1** hylätä, ei hyväksyä; ei suostua (tarjoukseen), ei antaa lupaa, vastata kieltävästi **2** (lääk) hylkiä (siirrännäistä)
rejection /rəˈdʒekʃən/ s hylkääminen, hylkäys, kielteinen vastaus
rejoice /rɪˈdʒɔɪs/ v iloita jostakin (in), tehdä iloiseksi
rejoicing s **1** ilakointi, ilonpito **2** ilo
rejuvenate /rɪˈdʒuvəˌneɪt/ v nuorentaa, elvyttää, virkistää, piristää
rejuvenation /rɪˌdʒuvəˈneɪʃən/ s nuorentuminen, nuorentaminen, virkistys, piristys
relapse /rilæps/ s **1** (lääk) taudin uusiutuminen/pahentuminen **2** takaisku, takapakki (ark), vastoinkäyminen v **1** (lääk) (taudista) uusiutua, pahentua **2** kokea takaisku, saada takapakkia (ark), langeta (uudestaan)
relate /rɪˈleɪt/ v **1** kertoa **2** yhdistää, yhdistyä, liittää/liittyä toisiinsa **3** ymmärtää I can't relate to what you're experiencing en osaa samastua tilanteeseesi
related adj **1** joka on sukua jollekulle **2** joka liittyy johonkin related languages sukulaiskielet
relation /rɪˈleɪʃən/ s **1** sukulainen **2** (ihmis-, liike- tai muu) suhde; yhteys **3** in/with relation to something jotakin koskien, johonkin liittyen
relationship s **1** (ihmis-, liike- tai muu) suhde, yhteys **2** sukulaisuus **3** rakkaussuhde
relative /relətɪv/ s sukulainen adj **1** suhteellinen **2** relative to jotakin koskeva; johonkin verrattuna **3** the relative merits of apples and oranges omenoiden ja appelsiinien edut (toisiinsa verrattuina)
relatively adv verraten, suhteellisen, aika, melko relatively speaking suhteellisen, suhteellisesti
relativity /ˌreləˈtɪvəti/ s suhteellisuus Einstein's general/special theory of relativitity Einsteinin yleinen/erityinen suhteellisuusteoria
relax /rɪˈlæks/ v rentoutua, rentouttaa, ottaa rennosti, lakata pingottamasta he relaxed his grip on me hän hellitti otteensa minusta
relaxation /ˌrilækˈseɪʃən/ s lepo, rentoutuminen; (otteen ym) hellittäminen
relaxed adj rento, rauhallinen, letkeä
relaxing adj rentouttava
relay /rileɪ/ s **1** (työ)vuoro, (vartiossa) vaihto **2** (urh) viestinjuoksu **3** (sähkö) rele
relay /rɪˈleɪ/ v relaid, relaid: välittää eteenpäin
relay race s viestinjuoksu
release /rɪˈlis/ s **1** vapautus, vapauttaminen **2** laukaisu, irrotus, heitto **3** laukaisin, irrotin **4** julkistus, julkaiseminen press release lehdistötiedote v **1** vapauttaa, päästää/laskea vapaaksi **2** laukaista, irrottaa, heittää, päästää irti **3** julkistaa, ilmoittaa julkisesti
release date s (lehdistötiedotteessa) julkaistavissa (silloin ja silloin)
relegate /ˈreləˌgeɪt/ v **1** määrätä/komentaa (alempiarvoiseen) tehtävään, alentaa **2** delegoida/siirtää (tehtävä) jollekulle **3** luokitella (johonkin kuuluvaksi)
relent /rɪˈlent/ v antaa periksi, (kipu) hellittää
relentless adj armoton, säälimätön, hellittämätön
relentlessly adv armottomasti, säälimättömästi, hellittämättä
relevance /reləvəns/ s tärkeys, olennaisuus his education has no relevance to this matter hänen koulutuksellaan ei ole mitään tekemistä tämän asian kanssa
relevant /reləvənt/ adj asiaan kuuluva, asianomainen, olennainen, tärkeä
reliability /rɪˌlaɪəˈbɪləti/ s luotettavuus
reliable /rɪˈlaɪəbəl/ adj luotettava
reliably adv luotettavasti
reliance /rɪˈlaɪəns/ s luottamus

reliant /rɪˈlaɪənt/ adj **1** riippuvainen jostakin (on) **2** luottavainen
relic /relɪk/ s **1** muinaisjäännös; (usk) pyhäinjäännös **2** jäännös, jäänne (menneiltä ajoilta) **3** (ark kuv) kalkkiutunut ihminen; autonromu yms
relief /rɪˈlif/ s **1** (kivun) helpotus **2** apu, avustus **3** vaihtelu **4** (vartiossa) vaihto, (työssä: seuraava) (työ)vuoro **5** (taide) reliefi, kohokuva, korkokuva
relieve /rɪˈliv/ v **1** helpottaa (kipua, oloa), lievittää, vähentää, purkaa (jännitystä) **2** auttaa, avustaa **3** vaihtaa (vartio) **4** vapauttaa joku jostakin (of)
religion /rəˈlɪdʒən/ s uskonto that was when he got religion (ark kuv) silloin hän innostui asiasta tosissaan, silloin hän tuli uuteen uskoon
religiosity /rəˌlɪdʒɪˈasɪti/ s **1** hurskaus, hengellisyys **2** hurskastelu, tekopyhyys, ulkokultaisuus
religious /rəˈlɪdʒəs/ adj **1** uskonnollinen, uskonnon, uskon-, hengellinen **2** hurskas **3** (kuv) tunnollinen, tunnontarkka
religiously adv **1** hurskaasti **2** (kuv) tunnollisesti
relinquish /rəˈlɪŋkwɪʃ/ v **1** luopua (esim vallasta, hankkeesta) **2** hellittää (ote), päästää irti
relish /relɪʃ/ s **1** nautinto, ilo I have no relish for violent movies väkivaltaelokuvat eivät ole minun makuuni **2** relissi; pikkelsi
v nauttia jostakin, pitää, olla iloinen jostakin
relocate /riˈloʊkeɪt/ v (erityisesti liikeyrityksestä) muuttaa, siirtyä (toiseen toimipaikkaan)
relocation /ˌriloʊˈkeɪʃən/ s (yrityksen) muutto, siirtyminen (toiseen toimipaikkaan)
reluctance /rɪˈlʌktəns/ s vastahakoisuus, haluttomuus, innottomuus
reluctant /rɪˈlʌktənt/ adj vastahakoinen, haluton, innoton
reluctantly adv vastahakoisesti, haluttomasti, vasten tahtoaan
rely /rɪˈlaɪ/ v luottaa johonkuhun/johonkin we rely on you to bring the beer odotamme että sinä tuot oluen
REM rapid eye movement
remain /rɪˈmeɪn/ v **1** olla jäljellä, jäädä jäljelle **2** jäädä jonnekin, pysyä/pysytellä jossakin
remainder /rɪˈmeɪndər/ s **1** jäännös, loput jostakin for the remainder of the month, you'll have to live on bread and water sinun pitää tulla kuukauden loppuun asti toimeen pelkällä vedellä ja leivällä **2** (mat) jäännös, jakojäännös
remains /rɪˈmeɪnz/ s (mon) jäännökset, jäänteet his earthly remains hänen maalliset jäännöksensä
remark /rɪˈmark/ s huomautus
v huomauttaa, mainita, sanoa to remark on huomauttaa jostakin, kommentoida jotakin
remarkable adj huomattava, merkittävä, huomion arvoinen, harvinainen
remarkably adv huomattavasti, huomattavan, harvinaisen
remarriage /rɪˈmerɪdʒ/ s uusi avioliitto
remarry /rɪˈmeri/ v mennä uudestaan/uusiin naimisiin
remedial /rəˈmidiəl/ adj apu-, tuki- remedial teaching tukiopetus
remedy /remədi/ s lääke (myös kuv)
v (lääk, kuv) parantaa, korjata, oikaista
remember /rəˈmembər rɪˈmembər/ v **1** muistaa I can't remember my name olen unohtanut oman nimeni remember to lock up when you go muista lukita lähtiessäsi ovet **2** sanoa terveisiä joltakulta remember me to your lovely wife sano terveisiä vaimollesi
remembrance /rəˈmembrəns rɪˈmembrəns/ s **1** muisto **2** muistoesine
remind /rəˈmaɪnd/ v muistuttaa you remind me of your father sinä muistutat isääsi remind him to buy some milk muistuta häntä että hänen pitää ostaa maitoa
reminder s muistutus, kehotus, muistilappu tms
reminisce /ˌreməˈnɪs/ v muistella (menneitä)

reminiscence /ˌremə'nɪsəns/ s muistelu, muistelo, muisto
reminiscent of /ˌremə'nɪsənt/ to be reminiscent of muistuttaa jotakin, tuoda mieleen jotakin
remiss /rɪ'mɪs/ adj huolimaton to be remiss in your duties laiminlyödä velvollisuuksiaan
remission /rɪ'mɪʃən/ s **1** armahdus, anteeksianto, vapautus (rangaistuksesta) **2** herpaantuminen, lasku, väheneminen, heikkeneminen **3** (taudin väliaikainen tai lopullinen) hellittäminen, lieveneminen
remit /rɪ'mɪt/ v **1** lähettää/suorittaa maksu **2** armahtaa, vapauttaa (rangaistuksesta) **3** herpaantua, vähetä, laskea, heiketä
remittance /rɪ'mɪtəns/ s **1** maksu **2** maksun suoritus/lähettäminen
remnant /remnənt/ s jäännös, jäänne
remodel /rɪ'madəl/ v remontoida, sisustaa uudestaan
remonstrate /'remənˌstreɪt/ v esittää vastalause, protestoida
remorse /rɪ'mɔrs/ s katumus
remorseful adj katuva
remorsefully adv katuvasti
remorsefulness s katumus
remorseless adj katumaton, paatunut, säälimätön
remorselessly adv katumatta, paatuneesti, säälimättä
remorselessness s katumattomuus, paatumus
remote /rə'moʊt/ s kaukosäädin adj (ajasta, tilasta, kuv) kaukainen, etäinen, syrjäinen remote chance vähäinen mahdollisuus
remote control s **1** kauko-ohjaus **2** kaukosäädin, kauko-ohjain
remotely adv: remotely located joka sijaitsee syrjäseudulla he was not even remotely interested hän ei ollut alkuunkaan kiinnostunut asiasta
remoteness s syrjäisyys, kaukaisuus
remove /rɪ'moʊv/ v **1** poistaa, siirtää (pois), irrottaa, riisua (yltään) **2** tehdä loppu jostakin, kitkeä pois, ratkaista (ongelma) **3** erottaa (virasta tms)
removed adj **1** kaukainen, etäinen, syrjäinen your idea of scholarly research is far removed from mine sinulla on aivan toisenlainen käsitys akateemisesta tutkimuksesta kuin minulla **2** first cousin once removed serkun lapsi first cousin twice removed serkun lapsenlapsi
remunerate /rɪ'mjunəreɪt rə'mjunəreɪt/ v **1** korvata (vaiva, työ), maksaa (palkkio), hyvittää **2** kannattaa, maksaa vaivan
remuneration /rɪ'mjunəreɪʃən rə'mjunəreɪʃən/ s korvaus, palkkio, palkka, maksu
remunerative /rɪ'mjunərətɪv rə'mjunərətɪv/ adj tuottoisa, kannattava
Renaissance /'renəˌsans/ s renessanssi
renal /rinəl/ adj munuaisten, munuais-
render /rendər/ v **1** tehdä jotakin **2** tehdä joksikin the blow rendered him helpless isku teki hänestä puolustuskyvyttömän **3** tulkita (runo ym), esittää, kuvata **4** kääntää (toiselle kielelle)
rendering s **1** tulkinta, esitys, kuvaus **2** käännös **3** kuva, piirros that is an artist's rendering of life on the moon tämä on taiteilijan näkemys elämästä kuussa
rendezvous /'randəˌvu/ s kohtaaminen, tapaaminen v kohdata, tavata jossakin, kokoontua jonnekin
renegade /'renəˌgeɪd/ s luopio
renege on /rə'nɪg/ v syödä sanansa, perua puheensa, ei pitää lupaustaan
renew /rɪ'nu/ v **1** uusia he did not renew his subscription hän ei uudistanut lehden tilausta **2** täydentää (varastoa)
renewable energy /rɪ'nuəbəl/ s uusiutuva energia(muoto)
renewal /rɪ'nuəl/ s uusiminen
renounce /rɪ'naʊns/ v luopua jostakin; kääntää selkänsä jollekin; kieltää, hylätä, ei tunnustaa omakseen
renovate /'renəˌveɪt/ v uudistaa, korjata, entistää
renovation /ˌrenə'veɪʃən/ s korjaus, entistys
renown /rɪ'naʊn/ s (hyvä) maine

renowned adj maineikas, kuuluisa
rent /rent/ s **1** vuokra for rent (kyltissä, ilmoituksessa) vuokrattavana **2** repeämä, halkeama, lohkeama **3** erimielisyys, kiista, kina, riita
v **1** vuokrata, antaa vuokralle **2** vuokrata, ottaa vuokralle
rent-a-car s **1** autovuokraamo **2** vuokra-auto
rental /rentəl/ s **1** vuokra(maksu) **2** vuokra-auto; vuokra-asunto, vuokratalo
rent control s vuokrasäännöstely
rent out v vuokrata, antaa vuokralle
renunciation /rɪˌnʌnsi'eɪʃən/ s jostakin luopuminen; jonkin kieltäminen/hylkääminen
reopen /rɪ'oʊpən/ v **1** avata uudestaan reopen negotiations jatkaa neuvotteluja **2** ottaa uudestaan puheeksi/esille
reorganization /riˌɔrgənə'zeɪʃən/ s uudelleenjärjestely
reorganize /ri'ɔrgəˌnaɪz/ v järjestää uudelleen
Rep. Republican
repaint /ri'peɪnt/ v maalata uudestaan
repair /rə'peər/ s (yl mon) korjaus
v **1** korjata **2** korvata, hyvittää **3** mennä/lähteä jonnekin
repairman s (mon repairmen) korjaaja, huoltaja
repairperson s korjaaja, huoltaja
reparations /ˌrepə'reɪʃənz/ s (mon) sotakorvaukset
repartee /ˌrepar'teɪ ˌrepər'ti/ s **1** sanallinen miekkailu, sutkailu **2** terävä/piikikäs/nokkela vastaus, sutkaus
repatriate /ri'peɪtriˌeɪt/ v lähettää/palauttaa kotimaahansa
repatriation /riˌpeɪtri'eɪʃən/ s kotimaahan palauttaminen/lähettäminen
repay /ri'peɪ/ v repaid, repaid: maksaa takaisin, korvata, hyvittää; kostaa
repayment s takaisin maksu, palkka (kuv)
repeal /rə'piəl/ v kumota (laki)
repeat /ri'pit/ s (tv, radio) uusinta(lähetys)
v **1** toistaa repeat after me toistakaa perässäni **2** uusia, tehdä uudestaan jotakin **3** to repeat on someone saada joku röyhtäisemään, röyhtäyttää
repeated adj toistuva, uusiutuva
repeatedly adv toistuvasti, usein, monta kertaa I have repeatedly told you not to lie minä olen jo useamman kerran kieltänyt sinua valehtelemasta
repel /rɪ'pel/ v **1** pakottaa (vihollinen) perääntymään; torjua (hyökkäys) **2** tyrmätä, hylätä, torjua (ehdotus) **3** karkottaa, ajaa takaisin/pois, hylkiä this lotion repels mosquitoes tämä voide pitää hyttyset loitolla to repel water olla vettä hylkivä like poles repel (magneetin) samat navat hylkivät toisiaan **4** kuvottaa, inhottaa, olla jollekulle vastenmielistä
repellent /rə'pelənt/ s hyttysvoihde, hyttyssuihke, hyttysmyrkky
adj vastenmielinen, inhottava, kuvottava
repent /rɪ'pent/ v katua, surra (tekoaan)
repentance /rɪ'pentəns/ s katumus
repentant /rɪ'pentənt/ adj katuva
repercussion /ˌripər'kʌʃən/ s **1** seuraus, vaikutus **2** kimpoaminen, ponnahdus, kilpistyminen **3** kaiku
repertoire /'repərˌtwaər/ s ohjelmisto
repetition /ˌrepə'tɪʃən/ s toisto, kertaus
repetitious /ˌrepə'tɪʃəs/ adj samaa/itseään toistava, yksitoikkoinen, pitkäveteinen
repetitive /rə'petətɪv/ adj samaa/itseään toistava, yksitoikkoinen, pitkäveteinen
replace /ri'pleɪs/ v **1** panna/asettaa takaisin **2** korvata, vaihtaa, panna/mennä/astua jonkun tilalle
replaceable adj joka voidaan korvata/vaihtaa the boss let him know that he was replaceable pomo antoi hänen ymmärtää ettei hän ole korvaamaton
replacement s **1** sijainen we have to find a replacement for Kenneth meidän pitää löytää joku Kennethin tilalle **2** varaosa
replant /ri'plænt/ v istuttaa uudelleen, siirtää uuteen paikkaan

replay /ri'pleɪ/ s **1** (tv, radio) uusinta(lähetys) **2** (tv: urheilulähetyksen avainkohdan) uusinta **3** toisto **4** uusintaottelu
v uusia, toistaa/soittaa/näyttää (uudestaan)
replenish /ri'plenɪʃ/ v täydentää (varastoa) may I replenish your glass saanko kaataa sinulle lisää?
replenishment s täydennys; täyttäminen
replete /rɪ'plit/ to be replete with something jossakin vilisee jotakin, jokin paikka pursuu/on täynnä jotakin
replica /replɪkə/ s jäljennös
reply /rɪ'plaɪ/ s vastaus
v vastata
repopulate /rɪ'papjəˌleɪt/ v asuttaa (alue) uudestaan
report /rɪ'pɔrt rə'pɔrt/ s **1** selonteko, selostus, selvitys, tiedonanto, raportti, reportaasi **2** huhu, juoru **3** pamahdus, paukahdus, paukaus, laukaus (ääni) **4** maine
v **1** ilmoittautua **2** selostaa, selvittää, ilmoittaa, kertoa, raportoida
report card s (koulu)todistus
reportedly adj kuulemma, kertoman mukaan
reported speech s (kieliopissa) epäsuora esitys
reporter s **1** (tv, radio, lehdistö) toimittaja, reportteri, kirjeenvaihtaja **2** (oikeudessa ym) pikakirjoittaja
repose /rɪ'pouz/ s **1** lepo; uni **2** rauha
v levätä
reposeful adj levollinen, rauhallinen, rauhaisa, tyyni
repossess /ˌripə'zes/ v ulosmitata, ulosottaa
repossessor s ulosottomies
represent /ˌreprɪ'zent/ v edustaa, esittää, kuvastaa
representation /ˌreprəzən'teɪʃən/ s **1** kuvaus, piirros, esitys product representation tuote-esittely **2** edustus, edustaminen no taxation without representation (hist) ei verotusta ilman kansanedustusta
representative /ˌreprə'zentətɪv/ s **1** (kaupallinen) edustaja, (oikeudessa) edustaja, asiamies, valtuutettu, kansanedustaja, (US:) edustajainhuoneen jäsen **2** esimerkki jostakin (of)
adj **1** edustava, tyypillinen **2** edustajain-, (kansan)edustus-
repress /rɪ'pres/ v tukahduttaa (vastarinta, tunteensa); alistaa, sortaa
repression /rɪ'preʃən/ s **1** tukahduttaminen, alistaminen, sorto **2** (psykoanalyysissä) tukahduttaminen, repressio
repressive /rɪ'presɪv/ adj tukahduttava, alistava, sortava, kehitystä estävä
reprieve /rɪ'priv/ s **1** (rangaistuksen) lykkäys **2** (kuv) hengähdystauko
v lykätä/siirtää (rangaistusta) myöhemmäksi
reprimand /'reprəˌmænd/ s moite, nuhtelu, ojennus
v moittia, nuhdella, ojentaa
reprint /riprɪnt/ s **1** uusintapainos **2** eripainos
reprint /rɪ'prɪnt/ v **1** julkaista uusintapainos **2** julkaista eripainos
reprisal /rɪ'praɪzəl/ s **1** kosto(toimi) **2** repressaaliat (mon)
reproach /rɪ'proutʃ/ s moite his behavior was beyond reproach hän käyttäytyi moitteettomasti
v moittia, syyttää
reproachful adj moittiva, syyttävä, tuomitseva
reproachfully adv moittivasti, syyttävästi, tuomitsevasti
reproduce /ˌriprə'dus/ v **1** jäljentää, monistaa, kopioida, toisintaa, toistaa **2** lisääntyä, jatkaa sukua
reproduction /ˌriprə'dʌkʃən/ s **1** lisääntyminen, suvun jatkaminen **2** jäljentäminen, monistaminen, kopiointi; ääntoisto **3** jäljennös, jäljenne, kopio
reproductive /ˌriprə'dʌktɪv/ adj lisääntymis-, suvunjatkamis-, sukupuoli-
reptile /reptaɪəl/ s matelija
reptilian /rep'tɪliən/ adj matelijan, matelija-
republic /rɪ'pʌblɪk/ s tasavalta the Republic of Finland Suomen tasavalta
republican s **1** tasavaltalainen **2** Republican (US) republikaani(sen puoleen jäsen tai kannattaja)

adj **1** tasavaltalainen **2** Republican republikaaninen
republicanism s **1** tasavalatalaisuus **2** Republicanism (US) republikaanisuus
Republican party s (US) republikaaninen puolue
repudiate /rɪ'pjudi,eɪt/ v **1** kiistää (väite) **2** ei tunnustaa omakseen, kieltää, hylätä
repugnance s **1** vastenmielisyys, kuvottavuus **2** inho, vastenmielisyys
repugnant /rɪ'pʌgnənt/ adj vastenmielinen, kuvottava
repulse /rɪ'pʌls/ v **1** torjua (hyökkäys), pakottaa (vihollinen) perääntymään **2** olla jostakusta vastenmielinen, kuvottaa/inhottaa jotakuta
repulsion /rɪ'pʌlʃən/ s **1** vastenmielisyys, kuvotus, inho **2** (fys) poistovoima
repulsive /rɪ'pʌlsɪv/ adj **1** vastenmielinen, kuvottava, inhottava; luotaan työntävä **2** (fys) hylkivä, poistava
reputable /repjətəbəl/ adj hyvämaineinen
reputation /,repjə'teɪʃən/ s maine
repute /rɪ'pjut/ s maine she is a woman of ill repute hän on huonomaineinen nainen
v: to be reputed to be something olla jonkin maineessa
reputedly adv kuulemma, kertoman mukaan
request /rɪ'kwest/ s pyyntö, toivomus at my request minun pyynnöstäni/toivomuksestani
v pyytää, anoa
require /rɪ'kwaɪər/ v **1** tarvita **2** vaatia, edellyttää
requirement /rɪ'kwaɪərmənt/ s vaatimus, edellytys
requisite /rekwəzət/ s välttämättömyys, tarvike, väline
adj välttämätön; tarpeellinen
rescue /reskju/ s pelastus, apu; vapautus
v pelastaa; vapauttaa the hostages were rescued by paratroopers laskuvarjojoukot vapauttivat panttivangit
research /risərtʃ rə'sərtʃ/ s tutkimus to conduct/carry out research tutkia
v tutkia, selvittää, perehtyä johonkin
resemblance /rɪ'zenbləns/ s yhdennäköisyys, samanlaisuus they bear a close resemblance to one another he muistuttavat toisiaan kovasti
resemble /rɪ'zembəl/ v muistuttaa jotakuta/jotakin
resent /rɪ'zent/ v paheksua jotakin, panna jotakin pahakseen, ei hyväksyä/pitää jostakin
resentful adj paheksuva, ärtynyt, harmistunut, kateellinen jostakin
resentfully adv paheksuvasti, paheksuen, ärtyneesti, harmistuneesti
resentment s paheksunta, ärtymys
reservation /,rezər'veɪʃən/ s **1** varaus, ehto, rajoitus, epäily do you have any reservations about selling your car? etkä olekaan varma haluatko myydä autosi? **2** (paikan ym) varaus she made reservations for three at the restaurant hän varasi ravintolasta pöydän kolmelle **3** reservaatio, reservaatti
reserve /rə'zərv/ s **1** varasto, vara to keep something in reserve säästää jotakin, pitää jotakin varalla **2** varaus, ehto, epäily without reserve varauksetta, suoraan, avoimesti **3** (mon, sot) reservi **4** rauhoitusalue, säästiö **5** pidättyvyys, viileys, etäisyys
v **1** säästää (johonkin tarkoitukseen, voimia), lykätä (mielipiteensä esittämistä), pidättää (oikeus itsellään) **2** varata (paikka)
reserved adj **1** pidättyvä, viileä, etäinen **2** varattu (paikka ym)
reservedly adv pidättyvästi, viileästi, etäisesti
reservoir /'rezər,vwaər/ s **1** tekojärvi; vesiallas **2** (kuv) (runsas) varasto, (ehtymätön) lähde
reside /rɪ'zaɪd/ v **1** asua jossakin **2** sijaita, olla jossakin
residence /rezɪdəns/ s **1** (erityisesti hieno) asunto, talo, koti **2** asuinpaikka **3** oleskelu
resident /rezɪdənt/ s **1** asukas **2** erikoistumisopintoja sairaalassa suorittava lääkäri **3** (diplomatiassa) residentti
adj joka asuu/toimii jossakin

residential /ˌrezɪ'denʃəl/ adj asuin- residential area asuntoalue
residual /rə'zɪdʒʊəl/ s, adj jäännös(-)
residue /'rezɪˌdu/ s jäännös
resign /rɪ'zaɪn/ v **1** to resign yourself to something alistua, nöyrtyä johonkin **2** erota (työstä), luopua the Secretary of State has resigned his office ulkoministeri on eronnut (virastaan)
resignation /ˌrezɪg'neɪʃən/ s **1** alistuminen, nöyrtyminen **2** eroaminen, luopuminen
resilience /rɪ'zɪljəns/ s **1** joustavuus, taipuisuus, notkeus **2** sitkeys, sinnikkyys
resilient /rɪ'zɪljənt/ adj **1** joustava, taipuisa, notkea **2** sitkeä, sinnikäs, sisukas
resin /rezən, rəzən/ s hartsi
resist /rɪ'zɪst/ v **1** vastustaa, panna vastaan the only thing I cannot resist is temptation ainoa asia jota en pysty vastustamaan on kiusaus **2** kestää, sietää, estää the material does not resist water kangas ei siedä vettä
resistance /rɪ'zɪstəns/ s **1** vastustus, vastarinta (myös psykoterapiassa) **2** (sot) vastarintaliike **3** (lääk) vastustuskyky **4** (sähkö) (ohminen) vastus (ominaisuus ja osa)
resistant adj **1** kestävä **2** (lääk) vastustuskykyinen, immuuni
resistor s (sähkö) vastus
resolute /ˌrezə'lut/ adj päättäväinen, määrätietoinen, luja
resolutely adv päättävästi, määrätietoisesti, lujasti
resolution /ˌrezə'luʃən/ s **1** päätös, ratkaisu **2** päättäväisyys, määrätietoisuus, lujuus **3** (optiikassa ym) erottelukyky, tarkkuus
resolve /rɪ'zalv/ s **1** päätös, ratkaisu **2** päättäväisyys, määrätietoisuus, lujuus v **1** päättää, tehdä päätös **2** ratkaista **3** hälventää (epäilys) **4** hajottaa, jakaa, hajota, jakautua (osiin) **5** (optiikassa ym) erottaa, erotella, näyttää, näkyä
resonance /rezənəns/ s (äänen) kaikuminen; sointuvuus, täyteläisyys
resonant /rezənənt/ adj (ääni) kaikuva; sointuva, täyteläinen
resonate /'rezəˌneɪt/ v (ääni) kaikua
resort /rɪ'zɔrt/ s **1** lomakeskus, lomahotelli **2** pelastus, keino as a last resort viime hädässä, viimeisenä
resort to v **1** turvautua johonkin keinoon, ryhtyä johonkin **2** käydä usein jossakin
resound /rɪ'zaʊnd/ v kaikua
resounding adj **1** (ääni) kaikuva, kova **2** (kuv) erinomainen, loistava (menestys)
resource /risɔrs rə'sɔrs/ s **1** (mon) voimavarat, resurssit **2** (mon) luonnonvarat **3** (us mon) keino, avu he was left to his own resources hän jäi oman onnensa nojaan
resourceful adj kekseliäs, omaaloitteinen, nokkela
resourcefully adv kekseliäästi, nokkelasti
resourcefulness s kekseliäisyys, oma-aloitteisuus, nokkeluus
respect /rəs'pekt/ s **1** kunnioitus, arvostus, arvonanto **2** huomaavaisuus, hienotunteisuus, kohteliaisuus out of respect for the President's death, we have postponed the meeting lykkäsimme kokousta presidentin kuoleman johdosta/muistoksi **3** with respect to jotakin koskien **4** (asian) puoli, suhde in that respect siinä suhteessa, siltä osin **5** (mon) terveiset to pay your respects to someone käydä tervehtimässä jotakuta; esittää surunvalittelunsa jollekulle v **1** kunnioittaa, arvostaa **2** ottaa huomioon, ei loukata/häiritä (esim jonkun rauhaa)
respectability /rəsˌpektə'bɪləti/ s kunniallisuus, kunnollisuus, arvokkuus
respectable /rəs'pektəbəl/ adj **1** kunniakas, kunnianarvoinen, arvossapidetty **2** huomattava, merkittävä, suuri, iso
respectably adv arvokkaasti
respecter to be no respecter of someone/something ei katsoa henkilöön/johonkin, ei kumarrella jonkun/jonkin edessä
respectful adj kunnioittava, kohtelias
respectfully adv kunnioittavasti, kunnioittaen, kohteliaasti respectfully

yours (kirjeen lopussa) kunnioittavasti
respective /rəs'pektɪv/ adj kunkin oma, kulloinenkin the respective merits of apples and oranges omenoiden ja appelsiinien edut (toisiinsa verrattuina)
respectively adv: Finland and Sweden have five and eight million inhabitants, respectively Suomessa on viisi ja Ruotsissa kahdeksan miljoonaa asukasta
respiration /ˌrespə'reɪʃən/ s hengitys
respite /respət/ s (hengähdys)tauko, hetken helpotus
resplendent /rɪ'splendənt/ adj loistava, hehkuva; loistokas, komea
respond /rɪ'spand/ v **1** vastata (kysymykseen, pyyntöön) **2** reagoida
response /rɪ'spans/ s **1** vastaus in response to my question, he rattled off a long list of examples hän vastasi kysymykseeni luettelemalla pitkän litanian esimerkkejä **2** reaktio
responsibility /rɪˌspansə'bɪləti/ s vastuu, velvollisuus, tehtävä the guests are your responsibility vieraat ovat sinun vastuullasi, sinun kuuluu huolehtia vieraista I'll take full responsibility for the job otan työstä täyden vastuun
responsible /rɪ'spansɪbəl/ adj **1** joka on vastuussa jostakin who is responsible for this mess? kenen syytä tämä sotku on?, kuka on aiheuttanut tämän sotkun? you're responsible to the boss sinä olet vastuussa pomolle **2** (tehtävästä) jossa on suuri vastuu **3** luotettava, vastuuntuntoinen
responsibly adv vastuuntuntoisesti, luotettavasti
responsive /rɪ'spansɪv/ adj myötätuntoinen, ymmärtäväinen, avulias, kiinnostunut
rest /rest/ s **1** lepo; tauko (myös mus) to lay to rest laskea haudan lepoon, haudata; hälventää, rauhoittaa, tyynnyttää **2** tuki, teline **3** loput, loppu, jäännös the rest of the students loput/muut oppilaat all the rest kaikki muut
v **1** levätä, lepuuttaa; pitää tauko let me rest my legs for a while minä haluan lepuuttaa jalkojani hetken aikaa **2** nojata/panna nojaamaan johonkin **3** jäädä rest assured that we will start a full-scale investigation into the matter voit olla varma siitä että ryhdymme tutkimaan asiaa perin pohjin
restate /ri'steɪt/ v sanoa uudestaan, toistaa; sanoa toisin
restaurant /'restrant/ s ravintola
restaurateur /ˌrestərə'tər/ s ravintolan omistaja
restful adj rauhallinen, hiljainen, raukea
rest home s lepokoti
restitution /ˌrestɪ'tuʃən/ s palautus, korvaus, vahingonkorvaus
restive /restɪv/ adj **1** äksy, itsepäinen **2** levoton, hermostunut
restiveness s **1** kiukuttelu, äksyys, itsepäisyys **2** levottomuus, hermostuneisuus
rest on v **1** luottaa johonkuhun **2** riippua jostakin, perustua johonkin, olla jonkin varassa
restoration /ˌrestə'reɪʃən/ s **1** (omaisuuden, aseman, luottamuksen) palauttaminen **2** (rakennuksen ym) entistys, restaurointi **3** Restauration (hist) Englannin restauraatio (1660-1685)
restore /rə'stɔr/ v **1** palauttaa, antaa takaisin (omaisuutta, asema) the new medicine restored his health uusi lääke teki hänet jälleen terveeksi what he said restored my confidence in him hänen puheensa saivat minut jälleen luottamaan häneen **2** entistää, korjata, restauroida
restorer s restauroija
restrain /rɪ'streɪn/ v hillitä, pidätellä, rauhoittaa
restraint /rɪ'streɪnt/ s rajoitus without restraint hillittömästi
restrict /rɪ'strɪkt/ v rajoittaa, supistaa, hillitä, pidätellä
restricted adj rajoittunut, rajallinen this is a restricted area tänne on asiattomilta pääsy kielletty
restriction /rɪ'strɪkʃən/ s rajoitus, määräys, kielto
restrictive /rɪ'strɪktɪv/ adj rajoittava
restroom /'restˌrum/ s wc

rest with the blame rests with you syy on sinun
result /rɪ'zʌlt/ s seuraus, tulos, lopputulos the result of the election vaalitulokset
v johtaa johonkin, jostakin on seurauksena jotakin, joku johtuu jostakin the crisis resulted in the resignation of the minister kriisi johti ministerin eroon the drought resulted from the greenhouse effect kuivuus johtui kasvihuoneilmiöstä
resultant /rɪ'zʌltənt/ adj joka johtuu jostakin, joka on jonkin seuraus/tulos there was a demonstration and in the resultant tumult, many people were injured mielenosoitusta seuranneessa mylläkässä loukkaantui paljon ihmisiä
résumé /'rezəˌmeɪ/ s **1** yhteenveto **2** (työpaikkahakemuksessa) elämäkerta, ansioluettelo
resume /rɪ'zum/ v **1** jatkaa, aloittaa uudelleen **2** palata: she resumed her seat hän palasi paikalleen **3** ottaa uudestaan käyttöön/itselleen
resumption /rɪ'zʌmpʃən/ s jatkaminen
resurrect /ˌrezə'rekt/ v **1** herättää kuolleista **2** (kuv) palauttaa voimaan, herättää henkiin, ottaa uudestaan käyttöön
resurrection /ˌrezə'rekʃən/ s **1** ylösnousemus Resurrection (Jeesuksen) ylösnousemus **2** (kuv) voimaan palauttaminen, henkiin herättäminen he fought for the resurrection of old virtues hän halusi palauttaa kunniaan vanhat hyveet
resuscitate /rɪ'sʌsəˌteɪt/ v (lääk, kuv) elvyttää, (kuv) herättää henkiin
resuscitation /rɪˌsʌsə'teɪʃən/ s (lääk) elvytys mouth-to-mouth resuscitation puhalluselvytys
retail /riteɪəl/ s vähittäiskauppa
v myydä vähittäisportaassa the computer retails for $1000 tietokoneen vähittäishinta on 1000 dollaria
adj, adv vähittäiskaupan, vähittäiskaupalla, (hinta) vähittäis-
retailer /riteɪlər/ s vähittäiskauppias
retail investor s (tal) loppuasiakas
retail price s vähittäishinta suggested retail (price) suositushinta, ohjevähittäishinta
retain /rɪ'teɪn/ v **1** pidättää, pitää itsellään, säästää retain the stub säilytä lipun kanta his body has begun to retain water hänen elimistönsä on alkanut kerätä nestettä **2** muistaa, pitää mielessä **3** to retain a lawyer palkata (itselleen) asianajaja
retainer /rɪ'teɪnər/ s **1** palvelija **2** ennakkomaksu
retake /riteɪk/ s uusi otos/kuva(us)
retake /rɪ'teɪk/ v (valo-, video- tai elo)kuvata uudestaan
retaliate /rɪ'tæliˌeɪt/ v kostaa
retaliation /rɪˌtæli'eɪʃən/ s kosto; kostoisku, kostohyökkäys
retaliatory /rɪˌtæliə'tɔri/ adj kosto-
retard /ritard/ s (sl) kehitysvammainen
v hidastaa, hidastua, viivyttää, myöhästyä
retarded /rɪ'tardəd/ the retarded kehitysvammaiset
adj kehitysvammainen
retch /retʃ/ v **1** yökkäillä, yökätä **2** oksentaa
retention /rɪ'tenʃən/ s **1** pidättäminen the retention of water in the body nesteen keräytyminen elimistöön **2** muistaminen, muisti the power of retention muisti(kyky)
rethink /rɪ'θiŋk/ v miettiä/harkita/ajatella uudestaan we have to rethink our marketing approach meidän pitää järjestää markkinointi kokonaan uudestaan
reticence /retəsəns/ s vähäpuheisuus, hiljaisuus, viileys
reticent /retəsənt/ adj vähäpuheinen, hiljainen, vaisu, etäinen, viileä
retina /retɪnə/ s (mon retinas, retinae) (silmän) verkkokalvo
retinoid drugs /retənoɪd/ s (mon) A-vitamiinijohdokset
retinue /'retəˌnu/ s seurue, palvelijat
retire /rɪ'taɪər/ v **1** poistua **2** (ylät) mennä vuoteeseen/nukkumaan **3** siirtyä/siirtää eläkkeelle **4** poistaa käytöstä/liikenteestä our company has retired punch card machines yrityksemme on lakannut käyttämästä reikäkorttikoneita

retired adj **1** joka on eläkkeellä **2** syrjäinen
retiree /rə,taɪə'ri/ s eläkeläinen
retirement /rə'taɪərmənt/ s **1** eläkkeelle siirtyminen/siirtäminen **2** käytöstä poistaminen **3** eläkeikä, eläkevuodet **4** eläke
retirement age s eläkeikä
retirement community s eläkeläisten asuinalue
retirement plan s eläketurva
retiring adj **1** joka on siirtymässä eläkkeelle **2** ujo, arka, syrjään vetäytyvä
retort /rɪ'tɔrt/ s **1** (kemia) tislauspullo, retortti **2** (piikikäs/terävä) vastaus, vastaisku (kuv)
v vastata (piikikkäästi/terävästi), antaa takaisin samalla mitalla
retouch /rɪ'tʌtʃ/ v korjailla, parannella, retusoida
retrace /rɪ'treɪs/ v **1** seurata he retraced his steps hän palasi takaisin samaa kautta kuin oli tullut **2** muistella, palauttaa mieleen, käydä (mielessään) uudelleen läpi
retract /rɪ'trækt/ v **1** vetää sisään (kynnet, laskuteline) **2** perua (puheensa, tarjous)
retraction /rɪ'trækʃən/ s **1** (kynsien, laskutelineen) sisään vetäminen **2** (puheiden, tarjouksen) peruminen
retread /ritred/ s pinnoitettu (auton) rengas
retread /rɪ'tred/ v pinnoittaa (auton rengas) uudelleen
retreat /rɪ'trit/ s **1** (sot) perääntyminen **2** pako; syrjään vetäytyminen to beat a retreat paeta, lähteä käpälämäkeen **3** pakopaikka we have a modest retreat in the mountains meillä on vuoristossa pieni mökki a religious retreat luostari
v perääntyä; paeta; vetäytyä syrjään
retrench /rɪ'trentʃ/ v leikata, supistaa (menoja, henkilöstöä), säästää
retrenchment s (menojen, henkilöstön) leikkaaminen, supistaminen, säästäminen
retribution /,retrɪ'bjuʃən/ s kosto
retrieval /rɪ'trivəl/ s hakeminen, haku, noutaminen
retrieve /rɪ'triv/ v **1** hakea, noutaa (myös koirasta) **2** hankkia takaisin **3** korvata; korjata
retriever s noutaja, noutokoira Golden retriever kultainennoutaja Chesapeake retriever chesapeakenlahdennoutaja
retroactive /,retro'æktɪv/ adj takautuva, taannehtiva
retrograde /'retrə,greɪd/ adj taaksepäin suuntautuva, takaperoinen, (järjestys) käänteinen; taantuva
retrospect /'retrə,spekt/ s (menneiden) muistelu in retrospect jälkikäteen ajatellen
retrospection /,retrə'spekʃən/ s (menneiden) muistelu; (yleis)katsaus menneeseen
retrospective /,retrə'spektɪv/ s taidenäyttely, elokuvasarja ym jossa esitellään yhden taiteilijan elämäntyötä there was a Clint Eastwood retrospective in Paris Pariisissa esitettiin läpileikkaus Clint Eastwoodin elokuvista
adj **1** menneitä muisteleva, taaksepäin katsova **2** takautuva, taannehtiva
return /rɪ'tərn/ s **1** paluu on my return kotiin tms palattuani/palatessani **2** palautus **3** vastine I'll give you two oranges in return for three apples vaihdan kaksi appelsiinia kolmeen omenaan **4** tuotto, voitto **5** veroilmoitus (myös tax return)
v **1** palata, tulla/mennä takaisin has she returned home? onko hän tullut/mennyt takaisin kotiin? **2** palauttaa; panna takaisin when will you return my dictionary? koska palautat sanakirjani? **3** jatkaa (esim jutun kertomista) **4** vastata (sukkelasti) to return good with evil vastata hyvään pahalla she did not return my calls hän ei soittanut minulle vaikka pyysin **5** (lak) langettaa: the jury returned a verdict of guilty valamiehistö teki langettavan päätöksen, valamiehistö totesi syytetyn syylliseksi **6** valita (vaaleissa) Senator Kennedy was returned to office in the election Senaattori Kennedy valittiin (vaaleissa) uudelleen virkaan

return on capital s (tal) pääoman tuottoaste (lyh ROC)
return on investment s (tal) sijoitetun pääoman tuottoaste (lyh ROI)
reunion /riˈjunjən/ s **1** jälleentapaaminen **2** kokoontuminen, tapaaminen class reunion luokkakokous
Rev. Revelation; reverend
reveal /rɪˈviəl/ v paljastaa, kertoa the journalist refused to reveal his sources toimittaja kieltäytyi paljastamasta lähteitään
revealing adj **1** valaiseva **2** (vaate) avoin, joka ei jätä paljoa arvailun varaan
revelation /ˌrevəˈleɪʃən/ s **1** paljastus **2** (suuri) oivallus **3** Revelation (usk) ilmestys the Book of Revelation (Raamatussa) Johanneksen ilmestys, Ilmestyskirja
revel in /revəl/ v nauttia (täysin siemauksin) jostakin, iloita (kovasti) jostakin
revenge /rɪˈvendʒ/ s kosto to take revenge on someone kostaa jollekulle v kostaa
revenue /ˈrevəˌnu/ s tulot Internal Revenue Service (US) veroviranomainen
revenue stamp s veromerkki
reverberate /rɪˈvərbəˌreɪt/ v kaikua
reverberation /rɪˌvərbəˈreɪʃən/ s (fys) jälkikaiunta; (ark) kaiku; (kuv) jälkikaiku, seuraukset
reverberation time s (fys) jälkikaiunta-aika
revere /rəˈvɪər/ v kunnioittaa, palvoa, pitää suuressa arvossa
reverence /revrəns/ s kunnioitus, palvonta
Reverend /revrənd/ adj (tittelinä) pappi the Reverend Aldous Mulholland pastori Aldous Mulholland
reverent /revrənt/ adj kunnioittava
reverential /ˌrevəˈrenʃəl/ adj kunnioittava
reverentially adv kunnioittavasti, kunnioittaen
reverie /revəri/ s valveuni, haaveilu
reversal /rəˈvərsəl/ s **1** kääntäminen, kääntyminen; osien/suunnan vaihtaminen/vaihtuminen **2** takaisku, vastoinkäyminen, tilan huononeminen
reversal film s (diafilmi) kääntöfilmi
reverse /rəˈvərs/ s **1** vastakohta **2** takaosa, kääntöpuoli, (kolikon) reverssi **3** takaisku, vastoinkäyminen **4** peruutusvaihde
v **1** kääntää, vaihtaa suuntaa to reverse the charges soittaa vastapuhelu, laskuttaa vastaanottajaa **2** peruuttaa (auto, tilaus, käsky), kumota (päätös, tuomio) **3** vaihtaa peruutusvaihteelle
adj **1** käänteinen, vastakkainen a reverse image käänteiskuva **2** (puoli) kääntö-, taka- **3** (vaihde) peruutus-
reversible /rəˈvərsɪbəl/ adj **1** joka voidaan kääntää, jota voidaan käyttää molemmin päin reverse jacket kääntötakki **2** joka voidaan pysäyttää/estää the effects of the drug are not reversible lääkkeen vaikutukset ovat pysyvät
revert to /rɪˈvərt/ v **1** palata entiseen tilaansa/entiselleen, taantua **2** palata aiempaan puheenaiheeseen **3** turvautua johonkin please do not revert to violence älä rupea väkivaltaiseksi
review /rɪˈvju/ s **1** katsaus, yleiskatsaus, selvitys, selonteko **2** aikakauslehti, julkaisu **3** (taide- tai muu) arvostelu
v **1** käydä uudelleen läpi, tarkistaa **2** arvostella (näytelmä, elokuva, konsertti, kirja tms) Richard Schickel reviews for Time magazine Richard Schickel on Time-lehden arvostelijoita
reviewer s (taide- ym) arvostelija, kriitikko
revise /rɪˈvaɪz/ v korjata, parantaa, tarkistaa, muuttaa
Revised Standard Version s Kuningas Jaakon raamatunkäännöksen tarkistettu versio (1881–1885)
revision /rɪˈvɪʒən/ s **1** korjaaminen, tarkistus **2** (kirjan) tarkistettu laitos
revival /rɪˈvaɪvəl/ s **1** elvytys, elpyminen **2** (kuv) elpyminen, uudistuminen, uudestaan syntyminen there has been a revival of interest in medieval literature on ilmennyt uutta kiinnostusta keskiaikaista kirjallisuutta kohtaan **3** (usk) herätyskokous

revive /rɪ'vaɪv/ v **1** elvyttää, elpyä, saada virkoamaan, virota, tointua **2** (kuv) herättää henkiin, ottaa uudelleen käyttöön/puheeksi, aloittaa uudestaan
revoke /rɪ'vouk/ v peruuttaa, kumota his driver's licence has been revoked hän menetti ajokorttinsa
revolt /rɪ'volt/ s kapina
v **1** kapinoida, nousta kapinaan jotakin vastaan (against) **2** kuvottaa/ällöttää jotakuta she revolts at violence/from sugary foods väkivalta/makeat ruuat saavat hänet voimaan pahoin
revolting adj kuvottava, ällöttävä, vastenmielinen
revolution /ˌrevə'luʃən/ s **1** vallankumous (myös kuv) **2** kierros **3** kiertoliike the revolution of the earth around the sun Maan kiertoliike Auringon ympäri
revolutionary /ˌrevə'luʃəneri/ s vallankumouksellinen, kumouksellinen
adj **1** vallankumouksellinen, kumouksellinen (myös kuv) käänteentekevä, mullistava, täysin uusi **2** vallankumouksen (aikainen)
revolutionize /ˌrevə'luʃəˌnaɪz/ v mullistaa
revolve /rɪ'vaəlv/ v **1** pyöriä, pyörittää, kiertää **2** kohdistua johonkin, koskea jotakin the problem revolves around money ongelma koskee rahaa
revolver s revolveri
revolving adj pyörivä
revolving door s pyöröovi
revue /rə'vju/ s revyy
revulsion /rɪ'vəlʃən/ s kuvotus, inho, vastenmielisyys
reward /rɪ'wɔrd/ s palkkio, korvaus
v palkita
rewarding adj **1** (taloudellisesti) tuottoisa, kannattava **2** (kuv) joka tuottaa tyydytystä his books are not very rewarding hänen kirjojaan ei juuri kannata lukea
rewind /ri'waɪnd/ s **1** takaisinkelaus **2** takaisinkelauspainike
v rewound, rewound: kelata taaksepäin
rewire /ri'waɪər/ v vaihtaa uudet (sähkö)johdot jonnekin
reword /ri'wərd/ v ilmaista/sanoa toisin
rewrite /ri'raɪt/ v rewrote, rewritten: kirjoittaa uudestaan, korjata
RF radio frequency
R.H. Royal Highness
rhapsodist /ræpsədɪst/ s rapsodi
rhapsodize /'ræpsəˌdaɪz/ v **1** olla haltioissaan jostakin, puhua innostuneesti jostakin **2** lausua/kirjoittaa/säveltää rapsodioita
rhapsody /ræpsədi/ s (mus, runo) rapsodia
rhebok /ribak/ s kaurisantilooppi
rhetoric /retərɪk/ s **1** retoriikka, puhetaito **2** mahtipontisuus, teennäisyys, korkealentoisuus
rhetorical /rə'tɔrɪkəl/ adj **1** retorinen, puhetaidollinen **2** mahtipontinen, teennäinen, korkealentoinen
rhetorical question s retorinen kysymys
rheumatic /ru'mætɪk/ s reumasairas, reumaatikko
adj reumaattinen, reuma-; reumaa sairastava
rheumatism /rumətɪzəm/ s reumatismi
rheumatoid arthritis /ˌrumətɔɪdar'θraɪtɪs/ s nivelreuma
rheumatologist /rumə'talədʒɪst/ s reumatologi
rheumatology /rumə'talədʒi/ s reumatologia
Rhine /raɪn/ Rein
rhino /raɪnou/ s (mon rhinos, rhino) sarvikuono
rhinoceros /raɪ'nasərəs/ s (mon rhinoceroses, rhinoceros) sarvikuono
Rhode Island /ˌroud'aɪlənd/
Rhodes /roudz/ Rodos
rhubarb /rubarb/ s raparperi
rhyme /raɪm/ s **1** riimi, loppusointu **2** riimisana **3** (runo) riimi
v riimittää
rhyme or reason fr järki there seems to be neither rhyme nor reason in what you're saying sinun puheissasi ei tunnu olevan päätä eikä häntää

rhythm /rɪðəm/ s rytmi

rhythm-and-blues s rhythm and blues (-musiikki)

rhythmic /rɪðmɪk/ adj **1** rytmikäs, tahdikas **2** tasainen, säännöllinen

rhythmical adj **1** rytmi- **2** rytmikäs, tahdikas **3** tasainen, säännöllinen

rhythmically adv rytmikkäästi, tahdikkaasti

RI Rhode Island

rib /rɪb/ s **1** kylkiluu (myös vaimosta) **2** (ruoka) kylki **3** (lehden) suoni **4** (sateenvarjon ym) ruoto

ribald /raɪbald/ adj rivo, ruokoton, säädytön, härski

ribaldry /raɪbaldri/ s rivo kieli/käytös, ruokottomuus, härskiys

ribbon /rɪbən/ s **1** (koriste- tai muu) nauha his clothes were torn to ribbons hänen vaatteensa repesivät riekaleiksi **2** (kirjoituskoneen) värinauha

rib cage s rintakehä

rice /raɪs/ s riisi

rich /rɪtʃ/ s the rich rikkaat (ihmiset) adj **1** rikas **2** kallis; ylellinen **3** runsas, (valikoima) laaja, ylenpalttinen **4** (ruoka) voimakkaasti maustettu; erittäin makea; erittäin rasvainen

Richard /rɪtʃərd/ (kuninkaan nimenä) Rikhard

riches s (mon) rikkaus, vauraus

rich in adj jossa on paljon/runsaasti jotakin

richly adv ylellisesti, komeasti, loistokkaasti; runsaasti, hyvin he got a punishment which he richly deserved hän sai ansaitsemansa rangaistuksen

richness s rikkaus (ks rich)

Richter scale /rɪktər/ s (maanjäristyksen mittauksessa) Richterin asteikko

rickety /rɪkəti/ adj ränsistynyt, rapistunut; (ihminen) raihnainen

rickshaw /ˈrɪk,ʃa/ s riksa

ricochet /ˈrɪkə,ʃeɪ/ s kimmoke v kimmota

rid /rɪd/ v rid/ridded, rid/ridded **1** puhdistaa, siivota jokin jostakin they tried to rid their house of ants he yrittivät päästä eroon taloonsa pesiytyneistä muurahaisista **2** lopettaa, lakata **3** to get rid of someone/something päästä/hankkiutua eroon jostakusta/jostakin to be rid of someone/something olla vapaa jostakin, olla päässyt eroon jostakusta/jostakin

riddance /rɪdəns/ good riddance hyvä kun pääsin hänestä/siitä eroon!, tervemenoa!

ridden ks ride

-ridden yhdyssanan jälkiosana joka on täynnä jotakin (ikävää) disease-ridden sairauksien vaivaama debt-ridden pahasti velkaantunut bedridden vuoteenoma, joka on vuodepotilaana

riddle /rɪdəl/ s **1** arvoitus **2** seula v **1** arvuutella **2** rei'ittää, puhkoa täyteen reikiä

riddled with to be riddled with something olla täynnä jotakin, olla läpeensä jotakin to be riddled with corruption olla oikea lahjonnan temmellyskenttä

ride /raɪd/ s **1** kyyti can I give you a ride to town? haluatko kyydin/tulla kyydissäni kaupunkiin? let's go for a ride lähdetään ajelemaan (autolla) his new Cadillac has a velvety ride hänen uudessa Cadillacissaan on samettisen pehmeä kyyti to take somone for a ride (sl) huijata/pettää jotakuta; (ottaa auton kyytiin ja) murhata **2** ratsastusretki, ratsastusmatka
v rode, ridden **1** ratsastaa (hevosella ym, myös kuv) **2** ajaa/olla (auton tms) kyydissä, kulkea (linja-autolla tms) **3** liitää, kiitää (veden pinnalla) the surfers are riding the waves lainelautailijat ratsastavat aaltojen harjoilla **4** kiusata, härnätä **5** to let something ride antaa jonkin asian mennä omalla painollaan, ei puuttua johonkin, hyväksyä **6** hallita, vallita, sortaa

ride down v **1** ratsastaa jonkun/jonkin yli, jättää hevosen jalkoihin, talloa jalkoihinsa **2** ottaa kiinni ratsain

ride for a fall fr toimia uhkarohkeasti, jonkun käy vielä huonosti

ride herd on fr komentaa, johtaa, olla komennettavanaan/alaisinaan, pitää kurissa

ride on v **1** riippua jostakin, olla jonkin varassa **2** käyttää hyväkseen jotakin, ratsastaa jollakin he is clearly riding on

his fame as a writer on selvää että hän ratsastaa kirjailijan maineellaan
ride out v selvitä jostakin (ehjin nahoin), pitää pintansa
rider s **1** ratsastaja **2** polkupyöräilijä, moottoripyöräilijä; (auton, linja-auton ym) matkustaja **3** (asiakirjan, asetuksen) lisäys; lisähuomautus
ride roughshod over fr kohdella kaltoin, käyttää häikäilemättömästi hyväkseen
ride shank's mare fr mennä apostolin kyydillä
ridesharing /'raɪd,ʃeriŋ/ s kimppakyyti, työmatkojen kulkeminen yhdessä samalla autolla
ride shotgun fr **1** (hist) olla posti- tai muissa vankkureissa ampujana **2** ohjailla, junailla, hoitaa jotakin (over)
ridge /rɪdʒ/ s **1** harjanne, vuorenselkä, selänne **2** (nenän) selkä **3** (aallon) harja **4** (eläimen) selkä **5** (ilmatieteessä) korkeapaineen selänne
ridicule /'rɪdə,kjuəl/ s pilkka, iva to hold someone/something up to ridicule pitää jotakuta/jotakin pilkkanaan
v pilkata, ivata, pitää pilkkanaan
ridiculous /rə'dɪkjələs/ adj naurettava
ridiculously adv naurettavan
ridiculousness s naurettavuus, älyttömyys, kohtuuttomuus
riding s ratsastus horsback riding ratsastus
rife /raɪf/ adj yleinen
rife with to be rife with something olla täynnä jotakin, jossakin vilisee jotakin
rifle /raɪfəl/ s **1** kivääri **2** rihla
v **1** rihlata **2** ryöstää, rosvovat **3** penkoa
rifling s rihlaus, rihlat
rift /rɪft/ s **1** lohkeama, halkeama, railo **2** erimielisyys, kiista
rig /rɪg/ s **1** (laivan) takila, riki **2** (öljyn)-porauslaitos, (öljyn)poraustorni **3** (ark) varusteet, välineet **4** (ark) kuteet, hynttyyt
v **1** laittaa (käyttö)valmiiksi **2** muuttaa luvattomasti, sormeilla, harjoittaa vilppiä
Riga /rigə/ Riika in Riga Riiassa
right /raɪt/ s **1** oikeus you have the right to a lawyer teillä on oikeus asianajajaan human rights ihmisoikeudet who owns the rights to that movie? kenelle kuuluvat tuon elokuvan (tekijän)oikeudet? **2** se mikä on oikein by rights oikeudenmukaisesti right and wrong oikea ja väärä to be in the right olla oikeassa **3** oikeudenmukaisuus **4** oikea (puoli) right and left oikea ja vasen to turn to the right kääntyä oikeaan/oikealle make a right at the next intersection käänny seuraavasta risteyksestä oikealle **5** oikea käsi **6** the Right oikeisto **7** to set something to rights laittaa jokin kuntoon/järjestykseen **8** in your own right sellaisenaan, sinänsä
v **1** oikaista, oieta, suoristaa, suoristua **2** oikaista (vääryys), korjata (virhe)
adj **1** oikeudenmukainen, oikea, oikein **2** oikeanpuoleinen, oikea **3** she is not in her right mind hänellä on päässä vikaa, hän ei ole oma itsensä **4** (kulma, viiva) suora **5** to put something right korjata jokin asia, oikaista vääryys tms
adv **1** suoraan, suoraa päätä **2** heti, välittömästi right now juuri nyt **3** juuri, nimen omaan right here juuri tässä **4** oikein you did right teit oikein **5** oikealla, oikealle to turn right kääntyä oikealle **6** hyvin, onnistuneesti the cake came out right kakku onnistui
right and left adv sinne tänne, siellä täällä
right angle s suora kulma
right away adv heti, viipymättä, siltä/tältä istumalta
right cornerback /,raɪt'kɔrnərbæk/ s (amerikkalaisessa jalkapallossa) oikea kulmapuolustaja
right defensive end s (amerikkalaisessa jalkapallossa) oikea ulompi linjapuolustaja
right defensive tackle /,raɪtdə,fensɪv'tækəl/ s (amerikkalaisessa jalkapallossa) oikea sisempi linjapuolustaja
righteous /raɪtʃəs/ adj oikeudenmukainen, hyvä, rehellinen, oikeamielinen
righteously adv oikeudenmukaisesti, oikein, rehellisesti
righteousness s oikeudenmukaisuus, rehellisyys, oikeamielisyys

rightful /raɪtfəl/ adj oikea, oikeutettu, laillinen
rightfully adv oikeutetusti, laillisesti you should take what is rightfully yours ota mitä sinulle lain mukaan kuuluu
right guard /ˌraɪt'gard/ s (amerikkalaisessa jalkapallossa) oikea sisempi linjamies
right halfback s (amerikkalaisessa jalkapallossa) oikea keskushyökkääjä
right hand s oikea käsi (myös kuv:) korvaamaton apulainen
rigth-hand adj oikeanpuoleinen, oikea
right-handed adj oikeakätinen adv oikealla kädellä
rightly adv (aivan) oikein; oikeutetusti, perustellusti, hyvällä syyllä
right off adv heti, viipymättä, siltä/tältä istumalta
right off the reel fr **1** lakkaamatta, taukoamatta, keskeytyksettä **2** heti, välittömästi
right of way s etuajo-oikeus
right on adv (sl) aivan!, juuri niin!, älä muuta viserrä!
right safety /ˌraɪt'seɪfti/ s (amerikkalaisessa jalkapallossa) oikea takapuolustaja
right tackle s (amerikkalaisessa jalkapallossa) oikea ulompi linjamies
right whale s mustavalas right whales sileät valaat (Balenidae) pygmy right whale kääpiövalas
right wing s oikeistosiipi
rigid /rɪdʒɪd/ adj **1** jäykkä **2** (kuv) joustamaton, ankara, jyrkkä
rigidity /rɪ'dʒɪdəti/ s **1** jäykkyys **2** (kuv) joustamattomuus, ankaruus, jyrkkyys
rigidly adv (kuv) joustamattomasti, ankarasti, jyrkästi
rigor /rɪgər/ s ankaruus, tiukkuus, tarkkuus
rigorous /rɪgərəs/ adj ankara (ilmasto, kuri), tiukka, tarkka, tinkimätön (tutkimusote)
rigorously adv ankarasti, tiukasti, tarkasti, tinkimättä
rig up v laittaa (käyttö)valmiiksi
rile /raɪəl/ v (ark) ärsyttää, pänniä, risoa, sapettaa what's riling him? mikä häntä vaivaa?
rim /rɪm/ s **1** (kupin, kanjonin ym) reuna **2** (silmälasien) kehys
rimless adj (silmälaseista) kehyksettömät
rimmed adj (silmälaseista) kehystetyt horn-rimmed glasses sarvisankaiset silmälasit
rind /raɪnd/ s (hedelmän, juuston) kuori
ring /rɪŋ/ s **1** soitto, helinä, kilinä **2** puhelu **3** sormus **4** rengas **5** piiri **6** (sirkuksessa ym) areena **7** nyrkkeilykehä **8** (puun) vuosirengas, (vuosi)lusto **9** to throw your hat in the ring antaa periksi, luopua leikistä
v rang, rung **1** soittaa (kelloa, puhelimella), soida **2** soida, helistä, kilistä; kuulostaa, kaikua **3** rengastaa; ympyröidä **4** kokoontua ympyräksi jonnekin **5** kiertää jonkin ympäri
ring a bell fr kuulostaa tutulta
ring down the curtain on fr tehdä loppu jostakin
ringer /rɪŋər/ to be a dead ringer for someone/something olla täsmälleen samanlainen kuin joku/jokin he's a dead ringer for his father hän on ilmetty isänsä
ring in v leimata kellokorttinsa, saapua työhön
ringleader /'rɪŋˌlidər/ s yllyttäjä, kiihottaja
ringlet /rɪŋlət/ s hiuskiehkura
ringmaster /'rɪŋˌmæstər/ s sirkustirehtööri
ring off v lopettaa puhelu
ringtail possum /ˌrɪŋteəl'pasəm/ s pussiorava
ringside /'rɪŋˌsaɪd/ s nyrkkeilykehän ääri, ringside
ring the bell fr olla omiaan jollekulle, vastata jonkun tarpeita, sopia hyvin jollekulle
ring up the curtain on fr aloittaa, käynnistää
rink /rɪŋk/ s luistinrata
rinse /rɪns/ s **1** huuhtelu **2** hiustenhoitoaine; hiusten sävytysaine

v **1** huuhdella **2** käsitellä hiukset hoitoaineella; sävyttää hiukset

Rio Grande /ˌriəˈgrænd/

riot /raɪət/ s **1** mellakka, kapina **2** hillittömyys, hillitön meno, rellestys to run riot mekastaa, rellestää; kasvaa valtoimenaan **3** loistojuttu the new Mike Myers movie is a riot Mike Myersin uusi elokuva on älyttömän hauska

v **1** mellakoida, kapinoida **2** rellestää

riot act /ˈraɪətˌækt/ to read someone the riot act **1** antaa jonkun kuulla kunniansa, sättiä, haukkua jotakuta **2** varoittaa jotakuta

riotous /raɪətəs/ adj **1** mellakoiva, kapinoiva **2** hillitön, rellestävä, mekastava **3** älyttömän hauska/hyvä

R.I.P. rest in peace, requiescat in pace levätköön rauhassa, rauha hänen muistolleen

rip /rɪp/ s repeämä

v revetä, repäistä

ripe /raɪp/ adj kypsä (myös kuv) to be ripe for something olla valmis/kypsä johonkin

ripen v kypsyä, kypsyttää

ripeness s kypsyys (myös kuv)

ripple /rɪpəl/ s **1** (veden) väre **2** (veden) liplatus

v **1** (vesi ym) värehtiä, väreillä **2** (vesi) liplattaa

rise /raɪz/ s **1** (auringon ym, kuv) nousu, lisäys, kasvu there has been a slight rise in the number of murders murhien määrä on kasvanut hieman a pay rise palkankorotus **2** alkuperä, lähde to give rise to something aiheuttaa jotakin, panna alulle jotakin

v rose, risen **1** nousta, kohota, lisääntyä, kasvaa, yletä the sun has risen aurinko on noussut **2** yltyä, voimistua **3** nousta vuoteesta, herätä **4** (joki) saada alkunsa jostakin **5** viettää ylöspäin, nousta **6** yletä, edetä (uralla)

rise above v ei piitata jostakin

rise against v kapinoida/nousta jotakuta/jotakin vastaan

risen /rɪzən/ ks rise

riser /raɪzər/ s I am an early riser olen aamuvirkku

rise to the occasion fr nousta tilanteen tasalle

rise up v **1** nousta (vuoteesta), herätä **2** kohota, kohottautua

rising s **1** kapina, kansannousu **2** nousu, kohoaminen, lisääntyminen, kasvu

adj nouseva, kohoava, lisääntyvä, kasvava, enenevä

risk /rɪsk/ s riski, epäonnistumisen uhka he did not want to run the risk of getting arrested hän ei halunnut ottaa sitä riskiä että hänet pidätettäisiin at the risk of sounding pompous, may I say that... tiedän että tämä kuulostaa mahtipontiselta mutta....

v vaarantaa, panna vaaralle alttiiksi, riskeerata he risked life and limb to save the little girl from the fire hän pani henkensä alttiiksi pelastaakseen tytön tulipalosta

risk capital s riskipääoma

risky adj uhkarohkea, rohkea, uskalias, vaarallinen

risotto /rɪˈsoʊtoʊ/ s risotto

risqué /rɪsˈkeɪ/ adj uskalias, rohkea, rivo, härski

rite /raɪt/ s riitti

ritual /rɪtʃʊəl/ s rituaali to go through the rituals (kuva) käydä läpi pakolliset kuviot

adj ritualistinen, rituaali-

ritualistic /ˌrɪtʃʊəˈlɪstɪk/ adj ritualistinen

ritz /rɪts/ to put on the ritz (ark) elää leveästi/komeasti, rehennellä (varallisuudellaan)

ritzy /rɪtsi/ adj (sl) loisto-, kallis, komea, hieno

rival /raɪvəl/ s kilpailija

v kilpailla the new Corvette rivals any sports car in the world uusi Corvette on maailman parhaimpien urheiluautojen veroinen

adj kilpaileva

rivalry /raɪvəlri/ s kilpailu

river /rɪvər/ s joki to sell someone down the river kavaltaa, pettää; hylätä to send someone up the river passittaa joku telkien taakse, määrätä/lähettää vankilaan

riverbed /ˈrɪvər,bed/ s joen uoma
River Eridanus /əˈrɪdənəs/ (tähdistö) Eridanus
riverside /ˈrɪvər,saɪd/ s joen ranta
adj joka on joen rannalla
rivet /rɪvət/ s niitti
v **1** niitata **2** (kuv) kiehtoa, naulita (katse), vangita (mielenkiinto)
riveting adj (kuv) kiehtova
Riviera /,rɪviˈerə/ s (Ranskan/Italian) Riviera
rivulet /rɪvjələt/ s puro
RN registered nurse
RNA ribonucleic acid ribonukleiinihappo, RNA
RNC Republican National Committee
road /roʊd/ s maantie, tie (myös kuv) all roads lead to Rome kaikki tiet vievät Roomaan to be on the road olla tien päällä, olla matkalla; olla kiertueella to get something on the road käynnistää, aloittaa, panna alulle to burn up the road (sl) ajaa nasta laudassa to take to the road lähteä matkaan, aloittaa matka three years down the road kolmen vuoden päästä we hit the road at dawn lähdimme matkaan aamunkoitteessa one for the road (viimeinen) ryyppy ennen matkaa
roadblock /ˈroʊd,blak/ s **1** tiesulku **2** (kuv) este
v sulkea tie
roadhouse /ˈroʊd,haʊs/ s tanssibaari, kapakka, yökerho
roadie /roʊdi/ s (sl) roudari
roadrunner /ˈroʊd,rʌnər/ s kalifornianmaakäki
Road Runner (sarjakuvahahmo) Maantiekiitäjä, Tööttö
roadside /ˈroʊd,saɪd/ s tien vieri
adj joka on tien vieressä
roadster /roʊdstər/ s (eräänlainen) avoauto
roadwork /ˈroʊd,wərk/ s tietyö(t)
roadworthy /ˈroʊd,wərði/ adj (auto ym) ajokelpoinen, ajokuntoinen
roam /roʊm/ v kuljeksia, vaeltaa, koluta where the buffalo roam (siellä) missä biisonit vaeltavat/elävät
roar /rɔr/ s karjaisu, mylväisy, ärjäisy
v karjua, mylviä, ärjäistä, ärjyä the police car roared away poliisiauto lähti matkaan moottori ulvoen
roaring adj **1** erinomainen, loistava a roaring success täydellinen menestys **2** täysi he is roaring mad hän on seinähullu **3** rellestävä, mekastava
roast /roʊst/ s **1** paisti **2** musertava arvostelu
v **1** paahtaa, paahtua, paistaa, paistua **2** (ark) arvostella ankarasti, lyödä lyttyyn
rob /rab/ v **1** ryöstää **2** riistää, viedä, ottaa she was robbed of her diginity häntä nöyryytettiin
robber s ryöstäjä
robbery s ryöstö
robe /roʊb/ s **1** viitta, kaapu **2** aamutakki, kylpytakki **3** (naisten) iltapuku **4** (mon) vaatteet
v pukea, pukeutua viittaan/kaapuun
robin /rabɪn/ s (Pohjois-Amerikassa) punarintarastas; (Euroopassa) punarinta
robin redbreast ks robin
robot /roʊbat/ s robotti
robotic /rəˈbatɪk/ adj robotti-, robotin
robotize /ˈroʊbə,taɪz/ v muuttaa robottikäyttöiseksi
robotlike adj joka muistuttaa robottia, joka toimii/liikkuu tms kuin robotti
rob Peter to pay Paul fr **1** ottaa uutta velkaa vanhan maksamiseksi **2** aiheuttaa itselleen vahinkoa
robust /roʊˈbʌst/ adj roteva, vahva, vankka, luja, kestävä, (liikunta) raskas, (maku, haju) voimakas, (ruokahalu) hyvä
robustness s rotevuus, vahvuus, lujuus, kestävyys, (liikunnan) raskaus, rasittavuus, (maun, hajun) voimakkuus
ROC reserve officer candidate; Republic of China; return on capital (tal) pääoman tuottoaste
rock /rak/ s **1** kivi to be between a rock and a hard place olla tiukoilla, olla kahden tulen välissä; olla puun ja kuoren välissä **2** kallio **3** (sl) jalokivi, timantti **4** rock(musiikki)
v **1** keinuttaa, keinua; tuuduttaa (lapsi uneen); ravistella, ravista, järisyttää,

järistä to rock the boat ottaa turhia riskejä, aiheuttaa epävarmuutta **2** rokata, tanssia/soittaa rockia
rockabilly /'rakə,bılı/ s rockabilly(musiikki)
rock-and-roll /,rakən'roəl/ s rock and roll (-musiikki)
rock bottom s (kuv) pohjanoteeraus to hit rock bottom olla aivan pohjalla; joutua puille paljaille
rock-bottom /rak'batəm/ adj alin mahdollinen rock-bottom prices lyömättömät hinnat
rock climber s vuorikiipeilijä
rocker s **1** keinutuoli **2** (kehdon, keinutuolin) jalas to be off your rocker olla päästään vialla, olla tärähtänyt, ei olla järjissään **3** rock and roll -kappale **4** rockmuusikko, rocklaulaja, rokkari
rocker panel s (auton) helmapelti
rocket /rakət/ s raketti
v **1** ampua/tulittaa raketeilla **2** viilettää/kiitää/kulkea (nopeasti kuin raketti)
rocket engine s rakettimoottori
rocket scientist he is no rocket scientist hän ei ole mikään ruudinkeksijä/Einstein
Rockhampton /ra'kæmptən/
Rockies /rakiz/ (mon) Kalliovuoret (Rocky Mountains)
rocking chair s keinutuoli
rocking horse s keinuhevonen
rock-'n'-roll s rock and roll (-musiikki) (myös rock 'n' roll)
rock the boat fr ottaa turhia riskejä, aiheuttaa epävarmuutta
rocky adj **1** kivinen; kivenkova **2** (kuv) kivenkova; tunteeton; ilmeetön **3** keinuva **4** (kuv) epävarma
Rocky Mountains /,raki'mauntənz/ (mon) Kalliovuoret
rococo /rə'koukou/ s rokokoo
rod /rad/ s **1** sauva; tanko; vapa **2** ongenvapa **3** (kuv: kuritus) keppi my dad did not spare the rod isäni ei keppiä säästänyt **4** ukkosenjohdatin **5** (sl) rauta, pistooli **6** (sl) penis, kulli
rode /roud/ ks ride
rodent /roudənt/ s jyrsijä
rodeo /roudıou/ s (mon rodeos) **1** rodeo **2** (ark) kilpailu
v osallistua rodeoon, kilpailla rodeoissa
roe /rou/ s (mon roes, roe) metsäkauris
roe deer s metsäkauris
roger /radʒər/ interj (ark) selvä, ok
rogue /roug/ s roisto; konna, kelmi; vintiö
adj **1** (eläin) erakko- **2** (kuv) tottelematon, epäluotettava
rogues' gallery s (poliisin) rikolliskuvasto
roguish /rougıʃ/ adj **1** konnamainen **2** veitikkamainen, ovela, juonikas
ROI return on investment (tal) sijoitetun pääoman tuottoaste
role /roəl/ s rooli, osa, tehtävä, osuus what is his role in this undertaking? mikä osuus hänellä on tässä hankkeessa?
roll /roəl/ s **1** rulla, tela, rumpu **2** sämpylä **3** (paperi- tai muu) käärö **4** (jäsen- tai muu) luettelo, lista to strike someone from the rolls erottaa jäsen **5** poimu **6** to be on a roll olla pelionnea, menestyä (uhka)pelissä; menestyä hyvin, olla kova meno päällä **7** keinunta, huojunta **8** (ukkosen ym) jylinä, jyrinä, pauhu
v **1** rullata, kääriä (rullalle), kääriytyä, kelata, kelautua **2** vierittää; työntää **3** keinua, keinuttaa, huojua, heilua **4** jylistä, pauhata **5** (ark) aloittaa **6** (ark) luistaa, sujua
roll around v olla jälleen vuorossa, tulla taas
roll back v laskea/alentaa hintaa
rollback s **1** hintojen lasku **2** joukkojen perääntyminen/vetäytyminen
roll by v **1** (ajasta) kulua **2** kulkea/mennä/lipua ohitse
roll call s nimenhuuto
roller /rolər/ s rulla, tela, rumpu, kaulin
roller bearing s rullalaakeri
Rollerblades® /'rolər,bleıdz/ s (mon) jonopyöräiset rullaluistimet
roller coaster s vuoristorata
roller skate s rullaluistin
roller-skate v luistella (rullaluistimilla)
roller skater s rullaluistelija
roll film s rullafilmi

roll in v **1** jotakin tulee jonnekin runsaasti; saapua/tulla jonnekin sankoin joukoin; saada paljon jotakin **2** jollakulla on jotakin ylen määrin **3** lisätä **4** mennä vuoteeseen/nukkumaan

rolling adj **1** (maa) kumpuileva; aaltoileva **2** (vesi) aaltoileva, vellova

rolling stock s liikkuva rautatiekalusto, veturit ja vaunut

roll in the hay s (sl: yhdyntä) pano

roll out v **1** tasoittaa, silittää suoraksi, kaulita (taikinaa), valssata **2** (ark) aloittaa, käynnistää **3** nousta vuoteesta, herätä

roll out the red carpet fr järjestää jollekulle juhlallinen vastaanotto; ottaa joku/jokin avosylin vastaan

roll up your sleeves fr panna hihat heilumaan, ryhtyä työhön

roll with the punches fr väistellä iskuja; (kuv) selvitä vaikeuksista huolimatta, pitää puolensa, pärjätä

Rolodex® /'roulə,deks/ (pyöritettävä) puhelin- ja osoitemuistio

ROM /ram/ read-only memory lukumuisti

Roman /roumən/ s **1** (hist ja nyk) roomalainen when in Rome, do as the Romans do maassa maan tavalla **2** (kirjapainossa) antiikva
adj **1** roomalainen **2** antiikva- **3** roomalaiskatolinen

roman à clef /romana'kle/ s (mon romans à clef /romanə'klef/) avainromaani

Roman candle /,roumən'kændəl/ s (ilotulitusraketti) roomalainen kynttilä

Roman Catholic s roomalaiskatolilainen
adj roomalaiskatolinen

Roman Catholic Church s roomalaiskatolinen kirkko

Roman Catholicism s roomalaiskatolisuus

romance /rou'mænts/ s **1** romanssi; rakkauskertomus, rakkausromaani; seikkailuromaani **2** romanssi, rakkaussuhde
v **1** uneksia, haaveilla **2** kosiskella (myös kuv)

Roman Empire s (hist) Rooman valtakunta

Romanesque /,roumə'nesk/ s (arkkitehtuurissa) romaaninen tyyli
adj romaaninen

Romania /rou'meɪniə/ Romania

Romanian s romanian kieli
s, adj romanilainen

Roman numerals s (mon) roomalaiset numerot

Romans s (Uuden testamentin) Roomalaiskirje

romantic /rou'mæntɪk/ s **1** Romantic romantikko, romantiikan kannattaja **2** romantikko, haaveksija, uneksija
adj **1** Romantic romantiikan (mukainen), romanttinen **2** romanttinen, romantiikkaan taipuvainen

romantically adv romanttisesti he is romantically involved with another woman hänellä on (rakkaus)suhde erään naisen kanssa

Romanticism /rou'mæntɪ,sɪzəm/ s (taiteessa) romantiikka

romanticize /rou'mæntɪ,saɪz/ v romantisoida; kaunistella

Rome /roum/ Rooma when in Rome, do as the Romans do maassa maan tavalla all roads lead to Rome kaikki tiet vievät Roomaan

romp /ramp/ s rieha, mekastus, ilonpito, hauskanpito
v riehua (iloisesti), mekastaa, pitää hauskaa, karkeloida

roof /ruf ruf/ s (mon roofs) **1** katto to go through the roof nousta/kasvaa/kallistua valtavasti; pillastua, raivostua, menettää malttinsa to hit the roof pillastua, raivostua, menettää malttinsa to raise the roof nostaa äläkkä/häly, tehdä iso numero jostakin **2** laki; huippu the roof of the mouth kitalaki, suulaki
v peittää, kattaa, suojata katolla

rooftop /'ruf,tap/ s katto(tasanne)

rook /ruk/ s **1** mustavaris **2** (šakissa) torni

rookie /ruki/ s aloittelija, ensikertalainen

room /rum/ s **1** huone a house with three rooms kolmihuoneinen talo **2** tila

there is no room here for another chair tänne ei enää mahdu yhtään tuolia
3 (kuv) vara, tila there is a lot of room for improvement in your work työssäsi on paljon parannettavaa/parantamisen varaa
room and board /ˌrumən'bɔrd/ s täysihoito, huone ja ateriat
roomer s vuokralainen
roomful s huoneen täydeltä jotakin a roomful of students luokan/salin täydeltä oppilaita/opiskelijoita
room service s (hotellissa) huonepalvelu
roomy adj tilava
roost /rust/ s **1** (kanalan) orsi **2** kanala to rule the roost olla kukkona tunkiolla
v **1** istua orrella **2** jäädä jonnekin (yöksi) **3** to come home to roost kostautua, koitua jonkun omaksi vahingoksi
rooster /rustər/ s **1** kukko **2** (ark kuv) kukkoilija
root /rut rʊt/ s **1** (kasvin, hampaan ym) juuri to take root juurtua (myös kuv)
2 (kuv) juuri, ydin to go to the root of the problem selvittää asia juurta jaksain/perin juurin **3** (mat) juuri square root neliöjuuri **4** (mon, kuv) juuret his roots are in Africa hänen sukunsa juuret ovat Afrikassa
v **1** juurtua (myös kuv), juurruttaa (myös kuv) **2** tonkia (kärsällä) **3** penkoa **4** hurrata, kannustaa (kilpailijaa tms)
root and branch fr juurta jaksain, perin juurin, läpikotaisin, täysin
root beer s eräänlainen virvoitusjuoma
root canal s (hampaan) juurikanava
root cause s varsinainen/todellinen syy
rooted adj (yhdyssanan jälkiosana) deep-rooted syvään juurtunut, pinttynyt
rooter s (kilpailijan yms) kannustaja, hurraaja
root hair s (kasvin) juurikarva
rootless adj juureton (myös kuv)
root up v tonkia, kaivaa esiin (esim kärsällä)
root vegetables s (mon) juurekset
rope /roup/ s **1** köysi a length of rope köyden pätkä, köysi Harry is at the end of his rope Harry on vetänyt itsensä piippuun; Harry on puilla paljailla you're not giving me enough rope sinä rajoitat toimiani liikaa, sinä et anna minun toimia tarpeeksi vapaasti **2** (mon) (nyrkkeilykehän) köydet to be on the ropes (kuv) olla hätää kärsimässä to learn the ropes oppia (uusi) työ, päästä jyvälle jostakin **3** lasso **4** hirttoköysi **5** hirttotuomio
v köyttää, sitoa (köydellä)
ropedancer /'roupˌdænsər/ s nuorallatanssija
rope in v houkutella ansaan, saada satimeen
rope off v erottaa/sulkea/eristää (alue) köydellä
rorquals /rɔərkwəlz/ s uurteisvalaat (Balaenopteridae)
Rorschach test /'rɔrˌʃak/ s (musteläiskätesti) Rorschachin testi
rosary /rouzəri/ s rukousnauha
rose /rouz/ s **1** ruusu to come up roses selvitä pelkällä säikähdyksellä **2** ruusunpunainen (väri); roosa
adj ruusunpunainen; roosa
roseate /rouziət/ adj **1** ruusunpunainen, ruusuinen **2** lupaava, ruusuinen **3** (liian) optimistinen, ruusuinen
Rosetta stone /rə'zetə/ s **1** Rosettan kivi (jolla hieroglyfien arvoitus ratkesi) **2** johtolanka, vihje; oivallus, läpimurto
rostrum /rastrəm/ s (mon rostrums, rostra) puhujakoroke
rosy adj **1** ruusunpunainen; roosa; punertava, punakka **2** lupaava, ruusuinen, optimistinen
rot /rat/ s **1** mätä, mätäneminen **2** turmelus, rappio
v **1** mädäntyä, pilaantua may you rot in hell! paha sinut periköön! **2** turmeltua, rappeutua, mennä piloille
interj voi myrkky!, voi kurja!, voi harmi!
Rotarian /rə'teriən/ s rotaryjärjestön jäsen, rotari
adj rotari-, rotaryjärjestön
rotary /routəri/ adj (kappale) pyörivä, kierto-, (liike) pyörintä-, kierto-

Rotary Club /rou̦tәri/ s Rotary Club, rotaryjärjestö
rotary engine s wankelmoottori, kiertomäntämoottori
rotate /routeıt/ v **1** pyöriä, kiertää, kiertyä **2** vuorotella, tehdä jotakin vuorotellen, vaihtaa, vaihtua to rotate the tires on a car vaihtaa auton pyörien/renkaiden paikkaa
rotating adj **1** pyörivä, kiertävä, pyörintä-, kierto- **2** vuorotteleva, vuoro-, vaihtuva
rotation /rә'teıʃәn/ s **1** pyörintä, kiertoliike **2** vuorottelu, vaihtuminen crop rotation vuoroviljely the guards are on rotation vartijat ovat vuorotellen työssä
ROTC Reserve Officers' Training Corps
rote /rou̦te/ s rutiini, tottumus to learn something by rote opetella/oppia jotakin ulkoa
rotgut /'rat,gʌt/ s (sl) pontikka
rotor /rou̦tәr/ s roottori
rotten /ratәn/ adj **1** mätä, pilaantunut **2** turmeltunut, rappeutunut **3** kurja, viheliäinen, surkea
rotund /rә'tʌnd, rou'tʌnd/ adj **1** pyöreä **2** pyylevä, pyöreä
rotunda /rә'tʌndә/ s pyörörakennus, rotunda
rouge /ruʒ/ s huulipuna; poskipuna
rough /rʌf/ s **1** to be in the rough olla (vielä) alkutekijöissään a diamond in the rough hiomaton timantti **2** (golf) karheikko, raffi
v karhentaa
adj **1** (pinta) karkea, karhea, rosoinen, epätasainen, (tukka, turkki) takkuinen **2** (ääni) käheä, karkea, karhea **3** (tavat) hiomaton, karkea, töykeä **4** (suunnitelma) alustava, (arvio) karkea, summittainen **5** (menettely, puheet) väkivaltainen, kovaotteinen, kova
roughage /rʌfәdʒ/ s (ruuassa) kuitu
roughen v karhentaa
rough it fr elää vaatimattomasti, tulla toimeen vähällä
rough up v **1** piestä, hakata **2** luonnostella, hahmotella
roulette /ru'let/ s ruletti(peli)
round /raund/ s **1** pallo, ympyrä, rengas, kehä **2** kierros a round of talks neuvottelukierros, neuvottelut the doctor is making her rounds lääkäri on kierroksellaan/katsomassa potilaita a rumor is going/making the rounds liikkeellä on huhu **3** (urh) erä **4** a round of applause kättentaputukset, suosionosoitukset, aplodit he offered us a round of drinks hän tarjosi meille kierroksen/ryypyt **5** (aseen) laukaus; patruuna **6** in the round kokonaisuutena
v **1** pyöristää (myös kuv luvusta), pyöristyä **2** saattaa päätökseen/valmiiksi, päättää **3** kiertää (jokin ympäri)
adj **1** pyöreä **2** summittainen a round figure pyörä luku in round numbers karkeasti, suunnilleen **3** täyteläinen she has a round figure hänellä on täyteläiset muodot
adv **1** kautta, läpi **2** ympäri to go round the house kiertää rakennus to turn round kääntyä ympäri
prep **1** ympäri, kautta, läpi round the year koko vuoden, läpi vuoden **2** tienoilla, paikkeilla, maissa
roundabout /'raundә,baut/ adj kiemurteleva, mutkitteleva, kierto- she asked about you in a roundabout way hän kysyi sinusta vaivihkaa
round dance s piiritanssi
roundish adj pyöreähkö
round-lot /'raund,lat/ s (tal) pörssierä, standardi kaupankäyntierä (vrt odd-lot)
round off v **1** pyöristää (luku) **2** päättää we rounded the talks off with a party pidimme neuvottelujen päätteeksi juhlat
round out v **1** täydentää, olla pisteenä i:n päällä **2** pyöristyä, pyöristää
round-the-clock /,raundðә'klak/ adj jatkuva, koko ajan tapahtuva
adv jatkuvasti, kellon ympäri
round up v koota yhteen (esim karjaa, kannattajia)
rouse /rauz/ v herättää, innostaa, kannustaa to rouse someone to action saada/patistaa joku tekemään jotakin
rousing adj **1** innostava, tenhoava, mukaansatempaava **2** vilkas, vauhdikas, kiireinen, reipas

roust /raʊst/ v hätistää, patistaa (pois jostakin)
rout /raʊt/ s musertava tappio
v (kuv) piestä, hakata
route /rut raʊt/ s reitti, tie to go the route pitää pintansa, tehdä/kestää jotakin loppuun saakka
v ohjata (liikenne ym jotakin reittiä)
routine /rʊ'tin/ s **1** tottumus, harjaantuneisuus, rutiini **2** totunnainen menettely **3** rutiinityöt **4** esitys, numero; (vilpillinen) tyhjä puhe and then he gave me that old routine about patriotism ja sitten hän alkoi taas hokea samaa laulua isänmaallisuudesta **5** (tietok) rutiini
adj **1** rutiini-, rutiinin omainen, tavallinen, tavanomainen **2** pitkästyttävä, pitkäveteinen
routinely adv totunnaisesti, ilman erityistä käskyä tms the valves are routinely checked for leaks venttiilivuotojen tarkistus kuuluu normaalitoimiin
row /roʊ/ s **1** rivi, jono **2** souturetki, soutumatka **3** it is a hard/long row to hoe (kuva) se on kivinen pelto, se on visainen tehtävä, se on vaikeaa
v soutaa
row /raʊ/ s riita, kiista, kina
v riidellä, kiistellä, kinata
rowboat /'roʊˌboʊt/ s soutuvene
rowdy /raʊdi/ s rellestäjä, hulinoitsija
adj hulinoiva, metelöivä, riehakas
row house /'roʊˌhaʊs/ s rivitalo
rowing machine s soutulaite
royal /rɔɪəl/ s (ark) kuninkaallinen
adj **1** kuninkaallinen (myös kuv:) ruhtinaallinen **2** (ark) melkoinen, varsinainen, todellinen he's a royal pain in the ass hänestä on hitosti riesaa, hän on sietämätön
roycal antelope /ˌrɔɪəl'æntəloʊp/ s kuningasantilooppi
royal family s kuningasperhe
royal flush s (pokerissa) kuningasvärisarja
royalist s kuningasmielinen, rojalisti
adj kuningasmielinen, rojalistinen
royally adj **1** kuninkaallisesti (myös kuv:) ruhtinaallisesti **2** (ark) pahasti you screwed up royally tyrit pahasti
royalty /rɔɪəlti/ s **1** kuninkuus **2** kuninkaalliset, kuningasperhe **3** kuningaskunta **4** rojalti, tekijänpalkkio
RP received pronunciation
RPN reverse Polish notation
RR railroad rautatie
R-rated adj (elokuva) sallittu alle 17-vuotialle vain vanhemman henkilön seurassa
RS Royal Society
RSV Revised Standard Version
R.S.V.P. répondez s'il vous plaît (kutsukirjeessä) pyydämme vastaamaan
RTC reserve training corps
Rt.Rev. Right Reverend
rub /rʌb/ s **1** hankaus, hionta; hieronta **2** (kuv) piikki, näpäytys, herja **3** (kuv) ongelma, pulma, vaikeus
v hangata, hankautua, hioa; hieroa
rubber /rʌbər/ s **1** kumi **2** (ark) kumi, (ilma)rengas **3** (sl) kumi, kondomi
rubber band s kuminauha
rubberneck /'rʌbərˌnek/ v (ark) töllistellä, pysähtyä töllistelemään
rubbernecker s (ark) töllistelijä
rubber stamp s **1** (kumi)leimasin **2** byrokraatti (tms joka hyväksyy anomuksia tms helposti) **3** (anomuksen tms) hyväksyminen
rubber-stamp v **1** leimata **2** hyväksyä automaattisesti
rubbish /rʌbɪʃ/ s **1** roska, roina **2** pöty, roskapuhe, hölynpöly
rubble /rʌbəl/ s **1** sirpaleet, rauniot **2** murska
rub down v **1** hangata, hioa **2** pyyhkiä kuivaksi, kuivata **3** hieroa
rubdown /'rʌbˌdaʊn/ s hieronta
rub elbows with fr olla lähiväleissä jonkun kanssa
Rubicon /'rubɪˌkan/ Rubikon
rub in v hieroa/levittää jotakin jonnekin
rub it in fr (ark) muistuttaa jotakuta virheestä/epäonnistumisesta, ratsastaa toisen virheillä
rub off on v tarttua johonkin your cussing will rub off on your kids kiroilusi tarttuu vielä lapsiisi, lapsesi ottavat vielä kiroilustasi esimerkkiä

rub out v **1** pyyhkiä/hangata pois **2** (sl) tappaa,nitistää
rub shoulders with fr olla tekemisissä jonkun kanssa, liikkua samoissa piireissä kuin
rub the wrong way fr silittää jotakuta vastakarvaan, käydä jonkun hermoille
ruby /rubi/ s **1** rubiini **2** rubiininpunainen (väri)
adj rubiininpunainen
rucksack /rʌk,sæk/ s (selkä)reppu
rudder /rʌdər/ s (laivan, veneen, lentokoneen) peräsin
ruddy /rʌdi/ adj **1** (ihon väri) terve **2** punainen
rude /rud/ adj **1** epäkohtelias, töykeä, hävytön; ruokoton, säädytön; sivistymätön **2** karkea, hiomaton, alkeellinen **3** alustava, karkea this is only a rude sketch tämä on vain summittainen luonnos
rudely adv ks rude
rudeness s **1** epäkohteliaisuus, töykeys; ruokottomuus, säädyttömyys **2** karkeus, hiomattomuus, alkeellisuus
rudimentary /,rudɪ'mentərɪ/ adj alkeellinen, alkeis-, perus-
rudiments /rudɪmənts/ s (mon) alkeet the rudiments of psychology psykologian alkeet/perustiedot
rueful /rufəl/ adj **1** säälittävä **2** apea, alakuloinen, surullinen, masentunut
ruff /rʌf/ s röyhelökaulus
ruffian /rʌfiən/ s uhottelija, kovis (ark), räyhääjä
ruffle /rʌfəl/ **1** rypytys, röyhelö **2** harmi, ärtymys, kiusa
v **1** sekoittaa, sekoittua, sotkea, sotkeutua **2** ärsyttää, harmittaa **3** lehteillä (kirjaa), plarata (sl), sekoittaa (kortteja) **4** laskostaa, rypyttää (kangasta)
rug /rʌg/ s **1** (pieni) matto **2** (UK) peite, peitto, huopa
rugby /rʌgbi/ s (peli) rugby
rugged /rʌgəd/ adj **1** karkea, rosoinen, epätasainen he has a rugged face hänellä on karkeat kasvot/piirteet **2** mäkinen, kumpuileva rugged terrain mäkinen maasto **3** kestävä, vankka, vahva **4** ankara, tiukka, juro, tuima, kova he is a rugged character hän on karu tyyppi they lead a rugged life heidän elämänsä on karua/kovaa
ruggedly adv ks rugged
ruggedness s **1** karkeus, epätasaisuus; mäkisyys **2** kestävyys, lujuus, vahvuus **3** ankaruus, jurous, kovuus
ruin /ruən/ s **1** tuho, turmio pride will be your ruin ylpeys koituu vielä kohtalokse-si **2** (mon) rauniot to fall to ruin raunioitua, ränsistyä, rappeutua
v **1** raunioittaa, raunioitua, hävittää, tuhota, tuhoutua **2** saattaa joku perikatoon/puille paljaille **3** turmella, turmeltua, rappeuttaa, rappeutua, pilata
ruinous /ruənəs/ adj tuhoisa
rule /ruəl/ s **1** sääntö as a rule yleensä **2** tapa **3** valta **4** hallituskausi **5** viivoitin slide rule laskutikku
v **1** hallita; vallita chaos rules in the country maa on sekasorron vallassa **2** (tuomarista) määrätä, päättää **3** viivoittaa
rule of thumb fr nyrkkisääntö, peukalosääntö
rule out v sulkea pois his alibi rules him out as a suspect häntä ei voi alibin vuoksi lukea epäiltyjen joukkoon
ruler s **1** hallitsija, valtias **2** viivoitin
rule the roost fr olla kukkona tunkiolla
ruling s (tuomarin) päätös
adj **1** valtaa pitävä, hallitseva, johtava **2** vallitseva, yleisin, tärkein
rum /rʌm/ s rommi
Rumania /rʊ'meɪniə/ Romania
Rumanian s romanian kieli
s, adj romanialainen
rumble /rʌmbəl/ s jyrinä, jylinä, jyly, pauhu; murina
v jyristä, jylistä, pauhata; murista
rummage /rʌmədʒ/ v penkoa
rummage sale s myyjäiset; jäännöstavara-ale; kirpputori
rumor /rumər/ s huhu
v huhuta Elvis is rumored to be alive huhujen mukaan Elvis on elossa

rump /rʌmp/ s **1** (eläimen) takamus **2** (ruoka) takapaisti **3** (ihmisen) takamus **4** loppu, loput, jäännös, tynkä
rump steak s takapaisti
rumpus /rʌmpəs/ s **1** metakka, meteli **2** äläkkä, kina, riita
run /rʌn/ s **1** juoksu I'll grab a bite on the run minä haukkaan matkalla jotakin suuhuni he does a five-mile run every two days hän käy kahdeksan kilometrin lenkillä joka toinen päivä **2** pako **3** ryntäys, pyrähdys he made a run for the bus hän yritti ehtiä linja-autoon **4** matka, ajo; reitti the boat makes two daily runs to and from the island laiva kulkee/liikennöi saarelle kahdesti päivässä **5** aikaväli in the long/short run pitkällä/lyhyellä aikavälillä in the normal run of things tavallisesti, yleensä **6** (tal) ryntäys **7** lupa you have the run of the house ole (talossa) kuin kotonasi **8** (eläin)aitaus **9** (sukan ym) purkauma
v ran, run **1** juosta **2** paeta, karata **3** ajaa, kulkea, kuljettaa, viedä the bus runs every half an hour linja-auto kulkee puolen tunnin välein **4** käydä, käyttää (moottoria, konetta) **5** virrata; vuotaa, valua **6** vetää, kuljettaa, sukaista she ran her finger along the road in the map hän seurasi sormellaan kartalle piirrettyä tietä **7** johtaa, hoitaa to run a business johtaa liikeyritystä **8** iskeä, lyödä he ran a nail into the wall hän löi naulan seinään **9** (sukka tms) purkautua
run across v tavata joku (sattumalta), törmätä (kuv) johonkuhun, huomata jotakin (sattumalta)
run a fever fr olla kuumetta
run afoul of fr joutua riitoihin jonkun kanssa to run afoul of the law rikkoa lakia
run after v **1** ajaa takaa jotakuta/jotakin **2** juosta rakastettunsa perässä
run aground fr ajaa karille she ran the boat aground hän ajoi veneen karille
run along v lähteä run along now menehän jo!
run an errand fr käydä asialla, käydä hoitamassa jokin asia
run a risk fr varantaa; olla vaarassa
run a risk of fr vaarantaa: to run the risk of getting killed panna henkensä alttiiksi
run around v jahdata jotakuta, juosta jonkun perässä
run around with v olla kimpassa jonkun kanssa, olla hyvät kaverit jonkun kanssa, pitää seuraa jonkun kanssa
run a temperature fr olla kuumetta the child is running a temperature lapsella on kuumetta
run a tight ship fr pitää kovaa kuria, olla tarkka/tiukka/ankara
run away v karata, paeta
run away with v **1** karata rakastettunsa kanssa **2** varastaa, kähveltää
run circles around fr olla aivan eri luokkaa kuin Jane is running circles around the rest of the class Jane painii aivan eri sarjassa kuin luokan muut oppilaat, Janea ei voi verratakaan luokan muihin oppilaisiin
run counter to fr olla jonkin vastainen, rikkoa jotakin
run down v **1** ajaa kumoon, ajaa jonkun päälle **2** ajaa takaa, jahdata **3** pysähtyä, (veto, paristo) loppua **4** haukkua, moittia
run-down adj **1** väsynyt, uupunut **2** raihnainen, heikko **3** ränsistynyt, rähjäinen
run for it v karata, paeta; kiirehtiä, pitää kiirettä
run for your money to get a run for your money saada koko rahan edestä, saada mitä on pyytänyt/kaivannut, olla tyytyväinen to give someone a run for his/her money olla kova vastustaja; antaa jollekulle koko rahan edestä, tehdä joku tyytyväiseksi
rung /rʌŋ/ s **1** (tikkaiden, pyörän ym) puola, piena **2** (kuv) porras, askelma
v ks ring
run in v **1** piipahtaa, käväistä jossakin **2** (sl) pidättää
run in place fr polkea paikallaan, huovata
run in the blood fr olla sukuvika
run in the family fr olla sukuvika
run into v **1** törmätä johonkin **2** tavata joku sattumalta, törmätä (kuv) johon-

kuhun **3** (summa) tehdä: his income runs into six figures hän tienaa satoja tuhansia **4** joutua johonkin, kohdata jotakin to run into debt velkaantua to run into problems joutua vaikeuksiin
run into a brick wall fr jollakulla tulee seinä vastaan, joku ei suostu johonkin
run into the ground fr (kuv) toistaa jotakin loputtomasti, hokea jatkuvasti samaa
run low fr (alkaa) olla vähissä
runner s **1** juoksija, kilpajuoksija **2** lähetti **3** (reen ym) jalas **4** rulla, pyörä **5** (kasvin) rönsy
runner-up /ˌrʌnər'ʌp/ s (kilpailussa) toiseksi tullut/paras, kakkonen
running s **1** juokseminen, juoksu **2** kilpailu to be in the running olla mukana kilpailussa; olla ehdokkaana (vaaleissa); sijoittua kärkeen, päästä kärkisijoille to be out of the running ei osallistua kilpailuun, ei kilpailla; ei sijoittua kärkeen, ei päästä kärkisijoille **3** johtaminen, hoitaminen
adj **1** juokseva, juoksu- **2** (neste) vuotava; juokseva; sula **3** (kasvi) rönsyilevä **4** vallitseva, kuluva, nykyinen **5** (koneesta) joka on käynnissä **6** jatkuva, toistuva, kertautuva, peräkkäinen we did it four times running teimme sen neljästi/ neljä kertaa peräkkäin
running joke s **1** kertautuva/toistuva vitsi **2** jatkuva pilan/pilkan aihe
running mate s (US vaaleissa) varapresidenttiehdokas
running start s **1** (urh) vauhdinotto **2** (kuv) hyvä alku, hyvä lähtöasema, etumatka to be off to a running start päästä hyvään alkuun, saada etumatkaa
running time s elokuvan pituus, kesto
runny adj **1** valuva **2** (nenä) vuotava
run off with v varastaa, viedä mennessään
run-of-the-mill adj tavallinen, keskinkertainen, mitäänsanomaton
run-of-the-mine adj tavallinen, keskinkertainen, mitäänsanomaton
run on v **1** käydä jollakin this computer runs on a battery tämä tietokone toimii akulla **2** jatkua, kestää
run out v **1** loppua, päättyä **2** karkottaa, häätää
run out of v joltakulta loppuu jokin he is running out of money häneltä alkavat loppua rahat
run out of gas fr **1** joltakulta (jonkun autosta) loppuu bensa **2** (kuv) joltakulta/ jostakin loppuu veto/mehut, joku väsähtää, jokin lopahtaa
run out on v jättää pulaan, hylätä (hädän hetkellä)
run over v **1** ajaa jonkun päälle, törmätä johonkin **2** ylittää (raja) **3** toistaa, kerrata, käydä uudestaan läpi **4** vuotaa yli
run ragged fr **1** väsyttää joku, uuvuttaa joku, viedä jonkun kaikki voimat **2** rehottaa, kasvaa villinä
run rings around fr olla aivan eri luokkaa kuin Jane is running rings around the rest of the class Jane painii aivan eri sarjassa kuin luokan muut oppilaat, Janea ei voi verratakaan luokan muihin oppilaisiin
run riot fr villiintyä
run scared fr pelätä
run short fr alkaa loppua; alkaa olla vähissä
run the gauntlet fr **1** joutua kujanjuoksuun **2** (kuv) joutua kestämään koettelemus, piina, joutua koville
run the risk of fr vaarantaa: to run the risk of getting killed panna henkensä alttiiksi
run the show fr määrätä (missä kaappi seisoo), pitää jöötä (ark)
run through v **1** käyttää, kuluttaa loppuun **2** käydä läpi, kerrata
run to seed fr joutua rappiolle, päästää piloille
run true to form fr olla tavoilleen uskollinen, toimia siten kuin arvata saattaa
run up v kerätä, kasata he has run up a small fortune hän on kasannut kokoon pitkän pennin
runway /'rʌnˌweɪ/ s **1** (lentokentän) kiitorata **2** kiihdytyskaista; pysäköinti-

kaista **3** (eläinten) aitaus **4** joen uoma **5** (muotinäytöksessä, teatterissa) katsomoon ulottuva kapea ramppi
run wild fr villiintyä
run with v (ark) innostua jostakin, suostua johonkin; tehdä innokkaasti
rupture /rʌptʃər/ s **1** repeämä, puhkeama **2** (kuv) välirikko
v puhkaista, puhjeta, repäistä, revetä
rural /rərəl/ adj maaseudun, maaseutu-, maalais-
rusa deer /rusə/ s timorinhirvi
ruse /ruz/ s ansa, juoni
rush /rʌʃ/ s **1** (väen- tai muu) tungos, ryntäys, tulva, purkaus the gold rush kultakuume a rush of excitement innostuksen huuma/purkaus **2** (sot) hyökkäys **3** kiire, hätä **4** (ark) huomio, hemmottelu **5** (mon) elokuvan ensimmäinen kopio (kuvauspäivänä kehitetty filmi)
v **1** syöksyä, rynnätä, tunkeilla, tulvia, purkautua **2** kiirehtiä, hätäillä; patistaa, hoputtaa there's no need to rush, we'll get it done in time on turha hätäillä, me saamme kyllä työn ajoissa valmiiksi don't rush me, I don't like it älä hoputa minua, en pidä siitä **3** hyökätä **4** yrittää olla mieliksi jollekulle, hukuttaa joku huomionosoituksiin, hemmotella
rush hour s (liikenteen) ruuhka(-aika)
Russ. Russia; Russian
Russia /rʌʃə/ s **1** Venäjä **2** (hist) Neuvostoliitto
Russian s: venäjän kieli
s, adj **1** venäläinen **2** venäjänkielinen
Russian roulette s venäläinen ruletti
Russky /rʌski/ s (sl) ryssä
rust /rʌst/ s ruoste
v ruostua, ruostuttaa, saada ruostumaan
rustle /rʌsəl/ s kahina
v **1** kahista, kahisuttaa **2** laittaa, valmistaa
rustler /rʌslər/ s **1** karjavaras **2** (ark) voimanpesä, työhirmu
rustle up v hankkia, etsiä, löytää (kovalla vaivalla)
rust through v ruostua puhki
rusty adj ruostunut (myös kuv), ruosteinen I was rusty on panic en ollut aikoihin ollut paniikissa
rut /rʌt/ s **1** (pyörän jälki) ura **2** (kuv) tottumus we are in a rut me olemme urautuneet/luutuneet (tapoihimme) Larry has fallen into a rut Larryn elämä on urautunut, Larryn elämä on alkanut kulkea jatkuvasti samaa rataa **3** (eläimen) kiima
v **1** uurtaa, jättää (syvät) jäljet johonkin **2** (eläin) olla kiimassa
ruthless /ruθləs/ adj säälimätön, armoton, julma, ankara
ruthlessly adv säälimättömästi, armottomasti, julmasti, ankarasti
ruthlessness s säälimättömyys, armottomuus, julmuus, ankaruus
Rwanda /rə'wandə/ Ruanda
Rwandan s, adj ruandalainen
Rx lyh resepti
rye /raɪ/ s **1** ruis **2** ruisleipä I'll have a Swiss on rye haluan ruisleivän jolla on emmentaljuustoa **3** ruisviski
rye bread s ruisleipä

S, s

S, s /es/ S, s
s (mus) yläsävel
adj (mus) harmoninen
Sabbath /sæbəθ/ s sapatti; pyhäpäivä
sabbatical /sə'bætɪkəl/ s sapattiloma, sapattivuosi
sabbatical year s sapattivuosi
saber /seɪbər/ s sapeli
sable /seɪbəl/ s soopeli
sabotage /'sæbə,taʒ/ s sabotaasi
v sabotoida are you trying to sabotage my work? yritätkö sinä häiritä työtäni?
saboteur /,sæbə'tər/ s sabotoija, sabotööri
saccharin /sækərən/ s (makeutusaine) sakariini
saccharine /sækərən/ adj makea, imelä (myös kuv)
sack /sæk/ s **1** säkki **2** pussi **3** (sl) potkut he got the sack last week hänet potkittiin pois viime viikolla **4** (sl) sänky to hit the sack painua pehkuihin **5** to be left holding the sack saada kaikki syyt niskoilleen, joutua syntipukiksi **6** ryöstö, rosvous
v **1** säkittää, panna säkkeihin **2** pussittaa, panna pusseihin **3** (sl) erottaa, antaa potkut **4** ryöstää, rosvota (valloituksen jälkeen)
sack out v (sl) **1** painua pehkuihin **2** nukahtaa, sammua
sacrament /sækrəmənt/ s sakramentti Holy Sacrament Pyhä ehtoollinen
sacramental /,sækrə'mentəl/ s sakramentaali
adj sakramentaalinen; uhri-
sacred /seɪkrəd/ adj pyhä
sacredly adv pyhästi
sacredness s pyhyys
sacrifice /'sækrə,faɪs/ s uhri
v uhrata she sacrificed her career for her children hän piti lastensa etua omaa ammattiaan tärkeämpänä
sacrificial /,sækrə'fɪʃəl/ adj uhri-
sacrilege /sækrələdʒ/ s pyhäinhäväistys, riena
sacrilegious /,sækrə'lɪdʒəs/ adj rienaava, pyhiä arvoja loukkaava
sacrosanct /'sækrə,sæŋkt/ adj erittäin pyhä, loukkaamaton, jota ei saa loukata/arvostella, johon ei saa koskea/puuttua
sacrum /sækrəm/ s (mon sacra) ristiluu
sad /sæd/ adj surullinen, apea, alakuloinen; ikävä, kurja, huono, surkea
sadden v tehdä surulliseksi, synkistää
saddle /sædəl/ s satula Betty is in the saddle here (kuv) Bettyllä on täällä ohjakset käsissään
v satuloida
saddler s satulaseppä
saddle with v (kuv) sälyttää jotakin jonkun vastuulle/niskoille/harteille, panna jotakin jonkun taakaksi/vastuulle Sean is saddled with too much responsibility Seanilla on liikaa vastuuta
sadism /sædɪzəm seɪdɪzəm/ s sadismi
sadist s sadisti
adj sadistinen
sadistic /sə'dɪstɪk/ adj sadistinen
sadistically adv sadistisesti
sadly adv surullisesti, apeasti, alakuloisesti; ikävästi, kurjasti, huonosti, surkeasti
sadness s surullisuus, apeus, alakuloisuus
sadomasochism /,sædə'mæsə,kɪzəm/ s sadomasokismi
sadomasochist s sadomasokisti
adj sadomasokistinen
sadomasochistic /,sædə,mæsə'kɪstɪk/ adj sadomasokistinen

SAE self-addressed envelope; Society of Automotive Engineers
safari /sə'fari/ s safari
v lähteä/mennä safarille, olla safarilla
safe /seɪf/ s kassakaappi
adj **1** turvallinen, varma, luotettava your secret is safe with me minä en paljasta salaisuuttasi is it safe to go out after dark? onko turvallista mennä ulos pimeän jälkeen? **2** ehjä, vahingoittumaton
safe and sound fr vahingoittumaton, ehjä, joka ei ole saanut/kärsinyt naarmuakaan
safeguard /'seɪf,gaərd/ s varotoimi; varmistin, turvalaite
safekeeping /,seɪf'kipɪŋ/ s säilytys, turva can I give my Rolex to you for safekeeping? saanko antaa Rolexini sinun huostaasi?
safely adv ks safe
safety /seɪfti/ s **1** turva to reach safety päästä turvaan to play for safety pelata varman päälle **2** turvallisuus **3** (aseen) varmistin **4** (amerikkalaisessa jalkapallossa) takapuolustaja ks left safety, right safety
safety belt s turvavyö
safety match s (varmuus)tulitikku
safety pin s hakaneula
safety valve s (tekn ja kuv) varoventtiili
sag /sæg/ s **1** painauma, syvennys, notko **2** (kuv) laantuminen, lasku, väheneminen, käänne huonompaan päin
v **1** painua alas (keskeltä), roikkua (keskeltä), olla notkolla **2** olla vinossa **3** (kuv) lannistua, (into) laantua, herpaantua, laskea, kääntyä laskuun
saga /sagə/ s saaga
sage /seɪdʒ/ s viisas, tietäjä
adj viisas
sage /seɪdʒ/ s **1** (kasvi) ryytisalvia, (mauste) salvia **2** maruna
sagebrush /'seɪdʒ,brʌʃ/ s (kasvi) maruna
Sagittarius /,sædʒə'teriəs/ horoskoopissa Jousimies
Sahara /sə'herə/ Sahara
said /sed/ ks say
sail /seɪəl/ s **1** purje to make/set sail lähteä purjehtimaan/matkaan to trim your sails leikata kustannuksia, vähentää kuluja/menoja, säästää **2** (tuulimyllyn) siipi **3** purjehdus(matka) **4** (purje)vene
v **1** purjehtia, ohjata (laivaa), kyntää (merta) **2** lähteä, matkustaa **3** liitää, kiitää
sailboarder /'seɪəl,bɔrdər/ s purjelautailija
sailboarding s purjelautailu
sail close to the wind fr (kuv) **1** olla säästäväinen **2** olla uskalias, ottaa riski
sailer /seɪlər/ s purjevene
sail in the teeth of the wind fr purjehtia vastatuuleen
sail into v **1** panna hihat heilumaan **2** haukkua, moittia, sättiä jotakuta
sailor /seɪlər/ s **1** merimies, matruusi **2** purjehtija **3** (sot) matruusi
sail through v selvitä jostakin liehuvin lipuin, jokin on jollekulle lasten leikkiä
saint /seɪnt/ s pyhimys (myös kuv) he is no saint hän ei ole mikään pulmunen Saint (nimen edellä) Pyhä Saint John Pyhä Johannes Gulf of Saint Lawrence Saint Lawrencen lahti
sainted adj pyhimykseksi julistettu, pyhä, autuas
sainthood /'seɪnt,hʊd/ s pyhimyksen arvo, pyhyys
saintly adj pyhimykselle sopiva, pyhä
sake /saki/ s sake, riisiviini
sake /seɪk/ s: for the sake of jonkun/jonkin tähden, jonkun/jonkin nimissä for old times' sake menneiden (aikojen) muistoksi for goodness' sake hyvänen aika, herranen aika
Sakhalin /sakəlin/ Sahalin
salable /sæləbəl/ adj myyntikelpoinen, joka voidaan myydä, joka on helppo myydä, joka menee hyvin kaupaksi
salad /sæləd/ s salaatti
salad days in my salad days nuoruudessani, kun olin nuori
salad dressing s salaattikastike
salad fork s salaattihaarukka

salami /sə'lami/ s salami(makkara)
salaried /sælərid/ adj josta/jolle maksetaan kuukausipalkkaa salaried employee toimihenkilö salaried job toimistotyö
salary /sæləri/ s (kuukausi)palkka
sale /seɪəl/ s **1** myynti, myyminen the sale of cars autokauppa for sale (kilvessä, lehti-ilmoituksessa ym) myytävänä **2** (mon) myynti our sales are up in this quarter myyntimme on kasvanut tällä vuosineljänneksellä **3** (mon) myyntiosasto **4** alennusmyynti, ale
salesclerk /'seɪəlz,klərk/ s (kaupassa) myyjä
salesgirl /'seɪəlz,gərəl/ s (kaupassa) (nuori nais)myyjä
salesman /seɪəlzmən/ s (mon salesmen) myyntimies, edustaja; myyjä
salesperson /'seɪəlz,pərsən/ s edustaja; myyjä
sales tax s myyntivero (joka vaihtelee mm osavaltioittain ja lisätään ostokseen yleensä vasta kauppaa tehtäessä)
saleswoman /'seɪəlz,wʊmən/ s (mon saleswomen) edustaja; myyjä
salient /seɪliənt/ adj **1** esiin pistävä, näkyvä **2** (kuv) keskeinen, olennainen, tärkeä, näkyvä
saline /seɪlin/ adj suolainen, suola-
salinity /sə'lɪnəti/ s suolaisuus, suolapitoisuus
saliva /sə'laɪvə/ s sylki, kuola
salivate /'sælə,veɪt/ v **1** kuolata **2** (kuv) himoita he is salivating at the prospect of being promoted hän odottaa ylennystä kuola valuen
sallow /sæloʊ/ adj kalpea, kalvakka
salmon /sæmən/ s (mon salmons, salmon) lohi
salon /sə'lan/ s **1** salonki, oleskeluhuone **2** salonki, kampaamo, kauneushoitola yms **3** (taide)salonki
saloon /sə'lun/ s **1** saluuna; kapakka **2** (esim laivan) salonki, sali **3** (UK) henkilöauto, sedan
saloon car s (UK) henkilöauto, sedan
salsa /salsə/ s **1** (musiikki, tanssi) salsa **2** (tulinen meksikolaisperäinen kylmä kastike) salsa
salt /salt/ s **1** suola you have to take his words with a grain of salt älä ota hänen puheitaan täydestä as an employee, he is not worth his salt hän ei ole palkkansa väärti työntekijä **2** (kuv) maku, suola
v suolata, maustaa suolalla; levittää suolaa (maanteille)
SALT Strategic Arms Limitation Talks strategisten aseiden rajoittamisneuvottelut
salt-and-pepper adj (tukka) harmahtava; jossa on mustaa ja valkoista
salt away v **1** suolata, säilöä suolaa käyttäen **2** (kuv) panna talteen, säästää (myöhemmäksi)
saltcellar /'salt,selər/ s suolasirotin
salt flat s suolatasanko
salt mine s **1** suolakaivos **2** (mon, kuv) raadanta, arkinen aherrus, tervan juonti
salt water s suolainen vesi, suolavesi
saltwater /'salt,watər/ adj suolaisen veden, merivesi-
salty adj suolainen
salubrious /sə'lubriəs/ adj terveellinen, hyvää tekevä
salute /sə'lut/ s **1** tervehdys **2** kunnialaukaus
v **1** tervehtiä; (sot) tehdä kunniaa; ampua kunnialaukaus **2** olla mielissään jostakin, ottaa myönteisesti vastaan, tervehtiä tyydytyksellä yms, ylistää
Salvadorean /,sælvə'dɔriən/s, adj salvadorilainen, El Salvadorin (asukas)
salvage /sælvədʒ/ s (hädästä, tuholta) pelastaminen
v **1** pelastaa **2** ottaa/kerätä talteen, kierrättää they salvage parts from old cars he purkavat vanhoista autoista käyttökelpoisia osia
salvation /sæl'veɪʃən/ s (usk ym) pelastus, pelastaminen, pelastuminen
Salvation Army s pelastusarmeija
salver /sælvər/ s tarjotin
salvo /sælvoʊ/ s (mon salvos, salvoes) **1** (tykkien ym) yhteislaukaus; kunnialaukaus **2** hurraahuuto, eläköönhuuto, räiskyvät suosionosoitukset

SAM surface-to-air missile maasta ilmaan ammuttava ohjus
sambar /sæmbar/ s sambarhirvi
same /seɪm/ adj, adv, pron sama he's the same man we met yesterday hän on sama mies jonka tapasimme eilen at the same time samaan aikaan, yhtä aikaa we both drive the same car meillä on kummallakin samanlainen auto I'll have the same (ravintolassa tilattaessa) otan saman (kuin sinä/hän) it's all the same to me se on minulle yksi ja sama, se on minulle yhdentekevää you've got to do it all/just the same sinun on joka tapauksessa/kuitenkin tehtävä se the same to you kiitos samoin!, sitä samaa!
sameness s **1** samanlaisuus, yhdenmukaisuus **2** yksitoikkoisuus, yksitotisuus
sample /sæmpəl/ s näyte
v ottaa näyte jostakin urine sample virtsanäyte you want to sample my chili? haluatko maistaa chiliäni?
sampler /sæmplər/ s **1** (elektroninen soitin) sampler **2** kokoelma(ääni)levy **3** suklaakonvehtirasia
samurai /ˈsæməˌraɪ/ s (mon samurais) samurai
San Andreas Fault /ˌsænænˌdreɪəsˈfalt/ San Andreaksen siirros
San Antonio /ˌsænænˈtouniou/ kaupunki Texasissa
sanatorium /ˌsænəˈtɔriəm/ s (mon sanatoriums, sanatoria) parantola
sanctimonious /ˌsæŋktɪˈmouniəs/ adj tekopyhä, hurskasteleva
sanctimoniously adv tekopyhästi, hurskastelevasti
sanction /sæŋkʃən/ s **1** lupa, suostumus **2** rangaistus **3** pakote, tehoste, sanktio
v **1** hyväksyä, suostua johonkin, antaa lupa, vahvistaa **2** rangaista **3** turvautua pakotteisiin
sanctity /sæŋktɪti/ s pyhyys, loukkaamattomuus, koskemattomuus
sanctuary /ˈsæŋkʃʊˌeri/ s **1** pyhäkkö **2** pakopaikka, turvapaikka **3** suojelualue, säästiö
sand /sænd/ s **1** hiekka, santa **2** (mon) hietikko **3** (mon) aika **4** hiekan väri
v **1** hioa (esim hiekkapaperilla) **2** hiekoittaa, sannoittaa
sandal /sændəl/ s sandaali
sandbank /ˈsændˌbæŋk/ s hiekkapenger
sandblast /ˈsændˌblæst/ s hiekkapuhallus
v käsitellä hiekkapuhaltimella
sandblaster s hiekkapuhallin
San Diego /ˌsændiˈeɪgou/ kaupunki Kaliforniassa
sandman /ˈsændmæn/ s (mon sandmen) nukkumatti
sandpaper /ˈsændˌpeɪpər/ s hiekkapaperi
sandpit /ˈsændˌpɪt/ s hiekkakuoppa
sandstone /ˈsændˌstoun/ s hiekkakivi
sand wedge /ˈsændˌwedʒ/ (golf) suurikulmainen rautamaila jota käytetään hiekkaesteistä lyötessä, sand wedge
sandwich /sænwɪtʃ/ s (kerros)voileipä open sandwich voileipä
v (kuv) panna jonkin väliin, mahduttaa johonkin väliin the silicon is sandwiched between two layers of glass piikerros on kahden lasin välissä
sandy adj **1** hiekkainen **2** hiekan värinen
sane /seɪn/ adj **1** (mieleltään) terve, normaali **2** järkevä, viisas
San Francisco /ˌsænfrənˈsɪskou/ kaupunki Kaliforniassa
San Francisco Bay /ˌsænfrənˌsɪskouˈbeɪ/ San Franciscon lahti
sang /sæŋ/ ks sing
sangfroid /sanˈfrwa/ s (mielen)maltti, rauhallisuus, tyyneys; kylmäverisyys
sanitary /ˈsænəˌteri/ adj **1** hygieeninen, puhdas, siisti **2** saniteetti-, terveydenhoito-
sanitary napkin s terveysside
sanitation /ˌsænəˈteɪʃən/ s **1** hygienia **2** jätehuolto
sanitation worker s jätteiden kerääjä
sanity /sænəti/ s **1** mielenterveys, järki **2** viisaus, järkevyys

San Jose /ˌsænouˈzeɪ/ kaupunki Kaliforniassa
sank /sæŋk/ ks sink
San Marinese /ˌsænˌmerəˈniz/ s, adj sanmarinolainen
San Marino /ˌsænməˈrinou/ San Marino
sap /sæp/ s **1** (kasvin) neste, mahla **2** (kuv) elinvoima, mehut (ark) **3** (sot) taisteluhauta **4** (ark) tomppeli
v **1** valuttaa mahlaa jostakin **2** uuvuttaa, viedä mehut (ark) joltakulta **3** (sot) kaivaa taisteluhauta **4** (kuv) heikentää, kaivaa maata jonkun/jonkin alta
sapling /sæpliŋ/ s (puun) taimi
sapphire /sæfaɪər/ s **1** safiiri **2** safiirinsininen (väri)
SAR Sons of the American Revolution
S.A.R. South African Republic
sarcasm /sarkæzəm/ s **1** sarkasmi, iva **2** sarkastinen/ivallinen/pureva/piikikäs huomautus
sarcastic /sarˈkæstɪk/ adj sarkastinen, ivallinen, pureva
sarcastically adv sarkastisesti, ivallisesti, purevasti
sarcophagus /sarˈkafəgəs/ s (mon sargophaguses, sargophagi) kivinen ruumisarkku, sarkofagi
sardine /sarˈdin/ s (mon sardines, sardine) sardiini
Sardinia /sarˈdinjə/ Sardinia
Sargasso Sea /sarˌgæsouˈsi/ Sargassomeri
sari /sari/ s (mon saris) sari (eräs intialaisnaisten vaate)
sarong /səˈraŋ/ s sarong (malaijilainen annevaate)
SASE self-addressed stamped envelope postimerkillä ja palautusosoitteella varustettu kirjekuori
sash /sæʃ/ s **1** (sotilasasun ym) olkavyö **2** (ikkunan) karmi; puite
sash window s pystysuora ukuikkuna
Sask. Saskatchewan
Saskatchewan /sæsˈkætʃəwən/
Saskatoon /ˌsæskəˈtun/ kaupunki Kanadassa
sat /sæt/ ks sit
SAT Scholastic Aptitude Test
Sat. Saturday lauantai
Satan /seɪtən/ s saatana, paholainen, perkele
satanic /seɪˈtænɪk/ adj **1** saatanan, saatanallinen, paholaisen **2** pirullinen
satchel /sætʃəl/ s (olka)laukku
sate /seɪt/ v tyydyttää (halu)
satellite /ˈsætəˌlaɪt/ s **1** (planeetan) kuu **2** tekokuu, satelliitti **3** seuralainen
satellite city s satelliittikaupunki
satellite country s satelliittivaltio
satellite dish s satelliittiantenni, lautasantenni
satellite receiver s satelliittivastaanotin
satellite television s satelliittitelevisio
satellite tuner s satelliittiviritin
satelllite antenna s satelliittiantenni
satin /sætɪn/ s (kangas) satiini
satire /sætaɪər/ s **1** satiiri, pilkka, iva **2** satiiri(nen kirjoitus), pilkkakirjoitus
satirical /səˈtɪrɪkəl/ adj satiirinen, pilkallinen, ivallinen
satirist /sætərɪst/ s satiirikko, pilkkaaja, ivaaja
satirize /ˈsætəˌraɪz/ v satirisoida, pilkata, ivata
satisfaction /ˌsætɪzˈfækʃən/ s **1** tyydytys, täyttymys; tyytyväisyys have I done the job to your satisfaction? oletko tyytyväinen työhöni? **2** korvaus, hyvitys
satisfactorily adv tyydyttävästi, riittävästi, riittävän hyvin/paljon
satisfactory /ˌsætɪzˈfæktəri/ adj tyydyttävä, riittävä
satisfied /ˈsætɪzˌfaɪd/ adj tyytyväinen
satisfy /ˈsætɪzˌfaɪ/ v **1** tyydyttää (halu); saada/tehdä tyytyväiseksi **2** saada joku vakuuttuneeksi jostakin, hälventää (epäily) **3** oikaista (vääryys), hyvittää, korvata **4** maksaa (velka), maksaa kokonaan **5** täyttää (ehto)
satisfying adj tyydytystä tuottava, miellyttävä, hyvä
satisfyingly adv miellyttävästi, hyvin
saturate /ˈsætʃəˌreɪt/ v kyllästää (myös kuv)

saturation /ˌsætʃəˈreɪʃən/ s kyllästys; (värien) kylläisyys
saturation point s kyllästymispiste (myös kuv)
Saturday /sætərdi/ s lauantai
Saturdays adv lauantaisin
Saturn /sætərn/ Saturnus
satyr /sætər/ s satyyri
sauce /sas/ s **1** kastike **2** (ark) hävyttömyys, röyhkeys, otsa (kuv)
v **1** maustaa **2** jauhaa, hienontaa
sauceboat /ˈsasˌboʊt/ s kastikeastia
saucepan /ˈsasˌpæn/ s kasari
saucer /sasər/ s (pieni) lautanen flying saucer lentävä lautanen
saucy /sasi/ adj **1** hävytön, röyhkeä **2** rempseä, rehvakas
Saudi Arabia /ˌsadiəˈreɪbiə/ Saudi-Arabia
Saudi Arabian s, adj saudiarabialainen
sauna /sanə saʊnə/ s sauna (kylpy tai rakennus)
v saunoa
saunter /santər/ s löntystely, maleksinta
v löntystellä, maleksia
sausage /sasədʒ/ s makkara
S. Aust. South Australia
sauté /saˈteɪ/ v ruskistaa (ruokaa)
savage /sævədʒ/ s villi(-ihminen)
v **1** raadella **2** (kuv) antaa murskaava arvostelu jostakin, tyrmätä täysin, lyödä lyttyyn
adj **1** villi **2** raju, julma, vihainen, kova, armoton
savagely adv rajusti, julmasti, vihaisesti, kovasti, armottomasti
savagery /sævədʒri/ s **1** villiys **2** julmuus, armottomuus, säälimättömyys
save /seɪv/ v **1** säästää, olla säästäväinen, panna talteen she's saving to buy a house hän säästää rahaa taloon let's save the details for the meeting jätetään yksityiskohdat kokoukseen **2** pelastaa you saved my life sinä pelastit henkeni **3** (tietok) tallentaa (muistivälineelle)
prep paitsi, lukuun ottamatta
save for konj paitsi, lukuun ottamatta
save something for a rainy day fr säästää jotakin pahan päivän varalle
save your skin fr pelastaa nahkansa
save that konj paitsi (että)
saving s säästö he has used up all his savings hän on pannut kaikki säästönsä menemään
savings account s säästötili
savior /seɪvjər/ s **1** pelastaja **2** Savior Vapahtaja
savor /seɪvər/ s **1** maku (myös kuv) **2** haju
v **1** maistaa (myös kuv) **2** haistaa **3** maustaa
savor of v (kuv) haiskahtaa joltakin
savory s (kasvi) kynteli
adj **1** herkullinen, hyvän/voimakkaan makuinen **2** hyvän/voimakkaan tuoksuinen **3** (ei makea) suolainen
Savoy /səˈvoɪ/ Savoiji
savvy /sævi/ s (ark) vainu, taju, hokso
v (ark) tajuta, hoksata
adj (ark) juoni, ovela, jolla on hyvä hokso/vainu
saw /sa/ s sawed, sawed/sawn **1** saha **2** sanonta, sananparsi
v **1** ks see **2** sahata
sawbuck /ˈsaˌbʌk/ s **1** sahapukki **2** (sl) kymppi (seteli)
sawdust /ˈsaˌdʌst/ s sahanpuru
sawdust trail s (kuv) parannuksen/katumuksen tie
sawed-off /ˌsaˈdaf/ adj (esim haulikon piipusta) katkaistu, lyhennetty
sawhorse /ˈsaˌhɔrs/ s sahapukki
sawmill /ˈsaˌmɪl/ s sahalaitos, saha
sawn /san/ ks saw
sawtooth /ˈsaˌtuθ/ s sahan(terän) hammas
saw-toothed /ˈsaˌtuθt/ adj sahalaitainen
saw wood fr (ark kuv) vetää/vedellä hirsiä
sawyer /sɔɪjər/ s sahuri, sahaaja
sax /sæks/ s (ark) saksofoni
Saxony /sæksəni/ Saksi
saxophone /ˈsæksəˌfoʊn/ s saksofoni
saxophonist /ˈsæksəˌfoʊnɪst/ s saksofonisti

say /seɪ/ s sananvalta you have no say in this sinulla ei ole tässä asiassa mitään sanomista
v said, said **1** sanoa what did you say to him? mitä sanoit/vastasit hänelle? it's difficult to say whether she will succeed or not on vaikea sanoa menestyykö hän the new model is said to be better uutta mallia pidetään parempana you can say your prayers now nyt voit rukoilla that is to say siis, eli, toisin sanoen **2** (kello) näyttää, osoittaa
adv esimerkiksi if you buy, say, ten books jos ostat vaikkapa kymmenen kirjaa
interj kas!, no johan nyt!; hei!, kuulehan!
saying s **1** sanonta, sananlasku, sananparsi **2** something goes without saying jokin on sanomattakin selvää
say uncle fr (ark) antautua
SC South Carolina
scab /skæb/ s **1** rupi **2** (eläimen) syyhytauti
v rupeutua, mennä ruvelle
scaffold /skæfəld/ s **1** rakennusteline **2** hirttolava
scaffolding s rakennusteline(et)
scald /skaəld/ s (nesteen aiheuttama) palovamma
v (neste) polttaa, (iho) palaa
scalding adj (neste) kiehuva, polttavan kuuma
scale /skeɪəl/ s **1** (kalan, käärmeen) suomu **2** (mon kuv) suomus the scales fell from his eyes suomut putosivat hänen silmiltään **3** mittakaava **4** asteikko **5** laajuus, suuruus **6** (mon) vaaka she tips the scales at 110 pounds hän painaa 50 kiloa your vote tipped the scales in our favor sinun äänesi käänsi tilanteen meidän eduksemme to turn the scales muuttaa/kääntää tilanne
v **1** suomustaa (kala) **2** (iho) hilseillä **3** nousta, kiivetä **4** punnita **5** painaa
scale down v pienentää, vähentää, supistaa
scale up v suurentaa, kasvattaa, korottaa
scallop /skæləp/ s kampasimpukka
scalp /skæəlp/ s päänahka; (lääk myös) hiuspohja
v nylkeä päänahka joltakulta
scalpel /skælpəl/ s (kirurgin) leikkausveitsi
scaly adj **1** suomuinen **2** (iho ym) hilseilevä
scamper /skæmpər/ v **1** kipittää **2** peuhata, temmeltää
scampi /skæmpi/ s **1** (mon scampi) keisarihummeri **2** (ruoka) ruskistetut katkaravut
scan /skæn/ s **1** (elektroninen)kuva, kuvaus a scan from Mars videokuva Marsista **2** (lääk) kerroskuvaus; ultraäänitutkimus
v **1** katsella (laidasta laitaan tms), tutkia katseellaan; käydä (katseellaan) nopeasti läpi at breakfast, he quickly scanned the headlines aamiaisella hän lukaisi (nopeasti) lehden otsikot **2** kuvata, välittää kuva jostakin **3** (elektroninen kuva) pyyhkäistä **4** (lääk) kuvata, ottaa kerroskuva yms
scandal /skændəl/ s skandaali, häväistysjuttu
scandalize /ˈskændə,laɪz/ v järkyttää, häväistä, pöyristyttää aunt Nellie was scandalized by your behavior käytöksesi järkytti Nellie-tätiä
scandalous /skændələs/ adj järkyttävä, häpeällinen, pöyristyttävä
scandalously adv järkyttävästi, häpeällisesti, pöyristyttävästi
Scandinavia /,skændəˈneɪviə/ Skandinavia
Scandinavian s skandinaavi
adj skandinaavinen, skandinavialainen
scanner s **1** kuvanlukija, skanneri **2** (lääk) kuvantamislaite
scant /skænt/ adj vähäinen, niukka the event got only scant attention in the press tapauksesta kerrottiin lehdissä vain lyhyesti
scantily /skæntəli/ adv vähän, niukasti she was very scantily dressed hän oli pukeutunut hyvin paljastavasti
scantly adv vähän, niukasti
scanty adj vähäinen, niukka
scapegoat /ˈskeɪp,gout/ s syntipukki

scapula /skæpjələ/ s lapaluu
scar /skar/ s **1** arpi; naarmu **2** (kuv) arpi, haava
v arpeuttaa, arpeutua, raapia, naarmuttaa, naarmuuntua
scarce /skeərs/ adj **1** josta on pulaa/puutetta **2** harvinainen to make yourself scarce (ark kuv) häipyä, lähteä livohkaan/nostelemaan, tehdä katoamistemppu
scarcely adv **1** hädin tuskin, juuri ja juuri, nipin napin **2** tuskin; ei I am scarcely the one to tell you how to live your life minä en ole oikea ihminen neuvomaan miten sinun pitäisi elää
scarcity /skersəti/ s **1** pula, puute **2** harvinaisuus
scare /skeər/ v pelästyttää, pelästyä, säikäyttää, säikähtää
scarecrow /'skeər,krou/ s linnunpelätin, variksenpelätin
scared to run scared pelätä, olla peloissaan
scare up v (ark) haalia (vaivoin) kokoon, saada hankituksi
scarf /skarf/ s (mon scarves) huivi; kaulaliina
scarlet /skarlət/ s, adj tulipunainen
scarlet fever s tulirokko
scarlet woman s (naispuolinen) prostituoitu; aviorikkoja
scary adj **1** pelottava, kammottava **2** säikky, arka
SCAT School and College Ability Test
scathing /skeɪðiŋ/ adj (arvostelu) musertava
scathingly adv (haukkua) musertavasti
scatological /ˌskætə'ladʒɪkəl/ adj **1** (lääk) skatologinen, ulosteopillinen **2** kiroilu-
scatology /skæ'talədʒi/ s **1** (lääk) skatologia, ulosteoppi **2** kiroilu (ulostukseen liittyvillä sanoilla)
scatter /skætər/ v varistaa, ripotella, levittää, levitä, levittäytyä, hajaantua, pirstoa (kuv)
scatterbrain /'skætər,breɪn/ s hajamielinen, tärähtänyt, höynähtänyt (ihminen)
scatterbrained adj hajamielinen, tärähtänyt, höynähtänyt
scattered adj hajanainen, hajallaan sijaitseva, laajalle levinnyt, epäyhtenäinen
scavenge /skævəndʒ/ v **1** (eläin) kerätä/syödä haaskoja **2** lakaista/siivota katuja **3** etsiä roskapöntöistä syötävää ym **4** etsiä (erityisesti ruokaa)
scavenger /skævəndʒər/ s **1** haaskaeläin **2** kadunlakaisija **3** roskisdyykkari (sl)
scenario /sə'neriou/ s (mon scenarios) **1** elokuvakäsikirjoitus, skenaario **2** (toiminta)suunnitelma, skenaario
scene /sin/ s **1** tapahtumapaikka, paikka, näyttämö the scene of the crime rikospaikka **2** (näytelmän, elokuvan) kohtaus **3** näkymä, näköala **4** äläkkä, häly, kohtaus please don't make a scene älä viitsi ruveta räyhäämään **5** maailma (kuv) the publishing scene kustannusmaailma to make the scene (sl) ilmestyä kuvaruutuun (kuv), käydä/liikkua jossakin **6** (teatterin) kulissi behind the scenes (kuv) kulissien takana
scenery /sinəri/ s **1** maisema; näkymä(t) **2** (teatterin ym) kulissit
scenic /sinɪk/ s maisemavalokuva
adj **1** maisemallinen, maisema-, näköala- scenic route maisemallisesti kaunis tie, näköalareitti **2** (luonnon)kaunis
scent /sent/ s **1** tuoksu, haju **2** hajuvesi **3** (eläimen) vainu, jäljet to be on the scent (kuv) olla jonkun/jonkin jäljillä
v **1** hajustaa **2** haistaa, vainuta, jäljittää
scentless adj hajuton, tuoksuton
scepter /septər/ s valtikka
sceptic /skeptɪk/ ks skeptic
schedule /skedʒuəl/ s **1** ohjelma, suunnitelma, aikataulu **2** (kulkuneuvon) aikataulu our flight arrived ahead of/on/behind schedule lentomme tuli perille etuajassa/ajoissa/myöhässä
v suunnitella (tiettynä aikana tapahtuvaksi) she scheduled the meeting for Tuesday hän sopi kokouksen tiistaiksi
scheme /skim/ s **1** suunnitelma **2** ohjelma, järjestelmä **3** juoni, salajuoni, salahanke **4** piirros, kuvio

v juonitella, vehkeillä, suunnittella
schemer /skimər/ s juonittelija, vehkeilijä
schism /skɪzəm/ s skisma, erimielisyys, kiista
schizo /skɪtsou/ s (mon schizos) (ark) jakomielitautinen
schizophrenia /ˌskɪtzəˈfriniə/ s jakomielitauti, skitsofrenia
schizophrenic /ˌskɪtsəˈfrinɪk/ s, adj jakomielitautinen
schnitzel /ʃnɪtsəl/ s (ruoka) (wienin)leike
scholar /skalər/ s **1** oppinut, tiedemies **2** opiskelija, oppilas **3** stipendiaatti
scholarly adj **1** tutkija-, tiedemies- **2** akateeminen
scholarship /ˈskalərˌʃɪp/ s **1** oppineisuus **2** stipendi
school /skuəl/ s **1** koulu school's out for summer kesäloma on alkanut **2** oppilaitos; college; yliopisto **3** tiedekunta **4** koulukunta **5** kalaparvi, valasparvi
v koulita, opettaa
school age s kouluikä
schoolbag /ˈskuəlˌbæg/ s koululaukku
school board s koululautakunta
schoolbook /ˈskuəlˌbuk/ s oppikirja, koulukirja
schoolboy /ˈskuəlˌboɪ/ s koulupoika, koululainen
school bus s koulubussi
school day s koulupäivä
schoolgirl /ˈskuəlˌgərəl/ s koulutyttö, koululainen
schoolhouse /ˈskuəlˌhaʊs/ s koulurakennus, koulutalo, koulu
schoolma'am /ˈskuəlˌmæəm/ s opettaja(tar)
schoolmarm /ˈskuəlˌmaərm/ s opettaja(tar)
schoolmaster /ˈskuəlˌmæstər/ s opettaja
schoolmate /ˈskuəlˌmeɪt/ s koulutoveri
school of hard knocks s elämän (kova) koulu
schoolteacher s opettaja
schoolteaching /ˈskuəlˌtitʃɪŋ/ s opettajan työ, opetustyö
schoolyard /ˈskuəlˌjaərd/ s koulun piha
school year s kouluvuosi
schooner /skunər/ s **1** (laiva) kuunari **2** prairie schooner (katetut) vankkurit
schwa /ʃwa/ s švaa-vokaali /ə/
science /saɪəns/ s **1** (luonnon)tiede **2** taito, osaaminen the science of making good lasagna hyvän lasagnen valmistuksen salaisuus
science fiction /ˌsaɪənsˈfɪkʃən/ s tieteiskirjallisuus, science fiction
scientific /ˌsaɪənˈtɪfɪk/ adj **1** (luonnon)tieteellinen **2** järjestelmällinen
scientifically adv **1** (luonnon)tieteellisesti **2** järjestelmällisesti let's proceed scientifically tehkäämme tämä harkitusti
scientist /saɪəntɪst/ s luonnontieteilijä, tutkija, tiedemies
sci-fi /saɪfaɪ/ s (ark) tieteiskirjallisuus, sci-fi
adj tieteis-, tieteiskirjallisuuden, sci-fi-
scimitar-horned oryx /ˌsɪmətərˌhɔrndˈɔrəks/ s sapelibeisa
scintillate /ˈsɪntəˌleɪt/ v säkenöidä (myös kuv)
scissors /sɪzərz/ s (verbi yksikössä tai mon) sakset a pair of scissors sakset
scoff /skaf/ s pilkkaava huomautus, piikki
v pilkata, haukkua jotakuta/jotakin (at)
scold /skold/ s moittija, haukkuja, sättijä
v moittia, nuhdella, sättiä, haukkua
scolding s pilkka, haukkuminen, haukkumiset
scoop /skup/ s **1** kauha **2** kauhallinen; (jäätelö)pallo **3** (lehdessä) jymyuutinen **4** (ark) uutinen, juju, vitsi: what's the scoop on Mary? is she getting married? mitä uutta Marysta kuuluu? onko hän menossa naimisiin?
v **1** kauhoa **2** lyödä laudalta (toinen lehti/toiset lehdet julkaisemalla jokin uutinen ensimmäisenä)
scooter /skutər/ s **1** potkulauta **2** skootteri
scope /skoup/ s suuruus, laajuus, mitta, mitat

scope out v (sl) pälyillä, katsella, tutkia, tsekata
scorch /skɔrtʃ/ s palohaava
v **1** kärventää, kärventyä, kärähtää, polttaa, palaa **2** haukkua, lyödä/pistää lyttyyn **3** (ark) kiitää, viilettää
score /skɔr/ s **1** pelitilanne, pistetilanne, tilanne; pistemäärä **2** maali, piste **3** merkki, jälki, viiva, ura **4** kaksikymmentä, (kananmunista myös) tiu **5** (mon) paljon scores of people came paikalle saapui paljon väkeä **6** (ark) uutinen, juju, vitsi: what's the score on Mary? is she getting married? mitä uutta Marysta kuuluu? onko hän menossa naimisiin? **7** (mus) nuotit **8** (mus) (elokuvan) musiikki **9** (kuv) velka I have a score to settle with Earl minulla on Earlin kanssa kana kynimättä, minulla on Earlin kanssa vanhoja kalavelkoja
v **1** tehdä/saada (lisä)piste, tehdä maali **2** saada tulokseksi, saada n pistettä **3** laskea pisteitä (kilpailussa) **4** tarkistaa/arvostella koe/testitulos **5** (mus) säveltää (elokuvamusiikki) **6** menestyä, onnistua
scoreboard /'skɔr,bɔrd/ s pistetaulu, tulostaulu
scorecard /'skɔr,kard/ s pistekortti, tuloskortti
scorn /skɔrn/ s **1** pilkka, halveksinta to laugh something to scorn pitää jotakin pilkkanaan, halveksua jotakin, nauraa jollekin **2** pilkan/halveksunnan kohde, pilkka
v halveksua, kohdella halveksuen, pilkata, pitää pilkkanaan
scornful adj pilkkaava, halveksiva
scornfully adv pilkkaavasti, halveksivasti, halveksuen
Scorpio /skɔrpiou/ horoskoopissa Skorpioni
scorpion /skɔrpiən/ s skorpioni
Scorpion (tähdistö) Skorpioni
Scot /skat/ s skotlantilainen
Scotch /skatʃ/ s **1** skotlantilainen the Scotch skotlantilaiset **2** skotlantilainen viski
adj skotlantilainen
Scotch tape® teippi
Scotch-tape /,skatʃ'teɪp/ v teipata, kiinnittää/sulkea teipillä
scot-free /,skat'fri/ to escape scot-free selvitä ehjin nahoin, selvitä naarmuitta, selvitä pelkällä säikähdyksellä
Scotland /skatlənd/ Skotlanti
Scots /skats/ s skotlannin murre
adj skotlantilainen
Scotsman s (mon Scotsmen) skotlantilainen (mies)
Scotswoman s (mon Scotswomen) skotlantilainen (nainen)
Scottish /skatɪʃ/ s skotlantilainen the Scottish skotlantilaiset
adj skotlantilainen
scoundrel /skaʊndrəl/ s roisto, konna, kelmi; (lapsesta) vintiö
scour /skaʊər/ s hankaus, kuuraus, jynssäys, puhdistus
v **1** hangata (puhtaaksi), kuurata, jynssätä, puhdistaa **2** avata (tukkeutuma) **3** (kuv) kitkeä, puhdistaa the new president wants to scour the government of corruption uusi presidentti haluaa tehdä lopun valtion virkamiesten lahjonnasta
scourge /skərdʒ/ s **1** ruoska, piiska **2** vitsaus
v **1** ruoskia, piiskata **2** rangaista ankarasti **3** haukkua, sättiä, moittia ankarasti
scout /skaʊt/ s **1** (sot ym) tiedustelija **2** partiolainen **3** värvääjä talent scout kykyjenetsijä
v käydä tiedustelemassa, tiedustella
scouting s **1** tiedustelu, etsintä **2** partiotoiminta
scout out v etsiä jotakuta/jotakin, yrittää löytää
scout up v etsiä jotakuta/jotakin, yrittää löytää
scowl /skaʊəl/ s kyräilevä katse, synkkä/tuomitseva/vihainen katse
v kyräillä, katsoa tuomitsevasti/vihaisesti/karsaasti, paheksua, katsoa alta kulmien
scrabble /skræbəl/ v hapuilla, hamuta, haalia kokoon, kopeloida, raapia (käpälillä)
scram /skræm/ v (ark, yleensä käskynä) häipyä, lähteä, alkaa nostella

scramble /skræmbəl/ s **1** kiipeily, kiipeäminen **2** kilpailu, kilpajuoksu (kuv) **3** ryntäys, rytäkkä
v **1** kiivetä **2** yrittää kilpaa saada jotakin, kilpailla jostakin when the doors were opened, the people scambled for seats kun ovet avattiin väki ryntäsi kiireesti istumaan/parhaille paikoille **3** rynnätä she scrambled for the door hän ryntäsi ovelle, hän yritti rynnätä ovelle **4** sekoittaa, sotkea, panna sekaisin **5** koodata (esim televisiolähete)
scrambled eggs s (mon) **1** paistetut kananmunat (joissa keltuaiset ja valkuaiset on sekoitettu) **2** munakokkeli
scrap /skræp/ s **1** pala, palanen I could only find scraps of information about the woman sain naisesta vain vähän tietoa **2** (mon) (ruuan) tähteet **3** romu, romurauta tms **4** (ark) riita, kina
v **1** romuttaa (myös kuv:) korvata jokin, luopua jostakin, lakkauttaa jokin; heittää pois/menemään **2** riidellä, kinata
scrapbook /'skræp,bʊk/ s leikekirja
scrape /skreɪp/ s **1** kaavinta; hionta, hankaus, hankaaminen **2** naarmu, raapaisu **3** (ääni) narske; raapiva ääni **4** tiukka paikka to be in a scrape olla pulassa/pinteessä **5** kiista, kina, riita
v **1** kaapia; hioa, hangata **2** raapia, raapustaa, naarmuttaa **3** narskua; pitää raapivaa ääntä **4** olla säästäväinen, elää nuukasti (ark)
scraper s kaavin; hioin
scrape together v kerätä/haalia kokoon
scrape up v kerätä/haalia kokoon we have to scrape up some money for her present meidän pitää hankkia jostakin tarpeeksi rahaa hänen lahjaansa
scrappy /skræpi/ adj monista osista/palasista kyhätty his knowledge of German literature is scrappy hänen tiedoissaan saksalaisesta kirjallisuudesta on paljon aukkoja
scratch /skrætʃ/ s **1** naarmu **2** raapaisu **3** raapiva ääni **4** to start from scratch aloittaa alusta bake a cake from scratch leipoa kakku kokonaan itse (ilman kakkusekoitetta) to be up to scratch kelvata, täyttää vaatimukset **5** (golf) peli ilman tasoitusta, scratch
v raapia, naarmuttaa, naarmuuntua to scratch a match raapaista tulitikku
scratch out v pyykiä pois/yli
scratch player s (golf) golffari jonka tasoitus on nolla
scrawl /skraəl/ s (käsiala) harakanvarpaat
v raapustaa, kirjoittaa harakanvarpailla
scrawny /skrani/ adj kuikelo, hintelä, hontelo
scream /skrim/ s huuto, parahdus, ulvahdus
v **1** huutaa, parahtaa, ulvahtaa, (tuuli) ulvoa **2** ulvoa naurusta **3** (kuv) pistää silmään, olla räikeä, huutaa, (väri myös) kirkua
screaming adj **1** huutava, parkuva **2** (kuv) räikeä, silmiinpistävä, silmäänpistävä, huutava, (väri myös) kirkuva **3** hirvittävän hauska, hullunhauska
screaming-meemies to have the screaming-meemies (ark) saada hepulit, olla hysteerinen, joutua paniikkiin
screech /skritʃ/ s kirkaisu; kirskuna, kirskunta; narahdus
v kirkaista; kirskua, kirahtaa; narahtaa
screen /skrin/ s **1** kaihdin, suojus; väliseinä **2** (elokuvan) valkokangas **3** (television) kuvaruutu, (tietokonemonitorin) näyttö(ruutu) **4** siivilä, seula
v **1** suojata, suojella, peittää **2** siivilöidä, seuloa **3** seuloa, haastatella (esim työnhakijoita), seuloa, tutkia (esim hakemukset) **4** projisoida (elokuva) **5** järjestää (elokuvan) ennakkonäytäntö (kutsuyleisölle)
screen actor s elokuvanäyttelijä
screen actress s elokuvanäyttelijä(tär)
screenplay /'skrin,pleɪ/ s (elokuva)käsikirjoitus
screen test s (elokuva-alalla) koekuvaus
screen-test v (elokuva-alalla) koekuvata; käydä koekuvauksessa
screenwriter /'skrin,raɪtər/ s elokuvakirjailija

screw /skru/ s **1** ruuvi Professor Arid has a screw loose professori Kuivalla on ruuvi löysällä to put the screws on someone painostaa jotakuta, kiristää jotakuta **2** (lentokoneen, laivan) potkuri **3** kierukka(mainen esine) **4** (sl) pano
v **1** ruuvata, kiertää, kiertyä, kiinnittää/kiinnittyä kiertämällä/ruuvaamalla **2** (kasvot) vääristää, vääristyä **3** pakottaa, uhata, kiristää (joltakulta rahaa) **4** (sl) naida, panna
screw around v (sl) **1** lorvailla, maleksia, vetelehtiä **2** juosta/käydä vieraissa
screwball /ˈskruˌbaəl/ s (sl) tärähtänyt, outo lintu, hullu
adj (sl) outo, hullu, pimeä (kuv)
screwdriver /ˈskruˌdraɪvər/ s **1** ruuvitaltta, ruuvimeisseli **2** (ark) votka-appelsiinimehudrinkki
screw off v (sl) **1** lähteä (nostelemaan), häipyä, kalppia tiehensä **2** laiskotella, vetelehtiä, lorvailla
screw-on adj kierrettävä, kiertämällä kiinnittyvä/kiinnitettävä
screw propeller s (lentokoneen, laivan) potkuri
screw thread s ruuvin kierre
screw-top s kiertokansi
adj jossa on kiertokansi
screw up v (sl) **1** pilata, munata, tunaroida **2** panna sekaisin, saattaa pois tolaltaan
screwup s (sl) **1** munaus, kömmähdys, tunarointi, epäonnistuminen **2** munari, tunari
screwy adj (sl) **1** tärähtänyt, hullu **2** outo, kumma
scribble /skrɪbəl/ s (käsiala) raapustus, harakanvarpaat, töherrys
v raapustaa, kirjoittaa harakanvarpailla, töhertää; kirjoittaa nopeasti
scribe /skraɪb/ s **1** kirjuri **2** (Raamatussa) kirjanoppinut
scrimmage /skrɪmədʒ/ s **1** kahakka, rytäkkä, yhteenotto **2** (amerikkalaisessa jalkapallossa) aloitusryhmitys line of scrimmage aloituslinja
script /skrɪpt/ s **1** käsiala, (käsin) kirjoitus **2** (näytelmän, elokuvan, kuunnelman) käsikirjoitus **3** asiakirja
v **1** kirjoittaa/laatia (elokuvan tms) käsikijoitus **2** suunnitella, järjestää
Scriptures /skrɪptʃərz/ s (mon) Raamattu
scriptwriter /ˈskrɪptˌraɪtər/ s elokuvakirjailija, tv-kirjailija, (radiossa) kuunnelmakirjailija
scroll /skrəl/ s **1** (kirjoitus)käärö **2** (kierukkamainen) koristekuvio
v (tietok) vyöryttää (tekstiä ruudulla)
scrounge /skraʊndʒ/ s kerjäläinen, kerjääjä
v kerjätä, vipata, pummata
scrounge around for v etsiä, yrittää löytää
scrounger s kerjäläinen, kerjääjä
scrub /skrʌb/ s **1** pesu **2** peruutus; lykkäys **3** pensaikko **4** sekaroituinen eläin, (koirasta) rakki
v **1** pestä, kuurata **2** hangata **3** peruuttaa; lykätä (myöhemmäksi)
scrub up v (sairaalassa) pestä kätensä (ennen leikkausta)
scrubwoman /ˈskrʌbˌwʊmən/ s (mon scrubwomen) siivooja(nainen)
scruff /skrʌf/ s niska
scruffy adj likainen, sottainen, siivoton
scruple /skrupəl/ s esto, epäilys, tunnonvaivat she had no scruples about informing on her boss hän ei empinyt antaessaan pomonsa ilmi
v empiä, häikäillä, siekailla, arastella, olla tunonvaivoja
scrupleless /skrupələs/ adj häikäilemätön, siekailematon, arastelematon
scrupulous /skrupjələs/ adj tunnollinen, tarkka, pikkutarkka
scrupulously adv tunnollisesti, tarkasti, pikkutarkasti
scrutinize /ˈskrutɪˌnaɪz/ v tutkia tarkkaan/läpikotaisin
scrutiny /skrutɪni/ s tarkistus, tarkka tutkimus, syyni (ark)
scuba-dive v sukeltaa
scuba diver /ˈskubəˌdaɪvər/ s laitesukeltaja, sukeltaja
scuba diving s laitesukellus, sukellus
scuff /skʌf/ v laahustaa, kävellä laahustaen

scuffle /skʌfəl/ s kahakka, yhteenotto
v kahinoida, ottaa yhteen
sculpt /skʌlpt/ v veistää, muovata, muotoilla she has a finely sculpted face hänellä on hienot kasvonpiirteet
sculptor /skʌlptər/ s kuvanveistäjä
Sculptor (tähdistö) Kuvanveistäjä
sculptress /skʌlptrəs/ s (naispuolinen) kuvanveistäjä
sculpture /skʌlptʃər/ s **1** kuvanveisto(taide) **2** veistokset **3** kuvanveistos, veisto
v veistää, muovata, muotoilla
scum /skʌm/ s **1** vaahto, kuohu **2** roska, roina **3** (kuv) pohjasakka you're scum sinä olet pohjasakkaa, senkin saasta!
v **1** vaahdota, kuohua **2** kuoria vaahto/kuohu jostakin
scumbag /'skʌm,bæg/ s (sl) mäntti, paskiainen
scurry /skəri/ v **1** kipittää, vipeltää **2** kiirehtiä, mennä kiireesti, hoputtaa
scurvy /skərvi/ s keripukki
scythe /saɪð/ s viikate
v niittää
SD South Dakota Etelä-Dakota
S. Dak. South Dakota Etelä-Dakota
S-DAT stationary-head digital audio tape (recorder)
sea /si/ s **1** meri, valtameri at sea merellä to put to sea lähteä merimatkalle to go to sea lähteä merimatkalle; lähteä merille to be at sea about something olla täysin ymmällään jostakin
2 merenkäynti **3** aalto; iso aalto **4** (kuv) tulva, suuri määrä/joukko
5 merimiehen työ to follow the sea lähteä merille
sea anchor s ankkuri
sea anemone /'siə,neməni/ s merivuokko
seabed /'si,bed/ s merenpohja
seabird /'si,bərd/ s merilintu
seaboard /'si,bərd/ s rannikko
seaborne /'si,bɔrn/ adj laivalla/meritse kuljetettu
sea captain s merikapteeni
sea change s jyrkkä/yhtäkkinen/äkillinen muutos; selvä parannus

sea cow s merilehmäSteller's sea cow stellerinmerilehmä
seafaring /'si,ferıŋ/ adj merenkulkija-, merenkulku-, purjehtija-
seafood /'si,fud/ s meren antimet (ruokana)
Sea Goat (tähdistö) Kauris
seagoing /'si,goʊıŋ/ adj **1** merikelpoinen **2** merenkulkija-, merenkulku-, purjehtija-
sea gull s merilokki
sea horse s merihevonen
seal /siəl/ s **1** (mon seals, seal) hylje **2** sinetti seal of approval hyväksyntä she set her seal to my plan hän hyväksyi suunnitelmani
v **1** sinetöidä (myös kuv) my lips are sealed huuleni ovat sinetöidyt, en puhahda asiasta kenellekään we sealed the deal yesterday sinetöimme kaupan/sopimuksen eilen to seal someone's fate sinetöidä jonkun kohtalo **2** sulkea, liimata kiinni (kirjekuori)
sea level s merenpinta we are 3,000 feet above sea level olemme (noin) kilometrin korkeudella merenpinnasta
seal off v eristää, sulkea (alue)
seam /sim/ s **1** sauma **2** ryppy, kurttu
v **1** saumata, neuloa, ommella **2** rypistää, rypistyä
seaman /simən/ s (mon seamen) **1** merenkulkija **2** merimies
seamanship /'simən,ʃıp/ s merenkulkutaito, purjehdustaito
seamless adj saumaton (myös)
seamount /'si,maʊnt/ s merenalainen vuori, merenpohjan vuori
seamster /simstər/ s ompelija, räätäli
seamstress /simstrəs/ s ompelija(tar), räätäli
seamy /simi/ adj rähjäinen, kurja, ikävä
séance /seıans/ s spiritistinen istunto
seaplane /'si,pleın/ s (lentokone) vesitaso
seaport /'si,pɔrt/ s **1** (meri)satama **2** satamakaupunki
search /sərtʃ/ s etsintä
v etsiä
searching adj tutkiva, utelias, tarkka, perusteellinen

searchlight /'sərtʃ,laɪt/ s valonheitin
search me fr en minä tiedä!, mistä minä tiedän!
search party s etsintäryhmä, etsintäpartio
search warrant s etsintälupa, kotietsintälupa
sea robber s merirosvo
seascape /'si,skeɪp/ s **1** (maalaus) merimaisema **2** merinäköala, merimaisema
Sea Serpent (tähdistö) Vesikäärme
seashell /'si,ʃel/ s simpukan kuori
seashore /'si,ʃɔr/ s merenranta
seasick /'si,sɪk/ adj merisairas
seasickness s merisairaus, meritauti
seaside /'si,saɪd/ s merenranta; rannikko
adj merenranta-, rannikko-
season /sizən/ s **1** vuodenaika **2** aika, kausi, sesonki the rainy season sadekausi tourist season turistikausi, (turisti)-sesonki for a season väliaikaisesti, jonkin aikaa in good season hyvissä ajoin strawberries are not yet in season vielä ei ole mansikka-aika in season and out of season alinomaa, aina, jatkuvasti
v **1** maustaa (myös kuv), höystää (myös kuv) **2** kuivata (puutavaraa) **3** (kuv) kasvattaa, kypsyttää
seasonable /sizənəbəl/ adj **1** vuodenaikaan nähden tavallinen/normaali **2** otollinen, oivallinen
seasonably adv vuodenaikaan nähden tavallisesti/normaalisti
seasonal /sizənəl/ s kausityöntekijä, väliaikaistyöntekijä, lomittaja
adj kausittainen, kausi-
seasoning s mauste, höyste
season ticket s kausilippu
seat /sit/ s **1** istuin, tuoli **2** (tuolin tms) istuin(levy, -pinta) **3** istumapaikka a car with four seats nelipaikkainen auto **4** housujen takamus to know something by the seat of your pants tietää/osata jotakin kokemuksesta/takapuolituntumalta (ark)
v **1** ohjata istumaan, istuttaa **2** olla tilaa n henkilölle the station wagon seats eight farmariautoon mahtuu kahdeksan henkeä **3** nimittää/asettaa johonkin virkaan/tehtävään
seat belt s turvavyö
seating s istumajärjestys, istumapaikat
SEATO Southeast Asia Treaty Organization Kaakkois-Aasian sopimusjärjestö
seat-of-the-pants adj kokemukseen perustuva, takapuolituntumalta (ark) tapahtuva
seat of the pants s housujen takamus to know something by the seat of your pants tietää/osata jotakin kokemuksesta/takapuolituntumalta (ark)
Seattle /sɪ'ætəl/ kaupunki Washingtonin osavaltiossa
seaward /siwərd/ adj **1** joka avautuu/osoittaa merelle päin **2** (tuuli) joka tulee mereltä päin, meri-
adv merelle päin
seawards adv merelle päin
sea water s merivesi
seaweed /'si,wid/ s **1** merikasvi **2** merilevä
seaworthy /'si,wərði/ adj merikelpoinen
sebaceous gland /sɪ'beɪʃəs/ s talirauhanen
sebum /sibəm/ s (lääk) tali
sec /sek/ s (ark) sekunti I'll be with you in a sec tulen aivan heti
SEC Securities and Exchange Commission
secede /sə'sid/ v erota (liitosta)
secession /sə'seʃən/ s **1** ero(aminen) (liitosta) **2** Secession 11 etelävaltion ero Yhdysvaltain unionista 1860–1861 (johti sisällissotaan)
secessionist s sesessionisti
adj sesessionistinen, eroa suunnitteleva/lietsova, eronnut
seclude /sə'klud/ v eristää, eristäytyä
secluded adj (paikka) syrjäinen, (ihminen, elämä) syrjään vetäytynyt, eristäytynyt
seclusion /sə'kluʒən/ s **1** eristäminen **2** eristyksissä eläminen, eristyneisyys, oma rauha
second /sekənd/ s **1** toinen to come in second tulla toiseksi **2** (autossa ym) toi-

nen vaihde, kakkosvaihde, kakkonen **3** sekundatavara **4** (kaksintaistelun avustaja) sekundantti **5** sekunti **6** kulmasekunti **7** hetki, silmänräpäys I won't be a second tulen heti takaisin
v **1** kannattaa, tukea (ehdotusta) **2** toimia/olla sekundanttina
adj toinen second floor (US) toinen kerros, (UK) kolmas kerros every second day joka toinen päivä, kahden päivän välein
adv toiseksi, toisena
secondary /'sekən,deri/ adj **1** toissijainen, toisarvoinen **2** (opetus, koulutus) toisen asteen
secondary accent s (sanan) sivupaino
secondary market s (tal) jälkimarkkinat, toissijaismarkkinat
secondary school s toisen asteen koulu (yläaste/lukio, ammattioppilaitos)
secondary storage s (tietok) massamuisti (levyke, kovalevy ym)
secondary stress s (sanan) sivupaino
second childhood s vanhuudenhöperyys, vanhuus
second-class adj **1** (matkustaja, istumapaikka, posti) toisen luokan **2** huono, toisen luokan
adv (matkustaa, postittaa) toisessa luokassa
second-class citizen s toisen luokan kansalainen
second class mail s toisen luokan posti
Second Coming s (Jeesuksen) toinen tuleminen
second cousin s pikkuserkku
second fiddle to play second fiddle to someone soittaa toista viulua, olla toisarvoisessa asemassa johonkuhun nähden
second-generation adj toisen (suku)polven
second-guess v **1** (yrittää) olla jälkiviisas **2** arvailla, arvuutella
second hand s sekuntiviisari
secondhand /,sekənd'hænd/ adj **1** käytetty secondhand bookstore antikvariaatti, vanhojen kirjojen kauppa **2** (tieto) toisen käden
adv **1** käytettynä I bought the Buick secondhand ostin Buickin käytettynä **2** (kuulla jotakin) kiertoteitse
secondly adv toiseksi
second nature s toinen luonto to be second nature to someone olla jollekulle toinen luonto, olla jollakulla veressä
second of arc s kaarisekunti
second-rate /,sekənd'reɪt/ adj toisen luokan, huono, kehno
second wind s **1** hengityksen tasaantuminen after a mile, the runner got his second wind mailin jälkeen juoksija sai hengityksensä tasaantumaan **2** (kuv) uusi puhti
secrecy /sikrəsi/ s salassapito, salamyhkäisyys, salaisuus to be sworn to secrecy vannottaa joku vaikenemaan jostakin asiasta
secret /sikrət/ s salaisuus in secret salaa
adj salainen, sala-
secret agent s salainen agentti
secretarial /,sekrə'terɪəl/ adj sihteerin secretarial duties sihteerin työt
secretariat /,sekrə'teriət/ s sihteeristö
secretary /'sekrə,teri/ s **1** sihteeri **2** ministeri secretary of agriculture (US) maatalousministeri **3** lipasto
secretary-general /,sekrəteri'dʒenrəl/ s (mon secretaries-general) pääsihteeri the secretary-general of the United Nations Yhdistyneiden Kansakuntien pääsihteeri
secretary of state s (mon secretaries of state) (US) ulkoministeri
secret ballot s salainen äänestys
secrete /sə'krit/ v **1** erittää **2** piilottaa, kätkeä
secretion /sə'kriʃən/ s erite
secretive /sikrətɪv/ adj salamyhkäinen
secretively adv salamyhkäisesti
secret police s salainen poliisi, suojelupoliisi
secret service s salainen palvelu; tiedustelu, vakoilu
secret society s salaseura
sect /sekt/ s lahko

sectarian /sek'teriən/ s lahkolainen; nurkkakuntalainen
adj lahko-, tunnustuksellinen; lahkolaismielinen; nurkkakuntainen
sectarianism /sek'terıə,nızəm/ s lahkolaisuus
section /sekʃən/ s **1** osa, pala, kappale, lohko; alue **2** (lehden) osa **3** (lain) kohta **4** osasto, jaos **5** (lääk) leikkaus, sektio **6** läpileikkaus, poikkileikkaus
v **1** jakaa, paloitella, lohkoa, leikata osiin **2** (lääk) tehdä aukaisu/puhkaisu
sectional /sekʃənəl/ adj **1** alueellinen, paikallinen; lahkolaismielinen; nurkkakuntainen **2** läpileikkaus-, poikkileikkaus
sectionalism /'sekʃənə,lızəm/ s paikallishenkisyys, paikallisten etujen ajaminen, sektionalismi
sector /sektər/ s **1** (geom) sektori **2** ala, alue, sektori the public/private sector julkinen/yksityinen sektori
secular /sekjələr/ adj maallinen
secularism /'sekjələ,rızəm/ s sekularismi, maailmallisuus
secularity /,sekjə'lerəti/ s **1** maallisuus **2** sekularismi, maailmallisuus
secularize /'sekjələ,raız/ v sekularisoida, maallistaa
secure /sə'kjuər sə'kjər/ v **1** saada, hankkia **2** varmistaa, turvata, suojata, suojella **3** kiinnittää **4** (laina) taata **5** vangita, saada kiinni
adj turvallinen, varma, luotettava, (olo) huoleton, (ote) luja your money is secure rahasi ovat (hyvässä) turvassa
securely adv turvallisesti, varmasti, luotettavasti, (kiinnitetty) lujasti, kunnolla
Securities and Exchange Commission s (US) arvopaperikauppaa valvova viranomainen
security /sə'kjərəti/ s **1** turva, turvallisuus; turvatoimet **2** (yl mon) arvopaperit **3** takuu, varmuus
security check s turvatarkastus
Security Council s (YK:n) turvallisuusneuvosto
security guard s vartija
security police s suojelupoliisi, salainen poliisi
security risk s (henkilöstä) turvallisuusriski, vaaratekijä
sedan /sə'dæn/ s umpiauto, sedan
sedate /sə'deıt/ v rauhoittaa, tyynnyttää (potilas)
adj rauhallinen, tyyni
sedately adv rauhallisesti, tyynesti
sedation /sə'deıʃən/ s (lääk) rauhoittaminen (erityisesti lääkkeillä)
sedative /sedətıv/ s rauhoittava lääke, rauhoite
adj rauhoittava
sedentary /'sedən,teri/ adj istuma- sedentary work istumatyö she leads a sedentary life hän liikkuu hyvin vähän
sediment /sedəmənt/ s **1** (maa)kerrostuma **2** pohjasakka, saostuma
sedimentary /,sedə'mentəri/ adj kerrostunut
sedimentation /,sedəmən'teıʃən/ s kerrostuminen, laskeutuminen
sedition /sə'dıʃən/ s (kapinaan) yllytys, (kansan) kiihotus
seditious /sə'dıʃəs/ adj kapinallinen, kumouksellinen
seduce /sə'dus/ v vietellä, houkutella
seduction /sə'dʌkʃən/ s viettely, viettelys, houkutus, kiusaus
seductive /sə'dʌktıv/ adj viettelevä, houkutteleva
see /si/ s hiippakunta Holy See Vatikaani
v saw, seen **1** nähdä it's too dark, I can't see täällä on liian pimeää, en näe mitään I saw it on tv näin sen televisiossa **2** katsoa let's see what he thinks katsotaanpa/otetaanpa selvää mitä mieltä hän on see that he does his job properly katso/pidä huoli siitä että hän tekee työnsä kunnolla **3** ymmärtää, oivaltaa I see vai niin, ymmärrän **4** kuvitella I can't see that happening en usko että niin käy **5** lukea (lehdestä) **6** tavata you'd better see a doctor about that rash sinun pitää käydä lääkärissä ihottumasi takia Pat and Bob have been seeing each other for a year Pat ja Bob ovat seurustelleet vuoden ajan **7** saattaa, opastaa, ohjata I'll see you to the door minä saatan sinut ovelle **8** (korttipelissä) katsoa

see about v **1** ottaa selvää jostakin, tutkia, perehtyä johonkin **2** huolehtia jostakin, hoitaa
see after v huolehtia jostakusta/jostakin
see a man about a dog fr (ark) käydä vessassa (tai muulla asialla)
seed /sid/ s (mon seeds, seed) siemen (myös kuv) the seeds of strife riidan siemen to go/run to seed (kasvi) tehdä siementä, puhjeta tähkään; (kuv) rappeutua, joutua rappiolle v **1** kylvää **2** istuttaa (kaloja) **3** poistaa siemenet (hedelmästä)
seedless adj (hedelmä) kivetön
seedling s taimi
seed money s (liikeyrityksen, hankkeen) käynnistysrahat, alkurahat, alkupääoma
seed vegetables s (mon) palkovihannekset
seedy adj **1** ränsistynyt, rähjäinen; siivoton **2** (olo) heikko, raihnainen
see eye to eye on fr olla yhtä/samaa mieltä jostakin
see fit fr katsoa aiheelliseksi/tarpeelliseksi
seeing eye dog /ˌsiiŋ'aɪˌdag/ s (sokeain) opaskoira
seeing is believing fr ihminen ei usko ennen kuin näkee, kun näkee niin uskoo
seeing that konj koska
seek /sik/ v sought, sought **1** etsiä, tavoitella to seek someone's advice kysyä joltakulta neuvoa to seek revenge janota kostoa **2** yrittää, pyrkiä tekemään jotakin **3** to be much sought after olla kysytty/haluttu
seeker /sikər/ s etsijä
seem /sim/ v näyttää joltakin, vaikuttaa joltakin that seems easy näyttää/vaikuttaa helpolta she seems to be serious hän taitaa olla tosissaan, hän näyttää olevan tosissaan
seeming adj näennäinen, luuloteltu, kuviteltu
seemingly adv näennäisesti, näennäisen
seemly adj asiallinen, aiheellinen, sovelias
seen /sin/ ks see
see off v saattaa (matkaan)
see out v jatkaa loppuun asti
seep /sip/ v tihkua, vuotaa
seepage /sipədʒ/ s vuoto
see red fr nähdä punaista
seesaw /'siˌsa/ s hyppylauta v **1** leikkiä hyppylaudalla **2** heilua edestakaisin, keikkua, keinua **3** (kuv) ailahdella (kahden vaiheilla), empiä, vetkutella
see stars fr nähdä tähtiä
seethe /sið/ v kuohua (myös kuv), kiehua (kuv)
see the color of someone's money let's see the color of your money näytähän että sinulla todellakin on rahaa
see the light fr tajuta, oivaltaa, jokin valkenee jollekulle
see the light at the end of the tunnel fr loppu alkaa häämöttää, jokin alkaa vihdoin helpottaa
see the light of day fr nähdä päivänvalo, syntyä, saada alkunsa
see things fr kuvitella (omiaan)
see through v **1** arvata mihin joku pyrkii **2** pitää pintansa, kestää loppuun asti
see-through /'siˌθru/ adj läpinäkyvä
see-thru /'siˌθru/ adj läpinäkyvä
see to v huolehtia, pitää huoli jostakin
see to it fr huolehtia jostakin, pitää huoli jostakin, hoitaa jokin asia see to it that your sister gets her share katso että siskosi saa oman osuutensa
see your way clear to fr pystyä tekemään jotakin, pitää sopivana, katsoa aiheelliseksi, haluta, voida
segment /segmənt/ s osa, lohko, kappale, (geom) segmentti
segment /seg'ment/ v jakaa, paloitella, osittaa
segmentation /ˌsegmən'teɪʃən/ s **1** jakautuminen, pirstoutuminen **2** (biol) segmentaatio, jaokkeistuminen

segregate /'segrə,geɪt/ v erottaa (erityisesti rodun perusteella), jakaa erilleen, eristää
segregated adj (rotuerottelusta:) mustien/valkoisten the schools in this area are still segregated tällä alueella mustat ja valkoiset käyvät vieläkin eri kouluja
segregation /,segrə'geɪʃən/ s erottelu, eristäminen racial segregation rotuerottelu religious segregation uskonnollinen syrjintä
segregationist /,segrə'geɪʃənɪst/ s (rotu)erottelun kannattaja
seismic /saɪzmɪk/ adj maanjäristys-, seisminen
seismograph /'saɪzmə,græf/ s maanjäristysmittari, seismografi
seismologist /saɪz'malədʒɪst/ s seismologi
seismology /saɪz'malədʒi/ s seismologia, maanjäristysoppi
sei whale /seɪ/ s seitivalas
seize /siz/ v **1** tarttua johonkin, ottaa kiinni jostakin seize the day tartu päivään/tilaisuuteen! to seize an opportunity tarttua tilaisuuteen, ottaa tilaisuudesta vaarin **2** kaapata, siepata to seize hostages ottaa panttivankeja **3** käsittää, oivaltaa **4** vallata, joutua jonkin valtaan remorse seized him katumus valtasi hänet **5** takavarikoida
seize on v tarttua johonkin (myös kuv)
seizure /siʒər/ s **1** sieppaus, kaappaus **2** takavarikointi **3** (taudin) kohtaus
seldom /seldəm/ adv (vain) harvoin she seldom goes to the movies hän käy (vain) harvoin elokuvissa
select /sə'lekt/ v valita, valikoida adj valikoitu we spent the evening in select company vietimme illan harvojen ja valittujen seurassa
selectable adj joka voidaan valita
select committee s valiokunta the senate select committee is looking into it asiaa tutkii senaatin valiokunta
selection /sə'lekʃən/ s **1** (tapahtuma) valikointi, valinta **2** (tulos) valinta; valikoima
selective /səlektɪv/ adj **1** valinta- **2** valikoiva, tarkka, vaativa **3** (viritin) selektiivinen
selectively adv valikoiden, valikoivasti, tarkasti
selective service s (US) asevelvollisuus
selectivity /,sɪlek'tɪvəti/ s **1** vaativuus, tarkkuus, valikoivuus **2** (virittimen) selektiivisyys
selectman /sə'lektmən/ s (mon selectmen) (useimmissa Uuden-Englannin osavaltioissa) raatimies
self /self/ s (mon selves) (oma) itse, minä she was not her usual self last night hän ei ollut eilen illalla oma itsensä knowledge of self itsetuntemus, itsensä tunteminen
self- etuliitteenä itse- (ks hakusanoja)
self-abasement /,selfə'beɪsmənt/ s itsensä alentaminen
self-absorbed /,selfəb'zɔrbd/ adj itsekäs, itseensä uppoutunut
self-absorption /,selfəb'zɔrpʃən/ s itsekkyys, itseensä uppoutuminen
self-abuse /,selfə'bjus/ s **1** itsesyytökset **2** itsetyydytys
self-acting /,self'æktiŋ/ adj itsetoimiva, automaattinen
self-actualization /,self,æktʃuəlɪ,zeɪʃən/ s itsensä toteuttaminen
self-actualize /self'æktʃuə,laɪz/ v toteuttaa itseään
self-addressed /,selfə'drest/ adj (kirjekuoresta) johon osoite on kirjoitettu valmiiksi
self-annihilation /,selfə,naɪə'leɪʃən/ s **1** itsetuho, itsemurha **2** itsen sammuttaminen
self-appointed /,selfə'pɔɪntəd/ adj tärkeilevä, mahtaileva, hurskasteleva he is the self-appointed guardian of moral virtue hän on ruvennut toisten moraalin vartijaksi
self-centered /,self'sentərd/ adj itsekeskeinen, itsekäs
self-centeredness s itsekeskeisyys, itsekkyys

self-complacency s omahyväisyys, itseriittoisuus
self-complacent /ˌselfkəmˈpleɪsənt/ adj omahyväinen, itseriittoinen
self-conceit /ˌselfkənˈsit/ s omahyväisyys
self-conceited adj omahyväinen
self-conceitedly adv omahyväisesti
self-concept /ˌselfˈkansept/ s minäkäsitys
self-confessed /ˌselfkənˈfest/ adj joka on tunnustanut olevansa jotakin she is a self-confessed romantic hän tunnustaa itsekin olevansa romantikko
self-confidence s itsevarmuus
self-confident /ˌselfˈkanfədənt/ adj itsevarma
self-conscious /ˌselfˈkanʃəs/ adj estoinen, nolo, vaivautunut
self-consciousness s estoisuus, vaivautuneisuus
self-contained /ˌselfkənˈteɪnd/ adj **1** itsenäinen, riippumaton **2** eristäytyvä, hiljainen, pidättyväinen **3** itseriittoinen, omahyväinen, itsevarma
self-control /ˌselfkənˈtroəl/ s itsehillintä
self-controlled adj joka hillitsee itsensä (hyvin), rauhallinen, tyyni, maltillinen
self-critical /ˌselfˈkrɪtəkəl/ adj itsekriittinen
self-defense /ˌselfdɪˈfens/ s itsepuolustus
self-delusion /ˌselfdəˈluʒən/ s itsepetos
self-deprecating /ˌselfˈdeprəˌkeɪtiŋ/ adj joka vähättelee itseään
self-deprecation /ˌselfdeprəˈkeɪʃən/ s itsensä vähättely, heikko itsetunto
self-deprecatory /ˌselfˈdeprəkəˌtɔri/ adj joka vähättelee itseään, jolla on heikko itsetunto, joka ilmentää heikkoa itsetuntoa
self-discipline /ˌselfˈdɪsəplən/ s itsekuri
self-disciplined adj jolla on hyvä itsekuri
self-effacement /ˌselfɪˈfeɪsmənt/ s vaatimattomuus
self-effacing adj vaatimaton
self-effacingly adv vaatimattomasti
self-employed /ˌselfəmˈplɔɪd/ to be self-employed olla itsenäinen yrittäjä, olla yksityisyrittäjä
self-esteem /ˌselfəsˈtim/ s itsetunto
self-evident /ˌselfˈevədənt/ adj itsestään selvä, selvä
self-fulfilling /ˌselffəlˈfɪliŋ/ adj **1** mielihyvää tuottava **2** itsensä toteuttava self-fulfilling prophecy itsensä toteuttava ennustus
self-fulfillment s itsensä toteuttaminen, omien toiveiden toteuttaminen, mielihyvä
self-image /ˌselfˈɪmɪdʒ/ s minäkuva
self-important /ˌselfɪmˈpɔrtənt/ adj tärkeilevä, mahtaileva
self-indulgence s itsensä hemmottelu, nautiskelu, hillittömyys, omahyväisyys
self-indulgent /ˌselfɪnˈdʌldʒənt/ adj joka hemmottelee itseään, nautiskeleva, hillitön, omahyväinen
self-inflicted /ˌselfɪnˈflɪktəd/ adj (haav) jonka joku on itse aiheuttanut, joka on jonkun omaa syytä
self-interest /ˌselfˈɪntrəst/ s **1** oma etu **2** oman edun tavoittelu, itsekkyys
selfish /ˈselfɪʃ/ adj itsekäs
selfishly adv itsekkäästi
selfishness s itsekkyys
selfless /ˈselfləs/ adj epäitsekäs
selflessly adv epäitsekkäästi
selflessness s epäitsekkyys
self-love /ˌselfˈlʌv/ s itserakkaus
self-made /ˌselfˈmeɪd/ adj omatekoinen he's a self-made man hän on noussut asemaansa omin avuin
self-opinion s omahyväisyys
self-opinionated /ˌselfəˈpɪnjəˌneɪtəd/ adj **1** omahyväinen, joka luulee itsestään liikoja **2** itsepäinen, omapäinen
self-pity /ˌselfˈpɪti/ s itsesääli he's wallowing in self-pity hän rypee itsesäälissä
self-pitying adj itseään säälivä
self-pityingly adv täynnä itsesääliä

self-possessed /ˌselfpəˈzest/ adj joka hillitsee itsensä (hyvin), rauhallinen, tyyni, maltillinen
self-possession /ˌselfpəˈzeʃən/ s itsehillintä
self-protection /ˌselfprəˈtekʃən/ s itsesuojelu
self-reliance s itsenäisyys
self-reliant /ˌselfrɪˈlaɪənt/ adj itsenäinen, pystyvä
self-respect /ˌselfrɪˈspekt/ s itsekunnioitus
self-respectful adj itseään kunnioittava
self-respecting adj itseään kunnioittava
self-righteous /ˌselfˈraɪtʃəs/ adj omahyväinen; hurskasteleva
self-righteously adv omahyväisesti; hurskastelevasti
self-righteousness s omahyväisyys; hurskastelu
self-sacrifice /ˌselfˈsækrɪˌfaɪs/ s uhrautuminen, auttaminen
self-sacrificial /ˌselfsækrɪˈfɪʃəl/ adj uhrautuva, avulias
self-sacrificing adj uhrautuva, avulias
selfsame /ˈselfˌseɪm/ adj sama
self-satisfaction /ˌselfsætɪzˈfækʃən/ s omahyväisyys, itseriittoisuus
self-satisfied /ˌselfˈsætɪzˌfaɪd/ adj omahyväinen, itseriittoinen
self-satisfying adj joka tuottaa mielihyvää itselle; omahyväinen, itseriittoinen
self-seeker /ˈselfˌsikər/ s itsekäs ihminen, oman edun tavoittelija
self-seeking /ˌselfˈsikɪŋ/ s itsekkyys, oman edun tavoittelu
adj itsekäs
self-service /ˌselfˈsərvəs/ s, adj itsepalvelu(-)
self-serving /ˌselfˈsərvɪŋ/ adj itsekäs, omaa etua tavoitteleva, omahyväinen
self-sufficiency s **1** itseriittousuus, omahyväisyys **2** omavaraisuus
self-sufficient /ˌselfsəˈfɪʃənt/ adj **1** itseriittoinen, omahyväinen **2** omavarainen
self-will /ˌselfˈwɪəl/ s omapäisyys, itsepäisyys, jääräpäisyys
self-willed /ˌselfˈwɪəld/ adj omapäinen, itsepäinen, jääräpäinen
self-worth /ˌselfˈwərθ/ s itsetunto
self-worthiness /ˌselfˈwərðɪnəs/ s itsetunto
sell /seəl/ s **1** myynti, kauppa **2** myyntitapa hard sell aggressiivinen myyntitapa soft sell pehmeä myyntitapa
v sold, sold **1** myydä Mr. Rogers sells shoes **2** mennä kaupaksi the shoes sell well kengät käyvät hyvin kaupaksi **3** (kuv) mennä kaupaksi, saada joku vakuuttuneeksi jostakin higher taxes are hard to sell to the public on vaikea saada suurta yleisö hyväksymään veronkorotuksia
sell a bill of goods fr puijata, huijata, vetää nenästä
sell at v maksaa the sweatshirts sell at nine dollars collegepaidat maksavat yhdeksän dollaria
seller /selər/ s **1** myyjä **2** poor seller tavara joka menee huonosti kaupaksi
sell for v maksaa the apples sell for 79 cents a pound omenat maksavat 79 centiä naulalta (1,74 dollaria kilo)
sell off v myydä (halvalla)
sell on v **1** saada joku ostamaan jotakin **2** (kuv) saada joku hyväksymään jotakin, saada joku vakuuttuneeksi jostakin
sell out v **1** myydä loppuun **2** pettää, kavaltaa
sell short fr (tal) myydä lyhyeksi, myydä arvopaperi omistamatta sitä (sillä tarkoituksella että ostaa sen myöhemmin takaisin alemmalla hinnalla)
selves /selvz/ ks self
semantic /səˈmæntɪk/ adj **1** (kielellistä) merkitystä koskeva, semanttinen **2** merkitysopillinen, semanttinen
semanticist /səˈmæntəsɪst/ s semantikko
semantics s (verbi yksikössä) **1** merkitysoppi, semantiikka **2** (kielellinen) merkitys a dispute over the semantics of a contract sopimuksen sanamuotoa/tulkintaa koskeva kiista

semaphore /'semə,fɔr/ s (rautateillä) siipiopastin, opastin
semblance /sembləns/ s ulkonäkö try to do it with some semblance of seriousness yritä nyt edes näyttää siltä että olet tosissasi, yritä tehdä se kutakuinkin tosissasi
semen /simən/ s siemenneste, sperma
semester /sə'mestər/ s (yliopistossa yms) lukukausi
semi /semaɪ/ s (ark) puoliperävaunu
semi- /semɪ, semii/ sanan alkuosana puoli- (ks hakusanoja)
semiannual /,semi'ænjuəl/ adj puolivuosittainen, kaksi kertaa vuodessa ilmestyvä/tapahtuva
semiautomatic /,semi,atə'mætɪk/ s puoliautomaattinen ase adj puoliautomaattinen
semicircle /'semɪ,sərkəl/ s puoliympyrä
semicircular /,semɪ'sərkjələr/ adj puoliympyrän muotoinen
semicolon /'semɪ,koulən/ s puolipiste (;)
semiconductor /'semikən,dʌktər/ s puolijohde
semidarkness /,semi'darknəs/ s puolipimeä
semidetached house /,semidɪ'tætʃt/ s paritalo
semifinal /,semi'faɪnəl, ,semaɪ'faɪnəl/ s (urh) semifinaali, välierä
semiliterate /,semi'lɪtərət ,semaɪ'lɪtərət/ s, adj osittain luku(- ja kirjoitus)taitoinen (ihminen)
semimonthly /,semi'mʌnθli/ adj kaksi kertaa kuukaudessa ilmestyvä/tapahtuva
seminal /semɪnəl/ adj (kuv) omaperäinen, uraauurtava
semiotic /,semi'atɪk/ adj semioottinen
semiotician /,semiə'tɪʃən/ s semiootikko
semiotics s (verbi yksikössä) semiotiikka
semipro /,semi'prou/ s (ark) puoliammattilainen
semiprofessional /,semiprə'feʃənəl/ s puoliammattilainen adj puoliammattimainen
semiround /,semi'raund/ adj puolipyöreä
semisoft /,semi'saft/ adj puolipehmeä
semitrailer /'semi,treɪlər/ s puoliperävaunu
semivowel /'semi,vauəl/ s puolivokaali (esim. /w/)
semiweekly /,semi'wikli/ adj kahdesti viikossa ilmestyvä/tapahtuva
semiyearly /,semi'jɪərli/ adj kahdesti vuodessa ilmestyvä/tapahtuva
senate /senət/ s senaatti Senate (Yhdysvaltain) senaatti
senator /senətər/ s senaattori
senatorial /,senə'tɔriəl/ adj **1** senaattorin **2** senaattoreista koostuva
send /send/ v sent, sent **1** lähettää **2** ampua; iskeä to send a blow lyödä, iskeä the blow sent him flying hän lensi iskun voimasta ilmaan
sender s **1** lähettäjä **2** lähetin
send for v kutsua paikalle, lähettää joku hakemaan jotakin let's send Davie for pizzas käsketään Davien hakea pitsoja
send forth v **1** jostakin lähtee jotakin the machine sends forth a billow of smoke kone tupruttaa ilmoille savua **2** lähettää **3** (kukintoja ym) tuottaa
send in v lähettää (esim anomus, hakemus)
send off v lähettää, passittaa joku jonnekin
send-off s läksiäiset
send out v **1** lähettää, jakaa, postittaa **2** lähettää joku hakemaan jotakin
send packing fr antaa jollekulle lähtöpassit, käskeä jonkun kalppia tiehensä
send round v levittää (esim huhua)
send someone to the showers fr (baseballissa) määrätä/lähettää pelaaja pois kentältä
send up v **1** (ark) tuomita/passittaa vankilaan **2** tehdä pilkkaa jostakusta/jostakin, parodioida **3** lähettää lentoon/avaruuteen, päästää ilmaan

send-up s parodia
Senegal /senəgəl/
Senegalese /ˌsenəgəˈliz/s, adj senegalilainen
senile /sinaɪəl/ adj vanhuudenheikko, seniiliili, vanhuudenhöperö (ark), kalkkiutunut (ark)
senility /səˈnɪləti/ s vanhuudenheikkous, vanhuus, seniiliys, vanhuudenhöperyys (ark), kalkkeutuminen (ark)
senior /sinjər/ s **1** (kahdesta) vanhempi henkilö **2** (kahdesta) korkea-arvoisempi henkilö **3** (US) lukion, yliopiston ym ylimmän luokan/viimeisen vuoden oppilas/opiskelija **4** eläkeläinen adj **1** vanhempi (lyhennetään nimen yhteydessä Sr.) Mr. Duvall Sr. Mr. Duvall Sr./vanhempi he is a senior partner in a law firm hän on asianajotoimiston vanhempi osakas I am three years your senior olen kolme vuotta sinua vanhempi **2** korkea-arvoisin, ylin, johtava **3** (US) (lukiossa, yliopistossa ym) viimeisen vuoden, ylimmän luokan **4** eläkeläis-, eläkeläisten
senior citizen s eläkeläinen
senior high school s lukio
seniority /sɪnˈjɔrəti/ s **1** korkeampi ikä/asema, vanhemmus **2** pitempi palvelusaika, suurempi määrä virkavuosia
sensation /sənˈseɪʃən/ s **1** tuntemus, tunne, aistimus **2** sensaatio
sensational /sənˈseɪʃənəl/ adj kohua herättävä
sensationalism /sənˈseɪʃənəˌlɪzəm/ s kohun tavoittelu, keltainen journalismi
sense /sens/ s **1** aisti sixth sense kuudes aisti **2** järki common sense terve järki to come to your senses tulla järkiinsä, järkiintyä to make sense käydä järkeen, jossakin on järkeä to take leave of your senses tulla hulluksi, menettää järkensä **3** taju, tuntu, vainu sense of space tilan tuntu sense of justice oikeuskäsitys she has no sense of what is appropriate hänellä ei ole käsitystä siitä mikä on kohtuullista/soveliasta **4** merkitys what is the sense of this word? mitä tämä sana tarkoittaa? in a sense tavallaan, eräässä mielessä
v aistia, tuntea I sense from your words that you do not want to go huomaan puheistasi että et halua lähteä
senseless adj **1** tajuton, tiedoton **2** järjetön, älytön, mieletön; turha
senselessly adv ks senseless
senselessness s **1** tajuttomuus **2** järjettömyys, mielettömyys, älyttömyys; turhuus
sense of duty fr velvollisuudentunto
sense of hearing s kuulo(aisti)
sense of sight s näkö(aisti)
sense of smell s hajuaisti
sense of touch s kosketusaisti
sense organ s aistin, aistinelin
sense perception s aistihavainto
sensibility /ˌsensəˈbɪləti/ s **1** herkkyys, herkkätuntoisuus **2** to hurt someone's sensibilities loukata jonkun tunteita
sensible /sensəbəl/ adj **1** järkevä, viisas **2** huomattava, merkittävä **3** aisteilla havaittava **4** aistiva, joka pystyy aistimaan **5** joka on tajuissaan
sensible of adj tietoinen jostakin she was not sensible of her misjudgment hän ei huomannut arvioineensa tilanteen väärin
sensibly adv järkevästi, viisaasti
sensitive /sensətɪv/ adj **1** (ihminen) herkkä, herkkätuntoinen, arka Wanda is very sensitive about her looks Wanda on hyvin tarkka siitä mitä hänen ulkonäöstään ajatellaan/sanotaan **2** (laite ym) herkkä a sensitive instrument herkkä/tarkka mittalaite photographic paper is sensitive to light valokuvapaperi on valonherkkää **3** arkaluonteinen, arka abortion is a sensitive topic abortti on arka puheenaihe
sensitivity /ˌsensəˈtɪvəti/ s **1** (ihmisen) herkkyys, herkkätuntoisuus, arkuus **2** (laitteen) herkkyys, tarkkuus sensitivity to light valonherkkyys **3** (asian) arkaluonteisuus, arkuus
sensitize /ˈsensəˌtaɪz/ v herkistää
sensor /sensər/ s **1** anturi **2** aistin, aistinelin
sensory /sensəri/ adj aistimellinen, aistimuksellinen, aisti-

sensual /senʃʊəl/ adj **1** aistillinen, aisti-iloinen, eroottinen, lihallinen, himokas **2** aistimellinen, aistimuksellinen, aisti-
sensualism /'senʃʊəˌlɪzəm/ s aistillisuus, eroottisuus, lihallisuus, himokkuus, (filosofiassa) sensualismi
sensualist /senʃʊəlɪst/ s nautiskelija, (filosofiassa) sensualisti
sensuality /ˌsenʃʊ'æləti/ s aistillisuus, eroottisuus, erotiikka, lihallisuus, himokkuus
sensually adv ks sensual
sensuous /senʃʊəs/ adj **1** aistillinen, aisti-iloinen **2** aistimellinen
sensuously adv **1** aistillisesti **2** aistimellisesti
sensuousness s **1** aistillisuus **2** aistimellisuus
sent /sent/ ks send
sentence /sentəns/ s **1** (oikeudessa) tuomio **2** (kielessä) lause
v tuomita he was sentenced to death hänet tuomittiin kuolemaan, hän sai kuolemanrangaistuksen
sententious /sen'tenʃəs/ adj **1** hurskasteleva; saarnaava, moralisoiva **2** joka käyttää/jossa on paljon ajatelmia/mietelmiä/mietelauseita
sentient /senʃənt/ adj aistiva, aistimellinen, tuntemiskykyinen
sentiment /sentəmənt/ s **1** asenne, mielipide, suhtautuminen, suhde **2** tunne, tuntemus **3** tunteilu, mielenliikutus **4** ajatus(sisältö)
sentimental /ˌsentə'mentəl/ adj tunteileva, herkkätunteinen, liikatunteellinen, haavellinen, sentimentaalinen
sentimentalism /ˌsentə'mentəˌlɪzəm/ s tunteilu, herkkätunteisuus, haaveellisuus
sentimentalist /ˌsentə'mentəlɪst/ s tunteilija, haaveilija, sentimentalisti
sentimentalize /ˌsentə'mentəˌlaɪz/ v **1** tunteilla **2** ihannoida, romantisoida
sentry /sentri/ s vartija, vartiomies
sentry box s vartijan koju
Seoul /soul/ Soul
Sep. September syyskuu
separate /seprət/ adj erillinen; irrallinen, yksittäinen, oma, eri
separate /'sepəˌreɪt/ v **1** erottaa (toisistaan) **2** erottaa (palveluksesta), erota jostakin (from) **3** tehdä asumusero **4** jakaa, lajitella, erottaa
separately adv erikseen
separate the sheep from the goats fr (kuv) erottaa hyvät pahoista/vuohet lampaista
separation /ˌsepə'reɪʃən/ s **1** (toisistaan) erottaminen; jakaminen, lajittelu **2** asumusero **3** aukko, lohkeama, halkeama
separation anxiety s (psyk) irtautumisahdistus, separaatioahdistus
Sept. September syyskuu
September /sep'tembər/ s syyskuu
septic /septɪk/ adj tartunnallinen, verenmyrkytystä synnyttävä, septinen
septic tank s sakokaivo
septuagenarian /ˌseptʊədʒə'neriən/ s, adj 70-vuotias
sepulcher /sepəlkər/ s hauta
sequel /sikwəl/ s **1** (jatkokertomuksen, tv-sarjan ym) osa, jatko-osa **2** (kuv) jälkinäytös, seuraus
sequence /sikwəns/ s **1** järjestys in sequence järjestyksessä **2** sarja, jakso a sequence of events tapahtumaketju, tapahtumasarja
v järjestää (peräkkäin), panna järjestykseen
sequencer s sekvensseri
sequential /sɪ'kwenʃəl/ adj **1** peräkkäinen, järjestyksessä tapahtuva **2** seuraava
sequentially adv peräkkäin, järjestyksessä
sequester /sɪ'kwestər/ v **1** eristää **2** takavarikoida
sequin /sikwɪn/ s **1** (vaatteen koriste) paljetti **2** (vanha kultakolikko) sekiini
sequoia /sə'kwoɪə/ s **1** jättiläispunapuu **2** mammuttipetäjä
Sequoia /sə'kwoɪjə/ kansallispuisto Kaliforniassa
serenade /ˌserə'neɪd/ s serenadi, öinen laulutervehdys
v pitää jollekulle serenadi
serene /sə'rin/ adj **1** rauhallinen, rauhaisa, tyyni **2** kirkas, selkeä

serenely adv rauhallisesti, tyynesti
serenity /sə'renəti/ s rauhallisuus, rauha, tyyneys
serf /sərf/ s (mon serfs) **1** maaorja **2** orja
serfdom /sərfdəm/ s **1** maaorjuus **2** orjuus
sergeant /sardʒənt/ s **1** (sot) kersantti **2** (US) (poliisi) ylikonstaapeli
serial /sıriəl/ s jatkokertomus, jatkosarja, tv-sarja yms adj jatko-, sarja-, peräkkäinen, sarjallinen
serial access s (tietok) sarjasaanti
serialize /'sıriə,laız/ v **1** julkaista jatkosarjana **2** lähettää/esittää televisiosarjana, tehdä jostakin televisiosarja
serial killer s sarjamurhaaja
serially adv jatkosarjana, sarjana, peräkkäin
serial music s sarjallinen musiikki
serial number s sarjanumero, valmistusnumero
serial transmission s (tietok) sarjasiirto
series /sıriz/ s (mon series) **1** sarja a series of events tapahtumasarja **2** jatkosarja, tv-sarja
serious /sıriəs/ adj **1** vakava are you serious about getting married? aiotko tosissasi mennä naimisiin? she is a very serious person hän on hyvin totinen (ihminen) the situation is serious tilanne on vakava the patient is in serious condition potilaan tila on vakava **2** vaativa, vaikea serious literature laatukirjallisuus
seriously adv vakavasti he is seriously considering their offer hän harkitsee vakavissaan heidän tarjoustaan she was seriously injured hän loukkaantui vakavasti seriously, he is quite lazy vakavasti puhuen/totta puhuakseni hän on aika laiska
seriousness s vakavuus in all seriousness vakavissaan, tosissaan the seriousness of the situation tilanteen vakavuus the seriousness of a decision päätöksen/ratkaisun kauaskantoisuus
sermon /sərmən/ s saarna (myös kuv)
sermonette /,sərmə'net/ s lyhyt saarna
sermonize /'sərmə,naız/ v saarnata
Sermon on the Mount s (Jeesuksen) vuorisaarna
serology /sıraləd͡ʒi/ s serologia, seerumioppi
serpent /sərpənt/ s käärme
Serpent (tähdistö) Käärme
Serpent Bearer (tähdistö) Käärmeenkantaja
serpentine /sərpəntin/ v (joki, tie) kiemurrella, mutkitella adj kiemurteleva, mutkitteleva
serum /sırəm/ s (mon serums, sera) seerumi, verihera
servant /sərvənt/ s palvelija public servant (valtion) virkamies
serve /sərv/ v **1** palvella, olla palvelijana **2** tarjoilla **3** auttaa, avustaa **4** toimia jonakin, palvella jossakin tehtävässä he is serving as chairman hän toimii puheenjohtajana **5** kelvata, käydä **6** to serve someone right joku saa ansionsa mukaan **7** ojentaa, antaa to serve a summons antaa/toimittaa haaste **8** toimittaa: the new power plant serves our city with electricity kaupunkimme saa sähkönsä uudesta voimalasta
server s **1** tarjoilija **2** tarjoiluastia **3** (tietok) palvelin, serveri
service /sərvəs/ s **1** palvelus he did me a big service hän auttoi minua kovasti I will be at your service olen käytettävissäsi/palveluksessasi Mr. Archer is in government service Mr. Archer on valtion palveluksessa military service sotilaspalvelus may I be of service? voinko auttaa (teitä)? **2** palvelu the service at the hotel was good hotellissa oli hyvä palvelu answering service puhelinpäivystys **3** sotilaspalvelus he is in the service hän on armeijan palveluksessa, hän on armeijassa **4** huolto repair service huolto(palvelu) **5** jumalanpalvelus divine service jumalanpalvelus **6** käyttö, kunto the machine is in/out of service kone on kunnossa/epäkunnossa v huoltaa, korjata

serviceable /sɜrvəsəbəl/ adj **1** avulias; hyödyllinen **2** kestävä **3** helppohoitoinen, joka on helppo korjata
service center s huoltamo, korjaamo
service charge s palveluraha; käsittelymaksu, toimituskulut
service court s (peleissä) syöttöalue
serviceman /sɜrvəsmən/ s (mon servicemen) **1** sotilas **2** korjaaja, huoltomies
service station s huoltoasema
servile /sɜrvaɪəl/ adj nöyristelevä; orjallinen
servilely adv nöyristelevästi; orjallisesti
sesame /sesəmi/ s **1** (kasvi) seesami **2** open sesame seesam aukene!
sesame seed s seesaminsiemen
session /seʃən/ s **1** istunto **2** istuntokausi **3** tapaaminen study session opiskelutuokio recording session nauhoitus, äänitys **4** (yliopistossa yms) lukukausi
set /set/ s **1** sarja, yhdistelmä, pari, setti a full set of golf clubs täysi golfmailasarja **2** joukko, piiri the literary set kirjallisuuspiirit **3** asento, ryhti **4** (vaatteen) leikkaus, istuvuus **5** (teatterin, elokuvan) lavasteet **6** (tenniksessä) erä **7** (radio-, televisio)vastaanotin **8** kampaus
v set, set **1** panna, laittaa, asettaa, laskea she set the cup on the table hän pani kupin pöydälle to set something upright nostaa/panna jokin pystyyn to set a trap virittää ansa **2** (aurinko) laskea **3** määrittää, säätää, asettaa to set your watch korjata kellonsa aika to set a limit to something määrätä jollekin raja, rajoittaa jotakin **4** sijoittaa the movie is set in Los Angeles elokuva tapahtuu Los Angelesissa **5** kattaa (pöytä) **6** aloittaa, käynnistää to set someone thinking saada joku miettimään/mietteliääksi **7** (mus) sovittaa
adj **1** (ennalta) määrätty, kiinteä, vakioat a set time määräaikaan set books pakolliset (opiskelijoiden luettavaksi määrätyt) kirjat **2** määrätietoinen, päättäväinen, omapäinen Mrs. Moriarty is set in her ways Mrs. Moriarty on urautunut/tapoihinsa kangistunut **3** valmis all set valmista on!
interj (ark) valmiina! Ready! Set! Go! Paikoillenne, valmiit, nyt!
set about v aloittaa, käynnistää, ryhtyä johonkin
set against v **1** verrata jotakin johonkin **2** kääntää joku jotakin vastaan, saada joku vastustamaan jotakin the news set her against the proposal uutinen sai hänet vastustamaan ehdotusta
set ahead v siirtää myöhemmäksi
set apart v **1** säästää, varata, panna talteen **2** erottaa joku/jokin jostakin the display sets the new computer apart from the competition uusi tietokone erottuu kilpailijoistaan näyttimensä/näyttönsä vuoksi
set aside v **1** säästää, varata, panna talteen **2** jättää/heittää mielestään, (yrittää) unohtaa **3** hylätä, kumota, peruuttaa
set back v **1** estää, haitata, hidastaa **2** siirtää (kelloa) taaksepäin; säätää pienemmälle/vähemmälle **3** maksaa that watch set him back several hundred dollars hän pulitti kellosta satoja dollareita
setback /ˈset,bæk/ s takaisku
set by v säästää, varata, panna talteen
set down v **1** laskea kädestään/alas **2** kirjoittaa muistiin/ylös **3** pitää jotakuta jonakin **4** laskea/lukea jotakin jonkin syyksi **5** nöyryyttää **6** ohjata (lentokone) alas
set forth v **1** selittää, esittää, tehdä selkoa jostakin **2** lähteä matkaan, aloittaa matka
set forward v siirtää (kelloa) myöhemmäksi/eteenpäin
SETI Search for Extraterrestrial Intelligence
set in v alkaa
set-in sleeve s istutettu hiha
set off v **1** sytyttää, laukaista, räjäyttää **2** alkaa, aloittaa, käynnistää **3** lähteä matkalle, aloittaa matka **4** saada erottumaan selvemmin, korostaa
set on v yllyttää joku johonkin; usuttaa joku jonkun kimppuun

set out v **1** aloittaa matka, lähteä matkaan **2** ryhtyä,ruveta, aloittaa, esittää **3** suunnitella, laatia
setout /'set,aut/ s **1** (matka)valmistelut **2** alku, aloitus **3** juhla
set sail fr lähteä purjehtimaan/matkaan
set something to rights fr laittaa jokin kuntoon/järjestykseen
set store by fr arvostaa jotakin, pitää jotakin suuressa arvossa, uskoa johonkin she doesn't set much store by formalities hän ei juuri usko muodollisuuksiin, hän ei pidä muodollisuuksia tärkeinä
settee /se'ti/ s sohva
setter s **1** (kirjapainossa) latoja **2** (koira) setteri
set theory s (mat) joukko-oppi
set the world on fire the band set the world on fire yhtyeestä tuli erittäin/valtavan kuuluisa
setting s **1** puitteet, ympäristö, paikka; tapahtumapaikka **2** (ruokapöydässä) kattamus **3** (teatterin, elokuvan) lavasteet **4** laskeminen, paneminen the setting of the sun auringonlasku
setting up (golf) asettuminen lyöntiasentoon, mailan lyöntipinnan ja vartalon suuntaaminen
settle /setəl/ v **1** sopia, järjestää, hoitaa kuntoon/valmiiksi to settle a quarrel sopia riita/välinsä **2** asettua asumaan jonnekin, asuttaa jokin alue **3** rauhoittaa, rauhoittua, asettua **4** maksaa (lasku) **5** (neste) seljetä, kirkastua; (sakka) laskeutua (pohjalle), sakkautua, saostua; painua, tiivistyä **6** laskeutua the bird settled on the roof lintu laskeutui katolle
settle a score fr maksaa (vanhat) kalavelkansa I have a score to settle with Ralph minulla on Ralphin kanssa kana kynimättä, minulla on Ralphin kanssa vanhoja kalavelkoja
settle down v **1** rauhoittua, tyyntyä **2** asettua aloilleen, lopettaa poikamieselämä, mennä naimisiin **3** keskittyä
settle for v tyytyä johonkin
settle into v totuttautua/tottua johonkin
settlement s **1** sopiminen, sovittaminen, sopimus **2** työehtosopimus **3** siirtokunta **4** (laskun) maksaminen
settlement date s (tal) arvopäivä
settler s uudisasukas
set to v **1** panna hihat heilumaan, ruveta työhön **2** puolustautua, panna hanttiin (ark)
set up v **1** oikaista, suoristaa, nostaa pystyyn **2** rakentaa, pystyttää **3** perustaa **4** auttaa alkuun liikealalla **5** (ark) tarjota (ryypyt, kierros) **6** (sementti ym) kovettua **7** houkutella ansaan, huijata, pettää
set upon v usuttaa joku jonkun kimppuun
set your face against fr vastustaa, ei hyväksyä, olla jotakin vastaan
set your seal to fr hyväksyä, antaa siunauksensa jollekin
set your teeth fr purra hammasta, ryhdistäytyä
set your teeth on edge fr **1** vihloa hampaita; tuntua inhottavalta **2** ärsyttää, inhottaa, kuvottaa
seven /sevən/ s, adj seitsemän
sevenfold /'sevən,foəld/ adj seitsenkertainen adv seitsemän kertaa, seitsenkertaisesti
seven-league boots s (kuv) seitsemän peninkulman saappaat
seventeen /,sevən'tin/ s, adj seitsemäntoista
seventeenth /,sevən'tinθ/ s, adj seitsemästoista
seventh /sevənθ/ s, adj seitsemäs
seventieth /sevəntiəθ/ s, adj seitsemäskymmenes
seventy /sevənti/ s, adj seitsemänkymmentä in the seventies 70-luvulla they live in the seventies he asuvat 70.–79. kadun kohdalla
sever /sevər/ v katkaista, leikata poikki he has severed all ties to his family hän on katkaissut välinsä omaisiinsa
several /sevrəl/ adj **1** usea there are several people ahead of you in the line jonossa on sinun edelläsi useita ihmisiä

in these several states näissä osavaltioissa **2** kunkin oma they went their several ways he lähtivät kukin taholleen
severally adv yksitellen, erikseen
severance /sevrəns/ s katkaiseminen, katkaisu
severance pay s eroraha
severity /sə'verəti/ s ankaruus, karuus, kovuus, puute the severity of a problem ongelman vakavuus
sew /sou/ v sewed, sewed/sewn: ommella
sewage /suədʒ/ s lokavesi, jätevesi
sewer /suər/ s **1** viemäri **2** ompelija v viemäröidä
sewing machine /souiŋ/ s ompelukone
sew up v **1** ommella umpeen/kiinni **2** sulkea, tukkia **3** solmia, sinetöidä (esim kauppa) **4** hankkia, haalia kokoon **5** omia, vallata, monopolisoida
sex /seks/ s **1** sukupuoli **2** sukupuolinen vetovoima, seksuaalisuus **3** yhdyntä, seksi to have sex rakastella **4** sukupuolielimet
sex act s yhdyntä
sexagenarian /,seksədʒə'neriən/ s, adj 60-vuotias
sex appeal s **1** seksuaalinen vetovoima, seksikkyys **2** (kuv) vetovoima, veto
sex change s sukupuolen vaihdos
sexed-up adj (ark) **1** (sukupuolisesti) kiihottunut, kiimainen (ark) **2** (kuv) piristetty, terästetty, maustettu, höystetty
sexism /seksızəm/ s sukupuoleen perustuva syrjintä, sovinismi
sexist /seksıst/ s sovinisti adj sukupuolinen perusteella syrjivä, sovinistinen
sexless adj **1** sukupuoleton **2** seksuaalisesti haluton **3** joka ei ole (lainkaan) seksikäs
sexploitation /,seksploı'teıʃən/ s (ark) seksin kaupallinen hyväksikäyttö (elokuvissa, televisiossa, kirjoissa ym)
sextant /sekstənt/ s sekstantti
sextet /,seks'tet/ s sekstetti
sexual /sekʃuəl/ adj seksuaalinen, sukupuolinen, sukupuoli-
sexual abuse s seksuaalinen pahoinpitely
sexual harassment s seksuaalinen ahdistelu (esim työpaikalla)
sexual intercourse s sukupuoliyhdyntä
sexuality /,sekʃu'æləti/ s seksuaalisuus, sukupuolisuus; sukupuolielämä
sexually adv seksuaalisesti, sukupuolisesti
sexually transmitted disease s sukupuolitauti
sexual reproduction s suvullinen lisääntyminen
sex up v (ark) **1** kiihottaa sukupuolisesti **2** (kuv) piristää, maustaa, höystää
sexy /seksi/ adj seksikäs (myös kuv:) houkutteleva, puoleensavetävä, hieno a sexy new computer seksikäs uusi tietokone
Seychelles /seı'ʃelz seı'ʃel/ (mon) Seychellit
Seychellois /,seıʃel'wa/ s, adj seychelliläinen
S.F. San Francisco
Sgt. sergeant
shabbily adv ks shabby
shabby /ʃæbi/ adj **1** ränsistynyt, rähjäinen, repaleinen, nuhruinen, siivoton **2** kehno, huono
shack /ʃæk/ s mökki, hökkeli, tönö
shackle /ʃækəl/ s (yl mon) kahleet (myös kuv) v panna kahleisiin, kahlehtia (myös kuv)
shack up v **1** asua/ruveta asumaan avoliitossa **2** lymytä/asua hökkelissä/tönössä
shade /ʃeıd/ s **1** (myös mon) varjo (myös kuv) to cast/put someone in the shade (kuv) jättää joku varjoonsa **2** varjostin, kaihdin lamp shade lampunvarjostin window shade sälekaihdin; rullaverho **3** (mon sl) aurinkolasit v varjostaa (myös taiteessa), suojata auringolta, jättää varjoon
shadow /ʃædou/ s **1** varjo (myös kuv) **2** hämärä **3** haamu, aave v **1** varjostaa (myös kuv), suojata auringolta, jättää varjoon **2** seurata, varjostaa

shadowbox /'ʃædou,baks/ v harjoittaa varjonyrkkeilyä
shadow cabinet s (Ison-Britannian parlamentissa) varjohallitus
shadow of a doubt without a shadow of a doubt ilman epäilyksen häivääkään
shadowy adj varjoisa, hämärä (myös kuv:) hämäräperäinen
shady /ʃeɪdi/ adj varjoisa, hämärä (myös kuv:) hämäräperäinen Morgan is on the shady side of fifty Morgan on viidenkymmenen huonommalla puolella (yli viidenkymmenen)
shaft /ʃæft/ s **1** varsi, aisa **2** (kuv) piikki, pisto, ilkeys **3** (valon)säde **4** (hissi-, kaivos)kuilu **5** give someone the shaft petkuttaa, kohdella kaltoin
v petkuttaa, kohdella kaltoin
shaggy /ʃægi/ adj **1** (tukka, turkki) takkuinen **2** (eläin) pitkäkarvainen, (matto) pitkänukkainen **3** rähjäinen, repaleinen, siivoton
Shah /ʃa/ s ˇsaahi (myös shah)
shake /ʃeɪk/ s **1** värinä, vapina, ravistus to give something a shake ravistaa **2** pirtelö strawberry milk shake mansikkapirtelö **3** (mon) väristys, täristys(kohtaus) **4** hetki two shakes hetki, hetkinen two shakes of a lamb's tail hetki, hetkinen **5** to be no great shakes jossakin ei ole kehumista **6** (ark) tilaisuus, mahdollisuus to give someone a fair shake kohdella jotakuta reilusti
v shook, shaken **1** väristä, värisyttää, vapista, ravistaa **2** kätellä to shake hands kätellä **3** heristää, heiluttaa **4** (kuv) järkyttää, ravistaa, ravistella
shake a leg fr (ark) **1** kiirehtiä **2** tanssia
shake down v **1** koetella, koeajaa, koekäyttää, testata **2** (ark) kiristää (rahaa) **3** ravistaa (jotta sisältö pakkautuu tiiviimmin) **4** (sl) tehdä jollekulle ruumiintarkastus, tarkistaa onko jollakulla ase/salakuuntelulaite
shakedown /'ʃeɪk,daʊn/ s **1** kiristys **2** (perusteellinen) etsintä **3** testaus, koelento, koeajo, koekäyttö tms
shake hands s kätellä let's shake hands on this lyödään kättä päälle
shake off v karistaa kannoiltaan
shakeout /'ʃeɪk,aʊt/ s (liikealan) tervehdyttävä karsiutuminen (jossa heikot kilpailijat kaatuvat)
shake the dust from your feet fr pudistaa jonkun paikan pölyt jaloistaan, lähteä jostakin
shake up v **1** ravistaa **2** (kuv) järkyttää
shake your head fr **1** pudistaa päätään; ei hyväksyä, suostua tms **2** nyökätä; hyväksyä, suostua tms
shakily adv vapisten, tutisten; huterasti (myös kuv:) epävarmasti
shaky adj vapiseva, tutiseva; hutera (myös kuv:) epävarma
shale /ʃeɪəl/ s liuske
shale oil s liuskeöljy
shall /ʃæl/ apuv (preesens:) shall, (imperfekti:) should, (perfekti) should have, (preesensin kieltomuoto:) shall not, shan't, (imperfektin kieltomuoto:) should not, shouldn't, (perfektin kieltomuoto:) should not have, shouldn't have **1** (aikomuksesta) I shall do it minä teen sen, minä aion tehdä sen I should have done it minun olisi pitänyt tehdä se **2** (ilmaisee käskyä, pakkoa, lupausta:) you shall obey sinun pitää totella I shall pay you back lupaan maksaa sinulle **3** (kysymyslauseessa:) shall I go? lähdenkö minä?, pitääkö/kuuluuko minun lähteä?
shallot /ʃælət/ s salottisipuli
shallow /ʃæloʊ/ s (mon) matalikko
adj **1** matala **2** (kuv) pinnallinen
sham /ʃæm/ s **1** teeskentely **2** teeskentelijä, huijari
v teeskennellä, tekeytyä joksikin
adj teeskennelty, ei aito
shaman /ʃeɪmən/ s šamaani
shamble /ʃæmbəl/ s laahustava kävely
v laahustaa
shambles s **1** teurastamo **2** kaaos, sekasorto; sotku my apartment is a shambles asuntoni on kamalassa siivossa
shame /ʃeɪm/ s häpeä for shame! mikä häpeä!, sietäisit hävetä! to put someone/something to shame tuottaa häpeää

jollekulle; jättää joku varjoonsa, joku/jokin kalpenee jonkun/jonkin rinnalla
v **1** hävettää **2** häpäistä **3** taivutella/suostutella (häpeän tunteeseen, oikeudentuntoon vedoten) joku tekemään jotakin
shamefaced /'ʃeɪm,feɪst/ adj **1** ujo, arka **2** nolo, jota hävettää
shameful adj häpeällinen, nöyryyttävä, nolo
shamefully adv häpeällisesti, nöyryyttävästi, nolosti
shamefulness s häpeällisyys
shameless adj häpeämätön, julkea
shamelessly adv häpeämättömästi, julkeasti
shamelessness s häpeämättömyys, julkeus
shampoo /ʃæm'pu/ s sampoo, hiustenpesuaine
v pestä (hiukset)
shamrock /'ʃæm,rak/ s apila
shamus /ʃeɪməs/ s (sl) (mon shamuses) **1** etsivä **2** poliisi(mies)
Shanghai /,ʃæŋ'haɪ/ Shanghai
Shangri-la /,ʃaŋgri'la/ s paratiisi
shank /ʃæŋk/ s **1** (polven ja nilkan väli) sääri **2** (reisi ja sääri) jalka, alaraaja **3** (ruuanlaitossa) reisi **4** (työkalun ym) varsi
shank of the evening fr illan kohokohta
shank's mare s apostolin kyyti to ride shank's mare mennä apostolin kyydillä
shan't /ʃænt/ shall not
shanty /ʃænti/ s mökki, maja, röttelö
shantytown /'ʃænti,taʊn/ s slummi, hökkelikylä
shape /ʃeɪp/ s **1** muoto (myös kuv), hahmo the plan is beginning to take shape suunnitelma alkaa muotoutua/hahmottua **2** kunto I am in no shape to exercise olen niin huonossa kunnossa että en jaksa harrastaa liikuntaa
v **1** muovata, muotoilla (myös kuv) **2** kehittyä things are shaping nicely asiat etenevät mukavasti
shapeless adj muodoton, epämääräisen muotoinen
shapely adj (nainen) jolla on hyvät muodot, hyvännäköinen, kurvikas
shape up v **1** muotoutua, hahmottua, kehittyä **2** ryhdistäytyä, kunnostautua, parantaa tapansa **3** parantaa (ruumiillista) kuntoaan
shape up or ship out! fr jos työ ei rupea maistumaan/luistamaan niin tuossa on ovi!
share /ʃeər/ s **1** osa, osuus everybody should do their share kaikkien pitää hoitaa osuutensa **2** osake
v **1** jakaa (osiin, joidenkin kesken) they share the credit for the success of the company yrityksen menestys on heidän kummankin ansiota **2** kertoa, paljastaa, jakaa a married couple should share their feelings avioparien tulisi paljastaa tunteensa toisilleen
shareholder /'ʃer,holdər/ s (yhtiön) osakas
share in v osallistua johonkin, päästä osalliseksi jostakin, olla osallinen jostakin
shark /ʃark/ s hai
sharp /ʃarp/ adj **1** terävä **2** jyrkkä, äkillinen, äkkinäinen, (ero myös) selvä a sharp turn for the worse äkillinen huononeminen **3** (kasvot) kulmikas **4** (maku) pistävä, voimakas **5** (kipu) pureva **6** valpas, terävä (kuv), nokkela, tarkka (myös näkö) he has a sharp mind hän on terävä(päinen) **7** (huomautus ym) piikikäs, pisteliäs, pureva, terävä
adv **1** terävästi jne (ks adj) **2** (kellonajasta) tasan
sharp-edged /,ʃarp'edʒd/ adj **1** terävä, teräväreunainen **2** (kuv) terävä, pureva, piikikäs
sharpen /ʃarpən/ v (myös kuv) teroittaa, terävöittää, terävöityä
sharp-nosed adj **1** suipponenäinen **2** teräväkärkinen, suippokärkinen, (lentokone) suipponokkainen **3** jolla on tarkka hajuaisti
sharpshooter /'ʃarp,ʃutər/ s tarkka-ampuja
sharp-sighted adj tarkkanäköinen, terävänäköinen (myös kuv)

sharp-tongued adj teräväkielinen, piikikäs, kärkevä
sharp-witted adj terävä-älyinen, nokkela, valpas
shatter /ʃætər/ v **1** särkeä/särkyä sirpaleiksi, lyödä/iskeä säpäleiksi **2** (kuv) musertaa, tehdä tyhjäksi
shave /ʃeɪv/ s parranajo
v shaved, shaved/shaven **1** ajaa partansa, leikata jonkun parta; leikata karvat she's shaving her legs hän ajaa säärikarvojaan **2** höylätä
shaver s parranajokone
shavings s (mon) lastut
shawl /ʃaəl/ s saali, hartiahuivi
s/he yhdistetty pronominimuoto jota käytetään (ainoastaan kirjoitetussa tekstissä) kun tarkoitetaan jompaakumpaa sukupuolta hän
she /ʃi/ pron (feminiinimuoto) hän
sheaf /ʃif/ s (mon sheaves) **1** lyhde **2** nippu, kimppu, pino, kasa
shear /ʃıər/ s (mon) (isot) sakset, (lampaiden) keritsimet a pair of shears sakset garden shears pensassakset
v sheared, shorn/sheared: leikata, (lampaita) keritä
sheath /ʃiθ/ s (mon sheaths) tuppi, (miekan) huotra; suojus
v panna tuppeen/huotraan
sheathe /ʃið/ v **1** panna tuppeen/huotraan **2** päällystää, peittää
sheaves /ʃivz/ ks sheaf
shed /ʃed/ s vaja, mökki
v shed, shed **1** varistaa (lehtensä), luoda (nahkansa), olla karvanlähtö **2** vuodattaa (verta, kyyneleitä) **3** päästä eroon jostakin **4** luoda (valoa), pitää (ääntä), tuoksua
she'd /ʃid/ she had; she would
shed blood fr vuodattaa verta
shed light on v valaista jotakin asiaa
shed tears fr vuodattaa kyyneleitä
sheep /ʃip/ s (mon sheep) lammas to separate the sheep from the goats (kuv) erottaa hyvät pahoista/vuohet lampaista
sheepdog /'ʃip,dag/ s lammaskoira
sheepherder /'ʃip,hərdər/ s lammaspaimen
sheepish /ʃipɪʃ/ adj **1** nolostunut **2** nöyristelevä
sheepishly adv ks sheepish
sheepman /ʃipmən/ s (mon sheepmen) **1** lammasfarmari **2** lammaspaimen
sheepskin /'ʃip,skɪn/ s, adj lampaannahka(-)
sheer /ʃıər/ adj **1** puhdas, pelkkä, täysi that's a sheer lie se on silkkaa valhetta **2** jyrkkä **3** (erittäin) ohut sheer pantihose ohuet sukkahousut
adv suoraan, suoraa päätä, päistikkaa
sheet /ʃit/ s **1** lakana **2** kerros **3** (paperi)liuska, arkki **4** sanomalehti **5** alue a sheet of water vesi(alue) **6** laakafilmi
sheet feeder s (tietokoneen tulostimen) arkinsyöttölaite
sheet film s laakafilmi
sheet metal s pelti this year, the LeSabre has new sheet metal tänä vuonna LeSabren kori on uusittu
sheet music s (irto)nuotit
Sheffield /ʃefiəld/
she/he yhdistetty pronominimuoto jota käytetään (ainoastaan kirjoitetussa tekstissä) kun tarkoitetaan jompaakumpaa sukupuolta hän
sheik /ʃik/ s šeikki
sheikdom /ʃikdəm/ s šeikkikunta
sheikh s šeikki
shelf /ʃeəlf/ s (mon shelves) **1** hylly off the shelf suoraan myymälästä to put something on the shelf (kuv) panna jokin asia pöydälle, jättää jokin asia lepäämään, lykätä myöhemmäksi **2** hyllyllinen, hyllyn täysi/täydeltä jotakin **3** continental shelf mannerjalusta
shelfful s (mon shelffuls) hyllyllinen, hyllyn täysi by the shelfful hyllykaupalla, kasapäin
shelf life s (kauppatavaran) säilyvyysaika
shell /ʃeəl/ s **1** (kananmunan, simpukan ym) kuori, (herneen) palko to come out of your shell (kuv) tulla ulos kuorestaan **2** patruuna **3** (tykin) kranaatti **4** (talon) seinät ja katto **5** suojus, vaippa **6** kilpasoutuvene **7** simpukka **8** (mon) simpukkamakaroni
v kuoria

she'll /ʃiəl ʃɪl/ she will; she shall

shell out v (ark) pulittaa, maksaa

shelter /ʃeltər/ s **1** turva, suoja, turvapaikka to take shelter in mennä jonnekin suojaan under the shelter of jonkin suojassa/turvassa/turvin **2** asunto **3** hätäasunto, yömaja
v suojata, suojautua, varjella

sheltered adj **1** suojattu, suojaisa as a child, he led a sheltered life hän eli lapsena suojattua elämää **2** (suojatulleilla) suojattu

shelve /ʃelv/ v **1** panna hyllylle **2** lykätä myöhemmäksi, jättää pöydälle **3** poistaa käytöstä

shelves ks shelf

Shenandoah /ˌʃenən'douə/ kansallispuisto Virginiassa

shenanigans /ʃə'nænɪgənz/ s (mon ark) **1** kuljeilu **2** juonittelu, vehkeily

shepherd /ʃepərd/ s lammaspaimen the Lord is my Shepherd Herra on minun paimeneni
v paimentaa (myös kuv)

shepherdess /ʃepərdəs/ s (naispuolinen) lammaspaimen

sheriff /ʃerəf/ v ˇseriffi

sherry /ʃeri/ s (viini) sherry, šerri

Shet. Shetland

shied /ʃaɪd/ ks shy

Shield (tähdistö) Kilpi

shield /ʃiəld/ s **1** (taistelijan ym) kilpi (myös kuv:) suojelija, suoja, turva **2** (poliisin ym) virkamerkki
v suojata, suojella

shier /ʃaɪər/ komparatiivi sanasta shy

shiest /ʃaɪəst/ superlatiivi sanasta shy

shift /ʃɪft/ s **1** muutos, vaihto, siirtymä **2** työvuoro **3** (auton) vaihdetanko; vaihteisto
v **1** vaihtaa, vaihtua, muuttaa, muuttua, siirtää, siirtyä they tried to shift the blame on her he yrittivät sysätä syyn hänen niskoilleen **2** (autossa) vaihtaa (vaihdetta) **3** (kirjoituskoneessa, tietokoneessa) painaa vaihtonäppäintä **4** tulla toimeen, pärjätä (ark)

shift key s (kirjoituskoneen, tietokoneen) vaihtonäppäin

shiftless adj laiska, veltto, vetelä, saamaton

shiftlessly adv laiskasti, veltosti, vetelästi, saamattomasti

shift lever s (auton) vaihdetanko

shifty adj **1** kekseliäs, nokkela, ovela **2** hämäräperäinen, hämärä; epäluotettava

Shi'ite /ʃiaɪt/ s ˇsi'iitti, ˇsiialainen

shilling /ʃɪlɪŋ/ s ˇsillinki

shimmer /ʃɪmər/ s hohto, kimallus, tuike, kajaste, kajastus
v hohtaa, kimaltaa, (tähti) tuikkia, kajastaa

shimmery adj hohtava, kimaltava, tuikkiva, kajastava

shin /ʃɪn/ s (jalan etuosa polvesta nilkkaan) sääri

shinbone /'ʃɪnˌboun/ s sääriluu

shine /ʃaɪn/ s **1** kiilto, hohto, loisto **2** (kenkien) kiillotus to give your shoes a shine kiillottaa kenkänsä **3** auringonpaiste come rain or shine satoi tai paistoi (myös kuv) **4** to take a shine to (ark) ihastua/mieltyä johonkuhun/johonkin **5** (sl) musta (ihminen)
v shone, shone **1** kiiltää, hohtaa, loistaa **2** (aurinko) paistaa **3** näyttää/ohjata valoa johonkin don't shine the torch in my face älä osoita taskulampulla suoraan minun naamaani **4** (kuv) loistaa, olla edukseen

shingle /ʃɪŋgəl/ s **1** (katto-, ulkoseinä)-laatta **2** (naisten) poikatukka **3** (ark) (lääkärin, asianajajan) kyltti to hang out your shingle avata vastaanotto, perustaa oma yritys **4** (mon, lääk) vyöruusu **5** (rannalla) pienet kivet **6** ranta (jolla on pieniä kiviä)

shining /ʃaɪnɪŋ/ adj kiiltävä, hohtava, loistava (myös kuv)

Shintoism /ˌʃɪnto'ɪsm/ s ˇsintolaisuus

Shintoist /'ʃɪntoˌɪst/ s ˇsintolainen
adj ˇsintolaisuuden, ˇsintolaisuutta koskeva

shiny adj **1** kiiltävä, hohtava, loistava **2** kirkas, valoisa

ship /ʃɪp/ s **1** laiva, alus jump ship karata laivasta; (kuv) lakata tukemasta/kannattamasta jotakuta/jotakin to run a

tight ship pitää yllä kovaa kuria, olla tarkka/nuuka when your ship comes home kun jotakuta onnistaa, kun onni potkaisee jotakuta **2** (laivan) miehistö (ja matkustajat)
v **1** laivata, kuljettaa laivalla **2** lähettää we shipped your order two weeks ago lähetimme/postitimme tilauksenne kaksi viikkoa sitten
shipboard /ˈʃɪp,bɔrd/ on shipboard laivassa
shipbuilder /ˈʃɪp,bɪldər/ s **1** laivanrakentaja **2** telakka
shipload /ˈʃɪp,loud/ s laivanlasti by the shipload laivakaupalla, kasapäin
shipment /ʃɪpmənt/ s **1** lähettäminen **2** lähetys
ship out v **1** lähteä, lähettää (pois, toiseen maahan/tehtävään) **2** (ark) erota (työstään) shape up or ship out! jos työ ei rupea maistumaan/luistamaan niin tuossa on ovi!
shipper s **1** laivaaja; kuljetusliike, huolintaliike **2** lähettäjä
shipping s **1** laivaus, laivakuljetus; kuljetus; lähettäminen **2** laivat; tonnisto
shipshape /ˈʃɪp,ʃeɪp/ adj, adv tiptop, kunnossa
Ship's Keel (tähdistö) Köli
Ship's Sails (tähdistö) Purje
Ship's Stern (tähdistö) Peräkeula
shipwreck /ˈʃɪp,rek/ s haaksirikko (myös kuv:) täydellinen epäonnistuminen
v haaksirikkoutua
shire /ʃaɪər/ s (UK) kreivikunta
shirk /ʃərk/ v välttää (esim vastuuta), karttaa, pinnata (ark)
shirker s pinnari (ark)
shirt /ʃərt/ s paita try to keep your shirt on (ark) yritä hillitä itsesi, älä pillastu to lose your shirt (ark) joutua puille paljaille, tehdä vararikko
shirt sleeve s paidan hiha in your shirt sleeves paitahihasillaan
shit /ʃɪt/ s paska don't give me that shit älä puhu roskaa, älä jauha paskaa she doesn't give a shit about what you think hänelle on yksi ja sama mitä mieltä sinä olet you're full of shit puhut paskaa, valehtelet to be up shit creek (without a paddle) olla nesteessä/ kusessa
v shit, shit: paskantaa, käydä paskalla
interj voi hitto! no shit ihan totta, en minä valehtele; ihanko totta?, älä valehtele!
shiver /ʃɪvər/ s puistatus, vapina, hytinä
v vapista, hytistä, puistattaa
shoal /ʃoəl/ s **1** kalaparvi **2** joukko, rykelmä **3** matalikko **4** hiekkasärkkä
v **1** parveilla, kerääntyä sankoin joukoin jonnekin **2** madaltaa, madaltua
shock /ʃak/ s **1** isku, törmäys electric shock sähköisku **2** järkytys **3** (lääk) sokki (myös kuv)
v **1** iskeä, iskeytyä **2** järkyttää, järkyttyä **3** antaa jollekulle sähköisku
shock absorber s iskunvaimennin
shocking adj järkyttävä, pöyristyttävä, kamala shocking news järkyttävä uutinen shocking manners hirvittävän huonot tavat
shockingly adv järkyttävän/hirvittävän huonosti
shock-resistant adj iskunkestävä
shod /ʃad/ ks shoe
shoddy /ʃadi/ adj huonosti tehty, hutiloitu shoddy worksmanship hutilointi, huono laatu
shoe /ʃu/ s **1** kenkä to be in someone's shoes olla jonkun asemassa/housuissa to drop the other shoe astua toinenkin/ viimeinen askel, saattaa jokin asia päätökseen to fill someone's shoes astua jonkun tilalle to know where the shoe pinches tietää mistä kenkä puristaa the shoe is on the other foot nyt on toinen ääni kellossa **2** hevosenkenkä **3** jarrukenkä
v shod, shod: kengittää
shoehorn /ˈʃu,hɔrn/ s kenkälusikka
v ahtaa, tunkea, sulloa, sovittaa johonkin väliin
shoelace /ˈʃu,leɪs/ s kengännauha
shoeless adj jolla ei ole kenkiä (jalassa), (hevonen) kengittämätön
shoemaker /ˈʃu,meɪkər/ s suutari
shoestring /ˈʃu,striŋ/ s **1** kengännauha **2** pieni rahasumma

shoestring budget to be on a shoestring budget olla (taloudellisesti) tiukoilla, joutua tulemaan toimeen vähällä
shogun /ˈʃoʊˌgʌn/ s ˇsogun
shone /ʃoʊn/ ks shine
shoo /ʃu/ v karkottaa, ajaa karkuun interj eläimen karkottamiseen käytetty huuto
shook /ʃʊk/ ks shake
shoot /ʃut/ s **1** ampumakilpailu **2** (kasvin) verso **3** (ark) (elokuvan) kuvaustyöt v shot, shot **1** ampua President Kennedy has been shot Presidentti Kennedy(ä) on ammuttu he was shot at häntä (päin) ammuttiin **2** laukaista (raketti, räjähde), räjäyttää **3** (ark) alkaa puhua, laukoa (kysymyksiä) OK, shoot anna tulla **4** syöstä, syöksyä, roiskuttaa, roiskua, tupruttaa, tuprua flames were shooting from inside the building rakennuksesta leiskui liekkejä **5** rynnätä, sännätä the boy shot through the door poika ryntäsi ovesta **6** luoda (nopeasti katse), väläyttää (hymy), oikaista (käsi äkkiä) **7** (valo-, elo)kuvata **8** työntyä, ulottua jonnekin **9** metsästää
shoot at v pyrkiä johonkin, ajaa takaa jotakin
shoot down v **1** ampua alas **2** (ark) haukkua pystyyn, lyödä lyttyyn
shoot-'em-up /ˈʃutəmˌʌp/ s (ark) (televisiossa) paukkurautasarja, poliisisarja, lännensarja (jossa ammuskellaan paljon)
shooter s **1** ampuja **2** ase **3** (ark) valokuvaaja
shoot for v pyrkiä johonkin, ajaa takaa jotakin
shoot from the hip fr **1** ampua lonkalta **2** (kuv) olla äkkipikainen
shooting angle s kuvauskulma (vrt viewing angle, kuvakulma)
shooting gallery s (sisätiloissa) ampumarata
shooting iron s (ark) paukkurauta
shooting star s tähdenlento, meteori
shoot off your mouth fr **1** lörpötellä, paljastaa salaisuuksia **2** rehennellä, puhua liikoja
shootout /ˈʃutˌaʊt/ s ampumavälikohtaus, aseellinen yhteenotto
shoot the works fr (sl) törsätä, panna kaikki rahansa menemään
shoot up v **1** ponnahtaa ylös/pystyyn, nousta yhtäkkiä **2** ammuskella (häirikkönä) **3** haavoittaa **4** (sl) ottaa huumepiikki
shoot your bolt fr yrittää kaikkensa, panna parastaan
shoot your wad fr **1** (ark) panna rahansa menemään, tuhlata kaikki rahansa johonkin (on) **2** (ark) panna kaikki voimansa johonkin, väsyttää itsensä **3** (sl) (miehestä) saada orgasmi, joltakulta tulee
shop /ʃap/ s **1** myymälä, kauppa to shut up shop panna lappu luukulle (työpäivän päätteeksi tai lopullisesti) **2** työpaja, verstas, korjaamo **3** tehdas **4** (koulussa) veisto, auton korjaus yms käytännön opetus **5** työasiat let's not talk shop at dinner ei puhuta päivällisellä työasioista
v käydä ostoksilla let's go shopping lähdetään ostoksille
shop for v etsiä jotakin (ostaakseen), yrittää löytää Glenda is shopping for a house with a pool Glenda etsii taloa jossa on uima-allas
shopful s (mon shopfuls) kaupan täysi/täydeltä jotakin (of)
shopkeeper /ˈʃapˌkipər/ s (pikku)kauppias
shoplift /ˈʃapˌlɪft/ v varastaa myymälästä
shoplifter s myymälävaras
shoplifting s myymälävarkaus
shoppe /ʃap/ s (kauppojen nimissä) kauppa, putiikki
shopper s ostoksilla kävijä; asiakas
shopping bag s ostoskassi
shopping cart s ostoskärryt
shopping center s ostoskeskus
shopping list s ostoslista
shopping mall s (katettu) ostoskeskus (jossa on myös ravintoloita, elokuvateattereita ym)
shop steward s luottamusmies

shoptalk /ˈʃap,tak/ s **1** jonkin ammatialan erikoiskieli **2** työasioista puhuminen
shopwindow /ˈʃap,wɪndou/ s näyteikkuna
shopworn /ˈʃap,wɔrn/ adj nuhruinen, (kaupassa) nuhraantunut, kulunut
shore /ʃɔr/ s **1** ranta **2** (myös mon) (puheena oleva) maa on these shores tässä maassa **3** (kuiva) maa on shore kuivalla maalla
shore dinner s (meri)kala- tai äyriäisateria
shorefront /ˈʃɔr,frʌnt/ s, adj ranta(-)
shoreless adj rajaton, ääretön, suunnaton
shoreline /ˈʃɔr,laɪn/ s rantaviiva
short /ʃɔrt/ s **1** oikosulku **2** lyhytelokuva
v saattaa/joutua oikosulkuun
adj **1** lyhyt **2** tyly, tympeä **3** vajaa **4** to make short work of tehdä selvää jälkeä jostakin, (syödä:) pistellä (nopeasti) poskeensa
adv **1** äkkiä, yhtäkkiä, äkillisesti to cut short loppua/katketa/katkaista kesken/lyhyeen **2** tylysti, tympeästi **3** vajaa: to come/fall short jäädä vajaaksi, ei riittää; ei kelvata to run short olla vähissä **4** to sell short (tal) myydä lyhyeksi, myydä arvopaperi omistamatta sitä (sillä tarkoituksella että ostaa sen myöhemmin takaisin alemmalla hinnalla)
shortage /ʃɔrtədʒ/ s **1** pula **2** vaje
short and sweet fr mukavan lyhyt I'll make it short and sweet lyhyestä virsi kaunis
short-beaked echidna /əˈkɪdnə/ s nokkasiili, myös: common echidna
short circuit /,ʃɔrtˈsərkət/ s oikosulku
short-circuit v **1** saattaa/joutua oikosulkuun **2** estää, haitata, tehdä tyhjäksi, kaataa (suunnitelma)
shortcoming /ˈʃɔrt,kʌmiŋ/ s puute, haitta, vika
shortcut /ˈʃɔrt,kʌt/ s oikotie (myös kuv)
short-cut v oikaista, mennä oikotietä, (kuv) koettaa päästä oikotietä tavoitteeseensa tms
shorten /ʃɔrtən/ v **1** lyhentää **2** lisätä taikinaan rasvaa
short end of the stick to get the short end of the stick (sl) vetää lyhyempi korsi
shortening s (leivonta)rasva
shortfall /ˈʃɔrt,faəl/ s vaje
short for fr (joka on) lyhennys jostakin "Bob" is short for "Robert"
shorthand /ˈʃɔrt,hænd/ s pikakirjoitus
shorthanded /,ʃɔrtˈhændəd/ adj jolla/jossa ei ole tarpeeksi työntekijöitä
shortie /ʃɔrti/ s (ark) pätkä, tumppi
short in adj jolta/josta puuttuu jotakin
short list /ˈʃɔrt,lɪst/ s **1** luettelo niistä hakijoista, jotka ovat läpäisseet (ensimmäisen) karsinnan ja joista valinta/nimitys tehdään **2** karsinnan läpäisseet hakijat **3** (kuv) harvat ja valitut to be on the short list (kuv) kuulua harvoihin ja valittuihin
shortlist v valita hakija parhaimmistoon, olla karsimatta hakijaa to be shortlisted selvitä jatkoon
short-lived /,ʃɔrtˈlɪvd/ adj hetkellinen, ohimenevä
shortly adv **1** pian, kohta **2** lyhyesti **3** tylysti, tympeästi
short on adj jolta/josta puuttuu jotakin
short order s (ruokalassa ym) pikatilaus
short-order cook s pikatilauksia valmistava kokki
short-range adj **1** lyhyen (kanto)matkan **2** lyhyen aikavälin, lähitulevaisuuden
shorts /ʃɔrts/ s (mon) sortsit
short shrift to give someone short shrift ei piitata jostakusta/jostakin, vähät välittää jostakusta/jostakin, kohdella jotakuta tylysti
short-sighted adj **1** likinäköinen **2** (kuv) lyhytnäköinen
short story s novelli
short subject s lyhytelokuva
short-tempered adj äkkipikainen, helposti kiivastuva
short-term adj lyhyen aikavälin, lyhytaikainen

short-term memory s lyhytkestoinen muisti, välitön muisti
short wave s **1** lyhyt aalto **2** lyhytaaltoradio
shortwave /ˈʃɔrt,weɪv/ adj lyhytaalto-
shortwave radio s lyhytaaltoradio, lyhytaaltovastaanotin
shorty s (ark) pätkä, tumppi
shot /ʃat/ s **1** laukaus not by a long shot (kuv) ei lähimainkaan, ei sinne päinkään, ei alkuunkaan to call your shots ilmoittaa aikeensa **2** hauli **3** ammus like a shot kuin raketti, äkkiä **4** ampuja **5** (sl) isku, lyönti **6** yritys; vuoro to have/take a shot at yrittää, kokeilla (onneaan) a shot in the dark (ark, kuv) umpimähkäinen arvaus/yritys **7** huomautus, tokaisu **8** piikki, rokotus
shotgun /ˈʃat,gʌn/ s haulikko to ride shotgun (hist) olla posti- tai muissa vankkureissa ampujana (ryöstöjen ym varalta); (kuv) ohjailla, valvoa, hoitaa, junailla, pitää huolta jostakin
shotgun wedding s **1** pakkoavioliitto **2** kompromissi, sovitteluratkaisu
shot in the arm fr (ark, kuv) piristysruiske, vitamiinipilleri
shot in the dark fr (ark, kuv) umpimähkäinen arvaus/yritys
should /ʃʊd/ ks shall
shoulder /ʃoldər/ s **1** olkapää, olka; hartia; (mon) hartiat to cry on someone's shoulder purkaa sydäntään jollekulle to put your shoulder to the wheel panna hihat heilumaan, ruveta töihin to rub shoulders with olla tekemisissä jonkun kanssa, liikkua samoissa piireissä kuin straight from the shoulder suoraan, sumeilematta, siekailematta **2** (tien) piennar soft shoulder (liikennemerkissä) varo pehmeää piennarta
v **1** sysätä (olallaan), työntää (olallaan); tunkeutua **2** ottaa harteilleen/vastuulleen he is shouldering all the responsibility kaikki vastuu on hänen harteillaan
shoulder bag s olkalaukku
shoulder blade s lapaluu
shoulder loop s olkain, olkapoletti
shoulder strap s **1** olkahihna **2** olkain, olkapoletti
shoulder to shoulder fr rinta rinnan
shouldn't /ʃʊdənt/ should not
shout /ʃaʊt/ s huuto, huudahdus
v huutaa
shouting match s (ilmi)riita, kina
shove /ʃʌv/ s työntö, tönäisy, sysäisy when push comes to shove kovan paikan tullen
v **1** työntää, tönäistä, sysäistä **2** (sl) pitää hyvänään
shove it fr (sl) pidä hyvänäsi
shove it up your ass fr (sl) pidä hyvänäsi; suksi kuuseen
shovel /ʃʌvəl/ s lapio
v lapioida
shove off v **1** työntää vene vesille **2** (ark) lähteä (nostelemaan), liueta
show /ʃoʊ/ s **1** teatteriesitys, elokuvanäytäntö, televisio-ohjelma, radio-ohjelma, show to run the show määrätä (missä kaappi seisoo), pitää jöötä (ark) to steal the show jättää toiset varjoonsa **2** näyttely, messut **3** teeskentely to make a show of something teeskennellä, tehdä jostakin iso numero **4** osoitus/merkki jostakin (of) **5** ilmestys, näkymä
v showed, shown/showed **1** näyttää, näkyä he's been practicing and it shows hän on harjoitellut ja se näkyy she wanted to show me around the house hän halusi esitellä minulle taloaan **2** osoittaa, osoittautua she showed him to be wrong hän osoitti miehen olevan väärässä **3** esittää (näytelmä, elokuva ym) **4** opastaa, ohjata let me show you to the door/to your seats minä saatan teidät ovelle/ohjaan teidät paikoillenne **5** (ark) ilmestyä paikalle
show business s viihdeala
showcase /ˈʃoʊ,keɪs/ s **1** näytekaappi, mainoskaappi, lasikko **2** (kuv) näyteikkuna; ponnahduslauta Hong Kong used to be a showcase of the west Hongkong oli ennen lännen näyteikkuna the fair is a showcase for new computers messuilla esitellään uusia tietokoneita
v **1** esitellä **2** päästää oikeuksiinsa

showdown /'ʃoʊ,daʊn/ s (kuv) (ratkaiseva) välienselvittely, (viimeinen) yhteenotto
shower /ʃaʊər/ s **1** sadekuuro **2** suihku(ssa käynti) **3** suihku(laitteet) **4** suuri määrä jotakin **5** bridal shower (morsiamelle ennen häitä järjestettävä) morsiusjuhla, polttarit baby shower (tulevalle äidille ennen lapsen syntymää järjestettävä) äitiysjuhla **6** (mon) suihkut, suihkuhuone to send someone to the showers (baseballissa) määrätä/lähettää pelaaja pois kentältä
v **1** käydä suihkussa **2** (kuv) hukuttaa joku johonkin to shower someone with thanks hukuttaa joku kiitoksiin
shower curtain s suihkun verho
shower stall s suihkukaappi
showery adj sateinen
showily adv komeilevasti, mahtaillen, tärkeilevästi; loisteliaasti, ylellisesti
shown /ʃoʊn/ ks show
show off v mahtailla, rehennellä, leuhkia, leveillä
showroom /'ʃoʊ,rum/ s esittelytilat; autokauppa
showstopper /'ʃoʊ,stapər/ s (kuv) katseenvangitsija
show up v **1** saapua paikalle, tulla jonnekin **2** paljastaa, tuoda esiin, korostaa **3** jättää joku/jokin varjoonsa, saada joku kalpenemaan rinnallaan
showy /ʃoʊi/ adj komeileva, mahtaileva, tärkeilevä; loistelias, ylellinen
show your teeth fr vihastua, suuttua, ärtyä
shrank /ʃræŋk/ ks shrink
shrapnel /ʃræpnəl/ s (sot) srapnelli
shred /ʃred/ s **1** riekale **2** (kuv) tippa there is not a shred of truth in his allegations hänen esittämänsä syytökset ovat täysin perättömiä
v repiä, repeytyä (riekaleiksi)
shredded wheat s eräs aamiaismurovalmiste; vehnämuroke
shrew /ʃru/ s **1** toraisa akka/nainen, Ksantippa **2** päästäinen
shrewd /ʃrud/ adj ovela, viekas, juonikas
shriek /ʃrik/ s **1** kirkaisu, parkaisu, parahdus **2** naurun kiherrys/kikatus/rämäkkä
v **1** kirkaista, parkaista, parahtaa **2** nauraa kihertää/kikattaa
shrift /ʃrɪft/ to give someone short shrift ei piitata jostakusta/jostakin, vähät välittää jostakusta/jostakin, kohdella jotakuta tylysti
shrill /ʃrɪl/ adj **1** (ääni) kimeä, räikeä **2** (valo) räikeä, kirkas
shrimp /ʃrɪmp/ s (mon shirmps, shrimp) katkarapu
shrine /ʃraɪn/ s **1** hauta(rakennus) **2** pyhäkkö
shrink /ʃriŋk/ s (ark) kallonkutistaja, psykiatri, psykoterapeutti, psykoanalyytikko
v shrank/shrunk, shrunk **1** kutistua, kutistaa these jeans do not shrink nämä farkut eivät kutistu pesussa **2** perääntyä, pelästyä, säpsähtää
shrinkage /ʃrɪnkədʒ/ s (kankaan) kutistuminen
shrink back v säpsähtää/pelästyä jotakin
shrink-wrap /'ʃriŋk,ræp/ s kutistekalvo
v pakata/kääriä kutistekalvoon
shrivel /ʃrɪvəl/ v kutistua, kuivua, käpristyä, kuihtua, lakastua, menehtyä
shroud /ʃraʊd/ s **1** käärinliina **2** (kuv) huntu, utu, verho
v **1** kääriä/kiertoa (käärin)liinaan **2** peittää, salata the whole matter is shrouded in secrecy koko asia on hämärän peitossa
Shroud of Turin s (Kristuksen käärinliina) Torinon käärinliina
shrub /ʃrʌb/ s pensas
shrubbery /ʃrʌbəri/ s pensaikko
shrubby adj **1** jossa kasvaa pensaita, pensas- **2** pensasmainen
shrug /ʃrʌg/ s olankohautus
v kohauttaa olkapäitään
shrug off v **1** sivuuttaa olankohautuksella, ei piitata jostakin **2** vapautua jostakin, päästä eroon jostakin
shrunk /ʃrʌŋk/ ks shrink
shrunken ks shrink

shudder /ʃʌdər/ s puistatus
v puistattaa I shudder to think what may follow minua puistattaa/kauhistuttaa ajatella mitä seuraavaksi tapahtuu
shuffle /ʃʌfəl/ s **1** laahustava käynti **2** (eräs hidas) tanssi, shuffle **3** (pelikorttien) sekoitus **4** temppu
v **1** laahustaa, kävellä laahustaen **2** tanssia shufflea **3** sekoittaa (pelikortit) **4** siirrellä (esineitä) eri paikkoihin/edestakaisin **5** keplotella itsensä johonkin asemaan/eroon jostakin, luikerrella eroon jostakin
shuffleboard /'ʃʌfəl,bɔrd/ s (peli) shuffleboard
shuffle off v **1** hankkiutua eroon jostakin **2** laahustaa jonnekin
shun /ʃʌn/ v karttaa, välttää jotakuta/jotakin
shut /ʃʌt/ v shut, shut **1** sulkea, panna kiinni **2** lukita, teljetä (ovi, joku jonnekin) **3** erottaa, sulkea pois jostakin
adj kiinni, suljettu
shut-down /'ʃʌt,daʊn/ s (tehtaan tms) (väliaikainen) sulkeminen
shut down /,ʃʌt'daʊn/ v lopettaa toiminta (väliaikaisesti/lopullisesti), lakkauttaa, sulkea
shut down on v (ark) tehdä loppu jostakin
shuteye /'ʃʌt,aɪ/ s (ark) uni
shut in v **1** lukita/sulkea joku jonnekin **2** to be shut in joutua vuoteeseen/vuoteen omaksi
shut of adj vapaa jostakin
shut off v **1** sulkea (esim hana) **2** eristää
shut-off /'ʃʌt,af/ s **1** sulkuventtiili tms **2** (sähkönjakelun tms) katkaisu
shut out v **1** ei päästää jonnekin **2** peittää näkyvistä
shutter /ʃʌtər/ s **1** ikkunaluukku **2** (kameran) suljin
shutter priority s (kameran valotusautomatiikassa) suljinajan esivalinta
shutter speed s (kameran) suljinaika
shuttle /ʃʌtəl/ s **1** sukkula **2** (heiluri/sukkulaliikenteen) lentokone, linja-auto **3** avaruussukkula
v matkustaa/kulkea/panna kulkemaan edestakaisin jotakin väliä, juoksuttaa edestakaisin
shuttle diplomacy s sukkuladiplomatia
shut up v **1** sulkea; lukita **2** sulkea/tukkia suunsa/jonkun suu, olla hiljaa, vaientaa **3** panna vankilaan, lukita jonnekin
shy /ʃaɪ/ v arastaa, säpsähtää, säikähtää
adj shier/shyer, shiest/shyest **1** arka, ujo, kaino; säikky, vauhko **2** vajaa he is only one year shy of sixty hän täyttää vuoden päästä kuusikymmentä her paintings are nothing shy of excellent hänen maalauksensa ovat (kerrassaan) erinomaisia **3** to fight shy of arastella jotakin
shyly adv arasti, ujosti, kainosti
shyness s arkuus, ujous, kainous
shyster /ʃaɪstər/ s (ark) vilpillinen asianajaja
SI International System of Units Kansainvälinen mittayksikköjärjestelmä
S.I. Sandwich Islands; Staten Island
Siamese cat /saɪ,miz'kæt/ s siamilainen (kissa)
Siamese twins /saɪ,miz'twɪnz/ s siamilaiset kaksoset
Siberia /saɪ'bɪriə/ Siperia
Sicily /sɪsəli/ Sisilia
sick /sɪk/ adj **1** sairas to call in sick ilmoittautua sairaaksi, ei mennä työhön (sairauden vuoksi) **2** pahoinvoiva he is sick häntä oksettaa **3** kyllästynyt johonkin (of), kurkkuaan myöten täynnä jotakin **4** (kuv) sairas, pahoinvoiva the violence in the movie made him sick elokuvan väkivaltaisuus sai hänet voimaan pahoin
sick and tired fr **1** to be sick and tired of olla kyllästynyt johonkin perin pohjin, olla kurkkuaan myöten täynnä jotakin **2** lopen uupunut, loppuunväsynyt
sick at your stomach fr pahoinvoiva
sick bay s (laivan) sairashuone, sairaala
sick call s (sot) lääkärin vastaanotto(aika)

sick day s sairaspäivä (jolta maksetaan palkkaa)
sicken v kuvottaa, ällöttää
sickening adj kuvottava, ällöttävä
sickle /sɪkəl/ s sirppi
sickle and hammer s sirppi ja vasara
sickly /sɪkli/ adj sairasteleva, heikko, huonovointinen; huonon näköinen
sickness s **1** sairaus **2** pahoinvointi morning sickness (odottavalla äidillä) aamupahoinvointi
sick to your stomach fr pahoinvoiva
side /saɪd/ s **1** puoli, vieri on the right side of the building rakennuksen oikealla puolen the far side takapuoli, taempi puoli **2** (tien) reuna, vieri **3** (ihmisen) kylki side by side kylki kyljessä, rinnakkain (myös kuv) **4** (tunnelin) seinä, seinämä, (veneen) kylki, (oven) pieli **5** (kuv) puoli there are two sides to this issue tässä kysymyksessä on kaksi puolta **6** (urh) puoli **7** (kuv) kanta to take sides ottaa kantaa, mennä jonkun puolelle **8** the weather is on the cold side sää on kylmänpuoleinen/kylmähkö **9** suku on my father's side isäni puolella/suvussa
side against v asettua jotakuta vastaan, vastustaa jotakuta
side by side fr kylki kyljessä, rinnakkain (myös kuv)
sidecar /'saɪd,kaər/ s sivuvaunu
sided /saɪdəd/ yhdyssanan jälkiosana -kylkinen, -puolinen
side effect s sivuvaikutus; lieveilmiö
sideline /'saɪd,laɪn/ s **1** (amerikkalaisessa jalkapallossa ym) sivuraja **2** sivutoimi **3** ylimääräinen kauppatavara(laji) **4** (mon) pelikentän reuna he had to watch from the sidelines as his brother was made chairman (kuv) hän joutui seuraamaan sivusta kun hänen veljestään tehtiin (firman) johtaja
sidelong /'saɪd,laŋ/ adj (katse) sivuun suunnattu; vaivihkainen, salavihkainen
side of the tracks she was raised on the wrong side of the tracks hän kasvoi kadun varjoisalla puolella
sidestep /'saɪd,step/ v **1** väistää, astua sivuun/syrjään **2** (kuv) välttää, kiertää, väistää you're sidestepping the issue sinä puhut asian vierestä, sinä et puhu itse asiasta
sidetrack /'saɪd,træk/ s sivuraide v **1** siirtää/ajaa sivuraiteelle **2** (kuv) poiketa/johtaa pois asiasta we became sidetracked by his jokes hänen vitsinsä eksyttivät meidät asiasta
sidewalk /'saɪd,wak/ s jalkakäytävä
sidewalk artist s katutaiteilija
sidewall /'saɪd,waəl/ s (ilmarenkaan) sivu
sideward /saɪdwərd/ adj sivusuuntainen adv sivulle
sideways /'saɪd,weɪz/ adj, adv sivuttain(en)
side with v asettua jonkun puolelle, puolustaa jotakuta
siding /saɪdiŋ/ s sivuraide
siege /sidʒ/ s piiritys to lay siege to piirittää, saartaa v piirittää, saartaa
Sierra Leone /si,erəli'oʊn/
Sierra Leonean s, adj sierraleonelainen
sieve /sɪv/ s siivilä, seula, lävikkö, sihti v siivilöidä, seuloa
sift /sɪft/ v **1** siivilöidä, seuloa **2** ripotella **3** (kuv) tutkia tarkkaan, eritellä, seuloa
sifter s siivilä, seula, lävikkö, sihti
SIG special interest group
sigh /saɪ/ s huokaus he let out a big sigh hän huokaisi syvään v huokaista
sight /saɪt/ s **1** näkö(aisti) he lost his sight in the war hän sokeutui sodassa **2** näkymä, näköala, näky **3** näkemä, näkeminen, näköpiiri at first sight ensi näkemältä, päälle päin to be in sight olla näkyvissä to catch sight of saada näkyviin, nähdä, huomata; iskeä silmänsä johonkin to know someone by sight tuntea joku ulkonäöltä to lose sight of kadottaa näkyvistä; (kuv) unohtaa on/upon first sight ensi näkemältä out of sight poissa näkyvistä; (ark) suunnaton,

mieletön, kohtuuton, valtava **4** tähtäin **5** nähtävyys to see the sights katsoa nähtävyydet **6** not by a long sight ei lähimainkaan, ei sinne päinkään **7** (ark) (järkyttävä) ilmestys/näky
v nähdä, havaita
sight for sore eyes fr tervetullut näky/ilmestys
sightsee /'saɪtˌsi/ v tutustua nähtävyyksiin, katsoa nähtävyydet, käydä kiertoajelulla tms
sightseeing s nähtävyyksiin tutustuminen, nähtävyyksien katselu, kiertoajelu tms
sight unseen to buy something sight unseen ostaa sika säkissä
sigmoid colon /ˌsɪgmoɪd'koulən/ s (lääk) sigma, vemmelsuoli
sign /saɪn/ s **1** merkki (myös kuv) that's a good sign se on hyvä merkki/enne traffic sign liikennemerkki there was not a sign of bitterness in her voice hänen äänessään ei ollut katkeruuden häivääkään **2** kilpi, kyltti
v **1** allekirjoittaa **2** näyttää merkkiä, viitata jollekulle
signal /sɪgnəl/ s **1** merkki (myös kuv) **2** (puhelimessa) merkkiääni busy signal varattu-ääni engaged signal varattu-ääni **3** traffic signal liikennevalot **4** (radio, televisio) lähete
v antaa merkki, (esim.) viitata kädellään
adj **1** merkki- **2** huomattava, merkittävä, poikkeuksellinen
signal corps /'sɪgnəlˌkɔr/ s (sot) viestijoukot
signally adv näkyvästi
signatory /'sɪgnəˌtɔri/ s allekirjoittaja
signature /sɪgnətʃər/ s **1** allekirjoitus; allekirjoittaminen **2** (radio) (ohjelman) tunnusmelodia
sign away v siirtää jollekulle, luovuttaa jollekulle (allekirjoittamalla asiakirja)
signer /saɪnər/ s allekirjoittaja
signet /sɪgnət/ s sinetti
v sinetöidä
significance /sɪg'nɪfɪkəns/ s merkitys, merkittävyys, tärkeys do you fully appreciate the significance of your decision? ymmärrätkö täysin päätöksesi merkityksen/seuraukset? to attach significance to pitää jotakin tärkeänä
significant /sɪg'nɪfɪkənt/ adj merkittävä, tärkeä, huomattava
significantly adv merkittävästi, huomattavasti significantly, the new rules do not say anything about it kannattaa huomata että uusissa säännöissä ei sanota asiasta mitään
significant other s avio- tai avopuoliso
signify /'sɪgnəˌfaɪ/ v **1** merkitä, tarkoittaa **2** ilmaista, antaa ymmärtää
sign in v ilmoittautua/kirjoittautua (saapuneeksi) jonnekin
sign language s viittomakieli
sign off v **1** lopettaa radio/televisiolähetys, lopettaa lähetykset (yöksi) **2** (ark) vaieta, lakata puhumasta **3** sanoutua irti jostakin
sign of the cross s ristinmerkki
sign on v **1** palkata, ottaa/mennä palvelukseen, pestautua joksikin (as) **2** aloittaa radio/televisiolähetys, aloittaa lähetykset (päivältä) **3** avata tietokoneyhteys
sign out v ilmoittautua/kirjoittautua lähteneeksi jostakin
sign over v siirtää jollekulle, luovuttaa jollekulle (allekirjoittamalla asiakirja)
signpost /'saɪnˌpoust/ s opastaulu
signs of the zodiac s (mon) eläinradan merkit
sign up v pestautua palvelukseen, ilmoittautua (esim kurssille)
sika deer /sikə/ s japaninhirvi
silence /saɪləns/ s hiljaisuus
v **1** vaientaa **2** hälventää (epäilyt), rauhoittaa
silencer s (aseen) vaimennin; (UK) auton äänenvaimennin
silent /saɪlənt/ adj **1** hiljainen, äänetön, vaisu, vähäpuheinen **2** (fonetiikassa) mykkä, jota ei äännetä **3** (elokuva) mykkä-
silently adv hiljaa, äänettömästi; kaikessa hiljaisuudessa
silent majority s hiljainen enemmistö

silent partner s äänetön osakas
silent treatment s (kuv) mykkäkoulu to give someone the silent treatment leikkiä (jonkun seurassa) mykkäkoulua
Silesia /saˈleɪsiə/ Sleesia
silhouette /ˌsɪləˈwet/ s siluetti, varjokuva
v näkyä/näyttää siluettina
silicon /sɪlәkәn/ s pii
silicon chip s piinsiru
silicone /sɪləkoun/ s silikoni
Silicon Valley s Piilaakso (Kaliforniassa)
silk /sɪәlk/ s silkki
silken /sɪlkәn/ adj **1** silkkinen, silkki- **2** (kuv) silkkinen, silkinpehmeä, sileä
silkworm /ˈsɪlkˌwərm/ s silkkitoukka
silky adj **1** silkkinen, silkki- **2** (kuv) silkkinen, silkinpehmeä, sileä
silly /sɪli/ adj typerä, tyhmä, älytön, hassu, hupsu
silo /saɪlou/ s (mon silos) **1** viljasiilo **2** ohjussiilo
silt /sɪlt/ s liete
silver /sɪlvər/ s **1** hopea **2** hopeat, hopeaesineet **3** hopeamitali, hopea
v **1** hopeoida, päällystää hopealla/hopean värillä **2** muuttua hopean väriseksi, harmaantua
adj **1** hopeinen **2** hopean värinen **3** (kuv) (kieli) liukas, lipevä **4** (25-vuotishääpäivästä) hopea- **5** (ääni) heleä
silvered adj hopeoitu
silver foil s hopeapaperi
silver gray s hopeanharmaa
silver haloid /hæloɪd/ s hopeahalogenidi
silvering s **1** hopeointi **2** hopeapinnoite
silver jubilee s 25-vuotisjuhla
silver lining s (kuv) toivon pilke every cloud has a silver lining niin kauan kuin on aikaa on myös toivoa
silver medal s hopeamitali
silver plate s **1** pöytähopeat **2** hopeapinnoite
silver-plate v hopeoida
silver screen s valkokangas (myös kuv)
silverware /ˈsɪlvərˌweər/ s (pöytä)hopeat, hopeaesineet, hopeiset aterimet
silver wedding s (25-vuotishäät) hopeahäät
silvery adj **1** hopean värinen, hopean harmaa **2** hopeoitu **3** (ääni) heleä
similar /sɪmələr/ adj samankaltainen, samanlainen the two books are similar kirjat muistuttavat toisiaan in a similar vein samoin, samaan tapaan
similarity /ˌsɪməˈlerəti/ s samankaltaisuus, samanlaisuus, yhdenmukaisuus that's where the similarity ends siihen yhtäläisyydet loppuvatkin
similarly adv samoin, samaan tapaan, samalla lailla
simile /sɪməli/ s vertaus
similitude /ˈsɪmələˌtud/ s samankaltaisuus, samanlaisuus
simmer /sɪmər/ v kiehua hiljaa
simmer down v (sl kuv) hiljetä, rauhoittua
simple /sɪmpəl/ adj yksinkertainen, helppo; koruton, tavallinen; pelkkä it's simple, you just push this button se on helppoa, sinun tarvitsee vain painaa tätä nappia a simple style yksinkertainen/koruton tyyli simple folk tavallinen kansa, tavalliset ihmiset a simple "yes" is enough riittää kun sanot kyllä a simple lie silkka valhe
simple majority /məˈdʒɔrɪtɪ/ s yksinkertainen enemmistö, suhteellinen enemmistö
Simple Simon /ˌsɪmpəlˈsaɪmən/ Simo Simppeli, Pölhö Pekka Pölhölästä
simpleton /sɪmpəltən/ s typerys, tyhmyri
simplicity /sɪmˈplɪsəti/ s yksinkertaisuus, helppous; koruttomuus, tavallisuus getting a loan is simplicity itself lainan saanti on helppoa kuin mikä
simplification /ˌsɪmpləfɪˈkeɪʃən/ s yksinkertaistus; helpotus
simplify /ˈsɪmpləˌfaɪ/ v yksinkertaistaa; helpottaa
simplistic /sɪmˈplɪstɪk/ adj alkeellinen, liiaksi yksinkertaistettu
simply /sɪmpli/ adv **1** yksinkertaisesti, helposti; koruttomasti, tavallisesti **2** ker-

rassaan, kerta kaikkiaan I simply can't do it en kerta kaikkiaan voi tehdä sitä

Simpson Desert /ˌsɪmpsən'desərt/ Simpsonin aavikko (Australiassa)

simulate /'sɪmjəˌleɪt/ v **1** teeskennellä jotakin, tekeytyä joksikin **2** jäljitellä, simuloida

simulation /ˌsɪmjə'leɪʃən/ s **1** teeskentely **2** jäljittely, simulaatio

simultaneous /ˌsaɪməl'teɪniəs/ adj samanaikainen

simultaneous interpretation simultaanitulkkaus

simultaneously adv samanaikaisesti, yhtä aikaa

sin /sɪn/ s synti (myös kuv)
v tehdä syntiä

Sinai /saɪnaɪ/ Siinai

since /sɪns/ adv sen jälkeen, sittemmin; jostakin lähtien; sitten she quit her job last month and I have not seen her since hän erosi (työstään) viime kuussa enkä ole nähnyt häntä sen koommin long since kauan sitten she has been mad at me ever since hän on ollut siitä lähtien vihainen minulle
prep jostakin lähtien since 1980, there have been several big air traffic accidents vuodesta 1980 lähtien on sattunut useita suuria lento-onnettomuuksia
konj **1** koska since you don't want to go there, someone else will have to do it jonkun muun on hoidettava se koska sinä et halua mennä sinne **2** jostakin lähtien, jostakin saakka since she bought the house siitä lähtien kun hän osti talon

sincere /sɪn'sɪər/ adj vilpitön, rehti, aito

sincerely adv vilpittömästi, rehdisti, aidosti sincerely yours/yours sincerely (liikekirjeen lopussa) ystävällisin terveisin, (yksityiskirjeen lopussa) lämpimin/parhain terveisin

sincerity /sɪn'serəti/ s vilpittömyys, rehtiys, aitous

sinew /sɪnju/ s jänne

sinewy /sɪnjui/ adj **1** jäntevä, jänteikäs, (liha myös) sitkeä **2** (kuv) voimakas, luja, jäntevä, ponteva, tarmokas

sinful adj syntinen

sinfully adv syntisesti the chocolate mousse was sinfully good suklaavaahto oli hävyttömän hyvää

sing. singular yksikkö

sing /sɪŋ/ v sang, sung: laulaa

sing a different tune since the accident, she's been singing a different tune onnettomuuden jälkeen hänelle tuli toinen ääni kelloon

Singapore /'siŋəˌpɔr/ Singapore

Singaporean /ˌsiŋəˌpɔriən/ s, adj singaporelainen

singe /sɪndʒ/ v kärventää, korventaa, polttaa

singer /siŋər/ s laulaja

singing s laulaminen, laulu

single /siŋgəl/ s **1** naimaton (ihminen) **2** yhden hengen (hotelli)huone **3** (mon) (tenniksessä) kaksinpeli **4** single(äänilevy), sinkku
adj **1** (yksi) ainoa there is one single fault with what you're saying puheissasi on vain yksi vika every single day joka ainoa päivä **2** yhden hengen a single room yhden hengen (hotelli)huone **3** naimaton

single file to walk (in) single file kävellä peräkkäin

single-handed adj yksin tapahtuva, yksin-, joka tapahtuu omin avuin

single-handedly adv yksin, omin avuin, omin päin

single-minded adj määrätietoinen, päättäväinen

single-mindedly adv määrätietoisesti, päättäväisesti

single-mindedness s määrätietoisuus, päättäväisyys

single occupancy s (hotellissa, motellissa) (yöpyminen) yhden hengen huone(essa)

single out v valita (yksi), ottaa esille (yksi) why did you single out Harry for rebuke? miksi sinä otit Harryn syntipukiksi?

single-space v kirjoittaa koneella/tulostaa ykkösrivivälillä (rivien välissä ei tyhjää)

singly /'sɪŋ,gli/ adv **1** yksin, yksitellen, erikseen **2** yksin, yksinään, omin avuin
sing out v (ark) huutaa
sing someone's praise fr ylistää jotakuta (maasta taivaaseen)
singular /sɪŋgjələr/ s (kieliopissa) yksikkö
adj **1** (kieliopissa) yksiköllinen, yksikkö- **2** erikoinen, omalaatuinen, outo, kumma **3** ainutlaatuinen, poikkeuksellinen, erinomainen
singularity /,sɪŋgjə'lerəti/ s erikoisuus, omituisuus, kummallisuus
singularly adv ainutlaatuisen, harvinaisen
sinister /sɪnɪstər/ adj synkkä, kammottava, pelottava, pahaenteinen sinister purpose paha aie
sink /sɪŋk/ s **1** (keittiön, kylpyhuoneen) pesuallas **2** viemäri(n suu)
v sank, sunk **1** upota, upottaa, vajota the ship sank laiva upposi **2** (rinne) viettää, laskea **3** (kuv) vajota, uppoutua to sink into your thoughts uppoutua ajatuksiinsa to sink into despair joutua epätoivon valtaan, menettää toivonsa **4** (kuv) laskea, vähentää, vähentyä, alentaa, alentua the patient's blood pressure sank potilaan verenpaine laski
sink in v joku tajuaa jotakin
sinking s uppoaminen, upottaminen, upotus
adj: I have a sinking feeling that something terrible is going to happen minä tunnen mahanpohjassani että pian tapahtuu jotakin hirvittävää
sink your teeth into fr **1** he sank his teeth into the juicy steak hän iski hampaansa mehevään pihviin **2** (kuv) tarttua hanakasti tilaisuuteen, paneutua tarmokkaasti johonkin
sinless adj synnitön, tahraton
sinner /sɪnər/ s synnintekijä, syntinen
Sino- /saɪnoʊ/ yhdyssanan etuosana kiinalainen, Kiinan-
sinologist /saɪ'nalədʒɪst/ s sinologi, Kiinan kielen ja kulttuurin tutkija
sinology /saɪ'nalədʒi/ s sinologia, Kiinan kielen ja kulttuurin tutkimus
sinus /saɪnəs/ s (mon sinuses) ontelo, (erityisesti) sivuontelo, (ark epätarkasti) nenäontelo
sinusitis /,saɪnə'saɪtəs/ s (lääk) sivuontelon tulehdus
sip /sɪp/ s pieni siemaus/hörppäys you can take a sip from my drink voit maistaa minun ryypyäni
v juoda pikkuisen kerrallaan, maistella
siphon /saɪfən/ s **1** lappo, imujuoksutin **2** (tarjoilupullo) sifoni
v **1** juoksuttaa lapolla **2** (kuv) siirtää (salaa)
siphon bottle s sifoni
siphon off v (kuv) siirtää salaa
sir /sər/ s **1** (vastaa usein suomen teitittelyä miestä puhuteltaessa) sir **2** (UK, aatelistitteli) Sir
sire /saɪər/ s **1** (uroseläimestä) isä **2** (kuningasta puhuteltaessa) Teidän Majesteettinne
v siittää
siren /saɪrən/ s **1** sireeni **2** (tarunomainen) seireeni (myös kuv:) viettelijätär
sirloin /'sər,lɔɪn/ s filee, seläke
sister /sɪstər/ s **1** sisko, sisar (myös usk ja kuv) half sister sisarpuoli **2** sisaralus yms **3** (ark puhuttelusanana) tyttö
sisterhood /'sɪstər,hʊd/ s **1** sisaruus **2** (uskonnollinen) sisarkunta
sister-in-law /'sɪstərɪn,la/ s (mon sisters-in-law) käly, puolison sisar, veljen vaimo, puolison veljen vaimo
sisterly adj sisarellinen
sit /sɪt/ v sat, sat **1** istua; istuutua, käydä istumaan; istuttaa, panna istumaan **2** kokoontua **3** olla jossakin, sijaita jossakin **4** (kana) hautoa **5** to let something sit antaa jonkin asian olla/odottaa, jättää jokin asia lepäämään **6** (vaate) sopia, istua **7** vahtia lapsia, olla lapsenvahtina **8** olla tilaa the table sits five pöydässä on tilaa viidelle, pöytään mahtuu viisi ihmistä **9** toimia jonakin/jossakin tehtävässä
sitar /sɪtar/ s (soitin) sitar
sitcom /'sɪt,kam/ s (television) tilannekomedia
sit down v istuutua; istuttaa, panna istumaan

sit-down s **1** (ark) levähdystauko, lepohetki, huilaus **2** istumalakko **3** valtaus (mielenosoitus jossa istutaan kielletyille paikoille tms)
sit-down strike s istumalakko
site /saɪt/ s paikka, sijainti building site rakennustyömaa
v **1** sijoittaa **2** suunnata, tähdätä
sit in v **1** osallistua (vieraana) johonkin **2** osallistua valtaukseen/istumalakkoon
sit-in s **1** valtaus (mielenosoitus jossa istutaan kielletyille paikoille tms) **2** istumalakko
sit in on v osallistua (vieraana) johonkin, olla kuunteluoppilaana, kuunnella
sit on v **1** keskustella jostakin, pohtia jotakin **2** (ark) salata, pitää salassa **3** (ark) vaientaa, hiljentää, tukkia jonkun suu
sit out v **1** odottaa kunnes jokin loppuu, kestää loppuun saakka **2** jättää väliin, ei osallistua
sit pretty fr (ark) jollakulla on pullat hyvin uunissa, jonkun kelpaa olla
sit tight fr odottaa (mitään tekemättä)
sitting s istunto to do something in one sitting tehdä jotakin yhdellä kertaa/yhteen menoon
sitting duck s (kuv) helppo saalis
sitting pretty fr jonkun kelpaa olla, jollakulla on hyvät oltavat, jollakulla on pullat hyvin uunissa
sitting room s olohuone
situate /'sɪtʃʊ,eɪt/ v sijoittaa
situated adj **1** joka sijaitsee jossakin (in) **2** jolla on tietty taloudellinen asema well situated vauras, varakas
situation /,sɪtʃʊ'eɪʃən/ s tilanne; tila
situation comedy s tilannekomedia
sit up v **1** nousta (makuulta) istualleen **2** valvoa (illalla) **3** istua suorassa/selkä suorana **4** (ark) hämmästyä, ällistyä the news made people sit up and take notice uutinen sai ihmiset havahtumaan
sit-up s vatsalihasliike
sit upon v keskustella jostakin, pohtia jotakin
six /sɪks/ s, adj kuusi
sixes and sevens to be at sixes and sevens **1** olla mullin mallin, olla sikin sokin **2** olla riidoissa, ei tulla toimeen keskenään
sixfold /'sɪks,foəld/ adj kuusinkertainen there has been a sixfold increase in burglaries murrot ovat kuusinkertaistuneet
adv kuusinkertaisesti
sixfooter /,sɪks'fʊtər/ s (noin) kuuden jalan (183 cm) mittainen ihminen
six-pack /'sɪks,pæk/ s kuuden olut/virvoitusjuomatölkin tms pakkaus
six-shooter /'sɪks,ʃutər/ s kuudestilaukeava
sixteen /sɪks'tin/ s, adj kuusitoista
sixteenth /sɪks'tinθ/ s, adj kuudestoista
sixth /sɪksθ/ s, adj kuudes
sixth sense s kuudes aisti, vainu
sixtieth /sɪkstiəθ/ s, adj kuudeskymmenes
sixty /sɪksti/ s, adj kuusikymmentä back in the sixties 60-luvulla she lives in the sixties hän asuu 60.–69. kadulla
sixty-four-dollar question s ratkaiseva kysymys
six-wheeler s kuusipyöräinen, rekka, kuormuri
sizable /saɪzəbəl/ adj huomattava, mittava, suuri
size /saɪz/ s koko the widgets come in different sizes vempaimia on (useita) eri kokoja these two are of a size nämä ovat samankokoiset to try something on for size sovittaa/kokeilla (vaatetta); harkita, miettiä, pohtia
sizeable adj huomattava, mittava, suuri
sized yhdyssanan jälkiosana -kokoinen medium-sized keskikokoinen
size up v (ark) **1** mittailla (esim katseellaan), punnita (kuv), arvioida **2** täyttää vaatimukset, kelvata
size-up s (hinta- tai muu) arvio
sizzle /sɪzəl/ v **1** tiristä, käristä **2** (ark) olla paahtavan kuumaa **3** (ark) käydä kuumana, olla kimpaantunut jostakin (over)
SK Saskatchewan
ska /ska/ s (mus) ska

skate /skeɪt/ s **1** luistin **2** rullaluistin **3** luistimen terä
v **1** luistella **2** rullaluistella **3** luistaa, liukua **4** (sl) luistaa työstä, pinnata
skateboard /'skeɪt,bɔrd/ s rullalauta
v rullalautailla
skateboarder s rullalautailija, skeittailija
skateboarding s rullalautailu, skeittailu
skate on thin ice fr liikkua oudoilla vesillä, olla heikolla pohjalla
skater s **1** luistelija **2** rullaluistelija
skating s **1** luistelu **2** rullaluistelu
skating rink s luistinrata
skeet /skit/ s skeet-ammunta, skeet
skeleton /skelətən/ s **1** luuranko **2** (kuv) runko, pääpiirteet
adj vähimmäis- skeleton crew (loma-aikana, pyhisin, öisin palveluksessa oleva) minimihenkilökunta
skeleton at the feast fr ilonpilaaja
skeleton in the closet fr häpeällinen (perhe)salaisuus
skeleton key s tiirikka
skeptic /skeptɪk/ s epäilijä, skeptikko
adj epäilevä, epäluuloinen, epävarma, skeptinen
skeptical adj epäilevä, epäluuloinen, epävarma, skeptinen
skeptically adv ks skeptical
skepticism /skeptɪsɪzəm/ s epäily, epäilevyys
sketch /sketʃ/ s **1** luonnos, hahmotelma; (alustava) suunnitelma; lyhyt selostus/selonteko **2** sketsi
v luonnostella, hahmotella; suunnitella (alustavasti); selostaa lyhyesti/pääpiirteissään
sketchbook /'sketʃ,bʊk/ s luonnosvihko
sketchily adv alustavasti, summittaisesti, ylimalkaisesti
sketchy adj alustava, joka on (vasta/vielä) luonnosteluasteella, summittainen, ylimalkainen
skewer /skjuər/ s varras
v varrastaa
ski /ski/ s **1** suksi **2** vesisuksi
v (he/she skis, skied, skied) hiihtää

skid /skɪd/ s **1** kisko; jalas **2** liukurata **3** (esim auton) luisto **4** (mon, ark) rappio, deekis (ark) to be on the skids olla menossa rappiolle, olla alamäessä to hit the skids joutua rappiolle/hunningolle/deekikselle to put the skids under something koitua jonkin kohtaloksi/turmioksi, tehdä loppu jostakin
v **1** liu'uttaa **2** luistaa, luisua, luistattaa
skid mark s (auton) renkaan jäljet (tiessä), jarrutusjäljet
skid row s pummien, puliukkojen ja narkomaanien asuttama kaupunginosa/katu
skier /skiər/ s laskettelija, hiihtäjä
skies /skaɪz/ ks sky
skiing /skiiŋ/ s laskettelu, hiihto track skiing latuhiihto cross-country skiing maastohiihto water skiing vesihiihto
skill /skɪl/ s taito to do something with skill tehdä jotakin taitavasti
skilled adj **1** taitava, taidokas **2** ammattitaitoinen skilled worker ammattitaitoinen työntekijä highly skilled workforce korkeasti koulutettua työvoimaa
skillet /skɪlət/ s paistinpannu
skillful adj taitava, taidokas
skillfully adv taitavasti, taidokkaasti
skim /skɪm/ v **1** kuoria (maitoa ym) **2** liukua jonkin pinnalla, hipoa jotakin **3** peittää ohuelti **4** lukaista, lukea nopeasti, selailla, vilkaista **5** (kuv) kuoria kerma päältä, poimia parhaat palat
skimmed milk s rasvaton maito
skim milk s rasvaton maito
skimpily adv **1** niukasti, niukalti, hyvin vähän **2** nuukasti, kitsaasti
skimpy /skɪmpi/ adj **1** niukka, vähäinen, mitätön **2** nuuka, kitsas
skin /skɪn/ s **1** iho, nahka (myös kuv) to get under your skin (sl) käydä jonkun hermoille; vaikuttaa voimakkaasti johonkuhun, joku saa väreitä jostakin to have a thick skin (kuv) olla paksunahkainen to have a thin skin (kuv) olla herkkä arvostelulle/loukkaantumaan in/with a whole skin ehjin nahoin to save your skin pelastaa nahkansa that's no skin off my back (sl) minä en piittaa siitä, se ei minua lotkauta under the skin pohjim-

maltaan, pinnan alla **2** (hedelmän, makkaran ym) kuori **3** (mon sl) rummut
v **1** nylkeä **2** kuoria **3** (iho) repeytyä auki she skinned her elbow when she fell hän sai kaatuessaan ihohaavoja kyynärpäähänsä
adj (sl) (elokuva tms) porno-
skin alive fr (ark, kuv) **1** haukkua pystyyn, lyödä lyttyyn **2** nylkeä elävältä, antaa selkään, piestä
skin and bones to be nothing but skin and bones olla pelkkää luuta ja nahkaa
skin care s ihonhoito
skin-deep adj pinnallinen, joka ei ulotu pintaa syvemmälle, katoavainen
skin-dive v sukeltaa (perusvälineillä)
skin diver s (perusväline)sukeltaja
skin diving s perusvälinesukellus
skin graft s (lääk) **1** ihosiirrännäinen **2** ihonsiirto
skinless adj (makkara) kuoreton
skinny adj erittäin laiha a skinny man miehen ruipelo
skinny-dip /ˈskɪni,dɪp/ v (ark) uida/pulikoida vedessä alasti
skin of your teeth by the skin of your teeth täpärästi, nipin napin, jokin on hiuskarvan varassa
skintight /,skɪnˈtaɪt/ adj (vaate) tiukka, piukka, kireä, muotoja mukaileva
skip /skɪp/ s hyppy, hypähdys
v **1** hypätä, hyppiä, hypähdellä, hypätä yli **2** pujahtaa, sujahtaa, livahtaa **3** jättää väliin, hypätä yli I skipped the romantic scenes jätin romanttiset kohdat lukematta let's skip the small talk mennään suoraan asiaan to skip a beat (sydämestä) hypähtää **4** (oppilas) jättää luokka/luokkia väliin, siirtyä/siirtää ylemmälle luokalle **5** (ark) lähteä livohkaan, häipyä
ski pole s hiihtosauva, suksisauva
skip out on fr jättää joku
skipper s **1** kippari, kapteeni **2** (joukkueen) johtaja, kapteeni
ski rack s (esim auton) suksiteline
skirmish /skərmɪʃ/ s selkkaus, yhteenotto, riita
v ottaa yhteen, riidellä
skirt /skərt/ s **1** hame **2** (mon) ääri, ääret, laita, laitamat
v **1** kiertää jonkin ympäri (around), (kuv) kierrellä, vältellä **2** ympäröidä, olla jonkin ympärillä
skittish /skɪtɪʃ/ adj säikky, levoton, arka, ujo, oikukas, epävarma
skittishly adv ks skittish
skulduggery /skəlˈdʌgəri skʌlˈdʌgəri/ s juonittelu, vehkeily
skull /skəl, skʌl/ s (pää)kallo
skullcap /ˈskəl,kæp, ˈskʌl,kæp/ s patalakki, kalotti
skunk /skʌŋk/ s **1** haisunäätä, skunkki **2** (ark) mätämuna
sky /skaɪ/ s (mon skies) taivas
skybridge /ˈskaɪ,brɪdʒ/ s kävelysilta (rakennuksen sisällä tai rakennuksesta toiseen)
skyjack /ˈskaɪ,dʒæk/ v kaapata (lentokone)
skyjacker s (lento)konekaappaaja, kaappari
skyjacking s (lento)konekaappaus
Skylab /ˈskaɪ,læb/ s (Nasan avaruuslaboratorio) Skylab
skylark /ˈskaɪ,lark/ s kiuru, leivonen
skylight /ˈskaɪ,laɪt/ s kattoikkuna
skylight filter /ˈskaɪlaɪt,fɪltər/ s (kameraobjektiivin) skylight-suodatin, päivänvalosuodatin
Skylights /ˈskaɪ,laɪts/ (Peter Panissa) Ankkuri-Aapo
skyline /ˈskaɪ,laɪn/ s (suurkaupungin) siluetti
skyrocket /ˈskaɪ,rakət/ s ilotulitusraketti
v (kuv) nousta/nostaa (esim hinnat) pilviin
skyscraper /ˈskaɪ,skreɪpər/ s pilvenpiirtäjä
skyscraping adj pilviä hipova, erittän korkea
skywrite /ˈskaɪ,raɪt/ v savulentää (ks skywriting)
skywriting s savulento (jossa mainosteksti kirjoitetaan taivaalle laskemalla lentokoneesta savua)
S & L savings and loan association säästöpankki

SLA Symbionese Liberation Army
slab /slæb/ s laatta, paksu levy/pala/viipale/siivu
slack /slæk/ s **1** (esim köyden) löysyys: to take up the slack kiristää; (kuv) korvata **2** lasku, hidastuminen **3** hiljainen kausi
adj **1** löysä, veltto **2** (kuv) huolimaton, löysä, veltto, hidas, hiljainen
slacken v (myös kuv) löysätä, löystyä, höllentää, laiskistua, hiljentyä, hidastua
slack off v löysätä, höllentää
slacks s (mon) housut
slack up v **1** laiskistua, (kaupankäynti ym) hiljentyä, hidastua **2** löysätä, höllätä, höllentää (myös kuv)
slag /slæg/ s kuona
slain /sleɪn/ ks slay
slalom /slaləm/ s pujottelu
v **1** (lasketella) pujotella **2** kiemurrella, mutkitella, pujotella
slam /slæm/ v paiskata, läimäyttää he slammed the door in my face hän paiskasi oven kiinni päin naamaani (ark)
slammer s (sl) vankila, häkki
slander /slændər/ s panettelu, parjaus, häväistys
v panetella, parjata, häväistä
slanderous /slændərəs/ adj panetteleva, parjaava, häväistys-
slang /slæŋ/ s slangi
slangy adj **1** slangi- **2** jossa on paljon slangia
slant /slænt/ s **1** kaltevuus **2** (kuv) taipumus; vääristymä; (esim lehtijutun) näkökulma there's a curious slant to her views hänen näkemyksensä ovat oudon yksipuolisia **3** näkemys, kanta, mielipide **4** (ark) vilkaisu
v **1** kallistaa, kallistua **2** (kuv) vääristää, esittää tietystä näkökulmasta **3** kohdistaa/suunnata jollekulle (toward)
slant-eyed /ˈslænt,aɪd/ adj vinosilmäinen
slantwise /ˈslænt,waɪz/ adj, adv vino(sti)
slap /slæp/ s läpsäys, lätkäytys, läimäys
v läpsäyttää, läimäyttää
slapdash /ˈslæp,dæʃ/ adj kiireinen, hätäinen, hätiköity
adv kiireesti, hätäisesti, hätiköiden
slap down v vaimentaa, hiljentää
slap high-fives fr tervehtiä lyömällä oikeat kämmenet pään yläpuolella vastakkain
slap on to slap a fine on someone antaa jollekulle sakot, sakottaa
slapstick /ˈslæp,stɪk/ s slapstick-komedia
slash /slæʃ/ s **1** viilto, haava **2** sivallus **3** vinoviiva (/)
v **1** viiltää, silpoa **2** ruoskia, piiskata, sivaltaa **3** (kuv) leikata, alentaa (hintoja), lyhentää
slat /slæt/ s **1** säle, lista **2** (lentokoneen siivessä) solas
slate /sleɪt/ s **1** liuske(kivi) **2** (liuskekivinen) kattolaatta **3** kivitalu to have a clean slate jollakulla on puhtaat paperit **4** ehdokasluettelo
v **1** laatoittaa, kattaa laatoilla **2** haukkua, moittia
slate for v **1** ehdottaa johonkin tehtävään, asettaa/nimetä ehdokkaaksi **2** the meeting is slated for Tuesday kokous on sovittu tiistaksi, kokous on määrä pitää tiistaina
slaughter /slatər/ s teurastus (myös kuv:) verilöyly
v teurastaa (myös kuv)
slaughterhouse /ˈslatər,haus/ s teurastamo
slave /sleɪv/ s orja (myös kuv) to be a slave to something olla jonkin orja, olla riippuvainen jostakin
v raataa (kuin orja)
slave labor s **1** orjatyövoima **2** orjatyö (myös kuv)
slaver s **1** orjakauppias **2** orjien omistaja
Slave River Orjajoki (Kanadassa)
slavery /sleɪvri/ s (orjana oleminen, orjien pito) orjuus (myös kuv)
slave state s **1** orjavaltio **2** Slave States (US hist) osavaltiot joissa harjoitettiin orjuutta sisällissodan päättymiseen saakka (1865)
slave trade s orjakauppa

slavish /sleɪvɪʃ/ adj orjallinen
slavishly adv orjallisesti
slavishness s orjallisuus
slay /sleɪ/ v slew, slain: (väkivaltaisesti) surmata, tappaa, murhata the slain president murhattu presidentti
slayer s surmaaja, murhaaja
sleaze /sliz/ s **1** (sl) liero (tyyppi) **2** siivoton, ruokoton tyyppi **3** (kuv) törky
sleazebag /'sliz,bæg/ s (sl) liero
sleazoid /'slizoɪd/ adj (sl) liero, törkeä, törky-
sleazy /slizi/ adj **1** kiero, häikäilemätön, likainen **2** (moraalisesti) törkeä, törky- sleazy movies
sled /sled/ s **1** kelkka **2** reki
sledge /sledʒ/ s **1** reki **2** kelkka
sledgehammer /'sledʒ,hæmər/ s moukari
v moukaroida
adj kovakourainen, häikäilemätön; hiomaton, alkeellinen
sleek /slik/ adj **1** sileä, siloinen **2** virtaviivainen, sulavalinjainen, vauhdikkaan näköinen **3** (ulkonäkö) huoliteltu, sliipattu (halv), (käytös) sulava, (halv) lipevä
sleeky adj sileä, siloinen
sleep /slip/ s uni
v slept, slept: nukkua
sleep around v (sukupuolisuhteista) harrastaa vapaita seksisuhteita
sleeper s **1** nukkuja **2** (mon) (lapsen) uniasu **3** (ark) (elokuva ym) yllätysmenestys **4** kauppatavara joka menee huonosti kaupaksi **5** vuodesohva **6** makuuvaunu
sleepily adv unisesti; uneliaasti
sleep-in s kotiapulainen tms joka asuu työnantajansa talossa
sleep in v (kotiapulainen) asua työnantajan talossa
sleeping bag s makuupussi
sleeping car s makuuvaunu
sleeping pill s unilääke
sleeping sickness s unitauti
sleepless adj uneton
sleep like a log fr nukkua kuin tukki
sleep like a top fr nukkua kuin tukki
sleep on v lykätä (päätöstä) let's sleep on it mietitään asiaa vielä
sleep-out /'slip,aut/ s kotiapulainen tms joka ei asu työnantajansa talossa
sleep out v (kotiapulainen) ei asua työnantajan talossa
sleep over v olla yövieraana jossakin
sleepover /'slip,ouvər/ s **1** yön yli jatkuva vierailu **2** yövieras
sleep together v maata yhdessä, olla sukupuolisuhteessa
sleepwalk /'slip,wak/ v kävellä unissaan
sleepwalker s unissakävelijä
sleepwalking s unissakävely
sleep with v maata jonkun kanssa, rakastella jonkun kanssa
sleepy adj uninen; unelias, saamaton, hiljainen
sleet /slit/ s räntä(sade)
v sataa räntää
sleeve /sliv/ s **1** hiha to have something up your sleeve olla jotakin hihassa/mielessä to laugh up your sleeve nauraa partaansa **2** (äänilevyn) kansi, suojus **3** holkki, hylsy
sleeveless adj hihaton
sleigh /sleɪ/ s **1** reki **2** kelkka
sleight of hand /,slaɪtəv'hænd/ s sorminäppäryys, temppu, metku
slender /slendər/ adj **1** kapea, hoikka, ohut, ohkainen **2** niukka, vähäinen
slept /slept/ ks sleep
sleuth /sluθ/ s **1** etsivä **2** vainukoira, verikoira
v leikkiä etsivää, nuuskia
slice /slaɪs/ s **1** viipale; pala, palanen, palsta **2** osa, osuus **3** (golf) slaissi, pallon kaartaminen ilmassa vasemmalta oikealle (oikeakätisellä pelaajalla)
v viipaloida, paloitella
sliced bread s (valmiiksi) viipaloitu leipä that's the greatest invention since sliced bread se on mullistava keksintö
slick /slɪk/ s **1** laikku, läiskä oil slick (merellä) öljyvahinko **2** (loistelias aikakauslehti) kiiltokuvalehti **3** sileä (kilpa-auton, polkupyörän) rengas
v siloittaa, liukastaa
adj **1** liukas, lipevä, sileä, siloinen **2** (kuv) sulava, liukas, lipevä, ovela, nokkela, nerokas, pinnallinen

slick up v (ark) pyntätä, laittaa/laittautua komeaksi
slide /slaɪd/ s **1** liukuminen, luisuminen, liirto **2** liukumäki **3** maanvyöry **4** dia(kuva) **5** liukuva osa, kelkka; liukualusta, kisko(t)
v slid, slid/slidden **1** liukua, liu'uttaa, luisua, luistaa, luiskahtaa, liirtää **2** sujauttaa, sujahtaa, pujauttaa, pujahtaa, pistää/työntää vaivihkaa **3** laskea, alentua, vähentyä **4** ajautua (vähitellen) johonkin tilaan Mr. Zbornak is beginning to slide (kuv) Mr. Zbornak on joutunut kaltevalle pinnalle **5** to let something slide ei piitata/välittää jostakin, antaa jonkin asian olla
slide fastener s vetoketju
slide rule s laskutikku
slide trombone s vetopasuuna
sliding scale s liukuva (palkka- tai muu) asteikko
slight /slaɪt/ s vähättely, väheksyntä, loukkaus, piikki
v **1** vähätellä, väheksyä, pilkata, loukata, piikitellä **2** lyödä laimin
adj vähäinen, hienoinen, pieni, etäinen there's a slight chance of rain later today on mahdollista että tänään sataa not in the slightest ei suinkaan, ei millään muotoa
adj hento, heiveröinen
slightly /slaɪtli/ adv hieman, vähän, pikkuisen
Slightly (Peter Panissa) Hoikka
slim /slɪm/ s Afrikassa immuunikadosta eli aidsista käytetty nimitys
adj **1** hoikka, ohut, laiha **2** vähäinen, pieni, heikko a slim chance huonot mahdollisuudet
slim down v **1** laihtua **2** leikata menoja, säästää
slime /slaɪm/ s **1** rapa, kura **2** lima **3** (sl) liero
v kurata, sotkea
slimness s hoikuus, laihuus
slimy /slaɪmi/ adj **1** rapainen, kurainen, niljakas **2** limainen **3** (kuv) niljakas
sling /sliŋ/ s **1** (ase) linko **2** ritsa **3** (esim kättä kannattava) side **4** (lapsen kantamiseen käytettävä) kannatinliina **5** olkahihna, kantohihna
v slung, slung **1** heittää, singota **2** roikkua/ripustaa hihnasta
slingshot /ˈsliŋˌʃat/ s ritsa
slink /sliŋk/ v slunk, slunk: hiipiä
slip /slɪp/ s **1** liukastuminen, (esim jalan, otteen) lipsahdus **2** (kuv) lipsahdus, lapsus, virhe, kömmähdys **3** (kuv) lasku, väheneminen, huononeminen, heikkeneminen **4** alushame **5** tyynyliina **6** to give someone the slip livahtaa/karata jonkun käsistä
v **1** liukastua, luistaa, liukua, liu'uttaa, lipsua, lipsahtaa, irrota, päästä irti **2** sujahtaa, sujauttaa, pistää/työntää vaivihkaa **3** unohtaa, unohtua it slipped my mind unohdin sen **4** let slip paljastaa vahingossa, möläyttää; päästä sivu suun **5** tehdä virhe, jollekulle sattuu lipsahdus/ erehdys/lapsus **6** (taso) laskea, heiketä, huonontua the quality of our product is slipping tuotteemme laatu huononee jatkuvasti
slip a cog fr tehdä virhe, tunaroida, munata
slip away v **1** lähteä/häipyä vähin äänin **2** unohtua
slip between the cracks fr jäädä huomaamatta, päästä vahingossa läpi jostakin
slipcase /ˈslɪpˌkeɪs/ s kirjakotelo, kirjakasetti
slipcover /ˈslɪpˌkʌvər/ s (kirjan) suojapaperi
slip of the tongue s lipsahdus
slip-on /ˈslɪpˌan/ s (paita) pujo-, napiton, (kengät) nauhattomat
slip one over on fr huijata, puijata, vetää nenästä
slipover /ˈslɪpˌouvər/ s pujoliivi
slip over on to slip something over on someone huijata, pettää, vetää nenästä
slipped disk s (diskusprolapsi) (selkänikamien) välilevyn siirtymä
slipper /slɪpər/ s **1** tohveli **2** avokas
slippery /slɪpəri/ adj liukas (myös kuv)
slipshod /ˈslɪpˌʃad/ adj huolimaton, kehno, surkea, nuhruinen

slip-up /'slɪp,ʌp/ s virhe, lipsahdus, erehdys, tunarointi, munaus
slit /slɪt/ s rako, (matala) aukko
v slit, slit: viiltää/leikata auki
slither /'slɪðər/ v luisua, (käärme) luikerrella, madella
sliver /slɪvər/ s **1** sirpale, säpäle, pirstale **2** kaistale
v pirstoa, pilkkoa
Sloane Ranger /ˌsloun'reɪndʒər/ s (UK) Lontoon yläluokkaan kuuluva sovinnainen nuori tai nuorehko henkilö
Sloanie /slouni/ s ks Sloane Ranger
slogan /slougən/ s iskulause, iskusana
slo-mo /'slou,mou/ s (ark) hidastus(kuva) (slow-motion)
slop /slap/ **1** läiskynyt vesi **2** (ruoka) litku, mönjä **3** karjan ruoka **4** likavesi, laski
v valua/mennä yli, läiskyä, läiskyttää, pärskyttää, roiskuttaa
slope /sloup/ s **1** rinne **2** kallistus, nousu, viettävä maa
v **1** viettää, nousta, kallistua, olla kalteva **2** kallistaa, tehdä kaltevaksi/vinoksi
sloppily adv huolimattomasti, sottaisesti, siivottomasti
sloppiness s huolimattomuus, sottaisuus, siivottomuus
sloppy /slapi/ adj huolimaton, sottainen, siivoton
Sloppy Joe /ˌslapi'dʒouz/ s **1** eräänlainen jauhelihasämpylä **2** (mies, poika) sottapytty
slosh /slaʃ/ v läikyttää, roiskia
slot /slat/ s **1** rako, aukko, kolo **2** kolikkoaukko, rahanielu **3** (ohjelman vakinainen lähetys)aika **4** (avoin) työpaikka
sloth /slaθ/ s **1** laiskuus, saamattomuus, velttous **2** (eläin) laiskiainen
slothful adj laiska, saamaton, veltto
slot machine s raha-automaatti
slouch /slautʃ/ s kyyry/kyyristynyt/kumara (seisoma- tai istuma-)asento
v kävellä/istua kyyryssä, kyyhöttää kumarassa, kävellä laahustaen, laahustaa
Slovakia /slou'vækiə/ Slovakia
Slovenia /slou'viniə/ Slovenia
slovenly /slʌvənli/ adj epäsiisti, siivoton, sottainen, huolimaton
slow /slou/ v hidastaa, viivästyttää
adj **1** hidas, verkkainen **2** hidasälyinen, hidasjärkinen **3** (tuli, lämpö) hiljainen **4** (kello) joka on jäljessä, joka jätättää **5** (kaupunki, kaupankäynti ym) hiljainen **6** (valok) (filmi) hidas, (objektiivi myös) jonka valovoima on heikko
adv hitaasti
slowdown /'slou,daun/ s **1** viivästys **2** hidastuslakko **3** (urh) viivytyspeli
slow down v hidastaa, hidastua, hiljentää (vauhtia), viivästyttää
slowly adv hitaasti; vähitellen
slow motion s hidastus(kuva)
slow-moving /ˌslou'mouvɪŋ/ adj hidas, verkkainen, raukea
slowness s **1** hitaus, verkkaisuus **2** hidasjärkisyys **3** hiljaisuus, (kaupankäynnin myös) vähäisyys
slowpoke /'slou,pouk/ s (ark) vätys, nahjus
slowup /'slou,ʌp/ s viivästys
slow up v hidastaa, hidastua, hiljentää (vauhtia), viivästyttää
slow-witted /ˌslou'wɪtəd/ adj hidasjärkinen, hidasälyinen
SLR single-lens reflex yksisilmäinen peiliheijastuskamera, (usein) järjestelmäkamera
sludge /slʌdʒ/ s lieju, muta
slug /slʌg/ s **1** (kuoreton) etana (myös kuv) **2** luoti **3** isku, lyönti
v iskeä, lyödä
sluggard /slʌgərd/ s laiskuri, vetelys, vätys
sluggardly adj laiska, vetelä, saamaton, veltto
sluggish /slʌgɪʃ/ adj laiska, vetelä, veltto, hidas
sluggishly adv laiskasti, vetelästi, veltosti, hitaasti
slug it out fr **1** tapella (ratkaisuun asti) **2** (kuv) pitää pintansa
sluice /slus/ s **1** (kanavan) sulku **2** kouru, uittokouru, oja, kanava
sluice gate s (kanavan) sulkuportti
slum /slʌm/ s slummi

slumber /slʌmbər/ s uni
v **1** torkkua, nukkua **2** (kuv) uinua
slumberland /'slʌmbər,lænd/ s (kuv) unten maat
slummy adj slummi-, slummiutunut
slump /slʌmp/ s **1** kyyry/kyyristynyt asento **2** (hintojen) romahdus, (taloudellinen) taantuma, (mielialan) lasku
v **1** lysähtää **2** istua/olla kyyryssä, kyyhöttää **3** (hinnat) romahtaa, (mieliala) laskea
slung /slʌŋ/ ks sling
slunk /slʌŋk/ ks slink
slur /slər/ s **1** loukkaus, herjaus, herja **2** (kuv) (maineen) tahra, häpeäpilkku **3** (puhe) soperrus, takeltelu, sammallus
v **1** loukata, herjata **2** puhua takellellen, sopertaa, sammaltaa, kangertaa
slur over v ei tuoda riittävästi esiin, ohittaa, sivuuttaa
slush /slʌʃ/ s **1** märkä lumi, loska, sohjo **2** lieju, muta **3** imelä tunteellisuus, sentimentaalisuus
slush fund s lahjusrahat, lahjusrahasto
slushy adj **1** (lumi) loskainen, sohjoinen **2** (ark) imelän tunteellinen, sentimentaalinen
slut /slʌt/ s **1** (nainen) sottapytty **2** lutka, huora
sly /slaɪ/ s: on the sly salaa
adj **1** ovela, viekas, kavala **2** kujeileva, leikkisä
S & M sadomasochism sadomasokismi
smack /smæk/ s **1** isku, tälli **2** (huulten) moiskautus **3** suukko, moiskautus **4** haju, maku **5** tuntu **6** (sl) heroiini
v **1** lyödä, pamauttaa **2** moiskauttaa (huulia) **3** suudella moiskauttaa, antaa suukko **4** tuoksua, maistua joltakin **5** (kuv) vaikuttaa/tuntua joltakin this smacks of flattery tämä haiskahtaa imartelulta
adv suoraan: he hit me smack in the belly hän löi minua suoraan päin mahaa
smack-dab /,smæk'dæb/ adv (ark) suoraan
small /smaəl/ adj **1** pieni when he was small pienenä, kun hän oli pieni/nuori to feel small tuntea itsensä mitättömäksi, hävetä **2** ohut, kapea, hoikka **3** mitätön, vähäpätöinen **4** pikku- he is a small businessman hän on pienyrittäjä **5** (ääni) hiljainen
small hours s (mon) pikkutunnit
smallness s pienuus
small of the back s ristiselkä
smallpox /'smal,paks/ s isorokko
small talk /'smal,tak/ s rupattelu
smart /smart/ s **1** kipu, pisto, poltto **2** kärsimys, suru **3** (mon sl) järki, äly, hokso
v **1** sattua, satuttaa, tehdä kipeää, pistää, polttaa **2** kärsiä, olla surullinen
adj **1** hieno, tyylikäs, huoliteltu the smart crowd/set hienot ihmiset/piirit **2** terävä, nokkela, ovela, viekas **3** viisasteleva, näsäviisas don't you get smart with me älä rupea viisastelemaan **4** nopea, nokkela
smart aleck /'smart,ælək/ s viisastelija, näsäviisas ihminen
smarten up v **1** kohentaa (esim ulkonäköään), siistiytyä **2** parantaa tapansa, herätä huomaamaan virheensä
smartly adv ks smart
smartness s **1** hienous, tyylikkyys, huoliteltu ulkonäkö/pukeutuminen ym **2** nokkeluus, oveluus, viekkaus **3** viisastelu, näsäviisaus **4** nopeus, nokkeluus
smash /smæʃ/ s **1** läimähdys, räsähdys, pamahdus **2** törmäys, yhteentörmäys, kolari **3** isku, lyönti **4** vararikko, konkurssi **5** (ark) suurmenestys
v **1** iskeä/lyödä/hajota säpäleiksi, särkeä, särkyä, pirstoa, pirstoutua **2** musertaa, piestä (vastustaja), kukistaa, tukahduttaa (kapina) **3** lyödä, pamauttaa **4** törmätä, ajaa päin jotakin the car smashed into the wall auto törmäsi seinään he smashed the car into the wall hän törmäsi autollaan seinään
adj menestyksekäs
smashed adj (sl) päissään, kännissä
smash hit s suurmenestys
smashing adj **1** loistava, erinomainen **2** murskaava, musertava
smash-up s (ketju)kolari

smatter /smætər/ v puhua (jotakin kieltä) ontuen
smattering /smætəriŋ/ s pinnalliset tiedot jostakin (of)
smear /smɪər/ s tahra (myös kuv), läiskä that is a smear on his reputation se tahraa hänen mainettaan
v **1** levittää **2** tahria, tahrata, tahraantua, sotkea, sotkeentua, töhriä **3** (kuv) tahrata (maine)
smear campaign s yritys/yritykset tahrata jonkun (poliitikon tms) maine, mustamaalaus(kampanja)
smell /smel/ s haju
v smelled, smelled/smelt **1** haista, haista pahalta, tuoksua **2** haistaa **3** vaikuttaa joltakin (of) **4** (ark) olla huono/surkea
smell about v nuuskia, kysellä, etsiä, tutkia
smell a rat fr haistaa palaneen käryä
smell around v nuuskia, kysellä, etsiä, tutkia
smell out v nuuskia jotakin selville
smell up v levittää pahaa hajua jonnekin, täyttää pahalla hajulla
smelly adj pahanhajuinen, haiseva
smelt /smelt/ v **1** ks smell **2** sulattaa (metallia)
smelter /smeltər/ s **1** (metallin) sulattaja **2** sulatusuuni **3** sulatto
smeltery s sulatto
smile /smaɪəl/ s hymy
v hymyillä he smiled his way into that job hän sai työpaikan hymyilemällä auliisti esimiehilleen
smile at v **1** hymyillä jollekulle/jollekin **2** vähätellä jotakin, ei ottaa tosissaan
smirk /smərk/ s ylimielinen/omahyväinen hymy/virnistys
v hymyillä/virnistää ylimielisesti/omahyväisesti
smith /smɪθ/ s seppä
smithereens /ˌsmɪðə'rinz/ s (mon) sirpaleet, säpäleet to break something into smithereens iskeä jokin säpäleiksi
smithy /smɪθi/ s (sepän) paja
smock /smak/ s työtakki, työpaita
smog /smag/ s savusumu
smoke /smouk/ s **1** savu **2** (kuv) pelkkä puhe, olematon asia, savu to go up in smoke haihtua savuna ilmaan **3** tupakointi: let's have a smoke vedetään sauhut
v **1** savuta **2** tupakoida, polttaa (tupakkaa tms) do you smoke? poltatko? **3** savustaa (kalaa, lihaa)
smoke bomb s savupommi
smoke detector s savuhälytin, palohälytin
smokehouse /'smouk,haus/ s (kalan, lihan) savustamo
smokeless adj savuton
smokeout /'smouk,aut/ s (tupakkalakkopäivä) savuton päivä
smoke out v savustaa joku ulos jostakin (myös kuv:) paljastaa, tuoda ilmi
smoker s **1** tupakoija **2** (junassa) tupakkavaunu, tupakkaosasto
smoke screen s **1** savuverho **2** (kuv) hämäys
smokey /smouki/ s (mon smokeys) (sl) **1** liikkuva (poliisi) **2** liikkuvan poliisin auto
Smokey Bear /ˌsmouki'beər/ s (sl) liikkuva (poliisi)
smoking car s (junassa) tupakkavaunu
smoking room s tupakkahuone, tupakointihuone
smoky adj savuava, savuinen
smolder /smoldər/ v (tuli) kyteä (myös kuv)
smooth /smuð/ v tasoittaa, silittää
v **1** tasainen, sileä, siloinen, (vesi) tyyni her Olds has a smooth ride hänen Oldsmobilessaan on tasainen kyyti **2** rauhallinen, tyyni **3** (käytös) sulava, kohtelias
smoothly adv ks smooth
smoothness s **1** tasaisuus, sileys, siloisuus, (veden) tyyneys **2** rauhallisuus, tyyneys **3** (käytöksen) sulavuus, kohteliaisuus
smooth over v vähätellä, lieventää, helpottaa
smother /smʌðər/ v **1** tukehduttaa (kuoliaaksi), tukehtua (kuoliaaksi) **2** tukahduttaa, sammuttaa tukahduttamalla, tukahtua, sammua **3** (kuv) tukahduttaa (tunteet) **4** peittää jollakin (in) **5** hauduttaa (ruokaa)

smudge /smʌdʒ/ s **1** tahra, läiskä **2** katku, tukahduttava savu **3** katkuava nuotio (jolla karkotetaan hyttysiä)
v tahria, tahriintua, töhriä, liata, likaantua

smug /smʌg/ adj ylimielinen, omahyväinen

smuggle /smʌgəl/ v **1** salakuljettaa **2** viedä salaa

smuggler /smʌglər/ s salakuljettaja

smuggling s salakuljetus

smugly adv ylimielisesti, omahyväisesti

smugness s ylimielisyys, omahyväisyys

smut /smʌt/ s **1** (noki- tai muu) tahra **2** likainen kieli, rivous, säädyttömyys, ruokottomuus, ruokottomuudet
v noeta, tahria, töhriä

smuttiness s **1** tahraisuus, töhryisyys, likaisuus **2** (kielen) likaisuus, rivous, säädyttömyys

smutty adj **1** tahrainen, töhryinen, likainen **2** (kieli) likainen, rivo, säädytön, ruokoton

S/N signal to noise (ratio) signaali-kohina(suhde)

snack /snæk/ s välipala to go snacks panna/jakaa (tulot, voitto) tasan
v syödä välipalaa, käydä välipalalla, haukata jotakin, panna/käydä panemassa suuhunsa jotakin

snafu /snæ'fu/ s fiasko (lyhenne sanoista Situation Normal, All Fucked/Fouled Up) it was a real snafu se meni läskiksi

snail /sneɪəl/ s (kuorellinen) etana (myös kuv:) vätys, hidas ihminen

snail's pace at a snail's pace etanan vauhtia, hitaasti

snake /sneɪk/ s **1** käärme **2** (kuv) kavala ihminen, käärme, kieroilija, liero
v (tie, joki ym) kiemurrella, luikerrella, mutkitella

snakebite /'sneɪk,baɪt/ s käärmeen purema

snake in the grass s (kuv) käärme, kavala ihminen, kieroilija, liero

snake oil s **1** ihmelääke **2** (kuv, sl) huiputus, huijaus, tyhjät lupaukset

snap /snæp/ s napsahdus
v **1** napsahtaa, napsauttaa, näpäyttää, (piiskalla) sivaltaa **2** katkaista, katketa **3** puraista, näykkäistä, haukata **4** (valokuvata) räpsiä, näpsiä (kuvia) **5** tiuskaista, laukoa (käskyjä) to snap someone's head off suuttua jollekulle, antaa jonkun kuulla kunniansa

snap at v **1** näykkäistä, puraista **2** tiuskaista, äksyillä jollekulle

snap out of v päästä (eroon) jostakin, päästä jonkin yli (kuv)

snapshot /'snæp,ʃat/ s (äkkiä otettu) valokuva

snap to v **1** (sotilaista) ottaa asento **2** (kuv) ryhdistäytyä, parantaa tapansa

snap up v (kuv) tarttua johonkin, viedä/ostaa heti/käsistä

snap your fingers at fr vähät välittää jostakin

snare /sneər/ s ansa
v **1** pyydystää, saada ansaan **2** (kuv) houkutella (ansaan)

snare drum s pikkurumpu

snarl /snarəl/ s **1** murina; murahdus **2** vyyhti (myös kuv) traffic snarl liikenneruuhka
v **1** (koira) murista (ja näyttää hampaitaan) **2** (ihminen) murista (tyytymättömänä, vihaisena), murahtaa **3** sotkea vyyhdiksi, sekoittaa, tukkia (liikenne)

snatch /snætʃ/ **1** to make a snatch at something (yrittää) tarttua johonkin **2** pätkä, jakso, pala, palanen **3** (sl) sieppaus, kidnappaus **4** (sl) vittu
v **1** napata, tarttua **2** (sl) siepata, kidnapata

sneak /snik/ v **1** hiipiä **2** sujauttaa, pujauttaa (vaivihkaa)

sneakers s (mon) lenkkarit

sneaking adj **1** vaivihkainen, salamyhkäinen **2** vilpillinen, epäluotettava **3** salainen sneaking suspicion häilyvä epäilys, kalvava tunne

sneak preview s (elokuvan) ennakkonäytäntö

sneaky adj **1** vaivihkainen, salavihkainen **2** epäluotettava

sneer /snɪər/ s **1** ivallinen/pilkallinen virnistys/hymy **2** ivallinen/pilkallinen/

pisteliäs/ kärkevä huomautus, piikki
v **1** hymyillä/katsoa ivallisesti/pilkallisesti **2** ivata, pilkata, puhua ivallisesti/pilkaten jostakusta/jostakin (at)
sneeze /sniz/ s aivastus
v aivastaa
sneeze at $100 is nothing to sneeze at (ark) sata dollaria ei ole mikään pikkuraha
sniff /snɪf/ s **1** to have a sniff at something nuuskaista, haistaa jotakin **2** tuoksu, haju
v **1** nuuskia, vetää ilmaa nenäänsä, nuuskaista, haistella, haistaa **2** (kuv) haistaa, vainuta
snigger /snɪgər/ s (merkitsevä, osoitteleva) hihitys
v hihittää (merkitsevästi, osoittelevasti)
snip /snɪp/ s **1** leikkausliike **2** pala, palanen
v leikata, leikellä, saksia
snipe /snaɪp/ v **1** ampua (kätköstä) **2** haukkua (jatkuvasti, ilkeästi), nalkuttaa, nälviä
sniper /snaɪpər/ s sala-ampuja
snippet /snɪpət/ s palanen, muru, siru
snivel /snɪvəl/ v **1** vetistellä, itkeä pillittää **2** ruikuttaa, marista **3** vetää (räkää) nenäänsä
snob /snab/ s keikari, hienostelija
snobbish adj keikaroiva, hienosteleva; ylimielinen
snobby adj keikaroiva, hienosteleva; hienoston, hienosto-
snooker /snukər/ s (eräs biljardilaji) snooker
snoop /snup/ v nuuskia (toisten asioita), udella, pistää nenänsä (toisten asioihin)
snoopily adv (ark) (tungettelevan) uteliaasti
snoopy adj (ark) (tungettelevan) utelias, joka nuuskii/urkkii toisten asioita, joka pistää nenänsä toisten asioihin
snoot /snut/ s **1** (ark) keikari, hienostelija **2** (sl nenä) nokka
v kohdella ylimielisesti/alentavasti
snooty /snuti/ adj (ark) keikaroiva, hienosteleva, ylimielinen
snooze /snuz/ s torkut, nokoset
v torkkua, ottaa nokoset
snore /snɔr/ s kuorsaus
v kuorsata
snorkel /snɔrkəl/ s (sukellusveneen tai sukeltajan) snorkkeli
v sukeltaa (snorkkelin avulla)
snort /snɔrt/ s **1** (hevosen) pärskähdys **2** tuhahdus
v **1** (hevonen) pärskiä **2** tuhahtaa halveksivasti, sanoa tuhahtaen **3** (sl) nuuskata (kokaiinia), vetää (kokaiinia) sieraimiinsa
snot /snat/ s **1** (alat) räkä **2** (ark) paskiainen
snotnosed /ˈsnatˌnoʊzd/ adj **1** (ark) räkänokkainen **2** (ark) hävytön, röyhkeä, julkea, paskamainen
snotty adj **1** (alat) räkäinen **2** (ark) keikaroiva; hävytön, röyhkeä, paskamainen
snout /snaʊt/ s **1** kärsä (kuv myös nenästä), kuono **2** suutin, nokka
snow /snoʊ/ s **1** lumi **2** lumisade **3** (sl) kokaiini; heroiini
v **1** sataa lunta **2** (sl) huijata, vetää nenästä **3** (sl) tehdä suuri vaikutus johonkuhun, viedä jalat alta
snowball /ˈsnoʊˌbaəl/ s lumipallo v **1** heittää lumipalloja johonkuhun päin **2** kasvaa/kasvattaa suureksi, paisua/paisuttaa
snowball's chance in hell to have a snowball's chance in hell ei olla minkäänlaisia mahdollisuuksia, olla hyvin heikot mahdollisuudet
snowbank /ˈsnoʊˌbæŋk/ s lumipenger
snow blindness s lumisokeus
snowcapped /ˈsnoʊˌkæpt/ adj (vuori) lumihuippuinen
snowdrift /ˈsnoʊˌdrɪft/ s **1** lumipenger **2** lumipyry
snowfall /ˈsnoʊˌfaəl/ s **1** lumisade **2** lumisateen määrä
snowflake /ˈsnoʊˌfleɪk/ s lumihiutale
snowjob /ˈsnoʊˌdʒab/ s (imarteluun perustuva) hämäysyritys, sumutus (ark)
snowmaking /ˈsnoʊˌmeɪkɪŋ/ s (teko)lumenteko
snowman /ˈsnoʊˌmæn/ s (mon snowmen) lumiukko

snowmobile /ˈsnoʊmoʊˌbiəl/ s moottorikelkka
v ajaa/kulkea/mennä moottorikelkalla
snowplow /ˈsnoʊˌplaʊ/ s lumiaura
v aurata lunta
snow sheep s lumilammas
snowshoe /ˈsnoʊˌʃu/ s lumikenkä, karpponen
snowslide /ˈsnoʊˌslaɪd/ s lumivyöry
snowstorm /ˈsnoʊˌstɔrm/ s lumimyrsky
snow tire s talvirengas
snow train s (juna joka kuljettaa väkeä hiihtokeskuksiin) hiihtolomajuna
snow under v **1** to be snowed under peittyä lumen alle, hautautua lumeen **2** (kuv) hukuttaa joku johonkin **3** (kuv) voittaa murskaavasti, päihittää, löylyttää
snow-white /ˌsnoʊˈwaɪt/ adj lumivalkoinen, vitivalkoinen
snowy /snoʊi/ adj **1** luminen recently, the weather has been snowy viime aikoina on satanut paljon lunta **2** lumivalkoinen
snub /snʌb/ **1** tyly/ynseä huomautus **2** tyrmäävä vastaus **3** loukkaus, näpäytys, piikikäs/kärkevä huomautus
v **1** ei olla huomaavinaankaan jotakuta, ei piitata jostakusta, kohdella tylysti/ynseästi **2** tyrmätä (ehdotus) **3** kirstää (köyttä) yhtäkkiä
adj tylppä, (kuv) tyly, (nenä) nykerö
snubby adj **1** (nenä) nykerö, (sormi) tylppä **3** (kuv) tyly, ynseä
snub-nosed /ˈsnʌbˌnoʊzd/ adj **1** nykerönenäinen **2** tylppäkärkinen
snuff /snʌf/ s **1** nuuskaiseminen, haistaminen **2** nuuska **3** to be up to snuff (ark) kelvata, täyttää vaatimukset **4** (kynttilän sydämen palanut osa) karsi
v **1** nuuhkia, nuuhkaista, haistaa **2** nuuskata **3** leikata kynttilän karsi (sydämen palanut osa)
snuffer s nuuskaaja
snuffle /snʌfəl/ **1** nuuhkiminen **2** honotus **3** (mon) (nuhan ym aiheuttama) nenän tukos
v **1** nuuhkia, nuuskia **2** honottaa, puhua nenäänsä
snuff out v **1** sammuttaa **2** kukistaa, tukahduttaa **3** (ark) tappaa, nitistää, ottaa päiviltä
snug /snʌg/ adj **1** mukava, kotoisa, kodikas **2** (vaate) istuva; (hieman) tiukka/piukka **3** pieni, ahdas **4** (taloudellisesti) hyvinvoiva **5** (kuv) tiivis (ryhmä)
snuggle /snʌgəl/ s haliminen (ark)
v painautua (pehmeästi/hellästi) jotakuta/jotakin vasten, vetää (pehmeästi/hellästi) itseään vasten, halia (ark)
snugly adv ks snug
so /soʊ/ adv **1** niin, näin she's so pretty hän on niin sievä so much talk, so many promises (niin) paljon puhetta, (niin) paljon lupauksia do it so tee (se) näin you can get away with that just/only so many times tuollaisesta selviät rangaistuksetta/kiinni jäämättä vain muutaman kerran, tuota et voi jatkaa loputtomiin/pitkään **2** kovasti, erittäin I'm so sorry pyydän kovasti anteeksi, olen kovasti pahoillani **3** (painokkaasti) he did so! tekipäs! **4** (viittaa aiemmin sanottuun) I hope so toivon niin, toivottavasti she went home and so will I hän lähti kotiin ja niin lähden minäkin didn't I tell you so enkö minä sanonut!
konj siksi, jotta, joten read it yourself so there is no misunderstanding lue se itsekin jottei synny väärinkäsityksiä
So. Afr. South Africa
soak /soʊk/ v **1** kastella/kastua läpimäräksi, liottaa **2** (ark) juoda itsensä känniin
soak in v (kuv: ymmärtää) mennä perille
soak up v **1** imeä (itseensä) to be soaked up imeytyä **2** (kuv) imeä itseensä (tietoa) **3** (sl) ryypätä
so-and-so /ˈsoʊənˌsoʊ/ s (mon so-and-sos) **1** (nimeltä mainitsematon henkilö) se ja se **2** (paskiainen) sontiainen
soap /soʊp/ s saippua
v saippuoida
soap bubble s saippuakupla (myös kuv)
soaper s (sl) saippuaooppera
soap opera s saippuaooppera

soapy adj **1** saippuainen **2** pehmeä **3** (ark) joka muistuttaa saippuaoopperaa, melodramaattinen
soar /sɔr/ v kohota, nousta (korkealle) her hopes soared hänen toivonsa heräsi; hän alkoi toivoa suuria
soaring s purjelento
so as to /soəztu/ fr jotta he took a shortcut so as to be on time hän ajoi oikotietä ehtiäkseen ajoissa perille
sob /sab/ s nyykäisy, niiskutus v nyyhkiä, niiskuttaa
sober /soubər/ adj **1** selvä, raitis **2** hiljainen, rauhallinen, tyyni **3** vakava, juhlallinen **4** (vaatteet, pukeutuminen) hillitty **5** kaunistelematon, pelkkä, paljas **6** järkevä, harkittu, asiallinen
soberly adv ks sober
sober up v **1** selvitä (humalasta) **2** ryhdistäytyä, tulla järkiinsä
soccer /sakər/ s jalkapallo
sociability /ˌsouʃəˈbɪləti/ s seurallisuus
sociable /souʃəbəl/ adj seurallinen, ystävällinen, miellyttävä, (tilaisuus myös) mukava
social /souʃəl/ adj **1** sosiaalinen, sosiaali-, yhteisö-, yhteiskunta-, yhteiskunnallinen **2** seurallinen, seura- he is a very social fellow hän on hyvin seurallinen, hän on hyvä seuraihminen social and business life seuraelämä ja työelämä man is a social animal ihminen on seuraläin
social class s yhteiskuntaluokka
social democracy s sosiaalidemokratia
social democrat s sosiaalidemokaatti
social democratic party s sosiaalidemokraattinen puolue
socialism /ˈsouʃəˌlɪzəm/ s sosialismi
socialist /souʃəlɪst/ s sosialisti adj sosialistinen, sosialisti-
socialistic /ˌsouʃəˈlɪstɪc/ adj sosialistinen
socialist realism s (taiteessa) sosialistinen realismi
socialite /ˈsouʃəˌlaɪt/ s seurapiirinainen, (mies) seurapiirileijona
socially adv ks social
social science s yhteiskuntatiede
social scientist s yhteiskuntatieteen tutkija, yhteiskuntatieteilijä
social security /ˌsouʃəlsəˈkjərəti/ s sosiaaliturva
social service s sosiaalipalvelu
social studies s (mon) yhteiskuntaoppi
social welfare s sosiaalipalvelu
social work s sosiaalityö
social worker s sosiaalityöntekijä
societal /səˈsaɪətəl/ adj yhteiskunnallinen
society /səˈsaɪəti/ s **1** yhteiskunta **2** seura, järjestö, yhdistys **3** (yhdessäolo) seura **4** seurapiirit adj seurapiiri-
sociobiology /ˌsousɪəbaɪˈalədʒi/ s sosiobiologia
sociodrama /ˈsousɪəˌdramə/ s sosiodraama
socioeconomic /ˌsousɪouˌikəˈnamɪk ˌsouʃɪouˌekəˈnamɪk/ adj yhteiskunnallistaloudellinen, sosioekonominen
sociolinguistics /ˌsousɪoulɪŋˈgwɪstɪks ˌsouʃɪəlɪŋˈgwɪstɪks/ s (verbi yksikössä) sosiolingvistiikka
sociological /ˌsousɪəˈladʒɪkəl ˌsouʃəˈladʒɪkəl/ adj sosiologinen
sociologically adv sosiologisesti
sociologist /ˌsousɪˈalədʒɪst/ s sosiologi
sociology /ˌsousɪˈalədʒi/ s sosiologia
sociopath /ˈsousɪəˌpæθ/ s sosiopaatti
sociopathic /ˌsousɪəˈpæθɪk/ adj sosiopaattinen
sociopathy /ˌsousɪˈapəθi/ s sosiopatia
sociopolitical /ˌsousɪəpəˈlɪtɪkəl/ adj yhteiskuntapoliittinen
sociotherapy /ˌsousɪəˈθerəpi/ s ryhmäterapia, sosioterapia
sock /sak/ s (mon socks, joskus myös sox) sukka to knock the socks off someone (ark) saada sukat pyörimään jonkun jalassa, tehdä voimakas vaikutus johonkuhun v (sl) iskeä, lyödä, täräyttää

sock away v panna sukan varteen, säästää
socket /sakət/ s (tekn) istukka; (sähkö)pistorasia
sock in v sulkea (sään vuoksi)
sod /sad/ s ruohoturve
soda /soudə/ s **1** sooda **2** kivennäisvesi **3** pirtelö **4** virvoitusjuoma
soda fountain s jäätelöbaari
soda pop /'soudə,pap/ s limsa
soda water s **1** kivennäisvesi **2** virvoitusjuoma
sodium /soudiəm/ s natrium
sodomite /'sadə,maɪt/ s (ks sodomy) sodomiitti
sodomize /'sadə,maɪz/ v (ks sodomy) harjoittaa sodomiaa jonkun kanssa; sekaantua eläimeen
sodomy /sadəmi/ s **1** anaaliyhdyntä, sodomia **2** eläimiin sekaantuminen, sodomia
sofa /soufə/ s sohva
sofa bed s vuodesohva
soft /saft/ adj **1** pehmeä **2** (ääni) hiljainen **3** (valo) himmeä, (väri) pehmeä **4** hellä, lempeä; (tuomitsevasti:) periäänantavainen, pehmeä, heikko **5** (ark) helppo (työ) **6** to be soft on someone olla pihkassa/ihastunut/heikkona johonkuhun
softball /'saft,baəl/ s **1** (eräs baseballin versio) softball(peli) **2** softballpallo
softballer s softballin (ks softball) pelaaja/ystävä
soft copy s (tietok) (monitorin) ruudulle tulostettu teksti/grafiikka
soft-core /,saft'kɔr/ adj pehmeä (porno)
softcover /'saft,kʌvər/ s taskukirja, pehmeäkantinen kirja
adj pehmeäkantinen, tasku-
soft drink s alkoholiton juoma, virvoitusjuoma
soften /safən/ v pehmentää, pehmentyä
softener /safənər/ s pehmennin fabric softener (pyykinpesussa) huuhteluaine
soft energy s pehmeä energia, pehmeät energiamuodot, uusiutuva energia
soft focus s (valok) pehmeäpiirtokuva, soft focus -kuva
soft-headed adj hassahtanut, tärähtänyt, joka on pehmeä päästään
soft-hearted adj lempeä
softish adj pehmeähkö
softkey /'saft,ki/ s (tietok) ohjelmoitava näppäin, toimintonäppäin
soft lens s pehmeä piilolasi
soft pedal s **1** (pianossa) puoliäänipedaali **2** (ark kuv) jarru, vaimennin
soft-pedal v **1** käyttää (pianon) puoliäänipedaalia **2** (ark kuv) jarruttaa, vaimentaa, hillitä
soft porn s pehmeä porno
soft rock s soft rock
soft science s pehmeä tiede
soft shoulder s pehmeä tien piennar
softspoken /,saft'spoukən/ adj (kuv) hillitty, rauhallinen
soft spot s (kuv) heikkous, Akilleen kantapää
soft-top s **1** (avoauton) kangaskatto, rättikatto (ark) **2** kangaskattoinen auto, avoauto
adj kangaskattoinen, avo-
software /'saft,weər/ s **1** (tietokoneen) ohjelmat **2** (esim video-)ohjelmat, ohjelmisto
soggy /sagi/ adj **1** läpimärkä, märkä **2** (kuv) raskas, raskassoutuinen, tylsä
soil /soɪəl/ s **1** maaperä, maa fertile soil hedelmällinen maaperä **2** alue, maaperä on American soil Amerikassa, Amerikan maaperällä **3** (kuv) maaperä, kasvualusta
v **1** tahria, sotkea, liata **2** (kuv) tahria, tahrata (esim maineensa)
sojourn /'sou,dʒərn/ s oleskelu
sojourn /sou'dʒərn/ v oleskella jossakin
solace /saləs/ s lohdutus, lohtu
v lohduttaa
solar /soulər/ adj auringon, aurinko-
solar cell s aurinkokenno
solar eclipse s auringonpimennys
solar energy s aurinkoenergia
solar house s aurinkotalo
solarium /sə'leriəm/ s (mon solariums, solaria) solarium

solarization /ˌsoulərəˈzeɪʃən/ s (valok) solarisaatio
solarize /ˈsouləˌraɪz/ v **1** (valok) solarisoida **2** muuttaa (osittain) aurinkoenergialla toimivaksi
solar plexus s (lääk) sisuspunos
sold /sɔld/ ks sell
solder /sadər/ s juotosmetalli
v juottaa
soldering iron s juotin, juottokolvi
soldier /sɔldʒər/ s sotilas
v palvella sotilaana
soldier on v **1** pinnata/laiskotella työssään **2** pitää pintansa, purra hammasta, jatkaa sinnikkäästi (loppuun asti)
sole /soəl/ s **1** jalanpohja **2** kengänpohja **3** (esineen) pohja, antura **4** (mon soles, sole) meriantura
adj ainoa
solecism /ˈsouləˌsɪzəm/ s solesismi, kielivirhe
solely adv yksin, yksistään, yksinomaan
solemn /saləm/ adj **1** vakava, totinen **2** juhlava, juhlallinen **3** (vakuutus) juhlallinen
solemnity /səˈlemnəti/ s **1** juhlavuus, juhlallisuus **2** (us mon) juhlallisuus, juhlallisuudet
solemnize /ˈsaləmˌnaɪz/ v vihkiä (avioliittoon), toimittaa vihkimys/juhlamenot
solemnly adv **1** vakavasti, totisesti **2** juhlavasti, juhlallisesti **3** (vannoa) juhlallisesti, pyhästi
solenoid /ˈsouləˌnoɪd/ s (tekn) lieriökäämi, solenoidi
solicit /səˈlɪsɪt/ v **1** anoa, hakea, yrittää saada (kannattajia); käydä vaalikampanjaa **2** kaupustella no soliciting kaupustelu kielletty **3** (prostituoitu) etsiä asiakkaita
solicitation /səˌlɪsəˈteɪʃən/ s **1** (kannattajien) kerääminen; vaalikampanja **2** anomus, hakemus **3** (prostituoidun harjoittama) asiakkaiden etsintä
solicitor /səˈlɪsɪtər/ s **1** anoja, hakija **2** (kannattajien) kerääjä, vaalikampanjatyöntekijä **3** (UK) asianajaja (joka ei esiinny tuomioistuimessa, vrt barrister)
solicitor general s (mon solicitors general) (US) **1** (eräissä osavaltioissa) korkein oikeusviranomainen **2** (liittovaltion tasolla) oikeusministerin (Attorney General) jälkeen korkein oikeusviranomainen
solid /saləd/ s **1** kiinteä aine; kiinteä ravinto **2** kiinteä kappale
adj **1** (ei nestemäinen, ei kaasumainen) kiinteä, jähmeä, (ei ontto) kiinteä, umpinainen **2** (myös kuv) luja, vankka, vakaa, varma, luotettava **3** yhtenäinen, yhtäjaksoinen, täysi, kokonainen, aito
solidarity /ˌsalɪˈderəti/ s yhteisvastuu, solidaarisuus
solidity /səˈlɪdəti/ s **1** kiinteys, jähmeys, umpinaisuus **2** lujuus, vankkuus, varmuus, luotettavuus the solidity of the evidence todisteiden/todisteaineiston luotettavuus
solidly adv ks solid
solid-state /ˌsalɪdˈsteɪt/ adj transistoroitu, elektroninen
solid with to be in solid with olla hyvissä väleissä jonkun kanssa
soliloquy /səˈlɪləˌkwi/ s (mon soliloquies) yksinpuhelu
solitaire /ˈsalɪˌteər/ s pasianssi
solitary /ˈsalɪˌteri/ s: to be on solitary olla eristyssellissä ks solitary confinement
adj yksinäinen
solitary confinement s eristysselli(ssä oleminen)
solo /soulou/ s (mon solos, soli) (mus, baletti) soolo, yksinesitys, yksinlauluesitys, yksintanssiesitys, (laajemmin:) yksinlento
v **1** (mus) esittää soolo **2** tehdä yksin
adj (mus ja laajemmin) soolo-, yksin-
adv yksin
soloist /souloəst/ s solisti
Solomon Islands /saləmən/ (mon) Salomonsaaret
so long /səˈlaŋ/ fr (ark) näkemiin, hyvästi
solstice /solstɪs/ s päivänseisaus
summer solstice kesäpäivänseisaus
winter solstice talvipäivänseisaus
solubility /ˌsaljəˈbɪləti/ s liukenevuus

soluble /saljəbəl/ adj **1** (esim veteen) liukeneva **2** joka on ratkaistavissa, joka voidaan ratkaista
solution /səluʃən/ s **1** ratkaisu **2** liukeneminen **3** liuos
solvable /salvəbəl/ adj joka voidaan ratkaista
solve /saəlv/ v ratkaista
solvency /salvənsi/ s maksukyky
solvent /salvənt/ s liuotin, liuote adj **1** maksukykyinen **2** liuottava
Somalia /so'maliə/ Somalia
Somalian s, adj somalilainen
somber /sambər/ adj synkkä (myös kuv)
sombrero /səm'brerou/ s (mon sombreros) sombrero
some /sʌm/ adj, pron **1** (monikollisen substantiivin kanssa tai sellaiseen viitaten) suomennetaan partitiivilla tai esim sanoilla muutama, muutamia, jokunen, jotkut, toiset he brought some books hän toi kirjoja, hän toi muutaman kirjan some children came to visit meille tuli kylään lapsia/muutama lapsi some do, some don't jotkut (esim) suostuvat, jotkut eivät some of them are crazy toiset heistä ovat hulluja I'm going to buy some apples, would you like some? menen ostamaan omenia, haluaisitko sinäkin muutaman? **2** (yksiköllisen substantiivin kanssa tai sellaiseen viitaten) suomennetaan esim partitiivilla he has some money hänellä on rahaa some of the food was pretty good ruuasta oli osa ihan hyvää how about some coffee? maistuisiko kahvi? yes, I would like some kyllä, minulle maistuisi **3** joku, jokin, eräs some day jonain päivänä some idiot has taken all the matches joku hullu on vienyt mennessään kaikki tulitikut some of them are very beautiful eräät niistä ovat oikein kauniita, osa niistä on oikein kauniita **4** melkoinen that was some lie you just told her sinä valehtelit hänelle melkoisen paksusti adv **1** noin, suunnilleen some ten years ago kymmenisen vuotta sitten **2** (ark) hieman, vähän she was taken aback some hän säpsähti pikkuisen
somebody /'sʌm,bʌdi/ s tärkeä ihminen everybody who is somebody was there paikalla oli koko kerma pron joku somebody's got to help me jonkun on pakko auttaa minua somebody else joku muu, joku toinen
someday /'sʌm,deɪ/ adv joskus, jonain päivänä
somehow /'sʌm,hau/ adv jotenkin although drunk, he managed to get home somehow hän selvisi joten kuten kotiinsa vaikka olikin juovuksissa
somehow or other fr jotenkin, tavalla tai toisella, jollain keinolla
someone /'sʌm,wʌn/ pron joku someone please call an ambulance voisiko joku soittaa sairasauton? someone else joku toinen, joku muu someone from your office called työpaikaltasi soitti joku
somersault /'sʌmər,saəlt/ s **1** kuperkeikka **2** (kuv) täyskäännös v tehdä kuperkeikka
something /'sʌm,θiŋ/ s (ark) that car is really something! siinäpä vasta auto! adv **1** jonkinlainen, jossain määrin she is something of a celebrity here hän on tällä päin jonkinlainen julkkis/kuuluisuus **2** (ark) erittäin the guy looked at me something crazy kaveri mulkoili minua hullun lailla pron **1** jokin, jotakin something new jotain uutta something else jotakin muuta you're really something else! sinä se olet melkoinen tapaus! **2** vähän päälle: the ticket cost me twenty something dollars lippu maksoi reilut kaksikymmentä dollaria
sometime /'sʌm,taɪm/ adj entinen she's a sometime colleague of my wife's hän on vaimoni entinen työtoveri adv joskus sometime after two p.m. joskus kello 14:n jälkeen sometime this week joskus tällä viikolla sometime soon pian, piakkoin
sometimes adv joskus, toisinaan
someway /'sʌm,weɪ/ adv jotekin, tavalla tai toisella
somewhat /'sʌm,wʌt/ adv hieman, hiukan, jonkin verran it's somewhat too expensive se on hieman liian kallis

somewhere /'sʌm,weər/ adv **1** jossakin, jossain, jonnekin she wished she were somewhere else hän toivoi että hän olisi ollut jossakin muualla from somewhere jostakin **2** paikkeilla, tienoilla: the temperature was somewhere around 80 lämpötila oli 30 (celsius)asteen paikkeilla there were somewhere between two hundred and four hundred people there paikalla oli 200–400 ihmistä
somewheres adv (ei yleiskieltä) jossakin, jonnekin
somnambulate /səm'næmbjə,leɪt/ v kävellä unissaan
somnambulism /səm'næmbjə,lɪzəm/ s unissakävely
somnambulist /səm'næmbjə,lɪst/ s unissakävelijä
so much as /soʊ'mʌtʃəz/ fr edes she did not so much as look at me hän ei vilkaissutkaan/edes vilkaissut minuun päin
so much for that fr se siitä
son /sʌn/ s **1** poika **2** (puhutteluna) poikaseni **3** the Son Kristus, Ihmisen Poika
sonar /soʊnaər/ s (eräänlainen kaikuluotain) sonar
sonata /sə'natə/ s sonaatti
song /saŋ/ s **1** laulu **2** to buy/get something for a song ostaa/saada jokin erittäin halvalla/pikkurahalla
song and dance to go into your song and dance about something ruveta kovasti selittelemään jotakin, esittää kaikenlaisia verukkeita
songfest /'saŋ,fest/ s laulujuhla
songster /saŋstər/ s **1** laulaja **2** säveltäjä **3** runoilija
songstress /'saŋ,strəs/ s laulaja(tar)
songwriter /'saŋ,raɪtər/ s (laulujen) säveltäjä ja/tai sanoittaja
sonic /sanɪk/ adj ääni-
sonic barrier s äänivalli
sonic boom s ääntä nopeamman lentokoneen ym aiheuttama paineaalto
son-in-law /'sʌnɪn,la/ s (mon sons-in-law) vävy, tyttären mies
sonnet /sanət/ s (14-säkeinen runo) sonetti
son of a bitch /,sʌnəvə'bɪtʃ/ s (mon sons of bitches) (sl) **1** paskiainen **2** paska homma/juttu/reissu
interj (sl) hitto!, helvetti!, perkele!
son of a gun s (mon sons of guns) (sl) **1** kelmi, konna, ryökäle **2** aika veitikka, kelpo kaveri **3** mäntti homma/juttu
interj pahus!, hitto!, vietävä!
Son of Man s (Kristus) Ihmisen Poika
Sonora Desert /sə,nɔrə 'dezərt/ Sonoran aavikko (Arizonassa ja Kaliforniassa)
soon /sun/ adv **1** pian, kohta as soon as possible mahdollisimman pian as soon as he had packed his bags heti kun hän oli saanut laukkunsa pakatuiksi soon after her divorce pian avioeronsa jälkeen it's too soon to tell what will happen on liian aikaista sanoa miten käy **2** (toiveesta, halusta:) I would as soon stay with you if you don't mind jään mieluummin sinun luoksesi jos se sopii
sooner adv (komparatiivi sanasta soon) **1** aikaisemmin, ennemmin no sooner had he bought the car than it broke down auto hajosi heti kun hän oli ostanut sen no sooner said than done sanottu ja tehty **2** mieluummin
sooner or later fr ennemmin tai myöhemmin
soonest adv (superlatiivi sanasta soon) mahdollisimman pian I want you to come over soonest haluan että tulet tänne pikimmiten
soot /sʊt/ s noki
v noeta
soothe /suð/ v lievittää, helpottaa (kipua, oloa), rauhoittaa
soothing adj rauhoittava, (oloa) helpottava, lievittävä
soothingly adv rauhoittavasti, rauhoittavan, lievittävästi
soothsayer /'suθ,seɪər/ s ennustaja, povaaja
soothsaying s ennustaminen, povaus
sooty /sʊti/ adj nokinen

sophism /safızəm/ s **1** viisastelu **2** virhepäätelmä
sophist /safıst/ s **1** (hist) sofisti **2** viisastelija **3** filosofi
sophisticate /sə'fıstıkət/ s hieno ihminen; hienostelija
sophisticated /sə'fıstə,keıtəd/ adj **1** hienostunut, sivistynyt, tyylikäs, aistikas, kultivoitunut, elegantti she has sophisticated tastes hänellä on hieno maku **2** mutkikas, monimutkainen, kehittynyt, edistynyt a sophisticated computer pitkälle kehitetty tietokone
sophistication /sə,fıstə'keıʃən/ s **1** hienostuneisuus, sivistyneisyys, tyylikkyys, aistikkuus, kultivoituneisuus, eleganssi **2** mutkikkuus, monimutkaisuus, kehittyneisyys, edistyneisyys
soporific /,soupə'rıfık/ s unilääke
adj **1** unettava, nukuttava **2** (kuv) pitkäveteinen, ikävystyttävä, väsyttävä, nukuttava
soppy /sapi/ adj märkä, vetinen
soprano /sə'prænou/ s (mon sopranos) sopraano (ääni tai laulaja)
sorbitol /'sɔrbı,taəl/ s sorbitoli
sorcerer /sɔrsərər/ s noita, taikuri
sorceress /sɔrsərəs/ s (naispuolinen) noita, taikuri
sorcery /sɔrsəri/ s noituus, taikuus
sordid /sɔrdıd/ adj **1** alhainen **2** kurja, surkea, viheliäinen
sordidly adv **1** alhaisesti **2** kurjasti, surkeasti
sordidness s **1** alhaisuus **2** kurjuus, surkeus
sore /sɔr/ s **1** haava, arka kohta (ruumiissa) **2** (kuv) arka paikka, kipeä paikka
adj **1** arka, kipeä **2** (kuv) arka, kipeä **3** (ark) kiukkuinen, ärtynyt, joka on pahalla päällä
sorely adv **1** arasti, kipeästi **2** (kuv) kovasti he sorely misses her hän kaipaa naista kipeästi
soreness s **1** kipu, arkuus **2** (kuv) kiukku
sorgum /sɔrgəm/ s (kasvi) durra
sorority /sə'rɔrəti/ s naisopiskelijoiden yhdistys
sorrily adv **1** surullisesti **2** surkeasti, kehnosti
sorrow /sarou/ s suru
v surra
sorrowful adj surullinen
sorrowfully adv surullisesti
sorry /sari/ adj **1** to be sorry for something olla pahoillaan jostakin, katua jotakin, surra jotakin **2** surkea, kehno, heikko that's a sorry state of affairs asiat ovat huonolla mallilla **3** anteeksi (I am) sorry, I did not mean to hurt you (pyydän) anteeksi, tarkoitukseni ei ollut loukata sinua
sort /sɔrt/ **1** laji, sortti (ark) there were all sorts of people there siellä oli kaikenlaista väkeä what sort of book are you talking about? minkä tyyppistä kirjaa tarkoitat? **2** eräänlainen, jonkinlainen, keskinkertainen she's a sort of photographer hän on jonkinlainen valokuvaaja he's an artist of a sort hän on jonkinlainen taiteilija **3** to be out of sorts olla maassa/masentunut; olla huonossa kunnossa, ei voida hyvin, sairastella; olla pahalla päällä/tuulella
v lajitella, jakaa ryhmiin
sorter s lajittelija
sort of adv aika, melko, jotenkin it's sort of sad that she had to move on (tavallaan) kurjaa että hän joutui muuttamaan
sort out v **1** lajitella, jakaa ryhmiin **2** ratketa, päättyä let's see how this mess sorts out katsotaan mihin tämä sotku johtaa **3** järjestää, panna järjestykseen/kuntoon
SOS (kansainvälinen hätämerkki) SOS
so that konj jotta
so to speak /,soutə'spik/ fr niin sanoakseni/sanoaksemme
soufflé /su'fleı/ s (ruoka) kohokas
sought /sat/ ks seek
sought after to be much sought after olla kysytty/haluttu
soul /soəl/ s **1** sielu the immortal soul kuolematon sielu **2** (kuv) olemus, sielu, sisin, ydin with all her soul koko sielullaan **3** ihminen, sielu there was not a soul in sight näkyvissä ei ollut ristin

sielua **4** (kuolleen) haamu, sielu **5** ruumiillistuma she is the soul of goodness hän on itse hyvyys **6** (mus) soul

soul brother s (ark) musta mies

soulful adj sielukas

soulfully adv sielukkaasti

soulless adj **1** sieluton **2** (kuv) sieluton, hengetön, tunteeton, (työ) yksitoikkoinen

soul music s soulmusiikki

soul-searching s itsetutkistelu

soul sister s (ark) musta nainen

sound /saʊnd/ s **1** ääni the speed of sound äänennopeus I could hear the sound of his voice kuulin hänen äänensä funny sounds came from the other room toisesta huoneesta kuului outoja ääniä **2** (kielen) äänne **3** vaikutelma by the sound of it he had a good time kuulostaa siltä että hänellä oli hauskaa **4** salmi, (vesistön) kapeikko **5** merenlahti Puget Sound Pugetinlahti
v **1** kuulua, soida a bang sounded in the distance kaukaa kuului pamahdus **2** kuulostaa joltakin it sounds odd that she should be mad kuulostaa uskomattomalta että hän on vihainen **3** (lääk) koputtaa, tutkia koputtamalla **4** luodata, mitata **5** (kuv) tutkia, luodata
adj **1** terve, ehjä, vahingoittumaton to arrive safe and sound tulla perille ehjänä/ehjin nahoin **2** (taloudellisesti) vakaa, varma, turvallinen **3** viisas, pätevä sound advice viisas neuvo **4** (uni) sikeä **5** perinpohjainen, perusteellinen
adv perusteellisesti, läpikotaisin the child is sound asleep lapsi nukkuu sikeästi

sound barrier s äänivalli to break the sound barrier rikkoa äänivalli

sound bite /ˈsaʊnd,baɪt/ s naseva vastaus haastattelijan kysymykseen tai muu ytimekäs repliikki joka soveltuu televisiossa moneen kertaan toistettavaksi Senator Brown has a knack for sound bites senaattori Brown osaa ilmaista itsenä televisiossa ytimekkäästi
v **1** pakottaa poliitikko vastaamaan lyhyesti **2** (kuvanauhan koostajasta) leikata haastateltavan vastaus lyhyeksi

sound effect s (esim elokuvassa) äänitehoste

sound film s **1** äänifilmi **2** äänielokuva

sounding s luotaus

sounding balloon s säähavaintopallo

sounding board s **1** (akustisen soittimen) kaikupohja **2** (kuv) kaikupohja

soundless adj äänetön, hiljainen

soundlessly adv äänettömästi, hiljaa

soundlessness s äänettömyys, hiljaisuus

sound out v kuulostella sound him out yritä saada selville mitä hän ajattelee asiasta

soundproof /ˈsaʊnd,pruf/ adj äänieristetty

sound recording s äänitys

sound recordist s äänittäjä

soundtrack /ˈsaʊnd,træk/ s **1** filmin ääniraita **2** elokuvan musiikki

soundwave /ˈsaʊnd,weɪv/ s ääniaalto

soup /sup/ s keitto, liemi, soppa to be in the soup (ark) olla nesteessä/pulassa from soup to nuts alusta loppuun

soup kitchen /ˈsup,kɪtʃən/ s (ilmainen) ruuanjakelu (köyhille), kenttäkeittiö

soup plate s liemilautanen

soup spoon s liemilusikka

soup-to-nuts adj **1** (ateria) monen ruokalajin **2** (ark) täydellinen

soup up v (sl) **1** virittää (moottoria) **2** (kuv) elävöittää, vilkastuttaa, piristää, tuoda eloa johonkin, panna vauhtia johonkin

soupy adj **1** sakea **2** (ark, kuv) imelä

sour /saʊər/ v **1** hapata, hapantua, hapattaa **2** (kuv) pilata, huonontaa **3** (kuv) katkeroitua, katkeroittaa
adj **1** hapan **2** pilaantunut, hapan to turn sour hapantua, pilaantua **3** (kuv) hapan, myrtynyt, katkera; vastenmielinen, ikävä

source /sɔrs/ s **1** (joen) lähde, alkulähde **2** (kuv) lähde, alkulähde, alkuperä the source of a problem ongelman syy

source language s (käännöksen) alkukieli, lähtökieli, lähdekieli

source material s lähdeaineisto
sour cream s hapankerma
sourdough /'saʊər,doʊ/ s hapatus, hapantaikina
sour grapes it was sour grapes (kuv) happamia, sanoi kettu pihlajanmarjoista
sourly adv (kuv) happamesti, katkerasti
south /saʊθ/ s **1** etelä **2** the South (Yhdysvaltain) etelä(valtiot) Deep South (Yhdysvaltain) syvä etelä
adj eteläinen, etelä-
adv etelässä, etelään
South Africa Etelä-Afrikka
South African s, adj eteläafrikkalainen
South America Etelä-Amerikka
Southampton /,saʊθ'hæmptən/
South Australia Etelä-Australia
southbound /'saʊθ,baʊnd/ adv joka on matkalla etelään, etelän suuntainen
South Carolina /,saʊθ,kerə'laɪnə/ Etelä-Carolina
South China Sea Etelä-Kiinan meri, Nan Hai
South Dakota /,saʊθdə'koʊtə/ Etelä-Dakota
southeast /,saʊθ'ist/ s **1** kaakko **2** the Southeast (Yhdysvaltain) kaakkoisosa, kaakkoiset osavaltiot
adj kaakkoinen, kaakkois-
adv kaakossa, kaakkoon
southeaster s kaakkoistuuli, kaakkoinen
southeasterly adj kaakkoinen, kaakkois-
adv kaakosta, kaakkoon
Southeasterner s Yhdysvaltain kaakkoisosan asukas
southerly /'sʌðərli/ s etelätuuli
adj eteläinen, etelä-
adv etelään
southern /'sʌðərn/ s **1** etelämaalainen **2** (Yhdysvalloissa) etelävaltiolainen
adj **1** eteläinen, etelä-, etelän **2** Southern Yhdysvaltain eteläosan, etelävaltioiden
Southern Cross (tähdistö) Etelän risti
Southern Crown (tähdistö) Etelän kruunu
southern hemisphere s eteläinen pallonpuolisko
southernmost /'sʌðərn,moʊst/ adj eteläisin
Southern opossum /ə'pasəm/ s isokorvaopossumi
southern reedbuck /'rid,bʌk/ s isoruokoantilooppi
Southern Triangle (tähdistö) Etelän kolmio
South Korea Etelä-Korea, Korean tasavalta
South Korean s, adj eteläkorealainen
southmost /'saʊθ,moʊst/ adj eteläisin
South Pacific /,saʊθpə'sɪfɪk/ Etelä-Tyynimeri
southpaw /'saʊθ,pa/ s (ark) vasuri, vasenkätinen
South Pole s etelänapa
South Sea Islands /,saʊθsi'aɪlənz/ (mon) Etelämeren saaret
South Seas /,saʊθ'siz/ (mon) Etelämeri
southward /'saʊθ,wərd/ adj eteläinen, etelään avautuva/suuntautuva
adv etelään
southwards adv etelään
southwest /,saʊθ'west/ s **1** lounas **2** the Southwest (Yhdysvaltain) lounaisosa, lounaiset osavaltiot
adj lounainen, lounais-
adv lounaassa, lounaaseen
southwester s lounaistuuli, lounainen
southwesterly adj lounainen, lounais-
adv lounaasta, lounaaseen
Southwesterner s Yhdysvaltain lounaisosan asukas
southwestward adj lounainen, lounaaseen avautuva/suuntautuva
adv lounaaseen
southwestwards adv lounaaseen
souvenir /,suvə'nɪər/ s matkamuisto
sou'wester /,saʊ'westər/ s **1** (päähine) syydvesti **2** (merimiesten) sadetakki
sovereign /'savrən/ s hallitsija, suvereeni
adj **1** täysivaltainen, itsenäinen **2** kuninkaallinen **3** ylin, korkein, korkea-arvoisin **4** ylivoimainen, paras, suvereeni

sovereignty /savrənti/ s **1** täysivaltaisuus, itsenäisyys, suvereenius **2** kuninkaallisuus **3** ylin/korkein valta **4** itsehallintoalue

soviet /souviət/ s **1** neuvosto **2** Soviet (us mon) neuvostoliittolainen
adj **1** neuvosto- **2** Soviet nevostoliittolainen, Neuvostoliiton

Soviet Union /,souviət'junjən/ (hist) Neuvostoliitto

sow /sau/ s **1** emakko **2** (esim karhun) naaras

sow /sou/ v sowed, sown/sowed: kylvää (myös kuv) you reap what you sow mitä ihminen kylvää sitä hän myös niittää

so what fr entä sitten?, mitä sitten?, mitä siitä?

sox ks sock

soy /sɔɪ/ s soija, soijapapu

soybean /'sɔɪ,bin/ s soijapapu, soija

soybean oil s soijaöljy

soy flour s soijajauho

soy sauce s soijakastike

S & P Standard and Poor's

Sp. Spain; Spanish

space /speɪs/ s **1** avaruus **2** tila, paikka, väli lack of space tilan puute, ahtaus there's still space left here for more people tänne mahtuu lisää väkeä, täällä on vielä vapaita paikkoja there was no more space on the nine o'clock train yhdeksän junassa ei enää ollut paikkoja/tilaa parking space pysäköintipaikka leave enought space between the lines kirjoita rivit tarpeeksi harvaan, jätä tarpeeksi tyhjää rivien väliin **3** kohta fill out/in all the blank spaces täytä kaikki tyhjät kohdat **4** aika in the space of four days neljässä päivässä
v jättää tyhjää/väliä johonkin, erottaa toisistaan

space-age adj avaruusajan

space bar s (kirjoituskoneessa, tietokoneessa) välilyöntinäppäin

space cadet s (sl) tärähtänyt, kaheli, joku joka elää omissa maailmoissaan

space capsule s avaruuskapseli

space carrier s kantoraketti

spacecraft /'speɪs,kræft/ s (mon spacecraft) avaruusalus

spaced /speɪst/ adj konekirjoituksessa yms rivivälistä: single-spaced ykkösrivivälillä kirjoitettu/tulostettu (rivien välissä ei tyhjää) double-spaced kakkosrivivälillä kirjoitettu/tulostettu (rivien välissä yksi tyhjä rivi)

spaced-out adj (sl) **1** joka on (huume)pilvessä **2** (kuv) jolla ei ole jalat maassa, jolla on pää pilvissä

spaceflight /'speɪs,flaɪt/ s avaruuslento

Spacelab /'speɪs,læb/ s (eurooppalainen avaruuslaboratorio) Spacelab

spaceless adj ääretön, suunnaton, rajaton

spaceman /'speɪs,mæn/ s (mon spacemen) **1** astronautti **2** avaruusolento

space medicine s avaruuslääketiede

space out v erottaa toisistaan, levittää, jättää enemmän väliä johonkin

space platform s avaruusasema

space probe s avaruusluotain

space-saving adj tilaa säästävä, pieni(kokoinen)

spaceship /'speɪs,ʃɪp/ s avaruusalus

space station s avaruusasema

spacesuit /'speɪs,sut/ s avaruuspuku

space-time s (suhteellisuusteoriassa) avaruusaika

space-time continuum ks space-time

space travel s avaruuslennot

space walk s avaruuskävely

spacewoman /'speɪs,wumən/ s (mon spacewomen) (naispuolinen) astronautti

spacing s (konekirjoituksessa yms) riviväli

spacious /speɪʃəs/ adj **1** tilava **2** laaja; lakea

spade /speɪd/ s **1** lapio to call a spade a spade puhua suoraan; suoraan sanoen **2** (pelikorteissa) pata spades is trump pata on valttia **3** (sl) musta (ihminen) **4** in spades (ark) erittäin, täysi; suoraan, siekailematta

spaghetti /spə'geti/ s spagetti

spaghetti western s (italialainen lännenelokuva) spagettiwestern, italowestern
Spain /speın/ Espanja
span /spæn/ s **1** vaaksa **2** väli, etäisyys, (sillan) kaari, (lentokoneen siiven) kärkiväli **3** aika, jakso **4** valjakko
v **1** mitata vaaksalla **2** ulottaa/ulottua jostakin johonkin the history of our company spans three generations yhtiömme juontaa juurensa kolmen sukupolven takaa the Bay Bridge spans San Francisco Bay Bay Bridgen silta ylittää San Franciscon lahden
spangle /spæŋgəl/ s (kiiltävä puvun koriste) paljetti
v **1** koristella paljeteilla **2** kimallella, säkenöidä
spaniel /spænjəl/ s spanieli
Spanish s espanjan kieli
s, adj espanjalainen, espanjankielinen
Spanish-walk v marssittaa (joku väkisin ulos/jonnekin)
spank /spæŋk/ s läimäys, läimäytys
v läimäyttää dad will spank you if you don't do your homework saat isältä selkään jos et lue läksyjä
spanking s selkäsauna to get a spanking saada piiskaa, (kuv) saada sapiskaa
adj **1** vikkelä, ripeä **2** (ark) upea, komea
spanner s (UK) lenkkiavain adjustable spanner jakoavain
spar /spar/ s salko, masto, puomi
v **1** (nyrkkeilijä) harjoitella **2** nyrkkeillä **3** riidellä, kinata
spare /speər/ s ylimääräinen osa, varaosa, (autossa) vararengas
v **1** säästää joku joltakin to spare the enemy säästää vihollinen rangaistuksilta spare me your boring jokes älä viitsi kertoa minulle tylsiä vitsejäsi **2** liietä can you spare a dime? liikeneekö sinulta kymmenen centiä? **3** to have something to spare olla ylimääräistä, jäädä yli
adj **1** vara-, ylimääräinen spare part varaosa spare time vapaa-aika
2 säästeliäs, säästäväinen; niukka, vähäinen
spareribs /'sper,rıbz/ s (mon, ruuanlaitossa) kylki
spare part varaosa
spare time vapaa-aika
sparkle /sparkəl/ s kipinä
v **1** kipinöidä, iskeä kipinöitä **2** (kuv) kipinöidä, säkenöidä
sparkling water s kivennäisvesi
sparkly adj (kuv) kipinöivä, säkenöivä, vilkas, eloisa
spark plug s sytytystulppa
sparrow /sperou/ s **1** sirkku **2** varpunen
sparse /spars/ adj vähäinen, niukka, harva
sparsely adv niukasti, harvaan, harvakseen
sparseness s vähäisyys, niukkuus
spasm /spæzəm/ s kouristus
spasmodic /spæz'madık/ adj **1** kouristuksellinen, spastinen **2** ajoittainen, satunnainen **3** ailahteleva, oikukas
spasmodically adv ks spasmodic
spastic /spæstık/ s spastikko, aivovauriolapsi
adj spastinen, kouristuksellinen
spat /spæt/ ks spit
spate /speıt/ s (kuv) tulva, ryöppy
spatial /speıʃəl/ adj tilaa koskeva, tila-; avaruudellinen
spatially adv ks spatial
spatter /spætər/ s **1** ripotus; sade **2** roiske, pärske
v **1** ripotella; sade **2** roiskia, roiskua, pärskiä, pärskyä
spatula /spætʃulə/ s lasta
spawn /span/ s **1** mäti, kutu **2** (kuv) jälkeläinen; jälkeläiset
v **1** kutea **2** (kuv) synnyttää, herättää, jostakin seuraa jotakin
spay /speı/ v steriloida (naaraseläin)
spaz /spæz/ s (sl) köntys
speak /spik/ v spoke, spoken **1** puhua **2** keskustella, jutella, jutustaa, puhua **3** pitää puhe, esitelmöidä, puhua **4** so to speak niin sanoakseni/sanoaksemme, tavallaan
speak by the book fr puhua suulla suuremmalla

speaker s **1** puhuja, luennoija, esitelmöijä **2** (edustajainhuoneen yms) puhemies **3** kaiutin

speakerphone /'spikər,foun/ s kaiutinpuhelin

speak for v **1** tukea, kannattaa jotakuta **2** puhua jonkun puolesta speak for yourself puhu vain omasta puolestasi **3** varata she is already spoken for hän ei enää ole vapaana, häntä on jo kosittu

speaking in tongues s kielillä puhuminen

speaking terms to be on speaking terms with tuntea joku (pinnallisesti); olla jonkun kanssa hyvissä väleissä not be on speaking terms with ei olla jonkun kanssa puheväleissä, olla riidoissa jonkun kanssa

speak of there is no water to speak of in the wash joen uomassa ei ole nimeksikään vettä

speak of the devil fr siinä paha missä mainitaan

speak out v ottaa kantaa, sanoa mitä ajattelee, puhua suoraan

speak up v **1** korottaa ääntään **2** ottaa kantaa, puhua suoraan

speak up for v puolustaa jotakuta

speak well for fr (kuv) olla merkki jostakin myönteisestä, puhua jonkun puolesta

speak your mind fr puhua suunsa puhtaaksi, sanoa mitä ajattelee

spear /spɪər/ s **1** keihäs **2** (ruohon) korsi, (jyvän) itu
v **1** puhkaista, läpäistä **2** itää

spearhead /'spɪər,hed/ s **1** keihään kärki **2** (kuv) johtaja, tienraivaaja, uranuurtaja, esitaistelija
v johtaa, panna alulle, ottaa ensimmäisenä käyttöön, toimia jonkin puolesta esitaistelijana

spearmint /'spɪər,mɪnt/ s viherminttu

special /speʃəl/ s **1** erikoistarjous **2** (televisiossa) erikoisohjelma
adj erityinen, erikoinen, erityis-, erikois-, poikkeuksellinen, poikkeus- a special situation poikkeustilanne what's so special about it? mitä ihmeellistä siinä on? she's very special to me hän on minulle hyvin tärkeä

special delivery s pikaposti

special drawing rights s (tal) (Kansainvälisen valuuttarahaston) erityiset nosto-oikeudet

special education s erityiskasvatus

special effects s (mon) (elokuvan) (erikois)tehosteet

specialist /speʃəlɪst/ s asiantuntija, spesialisti, (lääk) erikoislääkäri

specialization /,speʃələ'zeɪʃən/ s **1** erikoistuminen **2** erikoisala

specialize /'speʃə,laɪz/ v erikoistua johonkin (in)

specially adv erityisen, erikoisen, erityisesti, varta vasten we had it specially made for you teetimme sen varta vasten sinulle

specialty /speʃəlti/ s **1** erikoisuus, erityispiirre **2** erikoisala **3** harvinaisuus, erikoisuus, uusi kauppatavara

specie /spiʃi/ s **1** metalliraha **2** in specie metallirahana; samalla tavalla, samalla mitalla

species /spiʃiz/ s (mon species) laji On the Origin of Species (Darwinin teos) Lajien synty

specific /spə'sɪfɪk/ adj tietty, erityinen, nimenomainen

specifically /spə'sɪfɪkli/ adv erityisesti he specifically told you not to eat any apples hän kielsi sinua nimenomaan syömästä omenoita

specification /,spesəfə'keɪʃən/ s **1** täsmennys, erittely **2** (mon) (tarkka) kuvaus/suunnitelma, tekniset tms tiedot **3** erityisvaatimus, ehto

specify /'spesə,faɪ/ v **1** eritellä, täsmentää, ilmoittaa, mainita erikseen unless specified ellei erikseen mainita **2** vaatia, edellyttää

specimen /spesəmən/ s **1** esimerkki, mallikappale, näyte **2** (lääk) näyte

specious /spiʃəs/ adj joka vaikuttaa päällisin puolin hyvältä/uskottavalta/vakuuttavalta

speck /spek/ s **1** tahra, täplä **2** hitunen, hiukkanen

speckle /spekəl/ s täplä, pilkku, näppy
v täplittää, pilkuttaa; varistaa, ripotella

specs /speks/ s (ark mon) **1** silmälasit **2** tekniset tiedot

spectacle /spektəkəl/ s **1** esitys, näytös **2** komea esitys/juhla, spektaakkeli **3** (mon) silmälasit **4** to make a spectacle of yourself nolata itsensä

spectacled adj silmalasipäinen

spectacular /spek'tækjələr/ adj loistokas, komea, pramea, huomiota herättävä, kohua herättävä

spectacularly adv loistokkaasti, komeasti, prameasti, huomiota herättävästi, kohua herättävästi he failed spectacularly hän epäonnistui komeasti/täydellisesti

spectator /spekteɪtər/ s katsoja

spectator sport s penkkiurheilu(laji)

specter /spektər/ s **1** aave, haamu, kummitus **2** (kuv) uhka, pelko the specter of failure hovered above him epäonnistumisen uhka synkisti hänen elämäänsä

spectra /spektrə/ ks spectrum

spectroscope /'spektrə,skoup/ s spektroskooppi

spectroscopic /,spektrə'skapɪk/ adj spektroskooppinen

spectroscopy /spek'traskəpi/ s spektroskopia

spectrum /spektrəm/ s (mon spectra, spectrums) kirjo, spektri

specula /spekjələ/ ks speculum

speculate /'spekə,leɪt/ v **1** pohtia, pohdiskella, miettiä, tutkistella, järkeillä **2** arvailla, olettaa, päätellä **3** keinotella

speculation /,spekjə'leɪʃən/ s **1** pohdinta, mietiskely, tutkistelu, järkeily **2** arvailu, oletus, päätelmä answering that question calls for speculation kysymykseen voi vastata vain arvailemalla **3** keinottelu

speculative /spekjələtɪv/ adj **1** pohdiskeleva, mietiskelevä, mietteliäs **2** arvailuun, oletuksiin, päätelmiin perustuva, teoreettinen **3** keinotteleva, keinottelu-

speculatively adv ks speculative

speculator /'spekə,leɪtər/ s keinottelija

speculum /spekjələm/ s (mon specula, speculums) **1** (lääk) tähystin, spekulum **2** peili

sped /sped/ ks speed

speech /spitʃ/ s **1** puhe, puhuminen the faculty of speech puhetaito **2** puhuttu kieli **3** (juhla- tai muu) puhe that was quite a speech (ironisesti) sinähän melkoisen puheen pidit **4** (kieliopissa) esitys direct speech suora esitys indirect speech epäsuora esitys

speechless adj sanaton she was speechless hän ei tiennyt mitä sanoa

speechreading /'spitʃ,ridiŋ/ s huulilta lukeminen

speech recognition s (tietok) puheentunnistus

speech sound s (kielen) äänne

speech synthesis s (tietok) puhesynteesi

speechwriter /'spitʃ,raɪtər/ s (poliitikon ym) puheiden kirjoittaja

speed /spid/ s **1** nopeus at the speed of sound äänen nopeudella **2** vauhti at full/top speed täyttä vauhtia (myös kuv) to be up to speed olla täydessä vauhdissa (myös kuv) **3** (filmin) herkkyys, nopeus **4** (kameran) (suljin)aika **5** (sl) amfetamiini yms, spiidi (sl)
v sped/speeded, sped/speeded **1** kiitää, viilettää **2** rikkoa nopeusrajoitusta **3** nopeuttaa, kiirehtiä, vauhdittaa jotakin she sped my application through the department in record time hänen ansiostaan laitos käsitteli hakemukseni ennätysajassa

speedboat s pikavene

speed bump s (kadun) asfalttikynnys (jonka tarkoitus on varmistaa että nopeusrajoitusta noudatetaan)

speed demon s (ark) **1** työmyyrä **2** hurjastelija

speed freak s (sl) amfetamiinin tms käyttäjä, spiidin (sl) käyttäjä

speeding s ylinopeus, nopeusrajoituksen rikkominen he was fined for speeding hän sai ylinopeussakon

speed limit s nopeusrajoitus

speedometer /spə'damətər/ s nopeusmittari

speed-reading s pikaluku
speedster /spidstər/ s **1** hurjastelija **2** eräs avoautotyyppi, speedster
speed trap s (liikennepoliisin tutka)rysä
speed-up s nopeuttaminen, nopeutuminen
speed up v nopeuttaa, kiihdyttää, vauhdittaa
speedway /'spid,weɪ/ s (moottori)kilparata
speedy adj nopea
Speedy Gonzales /,spidigən'zaləs/ (sarjakuvahahmo) Speedy Gonzales (Meksikon nopein hiiri)
spell /spel/ s **1** kausi, (ajan)jakso the dry spell lasted for three weeks kuivuus jatkui kolme viikkoa sit with me for a spell paina hetkeksi puuta **2** hetki, lyhyt aika for a spell hetkeksi, vähäksi aikaa **3** lumous you put a spell on me sinä lumosit minut
v spelled/spelt, spelled/spelt **1** tavata please spell your full name olkaa hyvä ja tavatkaa täydellinen nimenne **2** kirjoittaa how do you spell your name? miten nimesi kirjoitetaan? **3** merkitä, enteillä the clouds spell no good for our hike pilvet eivät enteile hyvää vaelluksemme kannalta **4** tuurata (ark), päästää joku lepäämään
spellbind /'spel,baɪnd/ v spellbound, spellbound: lumota, saada lumoihinsa
spellbinder s lumooja, lumoava puhuja
spellbound /'spel,baʊnd/ adj lumoutunut, (kuin) lumottu
spelldown /'spel,daʊn/ s eräänlainen oikeinkirjoituskilpailu
spell down v voittaa (joku/toiset) oikeinkirjoituskilpailussa
speller s oikeinkirjoituksen oppikirja, kirjoitusaapinen
spelling s oikeinkirjoitus
spelling bee s oikeinkirjoituskilpailu
spelling mistake s kirjoitusvirhe
spelling pronunciation s kirjoitusasun mukainen ääntämys (joka poikkeaa vanhemmasta ääntämyksestä) (esim forehead äännetään perinteisesti /fɔrəd/ mutta kirjoitusasun mukaan /'fɔr,hed/)
spelling reform s oikeinkirjoituksen uudistus
spell out v **1** selittää juurta jaksain, vääntää rautalangasta (ark kuv) **2** kirjoittaa (numero) kirjaimin, kirjoittaa (lyhenne) kokonaan, ei lyhentää
spend /spend/ v spent, spent **1** käyttää, kuluttaa he has spent all his money hän on käyttänyt kaikki rahansa she spent two weeks writing her paper hän käytti aineen kirjoittamiseen kaksi viikkoa **2** viettää (aikaa) she spends the winters in Florida hän viettää talvet Floridassa
spender s tuhlari he's a big spender hän panee rahaa menemään minkä ehtii
spendthrift /'spend,θrɪft/ s tuhlari, törsääjä (ark)
adj tuhlaavainen
spent /spent/ v **1** ks spend **2** loppu, loppuun kulunut **3** loppuun väsynyt, uupunut
sperm /spərm/ s **1** siemenneste, sperma **2** (mon sperms, sperm) siittiö
spermatozoon /,spərmətə'zoən/ s (mon spermatozoa) siittiö
spew /spju/ v **1** oksentaa **2** syöstä
sphere /sfɪər/ s **1** pallo **2** (kuv) piiri, alue rare coins are outside her sphere of interest harvinaiset metallirahat eivät kuulu hänen harrastuksiinsa
spherical /sferɪkəl sfɪrɪkəl/ adj pallon muotoinen, pallomainen
sphincter /sfɪŋktər/ s (peräsuolen) sulkijalihas
sphinx /sfɪŋks/ s (mon sphinxes, sphinges) sfinksi
spice /spaɪs/ s **1** mauste **2** (kuv) pippuri, maku, mauste he would add a little spice to his stories hänellä oli tapana lisätä juttuihinsa omiaan
v **1** maustaa **2** (kuv) piristää, maustaa, höystää, lisätä omiaan johonkin
spick-and-span /,spɪkən'spæn/ adj putipuhdas
spicy adj **1** (voimakkaasti) maustettu **2** (kuv) piikikäs, pureva, kärkevä **3** uskalias, rohkea **4** (ark) vilkas, eloisa, pirteä

spider /spaɪdər/ s hämähäkki
spider web s hämähäkinverkko
spidery adj joka muistuttaa hämähäkinverkkoa
spied /spaɪd/ ks spy
spiel /spiəl/ s (ark) mainospuhe
spike /spaɪk/ s **1** (rautatiessä) koiranaula **2** piikki **3** (äkillinen) kasvu, nousu, lisäys, (sähkö)pikki **4** (mon, terävärkärkiset kengät) spittarit (ark)
spike someone's guns fr (kuv) viedä tuuli jonkun purjeista, tehdä tyhjäksi jonkun suunnitelma
spike up v kasvaa, nousta, lisääntyä (äkkiä)
spiky adj terävä, teräväkärkinen, suippo
spill /spɪl/ s **1** läiskynyt neste **2** vuoto v spilled/spilt, spilled/spilt **1** (nesteestä, irtonaisista esineistä) läiskyä, läiskyttää, loiskua, loiskuttaa, valua/valuttaa yli, pudota/pudottaa/levitä/levittää sinne tänne; vuotaa I spilled some milk on my pants läikytin maitoa housuilleni **2** vuodattaa (verta) **3** (hevonen) heittää selästään **4** (ark) kertoa, paljastaa (salaisuus) to spill the beans (ark) möläyttää, paljastaa salaisuus (ja pilata yllätys)
spillage /spɪlədʒ/ s **1** (nesteen) läiskyminen; vuoto **2** läiskynyt neste; vuoto
spill your cookies fr (sl) yrjötä
spilt ks spill
spin /spɪn/ **1** pyörähdys, kierros **2** (auto)ajelu can I take you for a spin? lähdetkö kanssani ajelulle? **3** (esim hintojen) jyrkkä lasku
v spun, spun **1** kehrätä **2** pyöriä, pyörittää **3** (ark) soittaa (äänilevyjä) **4** keksiä omasta päästään; punoa
spinach /spɪnətʃ/ s pinaatti
spinal /spaɪnəl/ adj selkärangan, selkäranka-, selkäytimen, selkäydin-
spinal block s spinaalipuudutus
spinal canal s selkäydinkanava
spinal column s selkäranka
spinal cord s selkäydin
spinal ganglion /gæŋglɪən/ s (mon spinal ganglia, spinal ganglions) spinaaliganglio
spinal nerve s selkäydinhermo
spindle /spɪndəl/ s **1** värttinä, kehräsvarsi **2** (rukissa) kehrä, värttinä, (kehruukoneessa) kehräin, värttinä **3** (analogisen levysoittimen/ levylautasen) tappi
spin-dry /spɪn'draɪ/ v kuivata (pyykki) linkoamalla, lingota kuivaksi
spine /spaɪn/ s **1** selkäranka (myös kuv:) perusta, pohja; kestokyky, vahvuus **2** (kirjan) selkä **3** (eläimen) piikki
spineless adj selkärangaton (myös kuv:) heikko
spinelessly adv (kuv) selkärangattomasti, heikosti, arasti
spinner s kehrääjä
spinning s **1** kehruu **2** kelastus, virvelionginta
spinning wheel s rukki
spin off v keksiä jotakin jonkin olemassaolevan perusteella
spin-out s auton luistelu (ark)
spin out v **1** pitkittää, venyttää **2** (auto) alkaa luistella (ark)
spinster /spɪnstər/ s vanhapiika
spiny adj **1** (eläin, kasvi) visainen **2** (ongelma) visainen
spin your wheels fr (ark) tuhlata voimiaan/aikaansa
spiral /spaɪrəl/ s kierukka, spiraali v **1** kiertää/kiertyä/nousta kierukan tavoin **2** (kuv) nousta, kallistua
spiral galaxy /spaɪrəl/ s spiraaligalaksi
spire /spaɪər/ s **1** terävähuippuinen torni, tornikatto **2** terävä (vuoren ym) huippu **3** laki, huippu (myös kuv) **4** kierukka, spiraali
spirit /spɪrət/ s **1** henki the Holy Spirit Pyhä Henki to be present in spirit olla hengessä/ajatuksissa mukana **2** aave, henki **3** rohkeus, tarmo, into, henki that's the spirit! noin sitä pitää! **4** olemus, henki the spirit of the law lain henki the spirit of the times ajan henki **5** (mon) mieliala to be in low/high spirits olla mieli maassa/korkealla to be out of spirits olla mieli maassa **6** (mon) viina
spirit away v kuljettaa/viedä salaa pois/jonnekin

spirited adj kiihkeä, rohkea, vilkas, ponnekas
spiritedly adv kiihkeästi, rohkeasti, ponnekkaasti
spiritism /ˈspɪrəˌtɪzəm/ s spiritismi
spiritist /spɪrətɪst/ s spiritisti
spiritistic /ˌspɪrəˈtɪstɪk/ adj spiritistinen
spiritless adj innoton, vaisu, laimea, ponneton
spiritlessly adv innottomasti, vaisusti, laimeasti, ponnettomasti
spirit level s vesivaaka
spirit off v kuljettaa/viedä salaa pois/jonnekin
spiritual /spɪrətʃuəl/ s hengellinen laulu
adj hengellinen
spiritually adv hengellisesti
spit /spɪt/ sylky
v spat, spat: sylkeä (myös kuv) he spat the words out of his mouth hän sylki sanat suustaan
spit and image /ˌspɪtənˈɪmədʒ/ he is the spit and image of his father hän on ilmetty isänsä
spite /spaɪt/ s ilkeys she did it out of spite hän teki sen ilkeyttään/kiusallaan
v kiusata jotakuta, olla ilkeä jollekulle to cut off your nose to spite your face aiheuttaa kiusaa vain itselleen
spiteful adj pahansisuinen, pahansuopa, ilkeä
spitefully adv ilkeästi
spit 'n' image /ˌspɪtənˈɪmədʒ/ he is the spit 'n' image of his father hän on ilmetty isänsä
spitting image /ˌspɪtənˈɪmədʒ/ he is the spitting image of his father hän on ilmetty isänsä
spittle /spɪtəl/ s sylky
spit up v oksentaa
splash /splæʃ/ s läiskähdys, loiskahdus, roiskahdus
v loiskahtaa, loiskauttaa, roiskua, roiskauttaa
splatter /splætər/ v roiskua
spleen /splin/ s **1** perna **2** (kuv) sappi, kiukku
spleenful adj sapekas, kiukkuinen, äkäinen, pahansisuinen
spleeny adj sapekas, kiukkuinen
splendent /splendənt/ adj **1** kirkas, loistava, hohtava **2** loistokas, loistelias, komea
splendid /splendəd/ adj **1** loistokas, loistelias, komea **2** loistava, erinomainen
splendidly adv **1** loistokkaasti, komeasti **2** loistavasti, erinomaisesti you did splendidly in the exam selvisit tentistä loistavasti
splendor /splendər/ s loisto, loistokkuus, komeus Sharon Stone in all her splendor Sharon Stone kaikessa komeudessaan
splice /splaɪs/ s **1** yhdistäminen, yhteen liittäminen **2** (filmin, ääninauhan) leikkaaminen
v **1** kiinnittää yhteen, yhdistää **2** leikata (ja liimata elokuvaa, ääninauhaa) **3** (ark) vihkiä (avioliittoon)
splint /splɪnt/ s (lääk) lasta
v (lääk) lastoittaa
splinter s siru, sirpale, pirstale
v **1** pirstoa, pirstoutua **2** (ryhmä) hajota, hajottaa (sirpaleryhmiksi)
splinter group s sirpaleryhmä
split /splɪt/ **1** halkeama, repeämä, lohkeama **2** välirikko, (puolueen tms) jakaantuminen **3** (mon) (baletissa) spagaatti **4** (jäätelöannos) banana split **5** (tal) osakkeen pilkkominen nimellisarvoltaan pienempiin yksiköihin
v split, split **1** halkaista, haljeta **2** lohkaista, lohjeta **3** repäistä (rikki), revetä **4** jakaa (keskenään, ryhmiin), jakautua/hajota (ryhmiin) **5** erota (työstä, puolisosta)
split end /ˌsplɪtˈend/ s (amerikkalaisessa jalkapallossa) laitahyökkääjä
split hairs fr halkoa hiuksia
split infinitive s (englannin kielessä) infinitiivin ja to-partikkelin erottaminen ainakin yhdellä sanalla, esim to carefully examine tutkia tarkkaan
split second s **1** sekunnin murto-osa **2** (kuv) silmänräpäys

split-second adj silmänräpäyksessä tapahtuva she made a split-second decision hän ratkaisi asian silmänräpäyksessä

split the difference fr puolittaa (hinta)ero, panna riita puoliksi (ark)

split up v **1** erota (puolisosta, seurasta) let's split up and meet here at six lähdetään kumpikin/kukin omille teillemme ja tavataan täällä kuudelta **2** jakaa, jakautua we split up the money panimme rahat tasan

split-up s (rymän) jakautuminen; (asumus-, avio)ero

splutter /splʌtər/ s **1** tohotus, soperrus **2** pärske
v **1** sopertaa, puhua tohottaa, sanoa tohottaen **2** pärskyä, pärskyttää

spoil /spɔɪəl/ s **1** (yl mon) (ryöstö)saalis to the victor belong the spoils saalis kuuluu voittajalle **2** ryöstö, ryöväys
v spoiled/spoilt, spoiled/spoilt **1** pilata, tärvellä **2** pilaantua **3** pilata (lapsi) hemmottelulla **4** ryöstää, ryövätä **5** to be spoiling for something (ark) odottaa malttamattomana jotakin

spoiler s **1** pilaaja **2** ryöstäjä, ryöväri **3** (lentokoneen, auton) spoileri

spoilsport /'spɔɪəl,spɔrt/ s ilonpilaaja

spoke /spoʊk/ s (pyörän) puola, pinna
v ks speak

spoken v ks speak
adj (kieli) puhuttu, puhe-

spokesman /spoʊksmən/ s (mon spokesmen) tiedottaja, edustaja

spokesperson /'spoʊks,pərsən/ s tiedottaja, edustaja

spokeswoman /'spoʊks,wʊmən/ s (mon spokeswomen) tiedottaja, edustaja

sponge /spʌndʒ/ s (pesu- tms) sieni to throw in the sponge (ark) antaa periksi, luovuttaa
v pestä (sienellä)

sponge out v pyyhkiä pois

sponge up v imeä (itseensä) (myös kuv)

spongy adj **1** (pesu)sienimäinen **2** pehmeä

sponsor /spansər/ s **1** takaaja **2** mainostaja, tukija, rahoittaja, sponsori
v tukea, rahoittaa, sponsoroida, mainostaa jossakin (tv-ohjelmassa, urheilukilpailussa yms)

spontaneity /,spantə'neɪəti/ s tahattomuus, omaehtoisuus, spontaanius

spontaneous /span'teɪniəs/ adj tahaton, omaehtoinen, spontaani

spontaneously adv tahattomasti, omaehtoisesti, spontaanisti

spook /spuk/ s (ark) aave, kummitus, haamu
v **1** kummitella **2** (ark) pelästyä, pelästyttää

spool /spuəl/ s kela
v kelata

spoon /spun/ s lusikka she was born with a silver spoon in her hand hänellä on rikkaat vanhemmat, hän on rikkaasta kodista

spoon-fed adj hemmoteltu, lellitty

spoon-feed /,spun'fid/ v **1** syöttää (lusikalla) **2** hemmotella, lelliä, pitää kuin kukkaa kämenellä

spoonful s (mon spoonfuls) lusikallinen

sporadic /spə'rædɪk/ adj satunnainen, hajanainen he made sporadic visits to his grandmother hän kävi isoäitinsä luona silloin tällöin

sporadically adv satunnaisesti, hajanaisesti

spore /spɔr/ s itiö

sport /spɔrt/ s **1** (myös mon) urheilu are you interested in sports? kiinnostaako urheilu sinua? **2** urheilulaji **3** huvi, hauskanpito **4** pila, pilkka **5** pilkan kohde **6** (ark) kaveri, heppu
v **1** hauskutella, pitää hauskaa, huvitella **2** leikkiä, leikitellä (esim jonkun tunteilla) **3** pilkata jotakin (at) **4** (ark) käyttää, pitää päällään, olla jollakulla the new model sports a six-speed transmission uudessa mallissa on kuusinopeuksinen vaihteisto
adj urheilu-

sportfishing /'spɔrt,fɪʃiŋ/ s urheilukalastus

sporting adj urheilullinen, urheilua harrastava; urheilu- sporting goods (kaupassa) urheiluvälineet
sporting chance to give someone a sporting chance antaa jollekulle mahdollisuus voittaa/onnistua
sportive /spɔrtɪv/ adj **1** leikkisä, vilkas, iloinen **2** urheilu-
sports adj urheilu-
sports car s urheiluauto
sportscast /ˈspɔrts,kæst/ s (television, radion) urheilulähetys
sportscaster s urheilutoimittaja
sportscasting s urheilukilpailun televisiointi/radiointi
sportsman /spɔrtsmən/ s (mon sportsmen) **1** urheilija **2** reilu mies/ihminen
sportsmanship /ˈspɔrtsmən,ʃɪp/ s **1** urheilijan taidot **2** reiluus, rehtiys
sports medicine s urheilulääketiede
sportster /spɔrtstər/ s (ark) urheiluauto)
sportswear /ˈspɔrts,weər/ s urheiluvaatteet, urheiluasusteet
sportswoman /ˈspɔrts,wʊmən/ s (mon sportswomen) (nais)urheilija
sportswriter /ˈspɔrts,raɪtər/ s (lehden) urheilutoimittaja
sporty adj (ark) **1** urheilullinen **2** komea, upea, tyylikäs
spot /spat/ s **1** täplä, läiskä, pilkku **2** (kuv) tahra **3** paikka, kohta on this very spot juuri tässä, tällä samalla paikalla X marks the spot (ark) juuri tässä, tässä kohden to be in a (bad) spot olla pinteessä, olla tukalassa tilanteessa to be on the spot olla pinteessä/kiusallisessa tilanteessa to do something on the spot tehdä jotakin heti/viipymättä **4** (yl mon) nähtävyydet; ravintolat we usually hit the spots after work me lähdemme yleensä työn jälkeen kiertämään kapakoita to hit the high spots katsoa (vain) tärkeimmät nähtävyydet, poimia parhaat palat **5** (sl) (tietyn suuruinen) seteli: here's a five spot, go see a movie tuossa on vitonen, mene elokuviin **6** to hit the spot (ark) olla hyvään tarpeeseen **7** (tal) avista(kurssi)
v **1** tahrata, tahria **2** puhdistaa tahrat (vaatteesta ennen pesua) **3** täplittää the hills were spotted with private homes kukkuloilla oli siellä täällä omakotitaloja
spot check s pistokoe
spot-check v tarkistaa pistokokein, tehdä pistokoe
spotless adj **1** (täydellisen) siisti, puhdas **2** (kuv) tahraton, moitteeton, virheetön
spotlessly adv ks spotless
spotlight /ˈspat,laɪt/ s **1** valonheitin **2** (kuv) valokiila to be in the spotlight olla (julkisuuden) valokiilassa
v **1** valaista (valonheittimellä) **2** (kuv) tuoda (erityisesti) esiin, korostaa
spot price s (tal) avista(kurssi)
spot rate s (tal) avista(kurssi)
spotted adj täplikäs, laikukas
spotted mouse deer s intiankääpiökauris
spotty adj täplikäs, laikukas
spouse /spaʊs/ s puoliso
spout /spaʊt/ s **1** (esim kannun) nokka, suu, suutin **2** (sadevettä katolta alas johtava) syöksyputki
v **1** syöstä, ruiskuttaa, pärskyttää **2** (ark) paasata jostakin
spouted adj (astia) nokallinen, jossa on nokka
sprain /spreɪn/ s nyrjähdys
v nyrjäyttää she sprained her ankle hän nyrjäytti nilkkansa
sprang /spræŋ/ ks spring
sprawl /spral/ s **1** retkottava asento **2** levittäytyminen, leviäminen, rönsyily (kuv) the urban sprawl kaupunkien laajeneminen
v **1** retkottaa he sprawled in the easy chair hän retkotti nojatuolilla **2** rehottaa, levittäytyä (sinne tänne), rönsyillä (kuv)
spray /spreɪ/ s suihku, suihke
v suihkua, suihkuttaa
spray can s suihkepullo
spread /spred/ s **1** leviäminen, levittäminen the spread of knowledge tiedon levitys **2** väli, etäisyys **3** (tal) (esim osto- ja myyntikurssin tai kahden eri arvopaperin hinnan välinen) ero **4** alue: a spread of forest metsä **5** (vuoteen) peite

6 (ark) koreaksi pantu pöytä **7** (voileipä-ym) levite **8** (lehdessä) aukeama **9** (lehdessä) pitkä juttu; iso mainos
v spread, spread **1** levitä, levittää the rumor is spreading huhu leviää to spread a rumor levittää huhua she spread mayonnaise on a bun hän levitti sämpylälle majoneesia **2** to spread yourself thin olla liian monta rautaa tulessa
spread-eagle /'spred,igəl/ v levittää jalat ja kädet haralleen
adj **1** jolla on jalat ja kädet harallaan **2** mahtipontinen; yltiöisänmaallinen
spreader s lasta; voiveitsi
spreadsheet /'spred,ʃit/ s (tietok) taulukkolaskentaohjelma
sprightliness s reippaus, virkeys, vilkkaus, pirteys
sprightly /spraɪtli/ adj reipas, virkeä, eloisa, vilkas he's a sprightly old man hän on pirteä vanhus
spring /spriŋ/ s **1** lähde **2** kevät **3** hyppy; ponnahdus **4** jousto, joustavuus **5** vuoto
v sprang/sprung, sprung **1** hypätä **2** laukaista, laueta, (lukko) avata, avautua **3** roiskua, syöksyä **4** saada alkunsa, syntyä, olla peräisin jostakin (from) **5** to spring to mind tulla/muistua mieleen **6** to spring a leak puhjeta, alkaa vuotaa, johonkin tulee reikä **7** (sl) vapauttaa (vankilasta)
springboard /'spriŋ,bɔrd/ s ponnahduslauta (myös kuv)
springbuck /'spriŋ,bʌk/ s hyppyantilooppi
spring-clean /,spriŋ'klin/ v tehdä kevätsiivous
spring-cleaning s kevätsiivous
spring for v (ark) maksaa, tarjota
spring forth v roiskua, syöksyä
springtime /'spriŋ,taɪm/ s kevät
spring up v saada alkunsa, syntyä many computer companies sprung up in Silicon Valley in the seventies Piilaaksoon perustettiin 70-luvulla paljon tietokonealan yrityksiä
springy adj joustava, kimmoisa
sprinkle /spriŋkəl/ s **1** tihkusade **2** sirote
v ripotella, ripottaa, sirotella
sprinkler /spriŋklər/ s **1** (kattoon kiinnitetty palosammutin) sprinkleri **2** (puutarhan tms) sadetin
sprint /sprɪnt/ s kiri; (pika)juoksu
v kiriä; juosta, rynnätä
sprinter s pikamatkan juoksija, sprintteri
sprocket /sprakət/ s (ketjupyörän) hammas
sprocket wheel s ketjupyörä
sprout /spraut/ s **1** (kasvin) verso, vesa, itu **2** (mon) idut (ruokana) **3** Brussels sprout ruusukaali
v **1** (kasvi) versoa, itää, orastaa **2** (kuv) versoa, orastaa, saada alkunsa, syntyä new office buildings are sprouting downtown keskustaan nousee uusia toimistorakennuksia
spruce /sprus/ s kuusi
spruce up v kohentaa, parantaa, siistiä, siistiytyä
sprung /sprʌŋ/ ks spring
spun /spʌn/ ks spin
spur /spər/ s **1** kannus **2** (kuv) kannustin, yllyke, kiihoke **3** sivuraide
v kannustaa (myös kuv:) yllyttää, innostaa, rohkaista
spurious /spəriəs/ adj väärennetty, väärä, valheellinen, teeskennelty, epäaito
spurn /spərn/ v **1** hylätä (tarjous) halveksuen **2** halveksia, ylenkatsoa
spur of the moment on the spur of the moment hetken mielijohteesta, valmistelematta, yhtäkkiä
spur-of-the-moment adj hetken mielijohteesta tapahtunut/tehty, valmistelematon, yhtäkkinen
spurt /spərt/ s **1** suihku, syöksy **2** ryntäys, kiri, spurtti (ark)
v **1** syöksyä, syöstä, suihkua, suihkuttaa, ruiskuta, ruiskuttaa **2** rynnätä, kiriä
sputnik /'spʌt,nɪk/ s sputnik
sputter /spʌtər/ s **1** sihinä, rätinä **2** pärske **3** tohotus, vouhotus
v **1** sihistä, rätistä **2** pärskiä, sylkeä (kuv) **3** tohottaa, vouhottaa

spy /spaɪ/ s vakooja; urkkija
v **1** vakoilla; urkkia, nuuskia **2** nähdä, huomata, havaita
spyglass /'spaɪ,glæs/ s (pieni) kaukoputki
spy on v vakoilla jotakuta, urkkia jonkun puuhia
spy out v saada selville, huomata
spy plane s vakoilulentokone
sq. square
squabble /skwabəl/ s kina, tora, riita
v kinata, riidellä
squad /skwad/ s **1** (sot) ryhmä **2** (poliisi)partio
squad car s poliisiauto
squadron /'skwadrən/ s **1** (laivastossa) eskaaderi **2** (ilmavoimissa) laivue **3** (ilmavoimissa) lentomuodostelma **4** (ratsuväessä) eskadroona
squalid /skwaləd/ adj **1** siivoton, likainen, rähjäinen, ränsistynyt **2** kurja, surkea
squalidly adv ks squalid
squall /skwal/ s **1** (tuulen)puuska **2** (kuv) myrsky, melske **3** huuto, parkuna
v parkua, huutaa
squalor /skwalər/ s likaisuus, siivottomuus, rähjäisyys, kurjuus
squander /skwandər/ v tuhlata (rahaa, aikaa), panna hukkaan
square /skweər/ s **1** neliö **2** ruutu **3** aukio **4** (mat) neliö, toinen potenssi **5** (sl) nynny, tosikko **6** on the squares suora, suorassa kulmassa; (ark kuv) rehellinen, vilpitön out of square vino; erilainen kuin (with)
v **1** tehdä kulmikkaaksi; pyöristää **2** (mat) korottaa toiseen potenssiin **3** suoristaa (hartiat), suoristautua, ryhdistäytyä **4** maksaa (velka), tasoittaa (tilit, peli)
adj **1** neliömäinen, neliön muotoinen; nelikulmainen, suorakulmainen; kulmikas **2** (mitta) neliö- square meter neliömetri **3** kanttiinsa (ark) the room is 15 feet square huone on noin 5 x 5 metrin kokoinen **4** suorakulmainen, suora **5** rehellinen, suora, siekailematon, vilpitön **6** (sl) tosikkomainen, nynny
square accounts with fr **1** maksaa laskunsa, selvittää tilinsä **2** (kuv) selvittää välinsä jonkun kanssa, tehdä tilinsä selviksi jonkun kanssa
square away v hoittaa, selvittää, huolehtia jostakin
squarely adv (kuv) suoraan, avoimesti, siekailematta
square off v **1** tehdä kulmikkaaksi; pyöristää **2** valmistautua (tappeluun, taisteluun) (myös kuv)
square peg in a round hole to be a square peg in a round hole olla väärällä paikalla, ei sopia johonkin (tehtävään tms)
square the circle fr yrittää mahdottomia, yrittää neliöidä ympyrä
square up v maksaa lasku
square with v **1** sovittaa jokin johonkin/jonkin mukaiseksi **2** olla jonkin mukainen, olla yhtäpitävä jonkin kanssa
squash /skwaʃ/ **1** kurpitsa **2** (seinätennis) squash
v **1** litistää, litistyä, musertaa, musertua, survoa **2** vaimentaa, kukistaa, tukahduttaa **3** ahtaa, ahtautua, tunkea, tunkeutua, sulloa, sulloutua
squat /skwat/ s kyykky
v **1** kyykkiä **2** asettua (laittomasti tai laillisesti) asumaan jonnekin
adj **1** joka on kyykyssä, (asento) kyykky- **2** tanakka, lyhyenläntä, pönäkkä **3** (talo, auto) matala ja leveä
squatter /skwatər/ s (laiton tai laillinen) asuttaja
squaw /skwa/ s intiaaninainen
squawk /skwak/ s kiljaisu, kirkaisu, rääkäisy
v kiljaista, kirkaista, rääkäistä
squeak /skwik/ s **1** kiljaisu, kirkaisu; narina, narahdus, narske **2** (ark) tilaisuus, mahdollisuus
v **1** kiljaista, kirkaista; narista, narahtaa, narskua **2** (sl) vasikoida, antaa ilmi
squeak by /skwik/ v **1** hiipiä jonkun ohitse **2** selvitä jostakin jotekin kuten/ nipin napin/rimaa hipoen
squeaky adj kitisevä, nariseva, narskuva

squeaky-clean adj (ark) **1** putipuhdas **2** (kuv) tahraton, moitteeton, puhdas kuin pulmunen
squeal /skwɪəl/ s **1** kiljahdus, parahdus **2** (sl) vasikointi, ilmianto
v **1** kiljaista, kiljahtaa, parahtaa **2** (sl) vasikoida, antaa ilmi
squeamish /skwimɪʃ/ adj **1** pikkutarkka, nirso **2** herkkä (voimaan pahoin) **3** herkkä (loukkaantumaan/järkyttymään), herkkähermoinen, herkkätuntoinen
squeamishly adv ks squeamish
squeamishness s **1** pikkutarkkuus, nirsoilu **2** herkkyys, taipumuus pahoinvointiin **3** herkkyys, herkkähermoisuus, herkkätuntoisuus
squeegee /skwidʒi/ s kumireunainen lasta jolla ikkuna pyyhitään pesun jälkeen kuivaksi
squeeze /skwiz/ s **1** puristus, rutistus **2** kädenpuristus, kättely **3** halaus, rutistus **4** (kuv) ahdinko, pula, tiukka paikka **5** (sl) heila, tyttöystävä
v **1** puristaa, rutistaa **2** ahtaa, ahrtautua, sulloa, sulloutua, tunkea, tunkeutua **3** halata, rutistaa **4** (kuv) panna ahtaalle
squelch /skweəltʃ/ **1** (esim mudan) molskahdus **2** (radion) kohinasalpa
v **1** musertaa, litistää **2** kahlata, rämpiä, tarpoa **3** vaimentaa, hiljentää **4** (mudan äänestä) molskahtaa
squid /skwɪd/ s (mon squid, squids) mustekala
squint /skwɪnt/ s **1** (silmien) siristys **2** (silmien) karsastus, kierosilmäisyys
v **1** siristää (silmiään) **2** (silmät) karsastaa
squint-eyed /'skwɪnt,aɪd/ adj **1** kierosilmäinen, karsassilmäinen **2** (kuv) karsas, nurja
squirm /skwərm/ v **1** vääntelehtiä **2** (kuv) olla (hyvin) vaivaantunut/kiusaantunut
squirrel /skwərəl/ s orava
squirrel away v hamstrata
squirt /skwərt/ s ruiskaus, ruiskautus
v ruiskaista, ruiskauttaa, ruiskuta
Sri Lanka /,ʃri'laŋkə/
Sri Lankan s, adj srilankalainen

SSB single sideband
SSE south-southeast
SSN social security number sosiaaliturvatunnus
SSR Soviet Socialist Republic sosialistinen neuvostotasavalta, SNT
SSW south-southwest
st. street katu
St. Saint
stab /stæb/ s **1** pisto; työntö, sohaisu **2** yritys
v **1** puhkaista, pistää **2** puukottaa **3** työntää, sohaista
stability /stə'bɪləti/ s **1** vakavuus, vankkuus, lujuus **2** (henkinen) tasapaino
stabilization /,steɪbələ'zeɪʃən/ s tukeminen, lujittaminen, vakautus
stab in the back s (kuv) katala temppu
v (kuv) pettää, kohdella katalasti/kavalasti
stable /steɪbəl/ s talli (myös kuv:) ryhmä, joukko, joukkue
adj vankka, luja, vakaa, varma, pysyvä the patient is in stable condition potilaan tila on vakaa
stableford /'steɪbəlfərd/ s (golf) pistebogi, stableford, pistelaskujärjestelmä jossa lasketaan monellako lyönnillä alle tai yli par-luvun pelaaja reiän selvittää
stablize /'steɪbə,laɪz/ v **1** tukea, lujittaa, lujittua **2** vakauttaa, vakautua
stablizer s vakain horizontal stabilizer (lentokoneen) korkeusvakain
staccato /stə'katoʊ/ s (mus) staccatoesitys
adj (mus) staccato, katkoen
stack /stæk/ s **1** pino **2** (mon) (kirja- tai muut) hyllyt **3** (mon) (kirjaston) kirjavarasto **4** savupiippu; savupiippuryhmä **5** (tietok) pino **6** to blow your stack (sl) polttaa päreensä, pillastua
v pinota, kasata
stack the deck fr huijata, pettää (esim korttipelissä)
stack up v **1** to stack up well against something (ark) kestää vertailu johonkin **2** (ark) pitää kutinsa, kuulostaa uskottavalta, olla uskottava

stadium /steɪdiəm/ s (mon stadiums, stadia) **1** stadion **2** (kehitys)vaihe
staff /stæf/ s (mon staffs) **1** henkilökunta, henkilöstö, työntekijät teaching staff opettajat **2** (sot) esikunta
v palkata, nimittää, ottaa työhön
adj **1** (sot) esikunta- **2** vakinainen
staff /stæf/ s (mon staves) **1** sauva, (kävely- tai muu) keppi, tanko **2** valtikka **3** lipputanko **4** nuottiviivasto
staffer s työntekijä
stag /stæg/ s **1** uroshirvi **2** uros **3** (juhlissa) mies ilman naisseuralaista **4** (ark) miesten kemut
v (ark) (miehestä) mennä juhliin ilman naisseuralaista
adj vain miehille tarkoitettu, miesten
adv ilman naisseuralaista
stage /steɪdʒ/ s **1** vaihe, porras by easy stages vähitellen, rauhallisesti, kaikessa rauhassa, kiireettömästi **2** puhujakoroke, puhujalava, esiintymislava **3** (teatterin) näyttämö to be on stage (näyttelijästä yms) esiintyä parhaillaan to go on the stage ruveta näyttelijäksi, siirtyä teatterialalle to hold the stage jatkaa (näytelmän yms) esittämistä, pitää ohjelmistossa; olla huomion keskipisteenä **4** the stage teatteri **5** (elok) studio **6** (hevosten vetämät) postivaunut **7** (raketin) vaihe
stagecoach s (hevosten vetämät) postivaunut
stage fright s ramppikuume
stagger /stægər/ s **1** huojunta, horjunta, hoippuva kävely **2** porrastus, porrasteinen järjestys
v **1** hoippua, horjua, huojua, kävellä hoippuen **2** empiä, horjua **3** hämmästyttää, ällistyttää, järkyttää **4** porrastaa
staggering adj hämmästyttävä, ällistyttävä, järkyttävä
stagnant /stægnənt/ adj pysähtynyt, seisahtunut, hidastunut
stagnation /stæg'neɪʃən/ s **1** pysähtyminen, seisahtuminen, hidastuminen **2** (tal) pysähdystila, stagnaatio
stag party s **1** miesten kemut **2** (sulhasen) polttarit
staid /steɪd/ adj vakava, totinen, tosikkomainen, tasainen, tyyni
staidly adv vakavasti, totisesti, tasaisesti, tyynesti
stain /steɪn/ s **1** tahra (myös kuv) **2** väri(aine)
v **1** tahria, tahrata (myös kuv) **2** värjätä
stainless adj **1** ruostumaton stainless steel ruostumaton teräs **2** moitteeton, tahraton
stair /ster/ s **1** porras, askelma **2** (mon) portaat
staircase /'ster,keɪs/ s portaikko, portaat
stairhead /'ster,hed/ s portaiden ylätasanne
stairstep /'ster,step/ s **1** porras, askelma **2** (mon) portaat, portaikko
v olla portaittain jossakin
stairway /'ster,weɪ/ s portaikko, portaat
stairwell /'ster,wel/ s porraskuilu
stake /steɪk/ s **1** keppi, tappi, seiväs, merkkipaalu to pull up stakes (ark kuv) pakata laukkunsa, lähteä, muuttaa **2** polttorovio **3** (vedonlyönnin) panos; osuus to be at stake olla vaakalaudalla/pelissä what's your stake in this? paljonko sinä olet pannut peliin?; (kuv) mikä osuus sinulla on tässä? **4** (mon) palkinto, potti (ark)
v **1** rajata, merkitä (paaluilla) **2** sitoa (eläin) **3** panna peliin/likoon, panna alttiiksi, riskeerata
stake off v **1** rajata, merkitä (paaluilla) **2** varata/vaatia itselleen
stakeout /'steɪk,aʊt/ s **1** (poliisin toimeenpanema) väijytys, varjostus, (salainen) valvonta **2** väijytyspaikka, piilo
stake out v **1** (poliisi) väijyä, pitää (salaa) silmällä, varjostaa **2** varata/vaatia itselleen **3** rajata, merkitä (paaluilla)
stalactite /stə'læk,taɪt/ s stalaktiitti, (luolan kattoon kiinnittynyt) tippukivipuikko
stalagmite /stə'læg,maɪt/ s stalagmiitti, (luolan pohjasta kohoava) tippukivipylväs

stale /steɪəl/ adj **1** (ruoka) vanha, kuivunut, (juoma) väljähtynyt, (ilma) ummehtunut **2** (kuv) väljähtynyt, kulunut, väsynyt, kyllästynyt
stalemate /'steɪəl,meɪt/ s **1** (sakissa) patti **2** (kuv) umpikuja
v (kuv) saattaa/joutua/ajautua umpikujaan
Stalinism /'staləˌnɪzəm/ s stalinismi
Stalinist /stalənɪst/ s stalinisti
adj stalinistinen, stalinisti-
stalk /stak/ s **1** (kasvin) korsi, varsi, (lehden) ruoti **2** varsi, tuki **3** väijytys
v **1** väijyä, vaania (myös kuv) **2** hiipiä **3** (kävelystä) marssia (esim tiehensä)
stalk vegetables s (mon) varsivihannekset
stall /staəl/ s **1** pilttuu **2** talli **3** koju, kioski, pieni myymälä shower stall suihkukaappi **4** (lentokoneen) sakkaus **5** (moottorin) sammuminen
v **1** panna pilttuuseen/talliin **2** (lentokoneesta) sakata, saada (vahingossa lentokone) sakkaamaan **3** (moottorista) sammua, sammuttaa (vahingossa moottori) **4** hidastaa, hidastua, jarruttaa, seisauttaa, seisahtua, keskeyttää, keskeytyä **5** viivytellä, vitkastella, pelata aikaa **6** juuttua, saada juuttumaan
stallion /stæljən/ s ori
stamina /stæmɪnə/ s voima, kestokyky, sietokyky
stammer /stæmər/ s änkytys
v änkyttää
stamp /stæmp/ s **1** postimerkki **2** leima **3** (kuv) jälki to leave your stamp somewhere jättää jälkensä johonkin **4** ruokakuponki (ks food stamp)
v **1** tallata; polkea maata; polkea sammuksiin; polkea (kiukuspäissään) jalkaansa **2** marssia (kiukuspäissään tiehensä) **3** kukistaa, tukahduttaa **4** leimata **5** varustaa postimerkillä, liimata postimerkki (kirjeeseen tms) **6** paljastaa, osoittaa joku joksikin
stamp collector s postimerkkeilijä
stampede /stæm'pid/ s **1** (vauhkoontuneen karjan, pillastuneiden hevosten) pako **2** hillitön rytäkkä, myllerrys, sekasorto **3** rodeo- ja markkinatilaisuus
v **1** (karja, hevoset) paeta vauhkoontuneena **2** rynnätä, tulvia, syöksyä päätä pahkaa jonnekin
stance /stæns/ s **1** asento **2** (kuv) suhtautuminen, asenne **3** (golf) stanssi, jalkojen asento pelaajan tähdätessä palloon open stance avoin stanssi, asento jossa oikeakätinen pelaaja tähtää kohteesta vasemmalle closed stance suljettu stanssi, asento jossa oikeakätinen pelaaja tähtää kohteesta oikealle straight stance suora stanssi, asento jossa pelaajan jalkaterät ovat poikittain pallon suunniteltuun lentorataan nähden
stand /stænd/ s **1** pysähdys, seisahdus **2** kanta, asenne **3** vastarinta; taistelu **4** paikka **5** puhujakoroke, (oikeudessa) todistajan aitio to take the stand todistaa oikeudessa **6** (mon) katsomo **7** teline, jalusta, alusta **8** (pieni) pöytä **9** (myynti)koju, lehtikioski
v stood, stood **1** seisoa **2** nousta seisomaan **3** asettaa, panna (johonkin) he stood the vase on the table hän pani maljakon pöydälle **4** pysähtyä **5** kestää, sietää, kärsiä his business dealings do not stand closer scrutiny hänen liiketoimensa eivät kestä lähempää tarkastelua I can't stand him en voi sietää häntä **6** olla tietyn pituinen she stands five feet four hän on 160 cm:n mittainen **7** olla jotakin mieltä: where do you stand on this issue? mikä on kantasi tässä kysymyksessä? **8** olla voimassa the ruling stands päätös on edelleen voimassa **9** mahdollisuudesta: she stands to lose/gain a lot by keeping quiet hänelle on suurta vahinkoa/paljon hyötyä siitä jos hän pysyy hiljaa
stand a chance fr olla mahdollisuus/mahdollisuuksia Senator Kennedy does not stand a chance in the election senaattori Kennedyllä ei ole vaaleissa (minkäänlaisia) mahdollisuuksia
stand-alone s (tietok) itsenäinen laite
adj itsenäinen
standard /stændərd/ s **1** mittapuu, mitta, normi **2** taso **3** (tuotteen) tavallinen malli, vakiomalli **4** lippu **5** ikivihreä (laulu, kappale) **6** (tal) kanta: the gold

standard kultakanta
adj **1** normi- **2** vakiintunut, yleisesti hyväksytty **3** yleinen, tavallinen, vakio-, (kieli) yleis-
standard-bearer s lipunkantaja (myös kuv:) edelläkävijä, esitaistelija, tienraivaaja
standardize /'stændər,daɪz/ v vakioida, normittaa, standardoida
standard of living s elintaso
standard operating procedure s normaalimenettely
stand behind v tukea jotakuta, luottaa johonkuhun/johonkin
standby /'stænd,baɪ/ s (mon standbys) **1** uskollinen kannattaja **2** varapelaaja, varakone yms hätävara **3** standby-matkustaja **4** to be on standby olla valmiina
stand by v **1** tukea, auttaa jotakuta **2** pitää kiinni (mielipiteestään), ei antaa periksi **3** olla valmiina (myös nousemaan lentokoneeseen standby-matkustajana), pysytellä puhelimessa
stand by your guns fr pitää pintansa, pysyä lujana, ei antaa periksi, ei perääntyä
stand down v **1** luopua (kilpailusta), luovuttaa **2** erota, erottaa, poistaa käytöstä
standee /stæn'di/ s seisova matkustaja/katsoja
stand for v **1** tarkoittaa what does "IRS" stand for? mistä IRS on lyhenne? **2** kannattaa, puoltaa **3** (ark) sietää, kestää
stand-in s sijaisnäyttelijä, sijainen
stand in awe of fr kunnioittaa, pelätä jotakuta
stand in for v toimia jonkun sijaisena, tuurata (ark) jotakuta
standing s **1** asema **2** korkea/ylhäinen asema **3** kestosta: of long standing pitkäaikainen **4** seisominen
adj **1** seisova, pysty-, jalka- **2** (hyppy) vauhditon **3** pysähtynyt, seisahtunut **4** jatkuva, pysyvä
standing committee s pysyvä toimikunta/valiokunta
stand in good stead the extra money will stand you in good stead on your trip ylimääräisestä rahasta on sinulle matkallasi paljon apua
stand in with v **1** olla salaliitossa jonkun kanssa, vehkeillä/juonitella yhdessä jonkun kanssa **2** olla lähiväleissä/hyvissä väleissä jonkun kanssa
stand off v **1** pysytellä loitolla **2** lykätä, siirtää myöhemmäksi
standoff /'stæn,daf/ s (urh) tasapeli
standoffish /,stæn'dafɪʃ/ adj etäinen, viileä, koppava
standoffishly adv etäisesti, viileästi, koppavasti
stand on v **1** vaatia **2** perustua johonkin, olla jonkin varassa
stand on ceremony fr pitää kiinni hyvistä/hienoista tavoista
stand out v **1** työntyä esiin, sojottaa, törröttää, ulota **2** pistää silmään, erottua hyvin, työntyä näkyviin **3** pitää pintansa, ei antaa periksi
standout /'stænd,aʊt/ s joku joka on (aivan) omaa luokkaansa, virtuoosi
stand over v **1** valvoa, pitää silmällä **2** lykätä, siirtää myöhemmäksi
stand pat fr pysyä kannassaan, ei taipua, ei muuttaa mieltään, pitää kiinni jostakin
standstill /'stænd,stɪl/ s pysähdys, seisahdus
stand still for fr (kielteisenä) ei sietää jotakin, ei suvaita jotakin
stand to v **1** pysyä kannassaan, ei perua jotakin, pitää kiinni jostakin **2** jatkaa (sinnikkäästi) **3** olla valmiina
stand to a treat to stand someone to a treat tarjota jollekulle jotakin (syötävää/juotavaa)
stand to reason fr olla selvää, kuulostaa järkevältä, käydä järkeen, jossakin on järkeä
stand up v **1** nousta seisomaan **2** kestää, pitää pintansa **3** (sl) antaa rukkaset, jättää saapumatta tapaamiseen
stand up for v **1** puolustaa **2** olla avustajana jonkun häissä

stand your ground fr pitää pintansa, ei antaa periksi
stank /stæŋk/ ks stink
stanza /stænzəl/ s (mon stanzas) (runon) säkeistö
staple /steɪpəl/ s **1** sinkilä **2** päätuote, tärkein myyntitavara **3** peruselintarvike **4** (kuv) vakiotavara, pääasiallinen sisältö
v nitoa
adj pääasiallinen, tärkein, pää-, perus-
stapler /steɪplər/ s (laite) nitoja
star /star/ s tähti (myös kuv) to make someone see stars (kuv) saada joku näkemään tähtiä, iskeä joku tajuttomaksi to thank your lucky stars (saada) kiittää onneaan
v tähdittää, esiintyä (tähtenä) elokuvassa, näytelmässä yms
starboard /starbərd/ s tyyrpuuri, (laivan, lentokoneen) oikea puoli
starch /startʃ/ s **1** tärkkelys **2** (mon) tärkkelysruuat; ruuat joissa on runsaasti hiilihydraatteja **3** (kovitusaineena) tärkki **4** (kuv) jäykkyys, virallisuus
v tärkätä
starchy adj **1** tärkkelys- **2** tärkkelyspitoinen **3** tärkätty **4** (kuv) jäykkä, virallinen
stardom /stardəm/ s (filmi- tms) tähden asema
stardust /'star,dʌst/ s (kuv) (romanttinen) lumous, hohto
stare /steər/ s tuijotus, töllötys
v **1** tuijottaa, töllöttää, katsoa (herkeämättä) **2** pistää silmään **3** to stare you in the face olla (kuv) vääjämättä edessä, olla (uhkaavan) lähellä
stare down v mulkoilla jotakuta vihamielisesti, yrittää katseellaan saada joku tekemään/tuntemaan jotakin
stark /stark/ adj räikeä, silmiinpistävä, paljas, alaston, karu
adv täysin, aivan
starkly adv ks stark
starling /starliŋ/ s kottarainen
starry adj **1** (taivas) jolla on paljon tähtiä, tähtikirkas **2** (kuv) säkenöivä
START Strategic Arms Reduction Talks
start /start/ s **1** alku, lähtö (tapahtuma tai paikka) **2** säpsähdys **3** etumatka
v **1** lähteä, aloittaa, alkaa **2** käynnistää (moottori) **3** säpsähtää, vavahtaa **4** auttaa alkuun
starter s **1** aloittelija **2** (kilpailun) osanottaja **3** (kilpailussa) lähettäjä **4** (moottorin) käynnistin **5** for starters (ark) aluksi, alkajaisiksi; ensinnäkin, ensinnäkään
startle /startəl/ v **1** säikäyttää, pelästyttää I was startled to learn that hämmästyin kun sain kuulla että **2** säpsähtää
startling /startliŋ/ adj hämmästyttävä, yllättävä
start-up /'start,ʌp/ s **1** käynnistäminen, aloittaminen **2** uusi/nuori yritys
starve /starv/ v **1** kuolla nälkään **2** nähdä nälkää, näännyttää nälkään **3** kaivata kovasti jotakin (for)
state /steɪt/ s **1** tila **2** asema **3** tyylikkyys, arvokkuus **4** valtio **5** osavaltio **6** the States (ark) Yhdysvallat **7** State Yhdysvaltain ulkoministeriö **8** to lie in state (ruumiista) olla nähtävänä
v esittää, sanoa, todeta
adj **1** valtion **2** osavaltion **3** juhla-
Star Wars /'star,worz/ s (Yhdysvaltain avaruusaseiden tutkimusohjelma) tähtien sota (virallisesti Strategic Defense Initiative)
State Department s (Yhdysvaltain) ulkoministeriö
statehood /'steɪt,hud/ s osavaltion asema
stateliness s komeus, mahtavuus, loisto, juhlallisuus
stately adj komea, ylväs, vaikuttava, mahtava, juhlallinen
statement /steɪtmənt/ s **1** kannanotto, toteamus, lausunto, julkilausuma, väite **2** vaikutelma: driving a Rolls definitely makes a statement Rollsilla ajaminen puhuu selvää kieltä **3** (pankissa) tiliote
state of war s sotatila
state police s osavaltion poliisi
state prison s osavaltion vankila
state religion s valtionuskonto

stateroom /'steɪt,rum/ s (laivassa) yhden hengen hytti, (junassa) yhden hengen (makuuvaunu)osasto
stateside /'steɪt,saɪd/ adj Manner-Yhdysvaltain
adv Manner-Yhdysvalloissa
statesman /steɪtsmən/ s (mon statesmen) valtiomies
statesmanship /'steɪtsmən,ʃɪp/ s valtiotaito
state trooper s osavaltion liikkuva poliisi
statewide /'steɪt,waɪd/ adj koko osavaltion laajuinen/käsittävä
adv koko/kaikkialla osavaltiossa
static /stætɪk/ s **1** hankaussähkö, kitkasähkö **2** (radion) ilmastohäiriöt **3** (ark kuv) vaikeus, hankaluus don't give me any static about it älä hangoittele vastaan, älä urputa (sl)
adj **1** liikkumaton, muuttumaton, pysyvä; paikallaan polkeva **2** (sähkö, fys) staattinen
statics /stætɪks/ s (verbi yksikössä) statiikka
station /steɪʃən/ s **1** sijainti, paikka, asema **2** asema fire station paloasema gas station huoltoasema radio station radioasema
v sijoittaa joku jonnekin (asemapaikkaan)
stationary /'steɪʃə,neri/ adj liikkumaton, paikallaan pysyvä; vakaa, sama
stationary bicycle s kuntopyörä
station break s **1** (radio- tai televisioaseman) tunnus; katko tunnuksen lähettämiseksi **2** mainoskatko
station-to-station station-to-station call käsivälitteinen puhelu (josta laskutetaan jos halutusta numerosta vastataan) (vrt person-to-person)
station wagon s farmariauto
statistic /stə'tɪstɪk/ s tilastotieto
statistical adj tilastollinen
statistically adv tilastollisesti
statistician /,stætɪs'tɪʃən/ s tilastotieteilijä
statistics s **1** (verbi yksikössä) tilastotiede **2** (verbi mon) tilasto

statue /stætʃu/ s patsas, veistos
Statue of Liberty s Vapauden patsas
statuette /,stætʃʊ'et/ s pienoisveistos
stature /stætʃər/ s **1** pituus, korkeus **2** asema
status /stætəs/ s **1** asema social status yhteiskunnallinen asema **2** tila
status quo /,stætəs'kwoʊ/ s vallitseva tila, nykytila, status quo
status symbol s statussymboli
statute /stætʃut/ s säännös, säädös, laki
statute mile s maili (1609 m)
statutory /'stætʃə,tɔri/ adj laillinen, lain mukainen
statutory rape s (lak) rakastelu alaikäisen kanssa
staunch /stantʃ/ adj uskollinen, luja, vannoutunut
stave /steɪv/ s **1** (tynnyrin) kimpi **2** (tikkaiden) puola **3** (mus) nuottiviivasto **4** (runon, laulun) säkeistö **5** sauva, keppi, tanko
v staved/stove, staved/stove: puhkaista, puhjeta
stave off v torjua, ehkäistä, estää
stay /steɪ/ s **1** pysähdys, seisahdus **2** oleskelu during her stay in Bolivia hänen Boliviassa ollessaan **3** (tuomion) lykkäys **4** tuki, vahvike, kovike **5** (purjelaivassa) harus
v **1** jäädä to stay in bed jäädä vuoteeseen, pysyä vuoteessa the weather stayed warm sää jatkui lämpimänä, sää pysyi lämpimänä **2** asua, oleskella, viettää (aikaa) we stayed at a cheap motel yövyimme halvassa motellissa **3** pysähtyä, pysäyttää, lakata, lopettaa **4** tukea (myös kuv), vahvistaa (myös kuv) **5** (mer) harustaa, tukea haruksilla
stay-at-home /'steɪət,hoʊm/ s kotikissa (kuv)
adj kotiinsa kiintynyt, omiin olohinsa kiintynyt, koti-
stay on top fr pysyä kärjessä, säilyttää johtoasema
stay put fr pysyä aloillaan, ei liikkua
std. standard

steadfast /ˈsted,fæst/ adj järkkymätön, luja, vakaa
steadfastly adv järkkymättömästi, lujasti, vakaasti
steadily adv ks steady
steady /stedi/ s (ark) vakinainen mies/naisystävä, tyttö/poikaystävä
v tukea, lujittaa, lujittua, rauhoittaa, rauhoittua, vakauttaa, vakautua
adj **1** vankka, vakaa, luja **2** tasainen, säännöllinen, vakaa, luotettava **3** to go steady (ark) seurustella vakinaisesti
steady-handed adj (kuv) rauhallinen, vakaa, luotettava, tasainen
steak /steɪk/ s pihvi, (kalasta) filee
steakhouse /ˈsteɪk,haus/ s pihviravintola
steal /stiəl/ s (ark) erittäin halpa (kauppa)tavara: at fifty dollars, this easy chair is a steal 50 dollaria on pilkkahinta tästä nojatuolista
v stole, stolen **1** varastaa, viedä joltakulta jotakin **2** hiipiä, viedä salaa
stealing s **1** varastaminen, varkaus **2** (mon) varastetut tavarat
steal someone's thunder fr viedä tuuli jonkun purjeista, varastaa jonkun idea
steal the show fr jättää toiset varjoonsa
steam /stim/ s höyry to blow off steam päästä ilmoille liikoja höyryjä, purkaa kiukkuaan
v **1** höyrytä, höyryttää **2** (ark) suuttua; raivota
steam bath s höyrykylpy
steamboat /ˈstim,bout/ s höyrylaiva
steam engine s höyrykone
steamer s höyrylaiva
v matkustaa höyrylaivalla
steam hammer s höyryvasara
steam locomotive s höyryveturi
steamroller /ˈstim,rolər/ s höyryjyrä
v **1** jyrätä (höyryjyrällä) **2** (kuv) jyrätä alleen the president steamrolled the bill through Congress presidentti hyväksytti lakiehdotuksen kongressilla puoliväkisin
steamship /ˈstim,ʃɪp/ s höyrylaiva
steam turbine s höyryturbiini

steamy adj **1** höyryinen, kostea, höyrystynyt **2** (ark) eroottinen
steel /stiəl/ s teräs
v: to steel yourself to/against something valmistautua johonkin, terästäytyä kohtaamaan jokin
steel gray s teräksenharmaa
steelworks /ˈstiəl,wərks/ s (verbi yksikössä tai mon) terästehdas
steely adj **1** teräksinen, teräs- **2** teräksenharmaa **3** teräksenkova (myös kuv)
steelyard /ˈstiəl,jaərd/ s siirtopainovaaka
steep /stip/ adj **1** jyrkkä **2** (ark) kallis
v liottaa, liota; hauduttaa, hautua
steeped in to be steeped in something olla yltä päältä jonkin peitossa, olla uppoutunut johonkin, olla täynnä jotakin, olla jonkin verhoama
steeple /stipəl/ s (esim kirkon) torni
steeplechase /ˈstipəl,tʃeɪs/ s esteratsastus(kilpailu); estejuoksu(kilpailu) (maastossa)
v harrastaa esteratsastusta/estejuoksua, osallistua esteratsastuskilpailuun/estejuoksukilpailuun
steeply adv jyrkästi
steer /stɪər/ s nuori härkä
v ohjata (myös kuv) she steered the car to the right hän ohjasi auton oikealle
steer clear of fr pysytellä kaukana jostakin, välttää
steering wheel s ohjauspyörä
stem /stem/ s **1** (kasvin) varsi, (puun) runko, (lehden) ruoti, (erilaisten esineiden) varsi, kaula, ruoti **2** sanan vartalo **3** (sukupuun) päähaara **4** (hiihdossa) aura, auraus
v **1** irrottaa ruodit **2** olla peräisin jostakin (from) **3** padota; tukkia **4** pysäyttää, lopettaa, tyrehdyttää **5** (hiihdossa) aurata
stench /stentʃ/ s löyhkä, lemu, paha haju
stencil /stensəl/ s luotta, kaavain, malline, sabloni
v piirtää/kirjoittaa luotalla
stenographer /stəˈnagrəfər/ s pikakirjoittaja

stenographic /ˌstenəˈgræfɪk/ adj pikakirjoitus-
stenography /stəˈnagrəfi/ s pikakirjoitus
step /step/ s **1** askel watch your step! katso mihin astut, ole varovainen **2** jalanjälki **3** tahti, marssi to break step lakata marssimasta tahdissa to be in step marssia tahdissa; (kuv) olla (esim ajan) tasalla to be out of step ei marssia tahdissa; ei olla (esim ajan) tasalla to keep step pysyä (samassa) tahdissa (myös kuv) **4** vaihe, askel (kuv) the government is taking steps to increase exports hallitus on ryhtynyt toimiin viennin lisäämiseksi we're two steps away from disaster me olemme katastrofin partaalla **5** (mus) sävelaskel **6** porras, askelma
v **1** astua **2** porrastaa
step by step fr askel askeleelta, vaihe vaiheelta, vaiheittain, vähitellen
stepdaughter /ˈstepˌdatər/ s tytärpuoli
step down v **1** laskea, vähentää, alentaa **2** erota (työstä), luopua (vallasta)
stepfather /ˈstepfaðər/ s isäpuoli
step in v **1** astua remmiin, tulla jonkun tilalle **2** puuttua johonkin, sekaantua johonkin
step into the breach fr astua remmiin, tulla jonkun tilalle
stepmother /ˈstepˌmʌðər/ s äitipuoli
step on it fr (ark) panna kaasu pohjaan, painaa nasta lautaan; pistää vipinää kinttuihin, pitää kiirettä
step on someone's toes fr (kuv) astua jonkun varpaille, loukata jotakuta
step out v **1** pistäytyä ulkona/ulkopuolella **2** kävellä nopeammin, lisätä vauhtia **3** mennä yhdessä ulos
step out of line fr mennä liian pitkälle, käyttäytyä sopimattomasti
steppe /step/ s aro
stepson /ˈstepˌsʌn/ s poikapuoli
step up v **1** lisätä, kasvattaa **2** nopeuttaa **3** ylentää (korkeampaan asemaan) **4** edistyä, parantua, kehittyä
stereo /ˈsterioʊ/ s (mon stereos) **1** stereoäänentoisto **2** stereot, stereolaitteet
adj stereo-, stereofoninen
stereophonic /ˌsteriəˈfanɪk/ adj stereofoninen, stereo-
stereophony /ˌsteriˈafəni/ s stereofonia
stereotype /ˈsteriəˌtaɪp/ s **1** (kirjapainossa) stereotypia **2** kaavoittunut/kaavamainen/kangistunut käsitys
v **1** (kirjapainossa) stereotypioida **2** esittää/kuvata kaavamaisesti **3** to become stereotyped kangistua kaavoihinsa, vakiintua
stereotypy /ˈsteriəˌtaɪpi/ s **1** (kirjapainossa) stereotypia **2** (psyk) stereotypia
sterile /sterəl/ adj **1** hedelmätön, lisääntymiskyvytön, steriili **2** bakteeriton, (täysin) puhdas, steriili **3** (kuv) hedelmätön
sterilely adv ks sterile
sterility /stəˈrɪləti/ s **1** hedelmättömyys, lisääntymiskyvyttöyys, steriiliys, steriliteetti **2** bakteerittomuus, (täydellinen) puhtaus, steriiliys **3** (kuv) hedelmättömyys
sterilization /ˌsterələˈzeɪʃən/ s sterilointi (ks sterile)
sterilize /ˈsterəˌlaɪz/ v **1** steriloida (ks sterile) **2** (ark) eristää, suojata, varjella joltakin (against)
sterling /stərliŋ/ s **1** Englannin raha, Englannin punta **2** sterlinghopea
adj **1** punta- **2** (hopea) sterling- **3** hopeinen, hopea- **4** erinomainen, loistava, luja, vankka
stern /stərn/ s **1** laivan perä **2** perä, takaosa, takapää
adj ankara, kova, vakava
sternly adv ankarasti, kovasti, vakavasti
sternum /stərnəm/ s (mon sternums, sterna) rintalasta
sternwheeler /ˈstərnˌwilər/ s siipirataslaiva jonka siipiratas on perässä
steroid /sterɔɪd/ s steroidi
stethoscope /ˈsteθəˌskoup/ s stetoskooppi, (lääkärin) kuuntelulaite

stew /stu/ s (ruoka) muhennos
v **1** keittää/kiehua hiljaisella tulella
2 (ark) tuskailla, murehtia
steward /stuwərd/ s **1** taloudenhoitaja
2 tarjoilija; tarjoilun johtaja **3** (lentokoneessa, laivassa) stuertti
stewardess /stuwədəs/ s lentoemäntä, (laivassa) tarjoilija
stew in your own juice fr saada kärsiä omista teoistaan/virheistään, saada omaa lääkettään
stick /stɪk/ s **1** keppi, sauva, tikku, (suklaa)patukka, (katkennut) oksa, (rumpu)palikka, (jääkiekko- ym) maila
2 (kuv) kannustin, houkutin, porkkana
3 (mon ark) syrjäseutu, korpi to live in the sticks elää Jumalan selän takana
4 to get the dirty/short end of the stick (sl) vetää lyhyempi korsi
v tukea kepeillä
stick v stuck, stuck **1** pistää, työntää, sohaista **2** panna, laittaa, pistää **3** tarttua, juuttua, tarrautua the cork has stuck korkki on jäänyt kiinni (pulloon), korkki ei lähde irti **4** (kuv) pitää kiinni jostakin, pitää sanansa/lupauksensa **5** (kuv) jatkaa sinnikkäästi (loppuun asti) **6** (kuv) ei päästä eteenpäin, polkea paikallaan I'm stuck with my work työni ei edisty
stick around v (ark) odottaa, pysytellä lähettyvillä
stick by v (kuv) pitää kiinni jostakin, ei hylätä jotakuta
sticker s tarra
sticker price s ohjehinta
sticking plaster s kiinnelaastari
stick-in-the-mud /'stɪkɪnðə,mʌd/ s vanhanaikainen ihminen, antiikkinen ihminen, homekorva
stick in your craw fr olla piikki jonkun lihassa, ärsyttää, käydä jonkun hermoille
stick in your throat the words stuck in his throat (kuv) sanat takertuivat hänen kurkkuunsa
stick it fr (sl) pidä hyvänäsi!
stick it out fr kestää, jaksaa, pitää pintansa
stick it to fr (sl) kohdella jotakuta kaltoin, käyttää jotakuta hyväkseen
stick it up your ass fr (sl) pidä hyvänäsi, työnnä se perseeseesi, haista paska
stickler /stɪklər/ to be a stickler for something olla tarkka jostakin
stick out v pistää/työntyä/työntää esiin/ulos; pistää silmään, erottua selvästi
stick out like a sore thumb fr pistää silmään
stick to v (kuv) pitää kiinni jostakin, ei hylätä jotakuta
stick together v pitää yhtä, pysyä yhdessä, puhaltaa samaan hiileen
stick to your guns fr pitää pintansa, pysyä lujana, ei antaa periksi, ei perääntyä
stick to your ribs fr (ruuasta) olla täyttävää, viedä nälkä
stick-up s (ark) ryöstö
stick up v (ark) ryöstää
stick up for v puolustaa, tukea jotakuta
stick with v **1** puolustaa, tukea jotakuta **2** ei vaihtaa, käyttää edelleen
3 panna jotakin jonkun vastuulle, antaa jokin jonkin tehtäväksi
sticky fingers s (ark) taipumus varastella
stick your neck out fr puolustaa jotakuta, uskaltautua tekemään jotakin, ottaa riski
stick your nose into fr pistää/työntää nenänsä johonkin (toisten asioihin)
stiff /stɪf/ s (sl) ruumis, kalmo
adj **1** jäykkä, kankea (myös kuv) **2** voimakas, vahva, väkevä, raju **3** kallis
4 tiukka, ankara, kova
adv **1** ks adj **3** to be bored stiff ikävystyä kuoliaaksi
stiffen v jäykistää, jäykistyä, kangistaa, kangistua
stiffly adv jäykästi, kankeasti (myös kuv)
stiff-necked adj **1** jäykkäniskainen
2 (kuv) jääräpäinen, omapäinen, härkäpäinen
stifle /staɪfəl/ v tukahduttaa, kukistaa, vaimentaa, hillitä she stifled a yawn hän

tukahdutti haukotuksensa I could not stifle my curiosity en pystynyt hillitsemään uteliaisuuttani
stigma /stɪgmə/ s (mon stigmata, stigmas) **1** stigma, häpeämerkki **2** (kasvin) luotti
stigmatize /ˈstɪgmə,taɪz/ v leimata joku joksikin (kielteiseksi), stigmatisoida to become stigmatized as a criminal leimautua rikolliseksi
stile /staɪəl/ s portaat (joita pitkin päästään aidan yli)
stiletto /stəˈletou/ s (mon stilettos, stilettoes) stiletti
still /stɪl/ s **1** hiljaisuus in the still of the night yön hiljaisuudessa **2** (elokuvafilmistä valmistettu) yksittäiskuva, valokuva **3** tislauslaite
v **1** vaientaa, vaieta, vaimentaa, saada vaikenemaan, rauhoittaa, rauhoittua try to still the baby yritä saada lapsi rauhoittumaan **2** tyydyttää (halu), tyydyttyä, tyynnyttää, tyyntyä **3** tislata
adj **1** liikkumaton, tyyni **2** hiljainen, äänetön
adv **1** yhä, vielä she's still not ready hän ei ole vieläkään valmis still more (yhä/vielä) lisää/enemmän **2** silti, kuitenkin **3** liikkumatta, paikallaan **4** hiljaa
konj silti, kuitenkin he's weird but she still loves him hän on outo mutta nainen rakastaa häntä silti
still and all fr silti, kuitenkin, kaikesta huolimatta
stillbirth /ˈstɪl,bərθ/ s **1** kuolleen lapsen/eläimen syntyminen/synnytys **2** kuolleena syntynyt lapsi/eläin
stillborn /ˈstɪl,bɔrn/ adj kuolleena syntynyt
still life s (taiteessa) asetelma
stillness s **1** liikkumattomuus, tyyneys **2** hiljaisuus
stillroom /ˈstɪl,rum/ s (keittiöön avautuva) säilytyskomero, säilytyshuone
still water s suvanto
stilt /stɪlt/ s (mon) puujalat
stilted adj (kuv) jäykkä, kankea
stimulant /stɪmjələnt/ s **1** (aine) piriste **2** kannustin, yllyke
stimulate /ˈstɪmjə,leɪt/ v piristää, kiihottaa, virkistää, elvyttää, kannustaa, innostaa
stimulating adj piristävä, kiihottava, virkistävä, elvyttävä, kannustava, innostava
stimulation /ˌstɪmjəˈleɪʃən/ s piristys, kiihotus, virkistys, elvytys, kannustus
stimulative /stɪmjələtɪv/ s piriste adj piristävä, kiihottava, virkistävä, elvyttävä
stimulus /stɪmjələs/ s **1** (fysiologiassa, lääk) ärsyke **2** yllyke, kannustin, kiihoke
sting /stiŋ/ s **1** pisto **2** kirvely **3** (hyönteisen) piikki, (kasvin) poltinkarva kärkevä/piikikäs/pisteliäs/ivallinen huomautus, piikki, katkera kalkki **4** (sl) huijaus, petos
v stung, stung **1** pistää **2** kirvellä **3** (kuv) (kärkevä huomautus) pistää, sattua, (muisto) kirvellä mieltä, harmittaa, kaivella **4** (sl) huijata, pettää
stinger /stiŋər/ s **1** (hyönteisen) piikki, (kasvin) poltinkarva **2** (ark) piikki, piikikäs/kärkevä/ivallinen huomautus
stingily adv kitsaasti, itarasti, nuukasti, niukasti
stinginess s **1** kitsaus, nuukuus **2** niukkuus, vähäisyys, pienuus
stingy /stɪndʒi/ adj **1** kitsas, itara, nuuka **2** niukka, laiha
stink /stiŋk/ s löyhkä, lemu
v stank/stunk, stunk **1** löyhkätä, lemuta, haista **2**
(ark) olla surkea/kehno
stinkaroo s (sl) surkea esitys
stink bomb s hajupommi
stinker s (ark) **1** surkea esitys **2** vaikea/visainen tehtävä **3** paskiainen
stinkeroo /,stiŋkəˈru/ s (sl) surkea esitys
stinking adj **1** löyhkäävä, lemuava, haiseva, pahanhajuinen **2** surkea, kurja
stink out v savustaa ulos (löyhkällä, pahalla hajulla)
stink up v **1** saada löyhkäämään/haisemaan **2** olla surkea/kehno
stint /stɪnt/ s **1** komennus he did a two-year stint in Saudi Arabia hän oli kahden vuoden komennuksella Saudi-

Arabiassa **2** urakka, määrä **3** rajoitus, kitsastelu

v **1** säästää, nuukailla, elää nuukasti, kitsastella **2** supistaa, vähentää

stipulate /'stɪpjə,leɪt/ v vaatia; sopia, määrätä

stipulation /,stɪpjə'leɪʃən/ s vaatimus, ehto, sopimus

stir /stər/ s **1** hämminki the news caused quite a stir in the firm uutinen herätti yrityksessä melkoista kohua **2** (sl) vankila, häkki

v **1** hämmentää, sekoittaa **2** liikuttaa, liikkua, liikauttaa he did not stir a muscle to help me hän ei liikauttanut eväänsäkään auttaakseen minua **3** herättää (tunteita): to stir pity herättää sääliä **4** to stir someone into action kannustaa/saada joku toimimaan

stir-crazy adj (ark) mökkihöperö

stirring adj **1** innostava **2** kiireinen, vauhdikas, vilkas

stirrup /stərəp/ s jalustin

stir up v **1** hämmentää, sekoittaa **2** herättää (tunteita, vastustusta), vauhdittaa (mielikuvitusta) **3** yllyttää, usuttaa johonkin to stir up trouble lietsoa riitaa

stitch /stɪtʃ/ s **1** pisto, tikki **2** (lääk) ommel, tikki **3** pisto (kyljessä) **4** to be in stitches nauraa katketakseen/tikahtuakseen

v **1** ommella **2** koristella

St. John /,seɪnt'dʒan sɪndʒən/

St. Kitts and Nevis /seɪnt,kɪtsən'nevəs/ Saint Kitts ja Nevis

St. Lawrence River /,seɪnt'lɔrəns/ (joki Kanadassa) St. Lawrence

St. Lawrence Seaway St. Lawrencen vesitie (Kanadan Ontariossa)

St. Louis /,seɪnt'luəs/ kaupunki Missourissa

St. Lucia /,seɪntlʊ'siə/ Saint Lucia (Karibianmeressä)

stock /stak/ s **1** varasto (myös kuv) we do not have that model in stock sitä mallia ei ole varastossa **2** (tal) osakkeet; osaketodistus **3** (puun) runko, tukki; kanto **4** kädensija **5** kanta, laji, syntyperä, suku, heimo, alkuperä **6** karja **7** lihaliemi **8** (mon) jalkapuu **9** (rautateillä) liikkuva kalusto, myös rolling stock

v **1** varastoida, panna varastoon, pitää varastossa; täydentää varastoa **2** panna jalkapuuhun

stockade /sta'keɪd/ s **1** paaluaita **2** sotilasvankila

v suojata paaluaidalla

stockbroker /'stak,broʊkər/ s pörssimeklari

stock certificate s osaketodistus

stock exchange s arvopaperipörssi

stockholder /'stak,hoəldər/ s osakas

Stockholm /'stak,hoəlm/ Tukholma

stocking s sukka

stocking cap s pipo

stocking feet in your stocking feet sukkasillaan

stocking stuffer s halpa/pieni joululahja

stock in trade s (kuv) perustaito; perusedellytys

stock market s osakemarkkinat

stockpile /'stak,paɪəl/ s varasto

v varastoida, kerätä, kasata, hamstrata

stockstill /,stak'stɪl/ adj hievahtamaton

adv hievahtamatta

stocky adj tanakka

stockyard /'stak,jaərd/ s (teurastamon) karjapiha, karjatarha

stodgy /stadʒi/ adj **1** raskas, raskassoutuinen **2** tanakka

stoic /stoʊɪk/ s, adj **1** stoalainen (ks stoical) **2** Stoic stoalainen, stoalaisuuden kannattaja

stoical /stoʊɪkəl/ adj **1** tyyni, järkkymätön, rauhallinen, stoalainen **2** Stoical stoalainen

stoically adv tyynesti, järkkymättömästi, rauhallisesti

stoicism /'stoʊə,sɪzəm/ s **1** tyyneys, järkkymättömyys, rauhallisuus, stoalaisuus **2** Stoicism (filosofia) stoalaisuus

stoke /stoʊk/ v kohentaa (tulta)

Stoke on Trent /,stoʊkan'trent/

STOL short take-off and landing

stole /stoəl/ s (hartiavaippa) stoola

v ks steal

stolen ks steal

stomach /stʌmək/ s **1** vatsa, maha **2** mahalaukku **3** (kuv) halu, into v kestää, sietää Tyne couldn't stomach his company Tyne ei voinut sietää hänen seuraansa
stomachache /'stʌmək,eɪk/ s vatsakipu, mahakipu
stone /stoun/ s **1** kivi (aine, kappale) to cast the first stone (kuv) heittää ensimmäinen kivi to leave no stone unturned etsiä kaikkialta, tehdä kaikkensa/parhaansa **2** jalokivi **3** (hedelmän siemen) kivi **4** hautakivi **5** pelinappula
1 kivittää, heitellä jotakuta kivillä **2** kiittää kuoliaaksi **3** kivetä, peittää kivillä
4 poistaa kivet (hedelmästä)
adj kivinen, kivi-
adv täysin
Stone Age s kivikausi
stone-blind /,stoun'blaɪnd/ adj umpisokea
stoned adj (sl) **1** humalassa, kännissä **2** pilvessä, huumeessa
stone-dead /,stoun'ded/ adj kuollut kuin kivi
stone-deaf /,stoun'def/ adj umpikuuro
stone fruit /'stoun,frut/ s (hedelmä) luumarja
Stonehenge /'stoun,hendʒ/ s esihistoriallinen kivipatsaiden ryhmä Englannissa
stone pigeon s houkutuslintu (myös kuv)
stone's throw the place is only a stone's throw from here paikka on vain kivenheiton päässä täältä
stone wall to run into a stone wall jollakulla tulee seinä vastaan, joku ei suostu johonkin
stonewall /'stoun,waəl/ v vältellä, jarruttaa (kuv), estää, viivytellä
stonewalling s välttely, viivyttely, jarruttelu, hidastelu
stoneware /'stoun,weər/ s kivitavara
stonewash /'stoun,waʃ/ v kivipestä (vaatteita)
stonily adv (kuv) ilmeettömästi; kovasti, kylmästi, sydämettömästi
stony adj **1** kivinen (myös hedelmästä) **2** kova (kuin kivi) **3** ilmeetön; kova, kylmä, sydämetön
stony-faced adj ilmeetön, kivikasvoinen
stood /stud/ ks stand
stool /stuəl/ s **1** jakkara to fall between two stools jäädä (empimisen vuoksi) tyhjin käsin **2** houkutuslintu **3** uloste
stoop /stup/ s kumara/kyyry asento v **1** kumartua, kyyristyä **2** olla/käydä kumarassa/kyyryssä **3** alentua tekemään jotakin I won't stoop to apologizing to her en alennu pyytämään häneltä anteeksi
stop /stap/ s **1** pysähdys, pysähtyminen; loppu wait till the bus has come to a full stop odottakaa kunnes linja-auto on pysähtynyt **2** pysäkki **3** (UK) piste full stop piste **4** (valok) aukko f-stop aukko **5** (fonetiikassa) klusiili, umpiäänne **6** (tekn) pysäytin, liukueste **7** (uruissa) äänikerta, rekisteri to pull out all the stops (kuv) tehdä kaikkensa, panna parastaan **8** tulppa, korkki, tappi v **1** pysähtyä, pysäyttää **2** lopettaa, lakata, keskeyttää, keskeytyä **3** estää **4** tukkia, tukkeutua **5** sulkea (korkilla, tulpalla)
stop at v yöpyä jossakin
stop at nothing fr ei kaihtaa keinoja, tehdä kaikkensa
stop by v käväistä, piipahtaa jossakin
stop down v (valok) pienentää (objektiivin) aukkoa, himmentää (objektiivia)
stop in v **1** käväistä, piipahtaa jossakin **2** yöpyä jossakin
stop in your tracks he stopped in his tracks (ark) hän pysähtyi yhtäkkiä; hän säpsähti/säikähti
stoplight /'stap,laɪt/ s **1** (auton ym) jarruvalo **2** liikennevalot
stop off v pysähtyä (matkalla jossakin)
stopover /'stap,ouvər/ s **1** (matkalla) pysähdys **2** (matkalipun haltijan) oikeus pysähtyä matkan varrella
stop over v pysähtyä (matkalla), yöpyä (matkalla)

stoppage /stapədʒ/ s **1** tukos **2** (työn) seisaus
stop sign s (liikennemerkki) pakollinen pysähtyminen
stopwatch /'stap,watʃ/ s sekuntikello, sekundaattori
storage /stɔrədʒ/ s **1** varastointi **2** varasto **3** (tietok) muisti
store /stɔr/ s **1** kauppa, myymälä **2** ruokakauppa **3** varasto, varat there's more trouble in store for you sinulla on edessäsi lisää ongelmia **4** she doesn't lay/set much store by formalities hän ei juuri usko muodollisuuksiin, hän ei pidä muodollisuuksia tärkeinä
v **1** varastoida, panna varastoon; säästää, panna talteen; tallentaa **2** säilyä
storefront /'stɔr,frʌnt/ s **1** kaupan/myymälän katupuoli (jolla näyteikkunat ovat) **2** kauppa, myymälä
storehouse /'stɔr,haus/ s **1** varasto(rakennus) **2** (kuv) aarreaitta
storekeeper /'stɔr,kipər/ s kauppias
storeroom /'stɔr,rum/ s varasto
storewide /,stɔr'waɪd/ adj koko myymälän (laajuinen) we have a storewide sale this week tällä viikolla kaikilla osastoillamme on alennusmyynti
storey s (UK) (rakennuksen) kerros
storied yhdyssanan jälkiosana -kerroksinen five-storied viisikerroksinen
stork /stɔrk/ s **1** kattohaikara **2** (kuv) haikara they are expecting the stork next month heille syntyy lapsi ensi kuussa
storm /stɔrm/ s **1** myrsky (myös kuv) a storm of protest vastalauseiden myrsky/tulva **2** (sot) rynnäkkö
v **1** hyökätä jonnekin rynnäköllä, vallata rynnäköllä **2** (kuv) pomittaa jotakuta jollakin
stormily adv myrskyisästi (myös kuv)
storm in a teacup fr (kuv) myrsky vesilasissa
storm warning s **1** myrskyvaroitus **2** (kuv) vaaran merkki, huono enne, uhkaava ilmestys
stormy adj myrskyisä (myös kuv)
story s **1** kertomus, tarina, juttu, (lehti)kirjoitus short story novelli that's a different story altogether se on kokonaan toinen juttu **2** juoni **3** valhe, sepite **4** (rakennuksen) kerros
storyline /'stɔri,laɪn/ s (kertomuksen) juoni
storyteller s kertoja
storytelling s kerronta
stout /staʊt/ adj **1** pyylevä, paksu, lihava **2** urhea, rohkea, peloton, sinnikäs, sitkeä **3** vahva, väkevä
stout-hearted adj urhea, rohkea, peloton, sinnikäs
stoutly adv ks stout
stove /stoʊv/ s **1** liesi, (kannettava) keitin **2** uuni
v ks stave
stovepipe /'stoʊv,paɪp/ s (lieden) savupiippu
stow /stoʊ/ v **1** lastata, kuormata **2** varastoida, panna jonnekin **3** pakata, ahtaa, sulloa, tunkea (täyteen)
stowaway /'stoʊə,weɪ/ s salamatkustaja, jänis
stow away /,stoʊə'weɪ/ v matkustaa salaa/jäniksenä
straddle /strædəl/ v käydä/istua hajareisin
straight /streɪt/ s **1** suora **2** (ark) hetero; sovinnainen ihminen; joku joka ei käytä huumeita
adj **1** suora **2** (kuv) rehellinen, rehti, avoin, suora, luotettava **3** yhtenäinen, jatkuva, keskeytyksetön we worked for three straight hours teimme työtä kolme tuntia yhteen menoon **4** joka on järjestyksessä, kunnossa to set something straight oikaista jokin asia **5** (ark) hetero-; sovinnainen, perinnäinen, tavallinen; rehellinen; kuivilla, joka ei käytä huumeita to go straight parantaa tapansa, ruveta rehelliseksi to play it straight pelata reilua peliä **5** (ryyppy) laimentamaton, raaka
adv **1** suorassa, suoraan (myös kuv) let's go straight to the point mennään suoraan asiaan sit up straight istu suorassa/selkä suorana **2** rehellisesti, kunniallisesti (ks adj)
straight angle s 90 asteen kulma, suorakulma, oikokulma

straight arrow s (ark) puhdas pulmunen
straightaway /'streɪtə,weɪ/ s suora
straightaway /,streɪtə'weɪ/ adv heti, välittömästi, suoraa päätä
straighten out v **1** saada joku ryhdistäytymään, opettaa joku paremmille/hyville tavoille **2** (kuv) oikaista, selvittää, setviä
straighten up v **1** suoristaa, oikaista **2** (kuv) selvittää, setviä, oikaista
straight face he managed to keep a straight face hän onnistui pitämään naamansa peruslukemilla, hän sai naurunsa/itsensä hillityksi
straightforward /,streɪt'fɔrwərd/ adj **1** suora, sumeilematon, siekailematon **2** rehellinen **3** yksinkertainen, koruton, helppo
straightforwardly adv ks straightforward
straight from the shoulder fr suoraan, siekailematta, sumeilematta, rehellisesti
straightjacket s pakkopaita (myös kuv)
straight-laced adj ankaran siveellinen, sievistelevä
straight off adv heti, suoraa päätä, oikopäätä
straight stance s (golf) suora stanssi, asento jossa pelaajan jalkaterät ovat poikittain pallon suunniteltuun lentorataan nähden
straight up adv (ryypystä) ilman jäitä
strain /streɪn/ s **1** kuormitus, rasitus, jännitys, paine **2** ponnistus, ponnistelu **3** riesa, vaiva, raskas työ **4** (lihaksen, jänteen) rasittuminen, liikarasitus; (lihaksen, jänteen) venähdys **5** piirre, ominaisuus **6** rotu, laji, lajike
v **1** kuormittaa, rasittaa, jännittää, painaa **2** ponnistaa, ponnistella, pinnistää, yrittää kovasti **3** rasittaa liiaksi (lihasta, jännettä), (lihas, jänne myös) venähtää **4** koetella (kärsivällisyyttää, hermoja), venyttää (sanan merkitystä, kielikuvaa)
strain a point fr tehdä poikkeus, katsoa läpi sormien
strained adj väkinäinen, teennäinen, epäaito; kaukaa haettu
strait /streɪt/ s **1** (us mon) salmi **2** (us mon, kuv) tukala tilanne to be in dire straits olla pinteessä
straitjacket /'streɪt,dʒækət/ s pakkopaita (myös kuv)
strait-laced /,streɪt'leɪst/ adj ankaran siveellinen, sievistelevä
Straits of Florida /,streɪtsəv'flɔrɪdə/ (verbi yksikössä) Floridansalmi
strand /strænd/ s **1** ranta **2** säie **3** (hius)kiehkura, suortuva
v **1** (laiva, vene) jäädä rantaan, juuttua matalikolle, ajaa karille whales stranded on a beach rantahiekalle ajautuneet valaat **2** jäädä/joutua pulaan **3** punoa
strange /streɪndʒ/ adj **1** outo, kumma, erikoinen, eriskummallinen **2** vieras, tuntematon
strangely adv oudosti, kummasti, kummallisesti, erikoisesti, eriskummallisesti
strangeness s **1** outous, kummallisuus **2** tuntemattomuus, vieraus
stranger /streɪndʒər/ s vieras/tuntematon ihminen I am no stranger to this city minä tunnen tämän kaupungin hyvin don't be a stranger pidähän yhteyttä, muista tulla käymään, älä leiki vierasta
strange to to be strange to something ei tuntea jotakin, ei hallita jotakin, jokin on jollekulle uutta
strangle /stræŋgəl/ v **1** kuristaa kuoliaaksi **2** (kuv) tukahduttaa, tyrehdyttää, sammuttaa, tehdä loppu jostakin
stranglehold /'stræŋgəl,hɔld/ s (kuv) tukahduttava vaikutus
strangler s kuristaja
strangulate /'stræŋgjʊ,leɪt/ v **1** (lääk) kuristua, kuroutua **2** kuristaa
strangulation /,stræŋgjʊ'leɪʃən/ s **1** (lääk) kuristuma, kuroutuma **2** kuoliaaksi kuristaminen
strap /stræp/ s hihna, lenkki shoulder strap olkahihna
v sitoa kiinni johonkin
strapped the project is strapped for funds hanke potee rahapulaa

strapping adj **1** roteva **2** iso, valtava
strata /strætə/ ks stratum
strategic /strə'tidʒɪk/ adj strateginen
strategical adj strateginen
Strategic Defense Initiative s (ns tähtien sota) amerikkalainen avaruusaseiden tutkimusohjelma
strategist /strætədʒɪst/ s strategi, (sodan)johtaja, suunnittelija
strategy /strætədʒi/ s **1** stategia, sotataito **2** keino, menetelmä, suunnitelma, strategia
stratetigically adv strategisesti
stratosphere /'strætəs,fɪər/ s **1** stratosfääri **2** (kuv) pilvet: prices have risen into the stratosphere hinnat hipovat pilviä
stratospheric /,strætəs'fɪrɪk/ adj **1** stratosfäärin **2** (kuv) suunnattoman/kohtuuttoman korkea/suuri/kallis, pilviä hipova
stratum /strætəm/ s (mon strata, stratums) kerros, kerrostuma
stratus /strætəs/ s (mon strati) sumupilvi
straw /stra/ s **1** olki, oljenkorsi to catch/clutch/grasp at straws (yrittää) tarttua (vaikka) oljenkorteen that was the last straw se oli viimeinen pisara **2** imupilli **3** to draw straws (arpoa) vetää (pitkää) tikkua
strawberry /'stra,beri/ s (puutarha)mansikka
strawberry blond s **1** (tukan väri) jossa on vaaleaa ja punaista **2** mies/poika jolla on tukassa vaaleaa ja punaista
strawberry blonde s **1** (tukan väri) jossa on vaaleaa ja punaista **2** nainen/tyttö jolla on tukassa vaaleaa ja punaista
straw hat s olkihattu
straw man s **1** (oljesta tehty) linnunpelätin, olkiukko **2** pikkutekijä **3** veruke, hämäys, viikunanlehti (kuv)
stray /streɪ/ s kulkukissa, kulkukoira yms
v **1** eksyä, harhailla **2** (kuv) eksyä, poiketa (aiheesta), poiketa (linjasta)
streak /strik/ s **1** viiru, jouva **2** suikale **3** piirre you have a mean streak sinussa on myös pahoja piirteitä **4** (ark) jakso, kausi lately, I've had a streak of bad luck viime aikoina huono onni on vainonnut minua
v viiruttaa, juovittaa, piirtää/värittää juovia johonkin
stream /strim/ s **1** virta, joki, puro Gulf Stream Golfvirta **2** vuoto, virta **3** (valon) säde, (tuulen) hönkäys, puhallus, virtaus (myös kuv:) suuntaus
v **1** virrata; vuotaa **2** paistaa
streambed /'strim,bed/ s joenuoma
streamline /'strim,laɪn/ s virtaviivainen/aerodynaaminen muoto
v **1** muotoilla virtaviivaiseksi **2** (kuv) tehostaa, järkeistää
streamlined adj **1** virtaviivainen, aerodynaaminen **2** (kuv) järkeistetty, tehostettu
stream of consciousness s (psykologiassa, kirjallisuudessa ym) tajunnanvirta
street /strit/ s katu to be out in/on the street olla työtön; olla koditon
streetcar /'strit,kaər/ s **1** raitiovaunu **2** johdin(linja-)auto
street-smart /'strit,smart/ adj (kovia) kokenut (ja siksi taitava pitämään puolensa)
street smarts s (mon) (etenkin slummissa saatu) elämänkokemus (ja siihen perustuva taito pitää puolensa)
streetwise /'strit,waɪz/ adj (kovia) kokenut (ja siksi taitava pitämään puolensa)
strength /streŋθ/ s **1** voima, vahvuus on the strength of something jonkin nojalla/perusteella **2** lukumäärä, vahvuus the U.S. is scaling back its troops in the country from their current strength of 5,000 Yhdysvallat vähentää parhaillaan maahan sijoittamiensa joukkojen vahvuutta nykyisestä 5 000:sta **3** lujuus, kestävyys, vahvuus **4** väkevyys, vahvuus industrial strength teollisuuskäyttöön tarkoitettu vahvuus
strengthen v vahvistaa, voimistaa, lujittaa

strengthless adj voimaton
strenuous /strenjuəs/ adj **1** rasittava, uuvuttava, raskas strenuous exercise raskas liikunta **2** tarmokas, innokas, kärkevä
strenuously adv **1** rasittavasti, uuvuttavasti, raskaasti to exercise strenuously liikkua/harjoitella reippaasti **2** tarmokkaasti, innokkaasti, kärkevästi
stress /stres/ s **1** (henkinen, ruumiillinen) rasitus, (henkinen:) stressi **2** (sanan, lauseen) paino the stress is on the second syllable paino on toisella tavulla **3** (kuv) paino, korostus to lay stress korostaa, painottaa, pitää tärkeänä **4** kuormitus, rasitus
v **1** (ääntäessä ja kuv) korostaa, painottaa **2** rasittaa, kuormittaa
stressful adj rasittava, raskas
stress mark s (ääntämisohjeissa) painon merkki
stretch /stretʃ/ s **1** venytys, venyminen **2** joustavuus, kimmoisuus **3** alueesta, matkasta, ajasta: a stretch of wood metsä for a long stretch pitkän matkaa for a stretch of two weeks kaksi viikkoa, kahden viikon ajan
v **1** venyttää, venyttäytyä, venytellä, kurottaa, kurottautua, suoristaa, suoristautua, ojentaa, ojentua **2** jatkua, ulottua jonnekin the meadow stretches all the way to the brook niitty jatkuu purolle saakka **3** venyttää (esim sanan merkitystä, kielikuvaa), liioitella **4** yrittää saada riittämään, ottaa kaikki irti jostakin **5** jatkaa (juotavaa lisäämällä siihen vettä)
stretch a point fr tehdä poikkeus, katsoa läpi sormien
stretcher s paarit
stretch mark s raskausarpi
stricken /strɪkən/ v ks strike
adj järkyttynyt, joka on poissa tolaltaan grief-stricken surun murtama
strict /strɪkt/ adj ankara, tiukka, vaativa, ehdoton, tarkka, täsmällinen
strictly adv ankarasti, tiukasti, ehdottomasti, tarkasti
strictness s ankaruus, ehdottomuus, tarkkuus, täsmällisyys
stridden ks stride
stride /straɪd/ s harppaus to hit your stride (kuv) päästä vauhtiin to take something in stride kestää jokin hyvin, ei ottaa jotakin liian raskaasti, ei antaa jonkin nousta päähänsä
v strode, stridden: harppoa, kävellä/marssia/nousta pitkin askelin
strife /straɪf/ s **1** riita, kiista **2** selkkaus
strike /straɪk/ s **1** isku, lyönti **2** lakko to be on strike lakkoilla, olla lakossa to go on strike aloittaa lakko, mennä lakkoon **3** to have two strikes against you olla heikot lähtökohdat, olla heikossa asemassa, olla huonot kortit
v struck, struck **1** iskeä, lyödä **2** lakkoilla **3** raapaista (tulitikku) **4** iskeytyä, törmätä, osua johonkin **5** hyökätä **6** juolahtaa mieleen; osua silmään; sattua korvaan **7** vaikuttaa, tuntua he strikes me as slightly mad minusta hän vaikuttaa hieman tärähtäneeltä **8** huomata, löytää to strike oil löytää öljyä/öljylähde **9** tehdä: to strike a deal tehdä kauppa to strike a compromise tehdä sovitteluratkaisu
strikebreaker s lakonrikkoja, rikkuri
strike camp fr **1** purkaa leiri **2** jatkaa matkaa
strike force s **1** (sot) taistelujoukot **2** (poliisin) iskuryhmä
strike from the rolls fr erottaa (jäsen)
strike hands fr lyödä kättä päälle
strike home fr **1** (isku) osua, sattua **2** (kuv) osua arkaan paikkaan, tepsiä
strike in v sanoa kesken kaiken, sanoa väliin, keskeyttää
strike it rich fr rikastua, pistää rahoiksi
strike off v **1** pyyhkiä (nimi) pois/yli, poistaa (listalta) **2** tehdä jotakin nopeasti **3** lähteä, häipyä
strike oil fr **1** löytää öljyä **2** käydä hyvä onni, onni potkaisee jotakuta
strike out v **1** epäonnistua **2** pyyhkiä (nimi) yli/pois, poistaa (listalta)
strike price s (tal) lunastushinta
striker s lakkolainen, lakkoilija

strike up v **1** aloittaa, alkaa to strike up a conversation ruveta keskustelemaan **2** alkaa soittaa/laulaa

striking adj **1** hämmästyttävä, ihmeellinen, silmiinpistävä **2** kaunis **3** lakkoileva **4** (sot) hyökkäys-, isku-

string /strɪŋ/ s **1** naru, (paksu) lanka **2** (esim päähineen) nauha **3** kaulaketju **4** (jousen) jänne **5** (kuv) nauha, jono, sarja **6** (soittimen) kieli **7** (mon) jousisoittimet, jouset **8** (mon) ehdot there are no strings attached to his offer hänen tarjoukseensa ei liity ehtoja **9** to pull strings käyttää hyväksi suhteitaan/vaikutusvaltaansa
v strung, strung **1** panna/järjestää/yhdistää peräkkäin/jonoon, **2** virittää (jousisoitin), panna (soittimeen) kielet, kiinnittää (jouseen) jänne **3** pujottaa (esim helmiä) lankaan

strip /strɪp/ s **1** suikale, kaistale **2** sarjakuva **3** kiitorata; (pieni/väliaikainen) lentokenttä **4** kauppojen tms reunustamasta pääkadusta the Las Vegas Strip
v **1** riisua, riisuutua, (esityksessä myös) stripata, (vuode) avata, kuoria, poistaa, irrottaa, kaapia **2** tyhjentää **3** purkaa **4** pilata (ruuvin) kierteet/jengat (ark), (hammaspyörän) hampaat **5** riistää, varastaa, viedä: he was stripped of all his privileges kaikki hänen etuoikeutensa kumottiin **6** repiä suikaleiksi, leikata kaistaleiksi **7** esittää (tv-ohjelman osat) peräkkäisinä päivinä

stripe /straɪp/ s **1** viiva, viiru, juova, raita **2** (mon) (sotilasasun) (arvonmerkki)nauhat; (ark kuv) kannukset to earn your stripes ansaita kannuksensa **3** suikale, kaistale **4** (kuv) laji, tyyppi, luokka they are of a different stripe he ovat eri maata
v viivoittaa, juovittaa, raidoittaa

striped /straɪpt, straɪpəd/ adj juovikas, raidallinen, viirullinen

striped possum /ˌstraɪpt'pasəm/ s kolmijuovapussisormieläin

strip mining s avolouhinta

stripped-down adj riisuttu, pelkistetty

stripper s strip-teasetanssija, strippari

striptease /ˌstrɪp'tiz/ s strip-tease v pitää strip-tease-esitys, stripata (ark)

stripteaser /ˌstrɪp'tizər/ s strip-teasetanssija, strippari (ark)

stripy /straɪpi/ adj juovikas, raidallinen, viirullinen

strive /straɪv/ v strove, striven: ponnistella, yrittää kovasti, tavoitella jotakin (for), pyrkiä johonkin, taistella jotakin vastaan (against)

stroboscope /'stroubəˌskoup/ s stroboskooppi

strode /stroud/ ks stride

stroke /strouk/ s **1** isku, lyönti (myös urh) stroke of lightning salamanisku **2** (kynän) liike, (siveltimen) veto with a stroke of the pen helposti, hetkessä **3** yritys (for); (onnen)potku a stroke of madness hullu piirre, hulluus **4** (kellon) lyönti on the stroke of ten tasan kymmeneltä **5** (lääk) (aivo)halvaus **6** sively, hyväily **7** (männän) isku; iskunpituus two-stroke engine kaksitahtimoottori **8** uimalaji; (uinnissa, soudussa) veto
v **1** vetää/pyyhkiä yli (esim kynällä) **2** sivellä, silittää, hyväillä **3** (ark) imarrella, hieroa (kuv)

stroll /strɔl/ s (leppoisa) kävely
v kävellä (leppoisasti)

strong /straŋ/ adj **1** (myös kuv) vahva, voimakas, luja **2** (yhdennäköisyys) suuri, (mielipide, toimenpide) voimakas, jyrkkä, (todiste) vakuuttava, (silmät, näkö) hyvä, (juoma, ruoka) vahva, väkevä, (mikroskooppi) tehokas, (verbi) vahva, (tavu) painollinen **4** joukon vahvuudesta: we were twenty strong meitä oli kaksikymmentä
adv vahvasti, voimakkaasti, lujasti to come on strong (sl) olla päällekäypä, hyökkäävä, aggressiivinen

strong-arm /'straŋˌaərm/ v pakottaa (väkivallalla), uhata
adj pakko- they used strong-arm tactics to get the mayor re-elected he käyttivät voimakeinoja saadakseen kaupunginjohtajan valituksi uudelleen

strongbox /'straŋˌbaks/ s kassalaatikko

stronghold /'straŋ,hɔld/ s **1** linnoitus, linnake **2** (kuv) pesäke
strongly adv voimakkaasti, vahvasti, lujasti I stongly recommend that you go suosittelen ehdottomasti että menet sinne
strong-minded /,straŋ'maındəd/ adj voimakastahtoinen, määrätietoinen, omapäinen
strongroom /'straŋ,rum/ s kassaholvi
strong suit s (kuv) vahva puoli
strong-willed /,straŋ'wıld/ adj voimakastahtoinen, määrätietoinen, omapäinen
strove /strouv/ ks strive
struck /strʌk/ ks strike
structural /strʌktʃərəl/ adj rakenteellinen, rakenne-
structurally adv rakenteellisesti, rakenteen kannalta
structural unemployment s rakennetyöttömyys
structure /strʌktʃər/ s **1** rakenne, koostumus, järjestys **2** rakennus
v rakentaa, koostaa, järjestää, jäsentää
structured adj jäsentynyt, järjestelmällinen, selvärakenteinen
structured language s (tietok) rakenteinen (ohjelmointi)kieli
struggle /strʌgəl/ s (myös kuv) kamppailu, taistelu it was a struggle to find this book tämä kirja oli kiven alla struggle for independence itsenäisyystaistelu
v **1** (myös kuv) kamppailla, taistella she struggled to find a better place to work hän yritti kovasti löytää paremman työpaikan **2** tarpoa, kahlata, rämpiä **3** työntää, sulloa, ahtaa, nostaa (vaivoin)
struggle for existence s olemassaolon taistelu, taistelu olemassaolosta
struggling adj joka on vaikeuksissa a struggling new business alkuvaikeuksiensa parissa kamppaileva uusi yritys
strum /strʌm/ s (soittimen) rämpytys
v rämpyttää (soitinta)
strung /strʌŋ/ ks string
strut /strʌt/ s **1** tuki, pönkkä **2** pöyhkeilevä kävely
v **1** tukea, pönkittää **2** kävellä pöyhkeänä
strut your stuff fr komeilla, pöyhkeillä, panna parastaan
stub /stʌb/ s **1** tynkä, pätkä, (tupakan) tumppi **2** (lipun, sekin) kanta **3** (puun) kanto
v iskeä, lyödä (vahingossa), satuttaa
stubble /stʌbəl/ s sänki; parransänki
stubborn /stʌbərn/ adj jääräpäinen, omapäinen, itsepäinen, härkäpäinen; sinnikäs, sitkeä, sisukas; vikuroiva, oikukas
stubbornly adv jääräpäisesti, omapäisesti, itsepäisesti, härkäpäisesti; sinnikkäästi, sitkeästi, sisukkaasti; vikuroiden, oikukkaasti
stubbornness s jääräpäisyys, omapäisyys; sinnikkyys, sitkeys, sisukkuus; vikurointi, oikuttelu
stubby adj lyhyt (ja paksu), tylppä, lyhyenläntä
stub out v sammuttaa, tumpata (savuke)
stuck /stʌk/ ks stick
stud /stʌd/ s **1** kaulusnappi **2** koristenaula **3** (talvirenkaan) nasta **4** siitosori **5** hevostalli **6** (jonkun omistamat kilpatai metsästyshevoset) talli **7** (sl) pukki
v **1** koristella nauloilla **2** nastoittaa (talvirengas) **3** ripotella, sirotella to be studded with something olla täynnä jotakin
studded tire /,stʌdəd'taıər/ s nastarengas
student /studənt/ s **1** (koulussa) oppilas **2** (collegessa, yliopistossa) opiskelija **3** she's a student of human behavior hän tutkii/tarkkailee ihmisten käyttäytymistä
student teacher s opetusharjoittelija, auskultantti
studied /stʌdid/ adj **1** (perusteellisesti) harkittu, mietitty **2** teennäinen, epäaito, keinotekoinen
studio /studiou/ s **1** (taiteilijan) ateljee **2** (elokuva-, radio-, televisio-, äänilevy- ym) studio **3** (asunto) yksiö
studio apartment s yksiö

studio audience s studioyleisö the Cosby Show was taped before a studio audience Bill Cosby Show nauhoitettiin studiossa yleisön läsnäollessa
studious /studiəs/ adj **1** ahkera, uuttera, tunnollinen **2** huolellinen, harkittu, tahallinen **3** opinhaluinen
studiously adv **1** ahkerasti, uutterasti, tunnollisesti **2** huolellisesti, harkiten, harkitusti, tahallaan
study /stʌdi/ s **1** opiskelu, opinnot **2** tutkielma, tutkimus **3** (kuv) tutkielma she is a study in tranquillity hän on itse rauhallisuus **4** oppija: he's a quick study hän on nopea oppimaan, hän oppii nopeasti **5** työhuone, kirjastohuone
v **1** opiskella, (kirjaa) lukea **2** tutkia, tarkastella jotakin, perehtyä johonkin
study hall s **1** (koulussa) läksyjenlukusali **2** läksyjenlukutunti
stuff /stʌf/ s **1** aine, aines, raaka-aine, materiaali; tavara, roina, roska you really have a lot of stuff onpa sinulla tavaraa that's kid stuff se sopii lapsille don't give me that stuff about being tired älä taas rupea sössöttämään että olet väsynyt we've been reading books and stuff olemme lukeneet kirjoja sun muuta; olemme lukeneet kirjoja ja tehneet yhtä ja toista muuta **2** (ark) asia, esitys to know your stuff osata asiansa do your stuff now esitä numerosi nyt **3** (sl) huume
v **1** ahtaa, sulloa, tunkea **2** täyttää **3** (vaaleissa) lisätä sekaan laittomia äänestyslippuja **4** (syömisestä) mässäillä, mässätä
stuffed shirt s (kuv) tärkeilijä, omahyväinen ihminen
stuffily adv **1** pitkäveteisesti, tylsästi, raskassoutuisesti **2** tärkeilevästi, omahyväisesti **3** (ankaran) kunnollisesti, varovaisesti, vanhoillisesti
stuffing s täyte to beat the stuffing out of someone antaa jollekulle selkään
stuffy adj **1** (ilma, haju) ummehtunut, (nenä) tukkoinen **2** pitkäveteinen, tylsä, raskassoutuinen **3** tärkeilevä, omahyväinen **4** (ankaran) kunnollinen, varovainen, vanhoillinen

stumble /stʌmbəl/ s **1** kompastuminen, kompastus **2** (kuv) kömmähdys, kompastus
v **1** kompastua **2** kompuroida **3** (kuv) kompastua, kömmähtää **4** (kuv) törmätä johonkin, löytää/huomata sattumalta
stumbling block s (kuv) kompastuskivi
stump /stʌmp/ s **1** (puun tyvi) kanto **2** tynkä, tumppi, pätkä **3** jalkaproteesi, puujalka (ark) **4** (mon ark) jalat, kintut **5** lyhyenläntä ihminen, tumppi, pätkä **6** to go on the stump ruveta pitämään poliittista puhetta, ruveta puhumaan politiikkaa, lähteä vaalikierrokselle **7** to be up a stump (ark) olla ymmällään/tyrmistynyt jostakin
v **1** typistää, leikata lyhyeksi, pätkiä **2** ontua, kävellä ontuen **3** tyrmistyttää, järkyttää, hämmästyttää
stump speech s poliittinen puhe (erityisesti vaalikampanjan aikana)
stumpy adj lyhyenläntä, lyhyt (ja paksu) a stumpy pen kynänpätkä
stun /stʌn/ v **1** iskeä/tehdä tajuttomaksi; mykistää, vaimentaa **2** tyrmistyttää, järkyttää, mykistää, hämmästyttää
stung /stʌŋ/ ks sting
stun gun s tainnutuspistooli
stunk /stʌŋk/ ks stink
stunning adj **1** tyrmistävä, mykistävä, järkyttävä, hämmästyttävä, ihmeellinen **2** ihastuttava, erittäin kaunis/hieno
stunt /stʌnt/ s **1** este **2** temppu
v **1** estää, ehkäistä, tyrehdyttää, jarruttaa, hidastaa **2** tehdä temppu(ja)
stunted adj (kasvu, kehitys) tyrehtynyt
stunt man s (mon stunt men) (elokuvissa) stuntman, (vaarallisten osien) sijaisnäyttelijä
stunt woman s (mon stunt women) (elokuvissa vaarallisten osien naispuolinen) sijaisnäyttelijä
stupendous /stu'pendəs/ adj **1** ällistyttävä, hämmästyttävä **2** suunnaton, valtava
stupendously adv **1** ällistyttävästi, ällistyttävän **2** suunnattomasti, suunnattoman

stupid /stupəd/ s (ark) typerys, hölmö, idiootti
adj tyhmä, typerä, hölmö
stupidity /stu'pɪdəti/ s **1** (ominaisuus) tyhmyys, typeryys **2** (teko) tyhmyys, hölmöily
stupor /stupər/ s turtumus, horros to be in a drunken stupor olla juopumuksesta tokkurassa/turruksissa
sturdy /stərdi/ adj **1** luja, vankka, kestävä **2** rohkea, urhea
sturgeon /stərdʒən/ s (mon sturgeons, sturgeon) sampi
stutter /stʌtər/ s änkytys
v änkyttää
stw. station wagon
sty /staɪ/ s **1** (siko)lätti (myös kuv) **2** (lääk) (silmäluomessa) näärännäppy
style /staɪəl/ s **1** (taiteessa ym) tyyli **2** tyylikkyys, (hieno) tyyli, muoti the guy has absolutely no style kaverilla ei ole minkäänlaista tyyliä to be in style olla muodissa to go out of style jäädä pois muodista **3** laji, tyyppi **4** titteli; yrityksen tms nimi **5** (kasvin emiön) vartalo
v **1** puhutella joksikin (as) **2** suunnitella, muotoilla
stylish adj tyylikäs, aistikas, hieno
stylishly adv tyylikkäästi, aistikkaasti, hienosti
stylishness s tyylikkyys, aistikkuus
stylist s **1** tyyliniekka **2** suunnittelija, muotoilija
stylistic /staɪ'lɪstɪk/ adj tyylillinen, tyyli-
stylistically adv tyylillisesti
stylistics s (verbi yksikössä) tyylioppi, stilistiikka
stylize /'staɪəˌlaɪz/ v tyylitellä
stylus /staɪləs/ s (mon styli, styluses) **1** (hist) stilus, kirjoituspuikko **2** (taiteilijan) kynä **3** (levysoittimen) neula
suave /swav/ adj sulavakäytöksinen, (käytös) sulava, luonteva
suavely adv sulavasti, luontevasti
suavity /swavəti/ s **1** sulavuus, luontevuus, sulava käytös **2** (mon) huomaavaisuuden osoitukset
sub /sʌb/ s (ark) **1** sukellusvene **2** sijainen **3** alainen **4** pitkä kerrosvoileipä
v toimia jonkun sijaisena, tuurata jotakuta
subatomic /ˌsʌbə'tamɪk/ adj atomia pienempi, subatomaarinen
subbasement /'sʌbˌbeɪsmənt/ s alempi/alin kellarikerros
subclass /'sʌbˌklæs/ s alaluokka, alaryhmä
v luokitella alaryhmään kuuluvaksi
subclassify /ˌsʌb'klæsɪˌfaɪ/ v jakaa alaryhmiin/alaluokkiin
subconscious /sʌb'kanʃəs/ s alitajunta, piilotajunta
adj alitajuinen, piilotajuinen, tiedostamaton
subconsciously adv alitajuisesti, tiedostamattomasti
subconscious mind s alitajunta, piilotajunta
subconsciousness s alitajunta, piilotajunta
subcontinent /ˌsʌb'kantɪnənt/ s manneralue the Indian subcontinent Intian niemimaa
subcultural /ˌsʌb'kəltʃərəl/ adj osakulttuurin, osakulttuuri-
subculture /'sʌbˌkəltʃər/ s osakulttuuri
subcutaneous /ˌsʌbkju'teɪniəs/ adj ihonalainen
subcutaneous tissue s ihonalaiskudos
subdivide /'sʌbdəˌvaɪd/ v **1** jakaa/jakautua pienempiin osiin **2** jakaa/jakautua osiin
subdivision /'sʌbdəˌvɪʒən/ s **1** (osiin) jakaminen, jakautuminen **2** osa **3** (isommasta maa-alueesta kaavoitettu) asuma-alue
subdue /səb'du/ v **1** kukistaa, nujertaa, alistaa valtaansa **2** vaimentaa, tukahduttaa, hiljentää, himmentää
subdued adj **1** (ihminen) hiljainen, vaisu, hillitty **2** himmeä, vaimea, hiljainen, hillitty
subj. subject; subjectively; subjunctive
subject /sʌbdʒəkt/ s **1** kansalainen; (kuningaskunnassa) alamainen **2** (kieliopissa) subjekti **3** aihe, teema what subject are you writing your essay on?

mistä aiheesta kirjoitat aineesi? **4** oppiaine, oppiala, ammattiala, erityisala she studies five subjects hän opiskelee viittä ainetta **5** syy, aihe (for) **6** kohde he has been the subject of many nasty remarks hänestä on esitetty paljon ilkeitä huomautuksia **7** koehenkilö

subjection /səb'dʒekʃən/ s **1** alisteinen asema, riippuvuus **2** alistaminen, kohdistaminen: the subjection of foreigners to bureaucratic harassment ulkomaalaisten kiusaaminen byrokratialla

subjective /səb'dʒektɪv/ adj **1** omakohtainen, subjektiivinen **2** puolueellinen **3** (kieliopissa) subjektiivi-

subjectively adv **1** omakohtaisesti, subjektiivisesti **2** puolueellisesti

subjectivity /ˌsʌbdʒek'tɪvəti/ s **1** omakohtaisuus, subjektiivisuus **2** puolueellisuus

subject matter s (keskustelun, kirjan, tutkimuksen) aihe, aineisto

subject to /səb'dʒekt/ v **1** alistaa (jonkun valtaan/valtaansa) **2** altistaa jollekin, kohdistaa johonkin jotakin, tehdä jollekin jotakin he was subjected to intense questioning häntä kuulusteltiin tiiviisti by refusing to fight back, you're simply subjecting yourself to more criticism sinä saat niskaasi entistä enemmän kielteistä arvostelua koska et suostu puolustautumaan

adj: to be subject to something **1** olla jonkin kohteena, olla alttiina/altis/herkkä jollekin if you break a window, you are subject to a fine jos rikot ikkunan sinua voidaan sakottaa the prices are subject to change oikeus hintojen muutokseen pidätetään, hinnat voivat muuttua she is subject to sudden changes of mood hänen mielialansa ailahtelee helposti **2** olla jonkin alamainen/alaisuudessa **3** riippua jostakin you will get the money subject to the director's approval saat rahat mikäli johtaja suostuu siihen

subjunctive /səb'dʒʌŋktɪv/ s (kieliopissa) konjunktiivi

adj konjunktiivinen, konjunktiivi

sublime /sə'blaɪm/ adj **1** ylevä, jalo **2** ylväs, uljas, komea

sublimely adv **1** ylevästi, jalosti **2** ylväästi, uljaasti, komeasti he is sublimely ignorant of what has happened hän on autuaan tietämätön siitä mitä on sattunut

subliminal /sʌ'blɪmənəl/ adj (psyk) subliminaalinen, (ark) huomaamaton, piilo-

sublimity /sə'blɪməti/ s **1** ylevyys, jalous **2** ylväys, uljaus, komeus

submachine gun /ˌsʌbmə'ʃin/ s konepistooli

submarine /'sʌbməˌrin/ s **1** sukellusvene **2** pitkä kerrosvoileipä

adj **1** merenalainen **2** sukellusvene-

submariner s sukellusveneen miehistön jäsen

submerge /səb'mərdʒ/ v **1** upottaa (veteen), upota, sukeltaa **2** kadota näkyvistä

submerged adj vedenalainen, upponut, tulvan/veden alle jäänyt

submersible /səb'mərsɪbəl/ s sukellusvene

adj veden alla käytettävä, upotettava

submersion /səb'mərʒən/ s sukeltaminen, sukellus, (veteen) upottaminen, tulvan alle jääminen

submission /sʌb'mɪʃən/ s **1** alistuminen, nöyrtyminen, tottelevaisuus **2** (asiapapereiden, anomuksen yms) luovuttaminen, luovutus, sisäänjättö

submissive /səb'mɪsɪv/ adj alistuva, nöyrä, kuuliainen, tottelevainen

submissively adv nöyrästi, tottelevaisesti, kuuliaisesti, kiltisti

submissiveness s alistuvaisuus, nöyryys, kuuliaisuus, tottelevaisuus, kilttiys

submit /səb'mɪt/ v **1** alistua, nöyrtyä, totella, suostua johonkin she submitted herself to ridicule hän suostui pilkattavaksi **2** jättää sisään (asiapapereita, hakemus yms) **3** esittää (suunnitelma, näkemys) **4** ehdottaa, mainita, sanoa I submit that he should not be punished minun mielestäni häntä ei pidä rangaista

subordinate /sə'bɔrdəˌneɪt/ v alistaa

subordinate /sə'bɔrdənət/ s alainen
adj alempiarvoinen, alempi, vähemmän tärkeä, vähäisempi
subordinate clause s (kieliopissa) sivulause
subordinating conjunction s (kieliopissa) alistuskonjunktio
subpoena /sə'pinə/ s (lak) haaste
v (lak) antaa/toimittaa jollekulle haaste
subscribe /səb'skraɪb/ v **1** lahjoittaa, luvata lahjoittaa **2** allekirjoittaa
subscriber s (lehden) tilaaja, (konserteista) sarjalipun haltija, (kaapelitelevision) asiakas/tilaaja, (rahaston) lahjoittaja
subscribe to v **1** tilata (lehti) **2** kannattaa (ajatusta), hyväksyä, uskoa johonkin
subscription /səb'skrɪpʃən/ s **1** lahjoitus **2** (lehden) tilaus, (konserteista) sarjalippu **3** allekirjoitus
subscription rate s (lehden) tilaushinta, tilausmaksu
subscription television s maksullinen kaapeli- tai satelliittitelevisio
subsequent /sʌbsəkwənt/ adj seuraava, myöhempi
subsequently adv seuraavaksi, jonkin jälkeen, myöhemmin, vastaisuudessa, vastedes
subservient /səb'sərviənt/ adj nöyristelevä, liian kuuliainen
subside /səb'saɪd/ v **1** (tulva, joen pinta) laskea, (maa, rakennus) vajota **2** vaieta, lakata, tyyntyä, asettua
subsidence /sʌbsədəns/ s (maan, rakennuksen) vajoaminen
subsidiary /səb'sɪdɪəri/ s tytäryhtiö
adj apu-, lisä-, täydentävä, ylimääräinen
subsidize /'sʌbsəˌdaɪz/ v tukea (maksuilla), subventoida
subsidy /sʌbsədi/ s tukimaksu, tuki, subventio
substance /sʌbstəns/ s **1** aine, materiaali controlled substance huume **2** aihe, sisältö, ydin the substance of our discussion keskustelumme sisältö/aihe his speech lacked substance hänen puheessaan ei ollut ydintä/sisältöä in substance olennaisesti, olennaisilta osin, pääpiirteissään **3** varakkuus he's a man of substance hän on varakas (mies)
substance abuse s aineväärinkäyttö
substandard /ˌsʌb'stændərd/ adj **1** ala-arvoinen, riittämätön **2** (yleiskielen sääntöjen mukaan) virheellinen
substantial /səb'stænʃəl/ adj **1** olennainen, huomattava, merkittävä, tärkeä **2** tukeva, vankka, tanakka, lihaksikas **3** vaikutusvaltainen
substantially adv **1** olennaisesti, huomattavasti, merkittävästi **2** tukevasti, vankasti, tanakasti
substantiate /səb'stænʃiˌeɪt/ v todistaa, tukea, vahvistaa, lujittaa
substantiation /səbˌstænʃi'eɪʃən/ s todisteet, todistelu, tuki, vahvistus
substantival /ˌsʌbstən'taɪvəl/ adj (kieliopissa) substantiivinen, substantiivi-
substantive /sʌbstəntɪv/ s (kieliopissa) substantiivi
substitute /'sʌbstɪˌtut/ s **1** sijainen, varapelaaja, edustaja **2** korvike, vastike, varalaite yms
v **1** vaihtaa joku johonkin, korvata jokin jollakin **2** olla/toimia jonkun sijaisena, tuurata (ark)
substitution /ˌsʌbstɪ'tuʃən/ s korvaaminen, vaihto
subteen /sʌb'tin/ s varhaisnuori
subtenant /'sʌbˌtenənt/ s alivuokralainen
subterranean /ˌsʌbtə'reɪnɪən/ adj maanalainen
subtitle /'sʌbˌtaɪtəl/ s **1** (kirjan) alaotsikko **2** (elokuvan, tv-ohjelman) teksti(tys)
subtle /sʌtəl/ adj **1** hieno, hienoinen, vähäinen, hienovarainen there's a subtle difference niiden välillä on hyvin pieni ero a subtle smile hymyn kare **2** tarkka, tarkkanäköinen, terävä, herkkä
subtlety /sʌtəlti/ s **1** (eron) vähäisyys, pienuus **2** hienovaraisuus, hienotunteisuus **3** tarkkanäköisyys, tarkkuus, terävyys, herkkyys
subtract /səb'trækt/ v vähentää

subtly adv **1** hieman, vähän they are only subtly different niiden välillä on hieno ero **2** tarkasti, terävästi, herkästi

subtraction /səb'trækʃən/ s vähennyslasku, vähentäminen

suburb /sʌbərb/ s esikaupunki, lähiö

suburban /sə'bərbən/ s **1** esikaupunkilainen **2** farmariauto
adj esikaupunki-

suburbanite /sə'bərbə,naɪt/ s esikaupunkilainen

suburbanize /sə'bərbə,naɪz/ v muuttaa esikaupunkimaiseksi/lähiömäiseksi

suburbia /sə'bərbiə/ s **1** esikaupungit, lähiöt **2** esikaupunkilaiset **3** esikaupunkielämä, lähiöelämä

subvention /səb'venʃən/ s tukimaksu, subventio

subversion /səb'vərʒən/ s **1** kumouksellisuus; kumouksellinen toiminta **2** turmelus

subversive /səb'vərsɪv/ s, adj kumouksellinen

subvert /səb,vərt/ v **1** yrittää kaataa (hallitus tms) **2** turmella, horjuttaa

subway /'sʌb,weɪ/ s **1** maanalainen **2** (UK) alikulkukäytävä, alikulkutunneli

subwoofer /sʌb'wufər/ s lisäbassokaiutin, subwoofer

succeed /sək'sid/ v **1** onnistua **2** menestyä **3** seurata, olla jonkun seuraaja: Jimmy Carter succeeded Gerald Ford to the office of President Jimmy Carterista tuli Gerald Fordin jälkeen presidentti

succeeding adj seuraava in succeeding years seuraavina/tulevina vuosina

success /sək'ses/ s menestys to meet with success menestyä

successful adj menestyvä, menestyksekäs to be successful menestyä

successfully adv menestyksekkäästi he successfully competed for the job hän kilpaili työpaikasta onnistuneesti, hän sai työpaikan

succession /sək'seʃən/ s **1** järjestys, sarja, ketju a steady succession of salesmen called on us luonamme kävi myyntimiehiä jatkuvana virtana **2** (virkaan) siirtyminen, (valtaan) nousu

successive /sək'sesɪv/ adj peräkkäinen for five successive weeks viisi viikkoa peräkkäin/yhtäjaksoisesti

successively adv peräkkäin

successor /sək'sesər/ s seuraaja successor to the throne kruununperijä

succinct /sək'siŋkt/ adj ytimekäs, tiivis, lyhyt

succinctly adv ytimekkäästi, tiiviisti, lyhyesti let me put this as succinctly as I can sanon tämän niin lyhyesti kuin osaan

succulent /sʌkjələnt/ s sukkulentti kasvi, mehukasvi, mehikasvi
adj (myös kuv) mehukas, mehevä

succumb to /sə'kʌm/ v langeta, sortua johonkin, antaa periksi jollekin

such /sʌtʃ/ adj, adv sellainen such a man sellainen mies such men sellaiset miehet men such as yourself sinun kaltaisesi miehet such luck! kylläpä onnisti! no such luck älä luulekaan!, ei sinne päinkään! such was his interest that he asked her out hän oli niin kiinnostunut naisesta että pyysi häntä ulos
pron **1** sellainen such is life sellaista on elämä **2** ja muut vastaavat: books, magazines and such kirjat, lehdet ja muut vastaavat **3** as such sinänsä as such, he is no better than anybody else hän ei sinänsä ole muita parempi

such and such fr se ja se, niin ja niin she heard from such and such that he was in town joku kertoi hänelle että mies oli paikkakunnalla

such as /sʌtʃəz ,sʌtʃ'æz/ fr kuten, esimerkiksi in big cities such as Tokyo Tokion kaltaisissa suurkaupungeissa

suck /sʌk/ v imeä

sucker s (ark) **1** helposti narrattava ihminen **2** hullu she's a sucker for pink convertibles hän on hulluna vaaleanpunaisiin avoautoihin

suck face fr (sl) pussata, suukotella (ranskalaisittain)

suck in v (sl) naruttaa, huijata, pettää

suckle /sʌkəl/ v imettää; imeä (rintaa)

suckling /sʌkliŋ/ s imeväinen

suck off v (sl) ottaa suuhun, harjoittaa suuseksiä
suck up to v (sl) hännystellä, mielistellä, makeilla
sucrose /sukrous/ s (tavallinen) sokeri
suction /sʌkʃən/ s imu
suction cup s imukuppi
sudden /sʌdən/ s: all of a sudden yhtäkkiä
adj äkillinen, yhtäkkinen, yllättävä, odottamaton
suddenly adv yhtäkkiä, yllättäen
suddenness s äkillisyys, yllättävyys
suds /sʌdz/ s (mon) **1** saippuavesi **2** vaahto, kuoha, kuohu **3** (sl) olut
sudsy adj vaahtoava, kuohuava
sue /su/ v haastaa oikeuteen, tehdä/nostaa kanne sue for damages vaatia vahingonkorvausta
suede /sweɪd/ s mokkanahka
Suez Canal /su,ezkə'næəl/ Suezin kanava
suffer /sʌfər/ v **1** kärsiä **2** sietää **3** kokea: to suffer change käydä läpi (vaikea) muutos
suffering s kärsimys
suffice /sə'faɪs/ v riittää, olla tarpeeksi suffice it to say that riittää kun todetaan että, todettakoon/sanottakoon vain että
sufficiency /sə'fɪʃənsi/ s **1** riittävyys **2** toimeentulo
sufficient /sə'fɪʃənt/ adj riittävä
sufficiently adv riittävästi, riittävän, tarpeeksi, kylliksi
suffix /sʌfɪks/ s loppuliite, suffiksi v liittää/lisätä loppuun
suffocate /'sʌfə,keɪt/ v (myös kuv) tukehtua, tukahduttaa
suffocating adj tukahduttava (myös kuv)
suffocation /,sʌfə'keɪʃən/ s tukehtuminen (myös kuv)
suffrage /sʌfrədʒ/ s **1** äänioikeus **2** ääni
suffragette /'sʌfrə,dʒet/ s suffragetti, naisten äänioikeuden esitaistelija
sugar /ʃugər/ s **1** sokeri **2** kulta, kultu, kultaseni
v **1** sokeroida **2** (kuv) tehdä makeammaksi/houkuttelevammaksi, parantaa
sugar beet s sokerijuurikas
sugar bowl s sokerikko
sugarcane s sokeriruoko
sugarcoat /'ʃugər,kout/ v **1** päällystää sokerilla **2** (kuv) tehdä makoisaksi/houkuttelevaksi, pehmentää (ikävää asiaa)
sugar-free /,ʃugər'fri/ adj sokeriton
sugarloaf s (mon sugarloaves) sokeritoppa
Sugarloaf Mountain /'ʃugər,louf/ Sokeritoppa (Rio de Janeirossa Brasiliassa)
sugary adj sokerinen, sokeripitoinen, makea, imelä (myös kuv)
suggest /sə'dʒest/ v **1** ehdottaa, suosittaa, esittää may I suggest that you stop blaming others? saanko ehdottaa että lakkaat syyttämästä toisia? **2** vihjata are you suggesting that I should do it? et kai sinä vihjaile että minun pitäisi tehdä se? **3** viitata johonkin, tuoda mieleen, muistuttaa jotakin the evidence suggests that crime is increasing todisteet viittaavat siihen että rikollisuus lisääntyy **4** suggeroida
suggestion /sə'dʒestʃən/ s **1** ehdotus, suositus, esitys **2** vihjaus, vihjailu **3** vivahdus, häivähdys **4** vaikutelma, mielikuva **5** suggestio
suggestive /sə'dʒestɪv/ adj **1** suggestive of something joka ilmentää jotakin, joka kuvastaa jotakin **2** ylimalkainen, summittainen **3** vihjaileva, paljon puhuva, kaksimielinen **4** suggestiivinen
suggestively adv vihjailevasti, paljon puhuvasti
suicidal /,suə'saɪdəl/ adj **1** itsemurhaa ajatteleva, itsemurha- **2** (kuv) uhkarohkea, tyhmänrohkea, hengenvaarallinen, harkitsematon, ajattelematon
suicide /'suə,saɪd/ s **1** itsemurha to commit suicide tehdä itsemurha, tappaa itsensä **2** itsemurhan tekijä **3** (kuv) itsemurha it is political suicide for a candidate to be completely honest vaaliehdokas tekee poliittisen itsemurhan jos hän on täysin rehellinen
suit /sut/ s **1** puku **2** oikeudenkäynti to bring a suit against someone nostaa kanne jotakuta vastaan (korttipelissä)

maa to follow suit (kuv) noudattaa/seurata esimerkkiä **3** sarja, ryhmä, kalusto **4** hotellihuoneisto, sviitti
v **1** sopia jollekulle that dress suits her well tuo leninki pukee häntä/sopii hänelle hyvin **2** sovittaa, mukauttaa
suitability /ˌsutəˈbɪləti/ s sopivuus, soveliaisuus, asiallisuus, soveltuvuus
suitable adj sopiva
suitably adv sopivasti, sopivan
suitcase /ˈsutˌkeɪs/ s matkalaukku to live out of a suitcase olla jatkuvasti tien päällä; asua jossakin väliaikaisesti
suite /swit/ s **1** (yhteen kuuluva) sarja, ryhmä **2** (huonekalusarja) kalusto **3** hotellihuoneisto, sviitti **4** (mus) sarja
suited adj sopiva johonkin (to)
suitor /sutər/ s kosija
sulfur /sʌlfər/ s rikki
sulk /səlk/ s murjotus, mökötys
v murjottaa, jöröttää, mököttää
sulkily adv murjottaen, pahantuulisesti, jurosti
sulky adj murjottava, pahantuulinen, juro
sullen /sʌlən/ adj murjottava, pahantuulinen, juro, totinen, synkkä
sullenly adv murjottaen, pahantuulisesti, jurosti, totisesti, synkästi
sullenness s murjotus, pahantuulisuus, jurous, totisuus, synkkyys
sultan /sʌltən/ s sulttaani
sultanate /sʌltənət/ s sulttaanikunta, sultanaatti
sultry /sʌltri/ adj **1** helteinen, tukala, hiostava **2** intohimoinen, kuumaverinen
sum /sʌm/ s **1** summa, yhteislaskun tulos **2** (raha)summa, kokonaismäärä **3** kokonaisuus; ydin the sum of your convictions sinun kaikki uskomuksesi
sumac /sumæk/ s sumakki
Sumatran rhinoceros /sʊˌmatrənraɪˈnasərəs/ s sumatransarvikuono
sum into v tehdä yhteensä, nousta johonkin summaan
summa cum laude /ˌsuməkumˈlaudeɪ/ fr (todistuksessa arvosanana) korkeimmalla kiitoksella
summarily /səˈmerəli/ adj oikopäätä, suoraa päätä, siekailematta, sumeilematta, varoituksetta
summarize /ˈsʌməˌraɪz/ v tehdä/esittää jostakin yhteenveto/tiivistelmä
summary /sʌməri/ s yhteenveto, tiivistelmä
adj **1** tiivis, ytimekäs, lyhyt **2** siekailematon, kursailematon, suora
summer /sʌmər/ s kesä
v viettää kesä jossakin
summer camp s kesäleiri, kesäsiirtola
summerhouse s kesämökki
summer school s (koulun, yliopiston vapaaehtoinen) kesälukukausi, (yliopistossa myös) kesäyliopisto, (koulussa, pakollinen) ehtolaiskurssi(t)
summer solstice /solstəs/ s kesäpäivänseisaus
summer squash s kesäkurpitsa
summer theater s kesäteatteri
summertime /ˈsʌmərˌtaɪm/ s kesä
summery adj kesäinen, kesä-
summit /sʌmət/ s **1** huippu, laki, latva, pää, kärki **2** (kuv) huippu, huipentuma **3** huipputapaaminen, huippukokous
summit conference s huippukokous
summit meeting s huipputapaaminen, huippukokous
summon /sʌmən/ v **1** kutsua (paikalle), määrätä, käskeä (tehdä jotakin) **2** (lak) antaa/toimittaa jollekulle haaste
summons /sʌmənz/ s (mon summonses) **1** käsky, määräys, kutsu **2** (lak) haaste
v (lak) antaa/toimittaa jollekulle haaste
summon up v (kuv) kerätä kokoon she summoned up all her courage hän keräsi kaiken rohkeutensa
sum total s **1** yhteismäärä, (kokonais)summa **2** kokonaisuus; ydin, olennainen osa
sum up v **1** laskea yhteen **2** tehdä/esittää tiivistelmä/yhteenveto jostakin **3** mittailla katseellaan, muodostaa käsitys/kuva jostakusta
Sun. Sunday
Sunderland /sʌndərlənd/

sun /sʌn/ s aurinko you look like you're not getting enough sun olet sen näköinen ettet saa tarpeeksi aurinkoa it is his place in the sun se on hänen paikkansa auringossa she is the richest woman under the sun hän on maailman rikkain nainen against the sun (merenkulussa) vastapäivään with the sun (merenkulussa) myötäpäivään
v pitää/olla/kuivattaa tms auringossa
sunbaked /ˈsʌn,beɪkt/ adj auringossa kuivattu
sunbath /ˈsʌn,bæθ/ s aurinkokylpy, auringonotto
sunbathe /ˈsʌn,beɪð/ v ottaa aurinkoa, kylpeä auringossa
sunbeam /ˈsʌn,bim/ s auringon säde
Sunbelt /ˈsʌn,belt/ s Yhdysvaltain eteläiset ja lounaiset osavaltiot
sunblock /ˈsʌn,blak/ s voimakkaasti/täydellisesti suojaava aurinkovoide
sunburn /ˈsʌn,bərn/ s auringossa palanut iho(n kohta)
v joku palaa auringossa lying on the beach sunburned him badly hän poltti itsensä pahasti maatessaan aurinkoisella rannalla
sundae /sʌndi/ s (eräs jäätelöannos) sundae
sun dance /ˈsʌn,dæns/ s (Pohjois-Amerikan intiaanien) aurinkotanssi
Sunday /sʌndi, ˈsʌn,deɪ/ s sunnuntai not in a month of Sundays ei miesmuistiin, ei pitkään aikaan
adj sunnuntai-, pyhä-
Sunday clothes s (mon) pyhävaatteet
Sunday driver s osaamaton/epävarma autoilija
Sunday school s pyhäkoulu
Sunday supplement s (sanomalehden) sunnuntailiite
sun deck s aurinkoterassi, (laivassa) aurinkokansi
sundial /ˈsʌn,daɪəl/ s aurinkokello
sundown /ˈsʌn,daʊn/ s auringonlasku
sun-dried /ˈsʌn,draɪd/ adj auringossa kuivattu
sundries /sʌndriz/ s (mon) pikkurihkama, (kaupassa) sekalainen ylijäämätavara
sundry /sʌndri/ all and sundry kaikki, joka iikka (ark)
sunflower /ˈsʌn,flaʊər/ s auringonkukka
sung /sʌŋ/ ks sing
sunglass adj aurinkolasien, aurinkolasi-
sunglasses /ˈsʌn,glæsəs/ s (mon) aurinkolasit
suni /suni/ s suni
sunk /sʌŋk/ ks sink
sunken ks sink
sunlight /ˈsʌn,laɪt/ s auringonvalo
sunlit /ˈsʌn,lɪt/ adj auringon valaisema, aurinkoinen
Sunni /suni/ s sunniitti, sunnalainen
Sunnite /sunaɪt/ s sunniitti, sunnalainen
sunny /sʌni/ adj aurinkoinen (myös kuv:) iloinen, huoleton
sunnyside up adj (ravintolassa kananmunasta) vain toiselta puolelta ja keltuaista särkemättä paistettu
sun protection factor s aurinkosuojakerroin (lyh SPF)
sunray /ˈsʌn,reɪ/ s auringonsäde
sunrise /ˈsʌn,raɪz/ s **1** auringonnousu **2** aamunkoitto, sarastus **3** (kuv) alku, sarastus
adj (teollisuudenalasta, tekniikasta) uusi, nouseva
sunroof /ˈsʌn,ruf rʊf/ s (auton) kattoluukku
sunscreen /ˈsʌn,skrin/ s **1** aurinkovoide **2** aurinkokaihdin
sunset /ˈsʌn,set/ s **1** auringonlasku **2** (kuv) loppu, ilta
adj (teollisuudenalasta, tekniikasta) vanha, perinteinen, väistyvä
sunshine /ˈsʌn,ʃaɪn/ s **1** auringonpaiste **2** (kuv) ilo
sunshine recorder s aurinkoautografi
sunspot /ˈsʌn,spat/ s auringonpilkku
sunstroke /ˈsʌn,stroʊk/ s auringonpistos

suntan /'sʌn,tæn/ s **1** rusketus **2** vaaleanruskea väri
v ruskettaa, ruskettua
suntanned adj ruskettunut, ruskea
sun visor s (autossa) häikäisysuojus
super /supər/ s (ark) **1** talonmies, kiinteistönhoitaja **2** valintamyymälä, supermarket **3** varapelaaja, varamies **4** valvoja
adj (ark) loistava, erinomainen
superb /sə'pərb/ adj loistava, erinomainen
superbly adv loistavasti, erinomaisesti, erittäin, äärimmäisen
supercilious /,supər'sıliəs/ adj koppava, tärkeilevä
superciliously adv koppavasti, tärkeilevästi
superciliousness s koppavuus, tärkeily
supercomputer /,supərkəm'pjutər/ s supertietokone
superconductive /,supərkən'dʌktıv/ adj suprajohtava
superconductivity /,supər,kandʌk'tıvəti/ s suprajohtavuus
superconductor /'supərkən,dʌktər/ s suprajohdin
super-duper /,supər,dupər/ adj (ark) loistava, uskomaton, fantastinen
superego /'supər,igou/ s yliminä, superego
superficial /,supər'fıʃəl/ adj pinnallinen, pintapuolinen, (haava) pinta-, ulkoinen, ulkopuolinen, (mitta) ulko-
superficiality /,supər,fıʃi'æləti/ s pinnallisuus
superficially adv pinnallisesti, pintapuolisesti, ulkoisesti, päällisin puolin
superfluity /,supər'fluəti/ s **1** tarpeettomuus **2** liika (määrä)
superfluous /sə'pərfluəs/ adj ylimääräinen, tarpeeton, liiallinen
superhuman /,supər'hjumən/ adj yli-inhimillinen
superimpose /,supərım'pouz/ v asettaa päällekkäin
superimposition /,supər,ımpə'zıʃən/ s **1** päällekkäin asettaminen **2** (elokuva, tv) päällekkäiskuva
superintend /,supərın'tend/ v valvoa, tarkkailla
superintendent /,supərın'tendənt/ s **1** työnjohtaja, valvoja **2** kiinteistönhoitaja, talonmies **3** poliisimestari
superior /sə'pırıər/ s **1** esimies **2** he is my superior hän on parempi kuin minä
adj **1** (virassa ym.) korkea-arvoisempi, ylempi, vanhempi **2** keskimääräistä/tavallista parempi, suurempi, erinomainen, ensiluokkainen a man of superior intelligence erittäin älykäs mies **3** ylempi, korkeampi Lake Superior Yläjärvi **4** ylimielinen **5** to be superior to temptation voittaa kiusaus, ei langeta kiusaukseen
superiority /sə,pırı'ɔrəti/ s **1** ylemmyys, paremmuus, korkeampi asema (ks superior) **2** lukumääräinen ylivoima, miesylivoima
superiority complex s ylemmyyskompleksi, liiallinen itsetunto
superlative /sə'pərlətıv/ s **1** joku tai jokin paras, loistava, huippu **2** (kieliopissa) superlatiivi, yliaste
adj **1** verraton, loistava, erinomainen, joka on omaa luokkaansa **2** (kieliopissa) superlatiivinen, superlatiivi-
superlatively adv verrattomasti, verrattoman, loistavasti, erinomaisesti, erittäin
superman /'supər,mæn/ s (mon supermen) yli-ihminen Superman Superman, Teräsmies
supermarket /'supər,markət/ s valintamyymälä, supermarket
supernatural /,supər'nætʃərəl/ adj yliluonnollinen
supernova /,supər'nouvə/ s supernova
supersede /,supər'sid/ v korvata, syrjäyttää, tulla/astua jonkin tilalle
supersonic /,supər'sanık/ adj ääntä nopeampi, supersooninen
supersonic transport s ääntä nopeampi matkustajalentokone
superstar /'supər,star/ s supertähti

superstition /ˌsupərˈstɪʃən/ s taikausko
superstitious /ˌsupərˈstɪʃəs/ adj taikauskoinen
superstitiously adv taikauskoisesti
superstitiousness s taikauskoisuus
supervise /ˈsupərˌvaɪz/ v valvoa, seurata, tarkkailla
supervision /ˌsupərˈvɪʒən/ s valvonta, seuranta, tarkkailu
supervisor /ˈsupərˌvaɪzər/ s työnjohtaja, valvoja, tarkkailija
supervisory /ˌsupərˈvaɪzəri/ adj valvova, valvonta-, tarkkaileva, tarkkailu-
supine /səˈpaɪn/ to be in a supine position olla selinmakuulla
supper /ˈsʌpər/ s illallinen the Last Supper viimeinen ehtoollinen
supplement /ˈsʌpləmənt/ s **1** lisäys, täydennys **2** (sanomalehden) liite Sunday supplement sunnuntailiite
supplement /ˈsʌpləˌment/ v täydentää you should eat vegetables to supplement your diet sinun pitää täydentää ruokavaliotasi vihanneksilla
supply /səˈplaɪ/ s **1** (tavaran ym) toimitus, (sähkön yms) saanti **2** (tal) tarjonta **3** (us mon) varasto while supplies last niin kauan kuin tavaraa riittää **4** (mon) tarvikkeet office supplies konttoritarvikkeet, toimistotarvikkeet **5** sijainen
v **1** toimittaa (tavaraa ym), jakaa (sähköä yms) the nuclear power plant supplies the city with electricity kaupunki saa sähkönsä ydinvoimalasta **2** tyydyttää (tarve), kattaa (kysyntä) **3** toimia sijaisena
supply and demand s kysyntä ja tarjonta
supply-side economics s (verbi yksikössä) tarjonnan taloustiede
support /səˈpɔrt/ s **1** tuki, kannatus **2** tuki, kannatin **3** tukija, auttaja, kannattaja
v **1** (myös kuv) tukea, kannattaa **2** sietää, kestää **3** elättää **4** vahvistaa (oikeaksi), tukea
supportable adj siedettävä, hyväksyttävä
supporter s **1** kannattaja, tukija **2** elättäjä
supportive adj tukeva, tuki- his wife is very supportive of his dealings hänen vaimonsa tukee kovasti hänen puuhiaan
suppose /səˈpouz/ v **1** olettaa, luulla suppose he has already left entä jos hän on jo lähtenyt **2** (passiivissa) you're not supposed to touch the exhibits näyttelyesineisiin ei saa koskea
supposed /səˈpouzd səˈpouzəd/ adj oletettu, luuloteltu
supposedly /səˈpouzədli/ adv ilmeisesti Oswald was supposedly a Russian undercover agent Oswaldia väitettiin Neuvostoliiton salaiseksi agentiksi
supposing konj jos, jospa
supposition /ˌsʌpəˈzɪʃən/ s oletus
suppress /səˈpres/ v vaimentaa, hiljentää, kukistaa, tukahduttaa (myös psyk), tehdä loppu jostakin she suppressed a yawn hän tukahdutti haukotuksensa
suppression /səˈpreʃən/ s vaimentaminen, kukistaminen, tukahduttaminen (myös psyk)
supremacy /səˈpreməsi/ s johtoasema
supreme /səˈprim/ adj **1** korkea-arvoisin, korkein, ylin **2** suurin, tärkein, huippu-
supreme commander s (sot) ylipäällikkö
Supreme Court s (Yhdysvaltain) korkein oikeus
supremely adv erittäin, äärimmäisen
supreme sacrifice to make the supreme sacrifice uhrata/antaa henkensä
Supreme Soviet s (ent Neuvostoliitossa) korkein neuvosto
surcharge /ˈsərˌtʃardʒ/ s lisämaksu v ottaa lisämaksu jostakin
sure /ʃər/ adj varma a sure method varma menetelmä be sure to put enough clothes on muista panna tarpeeksi (vaatteita) päälle for sure varmasti to make sure pitää huoli jostakin, huolehtia, varmistaa she is, to be sure, no genius hän ei todellakaan ole mikään nero
adv (ark) varmasti

sure enough fr (ark) kuten arvata saattaa
surefire /'ʃər,faɪər/ adj (vuoren)varma, pettämätön
surely adv **1** varmasti, lujasti, luotettavasti slowly but surely hitaasti mutta varmasti **2** epäilemättä, varmasti **3** varmaankin, luultavasti, kai surely you can't be serious et kai ole tosissasi? **4** tottakai, mielellään surely we'll all help you tottakai me autamme sinua
surety /ʃərəti/ s **1** takaus(maksu) **2** takaaja **3** varmuus
surf /sərf/ s tyrsky(aallokko)
v lainelautailla, ratsastaa tyrskyillä
surface /sərfəs/ s **1** pinta (myös kuv) päällys we have only scratched the surface of the problem emme ole vielä päässeet lähellekään ongelman ydintä **2** pinta-ala
v nousta/nostaa pintaan, ilmestyä/saada näkyviin
adj **1** ulkoinen, pinta- **2** (kuv) pinnallinen **3** (posti) maa-, pinta-
surface road s (ympäristönsä tasolla oleva, ei-kohotettu) katu, tie (vastakohta: (koho)moottoritie)
surface structure s (kielitieteessä) pintarakenne
surface tension s (fysiikassa) pintajännitys
surface-to-air /,sərfəstʊ'eər/ adj (ohjus) maasta ilmaan ammuttava
surface-to-surface adj (ohjus) maasta maahan ammuttava
surfboard /'sərf,bɔrd/ s lainelauta
v lainelautailla, ratsastaa tyrskyillä
surfeit /sərfət/ s liika, liiallinen määrä
v ahtaa täyteen jotakin
surfer s lainelautailija, surffaaja
surfing s lainelautailu, surffaus
surge /sərdʒ/ s syöksy, syöksyminen, vellominen; aallokko
v velloa; tyskytä; syöksyä blood surged on his face puna(stus) levisi hänen kasvoilleen
surgeon /sərdʒən/ s kirurgi
Surgeon General s (Yhdysvaltain) korkein lääkintäviranomainen
surgery /sərdʒəri/ s **1** kirurgia **2** leikkaus **3** leikkaussali
surgical /sərdʒɪkəl/ adj kirurginen
surgically adv kirurgisesti the tumor was surgically removed kasvain poistettiin leikkauksessa
surliness s **1** pahantuulisuus, happamuus, äreys **2** (sään ym) synkkyys
surly /sərli/ adj **1** pahantullinen, hapan, äreä, kärtyisä **2** (sää ym) synkkä
surmise /sər'maɪz/ v päätellä, arvata, otaksua
surmount /sər'maʊnt/ v **1** nousta/kiivetä jonnekin, nostaa/laittaa jonkin päälle **2** selvitä jostakin, voittaa (este tms)
surname /'sər,neɪm/ s **1** sukunimi **2** lisänimi, liikanimi
surpass /sər'pæs/ v ylittää, olla suurempi/parempi yms kuin, jättää joku/jokin jälkeensä
surpirisingly adv yllättävästi, yllättäen, yllättävän, hämmästyttävän
surplus /sərpləs/ s ylijäämä, ylimäärä, liikatuotanto
adj ylimääräinen, ylijäämä-, liika-
surprise /sə'praɪz/ s **1** yllätys to take someone by surprise yllättää joku **2** (sot) yllätyshyökkäys
v **1** yllättää I was surprised to learn that you had a new job yllätyin/hämmästyin kuullessani että sinulla on uusi työpaikka **2** (sot) tehdä yllätyshyökkäys johonkin, yllättää **3** houkutella (paljastamaan tahattomasti jotakin)
surprising adj yllättävä, hämmästyttävä
surreal /sər'riəl/ adj epätodellinen
surrealism /sər'riəlɪzəm/ s (taiteessa) surrealismi
surrealist /sər'riəlɪst/ s surrealisti
adj surrealistinen
surrealistic /,sərriə'lɪstɪk/ adj surrealistinen
surrender /sə'rendər/ s **1** antautuminen **2** (antaminen) luovutus, luovuttaminen
v **1** antautua **2** (antaa) luovuttaa jotakin jollekulle **3** luopua jostakin

surreptitious /ˌsərəpˈtɪʃəs/ adj vaivihkainen, salavihkainen, salainen
surreptitiously adv vaivihkaa, salavihkaa, salaa, kaikessa hiljaisuudessa
surround /səˈraʊnd/ **1** reunus **2** ympäristö; sisustus
v **1** ympäröidä our farm is surrounded by hills maatilamme ympärillä on kukkuloita, maatilamme on kukkuloiden keskellä **2** piirittää (myös kuv)
surrounding s (mon) ympäristö
adj ympäröivä; lähi-
surveillance /sərˈveɪləns/ s valvonta he is under police surveillance poliisi seuraa hänen toimiaan
survey /sərˈveɪ/ v **1** silmäillä, tarkastella, katsella **2** tutkia **3** kartoittaa, tehdä maanmittausta **4** tehdä kartoitustutkimus
survey /sərveɪ/ s **1** katsaus, yleiskatsaus **2** tutkimus **3** kartoitustutkimus **4** maanmittaus **5** kartta **6** maanmittaustoimisto
surveying s maanmittaus
surveyor /sərˈveɪər/ s maanmittausinsinööri
survival /sərˈvaɪvəl/ s **1** eloonjäänti **2** (menneisyyden) jäänne
adj eloonjäänti-, hengissä pysymisen
survival of the fittest s sopivimman eloonjäänti; (vapaammin) luonnonvalinta, taistelu olemassaolosta
survive /sərˈvaɪv/ v **1** jäädä eloon, selvitä/pysyä hengissä **2** säilyä; säilyä käytössä, olla edelleen käytössä **3** elää kauemmin kuin he was survived by a wife and three children häntä jäivät suremaan vaimo ja kolme lasta
survivor /sərˈvaɪvər/ s **1** eloonjäänyt, pelastunut **2** sinnikäs/lannistumaton ihminen don't worry about him, he's a survivor älä hänestä murehdi, kyllä hän puolensa pitää
susceptibility /səˌseptəˈbɪləti/ s alttius, herkkyys, arkuus, taipumus
susceptible /səˈseptɪbəl/ adj **1** jolle voidaan tehdä jotakin, jolle voi sattua jotakin that computer is susceptible to crashes tuo tietokone romahtaa toisinaan **2** herkkä, arka, altis jollekin a susceptible teenager vaikutuksille altis nuori
sushi /suʃi/ s sushi, japanilaisittain kylmän riisin kanssa raakana tarjoiltava kala
sushi bar s sushiravintola
suspect /sʌspekt/ s (syylliseksi) epäilty
adj epäilyttävä
suspect /səsˈpekt/ v **1** epäillä, uskoa (esim syylliseksi) the enemy suspected nothing vihollinen ei osannut epäillä mitään **2** ei luottaa, suhtautua epäluuloisesti johonkin
suspend /səsˈpend/ v **1** roikkua, ripustaa **2** lopettaa, loppua, lakata, keskeyttää, keskeytyä **3** erottaa, määrätä pelikieltoon, perua lupa **4** lykätä, viivyttää, siirtää myöhemmäksi **5** (kuv) pitää jännityksessä
suspenders /səsˈpendərz/ s (mon) (US) olkaimet, housunkannattimet, henkselit (ark)
suspense /səsˈpens/ s **1** jännitys don't keep us in suspense, tell what happened älä pidä meitä jännityksessä vaan kerro miten kävi **2** epävarmuus, ratkaisematon tila: to hang in suspense roikkua ilmassa, olla auki
suspension /səsˈpenʃən/ s **1** keskeytys, katko, tauko, (oikeuden väliaikainen) kumoaminen, (työstä) erottaminen **2** (auton ym) jousitus
suspension bridge s riippusilta
suspension of disbelief s (romaanissa, elokuvassa) tarinaan eläytyminen
suspicion /səsˈpɪʃən/ s epäilys, epäluulo to arouse suspicion herättää epäilystä, epäilyttää
suspicious /səsˈpɪʃəs/ adj **1** epäluuloinen **2** epäilyttävä
suspiciously adv **1** epäluuloisesti **2** epäilyttävästi
Suss. Sussex
sustain /səsˈteɪn/ v **1** tukea, kannattaa, kestää **2** kärsiä the car sustained heavy damage auto vaurioitui pahoin **3** (kuv) tukea, auttaa **4** ruokkia, elättää **5** hyväksyä, vahvistaa (oikeaksi)

sustenance /sʌstənəns/ s **1** ravinto **2** elatus, toimeentulo
SW southwest
swab /swab/ s **1** (laivassa) moppi **2** pumpulituppo; pumpulipuikko
v **1** kuurata (mopilla) **2** kuivata, pyyhkiä
swagger /swægər/ **1** pöyhkeä kävely(tyyli) **2** pöyhkeily, ylpeily, ylimielisyys
v **1** kävellä pöyhkeänä **2** pöyhkeillä, ylpeillä
swaggering adj pöyhkeä, ylpeä, ylimielinen
Swahili /swə'hili/ s **1** (henkilö) suahili, suaheli **2** (kieli) suahili, suaheli
swallow /swalou/ s **1** nielaus, nielaisu, kulaus **2** (lintu) pääsky
v **1** nielaista, niellä (myös kuv:) sietää she swallow it hole (kuv) hän otti sen täydestä **2** kadota, hukkua sekaan, nielaista mukaansa **3** perua (puheensa)
swam /swæm/ ks swim
swamp /swamp/ s suo, räme
v peittää vedellä, (vesi) peittää alleen, peittyä veteen, jäädä veden alle
swamp deer s suohirvi
swamp gas s suokaasu
swampland /'swamp,lænd/ s suo, räme(alue)
swampy adj soinen, suo-, räme-
swan /swan/ s joutsen
swan song /'swan,saŋ/ s (kuv) joutsenlaulu
swap /swap/ s vaihto(kauppa)
v vaihtaa jokin johonkin (for)
swap meet s (uuden ja vanhan tavaran) kirpputori
SWAPO South-West African People's Organization Lounais-Afrikan kansanliike
swarm /swɔrm/ s (mehiläis- tai muu) parvi, suuri joukko
v (mehiläisistä ym) parveilla the place was swarming with people paikka oli tupaten täynnä (väkeä)
swastika /swastɪkə/ s hakaristi
swat /swat/ s läimäytys
v läimäyttää; tappaa (läimäyttämällä) (esim kärpänen)
sway /sweɪ/ v **1** huojua, huojuttaa skyscrapers sway in the wind pilvenpiirtäjät huojuvat tuulessa **2** kallistua, kallistaa **3** (kuv) kallistua/saada kallistumaan (johonkin näkemykseen); (mielipiteet) ailahdella, huojua the disclosure swayed public opinion against him paljastus sai suuren yleisön kääntymään häntä vastaan
swear /sweər/ v swore, sworn **1** vannoa; tehdä vala **2** kiroilla
swear by v **1** vannoa jonkin nimeen **2** (ark) uskoa lujasti johonkuhun, luottaa johonkuhun **3** olla varma jostakin, vannoa
swear in v ottaa joltakulta virkavala, vannottaa
swearing-in s virkavalan vannomistilaisuus, virkaanastujaiset
swear off v vannoutua irti jostakin, luvata luopua jostakin
swearword /'swer,wərd/ s kirosana
sweat /swet/ s **1** hiki **2** kova/hikinen työ **3** (ark) vaiva, riesa no sweat (se on) helppo nakki/homma, (se onnistuu) ilman muuta **4** (mon) verryttelyvaatteet tms **5** saunominen intiaanien saunassa hey, we're having a sweat Friday, wanna come? lähdetkö perjantaina kimppaan saunomaan?
v **1** hikoilla **2** ahertaa, ansaita kovalla työllä/otsansa hiellä **3** (sl) kiristää; hiostaa
sweat blood fr **1** hikoilla verta, rehkiä, ahertaa **2** pelätä, jännittää
sweater /swetər/ s villapaita, villatakki, neulepaita
sweat gland s hikirauhanen
sweat it fr **1** pelätä, jännittää, odottaa (ahdistuneena, jännityneenä) **2** kestää, sietää
sweat lodge /'swet,ladʒ/ s intiaanien sauna
sweat out v **1** odottaa (ahdistuneena, jännittyneenä) **2** kestää, sietää **3** laatia/tehdä (suurella vaivalla), saada tehdyksi we finally sweated out an agreement me pääsimme vihdoin viimein sopimukseen
sweatpants /'swet,pænts/ s (mon) verryttelyhousut
sweatshirt /'swet,ʃərt/ s collegepaita

sweatshop /'swet,ʃap/ s nälkäpalkkoja maksava firma
swede /swid/ s lanttu
Swede /swid/ s ruotsalainen
Sweden /swidən/ Ruotsi
Swedish /swidɪʃ/ s ruotsin kieli
adj ruotsalainen
sweep /swip/ s **1** lakaiseminen, siivoaminen **2** (tuulen) puhallus, (aaltojen) liike **3** heilautus, heilahdus, (laaja) liike **4** alue: a sweep of forest metsä **5** mutka, käänne
v swept, swept **1** lakaista **2** temmata, puhaltaa, huitaista, hujahtaa, pyyhkiä, pyyhkäistä **3** avata (polku, tie) **4** katsoa (päästä päähän, reunasta reunaan), (katse) siirtyä (päästä päähän tms) **5** voittaa (vaalit, kilpailusarja) ylivoimaisesti **6** lähteä (nopeasti) **7** tutkia onko jossakin salakuuntelulaitteita
sweeping adj laaja, mittava, kattava, perusteellinen, (voitto) ylivoimainen
sweepstakes /'swip,steɪks/ s (mon) arpajaiset (myös kuv:) riskialtis yritys/hanke
sweet /swit/ s (mon) makeiset, sokerileivonnaiset
adj **1** makea **2** suolaton **3** (haju, maku, ääni, ihminen ym) miellyttävä, hyvä, suloinen, kiltti **4** tunteileva; imelä
sweetbread /'swit,bred/ s **1** haima (ruokana) **2** kateenkorva (ruokana)
sweeten v **1** makeuttaa **2** pehmentää, hiljentää **3** (ark) (yrittää) tehdä houkuttelevaksi/maukkaaksi, lisätä johonkin porkkanaksi jotakin
sweetener s **1** makeutusaine **2** (kuv) houkutin, porkkana
sweetheart /'swit,hart/ s kulta, rakas
sweetie /switi/ s (ark) kulta, kultu, rakas
sweetish adj makeahko
sweet spot /'swit,spat/ s(golf, tennis) mailan lyöntipinnan osa johon osuessaan pallo lentää parhaiten
sweet tooth to have a sweet tooth olla perso makealle, olla kova makean perään
swell /swel/ s **1** paisuminen, turvotus **2** aalto, aallot **3** kasvu, lisäys, nousu, voimistuminen
v swelled, swelled/swollen **1** paisua, paisuttaa, turvota, turvottaa, pullistua, pullistaa **2** lisätä, voimistaa, vahvistaa, paisuttaa **3** (meri) velloa, aaltoilla **4** (kyynelet) valahtaa, nousta silmään
adj (ark) hieno, upea, komea
swelled head he has a swelled head hän on täynnä itseään, hänellä on noussut jokin päähän
swellhead /'swel,hed/ s tärkeilijä, mahtailija
swelter /sweltər/ s läkähdyttävä kuumuus/helle
v läkähtyä (kuumaan), tukahtua, läkähdyttää, tukahduttaa
sweltering adj läkähdyttävä, tukahduttava; läkähdyttävän/tukahduttavan kuuma/helteinen
swept /swept/ ks sweep
swerve /swərv/ s käännös, kierto, kaarros
v kääntyä, kääntää, väistyä, kiertyä, kiertää, kaartua, kaartaa suddenly the car swerved to the right auto kaarsi/kääntyi yhtäkkiä oikealle
SWIFT Society of Worldwide Interbank Financial Telecommunication
swift /swɪft/ adj nopea, vikkelä; äkillinen, äkkinäinen
swiftly adv nopeasti, vikkelästi; äkkiä
swiftness s nopeus, vikkelyys; äkkinäisyys
swig /swɪg/ s (ark) ryyppy
v (ark) ryypätä
swill /swɪl/ s **1** sianruoka **2** ryyppy
v ryystää; ryypätä
swim /swɪm/ s uinti to go for a swim mennä uimaan, käydä uimassa to be in the swim olla menossa mukana
v swam, swum **1** uida **2** kellua (vedessä) **3** leijua (ilmassa) **4** olla yltä päältä jossakin, olla jonkin peitossa **5** huimata, pyörryttää
swim fin s uimaräpylä
swimmer s uimari, uija
swimming s uinti
adj uinti-, uima-
swimming pool s uima-allas

swimming trunks s (mon) uimahousut
swimsuit /'swɪm,sut/ s uimapuku
swimwear /'swɪm,weər/ s uimapuvut
swine /swaɪn/ s (mon swine) sika (myös kuv)
swine flu s sikainfluenssa
swing /swiŋ/ s **1** heilahdus, heilautus **2** keinunta **3** isku, lyönti to take a swing at lyödä, yrittää lyödä (nyrkillä) **4** (selvä) tahti, rytmi, svengi **5** vapaus (työssä ym) **6** vauhti, meno to be in full swing olla täydessä vauhdissa **7** (hinnan) nousu; lasku an upward/downward swing nousu/lasku **8** swing (musiikki) **9** (golf) mailalla lönti siihen liittyvine vartalon liikeineen, svingi
v swung, swung **1** heilua, heiluttaa, heilauttaa, (nyrkkiä) heristää **2** keinua, roikkua **3** kääntyä, kääntää, kaartua, kartaa, ohjata **4** lyödä, iskeä **5** (ark) saada, onnistua saamaan, hankkia to swing a deal sinetöidä/tehdä kauppa **6** (mieliala) muuttua, muuttaa, vaihtua, vaihtaa the news swung the public opinion against him uutinen sai suuren yleisön kääntymään häntä vastaan **7** (sl) olla kova meno päällä, olla vauhdikasta, jollakulla menee lujaa **8** (ark) kuolla hirsipuussa **9** soittaa swingiä **10** (golf) lyödä svingi
swing round the circle fr käydä vaalikiertueella
swipe /swaɪp/ s **1** (mailan) isku, lyönti **2** (ark) tälli **3** (ark) piikki, pisteliäs/kärkevä huomautus
v **1** iskeä, lyödä (mailalla) **2** (ark) puhaltaa, kähveltää, kääntää
swirl /swərəl/ s pyörähdys, kiepsahdus, pyörre
v **1** pyörähtää, kiepsahtaa, kierähtää, pyöriä **2** pyörryttää, huimata
swish /swɪʃ/ s **1** huiskaisu, huitaisu **2** suhina, (silkin) kahina
v **1** huiskia, huitoa, viuhtoa **2** suhista, (silkki) kahista
Swiss /swɪs/ s, adj sveitsiläinen
Swiss cheese /,swɪs'tʃiz/ s emmental(juusto), tahkojuusto
switch /swɪtʃ/ s **1** vitsa, piiska **2** kytkin, katkaisin to be asleep at the switch (ark) ei olla valppaana, päästää tilaisuus sivu suun **3** (rautateillä) vaihde **4** muutos, siirtymä, vaihto
v **1** piiskata, antaa vitsaa **2** kytkeä, katkaista **3** vaihtaa, vaihtua, siirtää, siirtyä, muuttaa, muuttua **4** (rautateillä) vaihtaa (toiselle raiteelle)
switchback /'swɪtʃ,bæk/ s jyrkkä mutka serpentiinitiellä, polun polvi/mutka
v (tie, polku) kiemurrella, mutkitella (rinteessä)
switchblade /'swɪtʃ,bleɪd/ s stiletti
switchboard /'swɪtʃ,bɔrd/ s (käsivälitteinen) puhelinvaihde
Switzerland /swɪtsərlənd/ Sveitsi
swivel /swɪvəl/ s kiertonivel
v kiertää, kiertyä, kääntää, kääntyä
swollen /swolən/ ks swell
swoop /swup/ s syöksy, laskeutuminen, hyökkäys in one fell swoop yhdellä iskulla, siltä istumalta
v syöksyä, laskeutua (äkkiä), hyökätä
swop /swap/ ks swap
sword /sɔrd/ s miekka they are always at sword's points he ovat aina napit vastakkain, he ovat aina riidoissa to cross swords ottaa yhteen (myös kuv) to put to the sword surmata
swordfish /'sɔrd,fɪʃ/ s (mon swordfishes, swordfish) miekkakala
Swordfish /'sɔrd,fɪʃ/ (tähdistö) Kultakala
swore /swɔr/ ks swear
sworn ks swear
sworn /swɔrn/ adj **1** valantehnyt **2** vannoutunut
swum /swʌm/ ks swim
swung /swʌŋ/ ks swing
sycamore /'sɪkə,mɔr/ s **1** (Pohjois-Amerikassa) plataani **2** (Euroopassa) vuorivaahtera
Sydney /sɪdni/ Sydney
syllable /sɪləbəl/ s tavu
syllabus /sɪləbəs/ s (mon syllabuses, syllabi) **1** opintosuunnitelma **2** yleiskatsaus, yhteenveto, tiivistelmä
Sylvester /sil'vestər/ (sarjakuvahahmo) Sylvesteri, Syltti
symbol /sɪmbəl/ s merkki, tunnus, vertauskuva, symboli money is a symbol

of power raha on yksi vallan merkki
v merkitä, olla merkki jostakin, symboloida
symbolic /sɪm'balɪk/ adj vertauskuvallinen, symbolinen his remuneration was mainly symbolic hänen palkkionsa oli lähinnä nimellinen
symbolically adv vertauskuvallisesti, symbolisesti
symbolism /'sɪmbə,lɪzəm/ s **1** tunnuskuvien/vertauskuvien käyttö, symboliikka **2** Symbolism (taiteessa) symbolismi
symbolize /'sɪmbə,laɪz/ v merkitä, kuvata, esittää, edustaa jotakin, olla vertauskuvana jostakin, symboloida
symmetrical /sə'metrɪkəl/ adj tasasuhtainen, symmetrinen
symmetrically adv tasasuhtaisesti, symmetrisesti
symmetry /sɪmətri/ s tasasuhtaisuus, sopusuhtaisuus, symmetria
sympathetic /,sɪmpə'θetɪk/ adj **1** myötätuntoinen, myötämielinen, johonkin mieltynyt, ymmärtäväinen, säälivä, sympaattinen he is sympathetic to our cause hän suhtautuu asiaamme myötämielisesti, hän kannattaa asiaamme **2** myötätuntoa herättävä, miellyttävä, sympaattinen **3** (hermosto) sympaattinen
sympathetically adv myötätuntoisesti, myötämielisesti, ymmärtävästi, säälivästi, sympaattisesti
sympathize /'sɪmpə,θaɪz/ v tuntea myötätuntoa/sympatiaa, ymmärtää, sääliä I sympathize with what you're trying to do ymmärrän/hyväksyn tavoitteesi
sympathy /sɪmpəθi/ s myötätunto, myötämielisyys, ymmärtäväisyys, sääli, sympatia
sympathy strike s myötätuntolakko
symphonic /sɪm'fanɪk/ adj sinfoninen, sinfonia-
symphony /sɪmfəni/ s **1** sinfonia (myös kuv) **2** sinfoniaorkesteri **3** sinfoniakonsertti
symphony orchestra s sinfoniaorkesteri
symptom /sɪmptəm/ s **1** (taudin) oire **2** oire, enne, merkki,osoitus jostakin it is a symptom of his hubris that he would not talk to us hänen ylimielisyydestään kertoo sekin ettei hän suostunut puhumaan meille
symptomatic /,sɪmptə'mætɪk/ adj oireellinen, enteellinen, jotakin (of) ilmentävä, kuvaava
symptomatically adv oireellisesti, oireellisen, enteellisesti, enteellisen, kuvaavasti
symptomless adj oireeton
synagogue /'sɪnə,gag/ s synagoga
synapse /sɪnæps/ s (hermosolujen liittymä) synapsi
synaptic /sɪ'næptɪk/ adj synaptinen
sync /siŋk/ to be in/out of sync **1** olla/ei olla tahdissa the picture and sound are in sync **2** (kuv) olla samalla aallonpituudella kuin
v tahdistaa, synkronoida (sanasta synchronize)
synchronization /,siŋkrənə'zeɪʃən/ s tahdistus, synkronointi
synchronize /'siŋkrə,naɪz/ v tahdistaa, synkronoida
synchronizing signal /'siŋkrə,naɪziŋ/ s (video) tahdistussignaali
syndicate /sɪndɪkət/ s **1** (tal) yhteenliittymä, myyntikartelli, syndikaatti **2** (lehtialalla) sanomalehtiketju **3** (lehtialalla) kuvatoimisto, sarjakuvatoimisto yms. **4** gangsterijärjestö, rikollisjärjestö
syndicate /'sɪndə,keɪt/ v **1** liittyä yhteen, perustaa kartelli/syndikaatti **2** julkaista (samanaikaisesti useassa lehdessä) **3** (televisioalalla) myydä (vanha tai uusi ohjelma) itsenäisille (valtakunnallisiin verkkoihin kuulumattomille) asemille
syndicated credit s (tal) syndikoitu luotto
syndication /,sɪndə'keɪʃən/ s (vanhan tai uuden televisio-ohjelman) myynti itsenäisille asemille
syndrome /sɪndroʊm/ s oireyhtymä, syndrooma

synergic /sɪ'nərdʒɪk/ adj yhteisvaikutteinen, yhteistoiminnallinen, yhteistyö-
synergy /sɪnərdʒi/ s yhteisvaikutus, yhteistoiminta, synergia
synonym /sɪnənɪm/ s synonyymi, samamerkityksinen sana
synonymous /sə'nanəməs/ adj samamerkityksinen, synonyyminen the name "Rockefeller" is synonymous with wealth nimi Rockefeller merkitsee/uhkuu vaurautta
synonymy /sə'nanəmi/ s samamerkityksisyys, synonymia
synopsis /sə'napsɪs/ s (mon synopses) (käsikirjoituksen ym) tiivistelmä, yhteenveto, yleiskatsaus
syntactic /sɪn'tæktɪk/ adj lauseopillinen, syntaktinen
syntax /sɪntæks/ s **1** lauseoppi, syntaksi **2** (tietok) syntaksi, muotosäännöt
synthesis /sɪnθəsəs/ s (mon syntheses) **1** yhdistäminen, synteesi **2** yhdistelmä, synteesi **3** (kem) synteesi
synthesize /'sɪnθə,saɪz/ v syntetisoida, (esim) valmistaa synteettisesti
synthesizer s (laite) syntetisaattori
synthetic /sɪn'θetɪk/ s keinotekoinen aine ym, tekoaine, synteettinen aine adj synteettinen, synteesiin perustuva, keinotekoinen, teko-
synthetically adv synteettisesti, synteesiin perustuen, keinotekoisesti
syphilis /sɪfləs/ s (lääk) kuppa, syfilis
syphilitic /,sɪfə'lɪtɪk/ adj kuppainen, kuppatautinen, kuppaa sairastava, kuppa-
Syracuse /'sɪrə,kjuz/ **1** (Sisiliassa) Syrakusa **2** kaupunki New Yorkin osavaltiossa
Syria /sɪrɪə/ Syyria
Syrian /sɪriən/ s, adj syyrialainen
syringe /sə'rɪndʒ/ s (lääk) ruisku
syrup /sərəp/ s **1** siirappi **2** (sokeroitu) mehu
syrupy adj **1** sakea, paksu **2** (kuv) imelä, makea
system /sɪstəm/ s **1** järjestelmä; menetelmä **2** elimistö the respiratory system hengityselimet the nervous system hermosto the digestive system ruuansulatuselimistö
systematic /,sɪsə'mætɪk/ adj järjestelmällinen, perusteellinen, systemaattinen
systematically adv järjestelmällisesti, perusteellisesti, systemaattisesti
systematize /'sɪstəmə,taɪz/ s tehdä järjestelmälliseksi, järjestelmällistää, systemoida, systematisoida
systole /sɪstəlɪ/ s (sydänlihaksen supistusvaihe) systole

T, t

T, t /tiː/ T, t

T /tiː/ to fit someone to a T sopia jollekulle kuin nakutettu

ta /tɑː/ interj (UK sl) kiitti, kiitos

tab /tæb/ s **1** lappu, lipuke, tarra, merkki, kyltti **2** (vaatteen) ripustin **3** (ark) (ravintola)lasku to put something on the tab panna jotakin piikkiin, lisätä laskuun **4** (kirjoituskoneessa, tietokoneessa) sarkain **5** to keep tabs on pitää jotakin silmällä, seurata, tarkkailla
v **1** nimittää, kutsua **2** käyttää (kirjoituskoneen, tietokoneen) sarkainta

Tabasco® /təˈbæskoʊ/ (voimakas espanjanpippurimauste) Tabasco

table /ˈteɪbəl/ s **1** pöytä to be under the table olla juovuksissa/päissään to give something under the table antaa jotakin pimeästi/salaa; lahjoa to wait tables/on table olla tarjoilijana **2** tasanne, tasanko **3** luettelo **4** laatta, taulu, levy **5** to turn the tables kääntää tilanne päinvastaiseksi
v **1** panna pöydälle **2** (kuv US) panna pöydälle, siirtää myöhemmäksi/myöhempään istuntoon **3** (kuv UK) antaa, tehdä (esitys)

tablecloth /ˈteɪbəlˌklɑθ/ s (mon tablecloths) pöytäliina

tableland /ˈteɪbəlˌlænd/ s ylängtasanko, (tasainen) ylänkö

Table Mountain /ˌteɪbəlˈmaʊntən/ Pöytävuori (Kapkaupungissa)

table of contents s sisällysluettelo

tablespoon /ˈteɪbəlˌspuːn/ s ruokalusikka

tablespoonful s (mon tablespoonfuls) ruokalusikallinen (14,8 ml)

tablet /ˈtæblət/ s **1** lehtiö **2** laatta, taulu **3** (lääke)tabletti

table tennis s pöytätennis

tableware /ˈteɪbəlˌweər/ s ruoka-astiat ja ruokailuvälineet

taboo /tæˈbuː/ s tabu, kielto
v kieltää, julistaa tabuksi
adj tabu-, kielletty

tabulate /ˈtæbjəˌleɪt/ v taulukoida

tabulation /ˌtæbjəˈleɪʃən/ s taulukointi

tabulator /ˈtæbjəˌleɪtər/ s **1** taulukointilaite, tabulaattori **2** sarkain, tabulaattori

tachometer /tæˈkɑmətər/ s **1** nopeusmittari **2** kierroslukumittari

tacit /ˈtæsət/ adj **1** sanaton, epäsuorasti ilmaistu **2** hiljainen, äänetön

tacitly adv **1** sanattomasti, epäsuorasti **2** hiljaa, äänettömästi

taciturn /ˈtæsətərn/ adj hiljainen, vaitelias, vähäpuheinen

taciturnity /ˌtæsəˈtɜnəti/ s hiljaisuus, vaiteliaisuus, vähäpuheisuus

tack /tæk/ s **1** pieni naula, nasta **2** (purjehduksessa) halssi starboard/port tack oikea/vasen halssi **3** (kuv) kurssi, näkökulma, lähestymistapa to be on the wrong tack olla väärässä, olla väärillä jäljillä
v **1** naulata **2** kiinnittää **3** yhdistää, liittää yhteen **4** lisätä jotakin johonkin (on/onto)

tackle /ˈtækəl/ s **1** varusteet, välineet **2** talja, väkipyörästö **3** (purjelaivan) takila **4** (urh) taklaus
v **1** (kuv) tarttua, käydä käsiksi (esim ongelmaan) **2** valjastaa (hevonen) **3** (urh) taklata

tact /tækt/ s tahdikkuus, hienotunteisuus

tactful adj tahdikas, hienotunteinen, huomaavainen

tactfully adv tahdikkaasti, hienotunteisesti, huomaavaisesti

tactic /tæktɪk/ s **1** (myös mon, sot) taistelutaito, taktiikka **2** (myös mon, yleiskielessä) suunnitelma, menettely, taktiikka, strategia
tactical /tæktɪkəl/ adj **1** taktinen **2** taitava, nokkela, laskelmoitu
tactically adv **1** taktisesti **2** taitavasti, nokkelasti, laskelmoiden
tactician /tæk'tɪʃən/ s taktikko, (kuv) taitava juonittelija
tactless adj tahditon, epähieno, loukkaava, moukkamainen
tactlessly adv tahdottimasti, epähienosti, loukkaavasti, moukkamaisesti
tadpole /'tæd,poəl/ s nuijapää
Tajikistan /tə'dʒikɪ,stan/ Tadžikistan
taffy /tæfi/ s toffee
tag /tæg/ s **1** lappu, lippu, nimilappu, hintalappu **2** (vaatteessa) ripustin **3** (auton) rekisterikilpi **4** loppu(pää), häntä(pää) **5** liikanimi, lisänimi **6** (kieliopissa) liitekysymys **7** hippaleikki, hippa
v **1** varustaa hintalapulla, nimilapulla tms **2** lisätä, liittää, sanoa/todeta lopuksi **3** sakottaa (for), syyttää (with) **4** hinnoitella, panna hinnaksi **5** (ark) varjostaa, seurata **6** (hippaleikissä) ottaa hipaksi
tag end s häntäpää, loppupää, loppu
tag question s (kieliopissa) liitekysymys (esim she has left, hasn't she? eikö hän olekin jo lähtenyt?)
tail /teɪəl/ s **1** häntä; pyrstö (myös lentokoneen) he had his tail between his legs hänellä oli häntä koipien välissä **2** (kolikon) klaava(puoli) **3** (mon) frakki; frakin liepeet **4** (sl) takapuoli, pyrstö **5** (ark) varjostaja, seuraaja **6** (ark) jäljet: to be on someone's tail olla jonkun jäljillä **7** (sl) pano, naiminen chase tail yrittää iskeä tyttöä
v **1** seurata, kulkea jonkun perässä, (ark) varjostaa **2** kiinnittää/liittää yhteen/peräkkäin **3** kulkea peräkkäin **4** hävitä/kadota näkyvistä/jonnekin (off)
tail end s häntäpää, loppupää, loppu, hännänhuippu
tailgate /'teɪəl,geɪt/ s (farmariauton yms) peräluukku
v ajaa kiinni edellisen auton puskurissa
taillight /'teɪəl,laɪt/ s (auton) perävalo
tailor /teɪlər/ s vaatturi, räätäli
v **1** räätälöidä **2** sovittaa, mukauttaa johonkin, tehdä jonkin mukaiseksi
tailor-made /,teɪlər'meɪd/ adj **1** vaatturin/räätälin tekemä **2** tilaustyönä tehty, tilaus- the job offer is tailor-made for you työpaikkatarjous tulee sinulle kuin tilauksesta
tail pipe s (auton) pakoputken pää, pakoputki
taint /teɪnt/ s (kuv) (häpeä)tahra
v **1** (kuv) tahrata, tahria **2** pilata, pilaantua
Taiwan /taɪ'wan/ Taiwan
Taiwanese /,taɪwə'niz/ s, adj taiwanilainen
take /teɪk/ s **1** (kala-, metsästys)saalis **2** (ark) voitto **3** (elok) otos, (mus) nauhoitus **4** (ark) säpsähdys, hämmästys **5** to be on the take ottaa lahjuksia
v took, taken **1** ottaa she took the book from the shelf hän otti kirjan hyllyltä to take a pill ottaa pilleri **2** viedä he took her to the movies hän vei tytön elokuviin **3** tarttua, ottaa kiinni jostakin the child took his hand lapsi tarttui hänen käteensä **4** (kaupunki, laiva ym) vallata, (eläin, vanki ym) vangita, ottaa kiinni **5** ottaa vastaan, hyväksyä, suostua, kokea don't take it too hard älä ota sitä liian raskaasti the mayor is taking bribes kaupunginjohtaja ottaa vastaan lahjuksia **6** (lehti) tilata, (aitio ym) varata **7** kestää, sietää I can't take it anymore en kestä enää **8** (funktioverbinä) to take a meal aterioida to take a bath kylpeä to take a walk lähteä; lähteä kävelylle to take an exam käydä tentissä to take notes tehdä muistiinpanoja, kirjoittaa muistiin **9** olettaa, ymmärtää I take it that you want me to leave sinä ilmeisesti haluat minun lähtevän
take a back seat to fr väistyä, tehdä tilaa jollekulle/jollekin
take a bath fr (sl) saada takkiinsa, kärsiä tappiota
take a bow fr kumartaa (yleisölle)
take a chance fr ottaa riski, riskeerata

take a fancy to fr mieltyä johonkuhun/johonkin
take after v **1** muistuttaa jotakin she takes after her mother hän on tullut äitiinsä **2** seurata, ajaa takaa, varjostaa
take a gander fr (sl) vilkaista, katsoa
take a hint fr ottaa vihjeestä vaari, ymmärtää yskä
take aim fr **1** tähdätä (ase johonkin päin) **2** tarttua, paneutua (ongelmaan)
take a liking to fr mieltyä johonkuhun/johonkin
take a notion fr (ark) saada päähänsä (tehdä jotakin)
take a powder fr häippäistä, häipyä, livistää, lähteä nostelemaan
take a risk fr ottaa riski, vaarantaa, riskeerata
take a shine to fr mieltyä johonkuhun/johonkin
take a shot at fr **1** ampua jotakuta/jotakin (päin) **2** yrittää, kokeilla
take a stand fr ottaa kantaa
take a walk fr (ark) häivy!, ala nostella!, jätä minut rauhaan!
take back v **1** ottaa takaisin **2** viedä (tavara) takaisin (kauppaan) **3** perua (puheensa) **4** palauttaa mieleen this song will take us all the way back to 1964 tämä laulu palauttaa mieleemme (kaukaisen) vuoden 1964
take care! interj koita pärjäillä!, tapaamisiin!
take care of fr **1** huolehtia jostakin, pitää huoli **2** (sl) hoidella, hakata
take charge fr käydä ohjaksiin/suitsiin (kuv)
take down v **1** laskea (alemmaksi), alentaa, vähentää, supistaa, hiljentää **2** purkaa **3** kirjoittaa muistiin/ylös **4** antaa jonkun kuulla kunniansa, sättiä, moittia
take effect fr **1** astua/tulla voimaan **2** vaikuttaa, tehota, tepsiä
take exception to fr vastustaa, moittia
take five fr pitää (viiden minuutin) tauko
take for v pitää jonakin, luulla joksikin what do you take me for? miksi sinä minua oikein luulet?
take for a ride fr (sl) **1** (viedä autolla jonnekin ja) murhata **2** huijata, puijata, pettää, käyttää hyväkseen
take for granted fr pitää itsestään selvänä, suhtautua välinpitämättömästi don't take her for granted älä kohtele häntä kuin ilmaa
take heart fr rohkaista mielensä
take heed fr varoa, pitää varansa
take ill fr sairastua
take in v **1** päästää sisään **2** pienentää, (vaatetta) kaventaa **3** ymmärtää, käsittää, tajuta **4** katsella, tarkkailla, tarkastella **5** huijata, puijata, pettää **6** ansaita (liiketoiminnalla), tienata (ark), kääriä (ark) **7** majoittaa **8** sisältää, käsittää, kattaa
take in stride fr suhtautua johonkin tyynesti, alistua johonkin
take into account fr ottaa huomioon
take issue with fr olla eri mieltä jonkun kanssa, riidellä
take it fr **1** uskoa **2** (ark) kestää, sietää, jaksaa she couldn't take it anymore hän ei enää kestänyt/jaksanut, hänen mittansa oli täysi
take it easy fr ottaa rennosti/rauhallisesti
take it into your head fr saada päähänsä (tehdä jotakin)
take it or leave it fr ota tai jätä
take it out in fr ottaa maksuksi jotakin
take it out of fr **1** uuvuttaa, väsyttää (loppuun) **2** vähentää, ottaa (pois jostakin)
take it out on fr (ark) purkaa kiukkunsa johonkuhun, syyttää jotakuta (aiheetta)
take its toll fr vahingoittaa, vaurioittaa, aiheuttaa vahinkoa, vaatia uhreja
take leave of your senses fr menettää järkensä, tulla hulluksi
take no prisoners fr (kuv) olla armoton, säälimätön
take note of fr huomata, panna merkille
take oath fr vannoa vala

takeoff /ˈteɪk,af/ s **1** (lentokoneen) lähtö, ilmaan nousu **2** (kilpailun) lähtö, aloitus **3** parodia, pilailu
take off v **1** nousta lentoon/ilmaan **2** riisua (vaate, jalkine, päähine) **3** viedä, ottaa mukaansa **4** (ark) lähteä, häipyä **5** erottaa, poistaa (tehtävästä) **6** surmata **7** jäljentää, kopioida **8** (ark) matkia, mukailla ivaillen, parodioida **9** (ark) lisääntyä, nousta, kasvaa, päästä vauhtiin
take off after fr seurata, ajaa takaa, varjostaa
take office fr astua virkaan
take off the edge fr pehmentää, lieventää (vaikutusta)
take off your hat to fr (kuv) nostaa hattua jollekin
take on v **1** ottaa palvelukseen, palkata **2** ryhtyä johonkin, ottaa hoitaakseen **3** alkaa vaikuttaa/näyttää joltakin language skills have taken on new meaning kielitaidon merkitys on kasvanut **4** tarttua haasteeseen, ruveta tappelemaan **5** (ark) innostua (liikaa)
take on faith fr uskoa näkemättä
takeout /ˈteɪk,aʊt/ s **1** ruoka joka otetaan pikaravintolasta mukaan **2** (ark) pikaravintola josta ruoka otetaan mukaan they went to a Chinese takeout he menivät kiinalaiseen katukeittiöön/pikaravintolaan
take out v **1** ottaa esiin **2** ottaa (esim laina, vakuutus) she took out a subscription to Time magazine hän tilasi Time-lehden **3** ottaa mukaansa (esim ruokaa pikaravintolasta) she took several novels out of the library hän lainasi kirjastosta useita romaaneita **4** (seurustelusta) viedä ulos **5** lähteä, mennä
take out after v seurata, ajaa takaa, varjostaa
takeover /ˈteɪk,oʊvər/ s **1** valtaus **2** (tal) (yritys)valtaus
take over v **1** (kuv) käydä ohjaksiin, käydä/ruveta suitsiin **2** (tal) vallata (yritys)
take pains fr yrittää kovasti, tehdä parhaansa/kaikkensa
take part fr osallistua johonkin (in)
take place fr tapahtua the concert will take place at seven/in the stadium konsertti on/pidetään seitsemältä/stadionilla
take root fr **1** juurtua **2** (kuv) iskostua, juurtua
take sick fr sairastua
take sides fr ottaa kantaa, puolustaa jotakuta, mennä jonkun puolelle
take someone at his/her word fr ottaa jonkun puheet täydestä/todesta
take someone's word for it fr uskoa jotakuta
take someone under your wing fr ottaa joku siipiensä suojaan
take steps fr ryhtyä toimiin, toimia the government is taking steps to increase exports hallitus on ryhtynyt toimiin viennin lisäämiseksi
take stock fr arvioida, mittailla (kuv), punnita (kuv)
take ten fr (ark) pitää (kymmenen minuutin) tauko
take the bull by the horns fr tarttua härkää sarvista
take the cake fr (sl) **1** olla paras, voittaa **2** olla paksua
take the edge off fr pehmentää, lieventää (vaikutusta)
take the fifth fr **1** (lak) käyttää vaitiolo-oikeutta (kieltäytyä vastaamasta kysymykseen Yhdysvaltain perustuslain viidennen lisäyksen nojalla; sen mukaan oikeudessa ei tarvitse paljastaa asioita jotka saattavat osoittaa vastaajan itsensä syylliseksi) **2** (ark) ei kertoa, ei paljastaa, ei vastata kysymykseen
take the liberty of fr rohjeta tehdä jotakin
take the rap fr (sl) ottaa/saada syy niskoilleen
take the stand fr todistaa oikeudessa
take the wind out of your sails fr yllättää, saada joku järkyttymään; viedä tuuli jonkun purjeista
take the words out of your mouth fr viedä joltakulta sanat suusta
take to v **1** mieltyä johonkin **2** ruveta (tekemään jotakin), alkaa (tehdä jotakin), ottaa tavaksi, totuttautua johonkin **3** mennä to take to bed mennä maate

take to task fr nuhdella, sättiä, moittia
take to the cleaners fr (sl) hoidella joku, antaa jollekulle selkään
take to the road fr lähteä matkaan, aloittaa matka
take turns fr vuorotella, tehdä jotakin vuorotellen
take up v **1** kiristää take up the slack in the rope kiristä köysi **2** ruveta tekemään/harrastamaan you should take up skiing sinun pitäisi ruveta hiihtämään **3** poimia, nostaa, kerätä kokoon **4** viedä (tilaa, aikaa) **5** ottaa puheeksi/esille **6** ottaa vastaan (tehdävä, haaste) **7** imeä (itseensä) **8** jatkaa (keskeytyksen jälkeen) **9** vastata jollekulle
take up a collection fr kerätä rahaa, pistää pystyyn keräys
take up arms fr nousta aseisiin
take upon yourself v ottaa vastuulleen/tehtäväkseen
take up with v **1** pitää seuraa jonkun kanssa **2** ottaa puheeksi jonkun kanssa
take water fr (alus) vuotaa
take wing fr **1** nousta lentoon/ilmaan **2** lähteä/häipyä kiireesti
take your time fr ei hätäillä/kiirehtiä, ei pitää kiirettä, tehdä jokin rauhassa
take your way fr lähteä, mennä, kulkea
takin /takən/ s härkägemssi (Budorcas taxicolor)
Taklamakan Desert /ˌtakləmə'kan/ Taklimakanin aavikko (Kiinassa)
talcum powder /tælkəm/ s talkki
tale /teɪəl/ s **1** tarina, kertomus fairy tale satu **2** valhe
talent /tælənt/ s **1** lahjakkuus, lahja **2** lahjakas ihminen, lahjakkuus
talented adj lahjakas, etevä, kyvykäs
talent scout s kykyjenetsijä
talisman /tæləzmən/ s **1** (taikaesine) talismaani **2** (koru) maskotti, amuletti
talk /tak/ s **1** puhe talk is cheap puhuminen ei vielä todista mitään, ainahan puhua voi (mutta tekeminen on eri asia) **2** keskustelu the talk turned to politics keskustelu siirtyi politiikkaan **3** neuvottelu **4** puhe, esitelmä
v **1** puhua jostakin (about), jonkun kanssa (with, to), jollekulle (to), jollakin kielellä (esim Finnish, suomea, suomeksi), jutella, keskustella **2** pitää puhe/esitelmä, puhua jostakin (on) **3** neuvotella **4** suostutella, taivutella you talked me into this mess! sinähän minut tähän sotkuun houkuttelit!
talk around v suostutella, taivutella, saada muuttamaan mielensä
talk at v puhua kiukkuisesti jollekulle, läksyttää, sättiä jotakuta, räyhätä jollekulle
talkative /takətɪv/ adj puhelias
talk away v kuluttaa (aikaa) juttelemalla/rupattelemalla
talk back v vastata röyhkeästi/hävyttömästi, viisastella
talk big fr (ark) puhua suuria, mahtailla
talk down v **1** vähätellä, lyödä lyttyyn, pistää matalaksi **2** vaimentaa, saada vaikenemaan (puheillaan, perusteluillaan)
talk down to v puhua jollekulle/kohdella jotakuta ylimielisesti/alentavasti/nöyryyttävästi
talking head s (televisiossa) puhuva pää, lähikuva puhuvasta henkilöstä
talk of v puhua/keskustella jostakin (alustavasti), suunnitella, kaavailla
talk out v **1** puhua (asia) selväksi, puhua suunsa puhtaaksi **2** puhua itsensä väsyksiin/näännyksiin **3** suostutella/taivutella joku luopumaan jostakin (aikeesta)
talk over v **1** keskustella jostakin **2** suostutella, taivutella, saada muuttamaan mielensä
talk shop fr (ark) puhua/jutella työasioista
talk show s (radiossa, televisiossa) (julkkisten) haastatteluohjelma
talk someone's head off fr pitkästyttää jotakuta puheillaan
talk through your hat fr puhua läpiä päähänsä, puhua sellaisesta mistä ei tiedä
talk to death fr puhua jostakin kyllästymiseen saakka, jauhaa liiaksi samaa asiaa

talk turkey fr (ark) puhua suoraan, ei siekailla
talk up v **1** avata suunsa, puhua **2** mainostaa jotakin
talky adj **1** jossa on liikaa/paljon puhetta **2** puhelias
tall /taəl/ adj **1** pitkä how tall are you? kuinka pitkä olet? he is six feet tall hän on 183 cm (pitkä) **2** korkea how tall is that building? kuinka korkea tuo rakennus on? **3** (kuv) paksu tall talk paksut puheet, valhe, satu
Tallin /tə'lın/ Tallinna
tall order that's a tall order se on paljon pyydetty
tally /tæli/ s **1** (hist) pykäläpuu (velkojen merkintää varten) **2** lasku, määrä, luku
v **1** laskea, merkitä muistiin **2** olla yhtäpitävä jonkin kanssa (with), käydä yksiin **3** sovittaa toisiinsa/yhteen
talon /tælən/ s (petolinnun) kynsi
tambourine /ˌtæmbə'rin/ s tamburiini
tame /teım/ v kesyttää, kesyyntyä
adj **1** kesy **2** tylsä, laimea, vaisu, kesy
tamely adv **1** kesysti **2** laimeasti, vaisusti
tamer s (eläinten)kesyttäjä
tamper with /tæmpər/ v **1** peukaloida, sorkkia, koskea, puuttua johonkin (luvattomasti, osaamattomasti), tehdä jotakin luvatonta **2** väärentää, muuttaa (asiakirjaa)
tampon /tæmpan/ s **1** (lääk) tamponi, vanutukko yms **2** terveysside, tamponi
tamponade /ˌtæmpə'neıd/ v (lääk) tamponoida, asettaa tamponi (verenvuodon tyrehdyttämiseksi ym)
tan /tæn/ s **1** kellertävän ruskea väri, vaaleanruskea väri **2** rusketus
v **1** ruskettaa, ruskettua **2** (nahkaa) parkita
adj **1** kellertävän ruskea, vaaleanruskea **2** ruskettunut
tandem /tændəm/ s **1** kaksiakselinen kuorma-auto, traktori ym **2** tandempolkupyörä **3** täysperävaunullinen rekka **4** (hevosista) peräkkäiskaksivaljakko, tandem
adj (kahdesta) peräkkäinen
adv (kahdesta) peräkkäin to do something in tandem tehdä jotakin peräkkäin; tehdä jotakin yhteistyössä/yhteistoimin
tandem bicycle s tandempolkupyörä
tandem trailer s täysperävaunullinen rekka
tang /tæŋ/ s pistävä maku/haju
Tanganyika /ˌtæŋgən'jikə/ Tanganjika
tangent /tændʒənt/ s tangentti, sivuaja to go off/on a tangent poiketa asiasta
tangential /tæn'dʒenʃən/ adj tangentiaalinen, sivuava, (huomautus) sivu-, asiasta poikkeava
tangentially adv tangentiaalisesti, jotakin sivuten; ohimennen
tangerine /ˌtændʒə'rin/ s **1** mandariini **2** voimakas oranssi väri
adj voimakkaan oranssinvärinen
tangible /tændʒəbəl/ adj todellinen, kouraantuntuva, selvä, konkreettinen
tangibly adv selvästi, kouraantuntuvasti
tangle /tæŋgəl/ s **1** vyyhti (myös kuv:) sotku, sekasotku **2** (ark) riita, kina
v **1** (myös kuv) sotkea, sotkeutua **2** (ark) riidellä, kinata jonkun kanssa (with)
tango /tæŋgou/ s tango
v tanssia tangoa it takes two to tango siihen/tähän tarvitaan kaksi, vika ei ole yksin sinun/hänen tms
tangy /tæŋi/ adj (maku, haju) pistävä
tank /tæŋk/ s **1** säiliö, tankki, kattila **2** panssarivaunu **3** (sl) häkki, putka, vankila **4** (vaate) toppi
v varastoida/panna säiliöön/tankkiin
tankard /tæŋkərd/ s kolpakko
tanker s säiliölaiva, säiliö(lento)kone, säiliöauto
tank top s (hihaton) toppi
tank trailer s säiliöperävaunu
tank up v tankata (auto tms), täyttää
tan someone's hide fr (ark) antaa jollekulle selkään, piestä
tantalize /'tæntəˌlaız/ v kiihottaa, yllyttää
tantalizing adj **1** kiihottava, houkutteleva **2** kyltymätön
tantamount to /'tæntəˌmaunt/ adj merkitä jotakin, olla sama kuin

tantrum /tæntrəm/ s raivonpuuska, raivokohtaus to throw a tantrum saada raivonpuuska, raivota
Tanzania /tæn'zeɪnɪə, ˌtænzə'niə/ Tansania
Tanzanian s, adj tansanialainen
tap /tæp/ s **1** (kevyt lyönti) napautus, naputus, näpäytys **2** (ääni) napsahdus, näpsähdys **3** hana; (tynnyrin) tappi **4** on tap (oluesta) tynnyristä/hanasta (tarjoiltava); (ark kuv) joka on (käyttö)valmiina, valittavana **5** (ark) salakuuntelu
v **1** napauttaa, naputtaa, näpäyttää **2** napsahtaa, näpsähtää, kolahtaa (hiljaa) **3** naputella, kirjoittaa (kirjoituskoneella, tietokoneella, tietokoneeseen) **4** stepata, tanssia steppiä **5** laskea (esim olutta tynnyristä) **6** avata/sulkea (tynnyrin) tappi **7** käyttää, ruveta käyttämään **8** salakuunnella
tap dance s steppi
tap-dance v stepata, tanssia steppiä
tap-dancer s steppaaja
tape /teɪp/ s **1** nauha **2** teippi **3** mittanauha **4** maalinauha **5** magneettinauha, nauha, (myös ääni/video)kasetti
v **1** teipata **2** mitata (mittanauhalla) **3** nauhoittaa, tallentaa, äänittää
tape deck s nauhuri, nauhoitin, kasetti/avokeladekki
tape measure s mittanauha
tape player s (yl) kasettisoitin
taper /teɪpər/ v suipeta, suipentua, suipentaa
tape-record v äänittää, nauhoittaa, tallentaa
tape recorder s nauhuri, nauhoitin
tape recording s **1** äänite, tallenne, nauhoite **2** äänitys, tallennus, nauhoitus
taper off v **1** suipeta, suipentua **2** lakata vähitellen
tapestry /tæpəstri/ s kuviollinen seinävaate, gobeliini
tapeworm /'teɪp,wərm/ s heisimato
tap into v (ark) ottaa yhteys johonkin (myös tietokoneella), käyttää hyväkseen jotakuta/jotakin
tapioca /ˌtæpɪ'oʊkə/ s tapioka
tapir /teɪpər/ s tapiiri

tar /tar/ s terva to knock the tar out of someone (ark) antaa jollekulle kunnon selkäsauna
v tervata
tar and feather fr **1** kierittää tervassa ja höyhenissä **2** piestä, antaa selkään, rangaista kunnolla
tarantula /tə'ræntʃʊlə/ s **1** (Yhdysvaltain lounaisosassa) lintuhämähäkki **2** (Etelä-Euroopassa) taranteli
tarbaby /'tar,beɪbi/ s visainen pulma, (lähes) ylitsepääsemätön este
target /targət/ s **1** maali(taulu) to be on target olla tähdätty oikein; olla oikea/tarkka, osua oikeaan **2** kohde, maali, päämäärä, tavoite
v tähdätä
adj tavoite-, kohde-
target date s tavoitepäivämäärä, määräpäivä
target group s (markkinoinnin ym) kohderyhmä
target in/on v (kuv) tähdätä, pyrkiä johonkin
target language s (käännöksen) kohdekieli, tulokieli
tariff /terəf/ s **1** maksuluettelo **2** maksu, hinta **3** tulli
tarmac /tarmæk/ s asfaltti
tarmacadam /'tarmə,kædəm/ s asfaltti
tarnish /tarnɪʃ/ v **1** (kiilto) himmentyä, himmentää **2** (kuv) tahrata, mustata (esim mainetta)
tarpaulin /tarpələn/ s **1** (esim öljykankainen) suojapeite **2** öljykankainen päähine
tarred with the same brush fr olla samasta savesta, ei olla sen parempi (kuin)
tart /tart/ s **1** (makea) piiras, piirakka **2** (sl) huora, lutka
adj **1** (maku) kirpeä, hapan **2** (kuv) kärkevä, piikikäs
tartan /tartən/ s tartaani, skotlantilainen ruudullinen villakangas
tartar /tartər/ s hammaskivi
tart up v (sl) pyntätä
Tas. Tasmania

task /tæsk/ s **1** tehtävä, työ, urakka **2** to take someone to task vaatia joku tilille, nuhdella, sättiä
v uuvuttaa, rasittaa, käydä voimille
task force s **1** (sot) erikoisyksikkö **2** työryhmä
tassel /tæsəl/ s tupsu
Tasmania /tæz'meɪniə/ Tasmania
taste /teɪst/ s **1** maku **2** palanen, tilkkanen **3** halu, ilo: he has no taste for jazz jazz ei ole hänen makuunsa/mieleensä **4** taju she has a taste for class hän ymmärtää mikä on tyylikästä **5** (kuv) maku your behavior was in bad taste käytöksesi oli mautonta it left a bad taste in my mouth minulle jäi siitä paha maku suuhun, minulle jäi siitä ikävä muisto to your taste jonkun maun mukainen
v **1** maistaa, maistua **2** (kielteisessä lauseessa) koskea (ruokaan), syödä **3** (kuv) saada tuntea/kokea, maistaa **4** (kuv) haiskahtaa joltakin (of)
taste blood fr päästä veren makuun
taste bud s makusilmu
tasteful adj tyylikäs, aistikas, hyvää makua osoittava
tastefully adv tyylikkäästi, aistikkaasti his office was tastefully appointed hänen työhuoneensa oli sisustettu hyvällä maulla
tasteless adj mauton (myös kuv), (käytös) epähieno, tökerö
tastelessly adv mauttomasti (myös kuv)
taster s maistaja
tastily adv **1** maukkaasti **2** (ark kuv) tyylikkäästi, aistikkaasti
tasty adj **1** maukas, hyvänmakuinen **2** (ark kuv) tyylikäs, aistikas
tatter /tætər/ s **1** riekale **2** (mon) rääsyt, ryysyt
v revetä/repeytyä/repiä/kulua rikaleiksi
tattered adj riekaleinen, rääsyinen, ryysyinen
tattle /tætəl/ v kieliä, kannella, paljastaa (salaisuus)
tattler s juoruaja, kantelija
tattoo /tæ'tu/ s tatuointi
v tatuoida
taught /tat/ ks teach
taunt /tant/ s pilkka, iva, kiusa
v pilkata, ivata, kiusata
Taurus /tɔrəs/ horoskoopissa Härkä
taut /tat/ adj kireä (myös kuv)
tautly adv kireästi, kireäksi
tautness s kireys (myös kuv)
tautological /,tatə'ladʒɪkəl/ adj tautologinen (esim samaa sanaa tarpeettomasti toistava)
tautology /ta'talədʒi/ s (sanan tarpeeton) toisto, tautologia
tavern /tævərn/ s kapakka, baari
tawny /tani/ adj kellertävänruskea
tax /tæks/ s **1** vero **2** taakka, kuorma, vaiva, riesa
v **1** verottaa **2** (kuv) verottaa, kuormittaa, rasittaa **3** (ark) veloittaa, verottaa **4** moittia, torua, syyttää
taxable adj veronalainen
taxation /tæk'seɪʃən/ s verotus
tax-deductible /,tæksdɪ'dʌktɪbəl/ adj verovähennettävä
tax deduction s verovähennys
tax evasion s veropetos, veronkierto (ark)
tax-exempt /,tæksɪg'zemt/ adj veroton, verovapaa
tax-free /,tæks'fri/ s (ark) vetoton kauppa (lentokentällä, lentokoneessa, laivassa)
adj veroton
tax haven s (maa) veroparatiisi
taxi /tæksɪ/ s (mon taxis, taxies) taksi, vuokra-auto
v taxies, taxied, taxiing/taxying **1** ajaa/mennä/matkustaa taksilla **2** (lentokone) rullata
taxicab /'tæksɪ,kæb/ s taksi, vuokra-auto
taxidermy /'tæksɪ,dərmi/ s taksidermia
taxing adj uuvuttava, raskas, voimille käyvä
taxiway /'tæksɪ,weɪ/ s (lentokentällä) rullaustie
taxpaid /'tæks,peɪd/ adj verovaroilla maksettu
taxpayer /'tæks,peɪər/ s veronmaksaja
tax return s veroilmoitus

Tay. Tayside
TB tuberculosis tuberkuloosi
TBA to be announced ilmoitetaan myöhemmin
TBS Turner Broadcasting System
tbsp. tablespoonful ruokalusikallinen
tea /ti/ s **1** tee it's not my cup of tea se ei ole minun heiniäni **2** (UK) (iltapäivän tai illan) teehetki, (väli)ateria
teabag /'ti,bæg/ s teepussi
teach /titʃ/ s (ark) ope, opettaja
v taught, taught: opettaa
teach a lesson fr antaa opetus/läksytys that should teach her a lesson eiköhän hän nyt ota opikseen/onkeensa
teacher /titʃər/ s opettaja
teachers college s opettajankoulutuslaitos
teacher's pet s opettajan lemmikki
teaching s **1** opetus(työ), opettaminen **2** (us mon) opetus
teaching aid s opetuksen lisämateriaali
teach someone the ropes you should teach her the ropes around here sinun pitää selittää/opettaa hänelle talon tavat
teacup /'ti,kʌp/ s teekuppi a tempest in a teacup myrsky vesilasissa
teakettle /'ti,ketəl/ s teekannu
team /tim/ s **1** työryhmä, tiimi, (urheilussa) joukkue **2** valjakko
v yhdistää, yhdistyä, lyöttäytyä yhteen
teamster /timstər/ s (valjakon) ajuri, (kuorma-auton) kuljettaja
team up with v lyöttäytyä yhteen jonkun kanssa
teamwork /'tim,wərk/ s ryhmätyö, yhteistyö
tea party s teekutsut
teapot /'ti,pat/ s teekanny a tempest in a teapot myrsky vesilasissa
tear /tıər/ s kyynel to be in tears itkeä, olla silmät kyynelissä
tear /teər/ s repeämä
v tore, torn **1** repiä, revetä, repäistä, repeytyä **2** kiskoa, kiskaista, vetäistä, nykäistä **3** (kuv) repiä, (sydäntä) raastaa **4** viilettää, kiitää, rynnätä, (tuuli) raivota, riehuta
tear at v **1** kiskoa, tempoa, nyhtää, riuhtoa **2** (kuv) raastaa, repiä
tear down v **1** purkaa (rakennus) **2** lyödä lyttyyn, puhua pahaa jostakusta
teardrop /'tıər,drap/ s kyynel
tear gas /'tıər,gæs/ s kyynelkaasu
tear into /teər/ v (ark) **1** käydä käsiksi johonkin **2** (kuv) hyökätä jonkun kimppuun, haukkua, sättiä
tear off /teər/ v (sl) kyhätä kasaan, hutaista, tehdä äkkiä
tearoom /'ti,rum/ s teehuone
tear strip /'teər,strıp/ s (pakkauksen) repäisynauha
tear up /tıər/ v **1** peruuttaa, kumota **2** repiä silpuksi/palasiksi **3** repiä auki/irti, avata (esim kadun päällyste)
tear your hair /teər/ fr (kuv) repiä hiuksiaan
tease /tiz/ s kiusoittelija, härnääjä
v kiusata, härnätä, viekoitella
teaser s kiusoittelija, härnääjä
tea service s teekalusto, teeastiasto
teat /tıt tit/ s nänni
tech /tek/ s (ark) **1** teknikko **2** tekniikka, teknologia
technical /teknıkəl/ adj **1** tekninen **2** ammatillinen, ammatti- **3** mutkikas, vaikeatajuinen
technical analysis s (tal) tekninen analyysi
technical director s tekninen johtaja
technicality /,teknı'kæləti/ s **1** mutkikkuus, monimutkaisuus, teknisyys **2** yksityiskohta the accused got off on a technicality syytetty sai vapauttavan tuomion lain sisältämän porsaanreiän perusteella
technically /teknıkli/ adv **1** teknisesti **2** ammatillisesti tarkkaan ottaen
technical manager s tekninen johtaja
technical school s teknillinen koulu
technician /tek'nıʃən/ s teknikko
Technicolor ®/'teknı,kʌlər/ eräs elokuvien värijärestelmä
adj (ark) räikeä, värikylläinen, loistokas, mahtipontinen

technique /tek'nik/ s **1** (esim taiteilijan, urheilijan) tekniikka, taito **2** menetelmä, keino
technological /ˌteknə'ladʒɪkəl/ adj teknologinen; tekninen
technologically adv teknologisesti; teknisesti
technologist /tek'nalədʒɪst/ s teknologi; teknikko
technology /tek'nalədʒi/ s teknologia; tekniikka university of technology teknillinen korkeakoulu
tedious /tidiəs/ adj tylsä, pitkäveteinen, yksitoikkoinen
tediously adv tylsästi, yksitoikkoisesti, yksitoikkoisen
tedium /tidiəm/ s pitkäveteisyys, yksitoikkoisuus
tee /ti/ s (golfissa) **1** tii, pieni puusta tai muovista valmistettu kappale joka työnnetään ruohoon tms. ja jonka päältä pallo lyödään aloituspaikalla eli tiiauspaikalla **2** tiiauspaikka josta tietyn reiän pelaaminen aloitetaan
teeing ground s (golf) tiiauspaikka, aloituspaikka josta kunkin reiän pelaaminen alkaa
teeming adj **1** täpötäysi, jossa vilisee väkeä **2** hedelmällinen, tuottelias
teem with v jossakin kuhisee/vilisee jotakin the shopping mall is teeming with people ostoskeskus on tupaten täynnä väkeä
teenage /'tinˌeɪdʒ/ adj teini-iän, teini-ikäisten
teenager /'tinˌeɪdʒər/ s teini, teini-ikäinen
teens /tinz/ s **1** teini-ikä **2** numerot 13-19
teensy /tinsi/ adj pienenpieni, pikkuruinen
teeny /tini/ adj pienenpieni, pikkuruinen
tee off /ˌti'af/ v (golf) tiiata, lyödä reiän aloituslyönti tiiauspaikalta
teepee /tipi/ s tiipii, intiaaniteltta
tee shirt /'tiˌʃərt/ s T-paita
Teesside /tizsaɪd/
teeter /titər/ v hoippua, huojua, huojuttaa
teeth /tiθ/ ks tooth
teethe /tið/ v (lapsesta) saada hampaita
teetotal /'tiˌtoutəl/ adj **1** raitis, raivoraitis **2** (ark) ehdoton, täydellinen
teetotaler /'tiˌtoutələr/ s raitis, raivoraitis (ihminen)
TEFL teaching English as a foreign language
telecommunications /ˌteləkəˌmjunɪ'keɪʃənz/ s (verbi yksikössä) tietoliikenne
telecommunications engineer s tietoliikenneinsinööri
telecommuting /teləkə'mjutiŋ/ s etätyöskentely
telefax /'teləˌfæks/ s **1** telefaksilaite, kaukokopiointilaite, faksi **2** telefaksilähetys, faksi
v lähettää telefaksina, faksata
telegram /'teləˌgræm/ s sähke
telegraph /'teləˌgræf/ s **1** lennätin **2** sähke
v **1** sähköttää **2** (kuv) sähköttää, ilmehtiä, paljastaa (ilmeellään/eleellään) tahattomasti
telegraphic /ˌtelə'græfɪk/ adj **1** lennätin- **2** lyhyt, lyhytsanainen, (liian) ytimekäs telegraphic style sähkösanomatyyli
telemark /'teləˌmark/ s (hiihdossa) telemark(käännös)
telepathic /ˌtelə'pæθɪk/ adj telepaattinen
telepathy /tə'lepəθi/ s telepatia, ajatuksensiirto
telephone /'teləˌfoun/ s puhelin
v soittaa (puhelimella)
telephone answering device s puhelinvastaaja
telephone answering machine s puhelinvastaaja
telephone book s puhelinluettelo
telephone booth s puhelinkioski
telephone box s puhelinkioski
telephone exchange s puhelinkeskus
telephone number s puhelinnumero
telephone pole s puhelinpylväs

telephoto /'telə,foutou/ adj (objektiivi) tele-, kauko-
telephoto lens s (kameran) teleobjektiivi, kauko-objektiivi
teleplay /'telə,pleı/ s televisionäytelmän (esim sarjafilmin jakson) käsikirjoitus
telescope /'telə,skoup/ s kaukoputki, teleskooppi refracting telescope linssikaukoputki reflecting telescope peilikaukoputki
v lyhentää, lyhentyä, työntää/työntyä kokoon, (kuv) tiivistää
adj kokoontaittuva, sisäkkäin menevä
Telescope (tähdistö) Kaukoputki
telescopic /,telə'skapık/ adj **1** kaukoputki-, teleskooppi- **2** kokoontaittuva, sisäkkäin menevä
teletext /'telə,tekst/ s tekstitelevisio
telethon /'telə,θan/ s tempaus, (monituntinen) televisiolähetys jossa kerätään puhelimitse rahaa hyväntekeväisyyteen
teletype /'telə,taıp/ s kaukokirjoitin, teleks v lähettää/ilmoittaa kaukokirjoittimella/teleksillä
teletypewriter /'telə,taıp,raıtər/ s kaukokirjoitin, teleks
televangelist /,telə'vændʒəlıst/ s tv-saarnaaja, televisioevankelista
televise /'telə,vaız/ v televisioida
television /'telə,vıʒən/ s (järjestelmä tai vastaanotin) televisio
television set s televisiovastaanotin
television station s televisioasema
telex /teleks/ s kaukokirjoitin, teleks v lähettää/ilmoittaa kaukokirjoittimella/teleksillä
tell /tel/ v told, told **1** kertoa tell me how its was kerro millaista siellä/se oli **2** (myös funktioverbinä) puhua, sanoa to tell a lie valehdella to tell the truth puhua totta, ei valehdella **3** erottaa (toisistaan), tietää, (osata) sanoa she can't tell a Buick from an Olds hän ei erota Buickia Oldsmobilesta **4** paljastaa, kertoa **5** käskeä she told me to leave hän käski minun lähteä
tell apart v (osata) erottaa toisistaan
tell a thing or two fr haukkua, antaa jonkun kuulla kunniansa
teller s **1** kertoja, tarinoija **2** pankkivirkailija
telling adj **1** voimakas, tehokas **2** paljastava
tell it like it is fr kertoa (mahdollisesti karvas) totuus, ei siekailla, puhua asiat selviksi
tell it to the marines fr (ark) älä valehtele!, puhu pukille!
tell off v (ark) sättiä kovasti, haukkua, antaa jonkun kuulla kunniansa
tell on v kannella, juoruta, kieliä jostakusta
telltale /'tel,teıəl/ s juorukello adj **1** paljastava **2** varoitus-, varoittava
tell tales out of school fr kieliä, paljastaa salaisuuksia
tell time fr **1** (ihmisestä) tuntea kello **2** (kellosta) näyttää aikaa
telly /teli/ s (UK ark) telkkari, televisio
tell you what fr kuulehan tell you what, let's go and see her right now mennään kuule tapaamaan häntä nyt heti
temp. temperature lämpötila, lämpö
temper /tempər/ s **1** mieliala: to be out of temper olla pahalla päällä **2** kiukku, pahantuulisuus **3** (metallin) kovuus(aste)
v **1** lieventää, pehmentää, hiljentää, hillitä **2** karkaista (terästä)
tempera /tempərə/ s (väri, maalaus) tempera
temperament /tempərəmənt/ s **1** luonteenlaatu, temperamentti **2** (luonteen) tulisuus, kiihkeys, oikullisuus
temperamental /,tempərə'mentəl/ adj **1** oikukas, oikullinen, tulinen, kiihkeä **2** luonteenlaadun, luonteenlaatua koskeva
temperamentally adv **1** oikukkaasti, tulisesti, kiihkeästi **2** luonteenlaadun osalta
temperance /tempərəns/ s **1** kohtuus, kohtuullisuus (myös alkoholin käytössä), maltillisuus, itsehillintä **2** (ehdoton) raittius

temperate /tempərət/ adj **1** maltillinen, hillitty, kohtuullinen **2** (ilmasto) lauhkea
temperature /temprətʃər/ s lämpötila, lämpö the child is running/having a temperature lapsella on kuumetta
tempered adj **1** (yhdyssanan jälkiosana) good-/ill-tempered hyväntuulinen/pahansisuinen **2** (teräs) karkaistu
tempest /tempəst/ s myrsky (myös kuv)
tempest in a teacup fr myrsky vesilasissa
tempestuous /təm'pestʃuəs/ adj myrskyisä, myrskyinen (myös kuv) kuohuva, kiihkeä, levoton, raju
temple /tempəl/ s **1** ohimo **2** pyhäkkö, temppeli
tempo /tempou/ s (mon tempos, tempi) **1** (mus) tempo **2** (kuv) rytmi, tahti, nopeus, vauhti
temporal /tempərəl/ adj **1** ajallinen, aikaa koskeva **2** maallinen **3** väliaikainen, ohimenevä, hetkellinen
temporarily /ˌtempə'rerəli/ adv väliaikaisesti, ohimenevästi, hetkellisesti
temporary /'tempəˌreri/ s väliaikainen työntekijä, sijainen, lomittaja
adj väliaikainen, hetkellinen, ohimenevä
tempt /temt/ v houkutella, viekotella, suostutella, johtaa kiusaukseen
temptation /ˌtem'teɪʃən/ s kiusaus, houkutus, viekotus, viettelys I can resist anything but temptation pystyn vastustamaan kaikkea paitsi kiusauksia he yielded to the tempation of money hän lankesi rahan kiusaukseen do not lead me into temptation älä johdata/saata minua kiusaukseen
tempter /temtər/ s **1** kiusaaja **2** the Tempter (usk) kiusaaja, perkele
tempting adj houkutteleva, viettelevä it is tempting to say that... tekee mieli sanoa että...
temptingly adv houkuttelevasti, viettelevästi
temptress /temtrəs/ s (naispuolinen) kiusaaja, viettelijä(tär), viekottelija
ten /ten/ s, adj kymmenen to take ten (ark) pitää (kymmenen minuutin) tauko
tenable /tenəbəl/ adj jota voidaan puolustaa his position is no longer tenable hän ei voi enää puolustaa näkemystään
tenacious /tə'neɪʃəs/ adj **1** (ote) luja, vankka, tiukka, kireä **2** (kuv) sitkeä, sinnikäs; härkäpäinen, omapäinen **3** tarttuva, takertuva, (muisti kuv) hyvä
tenaciously adv ks tenacious
tenacity /tə'næsəti/ s **1** (otteen) lujuus, tiukkuus **2** (kuv) sitkeys, sinnikkyys; härkäpäisyys, omapäisyys
tenancy /tenənsi/ s **1** vuokrasuhde **2** vuokra-aika
tenant /tenənt/ s vuokralainen
Ten Commandments s (Vanhan testamentin) kymmenen käskyä
tend /tend/ v **1** olla taipumusta johonkin, pyrkiä tapahtumaan people tend to become lazy when they are on vacation ihmisillä on taipumusta laiskistua lomalla ollessaan **2** huolehtia jostakusta/jostakin, pitää huoli, hoitaa to tend sheep paimentaa lampaita
tendency /tendənsi/ s **1** suunta; kallistus **2** (kuv) pyrkimys, taipumus, suunta
tender /tendər/ s **1** huolehtija, hoitaja, kaitsija **2** (rautateillä) tenderi **3** apulaiva **4** legal tender laillinen maksuväline
v antaa, esittää, tarjota
adj **1** pehmeä, hellä, herkkä **2** heikko, heiveröinen **3** nuori he left home at the tender age of eight hän lähti kotoa jo kahdeksan vanhana **4** kipuherkkä, herkä, arka
tendon /tendən/ s jänne
tenement /tenəmənt/ s (slummialueella) vuokra(kerros)talo
tenement house ks tenement
Tenerife /ˌtenə'rif/ Teneriffa
tenfold /'tenˌfoəld/ adj kymmenkertainen
Tenn. Tennessee
Tennessee /ˌtenə'si/ Yhdysvaltain osavaltioita
tennis /tenəs/ s tennis
tennis ball s tennispallo
tennis court s tenniskenttä
tennis elbow s (lääk) tenniskyynärpää

tennis racket s tennismaila
tennis shoe s tenniskenkä
tenor /tenər/ s **1** (keskeinen, pää)ajatus, juoni, punainen lanka **2** (mus) tenori (ääni, laulaja)
adj (mus) tenori-
tense /tens/ v (myös kuv) jännittää, jännittyä, kiristää, kiristyä, pingottaa, pingottua
adj (myös kuv) kireä, jännittynyt, pingottunut, pingotettu, tiukka
tensely adv ks tense
tension /tenʃən/ s **1** (myös kuv) jännitys, jännittäminen muscle tension lihasjännitys the tension of the political situation poliittisen tilanteen jännittyneisyys/kireys **2** (sähkö)jännite
tent /tent/ s teltta
v telttailla, leiriytyä, asua/nukkua teltassa
tentacle /tentəkəl/ s (eläimen) lonkero
tentative /tentətɪv/ adj **1** alustava, väliaikainen **2** epäröivä, varovainen
tentatively adv **1** alustavasti, väliaikaisesti **2** epäröivästi, epäröiden, varovaisesti
tenterhooks /'tentər,hʊks/ to be on tenterhooks olla kuin tulisilla hiilillä
tenth /tenθ/ s, adj kymmenes
tenuous /tenjʊəs/ adj **1** (lanka) ohut **2** (kuv) epävarma, heikko, heiveröinen
tenuously adv (kuv) epävarmasti, heikosti, heiveröisesti
tenuousness s **1** ohuus **2** (kuv) epävarmuus, heikkous, heiveröisyys
tenure /tenjər/ s **1** (lähinnä) vakinainen virka do you have tenure? onko sinulla vakinainen virka **2** virkakausi, kausi, jakso during his tenure hänen virassa ollessaan
v antaa jollekulle vakinainen virka, vakinaistaa virka
tepee /tipi/ s tiipii, intiaaniteltta
tepid /tepəd/ adj **1** haalea, kädenlämpöinen **2** (kuv) laimea, vaisu
tepidity /tə'pɪdəti/ s **1** (lämmöstä) haaleus **2** (kuv) laimeus the tepidity of their response heidän vaisu/innoton reaktionsa
term /tərm/ s **1** jakso, kausi, kesto in the long/short term pitkällä/lyhyellä aikavälillä **2** lukukausi **3** termi, (ammatti)sana in terms of money, she got little hän ei saanut juuri lainkaan rahaa **4** (mon) ehdot let's do it on my terms tehdään se minun ehdoillani to bring to terms pakottaa suostumaan/alistumaan to come to terms päästä sopimukseen; (kuv) alistua, nöyrtyä (esim kohtaloonsa) **5** (mon) välit she is on good terms with almost everybody hän on hyvissä väleissä lähes kaikkien kanssa
v nimetä, nimittää, kutsua joksikin
terminal /tərmənəl/ adj **1** viimeinen, loppu-, (asema) pääte- **2** (sairaus) terminaalinen, kuolemaan johtava, parantumaton **3** (kuv) toivoton **4** määräaikainen, määräajoin tapahtuva, termiini-
terminally adv ks terminal
terminate /'tərmə,neɪt/ v **1** päättää, päättyä, lopettaa, loppua **2** (sopimus) sanoa irti **3** (työntekijä) erottaa
termination /,tərmə'neɪʃən/ s **1** päättäminen, päättyminen, lopetus **2** (sopimuksen) irtisanominen
terminus /tərmənəs/ s (mon terminuses, termini) **1** loppu, pää **2** päämäärä, tavoite **3** pääteasema
termite /tərmaɪt/ s termiitti
term paper s (koulussa, yliopistossa ym) seminaarityö, (pieni) tutkielma, (pitkä) aine
tern /tərn/ s tiira
terr. territory
terrace /terəs/ s **1** terassi, penger **2** kattotasanne, parveke, terassi **3** porrasteinen rivitalo/talorivi **4** katu (jonka varrella on porrasteisia rivitaloja/talorivejä)
v pengertää, porrastaa
terra firma /,terə'fərmə/ latinasta terra firma, kiinteä maa; kuiva maa, manner we're back on terra firma again (kuv) olemme jälleen tutuilla vesillä
terrain /tə'reɪn/ s maasto this is familiar terrain to him (kuv) tämä on hänelle tuttua asiaa

terra incognita /ˌterəˌɪnkag'nitə/ latinasta terra incognita, tuntematon maa/alue/ala, vieras asia
terrestrial /tə'restʃriəl/ adj **1** maapalloa koskeva, maapallon **2** (kuivaa) maata koskeva, maa-
terrible /terəbəl/ adj hirvittävä, kamala
terribly adv hirvittävästi, hirvittävän, kamalasti, kamalan she was terribly embarassed häntä nolotti valtavasti
terrier /terɪər/ s terrieri
terrific /tə'rɪfɪk/ adj **1** valtava, suunnaton **2** mahtava, loistava **3** hirvittävä, kammottava
terrifically adv ks terrific
terrify /'terəˌfaɪ/ v hirvittää, kammottaa, pelästyttää, pelottaa
territorial /ˌterə'tɔriəl/ **1**adj alueellinen **2** (eläin) reviiri-
territory /'terəˌtɔri/ s **1** alue **2** territorio **3** (eläimen) reviiri
terror /terər/ s **1** kauhu **2** hirmuvalta, terrori **3** terrorismi
terrorism /terərɪzəm/ s terrorismi
terrorist /terərɪst/ s terroristi
adj terroristi-
terrorize /'terəˌraɪz/ v **1** kauhistuttaa **2** terrorisoida
terror-stricken /'terərˌstrɪkən/ adj kauhistunut; pakokauhun valtaama
terse /tərs/ adj **1** lyhyt, ytimekäs **2** tyly, ynseä
tersely adv **1** lyhyesti, ytimekkäästi **2** tylysti, ynseästi
terseness s **1** lyhyys, ytimekkyys **2** tylyys, ynseys
TESL teaching English as a second language
TESOL teaching English to speakers of other languages
test /test/ s **1** (kelpoisuus)koe, tutkimus, testi to put something to test kokeilla, testata **2** tentti, koe
v testata, kokeilla, tutkia
testament /testəmənt/ s testamentti
testator /testeɪtər tə'stetər/ s testamenttaaja, testamentin tekijä
testatrix /tə'steɪtrɪks/ s (naispuolinen) testamenttaaja, testamentin tekijä
test blank s (täyttämätön) koelomake, koepaperi
test case s ennakkotapaus
testee /tes'ti/ s kokelas
tester s kuulustelija, tentaattori
testes /testiz/ ks testis
test flight s koelento
test-fly v koelentää, lentää kokeeksi
testicle /testɪkəl/ s kives
testify /'testəˌfaɪ/ v todistaa (esim oikeudessa) to testify under oath todistaa valaehtoisesti
testimonial /ˌtestə'mouniəl/ s **1** suositus **2** (tunnustuksen osoitus) lahja
testimony /'testəˌmouni/ s (todistajan)lausunto
testis /testəs/ s (mon testes) kives
testosterone /tes'tastəˌroun/ s testosteroni, kiveshormoni
test pattern s (television) testikuva
test pilot s koelentäjä
test tube s koeputki
test-tube baby s koeputkilapsi
tetanus /tetənəs/ s (lääk) jäykkäkouristus tetanus shot jäykkäkouristusrokotus, tetantusrokotus
tête-à-tête /ˌteɪtə'teɪt/ s (mon tête-à-têtes) kahdenkeskinen keskustelu we had a little tête-à-tête after the meeting me juttelimme kokouksen jälkeen kahden kesken
adj kahdenkeskinen
tether /teðər/ s lieka, köysi he is at the end on his tether häneltä on voimat/kärsivällisyys lopussa
v sitoa/panna liekaan
Tex. Texas
Texas /teksəs/ Teksas
Tex-Mex /ˌteks'meks/ adj teksasilaismeksikolainen, eteläisen Teksasin meksikolaisia vaikutteita sisältävä
text /tekst/ s **1** teksti, kirjoitus **2** oppikirja
textbook /'tekstˌbuk/ s oppikirja
adj tyypillinen textbook example kouluesimerkki, tyypillinen esimerkki
textile /tekstaɪəl/ s, adj tekstiili(-)
textual /tekstʃuəl/ adj teksti-
texture /tekstʃər/ s **1** pintarakenne, pinta the handle has a smooth texture

kädensija on sileä(n tuntuinen) **2** (kuv) muoto, hahmo, olemus
thalamus /θæləməs/ s (mon thalami) näkökukkula, väliaivojen yläosa
thalidomide /θə'lɪdə,maɪd/ s talidomidi
TG transformational grammar transformaatiokielioppi
TGIF thank God it's Friday
Th. Thursday torstai
Thai /taɪ/ s, adj thaimaalainen
Thailand /taɪlənd/ Thaimaa
than /ðæn/ konj kuin A is better than B A on parempi kuin B he said nothing other than that you should go hän ei sanonut muuta kuin että sinun pitäisi lähteä rather than help me he left hän ei jäänyt auttamaan minua vaan lähti
thank /θæŋk/ v kiittää you have only yourself to thank saat kiittää vain itseäsi
thankful adj kiitollinen
thankfully adv kiitollisesti
thank God interj Luojan kiitos, onneksi
thankless adj **1** (ihminen) kiittämätön, epäkiitollinen **2** (tehtävä) epäkiitollinen
thanklessly adv kiittämättömästi, epäkiitollisesti
thanks s (mon) kiitos, kiitokset interj kiitos
thanksgiving /,θæŋks'gɪvɪŋ/ s **1** kiittäminen; kiitollisuus; kiitos **2** Thanksgiving kiitospäivä
Thanksgiving Day s kiitospäivä
thanks to thanks to you, I have nothing to regret sinun ansiostasi minun ei tarvitse katua mitään
thank-you s, adj kiitos(-)
thank you interj kiitos
thank your lucky stars fr saada kiittää onneaan
that /ðæt/ adj, pron (mon those) **1** tuo, se who is that? kuka tuo on? what is that? mikä tuo on? that dog tuo koira I can't do it just like that ei se noin vain onnistu
adv noin, niin is it really that bad? ovatko asiat todella niin huonosti/hullusti **2** joka, jota, josta, mikä, mitä, mistä the book that you read kirja jonka luit, lukemasi kirja **3** at that silti, kuitenkin, joka tapauksessa; lisäksi, sitä paitsi **4** with that, the meeting ended kokous päättyi siihen
konj **1** että Bob said that he was there Bob sanoi että hän oli siellä that he was there is not certain ei ole varmaa että hän oli siellä **2** so that jotta **3** in order that jotta
thataway /'ðætə,weɪ/ adj (vanhentunut) **1** tuonne/sinne päin they went thataway **2** tuolla/sillä tavalla
thatch /θætʃ/ s **1** olkikatto **2** hiuskuontalo
v peittää/kattaa oljilla
thatcher s **1** olkikattojen tekijä **2** harava
that is fr toisin sanoen, siis, eli
that is to say fr toisin sanoen, siis, eli
that's /ðæts/ that is; that has
that way fr (ark) pihkassa, ihastunut johonkuhun
thaw /θa/ s **1** sulatus, sulaminen **2** lämpeneminen (myös kuv); suojasää
v **1** sulaa, sulattaa **2** lämmetä (myös kuv) it is thawing on suojasää
THD total harmonic distortion harmoninen kokonaissärö
the konsonantin edellä /ðə/ vokaalin edellä ja painollisena /ði/ määräinen artikkeli **1** tietystä, tunnetusta (vrt a/an) yesterday, I met a man; the man had a beard tapasin eilen miehen; miehellä oli parta the sun aurinko **2** adjektiivien kanssa ihmisryhmästä: the blind sokeat the poor köyhät the naked and the dead alastomat ja kuolleet **3** superlatiivin kanssa: the best and the brightest student paras ja älykkäin oppilas **4** ryhmästä, lajista kokonaisuutena: the dog is man's best friend koira on ihmisen paras ystävä **5** tarpeeksi, riittävästi: Harry did not have the nerve to say what he had in mind Harrylla ei ollut otsaa (Harry ei rohjennut) sanoa mitä hän ajatteli **6** distributiivisesti määrästä, suhteesta: the apples are a dollar to the pound omenat maksavat dollarin naulalta (puolelta kilolta) **7** soittimesta ym to

play the piano soittaa pianoa to listen to the radio kuunnella radiota **8** (painollisena) se oikea: that's the way to do it noin se tehdä pitää
adv sitä, mitä the more the better mitä enemmän sitä parempi
theater /θiətər/ s **1** teatteri(rakennus) **2** the theater teatteri(ala), näyttämötaide **3** (kuv) näyttämö
theatergoer /'θiətər,gouər/ s teatterissa kävijä, (mon) teatteriyleisö
theater of war s sotanäyttämö
theatrical /θi'ætrɪkəl/ adj **1** teatterin, teatteri- **2** teennäinen, teatraalinen
theatrical film s teatterielokuva (erotuksena televisioelokuvasta)
theatrics /θi'ætrɪks/ s (kuv, verbi mon) teennäisyys, teatraalisuus
Thebes /θibz/ Theba
thee /ði/ pron (vanhentunut) sinut, sinua, sinulle
theft /θeft/ s varkaus
The Hague /ðə'heɪg/ Haag
their /ðeər/ adj heidän, niiden their money heidän rahansa who forgot to turn in their paper? (sukupuolisesti etumerkittömänä sanan his tai her asemesta) kuka unohti palauttaa paperinsa?
theirs /ðeərz/ pron heidän this is our car and that is theirs tämä on meidän automme ja tuo on heidän (autonsa) theirs is a miserable job heidän työnsä on kurjaa
theism /θiɪzəm/ s teismi
theist /θiɪst/ s teisti
adj teistinen
them /ðem/ pron **1** he, heitä, heille, ne, niitä, niille two dogs ran across the street; did you see them? kaksi koiraa juoksi tien yli; näitkö sinä ne? **2** (ark, painokkaasti sanan they asemesta) he, ne it was them that did it he sen tekivät
adj (ei kirjakielessä) ne, niitä them boys keep stealing my apples ne pojat varastelevat jatkuvasti minulta omenia
theme /θim/ s **1** aihe, teema **2** johtoajatus, aihe, motiivi
theme park s (huvipuistosta) teemapuisto
theme song s (radio- tai televisiosarjan) tunnussävelmä
themselves /ðəm'selvz/ pron **1** refleksiivisesti (myös sukupuolisesti etumerkittömänä sanan himself tai herself asemesta): they bought themselves new hats he ostivat (itselleen) uudet hatut every man and woman in this country should take a closer look at themselves jokaisen tämän maan miehen ja naisen pitäisi tutkistella itseään **2** painokkaasti: he/ne itse they were themselves at fault se oli heidän oma vikansa
them's fighting words fr älä haasta riitaa, tuollaisista puheista tulee riita
then /ðen/ adj silloinen, entinen the then prime minister senaikainen pääministeri
adv **1** silloin it was then that she realized what was wrong (juuri) silloin hän tajusi mikä oli vialla that was then and this is now se on menneyttä ja nyt elämme nykypäivää every now and then silloin tällöin until then siihen asti, siihen saakka **2** sitten, seuraavaksi and then we went to the movies sitten menimme elokuviin **3** siis, sitten it is, then, a matter of taste kyse on siis makuasiasta, se on siis makuasia but then (mutta) toisaalta
then and there fr siltä istumalta, heti, oikopäätä
theodolite /θi'adə,laɪt/ s teodoliitti
theologian /,θiə'loudʒən/ s teologi, jumaluusoppinut
theological /,θiə'ladʒɪkəl/ adj teologinen, jumaluusopillinen
theologically adv teologisesti, jumaluusopillisesti
theology /θi'alədʒi/ s teologia, jumaluusoppi
theoretical /,θiə'retɪkəl/ adj teoreettinen
theoretically adv teoreettisesti, teoriassa
theoretician /,θiərə'tɪʃən/ s teoreetikko
theorist /θɪrɪst/ s teoreetikko

theorize /'θɪə,raɪz/ v rakennella teorioita, teoretisoida, teorioida
theory /θɪri/ s **1** teoria **2** arvaus, oletus, luulo it's just a theory minä vain arvailen
therapeutic /,θerə'pjutɪk/ adj terapeuttinen, hoitava, hoito-
therapeutical adj terapeuttinen, hoitava, hoito-
therapeutically adv terapeuttisesti, hoitavasti
therapist /θerəpəst/ s terapeutti physical therapist lääkintävoimistelija, fysioterapeutti
therapy /θerəpi/ s terapia, hoito
there /ðeər/ adv **1** siellä, sinne, tuolla, tuonne take these books from here to there kanna nämä kirjat tästä tuonne/ sinne from there sieltä here and there siellä täällä **2** muodollisena subjektina, jätetään suomentamatta: there are three bottles in the bag pussissa on kolme pulloa there were no clouds in the sky taivaalla ei ollut pilviä there were four women there siellä oli neljä naista interj esim kannustuksen, lohdutuksen tai mielihyvän ilmauksena: there, there älähän nyt!
thereabout /,ðerə'baʊt/ adv niihin aikoihin, niillä main, suunnilleen
thereabouts /,ðerə'baʊts/ adv niihin aikoihin, niillä main, suunnilleen
thereafter /,ðe'ræftər/ adv sen jälkeen, myöhemmin
there and then fr siltä istumalta, heti, oikopäätä
thereby /'ðer,baɪ/ adv **1** siten he thereby spoiled everything hän pilasi teollaan kaiken **2** and thereby hangs a tale ja siihen liittyy oma tarinansa
therefore /'ðer,fɔr/ adv siksi, sen vuoksi
therefrom /,ðer'frʌm/ adv siitä, sieltä
therein /,ðe'rɪn/ adv siinä, siihen therein lies the problem (juuri) siinä piilee ongelma(n ydin)
thereof /,ðer'ʌv/ adv siitä
there's /ðeərz/ there is; there has
thereupon /'ðerə,pan/ adv **1** heti sen jälkeen **2** sen johdosta/vuoksi
thermal /θərməl/ adj lämpö-
thermal paper s (lämpökirjoittimen) lämpöpaperi
thermal pollution s lämpösaaste
thermal printer s lämpökirjoitin
thermal transfer printer s lämpö(siirto)kirjoitin
thermal underwear s lämpöalusasu, lämpöalusvaatteet
thermodynamic /,θərmoʊdaɪ'næmɪk/ adj termodynaaminen
thermodynamics /,θərmoʊdaɪ'næmɪks/ s (verbi yksikössä) termodynamiikka
thermometer /θər'mamətər/ s lämpömittari
thermonuclear /,θərmoʊ'nuklɪər/ adj fuusio-, lämpöydin-, termonukleaarinen
thermonuclear bomb s vetypommi
thermonuclear reaction s fuusioreaktio, lämpöydinreaktio
thermoplastic /,θərmoʊ'plæstɪk/ adj termoplastinen, lämpimänä muovautuva
thermos /θərməs/ s termospullo
thermos bottle s termospullo
thermosphere /'θərmoʊ,sfɪər/ s termosfääri
thermostat /'θərməs,tæt/ s termostatti, lämmönsäädin
thermostatic /,θərmə'stætɪk/ adj termostaattinen, termostaatti-
thermostatically adv termostaattisesti, termostaatilla
thesaurus /θesɔrəs/ s **1** synonyymisanakirja **2** tietosanakirja; sanakirja; hakuteos
these /ðiz/ ks this
the shoe is on the other foot fr nyt on toinen ääni kellossa
thesis /θisəs/ s (mon theses) **1** väite, väittämä, teesi **2** opinnäytetyö Master's thesis pro gradu
Thess. Thessalonians (Uuden testamentin) tessalonikalaiskirjeet
they /ðeɪ/ pron **1** he, ne they went shopping he menivät ostoksille **2** (myös sukupuolisesti etumerkittömänä sanan he tai she tilalla) hän everybody needs a car, whether they work or not jokainen tarvitsee auton riippumatta siitä käykö

hän työssä **3** ihmiset yleensä (suomennettavissa passiivilla) they say that the king is crazy sanotaan/väitetään/huhutaan että kuningas on hullu
they'd /ðeɪd/ they had; they would
they'll /ðeɪəl/ they will
they're /ðeər/ they are
they've /ðeɪv/ they have
thick /θɪk/ s ydin: in the thick of the forest metsän siimeksessä in the thick of the fight taistelun temmellyksessä through thick and thin myötä- ja vastoinkäymisissä, niin hyvinä kuin huonoina aikoina
adj **1** paksu **2** sakea, sankka **3** (ääni) käheä, (korostus) voimakas **4** hidasjärkinen, hidasälyinen, tyhmä **5** (ark) läheinen they are very thick he ovat lähiväleissä **6** (kuv) paksu, liioiteltu to lay it on thick (ark) imarrella, makeilla, mielistellä
thicken v paksuntua, paksuntaa, sakeuttaa, saota, tihentää, tihentyä
thicket /θɪkət/ s tiheikkö
thickhead /'θɪk,hed/ s typerys, puupää, idiootti
thickheaded /,θɪk'hedəd/ adj tyhmä, hidasjärkinen
thickish adj paksuhko; sakeahko, sankahko, tiheänlainen, tiheähkö
thickly adv ks thick
thickness s **1** paksuus the film is only of the thickness of a hair kalvo/kelmu on vain hiuksen paksuinen **2** sakeus, tiheys
thickset /'θɪk,set/ adj **1** tiheä, tiivis, taaja **2** pyylevä; tanakka
thick-skinned /,θɪk'skɪnd/ adj paksunahkainen (myös kuv)
thick-witted /,θɪk'wɪtəd/ adj tyhmä, hidasjärkinen
thief /θif/ s (mon thieves) varas
thieve /θiv/ v varastaa, kähveltää
thigh /θaɪ/ s reisi
thimble /θɪmbəl/ s sormustin
thin /θɪn/ adj **1** ohut **2** laiha **3** harva, vähäinen, niukka **4** laimea, vaisu, heikko
adv ohueksi, ohuelti
thin down v ohentaa, ohentua, harventaa, harventua
thine /ðaɪn/ pron (vanhentunut) sinun
thin film s ohutkalvo
thing /θɪŋ/ s (voi viitata lähes mihin tahansa esineeseen; myös olioista ja asioista) **1** esine, kapine, tavara, väline what's that thing on the table? mikä tuossa pöydällä on? to see/hear things nähdä näkyjä/kuulla omiaan **2** olio your cat is a curious thing sinun kissasi on erikoinen otus **3** asia, juttu it's a funny thing hassu/kumma juttu things are pretty good asiat ovat aika hyvällä mallilla **4** (ark) hullutus: to have a thing about something olla hulluna johonkin **5** to do/find your (own) thing (ark) olla/oppia olemaan oma itsensä **6** to make a good thing of (ark) käyttää hyväkseen, ottaa jostakin kaikki irti **7** the thing muoti(asia); oikea asia the thing to do is to go to the beach nyt (jos koska) kuuluu mennä uimarannalle
thingamajig /'θɪŋəmə,dʒɪg/ s (esine jonka nimeä puhuja ei tiedä) vempain, vekotin, härveli give me that thingamajig that's on the table anna minulle se vekotin siitä pöydältä
thinhorn sheep s ohutsarvilammas
think /θɪŋk/ v thought, thought **1** ajatella, miettiä, harkita, pohtia **2** luulla, olettaa, uskoa he thought he could do it alone hän luuli selviävänsä yksin **3** pitää jonakin, luulla joksikin they thought her mad he pitivät häntä hulluna
thinkable adj mahdollinen, joka on ajateltavissa/kuviteltavissa
think better of fr muuttaa mielensä, tulla toisiin aatoksiin
thinker s ajattelija
think fit fr pitää sopivana/asiallisena, katsoa sopivaksi
thinking s ajattelu, pohdinta, mietintä to do some thinking miettiä, ajatella
adj **1** järjellinen, jolla on järki **2** järkevä, viisas
thinking cap s mietintämyssy to put on your thinking cap panna mietintämyssy päähän, ruveta miettimään/pohtimaan
think little of fr ei pitää minään
think nothing of fr **1** ei kaihtaa jotain (keinoa), ei olla millänsäkään

jostakin, ei pitää jotakin minään **2** ei arvostaa jotakuta, ei pitää jotakuta minään
think of v **1** keksiä, muistaa she could not think of anything appropriate to say hän ei keksinyt sopivaa sanottavaa **2** olla jotakin mieltä jostakusta/jostakin what do you think of my new hat? mitä tuumit/pidät uudesta hatustani? **3** ajatella, miettiä
think out v **1** ratkaista, pohtia loppuun saakka **2** keksiä, kehittää, laatia (suunnitelma)
think the world of Warren thinks the world of her Warren ihailee häntä kovasti/pitää hänestä kovasti
think through v ratkaista, pohtia loppuun saakka
think twice fr miettiä kahdesti (ennen kuin before)
think up v keksiä
thinner s ohennusaine, ohenne
thinnish adj ohuehko, ohuenlainen
thin off v ohentaa, ohentua, harventaa, harventua
thin out v ohentaa, ohentua, harventaa, harventua
third /θərd/ s, adj kolmas
third-class adj (esim posti) kolmannen luokan (myös kuv:) huono, surkea
third degree to give someone the third degree pistää joku koville, kuulustella jotakuta armottomasti
third party s ulkopuolinen
Third Reich /θərd'raɪk/ s (natsi-Saksa) kolmas valtakunta
Third World s kolmas maailma
thirst /θərst/ s jano (myös kuv) v **1** jotakuta janottaa, olla jano **2** (kuv) janota, haluta, kaivata he was thirsting for adventure (myös) hän odotti malttamattomana seikkailuita
thirstily adv **1** janoisesti **2** (kuv) halukkaasti, innokkaasti
thirsty adj **1** janoinen he was thirsty for news from home hän janosi uutisia kotipuolesta **2** (maa) kuiva, janoinen
thirteen /θər'tin/ s, adj kolmetoista
thirteenth /θər'tinθ/ s, adj kolmastoista
thirtieth /θərtiəθ/ s, adj kolmaskymmenes
thirty /θərti/ s, adj kolmekymmentä he is in his thirties hän on kolmissakymmenissä (30-39-vuotias) they live in the thirties he asuvat 30. ja 39. kadun välillä back in the thirties muinoin 30-luvulla
thirtysomething /'θərti,sʌmθiŋ/ adj (iältään) kolkyt ja risat
this /ðɪs/ adj, pron (mon these) **1** tämä this orange tämä appelsiini take this ota tämä **2** eräs, muuan well, there was this guy standing at the door joku tyyppi seisoi ovella **3** with this, she left sen sanottuaan/jälkeen hän lähti
thistle /θɪsəl/ s **1** ohdake **2** karhiainen
Thomson's gazelle /,tamsənzgə'zeəl/ s thomsoningaselli
thong /θaŋ/ s **1** nahkaremmi **2** ruoska, piiska
thorn /θɔrn/ s (myös kuv) oka, piikki
thorn in your flesh/side fr piikki jonkun lihassa
thorny adj **1** okainen, piikikäs **2** (kuv) okainen, visainen, hankala, vaikea
thorough /θəroʊ/ adj **1** perusteellinen, perinpohjainen, läpikotainen, huolellinen, tarkka **2** täydellinen, suunnaton
thoroughbred /'θəroʊ,bred/ s, adj täysiverinen (hevonen)
thoroughfare /'θəroʊ,feər/ s **1** läpikulkutie, kauttakulkutie no thoroughfare läpikulku kielletty **2** valtatie, (tärkeä) maantie **3** kulkuväylä
thoroughgoing /,θəroʊ'goʊiŋ/ adj **1** perusteellinen, perinpohjainen, läpikotainen, huolellinen, tarkka **2** täydellinen he is a thoroughgoing crook hän on konna kiireestä kantapäähän
thoroughly adv **1** perusteellisesti, perinpohjaisesti, läpikotaisin, huolellisesti, tarkasti **2** täydellisesti, suunnattomasti, läpeensä we enjoyed ourselves thoroughly meillä oli suunnattoman hauskaa he is a thoroughly despicable person hän on läpeensä iljettävä mies
thoroughness s perusteellisuus, huolellisuus, laajuus, kattavuus
those /ðoʊz/ ks that
thou /ðaʊ/ pron (vanhentunut) sinä

thou /θaʊ/ s (sl) tuhat dollaria
though /ðoʊ/ konj **1** (sama kuin although) vaikka he did not make the team though he tried hard hän ei päässyt joukkueeseen vaikka yritti kovasti **2** as though ikään kuin I feel as though I have never been on vacation minusta tuntuu siltä kuin en olisi koskaan käynyt lomalla
thoughlessness s **1** ajattelemattomuus **2** pinnallisuus
thought /θat/ s **1** ajattelu **2** ajatus now there's a thought siinäpä vasta/hyvä idea! **3** hiukkanen it's a thought too warm for me sää on hieman liian lämmin minun makuuni
v ks think
thoughtful adj **1** huomaavainen, avulias **2** syvällinen **3** mietteliäs **4** to be thoughtful of something varoa jotakin, pitää huoli jostakin
thoughtfully adv **1** huomaavaisesti **2** syvällisesti **3** mietteliäästi
thoughtfulness s **1** huomaavaisuus, avuliaisuus **2** syvällisyys **3** mietteliäisyys
thoughtless adj **1** ajattelematon, harkitsematon **2** pinnallinen **3** to be thoughtless of something laiminlyödä jotakin, ei pitää huolta jostakin
thoughtlessly adv **1** ajattelemattomasti, harkitsemattomasti **2** huomaamattaan, vahingossa, epähuomiossa
thousand /θaʊzənd/ s, adj tuhat
Thousand Island dressing s Thousand Island -salaatinkastike
thousandth /θaʊzənθ/ s, adj tuhannes
Thrace /θreɪs/ Traakia
thrash /θræʃ/ s **1** pieksentä, selkäsauna **2** (thresh) puiminen
v **1** piestä, piiskata, peitota **2** (voittaa) hakata, peitota **3** piehtaroida, rimpuilla **4** (thresh) puida
thrashing s pieksentä, selkäsauna
thrash out v puhua selväksi; piestä suutaan jostakin
thrash over v puhua selväksi; piestä suutaan jostakin
thread /θred/ s **1** lanka **2** (kuv) punainen lanka, juoni
v **1** pujottaa (lanka) neulaan/(helmiä) lankaan **2** sujuttaa, sujuttautua, ujuttaa, ujuttautua, pujotella, kiemurrella, mutkitella
threadbare /ˈθred,beər/ adj **1** nukkavieru, nuhruinen, nuhraantunut; ryysyinen **2** kehno, surkea, onneton
threat /θret/ s uhka, vaara
threaten v **1** uhata, uhkailla **2** uhata, olla vähällä tapahtua
threatened species s (mon threatened species) uhanalainen (eläin/kasvi)laji
threatening adj uhkaava, vaarallinen, pahaenteinen
threateningly adv uhkaavasti, uhkaavan the truck tilted threateningly auto kallistui uhkaavasti/vaarallisesti
three /θri/ s, adj kolme
3-D /,θri'di/ three-dimensional kolmiulotteinen
three-decker /,θri'dekər/ s kolmikerroksinen voileipä
three-dimensional /,θridə'menʃənəl/ adj kolmiulotteinen
threefold /'θri,foəld/ adj kolminkertainen
adv kolminkertaisesti
three-ring circus s (kuv) myllerrys, sekasorto
three's a crowd fr kolme (ihmistä) on liikaa
three sheets in the wind fr (sl) kännissä, päissään, humalassa
threesome /θrisəm/ s kolmikko
three-wheeler /,θri'wilər/ s kolmipyörä
thresh /θreʃ/ v **1** puida (viljaa) **2** piestä, hakata, peitota
thresher s puija
threshing machine s puimuri
threshold /θreʃoəld/ s kynnys (myös kuv) we're on the threshold of a new age olemme uuden aikakauden kynnyksellä/ovella
thresh out v puhua selväksi; piestä suutaan jostakin
thresh over v puhua selväksi; piestä suutaan jostakin
threw /θru/ ks throw

thrice /θraɪs/ adv (vanhentunut) kolmesti
thrift /θrɪft/ s **1** säästäväisyys **2** säästöpankki
thriftily adv **1** säästäväisesti **2** kukoistavasti
thriftless adj tuhlaileva, tuhlaavainen
thriftshop /ˈθrɪft,ʃap/ s vanhan tavaran kauppa
thrifty adj **1** säästäväinen **2** menestyvä, kukoistava
thrill /θrɪl/ s **1** innostus, kiihtymys, jännitys **2** värinä
v **1** innostaa, saada kiihtymään/syttymään/jännittämään she was thrilled to bits to see him hän oli haltioissaan/suunniltaan innostuksesta nähdessään hänet **2** väristä
thriller s trilleri, jännäri
thrilling adj **1** innostava, jännittävä, sytyttävä **2** värisevä
thrive /θraɪv/ v thrived/throve, thrived/throve: kukoistaa, menestyä, (lapsi) kasvaa nopeasti
throat /θrout/ s **1** (anatomiassa) kurkku to cut your own throat (kuv) satuttaa (vain) itseään, tehdä itselleen vahinkoa to jump down someone's throat (ark) ruveta haukkumaan jotakuta the problem is a lump in his throat ongelma kuroo hänen kurkkuaan, ongelma vaivaa häntä she tried to ram the idea down my throat (ark) hän yritti pakottaa minut hyväksymään ehdotuksen the words stuck in his throat sanat takertuivat hänen kurkkuunsa **2** (esineen) kurkku, kaula, nielu
throat microphone s kaulamikrofoni
throb /θrab/ s tykytys, syke; värinä
v tykyttää, sykkiä (tavallista nopeammin); väristä
throes /θrouz/ s (mon) huiske, tuoksina, hyörinä to be in the throes of a disease olla sairauden kourissa in the throes of a battle taistelu tuoksinassa/tuokseessa
throne /θroun/ s valtaistuin (myös kuv:) to come to the throne nousta valtaistuimelle/valtaan
throng /θraŋ/ s tungos, väkijoukko
v tungeksia, ahtautua jonnekin
throttle /θratəl/ s **1** (tekn) kuristusläppä, kuristin at full throttle (kuv) nasta laudassa, täyttä häkää/vauhtia, kaasu pohjassa **2** kuristusvipu, (autossa) kaasupoljin
v **1** kuristaa, tukahduttaa (myös kuv) **2** (tekn) kuristaa, (ark autossa ym) vähentää kaasua
throttle back v (autossa ym) vähentää kaasua
throttle lever s (tekn) kuristusvipu, (autossa) kaasupoljin
throttle valve s (tekn) kuristusläppä, kuristin
through /θru/ adj **1** valmis I'm not through with the book yet en ole vielä lukenut kirjaa (kokonaan) **2** to be through with someone/something olla saanut tarpeekseen jostakusta/jostakin, olla pannut välinsä poikki johonkuhun/johonkin **3** (lento ym) suora, (tie) läpikulku- a through bus to Phoenix suoraan Phoenixiin menevä bussi **4** she is through as a dancer hän on mennyttä tanssijana, hän on entinen (ark) tanssija
adv **1** läpi, lävitse, kautta **2** saakka the bus goes through to Des Moines linja-auto menee Des Moinesiin saakka
prep **1** läpi, lävitse, kautta I can see through the curtains näen verhojen läpi **2** (ajasta) läpi, kautta, (koko) ajan through the years, she became less tense hän alkoi vuosien mittaan rentoutua he'll be in town through Thursday hän on kaupungissa torstai-iltaan **3** keinosta, välineestä: the accident happened through no fault of mine onnettomuus ei ollut minun syytäni
through and through adv läpeensä, läpikotaisin, alusta loppuun, kiireestä kantapäähän
throughout /,θruˈaʊt/ adv, prep **1** kaikkialla, kaikkialta, kaikkialle, läpeensä, läpikotaisin **2** koko ajan, alusta loppuun
through thick and thin fr myötä- ja vastoinkäymisissä, niin hyvinä kuin huonoina aikoina
throw /θrou/ s **1** heitto the tavern is only a stone's throw from here kapakka

on vain kivenheiton päässä täältä
2 (ark) yritys **3** the books are a dollar a throw (ark) kirjat maksavat dollarin kappale
v threw, thrown **1** heittää **2** funktioverbinä: to throw a shadow jättää varjo to throw light valaista (myös kuv) to throw a glance vilkaista to throw a party pitää kemut, järjestää juhlat **3** (ark) yllättää, hämmästyttää, järkyttää, hämätä
throw at 1 to throw yourself at someone('s head) yrittää saada joku kiinnostumaan itsestään (romanttisesti) **2** to throw yourself at someone's feet polvistua jonkun jalkojen eteen, nöyristellä, mielistellä; ihastella, olla haltioissaan
throw away v **1** heittää pois/menemään **2** tuhlata, panna menemään **3** päästää sivu suun, jättää käyttämättä
throwaway /'θrouə,weɪ/ s, adj kertakäyttöinen (tavara)
throw back v **1** viivyttää, hidastaa **2** olla peräisin/periytyä jostakin/joltakulta
throwback /'θrou,bæk/ s takaisku, vastoinkäyminen
throw caution to the winds fr unohtaa varovaisuutensa, heittäytyä (uhka)rohkeaksi
throw cold water on fr lyödä lyttyyn, vähätellä, hillitä (innostusta)
throw down the gauntlet fr **1** haastaa (taisteluun) **2** uhmata
throw down the glove fr **1** haastaa (taisteluun) **2** uhmata
throw for a loss fr (ark) yllättää, järkyttää, saattaa pois tolaltaan
throw in v (ark) **1** antaa kaupantekiäisiksi, antaa ilmaiseksi **2** ottaa puheeksi, mainita kesken keskustelun, heittää väliin
throw in someone's teeth fr syyttää jotakuta jostakin, panna jokin jonkun syyksi
throw in the sponge fr (ark) antaa periksi, luovuttaa
throw in the towel fr (ark) antautua, antaa periksi, myöntää tappio
throw into to throw yourself into ryhtyä innoissaan/antaumuksella johonkin
throw in your lot with fr koettaa onneaan jonkun kanssa
thrown /θroun/ ks throw
throw off v **1** riisua (yltään/päältään) **2** karistaa kannoiltaan, eksyttää, harhauttaa (myös kuv:) hämätä, sekoittaa **3** to throw off a smell haista **4** (vitsi) kertoa, letkauttaa, (tekstiä) suoltaa, kyhätä
throw off the scent fr karistaa kannoiltaan, harhauttaa, eksyttää
throw on to throw yourself on someone turvautua johonkuhun, ruveta jonkun vaivaksi/riesaksi
throw open v avata/aueta yhtäkkiä
throw out v **1** heittää menemän/pois/ulos, ajaa ulos, erottaa **2** ottaa esille/puheeksi, ehdottaa **3** unohtaa, jättää mielestä
throw out of gear fr **1** kytkeä/pistää (auto) vapaalle **2** (kuv) sotkea (suunnitelma), järkyttää, panna sekaisin
throw out the baby with the bathwater fr (kuv) heittää lapsi pois pesuveden mukana, hylätä (tyhmästi) pienen puutteen vuoksi
throw over v hylätä, jättää (puoliso ym), vaihtaa joku johonkin (esim miesystävä/naisystävä toiseen)
throw someone for a loop fr saada joku ällistymään/haukkomaan henkeään
throw the bull fr jutella (niitä näitä), rupatella
throw to the wolves fr (kuv) heittää suden kitaan, jättää pulaan
throw up v **1** luopua, luovuttaa, antaa periksi **2** kyhätä kiireesti kokoon, tehdä äkkiä **3** oksentaa **4** arvostella, moittia, haukkua
throw up your hands fr antaa periksi, luovuttaa
throw up your hands in horror fr järkyttyä, kauhistua
throw your hat in the ring fr antaa periksi, luopua leikistä
thru /θru/ ks through
thrust /θrʌst/ s **1** survaisu, sohaisu, sysäys, isku, työntö **2** (suihku/rakettimoottorin) työntövoima **3** ydin, pää-

ajatus, keskeinen sisältö
v thrust, thrust: survaista, sohaista, sysätä, työntää, iskeä, tunkea, tunkeutua
Thu. Thursday torstai
thud /θʌd/ s tömähdys, jysähdys
v tömähtää, jysähtää
thug /θʌg/ s roisto, ryöväri, konna, kelmi, heittiö
thumb /θʌm/ s peukalo my brother is all thumbs veljelläni on peukalo keskellä kämmentä, veljeni on toivottoman kömpelö he is under his wife's thumb hän antaa vaimonsa määräillä/komennella itseään rule of thumb nyrkkisääntö
v **1** selata (kirjaa) **2** matkustaa peukalokyydillä, yrittää saada (peukalo)kyyti
thumb a ride fr matkustaa peukalokyydillä
thumbs down to turn thumbs down on ei pitää/hyväksyä
thumbs up to turn thumbs up on pitää jostakin, kannattaa jotakin thumbs up! hienoa!, loistavaa! two thumbs up elokuva-arvostelijoiden Siskel ja Ebert suositus
thumb your nose at fr näyttää pitkää nenää jollekin/jollekulle
thump /θʌmp/ s **1** isku, lyönti **2** tömähdys, jysähdys
v **1** iskeä, lyödä, pamauttaa, paiskata **2** tömähtää, jysähtää
thunder /θʌndər/ s **1** ukkonen **2** (kuv) myrsky **3** to steal someone's thunder viedä tuuli jonkun purjeista, pilata jonkun esitys (esim paljastamalla etukäteen jotakin)
v **1** ukkostaa, olla ukkonen **2** jylistä, pauhata, myrskytä, ärjyä, mylviä
thunderbird /'θʌndər,bərd/ s (Pohjois-Amerikan intiaanien tarunomainen) ukkoslintu
Thunderbird /'θʌndʌər,bərd/ amerikkalainen automalli
thunderbolt /'θʌndər,bolt/ s **1** salama (ja ukkonen) **2** (kuv) salama, (täydellinen) yllätys, järkytys
thunderclap /'θʌndər,klæp/ s ukkosen jylinä/jyry/jyrähdys
thunderous /θʌndərəs/ adj ukkos-, myrskyisä (myös kuv)
thunderstorm /'θʌndər,stɔrm/ s ukkosmyrsky
thunderstruck /'θʌndər,strʌk/ adj tyrmistynyt, ällistynyt, järkyttynyt, poissa tolaltaan
Thur. Thursday torstai
Thursday /θərzdi, 'θərz,deɪ/ s torstai
Thursdays s torstaisin
thus /ðʌs/ adv **1** siten, niin **2** siksi **3** esimerkiksi, kuten
thus far adv toistaiseksi, tähän saakka/mennessä
thwart /θwɔrt/ v ehkäistä, estää, tukahduttaa, pysäyttää, tehdä tyhjäksi the strike thwarted the introduction of the new models lakko esti uusien mallien esittelyn
THX®lyh elokuva- ja kotiteattereiden monikanavaäänijärjestelmien tietyntasoinen laatumerkki (sanoista Tomlinson Holman eXperiments)
thy /ðaɪ/ pron (vanhentunut) sinun
thyme /taɪm/ s timjami, tarha-ajuruoho
thyroid /'θaɪ,rɔɪd/ s kilpirauhanen
adj kilpirauhasen, kilpirauhas-
thyroid gland s kilpirauhanen
tiara /tɪ'erə tɪ'arə/ s **1** (naisten koristeellinen otsavanne) tiaara **2** tiaara, paavin kruunu
Tibet /tə'bet/ Tiibet
Tibetan s, adj tiibetiläinen
Tibetan gazelle /tə,betəngə'zeəl/ s tiibetingaselli
tick /tɪk/ s **1** (esim kellon) tikitys **2** (UK ark) hetki, hetkinen, silmänräpäys **3** merkki, rasti, ruksi (ark), (elektronisen laitteen) piipahdus **4** punkki
v **1** (esim kellosta) tikittää **2** what makes her tick? millainen ihminen hän oikein/pohjimmaltaan on?
tick by v (ajasta) kulua
ticker /tɪkər/ s **1** (yleisimmin) valotaulu josta käyvät juoksevasti ilmi arvopapereiden viimeiset kaupankäyntihinnat **2** (mekaaninen) pörssikurssien tulostin **3** (sl) (ranne)kello

ticker tape /ˈtɪkər͵teɪp/ s (mekaanisen pörssikurssien tulostimen) kapea paperinauha; (paraatissa) serpentiininauha
ticker-tape parade s konfettiparaati (jossa juhlittavan ylle heitetään serpentiininauhaa ja konfettia)
ticket /tɪkət/ s **1** (matka/pääsy)lippu **2** (pysäköinti- rike)sakko **3** (hinta- tai muu) lappu **4** (vaaleissa yhden puolueen) ehdokkaat **5** (ark) oikea asia that's the ticket! niin sitä pitää!
v sakottaa, antaa/kiinnittää sakko(lappu)
ticket agency s lippupalvelu, lipputoimisto (jossa myydään pääsy- tai matkalippuja)
tickle /tɪkəl/ s kutitus, kutkutus
v **1** kutittaa, kutkuttaa, kutista, joku kutiaa **2** (kuv) mairitella, imarrella, kutkuttaa (myös uteliaisuutta) to tickle someone's vanity kutkuttaa jonkun turhamaisuutta **3** naurattaa, saada nauramaan/kikattamaan, ilahduttaa
tickled pink fr (ark) kovasti mielissään jostakin
ticklish /tɪklɪʃ/ adj **1** herkkä kutiamaan **2** (tilanne) täpärä, tiukka, vaikea, (kysymys myös) kiperä, kiikkerä **3** herkkä, arka (esim loukkaantumaan) **4** kiikkerä, epävakaa, täpärä
tick off v **1** merkitä (esim rastilla luettelosta), ruksata (ark) **2** (sl) suututtaa, ärsyttää, käydä hermoille
tidal /taɪdəl/ adj vuorovesi-
tidal wave s hyökyaalto (myös kuv:) vyöry, myrsky
tide /taɪd/ s **1** vuorovesi **2** nousuvesi, vuoksi **3** vuorottelu, vaihtelu **4** (tapahtumien) kulku, kehitys, kehityssuunta, (mielipiteiden) enemmistö the tide of public opinion vallitseva näkemys to turn the tide muuttaa tilanne (päinvastaiseksi)
tide over v auttaa selviämään jostakin I hope this money will tide you over till pay day toivottavasti pärjäät tällä rahalla palkkapäivään saakka
tidily /taɪdəli/ adv **1** siististi **2** huolellisesti
tidiness s **1** siisteys **2** huolellisuus
tidy /taɪdi/ adj **1** siisti **2** huolellinen she has a tidy mind hän ajattelee hyvin järjestelmällisesti **3** kohtalainen, melkoinen, (summa) sievoinen
tie /taɪ/ s **1** köysi, naru, side **2** solmio **3** rusetti **4** (kuv) side, yhdysside **5** (kilpailussa) tasapeli **6** ratapölkky **7** (mus) sidekaari
v **1** sitoa, solmia **2** velvoittaa, sitoa (tekemään jotakin) **3** (kuv) yhdistää, sitoa **4** (mus) sitoa **5** (kilpailussa) tulla tasapeli
tie down v rajoittaa jotakuta, sitoa
tie in v liittyä johonkin, olla yhteydessä johonkin
tie-in s **1** (esim elokuvaan liittyen myytävä) rinnakkaistuote **2** kytkykauppa **3** yhteys
tie off v sulkea sitomalla, kuristaa kiinni
tie one on fr (sl) juoda itsensä känniin/humalaan
tier /tɪər/ s kerros, porras, taso
v porrastaa
adj (yhdyssanan jälkiosana) -kerroksinen, -portainen, -tasoinen three-tier management kolmiportainen yritysjohto
tie the knot fr (ark) mennä naimisiin
tie-up s **1** tukos, keskeytys, katkos; liikenneruuhka **2** yhteys, side
tie up v **1** sitoa, kiinnittää **2** haitata, hidastaa; estää, pysäyttää, keskeyttää **3** sitoa (varoja johonkin) **4** to be tied up olla kiire, ei olla aikaa (jollekulle, johonkin)
tiger /taɪgər/ s tiikeri
tight /taɪt/ adj **1** kireä, tiukka, piukka **2** (kuv) (tilanne) kiperä, hankala, vaikea, (voitto) täpärä, (kuri) luja, ankara, (aikataulu) tiukka **3** tiivis (myös kuv:) ytimekäs **4** (ark) joka on lähiväleissä jonkun kanssa **5** (ark) tinkimätön, hellittämätön, periksiantamaton **6** kitsas, saita, nuuka
adv **1** kireästi, tiukasti; tiiviisti **2** to sit tight ei liikauttaa evääsäkään; ei antaa periksi, pysyä tiukkana
tighten v kiristää, tiukentaa
tight end /͵taɪtˈend/ s (amerikkalaisessa jalkapallossa) sisempi laitahyökkääjä

tighten the purse strings fr kiristää rakakukkaron nyörejä, kiristää vyötä
tight-fisted /ˌtaɪtˈfɪstəd/ adj kitsas, saita, nuuka (ark)
tightfitting /ˌtaɪtˈfɪtɪŋ/ adj (vaate) kireä, tiukka, piukka
tight-lipped /ˌtaɪtˈlɪpt/ adj vähäpuheinen, harvasanainen
tightly adv ks tight
tightness s **1** kireys, tiukkuus **2** (kuv) (tilanteen) kiperyys, hankaluus, vaikeus, (voiton) täpäryys, (kurin) ankaruus, (aikataulun) tiukkuus **3** tiiviys (myös kuv:) ytimekkyys **4** kitsaus, saituus, nuukuus
tightrope /ˈtaɪtˌroʊp/ s (nuorallatanssijan) nuora, köysi, vaijeri
v **1** kävellä nuoraa pitkin, tasapainoilla **2** (kuv) kulkea/edetä varovasti, tasapainoilla
tights s (mon) trikoot; sukkahousut
tigress /taɪgrəs/ s naarastiikeri
'til /tɪl təl/ prep, konj asti, saakka, kunnes ks until
tile /taɪəl/ s (seinä-, lattia-, katto)laatta, (katto)tiili
v laatoittaa, päällystää laatoilla
till /tɪl/ s kassalaatikko, kassalipas, kassa
v viljellä (maata); kyntää
prep, konj asti, saakka, kunnes, ks until
tiller s **1** (maan)viljelijä **2** (veneessä) peräsinvarsi, peräsintanko
tilt /tɪlt/ s **1** kallistus, vinous **2** turnajaiset **3** isku, sohaisu **4** at full tilt täyttä vauhtia, täydessä vauhdissa **5** (elo- ja videokuvauksessa) tilttaus
v **1** kallistaa, kallistua **2** iskeä, sohaista (esim peitsellä) **4** (elo- ja videokuvauksessa) tiltata, kallistaa kameraa ylös tai alas
tilt at windmills fr (kuv) taistella tuulimyllyjä vastaan
timber /tɪmbər/ s **1** puutavara, sahatavara, puu **2** metsä **3** parru, lauta, palkki **4** (kuv) aines of presidential timber jossa on ainesta presidentiksi
timberjack /ˈtɪmbərˌdʒæk/ s metsuri
timberline /ˈtɪmbərˌlaɪn/ s (vuoristossa) puuraja
timber mill s saha(laitos)
timbre /tæmbər/ s (äänen) sointi, sointisävy, sointiväri
time /taɪm/ s **1** aika time will tell if he is right aika näyttää onko hän oikeassa he has no time for his kids hänellä ei ole aikaa olla lastensa kanssa to do something in time tehdä jotakin ajoissa daylight-savings time kesäaika to gain time voittaa/säästää aikaa we finished the job ahead of time saimme työn valmiiksi etuajassa/ennenaikaisesti/ ennen määräaikaa in good time hyvissä ajoin, ennen määräaikaa; ajoissa, oikeaan aikaan for the time being toistaiseksi from time to time aika ajoin, toisinaan, silloin tällöin to do something in no time tehdä jotakin hetkessä/tuossa tuokiossa/alta aikayksikön (ark) to keep time ottaa aikaa to kill time tappaa aikaa to do something on your own time tehdä jotakin omalla ajallaan to be on time olla ajoissa to buy on time ostaa osamaksulla **2** (us mon) aikakausi, aika in olden times ennen vanhaan to be behind the times olla ajastaan jäljessä **3** kellonaika what time is it? paljonko kello on? **4** kerta two times three is six kaksi kertaa kolme on kuusi how many times do I have to tell you? kuinka monta kertaa sinua pitää käskeä?/sinulle pitää toistaa? at one time kerran; samanaikaisesti, yhtä aikaa many a time monesti, monta kertaa at times toisinaan, ajoittain, aika ajoin **5** (mus) tahti to be out of time with olla eri tahdissa kuin in time tahdissa **6** muita sanontoja we had a good/bad time meillä oli hauskaa/kurjaa to race against time kiirehtiä, pitää kiirettä at the same time kuitenkin, silti, siitä huolimatta; samaan aikaan to make time (yrittää) kuroa aikaero umpeen, kiirehtiä to mark time odottaa, viivytellä, keskeyttää toistaiseksi to take your time ei hätäillä/kiirehtiä, ei pitää kiirettä, tehdä rauhassa
v **1** ottaa aikaa, mitata aika **2** ajoittaa, valita ajankohdaksi/hetkeksi

time after time fr yhä uudestaan, kerta kerran jälkeen, aina vain, vaikka kuinka monta kertaa
time and again ks time and time again
time and a half s (puolitoistakertainen) ylityöpalkka
time and time again fr yhä uudestaan, vaikka kuinka monta kertaa
time bomb s aikapommi (myös kuv)
timecard /'taɪm,kard/ s kellokortti
time-consuming /'taɪmkən,sumiŋ/ adj aikaa vievä
time exposure s (valok) aikavalotus
time frame s pituus, kesto, aika
time immemorial /,taɪmɪmə'mɔriəl/ since time immemorial ikimuistoisista ajoista saakka, iät (ja) ajat
time-lag /'taɪm,læg/ s viivästys, viipymä
timeless adj **1** ikuinen **2** ajaton, pysyvä
timely adj ajankohtainen, otollinen
adv oikeaan/otolliseen aikaan
time machine s aikakone
time of day s **1** kellonaika **2** she wouldn't give me even the time of day hän ei ollut huomaavinaankaan minua, hän ei välittänyt minusta lainkaan **3** to pass the time of day jutella, rupatella
time of life fr ikä at my time of life minun iässäni
time of your life we had the time of our life meillä oli valtavan hauskaa, meillä ei ole koskaan ollut niin hauskaa
time-out s **1** pysähdys, seisahdus, keskeytys, tauko **2** (urh) tauko, aikalisä
time out of mind since time out of mind ikimuistoisista ajoista saakka, iät (ja) ajat
timer s **1** ajanottaja **2** ajastin
timesaving /'taɪm,seɪviŋ/ adj aikaa säästävä
time-sharing /'taɪm,ʃeriŋ/ s **1** (tietok) osituskäyttö **2** yhteisen loma-asunnon yms käytön vuorottelu
times sign s (mat) kertomerkki
timetable /'taɪm,teɪbəl/ s aikataulu
time-tested /'taɪm,tested/ adj koeteltu, hyväksi havaittu
time value s (tal) aika-arvo
time zone /'taɪm,zoʊn/ s aikavyöhyke
timid /tɪməd/ adj arka, ujo
timidity /tə'mɪdəti/ s arkuus, ujous
timidly adv arasti, ujosti
timing s ajoitus, tahdistus
tin /tɪn/ s **1** tina **2** pelti **3** (uuni)vuoka **3** (UK) säilyketölkki
v **1** tinata **2** (UK) säilöä tölkkeihin
tincture /tiŋktʃər/ s tinktuura
tin ear s joku jolla ei ole sävelkorvaa
tinfoil /'tɪn,foɪəl/ s alumiinifolio
tinge /tɪndʒ/ s **1** vähäinen väri, sävy **2** (kuv) vivahdus, tuulahdus, häivähdys, häive
v **1** värjätä hieman, sävyttää **2** antaa hieman (sivu)makua johonkin, maistua hieman
tingle /tiŋgəl/ s nipistely
v nipistellä, jotakuta nipistelee my ears were tingling korviani nipisteli
tingling adj jota/joka nipistelee, nipistelevä
tininess /taɪninəs/ s pienuus, vähäisyys, mitättömyys
tinker /tiŋkər/ s **1** kattilanpaikkaaja **2** (osaamaton) nikkaroija **3** (korjaajasta) tuhattaituri, joka paikan höylä
v **1** paikata kattiloita, olla kattilanpaikkaajana **2** häärätä jonkin kimpussa, nikkaroida (osaamattomasti), yrittää saada jotakin tehdyksi
Tinker Bell /'tiŋkər,beəl/ (Peter Panissa) Helinä-Keiju
tinkerer ks tinker
tinker's dam ks tinker's damn
tinker's damn s **1** not worth a tinker's damn ei minkään/penninkään arvoinen **2** to not care/give a tinker's damn viis veisata, ei välittää tuon taivaallista/tippaakaan
tinkle /tiŋkəl/ s kilinä
v **1** kilistä, kilisyttää **2** (lasten kieltä) pissata
tinnitus /tɪnətəs/ s korvien humina, tinnitus (lääk)
tint /tɪnt/ s **1** väri; värisävy, sävy **2** hiusväri(aine)
v värjätä, värittää, sävyttää

tiny /taɪni/ adv erittäin pieni, pienenpieni, vähäinen, mitätön
tip /tɪp/ s **1** kärki, pää the tip of a pen/finger kynän kärki/sormenpää **2** (vuoren) huippu **3** juomaraha **4** (mahdollisesti salainen) vihje, neuvo **5** koputus, näpäytys, (kevyt) lyönti
v **1** kallistaa, kallistua **2** kaataa, kaatua **3** nostaa (hattua) **4** antaa juomarahaa **5** kopauttaa, näpäyttää, lyödä (kevyesti)
tip-off s (ark) (salainen) vihje, varoitus
tip off v **1** vihjaista, neuvoa, paljastaa (salaa) **2** varoittaa (esim rikollista)
tip of the tongue the name is on the tip of my tongue nimi on minulla aivan kielen päällä
tipple /tɪpəl/ s alkoholi; viina, väkevä
v (säännöllisesti) naukkailla, naukata
tipsy /tɪpsi/ adj joka on hiprakassa; (juopumuksesta) huojuva, epävakaa
tiptoe /'tɪp,toʊ/ s on tiptoe varpaisillaan, varpaillaan (myös kuv) varuillaan, jännittyneenä
v hiipiä/sipsuttaa varpaisillaan/varpaillaan
tiptop /,tɪp'tap/ s huippu (ark myös kuv)
adj huippu- (ark myös kuv:) tiptop-
tip the scales fr muuttaa tilanne your vote tipped the scales in our favor sinun äänesi käänsi tilanteen meidän eduksemme
tip the scales at fr painaa she tips the scales at 110 pounds hän painaa 50 kiloa
tip your hand fr paljastaa korttinsa/aikeensa/tunteensa
tirade /taɪ'reɪd/ s saarna (kuv)
tire /taɪər/ s (esim auton) rengas
v **1** varustaa renkailla **2** väsyttää, väsyä, uuvuttaa, uupua he tires easily hän väsyy helposti
tire chain s lumiketju(t)
tired adj **1** väsynyt **2** tired of kyllästynyt johonkin, väsynyt johonkin **3** pitkäveteinen, kyllästyttävä, tylsä, innoton tired joke tylsä/vanha vitsi **4** (ark) kyllästynyt, ärtynyt
tireless adj väsymätön, uupumaton; kyltymätön
tirelessly adv väsymättä, väsymättömästi, uupumatta; kyltymättä
tiresome /taɪərsəm/ adj **1** väsyttävä, uuvuttava; tylsä, pitkäveteinen **2** kyllästyttävä, tympeä, vastenmielinen, ärsyttävä
tissue /tɪʃu/ s **1** (lääk ym) kudos **2** silkkipaperi **3** paperinenäliina; paperipyyhe; wc-paperi **4** (kuv) kudos
tissue culture s kudosviljelmä
tissue paper s silkkipaperi
tissue typing s kudostyypitys
tit /tɪt/ s **1** tiainen **2** nänni **3** (sl) tissi
Titan /taɪtən/ Titan, eräs Saturnuksen kuu
tit for tat fr (antaa takaisin) samalla mitalla, silmä silmästä
tithe /taɪð/ s kymmenys
v maksaa kymmenykset
title /taɪtəl/ s **1** (kirjan, näytelmän, elokuvan ym) nimi **2** (luvun ym) otsikko **3** (kirjan) nimilehti, nimiölehti, tittelilehti **4** (mon) (elokuvan) alku/lopputekstit; käännöstekstit, tekstitys **5** arvonimi, titteli **6** (laki) omistusoikeus **7** (laki) omistusoikeuskirja, omistuskirja
v nimittää, panna/antaa nimeksi, panna otsikoksi
title deed s (lak) omistusoikeuskirja, omistuskirja
title page s (kirjan) nimilehti, nimiölehti, tittelilehti
title role s (näytelmän, opperan, elokuvan nimihenkilön osa) nimiosa
titmouse /'tɪt,maʊs/ s tiainen
tits and ass /,tɪtsən'æs/ fr (sl) (naisten) paljas pinta
TKO techinical knockout tekninen tyrmäys
TM trademark tavaramerkki transcendental meditation transsendentaalinen mietiskely
TN Tennessee
TNT /,tien'ti/ s (räjähdysaine) TNT, trinitrotolueeni
to /tu/ prep **1** jonnekin: come to me tule luokseni he went to the door hän meni ovelle she moved to Sweden hän muutti Ruotsiin **2** jollekulle, jollekin: give the pen to her anna kynä hänelle she was

very good to me hän kohteli minua oikein hyvin, hän oli minulle oikein ystävällinen **3** saakka to this very day tähän päivään saakka/asti fifty to a hundred dollars 50-100 dollaria **4** genetiivisesti: the antenna to the radio radion antenni **5** vertailussa: you're comparing robots to humans nyt vertaat robotteja ihmisiin the game ended five to three ottelu päättyi 5-3 he prefers walking to jogging hän kävelee mieluummin kuin hölkkää **6** kohden: 25 miles to the gallon 25 mailia gallonalla (10 l/100 km)
partikkeli **1** verbin infinitiivin yhteydessä tai asemesta she wants to go hän haluaa lähteä she has to go but does not want to hänen täytyy lähteä mutta hän ei halua (lähteä) **2** tarkoituksesta, päämäärästä he came to help hän tuli auttamaan

TOA time of arrival tuloaika

toad /toud/ s **1** konna **2** (kuv) rupikonna, iljettävä ihminen/tyyppi

toadstool /'toud,stuəl/ s **1** sieni **2** myrkkysieni

toady /toudi/ s imartelija, hännystelijä, makeilija
v imarrella, hännystellä, makeilla, mielistellä jotakuta

to-and-fro /,tuən'frou/ adj edestakainen
adv edestakaisin

toast /toust/ s **1** paahtoleipä **2** malja let me propose a toast to our dear friend Dr. Goldfarb saanen ehdottaa maljaa hyvän ystävämme tri Goldbarbin kunniaksi **3** maljapuhe **4** merkkikenkilö, juhlittava henkilö
v **1** paahtaa (leipää) **2** juoda/esittää/kohottaa malja (jonkun kunniaksi/terveydeksi/menestykseksi)

toaster /toustər/ s **1** leivänpaahdin **2** maljan ehdottaja; maljapuheen pitäjä; maljan juoja

toast of the town he's the toast of the town hän on koko kaupungin ylpeys, koko kaupunki juhlii häntä

to a turn fr täydellisesti, juuri niin kuin pitää

tobacco /tə'bækou/ s (mon tobaccos, tobaccoes) tupakka (kasvi, lehdet)

tobacconist /tə'bækənist/ s tupakkakaupan pitäjä, tupakkakauppias

toboggan /tə'bagən/ s eräänlainen (ohjas-)kelkka
v kelkkailla, laskea kelkalla

tobogganer s kelkkailija

tobogganist s kelkkailija

today /tə'dei/ s tämä päivä (myös kuv:) nykyaika
adv **1** tänään **2** nykyisin
adj (ark) tämän päivän, tämänhetkinen

toddle /tadəl/ v (lapsi) taapertaa

toddler s leikki-ikäinen (lapsi)

to-do /tə'du/ s (ark) häly, melu, (iso/hirveä) numero

toe /tou/ s varvas to be on your toes olla varpaillaan/varpaisillaan/ varovainen to step/tread on someone's toes (kuv) astua jonkun varpaille

TOEFL Test of English as a Foreign Language

toehold /'tou,həold/ s jalansija (myös kuv)

toe the line fr **1** totella, alistua, mukautua, noudattaa sääntöjä **2** hoitaa osuutensa

toffee /tafi/ s toffee

toffy s toffee

to fill someone's shoes astua jonkun tilalle

tofu /'tou,fu, ,tou'fu/ s (soijajuusto) tofu

together /tə'geðər/ adv **1** yhdessä, yhteen, koossa, kokoon let's go there together mennään sinne yhdessä she put together a good dinner hän kyhäsi kokoon hyvän illallisen to keep/hold together pysyä/pitää koossa **2** yhtä aikaa, samaan aikaan, yhdessä say "hurrah" all together now huutakaa kaikki yhtä aikaa "hurraa" **3** yhteensä two and two together makes four kaksi plus kaksi on neljä **4** yhtäjaksoisesti, peräkkäin, yhteen menoon for weeks together viikkokausia

togetherness s yhdessäolo; yhteenkuuluvuus

toil /'tɔɪəl/ s uurastus, aherrus, raadanta
v uurastaa, ahertaa, raataa
toilet /'tɔɪlət/ s **1** wc-istuin to go down the toilet (kuv) mennä mönkään/hukkaan **2** (huone) wc **3** kylpyhuone **4** peseytyminen, (kauneudenhoito) ja pukeutuminen **5** puku
toilet bowl s wc-kulho
toilet paper s wc-paperi
toiletry /'tɔɪlətri/ s peseytymis/kauneudenhoitotarvikkeet
toilet tissue s wc-paperi
toilet training s (lasten) siisteyskasvatus
tokamak /'toukə,mæk/ s (kokeellisia fuusioreaktoreita) tokamak
token /'toukən/ s **1** merkki, tunnus, vertauskuva **2** osoitus, merkki jostakin **3** muisto, lahja they gave him a plaque as a token of their appreciation he antoivat hänelle muistolaatan osoitukseksi kiitollisuudestaan **4** rahake, poletti **5** by the same token lisäksi, sitä paitsi
v merkitä, symboloida, olla merkki/osoitus jostakin
adj näennäinen, nimellinen they have a token black/woman on the board johtokunnassa on muodon vuoksi mukana yksi musta/ nainen, johtokunnassa on kuten tapa vaatii myös yksi musta/nainen
Tokyo /'touki,ou/ Tokio
told /toəld/ ks tell
Toledo /tə'lidou/ kaupunki Ohiossa
tolerable /'talərəbəl/ adj siedettävä
tolerably adv siedettävästi, siedettävän
tolerance /'talərəns/ s **1** suvaitsevaisuus, ennakkoluulottomuus, avarakatseisuus **2** sietokyky, sieto **3** (tekn) poikkeama, (ark) pelivara
tolerant /'talərənt/ adj **1** suvaitsevainen, ennakkoluuloton, avarakatseinen **2** sietokykyinen
tolerantly adv suvaitsevaisesti, ennakkoluulottomasti
tolerate /'talə,reɪt/ v sietää, suvaita; kestää
toleration /,talə'reɪʃən/ s suvaitsevaisuus, ennakkoluulottomuus, avarakatseisuus
toll /tol/ s **1** tiemaksu; siltamaksu **2** (onnettomuuden ym) uhrien määrä; (kuv) hinta even after the fire, the toll is still rising uhreja löytyy lisää vielä tulipalon jälkeen hard work took its toll and he became seriously ill kova työ vaati hintansa ja hän sairastui vakavasti **3** kaukopuhelumaksu **4** (kellon) soitto, lyönti (myös äänestä)
v **1** kerätä (tie/silta)maksu **2** soittaa (kelloa), (kello) soida for whom does the bell toll? kenen (kuolin)hetki on tullut?, kenelle kellot soivat? **3** (kellosta) lyödä the bell tolls three kello lyö kolme **4** houkutella
tollbooth /'tol,buθ/ s tie/siltamaksun kerääjän koppi
toll bridge s maksullinen silta
toll call s kaukopuhelu
toll-free /,tol'fri/ adj (puhelu, silta) ilmainen, maksuton
tollgate /'tol,geɪt/ s tie/siltamaksun keräyspaikka
tollkeeper /'tol,kipər/ s tie/siltamaksun kerääjä
toll road s maksullinen tie
tomahawk /'tamə,hak/ s (intiaanien sotakirves) tomahawk
tomato /tə'meɪtou/ s (mon tomatoes) tomaatti
tomb /tum/ s hauta
v haudata
tomboy /'tam,bɔɪ/ s poikatyttö
tombstone /'tum,stoun/ s **1** hautakivi **2** (tal) hautakivi, lehti-ilmoitus josta käyvät ilmi luottojärjestelyssä mukana olleet osapuolet (kansainvälinen menettelytapa)
tomcat /'tam,kæt/ s kollikissa
Tom, Dick, and Harry every Tom, Dick, and Harry joka iikka, kaikki, kuka tahansa
tomorrow /tə'marou/ s huominen, huomispäivä (myös kuv:) tulevaisuus
adv **1** huomenna **2** tulevaisuudessa

ton /tʌn/ s **1** tonni (US 907 kg, UK 1016 kg) metric ton tonni (1000 kg) **2** (mon, ark) valtavasti, kasapäin
tone /toun/ s **1** ääni **2** sointi, äänensävy, äänenväri,äänenpaino **3** (mus) sävel **4** värisävy, sävy, vivahde **5** (lihasten ym kudosten) jänteys, paine, tonus **6** (kuv) tunnelma, sävy, ilmapiiri, henki
v **1** soida, kuulua **2** sävyttää, värjätä, värjäytyä
tone arm s (levysoittimen) äänivarsi
tone color s äänenväri
tone control s (vahvistimen ym) äänenvärin säädin
tone-deaf adj jolla ei ole sävelkorvaa
tone dialing s (puhelimessa) äänitaajuusvalinta
tone down v pehmentää (väriä, sanojaan)
tone in with v sopia johonkin, sopia yhteen jonkin kanssa
toner /tounər/ s väriaine, värijauhe
tone up v voimistaa (väriä, lihaksia)
tone with v sopia johonkin, sopia yhteen jonkin kanssa
tongs /taŋz/ s (mon) pihdit a pair of tongs pihdit
tongue /tʌŋ/ s **1** (anatomiassa, ruuanlaitossa) kieli **2** (puhuttu) kieli mother/native tongue äidinkieli **3** speaking in tongues kielilläpuhuminen **4** puhe to find your tongue saada puhelahjansa takaisin to give tongue to something ilmaista, sanoa ääneen jotakin to hold your tongue hillitä itsensä, pitää suunsa kiinni to lose your tongue menettää puhelahjansa the name is on the tip of my tongue nimi on minulla aivan kielen päällä (en muista sitä) slip of the tongue lipsahdus
tongue in cheek /ˌtʌŋɪn'tʃik/ she said it with her tongue in the cheek hän sanoi sen leikillään/kiusallaan/ ivallisesti
tongue twister /'tʌŋˌtwɪstər/ s sana/lauseke joka on vaikea lausua
tonic /tanɪk/ s **1** vahvistava lääke/aine **2** piristävä asia **3** (mus) perussävel
tonic water s eräs kivennäisvesi
tonight /tə'naɪt/ s tämä ilta/yö adv tänä iltana, ensi yönä
tonnage /tʌnədʒ/ s **1** (aluksen vetoisuus) tonnisto **2** (laivaston tonnimäärä) tonnisto
tonne /tʌn/ s tonni (1000 kg)
tonsillectomy /ˌtansə'lektəmi/ s nielurisan poisto(leikkaus)
tonsillitis /ˌtansə'laɪtəs/ s nielurisan tulehdus
tonsils /tansəlz/ s (mon) nielurisat
too /tu/ adv **1** myös, lisäksi, -kin I, too, want to go; I want to go too minäkin haluan lähteä **2** liikaa, liian too many liian monta too few liian vähän, ei tarpeeksi it's too bad se on ikävä juttu/harmin paikka **3** kielteisessä yhteydessä: I wasn't too happy with your work en ollut erityisen/kovin tyytyväinen työhösi it happened none too soon se ei tapahtunut yhtään liian aikaisin, oli korkea aika että niin kävi Larry was none too happy about it Larry ei ollut siitä erityisen mielissään **4** she was only too happy to go hän lähti erittäin mielellään, hän malttoi tuskin odottaa että pääsi lähtemään
took /tʊk/ ks take
tool /tuəl/ s **1** työkalu, väline **2** (kuv) keino, tie (johonkin, for), välikappale
tool up v valmistautua johonkin (hankkimalla koneita)
Toomai of the Elephants /tumaɪ/ (Kiplingin kertomuksessa) Norsu-Toomai
toon /tun/ s piirretty (sanasta cartoon)
tooth /tuθ/ s (mon teeth) **1** (ihmisen, eläimen) hammas he was armed to the teeth hän oli aseissa hampaita myöten by the skin of your teeth nipin napin, juuri ja juuri, (jokin on) hiuskarvan varassa Gilbert cut his teeth on sales Gilbert aloitti uransa myyntipuolella in the teeth of something (olla) jonkin kourissa/hampaissa to put teeth into terästää jotakin, lisätä jonkin tehokkuutta **2** (osa) hammas, sakara, väkä
toothache /'tuθˌeɪk/ s hammassärky
tooth and nail to fight something tooth and nail vastustaa jotakin kynsin hampain

toothbrush /'tuθ,brʌʃ/ s hammasharja
tooth decay /'tuθdə,keɪ/ s hammasmätä, karies
tooth fairy /'tuθ,feri/ s hammaskeiju
toothless adj **1** hampaaton **2** tehoton, voimaton
toothpaste /'tuθ,peɪst/ s hammastahna
Tootles /tutəlz/ (Peter Panissa) Totteli
tootsie /tutsi/ s (sl) **1** kultu, kulta **2** huora
Toowoomba /tə'wumbə/ kaupunki Itä-Australian Queenslandissa
top /tap/ s **1** huippu, kärki, pääty, yläosa, yläpää, (puun) latva, (aallon) harja, (avoauton) katto **2** pinta, yläpuoli **3** alku let's take it from the top aloitetaan alusta **4** (kuv) huippu, kruunu, joku tai jokin paras to stay on top pysyä kärjessä, säilyttää johtoasema **5** the tops (ark) paras, huippu **6** pää to blow your top menettää malttinsa, raivostua; menettää järkensä, seota **7** hyrrä **8** to sleep like a top nukkua kuin tukki
v **1** sulkea, peittää, päällystää, panna päälle **2** olla ylimpänä/korkeimpana/ensimmäisenä jossakin **3** tulla jonkin huipulle; nousta kärkeen; nousta korkeimpaan arvoonsa **4** nousta jonkun yli
adj **1** ylin, korkein, pääty-, huippu-, kärki- **2** (kuv) paras, suurin, korkein, huippu-
top banana s (sl) pomo, johtaja
top billing to get top billing saada nimensä ensimmäiseksi (esim näytelmän mainoksiin)
topcoat /'tap,kout/ s **1** päällystakki **2** pintamaali(kerros)
top dog s johtaja, ykkönen, pomo; voittaja, paras
top drawer s (kuv) huippu
top-drawer /tap'drɔr/ adj paras (mahdollinen)
topic /tapɪk/ s (keskustelun) aihe
topical adj ajankohtainen, päivänpolttava
topicality /,tapɪ'kæləti/ s **1** ajankohtaisuus **2** ajankohtaisuutinen; paikallisuutinen
topless adj yläosaton, (baari) alaston-
top-level /'tap,levəl/ adj huipputason, korkean tason, huippu-
topline /'tap,laɪn/ adj ensi luokan, ensiluokkainen, huippu-
top loader s (pesukone, kuvanauhuri ym) päältä ladattava/avattava
topmost /'tap,moust/ adj ylin, korkein
topnotch /,tap'natʃ/ adj ensiluokkainen, huippu-
top off v huipentua johonkin, päättyä/päättää johonkin
topographer /tə'pagrəfər/ s topografi
topographic /,tapə'græfɪk/ adj topografinen
topography /tə'pagrəfi/ s **1** (kuvaus) topografia **2** pinnanmuodostus, topografia **3** (yleisemmin) rakenne
top out v nousta huippuunsa/suurimpaan arvoonsa
topping s (ruuanlaitossa) kastike, päällys, kuorrutus
topple /tapəl/ v **1** kaataa, kaatua (myös kuv, esim hallitus) **2** kallistua (uhkaavasti), olla vähällä kaatua, horjua
to put to sleep fr lopettaa (eläin)
torch /tɔrtʃ/ s **1** soihtu (myös kuv:) the torch of knowledge/freedom tiedon/vapauden soihtu **2** (UK) taskulamppu **3** to carry the/a torch for someone (sl) rakastaa jotakuta (saamatta vastarakkautta)
v **1** sytyttää, syttyä **2** palaa
torchbearer /'tɔrtʃ,berər/ s soihdunkantaja (myös kuv) esitaistelija
torchlight /'tɔrtʃ,laɪt/ s soihdun/soihtujen valo
torch song s sydänsuruista kertova laulu, nyyhkylaulu
tore /tɔr/ ks tear
torment /tɔrmənt/ s piina, kärsimys, kidutus
torment /tɔrment tɔr'ment/ v piinata, kiduttaa, vaivata, kiusata
tormentor /tɔrmentər/ s piinaaja, kiduttaja, kiusaaja
torn /tɔrn/ ks tear
tornado /tɔr'neɪdou/ s (mon tornadoes, tornados) pyörremyrsky, tornado

torpedo /tɔr'pidoʊ/ s torpedo
v **1** ampua/vaurioittaa/upottaa torpedolla **2** (kuv) tehdä tyhjäksi, estää, kaataa (esim suunnitelma)

Toronto /tə'rantoʊ/ kaupunki Kanadassa

torque /tɔrk/ s vääntömomentti

torrent /tɔrənt/ s **1** vuolas joki/virta **2** kaatosade **3** (kuv) vuodatus, (sana)tulva

torrential /tə'renʃəl/ adj **1** (joki) vuolas **2** (sade) kaato- **3** (kuv) kiihkeä, kiivas, tulinen

torso /tɔrsoʊ/ s **1** vartalo **2** (vartaloveistos) torso **3** (kuv) keskeneräinen yritys, torso

tortilla /tɔrtijə/ s (yl maissijauhosta valmistettu hyvin litteä meksikolainen leipä johon pavut ym kääritään) tortilla

tortoise /tɔrtəs/ s (maa)kilpikonna

tortoiseshell /'tɔrtəs,ʃel/ s kilpikonnan kuori
adj **1** (keltaisen ja ruskean) kirjava **2** (silmälasin kehyksistä) sarvi-

tortuous /tɔrtʃuəs/ adj **1** mutkitteleva, mutkikas, kiemurteleva, kiemurainen **2** (kuv) mutkikas, työläs, vaivalloinen **3** kiero, katala

tortuously adv ks tortuous

torture /tɔrtʃər/ s kidutus (myös kuv)
v kiduttaa (myös kuv)

torturer s kiduttaja

Tory /tɔri/ s (Isossa-Britanniassa, Kanadassa) konservatiivi(sen puolueen jäsen)

to speak of there is no water to speak of in the wash joen uomassa ei ole nimeksikään vettä

toss /tas/ s **1** heitto, heittelehtiminen, keinunta **2** kruunun ja klaavan heitto
v **1** heittää, heittelehtiä, keinuttaa, keinua, kääntyillä to toss a coin heittää kruunua ja klaavaa **2** (salaatti) valmistaa, sekoittaa

toss and turn v vääntelehtiä, kääntyillä, heittelehtiä

toss off v **1** tehdä nopeasti/käden käänteessä **2** juoda/syödä äkkiä/nopeasti

toss-up s **1** kruunun ja klaavan heitto **2** yhtä suuri mahdollisuus it's a toss-up whether the strike ends today or not lakko voi yhtä hyvin loppua tänään tai jatkua

toss up v (ark) oksentaa

toss your cookies fr (sl) yrjötä

toss your hat in the ring fr antaa periksi, luopua leikistä

tostada /təs'tadə/ s meksikolaisia ruokia

tot /tat/ s **1** pikkulapsi **2** (UK) ryyppy, kulaus **3** hyppysellinen, pikkuriikkinen

to take someone at his/her word fr ottaa jonkun puheet täydestä

to take someone's word for it uskoa jotakuta

to take the rap fr ottaa syy niskoilleen

total /toutəl/ s **1** yhteismäärä, (kokonais)summa the total comes to $35 lasku tekee 35 dollaria **2** kokonaisuus
v **1** laskea yhteen, tehdä yhteensä, nousta johonkin määrään **2** (sl) romuttaa/kolaroida täysin she totaled the car hän ajoi auton mäsäksi
adj **1** kokonais-, yhteis-, yleis- **2** täydellinen

total eclipse s täydellinen (auringon/kuun)pimennys

totalitarian /tə,tælə'terıən/ adj totalitaarinen

totalitarianism /tə,tælə'terıənızəm/ s totalitarismi

totality /tə'tæləti/ s kokonaisuus

totalize /'toutə,laız/ v laskea yhteen; yhdistää

totally adv täysin, aivan you're totally wrong olet aivan väärässä

total recall s täydellinen muisti

tote /tout/ s **1** kantaminen **2** kantamus **3** ostoskassi, laukku
v **1** kantaa (käsissä, selässä, asetta) **2** laskea yhteen

tote bag s ostoskassi, laukku

totem /toutəm/ s toteemi

totem pole s toteemipaalu he's the low man on the totem pole hän on (firmassa) pelkkä rivimies

to the manner born fr syntymästään saakka (johonkin tottunut)

toto /toutoʊ/ in toto kokonaisuutena,

kaikkiaan, kokonaan
totter /tatər/ s hoippuva kävely/askel; huojunta
v hoippua, huojua
tot up v laskea yhteen
Toucan /tukæn/ (tähdistö) Tukaani
touch /tʌtʃ/ s **1** kosketus (myös kuv) it feels soft to the touch se tuntuu (kosketettaessa) pehmeältä this place needs a woman's touch tämä paikka kaipaa naisen kosketusta **2** kosketusaisti **3** tuntu **4** osuminen, kosketus **5** taito, vaisto, vainu **6** (kuv) väre, kare, hiukkanen a touch of a smile hymyn kare **7** yhteys, kosketus she hasn't kept in touch with her relatives hän ei ole pitänyt yhteyttä sukulaisiinsa **8** silaus finishing touches loppusilaus, viimeinen silaus **9** to put the touch on someone (ark) yrittää lainata rahaa joltakulta
v **1** koskea, koskettaa **2** osua **3** naputtaa, koputtaa **4** olla yhteinen raja, koskettaa toisiaan **5** yltää, ylettyä (jollekin tasolle), olla samaa luokkaa **6** (kuv) liikuttaa (mieltä), koskea, koskettaa to touch a nerve osua/sattua arkaan paikkaan the news touches all parents uutinen koskettaa kaikkia vanhempia **7** (saada) käyttää, tehdä, päästä käsiksi he hasn't touched alcohol since that day hän ei ole siitä päivästä lähtien juonut tipan tippaa **8** (laiva) pysähtyä jossakin (satamassa)
touch and go s täpärä/tiukka/kiperä tilanne
touchdown /'tʌtʃ,daʊn/ s **1** (amerikkalaisessa jalkapallossa) maali **2** laskeutuvan lentokoneen pyörien kosketus kenttään, laskeutuminen
touch-and-go adj **1** uskalias, vaarallinen **2** kiireinen, hätäinen
touché /tu'ʃeɪ/ interj **1** (miekkailussa) osuma! **2** (sanaharkassa) hyvin sanottu!, oikein!, nyt annoit/maksoit takaisin!
touchily adv ärtyneesti, kiukkuisesti, herkästi
touching adj liikuttava, koskettava, säälittävä
prep koskien, -sta/-stä
touchscreen /'tʌtʃ,skrin/ s (tietok) kosketusherkkä näyttö/monitori
touchstone /'tʌtʃ,stoʊn/ s koetinkivi (myös kuv:) mittapuu, mitta
touch-tone /'tʌtʃ,toʊn/ adj (puhelin) äänitaajuusvalinnalla toimiva, näppäin-
touch-type /'tʌtʃ,taɪp/ v kirjoittaa koneella kymmensormijärjestelmällä/ sokkona
touch typing s (konekirjoituksen) kymmensormijärjestelmä, sokkokirjoittaminen
touch wood fr koputtaa puuta
touchy adj **1** (ihminen) herkkä, helposti ärtyvä/suuttuva, ärtynyt, kiukkuinen **2** (asia) arkaluonteinen, tulenarka, vaikea, herkkä, arka
tough /tʌf/ s kovanaama, kovis (ark)
adj **1** sitkeä, kestävä, luja, vahva **2** (kuv) sitkeä, sinnikäs, kova, (ongelma, vastustaja) vaikea, hankala, (rikollinen) paatunut, (seutu) väkivaltainen, (matka, kamppailu) raskas, rasittava, (onni) kova, huono he's tougher than leather hänessä on sisua, hän ei anna helposti periksi **3** to hang tough (sl) pysyä kovana/lujana, ei antaa periksi, ei taipua
toughen v kovettaa, kovettua, lujittaa, lujittua, vahvistaa, vahvistua
toughie /tʌfi/ s (ark) kovis, kovanaama
tough it out fr (ark) pitää pintansa, purra hammasta, kestää
tough-minded /,tʌf'maɪndəd/ adj **1** kova, siekailematon **2** omapäinen, itsepintainen
toughness s (ks myös tough) **1** sitkeys, kestävyys, lujuus, vahvuus **2** (kuv) sitkeys, sinnikkyys, kovuus, hankaluus, rasittavuus
toupee /tu'peɪ/ s hiuslisäke
tour /tuər/ s **1** kiertomatka, matka, kiertoajelu, kiertokäynti, tutustumiskynti **2** (esiintyjän ym) kiertue the band is on tour in Japan yhtye on kiertueella Japanissa **3** (työ)komennus
v **1** olla kiertomatkalla, matkustaa, kiertää, tutustua (kiertokäynnillä), vierailla jossakin **2** olla (konsertti- tms) kiertueella **3** opastaa, olla (matka- tms) oppaana

tour de force /ˌtʊərdəˈfɔrs/ ranskasta (mon tours de force) voimannäyte, loistosuoritus
tourism /tərɪzəm/ s matkailu, turismi
tourist /tərɪst/ s **1** matkailija, turisti **2** turistiluokka
tourist car s (junassa) lepovaunu; makuuvaunu
tourist class s (laivassa, lentokoneessa) turistiluokka
touristry /tərəstri/ s **1** matkailijat **2** matkailu
tourist season s matkailukausi
tourist traffic s matkailuliikenne
tourist trap s turistirysä
tournament /tərnəmənt/ s **1** ottelu, kilpailu, turnaus **2** (hist) turnajaiset
tourniquet /tərnəkət/ s kiristysside
tout /taʊt/ s tyrkyttäjä, tuputtaja (ark), äänitorvi (kuv)
v **1** tyrkyttää, tuputtaa (ark) **2** ylistää, kehua, toitottaa the company is touting the virtues of its product yritys toitottaa tuotteensa etuja
touter s (ark) tyrkyttäjä, tuputtaja (ark), äänitorvi (kuv)
tow /toʊ/ s **1** hinaaminen, hinaus Mr. Frazer had his wife in tow Mr. Frazerilla oli vaimo mukanaan the guru had a group of disciples in tow gurulla oli suojeluksessaan joukko oppilaita/opetuslapsia; gurulla oli mukanaan joukko ihailevia oppilaita/opetuslapsia under tow hinauksessa, hinattavana **2** hinaaja **3** hiihtohissi
v hinata, vetää (perässään)
toward /təˈwɔrd twɔrd/ prep **1** kohti, päin, suuntaan, suunnassa she threw the rock toward the lake hän heitti kiven järvelle päin the house is toward the lake talo on järven suunnassa **2** (kuv) kohtaan he was very friendly toward us hän oli hyvin ystävällinen meitä kohtaan/meille **3** (ajasta) paikkeilla, maissa toward the end of the century vuosisadan lopulla **4** tarkoituksesta: to save toward something säästää (rahaa) johonkin
towards ks toward
towel /taʊəl/ s pyyheliina, pyyhe to throw in the towel (ark) luovuttaa, antaa periksi
v pyyhkiä, kuivata (pyyheliinalla)
towelette /ˌtaʊəˈlet/ s kosteuspyyhe
tower /taʊər/ s **1** torni **2** lennonjohtotorni
v kohota korkeuksiin, nousta jonkin yläpuolelle, olla korkeampi/pitempi kuin
towering adj **1** erittäin korkea/pitkä **2** (kuv) johtava, suuri **3** suunnaton, silmitön, kohtuuton, liiallinen
tower of strength s tuki ja turva
tower wagon s tikasvaunu(t)
town /taʊn/ s **1** (pikku)kaupunki **2** (US) kaupunkikunta **3** (lähin) (iso) kaupunki he's staying in town hän jäi (yöksi) kaupunkiin/keskustaan **4** to go to town (ark) menestyä; kiirehtiä, pitää kiirettä; liioitella, mennä liiallisuuksiin **5** to paint the town red (ark) ottaa ilo irti elämästä, pitää hauskaa, juhlia rajusti
town car s **1** (nykyisin) iso (ja ylellinen) henkilöauto **2** (ennen) henkilöauto jossa on suljettu matkustamo ja avoin etuistuin
town hall s kaupungintalo, kunnallistalo
townie /taʊni/ s (ark) pikkukaupunkilainen, paikallinen (kaupungin) asukas
town planning s kaupunkisuunnittelu
townsfolk /ˈtaʊnzˌfoʊk/ s (mon) (pikku)kaupunkilaiset
township /ˈtaʊnˌʃɪp/ s (US) kaupunkikunta
townsman /ˈtaʊnzmən/ s (mon townsmen) (miehestä) paljasjalkainen (pikku)kaupunkilainen, paikallinen (pikkukaupungin) asukas
townspeople /ˈtaʊnzˌpipəl/ s (mon) **1** paikalliset (pikkukaupungin) asukakat **2** (erotuksena maalaisista) kaupunkilaiset
Townsville /taʊnzvɪl/ kaupunki Australian Queenslandissa
townswoman /ˈtaʊnzˌwʊmən/ s (mon townswomen) (naisesta) paljasjalkainen (pikku)kaupunkilainen, paikallinen (pikkukaupungin) asukas
town talk s **1** (pikkukaupungin) juorut, huhut **2** juorun aihe

toxic /tɑksɪk/ adj myrkyllinen, myrkky-
toxication /ˌtɑksɪˈkeɪʃən/ s myrkytys
toxicity /tɑkˈsɪsəti/ s myrkyllisyys
toxicology /ˌtɑksɪˈkɑlədʒi/ s myrkkyoppi, toksikologia
toxin /tɑksən/ s (elimistössä muodostunut) myrkky, toksiini
toy /tɔɪ/ s leikkikalu, lelu (myös kuv)
v leikkiä, leikitellä he's been toying with the idea of setting up a business of his own hän on miettinyt oman yrityksen perustamista
toymaker /ˈtɔɪˌmeɪkər/ s leikkikalujen tekijä/valmistaja, leikkikalutehdas
toyshop /ˈtɔɪˌʃɑp/ s lelukauppa, leikkikalukauppa
trace /treɪs/ s **1** jälki, merkki there was not a trace of anger left in him hänessä ei enää näkynyt suuttumuksen merkkiäkään **2** häviävän pieni määrä, hitunen **3** (mon) (eläimen) jäljet **4** polku
v **1** seurata, jäljittää, etsiä, selvittää **2** olla peräisin (esim joltakin ajalta) democracy traces back to ancient Greece demokratia sai alkunsa antiikin Kreikassa **3** (piirturi) piirtää (käyrä jostakin)
traceable adj joka voidaan jäljittää/saada selville
traceable to adj joka johtuu jostakin
trace element s hivenaine
traces to kick over your traces (kuv) vapautua kahleista, lähteä omille teilleen, itsenäistyä
trachea /treɪkiə/ s (mon tracheae, tracheas) henkitorvi
track /træk/ s **1** rata, rautatie she was raised on the wrong side of the tracks hän varttui/vietti lapsuutensa laitakaupungilla/köyhässä kaupunginosassa/huonoissa oloissa **2** (pyörän jättämä) ura **3** jälki; reitti to be on the track of someone/something olla jonkun/jonkin jäljillä he stopped in his tracks (ark) hän pysähtyi yhtäkkiä; hän säpsähti to make tracks (ark) livahtaa, lähteä kiireesti **4** asia I think you're off the track now minusta sinä olet nyt eksynyt asiasta to keep track of something seurata jotakin, pysytellä ajan tasalla to lose track ei seurata jotakin, unohtaa, menettää kosketus johonkin **5** (äänilevyn, nauhan) ura **6** (äänilevyn, nauhan) kappale **7** (urh) juoksurata; (moottoriurheilussa ym) kilparata **8** (urh) rataurheilu, juoksu **9** (rautatien, auton) raideväli
v **1** seurata, kulkea, jäljittää **2** kantaa (kuraa/lunta) sisään **3** tarkkailla, seurata **4** olla raidevälinä
track and field s yleisurheilu, rata- ja kenttäurheilu
track-and-field adj yleis(urheilu)-
track down v etsiä, löytää, ottaa kiinni
tracking system s (koulussa) tasokurssit
track meet s yleisurheilukilpailu(t)
track record s menneisyys, tausta, tähänastiset saavutukset/edesottamukset
track shoe s (urh) piikkari (ark), piikkikenkä
tract /trækt/ s **1** alue, seutu; (maa)-palsta, tontti **2** digestive tract ruuansulatuskanava **3** (uskonnollinen, poliittinen) kirjanen, traktaatti
traction /trækʃən/ s **1** pito the grip of the tire on the road renkaan pito tiestä **2** veto (myös lääk)
tractor /træktər/ s **1** traktori **2** (rekan) vetoauto
tractor-trailer s (täys/puoliperävaunullinen) rekka-auto
trade /treɪd/ s **1** kauppa **2** ammatti, ala to ply your trade tehdä työtään, harjoittaa ammattiaan tourist trade matkailuala **3** ammatti-ihmiset, alan ammattilaiset **4** markkinat
v **1** käydä kauppaa jollakin (in), ostaa ja myydä **2** vaihtaa johonkin (for) trade places vaihtaa paikkaa
adj (myös mon) ammatti-
trade down v vaihtaa halvempaan/huonompaan
trade in v vaihtaa, antaa vaihdossa she traded in her Porsche for a Corvette hän vaihtoi Porschensa Corvetteen
trade-in s vaihtotavara, (esim) vaihtoauto
adj vaihtokauppa-, vaihto-

trademark s **1** tavaramerkki **2** (kuv) leima, jälki it has his trademark on it siinä näkyy hänen kättensä jälki
trade name s kauppanimi
trade-off s vaihtokauppa; vastapalvelus
trade on v käyttää hyväkseen, hyötyä jostakin
trade paper s ammattilehti, jonkin alan lehti
trade paperback s pehmeäkantinen kirja, iso taskukirja
trader s kauppias, liikemies
trades s (mon) pasaati(tuuli)
trade school s ammattikoulu
trade secret s ammattisalaisuus
trade union s ammattiyhdistys
trade unionism s ammattiyhdistystoiminta
trade unionist s **1** ammattiyhdistyksen jäsen **2** ammattiyhdistysten kannattaja
trade up v vaihtaa arvokkaampaan/parempaan
trade upon v käyttää hyväkseen, hyötyä jostakin
trade wind s pasaati(tuuli)
trading hours s (mon) (arvopaperimarkkinoiden) kaupankäyntiajat
trading post s kauppa-asema
tradition /trə'dɪʃən/ s **1** perimätieto **2** perinne, traditio
traditional adj perinteinen, perinteellinen, peritty, vanha
traditionally adv perinteisesti; tavallisesti, yleensä
traffic /'træfɪk/ s **1** liikenne **2** kauppa, kaupankäynti drug traffic huumekauppa **3** viestintä, yhteydenpito, ajatustenvaihto
v (trafficked, trafficked, trafficking) käydä kauppaa jollakin (laittomalla)
traffic circle s liikenneympyrä
traffic cop s (ark) liikennepoliisi
traffic jam s liikenneruuhka
trafficker s (laiton) kauppias
trafficking ks traffic
traffic light s liikennevalo(t)
tragedy /'trædʒədi/ s **1** murhenäytelmä, tragedia **2** (kuv) onnettomuus, järkyttävä tapahtuma
tragic /'trædʒɪk/ adj **1** traaginen, tragedia-, murhenäytelmä-, **2** järkyttävä, traaginen
tragical ks tragic
tragically adv järkyttävästi, traagisesti
tragic flaw s (tragedian päähenkilön) traaginen erhe, hamartia
tragicomedy /,trædʒə'kamədi/ s tragikomedia
tragicomic /,trædʒə'kamɪk/ adj tragikoominen
trail /treɪəl/ s **1** jälki (myös kuv) the car left a cloud of dust in its trail auto jätti jälkeensä pölypilven the police are on his trail poliisi on hänen kannoillaan **2** polku, tie
v **1** vetää (perässään) **2** seurata (perässä) **3** laahata, viistää (maata) **4** virrata; tupruta **5** (kuv) venyttää, pitkittää
trail along v **1** seurata (perässä) **2** vetää (perässään), laahata (perässään)
trail away v vaieta, hiljentyä, lakata vähitellen
trailblazer /'treɪl,bleɪzər/ s (kuv) uranuurtaja, tienraivaaja
trailer s **1** perävaunu **2** asuntovaunu **3** peräkärry **4** (elokuvan) mainosfilmi
trailer park s (leirintäalueen) asuntovaunualue
trailhead /'treɪl,hed/ s polun alku
trail off v vaieta, hiljentyä, lakata vähitellen
train /treɪn/ s **1** juna **2** kulkue, jono **3** joukko, seurue
v **1** kasvattaa **2** opettaa, kouluttaa, valmentaa, valmentautua, harjoittaa, harjoitella
trainee /treɪ'ni/ s oppilas, koulutettava, valmennettava, kurssilainen
trainer s opettaja, kouluttaja, valmentaja
training s **1** opetus, koulutus, valmennus **2** kunto; taito to be in/out of training olla hyvässä/huonossa kunnossa/olla harjoituksen puutteessa

training school s ammattikoulu
training wheels s (mon) (lasten polkupyörän) apupyörät
trait /treɪt/ s piirre, puoli, ominaisuus
traitor /treɪtər/ s **1** petturi, kavaltaja **2** maanpetturi
traitorous /treɪtərəs/ adv **1** petollinen, kavala, kiero **2** maanpetoksellinen
trajectory /trə'dʒektəri/ s (lento)rata
tram /træm/ s (UK) raitiovaunu
tramp /træmp/ s **1** raskas askel **2** tömähdys **3** kävely, patikkaretki **4** kulkuri **5** lutka
v **1** tarpoa, talsia **2** survoa, tarpoa, astua päälle **3** kävellä, patikoida **4** elää/olla kulkurina, kierrellä (paikasta toiseen)
trampoline /'træmpə,lin/ s trampoliini
tramp on v tallata päälle, astua päälle
tramway /'træm,weɪ/ s **1** (UK) raitotie **2** (US) köysirata aerial tramway köysirata
trance /træns/ s **1** transsi **2** haltioituminen, hurmos, hurmio
v **1** saattaa transsiin **2** lumota, saada haltioihinsa
tranquil /træŋkwəl/ adj rauhallinen, hiljainen
tranquility /,træŋ'kwɪləti/ s rauha, rauhallisuus, hiljaisuus
tranquilize /'træŋkwə,laɪz/ v rauhoittaa
tranquilizer s rauhoituslääke, rauhoite
tranquilly adv rauhallisesti, hiljaisesti
transact /,træn'zækt/ v tehdä, suorittaa, käydä (kauppaa, neuvotteluita), neuvotella
transaction /,træn'zækʃən/ s **1** suoritus, hoito, teko business transactions liiketoimet, kaupankäynti **2** vuorovaikutus, kanssakäynti
transatlantic /,trænzət'læntɪk/ adj Atlantin takainen; Atlantin ylittävä transatlantic phone call puhelu Atlantin taakse
transcend /,træn'send/ v ylittää, rikkoa (rajat), jättää jälkeensä/varjoonsa
transcendence /,træn'sendəns/ s yliaistillisuus, ylimaailmallisuus, transsendenssi
transcendental /,trænsən'dentəl/ adj yliaistillinen, transsendentaalinen
transcendental meditation s transsendentaalinen mietiskely
transcontinentalal /,trænz,kantə'nentəl/ adj mantereen takainen; mantereen ylittävä; mannertenvälinen
transcribe /,træn'skraɪb/ v **1** kirjoittaa koneella/puhtaaksi (saneltu, nauhoitettu puhe tms) **2** jäljentää **3** kirjoittaa tarkekirjoituksella/ääntämisohjeet, transkriboida **4** siirtää toiseen kirjoitusjärjestelmään, transkriboida
transcript /'træn,skrɪpt/ s **1** koneella/puhtaaksi kirjoitettu asiakirja **2** jäljennös **3** (koulu)todistus
transcription /,træn'skrɪpʃən/ s **1** koneella/puhtaaksikirjoitus **2** ääntämisohjeiden kirjoittaminen, transskriptio **3** toiseen kirjoitusjärjestelmään siirtäminen, transskriptio
transfer /trænsfər/ s **1** siirto **2** siirtolippu **3** siirtokuva
transfer /træns'fər/ v siirtää, siirtyä
transform /træns'fɔrm/ v muuntaa, muuntua, muuttaa, muuttua
transformation /,trænsfər'meɪʃən/ s muuntaminen, muunnos, muunto, muutos
transformer s (sähkö)muuntaja
transfuse /,træns'fjuz/ v siirtää, välittää, iskostaa (mieleen)
transfusion /,træns'fjuʒən/ s siirto, (mieleen) iskostus blood transfusion verensiirto
transgress /,træns'gres/ v rikkoa (lakia, sääntöä), ylittää (kuvaannollinen raja), tehdä syntiä
transgression /,træns'greʃən/ s rikkomus; synti
transistor /,træn'zɪstər/ s transistori
transistorize /,træn'zɪstə,raɪz/ v transistoroida
transit /trænsət/ s **1** läpikulku, kauttakulku **2** kuljetus **3** liikenne mass transit joukkoliikenne **4** muutos; siirtymävaihe
transition /træn'zɪʃən/ s muutos, vaihdos, siirtyminen, siirtymävaihe
v siirtyä

transitive /trænsətɪv/ adj (kieliopissa) transitiivinen, joka saa objektin
transitive verb s (kieliopissa) transitiivinen verbi
translate /'træns,leɪt/ v **1** kääntää to translate into Finnish suomentaa **2** muuttaa: to translate thought into action siirtyä sanoista tekoihin, toteuttaa ajatukset käytännössä
translation /,træns'leɪʃən/ s **1** käännös the Finnish translation of her book hänen kirjansa suomennos **2** muuttaminen: the translation of plans into reality suunnitelmien toteuttaminen käytännössä
translator /'træns,leɪtər/ s kääntäjä, (suomeen myös) suomentaja
transliterate /,træns'lɪtə,reɪt/ v siirtää toiseen kirjoitusjärjestelmään, translitteroida
translucency s kuulaus, läpinäkyvyys
translucent /,træns'lusənt/ adj läpikuultava, läpinäkyvä, kuulas
transmission /,træns'mɪʃən/ s **1** lähettäminen, lähetys, siirto **2** ilmoitus, ilmoittaminen **3** (taudin) leviäminen, (ominaisuuksien) periytyminen **4** (auton) vaihteisto
transmit /træns'mɪt/ v **1** lähettää, siirtää **2** ilmoittaa **3** levittää (tautia), (ominaisuus) periytyä
transmitter s (radio)lähetin
transparency s **1** läpinäkyvyys (myös kuv:) vilpillisyys **2** dia(kuva)
transparent /,træns'perənt/ adj **1** läpinäkyvä (myös kuv:) epäaito, vilpillinen **2** ohut, läpikuultava **3** avoin, vilpitön
transparently adv läpinäkyvästi (myös kuv:) vilpillisesti
transplant /'træns,plænt/ s siirretty kasvi; (lääk) siirrännäinen; muuttaja he is a recent transplant hän on uusi tulokas, hän on vasta muuttanut tänne
transplant /,træns'plænt/ v siirtää (kasvi, elin); muuttaa (asuinpaikkaa)
transport /'træns,pɔrt/ s **1** kuljetus **2** kuljetusalus, kuljetus(lento)kone, matkustaja(lento)kone **3** joukkoliikenneväline **4** hurmio, hurmos, innostus **5** karkotettu henkilö **6** (nauhurin) nauhankuljetuskoneisto
transport /,træns'pɔrt/ v **1** kuljettaa **2** saada hurmioon/innostumaan suunnattomasti the news transported her into bursts of joy uutinen innosti hänet ilon purkauksiin **3** karkottaa
transpose /,trænz'pouz/ v **1** vaihtaa paikkaa **2** siirtää, kuljettaa **3** (mus) vaihtaa toiseen sävellajiin, transponoida
transposition /,trænzpə'zɪʃən/ s **1** paikan vaihtaminen/vaihtuminen **2** (mus) sävellajin vaihto, transponointi
transverse /,trænz'vərs/ adj poikittainen, poikittais-, (huilu) poikki-
transverse colon /koulən/ s (anat) poikittainen paksusuoli
transversely adv poikittain, poikittaisesti
transvestism /,trænz'vestɪzəm/ s transvestisismi, transvestismi
transvestite /,trænz'vestaɪt/ s transvestiitti
trap /træp/ s **1** (myös kuv) ansa, loukku, pyydys **2** (viemärissä) vesilukko v **1** pyydystää; virittää ansoja; saada kiinni/ansaan **2** (kuv) saada satimeen/ansaan, huijata
trapdoor /,træp'dɔr/ s (katossa, lattiassa) luukku, ovi, (lattiassa) laskuovi
trapeze /træ'piz/ s (rekki) trapetsi
trapezius /trə'piziəs/ s (mon trapeziuses) epäkäslihas
trappings /træpiŋz/ s (mon) **1** koristeet, somisteet **2** puvut, asut **3** (kuv) ulkokuori, ulkoiset tunnukset he has all the trappings of success from a BMW to a condo hänellä on kaikki menestyjän statussymbolit BMW:stä omistusasuntoon
trash /træʃ/ s roska (myös kuv) v **1** (sl) särkeä, hävittää **2** lyödä lyttyyn, antaa murskaava arvostelu jostakin
trash can s roskapönttö
trasher s (ark) vandaali
trauma /tramə/ s **1** (lääk) vamma, vaurio, trauma **2** (psykologiassa) psyykkinen vamma, vaurio, trauma
traumatic /trə'mætɪk/ adj traumaattinen

travel /trævəl/ s **1** matkustus, matkustaminen, matkailu **2** (mon) matka, matkat Gulliver's travels Gulliverin retket **3** liikenne
v matkustaa
travel agency s matkatoimisto
travel agent s **1** matkatoimistovirkailija **2** matkatoimisto
traveler s **1** matkustaja, matkailija **2** myyntimies, kauppamatkustaja
traveler's check s matkasekki
traveling bag s (pieni) matkalaukku
traveling salesman s (mon traveling salesmen) myyntimies, kauppamatkustaja
travelog /'trævə,lag/ s matkasta kertova diaesitys/filmi, (luento) matkakertomus
traverse /trə'vərs/ s ylitys, kulkeminen jonkin yli/poikki the traverse of the desert aavikon ylitys
v kulkea jonkin poikki/yli/kautta, ylittää, halkaista, halkoa the railroad traverses the city rautatie kulkee kaupungin halki we traversed the river yesterday ylitimme joen eilen
adj poikittainen
travesty /trævəsti/ s **1** ivamukaelma, travestia **2** (kuv) irvikuva, täydellinen vastakohta a travesty of justice oikeuden irvikuva
trawl /traəl/ s laahusnuotta, trooli
v kalastaa laahusnuotalla, troolata
trawler s (alus) troolari
tray /treɪ/ s tarjotin
treacherous /tretʃərəs/ adj **1** petollinen, kavala, kiero **2** epäluotettava, petollinen, harhauttava, vaarallinen
treacherously adv **1** petollisesti, petollisen, kavalasti **2** epäluotettavasti, petollisesti, petollisen, vaarallisesti, vaarallisen
treachery /tretʃəri/ s petos
treacle /trikəl/ s **1** imelyys, tunteilu, sentimentaalisuus **2** (UK) siirappi
treacly adj (kuv) imelä, siirappinen
tread /tred/ s **1** askel **2** askelma **3** (renkaan) kulutuspinta
v trod, trodden **1** astua, kävellä **2** astua, tallata (jonkin päälle)
treadle /tredəl/ s (ompelukoneen, rukin ym) poljin
v polkea
treadmill /'tred,mɪl/ s **1** polkumylly **2** (kuv) oravanpyörä
tread on v astua, tallata jonkin päälle
tread on someone's toes fr astua jonkun varpaille, loukata jotakuta
tread the boards fr näytellä, olla/toimia näyttelijänä
tread water fr (sl kuv) polkea paikallaan, huilata, kerätä voimia for the past month, she has been treading water viimeisen kuukauden ajan hän on polkenut/huovannut paikallaan
treason /trizən/ s **1** maanpetos **2** petos; petollisuus, kavaluus
treasonable adj **1** maanpetoksellinen **2** petollinen, kavala
treasonous /trizənəs/ adj **1** maanpetoksellinen **2** petollinen, kavala
treasure /treʒər/ s aarre (myös kuv)
v pitää suuressa arvossa, (muistoa) vaalia
treasurer /treʒərər/ s (seuran) varainhoitaja, (kaupungin) kamreeri, rahoitusjohtaja (yrityksen) talouspäällikkö, (maan) valtiovarainministeri
treasure-trove /'treʒər,trouv/ s (myös kuv) aarreaitta, aarrearkku
treasury /treʒəri/ s **1** Treasury valtiovarainministeriö **2** (seuran) kassa **3** (kuv) aarreaitta
Treasury securities s (mon) valtion takaamia, valtiovarainmisnisteriön liikkeelle laskemia arvopapereita
treat /trit/ s **1** it is my treat minä tarjoan (ruuat, juomat) **2** the new movie is a treat uusi elokuva on loistava
v **1** kohdella you have to treat her right sinun on kohdeltava häntä oikein **2** suhtautua, pitää jonakin (as) **3** (potilasta) hoitaa **4** käsitellä (myös kuv) **5** tarjota (ateria, juomat)
treatise /tritəs/ s tutkielma
treatment s **1** kohtelu, suhtautuminen, käsittely **2** (lääk) hoito
treaty /triti/ s sopimus a nuclear arms treaty ydinase(iden rajottamis)sopimus

treble /trebəl/ s **1** (mus) sopraano **2** (mus) diskantti
v kolminkertaistaa
adj **1** kolminkertainen **2** (mus) sopraano **3** (mus) diskantti

tree /tri/ s puu family tree sukupuu Christmas tree joulukuusi to be up a tree olla pulassa/pinteessä

tree line s (vuorenrinteen) puuraja

treelined /'tri,laɪnd/ adj puiden reunustama

tree of knowledge of good and evil s hyvän ja pahan tiedon puu

tree shrew s tupaija

trek /trek/ s vaellus, (vaivalloinen) patikkamatka
v trekked, trekked, trekking: talsia, vaeltaa

tremble /trembəl/ s vapina, värinä, tutina
v vapista, väristä, tutista, hytistä

tremendous /trə'mendəs/ adj **1** valtava, suunnaton **2** valtavan hyvä, loistava

tremendously adv valtavasti, valtavan, suunnattomasti, suunnattoman

tremor /tremər/ s **1** puistatus, väristys **2** järistys

trench /trentʃ/ s **1** (sot) taisteluhauta **2** kaivanto, (syvä) oja
v kaivaa taisteluhauta/taisteluhautoja, kaivautua asemiin

trench coat s (takki) trenssi

trench on v **1** loukata (esim jonkun oikeuksia) **2** haiskahtaa, näyttää, kuulostaa joltakin

trend /trend/ s **1** suuntaus, suunta, taipumus, kehityssuunta **2** muoti
v suuntautua, kohdistua, kehittyä johonkin suuntaan

trendily adv muodikkaasti, viimeisen muodin mukaisesti

trendsetter /'trend,setər/ s suunnannäyttäjä, edelläkävijä

trendsetting adj suuntaa näyttävä, uraauurtava

trendy adj muodikas, viimeisen muodin mukainen

trespass /'tres,pæs/ s **1** (toisen oikeuksien, rauhan) loukkaus **2** luvaton tunkeutuminen jonnekin **3** synti, rikkomus
v **1** loukata (jonkun oikeuksia, rauhaa) **2** tunkeutua luvatta jonnekin **3** tehdä syntyä, rikkoa jotakuta vastaan

trespasser s tunkeilija trespassers will be prosecuted luvaton oleskelu kielletty rangaistuksen uhalla

tress /tres/ s **1** (mon) kiharat, hiukset **2** (hius)suortuva

trestle /tresəl/ s **1** (kannatinteline) pukki **2** pukkisilta

trial /traɪəl/ s **1** oikeudenkäynti **2** koetus, kokeilu, koe **3** yritys **4** koettelemus, vaikeus **5** to be on trial olla syytettynä oikeudessa; olla koeajalla, olla kokeiltavana

trial and error s yritys ja erehdys

trial balloon s koepallo (kuv), mielialan tunnustelu(yritys)

trial court s alioikeus

trial lawyer s asianajaja, lakimies

trial run s koekäyttö, koeajo, koeesitys

triangle /'traɪ,æŋgəl/ s kolmio the Bermuda triangle Bermudan kolmio

triangular /,traɪ'æŋgjələr/ adj kolmiomainen, kolmion muotoinen

Triangle (tähdistö) Kolmio

triangulation /traɪ,æŋgjə'leɪʃən/ s kolmiomittaus

tribal /traɪbəl/ adj heimo-

tribe /traɪb/ s heimo

tribesman /traɪbzmən/ s (mon tribesmen) heimon jäsen

tribespeople /'traɪbz,pipəl/ s (mon) heimon jäsenet

tribunal /trə'bjunəl/ s tuomioistuin

tributary /'trɪbjə,teri/ s sivujoki

tribute /trɪbjut/ s **1** kunnianosoitus, kiitollisuudenosoitus **2** vero, pakkovero

trick /trɪk/ s **1** temppu, huijaus, petos **2** taito, niksi that should do the trick sen pitäisi tepsiä **3** kepponen **4** näköharha **5** (sl) huoran asiakas
v huijata, puijata, pettää, narrata

trickery /trɪkəri/ s huijaus, juonittelu, temppuilu

trick into v huijata/puijata/narrata joku tekemään jotakin

trickle /trɪkəl/ s **1** tihkuminen **2** (kuv) a trickle of people came to congratulate

him silloin tällöin joku kävi onnittelemassa häntä
v **1** tihkua **2** (kuv) tulla/saada vähitellen
trickle-down theory /'trikəl,daun/ s teoria suuryrityksille myönnettävien verohelpotusten ja muiden helpotusten myönteisistä kerrannaisvaikutuksista muuhun elinkeinoelämään
trick of v huijata/puijata joltakulta jotakin
trick or treat /ˌtrıkər'tʃrit/ s (pyhäinmiestenpäivän perinne jonka mukaan lapset kulkevat ovelta ovelle sanoen) kepponen/kuje vai makupala
trickster /trıkstər/ s **1** huijari, petturi **2** kujeilija
tricky adj **1** ovela, viekas, kavala **2** taitava, nokkela **3** hankala, vaikea
tricycle /traısəkəl/ s kolmipyörä
tried /traıd/ ks try
trifle /traıfəl/ s **1** pikkuseikka, pikkuasia, sivuseikka, mitätön asia/esine **2** pikkusumma **3** it's a trifle too long se on hieman liian pitkä
v **1** leikitellä (esim jonkun tunteilla) **2** hypistellä, näpelöidä
trifling adj mitätön, vähäpätöinen, (keskustelu) pinnallinen
trigger /trıgər/ s **1** liipaisin to be quick on the trigger (ark) olla nopea/äkkipikainen **2** laukaisin **3** (kuv) laukaiseva/käynnistävä tekijä, viimeinen pisara
v **1** laukaista **2** käynnistää, aloittaa
trigger finger s **1** liipaisinsormi **2** etusormi
triglyceride /traı'glisəraıd/ s triglyseridi (kolme rasvahappoa sisältävä glyseridi)
trigonometric /ˌtrıgənə'metʃrık/ adj trigonometrinen
trigonometric function s trigonometrinen funktio
trigonometric series s (mon trigonometric series) trigonometrinen sarja
trigonometry /ˌtrıgə'namətʃri/ s trigonometria
trike /traık/ s (ark) kolmipyörä
trill /trıl/ s **1** liverrys **2** (mus) liverre, trilli
v livertää
trilogy /trıləd͡ʒi/ s trilogia
trim /trım/ v **1** siistiä, viimeistellä (leikkaamalla), (puuta) karsia **2** (kuv) leikata, supistaa **3** koristella, koristaa, somistaa **4** (purjeita) sovittaa, trimmata, saattaa (laivan (paino)lasti) tasapainoon **5** (ark) moittia, haukkua, sättiä
adj **1** siisti **2** hyväkuntoinen, joka on hyvässä kunnossa **3** hoikka, solakka
trim your sails fr leikata kustannuksia, vähentää kuluja/menoja, säästää, kiristää vyötä
Trinidad and Tobago /ˌtrinədædəntə'beıgou/ Trinidad ja Tobago
Trinitron® /'trınə,tran/ Sonyn valmistama kuvaputkityyppi
Trinity /trınəti/ s **1** (Pyhä) kolminaisuus **2** trinity kolmikko, kolmen ryhmä
trinket /triŋkət/ s rihkama(esine)
trio /triou/ s **1** (mus) trio **2** kolmikko, kolmen ryhmä
trip /trıp/ s **1** matka round trip menopaluumatka **2** kompastuminen **3** kömmähdys **4** (sl) hurmio, (esim huume)-trippi
v **1** kompastua **2** tehdä kömmähdys **3** sipsuttaa
tripartite /traı'par,taıt/ adj kolmiosainen, kolmen osapuolen
triple /trıpəl/ s kolminkertainen määrä
v kolminkertaistaa, kolminkertaistus
adj kolmiosainen, kolmenlainen, kolminkertainen
triplets /trıpləts/ s (mon) kolmoset
triplicate /trıplıkət/ s yksi kolmesta jäljennöksestä/kappaleesta to type something in triplicate kirjoittaa jotakin kolmena kappaleena
adj kolmiosainen, kolmena kappaleena tehty, kolminkertainen
triplicate /'trıplə,keıt/ v kolminkertaistaa, tehdä kolmena kappaleena
tripod /'traı,pad/ s kolmijalka, jalusta
trip the light fantastic fr mennä/lähteä tanssimaan
trip up v kampata, saada kompastumaan (myös kuv)
trite /traıt/ adj kulunut, lattea, väljähtänyt

tritely adv kuluneesti, latteasti
triteness s kuluneisuus, latteus
triumph /ˈtraɪəmf/ s **1** voitto, saavutus, riemuvoitto **2** riemusaatto, voittojuhla v **1** voittaa, menestyä **2** riemuita, juhlia
triumphal /traɪˈʌmfəl/ adj **1** voitto-, riemu- **2** riemuisa, riemukas
triumphal arch s riemukaari
triumphant /traɪˈʌmfənt/ adj **1** voittoisa, menestyksekäs **2** riemuisa, riemukas
triumphantly adv **1** voittoisasti, menestyksekkäästi **2** riemuisasti, riemukkaasti
trivial /ˈtrɪviəl/ adj **1** mitätön, merkityksetön, vähäpätöinen **2** tavallinen, arkinen, lattea, kulunut
triviality /ˌtrɪviˈæləti/ s **1** mitättömyys, vähäpätöisyys **2** arkisuus, latteus, kuluneisuus
trivialize /ˈtrɪviəˈlaɪz/ v tehdä mitättömäksi, esittää mitättömäksi, latistaa
trivially adv ks trivial
trod /trad/ ks tread
trodden ks tread
trolley bus /ˈtrolɪˌbʌs/ s johdinauto, trolleybussi
trombone /ˌtramˈboʊn/ s pasuuna slide trombone vetopasuuna
trombonist s pasuunansoittaja, pasunisti
troop /trup/ s **1** joukko, ryhmä **2** (ratsuväessä) eskadroona **3** (mon sot) joukot
v **1** kokoontua, kerääntyä yhteen **2** ahtautua, tunkeutua jonnekin **3** kävellä, marssia (jonossa)
trooper s **1** ratsuväen sotilas **2** ratsupoliisi **3** osavaltion poliisi (myös state trooper) **4** like a trooper kuin sotilas, tarmokkaasti, innokkaasti
trophy /ˈtroʊfi/ s **1** sotasaalis; voitonmerkki **2** palkinto, palkintomalja, pokaali
tropic /ˈtrapɪk/ s **1** kääntöpiiri the Tropic of Cancer Kravun kääntöpiiri the Tropic of Capricorn Kauriin kääntöpiiri **2** (mon) tropiikki
adj trooppinen
tropical adj trooppinen, tropiikin
troposphere /ˈtrapəsˌfɪər/ s troposfääri
trot /trat/ s **1** (hevosen) ravi **2** (ihmisen) hölkkä **3** (mon) ripuli
v **1** (hevonen) ravata, juosta ravia, (hevosella) ratsastaa ravia **2** (kuv) ravata, kävellä nopeasti, juosta, hölkätä
trot out v **1** tuoda esiin, tuoda nähtäväksi **2** lasketella, kertoa
trouble /ˈtrʌbəl/ s vaikeus, hankaluus, vaiva (myös sairaus), häiriö, kiusa, harmi, murhe we're in trouble olemme pulassa he's again looking for trouble hän tekee elämänsä tahallaan vaikeaksi, hän kaivaa taas verta nenästään (sl) Arnold got the girl in trouble Arnold pamautti tytön paksuksi (sl) what's the trouble with you? mikä sinua vaivaa?
v vaivata, hankaloittaa, häiritä, kiusata, harmittaa don't trouble him, he's working älä häiritse häntä, hänellä on työt kesken
troubled waters s (mon) sekasorto, myllerrys, vaikeudet
troublemaker /ˈtrʌbəlˌmeɪkər/ s rettelöitsijä, riitapukari, hankala tapaus (ark)
trouble over v murehtia jostakin, olla huolissaan jostakin
troubleshooter /ˈtrʌbəlˌʃutər/ s **1** (riita-asiassa) välittäjä **2** vianetsijä, korjaaja
troublesome /ˈtrʌbəlsəm/ adj vaikea, hankala, ongelmallinen, pulmallinen
trouble spot s ongelmapesäke
trough /traf/ s **1** kaukalo, purtilo **2** kouru, ränni **3** syvennys, ura, vako **4** aallonpohja (myös kuv)
trounce /traʊns/ v **1** piestä, hakata (myös kuv:) voittaa **2** rangaista
troupe /trup/ s (teatteri- ym) seurue
trouser adj housujen, housun-
trousers /ˈtraʊzərz/ s (mon) housut
trout /traʊt/ s (mon trouts, trout) taimen; kirjolohi; nieriä, rautu
trowel /ˈtraʊəl/ s **1** muurauslasta **2** (puutarhassa) istutuskauha v tasoittaa, levittää (muurauslastalla)
Troy /troɪ/ Troija

truancy s luvaton poissaolo, pinnaus (ark), lintsaus (ark)
truant /truənt/ s (koulussa, työssä) luvaton poissaolija, pinnari (ark), lintsari (ark)
adj joka on luvattomasti poissa koulusta/työstä
truant officer s (koulussa) luvattomien poissaolojen tutkija, valvoja
truce /trus/ s **1** aselepo **2** (kuv) hengähdystauko, tauko, helpotus
truck /trʌk/ s **1** kuorma-auto; rekka-auto **2** työntökärryt **3** (UK rautateillä) avoin tavaravaunu **3** vihannekset (kauppatavarana) **4** palkan maksaminen luontoisetuina, trukkijärjestelmä
v **1** kuljettaa (kuorma-autolla), ajaa kuorma-autoa **2** kärrätä, työntää (käsi)kärryillä
truckdriver /ˈtrʌkdraɪvər/ s kuorma-auton kuljettaja, rekka-auton kuljettaja, rekkakuski
trucker s **1** kuorma-auton kuljettaja, rekka-auton kuljettaja, rekkakuski **2** huolitsija **3** vihannesviljelijä, vihannespuutarhuri
truck farm s vihannesviljelys, vihannespuutarha
truckload /trʌkloud/ s autokuorma, autokuormallinen
truck stop s rekka-autojen huoltoasema (jonka yhteydessä on usein ravintola ja motelli)
truck system s palkan maksaminen luontoisetuina, trukkijärjestelmä
truck tractor s (rekan) vetoauto
trudge /trʌdʒ/ s vaivalloinen kävely
v tarpoa, rämpiä
true /tru/ adj **1** tosi is it true? onko se totta? **2** aito, vilpitön, todellinen, tosi a true friend tosi ystävä a true gentleman todellinen herrasmies **3** tarkka, oikea; suora the watch is not true kello on väärässä **4** uskollinen, luotettava
adv **1** tarkasti, oikein **2** his dream has come true hänen haaveensa on toteutunut
true believer s **1** he's a true believer in discipline hän uskoo vahvasti kuriin **2** kiihkoilija
true-blue adj uskollinen, luotettava, järkkymätön
true-false test s (koulussa) oikein-väärin-koe
true level s vaakataso
truffle /trʌfəl/ s tryffeli, multasieni
truly adv **1** todella, vilpittömästi **2** uskollisesti **3** yours truly (kirjeessä) kunnioittaen, (liikekirjeessä myös) ystävällisin terveisin
trump /trʌmp/ s **1** (korttipelissä) valtti **2** (ark) hieno ihminen
v **1** (korttipelissä) ottaa valtilla, voittaa kierros **2** ylittää, voittaa, jättää jälkeensä/varjoonsa
trumpet /trʌmpət/ s **1** trumpetti **2** törähdys
v **1** puhaltaa (trumpettia) **2** töräyttää, törähtää **3** ylistää, toitottaa, mainostaa
trumpeter s **1** trumpetisti, trumpetinsoittaja **2** (merkki)torvensoittaja **3** ylistäjä, toitottaja, mainostaja
trump up v keksiä, sepittää
truncate /trʌŋkeɪt/ v typistää, lyhentää, leikata, katkaista
truncated adv typistetty, tylppä, lyhennetty, katkaistu
truncheon /trʌntʃən/ s (poliisin) pamppu, patukka
trunk /trʌŋk/ s **1** (puun)runko **2** (matka- tai muu) arkku **3** (auton) tavaratila **4** vartalo (ilman raajoja ja päätä) **5** norsun kärsä **6** (mon) sortsit swimming trunks uimahousut **7** (puhelinliikenteessä) kaukojohto
trunk call s (UK) kaukopuhelu
trunk line s **1** päätie **2** (puhelinliikenteessä) kaukojohto
truss /trʌs/ s tukirakenne, (tuki)ristikko
v **1** sitoa, niputtaa **2** tukea
trust /trʌst/ s **1** luottamus he placed his trust in her hän luotti naiseen **2** toivo, usko **3** tuki, turva **4** huosta the millionaire left all his money in the trust of lawyers miljonääri jätti kaikki rahansa lakimiesten valvontaan/huostaan **5** huostaan uskottu omaisuus; säätiö; rahasto **6** (tal) trusti
v **1** luottaa trust me, I'm not lying luota minuun, minä en valehtele **2** uskoa,

toivoa, olettaa I trust you're satisfied with your pay? sinä olet ilmeisesti tyytyväinen palkkaasi?
trustee /trʌs'ti/ s **1** (säätiön) hallituksen jäsen **2** luottamusmies, uskottu mies
trust fund s huostaan uskottu omaisuus; säätiö; rahasto
trustily adv luotettavasti, varmasti, uskollisesti
trust in v luottaa johonkin, uskoa johonkin
trusting adj luottavainen; hyväuskoinen
trustless adj epäluuloinen
trust to v laskea jonkin varaan, luottaa johonkin
trustworthy /'trʌst,wərði/ adj luotettava
trusty adj luotettava, varma, uskollinen
truth /truθ/ s totuus in truth todellisuudessa, oikeastaan, totta puhuen
truthful adj rehellinen, luotettava, paikkansa pitävä, totuudenmukainen, todenmukainen, (muotokuva) näköinen, realistinen
truthfully adv rehellisesti, luotettavasti, totuudenmukaisesti, todenmukaisesti, realistisesti
truthfulness s rehellisyys, luotettavauus, todenmukaisuus, (muotokuvan) näköisyys, realistisuus
try /traɪ/ s yritys why don't you give it a try? kokeile nyt sitä! to give it the old college try (ark) yrittää tosissaan, panna parastaan
v tried, tried **1** yrittää try to be nice to her yritä olla hänelle ystävällinen **2** kokeilla you should try jogging, it helps you relax sinun pitäisi käydä kokeeksi lenkillä, se rentouttaa **3** maistaa have you tried Mexican cooking yet? joko olet maistanut meksikolaista ruokaa? **4** koetella, panna koetteille **5** (lak) syyttää jotakuta oikeudessa, tuomita/ratkaista (juttu)
trying adj vaikea, raskas, koetteleva
try on v sovittaa, kokeilla päälleen
try on for size fr **1** sovittaa/kokeilla (vaatetta) **2** (kuv) harkita, miettiä, pohtia
tryout /'traɪ,aʊt/ s **1** kokeilu, koe, valintatilaisuus **2** (näytelmän) ennakkonäytäntö
try out v kokeilla, (autoa) koeajaa
try out for v pyrkiä johonkin (esim urheilujoukkueeseen)
tsetse fly /'titsi,flaɪ/ s tsetsekärpänen
T-shirt /'ti,ʃərt/ s T-paita
tspn. teaspoonful teelusikallinen
T square /'ti,skweər/ s (T:n muotoinen) kulmaviivain
tsunami /tsʊ'nami/ s tsunami, maanjäristyksen tai tulivuorenpurkauksen aiheuttama hyökyaalto
TTL through-the-lens; transistor-transistor logic
Tu. Tuesday tiistai
tub /tʌb/ s **1** kylpyamme **2** sammio, amme, allas, soikko, saavi
tuba /tubə/ s tuuba
tube /tub/ s **1** putki, letku to go down the tube (ark) mennä läskiksi, mennä pöntöstä alas **2** purso, tuubi **3** inner tube (auton ym) sisärengas **4** elektroniputki **5** (ark) telkkari, televisio, (halventavasti) pötyputki **6** (UK) maanalainen, metro
tubeless tire s sisärenkaaton (ilma)-rengas
tuber /tubər/ s (kasvi) juurimukula
tuberculosis /tə,bərkjə'loʊsɪs/ s tuberkuloosi
tuber vegetables s (mon) juurimukulat
tube sock s putkisukka
tubular /tubjələr/ adj putkimainen, putki-
TUC Trades Union Congress
tuck /tʌk/ s laskos
v **1** työntää, pistää, panna **2** taivuttaa, taittaa; laskostaa
tuck in v **1** taivuttaa, työntää (esim roikkuva paidanlieve housun) sisään **2** peittää (esim lapsi) vuoteeseen **3** (UK ark) (syödä, juoda) ahmia, ahnehtia, mässäillä
tuck into v pistää poskeensa, käydä käsiksi (ruokaan)
Tue. Tuesday tiistai
Tuesday /tuzdi, 'tuz,deɪ/ s tiistai

Tuesdays adv tiistaisin
tuft /tʌft/ s tupsu, kimppu
tufted deer /tʌftəd/ s tupsuhirvi
tug /tʌg/ s **1** kiskaisu, veto, nykäisy **2** (kuv) köydenveto, kilpailu, mittely **3** hinaaja(-alus)
v kiskoa, hinata, vetää, nykiä
tugboat /'tʌg,bout/ s hinaaja(-alus)
tug of war /'tʌgə,wɔr/ s köydenveto (myös kuv)
tuition /tu'ɪʃən/ s **1** lukukausimaksu **2** opetus
tulip /tulɪp/ s tulppaani
Tulsa /təlsə/ kaupunki Oklahomassa
tumble /tʌmbəl/ s kaatuminen, putoaminen
v **1** kaatua, kaataa, pudota, pudottaa, lentää (ark) he tumbled down the stairs hän kaatui/lensi portaissa **2** vyörytä, poukkoilla **3** (kuv) (vallanpitäjä) kaatua, kaataa, syöstä (vallasta), (hinnat) laskea, pudota **4** mennä/tulla hätäisesti/kiireisesti, pursuta (ovesta)
tumble-down /'tʌmbəl,daun/ adj ränsistynyt
tumble-dry /tʌmbəl'draɪ/ v kuivata (pyykkiä) (rumpu)kuivauskoneessa, (hoito-ohjeissa) rumpukuivaus
tumbler s **1** (paksupohjainen) lasi, vesilasi, viskilasi **2** (lukon) salpa **3** voimistelutaituri, akrobaatti
tumble to v (ark) törmätä johonkin, huomata/saada selville sattumalta
tummy /tʌmi/ s (ark) masu, maha
tumor /tumər/ s **1** turpoama **2** kasvain, syöpä
tumult /tuməlt/ s **1** metakka, meteli, äläkkä, kahakka, (tappelun) nujakka **2** (kuv) myllerrys, kuohu
tumultuous /tu'məltʃuəs/ adj meluisa, mellakoiva, rähinöivä, (myönteisesti:) railakas
tuna /tunə/ s makrilli bluefin tuna tonnikala
tune /tun/ s **1** sävelmä, melodia to call the tune määrä, olla määräävässä asemassa to change your tune tulla toisiin aatoksiin, muttaa mielensä since the accident, she's been singing a different tune onnettomuuden jälkeen hänellä tuli toinen ääni kelloon **2** vire, viritys the piano is in tune/out of tune piano on (oikeassa) vireessä/epävireessä **3** the government is wasting money to the tune of billions a day valtio tuhlaa päivittän miljardeja dollareita
v virittää (soitin, radio/televisiovastaanotin)
tuneful adj melodinen
tune in v virittää (radio/televisiovastaanotin)
tune out v (kuv) lakata kuuntelemasta (jonkun puhetta)
tuner s **1** virittäjä **2** viritin
tune up v **1** virittää (soittimet) **2** ruveta laulamaan **3** huoltaa (auton moottori)
tunic /tunɪk/ s tunika
tuning fork s äänirauta
Tunisia /tu'niʒə/ Tunisia
Tunisian s, adj tunisialainen
tunnel /tʌnəl/ s tunneli
v **1** rakentaa/kaivaa tunneli jonnekin/jonkin ali **2** kaivautua, porautua jonkin alitse/lävitse
tunnel effect s (fysiikassa) tunneli-ilmiö
tunnel of love s (huvipuiston yms) lemmentunneli
tunnel vision s **1** (lääk) näkökentän supistuminen **2** (kuv) ahdasmielisyys, ennakkoluuloisuus, suvaitsemattomuus
turban /tərbən/ s turbaani
turbine /tərbən/ s turbiini
turbo /tərbou/ s **1** turbiini **2** (ark) turboahdin, turbo **3** (ark) auto jonka moottorissa on turboahdin, turbo
turbocharger /'tərbo,tʃardʒər/ s turboahdin
turboprop /'tərbo,prap/ s **1** potkuriturbiinimoottori **2** potkuriturbiini(lento)-kone
turbo-propeller engine /,tərbouprə'pelər/ s potkuriturbiinimoottori
turbulence /tərbjələns/ s **1** (kuv) myrskyisyys, kiihkeys, levottomuus **2** pyörteisyys, turbulenssi
turbulent /tərbjələnt/ adj (kuv) myrskyisä, myrskyinen, kuohuva, kiihkeä, levoton, raju

turbulently adj (kuv) myrskyisästi, kiihkeästi, levottomasti, rajusti
tureen /tʊ'rin/ s liemimalja
turf /tɜrf/ s **1** nurmiturve **2** (poltto)turve **3** (sl) kotikontu, tuttu alue French movies are her turf ranskalaiset elokuvat ovat hänen heiniään
Turk /tɜrk/s tukkilainen
Turkey /tɜrki/ Turkki
turkey /tɜrki/ s **1** kalkkuna **2** (sl) mäntti, nuija, hölmö **3** to go cold turkey lopettaa esim huumeen käyttö kerralla, panna kerrasta poikki; ryhtyä kylmiltään johonkin **4** to talk turkey (ark) puhua suoraan, ei siekailla
Turkish bath /,tɜrkɪʃ'bæθ/ s turkkilainen sauna/kylpy
Turkish s turkin kieli
adj turkkilainen, turkinkielinen
Turkmenistan /,tɜrk'menəstan/ Turkmenistan
Turks and Caicos Islands /,tɜrksənkaɪkoʊs, ,keɪkoʊs/ (mon) Turks- ja Caicossaaret
turmoil /tɜrmoɪəl/ s myllerrys, mullistus, sekasorto, sekaannus the whole country was in turmoil koko maa oli mullistuksen kourissa
turn /tɜrn/ **1** pyörähdys, kierto, käännös **2** (tien ym) mutka, kaarre **3** vuoro it's your turn nyt on sinun vuorosi to do something by turns vuorotella tehdä jotakin vuorotellen in turn vuorollaan, vuorostaan, ajallaan to take turns vuorotella, tehdä jotakin vuorotellen **4** käänne things took a turn for the worse asiat kääntyivät huonompaan päin at every turn joka käänteessä/vaiheessa, jatkuvasti **5** he didn't do a hand's turn hän ei liikauttanut eväänsäkään, hän ei pannut tikkua ristiin
v **1** kääntää, kääntyä, kiertää, kiertyä, pyörittää, pyöriä turn clockwise kierrä myötäpäivään to turn right/left kääntyä vasempaan/oikeaan to turn a page kääntää sivua **2** torjua (isku, hyökkäys) **3** muuttaa, muuttua joksikin he has turned into a monster hänestä on tullut hirviö to turn pale valahtaa kalpeaksi **4** kuvottaa it turns my stomach to hear talk like that tuollaiset puheet ällöttävät minua **5** tulla johonkin ikään she turned eighty last month hän täytti viime kuussa 80 **6** kääntää: to turn a book into French kääntää kirja ranskaksi, ranskantaa kirja **7** sorvata
turn a blind eye to fr ei olla huomaavinaankaan jotakin, katsoa jotakin läpi sormien
turn about v kääntyä, kääntää
adv vuorotellen
turn a cold shoulder to fr kohdella kylmästi/tylysti
turn a deaf ear to fr ei ottaa jotakin kuuleviin korviinsa
turn and turn about fr vuorotellen
turnaround /'tɜrnə,raʊnd/ s (täydellinen) käänne, mielipiteen/menettelyn muutos
turn back v **1** kääntyä/käännyttää takaisin **2** taittaa (kaksin kerroin)
turncoat /'tɜrn,koʊt/ s (esim puolue)loikkari
turn color fr vaihtaa väriä, muuttua toisen väriseksi
turndown /'tɜrn,daʊn/ s hylkäävä/kielteinen vastaus
turn down v **1** hylätä, ei hyväksyä **2** taittaa (kaksin kerroin) **3** vähentää, hiljentää, vaimentaa
turner s sorvaaja, sorvari
turn in v **1** jättää (sisään esim hakemus), luovuttaa, antaa **2** antaa ilmi, kavaltaa **3** poiketa (tieltä) **4** (ark) painua pehkuihin, mennä nukkumaan
turning s **1** (tien)risteys **2** (tien) mutka **3** sorvaus, sorvaaminen
turning point s käänne(kohta)
turn into v **1** muuttua/muuttaa joksikin **2** kääntyä jonnekin
turn in your grave fr kääntyä haudassaan
turnip /tɜrnɪp/ s nauris
turnkey /'tɜrn,ki/ s vanginvartija
adj joka myydään avaimet käteen -periaatteella
turn loose fr vapauttaa, päästää vapaaksi

turnoff /'tɜrn,af/ s **1** (moottoritien) haarautuma **2** sivutie **3** (sl) tympeä juttu/asia/esine
turn off v **1** sammuttaa (laite, valo, tuli), katkaista (virta), sulkea (hana) **2** kääntyä, poiketa (tieltä)
turn of the century s vuosisadan vaihde
turn-of-the-century adj vuosisadan vaihteen
turnon /'tɜrn,an/ s (sl) makea/rautainen/kiihottava ihminen/juttu/asia/esine
turn on v **1** käynnistää (laite), kytkeä päälle (laite, virta), sytyttää (valo), avata (hana) **2** (kuv sl) saada innostumaan/syttymään (myös sukupuolisesti) **3** heittäytyä joksikin, ruveta esittämään jotakin **4** riippua jostakin the whole thing turns on whether he is lying or not koko asia riippuu siitä, puhuuko hän totta
turn out fr **1** katkaista, sammuttaa (valo) **2** tehdä, valmistaa **3** päättyä jotenkin, käydä jotenkin, osoittautua joksikin altough he was never good at school, he turned out okay hän on pärjännyt (ark) ihan hyvin vaikka ei menestynytkään koulussa it turned out to be a false alarm kävi ilmi että kyseessä oli väärä hälytys **4** saapua, ilmestyä jonnekin
turn over v **1** kääntää, kääntyä **2** luovuttaa, antaa jollekulle he turned over the stolen merchandise to the cops hän luovutti varastetut tavarat poliisille **3** miettiä, pohtia **4** (moottori) käynnistyä
turnover /'tɜrn,ouvər/ s **1** mullistus, murros **2** asiakasvirta **3** työntekijöiden vaihtuvuus **4** liikevaihto **5** (urh) pallon/pelivuoron menetys
turn over a new leaf fr (kuv) aloittaa alusta, tehdä uusi alku, aloittaa uusi elämä(nvaihe)
turn over in your grave fr kääntyä haudassaan
turnpike /'tɜrn,paɪk/ s (usein maksullinen) moottoritie
turn signal s (auton ym) suuntavilkku
turnstile /'tɜrn,staɪəl/ s kääntöportti
turntable /'tɜrn,teɪbəl/ s **1** levysoitin (ilman äänivartta) **2** (rautateillä) kääntöpöytä
turn tail fr (ark) karata, livistää, ottaa jalat alleen
turn the clock back fr palata menneisyyteen
turn the other cheek fr kääntää toinen(kin) poskensa
turn the scales fr muuttaa tilanne your vote turned the scales in our favor sinun äänesi käänsi tilanteen meidän eduksemme
turn the tables fr kääntää tilanne päälaelleen/edukseen, vaihtaa osia
turn the tide fr muuttaa tilanne, jonkun onni kääntyy
turn the trick fr (ark) tepsiä that should turn the trick sen pitäisi tepsiä
turn thumbs down on fr ei hyväksyä, ei suostua
turn to v **1** muuttaa/muuttua joksikin **2** kääntyä jonkun puoleen, pyytää joltakulta apua **3** panna hihat heilumaan, ruveta töihin
turn traitor fr ruveta petturiksi
turn turtle fr kääntyä ylösalaisin/katolleen
turn up v **1** löytää, löytyä, saada selville **2** lisätä, voimistaa **3** sattua, tapahtua **4** saapua, ilmestyä paikalle
turn upon v suuttua yhtäkkiä jollekulle, kääntyä yhtäkkiä jotakuta vastaan
turn up your nose at fr nyrpistää nenäänsä jollekulle/jollekin
turn up your toes fr (sl) heittää veivinsä, potkaista tyhjää, kuolla
turn your hand to fr paneutua johonkin, ruveta tekemään jotakin
turpentine /'tɜrpən,taɪn/ s tärpätti
turquoise /'tɜr,kwoɪz/ s, adj turkoosi, sinivihreä (väri)
turret /tɜrət/ s **1** (pieni) torni **2** tykkitorni
turtle /tɜrtəl/ s **1** kilpikonna **2** (ei ammattikieliessä) vesikilpikonna (vrt tortoise) **3** to turn turtle kaatua ylösalaisin/katolleen
turtleneck /'tɜrtəl,nek/ s **1** poolokaulus **2** poolopaita

tusk /tʌsk/ s (norsun, mursun) syöksyhammas
tussle /tʌsəl/ s käsikähmä, kahakka, yhteenotto
v tapella, kahinoida
tussock /tʌsək/ s (ruoho)mätäs
tut /tʌt/ interj (ilmaisee esim vastenmielisyyttä tai tyytymättömyyttä) hyh!, voi!
tutor /tutər/ s **1** opettaja; yksityisopettaja **2** (US) assistentti **3** opintoluotsi **4** holhooja
v **1** opettaa, antaa opetusta **2** holhota, olla jonkun holhooja **3** valmentaa (salaa), selittää mitä jonkun pitää/kannattaa sanoa myöhemmin
tutorial /tʊ'tɔriəl/ s **1** seminaari; yksityistunti **2** (tietok) (ohjelmaan tutustuttava) opasohjelma **3** (tietok) (ohjelmaan tutustuttava) opas(kirja)
tutti-frutti /,tuti'fruti/ s sekahedelmähillo; sekahedelmäkaramelli; sekahedelmäjäätelö
tut-tut /tʌttʌt/ ks tut
tutu /tutu/ s tutu, ballerinan (lyhyt) hame
tux /tʌks/ s (ark) smokki
tuxedo /tʌk'sidou/ s (mon tuxedos) smokki
TV /ti'vi/ s televisio
TVA Tennessee Valley Authority
tv console /ti'vi,kansoəl/ s (lattialla seisova) kaappitelevisio
tv dinner /,tivi'dɪnər/ (mikrossa lämmitettävä) pakasteateria, valmisateria
TVP textured vegetable protein
twang /twæŋ/ s **1** (teko ja ääni) näppäys **2** honotus he speaks with a Texas twang hän honottaa texasilaisittain
v **1** näpätä, näppäillä (soittimen kieliä) he was twanging his guitar hän näppi kitaraansa **2** honottaa
'twas /twʌz/ it was
tweak /twik/ s nipistys, kiskaisu, vääntö
v nipistää, kiskaista, vääntää
tweed /twid/ s **1** (kangas) tweed **2** (mon) tweedvaatteet
Tweety /twiti/ (sarjakuvahahmo) Tipi
tweezers /twizərz/ s (mon) pinsetit, atulat a pair of tweezers pinsetit, atulat
twelfth /twelfθ/ s, adj kahdestoista
Twelfth Day s loppiainen
Twelfth Night s loppiaisaatto
twelve /twelv/ s, adj kaksitoista
twenty /twenti, tweni/ s **1** kaksikymmentä **2** twenties (mon) they live in the twenties he asuvat 10.–19. kadun välillä tomorrow, temperatures will be in the mid-to-high twenties huomenna lämpötila on 24–29 asteen paikkeilla in the roaring twenties iloisella 20-luvulla **3** (sl) kaksikymppinen, kahdenkymmenen dollarin seteli
adj kaksikymmentä
twentysomething /'tweni,sʌmθiŋ/ adj kakskyt ja risat
'twere /twər/ it were
twice /twaɪs/ adv kahdesti, kaksi kertaa you should think twice before you quit your job sinun sietää miettiä kahdesti/toisenkin kerran ennen kuin eroat työstäsi
twiddle /twɪdəl/ v käännellä, väännellä
twiddle your thumbs fr pyörittää peukaloitaan, olla toimettomana
twig /twɪg/ s (pieni) oksa, ritva
twilight /'twaɪ,laɪt/ s **1** iltahämärä **2** (harvinaisempi) aamuhämärä **3** ilta (myös kuv)
twilight zone s (kuv) rajamaa
twill /twɪl/ s (kangas) toimikas
twin /twɪn/ s **1** kaksonen, kaksoissisar, kaksoisveli **2** (yksi) iso vuode **3** kahden hengen (hotelli/motelli)huone
adj kaksos-, kaksois-
twin bed s (yksi) iso vuode
Twin Cities s St. Paulin ja Minneapolisin kaupungit Minnesotan osavaltiossa
twinge /twɪndʒ/ s **1** vihlaisu, pisto, äkillinen vihlova kipu **2** (omantunnon ym) pisto
v vihlaista, vihloa, pistää
twinjet /'twɪn,dʒet/ s kaksimoottorinen suihkukone
twinkle /twiŋkəl/ s **1** pilkahdus, pilke, tuike **2** hetki, silmänräpäys

v pilkahtaa, tuikahtaa, säkenöidä
Twins (tähdistö) Kaksoset
twin-size adj (vuodekoko) 99 cm x 191 cm
twirl /twɜrəl/ s pyörähdys; pyörre
v **1** pyörittää, pyöriä **2** (savu) tupruta
twist /twɪst/ s **1** mutka, kierre **2** kierto, pyörähdys, käännös **3** (tilanteen ym) käänne, muutos **4** piirre, taipumus
v **1** punoa to twist a rope punoa köyttä **2** kiertää, kiertyä, vääntää, vääntyä **3** kiemurrella, vääntelehtiä, mutkitella **4** (myös kuv) vääristää, vääristyä, vääntää, vääntyä, kieroutua don't twist my words älä vääntele sanojani
twist someone's arm fr yrittää pakottaa joku johonkin, vaatimalla vaatia
twit /twɪt/ s **1** kiusoittelu **2** (ark) mäntti, nuija
v härnätä, kiusata, kiusoitella
twitch /twɪtʃ/ s **1** värve, säpsähdys, vavahdus **2** nykäisy, kiskaisu **3** pisto (myös kuv)
v **1** nyppiä, nykiä, nykäistä, kiskaista **2** säpsähtää, vavahtaa **3** nipistää, nipistellä
twitter /twɪtər/ s **1** viserrys **2** hermostuneisuus
v **1** (lintu) visertää **2** livertää (joutavia) **3** hihittää, kikattaa
two /tu/ s kaksi the guy can't put two and two together hän ei hoksaa mistä tässä on kyse she cut the loaf in two hän leikkasi leivän kahtia
adj kaksi
two-bit /ˌtu'bɪt/ adj (sl) mitätön, vähäpätöinen, kurja, viheliäinen
two cents worth fr mielipide can I put in my two cents worth? saanko sanoa mielipiteeni/mitä minä ajattelen?
two-cycle /'tuˌsaɪkəl/ adj kaksitahtinen
2-D /ˌtu'di/ two-dimensional kaksiulotteinen
two-dimensional /ˌtudɪ'menʃənəl/ adj kaksiulotteinen
two-edged /ˌtu'edʒd/ adj kaksiteräinen a two-edged sword kaksiteräinen miekka (myös kuv:) kaksipiippuinen juttu
two-handed /ˌtu'hændəd/ adj **1** kaksikätinen **2** molempikätinen, vasen- ja oikeakätinen **3** (esim miekka) kahden käden
twolegged /ˌtu'legəd/ adj kaksijalkainen
two-party system /'tuˌparti/ s kaksipuoluejärjestelmä
two-piece /'tuˌpis/ adj kaksiosainen
two-seater /ˌtu'sitər/ s kaksipaikkainen auto tms
twosome /tusəm/ s pari, parivaljakko
two-time /'tuˌtaɪm/ v (sl) seurustella yhtä aikaa kahden henkilön kanssa (näiden toisistaan tietämättä)
two-time loser s (sl) **1** joku joka on tuomittu vankilaan kahdesti **2** joku joka on epäonnistunut jossakin kahdesti
two-tone /'tuˌtoun/ adj kaksivärinen
two-way /'tuˌweɪ/ adj kaksisuuntainen, kahdensuuntainen, edestakainen
two ways about it there's no two ways about it asia on (harvinaisen) selvä, sehän on selvä, siitä ei ole epäilystäkään
two-wheeler /'tuˌwilər/ s kaksipyöräinen
tycoon /taɪ'kun/ s pohatta real-estate tycoon kiinteistömiljonääri
TX Texas
type /taɪp/ s **1** laji, tyyppi different types of shoes erilaisia/erityyppisiä kenkiä some type of engine jonkinlainen moottori **2** (ark) tyyppi, heppu **3** (kirjapainossa) kirjake; kirjasinlaji English examples in this book are printed in italic type tämän kirjan englanninkieliset esimerkit on ladottu kursiivilla, kursivoitu
v kirjoittaa (kirjoitus/tieto)koneella
Type A /ˌtaɪp'eɪ/ s (pingottunut persoonallisuustyyppi) A-tyyppi
Type B /ˌtaɪpˌbi/ s (rento persoonallisuustyyppi) B-tyyppi
typecast /'taɪpˌkæst/ v **1** panna (näyttelijä) rooliin johon hän sopii ulkonäkönsä puolesta **2** panna (näyttelijä) jatkuvasti samaan (esim rikollisen) rooliin James Woods has been typecast as the psychotic villain on vakiintunut esittämään elokuvissa mielisairasta roistoa

typeface /'taɪp,feɪs/ s kirjasinlaji
typeset /'taɪp,set/ v (kirjapainossa) latoa
typesetter s (kirjapainossa) **1** latoja **2** ladontakone
typesetting s (kirjapainossa) ladonta
typewrite /'taɪp,raɪt/ v kirjoittaa koneella
typewriter /'taɪp,raɪtər/ s kirjoituskone
typewriting s konekirjoitus
typhoid /taɪfoɪd/ s lavantauti
typhoid fever s lavantauti
typhoon /taɪ'fun/ s taifuuni, pyörremyrsky
typical /tɪpəkəl/ adj tyypillinen, jollekin ominainen that's typical of him se on aivan hänen tapaistaan
typically /tɪpəkli/ adv tyypillisesti prices of personal computers typically start at less than $1,000 henkilökohtaisten tietokoneiden hinnat alkavat (yleensä) alle tuhannesta dollarista
typify /'tɪpə,faɪ/ v ilmentää (hyvin) jotakin, olla (hyvä/tyypillinen) esimerkki jostakin
typist /taɪpɪst/ s konekirjoittaja
typo /taɪpoʊ/ s (ark) kirjoitusvirhe; painovirhe
typographer /taɪ'pagrəfər/ s kirjaltaja, typografi
typographic ks typographical
typographical /,taɪpə'græfɪkəl/ adj **1** kirjapaino-, typografinen **2** painoasua koskeva, typografinen
typographical error s painovirhe, (konekirjoituksessa) kirjoitusvirhe
typographically adv typografisesti (ks typographical)
typography /taɪ'pagrəfi/ s **1** kirjapainotaito, typografia **2** painoasu, typografia
typology /taɪ'palədʒi/ s **1** typologia, tyyppioppi **2** luokittelu, typologia
tyrannical /tə'rænɪkəl/ adj tyrannimainen; sortava, mielivaltainen
tyrannically adv tyrannimaisesti; sortaen, mielivaltaisesti
tyranny /tɪrəni/ s tyrannia, yksinvaltius; hirmuvalta, sortovalta, sortovalta
tyrant /taɪrənt/ s tyranni, yksinvaltias; hirmuvaltias, sortaja
tyre /taɪər/ ks tire
tyro /taɪroʊ/ s (mon tyros) aloittelija, ensikertalainen
Tyrol /tə'roʊl/ Tiroli
tzar /zaər tsaər/ s tsaari
tzarina /za'rinə tsa'rinə/ s tsaritsa
tzarism /zarɪzəm tsarɪzəm/ s tsaarivalta, tsarismi
tzarist /zarɪst tsarɪst/ s tsaarivallan kannattaja, tsaristi

U, u

U, u /ju/ U, u
UAE United Arab Emirates
UAR United Arab Republic
UAW United Automobile, Aerospace and Agricultural Implements Workers of America
ubiquitous /jʊ'bɪkwɪtəs/ adj kaikkialla läsnäoleva, jota on kaikkialla/joka paikassa
ubiquity /jʊ'bɪkwɪti/ s **1** kaikkialla olo **2** levinneisyys, yleisyys
udder /ʌdər/ s utare
Uganda /jʊ'gændə/
Ugandan s, adj ugandalainen
ugliness s **1** rumuus **2** pahuus, uhkaavuus, vääryys, rumuus
ugly /ʌgli/ adj **1** ruma an ugly painting ruma taulu **2** paha, synkkä, uhkaava, väärä, ruma after a few beers, he got into an ugly mood muutaman oluen juotuaan hän heittäytyi inhottavaksi
ugly customer s hankala tyyppi, vaikea tapaus
ugly duckling s ruma ankanpoikanen
UHF ultrahigh frequency
uh-huh /ˌʌ'ha/ interj kyllä
uh-uh /'ʌˌʌ/ interj ei
UK United Kingdom (of Great Britain and Northern Ireland) Iso-Britannia, Ison-Britannian ja Pohjois-Irlannin yhdistynyt kuningaskunta
Ukraine /ju'kreɪn/ Ukraina
ukulele /ˌjukə'leɪli/ s ukulele
ulcer /əlsər/ s (lääk) **1** haavauma, haavautuma **2** mahahaava
ulcerate /'əlsəˌreɪt/ v (lääk) haavautua
ulterior /əl'tɪrɪər/ adj **1** salainen **2** ylimääräinen, lisä- **3** ulkopuolinen
ulterior motives s (mon) takaajatukset
ultimate /əltɪmət/ adj **1** viimeinen, lopullinen **2** äärimmäinen, korkein, suurin, paras **3** perustava, perus- **4** kaukaisin, etäisin
ultimately adv ks ultimate
ultimatum /ˌəltɪ'meɪtəm/ s (mon ultimatums, ultimata) uhkavaatimus
ultraconservative /ˌəltrəkən'sərvətɪv/ adj äärivanhoillinen
ultrafast /ˌəltrə'fæst/ adj äärimmäisen/erittäin nopea
ultraleftist /ˌəltrə'leftɪst/ s, adj äärivasemmistolainen
ultraliberal /ˌəltrə'lɪbrəl/ adj äärimmäisen/erittäin vapaamielinen
ultralight /'əltrəˌlaɪt/ s ultrakevyt lentokone
adj ultrakevyt
ultranationalist /ˌəltrə'næʃənəlɪst/ s, adj kiihkoisänmaallinen
ultrarightist /ˌəltrə'raɪtɪst/ s, adj äärioikeistolainen
ultrasonic /ˌəltrə'sanɪk/ adj ultrasooninen ultrasonic sound ultraääni
ultrasonography /ˌəltrəsə'nagrəfi/ s (lääk) ultraäänikuvaus
ultrasound /'əltrəˌsaʊnd/ s **1** ultraääni **2** (lääk) ultraäänihoito **3** (lääk) ultraäänikuvaus
ultraviolet /ˌəltrə'vaɪələt/ adj ultravioletti
umbilical cord /ʌm'bɪlɪkəlˌkɔrd/ s napanuora
umbrella /ʌm'brelə/ s sateenvarjo; päivänvarjo, auringonvarjo
adj **1** varjo- **2** kattava, yleis-, yhteis-, katto- umbrella organization kattojärjestö
umpire /ʌmpaɪər/ s **1** (tennis, sulkapallo) tuomari, (koripallo, pöytätennis) aputuomari **2** (riidan) sovittelija

v **1** olla tuomarina/aputuomarina **2** sovitella, olla sovittelijana
umpteen /ʌmp'tin/ adj (ark) lukematon I've told you umpteen times not to do it minä olen kieltänyt sinua vaikka kuinka monta kertaa
umpteenth /ʌmp'tinθ/ adj (ark) vaikka kuinka mones, ties kuinka mones for the umpteenth time, Bill, what is two plus two? minä kysyn sinulta taas uudestaan, Bill, paljonko on kaksi plus kaksi?
UN United Nations Yhdistyneet Kansakunnat, YK
unable /ʌ'neɪbəl/ adj he was unable to come to the party hän ei päässyt/pystynyt tulemaan juhliin, hän ei voinut tulla juhliin
unaccountable /ˌʌnə'kaʊntəbəl/ adj selittämätön, käsittämätön
unaccountably adv käsittämättömästi unacccountably, the money is missing rahat ovat kadonneet jostain käsittämättömästä syystä
unaccounted for three people are still unaccounted for kolme ihmistä on edelleen kateissa
unaccustomed /ˌʌnə'kʌstəmd/ adj **1** unaccustomed to joka ei ole tottunut johonkin **2** poikkeuksellinen, harvinainen, epätavallinen
unadulterated /ˌʌnə'dʌltəˌreɪtəd/ adj **1** laimentamaton, puhdas **2** (kuv) silkka, puhdas that's unadulterated hogwash tuo on silkkaa roskaa
unanimity /ˌjunə'nɪməti/ s yksimielisyys
unanimous /jʊ'nænɪməs/ adj yksimielinen
unanimously /jə'nænɪməsli/ adv yksimielisesti
unanswerable /ʌn'ænsərəbəl/ adj **1** johon ei voi vastata **2** kiistaton, eittämätön
unarm /ʌn'arm/ v riisua aseista
unarmed adj aseeton; aseistamaton
unassuming /ˌʌnə'sumiŋ/ adj vaatimaton, (väheksyen:) mitäänsanomaton, vähäpätöinen
unattended /ˌʌnə'tendəd/ adj joka on yksin, jota ei valvota, (vamma) hoitamaton, (tilaisuus) jonne ei saavu yleisöä, (tehtävä) laiminlyöty, jota ei hoideta he left his car unattended and it was stolen hän jätti autonsa yksin/hän ei pitänyt autoaan silmällä ja se varastettiin
unattractive /ˌʌnə'tʃræktɪv/ adj **1** ei kaunis **2** ei kiinnostava/houkutteleva
unauthenticated /ˌʌna'θentɪˌkeɪtəd/ adj varmistamaton, vahvistamaton
unavoidable /ˌʌnə'vɔɪdəbəl/ adj väistämätön, vääjäämätön
unavoidably adv väistämättä, väistämättömästi, vääjäämättä
unaware /ˌʌnə'weər/ she was unaware of the news hän ei tiennyt uutisesta, hän ei ollut kuullut uutista
unawares adv **1** tietämättään **2** yllättäen, odottamatta, varoituksetta
unbalanced /ʌn'bælənst/ adj (myös kuv) tasapainoton, epävakaa
unbearable /ʌn'berəbəl/ adj sietämätön
unbearably adv sietämättömästi, sietämättömän
unbeaten /ʌn'bitən/ adj **1** (ennätys) rikkomaton, joka on edelleen voimassa **2** (tie, myös kuv) koluamaton, tuntematon, uusi
unbecoming /ˌʌnbɪ'kʌmiŋ/ adj sopimaton, joka ei sovi jollekulle/johonkin
unbeknownst to /ˌʌnbɪ'noʊnst/ adj jonkun tietämättä
unbelievable /ˌʌnbə'livəbəl/ adj uskomaton
unbelievably adv uskomattomasti, uskomattoman
unbelieving /ˌʌnbə'liviŋ/ adj epäuskoinen, epäluuloinen
unbiased /ʌn'baɪəst/ adj puolueeton, ennakkoluuloton, reilu
unborn /ʌn'bɔrn/ adj syntymätön unborn generations tulevat sukupolvet
unbroken /ʌn'broʊkən/ adj **1** ehjä, kokonainen, jakamaton, särkemätön **2** yhtäjaksoinen, keskeytyksetön **3** (hevonen) kesyttämätön
uncalled-for /ʌn'kaldˌfɔr/ adj aiheeton, tarpeeton, sopimaton, tahditon
uncanny /ʌn'kæni/ adj **1** käsittämätön, ällistyttävä uncanny accuracy hämmäs-

tyttävä tarkkuus **2** kaamea, kammottava, pelottava
uncertain /ʌn'sɜrtən/ adj **1** epävarma in no uncertain terms suorin sanoin, siekailematta **2** epämääräinen, hämärä
uncertainty /ʌn'sɜrtənti/ s **1** epävarmuus **2** epämääräisyys, hämäryys
UNCF United Negro College Fund
uncharitable /ʌn'tʃerɪtəbəl/ adj kovasydäminen, epäystävällinen, tympeä, säälimätön, armoton
uncharitably adv kovasydämisesti, epäystävällisesti, säälimättömästi, armottomasti
uncharted /ʌn'tʃartəd/ adj kartoittamaton, tutkimaton, tuntematon
unchecked /ʌn'tʃekt/ adj **1** tarkistamaton **2** hillitön, kohtuuton
unchristian /ʌn'krɪstʃən/ adj **1** ei-kristitty, ei-kristillinen **2** epäkristillinen
uncircumcised /ʌn'sɜrkəm,saɪzd/ adj ympärileikkaamaton
uncivil /ʌn'sɪvəl/ adj epäkohtelias
uncivilized /ʌn'sɪvəlaɪzd/ adj sivistymätön, raaka, karkea
unclassified /ʌn'klæsɪ,faɪd/ adj **1** luokittelematon, lajittelematon **2** ei salainen, julkinen
uncle /ʌŋkəl/ s setä, eno to cry/say uncle (ark) antautua
unclean /ʌn'klin/ adj likainen (myös kuv)
Uncle Sam /,ʌŋkəl'sæm/ s Setä Samuli, Yhdysvallat
uncomfortable /ʌn'kʌmfərtəbəl/ adj epämukava, kiusallinen, kiusaantunut, vaivaantunut
uncomfortably adv epämukavasti, epämukavan, kiusallisesti, vaivautuneesti
uncommon /ʌn'kamən/ adj harvinainen, epätavallinen, poikkeuksellinen
uncommonly adv harvinaisen, epätavallisen, poikkeuksellisen
uncommunicative /,ʌnkə'mjunɪkətɪv/ adj vähäpuheinen, hiljainen, sulkeutunut
uncompetitive /,ʌnkəm'petətɪv/ adj ei kilpailukykyinen
uncompromising /ʌn'komprə,maɪzɪŋ/ adj tinkimätön, peräänantamaton, ehdoton, jyrkkä
uncompromisingly adv tinkimättömästi, tinkimättömän, ehdottomasti, ehdottoman, jyrkästi
unconcerned /,ʌnkən'sɜrnd/ adj **1** välinpitämätön, ei huolestunut, tyyni, rauhallinen **2** joka ei ole mukana jossakin, ei osallinen
unconcernedly adv välinpitämättömästi, tyynesti, rauhallisesti
unconditional /,ʌnkən'dɪʃənəl/ adj ehdoton, varaukseton
unconditionally adv ehdottomasti, varauksettomasti, varauksetta
unconscionable /ʌn'kanʃənəbəl/ adj anteeksiantamaton
unconscious /ʌn'kanʃəs/ s alitajunta, piilotajunta
adj **1** tajuton, tiedoton **2** tietämätön jostakin (of), tiedoton **3** alitajuinen, tiedostamaton **4** tahaton, vaistomainen
unconsciously adv **1** alitajuisesti, tiedostamatta **2** tahattomasti, vaistomaisesti
unconsciousness s **1** tajuttomuus **2** tiedottomuus, tietämättömyys jostakin (of) **3** tahattomuus
uncouple /ʌn'kʌpəl/ adj irrottaa (toisiataan)
uncouth /ʌn'kuθ/ adj (kuv) hiomaton, karkea
uncover /ʌn'kʌvər/ v avata, paljastaa (myös kuv:) löytää to uncover your head paljastaa päänsä to uncover ruins kaivaa esiin raunioita
undaunted /ʌn'dantəd/ adj **1** lannistumaton **2** peloton, rohkea
undecided /,ʌndə'saɪdəd/ adj **1** I'm still undecided about what to do en ole vielä päättänyt mitä tehdä **2** ratkaisematon
undeniable /,ʌndə'naɪəbəl/ adj kiistaton, eittämätön
undeniably adv kiistattomasti, kiistattoman
undenominational /,ʌndə,namə'neɪʃənəl/ adj tunnustukseton

under /ʌndər/ adv alla, alle, alitse to go under (laiva) upota; (yritys) tehdä vararikko, mennä konkurssiin prep **1** alla, alle, alitse the baby crawled under the sofa lapsi ryömi sohvan alle her ball was under the sofa hänen pallonsa oli sohvan alla **2** (kuv) alle under a hundred dollars alle sata dollaria **3** (kuv) alainen, alaisuudessa, vallassa: he works under Senator Guterriez hän on senaattori Guterriezin palveluksessa/alaisia under King Herod kuningas Herodeksen alaisuudessa/aikana he is under the influence of drugs hän on huumeessa under the circumstances näissä oloissa, tässä tilanteessa I was under the impression that... olin siinä käsityksessä että... **4** mukaan: under the new law uuden lain mukaan **5** to keep something under wraps pitää jotakin salassa

underage /ˌʌndər'eɪdʒ/ adj alaikäinen

underarm /'ʌndərˌarm/ s kainalo adj **1** kainalo- **2** alakautta tapahtuva (pallon heitto)

underclass /'ʌndərˌklæs/ s (yhteiskunnan) alaluokka, vähäosaiset

underclothes /'ʌndərˌklouðz/ s (mon) alusvaatteet

undercover /ˌʌndər'kʌvər/ adj salainen

undercurrent /'ʌndərˌkərənt/ s pohjavirta (myös kuv)

undercut /ˌʌndər'kʌt/ v undercut, undercut: myydä halvemmalla kuin, tehdä halvempi tarjous kuin

underdeveloped /ˌʌndərdɪ'veləpt/ adj alikehittynyt, (luonnonvarat) hyödyntämättömät

underdog /'ʌndərˌdag/ s **1** (kilpailussa) varma häviäjä **2** (yhteiskunnassa) kovaosainen, vähäosainen, väliinputoaja

underdone /ˌʌndər'dʌn/ adj **1** (ruoka) ei kypsä **2** (UK) (liha) raaka (pyynnöstä vain osittain paistettu)

underestimate /ˌʌndər'estɪmət/ s liian alhainen arvio

underestimate /ˌʌndər'estɪˌmeɪt/ v aliarvioida

underestimation /ˌʌndərˌestɪ'meɪʃən/ s aliarviointi

underexpose /ˌʌndərəks'pouz/ v (valo- ja videokuvauksessa) alivalottaa

underexposure /ˌʌndərəks'pouʒər/ s (valo- ja videokuvauksessa) alivalotus

underfed /ˌʌndər'fed/ adj aliravittu

underfoot /ʌndər'fʊt/ adv maassa, jaloissa

undergo /ˌʌndər'gou/ v underwent, undergone: johonkuhun/johonkin kohdistuu jotakin, myös funktioverbinä: to undergo change muuttua to undergo suffering kärsiä, joutua kärsimään to undergo surgery käydä leikkauksessa

undergraduate /ˌʌndər'grædʒʊət/ s opiskelija joka ei ole vielä suorittanut alinta (korkeakoulu)tutkintoa adj (opinnoista) alimpaan (korkeakoulu)-tutkintoon valmistava

underground /'ʌndərˌgraʊnd/ s **1** maanalainen järjestö/liike, vastarintaliike **2** (UK) maanalainen, metro adj maanalainen (myös kuv) adv maan alla (myös kuv)

undergrowth /'ʌndərˌgrouθ/ s aluskasvillisuus

underhand /'ʌndərˌhænd/ adj **1** salainen **2** (pallon heitto) alakautta tapahtuva adv **1** salaa **2** (heittää pallo) alakautta

underhanded /ˌʌndər'hændəd/ adj **1** (työvoimasta) vajaa the company is underhanded yritys potee työvoimapulaa **2** ks underhand

underline /'ʌndərˌlaɪn/ v alleviivata (myös kuv:) tähdentää, korostaa, painottaa

underlying /'ʌndərˌlaɪɪŋ/ adj **1** alla oleva, alapuolinen, pohjimmainen **2** (kuv) todellinen, varsinainen, pohjimmainen

underlying security s (tal) kohde-etuus

undermanned /ˌʌndər'mænd/ adj (työvoimasta) vajaa

undermine /'ʌndərˌmaɪn/ v (kuv) heikentää, murentaa, kaivaa maata jonkin/jonkun alta

underneath /ˌʌndər'niθ/ adv, prep alla, alle, alapuolella, alapuolelle

underneath that rough exterior of his is a warm heart hänen karkean ulkokuorensa alla sykkii lämmin sydän
undernourished /ˌʌndər'nərɪʃt/ adj aliravittu
undernutrition /ˌʌndərnʊ'trɪʃən/ s aliravitsemus
underpaid /ˌʌndər'peɪd/ adj alipalkattu, huonopalkkainen
underpants /'ʌndərˌpænts/ s (mon) alushousut
underpass /'ʌndərˌpæs/ s (ylitetty liikenneväylä) alikäytävä
underpay /ˌʌndər'peɪ/ v underpaid, underpaid: maksaa huonoa/tavallista huonompaa palkkaa
underplay /ˌʌndər'pleɪ/ v vähätellä, (ongelmaa) kaunistella
underprice /ˌʌndər'praɪs/ v myydä/tarjota alihintaan/alempaan hintaan kuin
underpriced adj alihintainen
underprivileged /ˌʌndər'prɪvlɪdʒd/ adj vähäosainen the underprivileged vähäosaiset
underrate /ˌʌndər'reɪt/ v aliarvioida
underscore /'ʌndərˌskɔr/ s **1** alleviivaus **2** elokuvamusiikki, näytelmän taustamusiikki
v alleviivata (myös kuv:) tähdentää, korostaa, painottaa
undersea /ˌʌndər'si/ adj merenalainen
underseas /ˌʌndər'siz/ adv meressä, sukelluksissa
undersell /ˌʌndər'sel/ v undersold, undersold **1** myydä halvemmalla kuin we will not be undersold meitä halvemmalla ei myy kukaan **2** ei toitottaa, ei mainostaa kovasti
undershirt /'ʌndərˌʃərt/ s aluspaita
undershorts /'ʌndərˌʃɔrts/ s (mon) lyhyet alushousut
undersign /'ʌndərˌsaɪn/ v allekirjoittaa
undersigned the undersigned allekirjoittanut, allekirjoittaneet
undersize /ˌʌndər'saɪz/ adj alimittainen, liian pieni
undersized adj alimittainen, liian pieni
underskirt /'ʌndərˌskərt/ s alushame
understaffed /ˌʌndər'stæft/ adj we're a little understaffed right now meillä on juuri nyt pulaa henkilökunnasta
understand /ˌʌndər'stænd/ v understood, understood **1** ymmärtää, käsittää **2** luulla, olettaa, olla jossakin käsityksessä I understand that you spent a year in Bolivia sinä olet tietääkseni ollut vuoden Boliviassa
understandable adj ymmärrettävä, selvä
understandably adv ymmärrettävästi, tietenkin
understanding s **1** ymmärrys, käsityskyky she has no understanding of the complexities of the problem hänellä ei ole minkäänlaista käsitystä ongelman mutkikkuudesta **2** käsitys, oletus it was my understanding that we would split the profits minä ymmärsin/käsitin/olin siinä käsityksessä että panisimme voiton puoliksi **3** sopimus the negotiators reached an agreement osapolet pääsivät sopimukseen
adj ymmärtäväinen, myötätuntoinen
understandingly adv ymmärrettävästi, myötätuntoisesti
understate /ˌʌndər'steɪt/ v vähätellä, (ongelmaa) kaunistella
understatement /'ʌndərˌsteɪtmənt/ s vähättely, (tyyliopissa) vähätelmä
understood /ˌʌndər'stʊd/ v ks understand
adj **1** sovittu, vakiintunut, yleisesti hyväksytty to make yourself understood tehdä tahtonsa/kantansa selväksi **2** epäsuorasti ilmaistu, mukaan ajateltu, implisiittinen
understudy /'ʌndərˌstʌdi/ s sijaisnäyttelijä
v **1** toimia jonkun sijaisnäyttelijänä **2** (sijaisnäyttelijästä) opetella roolinsa
undertake /ˌʌndər'teɪk/ v undertook, undertaken **1** ryhtyä johonkin, tehdä, suorittaa, hoitaa **2** luvata
undertaker /'ʌndərˌteɪkər/ s hautausurakoitsija
undertaking s **1** yritys, hanke **2** lupaus
under the skin fr pohjimmaltaan, pinnan alla

under the thumb of he is under the thumb of his wife hän antaa vaimonsa määräillä/komennella itseään
under the wire fr viime hetkessä, juuri ja juuri, nipin napin
undertook /ˌʌndər'tʊk/ ks undertake
under tow fr **1** hinauksessa, hinattavana **2** mukana, vanavedessä **3** suojeluksessa, siipiensä suojassa
undervalue /ˌʌndər'vælju/ v aliarvioida
underwater /ˌʌndər'watər/ adj vedenalainen
adv veden alla, vedessä, sukelluksissa
under way to be under way **1** olla liikkeessä, olla matkalla **2** olla tekeillä/käynnissä
underwear /'ʌndərˌweər/ s alusvaatteet
underwent /ˌʌndər'went/ ks undergo
underwhelm /ˌʌndər'weəlm/ v (ark) ei tehdä vaikutusta johonkuhun, tuottaa pettymys jollekulle
underworld /'ʌndərwərəld/ s **1** alamaailma, rikolliset **2** tuonela, manala
underwrite /'ʌndərˌraɪt/ v underwrote, underwritten **1** allekirjoittaa (myös kuv:) hyväksyä, olla samaa mieltä jostakin **2** rahoittaa, tukea **3** vakuuttaa
underwriter /'ʌndərˌraɪtər/ s **1** vakuuttaja, vakuutusyhtiö **2** rahoittaja, tukija
underwritten /ˌʌndər'rɪtən/ ks underwrite
underwrote /ˌʌndər'rout/ ks underwrite
under your thumb he is under his wife's thumb hän antaa vaimonsa määräillä/komennella itseään
undesirable /ˌʌndɪ'zaɪərəbəl/ s ei-toivottu henkilö
adj ei-toivottu, ei tervetullut, ikävä
undeveloped /ˌʌndə'veləpt/ adj kehittymätön
undid /ʌn'dɪd/ ks undo
undies /ʌndiz/ s (mon) (naisten, lasten) alusvaatteet
undisguised /ˌʌndɪs'kaɪzd/ adj **1** naamioimaton **2** (kuv) salaamaton, peittelemätön, paljas, suora
undisposed /ˌʌndɪs'pouzd/ adj **1** jota ei ole kerätty/korjattu pois **2** haluton, ei valmis johonkin
undisputed /ˌʌndɪs'pjutəd/ adj kiistaton
undistinguished /ˌʌndɪs'tɪŋgwɪʃt/ adj keskinkertainen
undivided /ˌʌndɪ'vaɪdəd/ adj jakamaton, täysi you have my undivided attention olen pelkkänä korvana
undo /ʌn'du/ v undid, undone **1** tehdä tekemättömäksi, korvata, hyvittää what is done cannot be undone tehtyä ei saa tekemättömäksi **2** irrottaa, avata to undo a knot avata solmu **3** tehdä tyhjäksi, kaataa (kuv), koitua jonkun turmioksi
undoing s **1** korvaaminen, korvaus, hyvitys **2** tuho, turmio, rappio greed was his undoing ahneus koitui hänen turmiokseen
undone /ʌn'dʌn/ ks undo
undoubted /ʌn'daʊtədli/ adj kiistaton
undoubtedly adv epäilemättä, kiistattomasti
undress /ʌn'dres/ s to be in a state of undress olla puolipukeissaan; olla alasti
v **1** riisua, riisuuntua she was mentally undressing him hän kuvitteli mielessään miltä mies näyttäisi alastomana **2** avata (haavan side)
undue /ʌndu/ adj liiallinen, liika, sopimaton undue haste liika kiire(htiminen)
unduly adv liian, liiaksi, turhan, suotta you were unduly harsh to him olit hänelle turhan ankara
undying /ʌn'daiiŋ/ adj kuolematon, ikuinen, loputon
unearth /ʌn'ərθ/ v **1** kaivaa esiin/maasta **2** (kuv) löytää, kaivaa esiin, saada selville
unearthly adj **1** yliluonnollinen; aavemainen, kammottava, hirvittävä **2** ylimaallinen, uskomaton, suunnaton
unemployed /ˌʌnəm'plɔɪd/ s: the unemployed työttömät
adj **1** työtön **2** käyttämätön
unemployment s työttömyys
unemployment benefit s työttömyyskorvaus

unequal /ʌn'ikwəl/ adj **1** erilainen, ei sama, eriarvoinen, erisuuri **2** epätasainen, epäyhtenäinen
unequaled /ʌn'ikwəld/ adj verraton, ylittämätön, voittamaton, joka on (aivan) omaa luokkaansa
unequally adv (kohdella) eriarvoisesti
unequal to he was unequal to the task hänellä ei ollut edellytyksiä selvitä tehtävästä, hän ei ollut tehtävänsä tasalla
unequivocal /ˌʌnɪ'kwɪvəkəl/ adj yksiselitteinen, selvä, suora, ehdoton, varma
unequivocally adv yksiselitteisesti, selvästi, suoraan, ehdottomasti, varmasti
unerring /ʌn'eriŋ/ adj erehtymätön, tarkka, varma
unerringly adv erehtymättömästi, tarkasti, varmasti
UNESCO United Nations Educational, Scientific, and Cultural Organization Yhdistyneiden Kansakuntien kasvatus-, tiede- ja kulttuurijärjestö
uneven /ʌn'ivən/ adj **1** epätasainen, karkea, (tie) kuoppainen, (seutu) kumpuileva **2** (kuv) epätasainen, epäyhtenäinen, kirjava, **3** (numero) pariton
unevenly adv epätasaisesti (ks uneven)
unfair /ʌn'feər/ adj epäreilu, epäoikeudenmukainen
unfairly adv epäreilusti, epäoikeudenmukaisesti
unfaithful /ʌn'feɪθfəl/ adj **1** uskoton **2** epäluotettava **3** epätarkka (käännös)
unfamiliar /ˌʌnfə'mɪljər/ adj vieras, ei tuttu she was unfamiliar with the word "panache" hän ei tuntenut sanaa "panache", sana "panache" oli hänelle vieras
unfavorable /ʌn'feɪvərəbəl/ adj epäsuotuisa, pahaenteinen, valitettava, ikävä, kielteinen his latest book got unfavorable reviews hänen uusin kirjansa sai huonot arvostelut
unfavorably adv epäsuotuisasti, pahaenteisesti, ikävästi, kielteisesti
unfit /ʌn'fɪt/ adj **1** sopimaton unfit remarks sopimattomat/asiattomat huomautukset to be unfit for something ei sopia johonkin (tehtävään) **2** joka on huonossa (ruumiillisessa) kunnossa
unfold /ʌn'foəld/ v **1** avata, avautua, levittää, levitä **2** (kuv) paljastaa, paljastua, selittää **3** tapahtua, sattua, (tapahtumat) kehittyä
unforgettable /ˌʌnfər'getəbəl/ adj unohtumaton, ikimuistoinen
unforgettably adv unohtumattomasti
unforgiving /ˌʌnfər'gɪviŋ/ adj anteeksiantamaton, ankara, vaativa
unfortunate /ʌn'fɔrtʃənət/ adj **1** huono-onninen, onneton **2** valitettava, ikävä, huono
unfortunately adv valitettavasti, ikävästi, ikävä kyllä
unfriendly /ʌn'frendli/ adj **1** epäystävällinen; vastahakoinen, vihamielinen **2** epäsuotuisa
unfurl /ʌn'fərəl/ v levitä, levittää, avautua, avata
unfurnished /ʌn'fərnɪʃt/ adj (asunto) kalustamaton
ungainly /ʌn'geɪnli/ adj **1** kömpelö **2** epäsiisti, ei kaunis
unglued /ʌn'glud/ to come unglued (sl) menettää malttinsa, raivostua; luhistua
ungodly /ʌn'gadli/ adj **1** jumalaton, Jumalaa pelkäämätön **2** syntinen **3** valtava, hirveä, jumalaton (ark) an ungodly smell kamala löyhkä
ungrateful /ʌn'greɪtfəl/ adj **1** (joka ei kiitä) epäkiitollinen, kiittämätön **2** (tehtävä) epäkiitollinen, hankala, vastenmielinen, ikävä
ungratefully adv kiittämättömästi
unguarded /ʌn'gardəd/ adj **1** vartioimaton **2** varomaton
unhappily adv ks unhappy
unhappy /ʌn'hæpi/ adj **1** onneton, surullinen **2** epäonnistunut, huono, onneton **3** tyytymätön
unhealthily adv ks unhealthy
unhealthy /ʌn'helθi/ adj **1** huonovointinen, heikko, ei terve **2** epäterveellinen **3** sairaalloinen, epäterve

unheard /ʌn'hɜrd/ adj kuulumaton, jota ei kuule/kuulla/kuunnella
unheard-of adj ennenkuulumaton, tavaton, satumainen
UNICEF United Nations Children's Fund Yhdistyneiden kansakuntien lastenrahasto
Unicorn /'junə,kɔrn/ (tähdistö) Yksisarvinen
unicorn /'junə,kɔrn/ s yksisarvinen
unicycle /'junə,saɪkəl/ s yksipyöräinen
unidentified /,ʌnaɪ'dentə,faɪd/ adj tuntematon, tunnistamaton
unidentified flying object s tunnistamaton lentävä esine, ufo
uniform /'junə,fɔrm/ s virkapuku, univormu
v **1** yhtenäistää **2** pukea virkapukuihin/univormuihin
adj yhtenäinen, yhdenmukainen; jatkuva, tasainen, muuttumaton, läpikotainen
uniformed adj virkapukuinen
uniformity /,junə'fɔrməti/ s yhtenäisyys, yhdenmukaisuus; jatkuvuus, tasaisuus
uniformly adv yhtenäisesti, yhdenmukaisesti; jatkuvasti, tasaisesti, kauttaaltaan, läpeensä
unify /'junə,faɪ/ v yhdistää, yhdistyä; yhtenäistää
unilateral /,junə'lætərəl/ adj yksipuolinen, toispuolinen
unilaterally adv yksipuolisesti, toispuolisesti
unilingual /,junə'lɪŋgwəl/ adj yksikielinen
unillusioned /,ʌnɪ'luʒənd/ adj realistinen to be unillusioned about something ei odottaa liikoja/paljoa joltakin
uninhibited /,ʌnɪn'hɪbətəd/ adj estoton
uninhibitedly adv estottomasti
union /junjən/ s **1** yhdistäminen, yhdistyminen **2** yhteys **3** liitto, yhdistys the union of marriage avioliitto the Union Yhdysvallat, (sisällissodan pohjoisvaltiot) unioni **3** ammattiyhdistys trade union ammattiyhdistys
unionist /junjənɪst/ s **1** ammattiyhdistyksen kannattaja/jäsen **2** Unionist (Yhdysvaltain sisällissodassa) pohjoisvaltiolainen, unionisti
unionize /'junjə,naɪz/ v järjestää/järjestäytyä (ammatillisesti)
Union Jack /'junjən,dʒæk/ s Ison-Britannian lippu
union shop s yritys jonka työntekijät ovat järjestäytyneet (ammatillisesti ja jonne otetaan vain järjestäytyneitä/järjestäytymään suostuvia työntekijöitä)
Union of Soviet Socialist Republics (hist) Sosialististen neuvostotasavaltojen liitto, SNTL
unique /ju'nik/ adj ainoa (laatuaan), ainutlaatuinen
uniquely adv ainoastaa, ainutlaatuisesti, ainutlaatuisen
uniqueness s ainutlaatuisuus
unisex /'junə,seks/ adj miesten ja naisten (yhteinen) unisex clothes/hairdresser
unison /junəsən/ to be in unison with olla täsmälleen sama kuin, käydä täydellisesti yksiin jonkun kanssa
unit /junət/ s **1** yksikkö, osa, kappale, elementti unit of measurement mittayksikkö power unit aggregaatti, koneikko they sold 300,000 units he myivät 300 000 kappaletta **2** (mat) ykkönen
unit cost s **1** kappalehinta **2** kokonaishinta
unite /jə'naɪt/ v yhdistää, yhdistyä
United Arab Emirates /ə'merəts/ Yhdistyneet arabiemiirikunnat
United Kingdom Iso-Britannia
United Kingdom of Great Britain and Northern Ireland Ison-Britannian ja Pohjois-Irlannin yhdistynyt kuningaskunta
United Nations Yhdistyneet Kansakunnat
United States of America Amerikan Yhdysvallat
unity /junəti/ s yhtenäisyys, ykseys, yhdenmukaisuus
universal /,junə'vərsəl/ adj yleinen, yleis-, kokonais-; yleispätevä; yleismaailmallinen
univ. university yliopisto

universally adv yleisesti; yleispätevästi; yleismaailmallisesti, kaikkialla
universe /'junə,vərs/ s **1** maailmankaikkeus, maailma **2** piiri, alue, maailma in the universe of science tieteen maailmassa
university /,junə'vərsəti/ s yliopisto
unjust /ʌn'dʒʌst/ adj epäreilu, epäoikeudenmukainen
unkempt /ʌn'kemt/ adj **1** (tukka) kampaamaton **2** epäsiisti, siivoton, hoitamaton
unkind /ʌn'kaɪnd/ adj epäystävällinen; julma, ankara, kova
unkindly adv epäystävällisesti; julmasti, ankarasti, kovasti
unknown /ʌn'noʊn/ s tuntematon (asia)
adj tuntematon
Unknown Soldier s tuntematon sotilas
unlawful /ʌn'lafəl/ adj **1** laiton, luvaton, kielletty **2** (lapsi) avioton
unlawfully adv **1** laittomasti, luvattomasti **2** (syntyä) aviottomana
unlearn /ʌn'lərn/ v poisoppia, unohtaa (oppimansa); luopua (pahasta tavasta)
unleash /ʌn'liʃ/ v **1** päästää irti/vapaaksi **2** (kuv) päästää valloilleen, purkaa
unleavened /ʌn'levənd/ adj happamaton
unless /ən'les/ konj ellei, jos ei don't disturb him unless you're in trouble älä häiritse häntä ellet ole pulassa unless you come up with a better excuse, you shouldn't go to see your boss sinun ei kannata mennä pomon puheille ellet keksi parempaa veruketta
unlike /ʌn'laɪk/ adj erilainen, (napa) vastakkainen
prep erilainen kuin unlike you, she tries hard hän eroaa sinusta siinä että hän yrittää kovasti it's very unlike him to lose his cool like that ei ole hänen tapaistaan polttaa päreitään tuolla tavoin
unlikely adv epätodennäköinen
unlimited /ʌn'lɪmətəd/ adj **1** rajoittamaton, varaukseton **2** rajaton, ääretön, suunnaton
unload /ʌn'loʊd/ v **1** purkaa (kuorma) **2** luopua jostakin (ark) purkaa sydäntään
unlock /ʌn'lak/ v **1** avata (lukko) **2** (kuv) paljastaa, avata (salat)
unlucky /ʌn'lʌki/ adj **1** huono-onninen, onneton **2** ikävä, valitettava, onneton
unmanliness s epämiehekkyys, naismaisuus
unmanly /ʌn'mænli/ adj epämiehekäs, naismainen
unmanned /ʌn'mænd/ adj miehittämätön
unmannerly /ʌn'mænərli/ adj epäkohtelias, moukkamainen, hiomaton, töykeä
unmarked /ʌn'markt/ adj merkitsemätön, tahraton, (poliisiauto) tunnukseton, siviili-
unmarketable /ʌn'markətəbəl/ adj joka ei mene kaupaksi, myyntikelvoton
unmask /ʌn'mæsk/ v (kuv) paljastaa
unmentionable /ʌn'menʃənəbəl/ adj kielletty, jota ei sovi mainita, josta ei sovi puhua
unmentionables s (mon) **1** alusvaatteet, nimettömät **2** (vanh) housut
unmitigated /ʌn'mɪtə,geɪtəd/ adj täydellinen, ehdoton, sietämätön the whole thing was an unmitigated disaster koko homma oli täydellinen fiasko
unmusical /ʌn'mjuzɪkəl/ adj epämusikaalinen, epämelodinen
unnatural /ʌn'nætʃərəl/ adj **1** luonnoton, luonnonvastainen, epäluonnollinen **2** teennäinen, epäaito **3** epäinhimillinen **4** poikkeuksellinen, harvinainen
unnaturally adv **1** luonnottomasti, luonnottoman, epäluonnollisesti **2** teennäisesti, teennäisen, epäaidosti **3** epäinhimillisesti **4** poikkeuksellisesti, poikkeuksellisen, harvinaisen
unnecessarily /ʌn,nesə'serəli/ adv tarpeettomasti, turhaan, suotta
unnecessary /ʌn'nesə,seri/ adj tarpeeton, turha
unnerve /ʌn'nərv/ v lannistaa, lamauttaa, herpaannuttaa
unnoticed /ʌn'noʊtəst/ adj huomaamaton to go/pass unnoticed jäädä

huomaamatta, mennä ohi/tapahtua huomaamatta
unobtrusive /ˌʌnəbˈtrusɪv/ adj huomaamaton
unoccupied /ʌnˈakjəˌpaɪd/ adj **1** (istuin, asunto) tyhjä, vapaa **2** toimeton, vapaa
unofficial /ˌʌnəˈfɪʃəl/ adj epävirallinen
unofficially adv epävirallisesti
unorganized /ʌnˈɔrgəˌnaɪzd/ adj **1** sekava, sekainen, sotkuinen **2** (ammatillisesti) järjestäytymätön
unpack /ʌnˈpæk/ v **1** purkaa (laukku), ottaa esiin (laatikosta) **2** (kuv) purkaa mieltään/sydäntään
unpalatable /ˌʌnpəˈlætəbəl/ adj **1** (maku) epämiellyttävä, huono **2** (kuv) vastenmielinen, epämiellyttävä
unparalleled /ʌnˈperəleəld/ adj ennennäkemätön, verraton, ainutlaatuinen, ilmiömäinen
unpleasant /ʌnˈplezənt/ adj epämiellyttävä, ikävä, vastenmielinen, epäkohtelias
unpleasantly adv epämiellyttävästi, ikävästi, vastenmielisesti, epäkohteliaasti
unpleaseantness s **1** epämiellyttävyys, ikävyys, vastenmielisyys **2** vastoinkäyminen; epäkohtelaisuus
unplug /ʌnˈplʌg/ v irrottaa (pistoke seinästä yms)
unpolished rice /ʌnˈpalɪʃt/ s kiillottamaton riisi
unpopular /ʌnˈpapjələr/ adj ei suosittu, ei pidetty the senator is unpopular with the blacks senaattori ei ole mustien suosiossa
unprecedented /ʌnˈpresədentəd/ adj ennennäkemätön, ennenkuulumaton, ainutlaatuinen, ainutkertainen
unprecedentedly adv ensimmäistä kertaa, ennenkuulumattomasti, ainutlaatuisesti, ainutlaatuisen
unpredictability /ˌʌnprɪˌdɪktəˈbɪləti/ s arvaamattomuus, yllätyksellisyys
unpredictable /ˌʌnprɪˈdɪktəbəl/ adj arvaamaton, yllätyksellinen
unpredictably adv arvaamattomasti, yllätyksellisesti, yllättäen
unprofessional /ˌʌnprəˈfeʃənəl/ adj amatöörimäinen, aloittelijamainen, epäammattimainen, ammatti-ihmiselle sopimaton
unprofitable /ʌnˈprafətəbəl/ adj **1** kannattamaton **2** (kuv) hedelmätön, hyödytön
unprofitably adv **1** kannattamattomasti **2** (kuv) hedelmättömästi, hyödyttömästi
unputdownable /ˌʌnpʊtˈdaʊnəbəl/ adj (ark) (kirjasta) jota ei malta jättää kesken, joka on luettava yhdeltä istumalta
unqualified /ʌnˈkwalɪˌfaɪd/ adj **1** sopimaton, epäpätevä, ei pätevä johonkin (for) **2** varaukseton, ehdoton, täydellinen, täysi
unquestionable /ʌnˈkwestʃənəbəl/ adj ehdoton, kiistaton, eittämätön
unquestionably adv ehdottomasti, kiistattomasti, eittämättä
unquote /ʌnˈkwoʊt/ he asked, quote, where is the money, unquote (suorasta lainauksesta) hän kysyi "missä rahat ovat"
unravel /ʌnˈrævəl/ v **1** selvittää, (vyyhti), purkaa **2** (kuv) selvittää, ratkaista (ongelma)
unreal /ʌnˈriəl/ adj epätodellinen, keksitty, kuvitteellinen
unrealistic /ˌʌnriəˈlɪstɪk/ adj epärealistinen, epätodellinen, kohtuuton, liiallinen
unrealistically adv epärealisestisti, epätodellisesti, kohtuuttomasti, liiallisesti
unreality /ˌʌnriˈæləti/ s epätodellisuus
unrealized /ʌnˈrɪəˌlaɪzd/ adj toteuttamaton, hyödyntämätön, käyttämätön
unreasonable /ʌnˈrizənəbəl/ adj järjetön, mieletön, (hinta, vaatimus) kohtuuton, liiallinen
unreasonably adv järjettömästi, mielettömästi; kohtuuttomasti, kohtuuttoman, liian one might not unreasonably ask what this is going to accomplish on kohtuullista kysyä mitä hyötyä tästä on
unrelenting /ˌʌnrɪˈlentɪŋ/ adj armoton, hellittämätön, itsepintainen

unreliable /ˌʌnrɪˈlaɪəbəl/ adj epäluotettava
unrest /ʌnˈrest/ s levottomuus
unroll /ʌnˈroəl/ v **1** (rullasta yms) avata, avautua **2** esitellä, paljastaa Detroit just unrolled next year's models Detroitin autotehtaat esittelivät juuri ensi vuoden mallit
unruly /ʌnruli/ adj kuriton, tottelematon, omapäinen, levoton
unsaturated /ʌnsætʃəreɪtəd/ adj (rasva) tyydyttämätön
unsavory /ʌnˈseɪvəri/ adj **1** (ruoka, juoma) ei hyvä, mauton, huono **2** vastenmielinen, epämiellyttävä he's an unsavory character hän on tympeä tyyppi
unscathed /ʌnˈskeɪðd/ adj vahingoittumaton, ehjä to escape unscathed selvitä naarmuitta
unscientific /ˌʌnsaɪənˈtɪfɪk/ adj epätieteellinen
unscramble /ʌnˈskræmbəl/ v purkaa (koodi), selvätä, selvittää
unscrew /ʌnˈskru/ v kiertää/ruuvata auki, irrottaa
unscrupulous /ʌnˈskrupjələs/ adj häikäilemätön, sumeilematon
unscrupulously adv häikäilemättömästi, häikäilemättömän, sumeilematta
unseasonal /ʌnˈsizənəl/ adj (vuodenaikaan nähden) poikkeuksellinen, harvinainen
unseasonally adv (vuodenaikaan nähden) poikkeuksellisesti we've had an unseasonally warm March maaliskuu oli harvinaisen lämmin
unseasoned /ʌnˈsizənd/ adj **1** (ruoka) maustamaton **2** (puu) kuivaamaton **3** (ihminen: ilmastoon tms) tottumaton
unseat /ʌnˈsit/ v **1** (hevonen) heittää satulasta **2** syöstä vallasta, syrjäyttää, kaataa
unseemly /ʌnˈsimli/ adj sopimaton adv sopimattomasti
unselfish /ʌnˈselfɪʃ/ adj epäitsekäs
unselfishly adv epäitsekkäästi
unselfishness s epäitsekkyys
unsettle /ʌnˈsetəl/ v **1** sekoittaa **2** (kuv) järkyttää, järisyttää, hermostuttaa, pelästyttää
unsettling adj (kuv) järkyttävä, järisyttävä, hermostuttava, pelottava
unsightly /ʌnˈsaɪtli/ adj ruma, kammottava(n näköinen), vastenmielinen, kuvottava
unskilled /ʌnˈskɪld/ adj **1** (työntekijä) ammattitaidoton, kouluttamaton, (työ) jossa ei vaadita koulutusta **2** taitamaton, osaamaton
unskillful adj taitamaton, osaamaton, kömpelö
unsound /ʌnˈsaʊnd/ adj **1** (terveys) huono, (ihminen) sairas **2** (puu) laho, (perusta) heikko **3** (kuv) epävarma, epäterve, heikko, huono, (perustelu) ontuva
unsparing /ʌnˈsperiŋ/ adj **1** tuhlaileva, suuripiirteinen **2** säälitön, armoton, kova
unsparingly adv **1** tuhlailevasti, suuripiirteisesti **2** säälittömästi, armottomasti, kovasti
unspeakable /ʌnˈspikəbəl/ adj sanaton, sanoinkuvaamaton
unspeakably adv sanattomasti, sanoinkuvaamattomasti, sanoinkuvaamattoman
unstoppable /ʌnˈstapəbəl/ adj **1** peruuttamaton, lopullinen **2** lyömätön, voittamaton
unstuck /ʌnˈstʌk/ to become/come unstuck **1** irrota **2** (kuv) kaatua, mennä myttyyn
unsuccessful /ˌʌnsəkˈsesfəl/ adj menestyksetön, epäonnistunut
unsuccessfully adv menestyksettömästi, menestyksettä, epäonnistuneesti
unsuitable /ʌnˈsutəbəl/ adj sopimaton, soveltumaton, asiaton
unsuitably adv sopimattomasti, sopimattoman
unswerving /ʌnˈswərviŋ/ adj järkkymätön
untangle /ʌnˈtæŋgəl/ v **1** selvittää (vyyhti), purkaa **2** (kuv) selvittää, korjata
untaught /ʌnˈtat/ ks unteach
unteach /ʌnˈtitʃ/ v untaught, untaught: saada joku unohtamaan jotakin, saada joku luopumaan jostakin (huonosta tavasta)

untenable /ʌn'tenəbəl/ adj (väite) perusteeton, kyseenalainen
unthankful /ʌn'θæŋkfəl/ adj **1** (joka ei kiitä) kiittämätön, epäkiitollinen **2** (tehtävä) epäkiitollinen, hankala, vastenmielinen, ikävä
unthinkable /ʌn'θiŋkəbəl/ adj mahdoton, käsittämätön
unthinking adj ajattelematon, harkitsematon
unthinkingly adv ajattelemattomasti, harkitsematta
untidy /ʌn'taɪdi/ adj epäsiisti, siivoton
untie /ʌn'taɪ/ v avata (solmu), irrottaa
until /ən'tɪl/ prep saakka, asti until two p.m. kello 14:ään saakka not until three p.m. vasta kello 15
konj kunnes until further notice kunnes toisin ilmoitetaan not until today did I realize what was wrong tajusin vasta tänään mikä oli vikana
untold /ʌn'toəld/ adj suunnaton, lukematon untold millions were wasted rahaa meni hukkaan miljoonakaupalla
untrue /ʌn'tru/ adj epätosi, väärä, virheellinen
untrustworthy /ʌn'trʌst,wərði/ adj epäluotettava
untruth /ʌn'truθ/ s valhe, loru, satu (kuv)
unused /ʌn'juzd/ adj käyttämätön
unused to to be unused to something ei olla tottunut johonkin
unusual /ʌn'juʒuəl/ adj epätavallinen, poikkeuksellinen, harvinainen
unusually adv epätavallisesti, epätavallisen, poikkeuksellisesti, poikkeuksellisen, harvinaisen
unveil /ʌn'veɪəl/ v paljastaa, paljastua
unveiling s **1** paljastus(tilaisuus) **2** ensiesitys, (ensimmäinen) esittelytilaisuus, julkistus
unvoiced /ʌn'voɪst/ adj **1** sanomatta jätetty **2** (äänne) soinniton
unwarily adv varomattomasti
unwary /ʌn'weri/ adj varomaton
unwieldy /ʌn'wiəldi/ adj raskas, iso, jota on hankala/vaikea liikuttaa/siirtää
unwind /ʌn'waɪnd/ v unwound, unwound **1** purkaa, purkautua (kelalta), kelata, kelautua (auki) **2** (kuv) rentoutua, rentouttaa
unwise /ʌn'waɪz/ adj epäviisas, harkitsematon, varomaton
unwisely adv epäviisaasti, harkitsemattomasti, varomattomasti
unwitting /ʌn'wɪtiŋ/ adj tahaton
unwittingly adv tahattomasti, vahingossa
unwrap /ʌn'ræp/ v avata (paketti), purkaa, ottaa esiin
unwritten /ʌn'wrɪtən/ adj kirjoittamaton, suullinen
unzip /ʌn'zɪp/ v avata vetoketju
up /ʌp/ s **1** nousu, kasvu, lisäys, korotus **2** menestys **3** to be on the up and up (ark) olla rehellinen
v nostaa, korottaa, lisätä
adv **1** ylhäällä, ylhäälle, ylös lift the box up on the top shelf nosta laatikko ylimmälle hyllylle the sun is up aurinko on noussut prices have gone up hinnat ovat nousseet when do you usually get up? moneltako sinä yleensä nouset (vuoteesta)? **2** kohti, luo step up to the window, please astukaa luukulle! **3** loppuun, kaikki, valmiiksi: I used up all my money käytin kaikki rahani **4** (kilpailussa ym) edellä, edessä our team is three points up on yours joukkueemme johtaa teitä kolmella pisteellä **5** (kone, laite) toiminnassa, käynnissä **6** suunnasta, usein jätetään suomentamatta up in New England Uudessa-Englannissa **7** tekeillä, meneillä: what's up? mitä on tekeillä?; miten hurisee? what's up with this guy? mikä tuota kaveria vaivaa?
prep ylös, pitkin we climbed up the mountain kiipesimme vuorta/vuoren rinnettä ylös he lives up the street hän asuu tämän saman kadun varrella
up against fr **1** he put his bike up against the wall hän pani pyöränsä seinää vasten **2** to be up against something olla vastassaan joku/jokin
up against it to be up against it olla pulassa/pinteessä
up against the wall fr **1** ammuttavana, teloitettavana **2** we are up against the wall olemme pahassa pinteessä/

pulassa, kohtalomme on veitsen terällä
up and about fr jalkeilla (sairauden jälkeen)
up and around fr jalkeilla (sairauden jälkeen)
up-and-coming /ˌʌpən'kʌmiŋ/ adj eteenpäin pyrkivä, lupaava
up and down fr **1** ylösalaisin, (katsoa) kiireestä kantapäähän **2** edestakaisin, pitkin ja poikin
up-and-down /ˌʌpən'daʊn/ adj **1** ylösalainen, edestakainen **2** kumpuileva **3** vaihteleva, ailahteleva
up a tree to be up a tree olla pulassa/pinteessä
upbeat /'ʌpˌbit/ adj toiveikas, optimistinen, iloinen, elämänmyönteinen
upbringing /'ʌpˌbriŋiŋ/ s kasvatus
UPC Universal Product Code
update /'ʌpˌdeɪt/ s **1** päivitys **2** päivite here's a news update tässä ovat tuoreimmat uutiset
v päivittää
up for to be up for sale olla myytävänä
upgrade /'ʌpˌgreɪd/ s **1** (ylä)mäki, nousu **2** kasvu, lisäys **3** uusi, parannettu tai laajennettu versio/malli, päivitys memory upgrade for a computer tietokoneen muistin laajennus upgrades are only $99 tuotevaihdon/päivityksen hinta on vain 99 dollaria
v **1** ylentää, antaa ylennys (korkeampaan asemaan) **2** parantaa, kohentaa, laajentaa, pivitt she upgraded her computer by adding memory hän lisäsi tietokoneeseensa muistia
upheaval /ʌp'hivəl/ s mullistus, myllerys, sekasorto
upheld /ə'peld/ ks uphold
uphill /ˌʌp'hɪl/ adj **1** nouseva, ylämäkeen johtava **2** (kuv) raskas it was an uphill battle se oli kovan työn takana
adv ylämäkeen
uphold /ə'poəld/ v upheld, upheld: tukea, kannattaa, säilyttää, (järjestystä, lain noudattamista) valvoa, (perinnettä) vaalia, (lak päätös) vahvistaa
upholster /ə'polstər/ v päällystää, verhoilla (istuimia), laittaa (huoneeseen) matot/verhot
upholsterer s verhooja
upholstery /ə'polstəri/ s **1** verhoomo **2** verhoilukangas/nahka
UPI United Press International
upkeep /'ʌpˌkip/ s ylläpito, kunnossapito, huolto
upland /ʌplənd/ s ylänkö
uplift /'ʌpˌlɪft/ s **1** (olojen, aseman) parantaminen, parannus **2** mielenylennys
uplift /ʌp'lɪft/ v **1** kohottaa, nostaa **2** parantaa (oloja, asemaa) **3** ylentää mieltä
uplifting /ʌp'lɪftiŋ/ adj mieltä ylentävä, rohkaiseva
upmarket /'ʌpˌmarkət/ adj (tavara) kallis, korkealuokkainen
upmost /'ʌpˌmoust/ adj ylin
upon /ə'pan/ ks on
upon sight fr ensi näkemältä
upper /ʌpər/ s **1** (kengän) päällysnahka **2** (makuuosaston, kerrossängyn) ylävuode **3** (sl) piristysaine, piriste
adj **1** ylempi, ylä-, korkeampi, korkea **2** (kuv) ylempi, korkea-arvoisempi
upper class /ˌʌpər'klæs/ s yläluokka
upper crust s **1** (leivonnaisen) kuori **2** (ark) yhteiskunnan kerma, yläluokka
upper digestive tract /daɪ'dʒestɪv/ s (lääk) yläsuolistokanava
Upper Michigan Ylä-Michigan
uppermost /'ʌpərˌmoust/ adj **1** ylin, korkein, päällimmäinen **2** (kuv) ensimmäinen, tärkein
Upper Peninsula Ylä-Michigan
upright /'ʌpˌraɪt/ s piano
v nostaa pystyyn, suoristaa, oikaista
adj **1** pysty **2** rehti, rehellinen, vilpitön
adv pystyssä, pystyyn
upright piano s piano
uprising /'ʌpˌraɪziŋ/ s kapina
upriver /ʌp'rɪvər/ adj, adv (joka on) joen yläjuoksun varrella/suunnassa
uproar /'ʌpˌrɔr/ s myllerrys, sekasorto, mellakka, meteli
uproot /ʌp'rut/ v **1** kitkeä (juurineen maasta) **2** siirtää (väkisin) asuinsijoiltaan, katkaista jonkun juuret **3** (kuv) kitkeä, tehdä loppu jostakin
UPS United Parcel Service

ups and downs fr myötä- ja vastoinkäymiset
upscale /ʌp'skeɪəl/ v parantaa, kohentaa (tasoa)
adj rikas, varakas, hieno, ylellinen, yläluokan our restaurant caters to an upscale clientele ravintolamme palvelee vaurasta asiakaskuntaa
upset /ʌpset/ s **1** (kuv) järkytys, isku **2** (maha)vaiva
upset /ʌp'set/ v upset, upset **1** kaataa, kumota **2** järkyttää, saattaa pois tolaltaan **3** sotkea, panna sekaisin, saattaa epäjärjestykseen to computer crash upset the bank's payments tietokoneen romahdus sekoitti pankin maksuliikenteen
adj **1** kaatunut **2** sekainen, sotkuinen, siivoton **3** järkyttynyt
upsetting adj järkyttävä
up shit creek without a paddle /,ʃɪt'krik/ to be up shit creek without a paddle olla nesteessä/kusessa
upshot /'ʌp,ʃat/ s **1** seuraus, lopputulos, tulos **2** ydin, keskeisin sisältö
upside /'ʌp,saɪd/ s yläpuoli, yläpää
upside-down /,ʌpsaɪd'daʊn/ adv **1** ylösalaisin, nurin, kumossa, kumoon **2** sekaisin, ylösalaisin
upstairs /ʌp'steərz/ s (verbi yksikössä) **1** yläkerta **2** (kuv) johtoporras
adj yläkerran
adv **1** yläkerrassa, yläkertaan **2** (ark) päästään, nupistaan, yläkerrasta **3** johtoportaassa, ylemmällä/korkeammalla tasolla
upstanding /ʌp'stændiŋ/ adj (kuv) rehti, rehellinen, kunnon, kunnollinen
upstate /'ʌp,steɪt/ s osavaltion pohjoisosa, muu osavaltio (johtavasta kaupungista katsoen)
upstate /ʌp'steɪt/ adv osavaltion pohjoisosassa, muualla osavaltiossa (johtavasta kaupungista katsoen)
upstream /ʌp'strim/ adv joen yläjuoksun suunnassa
up the wall to be up the wall (sl) kiivetä seinille, repiä pelihousunsa
up to fr **1** it's up to you to decide what to do sinä saat itse päättää/sinun täytyy itse päättää mitä teet **2** saakka, asti, mennessä: the theater seats up to eighty people teatterissa on tilaa enintään 80:lle up to now, things have been quiet tähän saakka on ollut hiljaista **3** veroinen, tasalla: are you really up to the job? selviätkö sinä todellakin siitä työstä? **4** what are you up to now? mitä sinulla nyt on mielessä?, mitä sinä nyt vehkeilet?
up-to-date /,ʌptə'deɪt/ adj joka on ajan tasalla, nykyaikainen, uusi, tuore
up to snuff to be up to snuff (ark) kelvata, täyttää vaatimukset
up to speed to be up to speed olla täydessä vauhdissa (myös kuv)
up-to-the-minute /,ʌptəðə'mɪnət/ adj viime hetken, tuore
uptown /ʌp'taʊn/ s kaupungin pohjoisosa
adj **1** joka on kaupungin pohjoisosassa, joka kulkee kaupungin pohjoisosaan **2** hieno, tyylikäs, aistikas, ylellinen
adv kaupungin pohjoisosaan
upward /ʌpwərd/ adj ylöspäin liikkuva/suuntautuva
adv ylöspäin, ylös (myös kuv)
upwards /ʌpwərdz/ adv ylös(päin)
upwards of adv yli, enemmän kuin upwards of fifty guests came vieraita tuli yli viisikymmentä
up your ass shove it up your ass (sl) haista paska!; pidä hyvänäsi!
up yours interj (sl) haista paska!
uranium /jə'reɪniəm/ s uraani
Uranus /jə'reɪnəs/ Uranus
urban /ərbən/ adj **1** (suur)kaupungin, (suur)kaupunki- **2** kaupungistunut, urbaani
urbane /ər'beɪn/ adj hienostunut, urbaani, tyylikäs
urban guerrilla s kaupunkisissi
urban renewal s (slummiutuneiden suur)kaupunkien uudistus
urge /ərdʒ/ s pakko, tarve, kiire he felt a sudden urge to yell yhtäkkiä hän tunsi tarvetta ruveta huutamaan
v kannustaa, kehottaa, yllyttää I urge you to consider their offer kehotan sinua miettimään heidän tarjoustaan

urgency /ɜrdʒənsi/ s **1** pakottavuus, kiireellisyys **2** pakko, kiire, hätä
urgent /ɜrdʒənt/ adj **1** pakottava, kiireinen **2** itsepintainen
urgently adv **1** kiireesti **2** itsepintaisesti
urinal /jɜrənəl/ s **1** urinaali, virtsaamisallas **2** wc
urinalysis /ˌjɜrəˈnæləsɪs/ s (mon urinanalyses) virtsatutkimus
urinary bladder /ˈjɜrəˌneri/ s virtsarakko
urinary tract infection s virtsatietulehdus
urinate /ˈjɜrəˌneɪt/ v virtsata
urine /jɜrən/ s virtsa
urn /ɜrn/ s uurna; tuhkauurna
urologist /jəˈralədʒɪst/ s urologi
urology /jəˈralədʒi/ s urologia, virtsaelintautioppi
Uruguay /ˈjɜrəˌgweɪ/
Uruguayan s, adj uruguaylainen
us /ʌs/ pron me, meille us and them me ja he she gave us a cake hän antoi meille kakun
U.S. United States Yhdysvallat, USA
USA United States Army; United States of America
U.S.A. United States of America Amerikan Yhdysvallat, USA
usable /juzəbəl/ adj käyttökelpoinen
USAF United States Air Force Yhdysvaltain ilmavoimat
usage /jusədʒ/ s **1** tapa, tottumus, (kielen) käyttö English usage englannin kielen käytäntö **2** käyttö, kohtelu
USC University of Southern California; University of South Carolina
USCG United States Coast Guard Yhdysvaltain rannikkovartioisto
USDA United States Department of Agriculture Yhdysvaltain maatalousministeriö
use /jus/ s **1** käyttö she put the money to good use hän otti rahasta kaiken irti to make use of something käyttää jotakin (hyväkseen) I have no use for idle talk minulla ei ole aikaa pulinoihin; minä en siedä pulinoita **2** hyöty the widget is of no use to us vempaimesta ei ole meille mitään hyötyä it's no use telling him about it, he's not going to help us siitä ei kannata kertoa hänelle, hän ei kuitenkaan auta meitä
use /juz/ v **1** käyttää use your brain käytä järkeäsi she feels that you are using her hänestä tuntuu että sinä käytät häntä hyväksesi **2** I could use a drink minulle maistuisi lasillinen
used /juzd/ v: we used to swim in the river every day meillä oli tapana uida joessa päivittäin
adj käytetty
used to adj tottunut johonkin I'm used to insults olen tottunut herjoihin
useful /jusfəl/ adj hyödyllinen, käyttökelpoinen, arvokas try to make yourself useful yritä olla avuksi
usefully adv hyödyllisesti
usefulness s hyödyllisyys, hyöty, arvo
useless adj hyödytön, käyttökelvoton, tarpeeton it's useless to try ei kannata yrittää
uselessly adv turhaan, tarpeettomasti
uselessness s hyödyttömyys, tarpeettomuus, turhuus
user /juzər/ s käyttäjä (esim tietokoneen, huumeen) that guy is a shameless user tuo kaveri käyttää toisia häpeämättömästi hyväkseen
user-friendly /ˌjuzərˈfrendli/ adj käyttäjäystävällinen, helppokäyttöinen
use up v käyttää loppuun/kaikki, imeä tyhjiin (kuv)
USGA United States Golf Association
USGS United States Geological Survey
usher /ʌʃər/ s paikannäyttäjä
v ohjata paikalleen
usherette /ˌʌʃəˈret/ s (naispulinen) paikannäyttäjä
usher in v (kuv) saattaa alkuun, käynnistää microcomputers ushered in a new era in telecommuting mikrotietokoneet aloittivat etätyökentelyssä uuden aikakauden
usual /juʒuəl/ adj tavallinen, totunnainen, yleinen, tyypillinen as usual, he was late hän oli tavalliseen tapaansa/tapansa mukaan myöhässä

usually /juʒəli/ adv tavallisesti, yleensä
USIA United States Information Agency
U.S.S.R /ˌjueses'ar/ Union of Soviet Socialist Republics, Sosialististen neuvostotasavaltojen liitto, SNTL, NL
usurp /jʊ'sərp/ v anastaa
usurper s (esim vallan)anastaja
U.S. Virgin Islands /vərdʒən/ (mon) Yhdysvaltain Neitsytsaaret
Utah /'juˌta/
ute sport ute (ark) maasturi (sports utility vehicle, SUV)
utensil /jʊ'tensəl/ s (keittiö- tai muu)väline, (ruokailuväline) aterin
uterus /jutərəs/ s kohtu
utility /jʊ'tɪləti/ s **1** käyttö, hyöty, hyödyllisyys, etu a home robot is of limited utility kotirobotista on sangen vähän hyötyä **2** julkinen palvelu (sähkö, puhelin, joukkoliikenne) **3** julkista palvelua harjoittava (sähkö-, puhelin-, liikenne- ym) yhtiö **4** (tietok) varusohjelma, apuohjelma
utility program s (tietok) varusohjelma, apuohjelma
utilization /ˌjutələ'zeɪʃən/ s käyttö, hyväksikäyttö
utilize /'jutəˌlaɪz/ v käyttää, käyttää hyväkseen
utmost /'ʌtˌmoust/ s to do your utmost tehdä kaikkensa/parhaansa to the utmost mahdollisimman paljon/hyvin tms
adj **1** ulommaisin, kauimmaisin, etäisin, kaukaisin **2** (kuv) äärimmäinen, erittäin/mahdollisimman suuri nuclear waste should be handled with utmost care ydinjätteitä on käsiteltävä mahdollisimman varovasti
utopia /jʊ'toupiə/ s utopia, haave
utopian /jʊ'toupiən/ s utopisti, haaveilija
adj utopistinen, haavellinen, haaveileva
utopistic /ˌjutoʊ'pɪstɪk/ adj utopistinen, haaveellinen, haaveileva
utter /ʌtər/ v **1** sanoa, lausua he did not utter a word hän ei sanonut halaistua sanaa **2** päästää (ääni)
adj täydellinen, äärimmäinen, suunnaton, ehdoton
utterance /ʌtərəns/ s **1** puhetapa, ääni **2** (kielellinen) ilmaus
utterly adv äärimmäisen, suunnattoman, ehdottoman, täysin
U-turn /ju'tərn/ s **1** U-käännös **2** (kuv) täyskäännös
v **1** tehdä U-käännös **2** (kuv) tehdä täyskäännös, kääntää kelkkansa
Uzbekistan /uz'bekɪstan/ Uzbekistan

V, v

V, v /vi/ V, v
vacancy /veɪkənsi/ s vapaa istumapaikka, hotelli/motellihuone, vuokra-asunto, työpaikka
vacant /veɪkənt/ adj **1** (istumapaikka, hotelli/motellihuone, vuokra-asunto, työpaikka) vapaa **2** tyhjä, (aika) vapaa, joutilas, toimeton, (ihminen, katse) tylsä, poissaoleva
vacantly adv (katsoa) tylsästi, poissaolevan näköisenä
vacate /veɪkeɪt/ v (asunnosta) muuttaa pois, jättää (työpaikka) you have thirty seconds to vacate the premises teillä on 30 sekuntia aikaa poistua tästä paikasta
vacation /veɪ'keɪʃən/ s loma they're on vacation in Hawaii he ovat lomalla/lomailevat Havaijilla
vacationer s lomailija, matkailija
vaccinate /'væksə,neɪt/ v rokottaa
vaccination /,væksə'neɪʃən/ s rokotus
vaccine /væksin/ s rokote
vacuum /vækjum/ s (mon vacuua, vacuums) **1** tyhjiö **2** (kuv) ontto tunne, tyhjä paikka, tyhjiö **3** pölynimuri v imuroida
vacuum bottle s termospullo
vacuum cleaner s pölynimuri
vagabond /'vægə,band/ s irtolainen, kulkuri, maankiertäjä adj kiertävä, kulkuri-
vagina /və'dʒaɪnə/ s emätin, vagina
vagrant /veɪgrənt/ s irtolainen, kulkuri adj kiertävä, kulkuri-
vague /veɪg/ adj epämääräinen, hämärä, epäselvä, samea, sumea
vaguely adv epämääräisesti, hämärästi, epäselvästi, sameasti, sumeasti I vaguely remember his face muistan hänen kasvonsa hämärästi
vagueness s epämääräisyys, hämäryys, epäselvyys
vaguest I haven't the vaguest minulla ei ole harmainta aavistusta
vain /veɪn/ adj **1** turhamainen **2** turha you did it all in vain teit kaiken turhaan, kaikki meni hukkaan to take God's name in vain lausua turhaan Herran nimeä
vainly adv **1** turhamaisesti **2** turhaan
vale /veɪəl/ s laakso
valentine /'vælən,taɪn/ s **1** ystävänpäiväkortti **2** ystävänpäiväkortin saaja, salainen ihastus
Valentine's Day s ystävänpäivä
valet /væ'leɪ/ s **1** (kamari)palvelija, (hotellissa, laivassa) palvelija **2** (ravintolan yms edessä) autojen pysäköijä
valet parking s (ravintolan yms edessä) autojen pysäköintipalvelu
valid /væləd/ adj (lippu, passi) joka on voimassa, (sopimus) sitova, (peruste) pätevä, paikkansa pitävä, (oletus) perusteltu
validate /'vælə,deɪt/ v todistaa oikeaksi, vahvistaa (oikeaksi), tarkistaa oikeellisuus/ luotettavuus/paikkansapitävyys
validity /və'lɪdəti/ s (lipun, passin) voimassaolo, (väitteen) paikkansapitävyys, luotettavuus, (sopimuksen) sitovuus, (oletuksen) pätevyys
validly adv ks valid
valley /væli/ s laakso
Valley girl s San Fernandon laakson (Los Angelesin pohjoispuolella) onttopäiseksi kuvitellusta teinitytöstä jolla on omanlainen puhetapansa
valor /vælər/ s urheus, rohkeus
valuable /væljəbəl væljuəbəl/ adj arvokas, kallisarvoinen, hyödyllinen

valuable jewelry/advice arvokkaat korut/ arvokas neuvo
valuation /ˌvæljuˈeɪʃən/ s **1** arviointi, arvon määritys **2** arvo **3** arvostus
value /vælju/ s **1** arvo **2** hyöty, arvo **3** (mon) arvot where are your values? etkö sinä nyt unohda mikä on elämässä tärkeintä?
v **1** arvioida (hinta, arvo) **2** arvostaa he values your help highly hän pitää apuasi suuressa arvossa
valued adj arvostettu, arvossa pidetty as a valued customer, you're entitled to special service teillä on oikeus erikoispalveluun koska olette arvostettu asiakas
value date s (tal) arvopäivä
value judgment s arvoarvostelma
valueless adj arvoton, hyödytön, mitätön
valve /vælv/ s (tekn) venttiili, (elektroniikassa) putki, (anatomiassa) läppä
vampire /væmpaɪər/ s **1** (verta ihmevä taruolento) vampyyri **2** (naisesta) vamppi, vampyyri
vampire bat s (lepakko) vampyyri
van /væn/ s **1** (umpinainen) kuorma-auto **2** van, pakettiauto, pienoisbussi minivan pieni van, minivan
Vancouver /væŋˈkoʊvər/ kaupunki Kanadassa
vandal /vændəl/ s **1** vandaali **2** Vandal (hist) vandaali
vandalism /ˈvændəˌlɪzəm/ s (tahallinen) särkeminen, hävitys, hävitysvimma, vandalismi
vandalize /ˈvændəˌlaɪz/ v (tahallaan) särkeä, hävittää, vandalisoida
vane /veɪn/ s **1** tuuliviiri (myös kuv:) periaatteeton ihminen **2** (tuulimyllyn, turbiinin juoksupyörän) siipi
vanilla /vəˈnɪlə/ s vanilja
vanish /vænɪʃ/ v kadota, häipyä, (kipu) lakata
vanishing point s **1** (perspektiivissä) katoamispiste, pakopiste **2** (kuv) nollapiste
vanity /vænəti/ s **1** turhamaisuus **2** turhuus **3** meikkilaukku **4** peililipasto, kampauslipasto
vanity case s meikkilaukku
vanquish /væŋkwɪʃ/ v kukistaa, voittaa
vapor /veɪpər/ s höyry
vaporize /ˈveɪpəˌraɪz/ v höyrystää, höyrystyä
variable /veriəbəl/ s muuttuja, muuttuva suure, variaabeli
adj **1** muuttuva, vaihteleva **2** epävakaa, ailahteleva
variably he was variably sad and happy hän oli vuoroin onneton ja onnellinen
variance /veriəns/ s **1** vaihtelevuus, erilaisuus **2** (tilastotieteessä) varianssi **3** what you did is at variance with your orders sinä et noudattanut ohjeitasi, sinä teit toisin kuin sinua käskettiin we are at variance with each other olemme (asiasta) eri mieltä
variant /veriənt/ s muunnelma, muunnos, vaihtoehto, toisinto
adj vaihteleva, erilainen variant spelling vaihtoehtoinen kirjoitustapa
variation /ˌveriˈeɪʃən/ s **1** vaihtelu, muuntelu **2** muunnelma, muunnos, vaihtoehto, toisinto; poikkeama
varices /verəsiz/ ks varix
varicose veins /ˌverəkoʊsˈveɪnz/ s (mon) suonikohjut
variety /vəˈraɪəti/ s **1** vaihtelu **2** ero **3** valikoima, paljous, moninaisuus a large variety of men's shoes suuri valikoima miesten kenkiä in a variety of places monin paikoin for a variety of reasons monesta syystä **4** laji **5** varietee
variety is the spice of life fr vaihtelu virkistää
variety show s varietee
variola /vəˈrɪələ/ s isorokko
various /verɪəs/ adj **1** erilainen, eri, usea, moni we visited various museums kävimme useissa/monissa museoissa **2** monipuolinen **3** kirjava, monenkirjava
variously adv **1** eri tavoin, eri lailla **2** eri yhteyksissä it has variously been

called both bad and good sitä on eri tahoilla sanottu sekä hyväksi että huonoksi

varix /verəks/ s (mon varices) suonikohju

varnish /varnɪʃ/ s **1** lakka **2** (kuv) pintakiilto
v **1** lakata **2** (kuv) kaunistella

vary /veri/ v **1** vaihdella temperatures here vary between sixty and eighty degrees lämpötila vaihtelee täällä 60 ja 80 fahrenheitasteen välillä **2** erota, olla erilainen, poiketa jostakin (from:) your approach varies drastically from hers sinun menettelysi eroaa jyrkästi hänen menettelystään **3** muuttaa, vaihtaa, vaihdella

vase /veɪs/ s maljakko, (taidehistoriassa ja ark) vaasi

vast /væst/ adj valtava, suunnaton, laaja

vastly adv valtavasti, valtavan, suunnattomasti, suunnattoman, laajasti your painting is vastly superior to mine sinun maalauksesi on paljon parempi kuin minun

vastness s laajuus, valtavuus, valtava/suunnaton koko, suuruus

vat /væt/ s tynnyri; sammio, amme

Vatican /vætɪkən/ Vatikaani

vaudeville /'vad,vɪl/ s vaudeville, varietee

vault /vaəlt/ s **1** (kaari) holvi **2** (huone) holvi, pankkiholvi ym **3** kassakaappi **4** hyppy pole vault seiväshyppääjä
v **1** holvata, rakentaa holvi **2** kaartua (kuten holvi) **3** hypätä

vaulted adj holvattu

vaulter s hyppääjä

vaulting horse s (voimistelussa) hevonen

vaunt /vant/ v leuhkia jollakin, rehennellä, kehua, ylistää

VCR videocassette recorder kuvanauhuri

VCR Plus® /,visiar'plʌs/ järjestelmä kuvanauhurin ohjelmoimiseksi lehdissä julkaistavilla numerosarjoilla, (Euroopassa) ShowView®

VDT visual display terminal näyttöpääte

veal /viəl/ s vasikanliha, vasikka

vector /vektər/ s **1** (mat, tietok) vektori **2** (biologiassa) tartunnanlevittäjä, viruksensiirtäjä, vektori

veer /vɪər/ s käännös, suunnanvaihdos, poikkeama
v kääntyä, kääntää, poiketa (suunnasta, asiasta)

vegetable /vedʒtəbəl/ s **1** vihannes bulb vegetables (syötävät) sipulit fruit vegetables hedelmävihannekset leaf vegetables lehtivihannekset root vegetables juurekset seed vegetables palkovihannekset stalk vegetables varsivihannekset tuber vegetables juurimukulat **2** kasvi **3** (ark) aivokuollut

vegetable kingdom s kasvikunta

vegetable oil s kasviöljy

vegetarian /,vedʒə'teriən/ s (ihminen) kasvissyöjä, vegetaari, (eläin) kasvinsyöjä
adj kasvissyöjän, vegetaari-; kasvinsyöjän

vegetarianism /,vedʒə'teriənɪzəm/ s vegetarismi

vegetate /'vedʒə,teɪt/ v **1** kasvaa **2** (kuv) velttoilla, elää toimettomana/aivokuolleena, käydä aika pitkäksi

vegetation /,vedʒə'teɪʃən/ s **1** kasvillisuus **2** toimettomuus, tylsyys, tylsä/toimeton/aivokuollut elämä

vegetative /'vedʒə,teɪtɪv/ adj **1** vegetatiivinen, (lisääntyminen) kasvullinen, (hermosto myös) autonominen **2** toimeton

vehement /viəmənt/ adj kiivas, kiihkeä, tulinen, raju, voimakas

vehemently adv kiivaasti, kiihkeästi, tulisesti, rajusti, voimakkaasti

vehicle /viəkəl/ s **1** ajoneuvo, kulkuneuvo, (avaruudessa) alus **2** välikappale, väline, ilmaisuväline, keino the seminar is the perfect vehicle for making the findings public seminaari on oivallinen tilaisuus julkistaa tutkimustulokset

vehicular /və'hɪkjələr/ adj ajoneuvo-, liikenne-

veil /veɪəl/ s **1** huntu **2** (kuv) verho, harso, huntu **3** nunnan elämä, luostarielämä to take the veil ruveta nunnaksi
v **1** hunnuttaa kasvonsa, peittää kasvonsa hunnulla, käyttää huntua **2** (kuv) verhota, peittää, kätkeä, salata
vein /veɪn/ s **1** (lääk) laskimo **2** verisuoni, suoni **3** (lehden) suoni **4** (malmi)suoni **5** uurre, viiru **6** piirre, taipumus; tyyli; tunnelma, mieliala in a humorous vein humoristisesti v **1** uurtaa; juovittaa **2** luikerrella, kiemurrella, kulkea ristiin rastiin
Velcro® /velkroʊ/ tarranauha
velocity /və'lasəti/ s nopeus
velour /və'luər/ s (kangas) veluuri
velvet /velvət/ s sametti
velvety adj samettinen (myös kuv), sametinpehmeä (myös kuv) his new Cadillac has a velvety ride hänen uudessa Cadillacissaan on samettisen pehmeä kyyti
veneer /və'nɪər/ s **1** viilu **2** (kuv) pintakiilto, pintasilaus
v viiluttaa, päällystää viilulla
venerable /venərəbəl/ adj kunnianarvoinen, arvossapidetty
venerate /'venə,reɪt/ v kunnioittaa, arvostaa
veneration /,venə'reɪʃən/ s kunnioitus, arvostus
venereal disease /və'nɪriəl/ s sukupuolitauti
Venetian /və'niʃən/ s, adj venetsialainen
venetian blind s sälekaihdin
Venezuela /,venə'zweɪlə/
Venezuelan s, adj venezuelalainen
vengeance /vendʒəns/ s **1** kosto **2** with a vengeance raivoisasti, rajusti, intohimoisesti
vengeful /vendʒfəl/ adj kostonhaluinen
Venice /venɪs/ **1** (Italian) Venetsia **2** eräs Los Angelesin piirikunnan kaupunki **3** kaupunki Floridassa
venison /venəsən/ s hirvenliha
venom /venəm/ s (käärmeen, hämähäkin) myrkky (myös kuv) the venom of jealousy kateuden/mustasukkaisuuden myrkky
venomous /venəməs/ adj **1** myrkyllinen, (käärme, hämähäkki) myrkky- **2** (kuv) pureva, ilkeä, kärkevä, pisteliäs
vent /vent/ s **1** (tuuletus-, tyhjennys-, purkaus- ym) aukko **2** (tuuletus-, tyhjennys-, purkaus- ym) putki **3** to give vent to your feelings (kuv) purkaa tunteitaan
v ilmaista, purkaa (tunteitaan), päästää ilmoille (paineita)
ventilate /'ventə,leɪt/ v **1** tuulettaa **2** tarkastella, tutkia, pohtia **3** ilmaista, purkaa (tunteitaan)
ventilation /,ventə'leɪʃən/ s tuuletus
ventilator /'ventə,leɪtər/ s tuuletin
ventriloquism /ven'trɪləkwɪzəm/ s vatsastapuhuminen
ventriloquist /ven'trɪlə,kwɪst/ s vatsastapuhuja
venture /ventʃər/ s **1** (uskalias) yritys, hanke **2** liikeyritys **3** at a venture umpimähkään, satunnaisesti
v **1** uskaltaa, uskaltautua, rohjeta he ventured into the wilderness alone hän uskaltautui yksin erämaahan **2** panna alttiiksi, riskeerata nothing ventured, nothing gained yrittänyttä ei laiteta
venture capital s riskipääoma
venturesome adj uskalias, rohkea
Venus /vinəs/ Venus
veranda /və'rændə/ s kuistikko, vilpola, veranta
verandah /və'rændə/ ks veranda
verb /vərb/ s verbi, teonsana
verbal /vərbəl/ adj **1** sanallinen, kielellinen **2** suullinen **3** sananmukainen, kirjaimellinen **4** verbi-
verbalize /'vərbə,laɪz/ v ilmaista, pukea sanoiksi
verbally adv **1** sanallisesti, kielellisesti **2** suullisesti **3** verbinä, verbin tavoin
verbatim /vər'beɪtəm/ adj sananmukainen, kirjaimellinen
adv sananmukaisesti, kirjaimellisesti, sanasta sanaan
verbiage /vərbiədʒ/ s liikasanaisuus, monisanaisuus, jaarittelu
verbose /vər'boʊs/ adj liikasanainen, monisanainen, jaaritteleva

verbosity /vər'basəti/ s liikasanaisuus, monisanaisuus, jaarittelu
verboten /vər'boutən fer'boutən/ saksasta kielletty
verdant /vərdənt/ adj vihreä, vehreä
verdict /vərdıkt/ s (oikeuden) päätös, tuomio
verge /vərdʒ/ s **1** reuna **2** (kuv) to be on the verge of tears olla kyynelten/itkun partaalla
verge on v (kuv) muistuttaa jotakin, lähestyä jotakin your ideas verge on the insane ajatuksesi haiskahtavat hulluilta
verification /,verəfı'keıʃən/ s todennus, varmistus, varmennus, tarkistus
verify /'verə,faı/ v todentaa, varmistaa, varmentaa, tarkistaa
verily /verəli/ adv (raam) totisesti, todella, toden totta
verisimilitude /,verə'sımələ,tud/ s todennäköisyys
veritable /verətəbəl/ adj aito, todellinen, varsinainen
vermin /vərmən/ s (mon vermin) syöpäläinen, syöpäläiset
Vermont /vər'mant/
vermouth /vər'muθ/ s vermutti
vernacular /vər'nækjələr/ s **1** murre, kansankieli **2** jargon, (jonkin alan) erityiskieli
adj murteellinen, kansankielinen
vernal equinox /,vərnəl'ikwə,naks/ s kevätpäiväntasaus
versatile /vərsətəl/ adj monipuolinen
versatility /,vərsə'tıləti/ s monipuolisuus
verse /vərs/ s **1** säe **2** runo **3** runous **4** (Raamatun) jae
adj runomuotoinen
versed she is well versed in Scandinavian history hän on hyvin perillä Skandinavian historiasta, hän tuntee Skandinavian historian hyvin
version /vərʒən/ s **1** versio, toisinto, (laitteesta) malli **2** käännös
versus /vərsəs/ prep **1** vastaan in the case People versus Alger Hiss Alger Hissin vastaisessa oikeudenkäynnissä **2** verrattuna
vertebra /vərtəbrə/ s (mon vertebrae, vertebras) selkänikama
vertebral adj (selkä)nikama-
vertebral column s selkäranka
vertebrate /vərtəbrət/ s selkärankainen
vertical /vərtıkəl/ s, adj pystysuora (viiva/linja)
vertically adv pystysuoraan, pystysuorassa
vertigo /vərtıgou/ s (mon vertigos, vertigines) huimaus
verve /vərv/ s into, innostus, ponsi, tarmo, voima
very /veri/ adv **1** erittäin, hyvin very good/well erittäin/oikein hyvä/hyvin **2** täsmälleen, juuri, aivan: the very next day heti seuraavana päivänä
adj **1** täsmälleen, juuri, aivan: on that very day juuri sinä päivänä/sinä samana päivänä **2** pelkkä: the very idea scares me pelkkä ajatuskin pelottaa minua **3** äärimmäinen: to the very end loppuun asti/saakka
very well! /,veri'wel/ fr hyvä on!
vessel /vesəl/ s **1** alus, laiva **2** astia, säiliö weaker vessel (raam) heikompi astia **3** (lääk) suoni blood vessel verisuoni
vest /vest/ s liivi bulletproof vest luodinkestävät liivit he played it close to the vest (ark) hän oli varovainen, hän ei ottanut turhia riskejä
vestal virgin /,vestəl'vərdʒən/ s (hist) Vestan neitsyt
vested interest s **1** he has a vested interested in the survival of the company on hänen etunsa mukaista että yritys pysyy pystyssä **2** (mon) maan mahtavat
vestige /vestədʒ/ s jälki, jäänne the last vestiges of civilization sivistyksen viime rippeet
vestigial /vəs'tıdʒəl/ adj **1** surkastunut **2** vähäinen, viimeinen (jäljellä oleva)
Vesuvius /və'suvıəs/ Vesuvius
vet /vet/ s (ark) eläinlääkäri
v (ark) tutkia, tarkistaa, etsiä

veteran /vetərən/ s veteraani; (sota)-veteraani
adv veteraani- veteran police officer vanha ja kokenut poliisikonstaapeli
veterinarian /ˌvetərə'neriən/ s sotaveteraani
veterinary /'vetərəˌneri/ s eläinlääkäri
adj eläinlääketieteellinen
veto /vitou/ s (mon vetoes) (kielto) veto
v kieltää/hylätä/estää veto-oikeudella President Bush vetoed the bill presidentti Bush kaatoi lakiesityksen vetollaan
vex /veks/ v ärsyttää, harmittaa, piinata
vexation /vek'seɪʃən/ s **1** ärsytys **2** ärtymys **3** harmi, kiusa, piina
vexatious /vek'seɪʃəs/ adj ärsyttävä, harmillinen, harmittava
via /viə vaɪə/ prep kautta we'll fly to Seattle via Detroit lennämme Seattleen Detroitin kautta
viability /ˌvaɪə'bɪləti/ s **1** elinkelpoisuus **2** (kuv) elinkelpoisuus, käyttökelpoisuus, käytännöllisyys, toteutettavuus, mahdollisuus
viable /vaɪəbəl/ adj **1** elinkelpoinen **2** (kuv) elinkelpoinen, käyttökelpoinen, mahdollinen
viaduct /'vaɪəˌdʌkt/ s silta
vial /vaɪəl/ s (pieni lääke-, hajuvesi- tms) pullo
vibes /vaɪbz/ s (mon ark) **1** (hyvät/huonot) väreet, vaikutelma, tuntu I get bad vibes from her (ark) hän vaikuttaa minusta vaaralliselta, hänestä lähtee pahoja väreitä **2** (mus) vibrafoni
vibraharp /'vaɪbrəˌharp/ s (mus) vibrafoni
vibraphone /'vaɪbrəˌfoun/ s (mus) vibrafoni
vibrate /vaɪbreɪt/ v **1** värähdellä; väristä, värisyttää **2** (kuv) sykkiä, sykähdyttää
vibration /vaɪ'breɪʃən/ s **1** väre, värähdys, värähtely, värinä **2** (kuv, us mon) (hyvät/huonot) väreet, vaikutelma, tuntu
vibrator /vaɪbreɪtər/ s värähtelijä, tärytin; hierontasauva
vicar /vɪkər/ s pappi
vicarage /vɪkərədʒ/ s pappila
vicarious /vaɪ'keriəs/ adj epäsuora, välillinen, sijais- he got vicarious satisfaction from the success of his son hän sai sijaistyydytystä poikansa menestyksestä
vicariously adv epäsuorasti, välillisesti
Vicar of Christ s paavi, Kristuksen sijainen
vice /vaɪs/ s pahe
vice-chairman /ˌvaɪs'tʃermən/ s varapuheenjohtaja
Vice President /ˌvaɪs'prezɪdənt/ s varapresidentti
viceroy /'vaɪsˌrɔɪ/ s varakuningas
vice squad s siveellisyysrikoksia, uhkapelia ym tutkiva poliisiosasto
vice versa /ˌvaɪs'vərsə/ adv päinvastoin, kääntäen
vicinity /və'sɪnəti/ s **1** lähistö, lähiseutu **2** läheisyys
vicious /vɪʃəs/ adj **1** paha, ilkeä, paatunut **2** raju, raaka
vicious circle s noidankehä, kierre
viciously adv **1** pahasti, ilkeästi, paatuneesti **2** rajusti, raa'sti
viciousness s **1** pahuus, ilkeys, paatuneisuus **2** rajuus, raakuus
vicissitudes /və'sɪsəˌtudz/ s (mon) oikut the vicissitudes of life myötä- ja vastoinkäymiset, kohtalon oikut
victim /vɪktəm/ s uhri he was the victim of circumstance hän joutui olosuhteiden uhriksi
victimize /'vɪktəˌmaɪz/ v **1** kohdella väärin/nurjasti **2** huijata, pettää
victor /vɪktər/ s voittaja
Victoria /vɪktɔriə/ **1** (Ison-Britannian kuningatar) Viktoria **2** eräs Australian osavaltio **3** kaupunki Brittiläisessä Columbiassa Kanadassa
Victoria Island Victoriansaari (Kanadassa)
Victorian /vɪk'tɔriən/ adj **1** viktoriaaninen, kuningatar Viktorian (1837–1901) aikainen, sen ajan tyylinen **2** sievistelevä, sovinnainen

victorious /vɪk,tɔriəs/ adj voittoisa, voitokas
victoriously adv voittoisasti, voitokkaasti
victory /vɪktəri/ s voitto
vicuna /və'kunə, və'kunjə/ s vikunja
video /vɪdioʊ/ s video
video arcade s videopelisali
videocassette /,vɪdioʊkə'set/ s videokasetti
videocassette recorder s videokasettinauhuri, kuvanauhuri
videoconference /,vɪdioʊ'kanfərəns/ s videoneuvottelu, teleneuvottelu
videodisk /'vɪdioʊ,dɪsk/ s kuvalevy, videolevy
videodisk player s kuvalevysoitin
video display terminal s (tietok) näyttöpääte
video game /vɪdioʊ,geɪm/ s videopeli
video head s (videonauhurin) kuvapää
videophone /'vɪdiə,foʊn/ s videopuhelin, kuvapuhelin (jossa on liikkuva kuva)
videorecorder /,vɪdiərɪ'kɔrdər/ s kuvanauhuri, videonauhuri
video recording s videotallenne, videonauhoitus
video switcher s videovalitsin
videotape /'vɪdiə,teɪp/ s kuvanauha, videonauha
v nauhoittaa (kuvanauhurilla)
videotape recorder s kuvanauhuri
videotex /'vɪdiə,teks/ s teletietopalvelu
vie for v kilpailla jostakin they were vying for her attention he kilpailivat hänen huomiostaan
Vienna /vi'enə/ Wien
Vietnam /,viət'nam/
Vietnamese /,viətnə'miz/ s vietnamin kieli
s, adj vietnamilainen, vietnaminkielinen
view /vju/ s **1** näkymä, näköala the view from the bridge sillalta avautuma näkymä there were several clouds in view näkyvillä oli useita pilviä to be on view olla nähtävänä/näytteillä/esillä **2** kuva, valokuva **3** näkökulma, (näkö)-kanta in view of the fact that you've just come here... koska olet vasta tullut tänne..., ottaen huomioon sen että olet vasta tullut tänne **4** (tulevaisuuden)-näkymä, mahdollisuus; aikomus, aie **5** näkemys, kanta, mielipide in my view minun mielestäni **6** with a view to jotakin silmällä pitäen, jonkin toivossa
v **1** katsoa, katsella **2** tarkastella, pohtia **3** suhtautua, pitää jonakin
viewdata /'vju,deɪtə/ s teletietopalvelu
viewer s **1** (esim television) katsoja **2** (dia- tai muu) katselulaite **3** (kameran ym) etsin
viewfinder /'vju,faɪndər/ s (kameran) etsin
viewing angle s kuvakulma (vrt shooting angle, kuvauskulma)
viewpoint /'vju,pɔɪnt/ s näkökulma, näkökanta, kanta
vigil /vɪdʒəl/ s **1** valvonta to keep vigil at someone's bedside valvoa yöllä jonkun vuoteen vierellä **2** valppaus **3** yöjumalanpalvelus
vigilance /vɪdʒələns/ s valppaus, varovaisuus
vigilant /vɪdʒələnt/ adj valpas, varovainen
vigilante /,vɪdʒə'lænti/ s omankädenoikeuden harjoittaja
vigilante committee s omankädenoikeuden harjoittajien ryhmä, (hist) (etelävaltioissa) mustien pelottelua harjoittanut valkoisten ryhmä
vigilantly adv valppaasti, varuillaan
vigor /vɪgər/ s voima, tarmo, ponsi, kiihko, into, intohimo
vigorous /vɪgərəs/ adj voimakas, ponnekas, tarmokas, kiihkeä do this vigorous exercise five times tee tämä raskas harjoite viidesti
vigorously adv voimakkaasti, ponnekkaasti, tarmokkaasti, kiihkeästi
Viking /vaɪkɪŋ/ s viikinki
vile /vaɪəl/ adj paha, ilkeä, (teko) ruma, hirvittävä, iljettävä, (sää) kurja, surkea, (puhe) likainen, rivo
vilely adv ks vile

vilify /'vɪlə,faɪ/ v panetella, herjata, puhua pahaa jostakusta/jostakin
villa /vɪlə/ s (hieno) talo, huvila
village /vɪlədʒ/ s kylä
villager s kyläläinen, kylän asukas
villain /vɪlən/ s roisto, konna
villainous /vɪlənəs/ adj paha
villainy /vɪləni/ s **1** pahuus **2** paha teko
vindicate /'vɪndə,keɪt/ v **1** puhdistaa (maine), palauttaa (arvo) **2** todistaa, vahvistaa, osoittaa oikeaksi
vindication /,vɪndə'keɪʃən/ s **1** maineen puhdistus, arvonpalautus **2** oikeutus, puolustus, peruste
vindictive /vɪn'dɪktɪv/ adj kostonhaluinen
vindictively adv kostonhaluisesti
vindictiveness s kostonhalu
vine /vaɪn/ s **1** viiniköynnös **2** köynnös(kasvi)
vinegar /vɪnəgər/ s etikka
vineyard /vɪnjərd/ s viinitarha
vintage /vɪntədʒ/ s **1** (viinin) vuosikerta **2** viininkorjuu **3** vuosimalli
adj **1** (viini) vuosikerta- **2** vanha (ja hieno) vintage cars keräilyautot **3** (lajissaan) paras that was vintage Cosby se oli aitoa Cosbyn huumoria
vintage car s keräilyauto, klassinen auto
vintage wine s vuosikertaviini
vintage year s erinomainen (viini- tai muu) vuosi
vintner /vɪntnər/ s viinikauppias
vinyl /vaɪnəl/ s, adj vinyyli(-)
viola /vaɪ'oʊlə/ s **1** alttoviulu, viola **2** orvokki
violate /'vaɪə,leɪt/ v rikkoa (lakia, sopimusta), loukata (rajaa, jonkun oikeutta), häiritä (jonkun rauhaa)
violation /,vaɪə'leɪʃən/ s **1** rikkomus, loukkaus you're in violation of section 33 of the penal code olette rikkonut rikoslain 33. pykälää traffic violation liikennerikkomus **2** häpäisy
violence /vaɪələns/ s **1** väkivalta by violence voimakeinoin, väkivaltaisesti **2** (kuv) vääryys I think you're doing violence to his prose minusta sinä vääristät hänen proosaansa
violent /vaɪələnt/ adj **1** väkivaltainen **2** raju
violet /vaɪələt/ s **1** orvokki **2** violetti, sinipunainen
violin /,vaɪə'lɪn/ s viulu
violinist /,vaɪə'lɪnɪst/ s violisti, viulunsoittaja, viulutaitelija
viper /vaɪpər/ s **1** kyy(käärme) **2** käärme (myös kuv)
virago /və'ragoʊ/ s (mon viragoes, viragos) **1** (hist ja halv) noita (myös kuv), ksantippa, paha akka **2** (hist ja feminismissä) vahva, henkevä nainen
viral /vaɪrəl/ adj virus-
virgin /vərdʒən/ s neitsyt
adj neitseellinen (myös kuv:) koskematon, puhdas
Virginia /vər'dʒɪnjə/
Virginia Beach kaupunki Virginiassa
Virginia opossum /vər,dʒɪniə ə'pasəm/ s virginianopossumi
Virgin Islands (mon) Neitsytsaaret
virginity /vər'dʒɪnəti/ s **1** neitsyys **2** (kuv) neitseellisyys, neitsyys, koskemattomuus, puhtaus
Virgin Mary s Neitsyt Maria
Virgo /vərgoʊ/ horoskoopissa Neitsyt
virile /vɪrəl/ adj **1** miehekäs, miehinen, miesmäinen **2** voimakas, ponnekas **3** mieskuntoinen, kykenevä, viriili, potentti
virility /və'rɪləti/ s **1** miehekkyys, miehisyys **2** voimakkuus, ponnekkuus **3** kykenevyys, mieskuntoisuus, potenssi, viriliteetti
virologist /və'ralədʒɪst/ s virologi
virology /və'ralədʒi/ s virologia, virusoppi, virusten tutkimus
virtual /vərtʃuəl/ adj oletettu, näennäinen, virtuaalinen it is a virtual impossibility se on käytännöllisesti katsoen mahdotonta
virtually adv käytännöllisesti katsoen, lähes, kutakuinkin
virtual memory s (tietok) näennäismuisti, virtuaalimuisti
virtual realitys näennäistodellisuus, virtuaalitodellisuus

virtue /vɜrtʃu/ s **1** hyve to make a virtue out of necessity kääntää tilanne edukseen, yrittää nähdä asiat parhain päin **2** neitsyys he lost his virginity at fifteen hän menetti poikuutensa 15-vuotiaana, hänestä tuli mies 15-vuotiaana
virtuoso /ˌvɜrtʃuˈousou/ s (mon virtuosos, virtuosi) taituri, virtuoosi adj taiturimainen, taitava
virtuous /vɜrtʃuəs/ adj hyveellinen
virulent /vɪrjələnt/ adj **1** myrkyllinen, tappava **2** (lääk) virulentti **3** katkera, ilkeä, julma
virus /vaɪrəs/ s virus
vis-à-vis /ˌvizəˈvi/ s vastapäätä oleva/istuva ihminen
prep johonkin liittyvä, jotakin koskeva, koskien
visa /visə/ s viisumi
visage /vɪsədʒ/ s kasvot
viscera /ˈvɪsərə/ s (mon) sisäelimet, sisälmykset
visceral /ˈvɪsərəl/ adj sisälmys-, sisä
viscosity /vɪsˈkasəti/ s sakeus, sitkeys, sitkaisuus, (fys) viskositeetti
viscount /ˈvaɪˌkaunt/ s varakreivi
viscountess /ˌvaɪˈkauntəs/ s varakreivitär
viscous /vɪskəs/ adj sakea, sitkeä, sitkas
vise /vaɪs/ s ruuvipuristin, ruuvipenkki
visibility /ˌvɪzəˈbɪləti/ s näkyvyys
visible /vɪzəbəl/ adj **1** näkyvä **2** selvä, ilmiselvä, ilmeinen
visibly adv **1** näkyvästi **2** selvästi, ilmiselvästi, ilmeisen he was visibly shocked by the news uutinen selvästikin järkytti häntä
vision /vɪʒən/ s **1** näkö(aisti/kyky) **2** kaukonäköisyys, laajakatseisuus **3** näky, ilmestys **4** kuvitelma, haave
visionary /ˈvɪʒəˌneri/ s näkijä
adj **1** epäkäytännöllinen, haihatteleva **2** kuvitteellinen, kuviteltu **3** näynomainen
visit /vɪzət/ s käynti, vierailu they came for a visit he tulivat käymään/kylään
v **1** käydä, vierailla, kyläillä jossakin, käydä katsomassa jotakuta/jotakin **2** vaivata, kiusata, rangaista (on)
visitor /vɪzətər/ s vieras, vierailija, kyläilijä
visor /vaɪzər/ s **1** silmikko, visiiri **2** (lakin) lippa **3** (autossa) häikäisysuojus
vista /vɪstə/ s näkymä, näköala
visual /vɪʒuəl/ adj näkyvä, näkö-, kuva-, visuaalinen
visual arts s (mon) kuvataide
visual cortex s (aivojen) näkökeskus
visual display terminal s (tietok) näyttöpääte
visualize /ˈvɪʒuəˌlaɪz/ v **1** kuvitella mielessään **2** tehdä nähtäväksi, visualisoida
visually adv näkyvästi, kuvallisesti, visuaalisesti
visually impaired the visually impaired (mon) näkövammaiset
visual range s näkyvyys
vital /vaɪtəl/ adj **1** elinvoimainen, vireä **2** elintärkeä, ratkaiseva
vitalize /ˈvaɪtəˌlaɪz/ v **1** elvyttää, tehdä eläväksi **2** elävöittää, elvyttää, vilkastuttaa, innostaa
vitally adv **1** elinvoimaisesti, vireästi **2** erittäin, ratkaisevan
vitamin /vaɪtəmən/ s vitamiini vitamin C C-vitamiini
vivacious /vəˈveɪʃəs, vaɪˈveɪʃəs/ adj eloisa, vilkas, pirteä, reipas
vivaciously adv eloisasti, vilkkaasti, pirteästi, reippaasti
vivaciousness s eloisuus, vilkkaus, pirteys, reippaus
vivacity /vəˈvæsəti/ s eloisuus, vilkkaus, pirteys, reippaus
vivid /vɪvəd/ adj **1** (väri, valo) kirkas, voimakas **2** eloisa, värikäs, (ihminen, mielikuvitus) vilkas, (muisto) tuore
vividly adv **1** (väristä, valosta) kirkkaasti, voimakkaasti **2** eloisasti, vilkkaasti, (muistaa) hyvin
vividness s **1** (värin, valon) kirkkaus, voimakkuus **2** eloisuus, (ihmisen, mielikuvituksen) vilkkaus, (muiston) tuoreus
vivisection /ˈvɪvəˌsekʃən/ s (eläinten leikkely tutkimustarkoituksiin) vivisektio

vivisectionist /'vɪvə,sekʃənɪst/ s (eläimiä tutkimustarkoituksiin leikkelevä henkilö) vivisektori
vixen /vɪksən/ s **1** naaraskettu **2** (kuv naisesta) (paha) akka
vocabulary /və'kæbjə,leri voʊ'kæbjə,leri/ s **1** (puhujan, kielen) sanavarasto, (koko) sanasto **2** (oppikirjan yms) sanasto **3** (taitelijan ym) ilmaisumuotojen valikoima
vocal /voʊkəl/ adj **1** ääni-, suullinen **2** (mus) laulu- **3** äänekäs, kovaääninen the group has been very vocal in its demands ryhmä on ajanut vaatimuksiaan hyvin voimakkaasti
vocal cords s (mon) äänihuulet
vocalize /'voʊkə,laɪz/ v **1** sanoa, ääntää, lausua, tuoda esiin, ilmaista **2** laulaa
vocally adv **1** suullisesti **2** äänekkäästi, kovaäänisesti
vocation /voʊ'keɪʃən/ s **1** ammatti **2** kutsumus
vocational adj **1** ammatillinen, ammatti- **2** ammatinvalinta-
vocational education s ammattikoulutus
vocational guidance s ammatinvalinnan ohjaus
vocational school s ammattikoulu
vociferous /voʊ'sɪfərəs/ adj **1** äänekäs, meluisa, kovaääninen **2** voimakas, ponnekas, kovaääninen
vociferously adv **1** äänekkäästi, meluisasti, kovaäänisesti **2** voimakkaasti, ponnekkaasti, kovaäänisesti
vodka /vadkə/ s votka
vogue /voʊg/ s muoti to be in vogue olla muodissa to go out of vogue joutua/jäädä pois muodista
voice /vɔɪs/ s ääni
voiced adj (äänne) soinnillinen
voiceful adj äänekäs, kovaääninen
voiceless adj (äänne) soinniton
voice recognition s (tietok) puheentunnistus
void /vɔɪd/ s **1** tyhjyys **2** (kuv) tyhjyys, tyhjä aukko, tyhjyyden tunne v **1** tyhjentää **2** mitätöntää, mitätöidä adj **1** tyhjä **2** his life is void of meaning hänen elämässään ei ole sisältöä **3** mitätön, pätemätön, kelpaamaton null and void mitätön
volatile /valətəl/ adj **1** haihtuva **2** (kuv) ailahteleva, epävakainen, oikukas, arvaamaton
volatility /,valə'tɪləti/ s **1** haihtuvuus **2** (kuv) ailahtelu, ailahtelevuus, epävakaisuus, oikullisuus, arvaamattomuus **3** (tal) volatiliteetti, vaihtelevuus
volcanic /val'kænɪk/ adj vulkaaninen, tulivuori-, tuliperäinen
volcano /val'keɪnoʊ/ s (mon volcanos, volcanoes) tulivuori
volley /vali/ s **1** yhteislaukaus **2** (kuv) myrsky, syöksy **3** (tenniksessä) lentolyönti v ampua yhteislaukaus, laukaista yhtä aikaa
volleyball /'vali,baəl/ s **1** lentopallo-(peli) **2** (pallo) lentopallo
volt /voəlt/ s (sähköjännitteen mittayksikkö) voltti
voltage /voltədʒ/ s jännite
volubility /,valjə'bɪləti/ s (ihmisen) puheliaisuus, (halventaen:) suulaus, (puheen) vuolaus
voluble /valjəbəl/ adj (ihminen) puhelias, (halventaen:) suulas, kielevä, (puhe) vuolas
volubly adv puheliaasti, (halventaen:) suulaasti, vuolaasti
volume /valjum/ s **1** nidos, teos, kirja that speaks volumes for his attitude towards foreigners se kertoo paljon hänen suhtautumisestaan ulkomaalaisiin her eyes speak volumes hänellä on paljonpuhuvat silmät, hänen silmänsä kertoivat/paljastivat kaiken **2** (kirjasarjan) osa **3** vuosikerta **4** tilavuus **5** määrä, laajuus **6** suuri määrä **7** äänenvoimakkuus
volume discount s määräalennus
voluminous /və'lumɪnəs/ adj suuri, laaja, runsas, paljo
voluntarily /,valən'terəli/ adv vapaaehtoisesti, omasta tahdostaan
voluntary /'valən,teri/ adj vapaaehtoinen, vapaaehtois-, vapaa-

volunteer /ˌvalən'tɪər/ s, adj vapaaehtoinen volunteer fire department vapaapalokunta
v **1** ilmoittautua vapaaehtoiseksi, osallistua vapaaehtoisesti **2** kertoa/paljastaa/esittää vapaahtoisesti he volunteered that he had been alone at the time of the murder hän kertoi olleensa murhahetkellä yksin
voluptuous /və'lʌpʃuəs/ adj (elämä) ylellinen, (nautinto) aistillinen, aisti-, (nainen) uhkea
voluptuously adv ks voluptuous
vomit /vamət/ s oksennus
v **1** oksentaa, antaa ylen **2** sylkeä/syöstä esiin, tupruta
vote /voʊt/ s **1** äänestys, vaalit **2** ääni **3** äänimäärä **4** äänestyksen tulos, vaalitulos **5** äänioikeus
v äänestää
vote down v äänestää kumoon/vastaan, kaataa äänestyksessä
vote on v ratkaista äänestyksellä, äänestää jostakin
voter s äänestäjä, valitsija
voting machine s äänestyskone
voucher s **1** takaaja **2** voucher
vouch for /vaʊtʃ/ v varmistaa, taata, mennä takuuseen jostakusta/jostakin I can vouch for his integrity voin mennä takuuseen siitä että hän on rehellinen
vouchsafe /ˌvaʊtʃ'seɪf/ v suoda, suvaita, sallia
vow /vaʊ/ s lupaus, vala to take vows tehdä luostarilupaus
v luvata, vannoa
vowel /vaʊəl/ s vokaali
voyage /voɪədʒ/ s matka
v matkustaa
voyager s matkustaja, matkalainen, matkailija
voyeur /voɪ'jər/ s voyeuristi, (sukupuolista mielihyvää tavoitteleva) tirkistelijä
voyeurism /voɪ'jərɪzəm, 'voɪjəˌrɪzəm/ s voyeurismi, (sukupuolista mielihyvää tuottava) tirkistely
vulgar /vəlgər/ adj **1** mauton, sivistymätön, karkea, rivo **2** tavallinen, kansanomainen, kansan-, rahvaanomainen
vulgarity /vəl'gerəti/ s **1** mauttomuus, sivistymättömyys, karkeus, rivous **2** tavallisuus, kansanomaisuus, rahvaanomaisuus
vulgarly adv ks vulgar
vulnerability /ˌvəlnərə'bɪləti/ s haavoittuvuus, suojattomuus, herkkyys, alttius jollekin
vulnerable /vəlnərəbəl/ adj haavoittuvainen, suojaamaton, turvaton, herkkä, altis jollekin
vulture /vəltʃər/ s **1** korppikotka **2** kondori **3** (kuv) haaska
vulva /vəlvə/ s (mon vulvae, vulvas) häpy, vulva
Vyborg /vibɔrg/ Viipuri

W, w

W, w /'dʌbəl,ju/ W, w
wacko /wækoʊ/ s (sl) hullu, tärähtänyt
wacky /wæki/ adj (sl) hullu, tärähtänyt
wad /wad/ s tukko, tukku, tuppo, pallo to shoot your wad (ark) törsätä rahansa, panna rahansa menemään; väsyttää/uuvuttaa itsensä; (sl) (miehestä) saada siemensyöksy
v **1** rutistaa, puristaa/tehdä tukoksi/tukuksi/tupoksi/palloksi **2** täyttää, sulloa täyteen
waddle /wadəl/ s taaperrus
v taapertaa
wade /weɪd/ v **1** kahlata **2** polskutella, leikkiä vedessä
wade into v **1** panna hihat heilumaan **2** käydä jonkun kimppuun **3** haukkua, sättiä jotakuta
wader /weɪdər/ s kahlaaja(lintu)
wade through v kahlata jonkin läpi (myös kuv lukemisesta)
wafer /weɪfər/ s **1** vohveli(keksi) **2** ehtoollisleipä, öylätti
wafer-thin adj erittäin ohut
waffle /wafəl/ s **1** vohveli **2** (ark) sumutus, hämäys, vetkuttelu
v (ark) sumuttaa, yrittää hämätä, vetkutella
waft /waft/ s tuulahdus, lemahdus, heikko ääni
v tuulahtaa, lemahtaa, leijua, kuulua (heikosti)
wag /wæg/ s **1** (hännän ym) heilutus, heilahdus, heilautus, (sormen) heristys, (pään) nyökkäys, kumarrus, pudistus **2** lörpöttelijä, juoruilija
v **1** (häntää) heiluttaa, (sormea) heristää, (päätä) nyökätä, kumartaa, pudistaa **2** lörpötellä, juoruta
wage /weɪdʒ/ s **1** (us mon) (tunti/päivä/viikko)palkka **2** (mon, kuv) palkka the wages of sin synnin palkka
v käydä, harjoittaa: to wage war sotia
wage freeze s palkkojen jäädytys
wager /weɪdʒər/ s veto
v lyödä vetoa, panna pantiksi
wage slave s palkkaorja
waggle /wægəl/ s heiluminen, heilahdus, heilutus, (pään) pudistus, (sormen) heristys
v heilua, heiluttaa, (päätä) pudistaa, (sormea) heristää
wagon /wægən/ s **1** vaunu(t), vankkuri(t) to circle the wagons (villissä lännessä) järjestää vaunut suojaksi ympyrään; (sl) käydä puolustusasemiin to fix someone's wagon (sl) kostaa, maksaa takaisin; antaa selkään, näyttää taivaan merkit jollekulle **2** poliisiauto, mustamaija **3** station wagon farmariauto **4** kuorma-auto **5** pakettiauto **6** to be on the wagon (sl) olla kuivana, ei juoda (alkoholia) he's off the wagon again (sl) hän on taas ratkennut ryyppäämään
wagonload /'wægən,loud/ s vaunukuorma(llinen), vaunulasti(llinen)
wagon train s (hist) vaunujono, vankkurijono
wail /weɪəl/ s voihkaisu, vaikerointi, (lapsen) itku, parahdus, (tuulen) ulvonta
v vaikeroida, voihkia, (lapsi) itkeä, parkua, (tuuli) ulvoa
waist /weɪst/ s vyötärö
waistband /'weɪst,bænd/ s uumanauha
waistcloth /'weɪst,klaθ/ s (mon waistcloths) lannevaate
waistcoat /'weɪst,kout/ s (UK) liivi
waistline /'weɪst,laɪn/ s vyötärönmitta, vyötärö(n ympärys)
wait /weɪt/ s odotus, viivytys, viivästys we had a three-hour wait in Atlanta

jouduimme odottamaan Atlantassa (jatkoyhteyttä) kolme tuntia to lie in wait väijyä, vaania
v odottaa wait for me odota minua
waiter /weɪtər/ s tarjoilija
waiting s odotus
waiting list s odotuslista, jono
waiting room s odotushuone
wait-list s odotuslista
v panna odotuslistalle/jonoon
wait on v **1** palvella (asiakasta, palvelijana), tarjoilla jollekulle (ravintolassa) **2** vieraillа jonkun luona
wait on table fr olla tarjoilijana
waitress /weɪtʃrəs/ s tarjoilija(tar)
waitron /weɪtrən/ s (seksismin välttämiseksi luotu sana) tarjoilija
wait table(s) fr olla tarjoilijana
wait up v **1** valvoa (ja odottaa jotakuta) don't wait up for me, I'll be home late älä suotta valvo minun takiani, minä tulen vasta myöhään kotiin **2** (ark) (pysähtyä ja) odottaa
wait upon v odottaa jotakin
wake /weɪk/ s **1** valvojaiset **2** vanavesi (myös kuv) he followed in the wake of his father hän seurasi isäänsä/isänsä perässä/kannoilla/vanavedessä
v woke/waked, woken/waked **1** herätä, herättää (myös kuv:) huomata, saada huomaamaan the book woke Herbert to the dangers of food additives kirja sai Herbertin oivaltamaan elintarvikelisäaineiden vaarat **2** olla valveilla/hereillä **3** valvoa, odottaa
wakeful **1** uneton **2** valpas
wakeless adj (uni) sikeä
waken v herätä, herättää (myös kuv)
wake-up s herätys, herääminen
wake up v herätä, herättää (myös kuv) huomata, saada huomaamaan
wake-up call s (hotellissa ym) herätyssoitto
Wales /weɪəlz/ Wales
walk /wak/ s kävely; kävelymatka take a walk (ark) häivy!, ala nostella!, jätä minut rauhaan
v **1** kävellä, kävelyttää **2** (sl) ruveta lakkoon **3** (sl) (syytetystä) päästä vapaaksi, ei joutua vankilaan
walk all over v (kuv) kohdella jotakuta tylysti/kaltoin
walk a tightrope fr (kuv) olla tiukoilla/ahtaalla, olla täpärässä tilanteessa
walker s kävelijä
walkie-talkie /ˌwaki'taki/ s radiopuhelin
walking papers s (ark mon) eropaperit, lähtöpassit, potkut
walking stick s kävelykeppi
Walkman® /wakmən/ Walkman, korvalappustereot
walk off v **1** kävellä pois(päin), lähteä **2** (yrittää) päästä kävelemällä irti jostakin to walk off a headache/hangover lähteä kävelylle päästäkseen eroon päänsärystä/krapulasta
walk off with v **1** viedä mennessään/mukanaan, varastaa, pistää taskuunsa (kuv) the burglars walked off with ten million murtovarkaat saivat kymmenen miljoonan dollarin saaliin **2** saada: he walked off with the impression that... hän sai sen vaikutelman/kuvan että...
walk of life in all walks of life kaikilla aloilla/elämänaloilla
walk on air fr (ark) olla ikionnellinen, olla onnensa kukkuloilla
walk on eggs fr (ark) olla varpaisillaan, pitää varansa
walk out v **1** ruveta/ryhtyä lakkoon, tehdä lakko **2** marssia ulos (vastalauseen merkiksi)
walkout /'wak,aʊt/ s lakko
walk out on v hylätä, jättää
walk over v kohdella jotakuta tylysti/kaltoin
walk Spanish v **1** antaa/saada potkut **2** marssia (jonkun pakottamana ulos/pois/jonnekin)
walk the chalk fr totella kiltisti, tehdä (juuri) kuten pitää
walk the floor fr kävellä (hermostuneena) edestakaisin
walk through v **1** tutustuttaa joku johonkin, opastaa/neuvoa kädestä pitäen **2** tehdä jotakin/esittää pintapuolisesti, ei ottaa tosissaan

walk up v (metsästäjästä) säikäyttää (riista) karkuun (kävelemällä/lähestymällä äänekkäästi)
walk-up s hissitön (monikerroksinen) rakennus
wall /waəl/ s seinä, muuri, (vuoren) seinämä, valli, penger the Wall Berliinin muuri the Great Wall Kiinan muuri to climb walls (sl) kiivetä seinille, raivostua, pillastua they drove/pushed him to the wall he panivat hänet ahtaalle/seinää vasten/lujille off the wall (sl) kohtuuton, pöyristyttävä; outo, kumma, omituinen we are up against the wall olemme pahassa pinteessä/pulassa, kohtalomme on veitsen terällä
v aidata, suojata muurilla/vallilla
wallaby /waləbi/ s (kenguruita) vallabi
wallaroo /walәru/ s wallaroo, vuorikenguru
walled adj muurien ympäröimä, muurilla/vallilla suojattu
wallet /walət/ s lompakko
wallop /waləp/ v **1** piestä, hakata (myös kuv:) voittaa **2** iskeä, lyödä
walloping s (ark) selkäsauna (myös kuv:) musertava tappio
adj (ark) valtava, suunnaton, silmitön
wallow /waloʊ/ v rypeä (myös kuv) she was wallowing in self-pity hän rypi/piehtaroi itsesäälissä
wallpaper /ˈwal,peɪpər/ s tapetti
v tapetoida
walls have ears fr seinillä on korvat
wall-to-wall carpeting /ˌwaltəwalˈkarpətiŋ/ s kokolattiamatto
walnut /ˈwal,nʌt/ s saksanpähkinä
walrus /walrəs/ s (mon walruses, walrus) mursu
walrus mustache s mursunviikset
waltz /waəlts/ s (tanssi) valssi
v **1** tanssia valssia **2** (ark) mennä/kulkea nopeasti, marssia (kuv), sujua leikiten
wand /wand/ s sauva magic wand taikasauva
wander /wandər/ v **1** vaeltaaa, kiertää, kierrellä, harhailla **2** kiemurrella, mutkitella, luikerrella **3** poiketa, eksyä (suunnasta) **4** (kuv) (ajatukset) harhailla, sekoilla (ark), (puhe) poiketa/eksyä asiasta
wanderings s (mon) **1** harhailu, harharetket **2** (kuv) (ajatusten) harhailu, sekoilu (ark)
wane /weɪn/ s lasku, väheneminen to be on the wane vähentyä, laskea, taantua, olla vähenemään päin
v **1** vähentyä, vähetä (esim kuu), supistua, pienentyä, heiketä, hämärtyä, hu-veta; päättyä, loppua **2** (kiinnostus) herpaantua, (asema) heiketä, taantua
wangle /wæŋgəl/ v **1** keplotella (itselleen), hankkia keplottelemalla **2** vääräntää, sormeilla, kaunistella
waning moon s vähenevä kuu
Wankel engine /wæŋkəl/ s wankelmoottori, kiertomäntämoottori
wannabe /wanəbi/ s fani joka haluaa samastua ihailemaans julkkikseen Madonna wannabes (sanoista want to be)
want /want/ s **1** halu needs and wants tarpeet ja halut **2** puute
v **1** haluta, tahtoa **2** kaivata, olla jonkin puutteessa, jostakin puuttuu jotakin this novel wants seriousness tästä romaanista uupuu vakavuus your room wants cleaning huoneesi on siivouksen tarpeessa **3** elää/olla puutteessa, kärsiä puutetta
want ad s (lehdessä) luokiteltu ilmoitus
want in v haluta tulla mukaan, haluta osallistua
wanting adj puutteellinen, uupuva: I found his explanation wanting minusta hänen selityksensä jätti toivomisen varaa/ei ollut riittävä
want list s esim keräilijän/museon etsimien tavaroiden luettelo, toivomuslista
want out v haluta luopua jostakin, haluta pois jostakin
wapiti /wapəti/ s vapiti
war /wɔr/ s sota (myös kuv) to be at war olla sodassa, sotia
v (myös kuv) sotia, olla sodassa (jotakuta/jotakin vastaan, with), taistella (myös kuv)
war baby s sotalapsi

warble /wɔrbəl/ s liverrys; liverre v livertää; laulaa liverre
war bride s sotamorsian
war correspondent s sotakirjeenvaihtaja
war crime s sotarikos
ward /wɔrd/ s **1** (sairaalan, vankilan) osasto **2** holhokki, holhotti, suojatti; hoidokki, hoidokas **3** holhous
war dance s sotatanssi
warden /wɔrdən/ s valvoja, vartija, hoitaja, johtaja (esim vankilanjohtaja)
War Department s (hist) sotaministeriö
warder s **1** ovenvartija, portinvartija, talonmies **2** vartiomies, vartiosotilas **3** (UK) vanginvartija
ward off v torjua, estää
wardrobe /wɔrdroub/ s **1** vaatteet, puvut, puvusto **2** (huonekalu) vaatekaappi **3** vaatekomero
ware /weər/ s **1** (us mon) kauppatavara **2** (us mon) palvelut, taidot **3** esineet silverware hopeaesineet, hopeatavara, hopeat
warehouse /'wer,haus/ s varasto v varastoida, panna varastoon
warfare /'wɔr,feər/ s sodankäynti, sota
war footing s (olla) sotajalalla
war-horse s **1** sotahevonen, sotaratsu **2** (kuv) veteraani, konkari
warily adv varovasti, valppaasti, epäluuloisesti
wariness s varovaisuus, valppaus, epäluuloisuus
warlord /'wɔr,lɔrd/ s sotapäällikkö
warm /wɔrm/ v lämmittää, lämmetä adj **1** lämmin **2** (kuv) lämmin, ystävällinen, (ystävä) läheinen **3** (kuv) tulistunut, suuttunut, vihainen, (tilanne) kärjistynyt, kuuma
warm-blooded adj lämminverinen
warm-down s (liikuntahetken) loppulämmittely
warm down v tehdä (liikuntahetken) loppulämmittely
warmonger /'wɔr,mʌŋgər/ s sodanlietsoja
warmongering s sodanlietsonta, sotaan yllytys
warmth /wɔrmθ/ s **1** lämpimyys; lämpö **2** (kuv) lämpimyys, lämpö, ystävällisyys, myötämielisyys
warm the bench fr (urh) olla varapelaajana (joka harvoin osallistuu peliin)
warmup /'wɔr,mʌp/ s (liikunnan) (alku)lämmittely
warm up v **1** lämmittää, lämmetä (myös kuv) she warmed up to the subject hän lämpeni asialle, hän innostui asiasta **2** lämmitellä (ennen liikuntaa)
warn /wɔrn/ v **1** varoittaa **2** kehottaa **3** ilmoittaa (etukäteen)
warning s varoitus
war of nerves s hermosota
warp /wɔrp/ s **1** vääntymä, vääristymä (myös kuv) **2** loimi v vääntää, vääntyä, vääristää (myös kuv), vääristyä (myös kuv)
war paint s sotamaali (myös kuv:) meikki, ehostus
war path to be on the war path olla sotapolulla/sotajalalla
warping frame s luomapuut
warp thread s loimi
warrant /wɔrənt/ s **1** lupa, valtuus, valtuutus search warrant etsintälupa we have a warrant for your arrest meillä on teistä pidätysmääräys **2** tae, takuu **3** (tal) optiotodistus v **1** antaa/myöntää lupa johonkin **2** oikeuttaa, tehdä oikeutetuksi/perustelluksi the current situation does not warrant more drastic measures nykytilanne ei anna aihetta jyrkempiin toimiin **3** taata, myöntää takuu
warranty /wɔrənti/ s **1** lupa, valtuutus, valtuus **2** tae, takuu manufacturer's two-year warranty valmistajan myöntämä kahden vuoden takuu that does not fall under the warranty se ei kuulu takuun piiriin, takuu ei kata sitä v taata, myöntää takuu
warren /wɔrən/ s **1** kaniinitarha **2** vuokrakasarmi(alue)
warrior /wɔrjər/ s soturi (myös kuv)
Warsaw /wɔrsa/ Varsova

wart /wɔrt/ s känsä, syylä
warthog /'wɔrt,hag/ s pahkasika
warts and all fr (ark) kaikkine puutteineen, kaunistelematta
wary /weri/ adj varovainen, valpas, epäluuloinen
was /wʌz/ ks be
Wasatch Range /,wasætʃ'reɪndʒ/ Wasatchvuoristo (Utahissa ja Idahossa)
wash /waʃ/ s **1** pesu to come out in the wash (kuv) päättyä onnellisesti, käydä hyvin; paljastua, tulla ilmi **2** pyykki **3** aallokko, hyrsky **4** kuivunut joenuoma
v **1** pestä, peseytyä **2** pestä pyykki **3** ajautua **4** peittää, levittäytyä **5** (ark) pitää kutinsa/paikkansa
washable /waʃəbəl/ s pesunkestävä vaate
adj pesunkestävä
washateria /,waʃə'tɪriə/ s itsepalvelupesula
washboard /'waʃ,bɔrd/ s **1** pesulauta **2** jalkalista
adj aaltoileva, epätasainen his washboard stomach hänen komeat vatsalihaksensa
wash down v **1** pestä perusteellisesti **2** huuhdella kurkustaan alas
washed-out adj **1** (esim pesussa) haalistunut **2** (ark) uupunut, rätti
washer s **1** pesijä **2** pesukone **3** aluslevy, prikka (ark)
washer-dryer /waʃər'draɪər/ s (yhdistetty) pesu- ja kuivauskone
washing machine s pesukone
Washington /waʃiŋtən/
Washington, D.C. /,waʃiŋtən,di'si/ Yhdysvaltain pääkaupunki (D.C., District of Columbia, Columbian liittopiirikunta)
wash out v **1** (lika) irrota pesussa, pestä puhtaaksi **2** hämärtyä, muuttua epäselväksi **3** (ark) peruuttaa (tilaisuus), erottaa (koulusta)
wash up v **1** peseytyä **2** pestä astiat, tiskata (ark) **3** ajautua (rantaan) **4** (ark passiivissa) olla mennyttä we're washed up as writers olemme entisiä kirjailijoita
wash your hands of fr pestä kätensä jostakin
wasn't /wʌzənt/ was not

wasp /wasp/ s ampiainen
WASP /wasp/ s **1** valkoihoinen angolosaksinen protestantti **2** valkoisen ylemmän keskiluokan jäsen
waspish adj **1** ampiaismainen **2** äkäinen, kiukkuinen **3** Waspish valkoisen ylemmän keskiluokan
waspy adj **1** ampiaismainen **2** äkäinen, kiukkuinen **3** Waspy valkoisen ylemmän keskiluokan
wastage /weɪstədʒ/ s **1** tuhlaus, hukka **2** jäte, saaste
wastbasket /'weɪst,bæskət/ s roskakori, paperikori
waste /weɪst/ s **1** tuhlaus, hukka waste of time ajanhukka, ajan haaskaus to go to waste mennä hukkaan **2** jäte, saaste **3** autio alue; hävitys to lay waste hävittää, tuhota, autioittaa
v **1** tuhlata, hukata, haaskata **2** päästää sivu suun, jättää käyttämättä (tilaisuus) **3** kuihduttaa, kuihtua; hävittää, tuhota **4** (sl) nitistää, tappaa
wasteful adj tuhlaileva, tuhlaavainen; tarpeeton
wastefully adv tuhlailevasti, tuhlaavaisesti; tarpeettomasti
wastefulness s tuhlaavaisuus, tuhlailu
wasteland /'weɪst,lænd/ s **1** autiomaa, erämaa, joutomaa **2** tuhoalue
wastepaper /'weɪst,peɪpər/ s jätepaperi
watch /watʃ/ s **1** vartiointi, vartiovuoro; valvonta, valvominen to keep a close watch on pitää tarkasti silmällä jotakuta/jotakin to be on the watch olla varuillaan/valppaana **2** varoitus storm watch myrskyvaroitus **3** rannekello
v **1** katsoa, katsella to watch television katsoa televisiota **2** tarkata, seurata, odottaa, kärkkyä **3** varoa, olla varovainen **4** vahtia, vartioida, pitää silmällä **5** (refl) olla varuillaan, pitää varansa; hillitä itsensä
watchband /'watʃ,bænd/ s (kellon) ranneke
watchdog /'watʃ,dag/ s **1** vahtikoira, vartijakoira **2** (kuv) vartija

watcher s **1** katsoja, sivustakatsoja; vartija, valvoja **2** (poliittinen ym) tarkkailija
watch out v varoa
watch over v valvoa, vartioida, pitää silmällä
watch your step fr varoa, olla varovainen, astua varovasti
water /watər/ s **1** vesi to travel by water matkustaa vesitse/laivalla some of us have trouble keeping their heads above water toisilla meistä on vaikeuksia saada rahat riittämään your argument doesn't hold water perustelusi ontuu our company is in deep water yrityksemme on vaikeuksissa to be in hot water olla pulassa/nesteessä to be dead in the water olla poissa kuvioista, olla unohdettu to make water (alus) vuotaa; virtsata to take water (alus) vuotaa for the past month, she has been treading water viimeisen kuukauden ajan hän on polkenut/huovannut paikallaan **2** (mon) vedet, vesistö **3** (mon) kylpylä
v kastella have you watered the lawn/plants? joko olet kastellut nurmikon/kasvit? the sight of the apple pie made my mouth water omenapiirakka sai veden herahtamaan kielelleni
Water Bearer (tähdistö) Vesimies
water bird s vesilintu
water buffalo /bʌfəlou/ s vesipuhveli
waterbuck /'watər,bʌk/ s vesiantilooppi
water chevrotain /ʃevrətein/ s kääpiövesikauris
water closet s wc
watercolor /'watər,kʌlər/ s **1** vesiväri **2** (taidelaji) vesivärimaalaus **3** vesivärityö, vesivärimaalaus
water-cooled adj nestejäähdytteinen, vesijäähdytteinen
water deer s vesikauris
water down v **1** jatkaa, laimentaa jotakin, lisätä vettä johonkin **2** (kuv) vesittää, laimentaa, heikentää
watered-down adj **1** (juoma) jatkettu, laimennettu **2** (kuv) vesitetty, laimennettu
waterfall /'watər,faəl/ s vesiputous
water fountain s juomalaite
waterfowl /'watər,fauəl/ s (waterfowl, waterfowls) vesilintu
waterfront /'watər,frʌnt/ s **1** ranta-(tontti/tontit) **2** satama(-alue)
water glass s vesilasi, juomalasi
watering hole s (ark) kapakka
water level s **1** vedenkorkeus **2** vesivaaka
water line s (aluksen) vesiviiva, vesilinja
waterlogged /'watər,lagd/ adj joka on täynnä vettä, joka on veden peitossa
Waterloo /'watər,lu/ in that man, she met her Waterloo se mies koitui hänen kohtalokseen
watermelon /'watər,melən/ s vesimeloni
water mill s vesimylly
Water Monster (tähdistö) Vesikäärme
water opossum /ə'pasəm/ s pussisaukko, japok (Chironectes minimus)
waterproof /'watər,pruf/ v tiivistää, tehdä vedenpitäväksi
adj vedenpitävä, tiivis
water-resistant /,watərrı'zıstənt/ adj vettä hylkivä
water ski s vesisuksi
water-ski v hiihtää vesisuksella/vesisuksilla
water-skier s vesihiihtäjä
water-skiing s vesihiihto
water-soluble /,watər'saljəbəl/ adj vesiliukoinen
watersport /'watər,spɔrt/ s vesiurheilu
waterspout /'watər,spaut/ s (räystäskourun) syöksyputki
water table s pohjaveden pinta
watertight /'watər,taıt/ adj **1** vedenpitävä, tiivis **2** (kuv) aukoton, ehdoton, vedenpitävä
water tower s vesitorni
water vapor s vesihöyry
waterway /'watər,weı/ s vesitie, vesireitti
waterworks /'watər,wərks/ to turn on the waterworks (sl) ruveta vetistelemään
watery adj vetinen, märkä

watt /wat/ s watti
wave /weɪv/ s **1** aalto (myös kuv) to make waves (ark kuv) kiikuttaa venettä, herättää huomiota **2** (käden) heilautus, heilutus, viittaus
v **1** heilua, heiluttaa, (lippu) liehua, (oksa) huojua **2** viitata, viittoa (kädellä) **3** kiemurrella, luikerrella **4** (hiukset) aallottaa, aaltoilla
wave band s (radio, televisio) aaltoalue
wavelength /ˈweɪvˌleŋθ/ s aallonpituus (myös kuv) you and I are not on the same wavelength emme ole samalla aallonpituudella
waver /weɪvər/ s **1** vilkuttaja, (lipun) heiluttaja
v **1** heilua, huojua **2** väristä, vapista **3** empiä, epäröidä **4** heiketä, huonontua, rapistua
wavy adj aaltoileva, aalto-, kumpuileva; mutkitteleva, kiemurteleva
wax /wæks/ s vaha, (esim) mehiläisvaha whole ball of wax (sl) koko juttu; kimpsut ja kampsut, kaikki
v **1** vahata **2** kasvaa (myös kuusta), lisääntyä, voimistua **3** tulla joksikin he waxed enthusiastic about the deal hän innostui kaupasta
waxen /wæksən/ adj **1** vaha- **2** kalvakka, kalpea **3** vaikutuksille altis, herkkä
waxing moon s kasvava kuu
wax museum s vahamuseo
wax paper s voipaperi
way /weɪ/ s **1** tie freeway moottoritie the shortest way lyhin/suorin tie we drove to Tucson by way of Phoenix ajoimme Tucsoniin Phoenixin kautta **2** suunta did she go this way or that? menikö hän tänne vai tuonne? **3** tapa, keino, menetelmä **4** puoli, suhde in many ways monella tapaa, monelta osin in more ways than one monella tapaa, monessa suhteessa in a way tavallaan, jossain/eräässä mielessä no way (ark) ei ikinä!, ei missään nimessä!
adv it's way too expensive se on aivan liian kallis let's go way back muistellaanpa menneitä Barnes, you're way out of line nyt menitte liian pitkälle, Barnes
wayfarer /ˈweɪˌferər/ s vaeltaja
wayfaring s vaellus
waylaid ks waylay
waylay /ˈweɪˌleɪ/ v waylaid, waylaid: hyökätä kimppuun
way out s (kuv) ulospääsy, ratkaisu
adj (ark) fantastinen, ihmeellinen
wayside /ˈweɪˌsaɪd/ s tienvieri to fall by the wayside jättää kesken, keskeyttää
waystation /ˈweɪˌsteɪʃən/ s väliasema
we /wi/ pron me
weak /wik/ adj heikko (myös kuv), (tee) laiha
weaken adj heikentää, heikentyä
weaker sex s heikompi astia/sukupuoli
weakling s (kuv) selkärangaton ihminen, pelkuri, jänishousu
weakly adj heikko, huonokuntoinen
adj heikosti (myös kuv), (puhua) hiljaa
weakness s heikkous
weak sister s (ark) pelkuri, jänishousu
wealth /weəlθ/ s **1** vauraus, rikkaus a woman of wealth vauras nainen **2** paljous, runsaus a wealth of source material runsaasti lähdeaineistoa
wealthily adv vauraasti, rikkaasti, ylellisesti
wealthy adj vauras, rikas; ylellinen
wean /win/ v vieroittaa
weapon /wepən/ s ase (myös kuv)
weaponry /wepənri/ s aseistus
wear /weər/ s **1** käyttö **2** kulutus, kuluminen **3** vaatteet casual wear vapaa-ajan vaatteet
v wore, worn **1** (vaatteista) pitää/olla päällä what will you be wearing tonight? mitä panet päällesi illalla? **2** (ilmeestä ym) to wear a look of contempt näyttää halveksivalta **3** kulua, kuluttaa, kalvaa, jäytää **4** kestää to wear well olla kestävä, kestää kulutusta **5** (aika) kulua (hitaasti)
wear and tear s (käytöstä johtuva) kuluminen
wear down v **1** kuluttaa/käyttää (vaate ym) loppuun **2** väsyttää, uuvuttaa
wearily adv väsyneesti, uupuneesti, kyllästyneesti

weariness s väsymys, uupumus, kyllästyminen
wear off v lakata (vähitellen)
wear out v **1** kuluttaa/käyttää loppuun **2** väsyttää, uuvuttaa
wear thin v **1** alkaa loppua, käydä vähiin **2** alkaa kyllästyttää, menettää viehätyksensä
weary /wɪri/ v väsyttää, uuvuttaa
adj väsynyt, uupunut; väsyttävä, raskas
weary of v saada kyllästymään johonkin
adj: to be weary of something olla kyllästynyt johonkin, olla saanut tarpeekseen jostakin
weasel /wizəl/ s **1** näätäeläin **2** (kuv) kettu
weasel out of v keplotella itsensä eroon/vapaaksi jostakin
weather /weðər/ s sää, ilma to be under the weather voida huonosti, ei olla oikein kunnossa; olla krapulassa; olla hiprakassa
v **1** kuivata/varastoida (puuta) ulkona **2** kuluttaa, kulua, kalvaa, jäytää, haalistaa, haalistua, rapauttaa, rapautua **3** kestää jokin, selvitä jostakin
weathercast /'weðər,kæst/ s säätiedotus
weather eye to keep your weather eye open pitää varansa, olla varuillaan
weatherman /'weðər,mæn/ s (mon weathermen) (television, radion) säätiedottaja, ilmatieteilijä
weather map s sääkartta
weather report s säätiedotus
weave /wiv/ s sidos plain weave palttina twill weave toimikas satin weave ponsi, satiini
v wove/woved, woven **1** kutoa **2** punoa, solmia, sitoa **3** (kuv) kertoa; keksiä **4** pujotella, luikerrella, kiemurrella
weave in v ottaa jotakin mukaan johonkin
weaver /wivər/ s kutoja
web /web/ s **1** verkko, (erit) hämähäkinverkko **2** (kuv) verkko, vyyhti **3** (vesilinnun jalan) räpylä
v **1** muodostaa/tehdä verkko; peittää verkkoon **2** pyydystää, ottaa kiinni
webfoot /'web,fʊt/ s räpyläjalka
wed /wed/ v wedded/wed, wedded/wed **1** naida joku, mennä naimisiin (jonkun kanssa) **2** vihkiä (avioliittoon) **3** yhdistää, yhdistyä **4** vihkiytyä, omistautua (jollekin asialle)
we'd /wid/ we would
wedding /wedɪŋ/ s **1** häät **2** (kuv) yhdistelmä
wedding anniversary s (häiden vuosipäivä) hääpäivä
wedding band s vihkisormus
wedding cake s hääkakku
wedge /wedʒ/ s **1** kiila **2** (kolmion muotoinen) viipale, pala **3** (golf) rautamaila (pitching wedge tai sand wedge) jolla lyödään lyhyitä ja korkeita lyöntejä esim hiekkaesteestä
v **1** kiilata, halkoa kiiloilla **2** kiilata, tukea/kiinnittää kiiloilla **3** ahtaa, ahtautua, tunkea, tunkeutua, sulloa, mahtua, kiilata
wedlock /'wed,lak/ s avioliitto born out of wedlock aviottomana syntynyt
Wednesday /wenzdi ,wenz,deɪ/ s keskiviikko
Wednesdays s keskiviikkoisin
wee /wi/ adj **1** pienen pieni, pikkuruinen **2** varhainen in the wee hours of the morning pikkutunneilla
weed /wid/ s **1** rikkaruoho **2** (ark) savuke, tupakka **3** (sl) ruoho, marihuana; ruohosätkä, marihuanasavuke
v kitkeä (myös kuv:) poistaa, lopettaa
weedy /widi/ adj rikkaruohoinen
week /wik/ s viikko
weekday /'wik,deɪ/ s arkipäivä
weekdays adv arkisin
weekend /'wik,end/ s viikonloppu
v viettää viikonloppu jossakin
weekends adv viikonloppuisin
week in, week out fr viikosta toiseen
weekly s viikkolehti
adj viikoittainen
adv viikoittain
weeknight /'wik,naɪt/ s arki-ilta
weep /wip/ v wept, wept **1** itkeä **2** tihkua, vuotaa
wee people s (satujen) pikkuväki

weigh /weɪ/ v **1** painaa, punnita he weighed the rock in his hand hän punnitsi kiveä kädessään **2** (kuv) painaa, vaivata **3** (kuv) painaa (paljon/vähän), merkitä (paljon/vähän)
weigh anchor fr nostaa ankkuri
weigh down v **1** painaa, taivuttaa alas **2** masentaa, painaa
weigh in v punnita, painaa she weighs in at 120 pounds hän painaa vain noin 55 kiloa
weigh on v (kuv) painaa jotakuta
weight /weɪt/ s paino (myös kuv) by weight painon mukaan your input carries weight with us me panemme sinun näkemyksellesi painoa try to pull your weight yritä tehdä oma osasi/hoitaa osuutesi, yritä kantaa kortesi kekoon Mr. Sanchez has been throwing his weight around again Mr. Sanchez on taas jyrännyt muut alleen/ajanut tahtonsa läpi väkipakolla
weight down v painaa (mieltä)
weightless adj painoton
weightlessness s painottomuus
weightlifter s painonnostaja
weightlifting /ˈweɪtˌlɪftɪŋ/ s painonnosto
weight-watcher /ˈweɪtˌwatʃər/ s painonvartija, laihduttaja
weighty adj **1** raskas, painava **2** (kuv) raskas, vaikea **3** (kuv) tärkeä
weigh your words fr punnita sanojaan
weird /wɪərd/ adj **1** salaperäinen, arvoituksellinen **2** outo, kumma
weirdo /ˈwɪərˌdoʊ/ s (mon weirdos) (ark) **1** pimeä tyyppi **2** hullu, mielipuoli
welcome /welkəm/ s tervehdys, tervetulon toivotus to wear out your welcome ei enää olla tervetullut jonnekin, alkaa käydä isäntäväen tms hermoille
v toivottaa tervetulleeksi (myös kuv), ottaa (mielihyvin) vastaan
adj tervetullut you're welcome to my beer ota vapaasti olutta(ni) thanks! – you're welcome! kiitos! – ole hyvä!/ei kestä
interj tervetuloa!
weld /weld/ s hitsi
v **1** hitsata **2** yhdistää, sulaa/sulautua yhteen
welder s hitsaaja
welfare /ˈwelˌfeər/ s **1** hyvinvointi **2** hyväntekeväisyys(työ) **3** sosiaaliavustukset to be on welfare elää sosiaaliavustusten varassa
welfare state s hyvinvointivaltio
well /wel/ s **1** lähde (myös kuv) oil well öljylähde **2** säiliö **3** kuilu **4** hyvä we wish you well toivotamme sinulle menestystä/onnea
v pursuta, (kyynelet) nousta (silmiin)
adj (better, best) **1** terve **2** hyvä **3** to leave well enough alone antaa jonkin/jonkun olla, jättää joku rauhaan
adv (better, best) **1** hyvin, kunnolla you did well selvisit hyvin/hienosti **2** selvästi, paljon well over three million paljon yli kolme miljoonaa **3** as well lisäksi, myös, sekä it is good as well as expensive se on sekä hyvä että kallis interj no well, I don't know en minä tiedä well, well! kas! kas!
we'll /wɪl wiəl/ we will
well-adjusted adj hyvin sopeutunut
well-appointed /ˌweləˈpɔɪntəd/ adj (huone) hienosti/hyvin sisustettu/kalustettu/varustettu
well-balanced /ˌwelˈbælənst/ adj tasapainoinen, sopusuhtainen, (ruokavalio) monipuolinen
well-being /welˈbiiŋ/ s hyvinvointi
well-beloved /ˌwelbɪˈlʌvəd/ adj pidetty, suosittu, rakastettu
wellborn /ˌwelˈbɔrn/ s jalosukuiset adj jalosukuinen
well-bred /ˌwelˈbred/ adj hyvin kasvatettu, hyvätapainen
well-connected /ˌwelkəˈnektəd/ adj jolla on hyvät suhteet (päättäjiin)
well-established /ˌweləsˈtæblɪʃt/ adj vakiintunut
Wellington /welɪŋtən/ ks Wellington boot
Wellington boot s erilaisia saappaita
well-intentioned /ˌwelɪnˈtenʃənd/ adj hyvää tarkoittava

well-knit /ˌwelˈnɪt/ adj tiivis
well-known /ˌwelˈnoun/ adj tunnettu, kuuluisa
well-mannered /ˌwelˈmænərd/ adj hyvätapainen, kohtelias
well-meaning /ˌwelˈminiŋ/ adj hyvää tarkoittava
well-nigh /ˈwelˌnaɪ/ adj lähes, kutakuinkin it is well-nigh impossible se on lähes mahdotonta
well-off /ˌwelˈaf/ adj varakas, vauras, rikas
well-preserved /ˌwelprəˈzərvd/ adj hyvin säilynyt
well-read /ˌwelˈred/ adj (paljon) lukenut
well-spoken /ˌwelˈspoukən/ adj **1** kohtelias **2** osuva, onnistunut, (hyvin) valikoitu
well-thought-of /ˌwelˈθatʌv/ adj arvostettu, pidetty, maineikas, hyvämaineinen
well-timed /ˌwelˈtaɪmd/ adj hyvin ajoitettu
well-to-do /ˌweltəˈdu/ adj varakas, vauras, rikas
well-wisher /ˈwelˌwɪʃər/ s onnittelija, onnen toivottaja
well-worn /ˌwelˈwɔrn/ adj kulunut
Welsh /welʃ/ s **1** kymrin kieli **2** the Welsh Walesin asukkaat, walesilaiset adj walesilainen
Welshman s (mon Welshmen) Walesin asukas, walesilainen
went /went/ ks go
wept /wept/ ks weep
were /wər/ ks be
we're /wɪər/ we are
weren't /wərnt/ were not
werewolf /ˈwɪərˌwəlf/ s (mon werewolves) ihmissusi
west /west/ s **1** länsi **2** West (Yhdysvaltain) länsi(osa) **3** West länsi(maat) adj länsi-, läntinen adv lännessä, länteen, (tuuli myös) lännestä to go west (ark kuv) kuolla
West African manatee /mænəti/ s afrikanmanaatti
West Bank /ˌwestˈbæŋk/ (Lähi-idässä) (Jordanjoen) Länsiranta
West-Berlin Länsi-Berliini
westbound /ˈwestbaund/ adj lännen suuntainen, länsi-
West Coast s (Yhdysvaltain) länsirannikko
westerly s läntinen, länsituuli adj läntinen, länsi-
western /westərn/ s lännenelokuva, lännenfilmi adj **1** läntinen, länsi-, länteen suuntautuva **2** Western (Yhdysvaltain) länsiosan, lännen
Western Australia Länsi-Australia
Westerner s (Yhdysvaltain) länsiosan asukas
Western gray kangaroo s harmaajättikenguru
Western Hemisphere s läntinen pallonpuolisko
westernize /ˈwestərˌnaɪz/ v länsimaistaa
westernmost /ˈwestərˌmoust/ adj läntisin
West German s, adj länsisaksalainen
West Germany Saksan liittotasavalta, Länsi-Saksa; Saksan länsiosa (Western Germany)
West Indian manatee /mænəti/ s lamantiini
West Indies /westˈɪndiz/ (mon) Länsi-Intia (Antillit ja Bahamasaaret)
westmost /ˈwestˌmoust/ adj läntisin
westward /westwərd/ adj läntinen, länsi-, länteen suuntautuva adv länteen
westwards adv länteen
West Virginia /ˌwestvərˈdʒɪnjə/ Länsi-Virginia
wet /wet/ adj **1** märkä **2** (kaupunki, osavaltio) märkä (jossa alkoholin myynti on sallittu) **3** (ark) juopunut, humalassa; ryyppy- v kastella, kastua, kostuttaa, kostua
wetback /ˈwetˌbæk/ s (sl halv) laittomasti Yhdysvaltoihin saapunut meksikolainen siirtotyöläinen
wet bar s baari(kaappi jossa on vesihana)
wet behind the ears she's still wet behind the ears hänen korvantaustansa

ovat vielä märät, hän on (nuori ja) kokematon
wet blanket s (kuv) ilonpilaaja
wet nurse s imettäjä
wet suit s märkäpuku
wet your whistle fr (ark) kostuttaa kurkkuaan, ottaa ryyppy
we've /wiv/ we have
whack /wæk/ s **1** läimäytys, pamautus, tälli (ark) **2** (ark) yritys **3** to be out of whack (ark) olla vinossa; olla epäkunnossa, rikki
v läimäyttää, pamauttaa, lyödä, antaa tälli (ark)
whacking adj (ark) valtava, hirmuinen
whack off v **1** katkaista, leikata/panna poikki **2** (sl) runkata, vetää käteen
whack out v (sl) **1** suoltaa (tekstiä), tehdä nopeasti **2** tappaa
whack up v (sl) jakaa
whale /weɪəl/ s (mon whales, whale) valas
v pyydystää/pyytää valaita
Whale (tähdistö) Valas
whale of a time we had a whale of a time meillä oli valtavan hauskaa
whaler s **1** valaanpyytäjä **2** valaanpyyntialus
whale the tar out of someone fr (ark) antaa jollekulle perusteellinen selkäsauna
whaling s valaanpyynti
wharf /wɔrf/ s (mon wharves, wharfs) (satama)laituri
wharves /wɔrvz/ ks wharf
what /wʌt/ adj **1** mikä?, mitä? what use is it? mitä hyötyä siitä on? **2** huudahduksissa: what a day! mikä päivä!, olipa/onpa melkoinen päivä! **3** mikä/mitä tahansa take what you need ota mitä tarvitset
pron **1** mikä?, mitä? what do you want? mitä haluat? what does it cost? mitä/paljonko se maksaa so what? mitä/entä sitten? **2** mikä, mitä that is not what I mean en tarkoita sitä
whatchamacallit /ˈwʌtʃəmə,kalɪt/ s (ark, käytetään kun puhuja ei tiedä esineen tai asian nimeä) mikä se nyt olikaan give me the whatchamacallit on the table anna minulle se (vempain) siitä pöydältä
what'd /wʌtəd/ what did
whatever /,wʌtˈevər/ adj, pron **1** mikä/mitä tahansa pay whatever he asks for maksa mitä tahansa/niin paljon kuin hän pyytää she can do whatever she wants hän saa tehdä ihan mitä haluaa **2** (korostaen) mikä, mitä whatever does she want? mitä ihmettä hän haluaa? there's no reason whatever for leaving now ei ole mitään syytä lähteä nyt
what for fr **1** miksi what did he do that for? miksi hän sen/niin teki? **2** rangaistus she got what for from her parents hänen vanhempansa antoivat hänen kuulla kunniansa
what goes around comes around fr minkä taakseen jättää sen edestään löytää
what have you books, magazines and what have you kirjoja, lehtiä sun/ynnä/ja muuta (vastaavaa)
what if fr entä, mitä jos
what it takes do you have what it takes to run the company? onko sinusta yrityksen johtajaksi?
what'll /wʌtəl/ what will
what makes someone tick do you know what makes her tick? tiedätkö sinä millainen ihminen hän oikein/pohjimmaltaan on?
whatnot /ˈwʌt,nat/ books, magazines and whatnot kirjoja, lehtiä ja muuta vastaavaa
what's /wʌts/ what is, what has, what does
what's what he knows what's what (ark) hän tietää mistä on kyse, hän hallitsee asian
what've /wʌtəv/ what have
wheat /wit/ s vehnä
wheaten /witən/ adj vehnä-
wheat germ s vehnänalkio
wheel /wiəl/ s **1** pyörä potter's wheel dreija she's hell on wheels hän on todellinen voimanpesä, hän panee tuulemaan **2** ohjauspyörä steering wheel ohjauspyörä **3** ruori to be at the wheel olla ruorissa; (kuv) olla ohjaksissa

4 (mon kuv) pyörät the wheels of bureaucracy byrokratian rattaat **5** (mon sl) auto do you have wheels? onko sinulla autoa?
v **1** pyöriä, pyörittää **2** työntää **3** kääntää
wheel and deal fr (ark) juonitella, junailla asioita (taitavasti), ajaa omaa etuaan
wheelbarrow /ˈwiəl,beroʊ/ s työntökärryt, kottikärryt
wheelbase /ˈwiəl,beɪs/ s akseliväli
wheelchair /ˈwiəl,tʃeər/ s pyörätuoli
wheeling and dealing s (ark) juonittelu, (asioiden taitava) junailu, oman edun ajaminen
wheel of fortune s onnenpyörä
wheeze /wiz/ s hinku
v hinkua, hengittää/sanoa hinkuen
whelk /welk/ s piikkikotilo
when /wen/ adv koska?, milloin? when will you come back? koska/milloin palaat?
konj **1** kun when I come back kun palaan when in doubt, tell the truth jos et tiedä mitä sanoa, puhu totta **2** vaikka he's complaining when in truth he should be grateful hän valittaa vaikka hänen itse asiassa pitäisi olla kiitollinen
whence /wens/ adv, konj mistä
when'd /wend/ when did
whenever /,wenˈevər/ konj **1** milloin/koska tahansa whenever it suits you milloin vain sinulle sopii **2** (korostetusti) milloin, koska whenever did you see her? milloin ihmeessä sinä hänet tapasit?
when'll /wenəl/ when will
when push comes to shove fr kovan paikan tullen, tosi tilanteessa
when're /wenər/ when are
when's /wenz/ when is, when has, when does
when've /wenəv/ when have
when your ship comes home fr kun jotakuta onnistaa, kun onni potkaisee jotakuta
where /weər/ adv missä?, minne?, mihin? where are you? missä olet? where did you go? minne menit konj missä, minne, siellä missä the book is where you left it kirja on siellä minne sen jätit
whereabouts /ˈwerə,baʊts/ s olinpaikka his whereabouts are unknown ei tiedetä missä hän on/oleskelee
adv, konj missä päin, missä
whereas /ˈwer,æz/ konj kun taas, sen sijaan, sitä vastoin
whereby /ˈwer,baɪ/ adv josta the terms whereby we will abide säännöt joista pidämme kiinni, säännöt joita noudatamme, noudattamamme säännöt
where'd /weərd/ where did; where would
wherefore /ˈwer,fɔr/ the whys and wherefores syyt
wherein /,werˈɪn/ adv, konj missä wherein shall the truth be found? mistä löytyy totuus?
where it's at fr (sl) mehevimmät apajat, tärkein/paras paikka, asian ydin
where'll /werəl/ where will
where're /werər/ where are
where's /werz/ where is; where has; where does
where the shoe pinches to know where the shoe pinches tietää mistä kenkä puristaa
where've /werəv/ where have
wherever /,werˈevər/ adv (korostaen) missä, mihin (ihmeestä) wherever did you get a crazy notion like that? mistä ihmeestä sinä sen päähäsi sait? konj missä, mihin tahansa put the box wherever you want laske laatikko minne haluat
wherewithal /ˈwerwɪð,aəl/ s keinot, mahdollisuudet to have the wherewithal to do something olla keinot/varaa tehdä jotakin
whet /wet/ v **1** teroittaa (hiomalla) **2** lisätä, voimistaa; innostaa the sight of those books whet his appetite for learning kirjojen näkeminen lisäsi hänen oppimishalujaan
whether /weðər/ konj josko, joko, -ko/-kö tell me whether you want it or not kerro haluatko sen
whether or no fr joka tapauksessa, kävi niin tai näin, kaikesta huolimatta

whetstone /ˈwetˌstoun/ s hiomakivi, kovasin

which /wɪtʃ/ adj, pron **1** mikä?, mitä, minkä? which (one) is yours? mikä (näistä) on sinun? which are mine? mitkä ovat minun (omiani)? **2** joka, jota, jonka, mikä, mitä, minkä the apple which you threw away omena jonka heitit menemään **3** (viittaa lausekkeeseen) mikä they left yesterday, which is kind of sad because... he lähtivät eilen, mikä on tavallaan ikävää koska...

whichever /ˌwɪtʃˈevər/ adj, pron mikä tahansa you can have whichever you like saat minkä tahansa haluat whichever model you choose, you'll be happy olet tyytyväinen valitset sitten minkä mallin tahansa

whiff /wɪf/ s **1** tuulahdus, lehahdus, tuoksahdus **2** haiku (savukkeesta ym) **3** (kuv) häivähdys, aavistus
v **1** tuulahtaa, lehahtaa, tuoksahtaa **2** tupakoida; vetää haiku/haiut, tupruttaa (sauhuja suustaan)

while /waɪəl/ s ajanjakso, aika stay a while longer jää vielä hetkeksi all the while kaiken aikaa, koko ajan it's not worth your while to read that book tuota kirjaa ei kannata lukea, tuon kirjan lukemisessa menee aika hukkaan
konj **1** sillä aikaa kun, samalla kun while I was asleep, the burglars emptied the safe varkaat tyhjensivät kassakaapin sillä aikaa kun olin nukkumassa while you're at it, why don't you vacuum the whole house? mikset saman tien imuroi koko taloa? **2** vaikka while he likes her, he does not want to marry her hän pitää naisesta mutta ei halua mennä naimisiin

while away v kuluttaa aikaa (rennosti), laiskotella, lekotella

whilst /waɪəlst/ konj ks while

whim /wɪm/ s päähänpisto, oikku, (hetken) mielijohde we decided to visit them on a whim päätimme yhtäkkiä/noin vain piipahtaa heillä

whimper /wɪmpər/ s **1** ulina, uikutus **2** ruikutus, marina
v **1** ulista, uikuttaa **2** ruikuttaa, marista

whimsical /wɪmzɪkəl/ adj oikukas, ailahteleva, (käsitys) lennokas

whine /waɪn/ s **1** ulina, uikutus **2** ruikutus, valitus, marina
v **1** ulista, uikuttaa **2** ruikuttaa, valittaa, marista

whip /wɪp/ s **1** ruoska, piiska **2** (ruoskan, piiskan) sivallus **3** vispilä **4** (ruoka) vaahto **5** (puolue)piiskuri
v **1** ruoskia, piiskata **2** (kuv) ruoskia, haukkua, soimata, kurittaa **3** viilettää, rynnätä **4** kiskaista, vetäistä, vetää **5** lepattaa **6** vatkata, vispata

whiplash /ˈwɪpˌlæʃ/ s piiskansivallus (myös lääk)

whiplash injury s (lääk) piiskansivallusvamma

whip off v (ark) hutaista, väsätä nopeasti (tekstiä)

whipped cream s kermavaahto

whipping boy s syntipukki

whipping cream s kuohukerma

whip up v (ark) kyhätä kokoon, tehdä/laittaa nopeasti

whir /wər/ s hurina, surina
v **1** kiitää, kiidättää **2** hurista, surista

whirl /wərəl/ s **1** pyörähdys; pyörre **2** pyrähdys **3** (kuv) hyrsky, myrsky, sekamelska
v **1** pyöriä, pyörittää; kääntyä, kääntää **2** kiitää, kiidättää, viilettää

whirlpool /ˈwərəl,puəl/ s **1** pyörre **2** poreallas

whirlpool bath s poreallas

whirlwind /ˈwərəl,wɪnd/ s **1** pyörretuuli **2** (kuv) pyörremyrsky, sekamelska, sekasorto to reap the whirlwind (saada) niittää mitä on kylvänyt

whirr /wər/ ks whir

whisk /wɪsk/ s **1** pyyhkäisy, huitaisu, sipaisu **2** vaateharja **3** pölyhuisku **4** vispilä
v **1** pyyhkäistä, huitaista, sipaista **2** lakaista, harjata, pyyhkiä **3** sujauttaa, pujauttaa **4** kiidättää he whisked us off to the airport hän vei meidät nopeasti lentokentälle **5** vatkata, vispata

whisker s **1** parta **2** poskiparta **3** viiksi(karva) by a whisker täpärästi, nipin napin

whiskey /wɪski/ s viski
whisper /wɪspər/ s **1** kuiskaus **2** huhu, juoru, kuiskuttelu **3** (puun lehtien) kuiske, kuiskaus, kahina, (tuulen) kuiske, suhina, (veden) solina
v **1** kuiskata **2** kuiskutella, kuiskia, kuiskata **3** (puun lehdet) kuiskata, kahista, (tuuli) kuiskata, suhista, (vesi) solista
whistle /wɪsəl/ s **1** vihellys **2** pilli to blow the whistle paljastaa (rötös) to blow the whistle on lopettaa, keskeyttää; paljastaa (rötös) to wet your whistle (ark) kostuttaa kurkkuaan, ottaa ryyppy
v **1** viheltää **2** soittaa/puhaltaa pilliä
whistle for v odottaa/pyytää turhaan
whistle stop s **1** pikkukaupunki, syrjäkylä (rautatien varrella) **2** (poliitikon lyhyt) vaalipuhe **3** (poliitikon, teatteriseurueen) käynti/piipahdus/näytäntö pikkukaupungissa
whistle-stop v käydä vaalikiertueella
white /waɪt/ s **1** valkoinen (väri) **2** valkoihoinen, valkoinen
adj valkoinen
white blood cell s valkosolu, valkoinen verisolu
white-collar /ˌwaɪt'kalər/ s valkokaulustyöntekijä
adj valkokaulus-
white-collar crime s valkokaulusrikollisuus
white corpuscule /'kɔrˌpʌsəl/ s valkosolu
white elephant s **1** (tarpeeton) rahareikä **2** (tarpeeton) esine
white gold s valkokulta
white goods s (mon) **1** liinavaatteet **2** kodinkoneet
White House s Valkoinen talo
white-knuckle adj (ark) pelottava, hirvittävä
white lie s hätävalhe, pikkuvalhe
white-lipped peccary /pekəri/ s huulipekari
white man s (mon white men) valkoihoinen (ihminen)
whiten v valkaista, valkaistua, haalistaa, haalistua
whiteness s **1** valkeus, valkoisuus **2** kalpeus
white out v peittää (kirjoitusvirhe) korjauslakalla
White rhinoceros /rai'nasərəs/ s leveähuulisarvikuono
white-tailed deer s valkohäntäpeura
white-tailed gnu s valkohäntägnu
whitewash /'waɪtˌwaʃ/ s **1** kalkkimaali **2** (kuv) peittely, kaunistelu; pintasilaus, pintakiilto
v **1** maalata valkoiseksi (kalkkimaalilla) **2** (kuv) peitellä, kaunistella
whittle /wɪtəl/ v vuolla; veistää
whittle away v supistaa, vähentää, leikata
whittle down v supistaa, vähentää, leikata
whity /waɪti/ s (sl) kalpeanaama, valkolainen
whiz kid /'wɪzˌkɪd/ s (ark) ihmelapsi, nero
whizz /wɪz/ s **1** suhina **2** (ark) nero, peto (tekemään jotakin)
v **1** suhista **2** kiitää, sujahtaa, suhahtaa, suhista
who /hu/ pron **1** kuka, kenet, kenelle who is it? kuka siellä? who did you give it to? kenelle annoit sen? **2** joka, jota, jolle the man who was here mies joka kävi täällä the people who you thought were Finns ihmiset joita luulit suomalaisiksi
who'd /hud/ who would
whodunit /ˌhu'dʌnɪt/ s salapoliisikertomus, rikosromaani
whoever /ˌhu'evər/ pron **1** kuka tahansa **2** kuka ihme/kumma?
whole /hoəl/ s kokonaisuus the whole is more than the sum of its parts kokonaisuus on enemmän kuin osien summa as a whole kokonaisuutena on the whole kokonaisuutena, kaiken kaikkiaan, yleisesti ottaen
adj **1** kokonainen, koko, kaikki, täysi for a whole hour kokonaisen tunnin it is a whole lot better than the old model se on koko lailla/paljon parempi kuin vanha malli **2** ehjä, vahingoittumaton it is still whole se on vielä yhtenä kappaleena

whole enchilada /ˌentʃə'ladə/ fr koko roska, kaikki
wholehearted /ˌhol'hartəd/ adj vilpitön, aito
wholeheartedly adv vilpittömästi, aidosti, täydestä/koko sydämestä
wholeheartedness s vilpittömyys, aitous
whole hog to go whole hog (ark) ei nuukailla/säästellä, tehdä jotakin täysin palkein
wholeness s eheys, täyteys, kokonaisuus, täydellisyys
wholesale /'holˌseɪəl/ s tukkukauppa
adj **1** tukkukaupan, tukkuportaan, tukku- **2** suurimittainen, laaja
adv **1** tukkukaupasta, tukkuhintaan **2** joukoittain, suurin joukoin, paljon, kosolti
wholesome /'holsəm/ adj **1** (myös kuv) tervehdyttävä, terveellinen, tervehenkinen, hyvää tekevä **2** terveen näköinen
who'll /huəl/ who will
wholly /holi/ adv kokonaan, täysin, läpeensä
whom /hum/ pron (objektimuoto sanasta who) ketä, kenelle whom are you talking about? kenestä puhut?
whomever /ˌhu'mevər/ pron (objektimuoto sanasta whoever) ketä/kenelle (tahansa) whomever you give it to, don't give it to me kenelle sen annatkin, älä anna sitä minulle
whoop /wup hup/ s (innostuksen) huudahdus, huuto not worth a whoop (ark) arvoton, mitätön, yhtä tyhjän kanssa
v **1** huutaa (innoissaan) **2** (pöllö ym) huhuta, huhuilla **3** hinkua
whooping cough /wupiŋ hupiŋ/ s hinkuyskä
whopper /wapər/ s (ark) **1** jokin valtava, hirmu **2** emävale
whore /hɔr/ s huora
v huorata
who're /huər/ who are
whorehouse /'hɔrˌhaʊs/ s porttola
whorish /hɔrɪʃ/ adj huorahtava
who's /huz/ who is
whose /huz/ pron (genetiivimuoto sanasta who) **1** kenen whose hat is this? kenen hattu tämä on? **2** jonka the man whose hat is on the chair mies jonka hattu on tuolilla
who's who s **1** (hakuteos) kuka kukin on **2** silmäätekevät the who's who of computers tietokonealan huiput
why /waɪ/ adv, konj miksi why did you do it? miksi teit sen? he does not know why he did it hän ei tiedä miksi hän sen teki
why's /waɪz/ why is
whys and wherefores fr syyt
wick /wɪk/ s (kynttilä, öljylampun) sydän
wicked /wɪkəd/ adj **1** paha, ilkeä **2** kurja, huono **3** (sl) loistava
wickedly adv **1** pahasti, ilkeästi **2** kurjasti, huonosti
wickedness s pahuus, ilkeys
wicker /wɪkər/ s korityö
wicker chair s korituoli
wide /waɪd/ adj **1** leveä **2** laaja, suuri **3** to be wide of the mark mennä pahasti ohi/pieleen
adv kokonaan, täysin the door is wide open ovi on selkosen selällään far and wide laajalla alueella, siellä täällä
wide-angle /'waɪdˌæŋgəl/ adj (valok) laajakulma-
widebody /'waɪdˌbadi/ s laajarunkoinen lentokone
widely adv laajasti, laajalla alueella
widely known laajalti tunnettu, (erilainen) hyvin
widen /waɪdən/ v leventää, leventyä, laajentaa, laajentua, suurentaa, suurentua
wide-ranging /ˌwaɪd'reɪndʒiŋ/ adj laajamittainen, laaja
wide-screen /'waɪdˌskrin/ adj laajakangas-
widespread /'waɪdˌspred/ adj yleinen, laajalle levinnyt
widget /wɪdʒət/ s vempain, vekotin
widow /wɪdoʊ/ s leski(nainen)
v jäädä leskeksi
widower /wɪdoʊər/ s leski(mies)

widowhood /ˈwɪdoʊˌhʊd/ s leskeys, leskenä olo
widow's peak s leskenlovi
width /wɪdθ/ s leveys
wield /wiəld/ v käyttää (valtaa, työkalua) (taitavasti) to wield an ax heiluttaa kirvestä
wieldy adj kätevä, helppokäyttöinen
wiener /winər/ s nakki
Wiener schnitzel /ˈwinərˌʃnɪtsəl/ saksasta wieninleike
wife /waɪf/ s (mon wives) vaimo to take to wife ottaa puolisokseen, naida
wifehood /ˈwaɪdˌhʊd/ s vaimona olo
wifely adj vaimon, vaimolle sopiva
wife swapping s parinvaihto
wig /wɪg/ s peruukki to flip your wig (sl) menettää malttinsa, pillastua, repiä pelihousunsa
wiggle /wɪgəl/ s väristys; heilunta v **1** väristä, hytistä; heilua, heiluttaa **2** pujotella, luikerrella, kiemurrella
wigwam /ˈwɪgˌwam/ s (intiaanimaja) vigvami, wigwam
wild /waɪəld/ adj **1** villi **2** (myrsky) raju, hurja, (ihminen) raivostunut, (suunnitelma) uskalias, (elämä) hillitön adv villisti to run wild (kasvi) rehottaa; (kuv) levitä vapaasti, olla kuriton, rehottaa
wild boar /boər/ s villisika
wilderness /wɪldərnəs/ s erämaa
wild-goose chase /ˌwaɪəldˈgusˌtʃeɪs/ to go on a wild-goose chase kurkottaa kuuseen
wilding /waiəldiŋ/ s jengien huliganismi ja vandalismi
wildlife /ˈwaɪəldˌlaɪf/ s villieläimet
wildly adv villisti (ks myös wild)
wildness /waɪəldnəs/ s villiys, rajuus, hurjuus, raivo, uskaliaisuus, hillittömyys
wild oat s villikaura to sow your wild oats hurjastella, viettää rajua elämää, ottaa ilo irti elämästä (erityisesti nuorena)
wild pigs s (mon) villisiat (Suidae)
wilds /waɪəldz/ s (mon) erämaa
Wild West s villi länsi
wile /waɪəl/ s ansa, temppu, metku v houkutella
wile away v laiskotella, vetelehtiä, olla toimettomana
Wile E. Coyote /ˌwaɪəlikaɪˈoʊti/ sarjakuvahahmo Kelju K. Kojootti
wilily adv viekkaasti, ovelasti, juonikkaasti
will /wɪl/ s **1** tahto at will vapaasti, mielin määrin **2** testamentti v **1** pakottaa itsensä/joku johonkin (tahdonvoimalla), tahtoa **2** testamentata apuverbi would, (kielteiset muodot) won't (will not), wouldn't (would not) **1** tulevaisuudesta: I will read it minä luen sen **2** kysymyksissä: will/would you close the window? sulkisitko ikkunan? **3** tahdosta: he will not do it hän ei suostu tekemään sitä will you shut up? etkö voi olla hiljaa! **4** olla tapana: on Sundays, we would go to the beach sunnuntaisin meillä oli tapana mennä uimarannalle **5** oletuksesta: they will have read it by now he ovat varmaankin lukeneet sen jo **6** kyvystä: the door won't open ovi ei aukea, en saa ovea auki
willful /wɪlfəl/ adj **1** tahallinen, harkittu, tietoinen **2** omapäinen, jääräpäinen, joustamaton
willfully adv **1** tahallaan, harkitusti, tietoisesti **2** omapäisesti, jääräpäisesti, joustamattomasti
William /wɪljəm/ (kuninkaan nimenä) Vilhelm
William the Conqueror Vilhelm Valloittaja
willies /wɪliz/ to get the willies (ark) hermostua, pelästyä, saada sätkyt
willing adj **1** halukas, hanakka, valmis johonkin (to) **2** avulias, aulis
willingly adv halukkaasti, hanakasti, avuliaasti, auliisti
willingness s halukkuus, hanakkuus; avuliaisuus
will-o'-the-wisp /wɪləvðəˈwɪsp/ s virvatuli (myös kuv:) houkutin, houkutus, saavuttamaton asia
willow /wɪloʊ/ s paju
willowy adj taipuisa, norja, (sorja ja) notkea
will power s tahdonvoima

wilt /wɪlt/ v **1** kuihtua, kuihduttaa **2** väsyä, väsyttää, uupua, uuvuttaa
wily /waɪli/ adj viekas, ovela, juonikas
win /wɪn/ s voitto
v won, won **1** voittaa **2** saada, vallata, valloittaa
wince /wɪns/ s säpsähdys, hätkähdys
v säpsähtää, hätkähtää
winch /wɪntʃ/ s **1** (käsi)kampi **2** vinttu-ri, vinssi (ark)
v nostaa/vetää vintturilla
Winchester disk /ˈwɪn,tʃestər/ s (tietok) umpilevy, kovalevy
Winchester rifle s Winchester-kivääri
wind /wɪnd/ s **1** tuuli solar wind aurinkotuuli big changes are in the wind (kuv) luvassa on suuria muutoksia how the wind blows (kuv) mistä tuuli puhaltaa to sail in the teeth of the wind purjehtia vastatuuleen to sail close to the wind (kuv) olla säästäväinen; olla uskalias, ottaa riski to take the wind out of someone's sails yllättää, saada joku järkyttymään, viedä tuuli jonkun purjeista **2** puhallinsoitin, puhallin **3** (mon) (orkesterissa) puhaltimet **4** hengitys to get your second wind saada (esim juostessa) hengityksensä tasaantumaan **5** vihi, huhu **6** tuulahdus, suuntaus **7** ilmavaivat, ilma to break wind pieraista (ark)
v **1** saada hengästymään **2** antaa hengityksen tasaantua
wind /waɪnd/ v wound, wound **1** kiertää, kiertyä **2** kääntää, kääntyä **3** kiemurrella, mutkitella, pujotella, luikerrella **4** (kello) vetää
Wind Cave /ˈwɪn,keɪv/ kansallispuisto Etelä-Dakotassa
wind down v laantua, asettua, rauhoittua
windfall /ˈwɪnd,faəl/ s **1** tuulen maahan pudottamat hedelmät **2** (kuv) onnenpotku
winding /waɪndiŋ/ adj mutkitteleva, kiemurteleva
windlass /wɪndləs/ s vintturi
v nostaa/vetää vintturilla
windmill /ˈwɪnd,mɪl/ s tuulimylly
window /wɪndou/ s ikkuna (myös tietok)
window dressing s **1** näyteikkunoiden somistus **2** (kuv) kaunistelu, hämäys, pintakiilto, pintasilaus, silmänlume
windowing s (tietok) ikkunointi, ikkunoiden käyttö
window pane s ikkunalasi
window seat s (lentokoneessa ym) ikkunapaikka
window shade s **1** (ikkunan)kaihdin **2** sälekaihdin **3** rullaverho
window-shop /ˈwɪndou,ʃap/ v **1** katsella näyteikkunoita **2** (kuv) tutustua johonkin (ennen kaupantekoa)
windpipe /ˈwɪnd,paɪp/ s henkitorvi
wind power s tuulivoima
windscreen /ˈwɪnd,skrin/ s (UK) tuulilasi
windshield /ˈwɪnd,ʃiəld/ s (auton) tuulilasi
windshield wiper s tuulilasinpyyhin
Windsor /wɪnzər/
windsurf /ˈwɪnd,sərf/ v purjelautailla
windsurfer s purjelautailija
windsurfing s purjelautailu
wind tunnel s tuulitunneli
wind up v **1** päättää, saattaa päätökseen, tehdä valmiiksi **2** päätyä johonkin asemaan **3** vetää (kello) **4** kelata, kääriä kelalle/rullalle
wind vane s tuuliviiri
windward /wɪndwərd/ to get to windward of saada jokin asia hallintaansa
windy /wɪndi/ adj **1** tuulinen it's windy at the top huipulla tuulee **2** mahtipontinen, suurisanainen, suurellinen
windy /waɪndi/ adj kiemurteleva, mutkitteleva
wine /waɪn/ s viini
wine and dine fr syöttää ja juottaa (esim asiakkaita kauppojen edistämiseksi)
winebag /ˈwaɪn,bæg/ s viinileili
wine cellar s viinikellari
wineglass /ˈwaɪn,glæs/ s viinilasi
wineskin /ˈwaɪn,skɪn/ s viinileili
wine steward s viinitarjoilija
wing /wiŋ/ s **1** siipi to be on the wing olla lennossa/ilmassa; olla liikkeellä to

take someone under your wing ottaa joku siipiensä suojaan to take wind nousta lentoon/ilmaan; lähteä/häipyä kiireesti **2** (puolueen) siipi **3** (teatterissa) kulissien vasen/oikea puoli
wingspan /'wiŋ,spæn/ s (lentokoneen siipien) kärkiväli
wink /wiŋk/ s **1** silmänräpäys (myös kuv) **2** silmänisku **3** (valon) tuike
v **1** räpäyttää silmää **2** iskeä silmää **3** (valo) tuikkia
winkle /wiŋkəl/ s kotilo
winner s voittaja
winner take all s (peli ym jossa) voittaja saa koko potin
winning s **1** voitto **2** (yl mon) voitto-(saalis)
adj **1** voittaja-, voittoisa **2** hurmaava, ihastuttava
winningly adv (hymyillä) hurmaavasti, ihastuttavasti
Winnipeg /'wɪnə,peg/ kaupunki Kanadassa
win out v voittaa, vetää pitempi korsi
winter /wɪntər/ s talvi
v viettää talvi jossakin, talvehtia
winter garden s talvipuutarha
winter solstice /solstəs/ s talvipäivänseisaus
wintery /wɪntəri/ adj talvinen, talvi-
wintry /wɪntri/ adj talvinen, talvi-
wipe /waɪp/ s pyyhkäisy
v **1** pyyhkiä **2** (kuv) heittää mielestään, (yrittää) unohtaa, pyyhkiä pois
wipe out v **1** hävittää, tuhota, pyyhkiä pois **2** (ark) nitistää, tappaa **3** (sl) löylyttää, piestä, voittaa musertavasti
wiper s **1** pyyhe, rätti **2** tuulilasinpyyhin
wipe up v pyyhkiä pois, siivota
wire /waɪər/ s **1** (metalli)lanka, (sähkö)-johto, vaijeri, kaapeli to pull wires (kuv) käyttää hyväksi suhteitaan **2** (ark) sähke **3** (raveissa) maaliviiva down to the wire viime hetkeen saakka, viimeiseen saakka under the wire viime hetkessä, juuri ja juuri, nipin napin
v **1** yhdistää johdoilla **2** sähköttää, lähettää sähkeellä **3** varustaa salakuuntelulaitteella/piilomikrofonilla
wired /waɪərd/ adj **1** sähköjohdoilla varustettu, johdotettu **2** kaapelitelevisioliitännällä varustettu **3** (ark kuv) hermostunut ja happea täynnä, jolla menee lujaa (etenkin huumeiden vaikutuksesta)
wiretap /'waɪər,tæp/ s salakuuntelu
v kuunnella salaa (puhelinta)
Wisconsin /wɪs'kansən/
wisdom /wɪzdəm/ s **1** viisaus **2** viisas ajatus, viisaus
wisdom tooth s viisaudenhammas
wise /waɪz/ adj viisas to be/get wise to something (sl) tajuta, päästä jyvälle/selville jostakin, saada tietää to get wise (sl) ottaa selvää jostakin; ruveta nenäkkääksi to put/get someone wise (sl) kertoa jollekulle jotakin
wise-ass /'waɪz,æs/ s (sl) viisastelija
adj viisateleva, nenäkäs
wise-crack /'waɪz,kræk/ s (ark) huuli, letkautus, herja, vitsi
v (ark) heittää huuli/herja, letkauttaa, vitsailla
wise guy /'waɪz,gaɪ/ s (ark) viisatelija
wisely adv viisaasti
wise up v (sl) tajuta, päästä jyvälle jostakin, selittää jollekulle jotakin
wish /wɪʃ/ s toivomus, toive, halu she got her wish hänen toiveensa toteutui
v **1** toivoa, haluta **2** toivottaa we wish you well toivomme/toivotamme sinulle kaikkea hyvää
wishbone /'wɪʃ,boun/ s (linnun) hankaluu
wish fulfillment s toiveiden täyttymys/toteutuminen, tarpeiden tyydytys
wishful thinking s toiveajattelu
wish list s toivomuslista
wish-wash /'wɪʃ,waʃ/ s **1** (juoma) litku **2** hölynpöly
wishy-washy /'wɪʃi,waʃi/ adj **1** vetinen **2** empivä, epäröivä, jahkaileva
wisp /wɪsp/ s **1** tukko, kouraus **2** tupru **3** sorja/hento/heiveröinen ihminen **4** vivahde, häivähdys
wispy adj heiveröinen, hento, sorja, ohut, heikko
wit /wɪt/ s **1** (myös mon) järki, äly, hokso, nokkeluus to be at your wit's end

olla ymmällään to keep your wits about one pysyä valppaana/terävänä to live by your wits pitää puolensa, olla nokkela **2** vitsikkyys, huumorintaju, hauskuus **3** teräväpäinen ihminen
witch /wɪtʃ/ s noita
witchcraft /ˈwɪtʃˌkræft/ s noituus
witch doctor s poppamies
witchery /wɪtʃəri/ s **1** noituus **2** lumous
witch hunt s noitavaino (myös kuv)
witch-hunt v vainota (esim noitana)
witching adj lumoava, kiehtova
with /wɪð/ prep **1** kanssa, luona, mukana she wants to go with you hän haluaa tulla kanssasi/lähteä mukaasi I'm staying with the Hendersons olen kylässä Hendersoneilla hamburger with fries hampurilainen ja ranskalaiset **2** ominaisuudesta: a car with two doors kaksiovinen auto **3** välineestä: he wrote it with a pencil hän kirjoitti sen lyijykynällä **4** suhteesta: she's good with computers hän hallitsee tietokoneet hyvin **5** tavasta: handle with care käsiteltävä varoen **6** vertailusta: to compare A with B verrata A:ta B:hen **7** syystä: to die with fever kuolla kuumeeseen **8** puolella: he voted with me hän äänesti samoin kuin minä
with a view to fr jotakin silmällä pitäen, jonkin toivossa
with a whole skin fr ehjin nahoin
with child to be with child olla raskaana
withdraw /wɪðˈdra/ v withdrew, withdrawn **1** vetää, vetäytyä, perääntyä, poistua **2** nostaa (rahaa) tililtä **3** perua (puheensa), peräänytyä (sopimuksesta) **4** vieroittaa (huumeesta), lakata käyttämästä (huumetta)
withdrawal /wɪðˈdraəl/ s **1** perääntyminen, luopuminen **2** vieroitus
withdrawal syndrome s vieroitusoireet
withdrawn v ks withdraw
adj sulkeutunut, syrjään vetäytynyt, eristäytyvä
withdrew ks withdraw
wither /wɪðər/ v **1** kuihduttaa, kuihtua **2** (kuv) musertaa, hävittää
withhold /ˌwɪθˈhoəld/ v withheld, withheld: pidättää (esim palkasta veroa), pidättäytyä, ei suostua antamaan, salata you're withholding evidence sinä salaat todisteaineistoa
within /wɪˈðɪn/ adv sisällä, sisälle from within sisältä
prep sisällä, -ssa/-ssä, päässä, (ajasta myös) kuluessa within the boundaries of the park puiston rajojen sisällä/sisäpuolella within three hours kolmen tunnin sisällä, kolmessa tunnissa the car came to within two feet of the edge of the cliff auto kävi/pysähtyi puolen metrin päähän jyrkänteen reunalta
within reason to be within reason olla kohtuullista, olla kohtuuden rajoissa
with it to be with it (sl) olla ajan tasalla/hermolla, seurata muotia
without /wɪˈðaʊt/ adv ulkona, ulos, ulkopuolella, ulkopuolelle prep **1** ilman a man without a home koditon mies without doubt epäilemättä **2** ulkopuolella within and without the building rakennuksen sisä- ja ulkopuolella
without number fr lukematon
without price fr suunnattoman/sanoinkuvaamattoman/korvaamattoman arvokas/kallis
with reason fr hyvällä syyllä, hyvästä syystä, aiheellisesti
with reference to fr jotakin koskien
with regard to fr jotakuta/jotakin koskien
with relation to something fr jotakin koskien, johonkin liittyen
with respect to fr jotakin koskien she had nothing to say with respect to her illness hänellä ei ollut sairaudestaan mitään kerrottavaa
withstand /wɪθˈstænd/ v withstood, withstood: kestää, pitää puolensa jotakuta/jotakin vastaan
withstood /wɪθˈstʊd/ ks withstand
with that with that she left sen sanottuaan hän lähti
with tongue in cheek she said it with her tongue in the cheek hän sanoi sen leikillään/kiusallaan/ivallisesti
with your tail between your legs fr häntä koipien välissä

witness /wɪtnəs/ s **1** todistaja (oikeudessa, asiakirjan), silminnäkijä **2** todistus to bear witness to todistaa/kertoa jostakin, osoittaa jotakin **3** Jehovah's Witness Jehovan todistaja
v **1** nähdä, olla näkemässä, kokea **2** ajatella witness the fact that... (ajatelkaamme) esimeriksi (sitä että...) **3** todistaa (oikeudessa, oikeaksi), olla läsnä todistajana **4** osoittaa, kertoa, todistaa as witnessed by rising inflation kuten yltyvä inflaatio osoittaa
witness stand s todistajanaitio
witticism /wɪtəsɪzəm/ s sukkeluus, sutkaus, vitsi, pila
wittily adv nokkelasti, terävästi; hauskasti, vitsikkäästi
witty /wɪti/ adj nokkela, terävä; hauska, vitsikäs
wives /waɪvz/ ks wife
wizard /wɪzərd/ s **1** noita **2** taikuri **3** (kuv) nero
wizardry /wɪzərdrɪ/ s noituus, taikuus, taikatemput (myös kuv) modern electronic wizardry nykyelektroniikan ihmeet
wizened /wɪzənd/ adj kuihtunut, kuivunut
wobble /wabəl/ s heilunta, tutina, vapina
v heilua, tutista, vapista
wobbly adj epävakaa, hutera
woe /woʊ/ s suru, murhe
woebegone /'woʊbɪgan/ adj surullinen, surun/murheen murtama
woeful /woʊfəl/ adj **1** surullinen, murheellinen, surumielinen **2** surkea, kehno
woefully adv **1** surullisesti, murheellisesti **2** surkeasti, kehnosti your paper is woefully inadequate aineesi on täysin riittämätön, aineesi ei alkuunkaan täytä vaatimuksia
wok /wak/ s wokkipannu, vokkipannu
woke /woʊk/ ks woke
woken /woʊkən/ ks wake
wok set s wokkiastiasto, vokkiastiasto
wolf /wəlf/ s (mon wolves) susi to cry wolf antaa väärä hälytys he's just trying to keep the wolf from the door hän yrittää vain ansaita jotakin hengenpitimiksi, hän ei halua joutua puille paljaille
wolf down v ahmia, ahnehtia, pistää kiireesti poskeensa
wolf in sheep's clothing fr susi lammasten vaatteissa
Wollongong /'wʊlən,gaŋ/
Wolverhampton /'wʊlvər,hæmptən/
woman /wʊmən/ s (mon women /wɪmən/) nainen to be your own woman olla itsenäinen (nainen)
woman-chaser /'wʊmən,tʃeɪsər/ s naistenmetsästäjä
woman-hater /'wʊmən,heɪtər/ s naistenvihaaja
womanhood /'wʊmən,hʊd/ s **1** naisena oleminen **2** (kaikki) naiset
woman in the street s kadunnainen, tavallinen nainen, keskivertonainen
womanish /wʊmənɪʃ/ adj **1** naisellinen **2** naismainen
womanizer /'wʊmə,naɪzər/ s naistenmies, naistenmetsästäjä
womankind /,wʊmən'kaɪnd/ s naiset
womanlike /'wʊmən,laɪk/ adj naisellinen
womanly adj naisellinen
woman of few words Frances is a woman of few words Frances on harvasanainen, Frances ei ole puhelias
woman of letters s oppinut nainen, lukenut nainen, kirjailija, kirjallisuuden ystävä
woman of many words Alice is a woman of many words Alice on puhelias
woman of the streets s katunainen, huora
woman of the world s maailmannainen
womb /wumb/ s kohtu
womb-to-tomb /,wumtə'tum/ adj kohdusta hautaan jatkuva
women's lib ks women's liberation
women's liberation /,wɪmənz,lɪbə'reɪʃən/ s naisliike, naisasialiike, feminismi
women's movement s naisliike
women's rights s (mon) naisten oikeudet/tasa-arvo
won /wʌn/ ks win
wonder /wʌndər/ s **1** ihme small wonder he did not make it ei ihme ettei

hän ehtinyt (ajoissa) the new medicine is working wonders uusi lääke saa ihmeitä aikaan **2** ihmetys, hämmästys v ihmetellä, hämmästellä, miettiä I wonder if she likes me mahtaakohan hän pitää minusta?, pitääköhän hän minusta?
wonder drug s ihmelääke
wonderful adj ihmeellinen, ihana, ihastuttava
wonderfully adv ihmeellisesti, ihmeellisen, ihanasti, ihanan, ihastuttavasti, ihastuttavan
won't /wount/ will not
wont /want/ s tapa, tottumus adj: to be wont to do something olla tapana tehdä jotakin
woo /wu/ v kosia (myös kuv), kosiskella (myös kuv)
wood /wud/ s **1** puu; puutavara; polttopuut to knock on wood koputtaa puuta **2** (mon) metsä we're finally out of the woods olemme viimein selvillä vesillä/kuivilla **3** (golfissa) puumaila **4** (sl) erektio
woodcarver s puunleikkaaja
woodcarving /'wud,karviŋ/ s puunleikkaus
woodchopper /'wud,tʃapər/ s puunhakkaaja
woodchuck /'wud,tʃʌk/ s metsämurmeli
woodcraft /'wud,kræft/ s **1** eränkäyntitaito **2** metsänhoito **3** puunleikkaus
woodcrafter s puunveistäjä
woodcut /'wud,kʌt/ s puupiirros
woodcutter s **1** puunhakkaaja **2** puunpiirtäjä, puupiirtäjä
wooded /wudəd/ adj metsäinen, puuta kasvava
wooden /wudən/ adj **1** puinen **2** kankea, kömpelö **3** tylsä, kuiva
wood engraving s **1** puunpiirräntä **2** puupiirros
wooden indian s (ark) pokerinaama, puujumala (kuv)
woodhouse /'wud,haus/ s puuvarasto; halkovaja
woodland /'wud,lənd/ s metsä
woodpecker /'wud,pekər/ s tikka
woodshed /'wud,ʃed/ s halkovaja
woodsman /wudzmən/ s (mon woodsmen) metsäläinen
woodwind /'wud,wɪnd/ s (soitin) puupuhallin
woodwork /'wud,wərk/ to come out of the woodwork (ark) ilmestyä tyhjästä, tulla esiin/näkyviin
woody /wudi/ s (sl) farmariauto jossa on puu(jäljitelmä)kyljet adj **1** metsäinen **2** puinen
woofer /wufər/ s bassokaiutin
wool /wəl/ s villa she's a dyed-in-the-wool Democrat hän on pesunkestävä demokraatti, hän on demokraatti henkeen ja vereen all wool and a yard wide aito, oikea, tosi, rehti they tried to pull the wool over his eyes he yrittivät hämätä/pettää häntä
woolen /wələn/ adj villainen, villa-
woollen ks woolen
wooly adj **1** villainen, villa- **2** epäselvä, hämärä
word /wərd/ s **1** sana to weigh your words punnita sanojaan you took the words out of my mouth veit sanat suustani in a/one word sanalla/suoraan sanoen in other words toisin sanoen he told me to resign, though not in so many words hän käski minun erota joskaan hän ei ilmaissut sitä noin suorasti Frances is a woman of few words Frances on harvasanainen, Frances ei ole puhelias Alice is a woman of many words Alice on puhelias Kevin put in a word for me with the manager Kevin kehui minua johtajalle at a word heti, viipymättä, välittömästi I have no words for how sorry I am sanat eivät riitä kuvaamaan miten pahoillani olen, olen vilpittömästi pahoillani, pyydän kovasti anteeksi **2** lupaus, sana(t) she gave me her word hän lupasi he ate his words hän söi sanansa I keep my word minä pidän sanani/lupaukseni she's a woman of her word häneen voi luottaa, hänen sanansa pitää Carolyn is as good as her word Carolyniin voi luottaa, Carolynin sana pitää **3** can I have a word with you? voinko puhua kanssasi hetken?, minulla olisi sinulle asiaa **4** tieto, uuti-

nen to receive word of saada tieto, kuulla jostakin **5** (mon) (laulun) sanat
v pukea sanoiksi, ilmaista, muotoilla (kieliasu)
word blindness s sanasokeus
word for word adv **1** sanasta sanaan, kirjaimellisesti **2** sana sanalta/kerrallaan
word-for-word adj sananmukainen, kirjaimellinen
wordily adv monisanaisesti, liikasanaisesti
wordiness s monisanaisuus, liikasanaisuus
wording s sanamuoto
wordless adj sanaton, hiljainen, äänetön
wordlessly adv sanattomasti, hiljaa, äänettömästi, ääneti
Word of God s Jumalan sana
word of honor s kunniasana
word of mouth s toisten kertoma, kuulopuhe, huhupuhe
word order s sanajärjestys
wordplay /'wərd,pleɪ/ s **1** sukkeluus, sanoilla miekkailu **2** sanaleikki
word processing /'wərd,prasesiŋ/ s tekstinkäsittely
word processor s tekstinkäsittelyohjelma
wordsmith /'wərd,smɪʃ/ s sanaseppä, sanaseppo
wordy adj monisanainen, liikasanainen
wore /wɔr/ ks wear
work /wərk/ s **1** työ, tehtävä, työpaikka to be at work olla työpaikalla/työssä; olla toiminnassa to be out of work olla työtön to make short work of tehdä nopeasti, hutaista; pistää äkkiä poskeensa; ei piitata jostakusta/jostakin **2** teos the complete works of William Shakespeare William Shakespearen kootut teokset **3** (mon) tehdas to be in the works olla tekeillä/valmisteilla **4** (mon) koneisto to gum up the works (sl) sotkea/tehdä tyhjäksi suunnitelma, pilata asia **5** (mon ark) kaikki, koko homma I'll have a double cheeseburger with the works otan kaksoisjuustohampurilaisen kaikilla lisukkeilla to shoot the works (sl) panna kaikki rahansa menemään
v **1** työskennellä, tehdä työtä, käydä työssä **2** toimia **3** käyttää (konetta), pitää (maatilaa, kaivosta) **4** toimia (työssään) tietyllä alueella she's working the suburbs hän toimii esikaupunkialueilla **5** saada aikaan to work loose irrottaa/irrota
workable /wərkəbəl/ adj mahdollinen, käyttökelpoinen
workaday /'wərkə,deɪ/ adj **1** työpäivä-, arkinen, arkipäivä-, arki- **2** arkinen, tavallinen
workaholic /,wərkə'halɪk/ s työnarkomaani
workday /'wərk,deɪ/ s työpäivä
worked-up adj kiihtynyt, tohkeissaan
worker s työntekijä; työläinen
work ethic s työeetos, työmoraali
workhorse /'wərk,hɔrs/ s **1** työhevonen **2** (kuv) työjuhta
working s **1** työnteko, työ **2** työstäminen, käsittely **3** toiminta; ajatuksenjuoksu
adj **1** työssä käyvä, työtä tekevä **2** riittävä, kohtalainen he has a working knowledge of computers hänellä on perustiedot tietokoneista
working class s työväenluokka
working-class /,wərkiŋ'klæs/ adj työväenluokan
workingman /'wərkiŋ,mæn/ s (mon workingmen) työläinen, työmies
working order s toimintakunto
working papers s työlupa
workingwoman /'wərkiŋ,wumən/ s (mon workingwomen) työläinen, työläisnainen
work into v lisätä jotakin johonkin, sekoittaa, ahtaa, työntää, sovittaa (väliin, kiireiseen aikatauluun)
workload /'wərk,loud/ s työmäärä I have a heavy workload this week minulla on tällä viikolla kiirettä/paljon tekemistä
workman /wərkmən/ s (mon workmen) työmies, työntekijä
workmanship /'wərkmən,ʃɪp/ s **1** työ **2** työn laatu

work of art s (mon works of art) taideteos
work off v purkaa (tarmonsa), kuluttaa (kalorit), maksaa (velka ahertamalla)
work on v **1** suostutella, taivutella jotakuta **2** we're working on it asia on vireillä/tekeillä/työn alla
work order s työmääräys
workout /'wərk,aut/ s **1** (urheilu)harjoitukset; harjoite **2** kuntoilu
work out v **1** onnistua, käydä hyvin päin **2** ratkaista, saada aikaan **3** kuntoilla, liikkua, voimistella **4** maksaa (velka työllään) **5** laske(summa)
work out to v (summasta) tehdä yhteensä
work over v **1** lukea/käydä/kahlata läpi **2** (ark) rökittää, höyhentää
workplace /'wərk,pleıs/ s (fyysinen) työpaikka
worksheet /'wərk,ʃit/ s työluettelo, työlista
workshop /'wərk,ʃap/ s työpaja, verstas
work station s työasema
work through v **1** lukea/käydä/kahlata läpi **2** tihkua, vuotaa (läpi) **3** (psykoterapiassa) läpityöskennellä
work up v **1** lisätä, kasvattaa **2** laittaa, valmistaa **3** innostaa, kuohuttaa, hermostuttaa
work up to v nousta/edetä johonkin asemaan, tulla joksikin
workweek /'wərk,wik/ s työviikko
workwoman /'wərk,wumən/ s (mon workwomen) (nais)työntekijä, (nais)työläinen
world /wərəld/ s maailma (myös kuv) the world of science tieteen maailma to bring into the world synnyttää; avustaa synnytyksessä to come into the world syntyä never in the world ei ikinä/kuuna päivänä where in the world is Tupelo? missä ihmeessä/maailmankolkassa Tupelo on? for all the world täsmälleen, tismalleen not for all the world ei mistään hinnasta she felt/was on top of the world hän oli haltioissaan/hän menestyi loistavasti Warren thinks the world of her Warren ihailee häntä kovasti/pitää hänestä kovasti the band set the world on fire yhtyeestä tuli erittäin/valtavan kuuluisa
world-class /'wərəld,klæs/ adj **1** joka on kansainvälistä huippua, huipputason **2** (ark) varsinainen, todellinen
world-famous /,wərəld'feıməs/ adj maailmankuulu
worldliness s **1** maallisuus **2** elämänkokemus
worldly /wərəldli/ adj **1** maallinen **2** kokenut, maailmaa nähnyt
worldly-minded /,wərəldli'maındəd/ adj maallinen
world power s maailmanvalta
world premiere s (maailman)ensiilta
world's fair /,wərəldz'feər/ s maailmannäyttely
world-shaking /'wərəld,ʃeıkiŋ/ adj koko maailmaa järisyttävä
world's oldest profession s maailman vanhin ammatti, prostituutio
worldview /,wərəld'vju/ s maailmankuva
World War I /,wərəld,waər'wʌn/ s ensimmäinen maailmansota
World War II /,wərəld,waər'tu/ s toinen maailmansota
world-weary /'wərəld,wıri/ adj elämään väsynyt
worldwide /,wərəld'waıd/ adj maailmanlaajuinen
world without end fr ikuisesti, ikuisiksi ajoiksi
worm /wərm/ s **1** mato **2** toukka v **1** ryömiä, madella **2** sujauttaa, työntää vaivihkaa
worm-eaten /'wərm,itən/ adj madonsyömä
worm into v juonitella/kelpotella itsensä johonkin asemaan
worn /wərn/ v ks wear adj kulunut
worn-out /,wər'naut/ adj **1** loppuunkulunut **2** loppuunväsynyt
worry /wəri/ s huoli, murhe, piina v **1** murehtia, olla huolissaan, vaivata, kiusata, piinata **2** laahustaa, kulkea vai-

valloisesti **3** raadella, pureskella, jäytää, nakertaa
worrywart /'wəri,wɔrt/ s (ikuinen) murehtija, pessimisti
worse /wɔrs/ adj ks bad, ill it's none the worse for wear se ei ole käytöstä kulunut
worsen /wərsən/ v huonontua, huonontaa, pahentua, pahentaa the patient's condition has worsened potilaan tila on huonontunut
worship /wərʃəp/ s **1** palvonta the worship of money rahan palvonta **2** jumalanpalvelus **3** palvontamenot
v palvoa to worship God palvoa Jumalaa
worshipper s **1** kirkossakävijä **2** palvoja
worst /wɔrst/ v piestä, hakata, antaa selkään
adj ks myös bad, ill at (the) worst pahimmassa tapauksessa Pauline got the worst of his anger Pauline sai kärsiä eniten hänen kiukustaan he got the worst of it hän veti lyhyemmän korren if worst comes to worst jos oikein huonosti käy, pahimmassa tapauksessa
worst-case scenario /,wərst'keɪssə,neriou/ s (oletettu) pahin mahdollinen lopputulos/seuraus
worth /wərθ/ s arvo to get your money's worth saada rahalleen vastinetta, saada koko rahan edestä
adj arvoinen, kannattava the painting is worth five million maalaus on viiden miljoonan dollarin arvoinen the book is worth reading kirja kannattaa lukea, kirja on lukemisen arvoinen what's it worth to you to help us out? millä rahalla/ilveellä sinä suostut auttamaan meitä? for what it's worth, I don't believe her jos minulta kysyt(te) niin en usko häntä she tried for all she was worth (ark) hän yritti parhaansa, hän teki kaikkensa
worthless adj arvoton, mitätön, turha
worthlessly adv turhaan
worthlessness s arvottomuus, mitättömyys, turhuus
worthwhile /,wərθ'waɪəl/ adj kannattava it's a worthwhile exhibition se on katsomisen arvoinen näyttely
worthy /wərði/ adj kiitettävä, kunniakas, arvokas my worthy opponent arvoisa vastustajani he's working for a worthy cause hän ajaa arvokasta asiaa
worthy of adj jonkin arvoinen your thesis is worthy of the highest praise väitöskirjaasi on syytä ylistää
worth your salt the new man is not worth his salt uudesta miehestä ei ole mihinkään, uusi mies ei ole palkkansa väärti
worth your while it is worth your while to read it se on lukemisen arvoinen, se kannattaa lukea
would /wud/ ks will
wouldn't /wudənt/ would not
wound /wund/ s haava (myös kuv:) isku, kolaus, loukkaus to lick your wounds nuolla haavojaan
v **1** haavoittaa, haavoittua, tehdä/saada haava **2** loukata, loukkaantua, satuttaa, sattua, haavoittaa, haavoittua her snide remark wounded his pride naisen ilkeä huomautus loukkasi hänen ylpeyttään
wounded /wundəd/ s: the wounded haavoittuneet
adj **1** haavoittunut **2** (kuv) loukkaantunut, loukattu
wove /wouv/ ks weave
woven /wouvən/ ks weave
wrangle /ræŋgəl/ s riita, kina
v **1** riidellä, kinata **2** koota (karjaa) **3** hankkia, keplotella itselleen jotakin
wrangler s karjapaimen
wrap /ræp/ s kääre(paperi), päällys, suojus; peitto, peite; hartiavaippa to keep/put under wraps (ark) pitää salassa/salata
v kääriä, kääriytyä; peittää, verhota, verhoutua
wraparound /'ræpə,raund/ adj **1** käärittävä, (hame) kietaisu-, (tuulilasi) päistään taivutettu, panoraama- **2** yleis-, kaiken kattava-, paketti
wraparound skirt s kietaisuhame
wrapped up in to be wrapped up in olla uppoutunut johonkin
wrapper s kääre(paperi), päällys
wrapping paper s (paksu) käärepaperi

wrappings s (mon) kääre(paperi), päällys
wrap up v **1** kääriä johonkin **2** tehdä valmiiksi
wrath /ræθ/ s viha, raivo, suuttumus
wrathful adj vihainen, raivostunut
wreak havoc with /ˌrik'hævək/ fr tehdä suurta tuhoa/hallaa jollekin
wreath /riθ/ s (mon wreaths) **1** seppele **2** (savun, pilven) kiehkura
wreathe /rið/ v **1** seppelöidä **2** punoa, sitoa **3** kiemuroida, kiemurrella
wreck /rek/ s **1** (rakennuksen) rauniot, (laivan, lentokoneen) hylky, (auton) romu **2** haaksirikko **3** tuho, loppu, turmio **4** (ihmis)raunio he's a nervous wreck hän on hermoraunio
v **1** haaksirikkoutua, ajaa karille **2** kolaroida, ajaa kolari, romuttaa, (rakennus) purkaa **3** tuhota, koitua jonkun turmioksi/tuhoksi, tehdä loppu jostakusta
wreckage /rekədʒ/ s rauniot, (laivan, lentokoneen) hylky
wren /ren/ s peukaloinen
wrench /rentʃ/ s **1** vääntö, riuhtaisu, kiskaisu **2** nyrjähdys **3** ruuviavain
v **1** vääntää, riuhtaista, kiskaista **2** nyrjäyttää **3** (kuv) vaivata, kiusata, piinata
wrestle /resəl/ v painia (myös kuv) he is wrestling with his conscience hän painii omantuntonsa kanssa
wrestler /reslər/ s painija
wrestling s paini(urheilu)
wretch /retʃ/ s **1** ihmisrukka, ihmisparka, ihmisraukka **2** retku, rontti, retale
wretched /retʃəd/ adj onneton, surkea, kurja, viheliäinen, inhottava, halpamainen
wretchedly adv ks wretched
wretchedness s surkeus, kurjuus, viheliäisyys, inhottavuus
wriggle /rɪgəl/ s kiemurtelu, luikertelu
v kiemurrella, vääntelehtiä, luikerrella
wriggle out v kiemurrella/keplotella itsensä vapaaksi jostakin
wring /riŋ/ v wrung, wrung: vääntää, väännellä, vääntyä, kiertää, kiertyä
wringer s mankeli
wring out v **1** kiertää/puristaa kuivaksi **2** (kuv) puristaa esiin I'll wring out the truth from him minä patistan hänet kertomaan totuuden
wrinkle /riŋkəl/ s ryppy
v rypistää, rypistyä
wrinkly adj ryppyinen
wrist /rɪst/ s ranne
wristband /'rɪstˌbænd/ s **1** (paidan) ranneke, kalvosin **2** (kellon) ranneke
wrist watch s rannekello
writ /rɪt/ s **1** virallinen määräys/kielto **2** kirjoitus Holy Writ Raamattu
write /raɪt/ v wrote, written **1** kirjoittaa **2** säveltää **3** (tal) asettaa to write an option asettaa optio
write down v **1** kirjoittaa/panna muistiin **2** kirjoittaa yksinkertaistaen, kansantajuistaa
write in v **1** pyytää kirjeitse jotakin (for) **2** lisätä (kirjoittamalla)
write-off s **1** (ark) toivoton tapaus **2** (taloudellisesta tappiosta laskettava) verovähennys
write off v **1** kirjata menetetyksi, päättää unohtaa, jättää mielestään, sivuuttaa olankohatuksella **2** (tal) kuolettaa, poistaa
write out v **1** panna paperille, kirjoittaa **2** kirjoittaa (luku) kirjaimin, kirjoittaa (lyhennys) kokonaan **3** kirjoittaa itsensä uuvuksiin, (kirjailijasta) väsyä, loppua mehut
writer /raɪtər/ s kirjailija; journalisti, toimittaja; kirjoittaja
write-up s lehtikirjoitus; arvostelu
write up v **1** panna paperille, kirjoittaa **2** kirjoittaa (lehdessä) jostakusta/jostakin
writhe /raɪð/ v **1** vääntelehtiä, kiemurrella, rimpuilla the patient writhed in pain potilas vääntelehti tuskissaan **2** (kuv) jotakuta nolottaa, olla kiusaantunut
writing s **1** kirjoitus, kirjoittaminen to commit to writing pistää paperille, kirjoittaa muistiin **2** käsiala
writing desk s kirjoituspöytä
writ of summons /ˌrɪtəv'sʌmənz/ s haaste
written ks write
wrong /raŋ/ s **1** vääryys **2** to be in the wrong olla väärässä

v tehdä vääryyttä, loukata
adj **1** väärä the answer is wrong vastaus on väärä you have the wrong number soitittе väärään numeroon **2** there is something wrong with her hänessä on jotakin vikaa/outoa, häntä vaivaa jokin
adv väärin to go wrong mennä vikaan; turmeltua, joutua huonoille teille
wrongdoer /ˈrɑŋ,duər/ s väärintekijä, rikollinen, syntinen
wrongdoing s vääryys, rikos, paha teko
wrongful adj **1** epäoikeudenmukainen **2** laiton
wrongfully adv **1** perusteettomasti, syyttä **2** laittomasti
wrong side of the tracks she was raised on the wrong side of the tracks hän varttui/vietti lapsuutensa laitakaupungilla/köyhässä kaupunginosassa
wrote /rout/ ks write
wrought /rat/ vanhentunut partisiippi verbistä work
wrought iron s takorauta
wrought-iron adj takorautainen, takorauta-
wry /raɪ/ adj (ilme) hapan, (suu) vääristynyt, (huomautus) ivallinen, piikikäs, kärkevä
wryly adv happamesti, piikikkäästi, purevasti
Wyoming /waɪˈoumiŋ/
WYSIWYG /ˈwɪzi,wɪg/ s (tietok) näytön ja tulosteen samuus (lyhennys sanoista what you see is what you get)

X, x

X, x /eks/ X, x
xenophobe /ˈzinə,foub/ s vieraita pelkäävä ihminen, muukalaisvihaaja
xenophobia /ˌzinəˈfoubiə/ s vieraiden pelko, muukalaisviha
xenophobic /ˌzinəˈfoubɪk/ adj vieraita pelkäävä, muukalaisia vihaava
xerography /zɪˈragrəfi/ s kserografia
xerox /zɪraks/ s **1** valokopio **2** Xerox ® (eräs) valokopiokone
v (valo)kopioida, jäljentää, monistaa
X marks the spot fr (ark) juuri tässä, tässä kohden
Xmas /eksməs krɪsməs/ s joulu
X-rated /eksˈreɪtəd/ adj (elokuva) kielletty alle 17-vuotiailta
x-ray /eksreɪ/ s (myös X-ray) **1** (us mon) röntgensäteet **2** röntgenkuva
v röntgenkuvata, ottaa röntgenkuva/kuvia jostakusta
x-ray therapy s röntgenhoito
xylitol /ˈzaɪlə,taəl/ s ksylitoli, koivusokeri
xylophone /ˈzaɪlə,foun/ s ksylofoni

Y, y

Y, y /waɪ/ Y, y
yacht /jat/ s huvialus
yacht club s purjehdusseura
yachting s purjehdus
yachtsman s (mon yachtsmen)
ɔurjehtija
yachtswoman s (mon yachtswomen)
nais)purjehtija
yack interj (sl) yäk!
yacky
adj (sl) kuvottava, ällöttävä
yak /jæk/ s jakki
yakuza /ˌjakuˈza/ s (mon yakuza)
1 Japanin järjestäytynyt rikollisuus,
apanin mafia **2** Japanin mafian jäsen
y'all /yaəl/ you all (mon) te
Yangtze /jæŋsi, jaŋtse/ Jangtse,
hang Jian
yank /jæŋk/ s **1** kiskaisu, vetäisy
Yank jenkki, amerikkalainen; Uuden-
nglannin asukas; pohjoisvaltiolainen
kiskaista, vetäistä
yankee /jæŋki/ s **1** jenkki, amerikka-
inen **2** Uuden-Englannin asukas
(Yhdysvaltain sisällissodassa) poh-
svaltiolainen
dj jenkki-, amerikkalainen (ks substan-
via)
yap /jæp/ s haukahdus
(koira) haukahtaa
yard /jaərd/ s **1** piha **2** jaardi (0,91 m)
e whole nine yards (ark) kaikki; koko-
ıan, täysin all wool and a yard wide
to, vilpitön
yardbird /ˈjaərd,bərd/ s (sl) **1** vanki
(sot) alokas
yard line /ˈjaərd,laɪn/ s (amerikkalai-
ssa jalkapallossa) jaardilinja
yard sale s (esim. omakotitalon
ukkaiden järjestämät) pihamyyjäiset
yardstick /ˈjaərd,stɪk/ s (kuv)
mittapuu
yarmulke /jarməlkə/ s
(juutalaismiesten) kalotti, patalakki
yarn /jaərn/ s **1** lanka **2** tarina to spin a
yarn sepittää/kertoa tarina
yawn /jan/ s **1** haukotus **2** aukko, kita
(kuv) **3** (ark) pitkäveteinen asia
v haukotella
yawner s **1** haukottelija **2** (ark) pitkä-
veteinen asia
Y/C input /waiˈsi/ s (video) S-liitäntä
jossa väri- ja mustavalkosignaali
kulkevat erikseen
year /jɪər/ s vuosi he's a man of years
hänellä on jo ikää from the year one
alusta alkaen/pitäen, (jo) vaikka kuinka
kauan
yearbook /ˈjɪər,bʊk/ s **1** vuosikirja
2 (lukiossa, collegessa) luokkakirja
year-end /ˌjɪrˈend/ s loppuvuosi
adj loppuvuoden, vuoden lopun
year in and year out fr vuodesta
toiseen
year in, year out fr vuodesta
toiseen
yearlong /ˈjɪr,laŋ/ adj vuoden
mittainen, vuoden ajan jatkunut
yearly s vuosikirja, vuosijulkaisu
adj vuosittainen
adv vuosittain
yearn /yərn/ v kaivata
yearning s kaipuu, kaipaus a yearning
for cigarettes tupakanhimo
year-round adj ympärivuotinen
yeast /jist/ s hiiva
v käydä
yell /jel/ s huuto
v huutaa
yellow /jelou/ s **1** keltainen **2** (munan)
keltuainen

adj keltainen
yellow-backed duiker /daɪkər/ s metsätöyhtantilooppi
yellowish adj kellertävä
yellow journalism s sensaatio-journalismi
yellow pages s (mon) (puhelinluettelon) keltaiset sivut
yellow peril s keltainen vaara
yellow rain s keltainen sade
Yellow Sea Keltainenmeri
Yellowstone /'yelə,stoun/ kansallispuisto Wyomingissa
yelp /jelp/ s **1** haukahdus **2** parahdus, älähdys
v **1** haukahtaa **2** parahtaa, älähtää
Yemen /jemən/ Jemen
Yemen Arab Republic (hist) Jemenin arabitasavalta, Pohjois-Jemen
Yemeni s, adj jemeniläinen
yen /jen/ s **1** (Japanin raha) jen **2** (ark) halu, into to have a yen for tehdä mieli
v haluta, tehdä mieli
yes /jes/ s myönteinen vastaus
v hyväksyä, suostua, myöntää
adv **1** kyllä **2** kylläpäs **3** niinkö?
yesman /'jes,mæn/ s mielistelijä, avulias aatu, joku joka ei osaa sanoa ei
yesterday /'jestər,deɪ/ s eilispäivä, eilinen
adv **1** eilen **2** ennen
yesterday's news that's yesterday's news se on vanha vitsi, se on jo kuultu
yet /jet/ adv **1** vielä I haven't yet made up my mind en ole vielä päättänyt has she called yet? onko hän jo soittanut? I have yet to meet my equal en ole vielä tavannut vertaistani yet another optimist taas yksi optimisti (lisää) as yet, nothing has been decided on mitään ei vielä ole lyöty luukkoon
konj kuitenkin, silti he'd like to ask her out, yet he does not have the courage hänen tekisi mieli pyytää tyttöä ulos mutta hän ei tohdi
yield /jiəld/ s **1** tuotto, tuotanto **2** (liikennemerkki) etuajo-oikeutettu tie
v **1** tuottaa to yield interest kasvaa korkoa **2** luopua, luovuttaa, antautua, antaa periksi jollekin; väistää, väistyä
yield curve s (tal) tuottokäyrä
yin and yang /,jɪnən'jæŋ/ s jin ja jang
yo /jou/ interj hei!, oho!, kas!
yoga /jougə/ s jooga
yoghurt /jougərt/ s jogurtti
yogi /jougi/ s joogi, joogan harjoittaja
Yogi sarjakuvahahmo Jogi-karhu
yoke /jouk/ s ies (myös kuv) sorto, orjuus, pakko, taakka, kuorma
v iestää, valjastaa ikeeseen
Yokohama /,joukə'hamə/ Jokohama
yolk /jouk/ s (munan) keltuainen
yonder /jandər/ adj, adv tuolla, tuonne
Yosemite /jə'seməti/ kansallispuisto Kaliforniassa
Yosemite Sam /jə,seməti'sæm/ sarjakuvahahmo Viiksi-Vallu
Yosemite Valley /yə,semti'væli/ Yosemitenlaakso
you /ju/ pron (omistusmuodot your, ilman pääsanaa yours) **1** sinä, sinut, sinua, te, teitä, teidät, (mon) te, teitä, teidät you can go, Peter sinä voit lähteä, Peter you can go, boys te pojat voitte lähteä I am talking to you, sir! minä puhun teille! you guys (miehistä ja naisista) te **2** passiivin vastineena: you never can tell ei sitä koskaan tiedä
you-all /juəl jəl/ pron (mon) te how are you-all doing? mitä teille kuuluu?
you'd /joud/ lyh you would
you'll /jouəl/ lyh you will
young /jʌŋ/ s **1** the young nuoret **2** poikanen, pentu
adj **1** nuori **2** nuorekas
youngish adj nuorehko
young lady s (mon young ladies) nuori nainen
young man s (mon young men) nuorimies
young one s lapsi
youngster /jʌŋstər/ s **1** lapsi **2** nuorukainen **3** nuori eläin
young thing s **1** nuorukainen, nuori ihminen **2** nuori eläin
your /jər jər/ pron (omistusmuoto sanasta you) **1** sinun, teidän, (mon) teidän what is your name? mikä sinun nimesi on? what is your name, sir? mikä teidän nimenne on? what are your

names? mitkä teidän nimenne ovat? your place or mine? mennäänkö teille vai meille? **2** passiivin vastineena: I think bonds are your best bet minusta obligaatiot ovat sijoituksista paras **3** (ark, ei aina suomenneta) yleinen, tavallinen your average American does not know where Finland is keskivertoamerikkalainen ei tiedä missä Suomi on
yours /jɔrz jərz/ pron (omistusmuoto sanasta you) sinun, teidän, (mon) teidän is this pen yours? onko tämä kynä sinun? yours is a wonderful home teidän kotinne on ihastuttava
yourself /jər'self/ pron (mon yourselves) **1** (refleksiivimuoto sanasta you) you did yourself a disservice teit itsellesi karhunpalveluksen **2** (painokas muoto sanasta you) sinä/te itse you said it yourself! itsehän sinä niin sanoit! **3** sinä, te a fine lady such as yourself teidän kaltaisenne hieno nainen yourself being such a learned man te kun olette oppinut mies **4** oma itsesi you'll be yourself again soon as you get some rest sinä olet taas oma itsesi kunhan saat ensin levätä
yourselves /jər'selvz/ ks yourself
yours truly s (ark) minä, allekirjoittanut
fr (kirjeen lopussa) ystävällisin terveisin
youth /juθ/ s **1** nuoruus **2** nuoret **3** nuorukainen
youthful adj nuorekas, nuori
youthfully s nuorekkaasti
youthfulness s nuorekkuus
youth hostel /'juθ,hastəl/ s retkeilymaja
you've /juv/ lyh you have
yo-yo /joʊjoʊ/ s jojo
v (ark) liikkua ylösalas, nousta ja laskea, vaihdella jatkuvasti
adj (ark) ylösalas liikkuva, jatkuvasti vaihteleva, epävakaa
Yucatan /jʌkə,tæn ,juka'tan/ Jukatan, Jukatanin niemimaa (Meksikossa) Yucatan Peninsula
Yucatan Channel Jukataninsalmi
yucca /jʌkə/ s (kasvi) jukka
yuck /jʌk/ interj (sl) yäk!
yucky adj (sl) kuvottava, ällöttävä
Yugoslavia /,jugə'slaviə/ Jugoslavia
Yugoslavian s, adj jugoslavialainen
Yukon Territory /'ju,kann/ Kanadan Yukonin territorio
yule /juəl/ s joulu
yuletide /'juəl,taɪd/ s joulunaika
adj joulunajan
yummy /jʌmi/ s (ark) herkku, herkkupala (myös kuv), nami
adj (ark) **1** herkullinen, herkku-, nami- **2** (kuv) herkullinen, houkutteleva
yup /jʌp/ adv (ark) joo, jep, kyllä
yuppie /jʌpi/ s juppi

Z, z

Z, z /zi/ Z, z
z's /ziz/ to catch some z's (sl) ottaa nokoset, vetää sikeitä
Zaire /za'ɪər/
Zairean s, adj zairelainen
Zambezi /zæm'bizi/ Sambesi
Zambia /zæmbiə/ Sambia
Zambian s, adj sambialainen
zany /zeɪni/ s (hist) narri; (nyk) pelle
adj hullu(nhauska), naurettava, irvokas
zeal /ziəl/ s kiihko, into
zealot /zelət/ s kiihkoilija, kiivailija, intoilija
zealous /zeləs/ adj kiihkoisa, innokas, kiihkoileva
zealously adv kiihkoisasti, innokkaasti, kiihkoilevasti
zebra /zibrə/ s (mon zebras, zebra) seepra
zebra crossing s (UK) suojatie
zebra duiker /daɪkər/ s juovasukeltaja-antilooppi
zenith /zinɪθ/ s **1** (taivaan lakipiste) zenitti **2** (kuv) huippu, lakipiste
zephyr /sefər/ s **1** tuulenhenkäys, leuto tuuli **2** (ylät) länsituuli
zeppelin /zepələn/ s zeppeliini, ilmalaiva
zero /zɪroʊ/ s **1** nolla **2** nollapiste **3** ei mikään/mitään
v nollata
adj nolla-, olematon
zero-coupon bond s (tal) nollakuponkiobligaatio
zero hour s (sotilaallisen hyökkäyksen ym) aloitushetki
zero in v tähdätä (aseella)
zero in on v **1** tähdätä (aseella) **2** keskittyä johonkin, paneutua johonkin **3** lähestyä, saavuttaa jotakuta/jotakin
zero population growth s väestön nollakasvu
zest /zest/ s **1** into, innostus **2** mauste (myös kuv:) piristys
zestful adj innokas, railakas
zestfully adv innokkaasti, railakkaasti
Zhou Enlai /ˌʒoʊen'laɪ/ Tšou En-lai, Zhou Enlai
zigzag /'zɪgˌzæg/ s polveilu, mutkittelu, kiemurtelu
v polveilla, mutkitella, kiemurrella
adj polveileva, (pisto) polveke-, mutkitteleva, kiemurteleva
zilch /zɪltʃ/ s (sl) **1** nolla **2** ei mitään
zillion /zɪljən/ s (ark) ääretön määrä
adj äärettömän monta
Zimbabwe /zɪm'babweɪ/
Zimbabwean s, adj zimbabwelainen
zinc /ziŋk/ s sinkki
zing /ziŋ/ s **1** into, tarmo, ponnekkuus, syke (ark) **2** (ääni) suhahdus
v (liikkeestä) suhahtaa, suhauttaa, sujahtaa
Zion /zaɪən/ kansallispuisto Utahissa
Zionism /'zaɪəˌnɪzəm/ s sionismi
zip /zɪp/ s **1** vetoketju **2** suhahdus **3** (ark) into, tarmo **4** (sl) nolla; ei mitään **5** (ark) postinumero
v **1** sulkea vetoketju/vetoketjulla **2** suhahtaa, sujahtaa
zipcode /'zɪpˌkoʊd/ s postinumero
zip-code v merkitä postinumero johonkin
zipper /zɪpər/ s vetoketju
zither /zɪθər/ s (soitin) sitra
zodiac /'zoʊdiˌæk/ s eläinrata signs of the zodiac eläinradan merkit
zombie /zambi/ s **1** (vainajan liikkuva ruumis) zombie **2** (ark) unissakävelijä (kuv); idiootti

zone /zoʊn/ s vyöhyke
v jakaa vyöhykkeisiin/alueisiin; (asema)kaavoittaa (kaupunki)
zoning laws s (mon) asemakaava-(lait)
zonk out /zaŋk/ v (sl) **1** sammua **2** ruveta nukkumaan
zoo /zu/ s (mon zoos) **1** eläintarha **2** (ark) hullunmylly this place is a zoo tämä on ihan hullu paikka
zookeeper /ˈzu,kipər/ s (eläintarhan) eläintenhoitaja
zoological /,zoəˈladʒɪkəl/ adj eläintieteellinen
zoologist /zoˈalədʒɪst/ s eläintieteilijä
zoology /zoˈalədʒi/ s eläintiede
zoom /zum/ s **1** suhahdus, vilahdus **2** zoomaus **3** liukuobjektiivi, zoomobjektiivi
v **1** suhahtaa, sujahtaa, vilahtaa **2** zoomata **3** (ark) nousta pilviin
zoom in v **1** zoomata **2** tutkia tarkemmin/lähemmin
zoom lens s liukuobjektiivi, zoom-objektiivi
zucchini /zuˈkini/ s courgette-kurpitsa
Zurich /zərɪk/ Zürich
zydeco /ˈzaɪdə,koʊ/ s zydeco(musiikki)
zygote /ˈzaɪ,goʊt/ s (hedelmöittynyt munasolu) tsygootti